D1020470

KRÖNERS TASCHENAUSGABE BAND 231

GERO VON WILPERT

SACHWÖRTERBUCH DER LITERATUR

6., verbesserte und erweiterte Auflage

ALFRED KRÖNER VERLAG STUTTGART

CIP-Kurztitelaufnahme der Deutschen Bibliothek

Wilpert, Gero von:
Sachwörterbuch der Literatur / Gero von Wilpert. –
6., verb. u. erw. Aufl. – Stuttgart: Kröner, 1979.
(Króners Taschenausgabe; Bd. 231)
ISBN 3-520-23106-9

1. Auflage 1955
erw. 2. Auflage 1959
verb. 3. Auflage 1961
erw. 4. Auflage 1964
erw. 5. Auflage 1969
erw. 6. Auflage 1979

Gesamtherstellung: Wilhelm Röck, Weinsberg

VORWORT

Das vorliegende ›Sachwörterbuch der Literatur‹ umfaßt in rund 4500 Stichwörtern die wichtigsten Fachbegriffe der Literatur und dient somit als kurze und zuverlässige Einführung in die Begriffssprache der Literaturwissenschaft und damit dem Verständnis und der Freude an der Dichtung. Es wendet sich insbesondere an solche Benutzer, denen die größeren Nachschlagewerke nicht oder nur schwer zugänglich sind, und will ihnen Aufschluß geben über Wesen und Formen der Dichtung, soweit sie als Sprachkunst ein Eigenleben besitzt, das nicht allein von den einzelnen Autoren, sondern auch von den ihr eigenen Erscheinungsformen, Gattungen usw. aus beleuchtet werden kann. Dabei ist sich der Verfasser bewußt, daß das Wesentliche der Dichtung hinter der Fachbezeichnung liegt, daß die Begriffe immer schwebend sind und ihre Anwendung auf einzelne literarische Werke stets einseitig und problematisch bleibt und dem Ganzen nur selten gerecht wird.
Der Umfang der Taschenausgabe verlangte eine strenge Konzentration auf das Wesentliche und größtmögliche Knappheit der Darstellung. Aufgenommen wurden vornehmlich literarische Epochen- und Gattungsbezeichnungen, literarische Einrichtungen, Strömungen und Dichterkreise, Begriffe der Stilistik, Metrik, Literatursoziologie und Literaturpsychologie, ferner Fachausdrücke aus den Grenzgebieten Schrift- und Buchwesen und Theaterwissenschaft, letztere jedoch nur, soweit sie in direktem Zusammenhang mit der Literatur stehen.
Innerhalb der Artikel wurde der deutsche Sprachraum bevorzugt dargestellt, doch umspannt der Rahmen der Anlage grundsätzlich die gesamte Weltliteratur. Besonderer Wert wurde auf die Klärung und Abgrenzung der Begriffe selbst und auf die Darstellung ihrer Eigenart gelegt; ein anschließender historischer Teil gibt einen Überblick über die Entwicklung bis in die Gegenwart. Mit Sorgfalt ausgewählte und auf den neuesten Stand gebrachte Literaturangaben weisen dem Benutzer den Weg zu weiterer Orientierung. Innerhalb der Artikel wie auch am Schluß der Literaturangaben verweist ein Pfeil (→) auf solche Stichwörter, die weitere Aufklärung oder Literatur über den gesuchten Begriff geben und deren Lektüre daher vorausgesetzt wird. Ansonsten wurde auf solche Sachbegriffe, die selbstverständlich ein eigenes Stichwort bilden, nicht speziell verwiesen. In der alphabetischen Anordnung erscheinen I und J als gesonderte Buchstaben. Unter C fehlende Stichwörter sind unter K bzw. Z zu suchen. Umlaute wurden in der alphabetischen Einordnung wie ae, oe und ue behandelt.
Es ist klar, daß ein Werk wie das vorliegende, das in seinem Umkreis den fachwissenschaftlichen Horizont eines Germanisten und Komparatisten weit übersteigt, seinen kompilatorischen Charakter weder verleugnen kann noch will. Herangezogen wurden außer einem Teil der angegebenen Literatur insbesondere die großen Nachschlagewerke und Enzyklopädien sowie die Literaturlexika, die unter dem Stichwort ›Literaturlexikon‹ aufgeführt sind, ferner die Bibliographien von Eppelsheimer, Körner und Kosch. Wenn dieses kleine ›Sachwörterbuch der Literatur‹ neben ihnen seinen

Rang behaupten will, so einerseits aufgrund der Vielzahl an Stichwörtern aus der gesamten Weltliteratur, andererseits durch den hier unternommenen Versuch, die dichterischen Gattungen und Formen nicht nur beschreibend und literarhistorisch darzustellen, sondern sie in erster Linie auf ihre Wesenszüge und Eigengesetze sowie ihren dichterischen Aussagewert zu befragen. Welche Schwierigkeiten der sachgetreuen Darstellung der verschiedensten Begriffe aus den entferntesten Bereichen durch einen einzigen Verfasser entgegenstanden, wird nur der Fachmann beurteilen können. Dennoch mußte aus Gründen der Einheitlichkeit des Werkes, die besonders bei einem kleineren Nachschlagewerk erstes Gebot ist, an der einheitlichen Verfasserschaft festgehalten werden. Daher war ich hier auf die bereitwillige und selbstlose Hilfe zahlreicher Fachwissenschaftler angewiesen, die in mühevoller Kleinarbeit die einzelnen Stichwörter nachprüften, und denen an dieser Stelle zu danken mir ein aufrichtiges Bedürfnis ist.
Die vorliegende 6. Auflage ist sowohl in der Textgestaltung als auch in den Literaturangaben durchgesehen und auf den neuesten Stand gebracht sowie um rund 300 Artikel insbesondere aus der modernen Literatur und neuen Forschungsbereichen bereichert worden. Grundsätzlich jedoch hielt der Verfasser daran fest, nur feste literaturwissenschaftliche Begriffe aufzunehmen und kein bloßes Hilfswörterbuch aller heute in der Literaturkritik geläufigen Fremdwörter, Schlag- und Modewörter sowie sich selbst erklärender Begriffsprägungen zu bieten. Besonderer Wert konnte bei dieser Auflage wiederum auf die Ergänzung der Literaturangaben auch aus dem fremdsprachigen Schrifttum gelegt werden, da sich das Sachwörterbuch dank seiner durch die häufigen Neuauflagen bedingten Aktualität in dieser Beziehung auch für den Fachkenner als erste Informationsquelle als nützlich erwiesen hat. Auch aus der Flut der Reprints wurde das Wichtigere berücksichtigt.
Für Anregungen zur Aufnahme weiterer Stichwörter oder Hinweise auf eventuelle Lücken und die trotz größter Sorgfalt immer möglichen kleinen Versehen sind Verfasser und Verlag jederzeit dankbar.

Sydney, Sommer 1979 *Gero von Wilpert*

ABKÜRZUNGEN

Abh. = Abhandlung
ags. = angelsächsisch
ahd. = althochdeutsch
Aufriß = Deutsche Philologie im Aufriß, hg. W. Stammler 3 Bde. 1951 ff., ^{2}1955 ff.
AT. = Altes Testament
Beitr. = Beitrag, Beiträge
bes. = besonders
Bln. = Berlin
BR = Bundesrepublik
Bz. = Bezeichnung
DDR = Deutsche Demokratische Republik
Diss. = Dissertation
DLE = Deutsche Literatur in Entwicklungsreihen, hg. H. Kindermann 1924 ff.
dt., Dtl. = deutsch, Deutschland
DVJ = Deutsche Vierteljahrsschrift für Literaturwissenschaft und Geistesgeschichte, 1923 ff.
Einf., Einl. = Einführung, Einleitung
Euph. = Euphorion, Zeitschrift für Literaturgeschichte, 1894 ff.
Ffm. = Frankfurt/Main
franz., frz. = französisch
Fs. = Festschrift
gegr. = gegründet
Ggs. = Gegensatz
GRM = Germanisch-Romanische Monatsschrift, 1909 ff.
Hbg. = Hamburg
Hdb., Hdwb. = Handbuch, Handwörterbuch
Hdlbg. = Heidelberg
hebr. = hebräisch
hg. = herausgegeben von
hist., Hist. = historisch, History, Histoire
Hs(s)., hs. = Handschrift(en), handschriftlich
idg. = indogermanisch
Jg. = Jahrgang
Jh(h). = Jahrhundert(e)
Jhrb., Jb. = Jahrbuch
Lex. = Lexikon
lit., Lit(t). = literarisch, Literatur(en)
Litgesch. = Literaturgeschichte
lithist. = literaturhistorisch
Litwiss. = Literaturwissenschaft
ma., MA. = mittelalterlich, Mittelalter
Mchn. = München

mhd.	= mittelhochdeutsch
mlat.	= mittellateinisch
Mz.	= Mehrzahl
Neophil.	= Neophilologus
n.	= neugedruckt
N. F.	= Neue Folge
NT.	= Neues Testament
N. Y.	= New York
Philol., Philos.	= Philologie, Philosophie
PMLA	= Publications of the Modern Language Association of America
Progr.	= Programm
RE	= Realenzyklopädie der klassischen Altertumswissenschaft, hg. Pauly-Wissowa 1892 ff.
RL	= Reallexikon der deutschen Literaturgeschichte, hg. Merker-Stammler, 4 Bde. 1925 ff., ²1955 ff.
sc.	= scilicet, nämlich
Schr.	= Schrift(en)
Slg.	= Sammlung
Spr.	= Sprache
Stud.	= Studie(n)
svw.	= soviel wie
t.t.	= terminus technicus, Fachbegriff
Tüb.	= Tübingen
Unters.	= Untersuchung(en)
urspr.	= ursprünglich
vgl.	= vergleiche
VJS	= Vierteljahrsschrift
Wb.	= Wörterbuch
wiss., Wiss.	= wissenschaftlich, Wissenschaft(en)
Zs(s).	= Zeitschrift(en)
Zs. f. dt. Altert.	= Zeitschrift für deutsches Altertum, 1841 ff.
Zs. f. Ästhet.	= Zeitschrift für Ästhetik und allgemeine Kunstwissenschaft, 1906 ff.
Zs. f. Dtkde.	= Zeitschrift für Deutschkunde, 1920 ff.
Zs. f. dt. Philol.	= Zeitschrift für deutsche Philologie, 1869 ff.
Zs. f. dt. Unterr.	= Zeitschrift für deutschen Unterricht, 1887 ff.
Zs. f. vgl. Litgesch.	= Zeitschrift für vergleichende Literaturgeschichte, 1886 ff.

Hochgestellte Ziffern vor der Jahreszahl bezeichnen die Zahl der Auflage, römische Ziffern die Bandzahl.

Abbreviatur (lat. *abbreviare* = abkürzen), Abkürzung von häufig vorkommenden Wortverbindungen, Worten oder Silben zur Raum- und Zeitersparnis in ma. Hss. oder Druck nach festem Schema; daher Abbreviaturensatz = mit zahlreichen Abkürzungen gedruckter Schriftsatz, Abbreviatursprache = eingeführte Kurzformeln der Alltagssprache: ›(Hast du) gut geschlafen?‹

L. Schiaparelli, *Avviamento allo studio delle abbreviature latine nel medio evo*, 1926; P. Lehmann, Sammlung und Erörterung der lat. Abkürzungen, 1929; A. Cappelli, *Lexicon abbreviaturarum*, Mailand 1961; P. A. Grun, Schlüssel zu alten und neuen Abkürzungen, 1966.

Abc →Alphabet

Abc-Buch →Fibel

Abdruck, allgemein jede Druckwiedergabe eines Werkes oder Werkteils, für urheberrechtlich geschützte Werke nur nach den Vorschriften des Abdruckrechts (für Zitate) im →Urheberrecht oder mit Genehmigung der Rechtsinhaber gestattet; insbesondere 1. anastatischer A. (griech. *anhistanai* = wiederaufrichten) Herstellung originalgetreuer Wiedergabe eines alten Druckes durch chemisches Spezialverfahren, welches das Original zur Aufnahme von Farbe präpariert und auf Stein oder Zink überträgt (heute veraltetes Verfahren). – 2. diplomatischer A.: Druckwiedergabe einer hs. Textvorlage. – 3. photomechanischer →Neudruck eines Werkes im gleichen Satzbild (→Faksimile, →Reprint). – 4. unerlaubter →Nachdruck urheberrechtlich geschützter Werke.

Abecedarien, 1. alphabetische Register für juristische Handbücher, bes. im 14./15. Jh., so *Sachsenspiegel, Schwabenspiegel* u. a. m., dann auch alphabetisch geordnete Rechtsbücher selbst, die die einschlägigen Vorschriften zusammenfassen. – 2. alphabetisches →Akrostichon, bei dem alle Wörter der 1. Zeile mit A, die der 2. mit B usw. beginnen. – 3. alphabetisch geordnete ma. Schulbücher als Vorläufer der →Fibel. – 4. *Abecedarium Normannicum:* altsächs. Merkgedicht der Runennamen.

Abelespelen (v. *abel* = klug, schön, kunstvoll), älteste ernste weltliche Dramen der Holländer im Ggs. zu den bei der Aufführung folgenden →Kluchten. Die vier anonymen, erhaltenen A. aus dem Raum Brabant-Limburg um 1350 behandeln in naiver Sprache, natürlichem Gefühl und einfachem Aufbau ritterlich-romantische Liebeshandlungen *(Esmoreit, Gloriant, Lanseloet van Denemerken)* und jahreszeitliche Stoffe *(Van den Winter ende van den Somer).*

F. G. van de Riet, *Le théâtre profan sérieux en langue flamande au MA.*, 1935; A. de Maeyer, *Middeleeuws-romantisch toneel*, 1942; G. Stellinga, *De a.*, Groningen 1955.

Abenteuer →Aventiure

Abenteuerroman, Oberbegriff für volkstümlich-realistische Romane überwiegend abenteuerlicher Stoffe, im Ggs. zum →Staats- und →Schäferroman ungesellschaftliche Form und Darstellung des natürlichen Lebens. Vgl. einzeln: →Amadis, →Avanturierroman, →Lügendichtung, →Reiseliteratur, →Robinsonade, →Schelmenroman, →Simpliziade, →Räuberroman, →Western u. a. Der ursprüngliche A. reiht in lockerer, z. T. beliebiger Folge einzelne selbstwertige Geschichten um eine Zentralfigur, die sie verbindet und Fortsetzungen wie Einschübe gestattet. Er entstand im Anschluß an den ma. *Ruodlieb* aus abenteuerlichen Zügen des →höfischen Epos (Artusroman), der →Spielmannsdichtung, der →Volksbücher des 16. Jh. (*Fortunatus* u. a.) und auch unter Einfluß des hellenistischen →Romans, der selbst Abenteuer und Liebesgeschichten verbunden hatte, in dem Moment, wo das Abenteuer nicht mehr ritterliche oder charakterliche Bewährungsprobe war, sondern unterhaltender Selbstzweck wurde, und erreichte weite Verbreitung seit dem Spät-MA., Höhepunkt im 16./17. Jh. als realistische Gegenströmung gegen die höfisch-galante Literatur: CERVANTES *Don Quijote,* GRIMMELSHAUSEN *Simplicissimus,* LE SAGE *Gil Blas,* DEFOE *Robinson Crusoe* und der *Lazarillo de Tormes* stehen als Werke der Weltliteratur mit tieferer Bedeutung und Verknüpfung des Abenteuerlichen zu sinnvoller Ganzheit gegen eine Flut von niederen A., denen bei Verselbständigung des bloß Abenteuerlichen ein tieferer ethischer Gehalt fehlt, epigonalen Sinnverstümmelungen und Stoffhäufungen ohne lit. Wert. Im 18. Jh. tritt im Gefolge des empfindsamen englischen Familienromans das Interesse am Abenteuer gegenüber dem am Charakter des Helden zurück, das Abenteuer wird zur Folie psychologischer Motivierung (FIELDING, SMOLLETT, DEFOE) oder im Reiseroman integriert. In der Klassik Nähe zum Bildungsroman *(Wilhelm Meister),* auch in romantischer Verklärung z. B. bei EICHENDORFF *(Aus dem Leben eines Taugenichts).* Das 19. Jh. sucht neben dem pseudohistorischen A. (A. DUMAS, *Die drei Musketiere, Der Graf von Monte-Christo*) psychologische Motivierungen des Abgleitens zum Abenteurer durch Ausschluß aus der Gesellschaftsordnung oder ähnliches (H. KURZ, *Der Sonnenwirt*) und schafft den Typus des Outsiders oder Sonderlings aus Vereinsamung (C. TILLIER, *Mein Onkel Benjamin*); es spaltet den einheitlichen Typ des Abenteurers in eine Vielzahl differenzierter Spielarten auf, die vom Landstreicher oder Hochstapler bis zum großen Ruhelosen, der exotischen Literatur (COOPER, SEALSFIELD, GERSTÄCKER, J. CONRAD) reichen und im bürgerlichen Narren (DAUDET, *Tartarin aus Tarascon*) verharmlost werden. Im 20. Jh. vertreten den A. J. SCHAFFNER, B. TRAVEN, B. KELLERMANN u. a.; daneben bevorzugt man den lyrisch-naturnahen →Landstreicherroman und erneuert den sozialkritischen Schelmenroman (TH. MANN, *Felix Krull,* G. GRASS, *Die Blechtrommel*). Während der traditionelle A. Episode im Leben des Helden bleibt, der in die bürgerliche Gesellschaft zurückfindet, bleibt der moderne Abenteurer aus ihr ausgeschlossen. Abgesunkene Unterhaltungsromane sind z. B. K. MAYS A.

H. Rausse, D. dt. A., 1912; E. Jenisch, V. A. z. Bildungsroman, GRM 14, 1926; P. G. Neumair, D. Typus d. Abenteurers i. d. neuen dt. Dichtg., Diss. Ffm. 1933; H. Plischke, V. Cooper bis K. May, 1951; RL; A. Ayrenschmalz, Z. Begriff d. A., Diss. Tüb. 1962; ders., Stirbt der A. aus? (Welt u. Wort 18, 1963); F. Lyons, *Les éléments descriptifs dans le roman d'aventure au XIIIe siècle,* Genf 1965; W. Herrmann, Der allein ausziehende Held, DVJ 46, 1972.

Abgesang, auch ›Gebände‹, im Gegensatz zum →Aufgesang der Schlußteil der Minne- und →Meistersangstrophe, Gegengewicht gegen die →Stollen des Aufgesangs in Tonfall und Rhythmus, daher länger als jede einzelne von ihnen, kürzer als beide zusammen. Name aus dem Meistersang. Vgl. →Epode (1).

R. M. Meyer, Grundlagen d. mhd. Strophenbaus, 1886. →Metrik.

Abhandlung, 1. im Barock (GRYPHIUS) dt. Bezeichnung für →Akt. – 2. wissenschaftliche Untersuchung und Darstellung eines Problems bzw. Gegenstandes (→Monographie).

Abhang, kurze mystische Hymnen der ind. Marâthî-Lit., die nach jeder Zeile einen Refrain aufnehmen.

Abkürzung →Abbreviatur

Abonnement (franz. =) Anrecht auf regelmäßige Leistungen bes. im Zeitungs- und Zeitschriftenwesen und im Theater durch Vorauszahlung eines (oft ermäßigten) Preises, die wiederum der Stetigkeit und Unterhaltung des Leistungsträgers dient.

W. Meyer, Gesch. d. Theater-A., 1939.

Abrégé (franz. =) →Abriß

Abriß, kurze, prägnante Darstellung eines Wissenszweiges in überschaubarer Form, vielfach zu Lernzwecken.

Abschweifung →Exkurs

Abschwörungsformeln, stereotype Formeln in den Einleitungssätzen ahd. →Taufgelöbnisse, in denen der Täufling den bisher verehrten heidnischen Göttern abschwor.

Absolute Dichtung, wirklichkeitsenthobene, stofffreie Dichtung aus mythisch-magischem Bewußtsein und einer in sich geschlossenen, autonomen, wertfreien Welt. Die a. D. wendet sich nach Entsinnlichung der Wortbilder zu Abstrakta in erster Linie der reinen Schönheit von Sprache, Klang und Rhythmus zu, die um ihrer selbst willen gepflegt werden. Nach Ansätzen bei E. A. POE historisch verwirklicht von BAUDELAIRE und den franz. Symbolisten (GAUTIER, MALLARMÉ, VALÉRY) gemäß dem Prinzip des →L'art pour l'art, in dt. Lit. von C. EINSTEIN *(Bebuquin)* und G. BENN *(Roman des Phänotyp)*. Vgl. →abstrakte Dichtung, →poésie pure.

E. Howald, D. a. D. i. 19. Jh. (Trivium 6, 1948); W. Günther, Üb. d. a. Poesie, DVJ 23, 1949 u. 24, 1950, auch in ders., Form u. Sinn, 1968; M. Landmann, D. a. D., 1963; B. Böschenstein, Stud. z. Dichtg. d. Absoluten, 1968; K. Gerth, A. D. (Deutschunterricht 20, 1968); B. Bleinagel, A. Prosa, 1969.

Abstrakte Dichtung (v. lat. *abstractus* = abgezogen), ungegenständliche oder gegenstandslose Dichtung ohne aussagbaren gedanklich-bildlichen Inhalt aus alogischer, syntaxfreier Zusammenstellung des Sprachmaterials (sinnlose Wortgruppierungen) oder des Lautmaterials (sinnfreie Buchstabenfolgen). A. D. hat ihre Wurzeln in einzelnen Versen, bes. Refrains, des Volks- und Kinderliedes, die klangmusikalische Effekte ohne Sinngehalt bieten (›Faleri falera‹ u. ä.), in vereinzelten Nachahmungen in der Kunstlyrik (CH. MORGENSTERN, *Das große Lalulā*) sowie im →L'art pour l'art-Begriff, der →poésie pure und der →absoluten Dichtung des 19. Jh. Literarisiert in der darauf aufbauenden absoluten Wortkunst des →Dadaismus (H. ARP, K. SCHWITTERS) und des russ. →Futurismus (V. CHLEBNIKOV), in den 20er Jahren wiederum zerfallen, lebte sie als intellektuelles Experiment nach dem 2. Weltkrieg wieder auf in der Dichtung des franz. →Lettrismus und in Dtl. in den experimentellen Texten von H. HEISSENBÜTTEL, M. BENSE, F. MON, E. GOMRINGER u. a., mechanisiert in der sog. →Computerlyrik.

Die a. D. setzt das Erlebnis des Weltzerfalls in Sprachzerfall um und wird zum künstlichen, sinnfreien, aber auch seelenlosen und daher toten Klangspiel mit entwerteten Werten; sie hebt ihren Weltbezug durch die Beziehungslosigkeit zur Sprache und ihrer Bildlichkeit von selbst auf. Die aus der Freisetzung bloßer Klangwerte und Bezüge und ihrer Konstellation im Text entstehenden ästhetischen Werte sind umstritten, da überzeugende Beispiele bisher ausblieben. Infolge ihres Aufbauens auf dem atomisierten konkreten Sprachmaterial hat sich für die a. D. auch die Bz. →konkrete Dichtung eingeführt, die gleichzeitig eine Sonderart der a. D. bezeichnet.

Movens, hg. F. Mon 1960; B. Allemann, Gibt es a. D.? (in: Definitionen, 1963); R. N. Maier, Paradies der Weltlosigkeit, 1964; R. Brinkmann, Abstrakte Lyrik im Expressionismus (Der dt. Expressionismus, hg. H. Steffen 1965).

Absurdes Drama, dem →Grotesken verwandte avantgardist. Dramenform der Gegenwart (seit 1950), die aus Protest gegen bürgerl. Scheinsicherheit, unechte Lebensführung und lebensfernen Intellektualismus in provozierender Abkehr vom konventionellen Theater das Gewohnte in Frage stellt, Raum für die absurde Logik einer sinnentleerten Welt schafft und das Sinnlose oder Sinnwidrige zur Grundlage dramat. Gestaltung nimmt. Kennzeichen sind der Verzicht auf einen logischen Handlungsvorgang im Großen bei überzeugender Schlüssigkeit der Details und starker szenischer Phantasie, der Verzicht auf einen vorantreibenden Dialog zugunsten eines banalen und ziellosen Redens der Figuren, deren Thesen sich im Kreise bewegen und austauschbar geworden sind, schließlich die Entmenschlichung der Figuren zu sinnlos handelnden Marionetten ohne psychologische Konsequenz. – Die Wurzeln des a. D. reichen zurück bis zur Narrenliteratur, Clownerie, Nonsensedichtung, Traumdichtung, Commedia dell' arte und Pantomime; Anregungen kamen aus Dadaismus, Surrealismus (A. JARRY, *König Ubu,* G. APOLLINAIRE) u. a. irrationalen Strömungen; als Grunderfahrung wurde die von der Absurdität menschlicher Existenz aus dem Existentialismus verarbeitet. Im Ggs. zum Grotesken jedoch ist das a. D. ohne wesenhaft trag. Komponente, vielmehr aus komödiantischem Humor, Ironie und Satire gespeist. Bes. in franz. (BECKETT, IONESCO, GENET, ADAMOV, TARDIEU, ARRABAL, VIAN, BILLETDOUX), engl./amerikan. (PINTER, ALBEE, SAUNDERS, CARLINO, KOPIT, N. F. SIMPSON), span. (JARDIEL PONCELA), slaw. (V. HAVEL, S. MROŻEK) und ir. Lit. (P. V. CARROLL), in Dtl. bei W. HILDESHEIMER, H. G. MICHELSEN und G. GRASS.

A. Schulze-Vellinghausen, D. absurde Theater (in: Elemente des mod. Theaters, 1961); L. C. Pronko, *Avantgarde: The Experimental Theater in France,* Berkeley 1962; D. Stephan, Zum sog. absurden Theater (Deutschunterricht 16, 1964); P. Fischer, Versuch üb. d. scheinbar absurde Theater (Merkur 203, 1965); W. Hildesheimer, Üb. d. absurde Theater (in: Wer war Mozart, 1966); M. Esslin, D. Theater des Absurden, ²1967; G. Büttner, Absurdes Theater u. Bewußtseinswandel, ²1969; A. P. Hinchliffe, *The Absurd,* 1969; A. Heidsieck, D. Groteske u. d. Absurde i. mod. Drama, 1969; L. Kofler, Abstrakte Kunst u. absurde Lit., 1970; M. Esslin, Jenseits des Absurden, 1972; H. Ehrig, Paradoxe u. absurde Dichtg., 1973; M. Dietrich, D. mod. Drama, ³1974; R. Daus, D. Theater d. Absurden i. Frankr., 1977.

Abundanz (lat. *abundantia* = Überfluß), in der Stilistik die Fülle der sprachlichen Ausdrucksmöglichkeiten zur Wiedergabe ein und desselben Gedankens.

Abvers, der zweite Teil des →Langverses allg. oder insbes. des

→Alliterationsverses. Ggs.: →Anvers.

Abzählreime, Abzählverse, Gattung von →Kinderliedern zum Auszählen eines Kindes, dem im Spiel eine besondere Rolle zukommt, entweder indem die Schlußsilbe des ersten A. auf das Kind fällt, oder wiederholbar, bis alle anderen Kinder ausgezählt werden und aus der Wahl ausscheiden; da es nur auf den Rhythmus des Silbenfalls ankommt, vielfach abstrakt klangvoll oder in Nähe zur Nonsensedichtung.

Académie Française, 1635 von RICHELIEU aus einer seit 1626 bei V. CONRART wöchentlich tagenden Privatgesellschaft von Schriftstellern und Schöngeistern gegründete →Akademie von stets 40 auf Lebenszeit von den anderen gewählten Mitgliedern (›Unsterblichen‹) zur Pflege franz. Sprache, Kunst und Wissenschaft sowie Reinerhaltung der Sprache, Herausgabe des *Dictionnaire de l'Académie* (seit 1694) und Verteilung von Literaturpreisen; tagte 1672–1793 unter der Protektion des Königs im Louvre und wurde meinungsbildend für konservativ-klassizistische Sprach- und Literaturkritik. 1803 mit 5 anderen Akademien zum ›Institut de France‹ zusammengefaßt.

Mesnard, *Histoire de l'A. f.*, Paris 1859; Laurens, *L'Institut de France*, 1907 f.; *Trois siècles de l'A. f.*, Paris 1935.

Académie Goncourt, von E. de GONCOURT testamentarisch 1896 gestiftete literarische Gesellschaft von zehn Schriftstellern bzw. Schriftstellerinnen, die allmonatlich einmal zu einem Essen tagen und in der Novembersitzung dem besten Roman der Berichtszeit den Prix Goncourt verleihen. Ihre Mitglieder dürfen nicht zugleich der Académie Française angehören.

Accademia della crusca (ital. = Akademie der Kleie) →Akademie und →Sprachgesellschaften

Accademia dell'Arcadia →Arcadia

Achtziger →Tachtigers

Acta, im antiken Rom Bz. für: 1. Senatsprotokolle, 2. Verfügungen des Kaisers und bes. 3. *A. diurna* oder *urbana,* von Caesar 59 v. Chr. gegründete erste Tageszeitung zur Nachrichtenübermittlung an die Öffentlichkeit, enthielt u. a. Senatsbeschlüsse, -protokolle, Mitteilungen. Ferner Märtyrer- und Apostelakten.

RE; A. Dresler, Üb. d. Anfänge röm. Zeitungswesens, [2]1933; N. Mayer, Was wissen wir v. d. A. diurna? (Zeitungswiss. 15, 1940).

Acte gratuit (franz.), eine plötzliche, impulsive, sinnlose Handlung aus spontaner Eingebung; fester Begriff in der individualistischen Morallehre und den Romanen von A. GIDE, z. B. der Mord Lacfadios an einem Mitreisenden in *Die Verliese des Vatikan.*

Action française, im Juni 1899 von H. VAUGEOIS, Ch. MAURRAS und L. DAUDET begründete politische Bewegung in Frankreich um die 1899 gegründete Zeitschrift (seit 1908 Tageszeitung) *L'Action française*; rechtsextrem-präfaschistisch, nationalistisch, antidemokratisch, autoritär-monarchistisch, antideutsch, antisemitisch und militant katholisch, wurde sie zum bedeutendsten Exponenten des Royalismus und politischen Katholizismus im modernen Frankreich und erreichte teils starke nationale Wirkung durch die ihr angehörigen Schriftsteller. Die Bewegung wurde 1936, die Zeitung 1944 aufgelöst und ihre Mitglieder teils als Kollaborateure angeklagt.

W. Gurian, D. integrale Nationalismus i. Frkr., 1931; R. Havard de la Montagne,

Hist. de l'A. f., Paris 1950; E. R. Tannenbaum, *The A. F.*, N. Y. 1962; E. Weber, *A. F.*, Stanford 1962.

Activists, 1936 gegründete Gruppe amerikan. Schriftsteller in und um San Francisco, die unter der Leitung von Lawrence HART die emotionalen Werte der Sprache im Interesse größerer Effektivität zu aktivieren suchte.

Zs. *Poetry*, May 1951.

Adamismus →Akmeismus

Adaption, Adaptation (v. lat. *adaptare* = anpassen), im Ggs. zur bloßen, meist nicht gattungsändernden →Bearbeitung die Anpassung eines lit. Werkes an die Erfordernisse einer anderen Gattung oder eines Mediums, für das es in der authentischen Form nicht gedacht war, z. B. Hörspiel- oder →Bühnenbearbeitung von Erzählwerken oder Filmen, Fernsehbearbeitung oder Verfilmung von Dramen oder Romanen u. ä. Die A. entsteht aus dem Stoffhunger der modernen Massenkommunikationsmittel und erfolgt entweder durch den ursprünglichen Verfasser oder durch einen Adaptor. →Dramatisierung.

R. Rach, D. filmische A. lit. Werke, Diss. Köln 1964.

Addendum, Mz. Addenda (lat. = Hinzuzufügendes), Beilage, Zugabe, →Appendix.

Addierende Zusammensetzung, Art der Wortbildung durch Zusammenfügung, bei der das 1. Glied nicht zur näheren Bestimmung des 2. dient, sondern beide gleichwertig den Begriff umreißen: dummdreist, naßkalt, wildfremd, Strichpunkt u. ä., oft antithetisch: traurigfroh (HÖLDERLIN, *Heidelberg*), →Oxymoron.

Adelsroman, vorwiegend oder ausschließlich in adligen Kreisen spielender Roman, in Dtl. gipfelnd in GOETHES *Wahlverwandtschaften* und FONTANES *Stechlin*.

W. Manggold, D. dt. A. i. 19. Jh., Diss. Freib./Br. 1934; L. Fertig, D. Adel i. dt. Roman d. 18. u. 19. Jh., Diss. Hdlbg. 1965.

Adespota (griech. = herrenlos), Schriften Unbekannter, die nicht einem bestimmten Verfasser zuzuschreiben sind. →Anonym.

Adiyârs = →Nâyanâr

Adonius, adonischer Vers, zweitaktiger antiker Kurzvers, rhythmisch wirkungsvolle 4. Zeile (Schlußzeile) der →sapphischen Strophe, akatalektische Dipodie aus Daktylus und Trochäus: —◡◡—⏓, auch beim →Hexameterschluß als katalektische daktylische Dipodie erklärt; benannt nach Verwendung als Abschluß griechischer Totenklagen um Adonis (›O ton Adonin‹).

Lit. →Metrik

Adresse (franz. =) an bestimmte Personen oder Institutionen gerichtete Meinungskundgebung meist politischen Inhalts zur Darlegung von Zustimmung oder Kritik an herrschenden Zuständen.

Ad spectatores (lat. = an die Zuschauer, ans Publikum) gerichtete Nebenbemerkungen e. Schauspielers auf offener Szene, oft mit Überspringen der Bühnensituation, in der aristophanischen und plautinischen Komödie beliebt zur Erzielung witziger Pointen, doch auch als Fehler gerügt, daher von TERENZ vermieden.

Ad usum delphini, in usum delphini (lat. = zum Gebrauch des Dauphin, des franz. Thronerben), teils verstümmelte, in moralisch oder politisch anstößigen Stellen bereinigte Ausgaben antiker Klassiker mit Kommentar, wie sie BOSSUET und HUET auf Wunsch Ludwigs XIV. 1674–1730 in 64 Bänden für den Unterricht des Kronprinzen besorgten, dann im weiteren Sinne = zurechtgemacht.

C. Loehning, In usum d. (Philobiblon 14, 1970).

Adventslieder, →geistliche Lieder und →Kirchenlieder, die auf die Feier von Christi Geburt zu Weihnachten vorbereiten und die Vorfreude auf das Fest und seinen Anlaß beschreiben. In dt. Lit. z. B. D. SUDERMANN, *Es kommt ein Schiff gefahren,* G. WEISSEL, *Macht hoch die Tür,* P. GERHARDT, *Wie soll ich dich empfangen* u. a.

H. Werthemann, Stud. z. d. A. d. 16. u. 17. Jh., 1963.

Adventspiele, jüngere, vorwiegend im protestantischen Mitteldeutschland entwickelte Form des →geistlichen Dramas, volkstümliche Laienaufführungen in der Adventszeit mit Stoffen aus der biblischen Geschichte, vor allem Dialogen von Maria und Josef mit dem unbarmherzigen Wirt bei der Herbergssuche in Bethlehem.

A. Karasek-Langer, Herkunft u. Entwicklg. d. A. (Bayer. Jhrb. f. Volkskunde 1963).

Adversaria (lat. = Entgegengesetztes, Zugekehrtes), die immer vor Augen liegende Kladde, ungeordnete Konzepte und Notizen, nicht aufgearbeitete Aufzeichnungen und Entwürfe.

Adversatives → Asyndeton (lat. = entgegengewandt), unverbundene Gegenüberstellung von Gegensätzen in einem Satzpaar zu stärkster Kontrastierung: ›Das Leichte steigt, das Schwere fällt‹.

Adynaton (griech. = Unmögliches), Sonderform der →Periphrase, die Umschreibung des Begriffs ›niemals‹ durch eine Naturunmöglichkeit, z. B. ›daß ein Kamel durch ein Nadelöhr gehe‹. Häufig in antiker und dann erst wieder in abendländ. Lit. seit dem Petrarkismus.

E. Dutoit, *Le thème de l'a. dans la poésie antique,* 1936; F. R. Schröder, A. (Edda, Skalden, Saga, Genzmer-Fs., 1952).

Äolische Versmaße, in der antiken Metrik Verse, die scheinbar aus daktylischen oder anapästischen und trochäischen oder jambischen Metren gemischt sind, so daß zwischen den Längen ein oder zwei Kürzen stehen wie im →Pherekrateus, →Glykoneus und den Asklepiadeen (→Asklepiadeische Strophe). Zuerst von SAPPHO und ALKAIOS auf der äolischen Insel Lesbos verwendet (→Sapphische und →Alkäische Strophe), dann bei CATULL, den röm. Elegikern und HORAZ.

W. Borgeaud, *Analyse de quelques mètres éoliens* (*L'Antiquité classique* 26, 1957).

Äquivokation (v. lat. *aequus* = gleich, *vocare* = benennen), Gleichklang inhaltlich mehrdeutiger Worte, →Homonyme.

Ästhetik (v. griech. *aisthetikos* = die Sinne, Wahrnehmung betreffend), Teilgebiet der Philosophie: die Wissenschaft von den Gesetzen und Grundlagen des Schönen (= ästhetisch Angenehmen) in Natur und Kunst. Der auf die Dichtkunst bezogene Teil der Ä. heißt →Poetik. Die Ä. beschäftigt sich mit dem rein gefühlsmäßigen Kunstgenuß und den daraus abgeleiteten Wertmaßstäben für die künstlerische Beurteilung. Sie fordert von den Gegenständen e. Gefühlswert, der Einstimmung und Mitschwingen ermöglicht und das Wohlgefallen an ihnen hervorruft. Die wichtigsten Forderungen der Ä. von e. Kunstwerk sind: a) hinsichtlich des Gehalts: Bedeutsamkeit, Anschaulichkeit, Veredelung, Distanzierung, Fülle und Tiefe, innere Gesetzlichkeit und Wahrheit sowie der Ausdruck e. geschlossenen Weltanschauung; b) hinsichtlich der Gestalt: Lebendigkeit, Abwechslung in der Einheit, harmonische Gliederung. Die Entwicklung der Ä. ist aufs engste mit derjenigen der Dichtung verknüpft und zeigt e. ähnliche Abfolge von epochebedingten Methoden und Anschauungen. Als eigene Wissenschaft 1750 durch A. G. BAUMGARTEN *(Aesthetica)* begründet, erfuhr sie weitreichende Förderung namentlich auch aus Kreisen der Dichter selbst, so in Dtl. durch KLOPSTOCK, LESSING, HAMANN, HERDER, GOETHE, SCHILLER, JEAN PAUL, NOVALIS, die SCHLEGELS, HEGEL, R. WAGNER, NIETZSCHE u. a. Neuere Systeme schufen VISCHER (1846), FECHNER (1876), LIPPS (1903), CROCE (1905), HARTMANN (1909), DESSOIR (1906), VOLKELT (1905), M. BENSE, F. BRENTANO (1959), F. KAUFMANN (1960) und G. LUKÁCS (1963).

Zs. f. Ä. u. allg. Kunstwiss., 1906 ff. (seit 1951 Jhrb.); E. Utitz, Kurzgefaßte Gesch. d. Ä., 1932; E. G. Wolff, Ä. d. Dichtkunst, 1944; P. Reiff, D. Ä. d. dt. Frühromantik, Urbana 1946; W. Ehrlich, Ä., 1947; E. de Bruyne, *L'esthétique au MA.*, Löwen 1947; F. Kainz, Vorlesungen üb. Ä., 1948; F. J. Billeskov Jansen, *Esthétique de l'œuvre d'art litt.*, Koph. 1948; G. Nebel, D. Ereignis d. Schönen, 1953; K. E. Gilbert, H. Kuhn, *A history of esthetics*, Bloomington [2]1953; K. Huber, Ä., 1954; W. Emrich, Z. Ä. d. modern. Dichtg. (Akzente I, 1954); M. Bense, Aesthetica, 1954; H. Osborne, *Aesthetics and Criticism*, Lond. 1955; J. Rosteutscher, D. ästhet. Idol, 1956; R. Bayer, *Traité d'esthétique*, Paris 1956; E. Götlind, *De œrhörda orden*, Stockh. 1959; G. Morpurgo-Tagliabue, *L'esthétique contemporaine*, Mail. 1960; A. Nivelle, Kunst- u. Dichtgs.theorien zw. Aufkl. u. Klass., 1960; F. Kaufmann, D. Reich d. Schönen, 1960; H. Kuhn, Wesen u. Wirken d. Kunstwerks, 1960; R. Bayer, *Hist. de l'esthétique*, Paris 1961; ders., *L'esthétique mondiale au XXe siècle*, Paris 1961; W. Hirsch, Substanz u. Thema i. d. Kunst, Amsterd. 1961; H. Nohl, D. ästhet. Wirklichkeit, [3]1961; E. Grassi, D. Theorie d. Schönen i. d. Antike, 1962; R. Ingarden, Unters. z. Ontologie d. Kunst, 1962; H. H. Glunz, D. Lit.-Ä. d. europ. MA, [2]1962; J.-G. Krafft, *Poésie corps et âme*, Paris 1962; J. C. Warry, *Greek ae. theory*, Lond. 1962; E. F. Carrit, *The theory of beauty*, Lond. [6]1962; R. Assunto, D. Theorie d. Schönen im MA., 1963; W. Sturmfels, Grundprobleme d. Ä., 1963; F. E. Sparshott, *The Structure of Ae.*, Toronto 1963; G. Lukács, Ä., 1963; M. Kesting, Vermessung des Labyrinths, 1965; H. Kuhn, Schrr. z. Ä., 1966; M. C. Beardsley, *Aesth.*, N. Y. 1966; B. Bosanquet, *A hist. of ae.*, Lond. [9]1966; H. Glockner, D. ästhet. Sphäre, 1966; J. Walter, D. Gesch. d. Ä. i. Altert., [2]1967; H. Mainusch, Romant. Ä., 1969; H. Osborne, *Ae. and art theory*, Lond. 1969; W. Tatarkiewicz, *Hist. of Ae.*, Haag 1970 ff.; W. Perpeet, D. Sein d. Kunst, 1970; S. J. Schmidt, Ästhetizität, [2]1972; Schön, hg. ders. 1976; A. Nivelle, Literar-Ä. d. europ. Aufklärg., 1977; H. Scheible, Ä. u. Litwiss., 1978; W. Floeck, D. Lit.-Ä. d. frz. Barock, 1978.

Ästhetizismus, eine ganz auf ästhetisches Erleben und Genießen abgerichtete Lebensanschauung unabhängig von sozialen, politischen und moralischen Fragen, die Lehre von der Selbstgenügsamkeit der Kunst und die entsprechende Urteilsbildung über die Außenwelt; im 18. Jh. als ästhetischer Immoralismus bei W. HEINSE, bei einzelnen Romantikern (F. SCHLEGEL, NOVALIS, der junge TIECK), ausgeprägt bei C. F. MEYER, in Neuromantik, Dekadenzdichtung und Fin de siècle (der junge HOFMANNSTHAL, HUYSMANS, WILDE, D'ANNUNZIO), im →L'art pour l'art und in G. BENNS absoluter Dichtung wie bei A. GIDE.

A. J. Farmer, *Le mouvement esthétique et décadent en Angleterre 1873–1900*, Paris 1931; K. J. Obenauer, D. Problematik d. ästhet. Menschen i. d. dt. Lit., 1933; L. Eckhoff, *The aesth. Movement in Engl. lit.*, Oslo 1959; R. V. Johnson, *Ae.*, Lond. 1969; R. R. Wuthenow, Muse, Maske, Meduse, 1978.

Ätiologisch →aitiologisch

Äußerer →Reim oder Kettenreim, die Reimanordnung nach dem Schema aba bcb cdc usw., d. h. der umschlossene Reim e. Dreizeilers wird in der folgenden Strophe zur umschließenden; die Grundform der Terzette in →Sonett und →Terzine.

Âgama (ind. = Überlieferung), Sammelbz. für die heiligen Schriften und Grundtexte des Hinduismus, bes. für die philosophischen Lehren und Ritualvorschriften der verschiedenen Sekten. Auch im Buddhismus bezeichnet A. die in Sanskrit verfaßten Teile des religiösen Kanons. Vgl. →Tantras, →Samhitâs.

H. v. Glasenapp, D. Litt. Indiens, ²1961.

Agent, literarischer A., handlungsbevollmächtigter Makler im Verlagsbuchhandel, vertritt als mit den aktuellen Lesegewohnheiten, den Usancen des Buchmarkts und den Verlagssparten vertrauter Kommissionär auf Provisionsbasis die Interessen von Autoren gegenüber Verlagen, indem er als geschäftskundiger Zwischenhändler an deren Stelle mit den Verlegern verhandelt und Manuskripte anbietet – bes. in den USA, wo Copyright und Nebenrechte beim Autor verbleiben. Im internationalen Buchmarkt handeln Agenten die Lizenz- und Übersetzungsrechte, erteilen Optionen, fixieren Vorschüsse, schließen Lizenzverträge und gewinnen als routinierte Manager auch ohne Kenntnis der verhandelten Werke selbst und gelegentlich bei bestsellerverdächtigen Werken noch ›blind‹ vor Niederschrift der 1. Zeile Verlage und Lizenzverlage im Ausland. Sie bestimmen durch ihre Vorauswahl, ihre Aufschlüsselung und ihren Einsatz nicht unwesentlich die Buchproduktion.

Agentenroman, nach 1950 aktuell gewordene Sonderform des →Kriminal- und →Detektivromans, der die zugkräftigen Ingredienzien beider Gattungen (Verbrechen, Verhinderung und Aufklärung von Verbrechen) in übersteigerter Gefahrensituation vereint. Seine stereotype Hauptfigur, der eiskalte, unschlagbare Supermann des kalten Krieges, der Spionage und der Abwehr, arbeitet meist als Privatmann außerhalb der offiziellen Geheimdienste und mit unkonventionellen, z. T. sadistischen Methoden; er unterscheidet sich vom roboterhaften Serienhelden nur durch individualisierende Vorlieben und Leidenschaften im Spiel von Crime und Sex. Werke von I. FLEMING *(James Bond)*, M. SPILLANE, P. O'DONNELL, J. LE CARRÉ, L. DEIGHTON u. a. Thematisch verwandt sind in gehobener Lit. J. CONRADS *Der Geheimagent* und G. GREENES *Unser Mann in Havanna.*

J.-P. Becker, D. engl. Spionageroman, 1973.

Agitprop-Stücke, Agitations- und Propagandastücke der kommunist. Gesellschaftslehre, bes. kabarettartige Kurzszenen und Melodramen, zur Aufführung durch Laien-Theaterbrigaden in den sozialist. Ländern.

B. Kalnins, Agitprop, 1966.

Agnese, nach der Figur der Agnes in MOLIÈRES *Schule der Frauen* Bz. für die Rolle naiv-bauernschlauer Landmädchen, die nach KOTZEBUES *Die Indianer in England* später auch Gurli-Rollen genannt wurden.

Agon (griech. =) Wettkampf, 1. neben sportlichen auch musische Festspiele der Griechen (z. B. Isthmien) für Sänger, Tänzer, Redner, Rezitatoren, Dichter und Schauspieler (›Kampf der Wagen und Gesänge‹, SCHILLER). – 2. ein Hauptteil der mittleren attischen →Komödie bei ARISTOPHANES: Der lebhafte Dialog der Gegner, der das Thema des Stückes bildet.

J. Duchemin, *L'a.dans la tragédie grecque,* Paris 1945.

Agrarians, Gruppe von Schriftstellern aus den Südstaaten der USA, die für den amerikanischen Süden neue wirtschaftliche und politische Ziele auf der Grundlage einer neuen, eigenständigen landwirtschaftlichen Kultur anstreben; amerikan. Ausformung des Regionalismus; J. G. FLETCHER, R. P. WARREN, A. TATE, J. C. RANSOM, H. AGAR, D. DAVIDSON u. a.

G. McConnell, *The Decline of Agrarian Democracy,* 1943; J. L. Stewart, *The burden of time,* Princeton 1965; A. Karanikas, *Tillers of a myth,* Madison 1966.

Aitiologisch (v. griech. *aitiologia* = Lehre von der Ursache), d. h. den Ursprung e. Wesens oder e. Sache erklärend, sind z. B. viele Ursprungssagen, -legenden usw., die aus phantastisch-magischer Weltsicht die Herkunft einer Tier- oder Pflanzenart, einer ungewöhnl. Naturform oder auch eines Namens oder eines Brauchs deuten, so z. B. die Sagen um die Roßtrappe im Harz und das Grimmsche Märchen *Strohhalm, Kohle und Bohne.*

Akademie (griech., nach dem Hain des Heros Akademos, PLATONS Lehrstätte). Nach dem Vorbild der Philosophenschule PLATONS und seiner Nachfolger (385 v. bis 529 n. Chr.) entstanden die Academia Platonica griechischer Gelehrter unter den MEDICI in Florenz (1459 bis 1522) und die Academia della crusca 1582 in Florenz, letztere Vorbild aller →Sprachgesellschaften u. der →Académie Française. – Die heutigen A.n sind Forschungsvereinigungen von Gelehrten zur Pflege von Kunst und Wissenschaft, gemeinschaftlicher Herausgabe wissensch. Standardwerke, Gesamtausgaben und Untersuchungen (z. B. *Dt.* →*Wörterbuch* und →*Thesaurus linguae latinae*). In Dtl. 7 A.n der Wissenschaften (Berlin 1700, Göttingen 1751, München 1759, Leipzig 1846, Heidelberg 1909, Mainz 1949) und seit 1949 →Dt. A. für Sprache und Dichtung in Darmstadt. Vgl. →Arcadia, →Dichterakademien.

H. Tümmler, Z. Herders Plan e. dt. A., (Euph. 45, 1950); RL²; R. Minder, Warum Dichterakademien? (in: Dichter in der Gesellschaft, 1966); P. Erkelenz, D. A.gedanke i. Wandel d. Zeit, 1968; F. Domay, Hb. d. dt. wiss. A.n u. Ges.n, ²1977.

Akatalektisch (griech. *akatalektos* = nicht aufhörend), im Ggs. zu →katalektisch heißt ein antiker Vers mit vollständigem letztem Fuß, Ausströmen der rhythmischen Reihe. →Katalexe.

Akephal (griech. *akephalos* = kopflos), 1. ein um die 1. Silbe verkürzter Anfang e. Verses bzw. Metrums; häufig in griech. Dramatik und Lyrik. – 2. e. Schrift, deren Anfang verlorenging.

Âkhyâna (ind. = Erzählform), indische Tierfabel oder Volksmärchen in Prosa mit Verseinlagen an den Gipfelpunkten des Dialogs, oft als Einleitung zu den →Jâtakas.

Akkumulation (lat. *accumulatio* = Anhäufung), Figur der Worthäufung: Aufzählung mehrerer Unterbegriffe anstelle des zusammenfassenden Oberbegriffes zum Zwecke stärkerer Bildhaftigkeit: ›Nun ruhen alle Wälder / Vieh, Menschen, Städt und Felder / (=) Es schläft die ganze Welt‹ (P. GERHARDT).

Akmeismus (v. griech. *akme* = Vollendung) oder Adamismus, neoklassizistische Gegenströmung gegen den russ. Symbolismus und dessen mystisch verschwommene Vorstellungen um 1912–20 (Zs. *Apollon,* 1909–17), proklamierte wieder eine klassisch-apollinische Klarheit, schlichte, wirklichkeitsnahe Dinghaftigkeit der Sprache und Plastizität der Bilder in der Lyrik und wirkte weniger durch die Theorie als durch ihre künstlerischen Leistungen auf die moderne russ. Lyrik. N. GUMILËV, S. GORODECKIJ, A. ACHMATOVA, O. MANDELSTAM, z. T. M. KUZMIN.

Akrostichon (griech. Versspitze = erster Buchstabe e. Verses), Gedicht, bei dem die Anfangsbuchstaben (-silben, -wörter) der einzelnen Verse oder Strophen aneinandergereiht ein Wort, Namen oder Satz ergeben, oft als Huldigung oder Anspielung auf den Empfänger oder Verfasser. In A. verschlüsselte Autorennamen ergaben z. B. die Verfasserschaft für den *Ackermann aus Böhmen* und *La Celestina*. Anfangs verwandt bei griech. Orakeln, zur mnemotechnischen Einprägung und zur Sicherung e. Textes gegen →Interpolationen. In der Antike (z. B. →Argumenta zu PLAUTUS), neulat. geistlicher Dichtung (alphabetisches A.), im dt. MA. (OTFRIED VON WEISSENBURG, GOTTFRIED VON STRASSBURG, RUDOLF VON EMS) und im Barock (CHR. GÜNTHER, P. FLEMING, P. GERHARDT: z. B. ›Befiehl du deine Wege ...‹), aber auch in der Gegenwart (J. WEINHEBER, K. WEISS) beliebtes virtuoses Formspiel; heute in Reklamesprüchen. Ein alphabetisches A. wie z. B. CHAUCERS *An A.B.C.* heißt →Abecedarium. →Akroteleuton, →Mesostichon, →Telestichon.

Odebrecht, Üb. d. Bildg. v. A. in dt. Sprache (v. d. Hagen, Germania VII, 1846); E. Graf, Akrostichis (RE. I, 1200 ff.); A. Kopp, D. A. als krit. Hilfsmittel (Zs. f. dt. Philol. 32, 1900); F. Dornseiff, Das Alphabet i. Mystik u. Magie, [2]1925; RL; R. Marcus, *Alphabetic Acrostics in the Hellenistic and Roman Periods* (*Journal of Near Eastern Studies* 6, 1947).

Akroteleuton (griech. = äußerstes Ende), Verbindung von →Akrostichon und →Telestichon: Die Anfangsbuchstaben der Zeilen von oben nach unten ergeben das gleiche Wort (Satz) wie die Endbuchstaben von unten nach oben ähnlich wie beim Silbenrätsel.

Akt (lat. *actus* = Handlung), →Aufzug, in sich geschlossener, deutlich abgesetzter Hauptabschnitt im Drama zwischen zwei Vorhängen, stellt im Ggs. zur mehr bühnentechnisch bedingten Unterteilung in →Szenen ein sinnvoll-architektonisches Prinzip innerer Gliederung des Handlungsablaufs dar. Die ursprünglich technisch bedingte Wahrung der →Einheiten innerhalb eines Aktes konnte seit Verwendung des Zwischenvorhangs (1770) aufgegeben werden und die räumliche einer inneren Gliederung weichen: die einzelnen Akte zeigen je eine Stufe des Geschehensablaufs. →Dreiakter wie →Fünfakter folgen – deduktiv-schematisch genommen und mit individuellen Abweichungen – dem Gesetz von: 1. Einleitung (→Exposition der Voraussetzungen), 2. Steigerung der Verwicklung, 3. Höhepunkt mit entscheidendem Geschehen, 4. Umschwung (→Peripetie) und Fallen und 5. Schluß, evtl. mit Lösung (→Katastrophe). Verwendungsart und Durchgestaltung der Akteinteilung geben wesentlichen Aufschluß über gedankliche Struktur, Formprinzipien, Stilwillen und Schaffensweise des Werkes und Dichters. – Das klass. antike Drama kannte keine feste Zahl der Einschnitte im heutigen Sinn; die Chorlieder gliederten den Handlungsverlauf (→Epeisodion); eine Unterteilung erfolgte meist später. Gegenüber der vom Terenzkommentator DONAT geforderten Dreiteilung, die in der ital., span. und portug. Dramatik festgehalten wurde, verlangten schon HORAZ und VARRO einen Aufbau in fünf Akten, wie er, bei SENECA später streng durchgeführt, das Vorbild der klassischen franz. Tragödie wurde. Im dt.-sprachigen Drama erschien Akteinteilung zuerst 1527 in B. WALDIS *Verlorenem Sohn* nach

Muster der Humanisten, doch oft äußerlich und ohne Gefühl für Aufbau. Das Barockdrama gliederte die A.e (›Abhandlungen‹) durch Chöre (Reyhen). In der dt. Klassik ist der fünfteilige Aufbau Norm, doch mit bedeutenden Ausnahmen (*Faust I.*, KLEIST *Penthesilea, Der zerbrochene Krug*, zu dessen Mißerfolg GOETHES aufgezwungene Akteinteilung beitrug). Das ausgehende 19. Jh. bevorzugt oft die Drei- u. Vierzahl (IBSEN, HAUPTMANN), Impressionismus und Neuromantik bes. →Einakter. Die Lockerung der überkommenen Form erreicht den Höhepunkt im Expressionismus, der in Anlehnung an LENZ, ARNIM, BÜCHNER, GRABBE und WEDEKIND die – teils formell vorhandenen – Akte seiner lyrisch-epischen Stücke ohne Minderung der dramatischen Wirkung zu bloßen Bilder- und Szenenfolgen auflöste, Zeichen tiefen dramatischen Strukturwandels, die besonders im →epischen Theater BRECHTS und dem vom Hörspiel beeinflußten modernen Drama (BORCHERT) erscheinen.

G. Freytag, D. Technik d. Dramas, 1863; C. Heine, D. Aktschluß (Lit. Echo 8, 1905); W. Hochgreve, D. Technik d. Aktschlüsse i. dt. Drama, 1914; L. Paalhorn, D. ästh. Bedeutg. d. A.gliederg. i. d. Trag., Diss. Halle 1929; H. Vriesen, D. Stationentechnik i. neueren dt. Drama, 1934; J. Klaiber, D. Aktform i. Drama u. auf d. Theater, Diss. Freib./Br. 1936; RL; V. Klotz, Geschlossene u. offene Form i. Drama, [2]1964. →Drama.

Aktionskreis, neben →Charon und →Sturmkreis dritter Dichterkreis des dt. →Expressionismus um die von F. PFEMFERT hrsg. Zs. *Die Aktion* (1911–32), die als Sammelpunkt aller Stimmen des linksorientierten politischen und kulturellen Mißvergnügens gegen die herrschenden Zustände rebellierte. Ihre dichterischen Mitarbeiter waren u. a. HEYM, BLASS, STADLER, van HODDIS, F. JUNG, BROD, HADWIGER, HARDEKOPF, EHRENSTEIN, WOLFENSTEIN, BENN, FRIEDLÄNDER-MYNONA, HERRMANN-NEISSE, A. R. MEYER, SCHICKELE, BALL, J. R. BECHER, HASENCLEVER, KASACK, KLEMM, v. GÜTERSLOH, DÄUBLER, A. LICHTENSTEIN, WERFEL, GOLL, RUBINER, OTTEN, C. EINSTEIN und KAFKA.

L. Peter, Lit. Intelligenz u. Klassenkampf, 1972.

Aktivismus, 1915 von K. HILLER begründete Nebenströmung des →Expressionismus aus revolutionär-pazifistischem Geist, erstrebte ein neues Zeitalter durch Aktivierung des Geistigen und geistige Befreiung des Menschen, bei der dem Schriftsteller eine Führerrolle zufiele. Polit.-soz. Engagement u. optimist. Vernunftglaube stellten den Gehalt über die poet. Form. H. MANN, L. RUBINER u. a.

Der A., hg. W. Rothe, 1969.

Akyrologie (v. griech. *akyros* = uneigentlich, *logos* = Rede), die uneigentliche, verbildlichte oder verblümte Redeweise mittels Bildern, Metaphern und Topoi.

Akzent (lat. *accentus;* griech. *prosodia* = Hinzugesang), in der Sprachwissenschaft der Ton der betonten Silbe, die Tonabstufung in Wort oder Satz und deren Zeichen: ´ Akut = Hochton, ` Gravis = Tiefton und ˆ Zirkumflex = Hoch- und Tiefton (Schleifton). Wortakzent für die betonte Silbe eines Wortes (im German. meist Stammsilbe), Satzakzent für den betonten Redeteil im Satz. Die Aufgliederung der gesprochenen Rede durch Hervorhebung einzelner Silben im Tonfall geschieht durch Tonhöhe (musikalischer oder Ton-A.; in den klass. Sprachen, nicht aber in der Spätantike, →quantitierende Dichtung), Tonstärke (= Nachdruck, dynamischer, exspiratorischer oder Druck-

A., in den germanischen Sprachen) oder Tonlänge (→Quantität oder temporaler A., in den antiken Sprachen) entscheidend auch nach SIEVERS durch die Stimmqualität. Der Versakzent fängt die natürliche Sprachbewegung in ein metrisches Schema auf (→akzentuierende Dichtung, →Hebung, →Iktus, →Takt, →Metrum, →Rhythmus). – Die Besinnung über das Wesen des A.s als wesentliche Komponente des Sprachkunstwerks reicht von barocken Poetiken bis zur modernen →Schallanalyse. Die verschiedenen Theoretiker betonen je einzelne Seiten des A.s deutlicher: OPITZ ›hohen und niedrigen Ton‹, SCHOTTEL u. a. Länge und Kürze, GOTTSCHED und Abbé SCOPPA Tonstärke bzw. Energiezuschuß, KLOPSTOCK, MORITZ, VOSS und J. GRIMM Hochton, Tiefton und Tonlosigkeit.

E. Sievers, Phonetik, [5]1901; E. Sommer, Stimmung u. Laut, GRM VIII, 1920; A. Schmitt, Untersuchungen z. allg. A.-lehre, 1924; ders., Musikal. A. u. antike Metrik, 1953; E. Vandvik, Rhythmus u. Metrum, A. u. Iktus, Oslo 1937; RL. →Metrik, →Phonetik.

Akzentuierende Dichtung, im Ggs. zur →quantitierenden Dichtung der Antike und der →alternierenden Dichtung der Romanen die den germanischen Sprachen eigentümliche Dichtart, in der metrische mit sprachlichen Hebungen, Wortakzent mit Versakzent zusammenfallen (→Akzent), so daß die Tonbewegung durch Nachdruck (→Hebung und Senkung) geschieht und die Wortgipfel tontragend bleiben. – Der Übergang von der quantitierenden zur a. D. erfolgte z. T. schon in der Spätantike. Das MA. kannte akzentuierendes (›rhythmi‹) und quantitierendes (›metra‹) Prinzip nebeneinander, ebenso herrschen im 15./16. Jh. akzentuierendes Schema in geistlicher Dichtung neben alternierendem in Schwank und Satire. In der Rückbesinnung auf antike Formen in Renaissance und Humanismus glaubte man, ein quantitierendes Verfahren anwenden zu müssen; schon REBHUHN dagegen erkannte 1540 das a. Gefüge der german. Sprachen, CLAJUS begründete 1578 die Erkenntnis theoretisch, und OPITZ brachte ihr mit seinem *Buch von der deutschen Poeterey* 1624 allg. verbindliche Geltung für die dt. Dichtg., wenngleich er ihr zuerst durch die Bevorzugung von Jamben und Trochäen den Charakter des Akzentuierend-Alternierenden gab. Im weiteren Verlauf der Barockpoetik erfolgte die Wiederherstellung der ursprünglich rein a. D., wie sie schon im →Alliterationsvers und ahd. Reimvers besteht.

A. Heusler, Dt. u. antiker Vers, 1917.

Akzession (v. lat. *accessio* = Hinzutreten), im Bibliothekswesen der ständige Zuwachs an (alten und neuen) Büchern, dann auch die Zugangsstelle, die alle Neuzugänge in A.slisten oder A.skatalogen erfaßt.

Alamode-Literatur (franz. *à la mode* = nach der Mode), in erster Linie die höfisch-gebildete Unterhaltungsliteratur des 17. Jh. in Dtl., soweit sich in ihr die Fremdsucht der Zeit in Fremdwörterprunk, ausländischen Redewendungen und Sprachmengerei auf den Stil auswirkt, zu unterscheiden vom →Schwulst, besonders verkörpert in Übersetzungen, Opern und den ›Neuen Zeitungen‹. In der kulturell unselbständigen Zeit des 30jährigen Krieges und danach sucht sie in übertriebener Nachahmung neumodischer ausländischer, bes. franz. und ital. Vorbilder, Bildung zu verkörpern. In zweiter Linie vornehmlich die Reaktion meist volkstümlicher Kreise, welche die moralischen Gefahren der Fremdtümelei und ihre Auswirkungen als Krankheit erkennen und durch polemische und satirische Gegenschriften – meist mit wenig Erfolg – zu bekämpfen suchen. Hierzu gehören vor allem die →Sprachgesellschaften, ferner OLEARIUS, ELLINGER, CHORION, ABRAHAM A SANCTA CLARA, LAUREMBERG, RACHEL, RIST, GRIMMELSHAUSEN *(Teutscher Michel)*, MOSCHEROSCH (*Alamode-Kehrauß:* ›Alamode macht mich bang, weil der Teutschen Untergang in der neuen Sucht seinen Anfang sucht‹) und LOGAU (›Alamode-Kleider, Alamode-Sinnen; Wie sichs wandelt außen, wandelt sichs auch innen‹), auch GRYPHIUS *(Horribilicribrifax)*. Ein endgültiger Abschluß des Alamode-Kampfes erfolgte erst Mitte des 18. Jh. mit fortschreitender Selbständigkeit des dt. Schrifttums.

E. Schmidt, D. Kampf geg. d. Mode i. d. dt. Lit. d. 17. Jh. (in: Charakteristiken I, 1902); F. Schramm, Schlagworte der A.-Zt. (Zs. f. dt. Wortforschg. Beiheft z. XV), 1914.

Alankârashastra (ind. = Lehre vom Schmuck), indische Bz. für Dichtungstheorie, Rhetorik und Poetik, die in der indischen Lit. eine Fülle genauer Vorschriftenwerke hervorgebracht hat.

H. v. Glasenapp, D. Litt. Indiens, [2]1961.

Alba (lat. *albus* = hell, licht) →Tagelied

Album (lat. = das Weiße), ursprünglich mit Gips geweißte Holztafel für öffentl. Bekanntmachungen in Rom u. a. großen Städten des Altertums, später Mitgliederliste der Behörden, pyramidenförmig zusammengestellt (griech. Kyrbeis). In der Renaissance Gäste- und Stammbuch; seit dem 17. Jh. geläufige Bz. für Sammlungen von Illustrationen, Briefmarken u. ä., dann auch Dichtungen (Poesie-A.) und Kompositionen.

A. Fiedler, V. Stammbuch z. Poesie-A., 1960; G. Angermann, Stammbücher u. Poesie-A. als Spiegel ihrer Zeit, 1971.

Aldicht, Gedichtform der →Rederijker, bei dem jedes Wort der einen Zeile durch Binnenreim mit dem entsprechenden Wort der folgenden Zeile verbunden ist.

Alexandriner, sechshebiger steigendalternierender (= jambischer) Reimvers mit deutlicher, stehender Zäsur nach der 3. Hebung, 12 (männlich/stumpf) oder 13 (weiblich/klingend) Silben: ◡—◡—◡—‖—◡—◡— (◡), z. B.: ›Ich weiß nicht, was ich will, ich will nicht, was ich weiß‹ (OPITZ). Die durch die Mitteldiärese gegebene Neigung zum Aufspalten in 2 gleiche Halbverse bestimmt Sprache und Natur des Versmaßes als antithetisch, daher seine Verwendung für Kontraste und Vergleiche in Epigramm (→Couplet), Sonett und Stanze und seine Bevorzugung im Barock. Als vierzeiliger Paarreim männlich und weiblich wechselnd: heroischer A., im Kreuzreim: elegischer A. In den german. Sprachen ist der A. wegen festliegender Hebungen bei akzentuierendem Vortrag sehr steif und leblos, in romanischen Sprachen bei nur 2 festliegenden Akzenten dank schwebender Sprachmusikalität beweglicher und beliebter. – Zuerst verwandt im frühen 12. Jh. in der *Pèlerinage de Charlemagne à Jérusalem,* 1180 in französischer Alexanderepik (daher Name) wie LAMBERT LE TORTS *Roman d'Alexandre;* dann erst Mitte 16. Jh. von der Pléjade (BAÏF, RONSARD) als klassischer Vers der französischen Dichtung und bes. der Tragödie (RACINE) aufgenommen, nach Dtl. im 16. Jh. durch SCHEDE und LOBWASSER, dann folgenreicher durch OPITZ (1624) eingeführt als Ersatz des antiken Hexameters im Epos, herrschender Vers der ganzen dt. und niederländ. Barockdichtung (GRYPHIUS, LOHENSTEIN; VONDEL, HOOFT) und des frühen 18. Jh.; von GOTTSCHED empfohlen, von BODMER und BREITINGER bekämpft. Nach Vorgehen KLOPSTOCKS *(Messias)* und LESSINGS *(Nathan)* in Epos und Drama durch Hexameter bzw. Blankvers verdrängt, in der Romantik durch Zäsuren nach 2. und 4. Hebung zum freien dreiteiligen A. mit Enjambement (Alexandrin ternaire) umgestaltet, seitdem fast ganz verschwunden. Ausnahmen: F. SCHLEGEL, RÜCKERT, GEIBEL, FREILIGRATH, KÖRNER, freier bei SPITTELERS *Olympischem Frühling*. In Spanien entwickelte sich aus dem A. die →Quaderna via.

H. P. Thieme, *The Technique of the French A.*, 1898; V. Horak, *Le vers a. en français*, 1911; H. Paulussen, Rhythmik u. Technik d. 6-füß. Jamb. i. Dtl. u. Engl., 1913; H. Kehl, Stilarten d. Lustspiel-A., 1931; G. Lote, *L'A. franç.*, Paris [2]1931; E. Trunz, D. Entwicklung d. barocken Langverses, Euph. 39, 1938; G. Storz, Ein Versuch üb. d. A. (Festschr. f. Kluckhohn-Schneider, 1948); T. Buck, D. Entw. d. dt. A., Diss. Tüb. 1957; K. Togeby, *Hist. de l'a. franc.* (Orbis litt., suppl. 3, 1963); L. Forster, *German A. on Dutch broadsheets before Opitz* (*The German Baroque*, hg. G. Schulz-Behrend, Austin 1972); F. Kemp, Improvisation üb. d. A. (Inszenierg. u. Regie barocker Dramen, hg. M. Bircher 1976). →Metrik.

Alkäische Strophe, nach dem griech. Dichter ALKAIOS (um 600 v. Chr.) benanntes antikes Odenmaß. Die a. St. enthält die sog. alkäischen Verse, und zwar 2 a. Elfsilber (1 katalektische jambische und 1 katalektische daktylisch-trochäische Tripodie), 1 a. Neunsilber (1 hyperkatalektischer jambischer Dimeter) und 1 a. Zehnsilber (akatalektische Tetrapodie aus 2 Daktylen und 2 Trochäen). Schema (Zäsur und Enjambement verschieden):

⏓–́⏑–́⏓ | –́⏑⏑–́⏑⏓́
⏓–́⏑–́⏓ | –́⏑⏑–́⏑⏓́
⏓–́⏑–́⏓–́⏑–́⏓
–́⏑⏑–́⏑⏑–́⏑–́⏓

Bei HORAZ neben der →sapphischen Strophe am häufigsten verwendet, in Italien von G. CHIABRERA, P. ROLLI, G. FANTONI u. a. erneuert, im Dt. nachgebildet von KLOPSTOCK *(An meine Freunde, An Fanny)*, HÖLTY, HÖLDERLIN *(An die Parzen, Der Main)*, PLATEN u. a., in England von TENNYSON, SWINBURNE u. a. Beispiel: HORAZ *Ode* II, 3 (Aequam memento...)

K. Viëtor, Gesch. d. dt. Ode, 1923; E. Brocks, D. Fortleben d. a. S., GRM 13, 1925; O. Francabandera, *Contribuzioni alla storia dell'alcaica*, Bari 1928. →Metrik →Ode.

Alkmanischer Vers, nach dem griech. Dichter ALKMAN (7. Jh. v. Chr.) benannter antiker Vers, katalektischer daktylischer Tetrameter: –⏑⏑–⏑⏑–⏑⏑–⏓; Verwendung gelegentlich im griech. und latein. Drama und als alkmanische Strophe in Verbindung mit vorangehendem daktylischen Hexameter bei HORAZ.

Allegorese, allegorische →Deutung, Unterstellung eines geheimen Sinns unter Schriftwerke, bes. Mythen, die nicht nach dem Wortsinn, sondern nach vorgegebener Sinngrundlage ausgelegt werden. Zuerst von der Stoa an alten Mythen und HOMER, von jüdischen Gelehrten am AT. versucht, bes. geistliche Umdeutung der Liebesdichtung im *Hohelied*. Vgl. →Exegese.

H. Hunger, Allegor. Mythendeutg. i. d. Antike, 1954; J. L. Seifert, Sinndeutung d. Mythos, 1954; J. Christiansen, D. Techn. d. allegor. Auslegungswiss. b. Philon, 1969; H. Meyer, D. Zahlen-A. i. MA., 1975.

Allegorie (griech. = bildlicher Ausdruck, zu *allegorein* = anders, bildlich reden), in bildender Kunst und Dichtung Sinn→bild, bildhaft belebte Darstellung eines abstrakten Begriffes oder klaren Gedankenganges, indem ›der Dichter zum Allgemeinen das Besondere sucht‹ (GOEthe). Rational klar faßbare und scharf abgegrenzte Vorstellungsinhalte werden bildlich eingekleidet, daher oft Gefahr des Abgleitens ins bloß Rationale. Im Ggs. zum →Symbol ›bedeutet‹ die A. nicht das Gemeinte, sondern ›ist‹ es selbst, sinnlich in die Körperwelt versetzt, oft als →Personifikation: Alter als Greis, Liebe als Amor usw. Man unterscheidet die reine A. von der gemischten A., bei der einzelne Wörter ihre eigentliche Bedeutung wahren und die Auflösung erleichtern (›Schlüsselwörter‹). – Neben der →Allegorese-Deutung von Mythen in der antiken Lit. bei Alkaios und Apuleius *(Amor und Psyche),* bes. aber Prudentius (*Psychomachia,* der Kampf der Tugenden und Laster um die Seele); allegor. Denken im christl. MA. als gelehrtes Spiel (Martianus Capella, *De nuptiis Philologiae et Mercurii; Physiologus; Rosenroman;* W. Langland, *Piers Plowman*), seit Gottfried von Strassburg in dt. Dichtung (→Minneallegorie, Schachallegorie), bei Murner grotesk, in der Renaissance bei Dante und Petrarca, in humanistischen Lehrgedichten; ausgeprägteste Form im *Teuerdank* und *Jedermann,* ferner in den Satiren der Reformationszeit. Höhepunkt allegor. Dichtung im Barock und Pietismus zur Ausschmückung und Einkleidung von Gedanken in Lyrik, Roman und Drama (→Schäferdichtung, allegor. Festspiele), z. B. Spensers *Faerie Queene,* Bunyans *Pilgrim's Progress;* erst die Wandlung des Lebensgefühls um 1700 verursacht ihre Verdrängung (Winckelmann). Wiederaufleben in Goethes Spätwerk (Festspiele, *Faust II*) aus dem Streben nach Typischem; in der Romantik für geheimnisvolle Mächte (z. B. Novalis' ›blaue Blume‹, Eichendorff *Das Marmorbild*), im 19. Jh. bei Immermann *(Merlin),* Raimund und dem Wiener Volksstück, R. Wagner (weltanschauliche A.n im *Ring des Nibelungen*) und im Symbolismus (Lautréamont, Rimbaud, Blake); seit dem Naturalismus, bes. in Neuromantik und Expressionismus als poetische Verkörperung des Unwirklichen (z. B. Strindberg *Ein Traumspiel,* Ibsen *Peer Gynt,* Wedekind *Frühlings Erwachen*). Für die verknappte Zeichensprache der surrealistischen und modernen Dichtung mit ihren nicht erhellenden, sondern verschlüsselnden, dunklen, z. T. archetypischen Bildern (Joyce, Kafka) bietet sich der Begriff →Chiffre an.

W. Bornemann, D. A., 1899; K. Borinski, D. Antike in Poetik u. Kunsttheorie I, 1914; C. R. Post, *Mediaeval Spanish A.,* Cambr. / Mass. 1915; J. Burckhardt, D. A. in den Künsten (Wke. Bd. 14, 1933); A. Marni, *Allegory in the French heroic poem of the 17. century,* Princeton 1936; L. Beriger, D. lit. Wertung, 1938; E. Ermatinger, D. dicht. Kunstwerk, ^{3}1939; I. Wanner, D. A. i. bayr. Barockdrama, Diss. München 1941; E. A. Bloom, *The allegorical principle* (in: *Engl. Lit. Hist.* 18, 1951); H. J. Newiger, Metapher u. A., 1957; E. Honig, *Dark Conceit,* Evanston 1959; H. R. Jauss, *Genèse de la poésie allég. française au MA.,* 1962; A. Fletcher, *Allegory,* Ithaca 1964; R. Tuve, *Alleg. imagery,* Princeton 1966; M. Murrin, *The veil of a.,* Chic. 1969; Ch. Hayes, *Symbol and a.* (*Germanic Review* 44, 1969); P. de Man, A. u. Symbol i. d. europ. Frühromantik (Typologia litterarum, Fs. M. Wehrli 1969); J. MacQueen, *A.,* Lond. 1970; M.-R. Jung, *Études sur le poème allég. en France au m.-a.,* Bern 1971; M. W. Bloomfield, *A. as interpretation* (*New Lit. History* 3, 1971/72); A. u. Symbol, hg. B. A. Sörensen 1972; G. A. Jonen, D. A. als Kunstform i. d. frz. Lit. d. SpätMA., 1975; V. Calin, Auferstehg. d. A., 1975; K. L. Pfeiffer, Struktur- u. Funktionsprobl. d. A., DVJ 51, 1977; W. Erzgräber, Z. A.-Problem (LiLi 8, 1978); Formen u. Funktionen d. A., hg. W. Haug 1979.

Allegorische Deutung →Allegorese

Allegorisieren, durch →Allegorie darstellen, versinnbildlichen.

Alliteration (Begriff von PONTANUS im Dialog *Aetius* um 1500 geprägt), ›Stabreim‹, Anreim, Hervorhebung von zwei oder mehr bedeutungsschweren Wörtern durch gleichen Anlaut ihrer Stammsilbenbetonung: ›**E**ines weiß ich, das **e**wig lebet: der **T**oten **T**atenruhm‹ *(Edda)*. Es alliterieren nur Hebungen, also nicht: Gedicht und **G**ebet. Vokale alliterieren sämtlich untereinander, von den Konsonanten jeder nur mit seinesgleichen, die Verbindungen sk, sp, st weder wechselseitig noch mit s, sondern nur jeweils mit sich selbst. – In griech. und latein. Sprache oft als Schmuck- und Klangmittel benutzt (Zufalls- oder Gelegenheits-A., →Homoiarkton), in altitalischen Carmina und Gebeten und älterer Dichtung: ›O Tite, tute, Tati, tibi tanta, tyranne, tulisti‹ (ENNIUS); ältestes Formprinzip des german. Verses (→Alliterationsvers) und älteste Art der Sprachbindung, wohl vom Orakelspruch herzuleiten; im MA. ohne feste Regeln; seit Einführung des Endreims durch OTFRIED VON WEISSENBURG (9. Jh.) oft als bewußte Klangfigur wiederaufgenommen zum Versschmuck und zu Lautmalerei (Troubadours; W. LANGLAND *Piers Plowman;* SACHS, KLOPSTOCK, BÜRGER, GOETHE, Romantik, HEINE, W. JORDAN, R. WAGNER, Symbolismus, bes. RILKE, GEORGE, später P. GAN, G. BRITTING, H. M. ENZENSBERGER; in England SWINBURNE, AUDEN u.a.), als zusätzliches Klangmittel auch in romanischen und slawischen Literaturen (BAUDELAIRE, MALLARMÉ, VALÉRY). – Durch A. erklären sich überkommene und z.T. unverständliche Dopplungen in Redewendungen wie Kind und Kegel, Mann und Maus, Haus und Hof, Küche und Keller u.a.m.

E. v. Wölfflin, D. allit. Verbindgn. d. lat. Spr., 1881; O. Deppe, D. A. i. Sprachgebrauch d. heutigen Prosa, Progr. Hildeshm. 1912; J. Lindemann, Üb. d. A. als Kunstform i. Volks- u. Spielmannsepos, Diss. Breslau 1914; E. Norden, Antike Kunstprosa II, ²1923; M. Franke, D. Stabreim i. neudt. Dichtg., Diss. Rostock 1932; W. Stapel, Stabreim u. Endreim (Wirkendes Wort 1953/54); W. P. Lehmann, *The A. of Old Saxon Poetry*, Oslo 1959; H. Ehrhardt, D. Stabreim i. altnord. Rechtstexten, 1977. →A.vers, →Reim

Alliterationsvers, Stabreimvers, der ursprüngliche und eigenständig ausgebildete altgermanische Sprechvers. Seine Langzeile besteht aus 2 Kurzzeilen, die durch →Alliteration verbunden werden. Die Vorderreihe stabt meist auf 1. und 2. Haupthebung (Stollen), die Hinterreihe nur auf der 1. Hebung (Hauptstab), so daß von den 4 Haupthebungen meist 3 durch Stab verbunden sind. Die Zahl der Senkungen ist frei und ermöglicht verschiedene Ausdruckshaltungen vom langen, spannenden Anlauf bis zum gehetzten Nacheinander der Hebungen und somit große Beweglichkeit trotz festliegenden Stabgerüsts. Die Alliteration dient der rhythmischen Gliederung in Sprechgipfel und Perioden sowie als Gedächtnisstütze. – Verwendung des A. in *Hildebrandslied, Merseburger Zaubersprüchen, Wessobrunner Gebet, Muspilli, Heliand,* altsächs. *Genesis* u.a.m.; im 14. Jh. noch engl. in W. LANGLANDS *Piers Plowman;* im 19. Jh. Erneuerungsversuche durch FOUQUÉ, W. JORDAN und R. WAGNER ohne Nachwirkung.

Lit. →Metrik, ferner W. Heims, D. altgerm. A. u. seine Vorgesch., Diss. Münster 1914; H. Wiessner, D. Stabreimvers i. R. Wagners ›Ring d. Nibelungen‹, 1924; A. Heusler, Dt. Versgesch. I, 1925; M. Kommerell, Bemerkungen zum Stabvers (Nachr. d. Gießener Hochschul-Ges. 11, 1936); H. Ehrhardt, D. Stabreim i. anord. Rechtstexten, 1977.

Allonym (v. griech. *allos* = anders, *onoma* = Name) ist ein →pseudonymes Werk, dessen Verfasser sich zur Verschleierung seines eigenen Namens oder aus merkantilen Erwägungen eines anderen (meist erfolgreichen) Verfassernamens bedient.

Allusion (franz. =) →Anspielung

Almanach (franz., von griech.-ägypt. = Kalender), ursprünglich kalenderähnliche astrologische Tafeln im Orient, von dort im 15. Jh. nach Europa; erster gedruckter lat. A. 1457, bekanntester von REGIOMONTANUS, Nürnberg 1475–1551. Neben die Kalenderberichte, wichtigen Daten usw. traten kulturelle, politische und genealogische Tafeln; dann, nach Verweis der kalendarischen Angaben in Kalender, Jahrbücher für verschiedene (auch wiss.) Fachgebiete und Stände mit Erzählungen und Gedichten; in Amerika 1687–1701 humoristische A. von J. TULLEY. Erst im 18. Jh. vorwiegend belletristische A.: →Musenalmanache der Klassik und →Taschenbücher der Romantik; im 19. Jh. außerdem Spezialisierung auf einzelne Themenkreise wie Theater *(Gothaischer Theater-A., Wiener Hoftheater-Taschenbuch),* Mode, Reisen usw., auch für einzelne Landschaften und Berufe. Im 20. Jh. Verlags-A. als Werbemittel mit Verlagsverzeichnis, Leseproben der Neuerscheinungen und Mitarbeiteraufsätzen (*Insel-A.* 1900 und seit 1906ff. u.a.m.).

V. Champier, *Les anciens a.s illustrés,* Paris 1885; J. Grand-Carteret, *Les A.s français, Bibliographie-Iconographie,* Paris 1896; H. Köhring, Bibliographie d. A.e, Kalender u. Taschenbücher 1750–1860, 1929; M. Lanckorónska/A. Rümann, Geschichte d. dt. Taschenbücher u. A.e a. d. klass.-romant. Zt., 1954; R. Pissin, A.e d. Romantik, [2]1970; F. Kadrnoska, D. A. i. ges. u. lit. Leben Österr., Diss. Wien 1973.

Alpendichtung, die aus dem Erlebnis der Alpen oder des Hochgebirges allg. entstandene Natur- und Landschaftsdichtung, betrachtet meist die Erhabenheit der unberührten, gigantischen Natur als Symbol des Edlen und Reinen und Ort der Gottesnähe. Seit A. v. HALLERS Lehrgedicht *Die Alpen* (1729) vorwiegend in Lyrik, Lehrdichtung und Kleinepos ausgeprägt (HÖLDERLIN, BAGGESEN, DROSTE, C. F. MEYER, BAUMBACH), da im Drama die Landschaft nicht im Vordergrund steht und der Alpenroman mehr zum Heimatroman neigt.

H. E. Jenny, D. A. d. dt. Schweiz, 1905; RL; O. v. Greyerz, D. Alpen i. d. Dichtg. (in: Sprache, Dichtg., Heimat 1933); R. Weiß, D. Alpenerlebnis i. d. dt. Lit. d. 18. Jh., 1933; A. Dreyer, Gesch. d. alpinen Lit., 1938; Ch. Hartl, D. Hochgebirge i. d. dt. Dichtg., 1961.

Alphabet (v. griech. *alpha* und *beta* als Anfangsbuchstaben des griech. A.), das Abc, die gesamte Buchstabenfolge eines bestimmten Schriftsystems in der ihr eigentümlichen traditionellen Abfolge, etwa nach Sachgruppen der urspr. Bildwerte der Zeichen wie die europ. A. aufgrund des semit. A., nach Buchstabenformen (arab. A.) oder Lautwerten (ind. A.). →Schrift. Es findet magisch-symbolische Verwendung in →Abecedarium und →Akrostichon (→Alphabetlieder).

F. Dornseif, D. A. i. Mystik u. Magie, [2]1925; V. Goldschmidt, Unser A., 1932; H. Bauer, D. Ursprung d. A., 1937; D. Diringer, *The A.,* Lond. [2]1949; D. A., hg. G. Pfohl 1969.

Alphabetlieder, Strophen mit alphabetischem →Akrostichon, im 16. Jh. von W. GERNOLD so benannt.

Alpsegen, in der Schweiz auch ›Betruf‹ genannt, litaneiartiger Abendruf des Sennen auf der Alp bei Einbruch der Dämmerung.

Altdeutsche Strophe →Meistersangstrophe

Alternance des rimes (franz. = Wechsel der Reime). Seit dem 16. Jh. bestand in der romanischen Verskunst das Prinzip ständigen Wechsels von männlichen und weiblichen Versen, paarweise, gekreuzt oder verschränkt, vor allem im Alexandriner. Erst der Symbolismus brach mit dieser heute weniger beachteten Konvention.

Alternierende Dichtung (lat. *alternare* = abwechseln) ist gekennzeichnet durch Alternation, d. h. regelmäßigen Wechsel von einsilbiger Hebung und einsilbiger Senkung, gestattet also im Ggs. zur →akzentuierenden Dichtung keine Hebungsauflösung, Senkungsfüllung oder -ausfall. Versmaße sind nur Jambus (›steigend alternierend‹) und Trochäus (›fallend alternierend‹). Metrisches Prinzip der romanischen Dichtung, seit dem 12. Jh. unter franz. Einfluß nach Dtl. gekommen (HEINRICH VON VELDEKE, FRIEDRICH VON HAUSEN, HARTMANN VON AUE, GOTTFRIED VON STRASSBURG und nach ihm KONRAD VON WÜRZBURG u. a. m.). Beibehaltung der german. Betonung und Zusammenfall sprachlicher mit metrischen Hebungen ergaben z. T. eine akzentuierend-a. D. Zu Ende des MA. stehen →akzentuierende und a. D. nebeneinander. Starke Vernachlässigung des Wortakzents in streng a. D.en um 1600 (SCHEDE, WECKHERLIN, HÜBNER) führte zu OPITZ' Forderung einer a. D. mit Beachtung des Akzents, doch bedeutet schon die Einführung des Daktylus durch BUCHNER die Aufgabe des streng a. Prinzips in dt. Dichtung.

Lit. →Metrik.

Altertum →Antike

Alt→philologie, antike, insbes. lat. und griech. Sprach- und Literaturwissenschaft. Vgl. →Antike.

Âlvâr (ind. = Untergetauchte, sc. in der Liebe zu Vishnu), die 12 vishnuitischen Hymnendichter in der Tamil-Lit. des 7.–9. Jh., Schöpfer der als Höhepunkt der Tamil-Lit. geltenden kunstvollen Hymnensammlung *Nalâyiram*, die Vishnu als höchsten Gott und die Hingabe an ihn als höchstes Glück preist. Entsprechen den shivaitischen →Nâyanâr.

J. S. M. Hooper, *Hymns of the Â.*, Kalkutta u. Lond. 1929.

Amadis (= Amadeus), Titelheld eines über ganz Europa verbreiteten Zyklus von Ritter- und Abenteuerromanen des 16. Jh., die thematisch mit den Prosaromanen aus dem Artuskreis verwandt sind. Vermutlich portugies. Urform von Vasco de LOBEIRA *Amadis de Gaula* um 1350; weitere Stufen der Verbreitung: älteste erhaltene Fassung des Spaniers García ORDOÑEZ DE MONTALVO (entstanden 1482, Druck 1508) in 4 Büchern, span. Fortsetzungen zu 12 Büchern, ins Franz. übersetzt und stark erotisch erweitert von Nicolas Herberay DES ESSARTS 1540 bis 1548 in 21, dann 24 Büchern (1595), dt. Übersetzung bei Sigmund FEYERABEND nach der franz. Vorlage seit 1569, zuerst 13 (1583), dann 24 (1594), schließlich 30 Bücher (Buch 6 von FISCHART übersetzt), dt. Erweiterungen dann 1615 wieder ins Franz. übertragen. Verschmelzung der ma. Ideale des Rittertums mit Abenteuerlichem, Erotischem, Märchenhaftem und barokker Galanterie zum aristokrat. Bildungsideal der Zeit. Ungeheurer Stoffreichtum in ermüdender Breite, ohne moderne ›Tiefe‹. Vorbereitung des Barockromans. Verbreitung später in fast alle europ. Sprachen; Nachwirkung bis WIELAND, GOETHE, GOBINEAU.

RL; H. Thomas, *The Romance of A.*,

Lond. 1912; F. Costa Marques, *Amadis de Gaula,* Lissabon 1960; H. Weddige, D. Historien vom A., 1975.

Amateur (franz. = Liebhaber), positivere Bz. für →Dilettant.

Amateurtheater →Liebhabertheater

Amazonentheater, eine Bühne, deren Ensemble ausschließlich aus weiblichen Kräften besteht; im 16. Jh. in Tiroler Nonnenklöstern oder bei Weiberfastnacht üblich. Im 19. Jh. weibliches Volkstheater in Büchsenhausen bei Innsbruck.

A. Dörrer, A. i. Tirol (Komödie 4/5, 1946).

Ambiguität (lat. *ambiguitas,* von *ambigere* = nach zwei Seiten treiben), Doppelsinn, Zweideutigkeit, (auch als englischer Fachbegriff *ambiguity* geläufig); die Mehrdeutigkeit und Unklarheit bezieht sich im Ggs. zur →Amphibolie auf den gemeinten Sinn eines einzelnen Wortes, dessen syntaktische Einordnung eindeutig ist und das sich nur in konkreter Auslegung als schwebend erweist, verschiedene Interpretationen gestattet. Nach neuen engl.-amerikan. Untersuchungen ein wesentliches Element des Poetischen überhaupt, nicht nur der ironisch-satirischen, scherzhaften Literatur, das die Vieldeutigkeit der Wirklichkeit ins Wort umsetzt und durch Verschleierung der Realbezüge die Spannung erhöht. – Im weiteren Sinne ist A. auch das In-der-Schwebe-lassen der Charaktere und Motive handelnder Personen, z.B. bei TACITUS als bewußtes Stilmittel zur Erreichung einer bestimmten Vorstellung beim Leser angewandt.

J. A. Richards, *The Philosophy of Rhetoric,* Lond. 1936; W. B. Stanford, *A. in Greek Lit.,* 1939; J. D. Hubert, *L'esthétique des ›Fleurs du mal‹. Essai sur l'a. poétique,* 1953; W. Empson, *Seven Types of A.,* London ³1956.

Ambivalenz (lat. =) Doppelwertigkeit, Widersprüchlichkeit und Schwanken der Werte je nach bewußter oder unbewußter Wertung; urspr. Ausdruck der Psychologie für Erscheinungen wie Haßliebe u. ä.; in der Lit. Bz. für die Zwiegesichtigkeit des Weltbildes innerhalb moderner Dichtungen, die e. Entscheidung offenläßt (MUSIL, *Der Mann ohne Eigenschaften*), sei es als polares Weltbild bes. im Drama oder in e. zwiespältigen Figur, sei es als durchgehende Zerstörung der Werteordnung, Wertunsicherheit und Zerrissensein.

H. Pongs, Im Umbruch d. Zeit, ⁴1963; ders., A. in mod. Dichtg. (Sprachkunst als Weltgestaltg., H. Seidler-Fs., 1966); H. Seidler, Beitr. z. method. Grundlegg. d. Lit.wiss., 1969.

Americanismo →Criollismo

Amoibaia (griech. *amoibaios* = abwechselnd), in der griech. Tragödie Bz. für alle Formen von Wechselgesängen zwischen Chor und Schauspieler oder zwei Schauspielern zur Belebung der Szene. In antiker Bukolik sind A. solche Verse, Verspaare oder Strophen, die als Wechselgesang abwechselnd von zwei Sprechern vorgetragen werden und das vom 1. Sprecher angeschlagene Thema dialektisch fortentwikkeln (THEOKRIT 5 und 8, VERGIL, *Ekloge* 3 und 7).

R. Kannicht, Unters. z. Form u. Funktion d. A. i. d. att. Trag., Diss. Hdlbg. 1957.

Amoralismus, auch Immoralismus, allg. eine ethisch indifferente Welt- und Lebensauffassung, die herkömmliche Moralvorstellungen außer acht läßt oder ihnen zuwiderläuft; literar. oder ästhet. A., vielfach in Verbindung mit reinem →Ästhetizismus, kennzeichnet Werke von W. HEINSE *(Ardinghello),* F. SCHLEGEL *(Lucinde),* STENDHAL, O. WILDE *(Das Bildnis des*

Dorian Gray), A. GIDE *(Der Immoralist)* u. a.

Amphibolie (griech. *amphibolia* = Zweifel), Doppelsinn, stilistische Zwei- und Mehrdeutigkeit der logischen Aussage eines Satzes, entsteht im Ggs. zur →Ambiguität durch verschiedene Möglichkeiten der Betonung, Bedeutung oder Beziehung der Wörter innerhalb der Konstruktion des Satzganzen trotz Klarheit des einzelnen Wortsinns, z. B. bei Orakeltexten. Abgegriffene Schlagworte können mehrdeutig werden; Homonymie und konkrete Auslegung metaphorischer Ausdrücke liegen den meisten sprachl. Witzen zugrunde (z. B. im *Till Eulenspiegel*). Die Stilistiken (schon OPITZ, *Poeterey*) verwerfen unfreiwillige Unklarheiten: a) in der Wortwahl: der beschränkte Leserkreis, der flüchtige Besucher, b) in Wortstellung: Sie ist selten freundlich, c) in Beziehung: Er entdeckt dem Freund seine (?) Fehler, d) im Satzzusammenhang: Soweit die deutsche Zunge klingt und Gott (wer? NIETZSCHE) im Himmel Lieder singt (E. M. ARNDT). Bewußte A. kann künstlerisch beabsichtigtes Stilmittel sein oder zur Erzielung humoristischer Wirkungen verwendet werden, so z. B. oft bei HEINE, RAIMUND, NESTROY, K. VALENTIN u. a. als →Wortspiel. – Dagegen beruht die Dreideutigkeit des berühmten, oft als Beispiel zitierten Ausspruchs von Antonius (SHAKESPEARE, *Julius Caesar*): ›And Brutus is an honourable man‹ nicht auf stilistischer A., sondern auf reiner →Ironie, und auch der Doppelsinn in SCHILLERS *Wallenstein:* ›Ich denke einen langen Schlaf zu tun‹ gelangt erst aus der Hintergründigkeit der Situation heraus zu schillernder Bedeutung, ohne daß A. im Stil erscheint.

Lit. →Stil.

Amphibrachys (v. griech. *amphi* = herum, *brachys* = kurz), dreisilbiger antiker Versfuß: eine von 2 Kürzen umgebene Länge: ◡ — ◡, Abart des →Kretikus. Verwendung etwa in Tetrapodien: ›Wie ist es / hat Liebe / mein Leben / besessen?‹ (ZESEN).

Amphimacer (v. griech. *amphi* = herum, *makros* = lang), dreisilbiger antiker Versfuß, eine Kürze von zwei Längen umgeben: — ◡ —, = →Kretikus; Ggs.: →Amphibrachys. Verwendung z. B. in antiker Komödie (PLAUTUS).

Amphitheater (griech. = Rundtheater), im Ggs. zum modernen Halbrundtheater oder dem Saalbau mit →Guckkastenbühne, das römische, meist für Kampfspiele (Tierhetzen und Gladiatorenkämpfe) verwendete Rundtheater. Ähnlich dem Zirkus steigen die Sitzreihen rings um die rund oder oval angelegte Arena stufenweise auf Bogenwölbungen an, werden durch Gänge zerteilt und von einer hohen Außenmauer begrenzt. Die unterste Sitzreihe enthält die Ehrenplätze. Zur Zeit CAESARS noch aus Holz aufgeführt und nach den Spielen wieder abgetragen, später aus Stein, davon rd. 300 erhalten, am besten in Rom (Kolosseum = A. Flavium, 80 n. Chr., 50 000 Zuschauer fassend), Nîmes und Verona.

Lit. →Theater.

Amplifikation (lat. *amplificatio* =) Erweiterung einer Aussage durch wiederholte Betrachtung unter verschiedenen Gesichtspunkten und ausführlicher Ausmalung der Aspekte. Rhetorische Figur in pathetischer Versepik und Dramatik (bes. in Monologen).

-ana, an einen Eigennamen angefügt, bezeichnet eine Sammlung von angeblichen Aussprüchen, persönlichen Anekdoten über den Namensträger oder schlichtweg Kollektaneen, die sich auf ihn beziehen, z. B. Goetheana.

Anachronismus (v. griech. *anachronizein* = in eine andere Zeit verlegen), unfreiwilliger oder aber auch beabsichtigt-witziger Fehler in der zeitlichen Abfolge oder Überlagerung von Geschehnissen, Gebräuchen, Denkformen, Personen und Gegenständen. Die häufigste Form, der vorgreifende A., verlegt Personen oder Gegenstände in frühere Zeiten, zu denen sie noch gar nicht lebten bzw. erfunden waren, und bildet somit einen Verstoß gegen die Zeitrechnung; der rückgreifende A. erneuert längst überlebte Einrichtungen. Unbeabsichtigter A. ist häufig in ma., Renaissance- und Barocklit., die die höfische Lebensform ihrer Gegenwart naiv auch z. B. in die Antike oder ferne Länder zurückprojizierten (in SHAKESPEARES *Julius Caesar* schlägt die Uhr, bei H. SACHS schießt Ödipus mit Kanonen) und noch gelegentlich in der dt. Klassik, wenn SCHILLER Buttler im *Wallenstein (Piccolomini* 234) vom (1752 erfundenen) Blitzableiter sprechen läßt, bewußt dagegen, wenn GOETHE Helena (*Faust* II, 3) in das (erst 1249 gegründete) Mitra kommen läßt. Seit der Schärfung des histor. Bewußtseins im 18./19. Jh. dient der A. mehr der komischen Wirkung, etwa bei G. B. SHAW *(Die heilige Johanna, Caesar und Kleopatra)* oder Mark TWAIN *(Ein Yankee an König Arthurs Hof)*, oder er ergibt sich zwangsläufig aus den Versuchen zur Aktualisierung älterer Stoffe, die zur Betonung ihrer Jederzeitlichkeit in modernes Gewand und moderne Geisteshaltung gekleidet werden (TIMMERMANS, *Das Jesuskind in Flandern;* ANOUILH, GIRAUDOUX).

Anadiplose (griech. *anadiplosis* = Verdopplung), Sonderform der →Epanalepse, wiederholt das letzte Wort eines Satzes oder Verses als erstes Wort des folgenden Satzes bzw. Verses zu verstärkter Klangwirkung, z. B. bei OVID *(Metamorphosen* 6, 376) von Fröschen: Quamvis sint sub aqua, / sub aqua maledicere temptant. (Ob sie die Flut auch bedeckt, auch bedeckt noch schimpfen sie kecklich. Übs. J. H. VOSS).

Anagnorisis (griech. =) Wiedererkennen, in der *Poetik* des ARISTOTELES (Kap. 14) neben Glückswechsel und Leiden der dritte mögliche Grundzug der tragischen Fabel. Vorausgegangen ist der Irrtum (→Hamartia), in dem dem Helden das wahre Wesen der Gegenspieler, Zustände oder auch seiner selbst unerkannt bleibt. Erst das gegenseitige Wiedererkennen der Verwandten bzw. Freunde kann entweder eine Untat im letzten Augenblick verhüten oder eine bereits vollzogene zu erhöhter Tragik steigern, z. B. in SOPHOKLES *König Ödipus,* vielen Tragödien des EURIPIDES, SCHILLERS *Braut von Messina;* Verstärkung des Motivs der A. im *Hildebrandslied.*

P. Hoffmann, *De anagnorismo,* Diss. Breslau 1910; A. Gmür, D. Wiedererkennungsmotiv i. d. Dramen d. Euripides, Diss. Fribourg 1920.

Anagramm (v. griech. *anagraphein* = umschreiben), ›Letterkehr‹, Umstellung der in einem Namen (Satz, Wort, Wortgruppe) enthaltenen Buchstaben zu anderer Reihenfolge und neuem Sinn. Die Umsetzung untersteht keiner Regel, doch müssen stets alle Buchstaben wieder enthalten sein, bei höchstens ganz geringen lautlichen Abweichungen. Das regelmäßig rücklaufende A. heißt →Palindrom; der Austausch der Silbenanlaute ergibt →Schüttelreim. Erfinder des A. ist wohl Lykophron von Chalkis (3. Jh. v. Chr.); weite Verbreitung im Orient durch jüdische Kabbalisten u. a. religiöse Geheimschriften. Im 16./17. Jh. beliebtes Wort- und Buchstabenspiel, das einen verborgenen Sinn der Laute in verschiedenen Kombinationen bloßlegen will oder die Wandelbarkeit des Irdischen zeigt, z. B. Tobianus: obit anus, abit onus, tua nobis, sunto abi, ubi sonat, Tuba Sion, ita bonus... oder Pilatus in Joh. 18, 38: Quid est veritas? zu: Est vir qui adest. S. Butler prägt aus ›nowhere‹ seinen Romantitel *Erewhon*. Im Barock oft anagrammatische Anspielungen an den Empfänger. Häufigste Verwendung zur Verschleierung von Autorennamen als → Pseudonym, so bei Rabelais, Fischart, Logau, Grimmelshausen (7 verschiedene A.e), Voltaire (= Arouet l.j.), besonders klangvoll Kaspar Stieler zu Peilkarastres; im 20. Jh. wird H. Davidson zu Van Hoddis, Marek zu Ceram, Anczel zu Celan.

H. B. Wheatley, On *A.s*, Lond. 1862; J. Disraeli, *Curiosities of literature*, London 1871; W. T. Dobson, *Literary frivolities*, London 1880; J. Starobinski, *Les mots sous les mots*, Paris 1971; P. Wunderli, F. de Saussure u. a. A.e, 1972; A. L. Johnson, *A'atism in poetry* (PTL 2, 1977).

Anaklasis (griech. = Zurückbiegen), 1. in der Metrik Wechsel der Quantität zwischen zwei benachbarten Silben (z. B. ◡—◡— zu —◡◡—) und damit Wechsel des Versfußes innerhalb desselben Metrums. Oft im Griech.; in dt. Lit. nur bei Voss, sonst in germ. Rhythmik fremd. – 2. in der Stilistik eine →Diaphora im Dialog, Wiederholung desselben Wortes durch den zweiten Gesprächspartner in veränderter, oft emphatischer Bedeutung, somit eine Art Wortspiel, z. B. ›... würd ich Eure Sache gut machen.‹ – ›Gut machen! Wenn ihr das könntet!‹ (Goethe, *Goetz* 4).

Anakoluth (v. griech. *an-akoluthos* = ohne Folge), Folgewidrigkeit im grammatischen Satzbau. Die Fortführung bzw. der Schluß des Gedankens fällt aus der syntaktischen Konstruktion des Satzanfangs heraus; die Beziehung von Anfang und Ende im grammatischen Sinn fehlt, z. B.: ›Es geschieht oft, daß, je freundlicher man ist, nur Undank wird einem zuteil.‹ Besonders häufige Erscheinungsformen als sog. absoluter Nominativ und in der Umwandlung entfernt abhängiger Nebensätze zu Hauptsätzen. Im allgemeinen ein Zeichen mangelnder stilistischer Durcharbeitung, können A.e in dichterischen Texten auch zum bewußten Stilmittel werden und die sorglose Umgangssprache oder die Zerstreutheit und Gedankenverwirrung des Sprechers, doch auch die Emphase der Rede und Schwere der Gedanken charakterisieren (z. B. in Platons Dialogen). Abart: →Anapodoton.

A. Betten, Ellipsen, A.e u. Parenthesen (Dt. Sprache, 1976).

Anakreonteus, nach dem griech. Lyriker Anakreon benannter Vers: ◡◡—◡—◡—— (anaklastischer ionischer Dimeter, d. h. entstanden aus dem ionischen Dimeter ◡◡—— / ◡◡—— durch Wechsel der langen Endsilbe des 1. und der kurzen Anfangssilbe des 2. Metrums), stichisch oder unter Ionikern verwendet, bes. in der att. Tragödie.

Anakreontik, nach dem griech. Lyriker Anakreon (6. Jh. v. Chr.) benannte Richtung der europ. Lyrik im →Rokoko, etwa um 1740–1770. Vorbilder waren vor allem die pseudoanakreontische Sammlung von 60 griech. Liedern der alexandrin. und nachchristl. Zeit in der Ausgabe von Henri ESTIENNE 1554, dann der echte ANAKREON, die heiteren Oden des HORAZ, CATULL, die griech. Anthologie des PLANUDES und – neben ausländischen Zeitgenossen – der sächsische Barock, doch Spannung und Pathos der Barockdichtung glätten sich zu kokett-eleganter Kleinkunst. Der Motivkreis der A. ist eng umgrenzt: Macht der Liebe, Preis der Geliebten, Lob des Weins und der Geselligkeit, heiterer Lebensgenuß im Sinne EPIKURS. Die Darstellung bedient sich oft des Schäferkostüms oder traditioneller Namen und Situationen aus antiker Mythologie (Venus, Amor, Bacchus), umgeben von der fast stereotypen ›amönen Landschaft‹ mit ihren Wiesen, Bächlein, Quellen, Lauben und Grotten. Starke Anregungen kamen aus der franz. Rokokomalerei der Watteau, Fragonard, Boucher. Der Ton dieser höchst kultivierten Gesellschaftsdichtung ist zierlich tändelnd, geschmackvoll und genußreich, schmachtend bis delikat. Graziöse Leichtigkeit und reizvolle Bewegung der Sprache schufen neue Möglichkeiten der Versbehandlung und Sprachgestaltung; ein konventionelles Spiel von schwebender Heiterkeit, artistisch auf die Pointe zugespitzt, voll erotischer Anspielungen und dennoch mit klar logischem, fast symmetrisch formbewußtem Aufbau. Nicht Erlebnisaussprache und Gefühlsechtheit, sondern der literarische Einfall entscheidet, doch bringt e. tieferer seelischer Gehalt die Verbindung zum Lied der →Empfindsamkeit. A. ist der überfeinerte Ausläufer der mit dem Barock beginnenden und vom Sturm und Drang abgelösten Kulturepoche. – Erstes Einsetzen in Frankreich seit der Pléjade, im 17./18. Jh. im Gefolge des Philosophen GASSENDI: CHAULIEU, CHAPELLE, BACHAUMONT, LAINEZ, LA FARE, VOLTAIRE u. a., bes. die →poésie fugitive der ›petits poètes‹ GRESSET, PIRON u. a. Bei den englischen Vertretern (PRIOR, WALLER, GAY) tritt das empfindsame Element in den Vordergrund. Die deutsche (eigentlich preußische) A. setzt ein mit HAGEDORN und findet ihre wichtigsten Vertreter im →Halleschen Freundeskreis von GLEIM, UZ und GÖTZ, daneben viele unbedeutende; auch E. v. KLEIST, KLOPSTOCK, RAMLER, ZACHARIAE, LESSING, GERSTENBERG, J. G. JACOBI, CLAUDIUS, HÖLTY, SCHILLER selbst GOETHE (in Leipzig und nach 1781 in Weimar) huldigen auf einer gewissen Entwicklungsstufe den Idealen der A. Die Kunsttheoretiker der A. (G. F. MEIER, BAUMGARTEN, MENDELSSOHN, RIEDEL) pflegten unter englischem Einfluß (SHAFTESBURY, HOGARTH) Erörterungen über Schönheit, Anmut und Grazie (daher A. auch →Grazienpoesie). Ausklingen der A. erst mit dem Einsetzen des Sturm und Drang, doch Fortleben z. B. geadelt im Schenkenbuch des *Westöstlichen Divan*, bei MÖRIKE, W. MÜLLER, PLATEN, RÜCKERT, GEIBEL, HEYSE, SCHEFFEL und BODENSTEDT, DAUTHENDEY, BIERBAUM, LILIENCRON u. a.

G. Witkowski, D. Vorläufer d. anakr. Dichtg. i. Dtld. u. Hagedorn, 1889; F. Ausfeld, D. dt. anakr. Dichtg. d. 18. Jh., 1907; A. Pick, Z. Gesch. d. dt. A. (Stud. z. vgl. Lit.gesch. 7 u. 9, 1907 u. 1909); Th. Feigel, V. Wesen d. A. ... Diss. Marbg. 1907; A. Köster, Dt. Lit. d. Aufklärungszeit, 1925; U. Wendland, D. Theoretiker u. Theorien d. sog. galanten Stilepoche d. dt. Spr. (Form u. Geist 17, 1930); H. Paustian, D. Lyrik d. Aufklärg., Diss. Kiel 1932; H. Lischner, D. A. i. d. dt. weltl. Lyrik d. 17. Jh., Diss. Bresl. 1932; RL; A. Anger, Lit. Rokoko, 1962; ders. in: Neues Hdb. d. Lit.wiss. 11, 1974; H. Zeman, D. dt. anakr. Dichtg., 1972; T. Verweyen, Emanzipation d. Sinnlichk. i. Rokoko?, GRM 25, 1975. →Aufklärung und →Rokoko.

Anakrusis (griech. =) →Auftakt bei steigenden Metren (Jambus, Anapäst); von G. HERMANN für die antike Metrik eingeführte, jetzt jedoch ungebräuchliche Bz. für alle der ersten Länge vorangehenden Kürzen, nach deren Absonderung das Metrum fallend wird.

Anakyklesis (griech. = Kreislauf) oder Antapodosis (griech. = Rückerstattung), die Wiederholung eines bestimmten, festen Verssystems in gleicher Reihenfolge, die dasselbe als Strophe heraushebt und kennzeichnet.

Analekten (v. griech. *analegein* = auflesen, sammeln), Aufgelesenes; Sammlung ausgewählter Stellen oder bemerkenswerter Zitate von bekannten Dichtern und Schriftstellern bzw. von wissenschaftlichem Material; Auszüge, →Lesefrüchte, →Kollektaneen.

Analogie (griech. *analogia* = Entsprechung, Übereinstimmung) bewirkt die Angleichung einer sprachlichen Bildung entgegen den grammatischen Gesetzen an e. andere, ihr sinnverwandte, entsprechende oder entgegengesetzte und geläufigere, z. B. ›des Nachts‹, weil ›Tags‹ echter Genitiv.

K.-H. Best, Probleme d. A.forschg., 1973; R. Anttila, *A.*, Haag 1977; ders. u. a., *A.*, Bibliogr. Haag 1977.

Analyse (griech. *analysis* = Auflösung), im Ggs. zur Synthese die Zerlegung e. Ganzen in seine Faktoren. Satzanalyse in der Grammatik zergliedert die Sätze in Satzteile, Wortanalyse die Wörter in Wurzeln, Prä-, In- und Suffixe; in der Dichtungswissenschaft verhilft die analytische Methode im Detail zu genauerer Erkenntnis von der Eigenart eines Textes nach seinen Formkräften Rhythmus, Metrik, Reimgebrauch, Satzbau, Wortsinn, Stilformen und Bildlichkeit, im großen als Struktur-A. zu genauerer Erkenntnis der Struktur e. Werkes (z. B. Dramas), indem sie die einzelnen Komponenten für sich sowie im Zusammenwirken betrachtet und Zusammenhänge erhellt. Sie bildet die Voraussetzung und Grundlage der →Interpretation.

J. Wisdom, *Interpretation and Analysis*, 1931; R. Wellek, A. Warren, Theorie d. Lit., 1959; H. Glinz, Grundbegriffe u. Methoden inhaltsbezogener Text- u. Spracha., 1965; A. Behrmann, Einf. i. d. A. v. Verstexten, 1970; ders., Einf. i. d. A. v. Prosatexten, [3]1971; H. Glinz, Text-A. u. Verstehenstheorie, 1973; M. Titzmann, Strukturale Text-A., 1977.

Analytische Erzählung, erzähler. Gegenstück zum →analytischen Drama, das rückwärtsschreitend vom Endzustand aus das Geschehen aufrollt oder e. vorgefundene Situation an ihre Wurzel zurückverfolgt, etwa als Lösung e. vorgegebenen Rätsels (Typ Detektivroman) oder als Nacherzählung e. Erlebnisses aus der Perspektive sich ausweitender Erfahrung des Erzählers (GRILLPARZER, *Der arme Spielmann*). Aus der Umstellung des chronolog. Handlungsablaufs ergeben sich Spannungs- und Überraschungsmomente.

D. Weber, Theorie der a. E., 1975.

Analytisches Drama, ein Schauspiel, dessen Bühnengeschehen nicht die ganze Reihe der Ereignisse, die zum tragischen Konflikt führen (→Vorgeschichte, Prämissen) umfaßt, sondern nur ihre letzten Auswirkungen, die Zuspitzung zur Katastrophe, während die eigentliche Handlung vor seinem Beginn liegt und sich im Laufe des Spiels langsam den ahnungslos Handelnden wie den Zuschauern enthüllt, z. B. SOPHOKLES' *König Oidipus,* SCHILLERS *Braut von Messina* (vgl. ders. an GOETHE, 2. 10. 1797), das romantische →Schicksalsdrama, in der Komödie Kleists *Der zerbrochene Krug*. Sehr beliebt im Drama des Naturalismus, da der geringere Handlungsandrang breitere Milieuschilderung und Charakterisierung der Personen erlaubt (Ibsens *Gespenster*, A. Holz' *Sonnenfinsternis*, M. Halbes *Der Strom* u. a. m.). Ggs.: →Zieldrama.

T. M. Campbell, *Hebbel, Ibsen and the analytic exposition*, 1922; O. Mann, Poetik d. Tragödie, 1958. →Drama.

Anantapodoton →Anapodoton

Ananym (griech. *ana* = zurück), Form des →Pseudonyms, die aus Umkehrung der Buchstaben- bzw. Lautfolge des eigentlichen Namens besteht; Sonderform des →Anagramms, z. B. Marek – Ceram.

Anapäst (griechisch *anapaistos* = aufgestoßen), dreiteiliger antiker Versfuß von 4 Moren Länge, verbindet in der Grundform 2 kurze und 1 lange Silbe bzw. 2 unbetonte und 1 betonte: ◡◡–́, z. B.: ›Wie mein Glück, ist mein Lied‹ (Hölderlin). Daraus können entstehen: 1. durch Zusammenziehung: ––́, anapästischer Spondeus; 2. durch Spaltung: ◡◡◡́◡, Prokeleusmatikos; 3. durch Zusammenziehung und Spaltung: –◡́◡, anapästischer Daktylus. Einziger griech. Versfuß, der einen reinen Takt enthält; insofern nur scheinbare Umkehrung des →Daktylus. Charakteristisch für den A. ist die andrängende Wirkung und der taktgemäße Charakter, daher im Griechischen Verwendung oft in Marsch- und Schlachtliedern als katalektische Tetrapodie (→Parömiakos) oder als dreifüßiger →Prosodiakos in Prozessionsliedern, auch in →Parodos und →Exodos des Dramas, die Ortsveränderungen beschreiben, in langen akatalektischen Systemen gebaut, abgeschlossen und gegliedert durch Parömiakoi als Klauseln. Euripides erfand die sog. lyrischen A.e, die durch Diäreselosigkeit, überwiegende Spondeen und reiche Katalexen charakterisiert sind und oft in Monodien verwendet werden. Ferner als katalektischer Tetrameter oder →Septenar in der Komödie des Aristophanes und nach dessen Vorbild beim Schluß von Platens Literaturkomödien. In röm. Lit. seltener wegen Mangels an Kürzen, in altröm. Komödie als →Dimeter oder akatalektischer Tetrameter (Oktonar). In Dtl. erst seit der Romantik, meist als Dimeter mit dipodischer Gliederung und Mittelzäsur, doch selten verwendet, da der rhythmische Eindruck oft zu Jamben verwischt oder durch Umlagerung daktylisch empfunden wird.

Lit. →Metrik.

Anapher (griech. *anaphora* = Beziehung, Zurückführung), 1. in weiterem Sinne früher die Wiederkehr derselben Folge der Satzteile in mehreren Sätzen: →Parallelismus. – 2. im engeren Sinne Wiederkehr desselben Wortes bzw. derselben Wortgruppe am Anfang mehrerer aufeinanderfolgender Verse, Strophen, Sätze oder Satzteile, z. B. ›Das Wasser rauscht', das Wasser schwoll‹ (Goethe, *Der Fischer*); Ggs. →Epiphora. Stilmittel des rhetorischen Pathos zum Zwecke stärkerer Eindringlichkeit und übersichtlicher Gliederung. Oft in antiker Rhetorik und Prosa (Cicero, Seneca), und zwar sowohl bei →chiastischer wie paralleler Satzfügung; in neuerer Prosa erst unter dem Einfluß des Humanismus mit dem Wiederaufleben rhetorischer Studien, besonders oft in dreifacher Wiederholung, zumal in Ballade und Drama, so bei Shakespeare, Goethe (*Mignon*: ›Kennst du das Land, wo ...‹), Schiller, Kleist, Grillparzer u. a.

E. Norden, Antike Kunstprosa, [1]1923. →Stil.

Anaphora →Anapher

Anapodoton, auch **Anantapodoton** (griech. = ohne Vergeltung), Spezialfall des →Anakoluth, bei dem von einer korrespondierenden Konjunktion (z. B. zwar – aber, sowohl – als auch) nur der erste Teil im längeren Vordersatz enthalten ist, während ein Nachsatz mit dem entsprechenden zweiten Teil fehlt, z. B. CICERO *Tusc.* 3, 17, 36.

Anastatischer Neudruck →Abdruck

Anastrophe (griech. =) Umkehrung der geläufigen syntaktischen Wortstellung in der Dichtersprache aus Gründen des Rhythmus, Reims oder des Nachdrucks in gehobener Redeweise, auch zur Erzielung bes. Klangeffekte. Häufigster Fall der A. ist die Nachstellung der Präposition (= Postposition) hinter das Substantiv: ›quam ob rem‹, ›zweifelsohne‹. In den alten Sprachen ist A. wegen Freiheit der Wortstellung nur dort feststellbar, wo die Umgangssprache e. andersartige feste Wendung bezeugt; gegen die A. aus mangelnder Beherrschung des Verses wendet sich OPITZ, daneben erscheint sie jedoch oft bewußt volkstümlich: ›Röslein rot‹ u. ä. Vgl. →Hyperbaton, →Inversion.

Lit. →Stil.

Anazyklisch (griech., umdrehbar) →Palindrom

Anceps (lat. = schwankend), in antiker Metrik e. Silbe, die nach dem vorgeprägten Versschema lang oder kurz ausfallen kann (Bezeichnung ⏓, in moderner Metrik ×). Von A. zu unterscheiden ist das Schwanken der Quantität am Vers- oder Periodenende, brevis in longo (kurze Silbe an Stelle einer Länge) genannt, das durch das →Fermate am Periodenende zu erklären ist.

Andachtsbuch →Gebet- und →Erbauungsbuch

Anekdote (v. griech. *an-ekdoton* = nicht herausgegeben), eigentlich etwas aus Gründen der Diskretion o. ä. noch nicht schriftlich Veröffentlichtes, also mündlich Überliefertes – die *Anekdota* des PROKOPIOS (um 500–um 562) sind bisher verschwiegene Geheimgeschichten aus dem Privatleben Justinians – heute kurze, schmucklose, oft in e. heiteren Ausspruch gipfelnde Erzählung zur scharfen Charakterisierung e. historischen Persönlichkeit, merkwürdigen Begebenheit, Zeitepoche, Geistesrichtung, Gesellschaftsschicht oder Charaktertype in ihrer besonderen Eigenart an e. episodischen, doch typischen Fall. Prägnante Knappheit der objektiven Geschehensdarstellung und schlagkräftiger Aufbau der Pointe, die blitzartig Zusammenhänge erleuchtet, sind Haupterfordernisse dieser Gattung. Ihre innere Wahrheit beruht weniger auf der Wirklichkeit als auf der historischen Möglichkeit. Frühere Verwendung oft als moralisierende und belehrende Exempel in Reden, Predigten und volkstümlichen Schriften, zur Belebung und Unterhaltung auch zahlreich in ältester Geschichtsschreibung, Chroniken, Flugblättern und Satiren des Humanismus. Als Kunstform seit der italienischen Renaissance entwickelt aus der humanist.-lat. →Fazetie (POGGIO, BRANT, A. TÜNGER, BEBEL), in deutschen Schwankbüchern des 16. Jh., den Predigten ABRAHAMS A ST. CLARA, volkstümlich breit in GRIMMELSHAUSENS Kalendergeschichten. Später häufiges Auftreten in Slgn. und Almanachen *(Wandsbecker Bote, Hinkender Bote)*. Entwicklung zu meisterhafter Kunsthöhe von dramat. Spannung bei KLEIST und mit volkstüml. Lehrhaftigkeit bei J. P. HEBEL (*Rheinischer Hausfreund*) sowie bei GOTTHELF, in der Gegenwart bei P. ERNST und H. FRANCK, in neuer, episch breiter Gestaltung bei W. SCHÄFER und in gesellschaftskrit. Pointierung bei F. C. WEISKOPF. Nähe zu →Schwank, →Fabel und →Kurzgeschichte.

M. Dalitzsch, Stud. z. Gesch. d. dt. A., Diss. Freiburg 1923; R. Hoffmann, D. A., e. Deuterin d. Weltgesch., 1934; H. Lorenzen, Typen d. dt. A.erzählung, Diss. Hbg. 1935; C. F. W. Behl, Üb. d. Anekdotische (Die Lit., 38. Jg. 1935–36); F. Stählin, Hebel u. Kleist als Meister d. A., 1941; ders. in Zs. f. dt. Unterr. 55; R. Petsch, Wesen u. Formen d. Erzählkunst, [2]1943; H. Pongs, D. A. als Kunstform (Deutschunterr. 9, 1957); RL; L. Brownlow, *The Anatomy of A.*, Chicago 1960; F. Ackermann, D. Komische i. d. A. (Deutschunterr. 18, 1966); H. Grothe, A., 1971; H. P. Neureuter, Z. Theorie d. A. (Jhrb. d. Freien Dt. Hochstifts 1973); W. E. Schäfer, D. A. i. Lit. unterr. (Wirkendes Wort 23, 1973); J. Hein, Dt. A.n, 1976; W. E. Schäfer, A. – Anti-A., 1978.

Anepigrapha (griech. = ohne Aufschrift), Schriften ohne Titel, daher ›anepigraphisch‹ = unbetitelt.

Anfangsreim, im Ggs. zum → Endreim und →Binnenreim →Reim der ersten Wörter zweier Verse: ›*Krieg!* ist das Losungswort. / *Sieg!* und so klingt es fort.‹ (GOETHE, *Faust*).

Angry young men →Zornige junge Männer

Anisometrisch, d. h. nicht →isometrisch sind Gedichte, Strophen und Verspaare, deren einzelne Verse eine verschiedene Silbenzahl aufweisen oder deren Verse im Laufe des Gedichts bzw. der Strophe das Metrum wechseln, z. B. →Freie Verse.

Anka (Kurzform von sanskrit. *utsrishtikânka*), Gattung des ind. Dramas: Einakter um einen bekannten Stoff unter gewöhnlichen Menschen mit der Grundstimmung (Rasa) des Mitleids.

Ankunftsliteratur, sozialist. Abart des →Erziehungsromans in der DDR-Lit. bes. der sechziger Jahre, stellt den Wandel vom unpolit. zum bewußt polit. Menschen, die »Ankunft« eines neuen Menschen im Sozialismus, seine Identifikation mit der bestehenden Sozialordnung und seine Integration darin dar; B. REIMANN, *Ankunft im Alltag* (1961), K.-H. JAKOBS, *Beschreibung eines Sommers* (1961), CH. WOLF, *Der geteilte Himmel* (1963), J. WOHLGEMUTH, G. DE BRUYN, W. HEIDUCZEK, H. KANT u. a.

Anmerkungen. Nach Art der A. in wissenschaftlichen Büchern (Literaturangaben, Erläuterungen) liefern die Dichter des Barock A. zu ihren Dichtwerken; Sacherklärungen, Verdeutlichungen, Quellennachweise, so ANGELUS SILESIUS zu seinen Sinnsprüchen, HALLMANN zu seinen Dramen, GRYPHIUS zu *Catharina von Georgien*, LOHENSTEIN, KLAJ, OPITZ u. a. m. Noch V. v. SCHEFFEL erläutert seinen kulturhistorischen Roman *Ekkehard* durch wissenschaftliche A.

Anmut, als Begriff der →Ästhetik die Grundlage des Schönen in der Harmonie von Natur und Geist, äußerer Ausdruck innerer Harmonie, Grazie. Gegenstand von SCHILLERS Aufsatz *Über A. und Würde* (1793) und H. v. KLEISTS Aufsatz *Über das Marionettentheater* (1810).

R. Bayer, *L'esthétique de la grâce*, Paris 1933; H. Plügge, Grazie u. A., 1947.

Annalen (lat. *annales libri* = Jahrbücher), nach Jahren aufgeteilte Darstellung geschichtlicher Abläufe, Frühform der Geschichtsschreibung im Orient (Ägypten, Assyrien, Israel, China) und Abendland. In Rom verzeichnete seit rd. 400 v. Chr. der Pontifex maximus die merkwürdigen sakralen u. a. Ereignisse (Sonnen- u. Mondfinsternisse, Teuerung, Seuchen, Vorzeichen) der einzelnen Jahre in zeitlicher Folge auf weißen Tafeln (→Album). Um 130 v. Chr. in 80 Bücher zusammengefaßt, dienten sie den folgenden Geschichtsschreibern als Quelle, wobei das annalistische Prinzip zunächst beibehalten wurde. Diese oft kritiklosen und tendenziösen Werke der römischen Annalisten (Q. CLAUDIUS QUADRIGARIUS, VALERIUS ANTIAS u. a.), bis ins 2. Jh. v. Chr. in griechischer Sprache verfaßt (FABIUS PICTOR), wurden erst durch LIVIUS, der die A.form zur Meisterschaft bringt, gänzlich überholt. Der Titel *A.* für TACITUS' Werk *Ab excessu divi Augusti* ist nicht authentisch. Fortleben der Gattung A. im MA. seit karoling. Zeit für jährliche Aufzeichnungen der Klöster, Bischofssitze und Residenzen (zu unterscheiden von →Chroniken). In neuerer Zeit als Titel auch nichthistorischer Zeitschriften. – Das annalistische Prinzip in der Literaturgeschichte will im Ggs. zum →monographischen das zeitliche Nebeneinander der Werke verschiedener Autoren und Epochen hervorheben (H. O. BURGER, *A. d. dt. Lit.,* 1952). Vgl. →Zeittafeln.

K. W. Nitzsch, D. röm. Annalistik, 1873; RE; H. Hoffmann, Unters. z. karoling. Annalistik, 1958.

Annominatio →Paronomasie

Anonym (v. griech. = namenlos, ungenannt) sind Schriftwerke ohne Namensnennung des Verfassers (Anonymus), sei er verschwiegen, unbekannt (→Adespota) oder sei das Werk fälschlich unter fremdem Namen überliefert (→Pseudepigraph). Wesenhaft a. sind z. B. viele Volkslieder, -bücher und -märchen aufgrund ihrer nur mündlichen Verbreitung, ebenso manche antike Dichtung *(Pervigilium Veneris, Alexanderroman),* zahlreiche Schriften des MA. (fast alle ahd. Denkmäler) und der Reformationszeit (satirische, theologische und politische Streitschriften). Die Dichter des 16./17. Jh. verbergen sich durch →Pseudonym, →Kryptonym oder →Anagramm, doch waren z. B. *Lazarillo de Tormes, La Princesse de Clèves,* die *Epistulae obscurorum virorum,* mehrere Schwanksammlungen und auch Ch. REUTERS *Schelmuffsky* a. Viele epochemachende Frühwerke späterhin berühmter Dichter des 18. und 19. Jh. erschienen zuerst a., so GOETHES *Werther* und *Götz,* SCHILLERS *Räuber,* KLEISTS *Familie Schroffenstein,* RICHARDSONS *Pamela,* SMOLLETTS *Roderick Random,* STERNES *Sentimental Journey,* YOUNGS *Night Thoughts,* SCOTTS *Waverley,* BYRONS *Don Juan* u. a., ferner Werke von HAGEDORN, BODMER, LAVATER, WIELAND, KLOPSTOCK, HERDER, F. SCHLEGEL, WERNER, E. T. A. HOFFMANN, JEAN PAUL, C. F. MEYER, DROSTE-HÜLSHOFF, bes. von politischen Schriftstellern um 1848 (A. GRÜN, HERWEGH, DINGELSTEDT, HORMAYR). Gründe für bewußte Anonymität sind persönliche wie Scheu vor der Öffentlichkeit, aristokratische Verfasser, oder inhaltliche bei politischer oder erotischer Literatur. Zur Feststellung a.er Autoren helfen für die wichtigsten Literaturen A.enlexika:

M. Holzmann, H. Bohatta, Dt. A.en-Lexikon, 7 Bde. 1902–28, [2]1961. – Engl.: S. Halkett, J. Laing, *Diction. of A. and Pseudon. Engl. Lit.,* hg. J. Kennedy, W. A. S. Smith u. A. F. Johnson, 9 Bde., Lond. [2]1926–62; W. Cushing, *A.s,* Cambridge, Mass. 1890; Ch. A. u. H. W. Stonehill u. A. Black, *A.a and Pseudonyma,* 4 Bde., Lond. 1926–27. – Fkr.: J. M. Quérard, *Les supercheries lit. dévoilées,* 3 Bde. Paris [2]1869–70; A. A. Barbier, *Dictionn. des ouvrages a. et pseudonymes,* 4 Bde. Paris [3]1872–1879, ergänzt durch G. Brunet 1889 u. H. Celani 1902. – Ital.: G. Melzi, *Dizionario di opere anonime e pseudonime,* 3 Bde. Mail. 1848–59, ergänzt durch G. B. Passano, Ancona 1887 u. E. Rocco, Neapel 1888; R. Frattarolo, *Anonimi e Pseudonimi,* Caltanissetta 1955. – Niederld.: J. I. van Doorninck, *Vermomde en naamlooze schrijvers,* II 1883–85; A. de Kempenaer, *Vermomde nederlandsche en vlaamsche schrijvers,* 1928. – Port.: M. Augosto da Fonseca, *Subsidios para un dicionario de pseudonimos, iniciais e obras anônimas,* Lissab. 1896. – Skand.: Bygden, *Svenskt A. – og Pseudonym-Lexikon,* 2 Bde. Upsala 1898–1915; H. Pettersen, *Norsk Anonym – og Pseudonym-Lexikon,* Oslo 1924; H. Ehrencron-Müller, *A. – og Pseudonym-Lexikon for Danmark og Island til 1920 og Norge til 1814,* Koph. 1940. – Lat. MA.: A. Franklin, *Dictionnaire des noms, surnoms et pseud. latins de l'hist. lit. du moyen-âge,* Paris [2]1879. – Jesuiten: C. Sommervogel, *Dictionn. des ouvrages a.es et pseud. publiés de la Compagnie de Jesus,* 2 Bde. Paris 1884. – Allg.: A. V. Morris, *A. and Pseudonyms,* Chicago 1933; H. Gültig, Echte A.ität, Diss. Tüb. 1950; A. Taylor, F. J. Mosher, *The bibliographical history of A. and Pseudonyma,* Chicago 1951; RL; *Evidence for authorship,* hg. D. V. Erdman, E. G. Vogel, Ithaca 1966.

Anopisthographisch (griech. *an* = un-, *opisthen* = hinten, *graphein* = schreiben), im Ggs. zum →Opisthographon einseitige Schriftfüllung e. Blattes, wie im Altertum alle Hss. nur eine Seite der →Papyrusrolle einnahmen, im Buchdruck alle Reibedrucke, bei denen das Papier rückseitig auf den Druckstock angerieben wird, a. sind. Vgl. →Blockbuch, →Einblattdruck.

Anreim = →Alliteration

Anruf →Anrufung der Götter, →Apostrophe, →Invokation

Anrufung der Götter oder Musen mit der Bitte um Beistand bei der Vollendung des Werkes, zuerst im klassischen Epos (z. B. HOMER, *Odyssee* I, 1; VERGIL, *Aeneis* I, 8), dann im MA. beliebter Topos, an heidnische wie christliche Gottheiten gerichtet.

Anspielung, in Rede oder Schrift verkappter Hinweis (Andeutung) auf e. als bekannt vorausgesetzte Person, Begebenheit oder Situation; breit lit. ausgebaut im →Schlüsselroman. Die A. will entweder mit eigenem Wissen prunken (Alexandrinertum, MA.) oder durch Hinweise auf gemeinsames Wissen eine Verbindung von Autor und Publikum knüpfen oder das eigene Werk in Beziehung zur lebendigen Tradition setzen; sie setzt zu ihrer Wirkung das Verständnis und Mitwissen des Publikums voraus.

Z. Ben-Porat, *The poetics of literary allusion,* PTL I, 1976

Anstandsliteratur →Grobianismus, →Tischzuchten

Anstandsrolle, Rollenfach in der Schauspielkunst (→Rolle) für verschiedene Typen aus höherem Milieu (Bonvivant, Gouvernante, Intrigant, Liebhaber u. ä.).

Antagonist (griech. *antagonistes* =) →Gegenspieler

Antanaklasis = →Anaklasis (2)

Antapodosis = →Anakyklesis

Antepirrhem (griech. = Erwiderung e. zugefügten Sentenz), regelmäßig letzter (4.) Teil der →Parodos in der attischen Komödie, respondierend zum →Epirrhema; auch Teil des →Agon (2).

Anthologie (griech. = Blumen-, Blütenlese), Slg. unter bestimmten Gesichtspunkten ausgewählter lit. Stücke – Dichtungen, bes. Gedichte, kleine Prosastücke oder Ausschnitte aus größeren; auch philosophische und wissenschaftliche Prosa – aus großem oder kleinem Kreis zur Charakterisierung e. Geistesepoche, Volksliteratur, Gattung, Entwicklung o. ä. (→Florilegium, →Chrestomathie). Beginn mit dem *Kranz* des MELEAGROS von Gadara um 70 v. Chr., formvollendeten Epigrammen 47 verschiedener griech. Dichter, dem Grundstock der sog. *Griech. Anthologie*, fortgeführt von PHILIPPOS aus Thessalonike (40 n. Chr.) mit e. A. von Epigrammen 13 griech. Dichter; weitere große Slgn. von KONSTANTINOS KEPHALAS (um 925); sog. *Anthologia Palatina*; Abschluß durch MAXIMUS PLANUDES (14. Jh.): *Anthologia Planudea*. Durch diese und die Sentenzenslg. des STOBAIOS (5. Jh.) schnelle Verbreitung des Begriffs A. und unzählige A.n aller Literaturen, die den Geschmack einer Zeit, einer Richtung oder des Herausgebers spiegeln.

RL; R. F. Arnold, Allg. Bücherkunde, [4]1966; D. dtspr. A., hg. J. Bark u. D. Pforte, 2 Bde. 1969 f.

Antibacchius, umgekehrter →Bacchius (Palimbacchius), dreisilbiger antiker Versfuß, bestehend aus 2 Längen und 1 Kürze: ——◡, kein selbständiger Versfuß, sondern meist ein synkopiertes trochäisches Metrum.

Antibarbarus (griech.), früher beliebter Titel für Bücher zur Bekämpfung von →Barbarismen in Sprache und Stil: J. P. KREBS/J. H. SCHMALZ, *A. d. lat. Spr.*, [8]1962; K. G. KELLER, *Dt. A.* [2]1886; R. SCHERFFIG, *Franz. A.*, 1894.

Antichristspiel, Art des →geistlichen Dramas im MA. außerliturgischer Herkunft, eschatologisches Spiel von Weltende, Jüngstem Gericht und Sieg Gottes über den Antichrist. Dramatische Verarbeitung der Sage vom Antichrist, der seit dem 8. Jh. in Legenden und den *Muspilli* wiederholt erscheint (ADSO VON TOUL, *Liber de Antichristo*, 10. Jh.), erhalten im Tegernseer *Ludus de Antichristo* e. Geistlichen aus dem Gefolge Barbarossas um 1160, lateinischen hymnischen Wechselgesängen von oratorienhaftem Stil. Starkes Eindringen des nationalen und politischen Elements in Gestalt des deutschen Kaiserideals. Daneben zahlreiche weitere dt., engl. und franz. A.e. →Weltgerichtsspiel.

W. Bousset, D. Antichrist, 1895; H. Preuß, D. Vorstellg. v. Antichrist a. Ausg. d. MA., Diss. Lpz. 1906; B. Rigaux, *L'antéchrist*, Gembloux 1932; W. Kamlah, D. ›Ludus de Antichristo‹ (Hist. VJS., 28. Jhrg., 1933); H. Meyer-Benfey, D. ma. A. (Preuß. Jb., 238. Bd., 1934); P. Steigleder, D. Spiel v. Antichrist, Diss. Bonn 1938; G. Jenschke, Unters. z. Stoffgesch., Form und Funktion d. ma. A., Diss. Münst. 1971; H. D. Rauh, D. Bild d. A. im MA., 1973; K. Aichele, D. Antichristdr. d. MA., der Reformation u. Gegenref., Haag 1974.

Antiheld, im Ggs. zum →Helden eine solche Hauptfigur in ep. und dramat. Werken, die nicht nur aller heroischen, sondern überhaupt aller aktiven Charakterzüge entkleidet ist und den Ereignissen mit strikter Passivität gegenübersteht. Als Figur vorgeprägt in russ. Lit. (GOGOLS *Heirat*, GONČAROVS *Oblomov*) und weitverbreitet in der westl. Lit. der 2. Nachkriegszeit.

Antike (v. lat. *antiquus* = alt), zusammenfassende Bz. der klass. griech.-röm. Kulturwelt des Altertums bis zur Völkerwanderung (Spät-A.) und damit dem christl. MA. im Ggs. zu anderen gleichzeitigen oder späteren Kulturkreisen. In sich räumlich und zeitlich verschiedenartig gestaltet, bildet sie als geschlossene Gesamtheit neben dem Christentum die Grundlage aller abendländischen Kultur und wirkte fruchtbar auf alle europ. Litt. bis in die Gegenwart hinein. Die Übernahme antiker Elemente und selbständige Auseinandersetzung mit ihnen geschieht in den einzelnen Epochen und Völkern verschieden nach Art und Stärkegrad, naiv-kritiklos in Inhaltsübersetzungen oder höchst bewußt in kunstvollen Nachdichtungen, auch Anregungen zu Eigenschöpfungen; sie wurde angegriffen als Verlust völkischer Eigenständigkeit und verteidigt als gemeinsame Erbschaft des Abendlandes, als seine ständige Aufgabe. Der Einfluß der antiken Lit. beginnt mit Glossarien, Übersetzungen und Nachdichtungen (insbes. von Werken des VERGIL, OVID, TERENZ, PLAUTUS, STATIUS, des *Alexanderromans*, lat. Darstellungen des Trojanerkrieges und des *Apolloniusromans*) im frühen MA. und wirkt nachhaltig auf die Abfassung eigener Heldenepen; CICERO wurde Vorbild höfischer Moral; Gestalten antiker Legenden und Mythen fanden Eingang in neue Schöpfungen. →Renaissance und →Humanismus brachten die bewußte Belebung klass. Studien und erweitern die Zahl der Übersetzungen nun auch griech. Autoren; antike Formideale des ARISTOTELES und HORAZ (für das Drama TERENZ, im Barock SENECA) werden durch die →Poetiken verbindlich für die zeitgenössische Literatur; antike Fabeln und →Exempla sind Allgemeingut ebenso wie →mythologische Umschreibungen und Allegorien. Mit dem 18. Jh. erst beginnt die breitere Wirkung der griech. Tragiker und HOMERS. In der dt. Literatur bemühen sich bes. WINCKELMANN, LESSING, HERDER, später NIETZSCHE um echte Erfassung des antiken Geistes; in den Dichtungen GOETHES, HÖLDERLINS und (mit breiterer Wirkung) SCHILLERS findet er seinen reifsten Niederschlag; in der Gegenwartsdichtung bei HOFMANNSTHAL, R. A. SCHRÖDER, T. S. ELIOT, J. ANOUILH, J. COCTEAU, R. JEFFERS u. a. →Antikisierende Dichtung.

C. L. Cholevius, Gesch. d. dt. Poesie nach ihren antiken Elementen, 1854–56; L. P. Betz, *La littérature comparée*, 1904; J. E. Sandys, *A Hist. of Classical Scholarship*, Lond. 1908; K. Borinski, D. A. i. Poetik u. Kunsttheorie, 1914–24; E. Stemplinger, D. Befruchtung d. Weltlit. durch d. A. (GRM 2, 1910); K. Heinemann, D. trag. Gestalten d. Griech. i. d. Weltlit., 1920; G. Murray, *The Classical Tradition in Poetry*, Cambr., Mass. 1927; Das Problem des Klassischen u. d. A., hg. W. Jaeger 1931; RL; R. Newald, D. A. i. d. europ. Lit., GRM 1934; ders. im ›Aufriß‹; J. A. K. Thomson, *The Classical Background of Engl. Lit.*, Lond. 1948, [3]1963; G. Highet, *The Classical Tradition*, 1949; E. Grumach, Goethe u. d. A., 1949; R. Benz, D. Wandel d. Bildes d. A. i. Dtl., 1948; J. A. K. Thomson, *Classical Influences on Engl. Poetry*, Lond. 1951; W. Rehm, Götterstille u. Göttertrauer, 1951; ders., Griechentum u. Goethezt., [4]1968; J. A. K. Thomson, *Classical Influences on Engl. Prose*, Lond. 1956; R. R. Bolgar, *The Class. Heritage*, Lond. [2]1958; R. Newald, Nachleben d. ant. Geistes, 1960; *From Sophocles to Picasso*, hg. W. J. Oates, Bloomington 1962; Das Erbe der Antike, 1963; W. Leifer, Hellas i. dt. Geistesleben, 1963; E. R. Curtius, Europ. Lit. u. lat. MA., [6]1967; K. Hamburger, Von Sophokles zu Sartre, [3]1965; R. Pfeiffer, *Hist. of Class. Scholarship*, 2 Bde. Oxf. 1968–75; A. Buck, D. Rezeption d. A. i. d. roman. Lit. d. Renaiss., 1979.

Antiker →Vers ist →quantitierend im Ggs. zum german. →akzentuierenden Vers, beruht auf dem Wechsel langer und kurzer Silben und nicht auf dem Akzent, so daß e. wirklich echte Vorstellung von seinem Klang für unser Ohr kaum möglich ist. Erst zu Ausgang des Altertums (ab 3. Jh. n. Chr.) begann die Verdrängung des quantitierenden Prinzips (→Cursus, →Leoninische Verse). Der grundsätzliche Unterschied zwischen a. V. und modernem gestattet nur e. annähernde Nachbildung in neuer Dichtung. – Die wichtigsten a. Versmaße sind: →Hexameter, →Pentameter, →Distichon, →Hendekasyllabus, →Choliambus, →Glykoneus, →Senar, →Septenar und die →Odenmaße.

A. Heusler, Dt. u. a. V., 1917; F. Saran, D. Quantitätsregeln d. Griech. u. Römer (Streitberg-Festgabe, 1924); A. Kabell, Metrische Studien Bd. 2, Uppsala 1960; W. Bennett, *German verse in classical metres*, Haag 1963; A. Kelletat, Z. Problem d. antiken Metren im Dt. (Deutschunterr. 16, 1964); D. Lehre v. d. Nachahmg. d. a. V.maße im Dt., hg. H.-H. Hellmuth, J. Schröder 1976.

Antikisierende Dichtung, die bewußte Nachahmung antiker Literatur, reicht vom Beginn des MA. bis in die Gegenwart und gliedert sich nach drei verschiedenen Gesichtspunkten: 1. Benutzung inhaltlicher Motive bzw. Stoffe in traditioneller oder selbständiger Deutung, 2. Übernahme u. Wiederbelebung antiker Formelemente, 3. tiefgreifende Auseinandersetzung mit der geistigen Welt der Antike (als Ggs. zum Christentum) innerhalb der Dichtung. Dank der Vielgesichtigkeit der →Antike erscheint ihr Bild in den verschiedenen Epochen sehr unterschiedlich: im MA. als Sinnlichkeit gegenüber christlicher Askese, in Zeiten der →Klassik als Konflikt von ›Sinnlichem‹ und ›Sittlichem‹ (bes. SCHILLER) und deren wechselseitiger Durchdringung (GOETHE), im 19. Jh. aus historischer Perspektive und Distanz, seit NIETZSCHE als rauschhafte Daseinsfülle: apollinisch bei Stefan GEORGE, ekstatisch-exzentrisch im Expressionismus, abgründig im französischen Existenzialismus.

RL. →Antike.

Antiklimax (v. griech. = Gegen-Leiter), rhetorische Figur im Ggs. zur →Klimax, in der die Bedeutsamkeit oder Intensität des Ausdrucks gereihter Glieder abnimmt, z. B.: ›Doktoren, Magister, Schreiber und Pfaffen‹ (GOETHE). Die absteigende Stufenfolge dient oft witzigen Zwecken, wie ›Religion gut, Kopfrechnen schwach‹, indem statt der erwarteten Steigerung ein Abfall (→Bathos) eintritt.

Antilabe (griech. = Widerhalt, Einwendung), auf wechselnde Personen verteilter Sprechvers im Drama, z. B. (A:) ›Nehmt Euch in acht.‹ (B:) ›Ach geht!‹ (A:) ›Ich sag es Euch.‹ (KLEIST). Wirkungsvolles Mittel zur Darstellung des gehetzten Dialogs, oft in abgerissenen Sätzen. Vgl. →Stichomythie.

Anti-Masque, im Unterschied zur →Masque kürzeres harmloses, heiteres oder groteskes Maskenspiel als Vorspiel zur ernsten Masque oder als deren Zwischenspiel. Von B. JONSON 1609 eingeführte Bz. und Gattung.

Antimetabole (griech. = wechselseitige Vertauschung), rhetorische Figur zur geistreichen Darstellung e. gedanklichen →Antithese, Verbindung von syntaktischem →Parallelismus mit lexikalischem →Chiasmus bzw. umgekehrt, d. h. Wiederholung gegensätzlicher Begriffe in zwei gleichgebauten Sätzen in umgekehrter Reihenfolge (antithetischer Satzparallelismus), z. B. ›Nicht um zu essen leben wir, sondern um zu leben essen wir.‹ Auf GORGIAS zurückgehend und in der Antike oft verwendet (CICERO), in dt. Lit. u. a. bei ANGELUS SILESIUS, oft →tautologisch.

Antiphon (griech. *antiphone* = Gegenstimme), Wechselgesang zwischen zwei einstimmigen Chören oder Vorsänger und Chor, e. der ältesten Bestandteile des altkirchlichen Ritualgesangs meist nach Psalmentexten. Später auch andere zum geistigen Chorgesang bestimmte Melodien, Lieder usw.

Antiphonar, liturgisches Gesangbuch, das →Antiphone enthält.

Antiphrasis (griech. = entgegengesetzte Ausdrucksweise), als rhetorische Figur die (ironisch oder sarkastisch gemeinte) Aussage vom Gegenteil des Gemeinten, so daß der Wortsinn, an den gemeinten Tatsachen gemessen, ins Gegenteil verdreht wird, z. B. ›ein nettes Früchtchen‹. Vgl. →Litotes.

Antiqua (v. lat. *antiquus* = alt), geradestehende, ungebrochene lat. Druckschrift im Ggs. zu →Kursiv und →Fraktur. Anstelle der →got. oder semigotischen Schrift zuerst von Nik. JENSON in Venedig (15. Jh.) als Nachbildung der karolingischen →Minuskel für den Druck lat. Autoren verwendet; von Aldus MANUTIUS verbessert (Aldine) und in 14 Grade gestuft (Vorbild: dessen Druck: BEMBUS, *de Aetna*, 1495), verdrängt sie die got. Schrift in den roman. Ländern bis rd. 1550, in England und Holland bis rd. 1600 mit Unterstützung des Humanismus. In Dtl. vor 1800 meist für lat. Werke gebraucht, fand sie auch hier, zuerst in wissenschaftlichen Werken (Brüder GRIMM), Eingang und hat in der Gegenwart die Fraktur aufgrund ihres klaren und übersichtlicheren Druckbildes fast ganz verdrängt.

Antiquar (v. lat. *antiquarius*), zuerst Anhänger, Kenner oder Nachahmer altröm. (voraugusteischer) Sprache und Lit.; jetzt Altbuchhändler.

Antiquariat (v. lat. *antiquus* = alt), →Buchhandel mit gebrauchten Büchern (Zeitschriften, Noten, Autographen), und zwar 1. bibliophiles A. mit Inkunabeln, alten und schönen Drucken, Erstausgaben, Rara, illustrierten Büchern, schönen Einbänden u. a. Sammelobjekten der →Bibliophilie, 2. wissenschaftliches A. mit vergriffenen wissenschaftlichen Büchern meist einzelner, spezieller Fachgebiete, 3. sog. ›Modernes A.‹ (Restbuchhandel) mit Restauflagen und verramschten Büchern, d. h. mit Remittenden oder verlagsneuen Exemplaren, deren Ladenpreis aufgehoben ist. – Der A.-Buchhandel wird teils und von seinen bedeutendsten Vertretern in eigenen Firmen, teils im Anschluß an den Sortimentsbuchhandel betrieben, ist jedoch nicht wie dieser auf die Preisbindung festgelegt, sondern orientiert seine Preise nach Seltenheit, Erhaltungszustand, Nachfrage und eigenem Werturteil des Antiquars. Der Ankauf erfolgt teils durch Erwerbung ganzer Bibliotheken, teils durch Einzelkäufe aus Privatbesitz, teils durch Auktionskäufe oder Ankauf über Kollegen. Der Vertrieb erfolgt seltener durch Auktionen, meist über A.-Kataloge, die wegen ihrer genau beschreibenden bibliographischen Titelaufnahmen oft bibliographischen Wert haben und z. T. im wissenschaftlichen A. auch Neuerscheinungen des Fachgebiets aufnehmen.

M. Weg, D. dt. wiss. A., [2]1884; F. Unger, D. Praxis d. wiss. A., 1900; P. Schroers u. B. Hack, D. A., 1949; B. Wendt, D. A.sbuchhandel, [2]1952; P. Otto, D. Moderne A., [2]1967. →Buchhandel.

Antiroman, unscharfe Bz. für alle experimentellen Formen des modernen Romans, die mit den traditionellen Erzählformen brechen, insbes. den Roman, der im Erzählen das Scheitern des Erzählens darstellt (N. SARRAUTE, W. JENS *Herr Meister*).

Antispast (griech. *antispastos* = widerstrebend), antiker Versfuß, bestehend aus 1 Jambus und 1 Trochäus: ◡——◡.

Antistasis (v. griech. = Gegenpartei, Widerstand), Art der →Diaphora: Spiel mit verschiedenen Bedeutungen desselben Wortes, indem es neben der normalen Bedeutung emphatisch in abweichendem Sinn gebraucht wird, z. B. ›Spricht die Seele, so spricht, ach, schon die Seele nicht mehr‹ (SCHILLER). Auch mit Übergang zur →Figura etymologica: ›Ein Schlachten wars, nicht eine Schlacht zu nennen‹ (SCHILLER).

Antistrophe (griech. = Gegenwendung), 1. in der Rhetorik = →Epiphora. – 2. beim →Chor des griech. Dramas die von e. Wendung des Chores begleitete Gegenstrophe, entspricht im Bau genau der vorangehenden →Strophe, deren Gegenbewegung sie bildet. – 3. der zweite Teil der →Pindarischen Ode.

Antitheater, unscharfe Bz. für alle experimentellen Formen des modernen Dramas und Theaters im Ggs. zu den herkömmlichen illusionistischen, realistischen oder psychologischen Traditionen, bes. für das →absurde Drama. IONESCOS *Kahle Sängerin* heißt im Untertitel ›Anti-Stück‹.

Antithese (griech. = Gegensatz), 1. eine einer Behauptung (These) gegenübergestellte Gegenbehauptung, die sich nach der Dialektik HEGELS mit jener zur Synthese vereinen kann. – 2. in fast allen Kultursprachen übliches Stilmittel und →rhetorische Figur: stilistische Gegenüberstellung logisch entgegengesetzter, doch zu einem (meist ungenannten) Oberbegriff vereinbarer Begriffe, Urteile, Aussagen in Einzelworten, Wortgruppen oder Sätzen, z. B.: Gut und Böse, Tugend und Laster, ›Der Wahn ist kurz, die Reu' ist lang‹ (SCHILLER). Die stilistische Ausprägung wird verstärkt durch →Parallelismus, →Isokolon, oft →asyndetisch und als →Homoioteleuton, ferner durch →Chiasmus oder →Hyperbaton. In Poesie erscheint die A. oft im → Alexandriner bzw. →Epigramm oder →Sonett als in sich antithetischen Formen. In der Umgangssprache natürliche Sprachgeste zur Ausschreitung eines Raumes durch Bezeichnung der Endpunkte (›für jung und alt, über kurz oder lang‹), fand dann als →rhetorische Figur seit der Sophistik weiteste Verbreitung in griech.-lat. Rhetorik (als ›Contrapositio‹ oder ›Contentio‹; die Bz. ›A.‹ erst bei SULZER, *Theorie der schönen Künste*, 1771); in altgerman. Dichtung kein bewußtes Stilmittel, dagegen im ganzen MA. nach franz. Vorbild (GOTTFRIED VON STRASSBURG) und bes. durch den Humanismus nach antikem Muster verbreitet, zumal in Stilrichtungen des → Schwulst. In dt. Dichtung bes. bei LUTHER, ANGELUS SILESIUS, LESSING, SCHILLER, HEINE, NIETZSCHE. – Hinter der sprachlichen Form der A. steht in vielen Epochen und Dichtern der Ausdruck eines antithetischen Lebensgefühls, innerer Zerrissenheit, Zwiespalt und Spannung, wie bei der häufigen Verwendung im →Barock.

R. M. Meyer, Dt. Stilistik, [2]1913; E. Norden, Antike Kunstprosa, [2]1923; RL[2]; Z. Škreb, Z. Theorie d. A. als Stilfigur (Sprache i. techn. Zeitalter 25, 1968).

Anti-Utopie, im Unterschied zur →Utopie allgemein eine Sonderart derselben, der es nicht um traumhaft-ideale Zukunftsvisionen geht, sondern die aus den Erfahrungen der Vergangenheit und Gegenwart ein höhnisches Zerrbild für die Zukunft der Menschheit entwirft, die nicht rosig, sondern schwarz malt: Versklavung der Menschheit durch eine dämonische Technik und einen von ihr abhängigen Wirtschaftsapparat, Vernichtung der Freiheit und des Individuums durch einen totalitären Staat und seine Machtmittel, Bevölkerungsexplosion, Verewigung des Kriegszustandes u. ä., z. B. in S. BUTLERS *Erewhon* (1872), E. ZAMJATINS *Wir* (1923), A. HUXLEYS *Brave New World* (1932) und *Ape and Essence* (1948) sowie G. ORWELLS *1984* (1948).

H. Schulte-Herbrüggen, Utopie u. A.,

1960; K. Tuzinski, D. Individuum i. d. engl. devolutionist. Utopie, 1965; F. R. Scheck, Augenschein u. Zukunft, (Science fiction, hg. E. Barmeyer, 1972). →Staatsroman.

Antizipation (lat. *anticipatio* = Vorwegnahme), 1. rhetorische Figur = →Prokatalepsis. – 2. in der Stilistik Vorwegnahme e. Ereignisses durch e. attributives Adjektiv oder Partizip, das dieses als bereits eingetreten annehmen läßt. Aus der Antike in dt. Dichtung übernommen, bes. bei SCHILLER: ›Blindwütend schleudert selbst der Gott der Freude / Den Pechkranz in das brennende Gebäude‹ (= so daß es brennt!). ›Ihnen schloß auf ewig Hekate den stummen Mund.‹

Antode (griech. = Gegengesang), 2. Teil der →Ode (1).

Antonomasie (griech. *antonomasia* = Umnennung), →Trope, Abart der →Synekdoche, Umschreibung: 1. eines bekannten Eigennamens durch charakteristische Beiwörter oder Eigenschaften zur Vermeidung wiederholter Namensnennung, doch als →Anspielung nur dem Wissenden verständlich, geschieht durch Nennung: a) des Vaternamens (Patronymikon): der Pelide = Achilles, b) der Volkszugehörigkeit (Ethnicum): der Galiläer = Jesus, c) der Berufsbezeichnung: der Dichterfürst = Homer, d) ausholende Umschreibung (→Periphrase): der Besieger Karthagos = Scipio. – 2. einer Gattung durch den Eigennamen e. hervorragenden Vertreters: ein Herkules = starker Mann, ein Demosthenes = großer Redner usw. Allgemeiner Sprachgebrauch z. B. in ›Mentor‹ (eigentlich Erzieher des Telemach) oder ›Kaiser‹ (= Caesar).

Anustubh, ind. Strophenform aus vier achtsilbigen Versen der Form × × × × ◡—◡◡ in den späteren Hymnen des *Rigveda,* Erweiterung der →Gâyatri, Ausgangsform für die Entwicklung des →Śloka.

Anvers, der erste Teil des →Langverses allg. oder insbes. des →Alliterationsverses, dann mit 1–2 Stäben (Stollen). Ggs.: →Abvers.

Anzeps →Anceps

Aöde (griech. *aoidos* = Sänger), der griech. Sänger im heroischen Zeitalter, z. B. Demodokos und Phemios bei HOMER. →Rhapsode.

Apadânas, die metrischen Heiligenlegenden des ind. Pâli-Kanons im Ggs. zu den buddhist. →Avadânas.

À part (frz. = beiseite), das Beiseitesprechen e. Schauspielers auf offener Szene, das wohl vom Publikum, scheinbar aber nicht von den übrigen Personen auf der Bühne gehört wird. Technik früherer, bes. antiker Zeit (PLAUTUS) und des volkstüml. Lustspiels, im Naturalismus mit Recht vermieden:

V. Rodenwald, D. à part i. Schausp. d. 16. Jh., 1909; G. Bell, D. Beiseitesprechen i. ält. engl. Dr., Diss. Gießen 1927; E. Schimmerling, D. Beiseite i. Dr. d. Sturm u. Drang, Diss. Wien 1934; D. Bain, *Actors and audience,* Oxf. 1977.

Aperçu (frz. = flüchtiger Blick), geistreicher Einfall, Bemerkung.

Aphärese (griech. *aphairesis* = Wegnahme), Weglassung e. Vokals, auch e. ganzen Silbe am Anfang e. Wortes (›heraus‹ zu ›raus‹); in antiker Metrik z. B. VERGIL *Aeneis* 6,620 (temnere statt contemnere) oder als →Synalöphe zur Vermeidung des →Hiat. →Elision, →Synizese.

Aphorismus (v. griech. *aphorizein* = abgrenzen, definieren), kurzer, schlagkräftig und äußerst prägnant formulierter einzelner Prosasatz zur Einkleidung e. eigenartigen persönlichen Gedankens, Werturteils, e. Augenblickserkenntnis oder Lebensweisheit, durch geistreichen Inhalt und individuellen Stil unterschieden vom Niveau des →Sprichworts, ›das Sprichwort der Gebildeten‹, stilistisch oft in rhetorische Formen gefaßt wie Antithese, Paradoxon, Emphase, Hyperbel; nach Themenkreisen geordnet (NIETZSCHE) oder ohne unmittelbaren Zusammenhang als ›Gedankensplitter‹ nebeneinandergesetzt. Bewußte und betonte Subjektivität des Urteils und überspitzte, nicht streng logische, oft witzig gehaltene Begründung im Verein mit dem Anspruch auf scheinbare Gültigkeit schließen den A. nicht in sich ab, sondern fordern vom Leser eigene gedankliche Auseinandersetzung. Die Form des A. bedeutet damit ein Bezweifeln objektiver Werte und Gegebenheiten, kein Systemdenken, und setzt eine Freiheit des Geistes voraus, wie sie erst der beginnende Subjektivismus brachte. Meisterhafte Ausbildung nach Vorstufen in der Antike (HIPPOKRATES, MARC AUREL) erreichte der A. zuerst durch die französischen Moralisten des 17./18. Jh.: LA ROCHEFOUCAULD *Maximes*, PASCAL *Pensées*, ferner MONTAIGNE, LA BRUYÈRE, VAUVENARGUES, CHAMFORT, in BACONS *Essays* und den *Handorakeln* B. GRACIÁNS, in Deutschland zuerst bei LICHTENBERG, dann W. HEINSE, F. M. KLINGER, GOETHE, F. SCHLEGEL, NOVALIS, HEINE, NIETZSCHE, SCHOPENHAUER, M. v. EBNER-ESCHENBACH, A. SCHNITZLER, R. SCHAUKAL, St. GEORGE, K. KRAUS, A. KERR, H. v. HOFMANNSTHAL, P. ALTENBERG, R. MUSIL, E. JÜNGER, M. KESSEL u. a. m., in Polen S. J. LEC. →Maxime, →Fragment, →Sentenz, →Apophthegma.

W. A. Berendsohn, Stil u. Form d. A.n Lichtenbergs, 1912; F. H. Mautner, D. A. als lit. Gattung (Zs. f. Ästhetik 27, 1933); F. Schalk, D. Wesen d. frz. A. (Die neueren Sprachen 41, 1933); ders., Frz. Moralisten (Einleitg.), 1949; J. Klein, Wesen u. Bau d. dt. A., GRM 22, 1934; A. H. Fink, Maxime u. Fragment, 1934; K. Besser, D. Problematik d. a'.stischen Form b. Lichtenberg, Schlegel, Novalis u. Nietzsche, 1935; H. Roch, Üb. d. A. (Dt. Volkstum 17, 1935); W. Wehe, Geist u. Form d. dt. A. (D. neue Rundschau 50, 1939); H. U. Asemissen, Notizen üb. d. A. (Trivium 7, 1949); W. Grenzmann, Probleme d. A. (Jhrb. f. Aesth. 1951); H. Krüger, Studien üb. d. A. als philos. Form, 1957; RL; P. Requadt, Lichtenberg, Z. Problem d. dt. Aphoristik, [2]1964; S. Große, D. syntakt. Feld d. A. (Wirkendes Wort 15, 1965); J. A. Müller, Formprinzipien des Aphoristischen; 1967; R. Noltenius, Hofmannsthal, Schröder, Schnitzler, 1969; E. C. Mason, *The a.* (*The romantic period in Germany*, hg. S. Prawer, Lond. 1970); F. H. Mautner, D. A. als Lit. (ders., Wort u. Wesen, 1974); G. Baumann, Z. Aphoristik (ders., Entwürfe, 1976); Der A., hg. G. Neumann 1976; ders., Ideenparadiese, 1976.

Aphoristischer Stil, zugespitzte und abgebrochene Ausdrucksweise, die der eigentlichen Verbindung entbehrt und den Gedankengang durch einzelne Sentenzen vorwärtstreibt, so daß mit der Lektüre ohne Kenntnis des Zusammenhanges fast an jeder Stelle begonnen werden kann und man dennoch stets gleich im Zusammenhang ist; in der Antike bei SENECA, in dt. Lit. bes. bei LESSING, HAMANN und vor allem NIETZSCHE ausgebildet.

Apodosis (griech. = Nachgabe), Hintersatz der zweigliedrigen Periode, vor allem der durch einen Bedingungssatz (→Protasis) bedingte Satz.

Apographon (griech. =) Abschrift, →Kopie.

Apokalypse (griech. = Enthüllung, Offenbarung), spätjüdisch-christliche Literaturform, Offenbarungsschrift, die – oft unter dem Einfluß des oriental. Synkretismus – in prophetischen Bildern und traumartigen Visionen und in geheimnisvoller Sprache den nahenden Weltuntergang und das Gottesreich schildert; entstanden seit der Zeit syr. und röm. Herrschaft als Ausdruck jüd. Sehnsucht nach dem Messiasreich. Die Verfasser der A.n verhüllen sich oft hinter älteren Namen (Moses, Daniel, Henoch, Abraham, Baruch, Esra, Elias, Sophonias), lassen jedoch Zeitverhältnisse durchscheinen. In den Bibel→kanon sind nur die älteste jüd. (DANIEL, 175 v. Chr.) und christliche *(Offenbarung Johannis)* A. aufgenommen; andere gehören den →Apokryphen an *(Petrus-, Paulus-, Maria-A.)*.

W. Bousset, D. jüd. Apokalyptik, 1903; E. Hennecke, Neutestamentl. Apokryphen, 1924; W. Bousset u. H. Greßmann, D. Rel. d. Judentums, [3]1926; P. Rießler, Altjüd. Schrifttum außerhalb d. Bibel, 1928; RE. I, 612ff.; C. Schneider, D. Erlebnisechtheit d. A., 1931; H. H. Rowley, *The Relevance of Apocalyptic,* Lond. [2]1947; J. Bloch, *On the A. in Judaism,* 1953; D. S. Russell, *The method and message of Jewish Apocalyptic,* Phil. 1964; W. Schmithals, D. Apokalyptik, 1973.

Apokalyptik, die Literaturströmung der →Apokalypsen; im weiteren Sinne literarische →Prophetie überhaupt.

D. Arendt, A. in neuerer dt. Lyrik (Hochland 58, 1965).

Apokoinu (griech. = vom Gemeinsamen), Stilfigur der Worteinsparung (vgl. →Ellipse, →Zeugma) durch gleichmäßige Beziehung e. Wortes oder Satzgliedes auf zwei andere, gewöhnlich bei Mittelstellung auf vorhergehenden wie folgenden Text: ›Was sein Pfeil erreicht, das ist seine Beute, was da kreucht und fleucht‹ (SCHILLER). In griech., bes. alexandrin., und lat. Dichtung häufig (CATULL, HORAZ, LIVIUS), auch im Mhd. üblich: ›do spranc von dem sidele her Hagene also sprach‹ *(Nibelungenlied).* Die grammatische Doppelbeziehung glättet sich bei der Reihenfolge der Aufnahme und wird oft überhört; schwieriger erkennbar ist die A., wenn das gemeinsame Glied im zweiten Teil steht; A. des Verbs bildet den Übergang zu →Zeugma und →Syllepse.

C. Minis, D. Konstruktion A. (Beiträge 74, 1952). →Stil.

Apokope (griech. = das Abhauen), bewußte Weglassung e. Buchstabens (e. Silbe) am Wortschluß, im Dt. bes. des unbetonten Endungs-e, Dativ-e: dem Mann(e), oft = →Elision.

Apokryphen (griech. *apokryphos* = versteckt, heimlich), die nicht in den Bibel→kanon aufgenommenen Bücher des AT. und NT., jüd. und altchristliche Lit., die nach Stoff, Form und Wert an der Grenze des Kanonischen steht. Die A. des AT. *(Makkabäer, Judith,* TOBIAS, JESUS SIRACH, *Weisheit Salomons,* BARUCH; Zusätze zu ESRA, DANIEL, *Chronik, Esther* u. a. m.) fehlen im jüd. Kanon, wurden aber in *Septuaginta* und *Vulgata* übernommen und genießen in der kath. Kirche seit dem Konzil von Trient (1546) kanonisches Ansehen. LUTHER fügte sie seiner Übersetzung 1534 hinzu unter dem Vorbehalt, daß sie ›der Heiligen Schrift nicht gleich zu achten, doch gut und nützlich zu lesen seien‹; die Reformierten machen einen strengen Unterschied zwischen A. und Kanon. – Die A. des NT. (→Apokalypsen, Apostelgeschichten, Briefe, Kirchenordnungen und fragmentarische Evangelien wie *Evangelium nach Thomas, Evangelium nach Philippus* u. a.) gehören nicht dem Kanon an. – Wirkung der A. auf viele religiöse Dichter, u. a. DANTE, MILTON, KLOPSTOCK.

R. A. Lipsius, D. a. Apostelgeschichten und -legenden, 1883–90; O. Zöckler, D.

A. d. AT., 1891; E. Kautzsch, D. A. u. Pseudepigraphen des AT., II 1900, ²1962; E. Hennecke, Neutestamentl. A., 1924; P. Rießler, Altjüd. Schrifttum außerhalb d. Bibel, 1928; E. J. Goodspeed, *The Story of the A.*, Chicago 1939; W. Michaelis, D. a. Schriften z. NT., 1956; B. M. Metzger, *An introd. to the A.*, N.Y. 1957; C. C. Torrey, *The A. Lit.*, New Haven 1960; J. B. Bauer, D. neutestamentl. A., 1968.

Apollinisch →Dionysisch

Apolog (griech. *apologos* =) lehrreiche →Fabel oder allegorische Erzählung, die in einem bewußt und betont fingierten Beispiel eine moralische Lehre enthält.

Apologetik (griech. *apologeisthai* = sich rechtfertigen), lit. Verteidigung des Christentums gegen die Philosophie des gebildeten Heidentums durch die Apologeten (ARISTIDES, JUSTIN, TATIAN, CLEMENS ALEXANDRINUS, ORIGENES, ATHENAGORAS, MINUCIUS FELIX, TERTULLIAN, CYPRIAN, ARNOBIUS und LACTANTIUS). Zur Rechtfertigung der Wahrheit des Christentums griffen sie vielfach auf Lehren und Argumente antiker Philosophie zurück. Spätere A. richtet sich gegen den Rationalismus (H. GROTIUS, PASCAL) oder Materialismus.

K. Werner, Gesch. d. apol. u. polem. Lit., V 1861–65; O. Zöckler, Gesch. d. Apologie d. Christentums, 1907; E. J. Goodspeed, D. ältesten Apologeten, 1914; L. Lemme, Christl. A., 1922; A. Adam, D. Aufgabe d. A., 1931; J. Mausbach, Grundz. d. kath. A., ⁶1934; A. Richardson, *Christian Apologetics*, N. Y. 1947; K. Aland, Apologie d. A., 1948; H. Lais, Probleme e. zeitgemäßen A., 1956.

Apologie (griech. = Rechtfertigung), Rede oder Schrift zur Rechtfertigung und Verteidigung e. Person, Institution, Religion oder Weltanschauung, e. Handlung oder Meinung gegenüber Angriffen. Oft in juristischer und christlicher Literatur (→Apologetik). Am bekanntesten die von PLATON und XENOPHON verfaßten *A.n des Sokrates*, Ph. SIDNEYS *Apologie for Poetrie* (1580), LESSINGS *Wolfenbüttler Fragmente* und Kardinal NEWMANS *Apologia pro vita sua* (1864).

Apopemptikon (v. griech. *apopempein* = fortschicken, entlassen), Abschiedsgedicht e. Scheidenden an den oder die Zurückbleibenden; Ggs. →Propemptikon.

Apophthegma (griech. = Ausspruch), kurzer, prägnanter Sinnspruch meist historisch belegter Herkunft zum Ausdruck e. Lebensweisheit in e. bestimmten Lage; wird durch Loslösung aus der ursprünglichen Situation zur →Sentenz; z. B. ›Erkenne dich selbst‹. Bei den Griechen beliebt; Sammlungen der berühmtesten antiken A.ta durch PLUTARCH, MANUTIUS, LYKOSTHENES und ERASMUS (1560), in dt. Lit. bei ZINKGREF, HARSDÖRFFER u. a. Auch die *A.ta Patrum* ägypt. Einsiedler des 4. Jh.

W. Gemoll, D. A., 1924; T. Verweyen, A. u. Scherzrede, 1970.

Aporie (v. griech. *aporia* = Weglosigkeit), →rhetorische Sinnfigur gleich der →Dubitatio, in der der Redner eine Lösung ausweglos erscheinender Darstellungsprobleme sucht.

Aposiopese (v. griech. *aposiopesis* = Verschweigen), →rhetorische Figur, Art der →Ellipse: überraschendes, bewußtes Abbrechen inmitten der Rede bzw. e. Gedankens vor der Hauptsache, das den Hörer bzw. Leser selbst die eindeutige Ergänzung des Wichtigsten aus dem Zusammenhang erraten läßt; meist stark affektbetont in Ergriffenheit, Staunen, Zorn oder leidenschaftlicher Ausdruckssteigerung: dem Redner fehlen wirklich oder vorgeblich die Worte, er vertraut der Einbildungskraft der Hörer. Oft als der Abbruch e. Drohung, die selbst unausgesprochen bleibt: ›Euch werde ich...!‹ Im klass. Drama wichtiges Stilmittel zur Dynamisierung des Dialogs; im naturalist. Drama (G. HAUPTMANN) als Nachahmung der vielfach unvollendet abgebrochenen Sätze der Alltagssprache.

W. Wackernagel, Poetik, Rhetorik, Stilistik, [3]1906. →Stil.

Apostelspiel, Sonderform des →geistlichen Dramas um Episoden aus dem Leben der Apostel, bes. des Paulus im Anschluß an die biblische *Apostelgeschichte.* In Westeuropa im 15.–18. Jh. verbreitet, zuerst dem ma. Mysterienspiel nahestehend, im 16. Jh. im Zeichen des Glaubensstreites, so bes. im niederländ. →Sinnespel.

G. J. Steenbergen, *Het A. (Versl. en Med. v. d. Kon. Vl. Acad. v. Taal- en Lett.* 1952).

Apostrophe (griech. = das Abwenden), in attischen Gerichtsreden die Wendung des Redners von den Richtern weg zum Prozeßgegner hin; dann allg. als →rhetorische Gedankenfigur das Wegwenden des Redners bzw. Dichters von seinem Publikum und direkte Anrede meist abwesender Personen (lebender und toter, auch der Götter) oder lebloser Dinge in e. Weise, die ihnen Leben und Empfindung zuschreibt, z.B.: ›Sagt an, her Stoc...‹ (WALTHER VON DER VOGELWEIDE). Oft in der Form des Ausrufs, bei Totenklagen oder als →Anrufung der Götter und Musen *(Ilias, Odyssee);* auch die Selbstanrede des Dichters. Zweck der A. ist Verinnerlichung, die ein persönliches Verhältnis zu den Gegenständen einnimmt, Verlebendigung und damit Erzielung eindringlicherer Wirkung. Beliebt in antiker und ma. Dichtung *(Chanson de Roland; Wigalois, Erec),* danach antikisierend bei KLOPSTOCK, z.B. Anfang des *Messias,* emphatisch bei SCHILLER (›Freude, schöner Götterfunken...‹).

Apotheose (griech. *apotheosis* = Vergötterung), Verherrlichung von Personen als überirdische Wesen, Versetzung von Helden und Fürsten in himmlische Sphäre; im Barock und bes. in Festspielen beliebt, auch wirkungsvolles Schlußbild späterer Dramen. Satirisches Gegenstück in SENECAS *Apokolokyntosis.*

Apparat (lat. *apparatus* = Zurüstung, Ausstattung), auch kritischer A., bei der →kritischen Ausgabe e. Textes: die am Fuß der Seiten, im Anhang (→Appendix), bei mehrbändigen Reihen auch zu e. Sonderband zusammengefaßten →textkritischen Anmerkungen. Der kritische A. enthält: 1. Angaben aller erhaltenen Handschriften und wichtigen Drucke oder Fassungen, 2. alle vom →Lemma abweichenden →Lesearten des Manuskripts (wenn vorhanden) und der zu Lebzeiten des Autors erschienenen Ausgaben; bei früheren Autoren die aller wichtigen Codices, Papyri und Zitatstellen, nach Zeilen beziffert und durch →Siglen mit der Herkunft gekennzeichnet, 3. Kenntlichmachung und kurze Begründung aller vom kritischen Herausgeber selbst vorgenommenen Eingriffe in den überlieferten Text (→Konjekturen, →Athetesen, auch Korrekturen von Druckfehlern), 4. meist im Vorwort e. Darlegung der für die Ausgabe zugrundegelegten Grundsätze, eine Textgeschichte und die Übersicht der Siglen (Conspectus siglorum) mit Angabe des Alters der einzelnen Ausgaben. →Editionstechnik.

R. Backmann, D. Gestaltung d. A. i. d. krit. Ausgaben neuerer dt. Dichter (Euph. 25, 1924); D. Germann, A.-probleme (Orbis litterarum 20, 1965); Texte u. Varianten, hg. G. Martens, H. Zeller 1971.

Appell (franz. = Ruf, Anruf), als publizistische Form der energische, auf Wirkung bedachte Aufruf zu einer bestimmten Handlung oder Unterlassung, dann auch dessen wirkungssteigernde formale und inhaltliche Faktoren.

Appendix (lat. = Anhang, Anhängsel, Beilage), Anhang e. Buches oder e. mehrbändigen Ausgabe, enthält Tafeln, Tabellen, Karten, Anmerkungen u. ä. Beigaben, bei Werkausgaben oft die unechten Gedichte oder Schriften (z. B. *A. Vergiliana*: die nicht von VERGIL stammenden, doch ihm zugeschriebenen Gedichte) oder auch den kritischen →Apparat (A. critica).

Applaus (lat. *applausus* =) Beifall durch Klatschen, Rufe o. ä., bes. der Zuschauer im Theater. Bei den Römern geregelt und abgestuft in Wehen mit dem Togazipfel (seit AURELIAN mit Zeugstreifen, die zu diesem Zweck unter das Publikum verteilt wurden), Fingerschnellen und schließlich Klatschen mit flacher oder hohler Hand. In älterer christlicher Kirche A. auch für den Prediger durch Klatschen oder Rufen. Seit dem 17. Jh. ist Händeklatschen allg. übliche Ovation für rednerische, schauspielerische, musikalische und artistische Leistungen. Man unterscheidet Begrüßungsbeifall beim Auftritt e. Schauspielers oder Dirigenten, Szenen-A. auf offener Szene für bes. schauspielerische bzw. musikalische Höchstleistungen und zündende Textstellen, A. beim Abgang e. Schauspielers von der Szene, A. am Aktschluß und Schlußbeifall am Ende der Vorstellung. Erkaufter A. →Claque.

Approbation (lat. = Gutheißung), kirchliche Gutheißung, d. h. Druckerlaubnis von seiten der kathol. Kirche als Bestätigung, daß das Buch nicht gegen Religion oder Kirchengesetz verstößt. Vgl. →Imprimatur.

Aprisûktas, ind. heilige Lieder litaneiartigen Charakters im *Rigveda* zur Beschwichtigung von Dämonen.

Aprosdokese, die Anwendung des →Aprosdoketon.

Aprosdoketon (griech. = das Unerwartete), unvorhergesehenes, überraschend angewandtes, auffälliges Wort bzw. Ausdruck anstelle e. zu erwartenden geläufigen Wendung; e. Art stilistischer Pointe.

Arabeske (ital.), die stilisierte Blattrankenornamentik der islam. Kunst; auf die Lit. übertragen zur Bz. mannigfacher Wiederholungen, Verschlingungen und Überschneidungen. F. SCHLEGEL, der den Begriff A. 1798 in die Lit. einführte, verband damit die Vorstellung märchenhafter Phantastik, ironischer Leichtigkeit und überquellender Fülle; IMMERMANN nannte seinen *Münchhausen* (1838) einen ›Roman in Arabesken‹, E. A. POE verschob in seinen *Geschichten vom Grotesken und A.* (1840) den Akzent auf eine groteske Verzerrung der Welt zum Dämonischen.

E. Kühnel, D. A., 1949; W. Kayser, D. Groteske, [2]1960; K. K. Polheim, D. A., 1966.

Arai (griech. *ara* = Gebet, Fluch), griech. Verwünschungslit., entspricht den lat. →Dirae.

Âranyakas (ind. = zum Walde gehörig, d. h. dort zu lesen), eine Gruppe von Geheimtexten der ind. *Veden,* die insbes. den Opferritus u. a. Riten darlegen und mystisch ausdeuten; daneben auch spekulative Texte um kosmogonische Fragen.

H. v. Glasenapp, D. Litt. Indiens, [2]1961.

Arbeiterdichtung umfaßt zwei verschiedene Begriffe: 1. in stofflich-thematischer Hinsicht Dichtungen, die vom Arbeiter, seiner Welt und seinem Schicksal handeln, ohne Rücksicht auf die soziale Stellung des Dichters selbst. Sie entstand nach einzelnen Vorläufern um 1850 (Th. HOOD, *Das Lied vom Hemd*, 1843, HERWEGH, FREILIGRATH, HEINE) großenteils erst im Gefolge des Naturalismus (ZOLA, GORKIJ, G. HAUPTMANN, KRETZER) und eines aktivistisch-propagandistischen Expressionismus (TOLLER) und ist meist eng mit sozialem Mitleid und sozialen Tendenzen verknüpft, die eine Besserung für den Arbeiterstand erstreben, daher →soziale Dichtung.

A. Höltermann, Mensch u. Arbeit i. dt. Schrifttum, 1933; R. Ahrens, D. Arbeiter im dt. Schrifttum, 1935; A. Mulot, D. Arbeiter i. d. dt. Dichtung, 1938; C. E. Roberts, Handwerk u. -er i. d. dt. Erz. v. Ausg. d. 18. Jh. bis z. Gegenw., Diss. Bresl. 1939; F. A. Schmitt, Beruf u. Arbeit i. dt. Erzählg., 1952; I. Lammel, D. dt. Arbeiterlied, 1962; E. Röhner, Arbeiter i. d. Gegenwartslit., 1967; H. Möbius, A. i. d. BRD., 1970; M. D. Silbermann, *Lit. of the working world*, Bern 1976; K. Nowak, Arbeiter u. Arbeit i. d. westdt. Lit. 1945–61, 1977. →soziale Dichtung.

2. in soziologischer Hinsicht die aus den Reihen der Arbeiter (bes. Fabrikarbeiter) selbst geschaffene und auf ihre Thematik beschränkte Dichtung. Sie entsteht erst nach der Erweckung des Selbstbewußtseins der Arbeiter durch LASSALLE (J. AUDORF, *Arbeitermarseillaise*, 1864; M. KEGEL, *Sozialistenmarsch*), entfaltet sich mit Beginn des 20. Jh. und empfängt starke Impulse durch A. HOLZ, R. DEHMEL und G. HAUPTMANN sowie den Expressionismus, im Ausland durch E. ZOLA, W. WHITMAN, E. VERHAEREN, M. ANDERSEN NEXÖ u.a. Durch einzelne Stimmen vor und im 1. →Weltkrieg vertreten, erfährt sie starke Förderung durch die folgende soziale Umschichtung wie durch die Hebung des Standesbewußtseins arbeitender Klassen. Ihre Themen sind anfangs die Mythisierung der Arbeit und des Maschinenrhythmus sowie eine hymnisch-visionäre Menschheitsverbrüderung, ihre Formen pathetisch, konventionell und nachromantisch. Wichtige Vertreter sind A. PETZOLD und der →Nyland-Kreis: J. WINCKLER, J. KNEIP, W. VERSHOFEN, ferner W. BAUER, H. LERSCH, K. BRÖGER, M. BARTHEL, G. ENGELKE, B. SCHÖNLANK, E. MÜHSAM, P. ZECH, O. WOHLGEMUTH, E. GRISAR, K. KLÄBER u.a., die nach den zwanziger Jahren entweder im Nationalsozialismus aufgingen oder von ihm als Sozialisten unterdrückt wurden. Die A. der 2. Nachkriegszeit, ideologieferne, unpathetisch-realistische Industriedichtung in Lyrik und Prosa, sammelt sich um die Dortmunder →Gruppe 61 (M. VON DER GRÜN, B. GLUCHOWSKI), ohne bei der gewandelten literarischen Situation und den Anforderungen an Qualität und Originalität ein vergleichbares Interesse bei der Öffentlichkeit zu finden. Der politisch radikalere Flügel spaltete sich 1970 als →›Werkkreis Literatur der Arbeitswelt‹ ab (G. WALLRAFF, E. SCHÖFER). Die A. in marxistischer Richtung (E. WEINERT, W. BREDEL und H. MARCHWITZA) mündet in die Bewegung schreibender Arbeiter gemäß dem →Bitterfelder Weg. Beide Richtungen erscheinen heute als Relikte einer überholten Klassenstruktur, der literarisch keine Relevanz mehr zukommt, so daß A. heute nur noch stofflich als Industriedichtung unabhängig von der sozialen Herkunft des Autors verstanden werden kann.

K. Ecks, D. A. i. rhein.-westf. Industriegebiet, Diss. Münster 1925; W. Knewels, D. dt. Arbeiterlyrik (Zeitwende 3, 1927); A. Bab, A., [2]1930; Ch. Stasser, A., 1931; M. Loeb, D. Ideengehalt d. A., Diss. Gießen 1932; H. Mühle, D. Lied d. Arbeit, 1936; H. Langenbucher, D. dt. Arbeitsdichtg. (Börsenblatt f. d. dt. Buchhandel 97, 1937); E. Jelken, D. Dichtung d. Arbeiters, 1938; E. Tinnefeld, D. soz. Kampf i.

d. dt. A., Diss. Lpz. 1939; J. Nadler, D. Maschine, d. Arbeiter u. ihre Dichtg. (Jb. d. Kaiser-Wilhelm-Ges., 1941); M. L. Schröder, Dichter u. Arbeiter, 1949; H. Blech, Dt. Arbeiterdichter, 1950; RL; F. Hüser, Neue A. in W-Dtl. (Dt. Studien 1, 1963); J. Klein, A. (Archiv f. Sozialgesch. 3, 1963); Aus d. Welt d. Arbeit, hg. F. Hüser 1966; F. Hüser, V. d. A. z. neuen Industrielit., 1967; C. Rülcker, Ideologie d. A. 1914–1933, 1970; P. Kühne, A. 1960–1970, Diss. Bochum 1971; G. Stieg, B. Witte, Abriß e. Gesch d. dt. Arbeiterlit., 1973; R. Dithmar, Industrielit., 1973; I. Gerlach, Bitterfeld, 1974; B. Greiner, V. d. Allegorie z. Idylle. D. Lit. d. Arbeitswelt i. d. DDR, 1974; Arbeiterlit. i. d. BRD, hg. H.-L. Arnold 1975; N. Griesmayer, Gedanken üb. A. (Sprachkunst 6, 1975); M. H. Ludwig, Arbeiterlit. i. Dtl., 1976; G. Wölke, Arbeiterlit., 1977; Hb. z. dt. A., hg. H.-L. Arnold II 1977; H. W. Knapp, D. frz. A. i. d. Epoche d. Julimonarchie, 1978. →Industrielit., →soziale Dichtung.

Arbeiterlieder, die Lieder der Arbeiterbewegung, erstmals 1848 gesammelt.

W. Steinitz, A. u. Volkslied, 1965; I. Lammel, Bibliogr. d. dt. A.-Bücher, 1971; dies., D. dt. A., 1973.

Arbeitertheater, Laienspielgruppen der dt. sozialistischen, kommunistischen oder parteilosen Arbeiterschaft, die seit Ende des 19. Jh. und bes. z. Z. der Weimarer Republik 1919–33 mit klassenkämpferischen und politischen Bühnenstücken Agitation und Propaganda für ihre Belange und Interessen trieben und seit 1908 bis zum Verbot 1933 in verschiedenen Verbänden zusammengeschlossen waren.

F. Knilli, U. Münchow, Frühes dt. A., 1970; P. v. Rüden, Soz.demokrat. A., 1973; L. Hoffmann u. D. Hoffmann-Ostwald, Dt. A., 2 Bde. [3]1977.

Arbeitslied, stark rhythmisch betonter Sprechgesang, der bei handwerklicher Arbeit gemeinsam oder einzeln gesungen, den Rhythmus der Körperbewegung unterstützt und reguliert; meist selbst aus dem Arbeitstakt und den ihn synchronisierenden Ausrufen (›Hau-ruck‹) heraus entstanden und äußerst primitiv (echtes A.) oder als vorhandenes Lied (→Volkslied) übernommen und dem Rhythmus der Arbeit angepaßt (unechtes A.).

K. Bücher, Arbeit und Rhythmus, [6]1924; J. Schopp, D. dt. A., 1935; RL.

Arcadia, ›Accademia dell'arcadia‹, 1690 in Rom als nationale Akademie gegründete lit. Gesellschaft zur Bekämpfung des schlechten Geschmacks, bes. des Marinismus, förderte zumal die →Hirtendichtung in der Nachfolge von THEOKRIT, VERGIL und SANNAZARO und bestimmte damit den lit. Stil und Geschmack des ital. 18. Jh. in Richtung auf eine gehaltlose, zarte Schäferlyrik in Kanzonettenform und das Melodrama. Zu den Sitzungen unter freiem Himmel im Bosco Parrasio in Rom oder in den zahlr. Zweigstellen erschienen die Mitglieder im Schäferkostüm und trugen Schäfernamen. Hauptvertreter waren P. METASTASIO, P. ROLLI und A. ZENO. Aus der A. ging 1925 die heutige Accademia letteraria italiana hervor.

G. M. Crescimbeni, *L'A.*, Rom 1709; J. Carini, *L'A. dal 1690 al 1890*, Rom 1891; G. Toffanin, *L'eredità del rinascimento in A.*, Bologna 1923; E. Portal, *L'A.*, Palermo 1923; G. Toffanin, *L'A.*, Bologna 1947; G. L. Moncallero, *A.*, Florenz 1953; A. Piromalli, *L'A.*, 1963.

Archaismus (v. griech. *archaios* = alt, altertümlich), die bewußte Nachahmung altertüml. Sprachformen (Worte, Redewendungen, Stil) und deren Verwendung in moderner Sprachgestaltung. Zu unterscheiden ist zwischen archaistischen (= künstlich nachgeahmten) und archaischen (= wirklich untergegangenen) Formen. Kunstmittel zur plastischen Darstellung des Zeitkolorits z. B. in →Chroniknovellen (STORM *Renate,* W. RAABE u. a.), historischen Romanen (KOLBENHEYER, HANDEL-MAZZETTI; übertrieben in

FREYTAGS *Ahnen*), Übersetzung älterer Schriften (engl. Übersetzungen antiker Klassiker) oder zur Erhöhung des Feierlichen. Voraussetzung e. archaisierenden Dichtung ist e. Entwicklungsstufe der Philologie, die eine Vorstellung des früheren Sprachzustandes ermöglicht. Häufige A.en finden sich in antiker Literatur des 1./2. Jh. n. Chr. (TACITUS u. a.) und dt. Dichtung nach 1800 (BRENTANO *Aus der Chronika e. fahrenden Schülers*), dann bes. im historisierenden 19. Jh. (BALZAC, *Contes drôlatiques,* W. MEINHOLD, *Maria Schweidler, die Bernsteinhexe,* W. THACKERAY, *Henry Esmond*), im naturalist. Geschichtsdrama bei G. HAUPTMANN *(Florian Geyer),* ironisch gebrochen in Th. MANNS *Doktor Faustus.*

J. Leitner, Sprachl. Archaisierg., 1978.

Archetypus (griech. *archetypos* = Urbild), 1. →Original, in der →Textkritik älteste Handschrift oder erster Druck e. Schriftwerkes, insbes. die älteste erhaltene oder rekonstruierbare Fassung als Ausgangspunkt der weiteren Überlieferung. Für zwei oder mehrere spätere Überlieferungszweige e. antiken Textes z. B. kann durch Vergleichung der →Korruptelen u. a. ein gemeinsamer A. erschlossen werden. – 2. im Sinne der modernen Tiefenpsychologie C. G. JUNGS: ›urtümliches Bild‹ als Ergebnis unzähliger innerer wie äußerer Erfahrungen der Menschheit, Gemeinbesitz aufgrund e. angenommenen ›kollektiven Unbewußten‹. Der psychologische Begriff A. fand Eingang in der Literaturwissenschaft für die Urbilder in Mythos und Dichtung, die, dem Medium Dichter oft unbewußt, aus dem ›kollektiven Unbewußten‹ in die Gestalten und Symbole selbst moderner Dichtung eindringen, immer wieder neu ausgeschöpft und in neuer Weise gestaltet werden.

C. G. Jung, Üb. d. Begriff d. kollektiven Unbewußten, 1932; ders., A.en d. kollektiven Unbewußten (Eranos-Jb., 1934); ders., Üb. d. A.en, 1937; H. Pongs, Schillers Urbilder, 1935; W. Troll, Gestalt u. Urbild, 1944; K. Kerényi, Romandichtg. u. Mythologie, 1945; Eranos-Jb. XII u. XVIII, 1945 u. 1950; F. Strich, D. Symbol i. d. Dichtg. (in: D. Dichter u. d. Zt., 1947); N. Frye, *The A. of Lit.* (*Kenyon Review* 13, 1951); M. Bodkin, *Studies in Type-Imagery,* 1951; dies., *Archetypal Patterns in Poetry,* Oxf. ²1963; P. Wheelwright, *The a. symbol* (*Yearb. of compar. crit.* 1, 1968).

Archilochische Versmaße, auf den griech. Dichter ARCHILOCHOS (um 700 v. Chr.) zurückgeführte antike Versmaße. Grundformen sind 1. der sog. Archilochius minor, daktylisches →Hemiepes (Trimeter mit einsilbiger Katalexe): –́◡◡–́◡◡⏓, verbunden mit folgendem jambischen Dimeter zum →Elegiambus, mit vorhergehendem jambischen Dimeter zum →Jambelegos. 2. der sog. Archilochius maior, 1 akatalektischer daktylischer Tetrameter und 1 akatalektische trochäische Tripodie: –́◡◡–́◡◡–́◡◡–́◡◡ | –́◡–́◡–́⏓. Anwendung in den A. Strophen:

1. A. Strophe: 1 katalektischer daktylischer Hexameter in distichitischem Wechsel mit 1 katalektischen daktylischen Tetrameter:

–́⏕–́⏕–́ | ⏕–́⏕–́◡◡–́⏓
–́⏕–́⏕–́ (⏕) –́⏑

(z. B. HORAZ: Laudabunt alii, *Oden* I, 7)

2. A. Strophe: 1 katalektischer daktylischer Hexameter in distichitischem Wechsel mit dem Hemiepes:

–́⏕–́⏕–́ | ⏕–́⏕–́◡◡–́⏓
–́◡◡–́◡◡⏓

(z. B. HORAZ: Diffugere nives, *Oden* IV, 7)

3. A. Strophe: 1 Archilochius maior in distichitischem Wechsel mit 1 katalektischen jambischen Trimeter:

–́◡◡–́◡◡–́ | ◡◡–́◡◡ | –́◡–́◡–́–
⏓–́◡–́⏓ | –́◡–́◡–́⏓
(z.B. HORAZ: Solvitur acris hiems, *Oden* I, 4)
Seltener erscheint auch die Verbindung von Hexameter mit Jambelegos oder jambischem Trimeter mit Elegiambus.

Lit. →Metrik.

Archiv (v. griech. *archeion* = Regierungsgebäude, lat. *archium, archivum* = A.), Slg. und Aufbewahrungsort amtlicher Schriftstükke, Urkundenoriginale, auch kirchlicher und Familienpapiere zum amtlichen Gebrauch und als Quellensammlung für die Geschichtsforschung. Für die Literaturforschung von Wichtigkeit sind die Dichterarchive (z.B. Goethe-Schiller-A., Rilke-A., Dt. Lit.-A., A. für Arbeiterdichtung), Sammelstätten für Dokumente, Briefe, Manuskripte u.a.m. bedeutender Dichter. – Neuerdings ›A.‹ auch Titel für wissenschaftl. Zss.

F. v. Löher, A.lehre, 1890; V. Löwe, D. dt. A.wesen, 1921; E. Beutler, D. lit. hist. Museen u. A.e (in: L. Bauer, Forschungsinstitute I, 1930); R. Mortier, *Les A. litt. de l'Europe (Revue de litt. comparée* 25, 1951); A. Brenneke, A.-kunde, 1953; W. Flach, Lit.-A.e (Archivmitteilgn. 5, 1955); T. R. Schellenberg, *Modern A.*, Chicago 1956; RL; *A Guide to A.s and Manuscripts in the U.S.*, hg. P. M. Hamer, N. Y. 1961; A. Elschenbroich, A.wiss. u. Lit.gesch. (Jb. d. Freien Dt. Hochstifts, 1964); H. Jenkinson, *A manual of a. administration*, Lond. 1965; T. R. Schellenberg, *The management of a.s*, N. Y. 1965; P. Raabe, Einf. i. d. Quellenkde. z. neueren dt. Lit.gesch., [2]1966; ders., Quellenrepertorium z. neueren dt. Lit.gesch., [2]1966; H. O. Meisner, Archivalienkunde, 1970; B. Zeller, A.e f. Lit., 1974.

Aretalogie (griech. = Tugendrede), in der nachklassischen griech.-röm. Lit. zur religiösen Erbauung zusammengestelltes Traktat, das die Macht und die Taten e. Gottheit, e. Halbgottes usw. verkündet; auch Lobpreisung in Predigt oder Gebet. A.n wurden in hellenist. Zeit von Aretalogen in den Tempeln vorgetragen.

O. Weinreich, Fabel, A., Novelle, 1930.

Argot (franz.), die unlit. Sondersprache der unteren franz. Volksschichten entsprechend dem engl. →Slang, urspr. im MA. als Geheimsprache der Asozialen, Gauner und Diebe bezeugt wie das dt. Rotwelsch, schließlich allg. jede ständisch oder beruflich abgegrenzte Sondersprache (Soldaten-, Studenten-, Künstler-, Druckersprache usw.). Ihr Wortschatz, in dem sich die Lust an gesprochenen Metaphern dokumentiert, dringt z.T. in die benachbarten Volkssprachen und von dort als lebendiges Volksgut in die gehobene Umgangssprache ein. Der A. der Pariser Vororte fand seit dem 19. Jh. auch lit. Verwendung (HUGO, BALZAC, SUE, ZOLA, QUENEAU u.a.).

R. Yve-Plessis, *Bibliogr. raisonnée de l'A.*, Paris 1901; L. Sainéan, *Les sources de l'A. ancien*, Paris 1912; A. Dauzat, *L'A. de la guerre*, Paris 1918; ders., *Les A.s*, Paris 1929; J. Lacassagne, *L'A. du milieu*, 1928; W. v. Wartburg, V. Urspr. u. Wesen d. A., GRM 18, 1930; E. Chautard, *La vie étrange de l'A.*, 1932; P. Mac Orlan, *L'A. dans la litt.*, in: *Histoire des litt.* III, hg. R. Queneau, Paris 1958; P. Guiraud, *L'A.*, Paris 1958; G. Esnault, *Dict. hist. des A.s franç.*, Paris 1965.

Argument (lat. = Veranschaulichung, bes. e. Inhalts, Stoffes, Sujets), 1. in der Rhetorik der auf einem Tatbestand beruhende Beweisgrund. – 2. einem Bühnenstück vorangesetzte, oft akrostichitisch gereimte Einleitung zur Erklärung und Begründung des folgenden Schauspiels, meist auch bloße Inhaltsangabe; bei antiken Tragödien und Komödien (z.B. bei PLAUTUS, oft von späteren Verfassern) und im Renaissancedrama verwendet. In der →Commedia dell'arte bezeichnen die A.a den gesamten Inhalt des

Stückes, das danach aus dem →Stegreif gespielt wurde. MILTON stellte jedem Buch seines *Paradise Lost* ein A. in Prosa voran. A. DÖBLIN (*Berlin Alexanderplatz*) und B. BRECHT verwenden zusammenfassende Zwischentitel. Zu unterscheiden von dem nur schriftlich verwendeten A. ist der gesprochene →Prolog, vgl. auch →Loa, →Didaskalien.

Arie (ital. *aria*, von franz. *air* = Luft) anfangs das zur Begleitung komponierte Strophenlied (z. B. H. ALBERTS *A.n*, 1638), seit dem 17. Jh. dagegen meist das nicht strophisch gegliederte, reimlose, durch Wort- und Satzwiederholungen verbreiterte lyrische Sologesangstück mit Instrumentalbegleitung innerhalb eines größeren Werkes im Ggs. zum →Rezitativ. In älterer ital. →Oper (LEGRENZI, STEFFANI, SCARLATTI, *Theodora*, 1693) als virtuose Dacapo-A. in dreiteiliger Form: Hauptsatz a, entgegengesetzter Mittelsatz b und notengetreue (a) oder variierte (a') Wiederholung des Hauptsatzes; Höhepunkte bei MOZART und VERDI; seit WAGNER verschwindet die virtuos-effektsuchende A. zugunsten e. freieren, deklamatorisch-→ariosen Form. Innerhalb der Oper bildet die A. e. Stillstand des Handlungsmäßigen auf einzelnen Höhepunkten des Geschehens zu breiterer Schilderung e. Seelenzustandes. E. kleinere A. heißt Arietta oder Kavatine. Über die A. in der Antike vgl. →Cantica.

I. Schreiber, Dichtung u. Musik d. dt. Opern-a. 1680–1700, Diss. Bresl. 1934; R. Gerber, A. (D. Musik i. Gesch. u. Gegenw., 1950); RL.→Oper.

Arioso (ital. = liedartig), kurzes, ausdrucksvoll vorgetragenes Gesangstück im Ggs. zur →Arie; wichtiger Bestandteil der früheren Oper vor der genaueren Scheidung von Arie und →Rezitativ, nach heutigen Begriffen in der Mitte zwischen beiden liegend. Heute auch kurzer, ungegliederter Gesangsteil innerhalb des Rezitativs oder in sich melodisch geschlossene Partie im Musikdrama R. WAGNERS.

Aristophanischer Vers, nach dem griech. Komödiendichter ARISTOPHANES benannt, ist ein katalektischer anapästischer Tetrameter oder Septenar:

◡◡–́◡◡–́◡◡–́◡◡–́◡◡–́◡◡–́◡◡–́⏓

verwendet in attischer Komödie und bei PLATEN. Als Aristophaneus erscheint auch der Kurzvers – ◡◡ – ◡ – ⏓, wie er in der 2. →Sapphischen Strophe verwendet wird und oft als Strophenklausel in der Tragödie begegnet.

Aristotelisches Drama, heute im Ggs. zum nichtaristotelischen Drama oder →epischen Theater Bz. für die konventionelle, herkömml., strenggebaute, geschlossene Dramenform nach den Regeln des ARISTOTELES bzw. seiner späteren Ausdeuter von der franz. Klassik bis IBSEN mit Berücksichtigung der drei →Einheiten oder zumindest der Einheit der Handlung und der →Katharsislehre. Unter Berufung auf die Widersprüche, Kurven und Sprünge in der Abfolge des geschichtl. Prozesses, der Gegenstand des Dramas ist, fordert B. BRECHT die ›antimetaphysische, materialistische, nichtaristotelische Dramatik‹, die vom Zuschauer anstelle hingebender Einfühlung in die Figuren die verfremdete kritische Haltung und den Entschluß zur Weltveränderung verlangt.

Lit. →Episches Theater.

Arkadier, die Mitglieder der →Arcadia.

Arkadische Poesie, nach der Landschaft Arkadien (Peloponnes) gebildete Bz. für →Hirten- und Schäferdichtung. ›Arcadia‹, selbst

Überschrift zahlreicher Werke (SANNAZARO 1502, SIDNEY 1590 u.a.m.), das Land der Hirten und Jäger, der Natur und Freiheit, war ideales Wunschbild jener Richtung.

Arlecchino →Harlekin

Armenbibel (Biblia pauperum), unlit. Form der Bibelausgabe, verzichtet im Ggs. zur →Bilderbibel gänzlich auf fortlaufenden Text, wendet sich an die Analphabeten (als die ›Armen‹ im Geiste) und beschränkt sich meist auf bildliche Wiedergabe der Hauptereignisse aus dem Leben Jesu, denen meist zwei bildliche Szenen aus dem AT. als Vorausdeutung oder Antitypus entgegengestellt werden, so daß die A. gewissermaßen als symbolische Konkordanz zwischen AT. und NT. auf die Folgerichtigkeit des göttlichen Heilsplans verweist. Nach einem verlorenen Urbild aus dem oberdt. Raum (Bayern oder Österreich) um 1250 im SpätMA. oft als Blockbücher in vielen Varianten mit bis zu 5000 Bildern (franz. *Bible moralisée*, 13. Jh.) in ganz Europa verbreitet. Gegenstand kunstgeschichtlich-ikonographischer Forschung.

H. Cornell, Biblia pauperum, Stockh. 1925; H. Zimmermann, A. (Reallex. d. dt. Kunstgesch. I, 1937); G. Schmidt, D. A.n d. 14. Jh., 1959; H. T. Musper, D. Urausg. d. holländ. Apokalypse u. d. Biblia pauperum, III 1961; M. Berve, D. A., 1969.

Arrhythmie (griech. *arrhythmia* = Mangel an Ebenmaß), Fehlen oder Unübersichtlichkeit des Rhythmus.

Arsis (griech. = Hebung, gemeint ist das Aufheben des Fußes beim Tanzen oder Taktschlagen), in griech. Metrik das schwache, leichte rhythmische Element im Ggs. zur →Thesis. Die dt. Übersetzung bedeutet genau das Gegenteil (→Hebung). Schon lat. Grammatiker gebrauchen den Begriff A. für ›Hebung der Stimme‹ und damit den gehobenen, betonten, schweren Taktteil, und in diesem Sinne führte R. BENTLEY den Begriff in neuere Metrik ein. Zur Vermeidung von Mißverständnissen ist die Beschränkung der Bz. ›A.‹ auf griech. und ›Hebung‹ auf neuere Metrik erforderlich.

Ars moriendi →Sterbebüchlein

Arte mayor, span. Versmaß des 15./16. Jh. aus 9–14-Silbern (meist Zwölfsilbern) mit je 2 Haupt- und 2 Nebenhebungen und Mittelzäsur: ◡–̋◡◡–́◡ / ◡–̋◡◡–́◡; Verwendung meist strophisch als Copla de a.m. mit der Reimfolge abbaacca oder abbaacac.

J. Saavedra Molina, *El verso de a. m.*, 1946; R. Baehr, Span. Verslehre, 1962.

Arte menor, span. Versmaß des SpätMA. im Ggs. zu →Arte mayor; Achtsilber oder kürzerer Vers, verwendet in der Copla de a.m. mit der Reimfolge abbaacca oder abbaacac.

D. C. Clarke, *Redondilla and copla de a. m.* (*Hispanic Review* 9, 1941); R. Baehr, Span. Verslehre, 1962.

Artes liberales (lat. = freie Künste), die sieben freien, d.h. eines freien Mannes würdigen Künste innerhalb der spätantik-ma. Bildungsordnung. Das griech. Unterrichtswesen schied nur Leibeserziehung und musische Erziehung. ARISTOTELES und die Römer gliederten Grammatik und Rhetorik einerseits, Mathematik (und die von ihr abhängige Musik) andererseits an. Hellenismus und Frühchristentum kannten 5–7 freie Künste, die MARTIANUS CAPELLA zuerst A.l. nannte. Ihre Siebenzahl stand seit AUGUSTINUS fest und wurde um 600 in den *Etymologiae* ISIDORS VON SEVILLA zur Summe der zeitgenössischen Bildung ausgebaut: Das Trivium (Dreiweg) umfaßt die sprachlichen Künste Grammatik, Rhetorik und Dialektik mit dem Ziel mündlicher und schriftlicher Kunstfertigkeit, das Quadrivium (Vierweg) umfaßt die mathematischen Künste Arithmetik, Geometrie (mit Geographie), Astronomie und Musik (einschließlich Physik) mit dem Ziel allg. Geistesbildung. Das System der A.l., von BOETHIUS, HRABANUS MAURUS, HUGO VON ST. VICTOR u.a. dargestellt, wurde grundlegend für das ma. Bildungswesen und die ma. Fachliteratur (→Artesliteratur) bis zur Spätscholastik und erst durch den Humanismus abgelöst.

J. Dolch, Lehrplan des Abendlandes, 1959; A. l., hg. J. Koch, 1959; E. R. Curtius, Europ. Lit. u. lat. MA., [6]1967.

Artesliteratur, ma. Fachprosa zur Erläuterung der Sieben Freien Künste (→Artes liberales), der Eigenkünste wie Kriegskunst, Handwerk, Landbau, Heilkunde und der geheimen Künste wie Magie, Chiromantie, Nekromantie, als Gebrauchsschrifttum der Zeit seit dem SpätMA. weit verbreitet, jedoch noch wenig erfaßt.

RL; J. Koch, Artes liberales, 1959; G. Eis, Stud. z. altdt. Fachprosa, 1951; ders. in ›Aufriß‹; ders., Ma. Fachlit., [2]1967; ders., Forschgn. z. Fachprosa, 1971; Fachprosaforschg., hg. G. Keil 1974.

Articulus (lat. = verbindendes Gelenk, Gliederung), in der Stilistik die →asyndetische Reihung kurzer Satzglieder, z.B. ›Mit Tränen, Seufzen, Händeringen dacht ich...‹ (*Faust* 1027).

Artikel (lat. *articulus* = Glied), allg. eine formal in sich geschlossene, thematisch auf einen Gegenstand konzentrierte lit. Einheit, die an sich unabhängig ist, doch in einem größeren Zusammenhang steht, so z.B. einzelne Aufsätze und Beiträge in Zeitungen, Zeitschriften, Sammelwerken, Enzyklopädien und Lexika. Ferner die einzelnen Abschnitte juristischer und z.T. theologischer Texte (Gesetze, Verträge, Glaubens-A.).

Art nouveau = →Jugendstil

Art pour l'art →L'art pour l'art

Âryâ (ind. = Dame), ind. Versmaß aus 4 Füßen zu je 4 Moren, von denen eine kurze Silbe eine More, eine lange Silbe zwei Moren umfaßt, also z.B. – –, –⏑⏑, ⏑–⏑, ⏑⏑– oder ⏑⏑⏑⏑. Die vierzeilige A.-Strophe umfaßt in der 1. und 3. Zeile je 3 Füße, in der 2. Zeile viereinhalb Füße und in der 4. Zeile dreieinhalb Füße mit Einschub einer kurzen Silbe nach dem 2. Fuß:

⏖⏖ ⏖⏖ / ⏖⏖ ⏖⏖ / ⏖⏖ ⏖⏖
⏖⏖ ⏖⏖ / ⏖⏖ ⏖⏖ / ⏖⏖ ⏖⏖ / ⏖⏖ ⏖⏖ ⏖⏖
⏖⏖ ⏖⏖ / ⏖⏖ ⏖⏖ / ⏖⏖ ⏖⏖
⏖⏖ ⏖⏖ / ⏖⏖ ⏖⏖ / ⏑ / ⏖⏖ ⏖⏖ / ⏖⏖

Arzamas (Name e. Provinzhauptstadt), russ. lit. Gesellschaft zu Beginn des 19. Jh., verband etwa 20 Dichter und Schriftsteller der Empfindsamkeit und der aufkommenden Romantik, u.a. ŽUKOVSKIJ, DAVYDOV, Fürst VJAZEMSKIJ, BATJUŠKOV und PUŠKIN. Trotz ihrer Kurzlebigkeit (1815–18) von nachhaltigem Einfluß durch ihr Eintreten für den neuen Stil KARAMZINS und gegen die slavorossischen ›Archaisten‹ um ŠIŠKOV, dessen Stil die Mitglieder heftig kritisierten und gelungen parodierten.

Arztroman, jüngere Sonderform des →Trivialromans. Sie meint nicht die dichterische Erzähllit. um Mediziner als Hauptfiguren (CAROSSA, *Der Arzt Gion,* S. LEWIS, *Arrowsmith,* B. PASTERNAK, *Doktor Schiwago* u.ä.), sondern einen motivisch festumrissenen trivialen Liebesroman zwischen einer zarten, schönen, natürlich an einer ›edlen‹ Krankheit leidenden Patientin und einem gutaussehenden, charakter- und verständnisvollen Arzt (Chefarzt, Assistenzarzt, Landarzt), der möglichst noch in einem Privatsanatorium stets Zeit für die Patientinnen hat. Der A. verbindet idealisierende Wirklichkeitsverfälschung mit primitiver Mythisierung der medizin. Wissenschaft.

B. Wachsmuth, D. Arzt i. d. Dichtg. uns. Zeit, 1939; F. Wittmann, D. Arzt i. Spiegelbild d. dt. schöngeist. Lit., [2]1977; M. Sera, Verurteilt z. Glück (Zs. f. dt. Philol. 97, 1978, Sonderh.).

Aschughen (v. arab. *âscheq* = verliebt), kaukas. Volkssänger; im 14. Jh. meist Geistliche, die in der Volkssprache Heldenlieder, Todesklagen, Heimatgesänge, Liebes- und lehrhafte Dichtungen verfassen oder dem Volksmund ablauschen; im 18. Jh. finden sie mit SAIATH NOWA weite Verbreitung in Georgien, Persien, Armenien und der Türkei und gründen ein Volkstheater.

Asianismus, ›neuer Stil‹, Strömung in der antiken Rhetorik des 3. Jh. v. Chr., begründet durch HEGESIAS VON MAGNESIA, in der Frühzeit des Hellenismus im kleinasiat. Ionien ausgebildet. Der A. löst die klassischen Bindungen, die Gemessenheit und Wohlproportioniertheit, Einfachheit und sachgebundene Strenge des attischen Redestils des 5./4. Jh. v. Chr. (LYSIAS, DEMOSTHENES) auf und bringt einerseits kurze, zerhackte Sätze mit stark rhythmischem, fast singendem Tonfall, dabei knappen, geistreichen Witz; andererseits bombastische, schwülstige Wendungen und pathetische Wortfülle. Durch kleinasiatische Rednerschulen als Modestil über die ganze griech.-röm. Welt verbreitet, herrschte er bis ins 1. Jh. v. Chr. und beeinflußte noch das Frühwerk CICEROS, bis er durch die Gegenbewegung des →Attizismus abgelöst wurde.

U. v. Wilamowitz-Möllendorff, A. u. Atticismus (Hermes 35, 1900); E. Norden, Antike Kunstprosa, II [5]1958.

Asklepiadeische Strophe, nach dem griech. Dichter ASKLEPIADES benannte antike Vers- und Strophenformen, deren Kern stets der →Choriambus (—́⏑⏑—́) ist. Der Asklepiadeus minor besteht aus zwei durch Zäsur getrennten katalektischen trochäisch-daktylischen Tripodien, von denen die erste den Daktylus an 2., die zweite an 1. Stelle hat (= 1 katalekt. 2. →Pherekrateus und 1 katalekt. 1. Pherekrateus): —́ — —́ ⏑⏑ —́ | —́ ⏑⏑ —́ ⏑ ⏓́ ›Schön ist, Mutter Natur, deiner Erfindung Pracht‹ (KLOPSTOCK). Der Asklepiadeus maior schaltet zwischen diese beiden Hälften e. Choriambus ein: —́ — —́ ⏑⏑ —́ | —́ ⏑⏑ —́ | —́ ⏑⏑ —́ ⏑ ⏓́. Durch verschiedene Zusammensetzung mit anderen Maßen entstehen die fünf A. S.n: 1. A. S.: monostichitischer Asklepiadeus minor (z. B. HORAZ: Exegi monumentum, III, 30; I, 1).

2. A. S.: Dreimal Asklepiadeus minor und ein 2. →Glykoneus strophisch zusammengefaßt:

—́ — —́ ⏑⏑ —́ | —́ ⏑⏑ —́ ⏑ ⏓́
—́ — —́ ⏑⏑ —́ | —́ ⏑⏑ —́ ⏑ ⏓́
—́ — —́ ⏑⏑ —́ | —́ ⏑⏑ —́ ⏑ ⏓́
—́ — —́ ⏑⏑ —́ ⏑ ⏓́

(z. B. HORAZ *Oden* I, 6)

3. A. S.: Zweimal Asklepiadeus minor, ein 2. Pherekrateus und ein 2. Glykoneus:

—́ — —́ ⏑⏑ —́ | —́ ⏑⏑ —́ ⏑ ⏓́
—́ — —́ ⏑⏑ —́ | —́ ⏑⏑ —́ ⏑ ⏓́
—́ — —́ ⏑⏑ —́ ⏓
—́ — —́ ⏑⏑ —́ ⏑ ⏓́

(sehr häufig, z. B. HORAZ: O navis referent, I, 14; KLOPSTOCK: *Der Zürcher See,* HÖLTY: *Die Mainacht,* HÖLDERLIN: *Heidelberg*)

4. A. S.: Ein 2. Glykoneus mit einem

Asklepiadeus minor in distichitischem Wechsel:

–́–́◡◡–́◡◡́

–́–́◡◡–́ / –́◡◡–́◡◡́

(z. B. HORAZ: Donec gratus eram tibi, III, 9)

5. A. S.: monostichitischer Asklepiadeus maior (z. B. HORAZ: Tu ne quaesieris, I, 11). Verwendung der A. S. in antiken →Oden, Nachbildung in dt. Dichtung bes. von KLOPSTOCK und HÖLDERLIN.

Lit. →Metrik.

Assonanz (v. lat. *assonare* = anklingen), vokalischer Halbreim von klangmagischer Wirkung: Gleichklang nur der Vokale vom letzten Akzent der Verszeile an, bei Verschiedenheit der Konsonanten (z. B. Unterpfand – wúnderbar). Mittel der Versbindung in den vokalreichen roman. Sprachen; entstanden in Spanien, verbreitet in provenzal., altfranz. (*Chanson de Roland* u. a. chansons de geste), altportugies., altspan. *(Cantar de mío Cid)* und selbst neuerer span. Dichtung (LOPE DE VEGA, GONGORA, Romanzen, Balladen und Dramen; G. A. BÉCQUER). In dt. Dichtung zuerst bei OTFRIED als unreine Vorstufe des Reims neben dem Endsilbenreim, in der mhd. Dichtung wie engl. und dt. Volksliedern als freierer Reim; von den Romantikern in Übertragungen aus dem Span. wieder eingeführt und auch für eigene Dramen und Romanzen verwendet (TIECK, ARNIM, BRENTANO *Romanzen vom Rosenkranz*: durchgängige A. neben strophischem Endreim; HEINE, *Don Ramiro*). Versuche, den Reim ganz durch A. zu verdrängen, scheitern an den klanglosen german. Endsilben, ähnlich in Frankreich (Ch. GUÉRIN *Le sang des crépuscules*, 1895). In ir. Dichtung ist die A. der auch in der Quantität übereinstimmenden Vokale strenge Regel. Beliebt ist A. in moderner russ. Versdichtung (MAJAKOVSKIJ, PASTERNAK, EVTUŠENKO).

W. Masing, Sprachliche Musik i. Goethes Lyrik, 1910; A. Fischli, Über Klangmittel i. Versinnern, 1920; P. G. Adams, *The hist. importance of a. to poets,* PMLA 88, 1973. →Metrik.

Assonanzspiel, Sonderart des Klangspiels: Wortspiel, das auf →Assonanz zweier Wörter beruht.

Asterisk (griech. *asteriskos* = Sternchen), das einzelnen Wörtern vorangestellte Zeichen *, bezeichnet in der →Textkritik der griech. Grammatiker →Korruptelen, d. h. Stellen, in denen die Überlieferung keinen Sinn ergibt.

Asteronym (v. griech. *aster* = Stern, *onoma* = Name), ein →anonymes Werk, bei dem der Verfassername durch Sternchen (›von ***‹) ersetzt ist.

Astrophische Komposition, Ggs. zur →strophischen Komposition, Komposition ohne Strophengliederung.

Asynaphisch (griech. =) ohne Fugung (→Synaphie), d. h. nicht gefugt sind Verse, bei denen auf vollen oder klingenden Schluß einer Zeile in der nächsten kein Auftakt oder auf weiblich vollen Schluß ein Auftakt folgt, so daß durch Senkungspause an der Versgrenze zwei Hebungen zusammenstoßen.

Asyndeton (griech. = Unverbundenes), im Ggs. zum →Polysyndeton e. Reihe gleichgeordneter Wörter, Satzteile oder Sätze ohne verbindende Konjunktionen (›und‹ u. ä.): ›Alles rennet, rettet, flüchtet‹ (SCHILLER). Je nach Art der Glieder, die durch Fehlen der ausgleichenden Bindewörter stärker für sich hervortreten, von verschiedener Wirkung; oft in sprudelnder Rede oder zum Ausdruck der Hast e. Geschehens, der inneren Spannung e. Situation; leidenschaftliche, nicht rational durchgliederte Aussage. Als bewußtes Stilmittel zur Hervorhebung e. →Klimax (Veni, vidi, vici, SUETON; abiit, excessit, evasit, erupit, CICERO, *Catilina* 2, 1), bei ganzen Sätzen auch des →Parallelismus, →Chiasmus oder der →Antithese (vgl. →adversatives A.). Verwendung als →rhetorische Figur in der Antike, als Stilmittel schon in der german. Stabreimdichtung *(Hildebrandslied)* und der höfischen Dichtung, bes. bei WALTHER VON DER VOGELWEIDE und WOLFRAM VON ESCHENBACH; oft in Schwank u. Satire des 16. Jh., in Frankreich bei RABELAIS; Blüte bei den →Worthäufungen des Barock (WECKHERLIN, OPITZ, ZESEN, P. GERHARDT, bes. GRYPHIUS), in neuerer Zeit bei KLOPSTOCK: ›Rufts, trank, dürstete, bebte, ward bleicher, blutete, rufte‹ (*Messias* 10, 1048), SCHILLER *(Das Lied von der Glocke)* u. a. →Articulus, →Diärese, →Akkumulation.

E. Dickhoff, D. 2-gliedrige Wort-A., 1906; H. Pliester, D. Worthäufg. i. Barock, 1930. →Stil.

Atektonisch, = nicht →tektonisch sind Kunstwerke von →offener Form, d. h. ohne fest geschlossenen Aufbau.

Atellane oder →fabula atellana, nach der kampan. Kleinstadt Atella benanntes altital. volkstümliches Stegreif-Lustspiel mit vier feststehenden Charaktertypen, die in Masken auftraten; Maccus = Hanswurst und Tölpel (später abgewandelt Pulcinella in der →Commedia dell' arte), Bucco = Aufschneider und Schwätzer, Freß- und Saufheld (Brighelle), Pappus = geiziger, oft geprellter komischer Alter (Pantalone), Dossenus = bucklig-pfiffiger Beutelschneider (Dottore). Derbdrastische Verspottung der kleinbürgerlichen Welt; lit. nicht überliefert. Von der oskischen Bevölkerung Kampaniens zum festen Spiel ausgebildet (›oskisches Spiel‹), wurde sie sehr früh von den Römern übernommen und seit dem 3. Jh. v. Chr. als Nachspiel (→Exodium) zu Tragödien von dilettierenden freien röm. Jünglingen aufgeführt; in ihrer Blütezeit um 90 v. Chr. durch POMPONIUS und NOVIUS in jambischen Septenaren zum lit. Kunstdrama stilisiert, wurde sie später zeitweise durch den →Mimus verdrängt, nahm aber in der Kaiserzeit neuen Aufschwung und lebte in der →Commedia dell'arte fort.

RE. 2, 1896; J. J. Hartmann, *De A. fabula* (Mnemosyne 50, 1922); H. Hiedell, D. Sprache d. A., Diss. Bresl. 1941; W. Beare, *The Roman Stage,* Lond. [2]1955; E. Paratore, *Storia del teatro latino,* Mail. 1957. →Theater.

Athetese (griech. *athetesis* = Abschaffung), in der →Textkritik das Verwerfen e. überlieferten Wortes, Satzes oder Kapitels als falsch oder interpoliert.

At home (engl. = zu Hause), in England Bezeichnung bestimmter Arten von Theatervorstellungen satirischen Inhalts, zuerst Privatvorstellungen des Schauspielers FOOTE (geb. 1777), dann 1834 vom Komiker MATHEWS und dessen Schüler YATES auch öffentlich aufgeführt.

R. Stamm, Gesch. d. engl. Theaters, 1951.

Atlas (nach dem antiken Titanen auf dem Titelblatt der Kartensammlung MERCATORS von 1595), Sammelwerk von Landkarten, Stichen u. a. Abbildungen bestimmter Wissensgebiete. →Literaturatlas.

Attizismus, ›alter Stil‹, klassizist. lit.-sprachliche Strömung in der antiken Rhetorik seit dem 2. Jh. v. Chr., fordert als Reaktion auf den →Asianismus die Rückkehr zum reinen und klaren, schlichten und sachlichen ›klassischen‹ Stil der attischen Schriftsteller aus dem 5. und 4. Jh. v. Chr. (THUKYDIDES, LYSIAS, DEMOSTHENES) und übte Kritik selbst an der Formkunst des ISOKRATES. Ausbreitung gleichzeitig mit dem Asianismus, angeregt durch philologische Studien, in Alexandrien, Athen und Pergamon. Hauptvertreter Ende des 1. Jh. v. Chr. sind die Rhetoren CAECILIUS VON KALAKTE und DIONYSIOS VON HALIKARNASS, in lat. Sprache CAESAR, C. LICINIUS CALVUS, M. IUNIUS BRUTUS. Blüte im 2. Jh. n. Chr. mit AELIUS ARISTIDES und HERODES ATTICUS; unter Vermeidung der Umgangssprache wird – selbst mit Hilfe attizistischer Lexika wie des erhaltenen von PHRYNICHOS – die attische Sprache zur Norm erhoben.

W. Schmid, D. A. in seinen Hauptvertretern, V 1887–97, [2]1964; E. Norden, Antike Kunstprosa, II [5]1958.

Aubade (franz. =) →Tagelied

Audition colorée →Synästhesie

Aufbau, die Zusammenfügung jedes Wortkunstwerks zu e. einheitlichen, in sich geschlossenen Ganzen und damit Voraussetzung jedes Literaturwerks. Gegenüber dem objektbedingten A. einer sachlichen Darstellung (Bericht, Artikel, Untersuchung, Vortrag) entsteht der A. e. Dichtung aus ihr selbst heraus, da Abfolge, Zusammenhang und Gliederung der Geschehnisse nur in ihrer selbstgeschaffenen Welt bestehen. Man unterscheidet den äußeren A. (Gliederung in Verszeilen, →Strophen, →Zyklen, →Akte, →Szenen, →Kapitel usw.), den sprachlichen A. (in →Rhythmus, →Klanggefüge, Wortbedeutungen) und den inneren oder inhaltlichen A., die nur in der →Analyse zerlegt, im Dichtwerk jedoch in ständigem Zusammenwirken erscheinen. Je nach Vorhandensein e. festen Bauwillens trennt man →tektonische und →atektonische Formen. Der Überbetonung äußerer Form insbes. in früherer Lyrik (später Minnesang, Meistersang, Barock) entsprach e. Vernachlässigung der inneren Form, während in neuerer Zeit bloß äußerer A. gegenüber der wechselseitigen Durchdringung von Gehalt und Gestalt an Bedeutung verloren zu haben scheint. – Über den A. innerhalb der einzelnen Gattungen vgl. diese, ferner →Komposition, →Form, →Struktur.

G. Murray, *Unity and organic construction,* Oxf. 1927; H. Weston, *Form in lit.,* London 1934; W. Kayser, D. sprachl. Kunstwerk, [12]1967 (dort Bibliogr. d. zahlr. Untersuchungen z. A. einzelner Dichtwke.).

Auferstehungsspiel = →Osterspiel

Aufführung, die Wiedergabe e. Bühnenwerkes vor Zuschauern, meist durch Schauspieler unter der Leitung e. →Regisseurs nach e. Reihe von →Proben. Die A. setzt die lit. Vorlage mit Hilfe der reproduzierenden Interpreten erst in die ihr angemessene Erscheinungsform um, kann sie zur Anschauung und künstlerischen Vollendung bringen. Man unterscheidet →Uraufführung, →Erstaufführung (Premiere) und wiederholte A. (Serienspiel, bes. bei großstädtischen Spezialbühnen mit kostspieliger Einstudierung und →Ausstattung). Bis 70 Jahre nach dem Tode des Autors (gesetzliche →Schutzfrist) muß für jede einzelne A., auch Liebhaber-A., das A.recht vom Urheber oder dessen Bühnenvertrieb, meist gegen →Tantiemen, erworben werden. Vgl. →Inszenierung, →Theater.

W. Goldbaum, D. A.-svertrag, 1912; N. Henzel, D. A.-srecht v. Bühnen- u. Tonkunstwerken, Diss. Würzb. 1920; C. Hagemann, D. Kunst d. Bühne, 1922; R. Williams, *Drama in Performance*, Lond. [2]1968.

Aufgesang, Fachausdruck des Meistersangs für den 1., längeren Teil der sog. →Meistersangstrophe im Ggs. zum kürzeren →Abgesang. Er besteht meist aus zwei gleichgebauten →Stollen (›Gesetz‹ und ›Gebäude‹), von denen jeder einzelne kürzer, die zusammen aber länger sind als der Abgesang (vgl. Sonett: 4 + 4 : 6).

R. M. Meyer, Grundlagen des mhd. Strophenbaus, 1886; W. Fischer, D. stollige Strophenbau im Minnegesang, Diss. Halle 1932. →Metrik.

Aufklärung, allg. jede rationalistisch-skeptische Geistesbewegung, die die Klärung unrichtiger Vorstellungen, Befreiung von Vorurteilen und Autoritätsglauben sowie e. Weltdeutung ausschließlich durch Vernunfterkenntnis und wissenschaftlich - naturwissenschaftliche Kritik erstrebt; als solche in der Geistesgeschichte wiederholbar, z. B. schon in der Sophistik.
Im engeren Sinn ist A. der schon im 16. Jh. einsetzende und bes. das 18. Jh. beherrschende gesamteuropäische Umschichtungsprozeß, der die überkommenen kirchlich-theologischen u. a. Bevormundungen des Denkens aufzuheben sucht, indem er durch allseitige, selbständige Entwicklung der Vernunft (Rationalismus), der Sinne (Sensualismus) und der Erfahrung (Empirismus) diese zur alleinigen Erkenntnisquelle erhebt. Der Glaube an die Möglichkeit e. diesseitigen Welterfassung durch deutliche Begriffsbildung führt zu e. optimistischen Grundhaltung und irdischem Glücksstreben (Eudämonismus) durch Tugend und Bildung; Humanität als Anerkennung des mitstrebenden Individuums ist, von VOLTAIRE bis LESSINGS *Nathan*, eine der Lieblingsvorstellungen der A. und erreicht außer in den Ideen von Toleranz und Weltbürgertum starke Auswirkungen auf das soziale Leben; rückwirkend manifestiert sich der Aufstieg des Bürgertums in geistige Bereiche (und die Verlagerung der Bildungszentren von den Höfen in die Städte) im fast kleinbürgerlichen Einschlag der A., bes. in Nützlichkeitsprinzip u. Morallehre. Gegenströmungen gegen die absolute Vernunftherrschaft erscheinen in →Pietismus oder →Empfindsamkeit.
Philosophie: Die A. beginnt in England, im 16. Jh. überwiegend in religiöser und politischer Hinsicht. Dem Volkscharakter gemäß erscheint sie als ausgesprochener Empirismus, auf den Erkenntnissen von BACON, HOBBES und NEWTON aufbauend, bei J. LOCKE (1632–1704, *Essay concerning human understanding*, 1690), bei den Deisten COLLINS und LYONS und erreicht ihren Abschluß in dem philosophischen Weltbild D. HUMES (1711–1776) mit dem Übergang zum Sensualismus, während der Moralist und Ästhetiker SHAFTESBURY (1671–1713) seiner Zeit voraus die Vorbereitung der dt. Klassik bildete. – Im Ggs. zur engl. tritt die franz. A. als ausgeprägter Rationalismus auf, dessen Gesellschafts- und Moralkritik nicht zuletzt in der Französischen Revolution von 1789 weitreichende Auswirkungen zeigte; deutlichste Ausprägung erfuhr er durch DESCARTES (1596–1650), BAYLE (1647–1705) und FONTENELLE, während bei den Enzyklopädisten, bes. VOLTAIRE (1694–1778), MONTESQUIEU (1689–1755) und DIDEROT (1713–1784), engl. Beeinflussung in der materialistischen Sittenlehre vorliegt; am Ende der Epoche zeigt ROUSSEAU ebenso wie im dt. Bereich HAMANN (1712–1778) die Fragwürdigkeit des Errungenen. – Weni-

ger konsequent in ihrer Zielsetzung und weniger bedeutend in ihren philosophischen Vertretern ist die dt. A., in der sich franz. Rationalismus und engl. Empirismus vereinen. Sie knüpft im 18. Jh. an die Monadenlehre LEIBNIZ' (1646–1716) an, die THOMASIUS und bes. der Popularphilosoph Chr. WOLFF (1679–1754) unter einseitiger Verkennung des Leibnizschen Universalismus in e. eklektisches System für die Praxis faßten. Sie schufen die aufklärerische Terminologie und verkündeten das Ideal des gesunden Menschenverstandes und des Tugendstrebens, nicht zuletzt in den →moralischen Wochenschriften (ADDISON). Weitgehende Förderung erfuhr die Bewegung durch die Schriften von M. MENDELSSOHN, LICHTENBERG, Fr. NICOLAI, FRIEDRICH II. von Preußen u. a., während LESSING durch sein Wahrheitssuchen, HAMANN durch seinen Irrationalismus und KANT durch seinen Kritizismus über sie hinausragen und der Überschätzung von Vernunft und Nützlichkeit entgegentraten als Vollender und Überwinder der A. Literarische Kritik: Der starke Einfluß der A. auf die Literatur bestand weniger in direkt beispielgebenden Werken als vielmehr in weiter kunsttheoretischer Betätigung (BOILEAU, BATTEUX), die zu innerlich formender, kritischer Selbstbesinnung und literarischer Geschmacksbildung führte. →›Prodesse et delectare‹ gilt als Zweck der Kunst; der Vergleich mit der bildenden Kunst (→Laokoon) zeigt die eigenen Mittel und Möglichkeiten der Dichtung; die Forderung nach strenger Abgrenzung der Gattungen gegeneinander führt zur Ausbildung einzelner Gattungspoetiken (f. d. Fabel: LESSING, BODMER, BREITINGER; f. d. Epos: GOTTSCHED, BREITINGER; f. d. Tragödie: GOTTSCHED, BODMER, BREITINGER, NICOLAI, MENDELSSOHN, LESSING) in Briefen, Theaterkritiken und Aufsätzen, insbes. in den zahlreichen gelehrt-lit. Zss. (NICOLAIS *Briefe, die neueste Lit. betreffend* und *Allg. dt. Bibliothek*, WIELANDS *Teutscher Merkur* und die →*Bremer Beiträge*, hg. von J. A. CRAMER, J. A. SCHLEGEL u. a.). Als System erscheinen sie bei BOILEAU *L'art poétique* 1669/74 und GOTTSCHED *Versuch e. critischen Dichtkunst* 1729 (→Poetik) mit den gleichen Forderungen: Vermeidung des Unwahrscheinlichen und Wunderbaren, Klarheit und Deutlichkeit in Stil und Aufbau, feste Gattungen, →Einheiten im →Drama: e. moralisch-zweckmäßige Verstandesdichtung. GOTTSCHEDS Anschauung beherrscht das lit. Leben bis zur Kritik durch BODMER, BREITINGER und die Bremer Beiträger 1740, die für die Verwendung des Irrational-Phantastischen in der Dichtung eintreten; in der 2. Hälfte der Epoche tritt sein Einfluß hinter dem LESSINGS gänzlich zurück.

Dichtung: Die als A.sdichtung begriffene Strömung umfaßt die Anwendung aufklärerischer Standpunkte auf die Lit., in Dtl. 1720 bis 1785. Die Zeit der großen theoretischen Auseinandersetzungen und der verstandesmäßigen Nüchternheit zeigt im ganzen nur geringe künstlerische Kraft. Die ihr gemäßen Formen sind vorzüglich die der Lehrdichtung, der Kritik und Satire. Geringen Niederschlag findet die A. in der Lyrik (→Rokoko, →Anakreontik, →Pietismus, →Empfindsamkeit); sie bleibt liebenswürdige lit. Kleinkunst, während KLOPSTOCKS Oden und Hymnen (wie auch der *Messias*) in die Zukunft weisen. Bevorzugte Formen dagegen sind das oft satirische →Epigramm (LESSING), →Epos und →Lehrgedicht (POPE, BROCKES, HALLER, WIELAND), die moralisierende →Fabel (LA FON-

TAINE, LA MOTTE, HAGEDORN, GOTTSCHED, HALLER, GELLERT, LESSING u. a.), unter den Romanen die betont lehrhaften wie →Bildungsroman (WIELAND, PESTALOZZI, GELLERT, RICHARDSON, DEFOE, PRÉVOST, Bernardin de SAINT-PIERRE, J. J. BARTHÉLEMY, ROUSSEAU) und →Staatsroman (WIELAND, HALLER, FÉNELON, MARMONTEL), daneben stehen der komische Roman der Engländer (FIELDING, SMOLLETT, GOLDSMITH), die →Satire mit didaktischem Zweck (LISCOW, HAGEDORN, POPE, VOLTAIRE, SWIFT) und das Lustspiel (LESSING, LESAGE, MARIVAUX, BEAUMARCHAIS). Im Drama, das noch →Einheiten und →Ständeklausel verlangt, herrscht die klassizistische franz. →Tragödie (ALFIERI), daneben der Beginn des →bürgerlichen Trauerspiels (LILLO, MOORE, DIDEROT, LESSING).

M. Dessoir, D. Ästhetik d. dt. A. (in: Ästhetik, 1906); H. Hatzfeld, Gesch. d. franz. A., 1922; F. Brüggemann, D. Kampf um d. bürgerl. Weltanschauung i. d. dt. Lit. d. 18. Jh., DVJ 1, 1923; C. v. Brockdorff, D. engl. A.sphilos., 1924; ders., D. dt. A.sphilos., 1926; O. Ewald, D. franz. A.sphilos., 1924; A. Köster, D. dt. Lit. d. A.szeit, 1925; H. Röhl, D. Geist d. A. i. d. dt. Dichtg., 1927; O. Walzel, D. dt. Dichtg. v. Gottsched bis z. Gegenw. I, 1927; H. Hettner, Lit.gesch. d. 18. Jh., ^{8}1929; F. Brüggemann, D. Weltbild d. dt. A., 1930; G. Müller, A.-szeitalter (Lit.wiss. Jhrb. d. Görres-Ges. 6, 1931); E. Cassirer, D. Philos. d. A., 1932; H. Paustian, D. Lyrik d. A., 1933; H. Böhm, D. rel. Grundlage d. A., 1933; W. Werkmeister, D. Stilwandel d. dt. Dichtg. u. Musik i. 18. Jh., 1936; P. Sakmann, D. Denker u. Kämpfer d. engl. A., 1945; M. Wundt, D. dt. Schulphilos. i. Zeitalter d. A., 1945, ^{2}1964; H. Nohl, D. Lyrik d. A. (Sammlung 1, 1945); F. Martini, Europ. A. (Aussaat 2, 1945); E. Ermatinger, Dt. Dichter 1700–1900 I, 1948; F. J. Schneider, D. dt. Dichtg. d. A.-szeit, ^{2}1948; L. Stephen, *History of Engl. thought in the 18. century,* N. Y. ^{3}1949; P. Hazard, D. Herrschaft d. Vernunft, 1949; R. Benz, Dt. Barock, 1949; ders., D. Zt. d. dt. Klassik, 1953; V. Klemperer, Gesch. d. franz. Lit. i. 18. Jh., I, 1954; Grundpositionen der franz. A., 1955; G. A. Havens, *The age of ideas,* N. Y. 1955; W. Rasch, D. Lit. d. A.szeit, DVJ 30, 1956; A. Noyer-Weidner, D. A. i. Oberitalien, 1957; A. Cobban, *In search of humanity,* Lond. 1960; A. P. Whitaker (hg.), *Latin America and the enlightenment,* Ithaca ^{2}1961; RL; L. I. Bredvold, *The brave new world of the enlightenment,* Ann Arbor 1961; F. Valjavec, Gesch. d. abendld. A., 1961; W. Krauss, Stud. z. dt. u. frz. A., 1963; L. G. Crocker, *Nature and Culture,* Baltimore 1963; H. M. Wolff, D. Weltanschauung d. dt. A., ^{2}1963; H. Nicolson, D. Zeitalter d. Vernunft, 1963; R. R. Heitner, *German tragedy in the age of enlightenment,* Berkeley 1963; D. franz. A. im Spiegel d. dt. Lit. d. 18. Jh., hg. W. Krauss 1963; D. J. Milburn, *The age of wit,* Lond. 1963; J. Sutherland, *A preface to 18th century poetry,* Oxf. 1963; Neue Beiträge z. Lit. d. A., 1964; R. Newald, Gesch. d. dt. Lit. Bd. 5 u. 6/1, ^{4}1963 bzw. ^{4}1964; F. Schalk, Stud. z. franz. A., 1964; W. Krauss, Perspektiven u. Probleme, 1965; W. H. Bruford, *Germany in the 18th century,* Cambridge ^{5}1965; G. Wicke, D. Struktur d. dt. Lustspiels d. A., 1965; P. Hazard, D. Krise d. europ. Geistes, ^{5}1965; E. A. Blackall, D. Entwicklg. d. Deutschen z. Literaturspr., 1966; R. J. White, *Europe in the 18th century,* Lond. 1966; P. Gay, *The enlightenment,* 2 Bde. N. Y. 1966–69; D. Kimpel, D. Roman d. A., 1967; M. Sommerfeld, Romantheorie u. -typus d. dt. A., ^{2}1967; H. Schöffler, Dt. Geist i. 18. Jh., ^{2}1967; N. Hampson, *A cultural hist. of the enlightenment,* N. Y. 1968; A. Cobban (hg.), *The 18th century,* N. Y. 1969; E. Ermatinger, Dt. Kultur i. Zeitalter d. A., ^{2}1969; P. Whitmore, *The enlightenment in France,* Lond. 1969; M. L. Tronskaja, D. dt. Prosasatire d. A., 1969; U. Im Hof, A. i. d. Schweiz, 1970; A. Nivelle, Kunst- und Dichtungstheorien zw. A. u. Klassik, ^{2}1971; F. Gaede, Humanismus, Barock, A., 1971; D. A. i. Ost- u. Südosteuropa, hg. E. Lesky 1972; W. Krauss, Lit. d. franz. A., 1972; H. Dieckmann, Diderot u. d. A., 1972; K. Richter, Lit. u. Naturwiss., 1972; W. Krauss, D. A. i. Spanien, Portugal u. Lateinam., 1973; L. Balet, E. Gerhard, D. Verbürgerlichg. d. dt. Kunst, Lit. u. Musik i. 18. Jh., 1973; Was ist A.?, hg. N. Hinske 1973; P. Bürger, Stud. z. franz. Früh-A., 1973; H. Dieckmann, Stud. z. europ. A., 1974; W. Schneiders, D. wahre A., 1974; Ch. Siegrist, D. Lehrged. d. A., 1974; Europ. A., hg. W. Hinck, 3 Bde. 1974 ff. (Neues Hdb. d. Lit.wiss. 11); J. Schober, D. dt. Spät-A., 1975; Formen d. europ. A., hg. F. Engel-Janosi 1976; G. Kaiser, A., Empfindsamkeit, Sturm u. Drang, ^{2}1976; J. Jacobs, Prosa d. A., 1976; A., Absolutismus u. Bürgertum i. Dtl., hg. F. Kopitzsch 1976; H. F. May, *The enlightenment in America,* N. Y.

1976; L. Bodi, Tauwetter i. Wien, 1977; A. Ward, *Book production, fiction, and the German reading public 1740–1800*, Oxf. 1977; A. Nivelle, Literarästhetik d. europ. A., 1977; F. Schalk, Stud. z. frz. A., 1977; H.-J. Müllenbrook, Lit. d. 18. Jh., 1977; Dt. Dichter d. 18. Jh., hg. B. v. Wiese 1977; P. Pütz, D. dt. A., 1978; H. Steinmetz, D. Komödie d. A., [3]1978.

Auflage, im Verlagsbuchhandel die Anzahl der vom gleichen Drucksatz in einem einheitlichen Arbeitsgang hergestellten Exemplare e. Druckwerks, gemäß der vom Autor im →Verlagsvertrag erteilten Berechtigung, verschieden je nach Art des Werks (wissenschaftliche Werke mit A.-höhe 500–3000, schöne Literatur über 5000); bei fehlender Übereinkunft je 1000 Expl. zuzügl. der üblichen Zuschußexemplare als Ersatz für evtl. beschädigte Abzüge und Freiexemplare (bis zu 20 % der A.-höhe). Meist wird die Entscheidung über die Höhe der A. dem Verleger überlassen, der sie nach seiner Absatzerwartung und seinem Risiko kalkuliert. Vor jeder Neu-A. erhält der Verfasser Gelegenheit zu Änderungen. Rest-A. heißen veraltete Rückstände für den Altbuchhandel (→Antiquariat). Auflagendruck heißt der Reindruck einer A. im Ggs. zum Probe- oder Andruck. → Titelauflage und →Ausgabe.

B. Hack, Üb. A.bezeichg. i. Buch (Börsenbl. f. d. Dt. Buchhandel 36, 1965).

Auflösung, 1. in der Metrik die Ersetzung einer im System vorgesehenen Länge durch zwei Kürzen: ◡◡ statt —: häufig in antikem, altgerman., ahd. und mhd. Vers. In german. Metrik trägt bei der A. einer Hebung die erste Silbe den Ton. Vgl. →Verschleifung. – 2. im Drama der Schlußteil der Handlung nach der →Katastrophe, der den →Konflikt klärt und entscheidet, im griech. Drama oft durch →Deus ex machina. Vgl. →Lösungsdrama.

Aufreihlied, vermutlich gemeinidg. Liedform, die im Ggs. zur →Hymne nicht die einzelne Tat eines Gottes preist, sondern in knapper Form eine ganze Anzahl von Taten rühmend aneinanderreiht; in ind., iran., german. und röm. Lit. (z. B. VERGIL, *Aeneis* 8, 288 ff.) belegt.

F. R. Schröder, D. A., GRM 35, 1954.

Aufriß, meist knappe, systematisch fein untergliederte Darstellung e. Wissenschaft und ihrer Hilfswissenschaften.

Aufsatz, allg. jede kürzere Behandlung eines Themas in kunstloser Form, beim Schul-A. neben sachlichem Bericht, Erlebnisbericht, Nacherzählung, Beobachtung., Beschreibung, Schilderung, Charakterbild und Stimmungsbild auch die Darstellung fiktiver Inhalte (Phantasieerzählung) zur Schulung des schriftl. Ausdrucks.

E. Brenner u. K. A. Dostal, D. dt. A., II [6]1959; H. Gebhardt u. H. Gschrei, Dt. A., III [4–7] 1960–62.

Auftakt, in antiker Metrik auch →Anakrusis genannt, der aus einer oder mehreren unbetonten Silben bestehende Teil e. Versanfangs vor der ersten Hebung, so in german. Metrik bei allen jambischen Versen, z. B. ›*Was* hór' ich draußen vor dem Tor...‹ (GOETHE). Im altdt. Vers ist gemäß der Senkungsfreiheit die Zahl der Eingangssenkungen frei; der A. kann fehlen, ein- oder mehrsilbig sein.

Auftragsdichtung, jede nicht aus innerem Bedürfnis nach künstlerischer Gestaltung oder sprachartistischem Spieltrieb, sondern auf Bestellung von Außenstehenden (Gönnern, Mäzenaten, Fürsten oder allg. zahlungskräftigen Klienten) verfaßte Dichtung, so bes. die →Gelegenheitsdichtung, →Gebrauchslyrik oder z. T. auch →Tendenzdichtung zum Zweck politischer Propaganda. Da der Anstoß zum Schaffen für den lit. Wert des Geschaffenen irrelevant ist – eine Reihe führender Werke der Antike und des MA. entstand im Auftrag von Gönnern – ist das Kriterium der A. im weitesten Sinne wertfrei. Im engeren Sinne bezeichnet A. dann nur ein lit. Werk, das ohne eigene Überzeugung und ohne eigenes Engagement dem Gedankengut des Auftraggebers lit. Formung gibt.

Auftritt (vom Hinauftreten des Schauspielers auf die erhöhte Bühne), das Erscheinen eines Schauspielers auf der Bühne, dann im Drama auch die kleinste, durch A. oder Abtreten e. Darstellers begrenzte Handlungseinheit und seit dem 17. Jh. vielfach gleichbedeutend mit →Szene.

Aufzug (vom Aufziehen des Vorhangs oder der Personen auf die beim Aktschluß leere Bühne), seit dem 17. Jh. Bz. für →Akt.

Augenreim, Reim zwischen Wörtern gleicher Schreibung, aber verschiedener Aussprache; bes. im Engl. nicht als Fehler angesehen: wood/flood; als historischer Reim bezeichnet, wenn in einer früheren Sprachstufe zur Zeit der Entstehung reimend.

Auktoriales Erzählen, im Ggs. zur objektiv-unmittelbaren Erzählung und zur Ich-Erzählung (→Ich-Form) diejenige Erzählsituation, in der ein überschauender, kommentierender Erzähler in die Erzählung eingreift oder gar ihren Ablauf ordnet.

F. K. Stanzel, Typ. Formen d. Romans, 1964.

Aulabühne, die →Bühne des →Schuldramas und →Jesuitendramas im Festsaal (Aula) der jeweiligen Schule.

Aulodie (griech. =) Gesang zum Flötenspiel, Vortragsform der griech. Lyrik.

Ausdruck, im Sinne der modernen Stilforschung die Sichtbarmachung eines Inneren durch einen sprachlichen Gegenwert (Wort, Wortfügung, Lautgestalt, Rhythmus), der durch die für seine Wahl ausschlaggebenden Eigenschaften die ihm zugrunde liegenden seelischen Vorgänge oder Befindlichkeiten in möglichst adäquater Weise verlautbart und dadurch eine Vorstellung von ihnen gibt. Seine Voraussetzung ist eine soweit entwickelte Sprache, daß sie nicht nur das Gemeinte, sondern auch die emotionale Einstellung des Sprechers dazu erfassen kann. Man unterscheidet den impulsiven, spontanen A. in der Realität von dem durch ästhet. Gestaltung gewonnenen, der die Grundlage der →Erlebnisdichtung bildet. Die Sprache der Dichtung enthält, an keine äußere Gegenständlichkeit gebunden, den reinsten A., der durch seine Bedeutungstiefe sich e. eigene Welt von Vorstellungen schafft. Die unmittelbare Umsetzung einer inneren Empfindung, Erfahrung oder Seelenlage in Sprache geschieht erst aufgrund e. bewußten Ausdruckshaltung, die nicht – wie z. B. beim →sinnbildlichen Sprechen – auf eine gegebene objektive Formwelt zurückgreift, sondern mit innerer Selbstbewußtheit und Persönlichkeitsbewußtsein ›aus sich heraus‹ spricht, ›der wahre A. der Empfindung und der ganzen Seele‹ (HERDER). A. des Inneren als Erlebnisdichtung wurde erstmals gegenüber den artifiziellen Kunstprinzipien früherer Epochen im dt. Irrationalismus (→Sturm und Drang) und dann wieder im →Expressionismus

(Ausdruckskunst) gefordert. Die Überbewertung des individuellen, persönlichen A. gegenüber den Erfordernissen der Ästhetik ist e. Eigenart dt. Literaturbetrachtung.

K. Schultze-Jahde, Erleben u. A., 1929; P. Böckmann, Formgesch. d. dt. Dichtung I, 1949; Th. Spoerri, D. Weg z. Form, 1954.

Ausdruckskunst = →Expressionismus

Ausdruckslyrik strebt nach →Unmittelbarkeit der Gefühlswiedergabe (→Ausdruck) durch schlichte, doch beseelte Kunstmittel und natürliche Sprachgestaltung; in dt. Lit. durch KLOPSTOCK sowie HERDERS Sprach- und Kunstanschauung zur Geltung gebracht, sucht zunächst Nähe zum Volkslied; starker Einfluß auf den jungen GOETHE. →Sturm und Drang.

Ausdruckswert, die Fähigkeit sprachlicher Gebilde (Laute, Worte, Sätze, ganze Sprachen), mit oder ohne Rücksicht auf ihre sachliche Bedeutung, Gefühlsgehalte in sich aufzunehmen und zu vermitteln. →Ausdruck, →Sprache.

W. Schneider, A.e d. dt. Sprache, 1931; K. Schultze-Jahde, A. u. Stilbegriff, 1930; E. Jünger, Lob der Vokale (in: Blätter und Steine, 1934).

Ausgabe, lat. →*editio*, im Buchhandel kein festumgrenzter Begriff, oft = →Auflage, auch unveränderter →Neudruck e. Auflage (z. B. Lizenz-A., Buchgemeinschafts-A.), oder durch äußere bzw. herausgeberische Kennzeichen von einer vorhandenen A. abstechende Editionsform: z. B. Quart-A., Einzel-A., Jubiläums-A., gekürzte A., Schul-A. u. a.; meist jedoch die in äußerer Ausstattung, Format, Güte u. a. abweichenden Bände derselben Auflage, z. B. ein- od. mehrbändige A., gebundene oder broschierte, Leinen- oder Leder-A., Pracht-A., Taschen-A., Volks-A., →Liebhaber-A., A. auf Bütten u. a. m. →Kritische A., →Gesamt-A., →Titelauflage, →Erstausgabe, →Ausgabe letzter Hand.

Ausgabe letzter Hand, bes. seit GOETHE (Vollst. A. l. H. 1827–31) Bz. für die letzte zu Lebzeiten e. Dichters erschienene, von ihm betreute und daher →authentische →Ausgabe seiner Werke. Da sie den endgültigen Willen des Autors darstellt, bildet sie meist die Grundlage e. →kritischen Ausgabe. Hingegen brauchen die späteren →Fassungen nicht unbedingt die lit. wertvolleren im Sinne e. reifenden Entwicklung zu sein, so daß die ursprüngliche Fassung neben ihr e. eigenes oder gar bevorzugtes Daseinsrecht genießt (z. B. GRIMMELSHAUSENS *Simplicissimus*).

Aushängebogen, Fachausdruck des Buchdrucks: Reindruckbogen e. Buches, die der Drucker während des laufenden Fortdrucks dem Verleger und auf Wunsch dem Verfasser oder anderen interessierten Personen, z. B. Rezensenten, liefert, um sie von Fortschritt und Güte des Reindrucks zu unterrichten. Der Name stammt aus der Zeit des alten Meßverkehrs, wo die A. angezeigter und noch nicht fertig gedruckter Werke an der Presse bzw. den Verkaufsläden öffentlich ausgehängt wurden.

Auslaut, im Ggs. zum Anlaut der letzte Laut e. Silbe oder e. Wortes, →Hiat.

Auslegung →Deutung, →Exegese, →Hermeneutik, →Interpretation

Auspacker-Literatur, abschätzige Bz. für diejenigen Werke bes. der modernen Erzähllit., die sich nicht an die herkömmlichen Tabuvorstellung der älteren Generation halten und neue Bereiche des Unbewußten oder des Erotisch-Sexuellen der lit. Darstellung erschließen.

Ausruf, Stilmittel des Affekts, der echten Gemütserregung oder der rhetorischen Belebung innerhalb von Rede oder Erzählung; auch im Buchtitel (B. v. SUTTNER, *Die Waffen nieder!*).

Ausstattung, im Bühnenwesen über die bloße →Dekoration und →Kulissen hinaus alles, was zur illusionsfördernden Kennzeichnung und Ausschmückung des Schauplatzes dient: Mobiliar, →Requisiten, →Kostüme, Beleuchtung u. a. m. Für das Drama selbst nicht wesentlich, verstärken sie die optische Illusion beim Zuschauer. – Das antike Theater verwendete vermutlich nur geringe A. (→Kothurn, →Soccus), MA. und 16. Jh. (Fastnachtsspiele, Meistersingerdramen, Schuldrama) nur die dekorationslose Bühne mit gesprochener (d. h. durch das Wort angedeuteter) A. In der großräumigen Perspektiv-Bühne des Barock, der →Shakespeare-Bühne und auch der maßgeblichen Bühne des 18. Jh. (Mannheim), herrschte äußerste Einfachheit der A. mit Requisiten, die z. T. noch bis ins 19. Jh. auf die Kulissen gemalt wurde. Daneben entwickeln die höfischen Festspiele und Opern des 17./18. Jh. einen steigenden Luxus der A. und Maschinenkünste (→Theatermaschinen), die von →Jesuitendrama, Ballett, Wiener Singspiel, Posse und RAIMUNDS Zaubermärchen aufgenommen und zur Blüte gebracht wurden (→Ausstattungsstück).
Seit 1850 wandte sich LAUBE gegen die drohende Veräußerlichung der Bühne und beschränkte in Wien und Leipzig die A. auf das Notwendigste zugunsten des gesprochenen Wortes. Entgegengesetzte Bestrebungen vertrat DINGELSTEDTS optisch betonte Ausstattungsregie und die Forderung der →Meininger (1874) nach historisch getreuer, wirklichkeitsnaher A., die der Naturalismus mit Echtheit auch des ärmlichen Milieus bis ins Detail (Gerüche!) verband. Der Expressionismus als Gegenschlag begnügte sich meist mit Lichtwirkungen und kubistischen Formen. Die schlichte →Stilbühne der Gegenwart strebt nach e. andeutenden, symbolhaften A.

Lit. →Theater.

Ausstattungsstück, auf optische Effekte und Prachtentfaltung abzielendes, veräußerlichtes Bühnenwerk, bei dem prunkhafte →Ausstattung über die eigentliche Dichtung gestellt wird: Opernaufführungen und Ballett des 17./18. Jh., Prunkoper und Operette des 19. und beginnenden 20. Jh.; Märchendrama, Zauberposse u. ä., am krassesten in den nur Ausstattung bietenden modernen →Revuen.

H. Tintelnot, Barocktheater u. barocke Kunst, 1939.

Auswandererdichtung →Exilliteratur

Authentisch (griech. *authentikos* = zuverlässig, nach e. sicheren Gewährsmann) ist ein echter, zuverlässiger Text in der vom Autor gewollten und gegebenen Form im Ggs. zum →unechten, ungenauen oder gar unterschobenen Text. Vgl. →Ausgabe letzter Hand.

Auto (span.-portug., v. lat. *actus* = Akt, Handlung), in Spanien und Portugal e. feierliche religiöse oder gerichtliche Handlung, dann kurzes, einaktiges Schauspiel moral.-religiösen Inhalts zur Verherrlichung kirchlicher Festtage in Kirchen und auf öffentlichen Plätzen der größeren Städte (Wagenbühnen). Aus ma. Mysterien, Mirakeln und Moralitäten entstanden, wurden sie im 12./13. Jh. Lieblingsunterhaltung des Volkes, jedoch 1765 als angebliche Entweihung des Heiligen untersagt und mühevoll verdrängt. In der ältesten Form schlicht sachliche Darstellungen biblischer Stoffe aus der Liturgie zur Weihnachts- und Osterzeit und an Festtagen der Heiligen, erlebten sie e. frühe Blüte Ende des 15. Jh. durch die Hauptvertreter der Gattung; Juan DEL ENCINA (span.) und Gil VICENTE (port.). Unter dem Einfluß der Literatur wurden sie später zu mystisch-symbolischen oder allegorischen Verherrlichungen bes. des Altarsakraments: A.s sacramentales oder A.s del Corpus Christi (= Fronleichnamsspiele), die ihre Stoffe nicht nur aus der Bibel, sondern auch aus antiken, histor., literar., profanen Quellen, Phantasie oder Alltagsleben schöpften und vielfach mit Abstraktionen und Personifikationen arbeiten. Höhepunkte dieser bes. span. Gattung bilden die A.s von Lope de VEGA (angebl. 400), J. PEREZ DE MONTALVAN, TIRSO DE MOLINA, VALDIVIELSO, F. ROJAS ZORILLA u. a., bes. aber CALDERÓNS 73 erhaltene A.s brachten die Vollendung durch Auffassungstiefe, Feinheit der Gestaltung und des Ausdrucks (z. B. *Das große Welttheater, Balthasars Nachtmahl*). Erneuerungsversuche im 20. Jh. (R. ALBERTI) blieben erfolglos.

J. Mariscal de Gante, *Los a.s sacramentales,* 1911; A. E. Parker, *The Allegorical Drama of Calderón,* Oxf. 1943; B. W. Wardropper, *The Search for a Dramatic Formula for the A. Sacr.,* PMLA 65, 1950; ders., *Introducción al teatro religioso del siglo de oro, 1953;* A. Valbuena Prat, *Hist. del teatro español,* 1956; N. D. Shergold, J. E. Varey, *Los a.s sacr. en Madrid en la época de Calderón,* 1961; J. L. Flecniacoskya, *La formation de l'auto religieux en Espagne avant Calderón,* 1961. →Theater.

Autobiographie (v. griech. *autos* = selbst, *bios* = Leben, *graphein* = schreiben), lit. Darstellung des eigenen Lebens, von der primitiven Aneinanderreihung äußerer Geschehnisse (Götz von BERLICHINGEN, *Lebensbeschreibung*) und den sachlichen Darstellungen denkwürdiger Geschehnisse (röm. →Kommentare, griech. →Hypomnemata) bis zur → bekenntnishaften Bildungs- und Entwicklungsgeschichte der eigenen Seele (PLATONS 7. *Brief,* ROUSSEAU, *Confessions*), die den Schlüssel zum Verständnis der Persönlichkeit in den Lebensbedingungen, der psychologischen Entwicklung und bes. Erlebnissen sucht (ABÄLARD, *Historia calamitatum mearum,* 1133–36, DANTE, *La vita nuova,* 1292, CELLINI 1502, CARDANO, GOETHE, *Dichtung und Wahrheit*). Sie kann e. Rechtfertigung der Taten- oder Gedankenwelt vor sich und der Mitwelt enthalten (→Apologie) oder den Lebenslauf in übergreifende Zusammenhänge eingeordnet sehen und zeigt dann neben dem Wert als Persönlichkeitsdokument zeitgeschichtliche und kulturhistorische Züge. Sie wird als Ganzes immer zu e. nachträglichen Sinngebung des gelebten Lebens aus einheitlicher Perspektive – und sei sie negativ – neigen und das Leben als geschlossene Einheit betrachten, so daß ihre Wahrheit letztlich immer nur eine persönliche, keine objektive Wahrheit sein kann, während der autobiographische Roman (KELLER, BRONTË, PROUST, D. H. LAWRENCE) in einer vom Ich abgerückten Figur teils größere Objektivität entfalten kann. Lebensdarstellungen unter dem Aspekt des Glaubens erscheinen insbes. in Zeiten religiöser Verinnerlichung (Mystik, → Pietismus) als Ergebnis tiefer Selbstergründung (z. B. SEUSE, J. BUTZBACH, Th. PLATTER, BUNYAN, A. H. FRANCKE, HAMANN, JUNG-STILLING; schon AUGU-

STINUS *Confessiones*, 397/400 und ST. TERESA). Je nach den Entstehungsbedingungen bevorzugt die A. die lockere Form des →Tagebuchs (GRILLPARZER, HEBBEL, GIDE), der →Memoiren (GOETHES *Tages- und Jahreshefte*) oder der architektonisch geschlossenen Gesamtdarstellung (GOETHE) mit eigenem Weltbild. Die erste dt. A. bildet ULRICHS VON LICHTENSTEIN *Frauendienst*. Wichtigste A.n ferner von PETRARCA, HUTTEN, S. PEPYS, A. d'AUBIGNÉ, FRANKLIN, Ph. MORITZ *(Anton Reiser)*, U. BRÄKER *(Lebensgeschichte des armen Mannes im Tockenburg)*, ALFIERI (*Vita*, 1803), GIBBON, DE QUINCEY (*Confessions of an English Opium-Eater*, 1821), PELLICO (*Le mie prigioni*, 1832) BACHOFEN, L. RICHTER, CHATEAUBRIAND, STENDHAL, H. ADAMS, DARWIN, M. GORKIJ, ANDERSEN *(Das Märchen meines Lebens)*, AMIEL (*Journal intime*, 1884), E. M. ARNDT, W. v. KÜGELGEN, STRINDBERG, NEWMAN, WILDE, S. T. AKSAKOV, B. CROCE, GANDHI, M. ANDERSEN-NEXÖ, G. HAUPTMANN *(Das Abenteuer meiner Jugend)*, M. HALBE, H. LERSCH (*Hammerschläge*, 1930), YEATS, H. JAMES, O'CASEY, E. TOLLER, St. ZWEIG, A. KOESTLER, BINDING, CAROSSA, WIECHERT, I. EHRENBURG, J.-P. SARTRE, F. MAURIAC u. a. m. – Über die dichterisch verklärte A. →Semi-A., über die fingierte A.: →Ich-Form.

W. Mahrholz, Dt. Selbstbekenntnisse, 1919; Th. Klaiber, D. dt. Selbstbiographie, 1921; H. Gruhle, D. Selbstbiogr. als Quelle histor. Erkenntnis (in: Erinnerungsgabe f. M. Weber, 1923); C. Murchison, *A history of psychology in A.*, IV Worcester, Mass. 1932–52; A. M. Clark, *A.*, Edinburgh 1935; M. Hartmann, Typen dichterischer Selbstbiogr. i. d. letzten Jahrzehnten, Diss. Bresl. 1940; H. Oppel, V. Wesen d. A. (Helicon 4); G. Misch, Gesch. d. A., VII [3]1949 ff.; ders., Stud. z. Gesch. d. A., IV 1954–60; W. Müller-Seidel, A. als Dichtg. i. d. neueren Prosa (Deutschunterricht 3, 1951); W. Shumaker, *Engl. A.*, Berkeley 1954; W. Matthews, *British A.s*, ebda. 1955; Formen der Selbstdarstellung. Festgabe F. Neubert, 1956; N. H. Wethered, *The curious Art of A.*, N. Y. 1956; RL; R. Pascal, *A. as an art form* (Stil- u. Formenprobleme, hg. P. Böckmann, 1959); M. Schütz, D. A. als Kunstwerk, Diss. Kiel 1963; R. Pascal, D. A., 1965; I. Bode, D. A.n z. dt. Lit., Kunst u. Musik 1900–1965, 1966; J. N. Morris, *Versions of the self*, N. Y. 1966; D. B. Shea, *Spiritual A. in early America*, Princeton 1968; P. Delany, *British a. in the 17th cent.*, Lond. 1969; I. Bertolini, Stud. z. A. d. dt. Pietismus, Diss. Wien 1969; M. Beyer-Fröhlich, D. Entwicklg. d. dt. Selbstzeugnisse, [2]1970; B. Neumann, Identität u. Rollenzwang, 1971; J. Olney, *Metaphors of self*, Princeton 1972; U. Münchow, Frühe dt. Arbeiter-A., 1973; F. R. Hart, *Notes for an anatomy of mod. a.* (*New directions in lit. hist.*, hg. R. Cohen, Lond. 1974); R.-R. Wuthenow, D. erinnerte Ich, 1974; K.-D. Müller, A. u. Roman, 1976; G. Niggl, Gesch. d. dt. A. i. 18. Jh., 1977; I. Aichinger, Künstler. Selbstdarstellg., 1977.

Autograph (v. griech. *autographos* = eigenhändig geschrieben), eigenhändiges Schreiben e. bekannten Persönlichkeit allg., bes. aus Politik, Geschichte, Lit., Kunst oder Wissenschaft, dann auch die eigenhändige handschriftliche oder handschriftlich verbesserte Form e. Schriftwerkes, seit 16., in Dtl. 18. Jh. gesammelt und oft je nach Bedeutung des Autors, Inhalt und Seltenheit des A. von hohem Liebhaberwert bei Privatsammlern und Bibliotheken (größte A.-sammlungen: Paris, London, Berlin), die sie der wiss. Forschung erhalten und zugänglich machen.

E. Wolbe, Hdb. f. A.ensammler, 1923; ders., Spaziergänge im Reiche d. A.en, 1925; K. Geigy-Hagenbach, Album v. Hss. berühmter Pers. v. MA. z. Neuzeit, 1925; W. Frels, Dt. Dichter-Hss. v. 1400–1900 (Ges.-Katalog), 1934; A. N. L. Munby, *The Cult of the A. Letter*, Lond. 1962; G. Mecklenburg, V. A.-Sammeln, 1963; Ch. Hamilton, *Collecting a.s and manuscripts*, Norman 1969; R. Notlep, *The A. Collector*, N. Y. 1969; H. Jung, Ullsteins A.enbuch, 1971.

Automatischer Text, ein durch automatisches Schreiben (écriture automatique), d. h. nicht vom Bewußtsein und Willen kontrollierten, quasi unterbewußten und präästhetischen Schaffensprozeß entstandener Text. Die frühen franz. Surrealisten schufen a. T., indem sie impulsiv und ohne ästhetische Brechung alle Worte und Sätze aufschrieben, die ihnen in den Sinn kamen, ohne vorgegebenen Gegenstand, geistige Hemmungen, reflektorische Pausen und daher z. T. ohne inneren Zusammenhang. Die Ergebnisse sind vom psychologischen Standpunkt interessanter als vom ästhetischen, doch wirkte die Methode auch auf Werke wie A. BRETONS / P. SOUPAULTS *Les champs magnétiques*, A. BRETONS *Nadja* und L. ARAGONS *Les beaux quartiers* und *Le paysan de Paris* ein.

M. Nadeau, Gesch. d. Surrealismus, [2]1965.

Autonym (v. griech. *autos* = selbst, *onoma* = Name), im Ggs. zu →anonym oder →pseudonym e. Werk, das vom Verfasser unter seinem eigenen Namen herausgegeben wurde.

Autopsie (v. griech. *autos* = selbst, *oposis* = Sehen), Selbstbeobachtung, das persönliche Erleben und Durchmachen, das in verklärter und dichterisch geweiteter Form künstlerische Gestalt gewinnen kann. →Erlebnis.

Autor (lat. *auctor* = eig. Förderer; Schöpfer), Urheber, insbes. e. lit. Arbeit: →Schriftsteller, Verfasser. Zu unbekanntem A. vgl. →anonym.

Autorenexemplare, im Verlagsrecht diejenigen Freistücke eines Werkes, die der Autor gemäß Verlagsrecht vom Verlag für seinen eigenen Gebrauch oder zum Verschenken, nicht jedoch zum Weiterverkauf beanspruchen kann: 1 Stück je 100 gedruckte Exemplare, mindestens 5, höchstens 15; ferner solche Exemplare, die der Autor über die Freistücke hinaus vom Verleger zu dessen höchstem Rabattsatz zu beziehen berechtigt ist. A., die in Kollegenkreisen getauscht wurden, traten in der Frühzeit des Verlagswesens im Humanismus vielfach an die Stelle eines →Honorars.

Autorenhonorar →Honorar

Autorisation, allg. das Einverständnis des Autors mit einer Textfassung, einer Ausgabe seines Werkes (autorisierte Ausgabe) oder dessen Übersetzung. Vorliegen und Grad der A. sind grundlegend wichtig für die →Textkritik neuerer Literaturwerke hinsichtlich evtl. Varianten. Man unterscheidet autorisierte, d. h. vom Autor als gültig und seinem Wissen entsprechend erklärte Änderungen von fremder Hand und nichtautorisierte Varianten, z. B. Druckfehler, hinsichtlich des Grades d. A. aktive A. als bewußte eigenhändige Übernahme eines Änderungsvorschlags und passive A. als Hinnehmen einer möglicherweise unbemerkten Textentstellung.

Autorkorrektur, die vom Verfasser selbst besorgte Durchsicht des Drucksatzes im Hinblick auf Druckfehler, zu der er ohne gesonderte Vergütung verpflichtet ist. Man unterscheidet 1. und 2. A. oder Fahnen- und Umbruchkorrektur. Soweit die A. Setzerfehler ergibt, geht deren Berichtigung zu Lasten der Druckerei; benutzt der Autor die A. zu nachträglichen Änderungen an der Satzvorlage (Manuskript), so können nach Verlagsrecht die dadurch entstandenen Kosten ihm angelastet werden, sofern sie 10% der gesamten Satzkosten überschreiten.

Auto sacramental →Auto

Autotypen (v. griech. *autos* =

selbst, *typos* = Gestalt), die zu Lebzeiten e. früheren Autors erschienenen Schriften oder →Faksimiles älterer Drucke. →Autograph.

Avadâna (ind. = große Leistung), buddhist. Heiligenlegenden, beliebte Erzählstoffe um berühmte Persönlichkeiten aus der Geschichte der buddhist. Religion, deren bedeutender religiöser oder moralischer Leistung und deren Lohn in späteren Wiedergeburten; mehrere Slgn. in der Ursprache erhalten.

Avantgarde (franz. = Vorhut), extrem fortschrittliche Kunstrichtung mit besonderer Neigung zum stilistischen Experiment als Erweiterung der überlieferten Ausdrucks- und Darstellungsformen und Anbahnung neuer Entwicklungslinien. Die radikalen Neuerungen der A. beschränken sich nicht aufs Formale, sondern greifen auch auf inhaltliche und grundsätzliche Fragen über und richten sich meist gegen eingeführte, in sich beruhigte Stilpositionen, gegen den herkömmlichen, eingegrenzten Aufgaben- und Wirkungsbereich der Lit. und gegen die bisherigen Funktionen des Schriftstellers. Fast jede neuere lit. Strömung galt in ihrer Frühzeit als A., so Symbolismus, Expressionismus, Dadaismus, Futurismus, Kubismus, Surrealismus ebenso wie jüngst nouveau roman, absurdes Drama und Computerlyrik.

L. Kofler, Z. Theorie d. mod. Lit., 1962; H. E. Holthusen, A.ismus, 1964; G. de Torre, *Hist. de las literaturas de vanguardia*, Madrid 1965; A., hg. Bayr. Akad. d. schönen Künste, 1966; E. Sanguinetti, *Sociologie de l'a.* (*Litt. et société*, 1967); R. Poggioli, *The Theory of the A.*, *Cambr./Mass.* 1968; M. Szabolsci, L'a. (*Actes du Ve Congrès de l'assoc. intern. de litt. comp.*, 1969); M. Calinescu, *A.* (*Yearbook of comp. and general lit.* 23, 1974); P. Bürger, Theorie d. A., 1974; ›Theorie d. A.‹, hg. W. M. Lüdke 1976; E. Lohner, D. Problematik d. Begriffs A. (Herkommen u. Erneuerung, Fs. O. Seidlin 1976); S. Schlenstedt, Problem A. (Weimarer Beitr. 23, 1977).

Avanturierroman, Sonderart des →Abenteuerromans, letzter Ausläufer des →Schelmenromans unter starkem Einfluß von →Reiseroman und →Robinsonade. Typischer Stoff: Geschichte e. jungen Menschen aus unterster Gesellschaftsschicht mit schwerer Jugend, der, als Emporkömmling skrupellos in der Wahl seiner Mittel und kühn im Bestehen von Abenteuern (Seereisen, Schiffbruch, Krieg, Gefangenschaft, Aussetzung, Berufswechsel), sein Leben als angesehener, seßhafter Bürger beschließt. Häufiger Schauplatzwechsel, eine Vielzahl von meist typisierten Personen, Wiederkehr gleicher Motive und geschichtlicher Hintergrund sind stehende Kennzeichen des A. Man unterscheidet die dem Landstörzerroman und die der Robinsonade nahestehenden Abarten des A. von den sog. Pseudo-Avanturiers, die nur den Namen als Reklame benutzen. Erster A.: *Den vermakelijken Avanturier* des Holländers Nic. HEINSIUS (1695), seit 1714 *(Der Kurtzweilige Avanturier)* auch rd. 20 dt., meist anonyme A.; bis 1760 sehr beliebt, wertvolle Quelle für Sitten und lit. Geschmack der Zeit.

B. Mildebrath, D. dt. ›Aventuriers‹ d. 18. Jh., Diss. Würzbg. 1907; RL; D. Reichardt, V. Quevedos Buscón z. dt. A., 1970.

Aventiure (mhd., v. frz. *aventure, mlat. adventura* = Abenteuer), in mhd. Dichtung das Abenteuer (*Iwein* 527 ff.), das wie jeder echte Ritter auch der Held der Erzählung bestehen muß, insbes. der Zweikampf; dann der Abschnitt e. Dichtung, der e. einzelnes solches A. berichtet (zuerst im *Nibelungenlied*), auch die ganze abenteuerliche, erfundene Erzählung (zuerst bei WOLFRAM: Parzival = ›der aventiure herre‹) der A.-ndichter im Ggs. zu denen der Heldenepiker; schließlich als →Personifikation ›Frou A.‹ bei WOLFRAM, *Parzival* IX, u. a. m. bis zu V. v. SCHEFFEL.

J. Schwietering, Singen u. Sagen, Diss. Gött. 1908; RL; M. S. Batts, D. Form d. A.n. im Nibelungenlied, 1961; A. Meng, V. Sinn d. ritterl. Abenteuers, 1967; Ch. Cormeau, ›Wigalois‹ und ›Diu Crone‹, 1977; M. Nerlich, Z. Begriffsgesch. v. Abenteuer (Weimarer Beitr. 23, 1977).

Aventure (franz. =) →Aventiure

Aviso (ital. = kleines, schnelles Aufklärungs- und Nachrichtenschiff), alte Bz. für →Zeitung.

Axamenta (lat.), die Lieder bzw. Hymnen der altröm. Salierpriesterschaft, in Saturniern verfaßt.

Babad, javan. pseudohistor. Vers- und Prosaerzählungen in Chronikform, die Phantasieerzählungen, Mythen, Überlieferung, Geschichte und Übernahmen aus verschiedenen Gattungen mit vorhinduist., hinduist. und islam. Zügen mischen und wegen ihrer ständigen Erweiterung durch neue Zusätze als histor. Quellenwerke gelten.

Bacchius (lat., griech. Bakcheios), nach dem Gott Bacchus benannter dreisilbiger antiker Versfuß, bestehend aus einer Kürze und zwei Längen: ◡——; in griech. Dichtung oft als synkopierter Jambus, als Abschluß jambischer oder choliambischer Reihen, selten als eigene Reihe; in röm. Komödie häufig, bes. als akatalektischer Tetrameter; auch mit Ersatz der Kürze durch e. Länge und Auflösung e. Länge in zwei Kürzen. (Ähnliches Metrum in FERDAUSĪS pers. Epos *Shāh-nāmē*).

Lit. →Metrik.

Backfischroman, Gattung der Trivial- und Jugendlit., der klischeehafte, schwärmerische, zeitferne Jungmädchenroman mit z. T. pädagogischer Ambition aus dem Leben junger Mädchen in Pensionat und Heim vor der Verlobung, der den jungen Leserinnen meist die Identifikation mit den Hauptgestalten nahelegt, z. B. E. von RHODEN, *Trotzkopf* (1885), E. URY, *Nesthäkchen* (1918 ff.). Der B., benannt nach dem Prototyp von C. HELM *Backfischchens Leiden und Freuden* (1863), erlebte seine Blütezeit im Bürgertum der Jahre um 1850–1930 und ist heute fast erloschen.

Badezellenbühne, Bühnenform für das Schuldrama des Humanismus: eine dekorations- und kulissenlose Vorderbühne, deren Hintergrund durch zwischen Säulen nebeneinander hängende Vorhänge abgegrenzt ist, die als ›Zellen‹ zwischen Pfeilern Häuser, aufgeschlagen e. Hausinneres darstellen. Die Schauspieler treten in dieser Art der →Simultanbühne, die keine Veränderung und nur gesprochene Dekoration erlaubte, aus ihren Häusern wie aus Badezellen. Die Abbildung der B. in frühen TERENZ-Ausgaben führte zu der fälschlich zurückprojizierenden Bz. Terenzbühne.

P. E. Schmidt, D. Bühnenverhältnisse d. dt. Schuldramas, 1903. →Bühne, →Theater.

Bänkelsang (Name nach GOTTSCHED, 1730), der Vorstoß der Triviallit. in Richtung auf ein Gesamtkunstwerk: seit dem 17. Jh. als Nachfahren der Zeitungssänger (→Zeitungslied) umherziehende Schausteller und Jahrmarktssänger, die die neuesten, bes. seltsame und wunderbare Nachrichten zur Zeitgeschichte und aufregende, aktuelle Schauergeschichten (Verbrechen,

→Moritaten, Laster, Greuel, Familientragödien, Naturkatastrophen) verbreiten. Auf Märkten, Messen und Kirchweihfesten tragen sie zu obligatorischer Drehorgelmusik, mit e. Stab auf primitiv-schauerliche Wachstuch-Bildtafeln weisend und auf e. Holzbank (daher Name) stehend, ihre monoton-melancholischen, stets mit handfest-praktischer moralischer Nutzanwendung pointierten Lieder oder optimistisch und gerecht endenden Prosageschichten vor, um gleichzeitig fliegende Blätter mit dazugehörigem Text und Bildern zu verkaufen, alles in ernster, lehrhafter Absicht und keineswegs zur Belustigung. – Mitte des 18. Jh. fand der B. als vermeintliche Volksdichtung auch in gebildeten Kreisen ernsthafte Beachtung; es entstand e. lit., meist ironisierter B. (›Salon-B.‹) in den sog. →Balladen und →Romanzen von GLEIM, SCHIEBELER, LÖWEN und BÜRGER, in neuerer Zeit ein politischer B. bei HEINE und HOFFMANN VON FALLERSLEBEN, wieder aufgegriffen und parodiert von RINGELNATZ, WEDEKIND, LILIENCRON, BIERBAUM, BRECHT, KÄSTNER u. a., bes. im →Kabarett. Die Funktion des B. wird heute von Illustrierten und Comics wahrgenommen; den z. T. unterschwellig polit. Akzent baut der →Protestsong aus.

H. Naumann, Studien üb. d. B. (Zs. d. Vereins f. Volkskunde 31, 1921); G. Böhme, Bänkelsängermoritaten, Diss. Mchn. 1922; G. Jacob, Z. Gesch. d. B. (*Litterae orientales* 41, 1930); O. Görner, B. (Mitteldt. Blätter f. Volkskunde 7, 1932); E. Sternitzke, D. stilisierte B., Diss. Würzburg 1933; B. u. Singspiel vor Goethe, hg. F. Brüggemann 1937; M. Kuckei, Moritat u. B. in Niederdtl., 1941; ders., Der Leierkasten, 1943; A. Lehmann, Zw. Schaubuden u. Karussells, 1952; G. Gugitz, Lieder d. Straße, 1954; RL; E. Janda, F. Nötzoldt, D. Moritat v. B., 1959; L. Shepard, *The broadside ballad*, Lond. 1962; K. V. Riedel, D. B., 1963; G. Oettich, D. B. i. d. Kunstdichtg. d. 20. Jh., Diss. Wien 1964; B. Beneš, D. B.-Ballade i. Mitteleuropa (Jb. f. Volksliedforschg. 16, 1971); Lechzend nach Tyrannenblut, hg. H. D. Zimmermann 1972; L. Petzoldt in Hdb. d. Volksliedes I, 1973; ders., B., 1974; K. Riha, Moritat, B., Protestballade, 1975; L. Petzoldt, D. freudlose Muse, 1978.

Baguenaude (provenzal.), Form der Nonsense-Dichtung im franz. MA.: Gedicht von beliebig vielen durch ein Metrum gebundenen Versen ohne Reim, Sinn und inneren Zusammenhang.

Bait (pers.), in der pers. Dichtung das Verspaar oder Distichon als Verbindung zweier nach ihrer prosodischen Silbenzahl übereinstimmender Verse, die durch einen Gedanken oder einen Gedanken mit seiner Begründung oder gelegentlich auch durch Parallelismus zu einer in sich selbständigen inhaltlichen Einheit verknüpft sind. Vgl. arab. →Beit.

Bakchius →Bacchius

Bakhar (ind. = Chronik), histor. Prosachroniken der ind. Marâthî-Lit.

Balada (provenzal. = Tanzlied), provenzal. Tanzlied ähnlich der →Dansa ohne feste metrische Form, doch mit z. T. mehrfach innerhalb einer Strophe auftretendem Kehrreim.

Baladin (v. franz. *baller* = tanzen), der Grotesktänzer, dann auch Hanswurst und Possenreißer im älteren franz. Theater.

Ballade (v. ital. *ballata*, provenzal. *balada* = Tanzlied), 1. eigtl. in den roman. Ländern e. von den Tanzenden gesungenes, kurzes und strophisches Tanzlied provenzal. Herkunft mit Kehrreim; dann von den Troubadours kunstvoll weiterentwickelt. – 2. im 14./15. Jh. in Frankreich weitverbreitete strenge lyrische Form: meist 3, bei der Doppel-B. auch 6 gleichgebaute, durchgereimte Strophen zu 8–10 Zeilen (8–10silber) und ein 4-zeiliges Geleit mit demselben einzeiligen Kehrreim, wobei das ganze Gedicht nur drei Reime kennt und Strophen wie Geleit auf denselben Kehrreim ausgehen: dreimal ababbcbC und einmal bcbC. Verwendet von Guillaume DE MACHAUT, E. DESCHAMPS, CHRISTINE DE PISAN, Charles D'ORLEANS, F. VILLON z. B. *B. des dames tu temps jadis, B. des suspendus,* C. MAROT, in Italien von DANTE, G. CAVALCANTI, BOCCACCIO, PETRARCA, erneuert im 19. Jh. von Th. BANVILLE *(B.s joyeuses),* F. COPPÉE *(Sept b.s de bonne foi)* und CARDUCCI, in England von SWINBURNE, ROSSETTI, CHESTERTON, A. DOBSON, A. LANG, W. E. HENLEY. – 3. In England, wo CHAUCER und GOWER die franz. B. nachahmten, übertrug man im 18. Jh. den Liedbegriff B. auf volksmäßige und bes. leicht singbare Erzähllieder, die sprunghaft, unter Benutzung der dramatisch wirkenden Dialogform e. auffallendes Ereignis, oft e. Heldentat, episch erzählten und zugleich in lyrische Stimmung lösten (GOETHE: ›Urei‹ aller drei Grundarten der Poesie), so z. B. die →*Chevy-Chase-B.* oder *Robin Hood.* Das engl. Wort ›ballad‹ wurde um 1770 in Dtl. heimisch und bezeichnet hier ebenfalls eine zwischen den drei Grundformen stehende Gattung, die ein ungewöhnliches, oft handlungsreiches, vielfach dämonisch-spukhaftes und meist tragisches Geschehen aus Geschichte, Sage oder Mythos (oft e. schicksalsschwere Begegnung, wobei der Mensch nur Umschreibung kosmischer Vorgänge ist: Zusammenstoß zweier Mächte, Sitte und Natur o. ä.), durch Rede und Gegenrede vorangetrieben, in gedrängter, meist strophisch gereimter Form unmittelbar gegenwärtig darstellt und dabei durch Gefühlsinhalt des Erzählten, durch andeutende Erzählweise, Ausrufe und Kehrreim wie Melodie unterstützt, e. lyrische Gestimmtheit hervorruft. Bietet die eigentliche Handlung nur Anlaß zu e. Stimmungsbild, so ist der Übergang zur Lyrik geschaffen; auch die Grenze zur →Romanze ist fließend, doch wird das leicht Ironische dieser Gattung ins Ernste, Edle und dunkel vom Schicksal Überschattete umgesetzt. In Prosa entspricht der B. die Novelle in Stoffwahl, knapper Form und dramatischem Aufbau. Eine eigene metrische Form hat die B. nicht entwickelt; Strophenform und Versmaß wechseln, nur freie Rhythmen oder bes. gekünstelter Reim- und Strophenbau entsprechen nicht dem volkstümlichen Charakter der B. Gerade die betonte und aufdringliche Volkstümlichkeit, die undifferenzierte Verherrlichung heroischen und edlen Menschentums, die triviale Schicksalsvorstellung und die effektbewußte Geister- und Schauerromantik sind der Wertschätzung der traditionellen B. in jüngster Zeit abträglich gewesen und haben sie auf den Rang einer nur noch historisch verständlichen Dichtform hinabgedrückt, die weder den ästhet. Anforderungen noch der differenzierten Bewußtseinslage der Gegenwart entspricht. Doch wirken ihre Buntheit, Abenteuerhaftigkeit, Spannung und ihre Gestaltung numinoser Naturkräfte unvermindert auf die Jugend. – Frühe B.n finden sich in der Überlieferung aller german. Länder, bes. in Dänemark (→Folkeviser) und Dtl. als Umformungen früherer Heldenlieder-Stoffe oder stellen, wie z. B. die faröischen Nibelungen-B.n, eigene Traditionen dar. Die Entwicklung der dt. B. beginnt im MA. als Weiterbildung der Heldenlieder und -epen in →historische Erzähllieder mit unterschiedlichen Graden von Gefühlsbetonung und schließlich in anonyme, typenhafte →Volksballaden des Spät-MA., die im 17./18. Jh. vom →Zeitungslied in den →Bänkelgesang absanken. Neue Ansätze zur Hebung der Gattung geschahen von GLEIM und erhielten – mehr stofflich als formal – starken Antrieb durch die *Reliques of Ancient English Poetry* (1765) des engl. Bischofs PERCY, die erste Slg. volksläufiger B.n, sowie durch die *Ossian*-→Fälschung MACPHERSONS: HERDER *(Briefwechsel über Ossian)* setzte sich für Slg. der volkstümlichen Dichtung ein (*Volkslieder*, 1778/79; ARNIM/BRENTANO *Des Knaben Wunderhorn* 1806/08), und in BÜRGERS *Lenore* (1773) und den Romanzen HÖLTYS entstanden die ersten dt. Kunstballaden, weitergeführt im Sturm und Drang zunächst in GOETHES naturmagischen Jugendballaden *(Der untreue Knabe, Der König in Thule, Der Erlkönig)*, dann von GOETHE und SCHILLER im klassischen Balladenjahr 1797. SCHILLERS ethisch begründete →Ideenballaden, eigentlich kleine epische Gedichte, ordnen sich in Form und Inhalt nur schwer der Gattung unter, auch beim späten GOETHE tritt das Ideenhafte stärker hervor *(Die Braut von Korinth, Der Schatzgräber)*; die Gattung wandelt sich, doch bleibt auch in den mehr lehrhaften Verserzählungen ein Mythisch-Numinoses erhalten. Die Romantik kehrt wieder zur volkstümlichen, sangbaren B. zurück; BRENTANO, EICHENDORFF, später MÖRIKE und HEINE, in England WORDSWORTH, COLERIDGE, KEATS, SCOTT, später KIPLING und YEATS. Im 19. Jh. entsteht die unsangbare geschichtliche B. (UHLAND, PLATEN, DROSTE, C. F. MEYER, STRACHWITZ, FONTANE) und reicht in breiter Entwicklung bis in die Gegenwart. Bei CHAMISSO, KOPISCH und FREILIGRATH dringen humoristische und soziale Töne ein, und LILIENCRON leitet zur B. des 20. Jh. über. In stofflicher Hinsicht läßt sich e. roman. Richtung (C. F. MEYER u. a.) von e. engl.-nord. (FONTANE u. a.) abheben. Wichtigste B.-dichter des 20. Jh. sind zunächst epigonale wie B. v. MÜNCHHAUSEN, A. MIEGEL, L. v. STRAUSS UND TORNEY, F. K. GINZKEY, R. A. SCHRÖDER, H. F. BLUNCK, sodann E. LASKER-SCHÜLER, G. HEYM, G. BRITTING, G. von der VRING, E. KÄSTNER, C. ZUCKMAYER, M. L. KASCHNITZ, G. KOLMAR, H. E. HOLTHUSEN, H. C. ARTMANN, P. RÜHMKORF, J. BOBROWSKI, G. GRASS, CH. REINIG, H. PIONTEK, P. HUCHEL, P. HACKS, K. A. WOLKEN, G. KUNERT, E. MECKEL u. a., während WEDEKIND, RINGELNATZ, KLABUND, W. MEHRING, TUCHOLSKY, BRECHT *(Hauspostille)* und W. BIERMANN die B. wieder in die Nähe des →Bänkelsangs und der →Moritat rücken. Die moderne B. orientiert sich an den neuen Formen der Triviallit. und ersetzt das einmalige heroisch-mythische Ereignis durch betont allgemeinmenschl., unheroische Alltagsstoffe, die menschliche Grundbefindlichkeiten aufzeigen. In ihrer Groteskform wird sie zur frechiron. Satire auf sattes Bildungsbürgertum, das sie mit volkstümlicher Unverfrorenheit konfrontiert und mit sozialem Engagement schokkiert und attackiert. – Der german. B. entsprechen im slaw. Bereich auch →Dumka und →Bylinen, im span. Raum die →Romanze.

J. Goldschmidt, D. dt. B., 1891; J. A. Davidson, Üb. d. Urspr. u. d. Gesch. d. frz. B., 1900; G. Rosenhagen, D. Strophe i. d. dt. klass. B., Progr. Hbg. 1903; V. Beyle, D. Begründg. d. ernsten B. durch Bürger, 1905; F. B. Gummere, *The Popular B.*, N. Y. 1907; H. Benzmann, D. soziale B. in Dtl., 1912; T. F. Henderson, *The B. in lit.*, 1912; O. Ritter, Gesch. d. franz. B.-formen, 1914; H. H. Cohen, *The B.*, 1915; K. Götz, Die dt. B. i. dt.

Dichtung, 1921; L. Pound, *Poetic Origins and the B.*, 1921; L. Bianchi, Nov. u. B. i. Dtl., [2]1922; H. Lohre, Von Percy z. Wunderhorn, 1922; P. L. Kämpchen, D. numinose B., 1930; S. B. Hustvedt, *B.books and b.men,* Cambr., Mass. 1930; M. D. Papin, *Traité de la b. franç.*, Paris 1930; G. Schulz, D. B.ndichtg. d. dt. Frühromantik, Diss. Bresl. 1935; W. Kayser, Gesch. d. dt. B., 1936; ders., Stilprobleme d. B. (Zs. f. dt. Bildg. 8, 1932); ders., D. Erneuerung d. B. um 1900 (D. neue Lit. 40, 1939); ders., V. Wesen d. gegenwärtigen B.ndichtg. (Klingsor 15, 1938); H. Hell, Studien z. dt. B. d. Gegenw., Diss. Bonn 1937; F. W. Neumann, Gesch. d. russ. B., 1937; W. J. Entwistle, *European Balladry,* Oxf. 1939; P. Lang, D. Balladik, 1942; C. Spitteler, Üb. d. B. (Ästhet. Schr., 1947); G. Schäfer, Stilformen alt. dt. B., Diss. 1947; A. Hruby, Z. Entstehungsgesch. d. ältest. dt. B.n, Kopenh. 1949; R. Schneider, Theorie d. B., Diss. Bonn 1950; N. di Fede, *La ballata tedesca,* Milano 1952; RL.: Kunstballade; L. Meierhans, D. Ballata, 1956; J. Müller, Romanze u. B., GRM 1959; L. Ch. Wimberly, *Folklore i. the Engl. and Scottish B.,* N. Y. [2]1959; S. Steffensen, *Den tyske b.,* Koph. 1960; G. H. Gerould, *The B. of Tradition,* N. Y. [2]1960; A. B. Friedman, *B. Revival,* Chicago 1961; *The Critics and the b.*, hg. M. Leach u. T. P. Coffin, Carbondale 1961; F. Degener, Formtypen d. dt. B. i. 20. Jh., Diss. Gött. 1961; G. Rodger, *A new approach to the Kunst-B.* (*German life and letters* 16, 1962); M. J. C. Hodgart, *The B.s,* Lond. [2]1962; L. Shepard, *The broadside b.,* Lond. 1962; W. Müller-Seidel, D. dt. B. (Wege z. Gedicht Bd. 2, 1964); K. Riha, Moritat, Song, Bänkelsang, 1965; K. Hamburger, D. Logik d. Dichtg., [2]1968; J. Steenstrup, *The medieval popular b.,* Wash. [2]1968; B. H. Bronson, *The b. as song,* Berk. 1969; W. Falk, D. Anfge. d. dt. Kunst-B., DVJ 44, 1970; K. Bräutigam, Mod. dt. B., [2]1970; S. Steffensen, D. Kunst-B. als ep.-lyr. Kurzform (Probleme d. Erzählens, K. Hamburger-Fs. 1971); D. dt. B., hg. K. Bräutigam [5]1971; H. Graefe, D. dt. Erzählged. i. 20. Jh., 1972; A. C. Baumgärtner, B. u. Erzählged. i. Unterr., [2]1972; W. Hinck, Volksb., Kunstb., Bänkelsang (Weltlit. u. Volkslit., hg. A. Schaefer 1972); W. Hinck, D. dt. B., [2]1972; S. M. Parrish, *The art of the lyrical b.s,* Cambr., Mass. 1973; D. Goltschnigg, D. Entw. d. dt. Kunst-B. v. Gleim bis Hölty (Jb. d. Wiener Goethe-Vereins 77, 1973); U. Trumpke, B.dichtg. um 1770, 1975; G. Köpf, D. B., 1976; G. Fritsch, D. dt. B., 1976; M. Katz, *The lit. b. in early 19th cent. Russian lit.,* Oxf. 1976; *The types of the Scand. medieval b.,* hg. B. R. Jonsson u. a., Oslo 1978; W. Freund, D. dt. B., 1978.

Ballad Metre →Common metre

Ballad opera (engl. = Liederoper), Form des engl. →Singspiels im ausgehenden 17. und frühen 18. Jh., Sprechdrama mit Prosadialog und zahlreichen Liedeinlagen (Solo, Duett, Chor), die im Ggs. zum bisherigen Brauch nicht eigens für das Stück komponiert wurden, sondern auf Volksliedmelodien zurückgreifen. Die B.o. entstand als Gegenstück und Konkurrenz zur durchkomponierten italien. Barockoper HÄNDELS, erlebte jedoch nur eine kurze Blütezeit von einigen Jahrzehnten, wurde von den engl. Komödianten verbreitet und ging dann in der allg. Entwicklung des →Singspiels auf. Bekanntestes und bedeutendstes Beispiel ist *Die Bettleroper (The Beggar's Opera,* 1728) von J. GAY mit Musik von J. Ch. PEPUSCH, erneuert 1928 in B. BRECHTS *Dreigroschenoper,* 1948 von B. BRITTEN mit den alten Melodien.

E. M. Gagey, *B. o.*, N. Y. 1937.

Ballett (ital. *balletto* v. lat. *ballare* = tanzen), →pantomimische Darstellung e. Reihe von Seelenzuständen, Charaktertypen oder e. dramatischen Handlung allein durch tänzerische Gebärden, unterstützt durch Kostüm und Musikbegleitung; bei selbständigen Stücken auf Grundlage e. →Librettos (HEINE, *Der Doktor Faust*), in Lustspiel (MOLIÈRE), Operette, Oper und Musikdrama (WAGNER) aus den →Zwischenspielen hervorragende tänzerische Einlage. Entwicklung aus den Bewegungen des griech. →Chores über die röm. →Pantomime und die →Festspiele des Barock bis zur Gegenwart.

J. Gregor, Kulturgeschichte d. B., 1946; S.

Lifar, *Traité de danse académique*, Paris 1949; RL[1]; M. Niehaus, B., 1954; S. Lifar, *A Hist. of Russ. B.*, Lond. 1954; A. J. Balcar, D. B., 1957, ders., Knaurs B.-Lex., [2]1959; E. Rebling, B., 1959; J. Lawson, *Class. B.*, Lond. 1960; H. Koegler, B. internat., 1960; I. Guest, *The Dancer's Heritage*, Lond. 1960; G. Zacharias, B., 1962; O. F. Regner, D. neue B.-Buch, 1962; K. V. Burian, D. B., 1963; O. F. Regner, Reclams B.-führer, 1964; E. Rebling, B. von A–Z, 1966; H. Schmidt-Garre, B., 1966; F. Reyna, *Dictionnaire des b.*, Paris 1967; A. Goléa, Gesch. d. B., 1967; H. Koegler, Friedrichs B.lex., 1972.

Balzan-Preis, größter ital. Literaturpreis, von der Witwe des Verlegers E. BALZAN (1874–1953) 1956 gestiftet und in drei Gruppen von der Balzan-Stiftung in Zürich und Mailand jährlich verliehen: 1. für Frieden und Humanität, 2. für Lit., Philosophie und Kunst, 3. für Wissenschaft. Ähnlich dem →Nobelpreis, den der B. hinsichtlich der Höhe des Betrages übertrifft. Seit 1964 ruht die Preisverleihung infolge von Streitigkeiten zwischen Stiftungsverwaltung und Preiskomitee und Sperrung des Stiftungsvermögens.

Bar, auch Par, Bz. des →Meistersangs für das regelmäßige, abgeschlossene, stets e. ungerade Anzahl von →Meistersangstrophen umfassende Meisterlied, auch bei R. WAGNER.

Barbarismus (v. griech. *barbarismos* = Gebrauch ausländischer Wörter und Redensarten), allg. ungerechtfertigter Verstoß gegen die Sprachreinheit (ursprüngl. nur der griech. und lat. Sprache): entweder die Verstümmlung und fehlerhafte Anwendung von Wörtern und Wendungen – die Änderung des Lautkörpers kann durch Zusatz, Auslassung, Umstellung oder Ersetzung einzelner Buchstaben erfolgen – oder die Durchsetzung der Rede mit fremdländischen Brocken, z. B. LESSING *Minna von Barnhelm* IV, 2. Erlaubter B. = →Metaplasmus; →Solözismus, →Antibarbarus.

Barde (ir. *bard* = Sänger), im MA. (rd. 9.–15. Jh.) kelt. Hofdichter und Sänger bei den Galliern, Iren, Schotten, Walisern und Bretonen, der bei kultischen Feiern unter Harfenbegleitung Götter- und Heldenlieder, Kampf-, Schmäh- und Preislieder vortrug, um damit zu Tapferkeit zu begeistern oder zu rühren. Die gallischen B., höfische Preisdichter, versanken mit der Romanisierung. Die Waliser B. hielten sich als angesehener eigener Stand mit ständischen Wettkämpfen (→Eisteddfod) bis ins 15. Jh. Die ir. B. bildeten bis ins 18. Jh. einen niederen Stand nach den Druiden (Priestern und Magiern) und den Filid (Sehern, Gelehrten und gelehrten Dichtern) und waren eigtl. deren Helfer und Vortragende, doch umgreift die Bz. B. auch die Filid. Die schott. B. waren bis 1748 erbliche Fürstendiener; nach ihrer Ausbildung in Irland oblag es ihnen, durch Preislieder Ruhm und Stolz des Stammes zu mehren. – Die Bz. erscheint, wohl unter Einfluß von lat. →barditus und franz. barde schon im 17. Jh. (bei D'URFÉ *Astrée*, OPITZ, LOHENSTEIN *Arminius*, ABSCHATZ und bes. SCHOTTEL 1663) irrigerweise auch für e. altgerm. Stand von Priestern und Sängern und hält sich, bes. seit dem 18. Jh. (→Bardendichtung) in der Bedeutung e. german. Dichters neben →Skalde.

Bardendichtung, um 1770 in Dtl. blühende kulturkämpferische und betont altdt. Dichtart, die in schweren, gefühlsstarken Versen von →Rokoko und →Anakreontik zum →Sturm und Drang überleitet. In ihr vereinen sich die romantisch verklärten Interessen an german. Vorzeit und Hochschätzung ihrer Dichtung mit dem entstehenden Bewußtsein völkischer Eigenart. Die Einflüsse sind zahlreich: MALLET *Monuments de la mythologie et de la poésie des Celtes,* 1756; Th. GRAYS Ode *The bard;* MACPHERSONS *Ossian* 1765, PERCYS *Reliques* 1765 u. a. m. In Dtl. behandeln J. E. SCHLEGEL (*Hermann* 1740/41), J. MÖSER (*Arminius* 1749), WIELAND (*Hermann*-Epos 1752), SCHÖNAICH u. a. altdt. Stoffe. Ein ihriges tat die irrtümliche Verbindung des durch TACITUS bezeugten german. →barditus der Zeitenwende mit den hochma. kelt. →Barden zu e. vermeintlichen german. Urform der Poesie, durch deren Wiederbelebung man der Überfremdung eine urtümliche, eigenständige Dichtart entgegenzusetzen suchte. Im Einzelfall erscheint die B. seltener als Produkt idealistischer Überzeugung (KLOPSTOCK), häufiger aus antiquarischem Interesse (GERSTENBERG) oder als Modeströmung (DENIS). Den Anfang bilden GERSTENBERGS *Gedichte e. Skalden* 1766 in gereimten freien Rhythmen; es folgt K. F. KRETSCHMANN mit dem *Gesang Ringulphs des Barden* 1768, der *Klage Ringulphs* und der *Jägerin* 1771, oft im Ton anakreontisch, im Stoff german. Den dichterischen Höhepunkt bildet KLOPSTOCK mit seinen Oden, in denen seit 1749 Bardisches begegnet und seit 1771 die antike Mythologie älterer Oden durch die german. ersetzt wird, und mit seinen 3 →Bardiete genannten Hermannsdramen (*Hermanns Schlacht, ein Bardiet für die Schaubühne* 1769, *Hermann und die Fürsten* 1784, *Hermanns Tod* 1787). Von ihm übernimmt der Göttinger Hain die Fiktion: die Mitglieder geben sich Bardennamen und tagen unter e. alten Eiche. Auch der Wiener Jesuit DENIS, Übersetzer des *Ossian,* verfaßt *Lieder Sineds des Barden* 1772 in allegorischer Einkleidung. Schließlich verebbt die Begeisterung unter Kritik und Verspottung (›Bardengebrüll‹), da die Vorbilder KLOPSTOCK und *Ossian* nicht erreicht werden und zumal GOETHE sich fernhält. Letzter Nachklang sind die Bardenchöre in KLEISTS *Hermannsschlacht.* →Ossianische Dichtung.

E. Ehrmann, D. bardische Lyrik i. 18. Jh., Diss. Hdlbg. 1892; RL; R. Benz, Dt. Barock, 1949; A. Pülzl, Stud. z. Entw. d. dt. B., Diss. Wien 1950; H. J. Pott, Harfe u. Hain, Diss. Bonn 1976.

Bardiet, von KLOPSTOCK gebildete Bz. für seine Oden und Dramen (→Bardendichtung) im Sinne von ›vaterländisches Gedicht‹, entstanden aus irrtümlicher Vermischung von →barditus mit dem Begriff des →Barden, für dessen Nachahmung er seine Dichtart hielt.

Barditus (wohl v. altnord. *bort, barti,* ahd. *bart* = Schild), nach TACITUS *(Germania 3)* der Schildgesang, Kampfruf oder das Schlachtengeschrei der Germanen vor Beginn des Angriffs. Da TACITUS von Gesängen (carmina) spricht, kann es sich kaum um einen einzelnen Schlachtruf handeln, doch bezieht sich der Begriff B. offensichtlich auf die Vortragsweise hinter vorgehaltenen Schilden (relatus), nicht auf e. lit. Gattung. Der Inhalt des B. ist im einzelnen vielumstritten. Das 18. Jh. brachte den B. irrtümlich mit den →Barden in Zusammenhang, und KLOPSTOCK nannte seine vaterländ. Oden und Dramen danach fälschlich →Bardiete.

K. Müllenhoff, Dt. Altertumskunde, 1887; Ihm (in RE, III, I, Sp. 10ff.); G. Neckel, B. (Zs. f. dt. Altert. 51, 1909); E. Norden, D. germ. Urgesch. i. Tac. Germania, 1920; RL; H. Naumann, GRM 15, 260, 1927; R. Meißner, B. (Zs. f. dt. Altert. 67, 1930).

Barkarole (ital. *barcarola,* v. *barca* = Barke), das Gondellied der venezian. Gondolieri; vielfach in der Kunstmusik nachgeahmt.

Barock (v. portug. *barocco* = unregelmäßige, schiefe Perle, dann schiefrund, übertrieben, verzerrt), zunächst abwertende Bz. für e. Stil der bildenden Kunst, der die harmon., antikisierenden Formen und Proportionen der Renaissance auflöst, verzerrt, und durch übertriebene, verselbständigte Ausschmükkung verdeckt; dann in positiver Anerkennung des Eigenwertes (WÖLFFLIN) die europ. Stilepoche des 17./18. Jh. als Einheit; (von F. STRICH) auf die Lit. übertragen, den etwas früheren Zeitraum von 1600 bis 1720, d. h. vom Ende der Renaissance und Späthumanismus bis zur →Aufklärung. Die Einheitlichkeit der Epoche wurde oft und mit Recht angezweifelt und auf die Vielfalt der Strömungen und Dichtwerke verwiesen; doch die Einheit der Epoche beruht hier auf dem Gegensatz: Polarität und innere Spannungen sind Grundformen allen Denkens, barocker Welterfahrung und Kunstübung: Universalismus steht gegen Nationalismus, bürgerliches Standesbewußtsein gegen höfische Kultur, Lebensgier neben Todesbangen und Jenseitssehnsucht gegen Weltfreude; die Dichtung bildet e. Widerstreit von heidnisch-antiken Formen und christlichen Inhalten, von Pathos und Innerlichkeit, Regelzwang und gedanklicher Beweglichkeit, höfischer Repräsentationssucht und Vergänglichkeit, Nichtigkeit des Irdischen: Vanitas ist der Grundgedanke nicht nur der geistlichen Dichtung. Die Synthese, der Mittelweg der Aufklärung fehlt. Diese Gespaltenheit des Lebensgefühls findet ihren Niederschlag in e. stark antithetischen Charakter der Dichtung: →Sonett, →Alexandriner und →Epigramm als in sich gegensätzliche Formen, →Antithesen als Stilmittel werden bevorzugt. Unausgeglichene Kontraste in Stoff, Gestalten und Darstellungsweise treten hervor und geben den Eindruck des Unharmonischen. Nur in Frankreich zähmt die höfische Zucht der Klassik die Ausgestaltung der Extreme. Das eigene Selbstverständnis sucht sich in vorgeprägten Wendungen (→Topos) und rhetorischen Figuren zu fangen; →Allegorie und →Metapher dienen nicht nur dem sehr effektbewußten Redeschmuck, sondern auch – aus dem Jenseitsglauben heraus – der wirkungsvollen Darstellung eines Überirdischen im Irdischen. Insbes. im dt. B. gelten die Bestrebungen der Ausbildung e. eigenen Dichtersprache, die den weiterentwickelten westlichen Litt. an Zier, d. h. Reichtum an Schmuck, Formen und Farben, gleichkommt, daher zeigt der B. schon zu Anbeginn e. rhetorisches Pathos, das die tiefere seelische Anteilnahme des modernen Lesers verhindert: gesucht wird keine Gefühlsaussprache im Sinne HERDERS, sondern Sprach- und Formkunst, und nur von der anachronistischen Forderung nach Erlebnisdichtung und →Ausdruck im B. aus erscheint dies als Mangel. Erst bei den Nürnbergern und bes. der sog. 2. Schlesischen Schule (LOHENSTEIN, HOFMANNSWALDAU) tritt durch hochbarocke Aufbauschungen die Wandlung des Stiles zum →Schwulst ein, der als Kennzeichen des B. verallgemeinert wurde. – Höchste Vollendung erreicht die B.-Literatur als Kunst der Gegenreformation in den roman. Ländern. Die Werke der Spanier CALDERÓN, Lope de VEGA und CERVANTES gehören ebenso zum innersten Bestandteil der Weltlit. wie die strengen Formen des franz. Klassizismus unter Ludwig XIV. (CORNEILLE, RACINE, MOLIÈRE), und unter den Italienern verbreitete sich der Einfluß MARINOS über Europa (→Marinismus). In

England schaffen nach dem Tode SHAKESPEARES J. MILTON und J. BUNYAN, in den Niederlanden wird neben P. HOOFT bes. J. v. d. VONDEL für die dt. Dramatik von Bedeutung. Die neulat. Humanistendichtung erlebt unter J. BALDE und z. T. FLEMING und GRYPHIUS im B. eine letzte Blüte.

Die dt. B.-dichtung steht zunächst in starker Abhängigkeit von den roman. Vorbildern und antiken Traditionen (vgl. auch →Alamode-Lit.); dabei wirkt der span.-ital. Einfluß mehr auf den Süden, der franz.-holländ. mehr auf den Westen und Norden des Sprachgebietes, so daß man von e. süddt. Bild-(Kaiser-)B. im Ggs. zum norddt. Wort-(Bürger-) B. gesprochen hat. Poetik: Die vielfältigen Bemühungen um dichterische Sprachpflege kommen in der ungeheuren Fülle von →Poetiken zum Ausdruck, die sich, im Anschluß an Renaissance und Antike, von OPITZ' *Buch von der dt. Poeterey* (1624) an bes. mit drei Fragen befassen: genaue Gattungsabgrenzung, Untersuchung der Stilmittel und Nutzanwendung der Dichtkunst (bes. für religiöse, moralische und Bildungszwecke). Von gleicher Bedeutung für die Reinerhaltung der Sprache waren die sog. →Sprachgesellschaften und →Akademien. Wegweisend für die Metrik wurde OPITZ' Forderung nach →akzentuierender Dichtung.

Dichtung: Volksnah bleibt neben dem Roman fast einzig das →Kirchenlied, das mit P. GERHARDT, P. FLEMING, F. v. SPEE und GRYPHIUS' →Sonetten sowie bei den Dichtern des →Pietismus eine starke Eigenentwicklung erreicht. Daneben steht fast überkonfessionell der innige Erlebniston der →Mystik oder Pansophie, auf katholischer Seite von SPEE, ANGELUS SILESIUS und KNORR VON ROSENROTH, unter den Protestanten von J. BÖHME, J. ARNDT, D. v. CZEPKO, ANDREÄ und VOGEL vertreten. Breitere Wirkung erreichte das geistliche Schrifttum durch die →Erbauungsbücher MARTINS VON KOCHEM. Die weltliche Lyrik ist in erster Linie →Gesellschaftslyrik bis in die →Bilderlyrik, die →versus rapportati und die von REGNART eingeführten →Villanellen, höfisch-adlig, oft gelehrsam und unter starkem Einfluß des →Petrarkismus: HÖCK, WECKHERLIN, OPITZ, P. FLEMING, S. DACH mit dem →Königsberger Dichterkreis, GRYPHIUS und HOFMANNSWALDAU. Häufige Form war ferner das Epigramm nach MARTIAL und dem Engländer OWEN (LOGAU, J. GROB, Chr. WERNICKE). Als höchste poetische Leistung gilt unter dem Einfluß der Antike das Versepos. Aus der Lebenshaltung des B. heraus jedoch war es ihm – bis auf geringe Ansätze bei OPITZ – versagt. Die epische Großform der Zeit sind die vielbändigen, überdimensionalen höfischen Romane Herzog ANTON ULRICHS von Braunschweig, LOHENSTEINS und H. BUCHHOLTZ', die als ›toll gewordene Realenzyklopädien‹ (EICHENDORFF), ausgehend vom →Amadisroman, ein ganzes Weltbild ausbreiten. Im Ggs. dazu die genügsame Beschränkung der →Schäferromane. In zeitlose Höhe ragt der volkstümliche Roman mit GRIMMELSHAUSENS *Simplicissimus,* in dem hinter dem Menschenschicksal und allen irdischen Fehlern ein Jenseits sichtbar wird. Auch das übrige Werk GRIMMELSHAUSENS, J. BEERS und zahlreiche Übersetzungen span. →Schelmenromane fanden weite Verbreitung; MOSCHEROSCH *(Gesichte Philanders von Sittewald),* Chr. REUTER, RACHEL, B. SCHUPP und der Hofprediger ABRAHAM A SANCTA CLARA verwendeten mit viel Geschick die Waffe der Satire, z. T. nach dem

Vorbild Quevedos.
In der Dramatik des B. herrscht zunächst das →Jesuitendrama, das in ungeheurer Prachtentfaltung alle Künste zu vereinen sucht und damit den Boden bereitet für die Entwicklung der →Oper, bes. am Wiener Hof (Opitz übersetzt Rinuccinis Oper *Dafne*). Der großen Staatstragödie der Spanier, bei Shakespeare, Corneille und Racine folgt Gryphius' *Papinian*, doch bleibt das dt. Trauerspiel, beeinflußt von den →Englischen Komödianten und den holländ. →Rederijkers, in seiner Entfaltung meist an das →Schuldrama gebunden. Seine sittliche Aufgabe ist die Verbreitung e. christlichen Stoizismus; Doppelhandlungen und →Doppeltitel sowie Allegorien verweisen auf die Hintergründigkeit der Handlung und leiten aus dem weltlichen Spiel in ein Jenseits: Ayrer, Heinrich Julius von Braunschweig, Gryphius, Haugwitz, Hallmann, Lohenstein u. a. Der größte Dramatiker des deutschen B., Gryphius, ist zugleich der Schöpfer des deutschen Lustspiels.

L. Cholevius, D. bedeutendsten Romane d. 17. Jh., 1866; A. Schneider, Spaniens Anteil a. d. dt. Lit. d. 16. u. 17. Jh., 1898; G. Kalff, *Studien over Nederl.dichters der 17e eeuw*, 1901; H. Wölfflin, Kunstgesch. Grundbegriffe, [9]1948; ders., Renaissance u. B., [4]1926; F. Strich, D. lyr. Stil d. 17. Jh. (Festschr. f. F. Muncker, 1916); R. v. Delius, D. dt. B.lyrik, 1921; A. Hübscher, B. als Gestaltung antithetischen Lebensgefühls (Euph. 24, 1922); H. Cysarz, V. Geiste d. dt. Lit.-B., DVJ 1, 1923; ders., Dt. B.dichtg., 1924; ders., Z. Erforschg. d. dt. B.dichtg., DVJ 3, 1925; W. Hausenstein, V. Geist d. B., [7]1924; W. Weisbach, B. als Stilphänomen, DVJ 2, 1924; E. Ermatinger, B. u. Rokoko i. d. dt. Dichtg., 1926; G. Müller, Dt. Dichtung v. d. Renaiss. bis z. Ausg. d. B., 1927/29; K. Viëtor, Probleme d. B.lit., 1928; G. Bates, D. B.poetik als Dichtkunst, Reimkunst, Sprachkunst (Zs. f. dt. Philol., 1928); F. Schürr, B., Klassizismus u. Rokoko i. d. frz. Lit., 1928; B. Croce, *Storia dell' età barocca in Italia*, Bari 1928; K. Keller, B. Fehr, D. engl. Lit. v. d. Renaiss. bis z. Aufklärg., 1928; RL; P. Merker, D. Anfänge d. dt. B.lit. (*The Germanic Review* 6, 1931); E. Vogt, D. gegenhöf. Strömg. i. d. B.lit., 1931; W. P. Friederich, Spiritualismus u. Sensualismus i. d. engl. B.-lyrik, 1932; H. Lützeler, D. Wandel d. B.auffassung, DVJ 11, 1933; Huizinga, Holländ. Kultur d. 17. Jh., 1933; H. Cysarz, D. B. i. d. Lyrik, 1936; H. Schaller, D. Welt d. B., 1936; E. Trunz, Weltbild u. Dichtg. i. dt. B. (Zs. f. Dt.-kunde 51, 1937); H. Tintelnot, B.theater u. b.e Kunst, 1939; K. Voßler, Einführg. i. d. span. Dichtg. d. gold. Zeitalters, 1939; W. Milch, Dt. Lit.-B. (*The German Quarterly* 1940); E. Trunz, D. Erforschg. d. dt. B.dichtg., DVJ 18, 1940; O. Funke, Probleme d. engl. B.-lit. (in: Wege und Ziele, 1945); R. Wellek, *The Concept of B. (Journal of Aesthetics V,* 1946); F. Strich, D. europ. B. (in: D. Dichter u. d. Zeit, 1947); A. Belloni, *Il Seicento,* Maild. 1947; H. Hatzfeld, *A clarification of the B.problem (Comparative Lit. 1)* 1949; A. Rettler, Niederdt. Lit. i. Zeitalter d. B., 1949; R. Benz, Dt. B., 1949; Sonderheft ›B.‹, *Revue des sciences hum.* 1949; E. Lunding, *German b. Lit. (German life and letters 3,* 1949); ders., *(Orbis literarum* 8, 1950); W. Schirmer, D. geistesgesch. Grundlagen d. engl. B.-lit. (in: Kl. Schr., 1950); A. Coutinho, *Aspectos da lit. barocca,* Rio 1950; Ch. Dédéyan, *Position Lit. du b.* (Forschungsprobl. d. vgl. Lit.-gesch. I, 1951); K. Berger, B. u. Aufklärg. i. geistl. Lied, 1951; R. Alewyn, D. Geist d. B.-theaters (Festschr. f. F. Strich, 1952); K. Viëtor, Dt. B.-lit. (in: Geist und Form, 1952); C. J. Friedrich, D. Zeitalter d. B., 1954; M. Raymond, *Baroque et Renaissance poétique,* Paris 1955; Die Kunstformen d. B.-zeitalters, hg. R. Stamm 1956; H. Schöffler, Dt. Geistesleben zw. Reformation u. Aufklärg., [2]1956; A. Hirsch, Bürgertum u. B. i. dt. Roman, [2]1957; I. Buffum, *Stud. in the B.,* New Haven 1957; C. v. Faber du Faur, *German b. Lit.,* 2 Bde. New Haven 1958–69; R. Alewyn u. a., Aus d. Welt d. B., 1959; ders. u. K. Sälzle, D. große Welttheater, 1959; W. Flemming, Dt. Kultur i. Zeitalter d. B., [2]1960; F. Strich, D. lit. B. (in: Kunst u. Leben, 1960); L. Nelson, *Baroque lyric poetry,* New Haven 1961; J. Rousset, *La définition du terme b. (Actes du 3.e Congr. de l' Ass. Intern. de Lit. Comp.,* 1961); K. O. Conrady, Lat. Dichtgs.tradition u. dt. Lyrik d. 17. Jh., 1962; A. C. de Mello e Souza, *B. literário,* São Paolo 1962; Manierismo, Barocco, Rococò, Rom 1962; J. Rousset, *La litt. de l'âge b. en France,* Paris [4]1963; L. Anceschi, *Le poetiche del b.,* Bologna 1963; H. R. Thomas, *Poetry and Song in the German B.,* Oxf. 1963; J. M. Cohen, *The b. lyric,* Lond. 1963; P. Hankamer, Dt. Gegenreformation u. dt.

B., [3]1964; R. Newald, H. de Boor, Gesch. d. dt. Lit. V, [5]1965; R. Wellek, D. B.begriff i. d. Lit.wiss. (in ders.: Grundbegriffe der Literaturkritik, 1965); Dt. B.-forschg., hg. R. Alewyn [2]1966; M. Windfuhr, D. barocke Bildlichkeit u. ihre Kritiker, 1966; M. Baur-Heinhold, Theater d. B., 1966; A. Schöne, Emblematik u. Drama i. Zeitalter d. B., [2]1968; W. Friese, Nord. B.dichtg., 1968; L. Fischer, Gebundene Rede, 1968; J. Dyck, Ticht-Kunst, [2]1969; J. Mayer, Mischformen b.er Erzählkunst, 1970; M. Szyrocki, D. dt. Lit. d. B., [2]1970; W. Barner, B.rhetorik, 1970; ders., Stilbegriffe u. ihre Grenzen, DVJ 45, 1971; F. Gaede, Humanismus, B., Aufkl., 1971; R. M. Browning, *German b. poetry*, Philad. 1971; G. Gillespie, *German b.poetry*, N. Y. 1971; M. Brauneck, Dt. Lit. i. 17. Jh., DVJ 45, 1971; H. G. Rötzer, D. Roman d. B., 1972; Renaissance u. B., hg. A. Buck 2 Bde. 1972 (Neues Hdb. d. Lit.wiss. 9–10); *The German B.*, hg. G. Schulz-Behrend, Austin 1972; F. J. Warnke, *Versions of b.*, New Haven 1972; Dt. B.lyrik. Interpret., hg. M. Bircher u. a. 1973; Europ. Tradition u. dt. Lit.-B., hg. G. Hoffmeister 1973; H. Wagener, *The German b.novel*, N. Y. 1973; A. G. de Capua, *German B. poetry*, Albany 1973; L. Forster, Dt. u. europ. B.lit. (Wolfenbüttler Beitr. 2, 1973); H.-J. Lange, Aemulatio veterum, 1974; V. Meid, D. dt. B.roman, 1974; H. B. Segel, *The b.poem*, N. Y. 1974; H. Jaumann, D. Umwertg. d. dt. B.lit., 1975; H. Geulen, Erzählkunst d. frühen Neuzeit, 1975; W. Flemming, Einblicke i. d. dt. Lit.-B., 1975; D. lit. B.-Begriff, hg. W. Barner 1975; Stadt, Schule, Univ., Buchwesen u. d. dt. Lit. i. 17. Jh., hg. A. Schöne 1976; X. Stalder, Formen d. barocken Stoizismus, 1976; U. Herzog, D. dt. Roman d. 17. Jh., 1976; E. M. Szarota, Gesch., Politik u. Ges. i. Dr. d. 17. Jh., 1976; Dt. B.lit. u. europ. Kultur, hg. M. Bircher 1977; P. N. Skrine, *The B.*, Lond. 1978.

Barritus (spätlat. =) Kriegsgeschrei, Kampfgeschrei der Barbaren, möglicherweise nicht gleichzusetzen mit dem nur bei TACITUS überlieferten →Barditus.

Barsortiment →Buchhandel

Barytonese (v. griech. *barys* = schwer, *tonos* = Stimmklang, Hebung), in griechisch-äolischer Metrik die Zurückverlegung des Akzents, meist um eine Silbe.

Barzelletta, kurzes, volkstümlich-scherzhaftes Gedicht in der ital. Lit. des 14. Jh., später als Tanzlied →Frottola genannt.

Basoche, französische Berufsverbände von Rechtsanwälten und Justizbeamten, die sich seit Anfang des 14. Jh. in Paris und den Provinzen organisierten und bei ihren alljährlichen Treffen die oft aus Kreisen ihrer Mitglieder entstandenen Pantomimen, lebenden Bilder, später Dialoge, Farcen, Soties und Moralitäten aufführten (daher deren häufige Satire der Gerichtswelt). Ihre Darbietungen erregten meist das Mißvergnügen des Hofes und wurden oft streng zensiert, z. T. auch unterdrückt. Teilweise arbeiteten sie mit den →Passionsbrüdern zusammen. Aufführungen der B. hielten sich bis rd. 1590.

H. G. Harvey, *The theatre of the B.*, Cambr./Mass. 1941.

Bathos (griech. = Höhe oder Tiefe), nach A. POPE in seinem Essay *On B., or, Of the Art of Sinking in Poetry* (1728) der plötzliche und oft lächerliche Abstieg vom Erhabenen zum Gewöhnlichen, z. B. das Abgleiten des um Pathos bemühten Autors ins Lächerliche; dann allg. für übersteigertes Pathos oder Sentimentalität; meist unbeabsichtigt, doch in Satire und Travestie auch bewußtes Stilmittel.

Bauerndichtung, die in stofflicher Hinsicht vom bäuerlichen Leben handelnde Dichtung, die selten von Bauern selbst, meist von Städtern und Bürgern geschrieben ist und dann das Verhältnis der beiden Stände spiegelt, daher im Laufe der Zeit starken Wandlungen ausgesetzt. Ihre häufigste Form ist die epische, bes. in Gestalt der →Dorfgeschichte. Nähe zum arbeitsamen und natürlichen Leben macht die B. zum frühesten Zweig und Ursprung des →Realismus. Darstellung der bäuerl. Welt sind bereits die isländ. →Sagas. Als erste B. in dt. Lit. gilt WERNHERS DES GÄRTNERS Verserzählung *Meier Helmbrecht* (um 1260), doch bleibt ihre objektive Darstellungsart lange vereinzelt. Die ritterliche und bürgerliche Dichtung des MA. verspottet den Bauern als komische Figur in hochmütiger Satire und bes. der →Dörperlichen Dichtung (NEIDHART VON REUENTHAL, Heinrich WITTENWEILER, *Der Ring*); ebenso erscheint der kulturell unterlegene ›tumbe‹ Bauer im bürgerlichen →Fastnachtsspiel des 15./16. Jh. von den machtvollen und kulturschöpfenden Städtern verachtet. Andere Werke spielen bauernschlauen Mutterwitz gegen Gelehrsamkeit und bürgerliche Konvention aus *(Salomon und Markolf, Eulenspiegel)*. Angesichts letzter Fragen wird der Bauer zum Vertreter des Allgemeinmenschlichen (JOHANN VON TEPL, *Der Ackermann und der Tod,* W. LANGLAND, *Piers Plowman)*. Der Barock (z. B. OPITZ, *Lob des Landlebens*) formt seine Natursehnsucht in e. konventionelle, fingierte →Schäferdichtung, als Staffage das Gegenteil realistischer B., und nur selten erfährt die Notlage der Landbevölkerung Anerkennung – dann bezeichnenderweise in der echten Zeitsatire (MOSCHEROSCH *Gesichte Philanders*, GRIMMELSHAUSEN *Simplicissimus*). Das 18. Jh. kennt die →Idyllen GESSNERS und Maler MÜLLERS, doch bringt echte, schwärmerische Naturverehrung – unter dem Einfluß ROUSSEAUS – e. neue, nüchterne Bewertung des Bauerntums und seines Nutzens (BRÄKER, JUNG-STILLING); gleichzeitig wenden sich Sturm und Drang und bes. Göttinger Hain (VOSS) gegen die Unterdrückung des Bauernstandes, während PESTALOZZI mit erzieherischer Tendenz (*Lienhard und Gertrud* 1781) in Schlichtheit und reinem Menschentum der Landbevölkerung einen Gesundungsfaktor des öffentlichen Lebens hervorhebt. Mit ihm gewinnt die Schweiz e. führende Stellung in der dt. B.: seit 1836 gibt das breite Werk J. GOTTHELFS e. Lebensbild der bäuerlichen Welt in realistischer Gestaltung, wenn auch in etwas sozialpädagogischem Sinn, und K. IMMERMANN fügt seinem zeitkritischen Roman *Münchhausen* (1839) die wirklichkeitsnahe Erzählung *Der Oberhof* ein, in der er ein gesundes Bauerntum als Zuflucht und Genesung für die erkrankte und gefährdete Zivilisationswelt preist. Wohl am bekanntesten wurden J. P. HEBELS Kalendergeschichten und B. AUERBACHS *Schwarzwälder Dorfgeschichten* (1843 ff.), die sich jedoch nicht idyllischer Schönfärberei enthalten. Von GOTTHELF führt die Weiterentwicklung zur psychologisch einfühlenden, gestaltenreichen und nunmehr tendenzlosen B. der H. KURZ, O. LUDWIG, M. MEYR, J. RANK, F. REUTER, F. M. FELDER, H. HANSJAKOB u. a. und findet ihre Vollendung in G. KELLER (*Romeo und Julia auf dem Dorfe* 1856) und L. ANZENGRUBER (*Der Schandfleck* 1876, *Der Sternsteinhof* 1885), dessen volksnahe Bauerndramen durch L. THOMA, SCHÖNHERR, RUEDERER, KRANEWITTER, LIPPL, BILLINGER, HINRICHS und STAVENHAGEN fortgeführt wurden. Erst mit dem Naturalismus erscheinen wieder die Schattenseiten des Landlebens: W. v. POLENZ, C. VIEBIG, G. FRENSSEN (*Jörn Uhl* 1901) und G. HAUPTMANN (*Vor Sonnenaufgang* 1889); daneben zeigt B. als Teil der →Heimatliteratur bei P. ROSEGGER, L. THOMA, L. v. STRAUSS und TORNEY, H. LÖNS, H. STEHR, E. STRAUSS, P. DÖRFLER, J. LINKE, L. CHRIST, A. GABELE, E. WIECHERT, K. H. WAGGERL, F. GRIESE,

H. E. BUSSE, J. OBERKOFLER, F. NABL, J. M. BAUER, R. BILLINGER, A. HUGGENBERGER und T. KRÖGER wie vielen anderen kraftvolle dichterische Gestaltung – wenngleich nicht die Breitenwirkung schönfärberischer Alpenromane L. GANGHOFERS. Ihre Spannweite reicht von der konservativen Darstellung der ›heilen Welt‹ bis zur chauvinistischen →Blut und Boden-Literatur des Nationalsozialismus, die die Gattung in Verruf brachte.

In roman. Lit. findet sich B. weit seltener, z. B. bei RESTIF DE LA BRETONNE, G. SAND, BALZAC, ZOLA, J. GIONO, Ch. RAMUZ, G. VERGA, I. SILONE, J. M. PEREDA, A. RIBEIRO; sehr häufig dagegen in den slaw. Litt. (z. B. I. TURGENEV, L. LEONOV, W. REYMONT *Die Bauern*, 1904/09), in Skandinavien (LAGERLÖF, UNDSET, HAMSUN, DUUN, BOJER, BJÖRNSON) und den Niederlanden wie Belgien (STREUVELS u. a.).

K. Schulz, Bauernromane, 1933; H. Langenbucher, D. dt. Bauerntum i. d. dt. Dichtg. (Börsenbl. f. d. Buchhandel, 1933); ders., Dichtg. aus Landschaft u. Bauerntum (Zs. f. Dt.kunde, 1933); H. Glaser, Stud. z. Entwicklg. d. franz. Bauernromans von Rétif de la Bretonne bis z. Naturalismus, Diss. Lpz. 1933; H. Schauff, D. dt. Bauer in Dichtg. u. Volkstum, 1934; E. Darge, D. neue dt. Bauernroman (Zs. f. dt. Bildg. 12, 1936); J. Sint, B. d. Sturm u. Drang, 1937; A. Mulot, D. Bauerntum i. d. dt. Dichtg., 1937; A. Gebhard, D. Bauernroman seit 1900, Diss. Danzig 1939; R. Zellweger, *Les débuts du roman rustique*, Paris 1941; F. Martini, D. Bild d. Bauerntums im dt. Schrifttum bis z. 16. Jh., 1944; A. Weth, D. franz. Bauernroman d. jgst. Zt., Diss. Ffm. 1951; RL; G. Kühn, Welt u. Gestalt d. Bauern i. d. dtspr. Lit., Diss. Lpz. 1970; P. Zimmermann, D. Bauernroman, 1975; G. Schweizer, Bauernroman u. Faschismus, 1976 →Dorfgeschichte.

Bauernklage, sozialkritisches Volkslied, das der sozialen Not der Bauern Ausdruck verleiht; seit dem 17. Jh. bes. aus dem Alpengebiet meist als Fliegende Blätter erhalten.

H. Strobach, B.n, 1964.

Bauernkriegsdichtung. Die Empörung der dt. Bauern gegen ihre Unterdrückung durch Adel und Bürgertum 1524–25 und bes. ihr trostloser Zusammenbruch fanden seit GOETHES *Geschichte Gottfriedens von Berlichingen mit der eisernen Hand, dramatisiert* (1771) nach dessen →Autobiographie häufige lit. Gestaltung in Drama, Roman und Erzählung, bes. im 20. Jh. Höhepunkt: G. HAUPTMANNS *Florian Geyer* 1895.

R. Krebs, D. Bauernkrieg i. d. neueren Lit. (Die Welt, 13, 1911); H. Brackert, Bauernkrieg u. Lit., 1975; W. Kröger, Bauernkrieg u. Lit. (Daphnis 6, 1977); W. Wunderlich, D. Spur d. Bundschuhs, 1978.

Bauernpraktik →Praktik

Bauernregeln, volkstüml. Merksprüche zur Wetter- und Erntevorhersage als Schlußfolgerungen aus früheren klimat. Erscheinungen oder dem Verhalten von Tier und Pflanze, langfristig als →Monatsreime, kurzfristig als Tagesregeln etwa nach der Wolkenformation. Sie sind teils meteorolog. Erfahrungstatsachen, teils Aberglaube nach Lostagen und wurden in der →Praktik gesammelt.

Bauernroman →Bauerndichtung

Bauernspiele →Bauerntheater

Bauerntheater, bäuerliche Theatergruppen von Laienspielern. Sie bilden sich seit Ausgang des MA., bes. im 16./17. Jh., im Anschluß an die Marktspiele mittelalterlicher Städte, meist auf Antrieb der Kirche, des Schuldramas und Jesuitendramas als →Passionsspiele oder →Osterspiele (vgl. *Till Eulenspiegel* XIII), bes. in Italien, Böhmen und in den bayrisch-österreichischen Alpenländern, wo sie z. T. bis in die Gegenwart fortleben: Oberammergau und Thiersee. Ihre Texte sind nur z. T. ebenfalls bäuerlichen Ursprungs und werden im Zuge der Überlieferung wie bei der extemporierenden Darstellung vielfach abgewandelt. Neben den religiösen standen früh weltliche Spiele: Hexen-, Ritter- und Räuberstücke stark moralisierenden Inhalts bei illusionslos krasser Darstellung und Bühnentechnik. Seit dem 19. Jh. bevorzugen weltliche B. (Exl-Bühne Innsbruck, Kiefersfelden, Flintsbach, Thoma-Bühne Tegernsee, Die Schlierseer, K. Dreher) für Gastspiele in den Städten bäuerliche Schwänke mit Liebes- und Prügelszenen, die den Erwartungen der Zuschauer entgegenkommen. In neuester Zeit oft zur Anregung des Fremdenverkehrs mit derben Schwänken für die Feriengäste wiederbelebt (Berchtesgadener B., gegr. 1906) und z. T. auch auf Gastspielreisen erfolgreich.

K. Weinhold, Weihnachtsspiele aus Süddtl. u. Schles., 1870; F. Lechleitner, Tiroler Bauernspiele, 1890; A. Schlossar, Dt. Volksschauspiele, 1891; A. Dörrer, D. Thierseer Passionsspiele, 1935; L. Schmidt, D. dt. Volksschauspiel, 1962.

Bearbeitung, jede das Original verändernde Umgestaltung eines Werkes nicht durch den Autor selbst (→Fassung), sondern durch fremde Hand; im engeren Sinn im Ggs. zur gattungsändernden →Adaption oder →Bühnenbearbeitung vor allem die modernisierende, aktualisierende, straffende oder stilistisch, formal oder kompositorisch ändernde Umformung aus dem Bestreben heraus, dem Werk die für seine Aufnahme in einer bestimmten Zeit, einem bestimmten Land oder bei einem bestimmten Publikum (z. B. Jugend) günstigste Gestalt zu geben, z. B. durch Unterdrückung zeitgebundener oder herkunftsbedingter Züge oder Hervorhebung bzw. Einfügung anderer, aktueller Motive. Grundaufgabe jeder B. ist es, die zeitlose Gültigkeit einer Dichtung dadurch herauszuarbeiten, daß sie aller unnötigen zufälligen, zeitbedingten und störenden Züge entkleidet und dem Geschmack und den Lebensbedingungen der neuen Zeit angepaßt und für ihr Fortbestehen mit den besten Wirkungsmöglichkeiten ausgestattet wird. Jede echte, verantwortliche B. muß sich daher als Dienst am Werk fühlen und dessen lit. Kern daher nicht angreifen, sondern sich auf periphere Züge beschränken.

R. Stamm, *The Shaping Powers at Work*, 1967.

Beat generation (engl. = erschöpfte, geschlagene, konventionsmüde Generation), Sammelbz. für einen Teil der 2. nordamerikan. Nachkriegsgeneration, die den Jahrgängen 1930–40 entstammenden ›zornigen jungen Männer‹ Amerikas (›Beatniks‹), die sich in Greenwich Village, N. Y., San Francisco und Venice, Calif. um 1955–62 in bewußter Abkehr von Nützlichkeitsmoral, Zivilisationsreizen und Businessgetriebe ihren eigenen bohèmehaft-anarchischen, apolitisch-eskapistischen und vorurteilslosen Lebensstil von extremem Nonkonformismus, blasierter Gleichgültigkeit und hyster. Selbstbespiegelung unter Einfluß des Zen-Buddhismus schuf, in dem freie Sexualität, Drogengenuß, Jazzmusik und Mystik eine merkwürdig ungare Verbindung eingingen. Die B. g. wird höchst uneinheitlich in Lyrik und Prosa lit. vertreten durch A. GINSBERG, J. KEROUAC, L. FERLINGHETTI, W. BURROUGHS, G. CORSO, LEROI JONES, G. SNYDER, P. WHALEN, M. MCCLURE, C. HOLMES u. a.

G. Feldmann, M. Gartenberg (hg.), *The B. G.*, N. Y. 1959; L. Lipton, D. heiligen Barbaren, 1960; A. Aronowitz, *The beat and their generation*, N. Y. 1961; *A Case-*

book on Beat, hg. T. Parkinson 1961; F. Rigney, *The Real Bohemia,* 1961; Beat, hg. K. O. Paetel 1962; B. Cook, *The b.g.,* N. Y. 1970; G. Betz, D. b.g., 1977.

Beatniks, ursprünglich Spottbezeichnung, dann von ihnen selbst aufgegriffener Name für die Vertreter der →Beat generation.

Bedeutung e. Wortes ist ›usuell‹ (= gewöhnlich, gebräuchlich), wenn der gesamte Vorstellungsinhalt des Begriffs innerhalb der Sprache umfaßt wird; ›okkasionell‹ (= gelegentlich), wenn der im Einzelfall für die Wortwahl ausschlaggebende, gemeinte bes. Gehalt oder Beiklang nachempfunden wird. Aktuelle B. ist der konkrete gemeinte Sinn in einem bestimmten Textzusammenhang. Auf den verschiedenen Untertönen und Gefühlsgehalten jedes Wortes, d. h. den latenten Möglichkeiten des Gemeinten, beruht e. großer Teil des Sprachkunstwerks und zugleich die Schwierigkeit der →Übersetzung.

H. Ammann, D. menschliche Rede, 1928; A. Reichling, D. Problem d. B. i. d. Sprachwiss., 1963; W. Kayser, D. sprachl. Kunstwerk, [12]1967; G. Wotjak, Unters. z. Struktur d. B., 1971; A. Rapoport, B.slehre, 1972.

Bedeutungswandel, Veränderung der →Bedeutung e. Wortes im Laufe der Sprachentwicklung durch ständige individuelle Abtönung und Abweichung im Sprachgebrauch, durch Veränderung des Affekts, Wandel der Sache oder des Bildgebrauchs. Es kann eintreten: Begriffsverengerung (A) oder -erweiterung (B), und zwar jeweils verbunden mit Wertverbesserung (1), -verschlechterung (2) oder gleicher Werthöhe (3); z. B. bedeuten noch im Mhd.: muot = jeder Sinn (A 1), gift = jede Gabe (A 2), hôchzît = jede Festlichkeit (A 3), schalc = nur Knecht (B 1), vrouwe = nur Edelfrau (B 2), sache = Streitsache (B 3). Jeder B. füllt die Sprache mit neuen Inhalten; er beruht letztlich auf e. Kulturwandel.

A. Waag-F. Dornseiff, Bezeichnungswandel unseres Wortschatzes, [6]1955; O. Funke, Z. Problem d. B. (in: Anglo-Americana, 1955); F. Dornseiff, D. Problem d. B. (in: Kl. Schriften II, 1964); G. Stern, *Meaning and Change of Meaning,* Bloomington 1964; H. Sperber, Einf. i. d. Bedeutungslehre, [3]1965; G. Fritz, B. im Dt., 1974.

Befreiungskriege, die Erhebung Dtls. und fast ganz Europas gegen Napoleon 1813–15 gab in erster Linie den Anstoß zu stark vaterländischer politischer Lyrik. Leidenschaftliche Anteilnahme am Aufschwung der Stunde schuf manches echt gefühlte und kraftvolle Lied auch bei sonst weniger bedeutenden Dichtern (z. B. E. F. AUGUST, gen. SCHLEE: *Mit Mann und Roß und Wagen* ...). Am tätigsten erscheinen neben GÖRRES, FOUQUÉ und F. SCHLEGEL bes. M. v. SCHENKENDORF *(Freiheit, die ich meine ...),* E. M. ARNDT (*Geist der Zeit, Kurzer Katechismus für dt. Soldaten* 1812), Th. KÖRNER (*Leier und Schwert* 1814) F. L. JAHN (*Dt. Volkstum* 1810), H. J. v. COLLIN (*Wehrmannslieder* 1809); auch RÜCKERT schrieb *Geharnischte Sonette* (1814), und H. v. KLEIST veröffentlichte unter russ. Schutz 1809 Lieder und Gedichte sowie den *Katechismus der Dt.*; die tiefsten und ernstesten Schöpfungen aber finden ihren Niederschlag im Werk EICHENDORFFS.

M. Koch, D. dt. Lit. v. Zusammenbruch bis z. Beginn d. B., 1908; S. Stahl, D. Entwicklg. d. Affekte i. d. Lyrik d. B., Diss. Lpz. 1908; S. Engelmann, D. Einfluß d. Volksliedes auf d. Lyrik d. B., Diss. Lpz. 1909; R. F. Arnold, K. Wagner, D. polit. Lyrik d. Kriegsjahres 1809 (Schr. d. Wiener Lit. Vereins, 1909); G. Gromaire, *La lit. patriotique en Allemagne 1800–15,* 1911; A. Köhler, D. Göttinger Dichterbund u. d. Lyrik d. B., GRM 8, 1921; W. Kosch, Dt. Lit. vor u. nach 1813, 1925; K. Scheibenberger, D. Einfluß d. Bibel u. d. Kirchenliedes auf die

Lyrik d. B., Diss. Ffm. 1936; G. Adam, D. vaterländ. Lyrik z. Z. d. B., Diss. Marb. 1962.

Beglaubigung dient zur Bestätigung der Wahrscheinlichkeit oder Realität des im Dichtwerk Erzählten und soll beim Leser das Vorurteil e. poetischen Illusion und Unwirklichkeit beseitigen. Sie geschieht durch bestimmte Kunstmittel wie die Berufung auf e. fiktive Quelle in der →Chroniknovelle, in der →Rahmenerzählung, die →Ichform und die →Vorausdeutung.

E. Lämmert, Bauformen d. Erzählens, [2]1967; H. Weidhase, D. lit. B., 1973.

Begriffswort, das ungeachtet seiner klanglichen oder rhythmischen Bindungen lediglich zur Verdeutlichung und seines begrifflichen Sinngehalts wegen gesetzte Wort, meist abstrakter Art, im Ggs. zum plastischen →Bildwort.

Beichtformel, Sündenregister, das den Beichtkindern beim Sündenbekenntnis vom Priester vorgelegt und in Anpassung an die persönliche Eigenart des Beichtenden abgewandelt und zusammengestrichen wurde (älteste Form: Galater 5, 19–21); später durch Interpolationen aus der Benediktinerregel erweitert, umfaßten sie schließlich den ganzen Beichtvorgang mit Vorspruch des Priesters, Absage, Glaubensbekenntnis, Beichte (und zwar erst Wurzelsünden, dann Verstöße gegen Nächstenliebe und Kirchenpflicht), Reue und Vaterunser. Die ahd. B.n sind offenbar nach irischen Vorarbeiten entstanden und machten den Anfang zu e. Eindeutschung der gesamten Liturgie. Die älteste erhaltene ahd. B. ist die Emmeraner aus dem Anfang des 9. Jh., ferner wichtig aus dem 9./10. Jh.: Fuldaer, Mainzer, Pfälzer, Reichenauer, Lorscher und Würzburger B., aus dem 11./12. Jh.: Benediktbeurer, Wessobrunner, Bamberger, St. Galler, Alemannische und Münchner B., fast mhd. Seit dem 14. Jh. erscheinen zusammenfassende Beichtbücher. Für die meisten B.n läßt sich der Ursprung aus e. gemeinsamen rheinfränk. Grundform des karlischen Klosters Lorsch und damit aus dem Kreis um KARL d. Gr. und ALKUIN herleiten. Lit. Nachwirkungen der B.n in der gereimten Uppsalaer →Sündenklage und der hymnischen Prosa der Bamberger Beichte.

G. Baesecke, D. altdt. Beichten (Beitr. z. Gesch. d. dt. Spr. u. Lit. 49, 1925); G. Ehrismann, Gesch. d. dt. Lit. I, [3]1954; RL; H. Eggers, D. altdt. B.n (Beiträge z. Gesch. d. dt. Spr. u. Lit. 77/81, 1955/59).

Beifall →Applaus

Beiordnung →Parataxe

Beiseitesprechen →Á part

Beispiel, Verdeutlichung e. Sachlage, e. Lehre, e. Gegenstandes oder Vorganges mit Hilfe e. konkreten, einleuchtenden Einzelfalls (der jedoch nur oft in seiner Geschlossenheit gilt und nicht als typisch verallgemeinert werden darf); häufige Verwendung in der Rhetorik (→Exemplum) und in lehrhafter, bes. moralisierender Dichtung (→Bîspel, →Gleichnis, →Fabel, →Parabel).

F. Dornseiff, Lit. Verwendg. d. B. (Warburg-Vorträge, 1924–25).

Beit (arab. = Haus), das Verspaar im →Ghasel; ›Königs-B.‹ das erste Verspaar, dessen beide Zeilen den Reim tragen. Vgl. →Bait.

Beiwort →Epitheton

Bekenntnis, bes. Art der →Autobiographie, die weniger Wert auf Erinnerungen der äußeren Welt als auf innerseelische Entwicklungen und psychologische Selbstergründungen legt. Ihr eignet oft der Charakter der ›Enthüllung‹ im religiösen Sinn der Lebensbeichte, im unreligiösen bis zur schonungslosesten Selbstentblößung. Am Anfang der B.-Literatur stehen die *Confessiones* des AUGUSTINUS (um 400) als erste Selbstaussprache e. Individuums; e. zweiten revolutionären Höhepunkt erreicht die Gattung dann mit ROUSSEAUS *Confessions* (1782) als ›Beitrag zum vergleichenden Studium des menschlichen Herzens‹; seither in zahlreichen →Autobiographien und →Tagebüchern, z.B. Th. de QUINCEYS *Confessions of an English Opium-Eater* (1821), A. de MUSSETS *Confession d'un enfant du siècle* (1836). Daneben ist die fingierte B.-Form im psychologischen Roman beliebt, der dadurch den →inneren Monolog vermeidet (z.B. Th. MANN, *B.se des Hochstaplers Felix Krull,* 1923, 1954).

Lit. →Autobiographie.

Bekenntnisdichtung ist im Grunde – nicht nur nach dem bekannten Worte GOETHES, alle seine Werke seien nur ›Bruchstücke einer großen Konfession‹ (*Dichtung und Wahrheit* II, 7) – jede Dichtung, insofern sie vor der Öffentlichkeit Zeugnis ablegt über die individuelle Persönlichkeit ihres Autors, dessen Wesen, Streben, Lebens- u. Weltanschauung; im engeren Sinne e. Werk, in dessen Rahmen die Selbstaussprache und die Spiegelung des schaffenden Ich wesensmäßig hervortritt; in dt. Dichtung zuerst in HARTMANNS Kreuzliedern, WALTHERS *Palinodie* und *Elegie,* dann seit KLOPSTOCK und bes. in der Klassik vollendet. →Erlebnisdichtung.

Belegstück, Exemplar einer Druckschrift, e. Buches oder Aufsatzes, das der Verfasser oder Verleger als Beweis für dessen Erscheinen erhält, bes. bei Rezensionen.

Belles lettres (franz. = schöne Wissenschaften), im Franz. die ›schöne Lit.‹, Dichtung und Rhetorik einschließlich der Essayistik und der literar. und rhetor. Theorie im Ggs. zum Fachschrifttum.

Belletristik (franz. →*belles lettres* = schöne Wissenschaften, Lit.), seit dem 18. Jh. Bz. für den ›schöngeistigen‹ Teil der →Lit., d.h. die ›schöne Lit.‹ oder →Dichtung bes. einschließlich der leichteren →Unterhaltungslit. im Ggs. zur wissenschaftlichen oder Fachlit. (die Aufgliederung in Schönlit. und Sachlit. entspricht dem engl. fiction – non-fiction); oft (so schon GOETHE, *Werther,* 24. Dez. 1771) mit leicht abwertendem Nebenklang: ›Belletristerei‹. Belletrist = Unterhaltungsschriftsteller.

Benefiz (frz. *au bénéfice d'un acteur,* lat. *beneficium* = Begünstigung), Veranstaltung, meist Aufführung e. Musik-, Bühnen- oder Ballettstücks, deren Ertrag ganz oder z.T. e. mitwirkenden Künstler (Benefiziant) bzw. dem Autor oder wohltätigen Zwecken zugute kommt.

Beredsamkeit →Rhetorik

Bergmannslieder, die geistlichen und weltlichen Lieder der Bergleute, gewinnen ihre Bedeutung für das allg. Volkslied vor allem dadurch, daß der Bergbau als Schmelztiegel die verschiedensten Elemente aus allen Landschaften und sozialen Schichten zu einer vorindustriell-mannschaftlichen und geselligen Arbeitsform vereinigte und in Verbindung mit der bergmännischen Sangespflege zum Sammelbecken aller mod. musikal. Strömungen wurde. Vgl. →Bergreihen.

W. Heinz, D. B., Diss. Greifsw. 1913; G. Heilfurth, D. erzgebirg. B., 1936; ders., D. B., 1954; H. Wolf, Stud. z. dt. Bergmannssprache i. d. dt. B. d. 16.–20. Jh., 1958; G. Heilfurth, B. (Hdb. d. Volksliedes I, 1973).

Bergreihen, ursprünglich volkstümliche →Bergmannslieder, bes. die seit 16. Jh. in Böhmen, Thüringen und Steiermark entstandenen Sammlungen, schon im 16. Jh. verallgemeinert auf →Volkslieder verschiedener Herkunft überhaupt. Erste Slg. 1531 *Etliche hübsche bergkreien geistlich und weltlich*... (Neudruck 1959).

RL.

Bergroman, Sonderform des →Trivialromans mit Nähe zur Heimatlit., behandelt im Grunde dieselben klischeehaften Konflikte und Motive wie der Liebes- und Frauenroman, jedoch jetzt unter ›kernigeren‹ Charakteren in einer wildromantischen Alpenlandschaft spielend, die kulissenhaft nach den bewährten Vorbildern GANGHOFER, HEER usw. aufgepropft wird. Die vermeintlich stärkere Natur- und Heimatverbundenheit des B. tritt vor allem darin zutage, daß die guten und edlen Charaktere bodenständig und urwüchsig, die bösen zivilisiert, verstädtert und durch die Wurzellosigkeit verderbt sind.

Bericht, kurze, sachlich-nüchterne, folgerichtige Darstellung e. Handlungsablaufs ohne ausschmückende Abschweifungen: eine Folge von Aussagen; treibt in Zusammensetzung mit den anderen Redeweisen (→Beschreibung, Erörterung) die Handlung vorwärts; bes. in kurzen Erzählungen und →Novellen (KLEIST) verwendet, im Drama als →Boten-B. oder →Teichoskopie. Auch modernes Ersatzwort für →Roman.

K. Obmann, D. B. i. dt. Drama, 1925; W. Jahn, Wesen u. Form d. B. i. Drama, 1931.

Berner Konvention, auch Berner Übereinkunft, internationales Abkommen über das →Urheberrecht an literarischen Werken, am 9.9.1886 in Bern abgeschlossen, am 5. 12. 1887 in Kraft getreten, am 4. 5. 1896 in Paris, 13. 11. 1908 in Berlin, 20. 3. 1914 in Bern, 2. 6. 1928 in Rom, 26. 6. 1948 in Brüssel und 14. 7. 1967 in Stockholm revidiert. Betrifft die Bildung e. internationalen Verbandes zum Schutze von Werken der Lit. und Kunst und gibt den in den einzelnen Mitgliedstaaten der Berner Union gültigen Urheberrechten international verbindliche Grundlage bzw. verlangt von ihnen gesetzliche Maßnahmen zur Durchsetzung des vorgesehenen Schutzes im nationalen Bereich auch für die Werke von Angehörigen anderer Mitgliedstaaten und solche Werke (unabhängig von der Staatsangehörigkeit des Verfassers), die zuerst in einem der Mitgliedstaaten erschienen sind. Der Schutz erstreckt sich auf unberechtigte Nachdrucke und Übersetzungen u. dergl. Nicht beigetreten sind UdSSR und USA (→Copyright). Vgl. →Welturheberrechtsabkommen.

W. Bappert, Internat. Urheberrecht, 1956; A. Troller, D. mehrseit. völkerrechtl. Verträge i. internat. gewerbl. Rechtsschutz u. Urheberrecht, 1965.

Berner Ton, komplizierte Abart der →Nibelungenstrophe aus 13 vierhebigen Kurzzeilen, deren 3., 6., 8., 10. und meist auch 12. klingend, die 13. stumpf und die übrigen voll enden und in Langzeilen zu 3, 3, 2, 2 und wieder 3 zusammengefaßt sind; Reimfolge aabccbdedefxf. Verwendet in *Eckenlied, Sigenot, Dietrichs erster Ausfahrt* und *Goldemar.*

Berneske Dichtung →poesia bernesca

Bertsolari (bask. = Versemacher), baskische Volkssänger, die noch heute als Spielleute durch das Land ziehen und anläßlich öffentlicher

Sängerwettstreite nach vorgegebenen, zunehmend schwierigeren Themen in vorgeschriebenem herkömmlichem Versmaß aus dem Stegreif dichten.

J. Ithurriague, *Un peuple qui chante*, Paris 1947.

Berufsschriftsteller, freier →Schriftsteller, der ohne Hauptberuf aus seiner lit. Produktion seinen Lebensunterhalt verdient.

Beschreibstoffe →Schreibstoffe, Buch

Beschreibung, in der Stilkunst die Schilderung und ausmalende Wiedergabe eines Sachverhalts, Gegenstandes (Landschaft, Haus, Raum) oder e. Person durch sprachliche Mittel, d. h. die Umsetzung des am ruhenden Objekt gewonnenen Eindrucks in Sprache und dessen Weitervermittlung an die Leser oder Hörer; bereits seit HOMER (Schild des Achilleus), von dort als →Ekphrasis Element der Epik. Häufige Verwendung im Roman zur Einführung von Örtlichkeiten und Zustandsschilderungen (z. B. FONTANE *Effi Briest* am Anfang), seltener in der Lyrik: →Dinggedicht, →Gemäldegedicht (→ut pictura poesis). In Abgrenzung gegen die anderen Redeweisen (→Bericht, Erörterung) bildet die B. ein ruhendes Verharren in e. Zustand, das die beschriebenen Erscheinungen vor dem Auge des Lesers wachruft. LESSING fordert im *Laokoon* die Umsetzung der B. in nachschaffende Handlung oder e. Wiedergabe der Wirkung auf andere (→Perspektive); in der reinen B. erkennt er e. Aufgabe der bildenden Kunst.

H. Ch. Buch, Ut pictura poesis, 1972.

Beschwörungsformeln, kurze, fest überlieferte Gedichte, Sprüche (→Zaubersprüche) zur magischen Beschwörung von Naturmächten, Göttern, Dämonen usw. vermittels der Macht des rituell fehlerlos gesprochenen oder gesungenen Wortes, oft in Verbindung mit vorgeschriebenen Handlungen, Gesten, zu bestimmten Zeiten an festgelegten Orten, wollen entweder Unheil abwenden oder Heil anziehen. Sie finden sich als →Gebrauchslyrik in den vorlit. Anfängen fast aller Völker; selten jedoch gelangen sie bis zu schriftlicher Aufzeichnung; in christianisierter Form erhalten sie sich dann als Teile der Medizin (*Wurmsegen, Wiener Hundesegen, Lorscher Bienensegen* u. a.); reicher ist die Überlieferung in angelsächs. Lit.

Beseelung, im Ggs. zur vermenschlichenden →Personifikation die Ausstattung lebloser Dinge oder Pflanzen mit Seelenkräften oder mythischen Weltkräften. Gestaltungsmittel vor allem der naturbeseelenden Volksdichtung, in der Lit. vor allem als Dämonisierung oder Vergöttlichung.

H. Pongs, D. Bild i. d. Dichtg., [2]1960.

Besprechung →Rezension (2)

Besprechungsstück, das einer Zeitung, Zeitschrift oder einem Kritiker vom Verlag oder Verfasser zum Zweck der →Rezension (2) kostenlos überlassene Freistück (Rezensionsexemplar) einer Neuerscheinung. Es geht nach Erscheinen der Rezension als Teil des Honorars in den Besitz des Rezensenten über, ist bei Nichterscheinen jedoch, wenn es nicht unverlangt übersandt wurde, an den Verlag zurückzureichen. Vgl. →Waschzettel. Die Versendung von B. gehört zu den Pflichten des Verlegers, für die Verbreitung seiner Bücher zu sorgen; die B. werden gemeinhin als Zuschußexemplare über die vertragliche Auflagenhöhe hinaus hergestellt.

Besserungsstück, Sonderform des Wiener Volkstheaters mit dem Grundmotiv von der Besserung eines Lasterhaften oder eines Toren, vielfach durch Eingriff höherer Mächte, dann der Zauberposse nahestehend. Bekanntestes Beispiel ist F. RAIMUNDS *Der Alpenkönig und der Menschenfeind* (1828).

W. Dietze, Tradition u. Ursprünglichk. i. d. B. d. Wiener Volkstheaters (Weimarer Beiträge, 12, 4, 1966).

Bestiarium, Bestiaire (lat. bzw. frz.), Sonderform der didakt. →Tierdichtung des MA. im 9.–14. Jh. bes. in franz. und engl. Lit., sammelt in Vers und Prosa allegorische Deutungen von Tieren und deren (vermeintlichen, teils phantastischen) Eigenschaften und Verhaltensweisen in bezug auf die Glaubensinhalte der christl. Heilslehre zum Zweck religiöser Erbauung und moral. Unterweisung. Ihre Quellen sind neben HRABANUS MAURUS, ISIDOR VON SEVILLA u. a. bes. der griech./lat. *Physiologus* (2. Jh.), ein pseudowiss. zoologisches Handbuch, das bereits die allegor. Ausdeutung im christl. Sinn anbahnt. Die ältesten der meist illustrierten und daher auch für die kunstgeschichtl. Ikonographie wichtigen B. stammen aus dem 9. Jh., das älteste franz. von dem anglonormann. Geistlichen PHILIPPE DE THAON (um 1125, in Versen), die am weitesten verbreiteten aus dem 13. Jh., so von GUILLAUME LE CLERC (*B. divin,* um 1210/11) und GERVAISE DE FONTENAY. Nach 1240 wendet das *B. d'amour* von RICHARD DE FOURNIVAL die Gattung ins Weltliche, indem es die Deutung witzig auf die Liebe des Autors zu e. Dame bezieht, ebenso e. *B. d'amour rimet* des 13. Jh. Im 20. Jh. erneuern G. APOLLINAIRE (*B. ou le cortège d'Orphée,* 1911) und F. BLEI (*Das große B. der modernen Lit.,* 1920) die Gattung. Die B. sind wichtige Quellen für ma. und spätere Symbolik, Allegorik und Emblematik.

J. Calvet, M. Cruppi, *Le b. de la lit. franç.,* 1954; dies., *Le b. de l'antiquité class.,* 1955; H. R. Jauß, Unters. z. ma. Tierdichtg., 1959; F. McCulloch, *Mediaeval Latin and French B.s,* Chapel Hill [2]1962.

Bestseller (engl. = das am besten, d. h. meisten Verkaufte), ein Buch, das sofort oder kurz nach seinem Erscheinen einen durch Aktualität, Mode, Geschmack, Bedarf, Propaganda u. ä. bedingten bes. schnellen und hohen, wenn auch im Ggs. zum sog. →Steadyseller meist kurzlebigen Absatz findet. Als unterste Grenze gelten etwa 100000 verkaufte Exemplare der Originalausgabe (ohne Taschenbücher und Buchgemeinschaften) in den ersten Monaten nach Erscheinen. Auf den gesamten Buchmarkt gesehen, steht unter den B. die schöne Lit. weit hinter Atlanten, techn. Tabellenwerken, Logarithmentafeln, Wörter- und Rechtschreibwörterbüchern, Gesangbüchern, Garten- und Kochbüchern u. ä. zurück, die auch in den illiteraten Haushalt vordringen. Erst danach folgen lit. B., meist populäre Unterhaltungslit. ohne hohen lit. Anspruch und Wert, die neuerdings in den USA z. T. bewußt mit bewährten Ingredienzien als B. konzipiert und im Teamwork durch ständige Kontrolle und Anreicherung zum B. getrimmt wird. Der B. ist nicht bis ins letzte im voraus kalkulierbar; sein Erfolg geht von Fall zu Fall auf verschiedene Ursachen zurück, deren Zusammentreffen erst den B. ermöglicht: 1. plötzliches aktuelles Interesse am Autor durch polit. Ereignisse oder Preisverleihungen (Nobelpreis für Th. MANNS *Buddenbrooks* 1929, für B. PASTERNAKS *Doktor Schiwago* 1957) oder die (manipulierbare)

Meinung, daß gerade dieser Autor seiner Zeit über das von ihm angeschnittene Thema Wichtiges zu sagen habe, 2. aktuelles, der Zeitstimmung entsprechendes oder künstlich manipuliertes Interesse am ehrlich, wenn auch nicht gerade anspruchsvoll behandelten Thema, das ›in der Luft liegt‹, etwa durch Aufgreifen einer der öffentl. Meinung zuwiderlaufenden, aber der verdrängten, zurückgestauten inneren Meinung vieler entsprechenden Auffassung, 3. exakt kalkulierter Erscheinungstermin auf dem Kulminationspunkt des Interesses zu optimaler Wirksamkeit. Treffen diese drei Voraussetzungen mit einem Mindestmaß an Qualität zusammen, entsteht also ein möglicherweise lohnendes, bestsellerverdächtiges Objekt, so kann eine geschickte und gewichtige Werbung den B.-Erfolg systematisch aufbauen durch 1. außergewöhnlich hohen Werbeaufwand nach genau ausgeklügeltem Werbeplan unter Einbeziehung auch unkonventioneller Werbeträger, 2. gut vorbereitete und schlagartig nach Erscheinen einsetzende (möglichst, doch nicht unbedingt positive) Rezensionen in allen führenden Blättern, 3. Aufbau einer kaufanreizenden Mundpropaganda etwa durch Skandalgerüchte oder Verbotsdrohungen, die das Buch zum Gesprächsgegenstand und damit für aktualitätssüchtige Kreise, die sich ein Urteil bilden wollen, zur Mußlektüre macht. Die künstliche Manipulation eines B. mit einem für den Buchhandel ganz unüblichen finanziellen Riesenaufwand lohnt praktisch jedoch nur und zahlt sich nur aus, wenn das Buch inhaltlich und formal dazu prädestiniert ist, zumal das Lesepublikum inzwischen durch den werbemäßigen Aufbau uninteressanter, d. h. für die Masse unverständlicher B. der Reklame gegenüber kritisch geworden ist. (Es gibt erfolgreiche nichtgelesene B.). Die B.-Listen der Zeitschriften, in den USA seit 1895, in Dtl. nach 1950, steigern dann die Nachfrage nach darin enthaltenen Titeln automatisch, da das große Publikum den B.-Erfolg bereits für einen lit. Wertmaßstab hält und B. kauft, weil man sie kauft. (Nichts ist erfolgreicher als der Erfolg.) Die Suggestion der Massenauflagen bewirkt daher eine Lenkung des Kaufinteresses nach rein quantitativen Gesichtspunkten, so daß die ohnehin erfolgreichen Bücher durch die Akkumulation freien Interesses anderen, möglicherweise z. T. wertvolleren Werken verdienten Erfolg entziehen, individuelle Leistungen in den Schatten stellen und andere Titel auch desselben Verlags erschlagen.

Während im 18. Jh. bei der geringen Streuweite der Lit. ein Bucherfolg noch zumeist mit lit. Bedeutung zusammentrifft, lassen sich eigentliche B. mit typ. Massenauflagen erst seit rd. 1850 feststellen; Welt-B., deren Erfolg sich mit kurzer Phasenverschiebung auch auf anderssprachige Bereiche ausdehnt, kennt erst das 20. Jh., in dem zugleich mit der zunehmenden Intellektualisierung der Lit. und der Kommerzialisierung des Buchhandels die Diskrepanz zwischen dem B. für die Massen und der wertvollen Lit. für den Leser immer größer wird.

Typische B. der mehr schöngeistigen Lit. seit 1700 waren etwa (nach Jahren der Erstausgabe): 1719 D. DEFOE, *Robinson Crusoe*; 1726 J. SWIFT, *Gulliver's Travels*; 1746 Ch. F. GELLERT, *Fabeln und Erzählungen*; 1759 VOLTAIRE, *Candide*; 1766 O. GOLDSMITH, *The Vicar of Wakefield*; 1774 J. W. v. GOETHE, *Die Leiden des jungen Werthers*; 1776 J. M. MILLER, *Siegwart*; 1798 Ch.

A. VULPIUS, *Rinaldo Rinaldini*; 1814 W. SCOTT, *Waverley*; 1819 G. BYRON, *Don Juan*; 1826 W. HAUFF, *Lichtenstein*; 1852 H. BEECHER STOWE, *Uncle Tom's cabin*; 1855 V. v. SCHEFFEL, *Ekkehard*; 1858 E. BRACHVOGEL, *Friedemann Bach*; 1876 M. TWAIN, *Tom Sawyer*; 1880 L. WALLACE, *Ben Hur*; 1889 H. SUDERMANN, *Der Katzensteg*; 1894 H. SIENKIEWICZ, *Quo vadis?*; 1895 L. GANGHOFER, *Schloß Hubertus*; 1900 J. Ch. HEER, *Der König der Bernina*; 1901 M. MAETERLINCK, *La vie des abeilles*; 1901 G. FRENSSEN, *Jörn Uhl*; 1903 J. LONDON, *The call of the wild*; 1903 E. v. HEYKING, *Briefe, die ihn nicht erreichten*; 1905 R. HERZOG, *Die Wiskottens*; 1906 R. M. RILKE, *Die Weise von Liebe und Tod des Cornets Christoph Rilke*; 1911 H. LÖNS, *Der kleine Rosengarten*; 1911 R. VOSS, *Zwei Menschen*; 1911 R. G. BINDING, *Opfergang*; 1912 W. BONSELS, *Die Biene Maja*; 1913 B. KELLERMANN, *Der Tunnel*; 1913 A. GÜNTHER, *Die Heilige und ihr Narr*; 1915 P. KELLER, *Ferien vom Ich*; 1917 J. GILLHOFF, *Jürnjakob Swehn, der Amerikafahrer*; 1917 W. FLEX, *Der Wanderer zwischen beiden Welten*; 1920 S. LEWIS, *Main Street*; 1924 J. WINCKLER, *Der tolle Bomberg*; (1925 A. HITLER, *Mein Kampf*); 1925 W. DEEPING, *Sorrell and son*; 1926 A. LOOS, *Gentlemen prefer blonds*; 1929 E. M. REMARQUE, *Im Westen nichts Neues*; 1929 A. MUNTHE, *Das Buch von San Michele*; 1931 P. S. BUCK, *The good earth*; 1933 W. H. ALLEN, *Anthony Adverse*; 1933 E. CALDWELL, *God's little acre*; 1934 Th. KRÖGER, *Das vergessene Dorf*; 1935 H. SPOERL, *Die Feuerzangenbowle*; 1936 Margaret MITCHELL, *Gone with the wind*; 1937 E. WELK, *Die Heiden von Kummerow*; 1937 L. BROMFIELD, *The rains came*; 1938 D. DU MAURIER, *Rebecca*; 1942 L. C. DOUGLAS, *The robe*; 1949 N. MAILER, *The naked and the dead*; (1949 CERAM, *Götter, Gräber und Gelehrte*); 1951 A. SELINKO, *Desirée*; 1951 J. D. SALINGER, *The catcher in the rye*; 1952 E. HEMINGWAY, *The old man and the sea*; 1954 F. SAGAN, *Bonjour tristesse*; 1954 H. HARTUNG, *Ich denke oft an Piroschka*; 1955 A. KRIEGER, *Geliebt, gejagt und unvergessen;* 1955 J. M. BAUER, *Soweit die Füße tragen*; 1955 H. NICKLISCH, *Vater, unser bestes Stück*; 1955 V. NABOKOV, *Lolita*; 1956 A. GOLON, *Angelique*; 1957 B. PASTERNAK, *Doktor Schiwago*; 1959 G. GRASS, *Die Blechtrommel*; 1960 (nach Freigabe) D. H. LAWRENCE, *Lady Chatterley's lover*; 1962 K. A. PORTER, *Ship of fools*; 1963 H. BÖLL, *Ansichten eines Clowns*; 1963 R. HOCHHUTH, *Der Stellvertreter*; 1963 M. MCCARTHY, *The group*; 1965 S. BELLOW, *Herzog*; 1966 T. CAPOTE, *In cold blood*; 1966 J. SUSANN, *Valley of the dolls*; 1968 A. HAILEY, *Airport*, S. LENZ, *Deutschstunde*; 1971 E. SEGAL, *Love Story*.

J. Marjasch, D. amerik. B., 1946; J. D. Hart, *The popular book*, 1950; W. Allen, *A casebook on b.*, Lond. 1959; C. Riess, B., 1960; F. L. Mott, *Golden multitudes. The story of b.*, N. Y. [2]1960; R. W. Leonhardt, Leben ohne Lit., 1961; A. Hackett, *Seventy years of b.*, N. Y. [2]1966; D. R. Richards, *The German B. in the 20th cent.*, 1968; C. Cockburn, *B.*, Lond. 1972; P. U. Hohendahl, Lit. Kritik u. Öffentlichk., 1974; W. Faulstich, Thesen z. B.-Roman, 1975.

Betonung →Akzent

Bewegungsdrama →Einortsdrama

Bewußtseinskunst, allg. die Verwendung von Bewußtseinsstrom (→stream of consciousness) und →innerem Monolog in der modernen Erzähltechnik.

Bewußtseinsstrom →stream of consciousness

Bhana (ind.), komische einaktige Monodramen der klassischen ind. Lit., in denen der einzige Schauspieler, meist Typ des mondänen Lebemannes, ohne weitere szenische Mittel lyrische Strophen, imaginäre Gespräche über versch. Themen bes. des gesellschaftlichen Amüsements vorträgt. Bes. in Südindien weit verbreitete und beliebte, oft auch recht zweideutige Dramenform.

H. v. Glasenapp, D. Litt. Indiens, [2]1961.

Bhavâîs (ind.), derbkomische Volksstücke der westind. Gujarâtî-Lit., die von einer Mimenkaste aufgeführt wurden.

Bibeldichtung →Geistliche Dichtung, →biblisches Drama

Bibelepik →Geistliche Epik

Bibelübersetzung. Da sich hebr. Hss. erst aus sehr später Zeit erhalten haben, gewinnen bes. die älteren B.en an Wert. Die wichtigsten sind: I. Übersetzungen des hebr. AT. ins Griech.: a) *Septuaginta* (= 70, d. h. die nach der Fiktion des Aristeasbriefes von 70 verschiedenen Übersetzern in 70 Tagen geschaffene B.: editio septuaginta virorum), rd. 300 v. Chr. in griech. Umgangssprache (Koiné), für die Bedürfnisse der jüd. Diaspora, bes. der hellenisierten Juden in Alexandria. Ihre weite Verbreitung und Beliebtheit bei den Juden verlor sich mit der wachsenden Benutzung durch die Christen. Als Ersatz entstanden die AT.-B. des b) Aquila von Synope um 130 n. Chr., sehr wörtlich und daher ungriech. im Klang, nur fragmentarisch erhalten, c) Theodotion von Ephesus, Mitte des 2. Jh. n. Chr. in besserem Griech., ebenfalls nur kleine Teile erhalten, und d) Symmachus, 2. Jh. n. Chr., in gutem Griech.; fragmentarisch. e) Die synoptische Ausgabe des Origenes, *Hexapla* (= sechsfältig) stellt diese 4 B.en neben den hebr. Text u. dessen Umschrift in griech. Buchstaben.

II. Übersetzungen des griech. NT. und der Gesamtbibel: a) ins Syrische: *Vetus Syra* aus dem 2. Jh. n. Chr., *Codex Peschitta.* Daneben frühe B.en ins Aramäische und Koptische, b) ins Lat.: *Praevulgata, Vetus latina* (auch *Itala* genannt), in Italien und Afrika entstandene vulgärlat. B. für die Christengemeinde seit dem 2. Jh.; sie wurden zusammengefaßt, verbessert und verdrängt durch die 382 begonnene *Vulgata* des Hieronymus, seit dem Tridentinum 1546, ab 1590/92 in der Revision der *Sixtina-Clementina* für die kath. Kirche maßgebend. c) ins Got. von Bischof Wulfila (Ulfilas) im 4. Jh., älteste german. B., fast nur NT. erhalten (*Codex argenteus* in Uppsala, 5./6. Jh.).

III. Dt. B.en: Die ma. B.en enthalten außer dem Psalter nur Teile des NT. (älteste ahd.: *Monsee-Wiener Fragment*); beliebter sind freie Nachdichtungen. Ahd.: Otfried, *Heliand*, Übersetzung der →Evangelienharmonie Tatians, Notker der Deutsche: *Hiob, Psalmen* u. a., Williram: *Hohelied*; mhd.: Evangelienbuch des Matthäus von Beheim, →Interlinearversion der *Psalmen* aus dem Kloster Windberg (12. Jh.), *Psalter* des Heinrich von Mügeln (14. Jh.). Der erste vollständige Bibeldruck erschien 1466 bei Mentel in Straßburg; zusammen mit den 14 anderen hochdt. B.en vor Luther geht er auf e. B. e. unbekannten bayr. Verfassers zurück; seit 1477 erschienen auch vier niederdt. B.en im Druck, alle nach der *Vulgata.* Luthers B. geht auf den griech. und hebr. Urtext zurück. 1522 erschien das NT. (›Septemberbibel‹, 2. Aufl.

dess. Jahres: ›Dezemberbibel‹), 1523 die 5 Bücher Mosis, 1524 der *Psalter,* 1534 die vollständige B. bei Hans Lufft in Wittenberg. Ihre dialektfreie, doch volkstümliche Sprache und die Rechtschreibung der sächs. →Kanzlei schaffte ihr weite Verbreitung und trug viel zur Schaffung e. einheitlichen dt. →Schriftsprache bei. Schon vor der Ausgabe letzter Hand (1546) zahlreiche Nachdrucke. Andere gleichzeitige B.en oder B.-teile (J. Böschenstein, J. Lang, N. Krumpach, K. Ammann, O. Nachtigall, Hätzer-Denck 1527), bes. kath. zur Verdrängung von Luthers B. (Dr. J. Eck 1537) blieben teils in starker Abhängigkeit von ihr (H. Emser NT. 1527, J. Dietenberger 1534) und erreichten keineswegs dieselbe Bedeutung und Wirkung, während die Luthersche B. ins Niederdt. (NT. 1523, vollständig von Bugenhagen 1534), in Schweizer Nachdrucke und in kombinierte B. drang. Erst 1863 beschloß die Eisenacher Kirchenkonferenz e. Revision des mit der Zeit stellenweise unverständlich gewordenen Originaltextes; ihr Ergebnis, 1892 endgültig vorgelegt, befriedigte nicht, und weitere Revisionen der Dt. Bibelgesellschaft folgten (1912, 1938, 1956–64). Nach Luther schufen wichtige B.en: J. Piscator (1602/04) für die Reformierten, T. Philadelphus (= J. Kaiser, NT. 1733/34) für die Theosophen und Zinzendorf (NT. 1727) für die Pietisten. Neuere kath. B.en sind die von K. u. L. van Ess, Kistemaker, Schlögl (1921 ff.), am weitesten verbreitet die von J. F. v. Allioli (1830 ff.); auf ev. Seite die wissenschaftlichen B.en von Reuss (AT. 1892 ff.), F. E. Schlachter (1905), C. Stange (NT.), Wiese (NT.), ferner H. Menge (1923–26), A. Schlatter (1931), W. Michaelis (1934/1935), F. Päfflin (1939), L. Thimme (1946) und bes. Kautzsch (AT.) – C. Weizsäcker (NT.) 1904 und die *Züricher B.* Moderne B. von F. Sigge (NT.) sowie M. Buber u. F. Rosenzweig (AT.).

IV. Z. Zt. gibt es B.en in 1120 Sprachen, davon vollständige in 191, NT. in 237, Einzelteile in 600 und Auswahlen in 92 Sprachen u. Mundarten.

J. J. Mezger, Gesch. d. dt. B. i. d. schweiz. ref. Kirche, 1876, [2]1967; W. Walther, D. dt. B. d. MA., 1889/92, [2]1966; ders., D. ersten Konkurrenten d. B. Luthers, 1917; E. Brodführer, Untersuchgn. z. vorluther. B., 1922; W. Ziesemer, Stud. z. ma. B., 1928; F. Maurer, Stud. z. mdt. B. vor Luther, 1929; E. A. Nida, *Bible translating,* Philadelphia 1947; F. G. Kenyon, D. Text d. griech. B., [2]1952; RL; J. Schmid, Mod. B.en, 1960; F. F. Bruce, *The Engl. Bible,* Oxf. 1961; A. Metzger, Mod. engl. B.en, 1964; W. Staerk, A. Leitzmann, D. jüd.-dt. B.en, [2]1977.

Biblia pauperum →Armenbibel

Bibliographie (v. griech. *biblos* = Buch, *graphein* = beschreiben: Bücherbeschreibung), früher allg. Lehre vom Buch; heute Bücherkunde: in allen Wissenschaftszweigen unentbehrliche Hilfswissenschaft, die sich mit der Zusammenstellung, Beschreibung (Titel, Verfasser, Band- u. Seitenzahl, Erscheinungsjahr u. -ort), Aufschlüsselung durch kurze Inhaltsangabe (analytische B.) und Wertung (kritische B.) des Schrifttums (Texte und bes. →Sekundärliteratur) allg. oder in e. bestimmten Fachgebiet befaßt. Im engeren Sinn auch das gedruckte Bücherverzeichnis selbst, je nach Anlage unter verschiedenen Gesichtspunkten als Fach-B. oder allg. B., in Beschränkung auf e. Zeitraum (Jahres-B.), e. Landschaft (regionale B.), e. Volk (National-B., in Dtl. die Bücherkataloge von Heinsius 1700–1892, Kayser 1750–1910, Hinrichs 1851–1912, Georg 1883–1912, das *Dt. Bücherverzeichnis* seit 1910 und die *Dt. Bibliographie* seit 1945), e. Person (Personal- oder Bio-B.); es kann lückenlose Vollständigkeit mit periodischen Ergänzungen (laufende B.) oder Auswahl des Wichtigsten angestrebt sein. Die Anordnung der Buchtitel erfolgt alphabetisch nach Verfassernamen und Sachbegriffen, chronologisch nach der Erscheinungszeit oder nach der Wichtigkeit in Sachgruppen. Wichtigste B.n zur dt. Lit.: K. GOEDEKE, *Grundriß z. Gesch. d. dt. Dichtg.*, 2. Aufl. v. E. GÖTZE u. a., 14 Bde. in 18, ²1884–1959 (bis 1830 reichend), N. F. (1830–1880) hg. v. G. MINDE-POUET, 1940 ff.; R. M. MEYER, *Grundriß d. neueren dt. Litgesch.*, ²1907 (1820–1900); A. BARTELS, *Hdb. z. Gesch. d. dt. Lit.*, ²1909; F. LÖWENTHAL, *Bibliogr. Hdb. z. dt. Philol.*, 1932; A. LUTHER, *Dt. Land i. dt. Erzählung*, ²1937; ders., *Dt. Gesch. i. dt. Erzählg.*, 1940; H. W. EPPELSHEIMER, *Hdb. d. Weltlit.*, ³1960; W. KOSCH, *Dt. Lit.-Lexikon*, IV ²1949 ff., VIII ³1966 ff.; J. KÖRNER, *Bibliogr. Hdb. d. dt. Schrifttums*, ⁴1966; H. OLZIEN, *B. z. dt. Litgesch.*, 1953 m. Nachtr. 1955; *B. d. dt. Lit.wiss.*, hg. H. W. EPPELSHEIMER u. C. KÖTTELWESCH, XVI (1945–1976), 1957 ff.; J. HANSEL, *Bücherkde. f. Germanisten*, 1959; dass., Studienausg. ⁷1978; ders., *Personal-B. z. dt. Lit.-gesch.*, ²1974; R. F. ARNOLD, *Allg. Bücherkunde z. neueren dt. Lit.-gesch.*, ⁴1966; G. v. WILPERT, A. GÜHRING, *Erstausgaben dt. Dichtung*, 1967; Internat. B. z. Gesch. d. dt. Lit., IV 1969 ff.; H. WIESNER u. a., *B. d. Personalbibl. z. dt. Gegenwartslit.*, 1970; *Hdb. d. dt. Lit.gesch.*, 2. Abt.: B., XII 1970 ff.; *Bibl. Hdb. d. dt. Lit.wiss.*, hg. C. KÖTTELWESCH, III 1973–78; weitere bibliogr. Angaben bis in die Gegenwart bieten die →Lit.-Zss. (insbes. →Jahresberichte) u. →Literaturlexika.

R. B. McKerrow, *Introd. to b. for Lit.students*, Oxf. 1927; G. Schneider, Hdb. d. B., ⁵1969; ders., Theorie u. Gesch. d. B. (Hdb. d. Bibliothekswiss., hg. F. Milkau, I, ²1952); ders., Einf. i. d. B., 1936; G. Fumagalli, *Vocabulario Bibliographico*, Florenz 1940; M. v. Arnim, Internat. Personal-B., ²1952–63; C. Wendel, D. griech.-röm. Buchbeschreibung, 1949; F. T. Bowers, *Principles of bibl. description*, Princeton 1949; C. F. Bühler u. a., *Standards of bibl. description*, Phil. 1949; H. Bohatta, F. Hodes, Internat. B. d. B.n, 1950; L. N. Malclès, *Les sources du travail bibliographique*, Genf 1950–58; W. Krabbe, B., ⁶1951; O. Pinto, *Le b. Nazionali*, Florenz ²1951; J. H. Shera, *Bibl. organization*, Chic. 1951; B. d. dt. B.n, Lpz. 1954 ff.; P. Freer, *B. and Modern Book Production*, Koph. 1955; ›B. d. versteckten B.n‹, 1956; L.-N. Malclès, *La b.*, Paris 1956; K. Fleischhack, Grundriß d. B., 1957; ders., Leitfaden d. B., 1951; RL; H. Fromm, Germanist. B. seit 1945, 1960; R. Weitzel, Bibl. Suchpraxis, 1962; ders., D. dt. nationalen B.n, ³1963; R. Blum, Vor- u. Frühgesch. d. nationalen Allgemein-B., 1963; L.-N. Malclès, *Manuel de b.*, Paris 1963; H. Baer, B. u. bibl. Arbeitstechnik, ²1964; T. A. Bestermann, *A world b. of b.s*, Lausanne ⁴1965 f.; W. Totok, R. Weitzel, K.-H. Weimann, Hdb. d. bibliogr. Nachschlagewerke, ⁴1972; P. Raabe, Einf. i. d. Bücherkde. z. dt. Lit.wiss., ⁹1978; R. B. Downs, F. B. Jenkins, *B.*, Urbana 1967; W. Friedrich, Einf. i. d. B. z. dt. Lit.wiss., 1967; A. Esdaile, *Manual of B.*, Lond. ²1968; F. Domay, Formenlehre d. bibliogr. Ermittlg., 1968; R. L. Collison, *B.s*, Lond. ³1968; R. Blum, Bibliographia, 1969; H.-J. Koppitz, Grundzüge d. B., 1977; M. S. Batts, *The b. of German Lit.*, Bern 1978.

Bibliographieren, allg. die bibliographische Suchpraxis. Man unterscheidet ›aktive Bibliographie‹ als das Zusammenstellen einer →Bibliographie und ›passive Bibliographie‹ als das bloße Benutzen bibliographischer Nachschlagewerke zur Ermittlung gesuchter Titel.

Bibliomanie (v. griech. *mania* = Raserei, Wahnsinn), krankhaft übersteigerte Neigung zum Sammeln von Büchern jenseits der Gebote von Moral und Vernunft, oft nicht nach ihrem inneren Wert, sondern äußeren Gesichtspunkten (Einband, Papier, Format, Alter, Offizin, Seltenheiten). Die Grenze zu Extremformen der →Bibliophilie ist schwer zu ziehen. Berühmtester Bibliomane, Mörder aus B., war der Thüringer Pfarrer TINIUS († 1846).

Bibliophilie (v. griech. *philia* = Liebe, Freundschaft), Bücherliebhaberei, Neigung zum Sammeln seltener, schön ausgestatteter oder aufgrund ihres Alters oder ihrer Schicksale (frühere Besitzer!) o. ä. bes. wertvoller Bücher, etwa Erstausgaben, illustrierte Werke, Autographen, Inkunabeln, schöne Drucke. Im Ggs. zur →Bibliomanie wohnt ihr e. persönliches Verhältnis zu den gesammelten Werken inne, doch überwiegt die ästhet. Freude am Gegenstandswert und der Authentizität e. Drucks als Sammelwert die am lit. Wert des Inhalts. Sammelgebiete sind etwa Illustrationswerke, Luxus- und Pressedrucke, schöne Einbände, Jagd-, Vogel-, Pflanzenbücher, alte Reiseberichte, alte Naturwissenschaften, einzelne Epochen der dt. oder fremden Lit.; spezielle Autoren, Bestseller, Militaria, Erotika u. a. m. Die B. reicht bis ins Altertum (CICERO) und MA. (RICHARD DE BURY, *Philobiblon,* 1345) zurück, entfaltet sich zuerst im Humanismus (PETRARCA, REUCHLIN) und dann seit dem 18. Jh. bes. in Frankreich, England und Dtl., im 19./20. Jh. auch in den USA, gefördert durch bibliophile Gesellschaften (Ges. der Bibliophilen, Maximilian-Ges., Ges. der Bücherfreunde u. a.), deren Veröffentlichungen und bibliophile Zss. (*Zs. f. Bücherfreunde,* 1897–1936, *Philobiblon,* 1928 ff., *Imprimatur,* 1930 ff.). Bibliophile Drucke sind in kleiner Auflage für den Liebhaberkreis hergestellte Prachtausgaben, oft auch älterer Literaturwerke.

O. Mühlbrecht, D. Bücherliebhaberei, [2]1898; G. A. E. Bogeng, Umriß e. Fachkunde f. Büchersammler, 1911; ders., D. großen Bibliophilen, 1922; ders., Einführung i. d. B., 1931; E. Hölscher, Hdwb. f. Büchersammler, 1947; A. Bradley, *Gold in your Attic,* II N. Y. 1958–62; K. F. Plesner, *Bøger og bogsamlere,* Koph. 1962; J. Carter, *ABC for book-collectors,* Lond. [4]1966; J. T. Winterich, D. A. Randall, *A primer for book collecting,* Lond. [3]1967; B. Zeller, B. (Antiquariat 18, 1968); L. Bielschowsky, Der Büchersammler, 1972.

Bibliothek (v. griech. *theke* = Behältnis), Aufbewahrungsort e. der Benutzung dienenden Büchersammlung (i. Ggs. zum Lager des Buchhändlers), dann auch diese selbst. Man unterscheidet nach dem Besitzstand private, halböffentliche (Werks-, Vereins-, Instituts-B.) und öffentliche B.en, letztere unterteilt in wissenschaftliche B.en (National-, Landes- und Stadt-B., die als Universal-B. das Schrifttum ihres Raumes möglichst vollständig sammeln, und Spezial-B. wie Universitäts-, Instituts-, Behörden- und Schul-B.), die nur e. begrenzten Benutzerkreis zugänglich sind, und allg. B.en oder →Volksbüchereien, die mit privaten oder städtischen Mitteln neben bildenden auch unterhaltenden Zwekken dienen. Eine Zwischenform bildet die Einheits-B. Gegenüber diesen gemeinnützigen B.en sind die sog. Leih-B.en auf Profit abzielende private Geschäftsunternehmungen. Nach der Verwaltungsart unterscheidet man bei großen öffentlichen B.en die Ausleih-B.en, deren Bücher unter bestimmten Bedingungen befristet dem Benutzer mit nach Hause gegeben werden, von den Präsenz-B.en, deren Werke nur im anliegenden Lesesaal eingesehen werden können. Die Bestände der B. stehen im Magazin systematisch nach Sachgebieten oder (heute meist) nach Akzession (d. h. Zugang) geordnet und werden für die Benutzer durch alphabet. Namens-, systemat. Sach- und Schlagwortkataloge oder die Vereinigung aller drei Katalogformen im Kreuzkatalog erschlossen. Zur Verwaltung und Vermehrung der Buchbestände durch Neuerwerbungen (Neuerscheinungen, Antiquariats- und Auktionskäufe) dient ein vom Unterhaltsträger bestimmter Etat. Staats- und Landesbibliotheken erhalten darüber hinaus ein Pflichtexemplar jedes in ihrem Bereich erschienenen Werkes. Nicht am Ort vorhandene Bücher können über den auswärtigen Leihverkehr besorgt werden; der schnellen Standortermittlung dienen die Zentralkataloge der Länder.

Bereits im alten Ägypten und Babylonien (ASSURBANIPAL) gab es B.en, aus denen manche Papyrusrollen oder Keilschriftdenkmäler erhalten sind. Unter PEISISTRATOS entstand die erste öffentliche B. in Griechenland; berühmt war die Privat-B. des ARISTOTELES; mit der Aufgabe staatlicher Selbständigkeit verlegte sich das Schwergewicht auf die hellenist. Kolonien: Die Ptolemäer scheuten keine Mühen und Kosten für die Erweiterung der Museion-B. in Alexandria; vor ihrem Brande 47 v. Chr. enthielt sie 700 000 Papyrusrollen. Mit ihr rivalisierte die B. in Pergamon (3./2. Jh. v. Chr., →Pergament). In Rom gründete ASINIUS POLLIO 39 v. Chr. die erste öffentliche B., ihm folgten AUGUSTUS mit der Octaviana und der Palatinischen B. sowie TRAJAN mit je e. griech. und lat. B. auf dem Forum, und in der späteren Kaiserzeit schlossen sich die meisten größeren Städte an; auch zu den Gepflogenheiten der Vornehmen gehörte e. Privat-B. Im MA. bewahren die B.en der Klöster (Vivarium, Bobbio, Monte Cassino, Corbie, Cluny, St. Gallen, Reichenau, Tegernsee, Fulda u. a.) e. reichen Bücherhort, den sie durch Schenkungen, Abschriften und Tausch mehren und z. T. als Kettenbücher auf Pulten auslegen, bis mit Renaissance und Humanismus e. neue B.spflege einsetzt und die Schätze der Kloster-B.en an Fürstenhöfe oder neugegründete städtische B.en (Ambrosiana in Mailand, B. von S. Marco und Laurentiana in Florenz, Marciana in Venedig) wandern bzw. im Säkularisierungsverfahren (Reichsdeputationshauptschluß 1803) den Landes-B.en zufallen. Aus den privaten fürstl. Hof-B.en werden spätestens 1918 öffentl. Regional-B.en. Die aufstrebenden Universitäten bleiben die größten Benutzer der B.en. Die führende dt. B. des 16. Jh. war die Palatina in Heidelberg, im 17. Jh. die Augusta in Wolffenbüttel (1604), im 18. Jh. die Göttinger Univ.-B. (1735). In Dtl. ist seit 1912 die →Dt. Bücherei in Leipzig die zentrale Sammelstelle des gesamten Schrifttums, für die Bundesrepublik seit 1948 daneben die →Dt. B. in Frankfurt. Mit dem Abnehmen der Privat-B. wächst die Aufgabe der öffentl. B.en, die z. T. im 2. Weltkrieg starke Verluste erlitten. – Größte B.en der Welt (Bestand in Mill. Bänden, infolge unterschiedl. Zählweise nicht vergleichbar): Moskau, Lenin-B. (22), Washington, Library of Congress (14), Leningrad, Saltykov-Ščedrin-B. (14), Cambridge, Mass., Harvard Univ. (6,8), Paris, B. Nationale (6), London, Britisch Museum (6), Leningrad, Akademie d. Wiss. (6), Moskau, Gorkij-Univ. (5), Kiew, National-B. (5), Peking, National-B. (4,4), New Haven, Yale Univ. (4,3), Urbana Univ. (4), Florenz, National-B. (4), Leipzig, Dt. Bücherei (4), Leningrad, Univ. (3,5), Prag, National-B. (3,3), New York, Public Library (3,2) und Columbia Univ. (3,1), Paris, Sorbonne (3), Los Angeles, Public Library (3), Straßburg,

Staats-B. (3), Charkov, Korolenko-B. (3), Riga, Staats-B. (3), Tokyo, Univ. (3), Albany, State Library (3), Cleveland, Public Library (3), Berkeley, Univ. (2,9), Ann Arbor, Univ. (2,7), Ithaca, Univ. (2,58), München, Staats-B. (2,5), Berlin, Dt. Staats-B. (2,4).

Th. Gottlieb, Üb. ma. B.n, 1890, neu 1955; A. Graesel, Hdb. d. B.lehre, [2]1902; A. Hessel, Gesch. d. B., 1926; Sparn, *El crecimiento de las grandes bibliotecas de la tierra,* 1926; W. Krabbe, Kurzgef. Lehrb. d. B.verwaltg., 1937; H. Kramm, Dt. B. unter d. Einfl. v. Humanism. u. Reformat., 1938; G. Leyh, D. dt. wiss. B. nach d. Kriege, 1947; E. Wilkens, R. Kock, D. öffentl. Büchereiwesen i. d. Bundesrep., 1950; W. Krabbe, W. M. Luther, Lehrb. d. B.verwaltg., 1953; J. Kirchner, B.wiss., [2]1953; R. Schmidt, Theorie d. Leihbücherei, 1954; J. Vorstius, Grundzüge d. B.gesch., [6]1969; E. Mehl, K. Hannemann, Dt. B.gesch., in: Aufriß, [2]1956; K. Löffler, Einf. i. d. Katalogkunde, [2]1956; G. Leyh, D. dt. B.n v. d. Aufkl. bis z. Ggw., 1956; Hdb. d. B.swiss., hg. v. F. Milkau, [2]1957 ff.; J. W. Thompson, *The medieval library,* [2]1957; F. Wormald, *The Engl. library before 1700,* Lond. 1958; R. Irwin, *The Engl. library,* Lond. [2]1966; ders., *The heritage of the Engl. library,* Lond. 1964; K. Kunze, B.sverwaltungslehre, [2]1958; L. M. Harrod, *The librarian's glossary,* Lond. [2]1959; *Nordisk Håndbog i B.-skundskap,* Koph. 1960; R. N. Lock, *Library administration,* Lond. 1961; Hdb. d. Büchereiwesens, hg. J. Langfeldt 1961 ff.; R. Stromeyer, Europ. B.sbauten seit 1930, 1961; H. Fuchs, Kurzgef. Verwaltgslehre f. Institutsb., 1961; H. Fuchs, B.verwaltung, [2]1968; F. Kunz, S. Glotz, Kl. B.kunde, 1963; R. Mummendey, V. Büchern u. B.n, [2]1964; J. Stummvoll, D. B. d. Zukunft, 1965; E. D. Johnson, *A hist. of libraries in the western world,* N. Y. 1965; J. Busch, Bibliogr. z. B.- u. Büchereiwesen, 1966; *Encyclopedia of librarianship,* hg. T. Landau, Lond. [3]1966; H. Kunze, Grundzüge d. B.lehre, [3]1967; G. v. Busse, H. Ernestus, D. B.wesen d. BRD., 1968; Lex. d. B.wesens, hg. H. Kunze 1969; R. Kluth, Grundr. d. B.lehre, 1970; ders., Einf. i. d. B.benutzg., 1971; R. Hacker, Bibliothekar. Grundwissen, 1972; K.-H. Weimann, B.-gesch., 1975; W. Thauer, Gesch. d. öffentl. Bücherei i. Dtl., 1978; G. v. Busse, Struktur u. Organisation d. wiss. B.wesens i. d. BR., 1978.

Bibliothekszeichen →Exlibris

Biblisches Drama, im Ggs. zum →geistlichen Drama des MA. kein Gemeinschaftsspiel der Bürgerschaft zur Verherrlichung kirchlicher Feste und Darstellung christl. Lehre, sondern bewußte, moderne Dramenform nach Stoffen aus der Bibel. Schon die Bevorzugung des AT. zeigt, daß es weniger um direkte Verkündigung der Heilsbotschaft als um Dramatisierung bekannter Geschehnisse und Gestalten ging: Sündenfall, Kain und Abel, Susanna, Rebekka, Esther, Tobias, Judith, Ruth, Joseph; aus dem NT. die Gleichnisse vom verlorenen Sohn und vom armen Lazarus; oft mit starker Tendenz und Betonung des moralischen Zwecks in Prolog, Epilog und Chorliedern. Aus e. Vorstufe im SpätMA. unter dem Einfluß des Humanismus zum Kunstdrama entwickelt, erhält das b. D. starken Auftrieb als Mittel im Reformationskampf. LUTHER weist wiederholt auf seinen Wert hin. Blütezeit ist daher das 16. Jh.: in der Schweiz die Massenszenen von J. RUF (*Spiel von Josef,* 1540) und S. BIRCK (*Judith,* 1532), in Deutschland B. WALDIS (*Der verlorene Sohn,* 1527), P. REBHUHN (*Susanna,* 1535, *Hochzeit zu Kana,* 1538), H. SACHS (*David, Judith, Esther, Jakob, Saul* u.a.m.), N. FRISCHLIN (*Rebekka,* 1576, *Susanna,* 1578), Th. NAOGEORGUS (*Judas Iscariotes,* 1552), auch einzelne Stücke von Herzog HEINRICH JULIUS von Braunschweig (*Susanna,* 1593) und J. AYRER (*Lazarus,* 1598). Auch die →Englischen Komödianten und →Jesuitendramen pflegen das b. D., ebenso G. PEELE (*The love of King David and Bethsabe,* 1588), J. van den VONDEL (*Koning David,* 1660) und die franz. Klassik (RACINE *Esther,* 1689, *Athalie,* 1691); der dt. Barockdichtung ist es bei seiner engen stofflichen Gebundenheit fremd (Ausnahme: J. KLAJ), erst Chr. WEI-

SE (1642–1708) nahm viele Stoffe des AT. wieder auf, blieb jedoch ohne Nachfolge, ebenso wie die kurze Blüte des b. D. rd. 1755–75 durch den Wetteifer von KLOPSTOCK (*Der Tod Adams,* 1756, *Salomo,* 1763, *David,* 1763), BODMER (Josephsdramen, 1754, *Vater der Gläubigen,* 1778, *Tod des ersten Menschen,* 1763) und LAVATER (*Abraham und Isaak,* 1776). Die biblischen Stoffe im Drama des 19. Jh. sind oft nur noch Gefäß für weltanschauliche Ideen und Probleme oder psychologische Deutung: GUTZKOW, *König Saul,* 1839, O. LUDWIG, *Die Makkabäer,* 1852, HEBBEL, *Judith,* 1841, *Herodes und Mariamne,* 1850, GRILLPARZER, *Esther*-Fragment, 1877. Die letzte Wiederaufnahme des b. D. geschah bei einigen Dichtern des Impressionismus (E. HARDT, *König Salomo,* 1915; R. BEER-HOFMANN, *Die Historie von König David,* 1920–1933) und des Expressionismus (M. BROD, *Die Arche Noah,* 1913, F. KOFFKA, *Kain,* 1917, F. JUNG, *Saul,* 1917, R. SORGE, *König David,* 1918, A. NADEL, *Der Sündenfall,* 1920, F. WERFEL, *Paulus unter den Juden,* 1926), in Frankreich bei P. CLAUDEL (*Annonce faite à Marie,* 1912, *L'histoire de Tobie et de Sarah,* 1938), J. GIRAUDOUX (*Judith,* 1932, *Sodome et Gomorrhe,* 1943) und M. PAGNOL (*Judas,* 1955), in England bei O. WILDE (*Salome,* 1893), Chr. FRY (*The Firstborn,* 1948) und P. CHAYEFSKY (*Gideon,* 1961). Volkstümliche bibl. Motive in mod. Umwelt gestaltet M. MELL im *Apostelspiel* (1923) und im *Nachfolge-Christi-Spiel* (1927).

M. Roston, *Bibl. drama in England,* Lond. 1968.

Biedermeier. Der Name stammt von L. E. EICHRODTS Parodie des treuherzigen Spießbürgers der →Vormärzzeit im ›schwäbischen Schullehrer Gottlieb Biedermaier‹ und seinen Gedichten (*Münchener Fliegende Blätter* 1850–57), zuerst auf die bürgerliche Wohnkultur (B.-stil), dann auf die beschauliche Genremalerei der Zeit (SPITZWEG) übertragen, wurde es zum Schlagwort für die philiströs-unpolitische Zeit 1815–48 und als solcher Epochenbegriff auch für die Dichtung beansprucht: Es bezeichnet hier die genügsame, unheroische und unpolitische bürgerliche Dichtung zwischen der patriotischen Bewegung der →Befreiungskriege und dem Beginn des →Realismus, neben der →Romantik und dem →Jungen Deutschland. Begriff sowie Zugehörigkeit der einzelnen Dichter sind noch stark umstritten (bes. Österreicher u. Schwaben: GRILLPARZER, STIFTER, RAIMUND, LENAU, UHLAND, MÖRIKE; ferner DROSTE und IMMERMANN, auch engl. und franz. Zeitgenossen), und die lit. Größe dieser hervorragenden Vertreter scheint eher im Überragen des B. als in den zweifellos vorhandenen Gemeinsamkeiten der Kulturepoche zu bestehen. Das B. trägt das Vermächtnis der Klassik (in Österreich auch des Barock) ohne Epigonenhaftigkeit weiter, gestaltet es jedoch durch Aufnahme realistischer Elemente um (›Realidealismus‹). Aus der Neigung zum Idealismus bei Anerkennung der gegensätzlichen Wirklichkeit entsteht nur selten e. Synthese in betonter Innerlichkeit und harmonischer Klarheit; häufig bricht die Melancholie durch: Sehnsucht und Wünsche stehen neben tiefer Resignation und Versenkung in die Vergangenheit, selbst der Humor ist e. schwerelose ›Heiterkeit auf dem Grunde der Schwermut‹. Das Laute, Dämonische und Große wird als zerstörend vermieden; Bändigung der Leidenschaften und dämonischen Gewalten unter ein sittliches Ideal und e. starke Naturnähe kennzeichnen die Dichtung der Zeit, die in erster Linie Kleinkunst ist und sein will. Die Epik bevorzugt – bei feinster Pflege des Stils – Formen wie Skizze, Stimmungsbild, Märchen oder geschlossene Novelle; auch in der Lyrik zeigt sich e. Neigung zum Epischen: Ballade und Verserzählung blühen; in die Breite wirken vornehmlich die unzähligen →Taschenbücher und →Musenalmanache – es ist die Zeit des Versemachens und der Stammbücher. Die Unterhaltungslit. zeigt dagegen e. Zug zum Schaurigen (SPINDLER), zum Lehrhaften in großen historischen Romanen – es ist die Zeit der einsetzenden →Konversationslexika – im Theater zum Rührstück (Ch. BIRCH-PFEIFFER, →Lokalstücke).

M. v. Boehn, B., 1911; G. Weydt, Lit. B., DVJ 9, 1931 u. 13, 1935; W. Bietak, V. Wesen d. österr. B. u. seiner Dichtung (ebda.); ders., D. Lebensgefühl d. B. i. d. österr. Dichtg., 1931; ders., Zw. Romantik, Jg. Dtl. u. Realismus, DVJ 14, 1936; R. Majut, D. lit. B., GRM 20, 1932; H. Pongs, Zur Bürgerkultur d. B. (Dichtung u. Volkstum 36, 1935); A. v. Grolman, B.forschung (ebda.); F. J. Schneider, B. u. Literaturwissensch. (Preuß. Jahrb. 240, 1935); F. Brie, Lit. B. i. Engl., DVJ 13, 1935; P. Kluckhohn, B. als lit. Epochenbz., DVJ 13, 1935 u. 14, 1936; A. P. Berkhout, B. u. poet. Realismus, Diss. Amsterdam 1942; A. Wandruszka, Amerik. B. (Wort u. Tat 1, 1946); P. Hacks, D. Theaterstück d. B., Diss. Mchn. 1951; G. Weydt, B. u. Jg. Dtl., DVJ 25, 1951; H. Meyer, D. lit. B. (Deutschunterr. Beil. 2, 1952); M. Greiner, Zw. B. u. Bourgeoisie, 1953; W. Dietl, D. Lit. d. österr. B., Diss. Innsbruck 1954; RL; J. Hermand, D. lit. Formenwelt d. B., 1958; W. Flemming, D. Problematik d. Bz. B., GRM 1958; W. Höllerer, Zw. Klassik u. Moderne, 1958; F. Sengle, Voraussetzgn. u. Erscheinungsformen d. dt. Restaurationslit. (in: Arbeiten z. dt. Lit., 1965); J. Hermand, M. Windfuhr, Z. Lit. d. Restaurationsepoche, 1970; R. Schröder, Novelle u. -theorie i. d. frühen B.zeit, 1970; F. Sengle, B.zeit, 3 Bde. 1971 ff.; E. Neubuhr (hg.), Begriffsbestimmung d. lit. B., 1974.

Bild. Wesentlicher Bestandteil jedes Sprachkunstwerkes im Ggs. zum theoretischen Schrifttum ist Bildhaftigkeit: Sie gestattet e. eigene Dingwelt in lebendiger Fülle, und zwar e. Welt, die sich ohne äußere Realität erst durch sie und in ihr entfaltet. Das B., schon als sprachliches Gebilde von stärkster Gefühlseinprägsamkeit, Anschaulichkeit und Gehaltsverdichtung, ist wichtigstes Mittel dieser Eigenschöpfung. Es ersetzt die nüchtern-sachliche Aussage durch e. eigene, eindringliche Gegenstandswelt, die durch ihre Gefühlshaltigkeit und Beseelung über der kalten Dingwelt steht (Beispiel: GOETHE, *Mignon*). Die Art der Bildgestaltung im einzelnen reicht von der Folge nur schwach angedeuteter, verschwommener Bilder (Bilderflucht)bis zum in sich geschlossenen, statischen B. von gegenständlicher Fülle und tiefer Bedeutsamkeit. Bes. in der Lyrik erscheint das B. geprägt von stärkster gefühlsmäßiger Anteilnahme des Sprechenden, die sich schon in der Art der Skizzierung und Ausgestaltung bekundet; kaum seltener ist es in der Erzählung, wo es durch →Beschreibung entsteht, doch auch hier z. T. von intensivster Wirkung bes. als Schlußbild in Roman (JEAN PAUL, *Titan*) und Novelle (C. F. MEYER, *Die Hochzeit des Mönchs*). – Abgesehen von der allgemeinen Bildhaftigkeit dichterischer Sprache unterscheidet man die Sonderformen →Gleichnis, →Vergleich, →Symbol oder Sinnbild, →Emblem, →Metapher und →Katachrese von den sog. uneigentlichen Redeformen, die zur Bz. des Gemeinten e. Ausdruck aus anderem Bereich übertragen und dadurch der Aussage geistige Vertiefung schaffen, bes. →Allegorie und →Personifikation.

H. Pongs, D. B. i. d. Dichtung, II 1927 ff., IV ²1960–73; S. J. Brown, *The world of imagery,* Lond. 1927; L. H. Hornstein, *Analysis of Imagery,* PMLA LVII, 1942; C. Day Lewis, *The poetic image,* Lond. [6]1951; W. Killy, Wandlgn. d. lyr. B., [5]1967; R. Wellek, A. Warren, Theorie d. Lit., 1959; J. W. Beach, *Obsessive images,* Minneapolis 1960; J. Bloch-Michel, D. B. (Akzente 9, 1962); H. Seidler, Allg. Stilistik, [2]1963; ders., D. Dichtg., [2]1965; M. Hardt, Stud. z. Funktionsweisen v. B. u. B.reihen i. d. Lit., 1966; W. Kayser, D. sprachl. Kunstwerk, [12]1967; K.-H. Hillmann, Bildlichkeit d. dt. Romantik, 1971; B. A. Sörensen (hg.), Allegorie u. Symbol, 1972; P. Requadt, Bildlichkeit der Dichtg., 1974; A. de Vries, *A dictionary of symbols and imagery,* Amsterd. [2]1976. →Symbol, →Allegorie.

Bildbruch →Katachrese

Bilderbibel, mit zahlreichen Bildern, seit der Erfindung des Buchdrucks bes. Holzschnitten, versehene Bibelausgabe. Sie entwickelt sich im 15. Jh. aus der →Armenbibel (Kölner B. 1479, Lübecker B. 1494) und verzichtet oft auf Vollständigkeit der Textwiedergabe zugunsten e. Erläuterung der Bilder. Bekannte Bibelillustrationen von DÜRER, H. HOLBEIN d. J., H. S. BEHAM, V. SOLIS, J. AMANN, T. STIMMER, G. DORÉ (1866) und SCHNORR VON CAROLSFELD (1860).

R. Muther, D. ältest. B.n, 1883.

Bilderbogen, reichillustrierte Erzählungen mit knappem Text (Unterschrift oder Spruchband-Reden), mehr inhaltlich zusammengehörige Bilderfolgen mit Kurzlegenden für ein anspruchsloses Publikum, finden sich seit dem 13./14. Jh. als Hss., dann als oft kolorierte Einblattdrucke (Holzschnitt) mit volkstümlichen Sensationsberichten, Nachrichten, Streitgesprächen, belehrenden und belustigenden Schnurren, religiösen und polit. Erörterungen und bes. mit stereotypen Themen (→Totentanz, Verkehrte Welt, Jungmühle u. a.). Sie wurden im MA. auf Jahrmärkten und Volksfesten verkauft, beim →Bänkelsang mit Sittenbildern und Kuriositäten, im 19. Jh. u. a. als *Münchener B.* (1850–1898), im 20. Jh. als →Comics.

H. Fehr, Massenkunst i. 16. Jh., 1924; H. Rosenfeld, D. dt. Bildged., 1935; ders., D. ma. B. (Zs. f. dt. Altert. 85, 1954); RL; A. Spamer (Reallex. d. dt. Kunstgesch. II, 1948); P. Toschi, *Stampe popolari italiane,* Mail. 1965.

Bilderbuch, illustriertes Kinderbuch, dessen Text nur nebensächliche Beigabe zu den Bildern ist oder gar ganz fehlt. Die einfachen, meist farbigen Bilder aus der kindlichen Begriffswelt sind dem Auffassungsvermögen der 2–7jährigen angepaßt. Beginnt mit den Holzschnitten der A–B–C-Bücher (J. GRISSBEUTEL *Stimmenbüchlein* 1531) und Fabelillustrationen (B. WALDIS, *Der ganz neu gemachte Esopus,* 1548, G. ROLLENHAGEN, *Froschmeuseler,* 1591) sowie der →Einblattdrucke. Im 18. Jh. erscheinen neben e. Fülle von moralischen und biblischen B.ern auch J. B. BASEDOWS 4-bändiges *Elementarwerk* (1770–74) für die Jugend, F. BERTUCHS *B. für Kinder* (1790 ff.), Ch. G. SALZMANNS *Elementarbuch* (1785–95) u. a.; im 19. Jh. folgten bebilderte Märchen- und Volksliederbücher (z. B. mit Illustrationen von L. RICHTER, Th. HOSEMANN, F. POCCI, O. SPECKTER); in weiteste Kreise wirkten H. HOFFMANNS *Struwwelpeter* (1845), W. BUSCHS *Max und Moritz* (1865).

A. Rümann, Alte dt. Kinderbücher, 1937; B. Hürlimann, D. Welt i. B., 1965; D. B., hg. K. Doderer, H. Müller 1973. →Jugendbuch, →Illustration.

Bilderlyrik (griech. *technopaignia,* lat. *carmina figurata*), metrisch-graphische Spielerei: Gedichte, deren Verse durch verschiedene Länge und Druckanordnung im graphischen Umriß (Satzspiegel) Symbolgegenstände darstellen. Die äußere Gestalt steht in spielerischer Beziehung zum Inhalt, und das Auf- und Abschwellen der Verslängen soll den organischen Rhythmus der Form ergeben. Bevorzugte Formen sind Herzen, Kreuze, Pyramiden, Eier, Säulen, Kronen, Schwerter, Bäume, Äpfel, Flügel, Orgeln, Lauten, Waagen, als Prunkstück der daktylische Pokal. B. erscheint zuerst in der alexandrin. Dichtung (THEOKRIT, SIMMIAS von Rhodos) als Beschriftung von Weihgeschenken; sodann bei PORPHYRIOS und den Dichtern der Karolingischen Renaissance und in pers. Lyrik. C. SCALIGERS →Poetik führt sie 1561 theoretisch wieder ein, nach ihm SCHOTTEL 1645 und zahlreiche andere europ. Barockpoetiken, bis BOILEAU (*L'art poétique,* 1669–74) und nach ihm MORHOF, Chr. WEISE und OMEIS gegen ihre Verwendung einschreiten. Verbreitet ist die B. in der ganzen dt. Barockdichtung (ZESEN, BIRKEN), bes. bei den Nürnberger Pegnitzschäfern; als prunkvolle Gestalt formloser Gelegenheits- und Widmungsgedichte erhält sie sich bei kleineren Poeten bis ins 18. Jh., später nachgeahmt von A. HOLZ u. Chr. MORGENSTERN (Gedicht *Der Trichter*).

K. Borinski, D. Poetik d. Renaissance, 1886; C. Haeberlin, Carmina figurata graeca, 1887; J. v. Schlosser, B. (Jahrb. d. Kunsthist. Slg. Wien 13, 1892); U. v. Wilamowitz, D. griech. Technopaignia (Jahrb. d. archäol. Inst. 14, 1899); M. Zobeltitz, Üb. Figurenged. (Gutenberg-Festschr. 1925); H. Rosenfeld, D. dt. Bildgedicht, 1935, [2]1967; RL; A. Becker, GRM 33 u. 34, 1951 f.; R. G. Warnock, R. Folter, *The German pattern poem* (Fs. D. W. Schumann, 1970); Massin, Buchstabenbilder u. Bildalphabete, 1970; H. Rosenfeld, Bild u. Schrift (Archiv f. Gesch. d. Buchwesens 11, 1971).

Bilderrätsel →Rebus

Bilderreim →Bilderlyrik

Bilderschrift, jede Schrift, die nicht die einzelnen Laute, sondern durch bildsymbolische Zeichen ganze Wörter und Begriffe komplex wiedergibt, bes. die chines. B. und die →Hieroglyphen.

Lit. →Schrift

Bildgedicht →Bilderlyrik, →Gemäldegedicht

Bildgeschichte, allg. jede Geschichte, deren Handlung vorwiegend in Bildern oder durch Bilder erzählt wird, während der Text, falls überhaupt vorhanden, von untergeordneter Bedeutung ist und etwa nur den Dialog angibt. Die Variationsbreite der Gattung reicht vom primitiven →Bilderbogen und →Comics bis zu den B.n von W. BUSCH.

Bildreihengedicht entsteht durch Reihung verschiedener mehr oder weniger ausgeführter →Bilder (je 1 Zeile bis zur Strophe) um dieselbe Idee, die in der Überschrift (HARSDÖRFFER *Was ist die arge Welt?,* HEYM *Die Ruhigen*), in der Einleitung des Gedichts (HOFMANNSWALDAU *Die Welt,* GRYPHIUS) oder an dessen Schluß (STORM *Juli,* R. SCHAUMANN *Siehe*) zusammenfassend erscheint und der Bildkette den gemeinsamen Sinn unterlegt.

R. N. Maier, D. B. (Wirkendes Wort 3, 1952/53).

Bildsprung →Katachrese

Bildstreifen →Comics

Bildungsdichtung, jede Dichtung, in der starke bildungshafte, d. h. angelernte Elemente (z. B. Anspielungen auf Mythologie, Sage und Geschichte, auf die Bibel, philosophische Systeme und fremde Dichtwerke) die eigtl. Aussage des Dichters tiefgreifend formen, wo nicht überdecken; sie setzt beim Leser ein ebenbürtiges Bildungsniveau voraus. Hang zur B. besteht bes. immer dort, wo in neuerer Zeit antike Elemente wiederaufgenommen werden.

Bildungsroman, spezifisch dt. Abart des →Entwicklungsromans, bei der weniger die Persönlichkeits- und Charakterentwicklung im Laufe der Lebensschicksale des Helden, als vielmehr der Einfluß der objektiven Kulturgüter und der personalen Umwelt auf die seelische Reifung und damit die Entfaltung und harmonische Ausbildung der geistigen Anlagen (Charakter, Willen) zur Gesamtpersönlichkeit im Mittelpunkt steht (z. B. GOETHES *Wilhelm Meister*); meist mit dem →Erziehungs- oder →Entwicklungsroman verschmolzen: Ch. M. WIELAND, *Agathon,* L. TIECK, *Franz Sternbalds Wanderungen,* NOVALIS, *Heinrich von Ofterdingen,* JEAN PAUL, *Titan,* A. STIFTER, *Nachsommer,* G. KELLER, *Der grüne Heinrich,* W. RAABE, *Der Hungerpastor,* A. SCHAEFFER, *Helianth,* Th. MANN, *Dr. Faustus,* H. HESSE, *Das Glasperlenspiel,* im Ausland Ch. DICKENS, *David Copperfield* und R. ROLLAND, *Jean Christophe.*

E. L. Stahl, D. rel. u. human.-phil. Bildgs.-idee u. d. Entstehg. d. dt. B. i. 18. Jh., 1934; H. H. Borcherdt, D. dt. B. (V. dt. Art i. Spr. u. Dtg. V, 1941); B. Berger, D. mod. dt. B., 1942; B. Walter, D. mod. dt. B., Diss. Bln. 1948; A. Schötz, Gehalt u. Form d. B. i. 20. Jh., Diss. Erl. 1950; H. Wagner, D. engl. B., 1951; F. Martini, D. B., DVJ 35, 1961; H. Seidler, Wandlgn. d. dt. B. i. 19. Jh. (Wirk. Wort 11, 1961); RL; R. Pascal, *The German Novel,* Lond. [3]1965; J. Scharfschwerdt, Th. Mann u. d. dt. B., 1967; H. Germer, *The German novel of education,* 1968; G. Röder, Glück u. glückl. Ende i. dt. B., 1968; L. Köhn, Entwicklungs- u. B., 1969; F. Jost, *La tradition du B.* (*Compar. Lit.* 21, 1969); J. Jacobs, Wilh. Meister u. s. Brüder, 1972; M. Schrader, Mimesis u. Poesis, 1975; M. Swales, *The German B.,* Princeton 1977. →Entwicklungsroman.

Bildwort, die plastisch-bildhafte Gestaltung e. Vorstellungsinhalts, der auch abstrakte Formulierung im →Begriffswort zuließe; meist durch →Metaphern: ›Frühlings-Einzug‹ statt ›-Beginn‹, auch durch bildhafte Lautgestaltung: ›Zickzack‹.

Binnenerzählung, die gerahmte Erzählung innerhalb einer →Rahmenerzählung.

Binnenreim, allg. jeder Reim, von dem eins oder beide beteiligten Reimwörter im Versinneren stehen, →Schlagreim, →Mittelreim, →Inreim, →Zäsurreim, →Mittenreim. Im engeren Sinne der Reim zweier Wörter innerhalb derselben Verszeile: ›Es herzet und scherzet das flüchtige Reh‹ (J. KLAJ).

Biographie (griech. *bios* = Leben, *graphein* = schreiben), Lebensbeschreibung, als solche Zweig der Geschichtsschreibung: verbindet die Darstellung des äußeren Lebensablaufs und der inneren Entwicklung e. Einzelmenschen mit der Betrachtung seiner Leistungen. Hauptaufgabe der B. ist, ›den Menschen in seinen Zeitverhältnissen darzustellen u. zu zeigen, inwiefern ihm das Ganze widerstrebt, inwiefern es ihn begünstigt, wie er sich eine Welt- und Menschenansicht daraus gebildet und wie er sie, wenn er Künstler, Dichter, Schriftsteller ist, wieder nach außen abspiegelt‹ (GOETHE) Als Lebenslauf (→vita) großer politischer, geistiger oder künstlerisch-dichterischer Persönlichkeiten war die B. schon in der Spätantike verbreitet: PLUTARCH stellte exemplarisch je einen Griechen und e. Römer nebeneinander, SUETON beschrieb nach festem Schema die Lebensläufe der röm. Kaiser, CORNELIUS NEPOS allg. bedeutende Persönlichkeiten, TACITUS das Leben s. Schwiegervaters Agricola, und DIOGENES LAERTIUS sammelte B.n der Philosophen. Die frühchristl. B. beginnt im Grunde mit den Evangelien und der Apostelgeschichte und behandelt dann in legendenhafter Form das Leben der Heiligen und Märtyrer, unkritisch, wundersüchtig und weniger am wirkl. Leben als am Exempel göttl. Gnade interessiert. SUETON wirkt fort in ma. Fürsten-B. wie EINHARDS *Vita Caroli Magni*. Erst die Renaissance entwickelt mit dem Sinn für die individuelle Persönlichkeit das Interesse an der Einmaligkeit eines Lebens, etwa in BOCCACCIOS Dante-B. und G. VASARIS Künstler-B.n. Neben zahlr. Autobiographien entstehen in der Folgezeit die B.n I. WALTONS, J. BOSWELLS *Life of Dr. Samuel Johnson*, VOLTAIRES *Histoire de Charles XII.*, W. IRVINGS *Life of Washington*, R. W. EMERSONS Thoreau-B., Th. CARLYLES Cromwell-B. und Geschichte Friedrichs d. Gr. als Musterfall der Heldenverehrung. Das historisierende 19. Jh. schuf die exakte wissenschaftlich-kritische B. in J.G. DROYSENS *Leben des Grafen York*, H. GRIMMS *Michelangelo*, C. JUSTIS *Winckelmann*, W. DILTHEYS *Leben Schleiermachers*, R. HAYMS *Herder*, E. SCHMIDTS *Lessing* u.a. Im 20. Jh. setzt etwa F. GUNDOLFS *Goethe* die heroisierende B. fort, während in England L. STRACHEY den ironischen Typ vertritt (*Elisabeth and Essex, Queen Victoria* u.a.), R. ROLLAND verehrend und St. ZWEIG psychologisierend die Künstler-B. fortsetzen. Historisch exakte B.n hohen Ranges schrieben H. NICOLSON, C. SANDBURG (*Abraham Lincoln*), C. J. BURCKHARDT (*Richelieu*) u.a., während E. LUDWIG, A. MAUROIS, E. G. KOLBENHEYER, W. v. MOLO, H. MANN u.a. die B. als biographischen Roman in die Belletristik hinüberleiten. – Sammelbecken moderner B.n sind die großen Nachschlagewerke, so für den dt. Sprachraum: *Allg. Dt. B.*, 56 Bde. 1875–1912; *Biogr. Jahrb. u. dt. Nekrolog*, hg. A. BETTELHEIM, 18 Bde. 1897–1917; *Dt. Biogr. Jhrb.*, 1925–32; K. WURZBACH, *Biogr. Lex. d. Kaisertums Österr.*, 60 Bde. 1857–92; A. BETTELHEIM, *Neue Österr. B.* 1815–1918, 1923 ff.; *Histor.-biogr. Lex. d. Schweiz*, 7 Bde. 1921–34; *Die großen Dt.*, 5 Bde., [2]1956 ff.; *Neue dt. B.*, 1954 ff.; *Österr. biogr. Lex.*, 1957 ff. →Auto-B., →Semiauto-B., →Dichter-B., →Memoiren, →Nekrolog.

F. Leo, D. griech.-röm. B. nach ihrer lit. Form, 1901, [2]1965; S. Lee, *Principles of b.*, Cambr. 1911; W. R. Thayer, *Art of b.*, N. Y. 1920; W. L. Cross, *An outline of b.*, 1924; D. R. Stuart, *Epochs of Greek and Roman B.*, Berkeley 1928; A. Maurois, *Aspects de la B.*, Paris 1928; E. Ludwig, D. Kunst d. B., 1936; H. Oppel, Grundfragen d. lit.-hist. B., DVJ 18, 1940; J. Romein, D. B., 1948; W. Steidle, Sueton u. d. antike B., 1951; A. Dihle, Stud. z. griech. B., 1956; S. Dresden, *De structuur van de b.*, Haag 1956; L. Edel, *Literary B.*, Toronto 1957; J. A. Garraty, *The Nature of B.*, N. Y. 1957; H. Nicolson, D. Kunst d. B., 1958; H. Böschenstein, D. neue Mensch, 1958; H. Nicolson, *The development of Engl. B.*, Lond. 1959; J. L. Clifford, *B. as an art*, Lond. 1962; G. Blöcker, B.-Kunst od. Wiss. (in: Definitionen, 1963); P. M. Kendall, *The art of b.*, Lond. 1966; J. W. Reed, *Engl. b. in the early 19th cent.*, New Haven 1966; T. A. Dorey, *Latin b.*, Lond. 1967; *Essays in 18th cent. b.*, hg. P. B. Daghlian, Bloomington 1968; E. H. O'Neill, *A hist. of American b.*, N. Y. [2]1968; D. A. Stauffer, *The art of b. in 18th cent. England*, N. Y. [2]1969.

Biographischer Roman, Sonderform des →historischen Romans, hat mit diesem die außerdichterische Wirklichkeit, mit dem Entwicklungsroman die biographische Struktur und z.T. mit dem Künstlerroman die Hauptfigur gemein und schwankt dementsprechend in der Variationsbreite von der individuellen Charakterentwicklung und der Darstellung einer bedeutenden historischen oder kulturgeschichtlichen Leistung bis zum breitausgemalten historischen Panorama, innerhalb dessen die Hauptfigur entweder als Konzentrat oder als Überwinder des Zeitgeistes gesehen wird. Vertreter des b. R. sind etwa A. Maurois, R. Graves, M. Yourcenar, H. Troyat, I. Stone, in Dtl. Klabund, L. Feuchtwanger, R. Neumann, H. Franck, E. Stickelberger, M. Brod, E. G. Kolbenheyer, E. Ludwig, W. v. Molo, H. Mann und St. Zweig.

E. Birch, D. b. R. i. d. neuen dt. Dichtg., Diss. Hdlbg. 1936; H. Böschenstein, D. neue Mensch, 1958; N. Honsza, D. b. R. d. 20. Jh., Diss. Breslau 1964.

Bispel (mhd. = lehrhafte Erzählung, Fabel, Gleichnis), selbständige epische Kurzform didaktischen oder satirisch-moralischen Inhalts in mhd. Lit. nach Art der lat. →Exempla mit Nähe zur Fabel. Schöpfer und Hauptvertreter des B. als selbständiger Gattung ist der Stricker (um 1230) mit seinen Reimpaardichtungen: an e. kürzeres, in Versform erzähltes Einzelbild oder -geschehnis aus Menschen- oder Naturleben schließt sich e. Verallgemeinerung mit längerer Erläuterung e. moralischen Satzes an, die mit dem Vorhergehenden eine Einheit bildet. Vorbild sind wohl antike und orientalische Tierfabeln und Predigtmärlein, der *Physiologus* und ma. Bestiarien. Als B. bezeichnen auch Thomasin von Zerklaere, Hugo von Trimberg und andere Didaktiker die lehrhaften Einlagen ihrer größeren Dichtungen, und ›bischaft‹ nennt U. Boner die Fabeln seines *Edelstein*. Später allg. = Spruchgedicht.

L. Jensen, Üb. d. Stricker als B.-Dichter, Diss. Marbg. 1885; A. Blumenfeldt, D. echten Tier- u. Pflanzenfabeln d. Stricker, Diss. Bresl. 1916; RL; U. Schwab, Z. Interpret. d. geistl. B.rede, 1958; H. de Boor, Fabel u. B., 1966.

Bitterfelder Weg, Kulturprogramm der DDR mit dem Ziel, ein aktives Verhältnis der Werktätigen zur Literatur und der Schriftsteller zur Arbeitswelt und den sozialistischen Produktionsverhältnissen zu schaffen und die eigenschöpferische lit. Tätigkeit der Arbeiter anzuregen (›Greif zur Feder, Kumpel‹), um an der Quelle das Entstehen einer sachlich authentischen Darstellung und Verherrlichung des ›sozialistischen Menschen‹ mit den Mitteln des →sozialistischen Realismus zu fördern. Beschlossen auf der 1. Bitterfelder Konferenz vom 24. 4. 1959, die die Gründung von ›Zirkeln schreibender Arbeiter‹, Arbeitertheatern u. a. Kulturverbänden zur Folge hatte, und erweitert auf der 2. Bitterfelder Konferenz vom 24./25. 4. 1964. Die echten künstlerischen Ergebnisse des B. W. sind bisher nicht zahlreich: E. Strittmatters *Ole Bienkopp,* Ch. Wolfs *Der geteilte Himmel,* ferner Werke von B. Reimann, D. Noll, M. W. Schulz, E. Neutsch u. a.

J. Lehnecke, D. ›B. W.‹ (Dt. Studien I, 2, 1963); F. Trommler, DDR-Erz. u. B. W. (Basis 3, 1972); G. Pareigis, Krit. Analyse d. Realitätsdarstellg. i. ausgew. Wken. d. B. W., 1974; I. Gerlach, Bitterfeld, 1974.

Blackout (engl. = Verdunkelung), das plötzliche, vollständige Ausschalten der Bühnenbeleuchtung, im Theater nach witzigen Aktschlüssen, im Kabarett am Abschluß pointierter Sketchs und nach verblüffenden Pointen, das, nur wenige Sekunden dauernd, den Überraschungseffekt verstärken soll.

Blankvers (engl. *blank verse* = reiner, d. h. reimloser Vers), fünfhebiger akatalektischer oder hyperkatalektischer Jambenvers ohne Reimbindung:
◡–́◡–́◡–́◡–́◡–́(◡): ›Gefährlich ist die Freiheit, die ich gebe.‹ (Goethe). Urform ist der franz. →vers commun, der, vom Alexandriner verdrängt, in ital. (→Sciolti, →En-

decasillabo) und engl. Dichtung weiterlebte. Der Earl of SURREY verwendete ihn in seiner *Äneis*-Übersetzung 1540 zuerst reimlos, da man den Reim nicht mit der Würde des antiken Epos vereinbar fand, und schuf so den B., der dann im Drama zuerst von SACKVILLE (*Gorboduc or Ferrex and Porrex,* 1562) aufgenommen, durch SHAKESPEARE und seine Zeitgenossen zu freier Beweglichkeit, künstlerischer Vollendung und weitester Verbreitung geführt wurde und auch in Epik (MILTON, *Paradise Lost,* 1667) wie z. T. Lyrik (E. YOUNG, *Night Thoughts,* 1744) e. Vorzugsstellung genoß. In dt. Dichtung vereinzelt im 17. Jh. (KUHLMANN), dann bes. seit Mitte des 18. Jh.: zuerst in Übersetzungen aus dem Engl., so J. E. SCHLEGELS Übersetzung von CONGREVES *Braut in Trauer* 1748, dann in Übersetzungen aus SHAKESPEARE und MILTON, in J. W. v. BRAWES Trauerspiel *Brutus* 1757 (auf Anraten LESSINGS), in WIELANDS *Lady Johanna Gray* 1758 zuerst gesprochen auf der dt. Bühne. LESSING griff somit schon auf e. Tradition zurück, als er ihn zuerst in einigen Fragmenten (u. a. *Kleonnis* 1758) anwendete; dann freilich kehrt er in seinen Hauptwerken zur Prosa zurück, um ihn erst im *Nathan* 1779 wiederaufzunehmen und zum gebräuchlichsten Vers des dt. Dramas zu machen, der den →Alexandriner sowie die Sturm-und-Drang-Prosa verdrängte. Über GOETHE *(Iphigenie, Tasso),* SCHILLER, KLEIST, GRILLPARZER, HEBBEL reicht sein Gebrauch z. T. über G. HAUPTMANN bis in die Gegenwart hinein, da ihm trotz des festen metrischen Gerüsts e. starke Modulationsfähigkeit eignet (männlicher oder weiblicher Schluß, gereimt oder reimlos, beliebige Zäsurlage, Betonungsversetzung, Antilabe) und ihn zum Ausdrucksmittel verschiedenster Gehalte macht. In dt. Epik im Ggs. zur engl. ist der B. außer WIELANDS *Geron,* BÜRGERS Homerübs. und LILIENCRONS *Poggfred* kaum gebräuchlich; in der Lyrik (z. B. SCHILLER, HEINE, STORM, GEORGE) steht er vorzugsweise in fremden Formen wie Sonett, Stanze, Terzine. Durch den Einfluß der dt. Klassik gelangte der B. auch nach Skandinavien, Rußland (PUŠKIN, *Boris Godunov*) und Polen.

F. Zarncke, Üb. d. 5-füß. Jamb. b. Lessing, Schiller u. Goethe, 1865 und Kl. Schr. II, 1898; A. Sauer, Üb. d. 5-füß. Jamb. vor Lessings Nathan, 1878; E. Zitelmann, D. Rhythmus d. 5-füß. Jamb. (Neue Jhrb. XIX, 1907); L. Hettich, D. 5-füß. Jamb. i. d. Dramen Goethes, 1913; RL; R. Haller, Stud. üb. d. dt. B., DVJ 31, 1957; R. Bräuer, Tonbewegg. u. Erscheingsformen d. sprachl. Rhythmus, 1964; L. Schädle, D. frühe dt. B., 1971.

Blason (franz.), beschreibende Gedichtart in der franz. Lit. des. 15. Jh.: kurzes Gedicht von 8–10silbigen Versen, das mit pointierter Zuspitzung eine Beschreibung eines Menschen oder Gegenstandes gibt, entweder rein deskriptiv (b. médaillon) nach Art der heraldischen Wappenbeschreibung und dann in der Tradition des griech. Epigramms stehend, oder betont satirisch (b. satirique) als Lob oder Tadel des Beschriebenen und damit die lat. Satire fortsetzend. Hauptvertreter der Gattung nach ital. Vorbild ist C. MAROT mit seinem *B. du beau têtin* (1535), das auch bereits das B. inhaltlich vorwiegend auf die Beschreibung von einzelnen Schönheiten des weiblichen Körpers einengt; diese Mode stieß bei ihrer Umdrehung ins Satirische später leicht ans Obszöne, und die neuen Kunstideale der Plejade machten ihr ein Ende.

R. E. Pike, *The b. in French lit. of the 16th cent.* (*Romanic Review* 27, 1936).

Blatt, 1. im Buch das nicht geknickte, zwei Seiten umfassende (für die

Kollationierung: unpaginierte) Stück Papier, 2. Bz. für →Zeitungen, →Zeitschriften u. a. Periodika.

Blaue Blume, Symbol für die Dichtung, Inbegriff aller romantischen Sehnsucht nach dem Unendlichen und fast sakrale Losung der →Romantik. Nach e. altdt. Sage in NOVALIS' Roman *Heinrich von Ofterdingen* (1802).

J. Hecker, D. Symbol d. b. B., 1931; L. Willson, *The B. B.* (*Germanic Rev.* 34, 1959); G. v. Molnár, (Euph. 67, 1973).

Blindband, geheftetes oder gebundenes Buch mit unbedruckten Seiten, als Umfangmuster für die Anfertigung von Rückenprägung und Schutzumschlag oder als Ausstellungsexemplar eines noch nicht fertig ausgedruckten und aufgebundenen Buches.

Blockbuch, Buch, dessen Blätter mit ganzseitigen Holzplatten einseitig bedruckt (Holztafeldruck) und die leeren Seiten aneinandergeklebt wurden, vorwiegend Bilddrucke mit knappen Begleittexten. Die Texte wurden anfangs handschriftlich eingefügt, später aus den Tafeln mitgeschnitten. Das Verfahren wurde bereits im 8. Jh. in China und um 1430 bis 1500 bes. in Dtl. und den Niederlanden meist für reichillustrierte Gebrauchsliteratur zur Erbauung und Belehrung (Antichrist, Apokalypse, Sterbebüchlein, Armenbibel, Totentanz, Hohes Lied) verwandt, (33 versch. Werke in über 100 Ausgaben erhalten). →Einblattdruck.

R. Hochegger, Üb. d. Entstehg. u. Bedeutg. d. B., 1891.

Bloomsbury Group, nach e. Londoner Stadtteil benannter engl. Freundschaftskreis von Dichtern, Gelehrten und Künstlern um Vanessa u. Adrian STEPHEN und Virginia u. Leonard WOOLF rd. 1907 bis um 1930, pflegte ohne einheitliches Programm bes. philos., ästhet. und eth. Diskussionen und beeinflußte Romanschaffen, Biographie und Kunstkritik der Zeit: G. L. STRACHEY, G. E. MOORE, E. M. FORSTER, A. WALEY, V. SACKVILLE-WEST, J. M. KEYNES, D. GARNETT u. a.

J. K. Johnstone, *The B. G.*, N. Y. 1963; Q. Bell, *B.*, Lond. 1968; R. Shone, *B.portraits*, Lond. 1976.

Blubo = →Blut und Boden-Dichtung

Blümen →geblümter Stil

Blues, nordamerikanische Negerdichtungen seit der Sklavenzeit, im Ggs. zu den →Spirituals weltlichallgemeine, in 1. Person erzählende, ursprünglich oft improvisierte Sologesangsstücke in getragener, schwermütiger Grundstimmung und fester Form: Der 1. Vers jeder Strophe wird wiederholt und reimt mit dem 3. Dichter wie L. HUGHES und W. CUNEY übertrugen diese Versform auf nichtgesungene Lyrik.

J. E. Berendt, B., 1957; P. Oliver, *B. fell this morning*, N. Y. 1961; S. B. Charters, D. Story v. B., 1962; Ch. Keil, *Urban B.*, Chic. 1966; P. Oliver, *Screening the B.*, Lond. 1968; ders., *The Story of the B.*, Lond. 1969.

Blütenlese →Anthologie

Bluette (franz. = Feuer-, Witzfunke), e. kleines, witzig-satirisches Bühnenstück; Gattung der dramatischen oder musikalischen Kleinkunst.

Blumenspiele, franz. ›Jeux floraux‹, alljährlich in Toulouse (Frankreich) veranstaltete Dichterwettstreite, ursprünglich Anfang des 14. Jh. e. Wettstreit von 7 provenzalischen Troubadours. Seit 1324 werden goldene und silberne Blumen als Preise verteilt. Ludwig XIV. erweiterte die B. 1695 zu e. Académie des jeux floraux von 40 Mitgliedern; die meisten großen Dichter Frankreichs wurden auf den bis in die Gegenwart fortgeführten B.n preisgekrönt. Ähnliche B. entstanden in anderen Städten Südfrankreichs und Nordspaniens (Barcelona u. a.). 1899 schuf Joh. FASTENRATH in Köln nach dem franz. Vorbild e. ähnlichen Dichterwettstreit gleichen Namens, der nur lokale Bedeutung gewann.

Chabaneau, *Origine et établissement de l'Académie des Jeux floraux,* 1885; A. Praviel, *Hist. anecdotique des j. f.*, Toulouse 1924; F. Ségu, *L'Académie des jeux floraux,* Paris 1935 f.

Blutsegen, auch Wundsegen, Sonderform des ma. →Zauberspruchs, die bei einer blutenden Wunde das Blut zum Stehen bringen und die Wunde heilen lassen soll, erzählt meist zuerst einen bekannten Exempelfall, etwa das Stehenbleiben des Jordanwassers, und schließt daran die Besprechungsformel an. Seit ahd. Zeit bekannt.

Blut und Boden-Dichtung, Sammelbz. für die politisch-völkisch tendenziöse →Heimatdichtung und →Bauerndichtung unter dem →Nationalsozialismus mit ihrer provinziellen, oft sauer verkitschten Verherrlichung des Bodenständigen, Volkhaften, Bäuerlichen als Idealisierung der ursprünglichen naturhaften bäuerlichen Lebensform der Germanen mit ihrer Bindung an Sippe und Scholle und ihrer Mythologisierung des Bauern als Pflüger, Säer und Schnitter. Sie unterscheidet sich von der bloßen Heimatlit., mit der sie allerdings das Provinzielle und Kleinbürgerliche gemein hat, einerseits durch die weltanschauliche Überhöhung des Blutsgedankens in Rasse- und Artbewußtsein, den Begriff der Blutsgemeinschaft e. Volkes und ablehnende Verachtung des Rassefremden, andererseits durch melodramatische Pathetisierung des Boden-(Schollen-)Begriffs zu e. betont antizivilisator. Haltung gegen Verstädterung und sog. Asphaltlit. und eine primitive Verzerrung der menschlichen Werte, die eine pseudomythische Schollenverbundenheit, Bodenständigkeit, Heimatliebe und angeblich instinktive Ablehnung alles Wurzellosen, Artfremden zum alleinigen Maßstab des Charakters macht. Der B. als breitester, nur künstlerisch durch ihr gequältes Pathos, nicht menschlich gefährlichster lit. Ausprägung des Nationalsozialismus galt die offizielle Förderung durch Partei und Staat ebenso wie heroischer Kriegsverherrlichung und rein polit. Parteidichtung. Ihre wirkliche lit. Bedeutung wurde zeitbedingt maßlos überschätzt, ihre histor. Bedeutung ist belanglos. Bes. vertreten durch A. BARTELS, J. BERENS-TOTENOHL, H. F. BLUNCK, H. E. BUSSE, H. CLAUDIUS, A. DÖRFLER, F. GRIESE, H. GRIMM, M. JAHN, H. C. KAERGEL, J. KNEIP, J. LINKE, H. STEHR, K. H. WAGGERL u. a.

F. Schonauer, Dt. Lit. im 3. Reich, 1961. →Nationalsozialismus.

Bocksgesang, scherzhafte, aber wörtliche Verdeutschung für →Tragödie.

Boerde (holländ. =) mittelniederld. erotisch-satirische Verserzählungen ohne moralische Tendenz ähnlich den franz. →Fabliaux und der italien. Novelle, oft mit oriental. Stoffen. Ihr Spott wendet sich vor allem gegen die Vertreter des Klerus.

De Middelnederlandse B.n, hg. C. Kruyskamp 1956.

Börsenblatt für den dt. Buchhandel, das zweimal wöchentlich vom Börsenverein des dt. Buchhandels herausgegebene Nachrichten- und Anzeigenblatt des dt. Buchhandels seit 1834, seit 1945 in einer Frankfurter und einer Leipziger Ausgabe.

Börsenverein des dt. Buchhandels →Buchhandel

Bogen, im Buchdruck das ungefaltete große Blatt, falls bedruckt auch Druckbogen genannt, das je nach erforderlichem →Format in kleinere Blätter gefalzt wird, am häufigsten bei Oktavformat durch dreimalige Faltung in 8 Blätter = 16 Seiten. Im gedruckten Buch stehen die laufenden Nummern der B. (Bogensignatur) meist links unten auf der 1. Seite jedes B.s. Bei einem sog. Bogenhonorar dient der Umfang des Werkes (Zahl der B.) als Grundlage der Honorarberechnung. Bogenkorrektur →Korrektur.

Bogenstil →Hakenstil

Bohème (franz. *maison de bohème* = ›polnische Wirtschaft‹), antibürgerlich-unphiliströser Lebensstil von Künstlern und Dichtern in asozialer, individualistischer Ungebundenheit entweder als Protest gegen die konventionelle bürgerliche Standesordnung mit ihrem Erwerbsdenken, ihrem Sittenkodex und ihrer spießigen Saturiertheit, die teils provokativ durchbrochen werden, oder unfreiwillig aus der materiellen Notlage der Nichtarrivierten. Die freiwillige B. entsteht aus der Überzeugung von der Unvereinbarkeit intensiver künstlerischer und konventionell-bürgerlicher Lebensform zumeist dort, wo Kunst und Lit. nicht aus sozialen oder polit., sondern aus künstlerisch-weltanschaul. Gründen e. antibürgerl. Stellung beziehen. Sie wurde verwirklicht zuerst in Frankreich um 1830 im Pariser Quartier Latin durch NERVAL, GAUTIER, A. HOUSSAYE u. a. (geschildert von BALZAC, MUSSET, NERVAL, MURGER, *Scènes de la vie de Bohème,* 1851, danach die B.-Opern von PUCCINI 1896 und LEONCAVALLO 1897, u. a.) und in den späteren Existenzialistenkellern, in Italien in der Mailänder →Scapigliatura um 1860, in England um R. L. STEVENSON, O. WILDE, BEARDSLEY und E. DOWSON, in Dtl. nach Vorformen in Sturm und Drang und Romantik bes. im Naturalistenkreis Berlins und Schwabings (geschildert von E. v. WOLZOGEN, BIERBAUMS *Stilpe,* WEDEKIND u. a.) und bei den Impressionisten (ALTENBERG, HILLE, LILIENCRON) und Expressionisten (DÄUBLER, LASKER-SCHÜLER), in den USA durch die →Beat generation. Während die B. anfangs, so bei MURGER, als unprogrammat. Durchgangsstadium der jungen Künstler und Dichter in materieller Not bis zu ihrer gesellschaftl. Anerkennung galt, gewinnt sie seit der Jahrhundertwende programmat. Charakter als bindungsfreie künstlerische Existenzform schlechthin.

P. Honigsheim, D. B. (Vierteljahrshefte für Soziol. 3, 1923); A. Parry, *Garrets and Pretenders,* N. Y. [2]1960; RL; H. Kreuzer, Exkurs üb. d. lit. B. (Dt. Lit. i. 20. Jh. I, [4]1961); ders., Z. Begriff d. B., DVJ 38, Sonderheft, 1964; M. Easton, *Artists and Writers in Paris,* Lond. 1964; H. Kreuzer, D. B., 1968.

Bohnenlied, ursprüngl. (Schweizer) Volkslied unbekannter Entstehung, später = satirisches Spottlied, z. B. 1522 gegen Ablaß u. ä.

Bollandisten →Legende

Bombast (engl. = wattiert), engl. Bz. für →Schwulst.

Bonmot (franz. = gutes Wort), Witzwort, treffender, witziger Ausspruch, oft zur geistreichen Fassung e. Lebensweisheit, etwa in den Komödien O. WILDES.

Bontemps, Roger B., in der (volkstümlichen) franz. Lit. seit dem 15. Jh. Verkörperung des franz. Nationalcharakters mit seiner gutmütigen Behäbigkeit, seinen Hoffnungen und Ängsten, Träumen und Illusionen.

Bonvivant (franz. = Lebemann), Rollenfach (→Rolle) speziell des dt. Theaters, ursprünglich seit 1782 der weltgewandte Intrigant, später seit etwa 1830 der elegante Herzensbrecher und Salonlöwe (→Anstandsrolle).

Botenbericht, dramaturgisches Hilfsmittel: für den Fortgang der Handlung wichtige Ereignisse, die aus bes. Gründen (Wahrung der Orts→einheit, Scheu vor Zersplitterung) nicht dargestellt oder technisch schwer darstellbar sind (Seeschlachten, Schiffsuntergang, auch grausige Geschehnisse), also in der Zwischenzeit außerhalb der Szene spielen, werden durch e. Boten auf der Szene verkündet; in die Bühnenhandlung einbezogen, tragen sie meist zur →Peripetie bei oder stehen nach der Katastrophe. Häufig im griech. und klassischen franz. Drama. Beispiel: SCHILLER, *Wallensteins Tod* IV, 10. →Teichoskopie.

W. Grosch, Bote u. B. i. engl. Drama bis Shakespeare, Diss. Gießen 1911; K. Obmann, D. Bericht i. dt. Drama, 1915; O. Mann, Poetik d. Tragödie, 1958.

Boulevardstück (franz.), urspr. die Repertoirestücke der großen Pariser Boulevardtheater zu Ende des 19. Jh., dann allg. bühnensicheres Unterhaltungslustspiel ohne bes. Bemühung um gehaltliche Tiefe oder avantgardistische Formexperimente, meist handwerklich saubere, im Zeitgeschmack verpackte, harmlosreizvolle Erfolgsstücke (bes. Ehebruchskomödien) des Gebrauchstheaters mit geistreich-brillantem Dialog, chargierender Psychologie und dankbaren Rollen. Domäne bes. des franz. Dramas, das nur in den beiden Nachkriegszeiten etwas zurückging und dessen bedeutendste Vertreter z. T. von der leichten Muse zum Rang echter, hintergründiger Dichtung aufsteigen: E. LABICHE, L. HALÉVY, T. BERNARD, G. FEYDEAU, G. COURTELINE, S. GUITRY, E. BOURDET, P. GÉRALDY, M. ACHARD, J. DEVAL, C. PUGET, A. ROUSSIN, M. PAGNOL u. a., in Dtl. etwa Curt GOETZ, in Österreich H. BAHR, in England S. MAUGHAM und N. COWARD.

Bousingots (v. franz. *bousin* = Lärm, Spektakel), Spitzname für e. Gruppe junger franz. Romantiker um 1831/32, die, meist zwanzigjährig, neben republikan. Idealen den breitkrempigen Seemannshut gemein hatten: P. BOREL, Th. GAUTIER u. a. G. SAND beschreibt sie im Roman *Horace* (1842).

Bouts-rimés (franz. =) vorgegebene Endreime ohne vorangehende Verszeile, aus denen bes. im 17. bis 19. Jh. aus dem Stegreif die ebenfalls B.r. genannten Gedichte verfertigt wurden. Dieses von Gilles MENAGE (1613–1692) erfundene Gesellschaftsspiel, an dem auch bekannte Dichter (CORNEILLE, BOILEAU) teilnahmen, verbreitete sich von den franz. Salons über England und Schottland. Sein Erfolg beruht darauf, daß bekanntlich oft der Klang der Reimworte erst einen gelungenen Vers inspiriert (vgl. →Reimlexikon). Als Gegenstück zu den B.r. schrieb E. E. CUMMINGS Sonette, von denen er nur die zwei Anfangsworte jeder Zeile gab.

Brachykatalexe (v. griech. *brachys* = kurz), Art der →Katalexe, bei der das letzte Metrum des Verses durch e. Pause ersetzt wird.

Brachylogie (griech. *brachylogia* = Kürze im Ausdruck), kurze, gedrängte Redeweise, die Fähigkeit, mit wenigen Worten in prägnantestem Stil viel zu sagen; in der Antike bes. von TACITUS, in dt. Lit. in KLEISTS Novellen zu hoher Kunst entwickelt.

Brâhmana, erklärende Ritualtexte und -bücher innerhalb des *Veda.*

Bramarbas, Typenfigur des gemeineurop. Dramas: der Großsprecher und Prahler, vorwiegend im Offiziersrang. Obwohl der Name erst 1710 erscheint, reicht die Figur zurück bis zu PLAUTUS' *Miles gloriosus,* A. GRYPHIUS' *Horribilicribrifax* u. a., gipfelt in L. HOLBERGS *Jakob von Tyboe* (1741) und wird von G. B. SHAW in *Helden* (*Arms and the Man,* 1894) mit ihrem Gegenteil konfrontiert.

Branche (franz. = Zweig), in franz. Lit. die einzelnen Überlieferungszweige bzw. Sonderausprägungen der ma. Heldensage, insbes. der Artussage.

Brauchtumslied, Sammelbz. für alle mit Sitten und Gebräuchen des Kalenderjahres oder des menschl. Lebenswegs im Zusammenhang stehenden Volkslieder, die brauchtüml. Festen zur Ausgestaltung dienen, z. B. Hochzeitslieder u. ä.; international verbreitet.

M. Kuckel, Brauchtumspoesie aus Norddtl., 1935.

Brautlied →Brutliet

Brautwerbungssagen, Sagen um das Thema von der Werbung e. Königs bzw. vornehmen Herrn um e. von ihrem Vater in strengem Gewahrsam gehaltene Fürstentochter, z. B. *Gudrun, König Rother;* oft gleichzeitig →Entführungssage.

The Frings, M. Braun, Brautwerbung, 1947; F. Geißler, Brautwerbung i. d. Weltlit., 1955; J. de Vries, D. B. (Spielmannsepik, hg. W. J. Schröder 1977).

Brechung, allg. Bz. für jede kaschierende Überschreitung einer metrischen Grenze (Vers, Strophe) durch das sprachliche Sinngefüge, so daß Versgefüge und Satzgefüge sich nicht decken, sondern in ein Spannungsverhältnis zueinander geraten. Die einzelnen Erscheinungen sind →Enjambement, →Strophensprung, →Reimbrechung, →Hakenstil.

Lit. →Metrik.

Breite →epische Breite

Bremer Beiträger, Sammelname für die Herausgeber und Mitarbeiter der *Neuen Beiträge zum Vergnügen des Verstandes und Witzes* 1744–1748 bzw. 1757, nach dem Erscheinungsort als *Bremer Beiträge* abgekürzt, dem ursprüngl. als Monatsschrift geplanten Konkurrenzunternehmen zu den einseitig und scharf polem. *Belustigungen des Verstandes und Witzes* des Gottschedianers J. J. SCHWABE: e. Gruppe fast gleichaltriger Leipziger Studenten, die sich in der Zs. e. Sprachrohr für ihre Dichtungen – keine moralischen, kunsttheoretischen oder polemischen Abhandlungen – schufen und kollektiv über die Aufnahme einzelner, dann anonym gedruckter Beiträge entschieden. Aus der Schule GOTTSCHEDS hervorgegangen, neigten sie bei allem Rationalismus doch mehr zu der freieren Kunstauffassung der Schweizer HALLER, BODMER und BREITINGER und dokumentieren darin die Änderung des Lebensgefühls. Herausgeber war K. Chr. GÄRTNER, die bedeutendsten Mitarbeiter: J. A. und J. E. SCHLEGEL, J. A. CRAMER, G. W. RABENER, Chr. F. GELLERT, F. W. ZACHARIAE, N. D. GISEKE und J. A. EBERT. Bedeutung erlangten die *B. B.* bes. durch ihre Erstveröffentlichung von KLOPSTOCKS *Messias* (Gesang 1–3; 1748).

RL; Ch. M. Schröder, D. B. B., 1956; F. Meyen, B. B. am Collegium Carolinum in Braunschweig, 1962.

Brettl →Überbrettl →Kabarett

Breviarium (lat. = kurzes Verzeichnis, Auszug), 1. = →Brevier, 2. spätantiker Titel für Sammelwerke mit Auszügen über polit.-statist. Ereignisse und Tatsachen *(B. Augusti, B. Imperii)*, herrschende Rechtsordnungen *(B. Alaricianum)* u. ä.

Brevier (v. lat. *breviarium* = kurzes Verzeichnis, Auszug), allg. jede Auswahl, z. B. ›lyrisches B.‹, bes. das offizielle liturgische Gebet- und Andachtsbuch der katholischen Kirche, enthält in jahres- und tageszeitlicher Ordnung die vorgeschriebenen Stundengebete, Offizien (4 Jahres-, 8 Tageszeiten: Matutin, Laudes, Prim, Terz, Sext, Non, Vesper, Komplet). Es geht auf frühchristliche Gebräuche und später vorgenommene Zusammenstellungen der religiösen Gebets- und Andachtsübungen zurück; für das Abendland setzt sich die Praxis der röm. Kirche und die Normierung durch den Hl. BENEDIKT (6. Jh.) durch; ursprünglich in mehrere Bücher geteilt (Psalterium, Hymnarium, Lectionarium, Antiphonarium u. a.), dann unter Papst GREGOR VII. 1074 mit starken Verkürzungen (daher Name) zur bequemeren Handhabung in ein Buch zusammengefaßt, erhielt es unter Papst PIUS V. 1568 im wesentlichen die heutige Form (weitere Revisionen 1602 und 1631, Überarbeitungen 1882 und 1911). In der Ostkirche und in den einzelnen Mönchsorden sind unterschiedliche B.e in Gebrauch. Verdeutschungen des B. für Klosterfrauen und Laienbrüder erschienen zahlreich im 15./16. Jh.: Jak. WYGS *Petbuch* 1518, e. *Teutsch Römisch B.*, ²1535, seit dem 13. Jh. auch verkürzt als ›Stundenbücher‹ für den Laiengebrauch. Übersetzungen der B.-Hymnen wirkten auf die Entwicklung des volkssprachlichen Kirchenliedes. →Gebetbuch.

S. Bäumer, Gesch. d. B., 1895; St. Stephan, Laien-B. II 1928; J. Brintrine, D. röm. B., 1932; H. Bohatta, Bibliogr. d. B.e 1501–1850, ²1963.

Brief (v. lat. *breve* sc. *scriptum* = kurzes Schriftstück), die schriftliche Nachricht als Ersatz des mündlichen Verkehrs, setzt als e. der ältesten Kulturdenkmäler gleichzeitig mit dem Gebrauch der Schrift ein. Die ältesten bezeugten B.e sind der Urias-B. DAVIDS (2. *Sam.* 11, 14), der B. des ind. Königs STRABOBATES an SEMIRAMIS und der B. des Königs PROITOS von Tiryns an IOBATES. Als Schreibmaterial diente im Altertum e. Wachstafel oder →Papyrus; auf letzterem sind zahlreiche amtliche wie private B.e in Ägypten erhalten. Schon früh erschienen B.sammlungen berühmter Persönlichkeiten; ab 4. Jh. v. Chr. bestand e. B.lit., und durch das ganze klass. Altertum herrscht e. umfangreicher B.wechsel, am bedeutendsten der CICEROS, dessen überaus lebendige, wenn auch durchaus mit Bewußtsein stilisierte B.e einen einzigartigen Einblick in die Vielfalt seines Wesens geben. Neben diesen aus der Wirklichkeit des Lebens für e. bestimmten Augenblick geschriebenen B.en, zu denen in gewissem Sinn auch die von PLINIUS d. J. gehören, steht die Fülle der lit. oder Kunstb.e, die eigentlich bequeme Einkleidung schöngeistiger Essays oder philosophischer Abhandlungen darstellen (SENECA, *Epistulae morales*), ferner B.e in Versform (HORAZ, *Epistulae, Ars poetica,* OVID, *Tristia, Epistulae ex Ponto*), sog. ›offene B.e‹ meist politischen Inhalts, die außer an den Adressaten auch in die Öffentlichkeit gelangten (z. B. ISOKRATES an König PHILIPP: Aufruf zum Krieg gegen Persien, SALLUST an CAESAR: Programm der Staatsreform) und bes. seit der hellenist. Zeit die Gattung der →fingierten B.e unter dem Namen berühmter Persönlichkeiten

(OVID, →*Heroiden*) oder kleiner Leute (ALKIPHRON, *Hetären-B.e*), deren Unterscheidung bei gemeinsamer Überlieferung oft nicht leicht fällt. Auch Philosophen wandten sich brieflich an ihre Schüler (PLATON, EPIKUR). Diese Form wurde vom Christentum zu Gedankenaustausch, Belehrung, Ermahnung der Gemeinde u. a. seelsorgerischen Zwecken aufgenommen (PAULUS u. a. B.e des NT., der Kirchenväter: AMBROSIUS, HIERONYMUS, AUGUSTIN u. a., →Epistel). Der byzantin. Hof entwickelte e. gekünsteltes B.-zeremoniell.

Im MA. sind die Klöster und geistlichen Höfe Hauptträger der B.-kunst, die auch bei den spätma. Mystikern vollendete Formen fand. Die höfische Kultur der Zeit pflegt den poetischen B.wechsel in der Volkssprache (→Salut, →Minne-B., →Büchlein); auch der Liebesbrief wird lit. geformt (ABAELARD). Die Humanisten stellen den (lat.) B. in den Dienst wissenschaftlichen Gedankenaustauschs (PETRARCA, ENEA SILVIO, ERASMUS) sowie der Satire (*Epistulae obscurorum virorum*); erst mit LUTHER beginnt der Übergang zur Nationalsprache, doch noch im Barock bedient sich die feine Gesellschaft teils lat., teils franz., wo nicht französierter Sprache. Der B. zeigt hier alle Charakteristika der Epoche: Unnatürlichkeit, Geziertheit und Formelhaftigkeit (Ausnahme: die Briefe der LISELOTTE VON DER PFALZ). Daneben pflegt man wieder den fingierten B. (→Heroiden) als stilistische Glanzleistung. Gleichzeitig im 17. Jh. entwickelt Frankreich e. hohe und elegante B.kultur (Mme de SÉVIGNÉ, Mme de MAINTENON), lit. ausgestattet in PASCALS *Lettres écrites à un provincial* 1656/57 und MONTESQUIEUS *Lettres persanes* 1721, die übers ganze 18. Jh. (DIDEROT, VOLTAIRE, ROUSSEAU, Mme de STAËL) bis zu George SAND (19. Jh.) reicht; der engl. B. zeigt demgegenüber stärkere Natürlichkeit (Lord CHESTERFIELD, Lady MONTAGU, H. WALPOLE, SWIFT, ADDISON, POPE, SCOTT, BYRON). Auch in Dtl. ist das 18. Jh. die große Zeit des B.es; seine Bedeutung beginnt mit dem Freundschaftskult der Empfindsamkeit; der Durchbruch zur Natürlichkeit (GOTTSCHEDIN, GELLERT: *Muster-B.e* 1751, Frau Rat GOETHE, GLEIM) ermöglichte die Weiterbildung zum Herzens- und Seelenerguß auch im →Briefroman. Andererseits benutzt man den B. wiederum zur Einkleidung literarkritischer und philosophischer Abhandlungen (→Literaturb.e, HERDER: *Auszug aus einem B.wechsel über Ossian, B.e zu Beförderung der Humanität*, SCHILLER: *Über die ästhetische Erziehung des Menschen, Philosophische B.e* u. a.). Auf der Höhe der Klassik steht der GOETHE-SCHILLER-B.wechsel sowie der HUMBOLDTS; bes. der umfangreiche B.wechsel GOETHES zeigt in ganzer Breite dessen Persönlichkeitsentfaltung. Unter den geistvollen und tiefbeseelten Romantiker-B.en (Brüder SCHLEGEL, NOVALIS, TIECK, BRENTANO, A. v. ARNIM) ragen bes. die der Frauen (Caroline SCHLEGEL, Bettina v. ARNIM, S. MEREAU, R. VARNHAGEN) heraus. Um die Mitte des 19. Jh. setzt auch im B. die Wandlung ins Unpersönliche und Sachlich-Geschäftsmäßige ein (Ausnahme: BISMARCK u. a.); Feinheit persönlicher Stilführung und Kunst des behaglichen Plauderns gehen im Tempo des modernen, technisierten (Schreibmaschine!) Lebens verloren. Von den Dichtern geben noch MÖRIKE, STIFTER, HEBBEL, STORM, MEYER, KELLER, HEYSE, FONTANE, HOLZ, im Ausland STENDHAL, BALZAC, FLAUBERT, DICKENS, R. BROWNING, O. WILDE, H. C. ANDER-

SEN, L. TOLSTOJ u. a. manchen Aufschluß über Werkgestaltung und Weltanschauung; nach dem B.werk RILKES und HOFMANNSTHALS, HESSES, Th. MANNS und KAFKAS sowie den A. GIDES, D. H. LAWRENCES und Th. WOLFES erlischt größtenteils der Anspruch des B.s auf Wirkung in der Öffentlichkeit. →Briefgedicht, →Epistel.

G. Steinhausen, Gesch. d. dt. B., II 1889/91; H. Peter, D. B. i. d. röm. Lit. (Abhdlg. d. Sächs. Ges. d. Wiss., 1901); M. Rouszan, *La lettre,* Paris 1902; W. Schubart, E. Jahrtausend a. Nil, 1923; A. Roseno, D. Entw. d. B.theorie, Diss. Köln 1933; O. Heuschele, D. dt. B., 1938; W. Büngel, D. B., e. kulturhistor. Dokument, 1939; H. H. Ohms, D. weiße Brücke 1948; C. Erdmann, Stud. z. B.lit. Dtls. i. 11. Jh. [2]1952; RL; A. Wellek, Z. Phänomenologie d. B. (D. Sammlung 15, 1960); R. Brockmeyer, Gesch. d. dt. B. v. Gottsched bis z. Sturm u. Drang, Diss. Münst. 1959; H. Rogge, Fingierte B.e als Mittel polit. Satire, 1966; H. Anderson u. a. (hg.), *The familiar letter in the 18th cent.,* Kansas 1966; W. Schlawe, D. B.slgn. d. 19. Jh., 1969; G. Mann, D. B. i. d. Weltlit. (Neue Rundschau 86, 1975); G. Honnefelder, D. B. i. Roman, 1975; P. Bürgel, D. Privat-B., DVJ 50, 1976; W. Füger, D. B. als Bauelement d. Erzählens, DVJ 51, 1977; Probleme d. B.-Edition, hg. W. Frühwald u. a. 1977.

Briefgedicht, Sammelbz. für alle Formen des (echten oder fingierten) versifizierten →Briefs, denen mit der Entfernung von der Alltagsprosa auch eine erhöhte Stimmungslage und Sprachschicht eignen, so aus der Antike der →Episteln von HORAZ und OVID sowie dessen →Heroiden, die im Barock wieder aufleben, aus dem german. MA. das →Winileod, aus dem Minnesang etwa →Salut, →Minnebrief und →Büchlein, die eleganten B. des franz. Rokoko und als Gipfelpunkt der Gattung die aus der Situation des Schreibenden erwachsenen B. GOETHES an Frau von STEIN und die B. BRENTANOS. In Frankreich ist das B. vertreten bei C. MAROT, VOLTAIRE u. a., in England bei DONNE, DRYDEN, POPE, KEATS u. a.

Briefroman, Romanform, die sich ausschließlich oder doch überwiegend aus fingierten →Briefen zusammensetzt, neben die noch Tagebuchfragmente u. a. Lebensdokumente sowie Einleitung oder Nachwort e. vermeintlichen Herausgebers treten können; Abart der →Ich-Form, bes. bei nur e. einzigen Briefschreiber Nähe zum Tagebuch. Verteilt sich die Aufgabe des Erzählens auf mehrere Personen, so tritt oft in den Teilhandlungen e. dramatisches Element hervor. Durch stärkste Unmittelbarkeit zu den Gestalten der Handlung – der Leser hat ihre Selbstzeugnisse vor Augen – bewirkt der B. große Vertrautheit mit den Charakteren der Dichtung und e. fast intime seelische Nähe. Da der nüchterne Tatsachenbericht in Briefform keine künstlerische Wirkung hervorbringt, verlangt die Form Vereinfachung der äußeren Handlungslinien zugunsten e. Betonung seelischer Erlebnisse. Durch die lockere Form der Komposition und die Vertiefung innerer Wahrscheinlichkeit wird e. eindringliche Charakterzeichnung ermöglicht. – Die geschichtlichen Vorstufen des B. sind zahlreich; die →Heroiden; die Slgn. künstlerisch wertvoller und ergreifender →Briefe, so die fünf leidenschaftlichen Liebesbriefe der (fingierten?) portugiesischen Nonne Mariana (ALCOFORADO) an e. franz. Grafen (1669 hg.); die in den Roman eingestreuten Briefe, schon bei J. WICKRAM 1550, im Barockroman GRIMMELSHAUSENS und bes. im heroisch-galanten Roman (ZESEN, ZIGLER, Herzog ANTON ULRICH) als stilistische Prunkstücke.

Der eigtl. B. entwickelt sich im Zusammenhang mit dem Briefkult und den Selbstbekenntnissen in der Empfindsamkeit. Erster bedeutender Vertreter des B. – nach roman. Vorgängern – ist der Engländer S.

RICHARDSON mit seinen drei sentimental-psychologischen B.en *Pamela, or Virtue Rewarded* 1740, *Clarissa* 1747/48 und *Sir Charles Grandison* 1753. Er sowie ROUSSEAU, der in seinem B. *Nouvelle Héloïse* 1759 durch Abwendung vom äußeren Erlebnis den Brief zum Gefäß höchster Leidenschaft machte, fanden eifrige Nachfolge in Frankreich (CHODERLOS DE LACLOS, *Les liaisons dangereuses,* 1782) und in Dtl. mit entweder mehr rationalen oder mehr sentimentalen B.en: MUSÄUS, *Grandison der Zweite* 1760–62, J. T. HERMES, *Sophiens Reise von Memel nach Sachsen* 1769–73, S. von LA ROCHE, *Das Fräulein von Sternheim* 1771, *Rosaliens Briefe* 1779 ff., L. TIECK, *William Lovell* 1795/96, HÖLDERLIN, *Hyperion* 1797, WIELAND, *Aristipp* 1800/01, an der Spitze GOETHES *Werther* 1774, der – abgesehen von meist späteren Einfügungen – nur Briefe einer Person enthält und damit zur künstlerisch geschlossensten Form durchdringt. Das 19. Jh. hat für den B. keinen Platz; erst im 20. Jh. erreichen Werke wie E. HEYKING *Briefe, die ihn nicht erreichten* 1903, A. GIDE *L'école des femmes* 1929, H. de MONTHERLANT *Les jeunes filles* 1934 und M. B. KENNICOTT *Das Herz ist wach* 1933 breiteren Erfolg; R. HUCH verwendet die B.-Form in *Der letzte Sommer* 1910, W. JENS in *Herr Meister* 1963.

E. Schmidt, Richardson, Rousseau, Goethe, 1875; J. ten Brink, *De roman in brieven* 1740–1840, 1889; G. F. Singer, *The Epistolary Novel,* 1933; C. E. Cany, *The Beginnings of the Epistolary Novel in France, Italy and Spain,* Berkeley 1937; F. G. Black, *The Epistolary Novel in the late 18. century,* Eugene 1940; H. H. Borcherdt, D. Roman d. Goethezeit, 1949; E. Th. Voß, Erzählprobleme d. B., Diss. Bonn 1958; H. R. Picard, D. Stellg. d. Autors i. B. d. 18. Jh., Diss. Hdlbg. 1959; K. R. Mandelkow, D. dt. B. (Neophil. 44, 1960); D. Kimpel, Entstehg. u. Formen d. B. i. Dtl., Diss. Wien 1962; J. Rousset, *Forme et signification,* Paris 1962; R. A. Day, *Told in letters,* Ann Arbor 1966; F. Jost, *Essais de lit. compar.* 2, Fribourg 1968; ders. in *Compar. Lit.,* hg. A. O. Aldridge, Urbana 1970; W. Voßkamp, Dialogische Vergegenwärtigung, DVJ 45, 1971; H. R. Picard, D. Illusion d. Wirklichk. i. B. d. 18. Jh., 1971. →Brief.

Briefsteller, Anleitung zum Abfassen formvollendeter Briefe mit Musterbriefen für eine Vielzahl möglicher Anlässe. Ihre Existenz läßt sich bis ins 2. Jh. v. Chr. bei den Griechen zurückverfolgen. Die ma. Formelbücher, die den fränk.-karoling. Briefstil prägten, wurden ab 11. Jh. in Italien durch B. ersetzt, die für Briefe an Personen aller Stände u. Berufe Formeln und Muster bereithielten. Blütezeit in Dtl. ist der Barock, wo man auf Schmuck des Ausdrucks größten Wert legte, z. B. HARSDÖRFFERS *Teutscher Secretarius* und C. STIELERS *Der allzeit fertige Secretarius* 1673. Beim Umschwung zum natürlichen Briefstil wirkte GELLERT mit durch seine *Briefe, nebst e. praktischen Abhandlung von dem guten Geschmack in Briefen,* 1751. Seither nehmen die B. an Zahl ab oder beschränken sich auf bestimmte Berufsgruppen (z. B. Kaufmann).

L. Rockinger, Üb. B. u. Formelbücher i. Dtl. während d. MA., 1861; A. Bütow, D. Entw. d. ma. B., Diss. Greifsw. 1908; A. Roseno, D. Entw. d. Brieftheorie v. 1655–1709, Diss. Köln 1933; J. Robertson, *The Art of Letter-Writing,* Liverpool 1942; D. Brüggemann, Vom Herzen direkt i. d. Feder, 1968; R. M. G. Nickisch, D. Stilprinzipien i. d. dt. B.n d. 17. u. 18. Jh., 1969.

Brighella (v. ital. *briga* = Unannehmlichkeit), komische Typenfigur der →Commedia dell'arte: verschmitzter, intriganter Diener in grünweiß gestreiftem Kostüm, der die Ausführung seiner Pläne meist dem Arlecchino überläßt.

Broschüre (v. franz. *brocher* = heften), dünne, durch Draht, Faden oder Klebstoff geheftete Druckschrift akuellen Inhalts, die mit propagandistischem oder aufklärendem Zweck religiöse, politische, soziale oder wissenschaftliche Tagesfragen – oft in Dialogform – behandelt.

Brouillon (franz. =) Skizze, provisorisches Konzept, erster, noch unvollkommener und z. T. ungeordneter Entwurf für ein Schriftwerk.

Bruchstück →Fragment

Bruitismus →Dadaismus

Brutliet (mhd.), e. mit Tanz verbundener Gesang bei der Hochzeitsfeier während oder nach der Übergabe der Braut in die Sippe des Bräutigams; entspricht dem lat. →Hymenäus und erfleht als kultischer Spruch Segen und Fruchtbarkeit für die Ehe. Bezeugt durch APOLLINARIS SIDONIUS (*carm.* 5, 218). Mhd. und anglofries. B. sind nur aus christlicher Zeit überliefert, gehen jedoch auf heidnischen Ursprung zurück.

Buch (nach der Buche, auf deren Tafeln in Germanien zuerst geschrieben wurde, vgl. griech. *biblos* = Papyrus, lat. *liber* = Bast, *codex* = Holzbrett), e. zu e. Ganzen vereinigte Anzahl beschriebener oder bedruckter Blätter oder →Bogen. Die älteste Form des B., das für die Epen HOMERS schon vorausgesetzt werden muß, bilden die →Papyrusrollen, die von schreibgeübten Sklaven hergestellt wurden. Durch Streitigkeiten mit Ägypten, dem Herkunftsland des Papyrus, genötigt, entwikkelte Pergamon autark das →Pergament, welches nach dem Verfall der Papyrusfabriken im Altertum diesen verdrängte; da es sich jedoch nur schwer in Rollen fügte, ging man seit dem 1. Jh. n. Chr. zur Form des →Codex über, der im 4./5. Jh. alle Papyrusrollen ersetzte – was nicht des Umschreibens wert gehalten wurde, ging verloren! – und die Grundform des heutigen B. ist. Mit dem Aufkommen des →Papiers um 1300 waren die Möglichkeiten für e. Ersatz der teuren Schreibstoffe und damit weitere Verbreitung des B. gegeben, die durch die Erfindung des →Buchdrucks noch gesteigert wurden. Die Benutzung von Buchentafeln bei den germ. Völkern muß früh begonnen haben, wie die gemeingerm. Bz. zeigt; bezeugt ist sie erst durch VENANTIUS FORTUNATUS (7, 18) im 6. Jh. n. Chr. Vollendete Buchkunst entwickelt schon früh künstlerische Gestaltung und Ausstattung (→Einband). B. heißt auch e. mehrere →Kapitel umfassende Einheit im Epos oder Roman. → Buchhandel.

V. Gardthausen, D. B.wesen i. Altert. u. byzantin. MA., ^{2}1911; A. Schramm, B.wesen einst u. jetzt, 1922; H. Bohatta, Einf. i. d. B.kunde, ^{2}1928; H. Fürstenberg, D. frz. B. i. 18. Jh., 1929; G. Fumagalli, *Vocabulario bibliographico,* Florenz 1940; S. Dahl, Gesch. d. B., ^{2}1941; D. C. McMurtie, *The book,* N. Y. ^{3}1943; *Nordisk Leksikon for Bogvæsen,* Koph. 1951–62; S. Jennett, *The Making of Books,* N. Y. 1951, ^{2}1964; W. H. Lange, D. B. i. Wandel d. Zeiten, ^{6}1951; F. G. Kenyon, *Books and Readers in Ancient Greece and Rome,* Oxf. ^{2}1951; K. Schottenloher, B.er bewegten d. Welt, ^{2}1968; J. Kirchner, Lex. d. B.wesens, IV 1952–56; Hdb. d. Bibliothekswiss. I, ^{2}1952; K. Schottenloher, D. alte B., ^{3}1956; RL; T. Birt, D. antike B.wesen, ^{2}1959; G. Glaister, *Glossary of the Book,* Lond. 1960; C. F. Bühler, *15. cent. book,* Philadelphia 1960; R. Fröhner, D. B. i. d. Ggw., 1961; A. Flocon, *L'univers des livres,* Paris 1961; R. Escarpit, D. B. u. d. Leser, 1961; S. H. Steinberg, D. Schwarze Kunst, ^{2}1961; N. E. Binns, *An introduction to historical bibliography,* Lond. ^{2}1962; H. Uhlig, Gesch. d. B. u. d. Buchhandels, ^{2}1962; H. Presser, D. B. vom B., 1962; W. Schubart, D. B. b. d. Griechen u. Römern, ^{3}1962; H. Kliemann, Auf d. Akker d. B., 1963; Das Druckwerk, 1963; G. K. Schauer, Dt. Buchkunst 1890–1900, II 1963; H. Hiller, D. Ausbreitg. d. B., 1963; F. Funke, Buchkunde, ^{2}1963; R. Mummendey, V. Büchern u. Bibliotheken, ^{2}1964; E. Harley, J. Hampden, *Books: from Papyrus to Paperback,*

Lond. 1964; H. H. Bockwitz, Beitr. z. Kulturgesch. d. B., 1965; G. F. Kärcher, Warenkunde d. B., ²1965; B. u. Leser u. Dtl., 1966; O. Wenig, hg., Wege z. B.wiss., 1966; H. Hiller, Z. Sozialgesch. v. B. u. Buchhandel, 1966; ders., Wb. d. B., ³1967; R. Escarpit, D. Revolution d. B., 1967; J. Carter, Bücher, die d. Welt verändern, 1968; N. Levarie, *The art and history of books,* N. Y. 1968; D. Harrop, *Modern book production,* Lond. 1968; H. Rosenfeld, B. u. Buchstabe (Gutenberg-Jb. 1969); Beiträge z. Gesch. d. B., Fs. H. Widmann, 1973; H. G. Göpfert, Vom Autor z. Leser, 1977; B.- u. Verlagswesen i. 18. u. 19. Jh., hg. H. G. Goepfert u. a. 1977.

Buchbesprechung →Rezension

Buchdrama oder Lesedrama, dramatische Dichtung, die entweder vom Autor nicht für Bühnenaufführung, sondern für schriftliche Verbreitung gedacht war und daher auf Bühnenwirksamkeit keine Rücksicht nimmt oder aber keinen Bühnenerfolg verspricht bzw. zur Darstellung ungeeignet ist aufgrund des abstrakten Themas, technischer Schwierigkeiten, Zeitdauer, Personenzahl, ständigen Schauplatzwechsels, mangelnder dramat. Bewegtheit (bei Dialogen), unerfüllbarer Anforderungen an die Bühne u.ä. dramaturgischer Mängel. Beispiele: die Dramen SENECAS (evtl. zur Rezitation bestimmt), der HROTSVITH VON GANDERSHEIM, Dialoge der Humanisten, KLOPSTOCKS →Bardiete, viele Dramen des Sturm und Drang (1. Vorrede zu den *Räubern*), die den Bühnenzwang ablehnen, romantische Dramen, die durch Vermischung der Dichtungsgattungen wohl episch-lyrisch, doch nicht dramatisch gedacht sind (TIECKS *Kaiser Octavian* und *Genoveva,* ARNIMS *Halle und Jerusalem*), IMMERMANNS *Merlin,* GOBINEAUS *La Renaissance,* CLAUDELS *Le livre de Christoph Colomb* u.a. theaterferne Weltanschauungsdramen. Die Anschauungen über Bühnenwirksamkeit und Aufführbarkeit wandeln sich mit der Entwicklung der Theaterkunst; so galten GOETHES *Tasso* und *Faust II* oder CLAUDELS *Soulier de satin* lange als B.en, doch fragt sich, wieweit bei der Umsetzung solcher Dramen ins Gegenständlich-Theatralische e. Verengung des Eindrucks eintritt, den der mit schöpferischer Phantasie begabte Leser durch geistiges Schauen und Gestalten erfährt. Der Begriff B. ist nicht abwertend, da der poetische Wert e. Stükkes nicht von der Bühnenwirksamkeit abhängt; andererseits kann blendende Aufführungskunst über gehaltliche Schwächen hinwegtäuschen.

M. Foth, D. Drama u. sein Ggs. zur Dichtkunst, 1902; R. Peacock, *The Poet in the Theatre,* London 1946.

Buchdruck, die mechan. Vervielfältigung des geschriebenen Wortes geschah zuerst durch erhaben ausgeschnittene und mit Farbe bestrichene Holzplatten, die das Schriftbild auf e. daraufgelegten, mit Bürsten angedrückten Bogen übertrugen (Holztafeldruck, →Blockbuch). Um 1453 erfand der Mainzer Patrizier Joh. GUTENBERG den mechanischen B. mit einzelnen, beweglichen und daher beliebig zusammensetzbaren, gegossenen Lettern aus Metall sowie die Vervielfältigung durch die Presse. Die verbilligte, schnellere und unbeschränkte Vervielfältigungsmöglichkeit gestattete breitere Ausdehnung der Druckschriften in alle Volksschichten und sorgte für schnelle und unrechtmäßige Verbreitung seiner Erfindung in Dtl. und Italien. Um 1500 ist die Ausgestaltung des →Buches (Titelblatt, Illustrationen, Register) in heutiger Form vollzogen, und bis 1570 war die Umstellung von der →Handschrift auf den Druck allgemein geworden. Wie die →Bibelübersetzung trug der B. wesentlich zur Schaffung e. einheitlichen Schriftsprache bei, und nur unrechtmäßige Nachdrucke zeigen noch das Eindringen der Mundart in die Textgestaltung, wie es bei der hs. Verbreitung geläufig war. Wesentliche Verbesserungen brachten Schnellpresse (1811 von F. KÖNIG in London) mit maschineller Farbauftragung durch Walzen und Anpressen des Papiers ebenfalls über Walzen, Rotationspresse (1870 in Amerika) durch vollautomatische Herstellung mit Hilfe eines Walzendrucksatzes bis zur Ablagerung der gefalzten und gezählten Schichten, Setzmaschine (1884) durch halbautomatische Zusammenfügung des Schriftsatzes (Monotype gießt einzelne Buchstaben, Linotype ganze Zeilen) und schließlich Lichtsatz.

K. Faulmann, Illustr. Gesch. d. B.kunst 1882; G. A. Bogeng, Gesch. d. B.erkunst, II 1930–41; L. C. Wroth, *A hist. of the printed book,* N. Y. 1938; H. Barge, Gesch. d. B.erkunst, 1940; J. Benzing, B.erlexikon d. 16. Jh., 1952; D. mod. Druck, hg. E. Kollecker u. W. Matuschke, [2]1958; S. H. Steinberg, D. Schwarze Kunst, [2]1961; D. B. Updike, *Printing types,* II Cambr./Mass. [2]1962; G. Dowding, *An introduction to the hist. of printing types,* Lond. 1962; D. Druckwerk, hg. G. Barthel u. U. Krebs, II 1963; J. Benzing, D. B.er d. 16. u. 17. Jh. i. dt. Sprachgebiet, 1963; F. Genzmer, Umgang m. d. schwarzen Kunst, [2]1965; W. T. Berry, H. E. Poole, *The annals of printing,* Lond. 1966; C. Clair, *A hist. of printing in Britain,* Oxf. 1966; ders., *A chronology of printing,* Lond. 1969; N. Levarie, *The art and history of books,* N. Y. 1968; J. Lewis, *Anatomy of printing,* Lond. 1970; K. Kirchner, Satz, Druck, Einband, [9]1970.

Buchdruckerzeichen →Druckerzeichen

Bucheinband →Einband

Buchführer, die reisenden Buchhändler des 15./16. Jh., die ihre Bücher von Stadt zu Stadt und von Messe zu Messe mit sich führten.

Buchgemeinschaften, im 20. Jh. neuentwickelte Form des Buchvertriebs meist außerhalb der Buchhandlungen durch Herstellung und Verkauf billiger Massenauflagen gut gängiger Titel direkt an feste Mitglieder/Abonnenten, die sich zur regelmäßigen Abnahme einer festen Anzahl von Werken verpflichten und, wenn sie auf die Möglichkeit freier Wahl aus dem angebotenen Bestand verzichten, den Hauptvorschlagsband erhalten. Das Angebot besteht teils aus Lizenzausgaben, teils aus eigens für die B. hergestellten Werken; beide können – jedoch nur in beschränkter Titelzahl – durch die Kopplung von Großherstellung und Massenvertrieb ohne separate Verdienstspannen – bedingt wiederum durch die Abnahmegarantie der Abonnenten – billiger angeboten werden als im Sortiment. Werbung und Mitgliederverkehr geschehen meist durch eine Vereinszeitung, die die Neuerscheinungen ankündigt, Prämienbände für Mitgliederwerbung und Treuebände für längere Mitgliedschaft auslobt. Die Gefahren der B. liegen in der Standardisierung des lit. Geschmacks auf den Massengeschmack an gehobener Unterhaltungslit. in den teils geschmacklosen goldgeprägten Halblederbänden bis hin zu Klassikerauswahlen und Sach- und Gebrauchsschrifttum, in der Bevormundung durch die branchenbedingte Enge und Einseitigkeit der Auswahl gängiger Konsumware und der restlosen Kommerzialisierung der Lit. Die Vorteile der B. liegen bei genossenschaftlicher Organisation in der Verbilligung der Bücherpreise, der Direktbelieferung frei Haus, die die bei weiten Kreisen herrschende Scheu vor dem Betreten einer Buchhandlung umgeht, und in der Erschließung neuer, bisher nicht angesprochener Bevölkerungskreise für das Buch; diese können zu Lesern und Buchkäufern werden;

gleichzeitig ermöglicht die Beteiligung von B. an Neuerscheinungen oder Neuauflagen höhere Druckauflagen der Verlage und damit ein vermindertes Risiko bzw. Verbilligung der Originalausgaben, deren Verkauf durch erfolgreiche Lizenzausgaben auf dem 2. Markt nicht beeinträchtigt wird. Die Bedenken wegen einer Ausschaltung des Sortiments suchen einzelne B. durch die Zusammenarbeit mit dem Sortiment als Auslieferer und Berater zu zerstreuen (sog. Lesering-Form). Eine noch stärkere Beeinträchtigung des Buchhandels ist bei der seit Jahren anhaltenden Stagnation der Mitgliederzahlen (bei 1963 rd. 5 Mill. Mitgliedern, jährlicher Umsatz 1962: 27 Mill. Titel = 250 Mill. DM), die nur untereinander fluktuieren, ebensowenig zu erwarten wie ein wirklicher Einfluß auf das lit. Leben, da sich die B. im wesentlichen nicht an die lebendige Avantgarde und jüngere lit. Experimente, sondern an die vorher auf dem freien Markt erprobten Erfolgsbücher halten, und insbes. für die B. die von ihnen nicht steuerbare Konkurrenz der preisgünstigen Taschenbücher wächst. Eine Gegenaktion der Verleger gegen die Machtentfaltung der B. sind die ›Bücher der 19‹, in denen 19 Verleger wechselnd monatlich je einen Band innerhalb des Sortiments bes. verbilligt herausbringen und durch Großauflage auch ohne Abonnement B.-Preise erreichen. – Wichtigste dt. B.: Volksverband der Bücherfreunde (1919 Berlin, erloschen), Dt. B. (1924 Darmstadt, 600 000 Mitgl.), Büchergilde Gutenberg (1924 Frankfurt/M., 300 000 Mitgl.), Wissenschaftliche Buchgesellschaft (1949 Tübingen, 45 000 Mitgl.), Bertelsmann-Lesering (1950 Gütersloh, 2,5 Mill. Mitgl.), Dt. Bücherbund (1948 Stuttgart, 1,2 Mill. Mitgl.) und Europäischer Buchklub (1950 Stuttgart, 400 000 Mitgl.); entsprechend in Österreich B. Donauland, in der Schweiz Ex libris und Neue Schweizer Bibliothek, in den USA Book of the Month Club (1926, 500 000 Mitgl.) and The Literary Guild (1927, 1 Mill. Mitgl.); die franz. B. pflegen mehr das wertvoll ausgestattete, illustrierte Buch in Ggs. zu den broschierten Exemplaren des Buchhandels.

H. Hiller u. W. Strauß, D. dt. Buchhandel, [4]1968; Buch u. Leser i. Dtl., 1966; G. Ehni, F. Weissbach, B. i. Dtl., 1967.

Buchhandel, der Vertrieb lit. Erzeugnisse war zuerst bei Griechen und Römern bekannt und lieferte damals Bücher zu erstaunlich niedrigen Preisen sowie prachtvoll ausgestattete und illustrierte Liebhaberausgaben für die Vornehmen (z. B. die medizinischen Werke des DIOSKURIDES, 1. Jh. n. Chr.), indem schreibgeübte Sklaven Abschriften serienweise (bis 1000 Exemplare) herstellten. CICEROS Verleger ATTICUS (109–32 v. Chr.) brachte zahlreiche Autoren seiner Zeit in guten Ausgaben an die Öffentlichkeit. Im frühen MA. oblag die Vervielfältigung der Hss. und deren Verbreitung durch Austausch den Klöstern. Das späte MA. kannte den Handschriftenhandel der Stationarii an den Universitäten, jedoch erst im Humanismus setzte er, bes. mit antiken Hss., stärker ein. Seit der Erfindung des Buchdrucks und damit größerer Verbreitungsmöglichkeit erfolgte der Vertrieb durch sog. →Buchführer an Klöster, Universitäten, Gelehrte usw. Ab 16. Jh. teilte sich der B. in →Verlag und Vertrieb (Drucker und Kaufleute bzw. Buchbinder), dann im 18./19. Jh. in Drucker, Verleger und Sortiment auf. Druckgesellschaften stellten Bücher auf gemeinschaftliche Kosten e. Interessentengruppe her.

Dem Großhandel dienten die Oster- und Herbstmessen, anfangs in Frankfurt a. M., später mehr in Leipzig (vgl. →Buchmesse), zumal als mit dem Rückgang des europ. verbreiteten lat. Schrifttums das volkssprachliche zunahm (um 1700), heute an beiden Orten. 1479 beginnt die Kontrolle der Produktion durch die →Zensur. Nachdem obrigkeitliche →Privilegien (ab 1500) nur unzureichenden Schutz gegen unrechtmäßige →Nachdrukke boten, erfolgte 1825 die Gründung des Börsenvereins der dt. Buchhändler als Interessenverband und Dachorganisation zahlreicher Einzelverbände. Seine Aufgaben sind Verhinderung von Nachdrukken, Einführung fester Ladenpreise, Herausgabe des *Börsenblattes für den dt. Buchhandel* und der Nationalbibliographie, Werbeaktionen, Marktanalyse, Nachwuchsschulung, Buchmessen, -ausstellungen und -wettbewerbe, kaufmännische Beratung der Mitglieder u. ä. (Neugründung 1945 in der DDR; in der BR als ›Börsenverein dt. Verleger und Buchhändlerverbände‹ 1949, jetzt ›Börsenverein des dt. Buchhandels‹). Der gegenwärtige B. zerfällt in →Verlags-B. (Herstellung), Sortiments-B. (Einzelvertrieb im Geschäft an das Publikum zum Ladenpreis), Reise-B. (Einzelvertrieb durch reisende Vertreter, bes. für mehrbändige Sammelwerke z. T. auf Teilzahlungsbasis, die nach Bestellung zugesandt werden), Versand-B. (Vertrieb durch Kataloge und Prospekte auf dem Postweg), Export-B. (Einzelvertrieb an Interessenten im Ausland), →Antiquariats-B., Kommissions-B. (Auslieferungslager versch. Verlage an den Hauptplätzen des Buchhandels) und Zwischenhandel in Barsortiment und Grosso-B. (zur raschesten Versorgung angeschlossener Sortimenter mit Publikationen möglichst vieler Verlage), ferner Bahnhof-B. und Warenhaus-B. Eine Anzahl von →Buchgemeinschaften erschließt breitere Leserkreise.

F. Kapp u. J. Goldfriedrich, Gesch. d. dt. B., V 1886–1923, [2]1970; O. Hartmann, D. Entw. d. Lit. u. d. B., 1910; F. Schulze, D. dt. B. u. d. geist. Strömgn. d. letzten 100 Jahre, 1925; M. Paschke, P. Rath, Lehrb. d. dt. B., [7]1932; E. Stemplinger, B. i. Altertum, [2]1933; A. Druckenmüller, D. B. d. Welt, 1935; H. Widmann, Gesch. d. B., 1952; S. Taubert, Grundriß d. B. in aller Welt, 1953; F. Mumby, *Publishing and bookselling,* Lond. [2]1956; D. T. Pottinger, *The French book trade in the Ancien Regime,* Cambr./Mass. 1958; K. Ludwig, Kurze Gesch. d. B. i. Dtl., 1959; F. Schulz, D. Schicksal d. Bücher u. d. B., [2]1960; H. Gonski u. a., D. dt. B. i. uns. Zeit, 1961; F. Uhlig, Gesch. d. Buches u. d. B., [2]1962; H. Kliemann u. P. Meyer-Dohm, B., E. Bibliogr., 1963; Th. Joy, *The truth about bookselling,* Lond. 1964; B. u. Wiss., hg. F. Uhlig 1965; D. dt. B. i. Quellen u. Urkunden, hg. H. Widmann 1965; S. Taubert, Bibliopola, 1966; H. Hiller u. W. Strauß, D. dt. B. [4]1968; M. Plant, *The Engl. Book Trade,* Lond. [2]1966; H. Hiller, Z. Sozialgesch. v. Buch u. B., 1966; T. Kleberg, B. u. Verlagswesen i. d. Antike, 1967; P. Meyer-Dohm, B. als kulturwirtschaftl. Aufgabe, 1967; Bibliogr. d. B., [3]1970; Hdb. d. B., hg. P. Meyer-Dohm, IV 1971 ff.; H. Widmann, Gesch. d. B., 1975 ff.

Buchillustration →Illustration

Buchklub →Buchgemeinschaft

Buchkritik →Kritik

Buchmalerei →Miniatur

Buchmesse, allg. Zusammenkunft der Buchhändler, in Dtl. ursprüngl. zur Abrechnung über das Kommissionsgut, dann zunehmend Verkaufs- und Repräsentativausstellung der jüngsten und älteren Verlagsproduktion für Sortimenter, Zwischenhändler und ein interessiertes Publikum. Zuerst seit Ende 16. Jh. im Rahmen der allg. Messen als Oster- (Frühjahrs-) und Herbst- (Michaelis-)Messe in Frankfurt/M. und Leipzig, seit Mitte 18. Jh. nur in Leipzig, seit 1949 daneben die Internationale Frankfurter B. im Sept./Okt. als bedeutendste der Welt. Weitere mehr nationale B. in London, New York, Paris, Mailand, für die Ostländer in Warschau.

A. Dietz, Z. Gesch. d. Frankf. B., 1921; B. Recke, D. Frankf. B., 1951.

Buchrolle →Papyrus

Buchsoziologie →Literatursoziologie

Buchstabe, das Schriftzeichen für e. Sprachlaut. Stab heißt der senkrechte Hauptstrich fast aller Runen, dann das ganze Schriftzeichen (›Runenstab‹), im Ggs. dazu bezeichnete man die Schriftzeichen in ›Büchern‹ als B.en; die Deutung aus ›Buchenstäbchen‹ ist fraglich.

H. Rosenfeld, Buch u. B. (Gutenberg-Jb. 1969).

Buchstabenschrift, →Schrift, die im Ggs. zur →Bilder- und →Silbenschrift jeden Laut durch Einzelzeichen wiedergibt.

Buchtitel →Titel

Buchumschlag, die Verpackung des gebundenen oder broschierten Buches, in erster Linie als Schutz des Einbands gedacht, doch je nach Inhalt, Zeitgeschmack und Verlag mehr oder weniger aufwendig, farbig, graphisch oder illustriert zugleich als plakative Werbung ausgestattet und heute vielfach lackiert, soll dem Charakter des Buches angemessen sein.

C. Rosner, *The Growth of the Book-Jacket,* Cambr./Mass. 1954; G. K. Schauer, Kleine Gesch. d. dt. B. i. 20. Jh., 1962; K. Weidemann, B.e u. Schallplattenhüllen, 1969; W. Scheffler, B.e 1900–1950, 1971.

Buchwissenschaft, jüngst vieldiskutierte Bz. für eine zu konstruierende wiss. Disziplin, die alle bisher von Rechtswiss., Wirtschaftswiss., Soziologie, Publizistikwiss., Geschichtswiss., Literaturwiss., Pädagogik und Bibliothekswiss. behandelten Aspekte des Bereichs Buch und Buchhandel in sich vereint. Indessen kann dieser Bereich nur ein gemeinsames Forschungsfeld für interdisziplinäre Kooperation, nicht durch Addition der Betrachtungsweisen eine eigene wiss. Disziplin bilden, da die einer solchen zuzuordnenden Forschungsbereiche wesensgemäß den obengenannten Disziplinen zugehören und eine B. mithin keine eigenständige Methode entwickeln, sondern mit simplifizierendem Dilettantismus fremde Disziplinen einverleiben würde.

P. Glotz, W. Langenbucher, B.? (Publizistik 10, 1965); H. Hiller, W. Strauß, D. dt. Buchhandel, [4]1968; Wege zur B., hg. O. Wenig 1966; Buchhandel u. Wiss., hg. F. Uhlig 1967. →Buch.

Bücherei →Bibliothek, →Deutsche Bücherei

Bücherkunde →Bibliographie

Bücherliebhaberei →Bibliophilie

Bücherprivilegien →Privilegien

Bücherverbot →Zensur

Bücherverbrennung, die Vernichtung religiös, politisch oder moralisch anstoßerregender Schriften durch autoritäre Institutionen (Staat, Kirche) oder einzelne in e. symbol. Akt, wiederholt sich in Zeiten geistiger Unterdrückung oder als Protest gegen eine solche: 213 v. Chr. in China B. der konfuzian. Schriften auf kaiserl. Befehl, im MA. B. ketzerischer Schriften durch die Inquisition, SAVONAROLAS B. auch der Schriften BOCCACCIOS und PETRARCAS 1497, B. der Schriften LUTHERS, kathol. Schriften durch die Wiedertäufer 1534, der Werke MILTONS 1660, reaktionärer Schriften auf dem Wartburgfest 1817, schließlich die nationalsozialist. B.

vom 10. 5. 1933 durch die ›Dt. Studentenschaft‹, die sich gegen den sog. ›undeutschen Geist‹ marxist., pazifist. oder jüd. Autoren richtete. Die mod. Form eines gerichtlichen Einziehungs- und Vernichtungsbeschlusses unterscheidet sich nur durch (manchmal) abgewogenere Auswahl und weniger spektakuläres Verfahren. In fast allen Fällen von B. hat sich die echte Lit. auf die Dauer als stärker erwiesen als der Verfolgungswahn geistloser Unterdrücker oder fanatisierter Massen, die das Unerwünschte nicht durch Argumente, sondern durch Gewaltmaßnahmen aus der Welt schaffen zu können glaubten. Eine Gemeinschaft, die ihre Mitglieder durch B. und Verbote vor Schaden bewahren will und die eigene Urteilsbildung des einzelnen unterbindet, erweist damit nur ihr eigenes geistiges Versagen.

Büchlein, poetischer Liebesbrief, aus der mhd. höfischen Dichtung z. B. von HARTMANN VON AUE, ULRICH VON LICHTENSTEIN sowie aus dem 14./15. Jh. erhalten. →Minnebrief.
RL.

Bühne, der für das Auftreten der Schauspieler und den Ablauf der Vorstellung bestimmte, zwecks besserer Sichtbarkeit erhöhte Teil e. Theateraufführungen dienenden Örtlichkeit. Die Spielfläche, etwa in Augenhöhe der 1. Zuschauerreihe, z. T. schräg nach hinten ansteigend, wird gegen den Zuschauerraum durch den seitlich oder horizontal beweglichen Haupt→vorhang und aus Sicherheitsgründen auch durch den eisernen Vorhang abgeschlossen. Sie öffnet sich gegen diesen durch den (neuerdings z. T. veränderlichen) äußeren und inneren Bühnenrahmen (Bühnenportal), der die Proszeniumslogen aufnimmt und, zum Zuschauerraum hin neutral der Saalarchitektur angepaßt, zur Bühne hin die Apparaturen der Beleuchtungstechnik mit Beleuchtungszentrale und Stellwerk aufnimmt (neuerdings werden Beleuchtungszentrale und elektro-akustische Zentrale vielfach auch an der Rückwand des Zuschauerraums eingebaut). Der in den Zuschauerraum hineinragende Teil der B., auch →Proszenium, heißt Vor-B., bei größerem Ausmaß →Raum-B., und dient der Überwindung des Guckkastentheaters. Vor oder teils unter ihm liegt bei größeren Bühnen der Orchesterraum, in seiner Mitte der Souffleurkasten. Der Höhenraum über der B., dem Zuschauer durch →Soffitten verdeckt, dient zur Aufnahme der Obermaschinerie (Portalbrücke, Arbeitsgalerien, Oberlicht, Flugwerke u. ä.) und als Schnürboden für Dekorationen und Rundhorizont. Der Raum unter der B. beherbergt die Untermaschinerie: Unterbühnen, Hydraulik der Bühnenpodien, Maschinerie der Wagen- oder Drehbühne und Versenkungen. Nach dem System der Verwandlungstechnik unterscheidet man heute die Podium-B. mit teilbaren und stufenförmig heb- und senkbaren Podien, die Doppelstock-B. mit zwei übereinander gelagerten Spielflächen, die Wagen-B. mit seitlich oder nach hinten verschiebbaren, auf Rollen gelagerten Bodenplatten, die Versenk-Verschiebe-B. als Verbindung von Podium- und Wagen-B. und die →Drehbühne. – Die altgriech. B., stets →Freilicht-B., lag zwischen der →Orchestra und dem feststehenden Hintergrund der →Szene. Ma. Passionsspiele u. a. geistliche Dramen verwendeten die an geeigneter Stelle (Marktplatz, vor der Kirche) aufgeschlagene →Simultan-B. mit Häuserfronten als Dekoration. Das 15. Jh. kennt die ersten Saal-B.n: 1. die →Badezellenbühne (Terenz-B.) des Schuldramas, 2. die →Shakespeare-B., welche die umstrittene Hans-Sachs-B. um e. Mittelvorhang erweitert, und 3. die →Guckkasten-B. der ital. Renaissance. Im Laufe der Zeit weiter ausgestaltet mit →Dekoration (→Ausstattung) durch gemalten →Prospekt, →Telari oder Periakten, →perspektivische →Kulissen, →Soffitten und →Versatzstücke, ferner →Theatermaschinen und Beleuchtung durch drehbare Öllampen in den Kulissen, blieb sie die Grundform der modernen B. Technische Vervollkommnung brachten →Drehbühne, Schiebe-B. (von F. BRANDT: seitlich vorgeschobene Bühnenpodien) und Versenk-B. (von A. LINNEBACH: hydraulische Zylinder versenken die B. zum Umbau in den Kellerraum), die schnellen Schauplatzwechsel gestatten, sowie die Bogenlampenbeleuchtung (von FORTUNATY) vom oberen Rampenrahmen mit Verwendung verschiedener Farbtönungen oder direktem und indirektem Licht (A. LINNEBACH); der Expressionismus bevorzugt Scheinwerfer zu stärkerer Raumwirkung. Hingegen verzichtet man z. T. auf technische Vorteile zugunsten größerer Einfachheit und kehrt zu antiken oder Shakespeare-B. zurück durch ein andeutendes Spiel, in dem Wort und Geste, unterstützt freilich durch raffinierte Verwendung von Lichteffekten und Scheinwerfern, das Wesentliche bilden (→Stilbühne). Die Überwindung des Guckkastenprinzips durch die frei im Raum stehende →Raumbühne oder die Form des Arenatheaters wurde immer wieder versucht, ohne dauernde Ergebnisse zu erbringen. →Theater.

E. Schmidt, D. B.nverhältnisse d. dt. Schuldramas i. 16. Jh., 1903; C. H. Kaulfuß-Diesch, D. Inszenierg. d. dt. Dramas a. d. Wende d. 16. u. 17. Jh., 1905; A. Köster, D. Meistersinger-B. d. 16. Jh., 1920; C. Hagemann, D. Kunst d. B., II 1922; J. Gregor, Wiener Szen. Kunst, 1924; F. Kranich, B.ntechnik d. Ggw., 1929–33; J. Bemmann, D. B. v. geistl. Spiel bis z. frühen Oper, Diss. Lpz. 1933; G. Schöne, D. Entwicklg. d. Perspektiv-B. v. Serlio bis Galli-Bibiena. 1933; P. Sonrel, *Traité de scenographie,* Paris 1943; B. Mello, *Trattato di scenotecnica,* Maild. 1949; F. Hansing, W. Unruh, Hilfsbuch d. B.ntechnik, [2]1950; W. P. Boyle, *Central and Flexible Staging,* Berkeley 1956; G. Wickham, *Early Engl. Stages,* Lond. 1959–62; W. F. Michael, Frühformen d. dt. B., 1963; T. B. L. Webster, Griech. B.naltertümer, 1963; W. Beare, *The Roman Stage,* Lond. [3]1965; N. D. Shergold, *A hist. of the Spanish stage,* Oxf. 1966.

Bühnenanweisungen, die in den Sprechtext e. Dramas eingeschobenen szenischen Bemerkungen des Dichters über Bühnenbild und Ausstattung, Aussehen, Kleidung, Sprechweise und Gesten der Schauspieler, deren Auf- und Abtreten und dessen Art, Richtung und Tempo, ferner evtl. akustische Effekte, Musik usw., nur für den Darsteller, Regisseur und Kapellmeister gedacht und im Druck meist durch Klammern, kleinere oder Kursiv-Schrift abgesetzt. Sie spiegeln die Auffassung des Dichters von der Darstellungsart, die er, gewissermaßen sein erster eigener Regisseur, für sein Stück angewandt wissen will, und sind aufschlußreich für sein Verhältnis zur Bühne, ermöglichen z. T. selbst die Rekonstruktion früherer Bühnenformen und Spieltechnik (bes. wenn der Verfasser selbst Schauspieler war). Schon im antiken Drama (z. B. AISCHYLOS) in knappster Form erhalten. Form und Umfang wandeln sich von der sachlichen Schauplatzanweisung des Humanisten- und Barockdramas zur ausführlichen Vorschrift der Volksstücke (H. SACHS) und wieder von der – nach dem antiken Vorbild – knappsten B. der Klassik (GOETHE, *Tasso*) über die eingehendere in Romantik und Realismus bis zur präzisiertesten Kleinigkeit (A. HOLZ) und epischen Breite (G. HAUPTMANN) im Naturalismus und den Sprachexperimenten des Expressionismus (G. KAISER) mit Rücksicht auf das lesende Publikum; ihre praktische Befolgung im einzelnen ist stellenweise unmöglich. Vgl. auch die ausführlichen Vorreden G. B. SHAWS zu seinen Dramen und BRECHTS →Musteraufführungen.

R. Heinzel, Beschreibg. d. geistl. Schauspiels i. dt. MA., 1908; S. Mauermann, D. B. i. dt. Drama bis 1700, 1911; M. Herrmann, Forschgn. z. dt. Theatergesch. d. MA. u. d. Renaissance, 1914; W. Meincke, D. Szenenanweisg. i. dt. naturalist. Dr., Diss. Rostock 1930; G. Schiffer, Goethes szen. Bemerkgn., Diss. Mchn. 1945; P. Küp, B. i. Dr. d. Sturm u. Drang. Diss. Mchn. 1956; RL; E. Sterz, D. Theaterwert d. szen. Bemerkungen i. dt. Drama, 1963; E. Maletschek, D. szen. Bemerkgn. i. Konversationsstück unt. Laube a. Burgtheater, Diss. Wien 1965; W. Lehr, D. szen. Bemerkgn. i. d. Dramen d. Altwiener Volkstheaters bis 1752, Diss. Wien 1965; G. Westphal, D. Verhältn. v. Sprechtext u. Regieanweisg. b. Frisch, Dürrenmatt, Ionesco u. Beckett, Diss. Würzb. 1965; E. Meier, *Realism and Reality. The Function of Stage Directions*, Bern 1967; J. Steiner, D.B., 1969.

Bühnenaussprache, die dialektfreie, ideale Lautgestaltung der dt. Hochsprache, für alle dt. Bühnen verbindlich. Die B. bezweckt ein Höchstmaß an künstlerischer Eindringlichkeit durch letztmögliche Deutlichkeit und Wohlklang des Sprechens auf der Bühne: scharfe Unterscheidung von D T, B P usw., Vollklang und Überhöhung der Vokale, Mitsprechen der Endkonsonanten, Zungen-R u. a. m. Die schon von GOETHE 1803 als Theaterleiter in Weimar begonnenen Bestrebungen kamen zum Abschluß in der einheitlichen Regelung durch Theaterfachleute und Germanisten für das gesamte dt. Sprachgebiet 1897, in starker Anlehnung an norddt. Sprechweise. Maßgeblich ist:

Th. Siebs, Dt. Aussprache,[19]1969.

Bühnenbearbeitung, im Ggs. zu →Adaption und →Dramatisierung die Anpassung e. dramatischen Dichtung an die Erfordernisse und Möglichkeiten der Bühnenaufführung, reicht von geringfügigen Änderungen im Text (Streichung, Zusammenziehung, früher auch Einschub) bis zur grundlegenden Umgestaltung des Geistes und Gefüges (berühmt die Theaterniederlage von KLEISTS *Zerbrochenem Krug* u. a. durch GOETHES B. in drei →Akten). Ursachen sind oft bühnenpraktische Gesichtspunkte (Länge, Schauplatzwechsel, Personenfülle, technisch nicht darstellbare oder nicht wirksame Erscheinungen u. ä.), Zugeständnisse an den Publikumsgeschmack: im Lustspiel Anspielungen auf Zeitereignisse. Umwandlung e. tragischen Ausgangs, so bes. in Aufklärung und Sturm und Drang (SCHILLERS eigene B. des *Fiesko*), früher auch Eingriffe der →Zensur: Tilgung politisch oder sittlich anstößiger Partien oder Tendenzen. Das 16./17. Jh. brachte oft willkürliche oder pietätlose B.en bes. der Dramen SHAKESPEARES. Auch die Dramen LESSINGS, SCHILLERS *(Wallenstein)* und GOETHES *(Faust)* erlebten zahlreiche B.en, wichtig: GOETHES *Egmont* durch SCHILLER. Die neuere Dramatik ist zurückhaltender und vorsichtiger in B.en, greift im Gegenteil oft auf e. Urform, falls vorhanden, zurück. Sie kennt andererseits auch Fälle, die alte Texte nur zu Vorwänden für die Einfälle des Regisseurs entwerten.

RL.

Bühnenbild, die durch →Bühnenanweisung des Autors festgelegte →Dekoration und detaillierte →Ausstattung e. Szene bzw. e. Aktes oder Schauplatzes im Hinblick auf die optimale künstlerische Wirkung der Aufführung; erfolgt durch den Bühnenbildner oder Dekorateur mit Rücksicht auf den Inhalt des Stückes und auf den Zeitgeschmack; neuerdings häufig in andeutender Ausgestaltung. Ein künstliches B. im Ggs. zu den an vorhandene Gegebenheiten, Baulichkeiten usw. angelehnten Schauplätzen der ma. Simultanbühne entwickelte im Anschluß an VITRUV erstmals die Schulbühne der Renaissance, die als kleine Flächenbühne eine Raum- und Tiefenillusion erwecken will. In der einfachsten Form, der Winkelrahmenbühne (erstmals Ferrara 1508) ersteht hinter der schmalen Spielbühne durch zwei in stumpfem Winkel zusammenstoßende bemalte Holzrahmen mit Prospektdurchblick eine Raumillusion, die während der Aufführung unverändert bleibt. Erst die →Telari (1589) und →Kulissen (1620) mit auswechselbarem Schluß →prospekt boten die Möglichkeit der Verwandlung innerhalb eines Stückes. Künstlerische Umwälzung brachte die Ablösung der bisherigen, auf einen mittleren Zuschauerplatz ausgerichteten Zentralperspektive des B. durch die Winkelperspektive mit verschiedenen Fluchtpunkten (F. GALLI-BIBIENA), Verfeinerung die Vervollkommnung der Raumillusion bis zur Illusionsbühne des 19. Jh. mit vorwiegend Architekturteilen und Landschaftsprospekt, schließlich übersteigert durch die Forderung realist.-histor. Echtheit des B. und der Requisiten bei den →Meiningern und Milieuechtheit des Naturalismus. A. APPIA und E. G. CRAIG dagegen schufen lichtdurchflutete B. mit abstrakten Gebilden, M. REINHARDT nutzte Drehbühne und Rundhorizont, die Tendenz ging vom gemalten, illusionist. B. zu abstrahierender, symbolischer Stilisierung (→Stilbühne) mit starker Nutzung der Lichteffekte im Sinne der gegenstandslosen Kunst, zur Heranziehung bedeutender zeitgenöss. Künstler als Bühnenbildner, zum zitathaft andeutenden graphischen Detail und zum bewußten Anti-Illusionismus, der die Eigengesetzlichkeit des Bühnenraumes betont und nicht nur die Effekte, sondern auch ihre Mittel zeigt.

O. Fischel, D. mod. B., 1923; K. Niessen, D. B., 1924 ff.; J. Gregor, Wiener szen. Kunst, 1924; P. Zucker, D. Theaterdekoration d. Barock, 1925; ders., D. Theaterdekoration d. Klassizismus, 1925; S. Cheney, *Stage decoration,* 1928; B. v. Arent (hg.), D. dt. B. 1933–36, 1938; E. Pirchan, 2000 Jahre B., 1948; F. Schumacher, Wandlgn. i. B., 1948; H. Burris-Meyer, *Scenery for the theatre,* Boston 1948; E. Pirchan, Bühnenmalerei, ²1950; H. Philippi, *Stagecraft and scene design,* Bost. 1953; O. Schubert, D. B., 1955; F. Janssen, B. u. bild. Künstler, 1957; R. Southern, *Changeable Scenery,* N. Y. 1959; A. S. Gilette, *Stage scenery,* N. Y. 1959; O. K. Larson, *Stage design,* 1961; *Baroque and Romantic Stage Design,* hg. J. Scholz, N. Y. 1962; W. O. Parker, H. K. Smith, *Scene design and stage lighting,* N. Y. 1963; D. Bablet, *Estétique générale du décor de théâtre,* Paris 1965; W. R. Fuerst, S. J. Hume, *20th cent. stage decoration,* N. Y. 1966; Bühne u. bild. Kunst i. 20. Jh., hg. H. Rischbieter 1968.

Bühnendichter, fest angestellte Dramatiker an großen Theatern, bes. in der 2. Hälfte des 18. Jh. üblich. Der B. verpflichtete sich, gegen festes Gehalt jährlich e. bestimmte Anzahl eigener Stücke zu liefern und die nötigen →Bühnenbearbeitungen zu übernehmen. Ähnlich war LESSINGS Stellung als Konsulent des Nationaltheaters in Hamburg; SCHILLER schloß in Mannheim e. Kontrakt über drei Dramen jährlich; J. F. JÜNGER, Th. KÖRNER, in freierem Verhältnis auch GRILLPARZER waren nacheinander B. des Wiener Burgtheaters. Im 19. Jh. gingen die Funktionen e. B.s auf den Dramaturgen über, zumal kein größerer Dichter die Lieferungsverpflichtung auf die Dauer erfüllen konnte, doch war noch G. HAUPTMANN e. Art freischaffender, kontraktloser B. für BRAHMS Lessingtheater, Berlin.

R. Siebert-Didczuhn, D. Theaterdichter, 1938.

Bühnenmanuskript wird von e. Drama hergestellt, für das zur Aufführung noch kein Drucktext vorliegt oder dessen Spieltext (→Bühnenbearbeitung) starke Abweichungen gegenüber dem Druck aufweist.

Bühnenmusik, allg. jede auf der Bühne selbst, nicht vom Orchester, vorgetragene Musik in Oper und Schauspiel, dann speziell die Schauspielmusik, die, von e. kleinen Orchester ausgeführt, als Ouvertüre in das Schauspiel einführt, als Zwischenaktmusik (→Zwischenakt) die Teile harmonisch verbindet oder bei Liedern, Songs, Tänzen und Höhepunkten der lyr. Stimmung in das Bühnengeschehen integriert wird. Antikes und ma. Drama kannten B., im östl. (z. B. chines.) Theater ist sie teils unerläßlicher Bestandteil des Dramas, doch kann von Schauspielmusik eigtl. erst die Rede sein, seit in der abendländ. Entwicklung der Oper eine selbständige musikal. Gattung neben dem lit. Sprechstück entstand. Das Drama SHAKESPEARES und des Barock war stark mit Musik angereichert, GOTTSCHED forderte B. für eingelegte Arien, LESSING solche für Ouvertüre und Zwischenakt, GOETHE und SCHILLER schrieben für ihre Stücke B. vor. Bekannteste B. sind BEETHOVENS B. zu GOETHES *Egmont* (1810) und F. MENDELSSOHNS B. zu SHAKESPEARES *Sommernachtstraum* (1826–43), später G. BIZETS B. zu A. DAUDETS *L'Arlesienne* (1872) und E. GRIEGS B. zu H. IBSENS *Peer Gynt* (1876). Seit F. LISZT (1879) die Abschaffung der Zwischenaktmusik gefordert hatte, ging die B. allg. zurück, wurde unselbständig, unwesentlich und hält sich heute nur noch in Sonderformen wie →Musical und den Stücken B. BRECHTS (*Dreigroschenoper* u. a.).

A. Aber, D. Musik i. Schauspiel, 1926; F. Mirow, Zwischenaktmusik u. B. d. dt. Theaters i. d. klass. Zeit, 1927; O. Riemer, Musik u. Schauspiel, 1946.

Bühnenschwank →Schwank

Bühnenverlag →Bühnenvertrieb

Bühnenvertrieb, Bühnenverlag, Vermittlungsstelle für Aufführungsrechte von Bühnenwerken, übernimmt die Sichtung neuentstandener Dramen im Hinblick auf förderungswerte Autoren und Stücke, deren Vervielfältigung (vielfach als hektographierte →Bühnenmanuskripte), die Werbung dafür bei den Theatern, Vermittlung zwischen den Absichten des Autors und den Wünschen der Dramaturgen, Regisseure, Intendanten und Schauspieler und alle geschäftl. Abschlüsse einschl. Aufführungsverträge für den Autor, in lohnenden Fällen auch die echte lektoratsmäßige Beratung und Unterstützung junger vielversprechender Autoren und die Aufarbeitung der ausländ. Klassiker und Modernen durch Neuübersetzungen. Sein Gewinnanteil beträgt meist 2,5 % der Abendeinnahmen, d. h. ein Viertel der Tantiemen.

S. Jährig-Ostertag, D. dramat. Werk, Diss. Köln 1971; dies., Z. Gesch. d. Theaterverlage i. Dtl. (Archiv f. Gesch. d. Buchwesens 16, 1976).

Bühnenvolksbund →Volksbühne

Bühnenwerk, im Sinne des Urheberrechts jedes zur bühnenmäßigen Aufführung bestimmte dramatische, musikalische, choreographische oder pantomimische Werk. Sein Aufführungsrecht steht allein dem Autor zu und ist durch Berner Konvention und Welturheberrechtsabkommen geschützt.

Bürgerlicher Realismus →Realismus

Bürgerliches Trauerspiel, ein Drama, dessen Tragik sich in einer betont bürgerlichen Welt entfaltet, und zwar im Kampf gegen die Unterdrückung durch den Adel, in Konflikten innerhalb des Standes, die e. innere Tragik enthüllen, oder im Zusammenstoß mit dem aufkommenden Arbeiterstand, der an der Brüchigkeit bürgerlicher Weltordnung Kritik übt. Diese drei grundsätzlichen Möglichkeiten folgen in geschichtlicher Reihenfolge und spiegeln die Entwicklung des Bürgertums wider. Die Form des b. T. ist durchweg die Prosa. Die Verwendung bürgerlicher Personen, Geschicke und Lebensauffassung im Trauerspiel ist nicht zu allen Zeiten selbstverständlich gewesen: bis in die Mitte des 18. Jh. herrschte die →Ständeklausel, die dem b. T. die →Fallhöhe abspricht. Vorstufen bilden GRYPHIUS' *Cardenio und Celinde* (1648), nur aus Quellentreue im bürgerlichen Milieu angesiedelt und noch ganz in der Form der heroischen Tragödie, sowie die späten Schuldramen Chr. WEISES; beides bleiben Einzelfälle ohne Nachwirkung. Erst mit dem Aufstieg e. selbstbewußten und standesstolzen Bürgerkultur ergab sich das Bestreben, die sittlichen Grundsätze und Konflikte des neuen Standes auch im angemessenen ernsten Drama auf der Bühne zu zeigen, zumal die Gleichheit der auf der Bühne dargestellten Lebensanschauung mit derjenigen der Zuschauer eine viel tiefergreifende Wirkung erzielen mußte als die kalte Bewunderung lebensferner Heroen. Das b. T. entwickelt sich zuerst in England unter dem dort früher erstarkten Bürgertum: G. LILLO, *The London Merchant* (1731) und RICHARDSONS moralische Sittenromane übten starken Einfluß auf den Kontinent. In Frankreich geht die Entwicklung nicht von der strengen klassizistischen Tragödie, sondern von der Komödie aus und nimmt den Umweg über die →Comédie larmoyante, die in Dtl. durch GELLERT vertreten wird. DIDEROT (*Le fils naturel,* 1757; *Le père de famille,* 1758) leitet zum ernsten Drama über. – Der Schöpfer des dt. b. T. wurde nach Vorgang von Chr. Leberecht MARTINIS *Rhynsolt und Sapphira* (1753) LESSING; nach engl. Vorbild und in kritischer Abgrenzung gegen die franz. Tragödie entsteht 1755, zunächst noch in engl. Milieu spielend, sein rührendes Familienbild *Miß Sara Sampson* und erlebt zahlreiche moralisierende Nachahmungen in der Zeit bis 1772. Auf der anderen Seite führt seine *Minna von Barnhelm* (1767) als e. der ersten Lustspiele auch den Adel auf die Bühne. Der tragische Zusammenstoß von Bürgertum und unterdrükkendem Adel erscheint zuerst in LESSINGS *Emilia Galotti* 1772, dem ersten Höhepunkt des b. T.: scharfer Protest gegen absolutistische Willkür führt aus den rührenden Familienszenen in den größeren Zusammenhang staatspolitischer und sozialer Probleme. Die Reihe der b. T.e, die gegen Übergriffe des Adels auf das preisgegebene Bürgertum in radikaler Form Stellung nehmen und die Auflehnung des Individuums gegen die Gesellschaftsordnung verherrlichen, setzt sich in den zahlreichen, doch – unter falscher Berufung auf GOETHES *Götz* – oft formlosen Sozialdramen des →Sturm und Drang fort (LENZ, KLINGER, H. L. WAGNER) und findet ihre sprachlich und dramatisch geschlossenste Ausformung in SCHILLERS *Kabale und Liebe* (1783); e. andere Richtung dagegen versandet zu weichlich-moralischen Familien- und →Rührstücken (F. L. SCHRÖDER, v. GEMMINGEN, GROSSMANN, mit bes. Erfolg IFFLAND und KOTZEBUE), die nach den Befreiungskriegen durch die veränderten Verhältnisse nur noch historisch wirken (BIRCH-PFEIFFER, BAUERNFELD, BENEDIX). Klassik wie Romantik stehen dem b. T. fremd gegenüber, und auch die Wiederbelebungsversuche durch das Junge Dtl. (GUTZKOW) in liberalem Sinn scheitern. Isoliert steht BÜCHNERS *Woyzeck* mit seiner Kritik an der Menschlichkeit. – Die 2. Stufe des b. T. setzt zwei Generationen später mit HEBBELS *Maria Magdalena* (1844) ein: kleinbürgerliche Moral und pedantisches Pflicht- und Ehrgefühl wenden sich gegen ihre Träger selbst und führen zu Konflikten innerhalb desselben Standes aus seinem Wesen heraus: das Individuum als Opfer der eigenen Gesellschaft. (O. LUDWIGS b. T. *Der Erbförster,* 1850, dagegen sucht die Tragik mehr aus dem Charakter heraus zu entwickeln). – Auf der 3. Stufe des b. T. deckt der Naturalismus gesellschaftskritisch die Lebenslüge des selbstzufriedenen Bürgertums auf und vertritt ihm gegenüber oft die Forderungen des rechtlosen Arbeiterstandes (IBSEN, HAUPTMANN); damit wird das b. T. zur →sozialen Dichtung im engeren Sinne. Die Kritik an den brüchigen Lebensformen steigert sich bis zur Verzerrung und Karikatur im Expressionismus und Surrealismus (WEDEKIND, STERNHEIM, KAISER, TOLLER, HASENCLEVER, BRECHT).

A. Eloesser, D. bürgerl. Drama, 1898; J. Block, Lessing u. d. b. T. (Zs. f. dt. Unterr. 13, 1904); G. Lukács, Z. Soziologie d. modern. Dramas (Archiv f. Sozialwiss. 38, 1914); O. Walzel, D. bürgerl. Drama (Neue Jahrbücher 35, 1915); K. Brombacher, D. dt. Bürger i. Lit.-Spiegel v. Lessing bis Sternheim, 1920; H. Ulmann, D. dt. Bürgertum i. dt. Tragödien d. 18. u. 19. Jh., 1923; F. Brüggemann, D. Kampf und d. bürgerl. Weltanschauung i. d. Lit. d. 18. Jh., 1925; J. Clivio, Lessing u. d. Problem d. Tragödie, 1928; J. Kruuse, *Det folsomme Drama,* Kopenh. 1934; J. Pinatel, *Le drame bourgeois,* Lyon 1938; E. Dosenheimer, D. dt. soz. Dr., 1949; RL; J. Krueger, Z. Frühgesch. d. Theorie d. b. T. (in: Worte u. Werte, Markwardt-Fs., 1961); W. Schaer, D. Gesellschaft i. dt. bürgerl. Drama d. 18. Jh., 1963; R. Daunicht, D. Entstehg. d. b. T. i. Dtl., [2]1965; L. Pikulik, ›B. T.‹ u. Empfindsamkeit, 1966; A. Wierlacher, D. bürgerl. Dr., 1968; ders. in: Neues Hdb. d. Lit.wiss. 11, 1974; P. Szondi, D. Theorie d. b. T. i. 18. Jh., 1973; K. Willenberg, Tat u. Reflexion, 1975; K. S. Guthke, D. dt. b. T., [2]1976; P. Weber, D. Menschenbild d. b. T., [2]1976; K. Weimar, B. T., DVJ 51, 1977; B. Kahl-Pantis, Bauformen d. b. T., 1977.

Bürstenabzug, der erste Korrekturabzug zur Fahnenkorrektur, heute ohne bes. Zurichtung auf e. Handpresse hergestellt; früher wurde das Blatt mit e. Bürste auf den eingefärbten Schriftsatz angerieben, daher der Name.

Bütten, handgeschöpftes →Papier, kenntlich an der unregelmäßigen Dicke und dem ungleichmäßigen Rand, der heute auch maschinell nachgeahmt wird (Imitiert-B.). Im Buchdruck vor allem für numerierte Luxusausgaben und bibliophile Drucke verwendet.

Buffa, Opera buffa, →Oper

Bugarštice, älteres Versmaß der serbokroat. Epik, Langzeile von 15 Silben, meist mit Zäsur nach der 7. Silbe, gelegentlich mit e. Refrain von drei Trochäen.

D. Subotic, *Yugoslav Popular Ballads,* 1932.

Bukolik, bukolische Dichtung (v. griech. *bukolos* = Hirt) →Hirtendichtung, →Schäferroman.

Bukolische Diärese, die von den griech. und lat. Bukolikern häufig angewandte →Diärese (2) nach dem 4. Versfuß des →Hexameters, z. B. VERGIL, *Eclogen* VIII, 68: ›Ducite ab urbe domum, mea carmina, // ducite Daphnim.‹

Bulletin (franz.), publizist. Begriff: ursprüngl. Tagesbericht, seit 1789 Titel zahlreicher Periodika; seit 1800 (Tagesbefehl NAPOLEONS) allg. eine amtliche Verlautbarung.

Bundesprüfstelle für jugendgefährdende Schriften, 1954 geschaffene Behörde innerhalb des Bundesfamilienministeriums der BR zur Durchführung des publizist. →Jugendschutzes gemäß dem 1953 verabschiedeten, 1961 revidierten ›Gesetz über die Verbreitung →jugendgefährdender Schriften‹. Die B. wird nur auf Antrag des Bundesfamilienministeriums oder anderer Behörden tätig und prüft die von Jugendschutz - Arbeitsgemeinschaften und bes. vom kathol. →Volkswartbund in Köln zur Indizierung vorgeschlagenen Schrift-, Ton- und Bildwerke (Schallplatten, Tonbänder, Schmalfilme, Spielkarten u. ä.) auf ihren jugendgefährdenden Charakter, der, ohne daß die Reaktion Jugendlicher überhaupt getestet oder wissenschaftlich erfaßt sei, durch Zweidrittelmehrheit des einmal monatlich zusammentretenden 12köpfigen Plenums mit Vertretern aus Kunst, Lit., Buchhandel, Verlag, Jugendverbänden, Jugendwohlfahrt, Lehrerschaft und Religionsgemeinschaften bejaht oder verneint wird. Bei unvollständiger Besetzung genügen sieben von neun Stimmen, im vereinfachten Verfahren die Stimmen des Vorsitzenden und zweier Mitglieder (nur bei offenbarer Jugendgefährdung). Die entsprechend indizierten Schriften, die im ›Bundesanzeiger‹ bekanntgegeben werden, dürfen nicht mehr an Jugendliche unter 18 Jahren abgegeben, ihnen zugänglich gemacht, frei verbreitet, in Leihbüchereien oder Lesezirkeln verliehen, im Kiosk, durch Versand oder Reisende vertrieben bzw. durch Werbung, Auslage in Schaufenster, Anzeigen usw. angeboten werden – Maßnahmen, die in ihrer prakt. Auswirkung einer Zensur auch für Erwachsene nahekommen. Werke, die von ordentlichen Gerichten für unzüchtig erklärt wurden, werden ohne erneute Prüfung in die Liste aufgenommen; nicht aufgenommen werden dürfen dagegen lit. Werke, für die der sog. Kunstvorbehalt gilt, doch erweisen vorliegende Entscheidungen, daß die B. sich in e. Reihe von Grenzfällen selbstherrlich und ohne Einholung von Sachverständigengutachten über den Kunstvorbehalt hinweggesetzt hat. Weniger die Schwerfälligkeit des Indizierungsvorgangs und des für Anfechtungsklagen zuständigen Verwaltungsgerichtswegs und die Unmöglichkeit, bei wachsender Freizügigkeit nicht mehr als gefährdend betrachtete Werke in Selbstkorrektur von der Liste zu streichen, als vielmehr die oft recht einseitige Ausrichtung der B. auf erot.-sexuelle Lit. bei Außerachtlassung verrohender oder kriegsverherrlichender Schriften und gelegentliche ungerechtfertigte Übergriffe auf die Kunstfreiheit bilden denn auch die häufigsten Beschwerdepunkte gegen die B.

Bunraku (nach BUNRAKUEN, einem Puppenspieler des 19. Jh.), neuere Bz. des japan. Puppentheaters in der Nachfolge des abgesunkenen → Joruri.

F. Bowers, *Japanese Theatre*, N. Y. [2]1959; A. C. Scott, *The puppet theatre of Japan*, 1963; D. Keene, *B.*, 1968.

Bûrañjis, an den Höfen meist in Prosa verfaßte epische Chroniken der assamesischen Lit., bes. aus dem Stamm der Thais.

Burgensagen knüpfen an Ruinen und dergl. an und berichten von

Bau und Zerfall der ehem. Burg, von Menschenopfern beim Bau, vom Aussterben des Geschlechtes u. a. Episoden, ferner von unterirdischen Gängen, verborgenen Schätzen, Grabkammern usw. Sie sind noch heute mündlich im Volk verbreitet, meist jedoch nur in näherer Umgebung der betreffenden Örtlichkeit.

Burleske (v. ital. *burla* = Scherz, *burlesco* = scherzhaft), 1. die Aussageweise derbkomischer Verspottung und der Verzerrung zur possenhaften Karikatur unabhängig von der lit. Gattung, verkörpert etwa in der *Batrachomyomachia,* den Komödien des ARISTOPHANES, den ital. Vers-B. u.a. F. BERNIS, der Volkskomödie, auch bei GOLDONI und GOZZI, im dt. →Fastnachtsspiel, bei FISCHART und ABRAHAM A SANCTA CLARA, in elisabethan. Komödien (BEAUMONT/FLETCHER, *The Knight of the Burning Pestle*), S. BUTLERS *Hudibras* und J. GAYS *Bettleroper.* In Frankreich verbindet sich der Begriff der B. im 17. Jh. mit dem der Antiketravestie (P. SCARRON, *Typhon ou la gigantomachie, Vergile travesti*), so daß er nach franz. Vorbild auch im engl. Sprachbereich z. T. den dort ungebräuchlichen Begriff der →Travestie ersetzt. – 2. kleines derbkomisches Lust- oder →Possenspiel mit karikaturistischer Übertreibung, dient meist humorig-kritischer Verspottung von persönlichen oder lit. Verschrobenheiten (Gekünsteltheit, Bildungsdünkel u. ä.) durch realistische Gegenüberstellung des einfachen, natürlichen Ursprungs dieser Eigenarten; ähnlich z. B. GOETHE *Götter, Helden und Wieland.* →Parodie, →Travestie, →Farce, →Groteske.

K. F. Flögel, Gesch. d. B., 1794; G. Kitchin, *A Hist. of B. and Parody in Engl.*, 1931; A. H. West, *L'influence franç. dans la poésie b. en Angleterre entre 1660–1700*, 1931; V. C. Clinton Baddeley, *The Burlesque Tradition in the Engl. Theatre after 1660*, 1952; F. Bar, *Le genre burlesque en France au 17e siècle,* Paris 1960; D. Werner, Das B., Diss. Bln. 1966; A. B. Shepperson, *The novel in motley,* N. Y. 1967; J. D. Jump, *Burlesque,* Lond. 1972.

Burletta (von →Burleske), in England urspr. eine musikal. Burleske, dann im 18./19. Jh. eine musikal. Versposse von höchstens drei Akten mit durchgehender Musikbegleitung und jeweils mindestens 5 Liedeinlagen, bei der die eingefügte Musik vor allem kleinen Bühnen dazu diente, die gesetzlichen Beschränkungen des Sprechtheaters auf öffentl. Bühnen zu umgehen. Die B. waren auch Travestien von KOTZEBUE, SHAKESPEARE sowie romant. und histor. Stoffe (W. SCOTT).

Burns Stanza, von R. BURNS *(To a louse)* häufig verwendete, doch in provenzal. Lyrik und engl. Romanzen des MA. bereits vorgebildete und auch von WORDSWORTH *(At the grave of Burns)* verwendete 6zeilige engl. Strophenform aus Vierhebern (1., 2., 3. u. 5. Zeile) und zwei Zweihebern (4. u. 6. Zeile) in der Reimfolge aaabab.

A. H. MacLaine, *New light on the genesis of the B. S.* (*Notes and Queries* 198, 1953).

Burschenschaftliche Dichtung →Studentenlieder

Bustrophedon-Schreibung (griech. ›nach der Ochsenwendung‹), abwechselnd nach rechts und links laufende Schriftführung; übl. Anordnung hethit. Hieroglyphen, in der griech. →Schrift Übergangsstadium von der linksläufigen phönik. zur heutigen rechtsläufigen Schreibweise.

Butzenscheibenlyrik, spöttisch abwertender Ausdruck P. HEYSES (an GEIBEL 7. 4. 1884) für die altertümelnden, episch-lyrischen Modedichtungen gegen Ende des 19. Jh., die nach der Schablone von V. v. SCHEFFELS *Trompeter von Säckingen* und *Gaudeamus* in erlebnisarmen, pseudoromantisch - sentimentalen Liedern, oft hohlem und geschmacklosem Wortgeklingel, die ma. Kaiserherrlichkeit und Burg- und Stadtkultur mit ihrer Wein- und Minneromantik wiederaufleben lassen wollten. Auch SCHEFFEL steht der B. z.T. bedenklich nahe, zeigt jedoch noch e. persönliches Gesicht. Vorläufer sind G. KINKEL, O. v. REDWITZ (*Amaranth*, 1849) und O. ROQUETTE (*Waldmeisters Brautfahrt*, 1851), Hauptvertreter R. BAUMBACH (*Lieder eines fahrenden Gesellen*, 1878, darunter die *Lindenwirtin*; *Spielmannslieder*, 1882) und Jul. WOLFF (*Der fahrende Schüler*, 1900 u. a. m.). Fortleben im Kommersbuch.

RL.

Bylinen (v. russisch *bylina* = Begebenheit), urspr. auch ›Starinen‹, epische Heldenlieder der russ. Volksdichtung nach legendären oder histor. Stoffen der russ. Geschichte; oft höfischer Herkunft, wurden sie durch berufsmäßige Sänger und Spielleute (Skomorochi) nach mündl. Tradition in weiteste Kreise verbreitet, im Volke als ›gesunkenes Bildungsgut‹ bewahrt und mündlich überliefert: die kriegerisch-heroischen B. in Nordrußland (Archangelsk, Olonetz, Onega, Sibirien) bis ins 20. Jh.; die südruss. B. gingen z.T. in Chorlieder über. Viele wichtige historische Ereignisse bes. des 11.–16. Jh. finden Widerhall in den B. mit fest überkommenen Bildern und Schilderungen, selbst Reden: von Großfürst VLADIMIR dem Heiligen (980–1015) und seiner Tafelrunde über den Tatareneinfall und die Zeit IVANS III. bis zu den Kämpfen PETERS d. Gr. Die verschiedenen Zyklen entstanden in räumlich getrennten Kreisen: zuerst um Kiev (10./11. Jh.), dann Novgorod (14. Jh.) und Moskau (15. Jh.), schließlich ganz Großrußland (16./17. Jh.); seitdem gehen die Neuschöpfungen zurück, die B. leben als historische Lieder fort, die von Sängern (Skasiteli) geschickt vorgetragen werden (19./20. Jh.). →Dumka.

R. Abicht, D. russ. Heldensage, 1907; R. Trautmann, D. Volksdichtg. d. Großrussen. Bd. I: D. B., 1935; D. Tschizewskij, Altruss. Litgesch., 1949; A. E. Alexander, *B. and fairy tale*, 1973.

Byronismus →Pessimismus

Cabaret→Kabarett

Caccia (ital. = Jagd), volkstümliche ital. Dichtart des ausgehenden 14./15. Jh., wohl aus dem Madrigal entstanden, schildert in meist kurzen Versen (Senare, Septenare, aber auch Endecasillabi) mit freier Reimfolge urspr. eine Jagd, dann allg. einen Vorgang in schneller Bewegung: Schlacht, Fischzug, Feuer, Markttreiben, Feste u. ä. und ahmt in Metrum und Klang die ruhelose Hast nach. Verfasser von C. waren u. a. F. SACCHETTI und LORENZO DE MEDICI. Auch franz. und engl. Nachbildungen (catch) im 16. Jh.

Caesur →Zäsur

Calembourg (franz., wohl nach Ph. FRANKFURTERS Schwanksammlung *Der Pfaffe vom Kalenberg*, 1473), →Wortspiel durch verschiedene Bedeutung gleich oder ähnlich lautender Wörter bzw. Wortgruppen bei gleicher oder abweichender Schreibweise (→Homonyme); in England und Frankreich ausgebildet, in Dtl. mit falschem Bezug auf die Stadt Calau als →Kalauer, oft = ›fauler Witz‹.

Calypso, ursprüngl. balladenartiges, improvisiertes Volks- und Tanzlied der Neger auf den Antillen mit betontem Rhythmus, später Modetanz.

Campû, ind. Erzählform, die zwischen kunstvoller Prosa und Strophen abwechselt; spätklass. Mittelding von Epos und Roman.

Canción (span. = Kunstlied), span. lyrische Gattung: urspr. im 15./16. Jh. 5zeiliger trochäischer Achtsilber. Der 1. Vers gibt das Motto (meist e. Sprichwort), die folgenden vier Verse, von denen zwei auf den 1. reimen, variieren es (Volte). Später auf 12 Verse mit 4zeiligem Motto erweitert und zahlreiche Varianten der Form: schließlich unter Einfluß der ital. Kanzone allg. jedes Strophenlied.

Cancionero (span. = Liederbuch, portug. *cancioneiro*), in span. und portug. Lit. jede lyrische Gedichtslg. meist verschiedener, auch anonymer Dichter um ein gemeinsames Thema; am ältesten die C.s palacianos für höfische Lieder, ab 19. Jh. auch C.s populares für Volkslieder, ferner C.s generales (= allg.) und C.s particulares oder especiales (= bes.), auch in galicischer, kastil., katalon. und aragones. Mundart, schließlich für Lyriksammlungen von Einzeldichtern (z. B. MONTEMAYOR). Die ältesten C.s sammeln entsprechend den dt. →Liederhandschriften die höf. Lyrik (→Cantiga) der iberischen Halbinsel: *C. da Ajuda* (310 Gedichte, unvollendet), *C. da Vaticana* (1205 Gedichte), *C. da Biblioteca Nacional* (1567 Gedichte), *C. de Stúñiga* u. a. umfassen rd. 2000 Lieder von 300, meist portug.-galicischen Troubadours der Zeit 1250–1350; *C. de Baena* (nach dem Sammler Juan Alfonso de BAENA, um 1445), umfaßt die Zeit ALFONS' V., JOHANNS II. und EMANUELS von Portugal. Bis ins 17. Jh. entstanden zahlreiche weitere, teils erhaltene hs. Slgn. durch Poesieliebhaber; ihr Besitz gehörte zu den Gepflogenheiten des Adels; seit rd. 1500 auch im Druck, bes. *C. general* (1516) von Juan F. de CONSTANCIA, erweitert von F. del CASTILLO; Folio; im 16. Jh. schließlich C.s nach Motivgruppen, z. B. *C. Vita Christi, C. de obras de burlas,* 1519.

F. Wolf, Üb. d. Liederbücher d. Spanier, 1852; K. Vollmer, Beitrag z. Lit. d. C.s u. Romanceros, 1897; E. Asensio, *Poética y realidad en el C.peninsular de la edad media,* Madrid 1957.

Canevas →Kanevas

Canso (provenzal. =) →Kanzone, auch →Canción

Cantar (span. = Gesang). 1. allg. Liedtext (cantiga), – 2. Strophe (copla) aus 3–5, meist 4 assonierenden Achtsilbern, – 3. C. oder C. de gesta: nationales Heldenepos entsprechend der franz. chanson de geste, z. B. *C. de mio Cid* (um 1140).

Cantate →Kantate

Cante flamenco →cante jondo

Cante jondo (andalus., span. *cante hondo* = tiefinnerer Gesang), auch cante flamenco gen., das südspan. Volkslied, umkreist in assonierenden Versen zu Gitarrenbegleitung die Themen von Liebe und Tod und wird, formal von arab.-nordafrikan. Vorbildern beeinflußt, bes von den andalus. Zigeunern gepflegt. F. GARCÍA LORCA und M. de FALLA erstrebten um 1920–40 seine Erneuerung.

R. Molina, A. Mairena, *Mundo y formas de c. flamenco,* Madrid 1963.

Cantica (lat. = Lieder), Einzel-

und Wechselgesänge in der röm. Komödie im Ggs. zum →Diverbium. Zu Flötenbegleitung rezitativisch vorgetragen oder gesungen (z. T. auch von e. Sänger, Cantor, hinter der Bühne, während der Schauspieler sie pantomimisch ausdrückt), unterbrechen sie nicht als Einlagen die Handlung wie das griech. Chorlied bei MENANDER, sondern führen sie fort. Die neuere attische →Komödie kennt keine C.; PLAUTUS u. a. römische Dramatiker (LIVIUS ANDRONICUS, NAEVIUS) ersetzen griech. Monologe durch Monodien, Dialogpartien durch Duette bzw. Terzette und formen die →Palliata dadurch zum Singspiel um: gesprochen werden nur die jambischen Senare, gesungen oder musikalisch rezitiert dagegen alle trochäischen und jambischen Septenare und Oktonare sowie polymetrische Gebilde. TERENZ schränkt ihren Gebrauch weitgehend ein; in SENECAS Tragödien sind C. die Chorlieder. Der Anstoß zur Entstehung der C. ist umstritten, doch wohl aus dem vorlit. ital. Bühnenspiel abzuleiten. Musik und Lied als originaler Bestandteil des Schauspiels zeigen die ital. Musikalität und erhalten weltgeschichtliche Bedeutung als Urform der Operette.

F. Leo, D. plautin. C. u. d. hellenist. Lyrik, 1897; O. Immisch, Z. Frage d. Plautin. C., 1923; G. Maurach, Gedanken z. Aufbau u. z. d. Struktur d. plautin. Lieder, 1964.

Cantiga (span./portugies. = Lied), allg. Bz. für die Volks- und Kunstlieder der iber. Halbinsel, insbes. für die rd. 2000 in den →Cancioneros überlieferten portugies., galic. und span. Lieder des 12.–14. Jh., inhaltlich gegliedert in →Cantigas de amigo, →Cantigas de amor, → Cantigas de escárnio y de maldizer und religiöse C.s.

A. F. G. Bell u. a., *Da poesia medieval portuguesa*, [2]1947; P. Le Gentil, *La poésie espagnole et portugaise à la fin du ma.*, 1953.

Cantigas de amigo (span. = Freundeslieder), volkstümliche Frauenlieder der ma. span.-portugies. Minnedichtung, in denen die Frau bzw. das Mädchen die Abwesenheit des Geliebten und seine mögliche Untreue bedauert bzw. seine Rückkehr wünscht. Weitgehend eigenständige span.-portugies. Form der →Frauenmonologe.

Lit. →Cantiga

Cantigas de amor (span. = Liebeslieder), Liedform der ma. span.-portugies. Minnedichtung: Lied des Liebenden an die Geliebte, bes. Klage des Ritters darüber, daß seine Liebe nicht erwidert wird. In der Thematik höf. Liebe von der provenzal. Lyrik beeinflußt.

Lit. →Cantiga

Cantigas de escárnio y de maldizer, rohe, oft beleidigende Verssatiren der ma. span.-portugies. Dichtung als Abart des →Sirventes, die in eleganter, wohllautender Sprachform bösen Spott verbreiten.

W. Mettmann, Zu Text u. Inhalt d. altportug. C. (Zs. f. roman. Philol. 82, 1966). →Cantiga.

Cantilène (frz.), in der franz. Lit. des MA. kurzes Gedicht für den Gesangsvortrag, meist →Heiligenlied, z. B. *C. de Ste. Eulalie* (um 880).

Canto (ital. = Gesang), Unterteilung längerer erzählender Versdichtungen, insbes. des →Epos, etwa bei DANTE, ARIOST, TASSO, VOLTAIRE, POPE, BYRON, LILIENCRON (›Cantus‹) u. a., entsprechend dem dt. → Gesang. Ein C. sollte urspr. ein solches Textstück umfassen, wie es ein Vortragender in einem Zuge (an einem Abend) rezitieren konnte.

Canzone →Kanzone

Canzonetta →Kanzonette

Capitano (ital. = Hauptmann), Typenfigur der →Commedia dell'arte: der bramarbasierende Soldat bzw. Offizier. →Bramarbas.

Capitolo (ital. = Kapitel), ital. Gedichtart in Form aneinandergereihter Terzinen, anfangs (14./15. Jh.) erzählenden, polit. lehrhaften, ab 15. Jh. auch erot. Charakters, ab 16. Jh. in Parodie der Terzinen DANTES oder z. B. von PETRARCAS *Trionfi*, deren Abschnitte C. benannt sind, die klass. Form der Verssatire etwa bei F. BERNI und später der Burleske.

Capriccio (ital. = Laune), unscharfe Bz. für ein launiges, oft nur skizzenhaft ausgeführtes, kurioses Phantasiestück in Prosa, z. B. E. T. A. HOFFMANNS *Prinzessin Brambilla*.

R. Grimm, D. Formbz. C. i. d. dt. Lit. d. 19. Jh. (Stud. z. Triviallit., hg. H. O. Burger 1968).

Captatio benevolentiae (lat. = Gewinn des Wohlwollens), feststehende rhetor. Formel in Rede und Brief, mit der der Sprecher bzw. Schreiber um Gunst und Wohlwollen des/der Angesprochenen wirbt.

Carmen (lat. = Gedicht, Mz. *carmina*), urspr. jede rhythmisch gebundene, formelhafte Spruchrede (Kultlieder wie *C.arvale, C.saliare*, Prophezeiung, Zauberformel, Gebet, Schwur, Gesetze, Verträge) in altröm. Lit.; später als dichterische Gattung svw. lyrisches Gedicht (CATULL, HORAZ), Fest oder →Gelegenheitsgedicht (*C.saeculare* zur Jh.-feier u. a.), aber im weiteren Sinne auch Epos, Lehrgedicht, Elegie, Satire und dramat. Dichtung. Die ma. *C. Burana* und *C. Cantabrigiensia* sind Sammlungen der →Vagantendichtung.

Carmen figuratum →Bilderlyrik

Carol (engl. = Lied), in England im 15. Jh. urspr. eine feststehende lyr. Form: Lied aus gleichförmigen vierzeiligen Strophen aus Vierhebern mit der Reimfolge aaab und einem zweizeiligen, auf die Schlußzeile reimenden (bb) Refrain; urspr. Tanzlied, dessen Strophe vom Vorsänger vorgetragen und dessen Refrain vom Chor mitgesungen wurde, später auch mit längeren Strophen und Varianten der Reimfolge. Entstanden wohl unter Einfluß des entsprechenden franz. carole, seit 16. Jh. nach Vorbild der franz. →Noëls von moral., satir. und erot. Themen auf religiöse Volkslieder zu Weihnachten und Ostern unabhängig von der metr. Form eingeschränkt. Während aus dem MA. rd. 500 C.s erhalten sind, lebt der Christmas C. als →Weihnachtslied bis zur Gegenwart fort. Abart: →Lullabies.

E. Duncan, *The Story of the C.*, 1911; E. B. Reed, *Christmas C.*, Cambr., Mass. 1932; R. L. Greene, *The Early Engl. C.*, 1935; E. Routley, *The Engl. C.*, 1959; D. Brice, *The folk c. of Engl.*, Lond. 1967.

Carri (ital. *carro* = Wagen), die →Wagenbühne der italien. Renaissance auf von Ochsen gezogenen Wagen für höfische Festspiele und Karnevalsspiele, dann auch letztere selbst.

Častuška (Mz. Častuški), russ. Form der städtischen Volksdichtung seit Mitte des 19. Jh., e. Art kurzer, meist 4zeiliger Schnadahüpfl humorig-witziger Art auf Liebeserlebnisse, aber auch politische Stoffe, die sich wachsender Beliebtheit erfreut.

Casus →Kasus

Catch (engl. = Haschen), altes kanonartiges engl. Gesellschaftslied mit heiterem, derbkom., oft schlüpfrigem Text; sehr beliebt im

17./18. Jh. und seit 1609 in zahlreichen Slgn. verbreitet; Vertonungen u. a. von H. PURCELL.

Catenen (lat. *catena* = Kette), Katenen, Kettenkommentare der Bibel, enthalten die exegetischen Bemerkungen der Kirchenväter, auch Häretiker, in der Reihenfolge des Textes und sind z. T. wichtig für die Rekonstruktion verlorener Schriften der Kirchenväter wie älterer Textformen der Bibel. Sie entstanden zumeist im 6.–11. Jh. als Kompilation durch byzantin. Gelehrte.

Cauda (lat. = Schweif), 1. das Geleit der →Kanzone, 2. →Coda oder allg. jede separate, in sich geschlossene Versgruppe als Abschluß einer Strophe oder eines Gedichts, 3. →Kehrreim.

Causerie (frz. = Plauderei), insbes. seit Ch. A. SAINTE-BEUVES *Causeries du lundi* (1851 ff.) in Frankreich Bz. für populäre, leichtverständliche, in anmutig unterhaltender Form belehrende Ausführungen, Aufsätze und Essays, die durch betont aufgelockerte, möglicherweise den Leser persönlich ansprechende Form die trockene Erörterung der Materie vermeiden und sich den Anschein des Geplauders geben.

Causes grasses (frz. = schwierige Fälle), burleske Farcen im franz. Theater des MA., in denen die Mitglieder der →Basoche zu Fastnacht das Prozeßwesen karikierten, z. B. mehrere Stücke von G. COQUILLART.

Cautisha, in der ostind. Oriyâ-Lit. →Alphabetlieder, d. h. kunstvolle Gedichte von mindestens 34 Zeilen, deren jede mit einem anderen Buchstaben des Alphabets beginnt.

Cavaiola, auch Farsa cavaiola (nach dem Ort Cava dei Tirreni b. Salerno), volkstümliche Dialektfarce Süditaliens im 15.–17. Jh., verspottet vor allem die wegen ihrer Tölpelhaftigkeit und Spaßhaftigkeit verlachten Bewohner von Cava dei Tirreni. Am bedeutendsten V. BRACAS *La maestra di cucito,* sonst meist anonyme Werke; später im Fastnachtsspiel aufgegangen.

R. Baldi, *Saggi storici introduttivi alle farse cavaiole,* Neapel 1933.

Cavalier Poets, nachträgliche Bz. für e. Gruppe engl. Dichter der 1. Hälfte des 17. Jh. bes. während des Bürgerkriegs, zumal für die aristokrat. höf. Lyriker unter Charles I. (1625–1649): R. HERRICK, Th. CAREW, J. SUCKLING, R. LOVELACE, E. WALLER, Th. RANDOLPH u. a. Ihre äußerst verfeinerte, elegante, leicht melanchol. Lyrik (cavalier lyric) verband die Richtung der Metaphysicals (J. DONNE) mit Petrarkismus und Klassizismus (B. JONSON).

R. Skelton, *C. P.*, 1960; *C. P.*, hg. T. Clayton, Oxf. 1977.

Caveau (frz. = Gewölbe), franz. lit. Gesellschaft, 1729 von PIRON, CRÉBILLON d. Ä., DUCLOS, MONCRIF, HELVÉTIUS u. a. gegründet, nach Auflösung (1739) 1759 neugegründet von PELLETIER, MARMONTEL, SUARD u. a. Nach der Franz. Revolution fortgesetzt in den Dîners du Vaudeville (1796–1802) und ab 1805 als Le C.moderne mit BÉRANGER, DÉSAUGIERS, BRILLAT-SAVARIN u. a. bis Mite 19. Jh.

Celtic Revival →Irische Renaissance

Cénacle (frz. v. lat. *cenaculum* = Speisesaal), Bz. mehrerer franz. Dichter- und Künstlerkreise der Romantik: 1. C. im Salon von Ch. NODIER 1823/24 um die 1824 gegründete Zs. *La Muse française* und deren Mitarbeiter, 2. C., der berühmteste, um V. HUGO mit Th. GAUTIER, A. BRIZEUX, E. und A. DESCHAMPS, A. de VIGNY, A. de MUSSET

u. a. seit 1829, 3. C. um Ch. – A. SAINTE-BEUVE und 4. ›petit C.‹ um P. BOREL und die jungen, aggressiven Romantiker.

L. Séché, *Le c. de la Muse française,* 1908.

Cenáculo (portugies. = Speisesaal), 1871 in Lissabon gegründeter portugies. Literatenkreis von Mitgliedern der Generation von Coimbra unter geistiger Führung von EÇA DE QUEIRÓS und A. T. de QUENTAL; begründete mit mehreren sozialrevolutionär-fortschrittlichen Manifesten den portugies. Realismus, bemühte sich durch Vorträge um den geistigen und sozialen Anschluß Portugals an den europ. Standard und nahm programmatisch zu sozialen, politischen, ökonomischen und lit. Fragen Stellung. Mitglieder waren u. a. J. de BATALHA REIS, J. P. de OLIVEIRA MARTINS und J. RAMALHO ORTIGÃO.

Census (lat. = Schätzung, Zählung), ein – gelegentlich regional begrenztes – Standortverzeichnis aller bekannten Exemplare eines Buches, der Werke eines Autors oder Druckers u. ä., insbes. bei seltenen und frühen Drucken.

Centiloquium (lat. =) Slg. von 100 Aussprüchen, Sentenzen u. ä.

Cento (lat. = aus Lappen zusammengeflicktes Kleid, Flickwerk), Flickgedicht, e. aus Zitaten (ganzen Versen, Versteilen, Redewendungen, Bildern) vorbildlicher Dichter (bes. HOMER und VERGIL) zusammengesetztes Gedicht. Voraussetzung ist erstaunliche Belesenheit des Dichters sowie genaue Kenntnis der als ›Steinbruch‹ benutzten Werke beim Publikum. Weitverbreitet bereits bei den homerischen Rhapsoden, die Teile älterer Gedichte übernahmen, in hellenist. und byzantin. Zeit als HOMER-Centonen, im späten Altertum (HOSIDIUS GETAS Tragödie *Medea, Carmen nuptialis* des AUSONIUS, christl. *C. Vergilianus* der Dichterin PROBA u. a.), im MA. für neulat. geistliche Dichtungen (geistl. Lieder des Mönchs METELLUS in Tegernsee aus HORAZ- und VERGIL-Versen im 12. Jh., in Byzanz e. *Christus patiens* aus 2610 EURIPIDES-Versen; biblische Geschichten aus HOMER-Versen u. ä.), in Renaissance und Barock (PETRARCA-C. in H. MARIPETROS *Il Petrarca spirituale,* 1536, ein anonymer engl. *Cicero princeps,* 1608, Etienne de PLEURES *Sacra Aeneis,* 1618: Christi Taten in VERGILS Versen; zahlreiche Jesuitendramen, ähnlich auch S. BRANTS *Narrenschiff*). Schließlich bis zur Gegenwart fortlebend als witzig kombinierte Aneinanderreihung von Klassikerzitaten, etwa aus SCHILLERS Balladen.

J. O. Delapierre, *Tableau de la lit. du centon,* II Lond. 1874 f.; R. Lamacchia, *Dall'arte allusiva al c.* (*Atene e Roma,* N. S. 3, 1958).

Chamsa, Chamse →Khamsa

Chanson (franz. = Lied), urspr. in franz. Lit. jedes singbare epische oder lyrische Gedicht weltlichen Inhalts und volkstüml. Form mit strophischer Gliederung: →chanson de geste, →chanson de toile, ch. dramatique (oder ch.à personnages, Dialog Liebender), ch. de croisade = Kreuzfahrerlied u. a. m., insbes. das höf. Minnelied der provenzal. und altfranz. Troubadours des 12./13. Jh. (→Minnesang), meist in 5–7 gleichgebauten Strophen aus meist 6–10 Versen und e. Untergliederung der Strophen ähnl. der →Meistersangstrophe in e. Aufgesang aus zwei nach gleicher Melodie gesungenen Stollen zu je 2–3 Versen und e. Abgesang (cauda) nach anderer Melodie, oft auch mit Kehrreim. Die freie Reimanordnung ermöglicht mannigfaltige Variationen. – Später bezeichnet Ch. als musikal. Fachbegriff das mehrstimmige franz. Lied, bes. Liebes- und Trinklied, des 15.–17. Jh. (GUILLAUME DE MACHAUT, JOSQUIN DE PRÈS, JANEQUIN, MAROT). Die Franz. Revolution gab ihm zeitweilig polit-satir. Charakter, doch kehrt es bald zu sentimental-fröhlichem Charakter zurück und mündet indirekt in den Schlager. – Heute und in engerem Sinne bezeichnet Ch. eine Form der ›Gebrauchslyrik‹: e. nach Inhalt, Form und Melodie leichtes, verspieltes, frech-ironisches, witzig pointiertes und thematisch engagiertes Kehrreimlied zum Einzelvortrag auf der Kleinkunstbühne durch den Autor selbst oder Chansonniers bzw. Diseusen (Brettllied). Es entfaltet seine ganze Wirkungskraft nicht als bloßer – lit. oft wertloser – Text, sondern erst beim gekonnten, melodramatischen Vortrag vor einem Publikum durch den kongenialen Zusammenklang von Tonfall, Sprachgebärde, Mimik, Gestik, (dem Wort untergeordneter) Melodie, Milieu und der Kontaktsituation des vom Stoff emotional distanzierten Vortragenden zu seinem Publikum. Seine legere Unbekümmertheit und die Vielseitigkeit der ihm eigenen Formen und Tonlagen bestimmen die große formale Reichweite des Ch. von Besinnlichkeit bis zur Aggression, von lyrischer Verspieltheit bis zur boshaften, anspielungsreichen Satire, doch zeichnen sich vier Hauptformen ab: 1. rollenliedhafte, mondän-frivole Selbstdarstellung, bes. der eigenen oder allgemeinmenschlicher Unzulänglichkeiten und Alltagssorgen, 2. volkstümliche Handlungsdarstellung oder humorist. Milieudarstellung mit Nähe zu Bänkelsang, Moritat und Ballade, 3. teils betont sentimentale Liebes- und lyr. Stimmungsdarstellung und, bes., seit dem 1. Weltkrieg, 4. aggressive politische oder zeit- und sozialkritische Reflexion satirischen Charakters im Reportagestil, insbes. im Angriff auf herkömmliche Tabus. Nach Vorgang von BÉRANGER, B. NADAUD, A. BRUANT u. a. um 1850 in Pariser Cafés als aktuelles Gesellschaftslied zum Ausdruck von Kollektivstimmungen gepflegt, erlebte es seine Hochblüte in der intimen Atmosphäre der Bohème-Kabaretts von Montmartre (›Chatnoir‹, gegr. 1881, u. a.), später durch Interpreten wie M. CHEVALIER, TRENET, PRÉVERT, BRASSENS, VIAN, AZNAVOUR, BECAUD u. a. In Dtl. wurde das Ch. seit der Jahrhundertwende in den Kabaretts (›Elf Scharfrichter‹, ›Überbrettl‹) gepflegt, wobei neben das franz. Vorbild Einflüsse des heiteren Gesellschaftsliedes und der Bänkelsängerballade treten und später auch Show, Film und Funk die Entwicklung bestimmen. Im stärker lit. Chanson begründen bes. Wortspiele, Andeutungen und beabsichtigte Assoziationen die doppelte Ebene des Vordergründig-Hintergründigen. Ch. schrieben u. a.: O. J. BIERBAUM, B. BRECHT, R. DEHMEL, H. HESSE, F. HOLLÄNDER *(Ich bin von Kopf bis Fuß ...)*, A. HOLZ, E. KÄSTNER, A. KERR, KLABUND, D. v. LILIENCRON, W. MEHRING, Ch. MORGENSTERN, M. MORLOCK, J. RINGELNATZ, W. SCHAEFFERS, R. SCHICKELE, R. A. SCHRÖDER, K. TUCHOLSKY, F. WEDEKIND *(Ich habe meine Tante geschlachtet)* und E. v. WOLZOGEN. Vgl. →Song, →Couplet.

J. Tiersot, *Hist. de la ch. populaire en France*, Paris 1889; L. Schneider, D. franz. Volkslied, [2]1920; P. Coirault, *Recherches sur notre ancienne ch. populaire traditionelle*, Paris 1927–33; A. Jeanroy, *La poésie lyr. des troubadours*, 1934; J. V. Gilles, *La ch., le théâtre et la vie*, Lausanne 1944; RL; L. Barjon, *La ch. d'aujord'hui*, 1959; H. Weinrich, Interpretation e. Ch. u. s. Gattung (D. neueren Sprachen, 1960); W. Ruttkowski, Reflexion üb. d. lit. Ch. (Neue Dt. Hefte 10, 1963); ders., D. lit. Ch. i. Dtl., 1966; F. Schmidt, D. Ch., 1968; D. Schulz-Koehn, *Vive la ch.*, 1969; W. Neef, D. C., 1972; R. Hippen, D. Schleuder Davids, (Text u. Kritik 9, 1973); L. Petzoldt, Bänkelsang, 1974.

Chanson baladée →Virelai

Chanson de geste (mlat. *gesta* = Taten), ›Tatenlied‹, Bz. der ältesten, anonymen altfranz. epischen Heldenlieder um histor. Ereignisse oder Sagengestalten aus der Gründungszeit der franz. Nation unter den Karolingern, meist in Zehnsilber- (seltener Achtsilber-, später z.T. Zwölfsilber-)Strophen (Laissen) verschiedener Länge mit gleicher Assonanz (später Reimbindung) für alle Verse e. Strophe abgefaßt und von Spielleuten (→Jongleurs) und fahrenden Sängern (→Trouvères), den vermutl. Verfassern, zu Saitenspielbegleitung psalmodierend auswendig oder nach Hss. vorgetragen. Sie entstanden im 11.–13. Jh., umfassen durchschnittl. 8–10 000 Verse und weisen starke eth., religiöse, polit. und soziale Einflüsse durch feudale und christliche Elemente (Heidenkämpfe, Kreuzzüge), später auch oriental. und provenzal. Elemente auf. Die rd. 80 erhaltenen Ch. d. g., von denen viele im 14./15. Jh. weitreichende sprachliche Umformungen, z.T. in Prosa, derbkom.-romaneske Ausgestaltungen und abenteuerhafte Anschwellungen, etwa um Kindheits- und Jugendgeschichte des Helden oder die Taten seiner Nachkommen, erfahren haben, gehen evtl. auf ältere, verlorene Heldenlieder (cantilènes) zurück und gliedern sich hauptsächlich in drei Zyklen: 1. die Königsgeste aus dem Kreis um Karl d. Gr., mit diesem als Hauptfigur umfaßt die ältesten und bedeutendsten: *Chanson de Roland* vor 1080, *Pélerinage de Charlemagne* um 1150, *Huon de Bordeaux, Berte aux grans piés, Fierabras, Isembart* u.a., 2. der Kreis um Guillaume d'Orange oder Garin de Monglane schildert Kreuzzüge und Heidenkämpfe als Bewährungsproben der Helden: *Chançun de Williame, Charroi de Nîmes, Prise d'Orange, Aliscans* u.a., 3. die Vasallengesten um Empörungen gegen die kaiserliche Zentralgewalt *Doon de Mayence, Girart de Roussillon, Quatre fils de Aimon* (= *Renaud de Montauban*). Die Ch. d. g. arbeiten mit wenigen, feststehenden und monoton wiederholten Typenfiguren; sie fanden späterhin weite Verbreitung, vielfach Abwandlung und zahlreiche Übersetzungen (*Rolandslied* des Pfaffen KONRAD, um 1170) wie Nachahmungen, auch in dt. →Volksbüchern des MA. wie *Haimonskinder* 1604, *Hugschapler* der ELISABETH VON NASSAU-SAARBRÜCKEN (1397–1456) u.a. und insbes. in der italien. Lit. (PULCI, BOIARDO, ARIOSTO).

L. Gautier, *Les épopées françaises*, IV [2]1878–92; Petit de Juleville, *Bibliogr. générale des Ch.s d. g.*, 1895; J. Bédier, *Les légendes épiques*, IV [2]1914–21; F. Schürr, D. altfranz. Epos, 1926; M. Wilmotte, *L'épopée franç.*, 1939; M. Teissier, *Ch. d. g., contes chroniques*, 1947; J. Crossland, *The Old French Epic*, 1950; J. Siciliano, *Les origines des ch. d. g.*, Paris 1951; J. Rychner, *La ch. d. g.*, 1955; M. de Riquer, *Ch. d. g. franç.*, 1957; Ch. d. g. u. höf. Roman, Kolloquium, 1963; W. Callin, *The Epic Quest*, Baltimore 1966; K.-H. Bender, König u. Vasall, 1967.

Chanson de toile (franz. *toile* = Leinwand; nach dem Gesang beim Weben), auch Ch. d'histoire oder →romance, altfranz. epische Volkslieder des 11./12. Jh., die e. ritterl. Liebesgeschichte meist mit Hindernissen und deren Überwindung, in schlichter Form vortragen: 3–5zeilige Strophen mit derselben Assonanz und ein einzelner reimloser oder zwei selbständig assonierende Verse als Kehrreim. Die volksläufige Form drang später auch in adlige Kreise; 10. Ch.s d. t. sind vollständig, 7 fragmentarisch erhalten, z. B. *Bel Eremborc*, das P. HEYSE als *Schön Erenburg* übersetzte.

K. Bartsch, Altfranz. Romanzen u. Pastourellen, 1870; G. Gröber, D. altfranz. Romanzen, 1872; E. Faral, *Les ch. d. t.* (Romania 69, 1946); H. Poulaille, R. Pernoud, *Les ch. d. t.*, Paris 1946; G. Saba, *Les ch. d. t.*, Modena 1955.

Chansonette (franz. =) kleines Liedchen, meist komischer oder frivoler Art; in Dt. fälschlich auch deren Sängerin (franz.: *chanteuse* oder *chansonnière*).

Chanson d'histoire →chanson de toile

Chansonnier (provenzal. = Liederbuch), entsprechend dem span. →Cancionero und den dt. →Liederhandschriften Sammelhandschrift von provenzal. Troubadourlyrik.

Chant (franz. =) Gesang, meist feierlicher Art *(ch. guerrier, ch. nuptial)* im Ggs. zum leichteren →Chanson.

Chantefable (franz. = Singfabel), volkstümliche, oft dialogische franz. Abenteuererzählung des MA., wechselnd zwischen gesprochener Prosa und gesungenen (assonierenden) Versen (Verseinlagen oder Liedstrophen). Einziges erhaltenes Beispiel der möglicherweise seinerzeit weitverbreiteten, evtl. arab. beeinflußten Gattung ist *Aucassin et Nicolette* (13. Jh.).

H. Heiss, D. Form d. Ch. (Zs. f. frz. Spr. u. Lit. 42, 1914).

Chanties →Shanties

Chant Royal (franz. = königliches Lied), Gedichtform aus 5 elfzeiligen Strophen meist aus Zehnsilbern in der Reimfolge ababccddedE und e. fünfzeiligen Schlußstrophe mit der Reimfolge ddedE, die alle auf den gleichen Vers auslaufen; oft für e. Allegorie, die in der Schlußstrophe erklärt wird; Verwendung für feierl. Stoffe im franz. 14.–16. Jh., bes. bei E. DESCHAMPS, CHARLES D'ORLÉANS, J. und C. MAROT. Im 19. Jh. durch BANVILLE erneuert.

Chapbooks, engl. Form der →Volksbücher bes. im 16.–18. Jh.: die meist von reisenden Buchhändlern vertriebenen Bücher und Hefte mit volkstümlichen Erzählungen, Balladen, Traktaten, Pamphleten, Neubearbeitungen volkstüml. Stoffe, Kinderlieder und Märchen.

Charakter (griech. = das Eingeprägte), in der Literaturwissenschaft allg. jede in e. dramat. oder erzählerischen Werk auftretende, der Wirklichkeit nachgebildete oder fingierte Person (besser: Figur), dann in engerem Sinn jede durch individuellere →Charakterisierung in ihrer persönlichen Eigenart von den bloßen →Typen abgehobene Gestalt in der Dichtung.

W. J. Harvey, *Ch. and the Novel*, Ithaca 1966.

Charakterdrama, im Unterschied vom →Handlungsdrama (→Schicksalsdrama) und →Ideendrama e. Schauspiel, in dem die äußeren Begebenheiten zurücktreten und der Schwerpunkt auf Darstellung und Entfaltung e. eigenartigen Charakters in seinen ausgeprägten Eigenschaften ruht. Die Konflikte kommen z. T. mit der Außenwelt, bes. aber im innerseelischen Bereich, innerhalb der Persönlichkeit zustande. Der Begriff ist fließend und bezeichnet nur das Überwiegen innerhalb der komplexen dramatischen Grundstruktur; die genauere Analyse zeigt, daß sich Schicksals- und Charaktertragik oft selbst in einer Person vereinen oder in zwei verschiedenen Figuren desselben Dramas gegenüberstehen können. Auc das Ch. benötigt Handlung, in der sich die Charaktere entwickeln, bewähren oder scheitern; oft entfaltet sie sich aus dem Charakter. (Nach ARISTOTELES, *Poetik* 6 kann die Tragödie notfalls die Charaktere entbehren, nie aber die Handlung). Dagegen bedarf das Ch. nicht des strengen Aufbaus der Schicksalsdramen, da nicht der Zusammenhang der Begebenheiten, sondern ihr Wechselspiel mit dem Charakter wesentlich ist. – Die Betonung des Charakters schon in den Dramen SHAKESPEARES *(Hamlet, Richard III.).* setzt e. bewußt individualistische Weltsicht voraus; vom einseitig typenhaften Charakter als abstrahierte Form der Aufklärung geht die Entwicklung über die ausgebildete Einzelpersönlichkeit in ihrer individuellen Vielschichtigkeit (Ch.en des → Sturm und Drang, GOETHES *Tasso,* Dramen O. LUDWIGS) bis zu den komplexeren Gebilden moderner Dramen, bei denen sich e. generelle Einstufung nicht durchführen läßt. Nach der beabsichtigten Wirkung der ausgearbeiteten Charaktere unterscheidet man →Charakterkomödie und →Charaktertragödie. →Drama.

J. Augustin, Schicksalsdr. u. Ch., Diss. Prag 1922; RL; R. Petsch, Drei Haupttypen d. Dramas, DVJ 11, 1933; ders., Wesen und Formen d. Dramas, 1945; P. Kluckhohn, D. Arten d. Dramas, DVJ 19, 1941; A. Pfeiffer, Ursprung u. Gestalt des Dramas, 1943; O. Mann, Poetik d. Tragödie, 1958.

Charakterfach, in der Schauspielkunst die Darstellung von →Charakterrollen.

Charakterisierung, die Wesensbeschreibung von Figuren dichterischer Texte, insbes. Dramen, kann auf zweierlei Art erfolgen: 1. direkt, d.h. durch Angaben anderer Figuren desselben Stückes, aus denen der Zuschauer Einsicht in die beschriebene Person gewinnt, 2. indirekt, d.h. der Zuschauer muß aus dem Benehmen der Gestalt selbst Schlüsse über ihren Charakter ziehen; seltener aus e. Selbstch. Widersprechende Ch.en sind beliebte Kunstgriffe zu dramatischer Spannungssteigerung bis zum Auftreten des Titelhelden (z.B. LESSING, *Emilia Galotti* I, 4–6; SCHILLER, *Maria Stuart* I, 1; GOETHE, *Egmont* I, dreifach).

Ch. Ch. Walcutt, *Man's changing mask,* Minneapolis 1966.

Charakterkomödie, im Ggs. zu →Intrigen- und →Situationskomödie e. Lustspiel, das die komische Wirkung aus der übertrieben typisierten Darstellung e. merkwürdigen Charakters bezieht, der, fast auf eine einzige Eigenschaft (Geiz, Ehrsucht, Größenwahn) vereinfacht, lächerlich gemacht wird. Sie überragt die bloße Situationskomödie an innerer Wirkung. Vorläufer der Ch. ist B. JONSONS →Comedy of humours. Erster Meister der Ch. ist MOLIÈRE (*L'avare,* 1668; *Le bourgeois gentilhomme,* 1670; *Le malade imaginaire,* 1673); in seiner Nachfolge steht der Däne L. HOLBERG (*Jeppe vom Berge,* 1723); in Dtl. erscheint sie moralisierend im 18. Jh. bis zu LESSINGS *Der junge Gelehrte* (1748) u.a., dann als moralisch indifferentes freies Spiel mit Charaktermöglichkeiten etwa bei KLEIST (*Der zerbrochene Krug,* 1811) und G. HAUPTMANN (*Der Biberpelz,* 1893). →Charakterdrama.

E. Levi, *Il comico di carattere da Teofrasto a Pirandello,* Turin 1959.

Charaktermaske, im Ggs. zur Phantasie→maske die Gesamtaufmachung e. Bühnenfigur (→Kostüm und Schminkart), die schon äußerlich Stand, Beruf, Charakter ihres Trägers durch typische Merkmale anzeigt (Richtertalar, Bettlerkittel

u. ä.). Ihr Gebrauch reicht von der Antike über geistliches Drama und Commedia dell'arte bis zur Gegenwart.

Charakterrolle, Schauspielerpart, der die Darstellung eines scharf betonten, individuellen Charakters erfordert, z. B. Götz, Wallenstein. Ihre Eigenart wird vom Dramatiker oft nur angedeutet und setzt beim Schauspieler einfühlendes Nachschaffen voraus.

Charakterspieler, Schauspieler für →Charakterrollen.

Charakterstück = →Charakterdrama

Charaktertragödie entwickelt im Ggs. zum →Schicksalsdrama die Tragik aus den Charaktereigenschaften des Helden und seiner Umgebung, indem durch sie innere und äußere Konflikte entstehen und durch die geweckten Leidenschaften Schuld hervorgerufen wird. Meister der Ch. ist SHAKESPEARE *(Hamlet, Othello, König Lear)*; durch den Vergleich seiner Tragödien mit den antiken entstand der Begriff ›Ch.‹, der in gewisser Hinsicht auch für GOETHES *Götz* und *Egmont* zutrifft. Auch die Ch. des Sturm und Drang berief sich auf SHAKESPEARE, ohne jedoch seine vollendete und bühnengerechte innere Form zu erreichen; ebenso leitet der Realismus häufig die Tragik aus dem Überwiegen der Leidenschaften ab. →Charakterdrama.

Th. Lipps, D. Streit üb. d. Tragödie, [2]1915; J. Volkelt, Ästhetik d. Tragischen, [3]1917; O. Mann, Poetik d. Tragödie, 1958.

Charge (franz. =) karikierende Übertreibung; dann nur knapp gezeichnete und kurz in Erscheinung tretende Neben-(Episoden-)Rolle, die daher zu größerer Eindringlichkeit vom Schauspieler überscharf ausgeprägt, grell charakterisiert (›chargiert‹) werden muß und dann oft komisch wirkt. Riccaut in LESSINGS *Minna von Barnhelm*, der Kapuziner in *Wallensteins Lager;* v. Kalb in *Kabale und Liebe* u. a. stehen als größere Kontrastfiguren, die der Handlung und Hauptfigur durch Gegenüberstellung mehr Plastik verleihen, gegen e. Fülle von Randgestalten wie Hanswurst im 16./17. Jh. und die unendliche Zahl der Bedienten (Stubenmädchen, Diener, Hofschranzen) im 18. Jh., ferner Komischer Alter, Erbschleicher, Pedant, Kuppler u. a. m. – Heute heißt Ch. oft auch die neutrale Nebenrolle überhaupt.

Lit. →Rolle.

Charon (nach dem Fährmann der Unterwelt in griech. Mythologie), von O. ZUR LINDE und R. PANNWITZ 1904 gegr. Dichterkreis um die vorwiegend Lyrik enthaltende Monatsschrift *Ch.* (1904–14 und 1920–22). Zu ihm gehörten ferner: R. PAULSEN, K. RÖTTGER, E. BOCKEMÜHL und W. LEHMANN. Literaturgeschichtlich bedeutet der Ch.-Kreis kritisches Abstandnehmen vom Naturalismus und ist erster Vorläufer des Expressionismus: Man lauscht den Dingen ihren Eigenrhythmus ab, sie werden vom Objekt zum Subjekt aller Kunst und gestalten sich durch den Künstler. Die einengenden herkömmlichen Formen der Lyrik werden abgelehnt; e. phonetischer Rhythmus, natürlicher, doch keineswegs banaler Tonfall, Kraft des Ausdrucks und innere Ergriffenheit machen das Gedicht zum reinen Hörerlebnis. Neben der Selbstentfaltung des Menschentums in der Kunst erstrebt der Ch. die Einheit von Dichtung, Religion und Philosophie mit dem Alltag; ein stark religiös-mythischer oder philosophischer Zug beherrscht seine

Dichtung. Sein Streben nach e. neuen Menschentum fand zwar infolge der Zurückgezogenheit des Kreises keine Breitenwirkung, drang jedoch als erster Aufbruch religiöser Kräfte im 20. Jh. wohl in die Tiefe.

H. Hennecke, Ch. (Einl.), 1952.

Charta (lat. = dünnes Blatt, bes. der →Papyrusstaude), dann allg. jeder Schreibstoff, später übertragen auf Schriftstück, bes. Urkunde.

Chayâvâda (ind. = Lehre vom Schatten, d.h. vom Abglanz des Überirdischen im Irdischen), die romantische Bewegung der neueren ind. Hindî-Lit. insbes. der Jahre 1920–1935, erstrebt eine Poetisierung, Subjektivisierung der Lit. und eine Verfeinerung der Sprache bes. in Natur- und Liebeslyrik. Hauptvertreter: Jay Shankar Prasâd, Sûry Kânt Tripâthî Nirâlâ und Sumitrânand Pant.

Chevy-Chase-Strophe (engl. = ›Jagd auf den Cheviotbergen‹, e. im 16. Jh. aufgezeichnete Volksballade), Strophenform der meisten engl. Volksballaden. Sie besteht aus 2 mal 2 vierhebigen Versen, von denen der 2. und 4. infolge rhythmischer Pause als dreihebig erscheinen und e. starken Sinneinschnitt bewirken. Durch stumpfen Ausgang aller Verse entsteht e. knapper, spannender und kraftvoller Eindruck; die Senkungen sind überwiegend einsilbig, doch ermöglicht freie Senkungsfüllung starke Beweglichkeit und Anpassung der metrischen Form:

◡–́◡–́◡–́◡–́
◡–́◡–́◡–́
◡–́◡–́◡–́◡–́
◡–́◡–́◡–́

›Das Wasser rauscht, das Wasser schwoll,
Ein Fischer saß daran, ...‹ (Goethe)
Im engl. Original reimen nur die 2. und 4. Zeile (ebenso Gleims *Preußische Kriegslieder,* 1758, die die Ch.Ch.Str. in Dtl. populär machten), doch erscheint sie auch reimlos (Gottschedin, Klopstocks *Kriegslied zur Nachahmung des alten Liedes von der Ch.-Ch.-Jagd,* 1749) oder im Kreuzreim durchgereimt (Strachwitz, *Das Herz von Douglas,* Th. Fontane, *Archibald Douglas, Gorm Grymme,* J. N. Vogel, *Heinrich der Vogler* u. a. m.).

K. Neßler, Gesch. d. Ballade Ch.-Ch., 1911. →Metrik.

Chiasmus (griech. *chiasmos* = Gestalt e. Chi: X), →rhetorische Stilfigur; die symmetrische Überkreuzstellung von syntaktisch oder bedeutungsmäßig einander entsprechenden Satzgliedern, meist als spiegelbildliche Anordnung (Flügelstellung) von Subjekt oder Prädikat oder Substantiv und Adjektiv in zwei gleichgebauten Sätzen in der Folge: a + b : b + a oder in zwei parallelen Stufen: a + b, a + b : b + a, b + a. Beispiel: ›Die Kunst ist lang, und kurz ist unser Leben‹. (*Faust* 558f.). Der Ch. dient oft zur Verdeutlichung e. →Antithese (→Antimetabole) oder als hemmender Abschluß e. Reihe von →Parallelismen (ab, ab, ab, ba, z.B. das Xenion *Humanität*); als Stilmittel schon in der Stabreimdichtung, als rhetorische Figur in antiker Rhetorik häufig, auch in Verbindung mit →Anapher, von dort bei Hartmann von Aue und Gottfried von Strassburg verwendet; Blüte im Barock (Angelus Silesius), ferner bei Schiller u. a.; auch in neuerer Zeit unbewußt gebrauchtes Stilmittel.

Chiave (ital. = Schlüssel), in der →Kanzone Petrarcas derjenige Vers, der Fronte und Sirima verbindet.

Chiffre (franz. = Ziffer, Zahl), 1. Geheimschrift durch Ersetzen jedes Buchstabens durch e. anderen nach e. ›Schlüssel‹; kann bei Kenntnis des Schlüssels entziffert (›dechiffriert‹) werden. – 2. in moderner Dichtung, bes. Lyrik, Stilfigur des Wirklichkeitsschwundes: emblemartig abkürzende Zeichen (einfache Worte oder Sprachgebärden), deren Bedeutung aus dem Textzusammenhang hervorgeht, diesen aber erst verständlich macht. Restform des vollplastisch ausgeführten Symbols in Gestalt eines knappen, funktionellen Zeichens, das im Interesse der Konzentration und Sinnverkürzung sich die bildliche Ausführung versagt, sich aber seiner konventionellen Vordergrundsbedeutung ebenfalls z. T. begibt und dabei leicht zu e. verschlüsselten Geheimzeichen aus unkontrollierbaren Gefühlswerten wird, z. B. ›Stadt‹ bei TRAKL für Hoffnungslosigkeit.

W. Lang, Zeichen, Symbol, Ch. (Dt.-unterr. 20, 1968); E. Marsch, D. lyr. Ch. (Sprachkunst I, 1970).

Choka →Nagauta

Choliambus (griech. *cholos* = hinkend), ›Hinkjambus‹, sechshebiger jambischer Vers (Senar), in dem anstelle des 6. Jambus ein Trochäus oder Spondeus eintritt; durch diese rhythmische Umkehrung von paradox auffallender, überraschender Form: ⏓–́⏑–́ ⏓–́⏑–́| ⏓–́–́⏓: ›Ich hatt' ein Liebchen, das auf einem Aug' schielte‹ (F. RÜCKERT). Zuerst von HIPPONAX von Ephesos (6. Jh. v. Chr.) in seinen betont vulgären Spottgedichten zu satirischen Zwecken verwendet; in hellenist. Dichtung bei HERONDAS und KALLIMACHOS, in lat. Dichtung bei CATULL und MARTIAL; dt. bei ZESEN und RÜCKERT; vgl. A. W. SCHLEGELS Gedicht *D. Ch.*: ›Der Choliambe scheint ein Vers für Kunstrichter, / die immerfort voll Naseweisheit mitsprechen / und eins nur wissen sollten, daß sie nichts wissen.‹

Chor (griech. *choros* = Tanzplatz, Tanz, Reigen mit Gesang, schließlich die ihn aufführenden Personen), Zusammenfassung gleichartiger Personen, die durch Zusammenklang ihrer Stimmen bei Gesang oder Sprechvortrag e. Einheit bilden und als solche dem Einzelhelden der dramatischen Handlung betrachtend, deutend und wertend (›idealisierter Zuschauer‹) gegenüberstehen oder auch in den Vorgang selbst eingreifen.
Das griech. →Drama erwuchs aus den kultischen Festspielen des Ch. anläßlich der →Dionysien, von Gesangstrophen (→Chorlieder) und Musik (Kithara oder Flöte) begleiteten langsamen Tänzen in feierlichem Rhythmus, und zwar durch Einschaltung von Einzel- und Wechselrede. THESPIS fügte 534 v. Ch. den Chorliedern erklärende Verse ein; dann erfolgte die Wechselrede von Schauspieler und Chor. AISCHYLOS erweiterte durch Einführung e. 2. Schauspielers die Handlungsmöglichkeiten und wurde damit zum Schöpfer der →Tragödie; der Ch. blieb ihr wesentlicher Bestandteil; als nach Zurückdrängung von Tanz und Gesang das Wort die Hauptsache wurde, verband er sich eng mit der Handlung, blieb während der ganzen Spieldauer auf dem Schauplatz (→Orchestra) und griff, bes. durch Tätigkeit des Chorführers, oft in die Handlung ein *(Eumeniden)*. Der tragische Ch. bestand anfangs eventuell im Höchstfall aus 50(?), später 12 Personen. SOPHOKLES erhöhte die Zahl der Schauspieler auf 3 und den Chor auf 15 Personen; die Verbindung von Ch. und Handlung wird gelockert: abgesehen von seiner Wichtigkeit für die Exposition tritt anstelle der Ein-

griffe in die Handlung die betrachtende Teilnahme am dramatischen Geschehen, die sich auf lyrische Wendepunkte zusammendrängt. Der Ch. ist häufig Sprachrohr des Dichters. Bei EURIPIDES schließlich ist der Ch. gelegentlich auf auswechselbare lyrische Einlagen ohne Zusammenhang mit der Handlung eingeschränkt. In der röm. Tragödie SENECAS hat der Ch. nur in den Zwischenakten Bedeutung und spielt für die Handlung keine Rolle. In der älteren Komödie (ARISTOPHANES) greift er häufig mit Gesängen und durch den Chorführer in die Handlung ein oder wendet sich ans Publikum (→Parabase); die neue und röm. Komödie kennt keinen mit der Handlung verbundenen Ch., sondern allenfalls e. chorisches Intermezzo. – Die wesentlichen Formen des antiken Chorgesangs sind die →Parodos, der →Kommos, das →Stasimon und schließlich das Abgangslied (→Exodos). Daneben stehen Duette mit Schauspielern und Wechselgesänge (→Amoibaia).

Das geistliche Drama des MA. verband die Einzelbilder der Darstellung durch liturgieartige, epische Chorgesänge, welche die Pausen füllten und selbst bei anderen Stoffen beibehalten wurden. Für das von der röm. Komödie abgeleitete Schuldrama des Humanismus ist der Ch. belanglos; wo er erscheint (rd. 1/3 der Dramen), dienen seine meist gesungenen und auf die Handlung bezogenen Lieder nur der Akteinteilung (REUCHLIN, *Henno*); an ihre Stelle tritt in den Schweizer Dramen und denen der Meistersinger Instrumentalmusik.

Die Englischen Komödianten des 17. Jh. übertrugen im Anschluß an SHAKESPEARE die Funktion des Ch. auf den Prolog- und Epilogsprecher bzw. den Narren, ebenso das Volksdrama und Chr. WEISE. Im Barockdrama dagegen erscheint der Ch. als →Reyen (GRYPHIUS u. a.); Jesuitendrama und LOHENSTEIN verwenden ihn neben →Zwischenspielen. Die franz. Tragödie ersetzt ihn durch die Rolle des Vertrauten, ebenso das dt. Aufklärungsdrama; RACINES Verwendung des Ch. als rückschauender und vordeutender Aktschluß (*Esther, Athalie*) fand nur Nachhall in CRONEGKS *Olint und Sophronia;* in KLOPSTOCKS →Bardieten erscheint er als Sinnbild der Volkseinheit, und seine Mitglieder greifen z. T. einzeln in die Handlung ein. Weite Verbreitung fand er in den Singspielen und Monodramen des 18. Jh.; das bürgerliche Trauerspiel kennt keinen Ch., der sinngemäß nur im Heroendrama seine Begründung hat.

Nach Vorgang von SULZER, WIELAND, HERDER und den Brüdern STOLBERG erhebt SCHILLER zuerst im *Malteser*-Fragment und dann in der *Braut von Messina* (vgl. Vorrede ebda.) den antiken Chor zum bewußten Stilprinzip. Er erstrebt größere poetische Kraft, Reinheit und Würde durch Läuterung der Affekthandlung in abgeklärter Betrachtung (der Ch. übernimmt die der Handlung abträgliche Reflexion), Erhebung des Gewöhnlichen ins Allgemein-Menschliche und bewußte Distanzierung von der Wirklichkeit, Stilisierung zum Symbol hin. Sein Scheitern beruht letztlich auf der Unvereinbarkeit antiker Formelemente und Vorstellungsweisen mit modernen. Auch andere gleichzeitige Versuche (PLATENS Komödien, TIECKS *Prinz Zerbino* III) gelangen nicht über SCHILLER hinaus; freier ist die Verwendung des Ch. in GOETHES *Faust.* Das illusionsstrebige Drama des Realismus und Naturalismus hat keinen Raum für den Ch., erst mit den stilisierenden Tendenzen in Symbolismus, Expressionismus und bes. den zahlreichen antiken Themen des Existentialismus erlangt er erneute Bedeutung, so bei C. LANGENBECK, P. ERNST, HOFMANNSTHAL, WERFEL, KAISER, BRECHT, ELIOT *(Mord im Dom)*, GARCÍA LORCA, GIRAUDOUX, ANOUILH, SARTRE, FRISCH, DÜRRENMATT, P. WEISS.

L. Rieß, D. Ch. i. d. Tragödie (Preuß. Jhrb. 54, 1884); R. v. Liliencron, D. Ch.-gesänge d. lat.-dt. Schuldramas i. 16. Jh. (Zs. f. Musikwiss. VI, 1890); B. Venzmer, D. Ch. i. geistl. Drama d. dt. MA., Diss. Rostock 1897; R. Petsch, Ch. u. Volk i. antik. u. modern. Drama (Neue Jhrb. 13, 1904); A. Rahm, Üb. d. Zusammenhang zwisch. Chorliedern u. Handlg. i. d. erhaltenen Dramen des Sophokles, Diss. Erlangen 1906; P. Stachel, Seneca u. d. dt. Renaissancedrama, 1907, E. Helmrich, *The History of the Chorus in the German drama* (*Germ. studies* 7–9, 1912); W. Lohmeyer, D. Dramaturgie d. Massen, 1913; R. Fischer, D. Ch. i. dt. Drama v. Klopstocks ›Hermannsschlacht‹ bis Goethes ›Faust‹ II, Diss. Mchn. 1917; L. Großmann, Chöre, Volks- u. Massenszenen i. Schillers Dramen, Diss. Hbg. 1922; K. Burdach, Schillers Chordrama... ›Vorspiel‹ Bd. 2, 1926); W. Kranz, Stasimon, 1933; E. Beinemann, D. chor. Element i. Drama d. Gegenw., Diss. Jena 1941; O. Mann, Poetik d. Tragödie, 1958; RL; E. Menz, D. Ch. i. Theater d. 20. Jh. (in: Der Dichter u. s. Zeit, hg. W. Paulsen 1970).

Choral →Kirchenlied

Chorege (griech. *choregos* =) 1. vermögender griech. Bürger, der die Ausbildungs- und Ausstattungskosten e. →Chores (Choregie) als öffentliche Leistung übernahm, z. T. auch künstlerisch leitete. Jedem an einem Wettkampf teilnehmenden Dichter wurde e. Ch. zugewiesen; ihm galt im Falle e. Sieges neben dem Dichter die Ehre, und sein Name erschien auf den Didaskalien. Nach dem Peloponnes. Krieg (431 bis 404) ging die Choregie infolge Verarmung der Bürger auf den Staat über. 2. Chorführer, →Koryphaios.

Choreographie (v. griech. *choreia* = Tanz, *graphein* = schreiben), urspr. Tanzschrift, d.h. die Aufzeichnung von Tanzfiguren und -bewegungen (Haltung der Arme und Füße usw.) im Ballett durch Symbole und Zeichen in einem Liniensystem verwandt der Notenschrift, seit 15. Jh. praktiziert, Systeme von BEAUCHAMPS, FEUILLET, F. A. ZORN, R. v. LABAN u.a. Heute vielfach auch Regieentwurf e. →Balletts.

Choreus (griech. *choros* = Tanz) = →Trochäus

Choreut (griech. *choreutes* = Chortänzer), auch Choret, der Chortänzer im griech. Drama; die Ch.en trugen →Masken von Frauen oder Männern des Ortes, an dem die Handlung spielte; →Chor.

Choriambus, aus je einem Trochäus (= Choreus) und Jambus bestehender (daher Name), aber einheitlicher antiker Versfuß von 6 Moren Länge: —́ ◡◡ —́, 2 Längen umgeben 2 Kürzen. Häufige Verwendung, vielfach in Verbindung mit Glykoneen und Asklepiadeen, doch auch selbständig, in dramat. Chorliedern, der Lyrik von SAPPHO, ALKAIOS und HORAZ, bes. in der →Asklepiadeischen Strophe und als Dimeter in GOETHES *Pandora*, in England bei MARVELL und SWINBURNE.

Chorlieder, von vornherein für gemeinsamen chorischen Vortrag bestimmte Dichtungen, die in Stil, metrischer Form und Inhalt anstelle des Einzelempfindens kollektives Denken und Fühlen setzen. Nach der Form unterscheidet man durchweg vom ganzen Chor gesungene Ch. von solchen mit zeitlich verschiedenen Einsätzen der Chorteile und solchen, in denen der Chor nur den →Kehrreim mitsingt bzw. wiederholt. Die Wurzeln liegen im Kult- und →Arbeitslied, wichtige Formen sind etwa: →Kirchenlied,

Prozessionslied, →Soldatenlied, Hochzeitslied, →Totenklage, →Tanz-, →Trink- und →Gesellschaftslied, →Brutlied.
In Griechenland gelangten die Ch. zu früher Blüte in den Kultfesten der Götter: Zur Musik von Kithara oder Aulos schritten die Choreuten ihren feierl. Reigen; später sangen sie mit. Kern des vom Dichter selbst komponierten und eingeübten Liedes war e. Erzählung aus der Sage. Als kunstvolle Chordichter ragten bes. Dorier hervor: TYRTAIOS, THALETAS und ALKMAN (sein Jungfrauenchor ist das älteste erhaltene Stück). Seit STESICHOROS aus Himera (um 600 v. Ch.) datiert die Dreiteilung der Ch. in →Strophe, →Antistrophe und →Epodos. Weitere Chorlyriker waren IBYKOS und ARION; den Höhepunkt erreicht die Ch.-dichtung um 500 v. Chr. in SIMONIDES, PINDAR und BAKCHYLIDES. Wichtigste antike Gattungen der Ch. sind →Hymnus, →Päan, →Epinikion, →Threnos und →Dithyrambos. Über die Ch. im Drama s. →Chor.
Altgerman. Ch. sind nicht erhalten, doch bezeugt; so berichtet GREGOR d. Gr. von e. Opfergesang der Langobarden, ADALBERT VON BREMEN vom Kultgesang bei e. Opferfest in Upsala, PRISCUS von ›Skythischen Liedern‹, die got. Mädchen bei e. Schleiertanz vor ATTILA gesungen haben, und TACITUS bezeugt den Gesang von Herkulesliedern vor der Schlacht. Das älteste direkte Zeugnis e. chorischen Tanzliedes bildet der Bericht über die *Tänzer von Kölbigk* (1038) in balladesker Umformung: Vierzeiler für den Vorsänger und Kehrreim für den Chor. – Das →Kirchenlied entwickelte keinen komplizierten chorischen Aufbau.

RL; R. Petsch, Spruchdichtg. d. Volkes, 1938.

Chorlyrik →Chorlieder

Chrestomathie (griech. *chrestos* = brauchbar, nützlich, *mathein* = lernen), Slg. vorbildlicher, meist für den Unterricht in e. Sprache brauchbarster Stücke aus verschiedenen (bes. Prosa-)Schriftstellern; zu Ausgang des Altertums Ch.n aus griech. und lat. Autoren als Ergebnis der neubelebten Wissenschaften (z. B. die des PROKLOS); in der Neuzeit für den Schulgebrauch abgestimmte Auswahlen der bedeutendsten Schriftsteller e. Landes. Vgl. →Anthologie.

Chrie (v. griech. *chreia* = Gebrauch), heute veraltete Art der schriftlichen Behandlung e. philos. oder lit. Satzes (Sentenz, Sprichwort) in e. Aufsatz nach festgelegtem formalem Schema, das den zu behandelnden Satz, Lob des Verfassers, Beweis, Erläuterung (Einwände, Gleichnisse, Beispiele, Zeugnisse) und e. zusammenfassenden Schluß enthält. Seit der Antike übliche Vorübung zur Rhetorik, dann jahrhundertelang Gliederungsschema für Schulaufsätze.

G. v. Wartensleben, D. Begriff d. griech. Chreia, 1901.

Christlich-deutsche Tischgesellschaft, von A. v. ARNIM 1810 in Berlin gegr. romantischer Dichterkreis, an dem KLEIST, EICHENDORFF, CHAMISSO, FOUQUÉ, BRENTANO, A. MÜLLER, J. G. FICHTE, A. N. v. GNEISENAU u. a. teilhatten, zentriert um KLEISTS *Berliner Abendblätter* (1810–11). Konservativ, antirevolutionär, antiliberal und national und die polit. Ideen der dt. Romantik vertretend, wurde er über seine Fortsetzung, die 1816 gegr., stärker polit. orientierte ›Christlich-Germanische Tischgesellschaft‹, zu einer der Keimzellen der preuß. Konservativen Partei.

J. Nadler, D. Berliner Romantik, 1912; P. Eberhard, D. polit. Anschauungen d. Ch.-dt. T., 1937.

Christliche Dichtung im weiteren Sinn – gegenüber der thematisch und motivlich stärker auf die Glaubenslehren und -worte ausgerichteten →geistlichen Dichtung der frühen, fest im Christentum ruhenden Epochen – ist jede Dichtung, die fest im Boden der christlichen Heilsgewißheit und christlichen Ethik wurzelt und diese zum immanenten Angelpunkt des Menschenbildes nimmt. Sie steht damit im Ggs. zu den sich seit der abendländischen Aufklärung entwickelnden nihilistischen und atheistischen Richtungen und gewinnt erst als bewußter Gegenpol zu diesen Strömungen festere Kontur innerhalb der ohnehin durch die ganze christliche Kultur des Abendlandes weithin auf christlicher Grundlage ruhenden allg. Lit. Sie führt zu literarhistor. wichtigen Gruppenbildungen (z. B. →Renouveau catholique), während für die lit. Wertung das christliche Element an sich als außerlit., weltanschauliches Ingrediens ohne Belang ist.

R. Schneider, D. Bildgsauftrag d. christl. Dichters, 1946; J. Zangerle, D. Bestimmg. d. Dichters, 1948; E. Hederer, D. christl. Dichter, 1956; A. Wolf, Christl. Lit. d. MA., 1958; Gibt es heute christl. Dichtg.?, hg. H. Linnerz 1960; G. Kranz, Christl. Lit. d. Neuzeit, 1959; ders., Europas christl. Lit., II ^{2}1968; Was ist das Christl. i. d. c. Lit.?, 1960; C. I. Glicksberg, *Lit. and Religion,* Dallas 1960; C. Möller, Lit. d. 20. Jh. u. Christentum, 1960; G. Kranz, Christl. Lit. d. Ggw., 1961; E. Langgässer, Das Christl. i. d. c. D., 1961; R. M. Frye, *Perspective on Man,* Philadelphia 1961; W. Grenzmann, Dichtg. u. Glaube, ^{6}1968; ders. Üb. d. Probl. d. c. D. (Deutschunterr. 15, 4, 1963); H. Altmann, Was ist c. D. (Deutschunterr. 16, 5, 1964); H. Linnerz, C. D.?, 1965; C. Hohoff, Was ist c. Lit.?, 1966; H. J. Baden, Lit. u. Bekehrung, 1968; Mod. Lit. u. christl. Glaube, 1968; Christl. Dichter i. 20. Jh., hg. O. Mann ^{2}1968; E. Klee, Wege u. Holzwege, 1969; P. K. Kurz, Warum ist d. christl. Lit. zu Ende (Zeitwende 42, 1971); H. v. Arnim, Christl. Gestalten neuerer dt. Dichtg., 1972; T. Kampmann, D. verhüllte Dreigestirn, 1973.

Christmas-Pantomimes (engl. = Weihnachtsrevue), in England aus dem 17. Jh. stammende komische Zauber- und Ausstattungsstücke, bestehend aus e. Märchen oder Volkssage mit nachfolgender Posse; Blüte im 18. Jh., heute als Weihnachtsspiel.

Christspiele →Adventsspiele

Chronik (griech. *chronika* = Zeitangaben, -buch), Darstellung geschichtlicher Ereignisse lediglich nach ihrer zeitlichen Abfolge ohne Rücksicht auf innere, sachliche Zusammenhänge; im Unterschied zu den →Annalen bilden nicht die einzelnen Jahre, sondern größere Zeiträume, z. B. Regierungszeiten, das Gerüst; bes. im dt. MA. vom 12. bis 17. Jh., bes. im 15./16. Jh. gebräuchliche Form: Familien-, Geschlechter-, Kloster-, Bistums-, Kaiser-, Papst-, Städte- (*St. Galler, Berner, Straßburger, Limburger* u. a. m.) und →Weltchronik. Wichtigste die um 1150 von e. Regensburger Geistlichen verfaßte *Kaiser-Ch.* in Versen (→Reim-Ch.).

F. X. Wegele, Gesch. d. dt. Historiographie, 1885; K. Jakob, Quellenkunde d. dt. Gesch. I ^{6}1959, II ^{5}1961, III 1952; H. Schmidt, D. dt. Städtechr.n, 1958; RL^{2}.

Chronikalische Erzählung, meist historische Erzählung (Roman, häufiger Novelle), die sich als Herausgabe e. alten Chronik (auch Briefe, Tagebücher u. ä.) ausgibt und nach einleitendem →Rahmen (Manuskriptfund) den fingierten Chronisten der alten Dokumente selbst berichten läßt, um den Eindruck der Unmittelbarkeit und tieferen Wahrhaftigkeit zu erwecken. Die Illusion wird häufig durch →Archaismen in Stilgebung und Sprache erhöht, obwohl auch in der höchst kunstbewußten Form gerade schlichteste Wahrheit und Echtheit erreicht werden kann. – Nach dem Vorgang von RABENER (*Chronik des Dörfchens Querlequitsch* 1742) gewinnt die ch. E. breiteren Raum durch die Romantik und ihr verklärtes Bild der Vergangenheit: BRENTANOS Fragment *Aus der Chronika e. fahrenden Schülers* (1803 bzw. 1817) versucht zuerst e. altertümlich-umständliche Stilisierung, E. T. A. HOFFMANNS *Elixiere des Teufels* (1816) fingieren die Herausgabe alter Papiere. Reiche Pflege in der Schweiz: J. M. USTERI (*Zeit bringt Rosen,* 1811, *Gott beschert über Nacht,* 1812 u. a. m.), später C. F. MEYER, *Das Amulett,* 1873, *Der Heilige,* 1879, *Plautus im Nonnenkloster,* 1882, *Die Hochzeit des Mönchs,* 1884, und G. KELLER, *Das Meretlein* im *Grünen Heinrich,* 1854. Virtuose Vollendung der Form bei W. MEINHOLD, *Maria Schweidler, die Bernsteinhexe,* 1843, durch meisterhafte Nachgestaltung barocker Sprache, damit größte Realistik. Andere ch. E.en oder Einschübe verzichten mehr oder weniger auf Archaisierung der Sprache wie STIFTER, *Aus der Mappe meines Urgroßvaters,* 1841, W. H. RIEHL, *Meister Martin Hildebrand,* 1847, RAABES und F. v. SAARS kurze Erzählungen sowie die häufig chronikalisch eingekleideten Novellen STORMS, *Aquis submersus,* 1876, *Renate,* 1878, *Zur Chronik von Grieshuus,* 1884 u. a. In neuester Zeit KOLBENHEYER mit archaisierter Sprache: *Meister Joachim Pausewang,* 1910, *Paracelsus*-Trilogie, 1917 bis 1925, *Das gottgelobte Herz,* 1938, zeitnah bei R. HUCH: *Ludolf Ursleu,* 1892, *Aus der Triumphgasse,* 1902, E. BERTRAM, *Michaelsberg,* 1935, ähnl. auch T. MANN, *Doktor Faustus,* 1947.

K. Friedemann, D. Rolle d. Erzählers i. d. Epik, 1910; Th. Rockenbach, Th. Storms Chroniknovv., Diss. Münster 1916; R. Leppla, W. Meinhold u. d. ch. E., 1928; RL; E. Lämmert, Bauformen d. Erzählens, [2]1967; I.-M. Greverus, D. Chronikerz. (Volksüberlieferg., Fs. F. Ranke 1968); E. Knobloch, D. Wortwahl i. d. archaisierenden ch. E., 1971.

Chronique scandaleuse (franz. = Lästerchronik), nach dem 1611 aufgekommenen Titel e. Schrift (um 1488) des königl. Sekretärs JEAN DE ROYE Schlagwort für e. Schrift, die die verborgenen wahren Laster oder bloßen Klatschgeschichten e. Gesellschaft oder Gemeinschaft literarisch ausbeutet.

Chronistichon (griech. *chronos* = Zeit, *stichos* = Vers: Zeitvers) →Chronogramm.

Chronodistichon →Chronogramm

Chronogramm (griech. *chronos* = Zeit, *graphein* = schreiben: Zeitinschrift), Merkvers, bes. Inschrift, in der die zugleich als römische Zahlenzeichen gebrauchten (meist großgeschriebenen) Buchstaben nach ihrem Zahlenwert zusammengezählt die Jahreszahl des Ereignisses geben, auf das sich die Inschrift bezieht, z. B.: *LVtetIa Mater natos suVos DeVoraV It* = 1572, Bartholomäusnacht. Als Vers Chronistichon, als Doppelvers Chronodistichon genannt.

Chronograph (v. griech. *chronos* = Zeit, *graphein* = schreiben), 1. Verfasser e. →Chronik, insbes. die byzantin. Verfasser von Weltchroniken als der geläufigsten Form der Geschichtsschreibung (J. MALALAS, K. MANASSE, NIKEPHOROS I., M. GLYKAS u. a.). – 2. im Rußland des 15.–17. Jh. e. Form der Chronik selbst, die über die antike und byzantin. Geschichte in die Landesgeschichte mündet.

Ch'uan-ch'i, chines. Dramenform

der Yüan- und Ming-Zeit (12. bis 17. Jh.), südchines. Gegenstück zum →Tsa-chü mit beliebig vielen Akten und großen metrischen und musikalischen Freiheiten; am bekanntesten *P'i-p'a chi (Die Laute).*

Cicerone (ital.), urspr. die wegen ihrer Redseligkeit mit CICERO verglichenen ital. Antiquare und Fremdenführer; seit J. BURCKHARDTS gleichnamiger Schrift (1855) auch ein lit. Reisehandbuch mit Beschreibung der Kunstdenkmäler und Sehenswürdigkeiten.

Ciceronianismus, Richtung in der ital. Rhetorik und Stilkunst der Renaissance, die zum Stil CICEROS (Periodenbau) zurückkehren will, hauptsächl., doch ohne direkte Berufung auf CICERO, vertreten von POLIZIANO.

R. Sabbadini, *Storia del ciceronianismo,* Turin 1886.

Cinquain (franz. = Fünfzeiler), von der amerikan. Dichterin A. CRAPSEY (*Verse,* 1915) in Anlehnung an japan. Vorbilder (Haiku, Tanka) entwickelte Gedichtform: jambischer Fünfzeiler von jeweils 2, 4, 6, 8 und wieder 2 Silben je Zeile, also insges. 22 Silben; knappe, elegante, doch leicht preziöse Form.

Circumlocutio (lat.) = →Periphrase

Cisiojanus, vom SpätMA. bis ins 16. Jh. übliche Merkverse, aus denen man Abfolge und Datum der wichtigsten Festtage nach der Silbenzahl ihrer Anfangssilben innerhalb des Monatsverses abzählen konnte; so bedeutet *›cisio‹* (aus lat. *circumcisio* = Beschneidung, sc. Christi) in Anfangsstellung vor *›janus‹* (aus *januarius*), daß dies Fest auf den 1. Jan. fällt; meist in 24 ansonsten sinnfreien Hexametern (je Monat 2) abgefaßt, u. a. auch von OSWALD VON WOLKENSTEIN und KONRAD VON DANGKROTZHEIM.

R. M. Kully, C. (Schweiz. Archiv f. Volkskde. 70, 1974).

Claque (franz. = Händeklatschen), die Gesamtheit der Claqueure (franz. = Klatscher), von Theaterdirektoren, Autoren oder Schauspielern bestellte und mit Geld, Freikarten, Ermäßigung oder Bewirtung bezahlte Beifallsklatscher im Theater. Schon in der Antike bekannt und bei PLAUTUS, SUETON und TACITUS erwähnt, ebenso in MA., Renaissance und elisabethan. Zeit; seit Beginn des 19. Jh. von Paris aus in andere europ., auch dt. Theaterstädte verbreitet und selbst im 20. Jh. nicht ganz ausrottbar. Sie sollen zu allg. Beifall anregen und dem Stück damit Erfolg sichern. Zur Zeit der Hochblüte, etwa in LANTONS ›Assurance de succès dramatique‹ (1820 in Paris gegr.), unterscheidet man verschiedene Gruppen je nach der Arbeitsweise: Klatschen, Trampeln, Beifallsmurmeln, Nebenbemerkungen, Ausrufe, Lachen bzw. Schluchzen, Dacaporufen bis zum Anpreisen des Stückes an Anschlagsäulen und in Cafés.

Clavis (lat. = Schlüssel), veraltete Bz. für lexikalische Werke zur Erläuterung antiker Schriftwerke.

Clerihew, Bz. von Edmund Clerihew BENTLEY für die von ihm entwickelten Nonsense-Verse, Vierzeiler aus zwei Couplets unterschiedlicher Länge über berühmte Persönlichkeiten, deren Name den Reim der 1. Zeile liefert.

K. Thielke, Mehr Nonsense-Dtg. (D. Neueren Sprachen 5, 1956).

Cliché →Klischee

Clio →Klio

Clique (franz. = Verein), Gruppenbildung – auch von Literaten –, deren Mitglieder durch starken inneren Zusammenhalt, gegenseitige Förderung und systematische Bekämpfung Außenstehender oder anderer C. sich gegenseitig maßgebliche Einflüsse und Schlüsselstellungen zuspielen.

Clown (engl. = Tölpel), urspr. die →komische Person des engl. Theaters, der →Hanswurst, seit 16. Jh. aufgekommen und auch im Trauerspiel erscheinend, schließlich als Spaßmacher und Dummer August in die Pantomime und von dort als Akrobat oder Scherzmusiker in den Zirkus verwiesen. Das Groteske seiner Komik und sein verzerrtes Menschenbild, in dem tief menschliche Züge immer wieder durchbrechen, ohne zu triumphieren, läßt den C. immer wieder zu einer Schlüsselfigur moderner Erzählkunst aufsteigen (G. GRASS, *Die Blechtrommel*, H. BÖLL, *Ansichten eines Clowns* u. a.).

M. W. Disher, *C.s and pantomimes*, Lond. 1925; A. Nicoll, *The world of harlequin*, Cambr. 1963; F. Usinger, D. geist. Funktion d. C. i. uns. Zeit, 1964; W. Willeford, *The fool and his scepter*, 1964.

Cobla (provenzal., v. lat. *copula*), die Strophe in der provenzal. Troubadourlyrik, je nach dem Reimschema unterschieden in C. unisonans mit gleichem Endreim aller Verse, C. singular mit verschiedenen Endreimen innerhalb der Strophe, C. doblas mit gleicher Endreimfolge in zwei aufeinanderfolgenden Strophen und C. ternas mit gleicher Endreimfolge in drei aufeinanderfolgenden Strophen. Da eine einstrophige C. (→cobla esparsa) oft eine gleichgebaute Antwortstrophe hervorruft, bezeichnet C. gelegentlich auch eine solche zweistrophige Kurzform der →Tenzone.

A. Jeanroy, *La poésie lyr. des troubadours* II, Paris 1934.

Cobla esparsa (provenzal. = isolierte Einzelstrophe), Form der ma. Lehrdichtung der provenzal. Troubadours seit dem 12. Jh.: isolierte Kanzonenstrophe sentenziösen, didaktischen oder epigrammatischen Charakters als in sich selbständiges Einzelgebilde entsprechend dem mhd. Spruch. Evtl. Ausgangspunkt für die Sonettform als ital. Sonderform der C. e. Vgl. →Cobla.

K. Voßler, D. Dichtgsformen d. Romanen, 1951.

Cockney (engl. = Hahnenei), der vulgäre Großstadtjargon der Londoner City.

Coda (ital. = Schweif), 1. in ital. Dichtung Zusatz zum →Sonett, zuerst mit dem letzten Vers reimender Elfsilber oder Elfsilberpaar mit eigenem Reim, ab 14. Jh. auf den letzten Vers reimender Siebensilber und folgendes Elfsilberpaar mit eigenem Reim; später wurden auch mehrere C. angehängt. – 2. bei den →Sirventes der abschließende Kurzvers der Strophe, gibt den Reim der folgenden Strophe an.

Codex (lat. = Baumstamm, Holzklotz), röm. Vorform des →Buches: durch Scharniere, Riemen oder Ringe in Heftform zusammengebundene, mit e. Wachsschicht zum Schreiben überzogene Elfenbein- oder Holzschreibtafeln (→Diptychon, schon früh für kürzere Aufzeichnungen benutzt. Beim Übergang vom →Papyrus zum →Pergament wurde die C.form bevorzugt, da sich das Pergament nicht so gut in Rollen herstellen ließ. Im 1. Jh. n. Ch. waren beide Formen vertreten, im 4./5. Jh. wurden alle Rollen in Codices umgeschrieben; was der Arbeit nicht für wert gehalten wurde, ging damit verloren. Der C. mit in Lagen gefalteten, doppelseitig beschriebenen Pergamentblättern zwischen Holzdeckeln, vielfach in ma. Klöstern prunkvoll durch Miniaturen und Ornamente illuminiert, nimmt mit anderen Materialien bis ins 15. Jh. die Form des heutigen Buches vorweg. *C. rescriptus* (lat. = wiederbeschrieben) →Palimpsest.

Lit. →Paläographie, →Buch.

Collage (franz. Kleben), entsprechend den gleichnamigen Klebebildern der modernen Kunst aus präfabriziertem Material eine lit. Technik, die den Text mit Anspielungen, Zitaten anderer Autoren und vorgeprägten Wendungen auch in fremden Sprachen versetzt, um dadurch dem Thema weitere Horizonte abzugewinnen; e. Kombination reproduzierter Sprachstücke, bes. bei J. JOYCE, T. S. ELIOT und E. POUND; MALLARMÉ, APOLLINAIRE, GIDE und BUTOR; in dt. Lit. bei A. HOLZ, DÖBLIN, EINSTEIN, SCHEERBART, ARP, SCHWITTERS, HEISSENBÜTTEL, JANDL, MON und ARTMANN, am deutlichsten bei K. KRAUS *Die letzten Tage der Menschheit.*

W. C. Seitz, *The art of assemblage*, 1961; H. Wescher, D. C., 1968; Prinzip C., hg. F. Mon 1968; K. Riha, Cross-Reading und Cross-Talking, 1971.

College Novel (engl. = Universitätsroman), der an Colleges und Universitäten spielende Roman, dessen Hauptfigur vorwiegend Intellektuelle mit weltanschaulichen, psychischen oder erotischen Problemen sind; geläufigster Typus des anspruchsvollen amerikan. Gegenwartsromans, z.B. bei S. BELLOW, M. MCCARTHY u. a.

J. O. Lyons, *The C. N. in America*, Carbondale 1962.

Colombina (ital. = Täubchen), feststehende Typenfigur der →Commedia dell'arte, die kokette Zofe, Tochter oder Dienerin des Pantalone und später Geliebte des Arlecchino, gelegentlich auch als Arlecchinetta wie dieser buntscheckig gekleidet. Sie lebt als Columbine in der engl. Pantomime fort.

Comedia (span./portug.), in der span. und portugies. Lit. Bz. nicht nur für Komödie oder Lustspiel, sondern feststehende Bz. für jedes – ernste oder heitere – dreiaktige weltliche Versschauspiel im Ggs. zum geistlichen →Auto sacramental, zu den einaktigen Vorspielen (→Loas), Zwischenspielen (→Entremeses) und Nachspielen (→Sainetes) und zu den →Zarzuelas (Singspielen). Ihre Hauptformen sind die →Comedia en capa y espada und die →Comedia de ruido, unter den wechselreichen Versformen überwiegt der trochäische Achtsilber.

Comedia de ruido oder C. de teatro (span. =) →Ausstattungsstück mit reichen Bühnenmitteln und lebhafter äußerer Handlung im Ggs. zur →C. en capa y espada.

Comedia en capa y espada (span. =) Mantel- und Degenstück, nach der Kleidung der in ihnen auftretenden oberen Gesellschaftsklassen (caballeros) benannte span. Schauspiele im Ggs. zur →C. de ruido, fast dekorationslos gespielte feine Intrigenstücke von vornehmstem sprachlichen Ausdruck meist um Heiratspläne, die durch Zufälle, Mißverständnisse, Verkleidungen, Verwechslungen oder die Umwelt verhindert, doch schließlich glücklich durchgeführt werden, z.T. in sozial abgestufter Duplizität der Fälle; inhaltl. beherrschende Rolle der Ehre. Stehende Kontrastfigur neben dem idealisierten Helden ist e. komisch-parodierende Bedientenrolle (Gracioso, meist unter Namen wie Picaro, Bobo, Simple). Hauptvertreter sind Lope de VEGA, P. CALDERÓN und TIRSO DE MOLINA.

Comédie (franz.), in franz. Lit. nicht nur die →Komödie, sondern auch das ernste Drama (→Schauspiel) mit untragischem Ausgang.

E. Winkler, Z. Gesch. d. Begriffs C. i. Frankreich, 1937.

Comédie-ballet (franz.), von MOLIÈRE entwickelte Mischform von Drama und Ballett, in der zwischen die Akte der Komödienhandlung Balletteinlagen eingefügt werden, die das Thema der Haupthandlung satirisch oder burlesk variieren. Nach dem Erfolg von *Les fâcheux* (1661) schrieb MOLIÈRE noch 13 weitere C.-b., am bekanntesten *Le bourgeois gentilhomme* (1670).

Comédie de mœurs →Sittenstück

Comédie de salon (franz. =) Salontheater, im Frankreich des 18. und frühen 19. Jh. unterhaltsame Theaterstücke für Privataufführungen in geschlossener Gesellschaft, die die soz. Gleichrangigkeit von Darstellern, Rollen und Zuschauern voraussetzen; iron.-satir. und z. T. erot. Fortsetzungen des Gesellschaftslebens als Gesellschaftstheater. Hauptautoren: L. de CARMONTELLE, LECLERQ, später A. de MUSSET; Sonderform die →Proverbes dramatiques.

V. du Bled, *La comédie de société au 18e. siècle*, Paris 1893; M. Herrmann, D. Gesellschaftstheater des L. C. de Carmontelle, 1968.

Comédie larmoyante (franz. Bz. nach CHASSIRON, von LESSING als →›weinerliches Lustspiel‹ übersetzt), frühaufklärerische, empfindsame Form der franz. →Tragikomödie. In Verbindung mit e. Wandlung des Lebensgefühls, die schon den Abstieg der klassischen Tragödie hervorgerufen hatte und später das →bürgerliche Trauerspiel hervorbringen sollte, entsteht in Frankreich als Übergangsform die c. l. aus der Komödie durch Zurückdrängung des Komischen, Aufnahme rührender Elemente und Beibehaltung des glücklichen Ausgangs. In der c. l. steht Tugend neben Laster, und durch ans Tragische grenzende Verwicklungen wird die Teilnahme der Zuschauer geweckt, die zwischen Erschütterung und Heiterkeit schwankt, bis mit dem Sieg des Guten und Lösung aller Intrigen der obligate Schluß eintritt. Hauptvertreter sind nach dem Vorgang von MARIVAUX und DESTOUCHES in Frankreich F. DANCOURT und NIVELLE DE LA CHAUSSÉE (1692–1754) mit *Fausse antipathie,* 1733, *Le préjugé à la mode,* 1735, *L'école des amis,* 1737, *Mélanide,* 1741 und *La gouvernante,* 1747. Auch VOLTAIRES *L'enfant prodigue* steht der Gattung sehr nahe, ebenso bes. DIDEROT *(Le père de famille),* der zum ernsten →bürgerlichen Trauerspiel überleitet. Erster theoretischer Verteidiger der c. l. ist Louis RICCOBONI 1738. Über die Nachfolge in Dtl. →Weinerliches Lustspiel und →Rührstück.

G. Lanson, *N. de la Chaussée,* 1887; A. Trettin, Darstellg. d. Familienlebens i. d. c. l., Diss. Kiel 1911.

Comédie rosse (franz. *rosse* = gemein), in Frankreich Abart des naturalistischen Dramas von naiver Unmoralität, krasser Brutalität und unbewußtem Zynismus, um 1887 bis 1895 bes. in A. ANTOINES Théâtre libre gepflegt. Autoren der C.r. waren u. a. J. JULIEN (*Le maître,* 1890), G. ANCEY (*L'école des veufs,* 1889), P. ALEXIS (*Monsieur Betzy,* 1889), H. CÉARD, L. HENNIQUE.

Comedy of humours (engl.), engl. Sonderform der Renaissancekomödie, Vorläufer der →Charakterkomödie. Sie bezieht ihre kom. Wirkung aus dem Renaissance-Ideal des Decorum, das eine ausgeglichene Persönlichkeit verlangt und jede Exzentrizität verabscheut, aus der traditionellen Säftetheorie, die Gesundheit und Charakter von der richtigen Mischung der vier Grundsäfte im menschl. Körper abhängig macht, und aus der Konfrontation einer solchen nach Ausgeglichenheit strebenden Gesellschaft mit einzelnen Narren und Exzentrikern, die als menschlich zu kurz gekommen, doch nicht schädlich aufgefaßt werden. Vertreter sind vor allem B. JONSON (*Every Man in His Humour*, 1598; *The Silent Woman*, 1609; *The Alchemist*, 1610 u. a.), ferner J. FLETCHER, G. CHAPMAN sowie später SHADWELL und CONGREVE.

F. E. Schelling, *Elizabethan Drama*, 1910; H. L. Snuggs, *The Comic Humours* (PMLA 62, 1947).

Comedy of manners (engl. = Sittenstück), engl. Sonderform des →Sittenstücks im ausgehenden 17. und 18. Jh., die absurde soziale Zustände, Auffassungen und Verhaltensweisen korrigieren will, sie daher satirisch überzeichnet, anprangert und der Lächerlichkeit preisgibt. Hauptvertreter sind ETHEREGE, WYCHERLEY und CONGREVE, im 18. Jh. SHERIDAN und GOLDSMITH.

J. Palmer, *The c. o. m.*, 1913, n. 1962; B. Dobrée, *Restoration Comedy*, Oxf. 1924; W. W. Sawyer, *The c. o. m.*, 1931, n. 1969; C. S. Paine, *C. o. m.*, Boston 1941.

Comics (amerikan. *comic strips* = komische Bildstreifen), die unterste, ästhetisch, lit. und gehaltlich mangelhafte Stufe der →Bildgeschichte, bestehend aus e. Kombination von gezeichneter Bildreihe, Erzähltext und Dialog. Die oft primitiv ausgeführten Zeichnungen, die die Handlung in Phasenverschiebungen oder Kernpunkten vorantreiben, überwiegen an Informationswert die gelegentlich eingeschobenen, knapp Sprünge ergänzenden oder erläuternden Zwischentexte sowie den Dialog, der den Figuren in den für die C. typischen Blasen (engl. *balloons*, ital. *fumetti*, Wölkchen) aus dem Munde quillt, und bestätigen den im Grund unlit. Charakter der C. Ihre bevorzugten Stoffe sind Tiergeschichten (*Mickey Mouse*, *Donald Duck* von W. DISNEY), Leben und Taten histor. oder pseudohistor. Helden *(Prinz Eisenherz, Astérix)*, Abenteuer phantastischer, unüberwindlicher Übermenschen (*Tarzan*, 1929; *Mandrake*, 1935; *Superman, Batman, Phantom*) und Fabelwesen in utopischen Situationen, ferner und vorzugsweise jede Art von Science Fiction, Krieg, Kriminal- und Detektivgeschichten, Verbrechen, Horror und Sadismus sowie massiver Sex, die in Dtl. z. T. zur Indizierung führten, aber auch infantile Raffungen von Werken der Weltlit. *(Odysseus, Faust, Hamlet, Bibel)*, Geschäftsreklame und polit. Propaganda. Der Humor, der den C. urspr. den Namen gab, spielt darin eine ebenso geringe Rolle wie der normale Bürgeralltag. Das Geschehen ereignet sich vielmehr meist in e. imaginären Welt, e. histor.-geograph. Chaos, in dem neben Raumschiffen Saurier auftreten und alles nur der Erzeugung des Außergewöhnlichen und der Spannung dient. Auch die Figuren, grobschlächtig in Gut und Böse, Freund und Feind geschieden, sind entweder finstere Untermenschen und machtgierige Verbrecher oder strahlende Helden, Archetypen des modernen Wunschdenkens, die sich in allen nur denkbaren Situationen bewähren und zu e. neuen, volksläufigen Mythologie des Massenzeitalters werden. Der Primitivität des Aufbaus, der ein episodenhaftes Nacheinander ohne festere gedankliche Bindung und Spannungssteigerung liebt, entspricht in den Textbeigaben eine vereinfachte typisierte, kurzatmige, z. T. absichtlich entstellte Sprache mit kurzen und vielfach unvollständigen Sätzen, individualisierenden Interjektionen und den für die Gattung typischen Lautmalereien für Geräusche. Die Wirkung der C. auf Leser und insbes. Jugendliche wurde früher als allzu gefährlich, abstumpfend, verrohend und das geistige Leistungsvermögen zersetzend überschätzt, doch kann als sicher gelten, daß das primitiv entstellte Bild der Welt, des Menschen und der Gesellschaft in den C. die Einordnung erschwert, daß die Verkümmerung von Sprache und Phantasie durch die Vorwegnahme der Vorstellungen eine geistige Bewältigung der Welt unterbindet und zu einer inneren Verarmung führt. Die präfabrizierten Klischees schalten das logische Denken aus und verhindern jede Differenzierung des Weltbildes. – Es ist bezeichnend für den Trivialcharakter der C., daß alle in Anspruch genommenen Vorläufer (außer den →Bilderbogen) auf künstlerisch höherem Niveau stehen: der Teppich von Bayeux, ma. Miniaturen mit Spruchbändern, HOGARTS Bilderfolgen *The Rake's Progress* und *Marriage à la Mode,* W. BUSCHS Bildergeschichten, später die Bildromane von R. TOEPFFER und die Bildgeschichten von O. JAKOBSON *(Adamson)* und O. E. PLAUEN *(Vater und Sohn).* Die ersten C. erschienen in den USA der 80er Jahre fortsetzungsweise auf den letzten Seiten von Magazinen, Zeitschriften, dann auch Zeitungen: *The Origin of Species,* 1894, *The Yellow Kid* von R. F. OUTCAULT 1896, *The Katzenjammer Kids* von R. DIRKS 1897 ff., *Lady Bountiful* von G. CARR u. a., dann seit 1935 daneben auch als (meist farbige) Broschüren und Bücher *(comic books)* mit massenhafter Verbreitung von insges. bis zu 100 Mill. Exemplare monatlich, die von 50–70% aller Amerikaner und 165 Mill. Menschen in der Welt regelmäßig gelesen werden. Das Vordringen der C. nach Europa und Dtl. nach 1945, urspr. mehr als Jugendlektüre, erbrachte in den Jahren 1950–60 rd. 1,5 Mill. Exemplare monatlich in der BR und ging seither trotz Verfilmungen und Fernsehsendungen zurück. Jüngere Entwicklungen sind die freundliche Darstellung menschl.-kindl. Schwächen in den *Peanuts* von Ch. M. SCHULZ 1950 ff., der iron.-didakt. *Astérix* von R. GOSCINNY 1961 ff., die Sex und Gewalttat verbindenden C. für Erwachsene (*Barbarella* von J.-C. FOREST 1964, *Phoebe Zeit-Geist* von M. O'DONOGHUE und F. SPRINGER 1965 und *Jodelle* von P. BARTIER und G. PEELLAERT 1966) und die in Italien beliebten Photoromane mit gestellten Bilder und Blasendialogen. D. BUZZATI umschrieb 1970 den Orpheus-Mythos als C.

M. Sheridan, *C. and their creators,* Boston 1942; C. Waugh, *The C.,* 1947; G. Legman, *Psychopathologie des C.* (*Les temps modernes,* 1949); M. Spiegelmann, *The Contents of C. Strips* (*Journal of Social Psychology,* 1952); F. Wertham, *Seduction of the innocent,* N. Y. 1954; H. E. Giehrl, *C. Books* (Lehrerzeitg. 6, 1954); W. K. Cordt, D. Rückfall ins Primitive (Westermanns Pädag. Beiträge 6, 1954); R. O. Nafziger, D. Entwicklg. d. C. Strips (in: Publizistik 1, 1956); K. Döring, C. (Bücherei u. Bildg. 9, 1957); M. Doetsch, C. u. ihre jugendl. Leser, 1958; C. della Corte, *I fumetti,* Mail. 1961; D. M. White u. R. H. Abel, *The funnies,* N. Y. 1963; K. Riha, D. Blase im Kopf (in: Triviallit., hg. G. Schmidt-Henkel 1964); A. Baumgärtner, D. Welt d. C., 1965; J. Feiffer, *The great c. book heroes,* Lond. 1967; P. Couperie, M. C. Horn, *A hist. of the C. strip,* N. Y. 1968; G. Blanchard, *La bande dessinée,* Verviers 1969; W. Hofmann, D. Kunst d. c. strips (Merkur 23, 1969); K. Riha, Zok roarr wumm, 1970; Vom Geist der Superhelden, hg. H. D. Zimmermann 1970; G. Metken, C., 1970; W. J. Fuchs, R. C. Reitberger, C., 1971; E. Reichel, D. entzauberte Orpheus (Romanist. Jb. 23, 1972); B. Lecke, C. als Vorschule (in: Massenmedien u. Triviallit., hg. H. Ide 1973); J. Wermke, Wozu C. gut sind, 1973; H. Künnemann, C. (in: Kinder- u. Jugendlit., hg. G. Haas 1974); W. Kempkes, Bibliogr. d. internat. Lit. üb. C., [2]1974; W. K. Hünig, Strukturen d. C. strip, 1974; C. i. ästhet. Unterr., hg. D. Pforte 1974; M. Welke, D. Sprache d. C., [4]1974; C. Materialien, hg. D. Hoffmann 1975; W. U. Drechsel u. a., Massenzeichenware, 1975; H. J. Kagelmann, C., 1976; P. Burgdorf, C. i. Unterr., 1976; C. u. Religion, hg. J. Wermke 1976; E. K. Baur, D. C., 1977; U. Krafft, C. lesen, 1978; C., hg. R. Gubern u. a. 1978; W. J. Fuchs u. a., C.-Hb., 1978.

Commedia, in ital. Lit. jedes in der Volkssprache abgefaßte ernste oder heitere Gedicht (DANTES *Divina C.*) mit glücklichem Ausgang, später bes. für – auch ernste – dramatische Dichtungen und schließlich →Komödien.

Commedia dell'arte (ital. *arte* = Kunst, Beruf), volkstümliche ital. →Stegreifkomödie mit feststehendem →Szenar (Handlungsverlauf und Szenenfolge), das stereotype Verwicklungen variiert; die Einzelausführung sowie die eingestreuten Witze und mimischen Scherze (Lazzi) werden im Augenblick der Darstellung anhand e. großen Szenenrepertoires der Schauspieler erfunden, Monolog und Dialog bleiben der Improvisation überlassen (daher kein lit. Niederschlag), ihr Erfolg hängt daher ab von der Improvisationskunst der darstellenden Berufsschauspieler. Zu den feststehenden, durch Maske und Kostüm gekennzeichneten, psychologisch kaum charakterisierten Typen der C. d. a. haben alle ital. Landschaften beigetragen; viele sind zeitlos geworden: Dottore, e. schwatzhafter, gelehrter Pedant aus Bologna, Pantalone, der einfältige Vater, vornehme Kaufmann und geprellte Ehemann aus Venedig, Arlecchino bzw. Brighella aus Bergamo oder Pulcinella aus Neapel, sein pfiffiger Diener, Colombina (Smeraldina), dessen Geliebte, Scaramuccio, der bramarbasierende Capitano, Tartaglia, der Stotterer, Beltrame, der Querkopf u. a. m., z. T. aus der → Atellane entlehnte Figuren. – Die C. d. a. entstand aus Anregungen aus ital. Farcen, volkstüml. Mundartkomödien und den lit. Renaissancekomödien (MACHIAVELLI, ARIOSTO, ARETINO) um Mitte des 16. Jh. in Oberitalien, angeblich von Francesco CHEREA, dem Komiker LEOS X., erfunden, und bestand, durch Graf Carlo GOZZI (18. Jh.) in seinen Märchenstücken poetisch verfeinert, trotz der Ersatzversuche Carlo GOLDONIS bis zu Anfang des 19. Jh. Durch Wandertruppen über ganz Europa bis nach Madrid, Kopenhagen und Petersburg verbreitet, gewinnt sie bedeutenden Einfluß auf Lustspiel und Posse der anderen Länder, im dt. Sprachraum verdankt ihr trotz der GOTTSCHED-NEUBERSCHEN Reform das Wiener →Volksstück von STRANITZY bis RAIMUND und NESTROY stärkste Anregungen, und GRILLPARZER, P. ERNST, H. v. HOFMANNSTHAL u. a. griffen auf ihre Formen zurück; in Frankreich, wo die ital. Truppe 1660 zu comédiens du roi ernannt wurde, steht MOLIÈRE unter ihrem Einfluß, bis er die Typenkomödie durch die →Charakterkomödie ersetzt; auch in England ist ihre Wirkung bei SHAKESPEARE u. a. elisabethan. Dramatikern spürbar.

M. Scherillo, *La c. d. a. in Italia*, Turin 1884; W. Smith, *The c. d. a.*, 1912; P. L. Duchartre, *La comédie ital.*, Paris [2]1925; ders., *La c. d. a. et ses enfants*, Paris 1955; C. Mic, *La c. d. a.*, Paris [2]1927; E. Petraccone, *La c. d. a.*, Neapel 1927; M. Apollonio, *Storia de la c. d. a.*, Rom 1930; A. Nicoll, *Masks, mimes and miracles*, Lond. 1931; M. J. Wolff, D. C. d. a., GRM 1933; K. M. Lea, *Italian Popular Comedy*, Oxf. II 1934; H. Kindermann, D. C. d. a. u. d. Volkstheater, 1938; H. Boehlen, D. Einfl. d. C. d. a., Diss. Marbg. 1944; M. Kommerell, C. d. a. (in: Dichter. Welterfahrg., 1952); A. Kutscher, D. c. d. a. u. Dtl., 1955; T.

Niklaus, *Harlequin*, 1956; V. Pandolfi, *La C. d. a.*, VI Florenz 1957–61; A. K. Dshiwelegow, C. d. a. 1958; M. T. Herrick, *Ital. comedy in the Renaiss.*, Urbana 1960; A. Nicoll, *The World of Harlequin*, Cambr. 1963; W. Hinck, D. dt. Lustsp. d. 17. u. 18. Jh. u. d. ital. Komödie, 1965; G. Oreglia, *The C. d. a.*, Oxf. 1968; W. Krömer, D. ital. C. d. a., 1976.

Commedia erudita (ital. = gebildet), im Italien der Renaissance nach antikem Vorbild und bes. unter Einfluß der röm. Komödie entwickeltes Charakter- und Intrigenlustspiel, im Ggs. zur C. dell'arte, mit Nachahmung der komplizierten Intrigen bes. der Neuen Komödie. Hauptvertreter: ARETINO, ARIOSTO und MACHIAVELLI *(Mandragola)*.

Common metre oder **common measure** (engl. = gewöhnliches Versmaß), Strophenform aus vier jambischen Verszeilen zu je 3 Hebungen im 2. und 4. Vers und je 4 Hebungen im 1. und 3. Vers mit der Reimfolge abab oder axay, verwendet in engl. Kirchenliedern (hymnal stanza) oder mit freierer Füllung in Balladen (ballad metre), auch als ›double c.m.‹ mit der Reimfolge abxayczc.

Complainte (franz. = Klage), lyrische Gattung des franz. MA. und der engl. Renaissance (CHAUCER, SPENSER): volkstümliches Klagelied in gedämpftem Ton meist als Monolog des Dichters auf ein trauriges Ereignis (unerwiderte Liebe, unglückliche Umstände, Gang der Welt, auch Niederlage, Mord oder Tod), z. T. nach trag. Stoffen bibl., legendärer oder novellist. Herkunft, gelegentlich auch als humorist. Scheinklage (etwa auf die leere Börse); ab 16. Jh. auch ins Satirische, ab 18. Jh. ins Burleske gewendet. Vgl. →Plasch

J. Peter, *C. and Satire in Early Engl. Lit.*, 1956.

Computerlyrik, lyrische Texte aus der elektronischen Datenverarbeitungsanlage. Sie entstehen durch Fütterung des Elektronengehirns mit ausgewähltem Wortmaterial, das nach metrischen Möglichkeiten vorsortiert ist und Hinweise auf Reimmöglichkeiten trägt, und durch Speicherung der Versregeln, in die die eingeflößten Vokabeln nach Zufallsauswahl eingefügt werden. Das Ergebnis sind absurde Kombinationen nicht zusammen passender Wörter in klanglich vertrauten Versschemata, die ästhetischen Reiz nur durch die verblüffenden Assoziationen gewähren, deren Sinnferne und Aussagelosigkeit die Ausweglosigkeit angesichts einer absurden, nicht verstehbaren Welt spiegeln.

G. Stickel, Computerdichtung (Deutschunterr. 18, 2, 1966); S. J. Schmidt, Ästhet. Prozesse, 1971; A. A. Moles, Kunst u. Computer, 1973.

Conceits, Concetti →Konzetti

Conceptismo →Konzeptismus

Condoreiros (nach dem Kondor als Vogel der Anden), humorist. Bz. für die 3. Phase der brasilian. Romantik, die sog. Schule von Pernambuco, bes. L. F. VARELA, T. BARRETO und A. CASTRO ALVES, wegen der erhabenen Ziele ihrer patriotisch-sozialen Gedichte, die oft den Kondor als Symbol verwenden.

Conférence (franz. =) Ansage in e. Kleinkunstbühne, e. Kabarett, bei öffentl. oder privaten Veranstaltungen, Unterhaltungssendungen in Rundfunk und Fernsehen u. ä. durch e. Conférencier.

Confessiones →Bekenntnisse

Confident (franz. =) Vertrauter, Figur im klass. franz. Drama, dem die Hauptfigur Geheimnisse und innere Regungen anvertraut und die ihrerseits durch ihr Wissen um Vorgeschichte und Hintergründe Informationslücken beim Publikum ausfüllt; wegen ihrer Unselbständigkeit schon im 18. Jh. kritisiert, doch im Lustspiel (Werner und Franziska in LESSINGS *Minna von Barnhelm,* Max in SCHNITZLERS *Anatol*) bis ins 20. Jh. fortlebend.

Confrérie de la passion →Passionsbrüder

Congé (franz. = Urlaub), Gedichtart des franz. MA. ähnl. dem antiken →Apopemptikon, Abschiedsgedicht eines Abreisenden an die zurückbleibenden Freunde, z.B. bei Jean BODEL, ins Satirische gewandt bei ADAM DE LA HALLE.

Connecticut Wits oder Hartford Wits (engl. = Schöngeister von C. oder H.), erster nordamerikan. Dichterkreis in Hartford/Conn. um 1780/90: J. TRUMBULL, T. DWIGHT, D. HUMPHREYS, J. BARLOW; zumeist mit dilettantenhaften politisch-satirischen Gedichten und Epen.

V. L. Parington, *The C. W.*, 1926; L. Howard, *The C. W.*, Chicago 1943.

Consolatio (lat. = Trost, -schrift, -rede), röm. Lit.gattung: Trostgedicht, meist in Hexametern abgefaßte Grabgedichte, von STATIUS in den →*Silvae* zu feinster Form entwickelt, ferner e. anonyme C. an Livia beim Tode ihres Sohnes Drusus; auch CICERO und SENECA verfaßten Trostschriften in Prosa, philosophisch-rhetorischen Inhalts. Nachwirkung: *Consolatio Philosophiae* des BOËTHIUS.

R. Kassel, Unters. z. griech. u. röm. Konsolationslit., 1958; H.-T. Johann, Trauer u. Trost, 1968; P. v. Moos, C., IV 1971 f.

Constructio ad sensum →Constructio kata synesin

Constructio apo koinu →Apokoinu

Constructio kata synesin (lat. c. = Bau, griech. *k. s.* = nach dem Sinn), in der Stilistik mangelnde Übereinstimmung (Kongruenz) syntaktisch einander zugeordneter Satzteile (meist Subjekt und Prädikat) im Numerus, seltener Genus. Zugrunde liegt häufig e. Verlagerung der Vorstellung vom ausgedrückten Einzahlbegriff auf e. anschauliche Mehrzahl bzw. umgekehrt oder die Überlagerung des grammatischen Geschlechts durch das natürliche, die das Beziehungsverhältnis lockert. Die C. k. s. erscheint öfter in älterer, weniger folgerichtig gegliederter und poetischer Sprache, z.T. durch die Wortstellung hervorgerufen: ›Der Worte sind genug gewechselt‹ (statt: (es) ist. GOETHE, *Faust* 214).

Conte (franz. = Erzählung), in franz. Lit. in weiterem Sinne jede Erzählung, auch Verserzählung *(C. del Graal)* oder religiös belehrende *(c.pieux, c.dévot)* oder moralisierende *(c.moralisé)* Geschichte, im engeren Sinne eine kurze Erzählform in Vers oder Prosa zwischen Roman und Novelle, die im Ggs. zur stärker realistischen *nouvelle* das Märchenhaft-Phantastische, Burleske und Exotische einbezieht, dadurch gegenüber der Wirklichkeit keinen Abbildcharakter erstrebt und eine Identifikation des Lesers mit den Figuren vermeidet. Frühe Beispiele bieten die heiteren, vielfach gerahmten Renaissancenovellen nach ital. Vorbild: *Cent nouvelles nouvelles,* MARGUERITE DE NAVARRAS *Heptameron,* DESPÉRIERS *Nouvelles récréations et joyeux devis* u.a.m. Das Märchenhafte bricht durch in den *C. des fées* der Gräfin D'AULNOY, den *C. de ma mère l'Oye* von Ch. PERRAULT u.a., das Frivol-Satirische in LA FONTAINES Verserzählungen und das philosophisch Belehrende in den *C. philosophiques* von VOLTAIRE (*Candide* u. a.), die Morallehre in den *C.moraux* von MARMONTEL und MERCIER als Gegengewicht zu den pikanten C. von DIDEROT, CRÉBILLON fils, DUCLOS u. a. Im 19. Jh. erneuern die *C.drôlatiques* von BALZAC derbe ma. Sinnenfreude in archaisierender Sprache; MUSSET, FLAUBERT *(Trois c.)* und MAUPASSANT, die ihre Novellen C. nennen, stellen sich damit betont in die unterhaltsame Erzähltradition.

V. Propp, *Morphologie du c.*, 1970.

Contes d'aventure, e. Gruppe franz. →Abenteuerromane, im 12. Jh. entstanden durch Auslassen alles Historischen aus antiken, byzantinischen, antikisierenden u. a. Romanen, Ausmalung des Wunderbaren (Zwerge, Riesen, Feen, Zauberer u. a. m.) und Mischung von Bestandteilen verschiedenster Herkunft (oriental. Märchen, Chanson de geste und Liebesgeschichte). Wichtigste: GAUTIER D'ARRAS, *Eracle* (nach 1164), AMON DE VARENNE, *Florimont* (1188), *Floire et Blancheflor* (1160/70), *Partenopeus de Blois* (vor 1188, mhd. von KONRAD VON WÜRZBURG), *Romanz de la rose* (um 1200), GERBERT DE MONTREUIL, *Roman de la violette* u. a.

Contradictio in adjecto (lat. = Widerspruch im Beiwort), Abart des →Oxymoron: die im Beiwort ausgesagte Beschaffenheit steht im Widerspruch zum Hauptbegriff: z. B. ›kleinere Hälfte‹.

Contrasto (ital. = Gegensatz), ital. Streitgedicht in Dialogform, dessen Strophen, oft Sonette, auf die einzelnen Personen oder allegor. Figuren verteilt werden, z. B. CUILLO D'ALCAMO: *Rosa fresca* als Streitgespräch zwischen e. Liebenden, der seine Leidenschaft schildert, und der Geliebten, die sie zurückweist. Ital. Pendant zum provenzal. Joc partit (→Tenzone).

Copla (span. v. lat. *copula* =) Liedchen, Vierzeiler, insbes. volkstüml. span. Lied in 4 achtsilb. Versen, deren 2. und 4. durch Assonanz oder Reim gebunden und deren 1. und 3. frei sind; im Wechsel von 8- und 4silb. Versen →Pie quebrado genannt.

Copyright (engl. =) →Urheberrecht, insbes. die diesbezügl. Schutzvorschriften in den USA. Nach der C.-Act vom 4. 3. 1909 (vorher C.-Bill vom 1. 6. 1891) muß jedes im Ausland hergestellte Druckwerk eines Nichtamerikaners, das in den USA staatlichen Schutz gegen Nachdruck genießen soll, den Vermerk ›C. by ...‹ (stets abgekürzt © mit Namen des Autors oder Verlages sowie Jahreszahl im Titel oder Impressum tragen. Die Schutzfrist von 28 Jahren kann auf Antrag bei Hinterlegung von zwei Werkexemplaren und Eintragung in das C.-Register im 28. Jahr um weitere 28 Jahre verlängert werden. Registrierung und Hinterlegung sind auch Voraussetzung für das Geltendmachen von Urheber- oder Verlagsrechten auf dem Prozeßweg. Neue C.-Gesetzesentwürfe beseitigen die Formalitäten und sehen eine generelle →Schutzfrist bis 50 Jahre nach dem Tod des Urhebers vor. → Welturheberrechtsabkommen, →Berner Konvention.

H. Jansen, Amerik. C. u. dt. Schrifttum (Zs. f. Bücherfreunde, N. F. 17, 1925); H. Howell, *The C. Law,* Wash. [3]1952; M. Nicholson, *A Manual of C. practice,* N. Y. [2]1956. →Urheberrecht.

Coq-à-l'âne (nach dem franz. Sprichwort *C'est bien sauté du cocq à l'âne* für unzusammenhängendes, sinnloses Gerede), eigentüml. Gattung der franz. Verssatire, die unter dem Schein unzusammenhängender, sprunghafter Nonsense-Dichtung verkappt in dunklen Andeutungen Schwächen, Laster und Fehler der Zeit, einzelner Menschen, sozialer Gruppen und Institutionen angreift und aufzeigt. C. MAROT begründete die Form 1530 mit vier Versepisteln versch. Länge in Achtsilbern und fand zeitweise reiche Nachahmung, bis die Gattung, von der Plejade verurteilt, erlosch.

Ch. Rinch, *La poésie satirique de C. Marot*, Paris 1940.

Correctio (lat. = Verbesserung), in antiker und mlat. Lit. wie überhaupt in jeder pathetischen Sprachgebung beliebte →rhetorische Figur: Selbstberichtigung, Zurücknahme e. schwächeren Ausdrucks und dessen Ersatz durch einen gewichtigeren, sachgemäßeren zum Zwecke der Ausdruckssteigerung; häufig in Form der →Anadiplose oder als Percontatio, d.h. Wiederholung des als ungenügend erkannten Wortes in Fragestellung, z.B. CICERO, *Catilina* I, 1, 2: ›Dieser aber lebt! Lebt? Nein, er kommt sogar noch in den Senat!‹

Corrigenda (lat. = zu Verbesserndes), Druckfehlerberichtigung.

Costumbrismo (span. = Sittenschilderung), lit. Bewegung des 19. Jh. in Spanien und Südamerika, erstrebte als Gegenschlag zur Romantik eine realistischere Darstellung von Milieu und Gestalten des täglichen Lebens aufgrund exakter Studien und Beobachtungen, vorwiegend in kurzen Skizzen, Charakterstudien und Szenen. Zu ihren Anhängern (costumbristas) rechnen ST. ESTÉBANEZ CALDERÓN, R. de MESONERO ROMANOS, M. JOSÉ DE LARRA, M. GONZÁLEZ CELEDÓN und R. PALMA; Nachwirkung auf den realistischen Sittenroman des späten 19. Jh.: R. GALLEGOS, C. ALEGRÍA, J. ICAZA und M. GÁLVEZ; auch Ausgangspunkt des Regionalismus.

J. F. Montesinos, *C. y Novela*, Berkeley 1961; E. Konitzer, Larra u. d. C., 1971.

Couleur locale (franz. =) →Ortskolorit

Coup de théâtre (franz. = Theaterschlag), unerwartete, plötzliche und effektvolle Wendung im Lauf eines Dramas.

Couplet (franz., v. lat. *copula* – eigtl. Verbindung, gemeint zweier paralleler rhythmischer Sätze zu e. Strophe, z.B. zweier →Alexandriner zum Epigramm), 1. im provenzal. und altfranz. Minnesang die → Strophe schlechthin. – 2. Heute scherzhaft-satirisches, teils auch witzig-zweideutiges Lied oft frivolen oder aktuellen Inhalts in kom. Oper, Vaudeville, Operette, Singspiel und Posse, deren gleichgebaute Strophen nach derselben Melodie gesungen werden und stets mit dem gleichen witzigen Kehrreim schließen. – 3. Im →Rondeau die 2–3 freien Teile zwischen den Reprisenversen.

Cours d'amour (franz. =) →Liebeshöfe

Cover story (engl. =) Titelgeschichte, in der Publizistik derjenige Beitrag e. Zeitschrift (Illustrierte, Magazin), auf den sich das Titelbild der Ausgabe bezieht.

Creacionismo (v. span. *creación* = Schöpfung), kurzfristige Strömung der span. Lyrik zu Ende des 1. Weltkriegs ähnlich dem dt. Dadaismus, eingeleitet von dem chilen. Dichter V. HUIDOBRO, 1916. Abart des → Ultraismo, betont die Freiheit der Dichtung von der Wirklichkeit, will die dichterische Schöpfung der natürlichen Schöpfung angleichen, bemüht um Vermenschlichung der Dinge, Präzisierung des Unbestimmten, Konkretisierung des Abstrakten und Abstraktion des Konkreten und gekennzeichnet durch freie, preziöse Bilder, schnelle Rhythmen und vielschichtige, wesentliche Worte. In Spanien bes. vertreten durch G. DIEGO und J. LARRERA, in franz. Lit. von P. REVERDY.

Crepidata →Fabula

Crepuscolarismo (v. ital. *crepuscolare* = dämmerig), poesia crepuscolare, Richtung der ital. Lyrik um 1900–1920, gekennzeichnet durch dekadente Lebensmüdigkeit, Melancholie, Abwendung von aller Rhetorik, Zuwendung zu den kleinen und gewöhnlichen Dingen des Alltags und eine gewollt einfache, prosanahe, auf Prunk und Pose verzichtende Sprache unter Einfluß von VERLAINE, LAFORGUE und JAMMES. Hauptvertreter waren S. CORAZZINI, G. GOZZANO, ferner M. MORETTI, C. GOVONI, A. PALAZZESCHI und F. M. MARTINI, Sprachrohr die kurzlebige Zs. *Cronache latine* (1905 f.).

G. Petronio, *Poeti del nostro secolo: i C.*, Florenz 1937; G. Maggio-Valveri, *I crepuscolari*, Palermo 1949; A. Gennarini, *La poetica dei crepuscolari*, Siena 1949.

Creticus →Kretikus

Criollismo (span. = Kreolismus), von J. SANTOS CHOCANO (1875 bis 1934) begr. Richtung der span.-amerikan. Lit., die den ausländ. Einfluß ablehnt und in Rückbesinnung auf die eigenständige Kulturentwicklung Lateinamerikas seit der Kolonialzeit und ihre Synthese von Indianismus, Iberismus und Europäismus latein.-amerikan. Stoffe in selbstgeprägter Form verlangt.

E. Quesada, *El C. en la Lit. Argentina*, 1902.

Crispin, Rollenfigur des gewitzten, skrupellosen Dieners und treuen Vertrauten des Helden im franz. Lustspiel des 17. und frühen 18. Jh.; aus der ital. Posse dorthin übernommen.

Cross-Reading (engl. = Querlesen), satir.-iron. Technik der →Collage, indem etwa mehrspaltig gedruckte Texte, bes. Klassiker, über die Spalten hinweg gelesen werden und vorgeprägte Sprachteile neue Sinnkombinationen ergeben. In angelsächs. Ländern verbreitet.

K. Riha, C. u. Cross-Talking, 1971.

Crusca (Accademia della crusca) →Akademie, →Sprachgesellschaften

Crux (lat. = Kreuz), in der →Textkritik die durch Kreuzzeichen (†) bezeichneten derart verderbten Stellen (→Korruptelen) in Handschriften, daß jeder Versuch zu ihrer Erklärung durch →Konjekturen sinnlos und unverbindlich erscheint; daher allg.: unlösbare Frage.

Cuaderna Vía (span. = vierfacher Weg) oder Mester de clerecía, Metrum der span. Epik des 13./14. Jh., Verbindung von 14-, gelegentl. auch 16silbigen Zeilen mit strenger Silbenzählung und gleichem Reim der ganzen vierzeiligen Strophe sowie Mittelzäsur jedes Verses. Verwendet seit rd. 1200 vor allem in der gelehrten ma. Versepik der Geistlichen (GONZALO DE BERCEO, JUAN RUIZ, *Libro de buen amor* u. a.) vermutlich nach franz. Vorbild; im 15. Jh. durch →Arte mayor verdrängt.

J. Saavedra Molina, *El verso de clerecía* (*Boletín de Filología* 6, 1950/51); P. L. Barcia, *El mester de clerecía*, Buenos Aires 1967.

Culteranismo, Cultismo →Gongorismus

Cursus (lat. = Lauf), auf dem Wechsel verschieden akzentuierter Silben beruhender rhythmischer Satzschluß zum Zweck eindrucksvollen Wohlklangs. Aus den quantierenden →Klauseln antiker Kunstprosa und Rhetorik entstehen beim Verfall der Quantitäten im Spätlat. (4. Jh.) nach →akzentuierendem Prinzip gestaltete Schemata, die seit dem 11./12. Jh. allg. in neulat., z.T. auch volkssprachlicher Kunstprosa am Ende von Sinnabschnitten (Komma, Kolon) erscheinen. Die beiden Endworte sind mindestens je dreisilbig, da zum volleren Ausströmen der Sprache zwischen den letzten beiden Tonstellen des Satzes mindestens 2, höchstens 4 Senkungen liegen sollen. Wichtigste C.: 1. C. planus (= eben), (x) xx́x xx́x, z.B. inflammávit ardóre – 2. C.tardus (= langsam), (x) xx́x xx́xx, z.B. crucifíxus appáruit. – 3. C.velox (= schnell), (x) x́xx xxx́x, z.B. lítteris commendávit. – 4. C.trispondiacus: (x) xx́x xxx́x, z.B. ratiónem confirmávit.

W. Meyer, Ges. Abhdlgn. z. mlat. Rhythmik II, 1905; A. C. Clark, *The c. in ma. and vulgar Lat.*, 1910; M. G. Nicolau, *L'origine du c. rhythmique*, 1930; E. Norden, D. antike Kunstprosa, [5]1958; H. Lausberg, Hdb. d. lit. Rhetorik, 1960; ders., Elemente d. lit. Rhetorik, [2]1963.

Curtal Sonnet (engl. = Kurzsonett), von G. M. HOPKINS entwickelte, von 14 Zeilen auf zehneinhalb Zeilen verkürzte Form des →Sonetts, bestehend aus einem Sechszeiler (Reimfolge abc abc) und einem Vierzeiler mit halbzeiligem Abschluß (Reimfolge dbcd c oder dcbd c), angewandt u.a. in seinen Gedichten *Peace* und *Pied beauty*.

Cynghanedd (kymr. = Zusammenklang), das strenge Kompositionsprinzip der kymrischen Verskunst, das innerhalb einer Verszeile eine Anzahl von Korrespondenzen innerhalb der Vokale der Konsonantengruppen oder ganzer Silben nach Art des Binnenreims erfordert.

Cywydd (kelt., Mz. *cywyddau*), häufigstes Versmas der ma. kymrischen Dichtung: Reimpaare von 7 Silben, deren Worte untereinander alliterieren oder durch eine andere Form von →Cynghanedd verbunden sind und von denen jeweils ein Reim betont, einer unbetont ist. Später weitgehend im Formalismus erstarrt.

Da capo (ital. = von Anfang), Beifallsruf, der Sänger, Schauspieler u.ä. zur Wiederholung des Vorgetragenen auffordert.

Dadaismus (nach den kindersprachlichen Stammellauten ›dada‹, franz. = Holzpferdchen, als ›Kunstoffenbarung‹), extreme revolutionäre Kunst- und Lit.richtung von 1916–1924, Überspitzung und zugleich Verhöhnung der Tendenzen des Expressionismus: der Gefühlsüberschwang lehnt im Streben nach Unmittelbarkeit die ästhetischen Gesetze, logischen Zusammenhänge wie die Kontrolle durch den Verstand überhaupt ab und kehrt in raffinierter Naivität zurück zu primitiven Äußerungen, Wortgestammel, Lauten und Assoziationen ohne Rücksicht auf den Wortsinn; Streben nach ›Bruitismus‹ = Wiedergabe der Umweltgeräusche und Lebensstimmen in ihrem angeblich sinnlosen Neben- und Durcheinander als Zusammenklang (›Simultaneität‹) unter Rückgriff auf Traumanalyse und Unterbewußtsein; Auflösung der konventionellen rationalen Gedichtform zugunsten freier Assoziationsketten und bloßer Lautgedichte. Der D. verkündet damit schrankenlose künstlerische Anarchie und – auf sozialem Gebiet – in scharf antibürgerlicher Tendenz die Relativität und Unsinnigkeit aller vermeintlichen Ordnungen, insbes. als Reaktion gegen den Krieg und die durch ihn hochgespielten hohlen Ideale, deren vermeintlicher Rationalität der D. die bewußte Irrationalität gegenüberstellt. – Von H. BALL, T. TZARA, R. HUELSENBECK, K. SCHWITTERS, H. ARP, M. JANKO u. a. 1916 im Züricher ›Cabaret Voltaire‹ begründet und propagiert, verbreitet er sich als Modeströmung in Malerei (bes. Collagen) und Dichtung anfangs trotz schärfster Opposition über Deutschland (Berlin 1918 mit R. HUELSENBECK, W. HERZFELDE, W. MEHRING, R. HAUSMANN, Köln mit M. ERNST und H. ARP, Hannover mit K. SCHWITTERS), USA (1919 New York) und bes. Frankreich (Paris 1920) und beeinflußt z. T. L. ARAGON, A. BRETON, P. ELUARD, P. SOUPAULT, J. COCTEAU, F. PICABIA u. a. bis zum Übergang in →Surrealismus.

T. Tzara, Manifest Dada, 1918; R. Huelsenbeck, En avant Dada, 1920; Serner, Letzte Lockerung, 1920; H. Jansen, Dadas Geburt und Tod (Hellweg, 5. Jhrg., 1925); G. Buxbaum, D. lit. Problem d. D., Diss. Wien 1931; H. Ball, D. Flucht aus d. Zeit, ²1946; R. Dessaignes, *Storia del D.*, Mail. 1946; F. Usinger, D. D. (in ›Expressionismus‹ hg. O. Mann, 1956); H. Arp u. a., D. Geburt d. Dada, 1957; W. Mehring, Dada Berlin, 1959; Dada, hg. R. Huelsenbeck, 1964; H. Richter, Dada, Kunst und Antikunst, 1964; W. Verkauf, Dada, ³1965; M. Sanouillet, *Dada à Paris*, Paris 1965; Dada i. Zürich, hg. P. Schifferli 1966; M. Prosenc, D. Dadaisten i. Zürich, 1967; R. Brinkmann, Üb. einige Voraussetzgn. v. Dada (Fs. K. Ziegler, 1968); M. A. Caws, *The poetry of Dada and surrealism*, Princeton 1969; R. Döhl, D. (in: Expressionism. als Lit., hg. W. Rothe 1969); M. L. Grossman, *Dada*, N. Y. 1971; R. Hausmann, A. Anfang war Dada, 1972; C. W. E. Bigsby, *Dada and surrealism*, Lond. 1972; R. Meyer, Dada i. Zürich u. Berlin, 1973; H.-G. Kemper, V. Expressionism. z. D., 1974; L. M. Fiedler, D. u. d. Weltkrieg (arcadia 11, 1976); E. Philipp, Wortkunst u. D., 1976; S. Fachereau, *Expressionisme, dada, surrealisme*, Paris 1976; W. S. Rubin, Dada, 1978.

Dainas, lettische Volkslieder aus heidnischer Tradition in Form trochäischer (seltener daktylischer) Vierzeiler altertümlich-poetischen Inhalts; wohl von Frauen gedichtet, behandeln balladenhaft oder lyrisch Szenen aus dem Alltagsleben, Familie, Natur und Aberglauben. Vorbild vieler lettischer Lyriker.

U. Katzenelenbogen, *The D.*, 1935.

Dainos, altlitauische Volkslieder rein lyrischen Charakters, oft Jahreszeitenlieder oder andere typische Situationen aus dem Volksleben schildernd und von jungen Mädchen bei der Arbeit nach diatonischen Melodien gesungen. Von Ph. RUHIG 1745 auszugsweise übersetzt (*Litauisches Wörterbuch*), erregten sie das Entzücken LESSINGS (33. *Literaturbrief*), HERDERS und GOETHES, der e. Daina 1782 in *Die Fischerin* aufnahm. Als Quelle der litauischen Lit. sind viele der wehmütig-sehnsuchtsvollen D. bis heute lebendig.

T. Brazys, D. Singweise d. lit. D., 1918; A. Domeikaite, D. lit. Volkslieder i. d. dt. Lit., 1928.

Daktyloepirit, antiker Vers aus Verbindung von →Daktylen (oder →Spondeen) mit →Epitriten, erstere meist in der Form des →Hemiepes —◡◡—◡◡—) oder als akatalektische Tripodie (—◡◡—◡◡——), letztere meist in der Normalform —◡——. Verwendung in griech. Chorlyrik (PINDAR, BAKCHYLIDES) und Drama.

Lit. →Metrik.

Daktylus (griech. *daktylos* = Finger), dreiteiliger antiker Versfuß von 4 Moren Länge, Gegenstück zum →Anapäst: auf eine lange (betonte) folgen zwei kurze (unbetonte) Silben: in der Grundform —́◡◡, z. B. ›Wasserfall‹; durch Zusammenziehung der beiden Kürzen als daktylischer →Spondeus: —́—; seltener, in griech. Metrik unmöglich, ist Spaltung der Länge: ◡́◡◡◡ oder Spaltung und Zusammenziehung: ◡́◡—, daher galt die Länge des D. in antiker Metrik als irrational, weil weniger als 2 Moren umfassend.

Charakteristisch ist in akzentuierender Dichtung das erregende, tänzelnde Element, im Dt. daher z. B. oft bei lebhafter Gemütsbewegung, Jubel usw. Häufigste Verwendung sechshebig im →Hexameter oder im →Pentameter und deren Verbindung zum →Distichon. Der Daktylus erscheint in der gesamten antiken Epik (→Hexameter) und z. T. in der Lyrik. Seine Verwendung in mhd. Kunstlyrik des 12., bes. 13. Jh. erklärt sich eher aus eigenständiger Entwicklung als durch Einfluß der neulat. und provenzal. Lyrik; mit dem ausgehenden Minnesang verschwindet er Ende des 13. Jh. Von OPITZ wird er in der *Poeterey* gebilligt, wenn auch nicht empfohlen und angewendet. Erst BUCHNER *(Orpheus)* und nach ihm ZESEN holen ihn hervor und benutzen ihn gegen den romanischen alternierenden Vers, bes. zur Nachahmung antiker Formen. Auch in Sturm und Drang sowie Klassik häufig verwendet, meist als epischer Vers: GOETHE *Hermann und Dorothea, Reineke Fuchs,* HÖLDERLIN *Archipelagus* u. a. m.

R. Weissenfels, D. daktyl. Rhythmus b. d. Meistersängern, 1886; A. Köster, Dt. D.en (Zs. f. dt. Altert. 44, 1902); G. Baesecke (Zs. f. dt. Philol. 41, 1909). →Metrik.

Dalang, der Spieler und Sprecher der →Wayang-Spiele.

Damnatur →Imprimatur

Dandy (engl., nach einem ind. Beamtentitel), der Typ des extravaganten, blasierten, dünkelhaften und innerlich hohlen Lebe- und Genußmenschen mit seinem Horror vor dem Gewöhnlichen, Alltäglichen, Trivialen (Prototyp: George BRUMMELL), wurde um 1825–35 zur beherrschenden Figur der →Fashionable Novels und fand seine charakterlich-soziologische Vertiefung in der engl. und franz. Romantik, die ihn zum Typ des Protests gegen soziale Gleichmacherei aus aristokratischem Geist stilisiert: BYRON, STENDHAL, MUSSET, BALZAC, BARBEY D'AUREVILLY, HUYSMANS, WILDE.

G. Köhler, D. D.ismus i. franz. Roman d. 19. Jh., 1911; F. Schubel, D. engl. D.tum als Quelle e. Romangattg., Koph. 1950; R. Gruenter, Formen des D.tums (Euph. 46, 1952); J. C. Prevost, *Le dandyisme en France,* Paris 1957; E. Moers, *The D.,* Lond. 1960; O. Mann, D. D., [2]1962; Der D., hg. O. Schaefer 1964; J. Laver, *D.,* Lond. 1968; E. Larassus, *Le mythe du d.,* 1971; H. Hinterhäuser, D. D. i. d. europ. Lit. d. 19. Jh. (Weltlit. u. Volkslit., hg. R. Alewyn 1972); S. Neumeister, D. Dichter als D., 1973.

Dansa, volkstümliches Tanzlied der provenzal. Lit. seit 12. Jh., ähnl. der provenzal. →Ballade, doch ohne feste metr. Form. Später z. T. mit relig. Gehalt.

Danse macabre →Totentanz

Darmstädter Kreis, Gesellschaft empfindsamer Schöngeister um die lit. sehr interessierte hess. Landgräfin HENRIETTE CHRISTIANE KAROLINE (1721–1774). In der Lebenshaltung durch die Tugendromane RICHARDSONS, ROUSSEAUS und der S. von LA ROCHE bestimmt und unter starkem Eindruck von GLEIM und KLOPSTOCK wird der D. K. zur Hauptstätte e. innigen Gefühls- und Freundschaftskultes; man strebt nach Seelenverbrüderung, Liebesschwärmerei und Natürlichkeit, die bezeichnenderweise nur aus lit. Quellen gespeist wird. Die zwei Hauptzentren sind das Haus des Geheimrats von HESSE und Goethes Freund J. H. MERCK; unter den Mitgliedern überwiegt das weibliche Element, die ›schönen Seelen‹: Caroline FLACHSLAND, Herders Braut, deren schwärmerischer Brautbriefwechsel für den Geist des D. K. typisch ist, die Hofdamen Henriette von ROUSSILLON und Luise von ZIEGLER u. a., ferner

Franz LEUCHSENRING, der auf ›Reisen des Herzens‹ in Frankreich und der Schweiz Gleichgesinnte sucht, der Minister Freiherr von MOSER, und, sozusagen als korrespondierendes Mitglied: HERDER, der persönlich nur zweimal erschien. Lit. Bedeutsamkeit erhält der D. K. bes. durch die Verbindung mit GOETHE, der im Jahr 1772 von Frankfurt herüberkommt, manche seiner Dichtungen hier zuerst vorliest und neue Anregungen mitnimmt *(Felsweihegesang, Pilgers Morgenlied, Elysium* bis zum *Werther)*, später jedoch auch zur Verspottung jener Übertreibungen in Satiren *(Pater Brey, Satyros, Jahrmarktsfest zu Plundersweilern)* neigt (vgl. *Dichtung und Wahrheit* 12–13).

V. Tornius, Schöne Seelen, 1920; RL; L. Rahn-Bechmann, D. Darmstädter Freundeskreis, Diss. Erlangen 1934.

Darsteller, der Schauspieler als Verkörperer einer →Rolle in Theater, Film, Fernsehen o. ä., mithin alle auf offener Szene dem Publikum sichtbar anwesenden Schauspieler und Statisten.

Darstellung, in der Lit. allg. die Wiedergabe außerdichterischer – realer oder imaginärer – Sachverhalte und Erlebnisse durch die künstlerische Nachgestaltung im Wort und deren →Form.

Datierung (v. lat. *datum* = gegeben), in der Literaturgeschichte die Bestimmung von →Entstehungszeit und →Erscheinungsjahr e. Schriftwerkes; bes. für ältere, vor Erfindung des Buchdrucks entstandene Werke nur schwer feststellbar und vielfach umstritten, ebenso in neuerer Zeit die D. lyrischer Gedichte, die nicht gleich nach Abfassung veröffentlicht werden. Annähernde D. geschieht durch Festsetzung des frühestmöglichen u. spätestmöglichen Zeitpunktes *(→terminus a quo* oder *post quem* bzw. *ante quem)* unter Zuhilfenahme von Anhaltspunkten wie Anspielungen auf Zeitereignisse, persönliche Erlebnisse und andere Literaturwerke, Sprach- und Versgestaltung, Gedankenwelt u. a. m. →Zeittafel.

Débat (franz. = Gespräch), in ma. franz. Lit. Nebenform des →Dit in Dialogform, didaktisches →Streitgedicht zwischen meist zwei Personen, Personifikationen, Tieren, Abstrakta o. ä., z. B. zwischen Sommer und Winter, Körper und Seele über religiöse, ethische u. a. Themen, etwa bei RUTEBEUF, VILLON u. a.

Debüt (franz. *début* = Anfang), erstes öffentliches Auftreten e. Schauspielers oder Sängers, auch dessen erste Rolle in e. neuen Engagement (Antrittsrolle); in der Lit. die Erstlingsproduktion eines jungen Autors (Zeitschriftenbeitrag oder Buch).

Décadence →Dekadenzdichtung

Décima →Dezime

Decknamen, erfundene Namen zur Verschleierung tatsächlicher Namen z. B. in der erotischen Lit. (so heißt CATULLS Lesbia eigentl. Clodia, TIBULLS Delia: Plania, PROPERZ' Cynthia: Hostia usw.), meist jedoch für Autorennamen: →Pseudonym, →Kryptonym, →Anagramm.

Deckungsauflage, im Verlagswesen derjenige Teil einer Auflage, deren Verkaufserlös (zum Nettopreis) die Kosten für die Herstellung der Gesamtauflage einschließlich Honorar und Bindekosten, jedoch ohne Werbe- und Vertriebskosten decken würde. Sie wird je nach der Absatzerwartung e. Buches festgesetzt und dann bestimmend für den Ladenpreis. Im Hinblick auf die allg. Geschäftsunkosten des Verlagsgewerbes beginnt der Gewinn des Verlegers erst wesentlich nach Erreichung der D.

Dedikation (lat. *dedicatio* = Weihung), Widmung, Zueignung e. Schriftwerkes an vom Verfasser bes. geschätzte Personen, früher oft an den Gönner. Sie erfolgt im klass. Epos zu Anfang des Gedichts nach der Proposition und spricht den Gönner an, im gedruckten Buch auf e. speziell mitgedruckten D.s-titel, bis ins 18. Jh. hinein mit unterwürfiger D. an e. hohen Gönner, von dem der Autor anstelle des z.T. noch unüblichen Honorars Anerkennung und Belohnung seiner Arbeit erhoffte, heute ohne finanzielle Hintergedanken durch hsl. Widmung in einzelnen D.sexemplaren an dem Verfasser nahestehende Personen. →Widmungsgedicht.

J. Ruppert, *Quaest. ad hist. dedicationis*, Diss. Lpz. 1911; W. Leiner, D. Widmungsbrief i. d. frz. Lit., 1965.

Definition (lat. *definitio* = Abgrenzung), Begriffsbestimmung durch Angabe aller wesentlichen Merkmale und Unterscheidung von naheliegenden Begriffen, nach ARISTOTELES der übergeordneten Gattung und des artbildenden Unterschiedes.

W. Dubislav, Die D., ³1931; R. Robinson, *D.*, Oxf. 1950.

Dekabristen (v. russ. *dekabr* = Dezember), nach dem Aufstand russ. Konstitutionalisten beim Tod ALEXANDERS I. in Petersburg am 14. Dezember 1825 Sammelbz. für die daran führend beteiligten Schriftsteller, meist adlige Romantiker: K. F. RYLEEV, A. I. ODOEVSKIJ, A. BESTUŽEV und W. KÜCHELBECKER, denen auch PUŠKIN und GRIBOEDOV nahestanden. Nach dem Scheitern des Aufstandes wurden die Anführer verurteilt und verbannt.

M. Wolkonskij, Die D., 1946; M. Zetlin, *The Decembrists*, N.Y. 1958; A. G. Mazour, *The First Russian Revolution*, Stanford ²1961; H. Lemberg, D. nationale Gedankenwelt d. D., 1963; M. Raeff, *The Decembrist Movement*, N. Y. 1966

Dekade (griech. *dekas* = Zehnzahl), Einheit von je 10 Büchern (LIVIUS) oder Gedichten (C. STIELER, ›Zehen‹).

Dekadenzdichtung (franz. *décadence* = Verfall), breite Seitenströmung der europ. Lit. im ausgehenden 19. Jh. (→*fin de siècle)*, entstanden aus dem Bewußtsein der Zugehörigkeit zu e. überfeinerten und damit unaufhaltsamem Abstieg verfallenen Kultur; zeigt weltschmerzliche Zerrissenheit und Pessimismus, letzte Verfeinerung psychologischer Darstellung und Vorliebe für diffizile Seelenzustände in ihren Halbtönen und Übergängen; sie steigert sich von müder Resignation bis zu pathologischen Perversitäten in der Darstellung des körperlich oder seelisch Ungesunden, morbider, nervöser und überreizter Gestalten, haltloser und heruntergekommener Existenzen usw. Doch nicht die Wiedergabe von Niedergangserscheinungen allein ist schon D. (vgl. HAUPTMANN, SUDERMANN), entscheidend ist das offene Bekenntnis zum Spätstil der Überreife. Dekadenz wurde zuerst von NIETZSCHE (*Fall Wagner,* 1888) als Niedergangserscheinung aus Erschöpfung und Auflösung hergeleitet und für seine Zeit abwertend verkündet, nachdem MONTESQUIEU (*Considérations sur les causes de la grandeur des Romains et de leur décadence,* 1734), ROUSSEAU u.a. Philosophen der Aufklärung Begriff und Symptome der Entartung am Beispiel früherer Kulturepochen geklärt hatten und GIBBON (*History of the decline and fall of the Roman empire,* 1776–88) der absterbenden, dekadenten Kultur vor der kraftvollen, doch barbarischen Neubildung den Vorzug gegeben hatte. An diesen später von SPENGLER und TOYNBEE fortgesetzten Gedankengang knüpft die D. an. Einzelzüge zeigen schon BYRON, MUSSET, LEOPARDI in ihrer Weltschmerzdichtung, POE und DE QUINCEY im Auskosten exot.-perverser Reize, in Dtl. HEINE, LENAU und C. F. MEYER. Der eigentliche Beginn und zugleich die höchste dichterische Ausformung erscheint in der Lyrik von BAUDELAIRE (*Les fleurs du mal,* 1857), MALLARMÉ, RIMBAUD und VERLAINE, in den Romanen von Th. GAUTIER und HUYSMANS *(A rebours),* beim Engländer Oscar WILDE *(Salome),* dem Dänen H. BANG und dem Russen ČECHOV. Gegenüber den ausgeprägten Vertretern der D. bes. in Frankreich zeigen in der dt. Dichtung nur einzelne Werke dekadente Züge; ihr Zentrum ist vorwiegend Österreich; SCHNITZLER, ALTENBERG, RILKE, HOFMANNSTHAL, SCHAUKAL, WILDGANS, ferner HARTLEBEN, DAUTHENDEY, PRZYBYSZEWSKI, WEDEKIND, Heinrich MANN; bes. E. v. KEYSERLING und Thomas MANN *(Buddenbrooks, Tonio Kröger)* versuchen durch e. ›Heroismus der Schwäche‹ e. Umwertung zu erreichen, während RILKE und HOFMANNSTHAL die Überwindung der D. dokumentieren. Um die Jh.-wende unterliegt die D. der scharfen Opposition durch die lebensvolle, bejahende →Heimatdichtung und den energiegeladenen Expressionismus; das Thema der Dekadenz lebt fort bei MUSIL, BROCH, HESSE, BENN, E. JÜNGER, W. FAULKNER u. a.

E. v. Sydow, D. Kultur der D., 1921; G. L. van Roosbroeck, *The legend of the Decadents,* N. Y. 1927; A. J. Farmer, *Le mouvement esthét. déc. en Angleterre,* Diss. Paris 1931; K. J. Obenauer, D. Problematik d. ästhet. Menschen, 1933; W. Binni, *La poetica del decadentismo italiano,* Florenz 1936; F. Altheim, Roman u. Dekadenz, 1951; W. Eickhorst, Dekadenz i. d. neueren dt. Prosadtg., 1953; RL; A. E. Carter, *The Idea of déc. in French lit.,* Toronto 1958; G. R. Ridge, *The hero in French Decadent. Lit.,* Athens 1961; H. Frodl, D. dt. D. d. Jh.wende, Diss. Wien 1963; R. Geißler, Dekadenz u. Heroismus, 1964; K. Swart, *The sense of decadence in 19th cent. France,* Haag 1964; N. Richard, *Le mouvement décadent,* Paris 1968; E. Koppen, Dekadenter Wagnerismus, 1973; U. Weinhold, Künstlichkeit u. Kunst i. d. dtspr. D., 1977; K. Müller, D. D.problem i. d. österr. Lit. um d. Jh.wende, 1977.

Dekastichon (griech. *deka* = 10, *stichos* = Vers), Zehnzeiler, Gedicht oder Strophe von 10 Verszeilen, z. B. →Dezime und →Dixain.

Dekasyllabus (griech. *deka* = 10, *syllabe* = Silbe), jambischer Zehnsilber mit Zäsur nach der 4. Silbe, mit weiblichem Reim als Elfsilber (→Endecasillabo). In roman. Lit., bes. Epik, sehr alt und häufig *(Cantilène de Ste. Eulalie, Vie de St. Alexis),* in dt. meist ohne Zäsur.

Deklamation (lat. *declamatio* = Vortrag), kunstgerechter Vortrag von Dichtwerken, bes. Gedichten; gelegentl. auch abwertend im Sinn von: eingelerntes, hohles Gerede. →Rezitation.

S. F. Bonner, *Roman D.,* Berkeley 1950.

Dekor, Dekoration (lat. *decorare* = schmücken), illusionsfördernde künstlerische Ausgestaltung der Bühne zu den für die jeweilige Handlung erforderlichen Schauplätzen durch blendfrei gemalte →Kulissen, →Prospekt, →Versatzstücke und →Soffitten, im geschlossenen Zimmer selbst Seitenwände und Decke. – Abgesehen von andeutenden Anfängen auf der antiken Bühne (Lauben, Paläste, Tempel und Statuen für die Tragödie, Privathäuser und Fenster für die Komödie, Landschaften mit Bäumen, Höhlen, Bergen usw. für das Satyrspiel, stets die ganze Spieldauer gleichbleibend), kann von D. erst gesprochen werden, nachdem um 1500 die Renaissance den modernen →Theaterbau geschaffen hatte. Die ma. →Simultanbühne mit feststehenden Schauplätzen kennt keine D. im eigtl. Sinne. Mit der engen räumlichen Begrenzung des Schauplatzes in der →Guckkastenbühne des geschlossenen Theaterbaues entstand das Bedürfnis nach bildmäßiger Ausgestaltung der Bühne. Die nach 1500 entdeckten Gesetze der →Perspektive erhöhten die Illusion. Die für den Schauplatzwechsel erforderliche Wandlungsfähigkeit erreichte die Renaissancebühne durch →Telari in Verbindung mit dem seitlich auseinanderschiebbaren Schlußprospekt. Seit 1620 tritt an ihre Stelle, vom Jesuitentheater raffiniert ausgebaut, die →Kulissenbühne (zuerst Wien 1659), welche die dekorationslose Bühne des →Schuldramas übertrifft und ab 1720 in Anlehnung an die reich ausgestattete Opernbühne eine Prunkarchitektur entwickelt. Besondere Verdienste um ihren weiteren Ausbau erwerben sich die über alle dt. Theaterstädte verteilten Mitglieder der ital. Maler- und Bühnenbildnerfamilie GALLI-BIBIENA: durch Übereckstellung der D. wird die perspektivische Tiefenillusion auch auf die nicht in der Mittelachse des Theaters liegenden Plätze ausgedehnt und damit die optische Wirkung bis ins Maßlose gesteigert (Treppenbauten, Bogenhallen, Palast- und Turmbauten). Diese Art der D. setzt sich durch die QUAGLIO, GAGLIARDI und FUENTES bis ins 19. Jh. fort, während an den Fest- und Opernspielen des Wiener Hofes BURNACCINI die Mittelachsen-Perspektive zu unendlichem Prunk entfaltet. Gegen e. solche Entwicklung der D.-kunst als Selbstzweck entsteht bereits im 18. Jh. mit der Wandlung von Schaukunst zur Wortkunst e. Gegenbewegung: D. COTEL, J. G. LANGHANS, Anton de PIAN und in Dtl. bes. im 19. Jh. Friedrich SCHINKEL kehren zu e. dem Bühnenwerk gemäßen D. zurück, die nicht Wirklichkeitsnachahmung, sondern Vereinfachung aufs Wesentliche, Stilisierung bietet. Im 19. Jh. verficht LAUBE die Schlichtheit der →Ausstattung; PUJOULX, A. J. BREYSIG und SCHRÖDER erstreben die Zimmer-D. wegen ihrer intimeren Wirkung für Kammerspiele. Der Realismus greift auf die Illusionsbühne zurück, und die →Meininger fordern historische Treue der D. Gegen die überspitzt naturalistische D. erfolgt der Gegenschlag um 1900 durch die →Stilbühne mit symbolhaft andeutender, fast ornamentaler D. Große Maler beteiligen sich am Entwurf der →Bühnenbilder: L. CORINTH, M. LIEBERMANN, SLEVOGT u. a. Neue Umwälzungen der D. brachten die Ausbildung raffinierter Beleuchtungseffekte (Lichtkegel), die russ. Experimente mit Abkehr von jeder Wirklichkeitsandeutung (TAIROFF, ALTMANN) und die abstrakte, kubistisch-futuristische D. des Expressionismus. In der Gegenwart bemüht man sich wieder um e. sparsame und stilistisch andeutende D. mit einfachen, z. T. illusionshindernden Mitteln. →Bühne, →Bühnenbild, →Ausstattung, →Theater.

E. Flechsig, D. D. d. modernen Bühne i. Ital., Diss. Lpz. 1894; W. Klette, Üb. Theorie u. Probleme d. Bühnenillusion, 1911; M. Herrmann, Forschgn. z. dt. Theatergesch. d. MA. u. d. Renaissance, 1914; P. Zucker, Stilrichtgn. i. d. Theater-D. (Theaterkalend. 1914); P. Mahlberg, Schinkels Theater-D.en, Diss. Greifswald 1916; P. Zucker, Z. Kunstgesch. d. Theater-D. (D. Jge. Dtl. I, II, 1918/19); W. Bertram, D. Gallibibiena u. ihre theatergesch. Bedeutung auf stil. Grundlage, Diss. Marbg. 1923; A. Tairoff, D. entfesselte Theater, 1923; J. Gregor, Denkmäler d. Theaters (II: Szen. Architekturen), 1924; ders., Wiener Szen. Kunst (I: D. Theater-D.), 1924; P. Zukker, Theater-D. d. Barock, 1925; ders.,

Theater-D. d. Klassizismus, 1925; H. Tintelnot, Barocktheater u. barocke Kunst, 1939; L.Sievert, Lebendiges Theater, 1944; D. Frey, Kunstgesch. Grundbegriffe, 1947; S. Melchinger, Theater d. Gegenw., 1956.

Deleatur (lat. = es werde getilgt), in Korrekturfahnen und -bögen Bz. von zu tilgenden Buchstaben, Wörtern usw., deren Durchstreichung am Textrand wiederholt wird unter Beifügung des Korrekturzeichens: ₰.

Demutsformel →Devotionsformel

Denkschrift, an Behörden gerichteter, klarer und objektiver Bericht über e. wichtige öffentliche Angelegenheit, Abhandlung e. gelehrten Körperschaft. Auch Darlegung politischer Sachlagen und Geschehnisse wie schon das *Monumentum Ancyranum* über AUGUSTUS, CÄSARS *De bello Gallico* u. ä.

Denkspruch →Apophthegma, →Devise

Denkvers, lit. wertloser, künstlich zusammengesetzter Vers zur leichteren Einprägung von Lernstoffen (grammatischer Regeln, Namen, Geschichtsdaten u. ä. nicht vernunftgemäß, sondern nur gedächtnismäßig zusammenfaßbarer Begriffe), für die er durch Rhythmus, Reim oder Assonanz e. Gedächtnisstütze bietet; in neulat. und ma. Pädagogik beliebt, als Genus-Regeln der lat. Schulgrammatik z. T. bis in die Gegenwart erhalten.

Denkwürdigkeiten →Memoiren

Dénouement (franz. =) Lösung der Konflikte oder Intrigen in Epik oder Drama, →Katastrophe.

Deprecatio (lat. = An-, Herabrufung), rhetorische Figur des gehobenen Pathos ähnlich der →Apostrophe: Anrufung einer nicht anwesenden Person oder Sache in flehentlicher Bitte um Mitgefühl in einer schwierigen Lage, meist mit starkem Appell an ethische Werte.

Descort (provenzal.), durchkomponiertes und gesungenes Lied, dessen Strophen nach Verszahl und Versart verschieden sind und oft sogar in versch. Sprachen oder Dialekten verfaßt sind. Inkongruenz als Zeichen seelischer Disharmonie. In franz.-provenzal. (RAIMBAUT DE VAQUEIRAS), span., portugies. und ital. Lit. (JACOPO DA LENTINI, GIACOMINO PUGLIESE), hier ›discordo‹ genannt.

Desinvolture (franz. =) Zwanglosigkeit, Freimut, Sichgehenlassen im Stil, bes. im →Expressionismus.

Deskription (lat. *descriptio* =) →Beschreibung

Destan, episches Volkslied der türkischen Dichtung des MA., besingt meist in Elfsilbern lokale Helden oder Ereignisse.

Detektivroman (engl. *detect* = auf-, entdecken), neuere, spezifisch angloamerikanische Abart des →Kriminalromans bes. im 20. Jh., in der die psychologische Erklärung des Verbrechens zurücktritt hinter der ausführlichen Schilderung seiner Aufklärung, der Aufhellung eines fiktiven, anfangs offensichtlich unerklärbar erscheinenden und für den Leser bis zum Schluß geheimnisumwitterten Tatbestandes durch den Detektiv mit Hilfe von Indizien und logischen Schlußfolgerungen. Weder Verbrecher noch Verbrechen, sondern der Detektiv steht als ›Held‹ von erstaunlicher Intuition, messerscharfer Logik, untrüglicher Schlauheit und Gewandtheit übermenschlichen Formats im Mittelpunkt des Interesses. Mit ihm und seinem Wissen identifiziert sich der Leser, der den D. wegen seines analytischen Aufbaus – die Untersuchung eines Falles – als intellektuelle Denksportaufgabe betrachtet, die allerdings trotz ihres Charakters als bewußte Fiktion und trotz der marionettenhaften Präzision ihres vorkalkulierten Figurenreigens nicht immer auf das Hilfsmittel des Zufalls verzichtet. Die durch Einbuße an innerem Gehalt erkaufte Erhöhung der rein stofflichen Spannung bedingt trotz oft geschickter Erzähltechnik das Absinken zu billiger Unterhaltungslit., soweit Geheimnis, Bedrohung, Fahndung, Verdacht und Auflösung des Rätsels und dieses selbst nicht über das stoffliche Interesse hinaus zu Aussagen menschlicher Befindlichkeit werden. Die wenigen lit. anspruchsvollen D., die allein die Geschichte der Gattung bestimmen, lassen daher eine vertiefende Fortentwicklung in drei histor. Stufen erkennen: im 19. Jh. stehen die Fragen nach dem Wer, die Erkenntnisfrage nach der Person des Mörders und die unbeschränkte, optimist. Bewunderung menschl. Verstandeskombinatorik im Vordergrund. Seit der Jahrhundertwende tritt daneben die Frage nach dem Wie der Tat und der Aufklärung, die unter dem Aspekt der aufblühenden Naturwissenschaft und Technik zur Verfeinerung der Methoden auf beiden Seiten führt. Unter dem Eindruck neuer psycholog. und sozialer Skepsis an der menschlichen Vollkommenheit gewinnt schließlich seit dem 1. Weltkrieg die Frage nach dem Warum, den Beweggründen der Tat, Oberhand und wird entsprechend bei den Ermittlungen einbezogen, so daß das Spiel von Jäger und Gejagtem zuletzt in ein Verständnis menschlicher Zusammenhänge und sozialer Tragödien mündet. Von hier aus gewinnt dann neben der Psychologie des Verbrechers auch der Charakter des bisher oft schablonenhaft gezeichneten Detektivs an Interesse, und sein ursprüngl. Übermenschentum wird in menschl. Gefährdung und eigenwillige Schwächen zurückgenommen. Vorgebildet wurde der D. in A. MÜLLNERS *Der Kaliber* (1829) und den Erzählungen des Amerikaners E. A. POE (*The Murders in the Rue Morgue,* 1841, u. a. um Auguste Dupin), verbreitet durch die Engländer W. COLLINS und A. Conan DOYLE in den Sherlock-Holmes-Geschichten und den Franzosen E. GABORIAU. Im 20. Jh. schreiben bedeutende D. in England A. CHRISTIE (um den Detektiv Hercule Poirot), D. SAYERS (um Lord Peter Wimsey), E. WALLACE, G. K. CHESTERTON (Pater Brown-Geschichten), E. AMBLER, J. H. CHASE, W. F. CROFTS, E. C. BENTLEY u. a., in den USA M. SCHERF, E. S. GARDNER, P. HIGHSMITH, P. CHENEY (um die Detektive Callaghan und Lemmy Caution), E. QUEEN (Pseudonym), hartrealistisch R. CHANDLER (um Ph. Marlowe) und D. HAMMETT, in Neuseeland N. MARSH, in Frankreich G. SIMENON (Kommissar Maigret), in Dtl. J. WASSERMANN *(Der Fall Maurizius),* F. DÜRRENMATT (*Der Verdacht; Der Richter und sein Henker; Das Versprechen,* um Kommissar Bärlach) u. a. Die besten unter ihnen erstreben e. Vermenschlichung und Beseelung des verstandesmäßig konstruierten und mechanisch ablaufenden Entdeckungsvorgangs, die menschlicher Teilnahme Raum gibt und nicht zuletzt zur Wandlung des Verbrechers beiträgt. W. BERGENGRUENS *Der Großtyrann und das Gericht* benutzt die Spannung des D. für das Problem allgemeinmenschlicher Schuld.

F. Depken, Sherlock Holmes, Raffles u. ihre Vorbilder, 1914; H. Epstein, D. D. d. Unterschicht, 1929; R. Messac, *Le Detective Novel,* Paris 1929; F. Fosca, *Hist. et technique du roman policier,* Paris 1937; H. D. Thomson, *Masters of Mystery,*

Lond. 1941; R. Caillois, *Le roman policier,* Buenos Aires 1941; H. Haycraft, *Murder for Pleasure,* 1941; ders., *The Art of the Mystery Story,* 1946; L. Schulze, D. Nachfolger d. Sh. Holmes, Diss. Marb. 1949; F. Wölcken, D. lit. Mord, 1953; RL; W. Gerteis, Detektive, 1953; S. Dresden, S. Vestdijk, *Marionettenspel met de dood,* Haag 1957; J. Elgström u. A. Runnquist, *Svensk mordbok,* Stockh. 1957; G. F. McCleary, *On detective fiction,* Lond. 1960; H. P. Rickmann, D. metaphys. Bedeutg. d. D. (Eckart 29, 1960); J. Elgström u. a., *Mord i biblioteket,* Stockh. 1961; E. Bloch, Philos. Ansicht d. D. (in: Verfremdungen, 1962); R. Alewyn, D. Rätsel des D. (in: Definitionen, 1963); G. Bien, Abenteuer u. verborgene Wahrheit (Hochland 57 1965); P. Boileau u. T. Narcejac, Der D., 1967; U. Suerbaum, D. gefesselte D. (Poetica I, 1967); A. E. March, *The development of the detective novel,* Lond. [2]1968; Der wohltemperierte Mord, hg. V. Zmegač 1971; S. Kracauer, D. D. (Schriften I, 1971); M. Holquist, *Whodunit* (*New Lit. History* 3, 1971/72); R. Alewyn, Anatomie d. D. (Weltlit. u. Volkslit., 1972); C. Reinert, D. Unheimliche u. d. D., 1973; P. G. Buchloh, J. P. Becker, D. D., 1973; P. Hasubek, D. Detektivgesch. f. junge Leser, 1974; H. Conrad, D. lit. Angst, 1974; C. Reinert, Detektivlit. b. Sophokles, Schiller u. Kleist, 1975; R. Burckhardt, D. hartgesottene amerik. D.gesch., 1978; H.-O. Hügel, Untersuchungsrichter, Diebsfänger, Detektive, 1978; P. Hühn, Z. d. Gründen f. d. Popularität d. D. (Arcadia 12, 1977); P. J. Brenner, D. Geburt d. D. (Lit. i. Wiss. u. Unterr. 11, 1978).

Determinativ (lat. *determinare* = bestimmen), in der →Bilderschrift e. Zeichen, das die Zugehörigkeit e. Begriffs zu e. bes. Kategorie angibt.

Deus ex machina (lat. = der Gott aus der Maschine). In verschiedenen späteren griech. Trägödien (z. B. EURIPIDES' *Iphigenie*) wurde e. an sich unlösbare Verwicklung kurz vor der Katastrophe durch den Machtspruch eines mittels Maschinerie von oben auf die Bühne herabgelassenen Gottes gelöst; daher sprichwörtlich für jede durch plötzliche, unmotiviert eintretende Ereignisse, Personen oder außenstehende Mächte bewirkte Lösung e. Konflikts in Dichtung wie Alltagsleben. Das Verfahren bedeutet an sich kein Versagen der dramat. Geltungskraft, wenn es von Dichter wie Publikum je nach Weltauffassung oder geistiger Grundlage des Stückes akzeptiert wird.

A. Spira, Unters. z. D. e. m. b. Sophokles u. Euripides, 1960; M. Lefèvre, Der D. e. m. i. d. dt. Lit., Diss. Bln. 1968; K. R. Fösel, Der D. e. m. i. d. Komödie, 1975.

Deuteragonist (griech.), der zweite Schauspieler im griech. →Drama, der erst den Dialog ermöglichte; erstmals von AISCHYLOS dem →Protagonisten zur Seite gestellt.

Deutsche Akademie für Sprache und Dichtung, am 28. 8. 1949 in der Paulskirche Frankfurt/M. gegründete Nachfolgeorganisation der ehem. Sektion für Dichtung der Preuß. Akademie, mit Sitz in Darmstadt und e. beschränkten Anzahl gewählter ordentlicher und korrespondierender Mitglieder. Ihre selbstgewählten Aufgaben sind die Vertretung des dt. Schrifttums vor dem In- und Ausland, die Pflege der dt. Sprache in Kunst, Wissenschaft, öffentl. und privatem Gebrauch, die Förderung begabter Schriftsteller bzw. (laut Satzungsänderung von 1963) wertvoller Werke durch Preise und Auszeichnungen, die Neuherausgabe vergessener wertvoller Werke sowie die Stellungnahme zu Fragen des geistigen Lebens. Sie verleiht den Georg-Büchner-Preis für zeitgenöss. dt. Dichtung, den Preis für Germanistik im Ausland, den Übersetzerpreis, den Johann-Heinrich-Merck-Preis für lit. Kritik, den Sigmund-Freud-Preis für wiss. Prosa und den Karl-Hillebrand-Preis für Essays, gibt seit 1953 e. Jahrbuch und seit 1954 Veröffentlichungen heraus und trifft sich zu regelmäßigen Frühjahrstagungen in wechselnden Städten der BR.

Deutsche Bewegung, von W. DIL-

THEY geprägte und von H. NOHL aufgegriffene Bz. für die lit. und geistigen Strömungen in Dtl. rd. 1750–1830 als der zweiten weitgehend eigenständigen Epoche dt. Selbstverwirklichung nach der ma. Blütezeit, gekennzeichnet durch eine lit. Hochblüte (KLOPSTOCK, LESSING, HERDER, GOETHE, SCHILLER, HÖLDERLIN, JEAN PAUL, KLEIST, Romantiker) und e. Blüte der Philosophie (KANT, FICHTE, SCHELLING, HEGEL) in Verbindung mit nationaler Selbstbesinnung, Wiederentdekkung der nationalen Vergangenheit, neuer Sprachbewußtheit, Aneignung der Antike und Bejahung des eigenen Volkstums.

Deutsche Bibliothek, 1947 in Frankfurt a. M. gegründete, ab 1952 vom Bund, dem Land Hessen, der Stadt Frankfurt und dem Börsenverein des dt. Buchhandels unterhaltene Stiftung öffentlichen Rechts, ab 1969 Bundesanstalt, entspricht in ihren Zielsetzungen als Nationalbibliothek der →Deutschen Bücherei in Leipzig: Sammlung und bibliographische Aufschlüsselung des gesamten deutschsprachigen Schrifttums des In- und Auslandes seit 8. 5. 1945 (Pflichtexemplare), des im Inland erschienenen fremdsprachigen Schrifttums, ferner der fremdsprachigen Lit. über Dtl., der Übss. aus dem Dt., der dt. Exillit. 1933–45 (10 000 Bde.), der Hochschulschriften, Dissertationen und ungedruckter wiss. Werke, schließlich Herausgabe der Deutschen Bibliographie mit Hilfe e. Computers. Bestand 1968: rd. 1,2 Mill. Bände, rd. 24 000 Zeitschriftentitel.

Bibliographie u. Buchhandel, Fs. 1959; Die D. B., hg. K. Köster 1965.

Deutsche Bücherei, 1912 vom Börsenverein dt. Buchhändler in Leipzig gegründete und seither staatlich unterhaltene dt. Nationalbibliothek, Sammelstelle aller seit 1. 1. 1913 erschienenen Druckwerke in dt. Sprache (Pflichtexemplare), ferner der fremdsprachigen Lit. des Inlandes, fremdsprachiger Übss. dt. Bücher und ausländ. Schrifttums über Dtl.; Herausgeberin der Dt. Nationalbibliographie und versch. Sonderbibliographien. Bestand über vier Mill. Bde., 360 000 Dissertationen, 20 000 Zss., ferner Patentschriften (seit 1877), Musikalien (seit 1942) und Schallplatten (seit 1959). In der BR dient die →Deutsche Bibliothek derselben Aufgabe.

H. Uhlendahl, Vorgesch. u. erste Entwicklung d. D. B., 1957; D. B. 1912–1962, Fs., 1962.

Deutsche Gesellschaften, Vereinigungen zur Pflege von dt. Schrift und Sprache, Dicht- und Redekunst mit dem Ziele der Herausgabe e. dt. Grammatik und Poetik. Enstanden im Anschluß an die von GOTTSCHED 1727 in Leipzig gegründete D. G. im 18. Jh. Wichtigste: Göttinger D. G. von 1738 (BÜRGER, GLEIM, HÖLTY, F. W. ZACHARIÄ) und Mannheimer D. G. von 1775 (KLOPSTOCK, LESSING, HERDER, WIELAND, SCHILLER), ferner ähnliche Institutionen in Hamburg 1715, Jena 1728, Nordhausen 1728, Weimar 1730, Halle 1733 (3 D. G.), Helmstedt 1746. →Sprachgesellschaften.

H. Schultz, D. Bestrebgn. d. Sprachges. d. 18. Jh. f. d. Reinigg. d. dt. Spr., 1888; RL.

Deutschgesinnte Genossenschaft →Sprachgesellschaften

Deutschkunde, 1925 begründete Fächergruppe im Gymnasialunterricht, umfaßte außer der Dichtung die Gesamtheit dt. Geistes- und Kulturlebens in Sprache, Lit., Philosophie, Musik, Kunst und Volkstum unter Betonung nationaler Eigenart (→Volkskunde).

W. Hofstaetter, Grundzüge d. D., 2 Bde.,

1925–29; ders., D., [5]1930; ders., Zs. f. D., 1934ff.; W. Hofstaetter, U. Peters, Sachwörterbuch d. D., 2 Bde., 1930.

Deutschland, Junges →Junges Deutschland

Deutschmeisterlieder, volkstümliche Lieder des Wiener Hoch- und Deutschmeister-Regiments Nr. 4; oft von Wiener Volkssängern verfaßt.

Deutschordensdichtung, die rd. 1300–1400 von begabten Angehörigen des Dt. Ritterordens in Preußen, oft auf Anregung der Hochmeister, verfaßten Werke in ostmitteldt. Sprache, der Amtssprache des Ordens, z. T. auch lat.; vereinen gemäß der Struktur des Ordens Ritterliches und Mönchisches, jedoch entsteht keine höfische Dichtung oder Minnelyrik, sondern einerseits Darstellungen der Ordensgeschichte: *Livländ. Reimchronik* (Ende 13. Jh.), Übersetzung des lat. *Chronicon terrae Prussiae* (1326) des PETER VON DUSBURG durch den Ordenskaplan NIKOLAUS VON JEROSCHIN: *Kronike von Pruzinlant,* gereimte Ordensgeschichte des WIGAND VON MARBURG (1394) und Geschichte des Ordenslandes 1360 bis 1405 in Prosa von JOHANN VON POSILGE; andererseits geistliche Dichtungen für den praktischen Gebrauch (Tischlektüre), bes. Übersetzungen von Bibelstücken, geistliche Verserzählungen, Legenden und Marienkult. Der D. nahe steht der unbekannte, wohl priesterliche Verfasser des *Väterbuches* (um 1280) und des *Passional,* zweier großer mhd. Legendensammlungen des ausgehenden 13. Jh. nach lat. Vorlage (40000 und 110000 Verse!). Vom *Passional* beeinflußt zeigt sich der Dichter e. Psychomachie *Der Sünden Widerstreit.* Der Ritter HEINRICH VON HESLER übertrug um 1310 die *Apokalypse* und schrieb e. gereimtes *Evangelium Nicodemi.* Ihre Blüte erlebt die D. nach der Verlegung des Ordenssitzes von Venedig in die Marienburg (1309) unter dem Hochmeister LUDER VON BRAUNSCHWEIG (1331–35), der selbst e. *Geschichte der Hl. Barbara* schrieb und die Makkabäer-Bücher übertrug (1322), sowie seinem Nachfolger DIETRICH VON ALTENBURG (1335–1341). Beliebte Themen sind die Glaubenshelden und -heldinnen des AT.: *Esther, Esra* und *Nehemia, Judith* (1304), *Daniel* (1331) und die Paraphrase des *Hiob* (1338), evtl. von THILO VON KULM, der 1331 auch in dem Buch von den *Sieben Siegeln* tiefgründige Glaubensgeheimnisse erläutert. Claus CRANC übersetzt um 1348 die Propheten, andere die Apostelgeschichte in meisterhafter Prosa; Der FRANKFURTER veröffentlicht Ende des 14. Jh. e. *Theologia deutsch,* e. mystische Lebenslehre, und JOHANN VON MARIENWERDER beschreibt zu Beginn des 15. Jh. *Das Leben der seligen vrouwen Dorothee von Montau.* Zwei weitere Gruppen der D. bilden Rechts- und Artes-Literatur. Die Schlacht von Tannenberg 1410 setzt der blühenden Ordenskultur e. Ende.

Ph. Strauch, D. D.-lit. d. MA., 1910; K. Helm, D. Lit. d. Dt. Ordens i. MA. (Zs. f. dt. Unterr. 30, 1916); RL; W. Ziesemer, D. Lit. d. Dt. Ordens i. Preußen, 1928; H. Grundmann, Dt. Schrifttum i. Dt. Orden (Altpreuß. Forschgn. 18, 1941); K. Helm u. W. Ziesemer, D. Lit. d. Dt. Ritterordens, 1951; G. Jungbluth, Z. Gesch. d. Dt. Ordens, 1969.

Deutung, Auslegung und Erklärung des Sinnes, der (auch weltanschaulichen) Bedeutung und des inneren Zusammenhanges e. Sprachkunstwerkes, →Interpretation, →Hermeneutik, →Exegese.

Devětsil (tschech. = Huflattich), 1920 gegründeter tschech. Dichterkreis junger Linkssozialisten, veröffentlichte nach Vorbild des russ. Proletkult seine sozialrevolutionär-modernistischen Anschauungen in zahlreichen Manifesten. Mitglieder der Gruppe, als deren lit. Vorbilder RIMBAUD und APOLLINAIRE galten, waren u.a. J. SEIFERT und V. NEZVAL.

Devise (franz. v. mlat. *divisa* = Unterscheidungszeichen), Losung, Denk- und Wahlspruch e. Person bzw. Gemeinschaft; früher häufig auf Orden und Wappenschilden (bes. in England und Frankreich, in Dtl. nur bei höchstem Adel); enthält die Grundsätze ihres Glaubens und Handelns in Form e. Bekenntnisses oder e. Aufforderung, z.B.: ›Suum cuique‹ (lat. = Jedem das Seine).

Devotio moderna (lat. = neue Frömmigkeit), von Geert GROOTE begründete religiöse Bewegung des niederländ. MA. (14./15. Jh.), erstrebte ein mystisch verinnerlichtes, erbaulich sich versenkendes und zugleich tätig helfendes Christentum. Bildete die Grundlage für die geistliche Lit. des 15. Jh. in den Niederlanden, insbes. der geistlichen Lieddichtung und der (meist lat.) Erbauungslit.: G. GROOTE, THOMAS VON KEMPEN *(Nachfolge Christi)*, G. ZERBOLD u.a. Wirkte nachhaltig auf die dt. Mystik.

A. Hyma, *The Christian Renaissance*, Michigan 1925, [2]1965; Maria Josepha, D. geistl. Lied d. D. m., Nijmegen 1930; J. M. E. Dols, Bibliogr. der Moderne Devotie, Nijmegen 1941; R. Post, *De Moderne Devotie*, Nijmegen 1941; M. A. Lücker, Meister Eckhart u. d. D. m., Leiden 1950; H.-F. Rosenfeld, Z. d. Anfängen d. D. m. (Festgabe f. U. Pretzel, 1963).

Devotionsformeln (lat. *devotio* = Gelübde, Ergebenheit), Demutsformeln, →Topoi der angenommenen, manierierten Bescheidenheit wie Beteuerung der eigenen Unfähigkeit oder Selbstverkleinerung, dienen in spätantiken und ma. Schriften häufig bei der Einleitung e. Werkes der →Captatio benevolentiae.

J. Schwietering, D. Demutsformel mhd. Dichter, 1921.

Dexiographisch (v. griech. *dexios* = rechts, *graphein* = schreiben), rechtsläufig, von links nach rechts geschrieben.

Dezime (lat. u. span.-portug. *décima* = zehnte, zehnfach), roman., bes. span. Strophenform aus 10 trochäischen Vierhebern, urspr. in der Reimfolge ababacdccd, später variiert in ababaccddc, abbaaccddc, abbaaccdcd. Das mit der Natur der Reimstellung begründete Zerfallen der D. in zwei Fünfzeiler (Quintilhas) vermeidet die Form der →Espinelas. Verbindung von 4 D. zur →Glosse (2). In dt. Lit. verwendet bei F. SCHLEGEL und den Romantikern.

J. M. de Cossío, *La d. antes de Espinel* (*Revista de filologia española* 28, 1944); R. Baehr, Span. Verslehre, 1962.

Diärese (griech. *diairesis* = Auseinandernehmen, Trennung), 1. in der Grammatik getrennte Aussprache zweier als Diphthong denkbarer aufeinanderfolgender Vokale, bezeichnet durch das Trema (zwei über den 2. Vokal gesetzte Punkte): naïv; im Vers, z.B. im Hexameterschluß, künstlich archaisierend zur Gewinnung e. schwachen Endsilbe, z.B. *aquai* (ältere Form) statt *aquae*. Ggs.: →Synizese. – 2. in der Metrik Einschnitt im Vers, bei dem im Ggs. zur →Zäsur Wort- und Versfußende zusammenfallen; bei antiken Trochäen meist dimetrische, bei Anapästen monometrische D. Vgl. →bukolische Diärese. – 3. in der Rhetorik die Aufgliederung e. Hauptbegriffs in zahlreiche, syndetisch oder asyndetisch aneinandergereihte Unterbegriffe, die am Schluß durch Nennung des Kollektivs zusammengefaßt werden, zum

Zwecke bildkräftigerer Darstellung allgemeiner Begriffe wie alles, nichts, viel usw. – →Akkumulation.

Dialekt (griech. *dialektos* = Sprache, Gespräch), Mundart, d. h. eigtl. die zwanglose Redeweise der Umgangssprache im Ggs. zur →Schriftsprache, dann bes. die hinsichtlich Lautwert und Wortschatz landschaftlich unterschiedliche Sprache. Ein D. kann durch politische und kulturelle Isolierung seines Sprachraumes zur selbständigen Schriftsprache werden, wie z. B. das Niederländ. aus dem Dt. Am Anfang aller Lit. steht die Schriftmundart. Mit dem Entstehen e. künstlichen →Schriftsprache aus dem vorherrschenden D. oder e. Mischung geht der direkte Einfluß des D. auf die Lit. zurück, doch wirkt er ständig auf Lautbildung und Wortschatz der Schriftsprache ein oder entwickelt eine →Dialektdichtung als →Schriftmundart.

O. Weise, Unsere Mundarten, 1910; W. Mitzka, Dt. Mundarten, 1943; S. Pop, *La dialectologie,* 1950; A. Bach, Dt. Mundartforschg., [3]1969; E. Schwarz, D. dt. Mundarten, 1950; W. Henzen, Schriftspr. u. Mundarten, [2]1954; K. Wagner, D. Gliederg. d. dt. Mundarten, 1954; B. Martin, D. dt. Mundarten, [2]1959; R. E. Keller, *German Dialects,* Manchester 1961; V. M. Schirmunski, Dt. Mundartkunde, 1962; G. Bergmann, Mundarten u. Mundartforschung, 1964; H. Löffler, Probleme d. Dialektologie, 1974; Z. Theorie d. D., hg. J. Göschel 1976; J. Goossens, Dt. Dialektologie, 1977.

Dialektdichtung, vollständig in Mundart (→Dialekt) verfaßte Dichtung im Ggs. zur Dichtung in der Hoch- oder →Schriftsprache. Vor Entstehen e. solchen ist praktisch jede Dichtung an e. bestimmte Mundart gebunden. Im allg. sind in der D. alle Gattungen vertreten, doch ist die Reichweite meist auf den Mundartraum beschränkt. – Das Umgekehrte ist in altgriech. Lit. der Fall, wo die Gattungen unabhängig von der Herkunft des jeweiligen Autors den Dialekt, in dem sie zuerst hervorgetreten sind, beibehalten. Bis in byzantin. Zeit galt daher für das Epos der altionischäolische (nach HOMER), für die Lyrik der äolische (nach ALKAIOS und SAPPHO), für →Chorlied der Tragödie und Hirtenlied der dorische und für Geschichtsschreibung und Medizin zuerst der neuionische (nach HERODOT und HIPPOKRATES), nach THUKYDIDES und DIOKLES der attische Dialekt, natürlich unter wechselnder Beeinflussung und z. T. als künstliche Weiterbildung. – Nach dem Vordringen der nhd. →Schriftsprache LUTHERS wird die D. in Dtl. auf lokale Gelegenheitsdichtung und etwa noch Bauernrollen im Lustspiel (GRYPHIUS, *Geliebte Dornrose*) eingeschränkt und erscheint erst wieder in der 2. Hälfte des 18. Jh. unter dem Einfluß der Reaktion von BODMER und BREITINGER gegen GOTTSCHED. Der Schwabe S. SAILER (1714–77) und der Oberfranke K. GRÜBEL (1736–1809, *Gedichte in Nürnberger Mundart,* 1798) bringen die ersten Ansätze e. neuen D. J. P. HEBELS *Alemannische Gedichte* (1803) dringen über die Grenzen der Mundart hinaus vor und regen weitere D. an, während in den Volkstheatern der Alpenländer das Dialektstück weitgehend in Geltung geblieben war (STRANITZKY, RAIMUND, NESTROY bis ANZENGRUBER). Im 19. Jh. tritt sodann insbes. der plattdt. Raum mit D. von geradezu klassischer Geltung in Lyrik (Klaus GROTH) und Erzählkunst (Fritz REUTER) hervor; es folgen die anderen dt. Landschaften, in Bayern etwa F. STELZHAMER, F. v. KOBELL, K. STIELER, in Schlesien K. v. HOLTEI, in Schwaben J. EBERLE, in Österreich P. ROSEGGER und H. C. ARTMANN, in der Schweiz R. v. TAVEL, M. LIENERT, K. MARTI u. a. Das

Drama nimmt in der Lokalposse (NIEBERGALL, *Datterich*), im Naturalismus (G. HAUPTMANN, *Die Weber, Der Biberpelz,* K. SCHÖNHERR, L. THOMA), im niederdt. Bühnenschwank (F. STAVENHAGEN, A. HINRICHS, K. BUNJE) und in der modernen sozialkrit. Provinzdramatik (M. FLEISSER, M. SPERR u. a.) Dialekte auf. In ähnlicher Weise entwikkelt sich die D. im Ausland: in England durch G. CHAUCER A. RAMSAY, R. FERGUSON, R. BURNS, E. WAUGH und W. BARNES, in Amerika mit J. R. LOWELL und J. Ch. HERRIS, in Italien mit G. GIUSTI, G. G. BELLI, C. PORTA, P. BURATI, PESCARELLA, S. DI GIACOMO, TRILUSSA und F. RUSSO; über die franz. D. →Felibrige. →Schriftmundarten.

F. Schön, Gesch. d. dt. Mundartdichtung, IV 1918–39; O. v. Greyerz, D. Mundartdichtung. d. dt. Schweiz, 1924; RL; G. Thürer, Wesen u. Würde d. Mundart, 1944; B. Martin u. G. Cordes in ›Aufriß‹; F. Hoffmann, Gesch. d. Luxemburger Mundartdichtg., 1964ff.; M. Jaeger, Theorien d. Mundartdichtg., 1964; J. D. Bellmann, D. Mundart i. d. Lit. d. heut. Welt (Muttersprache 75, 1965); U. Pazelt, D. oberösterr. Mundartdichter d. 20. Jh., Diss. Wien 1967; Warum im Dialekt, hg. G. W. Baur u. a., 1976; F. Hoffmann u. a., D. neue dt. Mundartdichtg., 1977.

Dialog (griech. *dialogos* = Unterredung), Wechsel- oder Zwiegespräch, d.h. im Ggs. zum →Monolog die von zwei oder mehreren Personen abwechselnd geführte Rede und Gegenrede; hat in der Lit. mehrfache Bedeutung: 1. im Drama als konstitutives Element (neben dem Monolog; im antiken Drama durch →Chorlieder und dergl. unterbrochen), das zu Beginn des Stückes die Vorgeschichte darlegt (z. B. GRYPHIUS, *Cardenio und Celinde*), die Handlung weiterführt und die Gegensätze, aus denen der Konflikt ersteht, zutage treten läßt (GOETHE, *Tasso*). Von der bewegten D.führung hängt e. Großteil der Wirkung ab. – 2. in der Erzählkunst als lebendige Darstellung von Gipfelpunkten des Geschehens und zur indirekten Charakteristik der Figuren. – 3. als selbständige lit. Kunstform im philosophischen D., der durch die einzelnen Unterredner den Gegenstand von verschiedenen Seiten beleuchtet, die scheinbare Objektivität des Verfassers wahrt und im Austausch gegensätzlicher Meinungen zur Erkenntnis des Richtigen und Begriffsklärung fortschreitet. Seine urspr. Form ist der sog. ›Sokratische D.‹, der die Abwicklung von Denkvorgängen veranschaulicht und in geistvoller Frage, Einwurf und Widerlegung den Gesprächspartner zur Klärung seiner Vorstellungen, Aufgabe von Vorurteilen und zur Erkenntnis führt. Von den Sophisten und SOKRATES, bes. PLATON (*Kriton, Phaidon* u. a. m.) als Lehrmethode zu hoher Kunst entwickelt. Im späteren ›peripatetischen D.‹ stehen sich in den einzelnen Unterrednern bestimmte Denkrichtungen, dann auch (so bei CICERO) Philosophenschulen gegenüber. Von SENECA wird der D. zur Darstellung von Lebensweisheiten im Sinne der →Diatribe verwendet; LUKIAN benutzt ihn zur satir. Darstellung moral. und kultureller Zustände. Der D. bleibt weit über das MA. hinaus die beliebteste Form der Erörterung philosophischer, religiöser und weltanschaulicher Fragen (AUGUSTINUS, DUNS SCOTUS, ABAELARD) wie auch der volkstümlichen →Streitschriften. Im ma. Schulbetrieb dient er der Formulierung dogmentreuer Antworten. Um 1400 verfaßt JOHANNES VON TEPL in Prosa das tiefgründige Streitgespräch *Der Ackermann aus Böhmen*. Der Humanismus pflegt die D.-lit. im Anschluß an PETRARCA *(De vera sapientia)* als echten Meinungsaustausch individuell charakterisierter Gesprächspartner. ERASMUS VON ROTTERDAM zeichnet in seinen D.en den idealen Humanisten; ULRICH VON HUTTEN (*Gesprächsbüchlein,* 1521) und GREBEL bilden den D. nach dem Muster LUKIANS, des Hauptvertreters e. satirisch-witzigen D.s in der Antike, zur bedeutsamen Waffe für Reformation und ständisch gebundenen Nationalismus aus; es folgt e. Fülle religiöser Streitgespräche zwischen Vertretern der verschiedenen Konfessionen mit dem Ziel der Toleranz und gegenseitigen Verständnisses. Eine neue Blüte erlebt die D.-literatur im Aufklärungszeitalter: WIELAND verwendet ihn scherzhaft-spöttisch als Übersetzer LUKIANS (1788–89) und führt die in Dtl. – im Ggs. zu Frankreich – vernachlässigte Form des →Totengesprächs ein. Daneben steht der philosophische D. um ästhet., moral. oder lit. Probleme in weiter Verbreitung: LESSINGS Freimaurergespräche *Ernst und Falk* (1778–80), MENDELSSOHN, *Phädon* (1767), SCHELLING, *Clara,* J. J. ENGEL, HERDER, KLINGER, JACOBI, SOLGER, FRIES, M. MEYR u. a. m. Im 20. Jh. erreicht der D. nach R. BORCHARDT und F. MAUTHNER (*Totengespräche* 1906) neue und strenge Formgebung in Paul ERNSTS *Erdachten Gesprächen* (1921) und nähert sich in der Gegenwart dem →Essay mit subjektiven Anschauungen meist über lit. Fragen (HOFMANNSTHAL, H. BAHR, R. KASSNER, BUBER, G. BENN *(Drei alte Männer)* oder polit. Probleme (B. BRECHT, *Flüchtlingsgespräche*). Vertreter der D.literatur sind in Italien PETRARCA, LANDINO, EBREO, ARETINO, MACHIAVELLI, GELLI, TASSO, GALILEI, ALGAROTTI, GOZZI und LEOPARDI *(Operette morali);* in Frankreich MALEBRANCHE, FÉNELON, FONTENELLE (nach dem Muster LUKIANS), RENAN, GIDE *(Corydon),* PÉGUY, VALÉRY *(Eupalinos)* und CLAUDEL; in England BERKELEY und D. HUME als Nachahmer PLATONS, J. HARRIS im Anschluß an CICERO und W. S. LANDOR *(Imaginary conversations).* →Gespräch, →Gesprächspiel, →Totengespräche, →Dialogroman. – 4. als witziger D. im →Witzblatt *(Kladderadatsch, Simplicissimus)* oder Unterschrift zu Zeichnungen.

R. Hirzel, D. D., II 1895, ²1963; A. Heusler, D. D. i. d. altgerm. erz. Dtg. (Zs. f. dt. Altert. 46, 1902); G. Niemann, D. D.lit. d. Reformationszeit, 1905; A. H. Hawkins, D., 1909; E. Merill, *The D. in Engl. Lit.,* 1911; D. Gewerstock, Lucian u. Hutten. Z. Gesch. d. D. i. 16. Jh., 1924; J. Martin, Symposion. D. Gesch. e. lit. Form, 1931; H. Thielmann, Stil u. Technik d. D. i. neueren Drama, Diss. Hdlbg. 1937; H. Tietze, D. verschweigende D., Diss. Bonn 1938; W. Rüegg, Cicero u. d. Humanismus, 1946; R. Wildbolz, D. philosoph. D. als lit. Kunstwerk, Bern 1952; J. Andrieu, *Le d. antique,* Paris 1954; RL; J. Whatmough, *Poetic, Scientific and other forms of discourse (i. Greek and Latin Lit.),* Berkeley 1956; M. Egk, D. Gespräch als Kunstform i. d. Romantik, Diss. Freibg. 1956; M. Hoffmann, D. D. b. d. christl. Schriftstellern d. ersten 4 Jhh., 1966; R. Böschenstein, Der D. (*Études Germaniques* 1, 1968); H. Gundert. D. platon. D. 1968; W. H. Sokel, D.führg. u. D. i. express. Drama (Aspekte des Expressionism., hg. W. Paulsen 1968); L. Lucas, Dialogstrukturen u. ihre szen. Elemente i. dt. Dr. d. 20 Jh., 1969; G. Bauer, Z. Poetik d. D., 1969; K. L. Berghahn, Formen d. D.führg. i. Schillers klass. Drr., 1970; J. Jaffe, S. Feldstein, *Rhythms of d.,* N. Y. 1970; H. Schlumberger, D. philos. D., 1971; S. Grosse, Lit. D. u. gesproch. Sprache (Fs. H. Eggers 1972); M. Głowiński, D. D. i. Roman (Poetica 6, 1974); H.-G. Winter, D. u. D.roman i. d. Aufklärg., 1974; H. Turk, Dialekt. D., 1975; R. Bauer, Üb. d. D. als lit. Gattg. (Jb. d. dt. Akad. f. Spr. u. Dichtg. 1976); G. Deimer, Argumentative D.e, 1976.

Dialogisieren, die →Bearbeitung e. Textes in Dialogform, entweder durch Auflösung indirekter Rede bei der Gesprächswiedergabe e. Erzählung in direkter Rede oder durch Trennung e. fortlaufenden abstrakten Darlegung in fingierte Wechselrede.

Dialogismus (griech. *dialogismos* = Überlegung, Gedanke), dialogische Form der Darstellung durch fingierte Aussprüche, Selbstgespräche und tatsächliche Gespräche zum Zwecke größerer Lebendigkeit innerhalb von epischen Darstellungen oder Reden; schon im Altertum beliebt zur Enthüllung des Charakters und der Gefühle von Personen (z. B. VERGIL, *Aeneis* 4, 534), in dt. Lit. bei LESSING *(Ein Vade mecum)*, HERDER *(Ossian)*, NIETZSCHE u. a. Vgl. →innerer Monolog.

Dialogroman, Form des →Romans, in dem Gespräche den Großteil des Raumes einnehmen und deren Erzählvorgang sich vorwiegend im Figurengespräch abspielt, so daß der Handlungsbericht indirekt in den Dialog einfließt, sei es, daß dieser als Handlungsgespräch selbst den Fortgang der Ereignisse betreibt, sei es, daß er nur durch Gesprächsinhalte auf ein zwischenzeitliches Geschehen verweist. Beispiele geben die Romane des späten FONTANE *(Die Poggenpuhls; Der Stechlin)*.

E. Lämmert, Bauformen d. Erzählens, [2]1967; H.-G. Winter, Dialog u. D. i. d. Aufklärg., 1974.

Diaphora (griech. = Unterschied), 1. in der Rhetorik allg. die Betonung und Darlegung der Verschiedenheit zweier Dinge. – 2. als →rhetorische Figur Spiel mit den verschiedenen Bedeutungen und Verwendungsarten e. Wortes, Wiederholung mit Abwandlung des Sinnes, häufig in verstärkter Betonung: →Anaklasis und →Antistasis.

Diarium (lat. =), Buch für tägliche Eintragungen, →Tagebuch, Kladde.

Diaskeuast (v. griech. *diaskeuazein* = herrichten), Bearbeiter e. Schriftwerks, bes. der Epen HOMERS.

Diastole (griech. =), Dehnung kurzer Vokale aus Verszwang. Ggs.: →Systole.

Diatessaron (griech. *dia* = durch, *tessares* = vier), Querschnitt durch die vier Evangelien, = →Evangelienharmonie.

Diatribe (griech. = Zeitvertreib, Gespräch, Unterricht), antike Literaturgattung, zuerst volkstümliche, satirische Predigt der kynisch-stoischen Wanderredner und Moralphilosophen, die mit derben Mitteln wie Anekdote, Scherz, Offenheit und Gepolter gegen Sittenlosigkeit vorgeht; seit Ende des 4. Jh. v. Chr. auch schriftlich, in Vers oder Prosa, abgefaßte Moralpredigt, die in fingiertem Dialog auf die Einwände e. angenommenen Hörers eingeht. Die bekanntesten Prosa-D.n des Altertums stammen von BION VON BORYSTHENES, während KERKIDAS VON MEGALOPOLIS (›Meliamben‹ gegen den Luxus) und MENIPPOS VON GADARA zur reinen Satire überleiten. Ihre Fortsetzung findet die D. etwa im Dialog und der Brieflit. SENECAS, den *Episteln* und *Satiren* des HORAZ, in der frühchristl. Predigtlit., am deutlichsten jedoch in der Moral→predigt (bes. ABRAHAM A SANCTA CLARA).

A. Oltramare, *Les origines de la d. rom.*, Lausanne 1926.

Dibrachys (griech. *di-* = doppelt, *brachys* = kurz), antiker Versfuß aus zwei Kürzen, = →Pyrrhichius.

Dichoreus (griech. =), doppelter →Choreus (→Trochäus), antiker Versfuß: —◡—◡

Dichter, der Schöpfer von Sprachkunstwerken, →Dichtungen, d. h. der Gestalter e. von der Außenwelt abgehobenen, eigenen und in sich geschlossenen Welt aus dem Rohstoff der Sprache durch deren Beseelung und Verdichtung der in ihr enthaltenen künstlerischen Möglichkeiten; unterscheidet sich – bei fließenden Grenzen – vom →Schriftsteller durch stärkere Genialität und Intensität der Sprachformung und des Welterlebens, vom Sprachkünstler durch die eigenschöpferische Leistung, hat aber an beiden Oberbegriffen Anteil. Die Auffassung vom D. wandelt sich im Laufe der Zeitalter im Gefolge der Kunstanschauungen vom festlichen Sänger (z. B. PINDAR), vom Seher-Dichter →vates, dem Offenbarer ewiger Ordnungen in Rom zum gelehrten Dichter (→poeta doctus), dessen handwerkliche Kunst erlernbar ist, im MA. (bes. Meistersang) und Barock bis zu BOILEAU und GOTTSCHED, vom ›Originalgenie‹ des Sturm und Drang, das aus Empfindungstiefe und Intuition dichtet, über die universalistische poetische Lebensgestaltung der Romantik bis zur psychologischen Ausdeutung des Schaffensvorganges. Die psychischen Voraussetzungen für den D. sind allg.: Weltoffenheit, d. h. seelische Eindrucks- und Aufnahme- (→Konzeptions-)fähigkeit, starker persönlicher Wille zum Ausdruck des inneren Erlebens u. Gestaltungskraft, d. h. die Fähigkeit der schöpferischen Phantasie zu lebhafter und überzeugender sinnlicher Anschauung, innerer Wahrheit und Einfühlung in Stimmungen und Charaktere sowie Griffsicherheit in der Wahl der Stoffe, der Gattungsform und des stoffgemäßen Ausdrucks wie angemessenen einheitlichen Stils überhaupt; doch stellen die einzelnen Gattungen unterschiedliche Anforderungen: Die Lyrik verlangt empfindlichste Ansprechbarkeit für seelische Regungen und die leisesten Untertöne des Lebens sowie Fähigkeit zu deren sprachkünstlerischer Wiedergabe; die Epik erfordert Menschen- und Weltkenntnis und Organisationsfähigkeit, die e. eigene Welt neu ins Leben ruft und als Ganzes in ihrer Breite und Entwicklung vorstellt; das Drama setzt e. einheitliche und dennoch in den Figuren differenzierte Menschen- und bes. Charaktergestaltung voraus, die im Zusammenprall der Gegensätze e. eigene Weltanschauung offenbart. Erlernbar sind nur handwerkliche Voraussetzungen, die D. und Schriftsteller gemeinsam haben, doch bedeutet ihre Beherrschung allein ohne innere Erlebnisfähigkeit und visionäre Schöpferkraft keine Annäherung an das Wesen des D.s. Starke Beteiligung des Intellekts und ästhetisches Feingefühl ist erforderlich für die Sammlung, Auswahl, Anordnung und Gliederung des Stoffes und ausgewogene Formgebung, die der künstlerischen Objektivation vorausgeht oder intuitiv im Spracherleben mitgegeben wird. In vielen Fällen folgt selbst dann e. mühselige Verfeinerung und Feilung am Kunstwerk der Sprache, die die letzten ästhetischen Feinheiten zur Geltung zu bringen sucht. Auch die Sprache an sich als Gestaltungsstoff steht unter dem Gesetz der Logik, und Versuche zu ihrer Ablösung (z. B. im →Dadaismus) erwiesen sich als undurchführbar. Doch nicht in technischen, erlernbaren Fertigkeiten erschöpft sich der letztlich auch als Werturteil geltende Begriff des D.s, sondern in der Gabe, äußeres oder inneres Leben in seinem wesentlichen Gehalt und seiner Stimmungslage zu gestalten und in der Seele des Lesers bzw. Hörers beim Nachvollziehen des Werkes ein Mitschwingen, Einstimmen zu veranlassen.

W. Dilthey, D. Einbildungskraft d. D.s (Festschr. f. E. Zeller, 1887); ders., D. Erlebnis u. d. Dichtg., [12]1950; O. Behaghel, Bewußtes u. Unbewußtes i. dichter. Schaffen, 1906; M. J. Wolff, Z. Wesen d. poet.

Schaffens, GRM 3, 1911; M. Hamburger, V. Organismus d. Sprache d. D.s, 1920; F. Gundolf, D. u. Helden, 1921; M. Darnbacher, V. Wesen d. D.phantasie, 1921; H. Hefele, D. Wesen d. Dichtg., 1923; O. Walzel, Gehalt u. Gestalt i. Kunstwerk d. D.s, 1923; M. Kommerell, D. D. als Führer, ²1940; E. Gamper, D. u. D.tum z. Zt. d. Jg. Dtl., Diss. Zürich 1932; C. Engel, Studien z. D.begriff u. z. poet. Anschauungn. d. Heidelberger Romantiker, 1934; E. Calmberg, D. Auffassg. v. Beruf d. D.s i. Weltbild dt. Dichtg. zwisch. Nietzsche u. George, Diss. Tüb. 1936; A. Stamm, D. Gestalt d. dt.-schweiz. D.s um d. Mitte d. 19. Jh., 1937; E. Hashagen, D. Beruf d. D.s i. d. Anschauungen d. Biedermeierzt., Diss. Tüb. 1938; H. Kasten, D. Idee d. Dichtg. u. d. Ds. i. d. lit. Theorien d. sog. Naturalismus, Diss. Kgsbg. 1938; J. Petersen, D. Wissensch. v. d. Dichtg. I, 1939; H. W. Rosenhaupt, D. dt. D. um d. Jh.-wende, 1939; *The Intent of the Artist,* hg. A. Centeno, Princeton 1941; S. Spender, *Life and the Poet,* London 1942; P. Kluckhohn, D. berufl. u. bürgerl. Existenz, 1949; I. Zangerle, D. Bestimmung d. D.s, 1949; W. Muschg, Dichtertypen (Fs. f. F. Strich, 1952); R. Schneider, Üb. D. u. Dichtg., 1953; H. Kunisch, Grundformen d. Dtg. u. d. D.tums (Wirk. Wort 5, 1955); RL; A. F. Scott, *The Poet's Craft,* Lond. 1957; K. Müller, V. dichter. Schaffensvorgang, 1957; W. Muschg, Tragische Lit.gesch. ³1958; F. C. Prescott, *The Poetic Mind,* Lond. 1960; B. v. Brentano, Schöne Lit. u. öffentl. Meing., 1962; E. C. Mason, Exzentr. Bahnen, 1963; H. Schirmbeck, D. D. i. Ztalter d. Wiss. (Jb. Dt. Akad. f. Sprache u. Dichtg. 1963); H. Maehler, D. Auffassg. d. D.berufs i. frühen Griechentum, 1963; V. Erlich, *The double image,* Baltimore 1964; A. Kambylis, D. D.weihe u. ihre Symbolik, 1965; W. Kühne, D. Autor u. s. Schaffen, 1966; B. v. Heiseler, Üb. d. D. (Ges. Essays 2, 1967); K. Schröter, Der D., der Schriftsteller (Akzente 20, 1973); B. v. Wiese, D., Schriftsteller, Narren (Lit. u. Dichtg., hg. H. Rüdiger 1973); ders., D.tum (Üb. Lit. u. Gesch., Fs. G. Storz 1973); F. v. Stockert, D. zwischen Muse u. Publikum, GRM 23, 1973; K. O. Conrady, Gegen die Mystifikation d. Dichtg. u. d. D. (in: Lit. u. Germanistik als Herausforderg., 1974); E. Canetti, D. Beruf d. D. (Akzente 23, 1976); H. Linduschka, D. Auffassg. v. D.beruf i. dt. Naturalism., 1978.

Dichterakademien, den →Akademien nachgebildete, z. T. auch Akademien der Wissenschaften angeschlossene Schriftstellervereinigungen zur Pflege von Sprache und Lit., Fortsetzungen der barocken →Sprachgesellschaften, umfassen meist im Unterschied zu den →Dichterkreisen bereits arrivierte, in der Gesellschaft angesehene Autoren, deren Anerkennung auf die D. zurückwirkt. Wichtigste D. sind in Dtl. die Preuß. Akademie der Künste mit der Sektion für Dichtung (1926–45), fortgeführt in der Dt. Akademie der Künste der DDR mit der Sektion Dichtung (1950) und der Akademie der Künste in West-Berlin (1956), die Bayer. Akademie der Schönen Künste (München 1948), die Akademie der Wissenschaften und der Lit. (Mainz 1949), die →Deutsche Akademie für Sprache und Dichtung (Darmstadt 1949) und die Freie Akademie der Künste (Hamburg 1949).

R. Minder, Warum D.? (in: Dichter i. d. Gesellsch., 1966); I. Jens, Dichter zwischen rechts u. links, 1971; H. Brenner, Ende e. bürgerl. Kunstinstitution, 1972.

Dichterarchiv →Archiv

Dichterbiographie, die wissenschaftliche Darstellung vom Lebenslauf e. Dichters; Anfänge in der Schule des ARISTOTELES; bedeutendster antiker Biograph: SUETON (HORAZ-Biographie); im MA. BOCCACCIOS DANTE-Biographie; Blütezeit in der 2. Hälfte des 19. Jh. Ihr Wert ist heute sehr fragwürdig geworden – als Rückschlag auf den übertriebenen ›Biographismus‹ der positivistischen Schule (E. SCHMIDT, *Lessing,* F. MUNCKER, *Klopstock,* R. WELTRICH, *Schiller* und ihre Nachfolger) um die Jahrhundertwende, der unter Ausschöpfung aller erreichbaren Quellen und philolog. Methoden der Materialgewinnung sein Persönlichkeitsbild aufbaute und dabei noch im Kunstwerk selbst Aufschlüsse über den Lebensgang suchte. Die Werkdeutung geriet in Gefahr, zur Hilfswiss. der D. zu werden, die mit vielen, z. T. unwichtigen Details den Zugang zum Werk verstellte. Das dichterische Sprachkunstwerk als in sich geschlossenes Ganzes von einem entschiedenen Eigenleben bedarf nicht der Ausdeutung durch Herantragen biographischer Kenntnisse; sie sind für das Wesen der Dichtung wenig aufschlußreich, da zwischen Leben und Werk (als objektivierter Konzeption) kein kausaler Zusammenhang zu bestehen braucht (entgegen der →Milieu-Theorie) und jede →Interpretation zu dem Werk hin und nicht vom Werk weg zu erfolgen hat. Daneben behält die D. vollen Wert als geistesgeschichtliches Zeugnis für die Kulturepoche und den menschlichen Entwicklungsgang der Schöpferpersönlichkeit; sie gehört damit jedoch nicht mehr zur →Literaturwissenschaft im engeren Sinn als Dichtungswissenschaft, sondern zur Biographik als Zweig der Geschichtswissenschaft.

H. Oppel, Grundfragen d. lit. hist. Biographie, DVJ 18, 1940; F. Sengle, Z. Problem d. modernen D., DVJ 30, 1952; L. A. Fiedler, *Archetype and Signature* (*Sewanee Review*, 1952); R. Wellek u. A. Warren, Theorie d. Lit., 1959; L. Edel, *Literary Biography*, N. Y. 1959; R. Altick, *Lives and Letters*, N. Y. 1965; A. Kittang, *La place des études biogr. dans les recherches litt.* (Orbis litt. 30, 1975).

Dichtergedicht, ein lyr. Gedicht, das über Sein, Wesen und Existenz des Dichters im allgemeinen oder privaten Fall oder über andere Dichter reflektiert; spezielle Form vielfach der Selbstfeier in allen Epochen seit HORAZ *(Exegi monumentum)*, bes. ausgeprägt im Barock und im 19. Jh. (DROSTE, GEIBEL u. a.).

H. Schlaffer, D. D. i. 19. Jh. (Jhrb. d. dt. Schillerges. 10, 1966).

Dichterhandschriften →Autographen

Dichterische Freiheit, der künstlerischen Vollkommenheit des Werkes dienende bewußte Abweichungen und Verstöße gegen 1. den Sprachgebrauch mit Rücksicht auf Rhythmus, Reim oder Wohlklang, 2. geschichtliche Zustände und Tatsachen zum Zweck dichterischer Vereinheitlichung oder Idealisierung, die der größeren Geschlossenheit oder Wirkung des Werkes dient. Letztere sind für den Dichter, der nicht den Stoff darstellen will, sondern nur durch den Stoff die eigene Lebenswelt und Weltanschauung zum Ausdruck bringen will, selbstverständlich, da das Dichtwerk als eigenständiges Ganzes außerhalb der Bezüge zur Historie und Dingwelt überhaupt gesehen werden will und da es ihm nicht um äußere, sondern um innere Wahrheit geht; die künstlerische Durchdringung und Umformung der bloßen Gegebenheiten verlangt sie sogar. (Beispiele: Geschichtsdramen der Klassik). Ihre Grenze liegt dort, wo das Bewußtsein der Unrichtigkeit im Aufnehmenden die künstlerische Wirkung beeinträchtigt.

Dichterjuristen waren in dt. Lit. insbes. GOETHE, ARNIM, GRILLPARZER, KLEIST, Z. WERNER, E. T. A. HOFFMANN, EICHENDORFF, UHLAND, GRABBE, IMMERMANN, HEBBEL, REUTER, STORM, KELLER, SCHEFFEL, DAHN und Timm KRÖGER.

E. Wohlhaupter, D., III 1953–57.

Dichterkreis, lockerer Zusammenschluß e. Gruppe meist gleichaltriger und daher durch gleiche Lebensstimmung verbundener Dichter zu gemeinsamem geistigem Streben oder lokalem Zusammenleben auf Grund verwandter Anschauungen über die Dichtung, ihre Formen, Inhalte, Wesen und Ziele und zu wechselseitiger Anregung und Kritik, oft um e. hervorragende Persönlichkeit (→George-Kreis) oder e. entferntes Vorbild, dem es nachzu-

eifern gilt (KLOPSTOCK für den →Göttinger Hain). Sammelpunkte sind Freundschaftskreise an Universitäten, gastfreie Häuser von Dichtern und Gönnern, selbst Fürsten, lit. Organe, in neuerer Zeit auch Verlagshäuser. Die Verbindung beginnt meist in der Jugend (Studentenzeit) und kann sich über das ganze Leben erstrecken, löst sich jedoch später häufig infolge räumlicher Trennung oder individueller Sonderentwicklung der bedeutendsten Mitglieder, deren Wirkung den Ursprungskreis überschattet.
Dennoch zeigen die Schöpfungen e. D.es starke Gemeinsamkeiten. Eine genaue Scheidung des D.es von der →Dichterschule mit gleichen, einheitlichen Stiltendenzen ist bei den fließenden Übergängen nicht möglich; der D. zeigt e. stärkere Koordinierung der Elemente. Die zahlreichen D.e aller Literaturvölker sind bedeutende Quellpunkte des lit. Lebens, und ihr Auftreten kennzeichnet vielfach den Beginn neuer Stilepochen; die wichtigsten dt.: Heidelberger (OPITZ, SCHADE, GRUTERUS, ZINCGREF), →Nürnberger, →Königsberger, →Hallescher, →Bremer Beiträger, →Göttinger Hain, Straßburger Freundeskreis (GOETHE, HERDER, LENZ, JUNG-STILLING, SALZMANN), →Darmstädter Kreis, der romantische →Heidelberger, Jenaer und →Schwäbische D., →Münchner, →Tunnel über der Spree, →Friedrichshagener D., →George-Kreis, →Charon, →Nyland-Kreis, →Gruppe 47 und →Gruppe 61, →Wiener Gruppe; ausländische →Pleias, →Pléjade, →Cénacle, →Parnassiens, →Lake School, →Bloomsbury Group u. a. m.

S. R. Nagel, Dt. Lit.atlas, 1907; H. F. Nöhbauer, Lit. Gruppen (Tendenzen d. dt. Lit. seit 1945, hg. T. Koebner 1971); K. Günther, Lit. Gruppenbildg. i. Berliner Naturalismus, 1972; C. Neutjens, D. Funktionsänderg. d. D. i. Dtl. i. 20. Jh. (Dichtg., Sprache, Gesellsch., 1973).

Dichterkrönung, Auszeichnung e. Dichters durch staatliche oder künstlerische Autorität im Anschluß an die antike Sitte des feierlichen Bekränzens mit dem Lorbeer zur Würdigung und Anerkennung hoher dichterischer Leistungen. Sie erscheint zuerst wieder im ital. Humanismus: der Humanist Albertino MUSSATO empfängt 1314 die D. durch den Bischof und Rektor der Universität von Padua; 1341 schließt sich die öffentliche Krönung PETRARCAS durch e. röm. Senator auf dem Kapitol an. In Dtl. nimmt der Kaiser als Nachfolger der antiken Imperatoren das Recht für sich in Anspruch: Karl IV. krönt 1355 ZANOBI DA STRADA, Friedrich III. neben ital. Humanisten und 1442 ENEA SILVIO PICCOLOMINI auch den ersten Dt., Konrad CELTIS, 1487 in Nürnberg. Zu Beginn des 16. Jh., unter Maximilian I., erhielt die D. feste, doch rasch wieder gelockerte Formen: zeremonielle Verleihung von Lorbeerkranz und Ring, des Titels Poeta Caesareus laureatus und die Berechtigung, an den Universitäten Poetik und Rhetorik zu lehren. Da die D. Amt der kaiserlichen Hofpfalzgrafen (meist Gelehrte oder Professoren) wurde und jedem Dichter auf Grund von befriedigenden Leistungen in neulat. Dichtung auf e. Bewerbung hin offenstand, sank im 17. Jh. mit zunehmender Zahl der gekrönten Dichter der Wert des Titels und diente schließlich dem Spott der anderen; nur D. durch den Kaiser selbst blieb e. Auszeichnung. Sie erhielten u. a. LOCHER 1497, HUTTEN 1518, H. BEBEL und GLAREAN durch Maximilian I., N. FRISCHLIN durch Rudolf II. 1577, OPITZ durch Ferdinand II. 1625, RIST durch Ferdinand III. 1644. Die

Sitte erhielt sich bis ins frühe 19. Jh. in Dtl., in England bis in die Gegenwart (→poet laureate) und gewann noch einmal lit. Bedeutung, als GOTTSCHED, dem als Dekan der Philosophischen Fakultät der Landesuniversität Leipzig durch den Kurfürsten Friedrich August vom Kaiser Karl VI. das Recht zur D. erwirkt wurde, dies Privileg zur Durchsetzung seiner Schule im Kampf gegen BODMER und BREITINGER benützte (z.B. D. SCHÖNAICHS 1752). Auch Ch. F. D. SCHUBART wurde 1766 schriftlich der kaiserl. Dichterlorbeer verliehen.

W. Erman, E. Horn, Bibliographie d. dt. Univ., Abt. ›D.‹, 1904; M. Husung, Kaiserlich gekrönte Dichter (Zs. f. Bücherfreunde, N. F. X., 1918); E. K. Broadus, *The Laureateship*, Oxf. 1921; K. Schottenloher, Kaiserliche D.en (Festschr. f. P. Kehr, 1926); RL; R. Specht, D.en bis z. Ende d. MA., 1928; J. A. v. Bradish, D.en i. Wien d. Humanismus (*Journal of Engl. and Germ. Philol.* 3, 1937); J. Eberle, Poeta laureatus (Attempto 12, 1963).

Dichtermärchen →Kunstmärchen

Dichterschule, mißverständliche Bz. aus der Forschung des 19. Jh., die anstelle der geistigen Zeitströmungen individuelle Vorbilder zur Gruppen- und Epochenbildung benutzte; seit der Ablösung des Positivismus durch geisteswissenschaftl. Forschungsmethoden ersetzt durch die einzelnen →Dichterkreise. Der Ausdruck ›Schule‹ setzt e. lernbare Dichtkunst und e. Lehrer voraus, wie es allenfalls noch HRABANUS MAURUS und NOTKER D. DT. in Fulda bzw. St. Gallen gewesen sind und wie ihn der Meistersang in seinem einseitigen Schulbetrieb ausbildete, doch schon für die Kreise von Nachahmern um die höfischen Epiker und Minnesänger des HochMA. erweist sich die Bz. als zu eng. Meint D. dagegen e. bewußte Durchführung gemeinsam abgeleiteter theoretischer oder künstlerischer Erkenntnisse in programmatischer Form, so ließe sich bestenfalls von e. D. des OPITZ (→Schlesische), den GOTTSCHEDschulen der Aufklärung, der älteren Romantik, des Jungen Dtl. und der Neuromantik reden.

RL.

Dichtersprache, allg. e. gehobene, stilisierte Form der Kunstsprache, die außer in Prosa bes. in gebundener Rede (Metrum, Reim) erscheint und sich durch ausgeprägte Eigenarten von der Umgangssprache unterscheidet, doch e. starke Einfluß auf deren Entwicklung ausübt. Im Ggs. zur auf bloße Informationsübermittlung und Sachdarstellung angelegten Gebrauchssprache und der auf Geistes- und Gemütsbewegung abzielenden Sprache der Rhetorik aktualisiert und organisiert die D. die ästhetischen Werte der Sprache zu künstlerischer, ganzheitlicher Wirkung von größter Einheit und Geschlossenheit und stellt sich damit außerhalb der Sprache des Alltags (→Sprache). In der Literaturgeschichte wechseln Epochen einer Annäherung von D. zur Alltagssprache mit solchen einer betonten Abhebung. Schon das Sanskrit der altind. Priester und die Sprache der Skalden in der *Edda* sind D.n; die griech. Epiker benutzen bis in die byzantin. Zeit hinein den längst nicht mehr gesprochenen altionischen →Dialekt HOMERS, der selbst als Kunst-, nicht als gesprochene Sprache anzusehen ist. Die augusteische D. unterscheidet sich von der klassischen lat. Prosa durch Meidung gewöhnlicher Wörter, Rückgriff auf ältere Vorbilder (→Archaismen), Bedeutungslehnwörter und Konstruktionen aus dem Griech. und Abwendung von der prosaischen Wortstellung in der gebundenen Rede. Im ma. Frankreich bildet der Dialekt der Ile de France den Ausgangspunkt der D. Die mhd. D. der Blütezeit um 1200 bringt aus ritterlichen Kreisen den ersten Ansatz zu e. hochdt., übermundartlichen – freilich nur geschriebenen – Gemeinsprache durch Streben nach größtmöglicher Gemeinverständlichkeit, indem sie mundartlich beschränkte Ausdrükke und Lautformen vermeidet, nach e. einheitlichen Wort- und Formenschatz strebt und nur Reimwörter verwendet, die im größten Teil des Sprachgebiets e. →reinen Reim ergeben. Die Einheitlichkeit der Sprachgestaltung ermöglicht den Werken größere Verbreitung, so daß auch ostmitteldt. (HEINRICH VON MORUNGEN) und niederdt. Dichter (WERNER VON ELMENDORF, ALBRECHT VON HALBERSTADT und HEINRICH VON VELDEKE in seinen Epen) sich der D. bedienen. Mit dem Verfall der höfischen Dichtung zu Ende des 13. Jh. findet diese erste dt. →Schriftsprache ihr Ende. Im Barock geben OPITZ und die → Sprachgesellschaften das Vorbild für e. gekünstelte, an Redeschmuck und Metaphern, Doppel- und Neubildungen reiche D. unter Zugrundelegung der ostmitteldt. Schriftsprache; seit Mitte des 18. Jh. nähert sich die dt. D. trotz der Tendenz zum Erhabenen und Idealisierten bei KLOPSTOCK, der Klassik und HÖLDERLIN bewußt der Umgangssprache (bes. im Naturalismus), während der Einfluß auf die Fortentwicklung der Schriftsprache nach den fruchtbaren Epochen von Sturm und Drang, Klassik und Romantik auf die Zeitungssprache übergeht. Noch Neuromantik (GEORGE, HOFMANNSTHAL) und Expressionismus sowie die moderne Lyrik entwickeln bewußt esoterische Sprach- und Stilformen. →Schriftsprache.

C. v. Kraus, H. v. Veldeke u. d. mhd. D., 1899; E. Wießner (in Maurer-Stroh, Dt. Wortgesch. I, 1943). W. Nowottny, *The Language poets use*, Oxf. 1962; G. Storz, Gibt es e. D.? (in: Figuren u. Prospekte, 1963); R. Schmitt, Dichtg. u. D. i. indogerm. Zeit, 1967; Indogerman. D., hg. R. Schmitt 1968; H. Kuhn, Z. mod. D. (in: Text u. Theorie, 1969); L. Doležel, Z. statist. Theorie d. D. (Lit. wiss. u. Linguistik, hg. J. Ihwe, 2, 1, 1971); W. Weiss, D. als Problem (Sprachthematik i. d. österr. Lit. d. 20. Jh., 1974); H. Anz, Poet. Sprache, Euph. 70, 1976.

Dichtung ist als Teilgebiet der →Lit., doch nicht unbedingt an die Schrift gebunden, die höchste Kunstform der →Sprache. In ihr verschmelzen die in der Sprache gegebenen Bedeutungsvorstellungen mit der (in der Umgangssprache oft unbeachteten) Stimmungshaftigkeit und vielschichtigen Sinnfülle der Worte und Klänge zu letztgültiger und unauflöslicher Formeinheit und dienen der wesenhaften Erhellung und bildstarken Verdichtung tiefster Seinsgründe. D. schafft e. in sich geschlossene Eigenwelt von größter Höhe, Reinheit und Einstimmigkeit mit eigenen Gesetzen, daher ist die einzige ihr adäquate Betrachtungsweise e. solche, die sie als selbständiges Kunstgebilde behandelt und nicht in ihr Spiegelungen des Dichters, Zeit- und Volksgeists oder e. Weltanschauung sucht; sie ist nicht als ›Ausdruck‹ von etwas anderem zu erforschen, sondern ›selig in sich selbst‹ (vgl. →Dichtungswissenschaft), und ihre Wirkung besteht im Einstimmen des Aufnehmenden in ihren eigenen Lebensraum; nur im innerseelischen Mitschwingen wird sie zum Erlebnis. Die Stellung der D. innerhalb der anderen Künste wird bedingt durch das akustische, damit körperlose Material der Sprache, der jedoch außer dem reinen Klangcharakter e. inhaltliche Bedeutung eignet – im Ggs. zu den Tönen der Musik – und durch das Nacheinander der Darstellungsart –

im Ggs. zum Nebeneinander der bildenden Künste. Über die künstlerischen Anforderungen →Ästhetik, herkömmliche Einteilung →Gattungen, →Dichter.

Th. A. Meyer, D. Stilgesetz d. Poesie, 1901; W. Dilthey, D. Erlebnis u. d. D., ^{12}1951; E. Ermatinger, D. dichter. Kunstwk., 1921, ^{3}1939; H. Hefele, D. Wesen d. D., 1923; O. Walzel, Gehalt u. Gestalt, 1923; E. Winkler, D.dichter. Kunstwk., 1924; Th. Spoerri, Präludium z. Poesie, 1929; Philos. d. Lit.wiss., hg. E. Ermatinger, 1930; A. E. Housman, *The name and nature of poetry*, Cambridge 1933; F. Baldensperger, *La Lit.*, Paris ^{2}1934; O. Walzel, Grenzen v. Poesie u. Unpoesie, 1937; Th. Spoerri, D. Formwerdung d. Menschen, 1938; G. Müller, Üb. d. Seinsweise v. D., DVJ 17, 1939; K. Berger, D. D. i. Zusammenhang d. Künste, DVJ, 1943; J. Petersen, D. Wiss. v. d. D., ^{2}1944; J. Duffy, *A philos. of poetry*, Wash. 1945; B. Croce, *La poesia*, ^{2}1946, dt. 1970; H. Oppel, Peregrina. V. Wesen d. Dichterischen 1946; Ch. du Bos, Was ist D.?, 1949; A. Döblin, D. D., 1950; P. Goodman, *The structure of lit.*, Chicago 1954; J. Pfeiffer, Wege z. D., 1953; ders., Umgang m. D., ^{10}1962; ders., Üb. d. Dichterische u. d. Dichter, ^{2}1956; M. L. Rosenthal, A. Smith, *Exploring poetry*, N. Y. 1955; J. R. Kreuzer, *Elements of poetry*, N. Y. 1955; J. Maas, D. Geheimwiss. d. Lit., ^{2}1955; H. Read, *The nature of lit.*, N. Y. 1956; B. Allemann, Üb. d. Dichterische, 1957; G. Storz, Sprache u. D., 1957; R. Wellek, A. Warren, Theorie d. Lit., 1959; M. Dufrenne, *Le Poétique*, Paris 1962; E. Staiger, Grundbegriffe d. Poetik, ^{8}1968; R. Ingarden, D. lit. Kunstwk., ^{3}1965; H. Seidler, D. D., ^{2}1965; G. Wolandt, Philos. d. D., 1965; W. Kayser, D. sprachl. Kunstw., ^{12}1967; K. Hamburger, D. Logik d. D., ^{2}1968; Lit. u. D., hg. H. Rüdiger 1973; H. H. Hiebel, D.-Theorie u. Deutg., 1976. →Literatur, →Poetik, →Literaturwiss.

Dichtungsgattungen →Gattungen

Dichtungslehre, -theorie → Poetik

Dichtungsmorphologie →morphologische Literaturwissenschaft und →Literaturwissenschaft.

Dichtungswissenschaft, neue Bz. für den Teil der →Literaturwissenschaft der sich nur mit dem Erfassen dichterischer Kunstwerke beschäftigt und alle außerästhetischen (biographischen, philologischen, weltanschaulichen, soziologischen) Fragen und Verknüpfungen meidet, also auch im Ggs. zur →Literaturgeschichte keine historischen Entwicklungsgänge verfolgt, vielmehr in unmittelbarer Nähe zum Werk und geschriebenen Wort nach der Seinsweise von Dichtung forscht. Ihre wesentliche Arbeitsmethode ist die →Interpretation.

H. O. Burger, Method. Probleme d. Interpretation, GRM, 1950; A. Mulot, Z. Neubesinnung d. Lit.wiss., ebda.; A. Pfeiffer, Rede z. Begründung e. dt. D., 1951; P. Kluckhohn, Lit.wiss., Lit-gesch., D., DVJ 1952.

Dictionarium (v. lat. *dictio* = Redensart, Wort), seit dem späten MA. Bz. für alphabet. Wörterverzeichnisse von Begriffen und Sachen; heute als franz. *dictionnaire*, engl. *dictionary* nur für Wörterbücher.

Dictum (lat. = Gesagtes, Mz. Dicta) →Diktum

Didaktik, didaktische Dichtung (v. griech. *didaskein* = lehren) → Lehrdichtung

Didaskalien (griech. *didaskalia* = Lehre), beim antiken Drama 1. szenische Anweisungen der Dramatiker zur Aufführung ihrer Werke, 2. ›Einstudierung‹ und Aufführung von →Chören für die Bühne, 3. die aufgeführte →Tetralogie selbst, mit der e. Dichter im dramatischen Wettkampf auftrat, 4. die (z. T. im Theater aufgehängten) Urkunden über erfolgte Aufführungen von Dramen und Chordichtungen, enthielten neben dem Titel der Werke und dem Namen des Dichters auch die ersten Schauspieler, Komponisten und →Choregen, Aufführungszeit und -ort, Anlaß, errungene Preise u. a. Angaben über nähere Umstände. ARISTOTELES sammelte sie zu e. Werk *D.*; über alexandrin. antiquarische Gelehrsamkeit (KALLIMACHOS, ARISTOPHANES von Byzanz) gelangten sie z. T. in ma. Hss.; wichtige alte Inschriften wurden 1929 in Aixone gefunden. In Rom wurden sie von den Aedilen aufgezeichnet und sind für TERENZ regelmäßig, zu PLAUTUS vereinzelt *(Stichus, Pseudolus)* erhalten.

A. Wilhelm, Urkunden dramat. Aufführungen i. Athen, 1905.

Diebssegen, Texte zur Bannung von Dieben, die kraft ihrer magischen Formel den Diebstahl verhindern sollen. Die erhaltenen D. aus altoriental., röm. und ma. Texten und Hss. sollen vor allem die Dokumente vor Bücherdieben schützen.

E. v. Künssberg, Rechtl. Volkskunde, 1936.

Diegese (griech. *diegesis* =) Ausführung, weitläufige Erzählung, Lebensbeschreibung, auch Inhaltsangabe.

Digest (engl. v. lat. *digestae* = Gesammeltes), urspr. Sammlung von jurist. Schriften oder Gerichtsentscheidungen, dann allg. Zusammenstellung meist bereits vorher anderweitig veröffentlichter Schriften in Auszügen oder in gekürzter Form, schließlich allg. Kurzform.

Digression (lat. =) Abschweifung, schmückender Teil einer Rede oder Schrift, der den eigentl. zu behandelnden Gegenstand außer acht läßt und sich beiläufig einer nicht oder nur indirekt mit dem Hauptthema verbundenen Geschichte, Erinnerung, Beschreibung o. ä. zuwendet. Als rhetorischer Kunstgriff dient sie zwei Zwecken: 1. Ablenkung des Hörers bei einem allzu trockenen Stoff, 2. Erhöhung der Spannung durch Unterbrechung des Hauptthemas kurz vor einer entscheidenden Wendung. →Exkurs.

Diiambus (griech. =) doppelter →Jambus: ◡—◡—

Dikatalektisch, d. h. doppelt →katalektisch ist eine Verszeile, die außer am Versende auch in der Versmitte eine Silbe zuwenig enthält.

Dikolon (griech.), aus zwei verschiedenen Versmaßen bestehende Strophe, zweigliedriger Satz (→Kolon).

Diktion (lat. *dictio* = Vortrag), in der Rhetorik die bes. Art der Gedankenformulierung in der Rede, Ausdrucksweise; dann die ›Schreibart‹ e. Schriftstellers, →Stil.

Diktionär (v. lat. →*dictionarium* =) →Wörterbuch, bes. Stilwörterbuch mit Redewendungen und Worterklärungen.

Diktum (lat. *dictum* = das Gesagte), Ausspruch, →Sentenz.

Dilettant (ital. *dilettare,* lat. *delectare* = ergötzen), Liebhaber, der ohne entsprechende Vorbildung und genügende Fähigkeiten sich außerberuflich praktisch in e. Kunst oder Wiss. versucht und seine – oft richtigen und wertvollen – Vorstellungen in e. künstlerisch unbefriedigende Darstellung faßt. Vgl. →Liebhabertheater.

F. Klein, *Autour du dilettantisme,* Paris 1895; C. Saulnier, *Le dilettantisme,* Paris 1940; H. Koopmann, D.ismus (Stud. z. Goethezeit, Fs. L. Blumenthal 1968); H. Bitzer, Goethe üb. d. D.ismus, 1969; H. R. Vaget, Der D. (Jb. d. Dt. Schillerges. 14, 1970); ders., D. Bild d. D. b. Moritz, Schiller u. Goethe (Jb. d. Freien Dt. Hochstifts 1970); ders., D.ismus u. Meisterschaft, 1971; J. Stenzel, (Jb. d. Dt. Schillerges. 18, 1974).

Dima, Gattung der klassischen ind. Dramatik: Vierakter um einen harten Kampf aus der hl. Legende.

Dimeter (griech. *dis* = doppelt, *metron* = Maß), antiker Vers aus zwei gleichen anapästischen, daktylischen, choriambischen, ionischen, jambischen oder trochäischen →Metren. Bei zweiteiligen Versmaßen aus vier Füßen, also jambischer D.: ◡—◡—| ◡—◡—, z. B. ›Das Wasser rauscht', das Wasser schwoll‹ (GOETHE), trochäischer D.: —◡—◡| —◡—◡, z. B. ›Hör, es klagt die Flöte wieder‹ (BRENTANO). In dt. Dichtung oft zur Nachbildung roman. Metren: HERDERS *Cid*, doch auch in Balladen (GOETHE, *Der Schatzgräber*, SCHILLER, *Kassandra* u. a.) und Dramen (GRILLPARZER, *Die Ahnfrau, Der Traum, ein Leben* u. a.).

Diminutiv (v. lat. *diminuere* = verkleinern), Verkleinerungsform e. Wortes, im Hochdt. durch Anhängung der Silbe -lein (mundartlich -li, -le, -l) oder -chen (v. niederdt. -ke, -ken) an Substantive (z. B. Blümlein, Häuschen), auch Verben, die e. gleichmäßig wiederholte Tätigkeit bezeichnen (z. B. tänzeln, schlängeln, rasseln); dient neben der Angabe der Kleinheit bes. zum Ausdruck von Gefühlswerten, daher in Jugendschriften, Volksliedern und -märchen, mystischer und pietistischer Lyrik.

Dinggedicht, im Ggs. zum bewegten, e. Werdendes (Stimmungsablauf) schildernden Gedicht mit subjektiver, echt lyrischer Stimmungshaltung e. auf unpersönliche, episch-objektive →Beschreibung e. Seienden (Gegenstand) angelegtes Gedicht, behandelt häufig Werke der bildenden Künste in sprachlichem Nachvollzug und damit Neuschöpfung des Kunstwerks, Läuterung von allem Zufällig-Unwesentlichen und Einfühlung in sein Wesen und inneres Gesetz, aus der die Neigung zu symbolischer Ausdeutung entspringt. In dt. Dichtung als eigener und wesentlicher Zweig der Lyrik bes. bei Dichtern mit enger Beziehung zur bildenden Kunst: zuerst bei MÖRIKE *(Auf eine Lampe)*, dann bei C. F. MEYER *(Der römische Brunnen)* aus e. Haltung der Distanz vom Gegenstand und unter Ausschluß eigener Stimmungsübertragung, rein gegenständlich, schließlich bei RILKE *(Römische Fontäne)* auch auf andere Alltagsgegenstände *(Der Panther, Das Karussell)* ausgedehnt und als sehnsuchtsvolles Versenken in das Wesen des Dinges als e. Abbildes Gottes. Ähnliche Kunstauffassung und Kunstnähe zeigen die franz. Parnassiens und die engl./amerikan. Imagisten. Vgl. →Gemäldegedicht.

K. Oppert, D. D., DVJ 4, 1926; H. Kunisch, Rilke u. d. Dinge, 1946; RL; W. G. Müller, D. Weg z. Symbolismus, Neophil. 58, 1974.

Dingsymbol, der →Falke der Lyrik, bes. Ballade, e. Gegenstand von symbolhafter Bedeutung, der an bedeutsamen Stellen wiederholt erscheint, z. B. der ›Ring‹ des Polykrates, die ›Kraniche‹ des Ibykus bei SCHILLER, das ›Trinkglas‹ in UHLANDS *Glück von Edenhall*. →Symbol.

Dionysien, griech. Feste zu Ehren des Gottes Dionysos im antiken Athen. Die kleinen ländlichen D.feierten im Dezember das Herannahen der Weinlese mit Prozessionen, Gesang und Schauspiel; die großen städtischen D. bildeten das Frühlingsfest Anfang April; mit sechs Tagen Dauer, von denen vier allein den Aufführungen neuer Tragödien →Trilogien, Satyrspiele und Komödien dienten, waren sie das größte und prunkvollste Fest Griechenlands. Lit. Bedeutung durch den Kultgesang der →Dithyramben und dessen Entwicklung zum antiken →Drama, →Chor, →Lenäen.

L. Deubner, Att. Feste, 1932; A. Pickard-

Cambridge, *The Dramatic Festivals of Athens,* Oxf. 1953.

Dionysisch (v. griech. Weingott Dionysos), im Ggs. zur maßvollen Formstrenge und zur vernunftgebundenen heiteren Erhabenheit des Apollinischen das ekstatisch-irrationale, rauschhaft-sinnenhafte, chthonische Welterlebnis und dessen dichterische Gestaltung in stark expressiver, aufgelockerter Form (lokkerer Satzbau, den herkömmlichen Sprachschatz erweiternde spontane Neubildungen, Synästhesien, Sprünge und ggf. freie Rhythmen). Die aus der romantischen Gedankenwelt bes. SCHELLINGS entwickelte Antithese von D. und Apollinisch fand ihre neue und feste Ausgestaltung durch NIETZSCHES *Geburt der Tragödie* (1872) mit der These von der Entgrenzung des Individuums und seinem Aufgehen im Weltganzen als D.; sie findet Anwendung etwa in der Charakteristik des Unterschiedes von Sturm und Drang (HEINSE, junger GOETHE) oder Romantik (NOVALIS, TIECK, WACKENRODER, KLEIST, HÖLDERLIN) zur dt. Klassik und ebenso von Neuromantik und Neuklassik. Grundform des D.en ist der →Dithyrambus.

O. Kein, D. Apollin. u. D. b. Nietzsche u. Schelling, 1935; W. F. Otto, Dionysos, ^{2}1939; A. Mette, D. psychol. Wurzeln d. D. u. Apollin., 1940; L. Wiesmann, Das D. b. Hölderlin u. i. d. dt. Romantik, 1948; M. Vogel, Apollinisch u. D., 1966; M. L. Baeumer, Das D. (Colloq. Germ. I, 1967); ders., Z. Psychol. des D. i. d. Lit.wiss. (Psychol. i. d. Lit.wiss., hg. W. Paulsen 1971); ders., D. mod. Phänomen d. D. (Nietzsche-Stud. 6, 1977).

Diplomatisch →Abdruck

Dipodie (griech. *di* = doppelt, *pus* = Fuß: Doppelfuß), metrische Einheit aus zwei gleichen, meist jambischen oder trochäischen Versfüßen: ◡–̀◡–́ oder –̀◡–́◡, in akzentuierender Dichtung bes. bei schnellem Tempo gekennzeichnet durch überwiegende Betonung einer Hebung (Hauptton) gegenüber der anderen (Nebenton) im Ggs. zur →Monopodie; dadurch Bildung rhythmischer Einheiten als Abstufung, so daß e. 4- oder 6hebiger Vers sich oft in zwei bzw. drei D.n teilt und durch Über- und Unterordnung der einzelnen Tonstellen, auch der resultierenden Haupttonstellen der einzelnen D.n untereinander, größere Gliederung, Leichtigkeit und Lebhaftigkeit erzielt, z. B. jambisch: ›Das Wàsser raúscht', / das Wàsser schwóll‹ (GOETHE), trochäisch: ›Nùr der Írrtum ìst das Lében‹ (SCHILLER). Eine regelmäßig wiederkehrende Struktur ist nicht erforderlich; bei ansteigender oder fallender Form aller D.n e. Verses spricht man von gleichlaufenden, bei Wechsel innerhalb e. Verszeile von gebrochenen Versen. Häufige Verwendung in flotten Volks-, Studenten- und Soldatenliedern.

Diptychon (griech. = doppelt Gefaltetes), im Altertum aus zwei durch Scharniere oder Ringe zusammenklappbaren Blättern bestehende Schreibtafel; ursprünglich Holz, später auch Silber, Gold, Elfenbein, mit Wachsüberzug auf der Innenseite zum Einritzen der Schrift; gelegentl. auch drei (Triptychon) oder mehrere (Polyptychon) Blätter, Urbild des →Codex.

Dirae (lat. = Verwünschungen), röm. Literaturgattung entsprechend den griech. →Arai: Verwünschungsgedichte, Schmähverse, z. B. PROPERZ III, 25, HORAZ, *Epode* 16, OVID, *Ibis,* auch in Hexametern in der →*Appendix Vergiliana* oder inschriftlich in elegischen Distichen.

W. Hübner, D. im röm. Epos, 1968.

Direkte Rede, wörtliche R., gibt im Ggs. zur →indirekten R. den Wortlaut des Gesagten unverändert wieder, z. B.: er sagte: ›Ich bin entrüstet.‹ Gekennzeichnet durch Anführungsstriche.

E. Lämmert, Bauformen d. Erzählens, [2]1967; A. Banfield, *Narrative style and the grammer of direct and indirect speech, (Foundations of lang.* 10, 1973).

Dirge (engl., v. lat. ›*Dirige domine...*‹ als Anfang e. Totenklage), Grabgesang, Trauer-, Klagelied.

Dirigierrolle (v. lat. *dirigere* = leiten), e. Art Regiebuch für den Spielleiter ma. geistl. Spiele, enthielt e. Skizze der Bühnenform mit der Aufstellung der Schauspieler, deren Liste u. z. T. Textstellen.

Discordo →Descort

Diseur, Diseuse (franz. =) Sprecher(in), Vortragskünstler(in) für Sprechtexte und Sprechgesang in Kabarett und Kleinkunstbühne.

Diskurs (lat. *discursus* = Hin- und Herlaufen), eifrige Erörterung, Unterredung, Gespräch, auch Abhandlung. Franz. Discours (ROUSSEAU u. a.), ital. Discorso (MACHIAVELLI u. a.).

Dispondeus (griech.) = doppelter →Spondeus: – – – –

Disposition (lat. *dispositio* =) kunstgerechte Anordnung, Gliederung des gesammelten und zu behandelnden Materials für e. klare und übersichtliche Darstellung (Aufsatz, Abhandlung, Rede) nach sachlichen Gesichtspunkten.

Dissertation (lat. *dissertare* = ausführlich erörtern), selbständige schriftliche wiss. Abhandlung über e. engumgrenztes Thema, zur Erlangung der Doktorwürde der entsprechenden Fakultät e. Universität (vielfach laut Vorschrift gedruckt) vorgelegt, um die Fähigkeit zu eigener wiss. Arbeit zu belegen. In romanischen Ländern ›These‹ genannt.

Dissonanz (v. lat. *dissonare* = gegensätzlich klingen), unharmonischer Mißklang in Rhythmus oder Klanggestalt e. Textes, im Ggs. zur →Kakophonie, die im Sprachmaterial vorgefunden wird, erst im Zuge der Abfassung entstanden; daher auch als beabsichtigter Effekt verwendbar (J. DONNE, R. BROWNING).

Distanz (lat. *distantia* = Abstand), im Ggs. zu →Unmittelbarkeit die Abstandhaltung des Dichters gegenüber der von ihm geschilderten Gefühlswelt. Nach SCHILLER (*Rezension der Bürgerschen Gedichte,* 1791) ist kunstvolle Gestaltung einer Seelenlage (Leidenschaft usw.) erst dann möglich, wenn der Dichter diese innerlich selbst überwunden hat, um den unmittelbaren Ausdruck seiner Empfindung mit den Mitteln der Kunst zu erhöhen und idealisieren. Allzugroße D., etwa in der Barocklyrik, gestattet e. spielerische Haltung zur Sprache; ihre Überwindung erstrebte die Ausdruckshaltung des Sturm und Drang, gegen Ende des 19. Jh. (C. F. MEYER u. a.) setzt wieder e. bewußte Wahrung e. innerpersönlichen Eigensphäre in der Lyrik ein, während die epischen Formen wesensgemäß e. sog. ›epische D.‹ verlangen. Über D. beim Schauspiel vgl. →Verfremdungseffekt. Die ›D.klausel‹ der franz. klass. Tragödie verlangte zeitl. Abstand des Stoffes von der Gegenwart, also histor. Alter als Garantie s. Würde.

E. M. Wilkinson, Üb. d. Begriff d. künstler. D. (Dt. Beitr. z. geist. Überlieferg. 3, 1957).

Distichitisch heißt die wechselnde Abfolge von zwei verschiedenen Verszeilen in Strophe oder Gedicht; Ggs. →monostichitisch.

Distichon (griech. *dis* = doppelt, *stichos* = Vers), allg. Doppelvers,

Strophe aus zwei versch. Versen, bes. das aus daktylischem →Hexameter und →Pentameter bestehende Verspaar (Elegeion, elegisches D.):

´–⏑⏑ ´–⏑⏑ ´–⏑⏑ ´–⏑⏑ ´–⏑⏑ ´–⏓
´–⏑⏑ ´–⏑⏑ ´– | ´–⏑⏑ ´–⏑⏑ ´⏓

z. B.: ›Im Hexameter steigt des Springquells flüssige Säule, / Im Pentameter drauf fällt sie melodisch herab.‹ (SCHILLER, *Das D.*). Neben dem Steigen und Fallen ist die Zweiteilung des Pentameters durch die scharfe Mittelzäsur und der Zusammenstoß beider Hebungen charakteristisch, so daß auf e. relativ einheitlichen, gleichmäßig flutenden Vers, der durch Verlagerung der Diärese reiche Ausdrucksmöglichkeiten gewinnt, stets ein zwiespältiger folgt: Ausdruck e. wankenden und haltsuchenden Gemütszustandes, daher in der Antike häufig für Elegien, doch auch Epigramme u. a. Inschriften verwendet; in dt. Lit. zuerst bei FISCHART und KLAJ mit Reimbindung, seit GOTTSCHED reimlos, häufig bei KLOPSTOCK, SCHILLER (*Der Spaziergang* u. a.), GOETHE (*Römische Elegien*), in den *Xenien* und bei HÖLDERLIN (*Menons Klage, Der Wanderer, Brot und Wein* u. a.).

O. Weinreich, Z. Ästhetik d. D. (Neue Jhrb. 23, 1920); L. Strauß, Z. Struktur d. dt. D. (Trivium 6, 1948); M. Platnauer, *Lat. Elegiac Verse*, Lond. 1951.

Distrophisch, zweizeilig oder zweistrophisch.

Distrophon (griech. *dis* = doppelt, *strophe* = Wendung), Zweizeiler.

Dit (franz., v. lat. →*dictum* = Spruch, Ausspruch), in altfranz. Lit. des 13.–14. Jh. kurzes, belehrendes Gedicht in Reimpaaren oder einreimigen vierzeiligen Alexandrinern, enthält meist e. ernste oder heitere Erzählung als →Exempel (z. B. *Dit dou vrai amiel*), die Beschreibung e. Gegenstandes, e. Berufs o. ä., auch der Straßen von Paris, e. Erlebnisses, im allg. mehr satirisch als moralisch mit Spott auf polit., moral. oder religiöse Zustände. Verfasser waren u. a. RUTEBEUF, GUILLAUME DE MACHAUT, Jean BODEL, GAUTIER DE COINCY.

Dithyrambus (griech. *Dithyrambos,* auch Beiname des Gottes Dionysos), altes griech. kultisches →Chor- und Reigenlied, das die Taten und Leiden des Weingottes u. a. Götter und Heroen in ekstatischer Ergriffenheit und Steigerung über die Hymne hinaus verherrlicht, daher oft Unregelmäßigkeiten in Vers- und Strophenbau aufweist; an den →Dionysien durch Chöre von 50 Personen mit lebhaften Gebärden und zu Flötenbegleitung um den Altar tanzende Satyrn im Wettstreit aufgeführt, später neben den →Dramen. Als Erfinder der Kunstform mit Einteilung in Strophe des Vorsängers und Antistrophe des Chors gilt ARION, der um 600 v. Chr. für den Tyrannen PERIANDROS von Korinth e. D. dichtete und aufführte; bei der Weiterentwicklung in Athen wurde der D. zum Ausgangspunkt des antiken →Dramas. Die großen D.dichter sind PINDAR, SIMONIDES und BAKCHYLIDES (6 D.en fragmentarisch erhalten). Mit LASOS von Hermione (um 507 v. Chr.) beginnt die Verweltlichung des D. und die Ersetzung der strophischen Gliederung durch freiere Komposition; im 5./4. Jh. blüht der sog. Jung-D. (MELANIPPIDES, PHILOXENOS, bes. TIMOTHEOS), e. virtuoser, dabei häufig sinnleerer und schwülstiger Kunstgesang mit ständig wechselnden Rhythmen und eingefügten Solopartien des Künstlers, der die strophische Gliederung auflöste und durch Überwiegen des musikalischen Elements allmählich opernhafte Form annahm (hatte Einfluß auf EURIPIDES). Die knappe Überlieferung sowie die sehr variable metrische Form erschweren die genaue Abgrenzung des D. gegen die →Ode. – Unter den dt. Nachbildungen steht GOETHES freirhythmische Sturm und Drang-Lyrik (*Wanderers Sturmlied* u. a.) dem Wesen des D. näher als SCHILLERS *D.*; auch HÖLDERLIN, NIETZSCHE *(Dionysos-D.en)* und in neuerer Zeit WEINHEBER verwenden die Form.

G. A. Privitera, *Appunti intorno agli studi sul d.*, 1957; A. W. Pickard-Cambridge, *D., Tragedy and Comedy*, Oxf. ²1962.

Ditrochäus (griech. =) Doppel→trochäus: –́⏑–́⏑, verwendet in Versen in Verbindung mit anderen Kola und als →Klausel.

Dittographie (v. griech. *dittos* = doppelt, *graphein* = schreiben: Doppelschreibung), fehlerhafte Doppelsetzung von Buchstaben, Silben, Wörtern. →Haplographie.

Diva (ital. v. lat. = die Göttliche), gefeierte Sängerin oder Schauspielerin, erste Kraft e. Ensembles.

Divan →Diwan

Diverbium (v. lat. *dis* = auseinander, *verbum* = Wort), Wechselgespräch zweier Schauspieler auf der Bühne, →Dialog; in der röm. Komödie als Ggs. zu den →Cantica die gesprochenen Partien, stets jambische Senare; in den Hss. abgekürzt DV.

Divertissement (franz. = Unterhaltung), Balletteinlage in Drama oder Oper.

Diwan (pers. = Amtszimmer, Sammlung beschriebenen Papiers u. a. m., auch =) Gedichtsammlung meist e. einzigen Dichters, oft in alphabetischer Ordnung; in Dtl. erst durch GOETHES *Westöstlichen D.* geläufig, in oriental. Lit. häufig.

Dizain, Dixain (franz. =) Zehnzeiler als Gedicht- oder Strophenform, meist Zehnsilber-, seltener Achtsilberzeilen in der Reimfolge ababbccdcd, später bei der Plejade ababccdeed; Verwendung bei C. MAROT, M. SCÈVE (*Délie*, 1544), als Strophe in Ballade und Chant royal, auch einzeln als epigrammat. Form.

Dochmius (griech. *dochmios* = schräg, schief), 5-teiliger, scheinbar aus Jambus und Kretikus zusammengesetzter antiker Versfuß mit der Grundform ⏑–́–́⏑–́, auch mit Verlängerung der Kürzen und Längenauflösung, wie überhaupt dieser aus altem Volksgut stammende Versfuß sehr frei behandelt wurde und bei allein festliegenden Hebungen rd. 30 Variationen aufweist; nur in der griech. Tragödie bei Gesängen erregten Inhalts und im alexandrin. *Des Mädchens Klage* verwendet. Vgl. →Hypodochmius.

Document humain (franz. = menschliches Dokument), Schlagwort der franz. Naturalisten, bes. ZOLAS und der Brüder GONCOURT, im Anschluß an den BALZAC-Essay H. TAINES für die Forderung des naturalist. Programms, e. lit. Schilderung menschl. Lebens müsse in gleicher Weise wie ein (natur)wiss. Werk durch genaue Tatsachenbeobachtung aus dem Alltagsleben belegt sein und könne nur dann als Quelle für die Selbsterkenntnis des Menschen dienen.

Dörperliche Dichtung (mhd. ›dörper‹ = Dörfler, Tölpel), verbreiteter Zweig der spätma. Lyrik seit NEIDHART VON REUENTHAL, setzt – als natürliche Reaktion auf die konventionell erstarrte höfische Dichtung – anstelle des übertriebenen Frauendienstes im Minnesang realistische Themen aus bäuerlicher Umgebung, in denen der tölpelhaft grobe und unhöfische Bauer – bei aller Freude NEIDHARTS an dessen natürlichem Leben – verspottet wird: Sommerlieder, Mai- und Dorftanzlieder mit kleinem epischen Kern, dessen Groteske aus dem Bauernleben auf komische Wirkung berechnet ist, Winterlieder mit Liebeszwisten und Prügeleien der Bauern, derbe Tagelieder, die oft zur Parodie des Minnesangs ausarten, bieten e. lebenstrotzendes Gegenbild zur verfeinerten und verstiegenen ritterl. Kultur und sind sowohl Bauernsatire wie versteckte Gesellschaftskritik. Die Wahrung von Kunstform und Sprache des hohen Minnesangs bringt e. Auseinanderklaffen von Form und Inhalt, das als bewußte Parodie nur vom Kunstkenner der Gesellschaft empfunden und gewürdigt werden konnte; man hat daher auf e. Vortrag der d. D. bei Hofe geschlossen (›höfische Dorfpoesie‹). Außer den Gedichten NEIDHARTS selbst und seiner vergröbernden Nachahmer (BURKHART VON HOHENFELS, ULRICH VON WINTERSTETTEN, GOTTFRIED VON NEIFEN u. a. m.), darunter eine Reihe von Pseudo-Neidharten, zählen zur d. D. noch spätere Schwankgeschichten, in denen NEIDHART als Held und Bauernfeind erscheint (*Neidhart Fuchs* u. a.), in gewissem Sinn auch H. WITTENWEILERS burleskes Epos *Der Ring*.

A. Bielschowsky, Gesch. d. dt. Dorfpoesie i. 13. Jh., 1891; J. Seemüller, Z. Poesie Neidharts (Prager dt. Stud. 8, 1908); R. Brill, D. Schule Neidharts, 1908; F. Mohr, D. unhöf. Element i. d. mhd. Lyrik, Diss. Tüb. 1913; S. Singer, Neidhart-Stud., 1920; RL; J. Günther, D. Minneparodie b. Neidhart, Diss. Jena 1931; E. Wießner, Neidhart v. Reuenthal, 1949.

Doggerel (engl.), engl. Bz. für einen holpernden, schlecht gebauten Vers von roher, ungenügender metrischer Durchgestaltung entsprechend dem dt. →Knittelvers, oft unbeabsichtigt, z. T. auch bewußt für parodistische oder komische Effekte angewandt.

Dohâ, ind. Form des Distichons, entweder – in vielen ind. Dialekten – als selbständige Spruchform oder – in der Hindî-Epik – als Unterbrechung anderer, längerer Strophenformen verwandt.

Doină (rumän.), schwermütig-getragenes Lied auf Natur und Menschenleben in der rumän. Volksdichtung insbes. Siebenbürgens. Seine düstere Stimmung wird z. T. durch angehängte heitere Tanzverse aufgelöst.

Dokumentartheater, Dokumentarstück, Dramenform des polit. Theaters in der 2. Nachkriegszeit, die als Reaktion gegen die Unverbindlichkeit der Brechtschen Parabel und aus Skepsis gegenüber der Möglichkeit, Menschen und gesellschaftliche Verhältnisse durch Phantasieprodukte von der Bühne herab zu verändern, Zuflucht zu archivalischem historischem Faktenmaterial sucht und es in mehr oder weniger unveränderter Form, in authentischen Szenen und quellenmäßig belegbaren Sätzen und Dialogen auf die Bühne bringt. Das D. ist mithin eine in die Kunst verirrte szen. Reportage, bei der der Autor nur zum Arrangeur des dokumentarischen Materials wird, der allenfalls die Ausschnitte bestimmt, Sätze herausgreift, die, isoliert gesprochen, überbewertet werden, über das Geschehen jedoch nicht mehr frei verfügt. Das D. ist die Kapitulation des schöpferischen Menschengestalters vor einer handlungsmäßig vorgefundenen und sprachlich vorgeformten, aktenmäßig beglaubigten Wirklichkeit in der Vermutung, deren schauspielerischer Nachvollzug als Bühnenhandlung trage be-

reits die Interpretation der Zusammenhänge in sich und in einem ebenso schwerwiegenden wie modernen Mißverständnis von der Funktion des Theaters, das sich mit dem D. auf die Ebene und in die Konkurrenz aktueller Massenmedien begibt. Die Wirkung des D. ist außerästhetischer Art und regt bestenfalls zu erneuter Diskussion der aufsehenerregenden Fälle aus der jüngsten polit. Vergangenheit an, die es eben um ihres Aufsehens willen vorführt (Judenmord, Attentat auf Hitler, Atomverrat, Kennedymord, Volksaufstand, Vietnamkrieg). Seine Figuren verzichten auf psychologische Durchformung wie auf menschliches Interesse, da sie nicht Charaktere, sondern nur Modellfälle für ganze Gruppen darstellen.
Nach Vorformen im polit. Agitationsstück E. PISCATORS in den zwanziger Jahren erlebt das D. seit R. HOCHHUTHS aufsehenerregendem Stück *Der Stellvertreter* (1963) um die Haltung des Vatikans zur Judenermordung, wo die Form vom Problem her nahelag, eine neue Blüte. Die formale Spannweite reicht dabei von halbdokumentarischen Stücken (HOCHHUTH, *Der Stellvertreter, Die Soldaten,* 1967; G. GRASS, *Die Plebejer proben den Aufstand,* 1966) bis zu solchen, die sich im Sprechtext ausschließlich auf aktenmäßig abgesicherte Ereignisse und Äußerungen beschränken (P. WEISS, *Die Ermittlung,* 1965; H. KIPPHARDT, *In der Sache J. Robert Oppenheimer,* 1964, *Joël Brand,* 1965; W. GRAETZ, *Die Verschwörer,* 1965).

U. Jenny, W. Kaiser, H. Karasek (Akzente XIII, 1966); G. Rühle, D. dokumentar. Drama u. d. dt. Gesellschaft (Jhrb. d. Dt. Akad. f. Spr. u. Dichtg. 1966); M. Vanhelleputte, *Réflexions sur le courant documentaire du théâtre allemand* (*Études Germaniques* XXII, 1967); J. D. Zipes, *Documentary drama in Germany* (*Germanic Review* XLII, 1967); M. Kesting, Völkermord u. Ästhetik (Neue dt. Hefte 14, 1967); H. Vogelsang, Mod. österr. Dokumentardramatik (Beitr. z. Dramatik Österr. i. 20. Jh., 1968); J. D. Zipes, *The ästh. dimensions of German doc. drama* (*German Life and Letters* 24, 1970/71); ders., D.dok. Drama (Tendenzen d. dt. Lit. seit 1945, hg. T. Koebner 1971); R.-P. Carl, Dok. Theater (Dt. Lit. d. Gegenw., hg. M. Durzak 1971); S. Onderderlinden, Fiktion u. Dokument (Amsterdamer Beitr. z. n. Germanistik 1, 1972); P. Ivernel, *Le théâtre doc. et/dans l'hist.* (*Revue de l'Allemagne* 5, 1973); Dokumentarlit., hg. H. L. Arnold 1973; K. Bohnen, Agitation als ästh. Integration (Sprachkunst 5, 1974); R. D. Theisz, D. dok. Drama unserer Zeit (Ideologiekrit. Stud. z. Lit. 2, 1975); K.-H. Hilzinger, D. Dramaturgie d. dok. Theaters, 1976; A. Blumer, D. dok. Theater d. 60er Jahre i. d. BRD, 1977; D. dt. Drama v. Express. bis z. Gegenw., hg. M. Brauneck [3]1977.

Dokumentarliteratur, unscharfe Sammelbz. für alle publizistischen Werke, die weniger Wert darauf legen, als fiktionale Literatur zu gelten, als vielmehr in trockener Sprache einen unbekannten, vergessenen oder verdrängten Tatbestand vor Augen zu führen, dessen Darstellung zur politischen Bewußtseinsbildung führen soll. Die aufklärende Tendenz unterscheidet D. von wissenschaftlicher Haltung, der Glaube, daß das Augenscheinlich-Authentische auch das Wahre sei, unterscheidet sie von echter Literatur. Die Formen der D. reichen vom →Dokumentartheater über Bericht, Reportage, Studie, Interview und Revue bis zur sachlichen →Dokumentation.

D., hg. H. L. Arnold 1973.

Dokumentation (v. lat.), allg. die Sammlung, Erschließung, Ordnung und Bereitstellung von Dokumenten (Büchern, Zss., Aufsätzen, Zeitungsberichten, Briefen, Akten, Urkunden, Bildern, Filmen, Tonbändern, Urteilen, Kritiken usw.) für ein bestimmtes Interessengebiet nach rationellen Methoden; dann als lit. Form auch der kommentarlose oder nur durch Fußnoten erläuterte Abdruck solcher Dokumente in chronologischer oder systematischer Abfolge als Quellensammlung für wiss. Forschung.

M. Scheele, Wiss. D., 1967; Ch. Hitzeroth u. a., Leitfaden f. d. formale Erfassg. v. Dokumenten, 1976.

Dolce stil nuovo (ital. = süßer neuer Stil), Umwandlung des provenzal.-sizil. Minnesangs unter dem Einfluß platonischer und scholastischer Elemente sowie der soziologischen Umschichtung durch den Aufstieg des Bürgertums: allegorisch-mythische Ausdeutung der Liebe als göttliche Ordnungskraft und der Geliebten als Verkörperung der Gottheit. Der Umformungsprozeß vollzieht sich im 13. Jh. in Norditalien, bes. Florenz und Bologna: Guido CAVALCANTI, Guido GUINIZELLI, Dino FRESCOBALDI, CINO DA PISTOIA und später bes. DANTE (*Vita nuova*, 1292).

K. Voßler, D. philosoph. Grundlagen z. süßen neuen Stil, 1904; V. Rossi, *Il ›d. st.n.‹*, 1930; F. Figurelli, *Il d. st.n.*, Neapel 1933; M. Ruffini, *I poeti del d. st.n.*, Turin 1937; F. Biondolillo, *Dante creatore del d. st.n.*, Palermo 1937; C. Cordié, *D.st.n.*, Maild. 1942; G. Petrocchi, *Il d. st. n.*, 1960.

Dolnik, eine Art freier Verse im Russischen mit einer festen Hebungszahl, doch gewissen Freiheiten in der Senkungsfüllung. Unter Einfluß russ. Volksdichtung von SUMAROKOV, PUŠKIN, BLOK und MAJAKOVSKIJ verwandt.

Donquichotiade, →Abenteuerroman nach dem Muster des *Don Quijote* von CERVANTES.

Doppelausgaben, zwei gleichzeitig in versch. Orten oder (z. B. wegen Zollschwierigkeiten oder Nachdruckschutz) in versch. Ländern hergestellte, sonst identische Ausgaben e. Buches, etwa aus England und den USA.

Doppelbegabungen, Talente, die sich nicht auf einen Kunstbereich beschränken, sondern in zwei oder mehr Künsten Bedeutendes leisten; am häufigsten in der Verbindung von Dichtung und Bildkunst, →Malerdichter, doch auch oft als Dichter-Musiker (Minne- und Meistersänger, LUTHER, E. T. A. HOFFMANN, R. WAGNER) und Dichter-Schauspieler (RAIMUND, NESTROY, ANZENGRUBER, C. GOETZ, P. USTINOV).

Lit. →Malerdichter.

Doppeldruck oder Zwitterdruck, Druckausgabe eines Buches, die dem Anschein nach mit einem äußerlich durch Titelblatt u. ä. gleichen Druck identisch ist, in Wirklichkeit aber auf einzelnen Seiten oder Lagen Abweichungen gegenüber diesem enthält, da nach Beginn des Auflagendrucks noch nachträgliche Änderungen am Satz (z. B. Druckfehlerberichtigungen) vorgenommen wurden, die nur ein Teil der Auflage enthält. Häufig unter den Flugschriften der Reformationszeit und in den dt. Klassikerausgaben. Ihr Ermitteln ist wichtig für die Erstellung kritischer Texte.

M. Boghardt, D. Begriff d. D. (Jb. d. Freien Dt. Hochstifts 1973).

Doppelempfinden →Synästhesie

Doppelfassung →Fassung

Doppelreim, 3- oder 4-silbige Endreime mit der folgenden Zeile, die zwei Hebungen enthalten, z. B. Klanggeister – Sangmeister (RÜKKERT); bei nur einer Hebung heißen sie vokalische Halbreime, z. B. licht war – sichtbar (HESSE).

Doppelroman, Romantypus mit zwei oder mehreren weitgehend selbständigen Haupterzählsträngen, die in Raum, Zeit und Figuren völlig divergieren, einander jedoch konsekutiv oder korrelativ zugeordnet sind und von denen einer zumeist die Perspektive für die Schilderung des anderen abgibt. Beispiele sind E. T. A. HOFFMANNS *Kater Murr,* IMMERMANNS *Münchhausen,* THACKERAYS *Vanity Fair,* RAABES *Chronik der Sperlingsgasse,* GIDES *Faux-monnayeurs,* MULTATULIS *Max Havelaar,* Th. MANNS *Doktor Faustus,* U. JOHNSONS *Drittes Buch über Achim* u. a.

F. C. Maatje, Der D., Groningen [2]1968.

Doppelsestine →Sestine

Doppelsinn →Ambiguität, →Amphibolie

Doppelte Ebene, Kunstmittel, das die Einschichtigkeit des lyrischen Vorgangs durchstößt und über dem Gegenständlichen e. Hintergründiges erscheinen läßt, etwa durch Zweiteilung der Strophe in Geschehensbericht und Deutung (GOETHE, *Der Zauberlehrling;* SCHILLER, *Die Glocke*), durch Relativierung des Geschehens auf e. (teils gegenläufigen) Grundakkord in Refrain oder refrainartigen Strophenformen (Triolett, Rondeau, Glosse), in moderner Lyrik etwa durch den Wechsel zwischen Darstellung und Betrachtung bzw. Anrede oder zwischen epischer und lyrischer Sprechweise; Ansätze bei GOETHE *(Mignon)* und BRENTANO *(Der Tod),* bes. ausgeprägt bei VERLAINE (*La lune blanche* u. a.); oder durch die Wahl e. ambivalenten Wort- und Bildmaterials, das hinter dem Bild e. symbolischen Bezug durchscheinen läßt (DROSTE, *Der Knabe im Moor;* C. F. MEYER, *Zwei Segel*); schließlich durch das unlösbare Ineinander verschiedener Motiv- und Verweisbereiche in der zeitgenöss. Lyrik; im Drama als e. aus der dargestellten Wirklichkeit aufragende Welt der Visionen und Träume (GRILLPARZER, *Der Traum, ein Leben,* HAUPTMANN, *Elga, Hanneles Himmelfahrt*). →Vordergrundshandlung.

H. Friedrich, D. Struktur d. mod. Lyrik, 1956; W. Kayser, D. sprachl. Kunstwerk, [13]1968.

Doppeltitel, von denen e. den Stoff, der andere den Ideengehalt bezeichnet, waren im Barock, bes. im lat. Schuldrama beliebt (z. B. GRYPHIUS: *Catharina von Georgien oder Bewehrete Beständigkeit*), auch bei LESSING und KLEIST u. a.

A. Rothe, Der D., 1970.

Dorfgeschichte, häufigste Form der →Bauerndichtung: Erzählung aus der dörfisch-bäuerlichen Lebenswelt, meist in realistischer Form, von starker Naturnähe und inhaltlich vom Verhältnis der Zeit zum Bauernstande bestimmt. Charakteristisch sind Bodenständigkeit, ländliche Behaglichkeit, Langsamkeit des Denkens und Fühlens, oft Verwendung der Mundart (bes. bei Dichtern bäuerlicher Herkunft, die Verhältnisse ihrer Landschaft zeichnen), z. T. auch die unkünstlerische Tendenz e. Sittenspiegels für die überzivilisierte Stadtbevölkerung. – Die Entwicklung läuft parallel zu derjenigen der →Bauerndichtung überhaupt: Die strenge Standeskultur des Hoch-MA. hat für bäuerl. Elemente keinen Raum (Ausnahme der lat. *Ruodlieb,* 1040, und z. T. HARTMANNS *Armer Heinrich*); um 1230 entsteht die →dörperliche Dichtung NEIDHARTS und im Anschluß daran um 1260 die Verserzählung *Meier Helmbrecht* von WERNHER DEM GÄRTNER, drastisch-realistische Darstellung sowohl abgeglittenen Bauern- wie Rittertums (Raubritter). In den bürgerlichen Volks- und Schwankbüchern des 15./16. Jh. *(Eulenspiegel, Lalebuch)* und in WITTENWEILERS *Ring* (1450) erscheint der Bauer als tölpelhafte

Spottfigur; vertiefte Erfassung bietet lediglich der Humanist H. BEBEL, selbst Bauernsohn, in seinen *Facetiae* (1506/09). Neben der ländlichen Staffage barocker Schäferdichtung mit ihren Ausläufern bis in die Anakreontik steht realistische Schilderung des Dorflebens bei GRIMMELSHAUSEN und MOSCHEROSCH. Neuansatz bringt im 18. Jh. zunächst die Schweiz: A. v. HALLER (*Die Alpen*, 1729) würdigt den Bauernstand und seine Bedeutung, H. K. HIRZELS pädagogische Schrift *Die Wirtschaft eines philosophischen Bauern* macht ihn vollends literaturfähig; PESTALOZZIS Erziehungsroman *Lienhard und Gertrud* (1781) zeigt die Aufstiegsmöglichkeiten des Landbewohners, U. BRÄKER (*Armer Mann im Toggenburg*, 1783) das Dorfelend. In Dtl. ist das Dorf zunächst mehr Gegenstand von Gedichten, Idyllen und Volksliedern. J. MÖSER dringt zu höherer Wertschätzung vor; aus eigenen Kreisen entsteht in J. H. VOSS ein eifriger Kämpfer gegen die Leibeigenschaft, M. CLAUDIUS feiert als erster in schlichten Gedichten die Unverbildetheit, Natürlichkeit des Landlebens, und diese Umwälzung der sozialen Einschätzung findet auch in HEBELS *Schatzkästlein* Niederschlag. BRENTANOS D. *Geschichte vom braven Kasperl und dem schönen Annerl* (1817) benutzt den dörflichen Rahmen zur Darstellung ständischer Tragik. Mit KLEISTS realistischem *Michael Kohlhaas* (1810) beginnt bäuerliche Starrköpfigkeit e. wesentliches Moment der D. zu werden, doch die eigtl. selbständige D. beginnt erst mit IMMERMANNS in den *Münchhausen* eingeflochtenen *Oberhof* (1839) als Hofgeschichte. Es folgt GOTTHELF, dessen gesamtes Werk dem Schweizer Bauerntum gewidmet ist *(Uli der Knecht, Uli der Pächter)* und Selbstbewußtsein mit erzieherischer Kritik vereint. Mit B. AUERBACH (*Schwarzwälder Dorfgeschichten*, 1843 ff.) beginnt e. Neigung zu süßlicher Darstellung, die sich ähnlich bei J. RANK (*Erzählungen aus dem Böhmerwald*, 1843) und M. MEYR (*Erzählungen aus dem Ries*, 1851) fortsetzt. Den realistischen Zug vertritt H. KURZ (*Weihnachtsfund*, 1855 u.a.), der im *Sonnenwirt* (1854) den notwendigen Schritt zum kulturhistorisch-psychologischen Roman vollzieht. Die D.n der DROSTE (*Die Judenbuche*, 1842) und von Otto LUDWIG (*Heiteretei*, 1854, *Zwischen Himmel und Erde*, 1856) ragen bereits über die ländliche Milieuschilderung hinaus, während G. KELLERS D. *Romeo und Julia auf dem Dorfe* (1856) höchste Erfüllung der Gattung bildet; auch ANZENGRUBERS (*Der Schandfleck*, 1876, *Der Sternsteinhof*, 1885) und ROSEGGERS Romane verkörpern echtes Bauerntum. Als Vorstufe des Realismus wird die D. im Naturalismus verdrängt, geht in der →Heimatdichtung auf und zeigt seither engere landschaftliche Beschränkung: in Norddtl. G. FRENSSEN (*Jörn Uhl*, 1901), Timm KRÖGER, H. VOIGT-DIEDERICHS; in der Heide H. LÖNS; im Weserland Lulu von STRAUSS UND TORNEY (*Bauernstolz*, 1901); in Mitteldtl. W. v. POLENZ (*Der Büttnerbauer*, 1895, *Der Grabenhäger*, 1897) und Clara VIEBIG; im Schwarzwald H. HANSJAKOB; in Bayern L. THOMA, in der Schweiz E. ZAHN, H. FEDERER, M. LIENERT u. a., in der Gegenwart bes. J. M. BAUER, R. BILLINGER, P. DÖRFLER, O. M. GRAF, A. HUGGENBERGER, J. KNEIP, F. NABL, J. PERKONIG, H. SOHNREY, K. H. WAGGERL, M. ZUR BENTLAGE, J. BERENS-TOTENOHL. Bedeutendste ausländ. Vertreter der D. und des Dorfromans waren in England O. GOLDSMITH, G. ELIOT, Th. HARDY und R. LLE-

WELLYN, in Norwegen B. BJÖRNSSON, K. HAMSUN und T. GULBRANSSEN, in Frankreich H. de BALZAC, G. SAND, R. BAZIN, J. GIONO und C. F. RAMUZ, in Italien G. VERGA und I. SILONE, in Rußland GOGOL und TURGENEV, in Polen S. REYMONT und in Finnland F. SILLANPÄÄ.

R. Hallgarten, D. Anfänge d. Schweizer D., 1906; L. Lässer, D. dt. Dorfdichtg., 1907; L. v. Strauß u. Torney, D. D. i. d. modern. Lit., 1906; E. Rüd, D. dt. D. bis auf Auerbach, Diss. Tüb. 1909; RL; F. Altvater, Wesen u. Formen d. dt. D. i. 19. Jh., 1930; R. Zellweger, *Les débuts du roman rustique,* Paris 1941; J. Hein, D., 1976; U. Baur, D., 1977. →Bauerndichtg.

Dorfkomödie, heiteres →Volksschauspiel aus dem Dorfleben, vielfach für Laienspiel oder Bauerntheater, z. B. von L. ANZENGRUBER und A. HINRICHS.

Dorfroman →Dorfgeschichte

Dortmunder Gruppe →Gruppe 61

Dottore (ital. = Doktor), Typenfigur der →Commedia dell'arte: der komisch-pedantische Gelehrte aus Bologna mit breitkrempigem Hut und später Spitzenkragen.

Double (franz. = doppelt), Ersatzschauspieler ähnlichen Aussehens, bes. im Film für gefährliche Rollenteile.

Douzain (franz. =) Zwölfzeiler, Strophe oder Gedicht von zwölf Verszeilen.

Doxographen (griech. *doxa* = Meinung, *graphein* = schreiben), griech. Gelehrte, welche die verschiedenen Lehrmeinungen der Philosophen nach Problemen geordnet übersichtlich zusammenstellten.

H. Diels, Doxographi Graeci, [4]1965.

Doxologie (griech. *doxologia* = Lobpreis), liturgische Lobgesänge im christlichen Gottesdienst, Schlußteil des protestantischen Vaterunser.

Drama (griech. = Handlung), eine der drei natürlichen Grundformen der Dichtung, die im Ggs. zur subjektiven Stimmungshaftigkeit einmaligen Einzelerlebens und dem Bekenntnischarakter in der Lyrik und zur breiten Stoffülle vergangenen Geschehens in der Epik e. knappe und in sich geschlossene, organisch erwachsene →Handlung unmittelbar gegenwärtig in →Dialog und →Monolog, und zwar nicht nur durch das die Phantasie anregende Wort, sondern auch durch objektivierte Darstellung auf der Bühne zur Anschauung bringt und damit dem Zuschauer durch Entlastung der nachschaffenden Phantasie e. direktes äußeres wie inneres Mitgehen ermöglicht; das eigtl. D. ist auf die Bühnendarstellung hin angelegt und findet in ihr seine Vollendung wie die Partitur in der musikalischen Wiedergabe (vgl. dagegen →Buchdrama). Grundbestandteil des D. ist der →Konflikt gegensätzlicher Haltungen, welche die Spannung erzeugen, durch Umsetzung des leidenschaftlichen Wollens in die Tat miteinander in Widerspruch oder Kampf geraten und aus der Wechselwirkung (Aktion und Reaktion) die dramatische Handlung entfalten. Hinsichtlich der Verteilung der Gegensätzlichkeit im D. unterscheidet man – bei zahlreichen Übergängen – den innerseelischen Konflikt des Helden durch Widerstreit von zwei Lebenshaltungen *(Faust, Jungfrau von Orleans)* oder zwei sittlichen Anforderungen *(Iphigenie, Antigone)* von dem Kampf des Helden mit e. äußeren (höheren, gleichwertigen oder niederen) Gegenmacht oder deren Verkörperung durch Personengruppen bzw. einzelne Gegenspieler: Schicksal *(Oedi-*

pus), sittliche Macht *(Die Räuber, Agnes Bernauer)*, →Charakter *(Tasso, Judith, Penthesilea)*, →Intrige *(Emilia Galotti, Kabale und Liebe)*; bei minderwertigem →Gegenspieler besteht die Gefahr einseitiger Schwarz-Weiß-Zeichnung. Der Gespaltenheit der Welt als innerem Gesetz des D. steht als äußeres Gesetz die →Einheit der →Handlung gegenüber: sie fordert streng kausale und überzeugende Verknüpfung und Motivierung zwecks eindeutiger Wirkung der tragischen Notwendigkeit bzw. der komischen Situation.

Die Rücksicht auf Darstellbarkeit verlangt straffste zeitliche wie stoffliche Konzentration des Geschehens, engstes Ineinandergreifen der Wechselwirkungen innerhalb des schmalen dargestellten Handlungsausschnitts. Die für das Verständnis des Verlaufs notwendige →Vorgeschichte mit den zeitlich zurückliegenden Voraussetzungen des Konflikts wird nur selten im →Prolog, →Vorspiel oder in der →Exposition des 1. Akts zusammengefaßt, sondern meist erst schrittweise im Verlauf des Dramas, z. T. bewußt erst an seinem Ende *(Nathan, Käthchen von Heilbronn)* aufgedeckt; im →analytischen D. bildet ihre Enthüllung den Kern des Geschehens; abliegende breitere und die Darstellungsmöglichkeiten überschreitende Ereignisse werden durch →Botenbericht oder →Teichoskopie in das Handlungsganze einbezogen; ihre Überspitzung bildet die rein äußerliche und überholte Forderung der drei →Einheiten. Der Spannungssteigerung dienen die →retardierenden Momente; als ausgedehntere →Episoden gefährden sie den glatten Ablauf.

Hinsichtlich der Aufgliederung der Handlungsentwicklung in einzelne Stufen bezeichnet ARISTOTELES →Exposition, →Peripetie und →Katastrophe als die wichtigsten; das herkömmliche 5stufige und pyramidenförmige Schema von Gustav FREYTAG mit (1.) →Exposition, Steigerung durch (2.) →›erregende Momente‹ zur Verwicklung im (3.) Höhepunkt, (4.) ›fallende →Handlung‹, unterbrochen durch das →retardierende ›Moment der letzten Spannung‹ und vorausweisendes Finale in der (5.) Katastrophe bzw. Lösung entspricht der Gliederung der klassischen Dramen in fünf →Akte, gilt jedoch nur für das →Zieldrama, nicht für →analytische Dramen, und ist trotz der weiten Wirkung letztlich unzulänglich, da es den Aufbau vom Schicksal der dramatischen Figuren her ableitet; infolge der Zielstrebigkeit jedes D. steht jedoch jede Einzelheit in Beziehung zum Handlungsergebnis (beim analytischen D. rückwärtig zum Ausgangspunkt) und gewinnt ihre aufbautechnische Funktion durch die Weiterentwicklung zum Gestaltungsziel hin.

Die Vielfalt der entwickelten Formen unterteilt man nach verschiedenen Gesichtspunkten: 1. nach dem Ausgang, der als Gestaltungsziel wesentlich die Struktur beeinflußt: →Tragödie, →Komödie (→Posse, →Schwank, →Farce), →Schauspiel, →Tragikomödie, 2. nach dem Aufbau: →Zieldrama und →analytisches D., 3. nach der zugrunde liegenden Struktur: Figuren-, Raum-, Geschehens-D. (KAYSER), 4. nach der Gestalt (Zahl und Art der Darsteller sowie Anteil der Musik): →Mono-, →Duo-, →Massen-D., →Pantomime, →Puppenspiel, →Schattenspiel, →Vaudeville, →Melodrama, →Singspiel, →Operette, →Oper, →Musik-D., 5. nach den verkörperten geistigen Prinzipien: →Ideen-, →Problem-, Tendenz-D., 6. nach der Ursache des

Konflikts: →Schicksals-, →Charakter-, →Milieu-D., →Intrigenstück, 7. nach der Stoffwahl: →bürgerliches Trauerspiel, →historisches D., →geistliches D., →Künstler-D.; → Märchen-D., →Zauberstück, 8. nach der Aktzahl: →Einakter usw., daneben zahlreiche willkürliche Bezeichnungen durch den Dichter selbst (z. B. HAUPTMANN) sowie einzelne Erscheinungen der D.engeschichte.

Den Ausgangspunkt für die Entwicklung des D. bilden in allen Kulturvölkern kultische Gesänge und Tänze, die infolge der allg. Freude an Schaustellungen durch Monolog und Dialog erweitert wurden. Der für das Abendland bedeutsamste Ansatz ist die attische →Tragödie. Mit dem Entstehen der ersten →Theaterbauten steigt die Zahl der Aufführungen; die Schauspieler tragen →Kothurn und →Masken und sind als Schicksalsträger überindividuell; das Pathos der Erhabenheit ist der Schicksalsdarstellung gemäß. Aus der Aufführungsform erklärt sich die Wahrung der drei →Einheiten.

Die röm. Tragödie (SENECA) bleibt in Inhalt und Form vom griech. Vorbild abhängig, verstärkt aber die Bedeutung des Rhetorisch-Pathetischen wie der Affekte und wendet die Handlung ins übermäßig Grausige; sie wirkt zuerst stärker auf die Entwicklung des modernen D. In der →Komödie (PLAUTUS und TERENZ) werden die griech. Vorbilder bearbeitet. Volkstümlichere Formen verbreiten sich im →Mimus, der →Atellane und →Phlyakenposse. Die Jenseitshaltung des aufkommenden Christentums setzt der weiteren Entwicklung zunächst ein Ende.

Das D. des MA. ist vorwiegend →geistliches D., ferner →Fastnachtsspiel. Die Renaissance bringt als Folge ihrer weltlicheren Einstellung die Erneuerung des röm. D. (→Schul-D.), daneben erscheint als Mittel der Gegenreformation das lat. →Jesuiten-D.

Zur Zeit staatlicher Zersplitterung und religiöser Spaltung in Deutschland entwickeln die Nachbarländer eigene D.-Formen: Italien die →Commedia dell'arte, Spanien die →Autos und e. vom religiösen Dogma bestimmtes Weltanschauungs-D. um den Gegensatz von Diesseitsfreude und Jenseitsbedrohung, Frankreich die tragédie classique; in England entsteht im 16. Jh. mit dem D. SHAKESPEARES als der ersten individualistischen Menschen- und Charakterdarstellung e. dem antiken D. gleichwertiger Eigentyp, der mit dämonischer Macht e. vollständiges Lebensbild mit allen Höhen und Tiefen entfaltet und anstelle der Einheiten in der Orts- und Zeitgestaltung die innergesetzlichen Gefühlswerte berücksichtigt; lediglich die innere Wahrscheinlichkeit und Einheit der Handlung entscheidet; als genialer psychologischer Gestalter weiß SHAKESPEARE sie im verwikkelten, vielschichtigen Geschehensgeflecht von Gegensätzen wie Parallelen, zwischen Derbem, Komischem und Erhabenem stets zu wahren.

Die Form des SHAKESPEARE-D. gelangt, wenngleich in vereinfachter Art und bewußter Effekthascherei, durch die →Englischen Komödianten auch nach Dtl. und lebt im →Hans-Wurst-Spiel wie in den →Haupt- und Staatsaktionen der →Wandertruppen fort, beeinflußt jedoch auch das D. des →Barock, das mit der Form des →Singspiels zur →Oper überleitet.

In der →Aufklärung beherrscht zunächst die tragédie classique unter der Schutzherrschaft GOTTSCHEDS und aufgeführt von der Truppe der

NEUBERIN die dt. Dramatik bis GELLERT. Anstöße zu ihrer Lockerung bringen die →comédie larmoyante (→weinerliches Lustspiel) und das →bürgerliche Trauerspiel. Nach Vorgang J. E. SCHLEGELS tritt LESSING als der erste große dt. Dramatiker der Neuzeit für das D. SHAKESPEARES ein und wendet sich gegen GOTTSCHED und die Verfechter der tragédie classique. Auf seinen Erkenntnissen baut die Dramatik des →Sturm und Drang, die freilich in leidenschaftlichem Streben von Natürlichkeit und Wahrscheinlichkeit zu Natur und Wahrheit z. T. die innere Gesetzlichkeit Shakespearescher D. verkennt und auflöst. Den Höhepunkt der Entwicklung bildet das D. der dt. →Klassik, das als →Ideen-D. aus e. tragischen Diesseitswelt in e. umgreifende geistige Ideenwelt führt und das Menschenschicksal in e. geschlossenes Weltbild einordnet. Während die Romantik – mit Ausnahme von KLEIST und den SHAKESPEARE-Übersetzungen ohne bleibende dramatische Dichtungen – nur im →Schicksals-D. in Frankreich Nachahmer fand und im Wiener →Volksstück e. Märchen- und Zauberwelt zur Geltung brachte, wirkt das D. der Klassik bei fortschreitender Entwicklung des →Realismus und der psychologischen Motivierung weit ins 19. Jh. fort (KLEIST, BÜCHNER, GRILLPARZER, HEBBEL, LUDWIG); WAGNER schafft im →Musik-D. e. nationales Weihespiel neuer Form, doch e. Umsturz erfolgt erst mit dem →Milieu-D. des →Naturalismus unter dem Einfluß IBSENS. Als Gegenströmung erstrebt die →Neuklassik die Erneuerung des antiken und klassischen Geistes im D. Unter dem Einfluß STRINDBERGS und mit WEDEKIND als Vorläufer entsteht das →expressionistische D., locker aneinandergereihte Bilderfolgen auf der Suche nach dem Unzeitlichen, Seelischen im Menschen; in ihm wie bes. im D. des franz. →Existentialismus zeigt sich e. betonte Rückkehr zu antiken Formen und Stoffen; daneben stehen mehr oder weniger traditionslos B. BRECHTS →episches Theater, das →Dokumentartheater und das D. des →Absurden.

G. Freytag, D. Technik d. D., 1863 u. ö.; W. Creizenach, Gesch. d. neueren D., V [2]1909–23; H. Friedemann, D. Formproblem d. D., Diss. Erlangen 1911; A. Perger, System d. dram. Technik, 1911; R. F. Arnold, D. moderne D., [2]1912; B. Diebold, Anarchie i. D., 1921; H. Schlag, D. D., [2]1922; W. Busse, D. D., IV [2]1922; M. Freyhan, D. D. d. Gegenw., 1922; R. K. Goldschmit, D. D., 1923; H. Schauer, D. dt. D. seit d. Renaiss., 1924; R. Petsch, 2 Pole d. D., DVJ 2, 1924; M. Martersteig, D. dt. Theater i. 19. Jh., 1924; R. Petsch, D. Aufbau d. dram. Persönlichkeit, DVJ 3, 1925; R. F. Arnold u. a., D. dt. D., 1925; J. Bab, D. Theater d. Gegenw., 1928; R. Petsch, Z. inneren Form d. D. (Euph. 30, 1929); A. Perger, Einorts-D. u. Bewegungs-D., 1929; E. Ermatinger, D. Kunstform d. D., [2]1931; H. H. Borcherdt, D. europ. Theater i. MA. u. i. d. Renaissance, 1933; R. Petsch, 3 Haupttypen d. D., DVJ 12, 1934; ders., D. Darbietungsform d. dram. Dichtg., GRM 23, 1935; ders., D. u. Theater, DVJ 14, 1936; F. B. Millett, G. E. Bentley, *The Art of the D.*, N. Y. 1935; A. Perger, D. Wandlung d. dram. Auffassung, 1936; A. Nicoll, *The Theory of D.*, 1937; W. Kosch, D. dt. Theater i. 19. u. 20. Jh., [3]1939; P. Kluckhohn, D. Arten d. D., DVJ 19, 1941; A. Pfeiffer, Ursprung u. Gestalt d. D., 1943; R. Petsch, Wesen u. Formen d. D., 1945; U. Ellis-Fermor, *The Frontiers of D.*, Lond. 1945; R. Peacock, *The Poet in the Theatre*, Lond. 1946; A. H. Quinn, *A history of American D.*, N. Y. 1946; A. R. Thompson, *The Anatomy of D.*, Berkeley 1946; R. Pignarre, *Hist. du Théâtre*, 1946; H. Kindermann, Theatergesch. d. Goethezeit, 1948; E. Bentley, *The Modern Theatre*, 1948; E. Reynolds, *Modern Engl. D.*, Lond. 1949; E. Nippold, Theater u. D., 1949; E. Souriau, *Les 600 000 situations dramatiques*, 1950; K. Hamburger, Z. Strukturbegriff d. ep. u. dram. Dichtg., DVJ 25, 1951; A. Nicoll, *A Hist. of Engl. D.*, Lond. 1952 ff.; M. Lamm, *Modern D.*, Oxf. 1952; Th. F. Gottschalk, D. theatr. Struktur d. D., Diss. Bonn 1952; E. Hartl, K. Ziegler in ›Aufriß‹, 1952 ff.; A. Pickard-Cambridge, *The Dramatic Festivals of Athens*, 1953; J. Gassner, *Masters of the D.*, N. Y.

1953; C. J. Stratman, *Bibliography of Medieval D.*, Berkeley 1954; G. Frank, *The Medieval French D.*, Oxf. 1954; W. Beare, *The Roman stage,* Lond. [2]1955; H. Schneider, D. dram. Spiel, Diss. Münch. 1955; J. Gassner, *Forms of mod. D.* (Comparative Lit. 7, 1955); W. Flemming, Epik u. D.tik, 1955; W. v. Scholz, D. D., 1956; P. Fechter, D. europ. D., III 1956–58; D. Schäfer, D. histor. Formtypen d. D. (Zs. f. dt. Philol. 75, 1956); J. Rühle, D. gefesselte Theater, 1957; R. Peacock, *The Art of D.*, Lond. 1960; J. W. Krusch, *The American D. since 1918,* Lond. 1957; S. Melchinger, Theater d. Gegenw., 1957; H. D. F. Kitto, *Form and Meaning in D.*, Lond. 1957; B. von Wiese, D. dt. D., II 1958; RL; H. F. Garten, *Modern German D.*, Lond. 1959; V. Klotz, Geschloss. u. off. Form i. D., 1960; J. L. Styan, *The elements of D.*, Lond. 1960; M. Boulton, *The anatomy of D.*, Lond. 1960; M. v. Loggem, *De psychologie van het d.*, Leiden 1960; J. Gassner, *The theatre at the crossroads,* N. Y. 1960; J. H. Lawson, *Theory and technique of playwriting,* N. Y. 1960; C. D. Stuart, *The development of dramatic art,* N. Y. [2]1961; W. Fowlie, Dionysus in Paris, 1961; F. Mennemeier, D. mod. D. d. Auslandes, 1961; D. I. Grossvogel, *20 th. century French d.*, N. Y. [2]1961; A. S. Downer, *Recent American d.*, Minneapolis 1961; J. Guicharnaud, *Mod. French theatre,* New Haven 1961; E. Olson, *Tragedy and the theory of d.*, Wayne 1961; D. van Abbé, *D. in Renaissance Germany and Switzerland,* Melbourne 1961; A. Nicoll, *World d.*, Lond. [7]1961; A. Williams, *The d. of ma. England,* Ann Arbor 1961; B. Gascoigne, *20th. century d.*, Lond. 1962; A. Nicoll, *British d.*, Lond. [5]1962; G. Weales, *American D. since World War II,* N. Y. 1962; L. Kitchin, *Mid-century d.*, Lond. [2]1962; W. Knight, *The golden labyrinth,* Lond. 1962; O. Reinert, *Mod. D.*, Boston 1962; J. Allen, *Masters of European d.*, Lond. 1962; A. Pickard-Cambridge, *Dithyramb, Tragedy and Comedy,* Lond. [2]1962; K. Hamburger, V. Sophokles zu Sartre, [2]1963; M. Lioure, *Le d.*, Paris 1963; H. Vogelsang, Österr. Dramatik. d. 20. Jh., 1963; S. Melchinger, D. zw. Shaw u. Brecht, [5]1963; J. L. Styan, *The dramatic experience,* Lond. 1964; R. Fricker, D. mod. engl. D., 1964; B. H. Clark, *European theories of the d.*, N. Y. [2]1964; I. A. Chiusano, *Il teatro tedesco,* II Bologna 1964; G. E. Wellwarth, *The theatre of protest and paradox,* N. Y. 1964; M. C. Bradbrook, *Engl. dramatic form,* Lond. 1965; R. Brustein, *The theatre of revolt,* Lond. 1965; J. Chiari, *Landmarks of contemp. d.*, Lond. 1965; I. Evans, *A short hist. of Engl. d.*, Lond. [2]1965; W. Mittenzwei, Gestaltg. u. Gestalten i. mod. D., 1965; H. Rischbieter u. E. Wendt, Dt. Dramatik i. West u. Ost, 1965; J. R. Taylor, Zorniges Theater, 1965; H. Kunstmann, Mod. poln. Dramatik, 1965; H. Oppel u. a., D. mod. engl. D., [2]1966; H. W. Wells, *The Class. D. of the Orient,* Lond. 1966; E. Brüning, D. amerikan. D. d. 30er Jahre, 1966; L. Broussard, *American d.*, Oklah. [3]1966; M. Freedman, *The moral impulse,* Carbondale 1966; P. W. Harsh, *A handbook of classical d.*, Stanford [2]1966; L. Kitchin, *D. in the sixties,* Lond. 1966; A. W. Ward, *A hist. of Engl. dram. lit.*, III Lond. 1966; D. Knowles, *French d. of the inter-war years,* Lond. 1967; F. Lumley, *New trends in 20th cent. d.*, Oxf. [2]1967; E. Bentley, D. lebendige D., 1967; W. Steidle, Stud. z. antiken D., 1967; G. M. Sifakis, *Studies in the Hist. of Hellenistic D.*, Lond. 1967; A. Kuchinke-Bach, Stilfragen d. D., 1967; H. Denkler, D. d. Expressionismus, 1967; R. Taeni, D. nach Brecht 1968; D. franz. Theater, hg. J. v. Stackelberg II 1968; S. Hoefert, D. D. d. Naturalismus, 1968; A. Wierlacher, D. bürgerl. D., 1968; R. Williams, *D. from Ibsen to Brecht,* Lond. 1968; O. Mann, Gesch. d. dt. D., [3]1969; *The Reader's Encyclopedia of world d.*, hg. J. Gassner, E. Quinn 1969; T. J. Shank, *The art of dramatic art,* N. Y. 1969; P. Szondi, Theorie d. mod. D., [6]1969; S. W. Dawson, *D. and the dramatic,* Lond. 1970; D. dt. D. v. Expressionismus bis z. Gegenw., hg. M. Brauneck 1970; D. engl. D., hg. D. Mehl II 1970; E. Franzen, Formen d. mod. D., [2]1970; U.-K. Ketelsen, Vom heroischen Sein u. völk. Tod. Z. D. d. 3. Reiches, 1970; M. Kesting, Panorama d. zeitgen. Theaters, [2]1970; T. F. van Laan, *The idiom of d.*, Ithaca 1970; P. Pütz, D. Zeit i. D., 1970; K. Schoell, D. franz. D. seit d. 2. Weltkrieg, II 1970; A. Viviani, D. D. d. Expressionismus, 1970; Dt. Dramentheorien, hg. R. Grimm, II 1971; W. F. Michael, D. dt. D. d. MA., 1971; J. Osborne, *The naturalist d. in Germany,* Manchester 1971; M. Durzak, Dürrenmatt, Frisch, Weiß, 1972; M. Esslin, Jenseits d. Absurden, 1972; R. Gaskell, *D. and reality,* Lond. 1972; A. Martino, Gesch. d. dramat. Theorien i. Dtl. i. 18. Jh., 1972 ff.; M. Matlaw, *Modern world d.*, Lond. 1972; D. mod. franz. D., hg. W. Pabst 1972; Theater in der Zeitenwende, hg. W. Mittenzwei, II 1972; D. engl. D., hg. J. Nünning 1973; H. Denkler, Restauration u. Revolution. Polit. Tendenzen i. dt. D., 1973; H. Geiger, Widerstand u. Mitschuld, 1973; W. Hinck, D. mod. D. i. Dtl., 1973; F. N. Mennemeier, Mod. dt. D., II 1973–75; H. Schanze, D. i. bürgerl. Realismus, 1973; M. Dietrich, D. mod. D., [3]1974; E. Dosenheimer, D. dt.

soz. D., [2]1974; G. U. Gabel, D. u. Theater d. dt. Barock, 1974; R. Gilman, *The making of mod. d.*, N. Y. 1974; D. am. D., hg. P. Goetsch 1974; L. Löb, *From Lessing to Hauptmann*, Lond. 1974; S. Melchinger, Gesch. d. polit. Theaters, II [2]1974; W. Schivelbusch, D. sozialist. D. nach Brecht, 1974; D. Brett-Evans, V. Hrotsvith bis Folz u. Gengenbach, II 1975; D. zeitgen. engl. D., hg. K.-D. Fehse, N. Platz 1975; D. amerikan. D. d. Gegenw., hg. H. Grabes 1975; H. Klunker, Zeitstücke u. Zeitgenossen, Gegenw. theater i. d. DDR, [2]1975; Beiträge z. Poetik d. D., hg. W. Keller 1976; D. engl. D. i. 18. u. 19. Jh., hg. H. Kosok 1976; D. engl. D. d. Gegenw., hg. H. Oppel 1976; P. Goetsch, Bauformen d. mod. engl. u. am. D., 1977; H. Motekat, D.zeitgen. dt. D., 1977; M. Pfister, Das D., 1977; W. Weiß, D. D. d. Shakespearezeit, 1978, M. Durzak, D.express. D., 1978; E. Lefèvre, D. röm. D., 1978; M. Esslin, Was ist e. D., 1978.

Dramatic Monologue (engl. =) dramatischer Monolog, e. bes. in neuerer angloamerikan. Lit. häufige lyr. Form ähnlich dem →Rollenlied: Monolog e. bestimmten Figur in e. vorgegebenen, bes. bezeichnenden und gemütstiefen Situation als Verlebendigung e. Charakters in seiner Ergriffenheit und zugleich Gestaltung e. Situation nur in der Spiegelung durch das erlebende Ich, nicht wie beim →Monolog des Dramas in e. vorweg geschilderten Lage. Zuerst bei R. BROWNING *(My last duchess)*, dann bei TENNYSON, SWINBURNE, YEATS, E. POUND, T. S. ELLIOT.

Dramatisch bezeichnet über die bloße Zugehörigkeit zum →Drama hinaus eines der drei Grundelemente der Poesie, dessen Wesen E. STAIGER als ›Spannung‹ bezeichnet. Es ist nicht an die Erscheinungsform in der Gattung Drama gebunden, wenngleich es dort seine stärkste und späteste Ausformung erhalten hat: das Drama entstand aus dem Geist des D.en. Von der idealen Bedeutung her (Spannung, Konflikt, Handlungsreichtum, Gegensätzlichkeit) läßt sich der Begriff ›D.‹ auch in anderen Gattungen aufweisen, bes. in →Ballade und →Novelle (KLEIST!) und ist nicht einmal an die Form des Wortwechsels gebunden, wie auch e. ›d.er‹ Stoff nicht unbedingt bühnenwirksam zu sein braucht.

E. Staiger, Grundbegr. d. Poetik, [8]1968.

Dramatisierung, Bearbeitung eines (epischen) Stoffes für die Bühne, z. B. GOETHES 1. Fassung des *Götz* (1771), dramatisierte Romane der Ch. BIRCH-PFEIFFER, D.en von J. HAŠEKS Roman *Die Abenteuer des braven Soldaten Schwejk* durch M. BROD, H. REIMANN, E. PISCATOR und B. BRECHT (1928) u. ä. – →Bühnenbearbeitung, →Adaption.

R. J. Dieffenbacher, D.en ep. Stoffe, Diss. Hdlbg. 1935.

Dramatis personae (lat. = die Personen des Dramas), Personenverzeichnis bei Druckausgaben von Dramen.

Dramaturg (griech. *dramaturgein* = e. Drama verfassen), ursprünglich Verfasser und Aufführungsleiter (→Regisseur) von Dramen, dann deren Kenner und Kritiker, jetzt lit.-theaterwissenschaftlicher und künstlerischer Beirat e. Theaterleitung. Ihm obliegt die Sorge dafür, daß die echten dichterischen Werte e. Stückes in der Aufführung erhalten bleiben und nicht dem bloßen ›Theater‹ weichen, die Sichtung der eingereichten Stücke, deren Auswahl und Vorschlag zur Annahme, Vorbereitung des Spielplans, evtl. →Bühnenbearbeitung einzelner (meist älterer) Werke sowie die Redaktion von Theaterzeitschriften und Programmheften, die den Zuschauer in den Geist der Bühnendichtung einführen sollen. Seit der im 18. Jh. erfolgten Besinnung auf die kulturelle Aufgabe der Bühne beschäftigt jedes größere Theater e.

D. (berühmte: LESSING, TIECK, IMMERMANN, SCHREYVOGEL, H. BAHR, B. BRECHT), doch ist die Bedeutung seines Amtes als Anwalt der Literatur heute im Zeichen des Regietheaters weitgehend auf die e. einflußlosen Redaktors von Programmheften herabgesunken.

Dramaturgie (griech. *dramaturgia* = Verfertigung und Aufführung e. Dramas), 1. praktisch-szenische D., befaßt sich mit der Bühnenaufführung e. Dramas und umgreift die Tätigkeit des →Dramaturgen und →Regisseurs: →Inszenierung. 2. theoretische D., von LESSING als Begriff eingeführt, die Wissenschaft von der Kunst des Dramas und Theaters, die aus der Lehre von seinem Wesen die inneren Gesetze und Aufbaumittel im Hinblick auf praktische Bühnenwirksamkeit deduktiv oder induktiv ableitet – somit der auf das Drama bezogene Teil der →Poetik. Die Geschichte der D. gibt wertvolle Hinweise für die wechselnde Kunstauffassung der Epochen. Die älteren D.n wahren als Regelbücher für den Dramatiker meist antik-klassizistisches Erbe in ununterbrochener Überlieferung, während sich in der neueren Zeit meist das künstlerische Programm der lit. Strömungen in ihnen niederschlägt, soweit sie nicht lediglich e. praktische Hilfe für Dramaturgen und Regisseure bieten wollen. – Die ältesten und folgenreichsten der dramaturg. Schriften, die *Poetik* des ARISTOTELES mit Regeln für die →Tragödie (→Ständeklausel, →Einheiten, →Charakterdrama, →Katharsis) und die in vielem auf griech. Lehre zurückgehende *Ars poetica* des HORAZ, die anstelle des Schicksalsdramas e. stärkere Charakterisierung der Personen fordert, bleiben bis in das 18. Jh. von größtem Einfluß auf das dramatische Schaffen wie auf die nachfolgenden Theorien. Ihre Wiederentdeckung in der Renaissance gab zu e. Fülle von →Poetiken und D.n Anlaß (VIDA, MINTURNO, CASTELVETRO, bes. SCALIGER), die in der erweiternden Umschreibung der antiken Vorbilder bes. das →›prodesse‹ des HORAZ in den Vordergrund stellen: Das Drama dient der Selbstvergewisserung des Individuums, der Erkenntnis seiner Möglichkeiten, Rechte und Pflichten und seiner innerlichen Festigung durch die Beherrschung der Affekte. Die →Katharsis jedoch dient dem stoischen Ideal der Affektlosigkeit. Im Anschluß an die Renaissancepoetiken formuliert auch OPITZ in seiner *Poeterey* 1624 die →Ständeklausel und erörtert die Gattungen; ihm folgt die Flut dt. Barockpoetiken. In Frankreich erhebt die D. des Klassizismus (BOILEAU, *L'art poétique*) die Forderung nach den drei →Einheiten, die von GOTTSCHED *(Critische Dichtkunst)* übernommen wird. Erst LESSING *(Hamburgische D.)* wendet sich, vorbereitet von BODMER und BREITINGER, gegen die rationalistische Mißdeutung des ARISTOTELES und tritt für die Dramenform SHAKESPEARES und DIDEROTS ein; aus dem historischen Denken heraus erkennt man die Eigengesetzlichkeit des Kunstwerks, seine Unabhängigkeit von Vorbild und Regel wie seinen irrationalen Charakter. Die daraus hervorgehende Formauflösung im Sturm und Drang wird abgelöst durch strengere Gestalt der Klassik, wie sie in den dramaturg. Schriften SCHILLERS – im Ggs. zu LENZ' *Anmerkungen über das Theater* (1774) – gefordert wird. Aus der D. der Romantik ragen A. W. v. SCHLEGELS *Vorlesungen über dramatische Kunst* sowie TIECKS dramaturg. Studien hervor, bleiben jedoch mehr auf die Theorie beschränkt. Im

19. Jh. gewinnt neben der Annäherung an die Wirklichkeit im Realismus philosophische Weltdeutung entscheidenden Einfluß auf das Drama; die Dichter suchen ihre dramaturg. Erkenntnisse z. T. systematisch zusammenzustellen (HEBBEL, O. LUDWIG, R. WAGNER, *Oper und Drama*); als Theoretiker steht neben VISCHER G. FREYTAG, der in seiner *Technik des Dramas* (1863) die Summe des klassischen und nachklassischen Dramas zieht. Die modernen Strömungen entwickeln ihr eigenes Programm in ständiger Wechselbeziehung zur praktischen Auswertung (s. d. einzelnen Epochen).

H. Bulthaupt, D. d. Schauspiels, IV 1893–1901, [13]1912; M. Foth, D. Stellung d. Dramas unter d. Künsten, 1902; H. Dinger, D. als Wissenschaft, II 1904/05; R. Petsch, Dt. D. v. Lessing bis Hebbel, 1912, [2]1921; A. Winds, Drama u. Bühne i. Wandel d. Auffassg. v. Aristot. bis Wedekind, 1923; H. Ihering, Aktuelle D., 1924; E. Ermatinger, D. Kunstform d. Dramas, [2]1931; A. Kutscher, Stilkunde d. Theaters, 1932; ders., Elemente d. Theaters, 1932; A. Perger, D. Wandlung d. dramat. Auffassung, 1936; M. v. Eyb, D. Methode d. D., Diss. Mchn. 1935; O. zur Nedden, Drama u. D. i. 20. Jh., Diss. Würzbg. 1940; A. Perger, Grundlagen d. D., 1952; G. Müller, D. d. Theaters, d. Hörspiels u. d. Films, [6]1954; RL; M. Dietrich, Europ. D. i. 19. Jh., 1961; O.-R. Dithmar, Dt. D. zw. Hegel u. Hettner, Diss. Hdlbg. 1965; M. Dietrich, Europ. D., [2]1967; E. Bentley, D. lebendige Drama, 1967; Dt. Dramentheorien, hg. R. Grimm II 1971; A. Martino, Gesch. d. dram. Theorien i. Dtl. i. 18. Jh., 1972; E. Wendt, Mod. D., 1974. →Theater, →Drama.

Dramma per musica (ital. = Musikdrama), frühere Bz. für →Oper.

Dramolett (franz. *dramolet* =) kurzes dramenartiges Bühnenspiel, z. B. SCHILLERS *Huldigung der Künste*, FOUQUÉS D.s aus der Vorzeit.

Drápa (Mz. Drapur), altnord. Lob- oder Preisgedicht zum Lobpreis einzelner Personen oder ganzer Stämme in strophischer Form von kunstvollem Bau, meist im →Drótt-kvaett-Maß, meist dreiteilig: ›upphaf‹ = Einleitung, ›stef‹ = Mittelteil mit Kehrreimen, ›sloemr‹ = Schluß. Häufige und beliebte höf. Kunstform mit Blütezeit im 10.–13. Jh.

J. de Vries, Altnord. Lit.gesch. I, [2]1956.

Drehbuch, die ›Partitur des →Films‹, schriftliche Unterlage des Filmregisseurs, enthält alle Spieleinzelheiten in genauer Beschreibung: Schauplatz, Dekoration, Beleuchtung, Requisiten, Vorgänge, Bewegungen, Gebärden, Mienenspiel usw., ferner technische Anweisungen zur Kameraeinstellung (Nah-, Totalaufnahme, Überblenden usw.) und – seit Erfindung des Tonfilms – doppelspaltig rechts daneben den gesprochenen Text sowie alle akustischen Effekte (Musik, Geräusche) in zeitlicher Reihenfolge. Vorstufen zum D. sind das ›Exposé‹ (Skizze des dramaturgischen Handlungsaufbaus, rd. 10 Seiten) und das ›Treatment‹ (festgelegte Einzelbildfolge mit allen Handlungsmöglichkeiten). Das lit. Roh-D. des Filmautors wird ergänzt durch das detaillierte Regie-D. und das technische Produktions-D. mit Anweisungen für Kameramann, Filmbildner, Tonmeister usw. als Abschluß der schriftlichen Vorarbeiten e. Films. Obwohl die D. gelegentlich von bedeutenden Literaten (E. KÄSTNER, J. COCTEAU, J. GIRAUDOUX, Ch. FRY, L. DURRELL u. a.) stammen, können sie in den seltensten Fällen lit. Eigenwert beanspruchen; nach einzelnen frühen Versuchen wie dem *Kinobuch* (1913) von M. PINTHUS hat daher erst der jüngste lit. Film (I. BERGMAN, A. ROBBE-GRILLET, M. DURAS) seine D. auch als Buch zur Lektüre herausgegeben.

E. A. Dupont u. F. Podehl, Wie e. Film geschrieben wird, [2]1926; W. Pudowkin,

Filmregie u. -manuskript, 1928; F. Aekkerle, Wie schreibe ich e. D., 1940; F. Wolf u. a., V. d. Filmidee z. D., 1949; O. Schumann, D. Manuskript, 1954; V. Krecker, D. D., Diss. Bln. 1956. →Film.

Drehbühne, e. auf das Bühnenpodium aufgelegte, möglichst große und auf Kugellagern um den Mittelpunkt drehbare Scheibe, auf deren einzelnen Sektoren keilförmig nebeneinander mehrere Bühnenbilder gleichzeitig aufgebaut sind bzw. während der Vorstellung hinter der Bühne umgebaut werden. Drehung des jeweils benötigten Schauplatzes zur Bühnenöffnung bei seitlichem Abschluß durch Vorhänge ermöglicht schnellsten Szenenwechsel, bes. bei szenenreichen Dramen. Pläne von LEONARDO DA VINCI und I. JONES. Im japan. Kabuki seit 1793 üblich; europ. Erfindung K. LAUTENSCHLÄGERS (1843–1906), 1896 zuerst für MOZARTS *Don Juan* im Münchner Residenztheater benutzt, später für die Meisterinszenierungen M. REINHARDTS und Saladin SCHMITTS. Als Nachteile erwiesen sich die geringe Tiefenwirkung und der keilförmige Grundriß der Szenenbilder: Schiebe- und Versenk→bühne ermöglichen neuerdings die Vorbereitung größerer Szenen.

F. Kranich, Bühnentechnik d. Gegenw., 1929–33; W. Unruh, D. (ABC d. Theatertechnik, 1950).

Dreiakter, →Drama in drei →Akten, neben Fünfakter und Einakter häufigste Form des Aufbaus: →Protasis (= Einleitung, →Exposition), →Epitasis (= Verwicklung, steigende →Handlung mit Höhepunkt und →Peripetie) und →Katastrophe oder Lösung, etwa entsprechend HEGELS Denkschema von These, Antithese und Synthese. Vom röm. Grammatiker, Rhetoriker und TERENZkommentator Aelius DONATUS (4. Jh. n. Ch.) proklamiert, wurde der D. die Form des ital., bes. aber span. und portug. klassischen Dramas; in Spanien zuerst bei Antonio DIEZ (*Auto de Clarindo,* 1535) und Francisco de AVENDAÑO (*Comedia Florisea,* 1551), später in CERVANTES' Komödien, bei VIRUES u. a. m.

Drei Einheiten →Einheiten

Dreifelderbühne →Shakespearebühne

Dreigliedrigkeit des Ausdrucks, auf die sakrale Stellung der Dreizahl zurückzuführende bevorzugte dreifache Setzung bei Wortwiederholungen, rhetorischen Figuren usw. wie im Pathos überhaupt, erzielt als gefühlsmäßiger Mittelweg zwischen Knappheit und Fülle des Ausdrucks e. bes. kräftige Wirkung; daher von der Rhetorik empfohlen; beliebt bei Synonymie, Klimax, Anapher, Parallelismus, z. B. ›Veni, vidi, vici!‹

Dreikönigsspiel, auch Magierspiel seit dem 11. Jh. in Dtl., doch auch in Frankreich (Limoges, Nevers, Orléans) und Spanien ausgebildete Form des →geistlichen Dramas, urspr. Vorspiel der Messe am 6. Januar, stellt die Huldigung der Hl. drei Könige an der Krippe Christi zunächst pantomimisch dar: sie treffen, durch Kronen bezeichnet, von verschiedenen Seiten im Mittelschiff der Kirche zusammen; der Stern leitet sie zu der im Chor aufgestellten Krippe, wo sie ihre Geschenke darbringen und dann den Rückweg antreten; später durch die Gestalt des Herodes und schließlich den bethlehemitischen Kindermord mit der Klage der Mütter erweitert und mit dem →Weihnachtsspiel vereint. Am bekanntesten das *Freisinger D.*

H. Anz, D. lat. Magierspiele, 1905; H. Kehrer, D. Hl. 3 Kge. i. Lit. u. Kunst, II 1908/09. →Hirtenspiel.

Dreireim, gleicher Endreim für

drei aufeinanderfolgende Zeilen, oft zur Kennzeichnung am Ende e. größeren Sinnabschnittes in späthöfischer Epik, ab 13. Jh. häufig, auch bei Hans SACHS an den Aktschlüssen mehraktiger Dramen wie z.T. in den Erzählungen und Schwänken zur deutlicheren Gliederung; später bei Jac. REGNART.

M. Rachel, Reimbrechung u. D. i. Drama d. H. Sachs, 1870.

Dreiteilige Strophe →Meistersangstrophe

Drittes Reich →Nationalsozialismus

Drôlerie (franz. = Drolligkeit), übermütig-schalkhaftes dichterisches Phantasiegebilde, schnurrige Skizze.

Drolls (engl., v. franz. *drôle* = drollig), auch Droll-Humours, komische und farcenhafte Kurzdramen aus den beliebtesten und erfolgreichsten Szenen älterer Dramen, wie sie nach der Schließung der engl. Theater durch die Puritaner 1642 in Privathäusern und im ›Red Bull‹ aufgeführt wurden. Sie konnten beim Nahen einer Polizeistreife leichter abgebrochen werden. Falstaff-Szenen, die Totengräberszene aus *Hamlet* und Bottom der Weber aus dem *Sommernachtstraum* waren beliebte Vorlagen der D.

Dróttkvaett, 8zeilige Strophenform im altnord. Preisgedicht (→Drápa) der Skalden, zerfällt in zwei Halbstrophen (helmingr) aus dreihebigen Zeilen von je sechs Silben, deren letztes Wort die Form ´◡ hat; außer Alliteration auch Binnenreim, und zwar regelmäßiger Wechsel von Vollreim (aðalhending) in den geraden und Halbreim (skothending) in den ungeraden Zeilen, Sprachschmuck durch →Kenning. Ein Schatz vorgeprägter Verse sowie lange Übung ermöglichten die Improvisation in dieser strengen Form.

J. de Vries, Altnord, Lit.gesch. I, [2]1956; W. F. Bolton, *The Old Icelandic D.* (*Comparative Lit.* 14, Eugene 1962).

Druck →Buchdruck

Druckbogen →Bogen

Druckerlaubnis →Imprimatur

Druckermarke →Druckerzeichen

Druckersprache, außer der Standes- und Berufssprache der Buchdrucker bes. die im 16. Jh. nach eigenem Gutdünken gehandhabte sprachliche Umformung und veränderte Wiedergabe e. vorgelegten Manuskripts durch die Setzer. Jede große Druckerei entwickelte e. eigene D., häufig durch Einmischung von Mundartformen kenntlich und unterscheidbar.

H. Klenz, D. dt. D., 1900; V. Moser, D. Straßburger D. z. Zt. Fischarts, 1920.

Druckerzeichen (Signet), Gewerbezeichen zur Angabe von Druckerei, später Verlag, am Schluß e. Druckwerkes, seit Einführung der Titelseite meist auf dieser; oft von bedeutenden Künstlern entworfen (HOLBEIN, DÜRER); zuerst 1457 auf dem bei FUST und SCHÖFFER gedruckten Psalter, mit der Erneuerung der Buchkunst im 19. Jh. wieder aufgelebt. Bei fehlender Angabe des Druckjahrs und -orts ist das D. oft der einzige Anhaltspunkt zu Ermittlungen über die Entstehung.

A. Meiner, D. dt. Signet, 1922; E. Weil, D. dt. D. d. 15. Jh., 1924; M. L. Polain, *Marques des imprimeries en France au XVe siècle,* 1926; W. J. Meyer, D. franz. D.- u. Verlegerzeichen d. 15. Jh., 1926; R. Juchhoff, D. D.- u. Verlegerzeichen d. 15. Jh., 1927; M. J. Husung, D. D.- u. Verlegerzeichen Italiens i. 15. Jh., 1929; H. Grimm, Dt. Buchdrucker-Signete d. 16. Jh., 1965.

Druckfehler, durch Versehen des Setzers entstandene Fehler im

Schriftsatz; ihrer Beseitigung dient die →Korrektur; nach vollendetem Druck entdeckte D. verzeichnet e. beigefügtes D.-verzeichnis (→Errata oder →Corrigenda).

E. L. Grieshaber, Wider d. D., 1961.

Druckjahr →Erscheinungsjahr

Druckort, derjenige Ort, an dem ein Buch gedruckt wurde; muß heute nicht mit dem Verlagsort identisch sein, ist es jedoch zumeist bei Frühdrucken aus einer Zeit, da Druck und Verlag in einer Hand lagen. Angabe des D. wurde schon im 16. Jh. zur Pflicht gemacht; daher wurde der D. bes. in Zeiten strenger Zensur oft gefälscht oder durch einen erfundenen Ortsnamen ersetzt, so z. B. bei SCHILLERS *Anthologie auf das Jahr 1782*.

E. Weller, D. falschen u. fingierten D.e, II [2]1864 m. Nachtr. 1867; neu III 1961.

Druckprivilegien →Privilegien

Druckschrift, nach dem Preßgesetz vom 7. 5. 1874 jede zum Zwekke der Verbreitung durch die Buchdruckerpresse, mechanische oder chemische Mittel vervielfältigte Schrift, bildliche Darstellungen und Musikalien mit oder ohne Text bzw. Erläuterungen. In den Pressegesetzen der BR. durch die Bz. ›Druckwerk‹ ersetzt.

Druckvermerk →Impressum

Druckwerk →Druckschrift

Dry Mock (engl. = trockener Spott), dem →Understatement verwandte Form des ironischen, absichtlich nicht zündenden Witzes, nach Vorformen bei JEAN PAUL bes. für die angelsächs. Lit., zumal das Drama, charakteristisch.

A. Thompson, *The D. M.*, Berkeley 1948.

Dscheguakue, die Volksbarden der kabardinischen Lit. des Kaukasus, deren anonym umlaufende Lieder auch die schriftliche Lit. beeinflußten.

Dubitatio (lat. = Zweifel), →rhetorische Figur der Frage: die innere Anteilnahme des Redners bzw. Autors an den geschilderten Vorgängen (Umfang und Schrecklichkeit e. Katastrophe usw.) bekundet sich in der direkten Frage an die Zuhörer, wie er mit der Darstellung beginnen solle.

Dublette (v. franz. *doublet* = Doppelstück), 1. im Bibliothekswesen e. in zwei Exemplaren vorhandenes Buch. Das zweite Exemplar wird in öffentl. Bibliotheken entweder aufbewahrt und nach Verschleiß des ersten eingereiht oder im Verkauf oder Tausch abgestoßen. 2. in der Literaturwissenschaft ähnliche Teile e. Dichtwerkes, bes. in der HOMERforschung wichtig.

Duma →Dumka

Dumb show (engl. = stummes Spiel), →Pantomime, bes. das pantomimische Einleitungs- oder →Zwischenspiel bei SHAKESPEARE und seinen Zeitgenossen.

D. Mehl, D. Pantomime i. Drama d. Shakespearezeit, 1964.

Dumka (russisch, Mehrzahl: Dumky), balladenartige lyrisch-epische Volkslieder der Ukrainer mit freiem Versmaß, verschiedener Zeilenlänge, oft reimlos; meist von blinden Berufssängern (Kobsaren = Leierspieler nach der ›*kobza*‹, Banduristen = Gitarrespieler nach der ›*bandura*‹) zu Instrumentalbegleitung in Moll gesungen, behandeln sie heroische Stoffe: Kämpfe der Kosaken gegen Türken, Polen und Tataren, doch auch novellistische Familienszenen. Sie sind z. T. (Saporoge, Don-Kosaken) den großrussischen →Bylinen gleichwertig, entstanden jedoch erst im 16./17. Jh.

aus Umbildung historischer Volkslieder unter lit. Einflüssen und blühten bis ins 19. Jh. hinein.

A. Horbatsch, D. ep. Stilmittel d. ukrain. D., Diss. Mchn. 1950.

Dummer August →Clown

Dunciade (engl. *Dunciad* v. *dunce* = Dummkopf), satirisches Spottgedicht, z. B. die *D.* POPES (1728) auf zeitgenöss. Dichter.

Dunkelheit des Stils oder Ausdrucks entsteht entweder durch überladenen, metaphern- und bilderreichen geblümten Stil mit überstiegener Verwendung von rhetorischen Figuren oder durch Unklarheit der gedanklichen Konzeption und der verwendeten Symbole oder Chiffren.

J. Press, *The chequer'd shade*, Oxf. [2]1963; H. Meixner, D. D. d. mod. Lyrik (Deutschunterr. 17, 1965); B. Böschenstein, D. D. i. d. dt. Lyrik d. 20. Jh. (ebda. 21, 1969).

Duodez (v. lat. *duodecim* = 12), e. der kleinsten Buch→formate: Größe e. in 12 Blätter gefalteten →Bogens (24 Seiten). Zeichen: 12°. Im 18. Jh. beliebt, heute selten.

Duodrama (lat. *duo* = 2), Drama, in dem nur zwei Personen handelnd und redend auftreten, z. B. S. v. GOUÉ, *Der Einsiedler, Dido* (1771), KÖRNER, *Die Blumen*; entstanden meist aus dem →Monodrama, indem sich dem Hauptdarsteller e. Nebenfigur als Opponent und Stichwortgeber gegenüberstellt, so in J. C. BRANDES' *Ariadne auf Naxos,* ähnlich GOETHES *Proserpina.* Die Stoffe werden meist der Antike entnommen; Instrumentalmusik untermalt den Sprechtext (→Melodrama). Bes. beliebt um 1770 bis 1790 als Gelegenheit für virtuose Paraderollen der Schauspieler, in Neuromantik und Expressionismus vereinzelt für →Buchdramen (HOFMANNSTHAL, *Der Tor und der Tod,* HASENCLEVER, *Jenseits*).

A. Köster, D. lyr. Drama d. 18. Jh. (Preuß. Jhrb. 68, 1881); E. Istel, D. Entstehg. d. dt. Melodramas, 1904.

Durch, 1886 von K. KÜSTER, L. BERG, E. WOLFF in Berlin gegründeter lit. Verein revolutionärer junger Schriftsteller, die im Ggs. zum Idealismus und Dogmatismus e. wahren Realismus mit freier und exakter Behandlung sozialer Probleme unter Berücksichtigung naturwissenschaftl. Erkenntnisse forderten. Vorspiel des dt. →Naturalismus. Mitglieder: A. HOLZ, J. SCHLAF, J. H. MACKAY, W. BÖLSCHE, H. u. J. HART, G. HAUPTMANN, A. v. HANSTEIN.

A. v. Hanstein, D. jüngste Dtl., 1901; W. Liepe (hg.), Verein D., Protokolle, 1932; K. Günther, Lit. Gruppenbildg. i. Berliner Naturalismus, 1972.

Durchschießen, 1. die Vergrößerung des Zeilenabstandes in e. Schriftsatz gegenüber dem normalen Kompreßsatz durch gleichmäßig eingefügten Durchschuß, 2. das Einfügen unbedruckter Schreibpapierbogen zwischen die Druckbogen e. Buches vor dem Aufbinden zur Erstellung e. ›durchschossenen Exemplars‹, bei dem auf jedes bedruckte Blatt ein unbedrucktes folgt, als Handexemplar für den Autor zum Eintragen von Korrekturen, Ergänzungen u. a. Notizen.

Durchschossenes Exemplar →Durchschießen

Dyfalu (kelt.), poet. Technik der kelt. Lyrik des 14.–17. Jh., besteht in der Reihung phantasievoller allegor.-metaphor. Umschreibungen von starker Bildkraft für einen nicht genannten, zu erratenden Gegenstand. Nach Blütezeit bei DAFYDD AP GWILYM und DAFYDD NANMOR im 14./15. Jh. rasch zur Manier entartet und verspottet.

Ebene, doppelte →doppelte Ebene

Echo (griech. = Schall, Widerhall), alleinstehendes Wort, das auf den unmittelbar vorhergehenden Zeilenschluß reimt und meist e. sinntragende Antwort gibt; Klangspielerei, selten zu voller Zufriedenheit gemeistert: ›Was tu ich in des Tages Hitze? – Sitze!‹ (OPITZ). →Echolied.

Echolied, Gedicht, dessen Reimwörter durch →Echo verdoppelt werden und dessen Verszeilen meist aus Fragen bestehen, auf die das Echo oft verblüffend antwortet, so daß der Wirkung nach die Frage in sich selbst Antwort findet, vielfach in satir. Absicht. Nach Vorläufern in der Antike (*Anthologia Graeca*, GAURADAS) und theoret. Untermauerung in den Renaissance- und Barockpoetiken beliebt in dt., franz., engl. und ital. Lit. vom 16. bis zur Mitte des 18. Jh. (Rederijkers; neulat. Humanistenpoesie, z. B. JOHANNES SECUNDUS; OPITZ; G. HERBERT, *Heaven*; J. SWIFT, *A Gentle Echo on Woman*) und in der Romantik (A. W. SCHLEGEL, *Waldgespräch*).

E. Colby, *The Echo-Device in Lit. (Bulletin New York Publ. Library* 23, 1919); J. Bolte, D. Echo i. Volksglauben u. Dichtung, 1935; A. Langen, Dialog. Spiel, 1966.

Echtheit, die Unverfälschtheit des →authentischen Textes und seine Herkunft von dem betr. Verfasser im Ggs. zu →Plagiat, →Imitation, →Fälschungen, →Pseudepigraphen.

Eckenstrophe →Berner Ton

Ecole fantaisiste (franz. = phantast. Schule), franz. spätsymbolist. Dichterkreis mit eleg. Lyrik im Stil von VERLAINE, MAETERLINCK und RODENBACH: F. CARCO, T. DERÈME, J.-M. BERNARD, P.-J. TOULET.

Ecole lyonnaise (franz. = Schule von Lyon), locker verbundener Dichter- und Literatenkreis der franz. Frührenaissance in Lyon um Louise LABÉ, M. SCÈVE, P. DU GUILLET, B. ANEAU, DESPÉRIERS, J. STUARD u. a., z. T. auch O. de MAGNY und C. MAROT.

Ecole romane (franz. = romanische Schule), um 1891 gegründete Gruppe junger franz. Dichter, die in Stellungnahme gegen den verschwommenen Symbolismus der Zeit logische Klarheit der Sprache verlangte und im Rückgriff auf die franz. Renaissance des 16. und 17. Jh. eine klassizistische Erneuerung der griech.-lat. Tradition erstrebten: J. MORÉAS, Ch. MAURRAS, E. RAYNAUD, R. de la TAILHÈDE und M. DU PLESSYS.

Ecriture automatique →automatischer Text

Editio castigata, castrata oder expurgata (lat.), um moralisch, religiös oder politisch anstößige Stellen entweder vom Herausgeber oder Verfasser selbst oder auf Weisung der Zensur bereinigte Ausgabe eines Werkes. Vgl. →ad usum delphini.

Editio definitiva (lat. = endgültige Ausgabe), diejenige Ausgabe e. Werkes, deren Textgestaltung den letztgültigen Wünschen des Verfassers entspricht, also im Unterschied zur →Ausgabe letzter Hand ggf. noch spätere oder postum bekanntgewordene Änderungen und Ergänzungen berücksichtigt.

Edition (lat. *editio* =), Herausgabe e. Werkes, fremdsprachlicher, bes. antiker Texte, →kritischer Gesamt→ausgaben mit →Lesarten→Apparat nach den Grundsätzen moderner →Textkritik und →Editionstechnik.

Editionstechnik, Technik der Herausgabe von älteren Schriftwerken in Neudruck, insbes. von solchen, für die mehrere Fassungen, Überlieferungszweige und damit →Lesarten vorliegen, dann die richtige Auswahl aus diesen usw., alle Probleme der Herstellung e. →kritischen Ausgabe: →Textkritik; als Verfahrensweise bei der Veröffentlichung wissenschaftlich einwandfreier Texte e. Grundlage der Literaturwissenschaft, bes. im 19. Jh. entwikkelt.

H. Zeller, Z. gegenwärt. Aufgabe d. E. (Euph. 52, 1958); F. Beißner, Editionsmethoden d. neueren dt. Philol. (Zs. f. dt. Philol. 83, 1964); H. Praschek, D. Technifizierg. d. Edition (Mathematik u. Dichtg., hg. H. Kreuzer 1965); Theorie u. Technik d. Edition, hg. B. Fabian 1968; W. Woesler, Probleme d. E., 1968; Kolloquium üb. Probleme altgermanist. Editionen, hg. H. Kuhn 1968; H. W. Seiffert, Unters. z. Methode d. Herausgabe dt. Texte, [2]1969; K. Kanzog, Prolegomena z. e. hist. krit. Ausg. d. Wke. H. v. Kleists, 1970; Texte und Varianten, hg. G. Martens, H. Zeller 1971; M. Windfuhr, D. neugermanist. Edition (Methodenfragen d. dt. Lit.wiss., hg. R. Grimm 1973); H. Kraft, D. Geschichtlichk. lit. Texte, e. Theorie d. E., 1973; H. Boetius, Textkritik u. E. (Grundzüge d. Lit.- u. Sprachwiss. I, 1973); M. Lutz-Hensel, Prinzipien d. ersten textkrit. Editionen mhd. Dichtg., 1975; W. Woesler u. a. (LiLi 5, Heft 19/20, 1975); H. J. Kreutzer, Überlieferg. u. Edition, 1976 →Textkritik.

Editio princeps (lat. =) →Erstausgabe bes. von alten, wiederentdeckten Werken, bei den Humanisten Bz. für den Erstdruck lat. und griech. Klassiker; oft von großem lit. und antiquarischem Wert.

Eglantier, nach ihrem Emblem (Der gekreuzigte Christus am Rosenbaum, E.) Name der bedeutendsten niederländischen →Rederijkers-Kammer in Amsterdam im 16./Anfang 17. Jh., die durch ihre Mitglieder (COORNHERT, SPIEGEL, R. VISSCHER, HOOFT, COSTER und BREDERO) zum Zentrum der niederländ. Renaissancelit. wurde und bes. für die Reinigung der niederländ. Sprache eintrat.

Egofuturismus →Futurismus

Egotismus (neulat., franz. *egotisme* =) Neigung, die eigene Persönlichkeit in den Vordergrund des Gesprächs zu stellen; Egotist daher in der Lit. e. Verfasser von Romanen der →Ich-Form, die oft der Selbsterforschung und -darstellung dienen. Vgl. auch STENDHALS *Souvenirs d'égotisme* (1892).

E. Goodheart, *The cult of the Ego,* Chic. 1968.

Ehestandsliteratur, Form der Moralsatire in Vers oder Prosa z. Z. des Humanismus, knüpft an die Minnelehre des ANDREAS CAPELLANUS an und konfrontiert deutsche Redlichkeit mit der Leichtfertigkeit der Romanen. Hauptwerke sind ALBRECHTS VON EYB *Ehebüchlein* (1472) und FISCHARTS *Ehezuchtbüchlein* (1578).

H. Goern, D. Ehebild i. dt. MA., 1936.

Eidformeln als entweder für eine im Augenblick zu beschwörende politische Konstellation (*Straßburger Eide* von 842) oder für wiederkehrende Bekräftigungen (Priestereid, Treueid, Beamteneid u. ä.) entworfene, einprägsame Formeln, die durch Generationen überliefert wurden, gehören zu den frühesten Sprachdenkmälern vieler Literatursprachen.

Eigennamen →Namen

Einakter, Bühnenstück geringeren Umfangs in einem →Akt, erst seit der 2. Hälfte des 18. Jh. üblich (LESSING, *Philotas*), auch in Singspiel (MOZART, *Bastien und Bastienne*) und Oper (MASCAGNI, *Cavalleria rusticana*). Um 1900 noch als abendfüllende Kurzform des mehraktigen Dramas angelegt (STRINDBERG, *Fräulein Julie,* SCHNITZLER, *Der grüne Kakadu,* ČECHOV, WILDE), dann bevorzugte Form des mod. Dramas, das keine Entwicklung mit dramatischem Handlungsablauf, Intrigen, Charakteren und wohlgeordnetem Aufbau geben will, sondern gedrängte, mimisch und gestisch verdichtete Ausschnitte aus einem unübersehbaren Ganzen, zu Anfang und Ende hin offen. Form des Spiels mit Psyche und Sprache, der ironischen Darstellung exemplarischer Fakten und Situationen, szenischer Einfälle, des Grotesken und Absurden (HOFMANNSTHAL, FRY, COCTEAU, GARCÍA LORCA, WILDER, BEKKETT, IONESCO, GRASS).

V. W. Robinson, *The hist. of the Germ. play in one act in the 18. century,* Diss. Urbana 1936; A. Pfeiffer, Ursprung u. Gestalt d. Dramas, 1943; P. Wilde, *The Craftsmanship of the one-act-play,* N. Y. 1951; D. Schnetz, D. mod. E., 1967; H. Roth, D. E. um d. Jh.wende, Diss. Wien 1971; Y. Pazarkaya, Dramaturgie d. E., 1973; R. C. Cowen, *The significance of the E. in German naturalism* (*Michigan Germanic Stud.* I, 1975).

Einband, seit Aufgabe der Papyrusrolle jede Form der Verbindung der einzelnen Seiten oder Bogen eines geschriebenen oder gedruckten Buches untereinander sowie deren Zusammenschluß in einer E.-Decke, beginnend mit den Scharnieren des →Diptychons und der Fadenheftung des →Codex. Die E.-Decke, bestehend aus beiden Deckeln aus Holz oder Pappe und der Rückeneinlage, wurde im MA. und der Frühzeit des Buchdrucks meist mit Schweinsleder überzogen, das durch Lederschnitt oder Blindprägung sowie gelegentl. durch Metallschließen und -beschläge verziert war. Bes. prunkvolle E. verwendeten getriebenes Goldblech, evtl. mit Edelsteinen besetzt, oder Elfenbeinschnitzereien. Der Rücken des handgebundenen Buches zeigte früher echte Bünde. Die vom Islam angeregte E.-Kunst wanderte in der Neuzeit von Italien nach Frankreich und ließ dort den franz. Leder-E., den Franz-, bzw. Halbfranzband, entstehen. Mit der Mechanisierung der Buchherstellung hat auch der Halbleder-E., früher stets mit Lederecken versehen, weitgehend dem Leinen- oder Halbleinen-E. weichen müssen, und der in England aufgekommene Verleger-E., bei dem der Buchblock in die vorpräparierte Decke eingehängt wird, führte zu weiterer Standardisierung, ermöglichte aber auch eine stärkere allg. Übereinstimmung von E. und Inhalt. In den letzten Jhh. war der E. Zeugnis der wechselnden Moden und Geschmacksrichtungen vom überladenen Schmuck bis zur ornamentscheuen reinen Schriftlösung. Neben das E.-Leinen, Leder und Pergament sind Papier, Plastik, Kunststoffe oder für billigere Taschenbücher kartonierte und glanzfolienkaschierte E. getreten, neben das gebundene Buch die modernen Broschur-, Klebeheftung- und Lumbeckverfahren.

W. Mejer, Bibliogr. d. Buchbinderei-Lit., 1925, m. Nachtr. 1933; H. Loubier, D. Buch-E., [2]1926; H. Schreiber, Einf. i. d. E.-Kunde, 1932; G. A. E. Bogeng, D. Buch-E., [2]1940; H. Hellwig, Hdb. d. E.-Kunde, III 1953–55; A. R. A. Hobson, *The Lit. of Bookbinding,* Cambr. 1954; O. Krüger, Satz, Druck, E. u. verwandte Dinge, [7]1957; D. Weber, D. Buch-E. in s. Zeit, 1959; F. Wiese, D. Buch-E., [4]1964; H. Helwig, D. dt. Buchbinderhandwerk, II 1962–65; ders., Einf. i. d. E.-kunde, 1970.

Einbildungskraft →Phantasie

Einblattdruck, →anopisthographischer Druck aus der Frühzeit des Buchdrucks (2. Hälfte des 15. Jh.), als das Reibeverfahren vor Erfindung der Presse keinen doppelseitigen Druck zuließ, doch auch später; meist Flugblätter von Kleinoktav bis Folio mit abgeschlossenem Text: Bekanntmachungen aller Art, Ablässe, Fehdebriefe, Einladungen, Anzeigen, Kalender, Neuigkeiten (Vorläufer der Zeitung), mehr oder weniger wahrheitsgetreue Berichte über merkwürdige Ereignisse, Morallehren, Fabeln, Sinnsprüche in Prosa und Vers u.ä., meist mit volkstüml. Illustrationen (Kupfer, Holzschnitt). Auch LUTHERS 95 Thesen u.a. wichtige Geschichtsquellen erschienen als E. Bis heute u.a. in Bilderbogen und Wahlflugblättern erhalten.

P. Heitz, E. e d. 15. Jh., 1899 ff.; RL; J. Rosenthal, E. e v. d. Anfgn. d. Druckkunst bis z. Tode Maximilians I., 1931; K. d'Ester, E. (in: Hdb. d. Zeitgs.wiss. I, 1940); W. L. Strauss, *The German single-leaf woodcut*, III N. Y. 1975.

Eindruckskunst →Impressionismus

Einfache Formen, aus phänomenologischer Betrachtung sich ergebende einfachste Urformen der Dichtung, die als übersyntaktische, bereits dichterische Formgebung nicht mehr von Stilistik und Rhetorik, als vorlit. Erzeugnisse außerhalb der Kunstdichtung noch nicht von der Poetik erfaßt werden: →Legende, →Sage, →Mythe, →Rätsel, →Spruch, →Kasus, →Memorabile, →Märchen, →Witz.

A. Jolles, E. F., [5]1974; W. A. Berendsohn, E. F. (Hdwb. d. dt. Märchen I, 1930); R. Petsch, D. Lehre v. d. E. F., DVJ 10, 1932; RL.

Einfühlung, Begriff der Kunst- und Literaturpsychologie und -ästhetik, wird als Teilvorgang des ästhetischen Erlebens und meist als Ggs. zum rationalen Verstehen erfaßt: das gefühlsmäßige, unreflektierte Ergreifen des im Kunst- oder Dichtwerk manifestierten Sinnes oder seelischen Gehalts auf rein emotionaler Basis jenseits des verstandesmäßigen Begreifens, das auf dem Weg über Stimmung, Gefühl und Affekt sich direkt an den sinnlichen Ausdruckserscheinungen orientiert und die gemüthaften Werte des Kunst- oder Dichtwerks mit Analogien der eigenen Gemütslage verschmilzt.

A. Prandtl, D. E., 1910; M. Geiger, Üb. d. Wesen u. d. Bedeutg. d. E., 1911; T. Lipps, Zur E., 1913; F. Kainz, Vorlesgn. üb. Ästhetik, 1948; H. W. Gruhle, Verstehen u. Einfühlen, 1953; ders., Verstehende Psychologie, [2]1956; W. Worringer, Abstraktion u. E., [11]1958; R. Katz, *Empathy*, Lond. 1963; K.-P. Lange, Z. Begriff d. E. (Beitrr. z. Theorie d. Künste i. 19. Jh. I, 1971).

Einheiten, die drei E. der Handlung (vollständige Durchführung e. einzigen Grundmotivs ohne Episoden, Nebenhandlungen nur in direktem Sinnbezug zu diesem und nicht ablösbar), des Ortes (gleichbleibender Schauplatz) und der Zeit (Ablauf innerhalb von 24 Stunden) bilden seit ihrer Formulierung durch den franz. Klassizismus e. der ständigen Grundprobleme der →Dramaturgie. Die E. der Handlung ist für den inneren Zusammenhang des dramatischen Geschehens meist unerläßlich, sinnvolles und wesensgemäßes Grundprinzip und selbst in der lockeren Bilderfolge (WEDEKIND) andeutend erhalten. Die E. des Ortes ist oft nur bühnentechnisch vorteilhaft, kann jedoch auch der inneren Geschlossenheit des Dramas dienen, da ein allzu häufiger Ortswechsel die Illusion beeinträchtigt. E. der Zeit entspringt der Erkenntnis, daß e. kurze, in sich geschlossene Handlung e. engeren Zeitraum umfaßt, doch ist sie nicht im rationalistischen 24-Stunden-Rahmen denkbar, sondern als e. den Bühnengeschehnissen selbst innewohnende, gefühlswertige Gesetzlichkeit des Zeitablaufs, die selbst in der Erstreckung über mehrere Jahre nicht illusionsstörend wirkt.

ARISTOTELES (*Poetik*, 8) forderte nur die E. der Handlung unter scharfer Ablehnung der Episode u. stellte deduktiv in der griech. Tragödie die Zeit e. Sonnentages fest, die dem auf die Katastrophe konzentrierten antiken →Drama wesensgemäß innewohnte und Handlungsdauer mit Aufführungszeit gleichsetzte; er fordert keine E. des Ortes – sie war ohnehin durch die ständige Anwesenheit des Chors auf der Bühne bedingt. Mehr nach den praktischen Vorbildern als seiner Theorie hält sich die Renaissancedramatik (zuerst TRISSINO, *Sofonisbe*, 1515) an die E.: die des Ortes ist für die unveränderliche, zuerst vorhanglose Bühne naturbedingt, E. der Zeit in den katastrophennahen Vorwürfen nicht einengend. So erhebt L. CASTELVETRO 1576 die drei E. aus Gründen größerer künstlerischer Wahrscheinlichkeit zur Regel und gibt den Anlaß zu weitreichenden theoretischen Auseinandersetzungen (SIDNEY, CERVANTES, LOPE DE VEGA). Der franz. Klassizismus übernahm die E. als Forderungen der raison (wie auch der vorhanglosen Bühne mit König und Gefolge in der Bühnenloge). Nach dem Vorgang von MAIRET, CHAPELAIN, HÉDELIN D'AUBINAC und SCUDÉRI werden sie von der Académie als Gesetz formuliert, ebenso später von CORNEILLE (*Discours des trois unités*, 1660) und bes. BOILEAU (*L'art poétique* III, 39). Trotz häufiger Unwahrscheinlichkeiten, Erstarrung und Steifheit schuf der strenge und selbstgewählte Formzwang der E. die einmalige stilistische Geschlossenheit der tragédie classique, bis MOLIÈRE und später DIDEROT e. Lockerung brachten. Dagegen bedeutet GOTTSCHEDS Forderung der drei E. *(Critische Dichtkunst)* für das dt. Drama, dem im geistlichen, Meistersinger- und Jesuitendrama wie in den Stücken der Engl. Komödianten der Formzwang fremd war, trotz ihrer vernunftgemäßen Begründung die schablonenhafte Übertragung fremder Regeln. Während schon BODMER und BREITINGER für freiere Handhabung eintreten, geht LESSING *(Hamburgische Dramaturgie)* auf ARISTOTELES zurück und erweist dessen falsche, äußerliche Ausdeutung durch die Franzosen mit der Erklärung der E. aus den antiken Bühnenverhältnissen. Für die modernen Voraussetzungen des dt. Dramas erkennt er nur noch die E. der Handlung an, strebt jedoch in seinen Dramen nach innerer Erfüllung auch der anderen Normen.

HERDER *(Shakespeare)* leitet sowohl das formstrenge antike wie das lokkere elisabethanische Drama als eigenständige Formen aus der völkischen Eigenart und den Umweltbedingungen ab und erfaßt die innere Struktur der Zeit in SHAKESPEARES Dramen. Die bewußte Regellosigkeit des Sturm und Drang verstößt die E. zugunsten der naturgegebenen Verhältnisse (LENZ, *Anmerkungen übers Theater*), verliert jedoch in grenzenloser Freiheit z. T. den inneren formalen Zusammenhang. GOETHE wahrt bei strengen Stoffen die E. *(Iphigenie, Tasso)*, läßt sie im *Faust* dagegen gänzlich außer acht; SCHILLER wendet sich in den *Räubern* gegen die E., vernachlässigt selbst im *Don Carlos* die E. der Handlung. Das 19. Jh. zeigt mit zunehmendem Realismus e. Annäherung an die E. als Mittel stärkerer Wahrscheinlichkeit in zwangloser Form: zeitliche Konzentration u. möglichst Vermeidung des Ortswechsels (SCRIBE, WILDE, IBSEN); ebenso findet das Streben zur Stileinheit in Expressionismus, bes. aber Neuromantik und Neuklassik, Bindung in den E., während BRECHT, BORCHERT u. a. die offene Form bevorzugen. Das mod. groteske und absurde Drama benutzt die E. als äußere Form des Chaos (DÜRRENMATT, BECKETT, IONESCO, ALBEE). – Im Einzelfall gibt die jeweils neue Auseinandersetzung mit den E. im Kunstwerk wertvolle Hinweise auf den Formwillen des Dichters wie die Struktur des Werkes; mit der Feststellung ihrer Befolgung ist in keinem Fall e. Werturteil verbunden.

H. Breitinger, *Les trois unités,* Genf 1879; P. Ernst, D. E. d. Orts u. d. Zeit (Schaubühne 5, 1908); E. Teichmann, D. 3 E. i. frz. Trauersp., Diss. Lpz. 1909; RL; M. Kommerell, Lessing u. Aristoteles, [2]1957.

Einheitlichkeit, allg. im Einzelsatz wie im Sprachkunstwerk als Ganzes die Aufeinanderbezogenheit und Angemessenheit der einzelnen Teile, Vermeidung des Stilbruchs usw.

Einlage →Intermezzo

Einleitung, einer fachwiss. Schrift oder der Edition e. Dichtung vorangestellter Text des Verfassers oder Herausgebers, der im Ggs. zu dem mehr technische Vorfragen klärenden →Vorwort zum Thema des eingeleiteten Werkes selbst in e. kurzen Überblick seiner Probleme Stellung nimmt. Vgl. →Protasis, →Exposition, →Exordium.

Einortsdrama, im Ggs. zum Bewegungsdrama, das sich durch viele Räume hindurch bewegt, diejenige Dramenform, die hinsichtlich der Raumgestaltung auf einen einzigen Handlungsort festgelegt ist und damit die klassische Forderung nach →Einheit des Ortes in strengstem Sinn erfüllt; sie ergibt meist stark verdichtete Handlung mit konzentriertem Zeitablauf.

A. Perger, E.- und Bewegungsdrama, 1929; ders., Grundlagen d. Dramaturgie, 1952.

Einsilbiger Reim →männlicher Reim

Einzelausgabe, im Ggs. zur →Gesamtausgabe die einzeln käufliche, separate, in keinem größeren Zusammenhang publizierte Ausgabe e. Werkes. Die Editionsform von ›Gesammelten Werken in Einzelausgaben‹ vereinigt die Vorteile beider Editionsformen.

Eiserner Vorhang →Vorhang

Eisteddfod (kymr. = Sitzung, Mz. *eisteddfodau*), musikalisch-lit.-dramatische Wettkämpfe der kymrischen Dichter, nach Vorbild des 12. (?) oder 15.–18. Jh. 1862 erneuert und jährlich abwechselnd in Nord- oder Südwales abgehalten, mit Preisen für Gedichte in festen Maßen, in freien Maßen, für Drama, Schauspielkunst, Essay, Übersetzung, Rezitation u. a.

Ekâksara, in der klassischen ind. Lit. gekünstelte Gedichte, in denen nur ein einziger Konsonant vorkommt.

Ekkyklema (griech. *ekkyklein* = herausdrehen), im altgriech. Theater eine kleine Bühne, die, aus der Tür e. dargestellten Hauses herausgerollt, dessen Inneres darstellte. Bei Morden, die in der griech. Tragödie sich nie auf offener Szene, sondern stets im Hausinneren abspielten, wurde der Tote danach auf dem E. herausgerollt, und die Totenklage fand auf offener Szene statt.

Eklektizismus (v. griech. *eklegein* = auswählen), urspr. in der (hellenist.) Philosophie, dann auch übertragen auf die Lit., ein Verfahren, das keine eigenschöpferische Erkenntnis, Haltung oder Kunstanschauung entwickelt und sich auch nicht einer bestimmten ausgeprägten Schule verbindet, sondern statt dessen aus den vorhandenen Erkenntnissen, Weltanschauungssystemen oder lit. Schulen dasjenige auswählt und vereint, was dem eigenen Standpunkt nahekommt. Kennzeichen des Unschöpferischen, des

→Epigonentums und der Spätzeiten.

Ekloge (griech. = Auswahl), in röm. Lit. ausgewähltes kurzes Einzelgedicht, später eingeschränkt auf ländliches oder Hirtengedicht (→Idyll) und damit gleichbedeutend gebraucht, wie die *Eclogae* VERGILS (von ihm selbst *Bucolica* genannt), des T. CALPURNIUS und NEMESIANUS. Traditionelle Form von hoher Musikalität in Monolog- oder Dialogform mit Überwiegen des Stimmungshaften über die Handlung, wiederbelebt in Renaissance (DANTE, PETRARCA, BOCCACCIO) und Humanismus, Barock und Aufklärung (GARCILASO DE LA VEGA, C. MAROT, RONSARD, FONTENELLE, A. CHÉNIER, LAMARTINE, E. SPENSER, A. POPE, J. SWIFT u. a.).

M. K. Bragge, *The Formal E. in 18th cent. Engl.*, Lond. 1926; A. Hulubei, *L'e. en France au 16 e siècle*, Paris 1938; D. Lessig, Urspr. u. Entwicklg. d. span. E., 1962; R. Borgmeier, *The dying shepherd*, 1975.

Ekphrasis (griech. = Beschreibung), in der antiken Rhetorik und Lit. die detaillierte Beschreibung von Personen, Sachen oder Ereignissen mit allen Umständen aufgrund eigener Anschauung; bes. die Beschreibung von Kunstgegenständen, Denkmälern, Bauten u. a.

G. Kurman, *E. in epic poetry* (*Compar. lit.* 26, 1974).

Elaborat (lat. *elaboratus* = durchgebildet, mit Mühe erschaffen), mühevolle schriftliche Ausarbeitung e. Themas.

Elegantia (lat. =) Gewähltheit, Feinheit und logische Richtigkeit in der Darstellung in antiker Rhetorik; als ›Zierlichkeit‹ das Ideal barocker Sprachpflege in Lit. und bes. den →Sprachgesellschaften.

P. Böckmann, Formgesch. d. dt. Dichtung I, 1949.

Elegeion (griech. *e. metron* =) elegisches Maß, →Distichon.

Elegiambus, Verszeile aus e. daktylischen →Hemiepes (→Archilochius minor) mit folgendem jambischen Dimeter: –́◡◡–́◡◡–́| ⏓–́◡–́⏓–́◡⏓́. Da der erste Teil dem halben Pentameter (→Elegeion) gleicht, spiegelt der Name die Zusammensetzung wie auch → Jambelegos. →Archilochische Strophe.

Elegie (griech.), in der Antike jedes Gedicht in →Distichen (→Elegeion) mit Ausnahme des Epigramms, das sich jedoch der Kurzelegie nähert, ohne Rücksicht auf Inhalt und Stimmung; die Festlegung auf e. wehmutvolle, klagend-entsagende subjektive Gefühlslyrik geschah erst später, so daß rein formale E.n ohne sehnsüchtige Trauer ebenso möglich sind wie stimmungsmäßig echte E.n ohne Distichen-Form. Die anfangs starke Nähe der E. zum Epos in Form (Daktylen des Hexameters) wie Inhalt (z. T. Sage) weicht, als die bei aller Strenge wandlungsfähige Form (→Distichon) für stärkstes inneres Erleben, schmerzlich-sentimentale Stimmungen und Reflexion über die persönlichen Anliegen des Dichters gewonnen wird; kennzeichnend bleibt die Vielheit der Motive und die subjektive Fügung der Gedankenfolge.
Die E. entstand im 7. Jh. v. Chr. in Ionien, wurde anfangs zur Flöte (phrygisch *›elegn‹*, daher Name?) beim Symposion vorgetragen und umfaßte inhaltlich außer Klageliedern auch Morallehren (das sogenannte *Theognis-Buch,* PHOKYLIDES), Kampfrufe (KALLINOS, TYRTAIOS), Politik (SOLON, THEOGNIS), Betrachtung (XENOPHANES), Lebensgenuß, Darstellungen aus Geschichte und Sage, daneben auch starken Gefühlsausdruck (ARCHILOCHOS)

und Liebesdichtung (zuerst MIMNERMOS). An ANTIMACHOS (um 400 v. Chr., *Lyde* auf den Tod der Gattin) knüpfen die alexandrinischen Elegiker: HERMESIANAX, PHANOKLES, PHILITAS von Kos und KALLIMACHOS (280 v. Chr.) an. Für die Weiterentwicklung der Gattung ist die röm. E. bes. bedeutsam, da etwa vergleichbare griech. Beispiele durchaus fehlen. Sie schloß sich in formalen Mitteln oft an das hellenist. Vorbild stofflich an, übertraf es jedoch bald durch e. eigene Subjektivität: Corn. GALLUS, CATULL (der auch andere Maße verwendet), später TIBULL, PROPERZ, SULPICIA, OVID. Neben Mythologie (PROPERZ) und Trauergesängen (OVID, *Tristia*) steht nunmehr an beherrschender Stelle die Liebessehnsucht nach e. unter →Decknamen angeredeten Geliebten; ihre hohen Ansprüche, Krankheit, Leiden, aber auch Untreue, Nebenbuhler und Eifersucht sind ständige Themen. E. Abart im elegischen Maß entstand in OVIDS →Heroiden.

Für die weitere Entwicklung ist weniger die metrische Form als die sanft-, schwermütige Stimmungslage ausschlaggebend; insofern können manche Gedichte des Minnesangs auch als E. gelten. Die Renaissance übernimmt in der neulat. Humanistendichtung die antike Form (P. LOTICHIUS SECUNDUS, JOHANNES SECUNDUS, *Basai*); VILLON, MAROT, L. LABÉ und RONSARD führen die E. in Frankreich ein, TASSO, ARIOST und SANNAZARO in Italien, GARCILASO DE LA VEGA und LOPE DE VEGA verbreiten sie in Spanien; in Dtl. empfiehlt sie OPITZ 1624 für ›traurige Sachen‹ und Liebesdinge, ersetzt jedoch das →daktylische Distichon durch Alexandriner mit Kreuzreim und Wechsel von männlichem und weiblichem Reim; ihm folgen FLEMING, LOGAU, HAUGWITZ u. a., häufig im Schäferkostüm, später GOTTSCHED, BREITINGER und BODMER (strophische E.).

Mit dem Durchbruch von Gefühlsbewegung und Naturschwärmerei in der Empfindsamkeit erreicht die E. ihre Blütezeit: Themen sind Abschied, Trennung, Sehnsucht, Erinnerung und Totenklage; zuerst in England: MILTON, GOLDSMITH, YOUNG (*Night Thoughts*, 1744) und GRAY (*Elegy written in a country churchyard*, 1745), in Frankreich A. CHÉNIER, in Deutschland bes. Uz, KLOPSTOCK (in antiker Form), der Göttinger Hain (HÖLTY, MILLER; bei VOSS und Friedrich L. v. STOLBERG Nähe zum Idyll), MATTHISSON, CLAUDIUS und von SALIS-SEEWIS. Dem Sturm und Drang ist elegische Dichtung wesensfremd. GOETHE bezeichnet mit E. einmal das Versmaß in mehr genrehaft-idyllischem Inhalt *(Römische E.n)*, einmal die Stimmung ohne elegisches Maß (*Trilogie der Leidenschaft*, sog. Marienbader E.); die Vereinigung gelingt in *Euphrosyne* u. a. SCHILLER *(Über naive und sentimentalische Dichtung)* bestimmt das Elegische als Sehnsucht nach e. unerreichten Ideal im Ggs. zum Idyllischen (verwirklichtes Ideal) und Satirischen (Tadel des herrschenden Zustandes); seine eigenen E.n sind zumeist in Reimstrophen gehalten *(Die Götter Griechenlands, Sehnsucht, Der Pilgrim, Die Ideale, Das Ideal und das Leben)*, seltener in Distichen *(Pompeji und Herculanum)* und finden dann leicht den Übergang zu Lehrgedicht *(Der Spaziergang)* oder seherischer Verkündung *(Nänie)*. Bei HÖLDERLIN erreicht die gedankenreiche und bilderstarke Sehnsucht nach dem Unerreichten e. inneren Höhepunkt (in Reimstrophen *Griechenland, An die Natur*, dann in Distichen *Menons Klage, Heimkunft, Brot und Wein* u. a.).

Die Romantik vermeidet antikes Maß und Bezeichnung (NOVALIS, ARNDT); im 19. Jh. haben die Dichter des Weltschmerz (LEOPARDI, LENAU, GRILLPARZER, *Tristia ex Ponto*) Anteil an der liedmäßigen Entwicklung; PLATEN und RÜCKERT versichern sich der antiken Form; MÖRIKE zeigt noch einmal die ganze Größe der E. in der Vereinigung sanfter Heiterkeit mit Schwermut. Später bringen der Münchner Dichterkreis (GEIBEL), A. GRÜN und F. v. SAAR (*Wiener E.n*, 1893), in England SHELLEY, M. ARNOLD, SWINBURNE und TENNYSON, in Spanien J. RAMÓN JIMÉNEZ und GARCÍA LORCA die Verbindung zu den vereinzelten E.n bei WERFEL, TRAKL, WEINHEBER, KÖLWEL, KROLOW, BENN, CELAN, BACHMANN, N. SACHS und bes. RILKE *(Duineser E.n)*, z.T. ohne Bindung an das Versmaß und in überpersönlichem Streben nach der Gestaltung letzter Erkenntnisse.

H. Potez, *L'e. en France avant le romantisme*, Paris 1897; A. Kostlivy, D. Anfge. d. dt. antikisierenden E., Progr. Eger 1898; M. Lloyd, *Elegies: Ancient and Modern*, Trenton 1903; E. Levi-Malvano, *L'e. amorosa nel settecento*, Turin 1908; J. W. Draper, *The Funeral E., and the Rise of Engl. Romanticism*, N. Y. 1929; E. Römisch, Stud. z. älteren griech. E., 1933; C. M. Bowra, *Early Greek Elegists*, Lond. 1938; A. A. Day, *The Origins of Latin Love-E.*, 1938; E. Castle, D. Formgesetz d. E. (Zs. f. Ästhet. 37, 1943); E. D. Grubl, Stud. z. d. ags. E.n, 1948; RL; M. Platnauer, *Latin Elegiac Verse*, Cambr. 1951; G. Luck, D. röm. Liebes-E., 1961; *Critical Essays on Roman Lit.: Elegy and Lyric*, hg. J. P. Sullivan, Cambr./Mass. 1962; F. Beißner, Gesch. d. dt. E., [3]1965; A. F. Potts, *The Elegiac Mode*, Ithaca 1967; C. M. Scollen, *The birth of e. in France*, Genf 1967; E. Mertner, T. Gray u. d. Gattg. d. E. (Poetica 2, 1968); K. Weissenberger, Formen d. E., 1969; D. griech. E., hg. G. Pfohl 1972.

Elfenbeinturm, als Schlagwort Allegorie für die geistige Ansiedlung eines Künstlers (Dichters, Philosophen) in einer nur ästhetischen, vom Weltgetriebe abgelösten Erhabenheit, einer nur dem Kunstschaffen und der Meditation gewidmeten Isolation von den Realitäten des Lebens im Ggs. zu dem vielfach geforderten polit. oder gesellschaftskrit. →Engagement. Ursprünglich 1835 im Anschluß an *Hohelied* 7,5 von SAINTE-BEUVE geprägt und auf VIGNY bezogen, später bei O. WILDE, H. JAMES u. a.

R. Bergmann, D. elfenbeinerne Turm i. d. dt. Lit. (Zs. f. dt. Altert. 92, 1963); C. V. Bock, *A tower of ivory*, Lond. 1970.

Elfsilber →Endecasillabo, →Hendekasyllabus

Elision (lat. *elisio* = Herausstoßen), die – z. T. durch Apostroph (') bezeichnete – Ausstoßung e. unbetonten Vokals 1. im Wortinneren zwischen zwei Konsonanten zur Erleichterung der Aussprache: ›gehn‹ statt ›gehen‹ (= →Synkope), auch aus metrischen Gründen; 2. am Wortende vor vokalisch anlautendem folgenden Wort zur Vermeidung des →Hiat: ›trag' ich‹; in antiker Metrik regelmäßig verwendet (Vorstufe: →Synalöphe), von dort in die roman. Dichtersprachen übernommen, durch OPITZ auch in dt. Dichtung eingeführt. – Die nicht aus metrischen Gründen erfolgende sprachgeschichtliche Abwerfung eines Lauts heißt →Apokope.

L. Brunner, Z. E. langer Vokale i. lat. Vers (Mus. Helveticum 13, 1956).

Ellipse (griech. *elleipsis* = Auslassung, Mangel), in der Stilistik die Weglassung e. minder wichtigen, aus dem Sinnzusammenhang leicht ersichtlichen, ergänzbaren und für die vollständige syntaktische Konstruktion notwendigen Wortes innerhalb e. Satzes, bes. in leidenschaftlich erregter Rede (daher häufig im Sturm und Drang, z.B. SCHILLER, *Die Räuber* IV, 5) wie in der Umgangssprache zwecks Kürze des Ausdrucks, Hervorhebung des

Wichtigen und damit stärkerer Gefühlskonzentration: ›Was (machen wir) nun?‹, auch im straffen Befehl; durch häufigen Gebrauch z. T. zur Gewohnheit geworden: ›Je schneller (du kommst), um so besser (ist es).‹ Sonderform: →Aposiopese, die im Ggs. zur E. gerade das Wichtigste verschweigt. Nach neuer Sprachtheorie (BÜHLER) wird gar nicht die ganze Vorstellung erst sprachlich gestaltet, sondern nur das Wesentliche, und zwar die rationalen Spitzen (Kindersprache!), so daß im Grunde keine ›Weglassung‹ vorliegt, sondern e. Kurzform der Umgangssprache ähnlich den Einwortsätzen (›Hilfe!‹).

A. Betten, E.n (Dt. Spr. 1976).

Eloge (franz. *éloge,* v. lat. →*elogium* =) Lobrede, Lobschrift, Schmeichelei (→Panegyrikus), in Frankreich seit dem 17. Jh. bes. durch FONTENELLE ausgebildeter Zweig der Rhetorik: die Würdigung verstorbener Mitglieder der Académie Française in öffentl. Gedenkreden.

Elogium (lat. = Aussage), bes. in der röm. Antike e. lobende Aufschrift auf Grabmälern, Ahnenbildern, Statuen, in Vers oder Prosa von den Taten des Verstorbenen berichtend und daher später häufig zu Familienchroniken benutzt; am berühmtesten die der Scipionen (um 250 v. Chr.); lit. Slgn. von ATTICUS und VARRO. In der Kaiserzeit wurde die Abfassung von E.a auf berühmte Männer eine häufige rhetorische Kunstübung. Vgl. →Eloge.

Eloquenz (lat. *eloquentia* =) Beredsamkeit, die praktische Beherrschung der effektvollen Rede im Ggs. zur theoretischen →Rhetorik.

Elukubration (v. lat. *elucubrare* = bei Lampenlicht ausarbeiten), mit nächtlichem Fleiß, d. h. mit größter Mühe und Sorgfalt ausgearbeitete Abhandlung.

Emblem (griech. *emblema* = Eingefügtes, Einlegearbeit, Mustersinnbild für Goldschmiedearbeit u. ä.), →Sinnbild, dreiteiliges Kunstgebilde mit bestimmtem, engumgrenztem, abstraktem Sinngehalt innerhalb e. geschlossenen, traditionell festgelegten Systemzusammenhangs, entstanden aus der Verzahnung von Bildkunst und Literatur und dem Bestreben, Abstraktes im konkreten Bildvorgang zu erfassen und Bildvorgängen durch originelle Deutung einen hintergründigen Sinn zu geben. Das E., wie es in den barocken Sammlungen in Erscheinung tritt, umfaßt drei Teile: eine abstrakte Überschrift (Lemma, Motto, Inscriptio), die komprimiert eine Erkenntnis zusammenfaßt, ein Sinnbild (Icon, Pictura) als Holzschnitt oder Kupferstich, das eine Szene aus Sprichwortgut, Tierdichtung *(Physiologus),* Epigramm, Mythologie, Geschichte, biblischer Überlieferung u. ä. vereinfacht darstellt, und einen meist als Epigramm gehaltenen Text (Subscriptio), der in wechselseitiger Erhellung von Sinnspruch und Sinnbild das bildlich Dargestellte erklärt, seine Bedeutung auslegt, es auf die Überschrift bezieht und vielfach daraus eine Lebensweisheit oder Verhaltensregel abstrahiert. Mit der Entschlüsselung ihres Wechselbezuges können Bild und Text als Erfahrungsinhalt integriert werden. Das E. unterscheidet sich demnach vom hintergründigeren, vielschichtigeren →Symbol, indem es auf eine klar umgrenzte Bedeutung aus einem ganz anderen Bereich außerhalb des Dargestellten verweist. Der Gebrauch des E. beruht auf der Überzeugung, das Weltgeschehen stecke voller aufdeckbarer heimlicher Verweise, verborgener Bedeutungen und verkappter Sinnbezüge, und auf der Vorstellung vom Verweischarakter alles Sichtbaren auf einen höheren, inneren, prinzipiellen Sinn der Weltordnung. Kindlicher Freude an der scheinbaren Verrätselung des Daseins und barocker Bilderlust entsprungen, wurde die Emblematik, ursprünglich esoterische Gelehrtenkultur und Stoffquelle für die Bildkunst, rasch zur Mode in ganz Westeuropa und beeinflußte über Kunst und Kunsthandwerk hinaus auch Dichtung, Predigt und Erbauungsliteratur von der Renaissance bis zur Mitte des 18. Jh. Dem Dichter wie dem Publikum gleichermaßen geläufig, begründet sie die doppelte (wörtliche und emblematische) Sinnebene vieler Dichtungen und erklärt deren Rätselhaft-Unverständliches aus dem Bildsinn. Ihre Wirkung verblaßt in dem Augenblick, wo die E. nicht mehr verstanden werden, als Rationalismus und Bürgertum sie als spielerischen höfischen Zierat verbannen und ihnen nur noch in Wappen, Devisen, Wahlsprüchen, Exlibris u. ä. einen Existenzbereich überlassen. Mit Hilfe der zahlreichen im 16./17. Jh. erschienenen Slgn. (von A. ALCIATUS, Augsburg 1531; G. ROLLENHAGEN, Köln 1611 bis 1613; J. CAMERARIUS, Nürnberg 1590–1604 u. a.), die oft mit Illustrationen die Bedeutung der E. erläutern, gelang die Entschlüsselung vieler bisher unverstandener Feinheiten der Barockliteratur.

M. P. Verneuil, *Dictionnaire des symboles, e.s et attributs,* 1897; L. Volkmann, Bilderschriften d. Renaiss., 1923; M. Praz, *Studies in 17th. century imagery,* 1939; ders., *A Bibliography of E. Books,* Lond. 1947; H. Stegemeier, *Problems in E. Lit.* (*Journal of Engl. and German Philol.* 45, 1946); RL; R. Clements, *Picta Poesis,* Rom 1960; J. H. Landwehr, *Dutch E. books,* Utrecht 1962; A. Schöne, E. ata, DVJ 37, 1963; P. Vodosek, D. E. i. d. dt. Lit. d. Renaiss. u. d. Barock (Jhrb. d. Wiener Goethe-Vereins 68, 1964); R. Freeman, *Engl. E. books,* Lond. ²1966; A. Schöne, E.atik u. Drama i. Zeitalter d. Barock, ²1968; D. Sulzer, Z. e. Gesch. d. E.theorien, Euph. 64, 1970; J. Landwehr, *E. books in the Low Countries,* Utrecht 1970; P. M. Daly, *The poetic e.,* Neophil. 54, 1970; H. Homann, Stud. z. E.atik d. 16. Jh., Utrecht 1971; J. Landwehr, *German e. books,* Utrecht 1972; A. Buck, D. E.atik (Neues Hb. d. Lit.wiss. 10, 1972); S. Penkert, Z. E.forschg. (Götting. Gelehrte Anz. 224, 1972); Außerlit. Wirkgn. barocker E.bücher, hg. W. Harms 1975; A. Henkel, A. Schöne, E.ata, ²1976; D. Sulzer, Poetik synthetis. Künste (Geist u. Zeichen, Fs. A. Henkel 1977).

Emblematik, die Lehre von den →Emblemen und deren Anwendung.

Embolima →Stasimon

Emendation (lat. *emendatio* = Verbesserung), Berichtigung eines verderbt oder unvollständig überlieferten Textes auf Grund sprachlich-stilistischer, metrischer, paläographischer oder inhaltlicher Überlegungen mit den Mitteln philologischer →Textkritik (→Rezension und →Konjektur). – Auch Druckfehlerberichtigung (›Emendanda‹ = zu Verbesserndes).

B. v. Lindheim, *Problems and Limits of Textual E.* (Fs. f. W. Hübner, 1964).

Emigrantenliteratur →Exilliteratur

Empfindsamkeit (LESSING schlug J. J. BODE 1768 ›empfindsam‹ als Übersetzung des engl. ›sentimental‹ vor), lit. Strömung der 2. Hälfte des 18. Jh., rd. 1740–1780, entwickelt sich als Reaktion e. politisch einflußlosen und daher auf andere Bereiche verwiesenen Bürgertums gegen die Vorherrschaft des Rationalismus in der Aufklärung unter dem Einfluß des →Pietismus und bildet die Verweltlichung des religiösen Naturgefühls in subjektiven Gefühlsüberschwang, Belauschen und

Selbstgenuß der innerseelischen Regungen und Stimmungen, Freundschaftskult und Schwärmerei bis zu sanfter Tränenseligkeit. Gefühl gilt als Maßstab für Persönlichkeit und Handlungen; in der Selbstanalyse durch Briefe, Gespräche, Tagebücher und Bekenntnisse sucht man sich die feinsten Nuancen des Innenlebens abzuhorchen.

Führenden Einfluß gewinnt England: seit 1715 durch die →Moralischen Wochenschriften und deren dt. Nachbildungen; seit 1740 durch die Tugend- und Familienromane S. RICHARDSONS (*Pamela,* 1740; *Clarissa Harlowe,* 1749; *Sir Charles Grandison,* 1753); seit 1760 durch die empfindsamen Romane L. STERNES (*Sentimental Journey,* 1768 u. a.), ferner THOMSONS naturnahe Idyllen (*The Seasons,* 1726/30), YOUNGS schwermütige *Night Thoughts* (1742/43, dt. 1754), MACPHERSONS schwärmerischen *Ossian* (1760) und GOLDSMITHS idyllischen Roman *The Vicar of Wakefield* (1766).

Im stärker rationalistisch beherrschten Frankreich entsteht bereits unter engl. Einfluß die →comédie larmoyante (GELLERTS →›weinerliches Lustspiel‹) und die bürgerliche Dichtung DIDEROTS, während die realistischen Familienromane der PRÉVOST und MARIVAUX in der Wirkung hinter den engl. zurückbleiben; bes. aber wirkt ROUSSEAUS *Nouvelle Héloïse* (1761), mehr leidenschaftlich als empfindsam, auf die Ausbildung des rein Gefühlsmäßigen und damit über die E. hinaus auf den Sturm und Drang.

In Italien stehen U. FOSCOLO, in Rußland KARAMZIN, RADIŠČEV und DERŽAVIN der E. nahe.

In Dtl. geht die Entwicklung über den Pietismus der PYRA und LANGE zu der erhabenen Kunstlyrik KLOPSTOCKS; der →Göttinger Hain pflegt daneben auch volkstümlichere Liebeslyrik und Freundschaftskult; als schlichte Idyllik erscheint sie bei HALLER, E. v. KLEIST, UZ, GESSNER, GELLERT, GLEIM und F. JACOBI. Im Epos erreicht KLOPSTOCK den Höhepunkt an Naturnähe und religiöser Tiefe im *Messias* (1748–73) und wirkt durch die Kraft seiner Empfindung und Sprache in weite Kreise. Im empfindsamen (Seelen-)Roman bildet die Handlung nur den Rahmen für e. Fülle gefühlvoller Betrachtungen; bevorzugte Formen sind →Reise- und →Briefroman; unbedeutende Gegenstände werden im Licht empfindsamer Anteilnahme wesentlich. Nach Ansätzen bei SCHNABEL (*Insel Felsenburg,* 1731 bis 1743), GELLERT (*Leben der schwedischen Gräfin* G., 1746), J. T. HERMES (*Sophiens Reise,* 1769–73) und bes. S. v. LAROCHE (*Geschichte des Frl. v. Sternheim,* 1771) gipfelt er in der individuellen Erlebnisgestaltung von GOETHES *Werther* (1774), der gleichzeitig durch die Unbedingtheit des Gefühls über die bloße E. hinausragt und in den Wertheriaden (J. M. MILLER, *Siegwart* 1776 u. a. m.) weite Nachahmung fand. Die Überspitzungen der E., bes. im →Darmstädter Kreis, geißelt GOETHE später in der Jugendsatire *Triumph der E.* (1777); die bloße Gefühlsschwärmerei der E. wird abgelöst durch den Gefühlsrausch des →Sturm und Drang; ihr wesentlicher Beitrag bestand in der Vertiefung und Verfeinerung der Gemütsbeobachtung und damit der Einbeziehung innerseelischer Regungen in die künstlerische Gestaltung.

V. Tornius, Schöne Seelen, 1920; E. Schmidt, Richardson, Rousseau u. Goethe, [2]1924; M. Wieser, D.sentimentale Mensch, 1924; R. Unger, Hamann u. d. Aufklärung, [2]1925; RL; H. Kindermann, Durchbruch d. Seele, 1928; J. Schmidt, Stud. z. Bibeldrama d. E., Diss. Bresl.

1933; W. T. Wright, *Sensibility in Engl. prose fiction*, Lond. 1937; E. Blochmann, Schiller u. d. E., DVJ 24, 1950; I. Eder, Unters. z. Gesch. d. empf. Romans i. Dtl., Diss. Wien 1953; H. Boeschenstein, Dt. Gefühlskultur, 1954; A. Sherbo, *Engl. sentimental drama*, Michigan 1957; H. R. Brown, *The sentimental novel in America*, N. Y. 1959; L. I. Bredvold, *The natural hist. of sensibility*, Detroit 1962; R. Newald, D. dt. Lit. v. Späthumanismus z. E., [6]1967; G. Jäger, E. u. Roman, 1969; P. U. Hohendahl, E. u. gesellsch. Bewußtsein (Jb. d. Dt. Schiller-Ges. 16, 1972); R. Krüger, D. Zeitalter d. E., 1973; G. Sauder, E., III 1974 ff.; W. Doktor, D. Kritik d. E., 1975; P. Mog, Ratio u. Gefühlskultur, 1976; G. Kaiser, Aufklärg., E., Sturm u. Drang, [2]1976; P. U. Hohendahl, D.europ. Roman d. E., 1977.

Emphase (griech. *emphasis* = Verdeutlichung, Erscheinen), Nachdruck in der Rede als phonetisches Stilmittel (Betonung, Stimmhebung) zur Hervorhebung und stärkeren Eindringlichkeit e. Wortes oder Ausdrucks in seiner ganzen, sonst vielleicht überhörten Bedeutungsschwere und Hintergründigkeit: ›Ein Mann steht vor dir!‹ (SCHILLER). Auf der emphatischen Betonung einzelner Redeteile – im Ggs. zur allg. erhöhten Gefühlslage des →Pathos – beruht außer dem Ausruf und der rhetorischen Frage e. Reihe von Stilfiguren wie →Anaklasis (2), →Antistasis, →Diaphora.

K. Voßler, Üb. d. E. (Trivium IV, 1946).

Empörergesten →Chanson de geste

Enallage (griech. = Vertauschung), Verschiebung der Wortbeziehung, bes. die E. des Adjektivs, d. h. seine Zuordnung nicht zum eigtl. Beziehungswort (meist e. Genitiv), sondern zum vorangehenden regierenden Substantiv, zu dem es logisch nicht gehört, z. B. ›das braune Lachen ihrer Augen‹ (O. LUDWIG); beruht auf der gefühlsmäßigen Vorwegnahme der als stärkster Eindruck empfundenen Eigenschaftsbez., daher häufig in impressionistischem Stil (HUYSMANS u. a.); in antiker Dichtung nur als poetische Stilfigur zulässig (oft bei VERGIL). Häufig in gedankenloser Umgangssprache (›in baldiger Erwartung Ihrer Antwort‹).

Encheiridion (griech. =) Handbuch, Leitfaden.

Endecasillabo (ital.-span, v. griech. *hendeka* = 11, *syllabe* = Silbe), ital.-span. Abart des franz. →vers commun, der bes. in Italien gemäß dem Sprachmaterial ausschließlich als jambischer Elfsilber mit weiblichem Reim erscheint: ◡–◡–◡–◡–◡–◡, z. B. ›Es ist ein still Erwarten in den Bäumen‹ (EICHENDORFF); als solcher häufigster Vers im ital. Epos (DANTE, PETRARCA, ARIOST, TASSO u. a.) und in den Strophenformen Sonett, Stanze, Terzine, Kanzone auch nach Dtl. gekommen (bes. ältere Romantik) zum Ersatz des Alexandriners und vers commun. Vgl. →Hendekasyllabus.

Endecha (span. = Klagelied), span. Strophenform aus 6- oder 7-silbigen Vierzeilern mit Assonanz der geraden Zeilen; häufig für Totenklagen, Trauergedichte und dergl. verwendet, dann die letzte Strophe meist 11silbig.

P. Le Gentil, *La poésie lyr. espagnole et portugaise* II, 1953.

Endreim, im Ggs. zum Stabreim Bezeichnung für die Verbindung von zwei oder mehr Versen durch Gleichklang von der letzten Hebung an, = →Reim.

Endsilbenreim, im Ggs. zum heutigen →Reim, der als sog. Stammsilbenreim den Gleichklang vom letzten betonten Vokal an fordert, der Gleichklang lediglich der – auch unbetonten – jeweils letzten Silbe (Endsilbe) zweier Zeilen, wie er in der dt. Lit. etwa bei OTFRIED VON WEISSENBURG auftritt, doch in frühmhd. Zeit nach Abschwächung der Endsilbenvokale als nicht mehr genügend empfunden wird.

Enfants sans souci *(Enfans sans soucy)*, bekannteste der ma. franz. Laienschauspieler-Genossenschaften (confréries), war im Ggs. zur →Basoche nicht ständisch begrenzt und spielte im Ggs. zu den →Passionsbrüdern fast ausschließlich Farcen (Soties) im Narrenkostüm. Berühmte Mitglieder waren P. GRINGOIRE und C. MAROT.

Engagement (franz. = Verpflichtung), die Stellungnahme (des Künstlers, Schriftstellers usw.) zu zeitgenöss. polit., gesellschaftl., moral. oder religiösen Fragen und seine Parteinahme im Meinungsstreit. Soweit das E. im lit. Werk Niederschlag findet, führt es zu →engagierter Literatur.

Engagierte Literatur, jede Form von Lit., bei der es nicht in erster Linie um ästhet. Werte und Probleme oder um stilist. Experimente geht, die nicht nach dem Prinzip des →L'art pour l'art um ihrer selbst willen besteht und aus dem →Elfenbeinturm hervorgeht, sondern die ein polit., soziales, religiöses oder ideologisches →Engagement eingeht und dieses, jedoch im Ggs. zur bloßen →Tendenzdichtung mit den Mitteln der Lit., vorträgt und verficht. Das Sich-Einlassen mit der vorgefundenen Wirklichkeit und der Wille, aktiv an der Gestaltung der Umwelt teilzunehmen, verbindet sich in ihr mit der Erkenntnis von der dem Schriftsteller adäquaten Form sekundären Handelns durch das Wort, das dem Leser über den Inhalt Erkenntniswerte vermittelt, seine Bewußtseinslage weitet und ihn zur Auseinandersetzung mit den Problemen und zur Suche nach einer Lösung zwingt. Der ästhet. Wert der e. L. unterscheidet sie von der reinen Tendenzlit., ihre sekundäre Wirkung trennt sie vom aktiven Handeln etwa des Politikers. E. L. in diesem Sinn hat es zu allen Zeiten und bei allen Völkern gegeben, in →Polenliteratur, →Jungem Deutschland, bei den →Achtundvierzigern, in der antifaschist. und pazifist. Lit. der NS-Zeit, der Darstellung des span. Bürgerkriegs, der Auseinandersetzung mit der jüngsten Vergangenheit des Dritten Reiches, in Stellungnahmen gegen den Vietnam-Krieg ebenso wie im ständigen gesellschaftlichen Engagement des →sozialistischen Realismus oder im christl. Engagement des →Renouveau catholique, im Linksengagement etwa der →Gruppe 47 gegen das Establishment, des franz. →Existenzialismus (J. P. SARTRE) und des ital. Kommunismus (MALAPARTE, C. LEVI, S. QUASIMODO) ebenso wie im Gegenengagement der politischen Rechten und der Konservativen. Der Begriff wurde 1945 von J. P. SARTRE geprägt.

J. P. Sartre, Was ist Lit.?, 1950; J. Mander, *The Writer and Commitment,* 1961; W. Schmiele, Zwei Essays z. lit. Lage, 1963; T. W. Adorno, Engagement (in: Noten z. Lit. III, 1963); K. Kohut, Was ist Lit., Diss. Marb. 1965; M. Adereth, *Commitment in mod. French Lit.,* Lond. 1967; J. Burkhardt, Prediger od. Literaten, 1967; H. A. Glaser, Formen d. Engagements (Tendenzen d. dt. Lit. seit 1945, hg. Th. Koebner 1971); R. Gauger, *Litt. engagée,* 1971; Z. Škreb, *Litt. engagée* (*Yearbook of compar. criticism* 5, 1973); G. Müller, Lit. u. Revolution, Stockh. 1974.

Englische Komödianten, um Mitte des 16. Jh. in England ausgebildete Berufsschauspielertruppen von je 10–18 Mann mit meist 6 Musikern, die infolge Überschusses im Mutterland den Kontinent bereisten (zuerst 1585 als Begleiter des Lord LEICESTER nach Dänemark, von dort 1586 nach Dresden und nach England 1587 zurück) und seit 1592 ständig in Dtl., meist an Fürstenhöfen oder in Städten anläßlich von Märkten und Messen (Frankfurt, Köln, Danzig) sehr freie, schwülstige Prosabearbeitungen engl. (SHAKESPEARE, MARLOWE, KYD), später auch ital., franz. und dt. (HEINRICH JULIUS VON BRAUNSCHWEIG, Jakob AYRER, Volksbücher wie *Fortunat* u.a.) Dramen und komischer Singspiele anfangs in engl., ab 1604/05 in dt. Sprache aufführten und bis 1650 durch ständige Aufnahme dt. Nachwuchses ganz in dt. →Wandertruppen aufgingen, die nur reklamehalber den Namen beibehielten. Ihre Spielweise war infolge der fremden Sprache stark auf optische Wirkung (Kostüme, Mimik, Gebärden) angewiesen, daher Betonung aller theaterhaften, routinierten Effekte, bes. Herausarbeitung derb-realistischer wie possenhafter (Mord-, Lärm- und Prügel-)Szenen und bewegte Handlungsfolge. Als Zwischenspiele dienten Clownszenen, schwankhafte Singspiele und Tänze der ›Springer‹. Lyrische Einlagen (bes. SHAKESPEARES) sowie die moralische Tendenz biblischer Stoffe (Verlorner Sohn, Susanna, Esther) entfielen im Interesse e. lediglich wirkungsvollen Unterhaltung. Dennoch war ihr Einfluß auf die Entwicklung der dt. Bühne sehr stark, wenngleich nicht überall künstlerisch wertvoll (Verrohung), die Ausbildung der dramatischen Wirkungsmöglichkeiten brachte Bereicherung und Leben in das zu bloßer Deklamation erstarrte Schuldrama; die Figur des Hanswursts und manche Stoffe für Puppenspiele hielten sich noch bis ins 18. Jh. (→Haupt- und Staatsaktion).

Die einzelnen Truppen unterstellten sich gern Fürstenhöfen (bes. Landgraf MORITZ VON HESSEN in Kassel, Herzog HEINRICH JULIUS VON BRAUNSCHWEIG in Wolfenbüttel, ferner Dresden, Stuttgart, München, Wien, Graz u.a.), um für den Winter e. ständige Unterkunft zu haben; von dort aus besuchten sie die Städte, meist für die Dauer von 14 Tagen bis zu 6 Wochen, bzw. bei Durchzug nur e. Tag. Sie zeigten genossenschaftliche Verfassung meist unter Leitung des Narrendarstellers, der neben der geistigen Beweglichkeit die nötige Kenntnis der dt. Sprache aufwies und mit seinem individuellen Rollennamen als Clown (→Pickelhering) die Bz. der ganzen Truppe stellte; ihm standen zwei Hauptrollendarsteller zur Seite. Berühmte Prinzipale: Thomas SACKVILLE (= Jan Bouset), John SPENCER (= Junker Stockfisch), John GREEN, R. REEVE, R. BROWN, REINOLD, WEBSTER, MACHIN, ROE, ARTZSCHAR und Joris JOLLIPHUS. Frauenrollen wurden bis 1650 nur von Männern gespielt; der beschränkten Personenzahl zufolge werden Massenszenen gemieden, kleine Nebenrollen von demselben Darsteller gegeben und als Statisten einheimische Liebhaber (Handwerker, Studenten u.a.) geworben, die z.T. bei der Truppe bleiben und die Eindeutschung bewirken.

Die Vorstellungen selbst begannen meist nachmittags 14–15 Uhr in geschlossenen Sälen (Rathaus-, Ball-Säle u.ä.); die Bühne bestand aus e. einfachen Brettergerüst mit Stoffbehängen und Eingängen durch Vorhangschlitze an beiden Seiten, durch e. Zwischenvorhang in neutrale, in den Saal vorstoßende Vorderbühne und mit Versatzstücken dekorierte Hinterbühne geteilt, während die Oberbühne, meist Galerie des Saals, die Kapelle aufnahm; unter Einfluß der Opernbühne wurden später Vordervorhang, Kulissen und Versenkeinrichtungen für Geistererscheinungen eingeführt. Auswahl der Stücke (an Sonn- und Feiertagen nur geistliche Dramen), Reklame (durch Anschläge und Austrommeln) und finanzielle Verrechnung (hohe Steuern!) wurden vom Hof oder Stadträten geprüft; das große Repertoire erschien gesammelt in den *Engelischen Comedien und Tragedien* (1620), dt. Nachahmungen im *Liebeskampff* (1630).

J. Meissner, D. E. K. i. Österr., 1884; C. Reuling, D. kom. Figur i. d. wicht. dt. Dramen ... 1890; J. Bolte, D. Singspiele d. E. K., 1893; E. Herz, Engl. Schauspieler u. engl. Schauspiele z. Zt. Shakespeares i. Dtl., 1903; J. T. Murray, *Engl. Dram. Companies,* Lond. 1910; W. Richter, Liebeskampf und Schaubühne, 1911; RL; A. Baesecke, D. Schauspiel d. E. K. i. Dtl., 1935; H. Kindermann, Shakespeare u. d. Volkstheater (Shakesp.-Jhrb. 72, 1936); R. Pascal, *The Stage of the E. K.* (*Mod. Language Review* 35, 1940); E. L. Stahl, Shakesp. u. d. dt. Theater, 1947; E. Wikland, *Elizabethan Players in Sweden,* Stockh. 1962.

Englisches Sonett →Sonett

Englyn, traditionelle Gedichtform der kymrisch-walisischen Lyrik mit drei, später in der heute häufigsten Form (e. unodl union) auch vier Verszeilen, von denen die erste 10, die zweite 6 Silben umfaßt und die 3. und 4. einen →cywydd bilden. Die 1. Zeile hat eine Zäsur nach der 7. (8., 9.) Silbe, die mit den Reimen der anderen Zeilen reimt; ihr erster Teil ist durch →Cynghanedd in sich gebunden, ihr 2. Teil (3 Silben) ist durch Cynghanedd oder Reim mit dem 1. Teil der 2. Zeile gebunden, deren Teile in letzterem Fall wiederum durch Cynghanedd in sich gebunden sind. Daneben mehrere Abarten.

Enhoplios (griech. *rhythmos enhoplios* = Takt zum Waffentanz) = →Prosodiakos

Enigma (griech. =) →Rätsel

Enjambement (franz. = Überschreitung), Versbrechung, Zeilensprung, das Übergreifen des Satz- und Sinnzusammenhangs ohne emphatische Pause von e. Verszeile (Strophe) über deren Ende auf die folgende, so daß Satz- und Versende nicht zusammenfallen, der Satzschluß meist innerhalb e. Verszeile steht und deren metrische Einheit aufteilt:

Wie soll ich meine Seele halten, daß / sie nicht an deine rührt? Wie soll ich sie / hinheben über dich zu andern Dingen? /
(Rilke.)

Das E. dient der Variation der Sprachführung, indem es den auf die Dauer ermüdenden schroffen Zeilenschluß (→Zeilenstil) lockert und e. Gleiten, Strömen der Sprache ermöglicht, bei häufiger Wiederholung jedoch wieder nach Herstellung der Zeileneinheit strebt. Im franz. Alexandriner war das E. durch MALHERBE und BOILEAU streng verpönt und erst in der Romantik durch CHÉNIER wieder eingeführt; dagegen schon in antiker und mhd. Dichtung bewährtes Kunstmittel. Häufig im engl. elisabethan. Drama, bei RONSARD, MILTON, LESSING *(Nathan),* GOETHE, SCHILLER *(Don Carlos),* KEATS, V. HUGO, LENAU (Oden) und bes. RILKE. →Hakenstil, →Reimpaarsprung, →Synaphie, →Strophensprung.

F. Wahnschaffe, D. syntakt. Bedeutg. d. mhd. E.s, 1919; RL; A. Wagner, Unbedeutende Reimwörter und E. b. Rilke, 1930; RL: Brechung; D.-R. Moser, E. i. Volkslied (Jb. f. Volksliedforschg. 14, 1969). →Metrik.

Enklise (griech. *enklisis* = Neigung), Anlehnung e. tonlosen und daher unselbständigen Wortes (Enklitikon, z. B. lat. *-que,* dt. Pronomina) an e. vorhergehendes betontes zu dessen Verstärkung und Bildung e. Toneinheit, z. B. ›Warum denn?‹, ›Kommst du?‹. Ggs. →Proklisis.

Enkomiologos, nach seinem Vorkommen in →Enkomien benannter griech. Vers: –◡◡–◡◡–/⏓–◡––, Umkehrung des →Jambelegos.

Enkomion (griech. =) Loblied, -gedicht, -rede, ursprünglich auf den Sieger in griech. Festspielen (→Epinikion), beim Heimgeleit ihm zu Ehren von Chören unter Flötenbegleitung gesungen; in weniger feierlicher Form schon bei HOMER bekannt, dann SIMONIDES, PINDAR, BAKCHYLIDES; später Preislied, -rede allg., seit ISOKRATES und GORGIAS auch als iron.-satir. Prosaform in der Biographie oder als Huldigungs- und Schmeichelgedicht innerhalb e. Epos (Enkomiastik); schließlich oft satirisch, z. B. ERASMUS' VON ROTTERDAM *Encomium moriae* (*Lob der Torheit,* 1509), weitverbreitet im 16.–18. Jh. →Panegyrikus.

A. Hauffen, Ironische Enkomien (VJS f. Lit.gesch. 6, 1893); G. Fraustadt, *Encomiorum in litteris graecis usque ad romanam aetatem historia,* Diss. Lpz. 1909.

Enoplion (griech. *rhythmos enhoplios* = Takt zum Waffentanz) = →Prosodiakos

Ensalada, span. Gedichtform von verschiedener Zeilen- und Strophenlänge und verschiedenem Reimschema je nach Maßgabe der zugrunde gelegten Melodie; selten.

P. Henríquez Ureña, *La versificación irregular en la poesia castellana,* [2]1933.

Ensemble (franz., v. nlat. *insimul* = zugleich, zusammen), 1. Gesamtheit der an e. Theater fest engagierten Schauspieler und Sänger: Künstlertruppe, 2. das harmonisch ineinandergreifende Zusammenspiel (E.-Spiel) der Schauspieler auf der Bühne in Drama, Ballett, Gesang usw., als solches Ziel der Proben und Aufgabe des Regisseurs, 3. Zusammenwirken mehrerer (Solo- und Chor-) Sänger und Musiker, bes. im Finale.

Ensenhamen (provenzal. = Unterweisung), didaktisch-soziales Zeitgedicht der provenzal. Lyrik, vielfach in Reimpaaren und mit dem Ziel, e. einzelnen oder e. Gruppe Lebensart und Weltklugheit zu lehren; z. B. bei ARNAUT DE MAREUIL.

J. Bathe, D. moral. E. i. Altprovenzal., 1906.

Ente (Übersetzung v. franz. *canard*), in der Publizistik e. erfundene Falschmeldung, die entweder gutgläubig verbreitet oder aus Sensationslust in die Welt gesetzt wird, um einem Blatt in Nachrichtenflaute Auftrieb zu geben oder das Interesse der Leser von anderen Ereignissen abzulenken. Ihr Erfolg beruht auf dem wohleinkalkulierten Appell an das menschliche Mitgefühl. Auf einer E. beruht z. B. R. HAGELSTANGES *Ballade vom verschütteten Leben.*

Entfaltungsdrama = →Zieldrama

Entführungssagen berichten von der listigen Entführung einer wohlverwahrten, edlen Jungfrau, meist Fürstentochter, durch Könige oder hohe Herren nach abgewiesener →Brautwerbung *(Kudrun, König Rother).*

Enthüllungsdrama = →analytisches Drama

Entreakt (franz. *entr'acte* =) →Zwischenakt, -musik, -spiel

Entrefilet (franz. = Eingeschobenes), eingefügter, meist kürzerer und halbamtlicher Zeitungsartikel.

Entremes (span. = Einschiebsel, wie ital. →*intermezzo*), ursprünglich zwischen den Hauptgängen e. Hofbanketts aufgeführtes einaktiges, mimisches, komisches Festspiel, ab 13. Jh. auch zwischen Turnieren und Prozessionen mit Übergang zum Possenspiel; später volkstüml., komisch-realist. →Zwischenspiel mehraktiger Dramen im span. 16./17. Jh., kleine dramatische Scherze aus dem Volksleben ohne Zusammenhang mit der Haupthandlung, charakteristische Gattung des span. Theaters, von LOPE DE VEGA und CALDERÓN (100 E.es) zu ihren eigenen Tragödien verfaßt, von CERVANTES (8 E.es, 1615) und QUEVEDO als eigene Gattung und für fremde Dramen; einige Dichter, z. B. Luis QUIÑONES DE BENAVENTE, schrieben nur E.es. Die Tradition wirkt fort in →Sainete und →género chico.

W. S. Jack, *The early E.es in Spain,* Phil. 1923; E. Asensio, *Itinerario del e.,* Madrid 1965.

Entstehungsgeschichte verfolgt den Werdegang e. lit. Werkes von den →Quellen über die einzelnen Verarbeitungsstufen und →Fassungen.

E. Elster, D. E. d. Don Carlos, 1889; ders., D. Aufgabe d. Lit.gesch., 1894.

Entstehungszeit, die Zeit des dichterischen Schaffens an e. Werk, das mit der schriftlichen Niederlegung sich von seinem Schöpfer zu lösen beginnt. Mit der genauen Angabe der E. ist e. mögliche Abhängigkeit (Aufnahme von fremden Einflüssen) genau abzugrenzen; sie liegt oft weit vor dem →Erscheinungsjahr, mit dem die breitere Wirkung des Dichtwerks einsetzt. Bei fehlender Angabe läßt sich die E. aus Beobachtung sprachlicher, metrischer und stilistischer Eigenarten z. T. annähernd festlegen. →Datierung.

Entwicklungsroman, Roman, der in sehr bewußter und sinnvoller Komposition den inneren und äußeren Werdegang e. Menschen von den Anfängen bis zu e. gewissen Reifung der Persönlichkeit mit psychologischer Folgerichtigkeit verfolgt und die Ausbildung vorhandener Anlagen in der dauernden Auseinandersetzung mit den Umwelteinflüssen in breitem kulturellem Rahmen darstellt. Die Grenzen zum →Bildungs- und →Erziehungsroman sind fließend, häufig finden sie sich in e. Werk vereint. Das Streben und Irren des Helden führt aus eigener Kraft auf e. Stand gewisser Vollkommenheit, der dem subjektiven Idealbild des Dichters und seiner Zeit entspricht. Häufig eignet dem E. ein stark autobiographischer Charakter, wie er auch formal die →Ich-Form bevorzugt; der starke Bekenntnisgehalt tritt in dem häufigen Erscheinen mehrerer unterschiedlicher Fassungen mit dem Wandel des Menschenbildes beim Dichter hervor; als selbständige Form ist der E. e. spezifisch dt. Gattung (Ausnahmen etwa DICKENS' *David Copperfield,* FIELDINGS *Tom Jones,* R. ROLLANDS *Jean Christophe*); Voraussetzungen für ihn sind die Erkenntnis e. stattfindenden menschlichen Entwicklung und der bewußte Wille zu deren Darstellung, wie sie erst mit dem stärker naturwissenschaftlichen Weltbild möglich wird. Weder *Parzival* noch *Simplicissimus* sind demnach als Vorstufen zu werten; die wesentlichen Ausformungen entstehen erst nach der autobiographisch ausgerichteten Seelenforschung des Pietismus (JUNG-STILLING, K. Ph. MORITZ, *Anton Reiser*). Der dt. E. beginnt mit WIELANDS *Agathon* (1766, neue Fassungen 1773, 1794) und erreicht größte Höhe in GOETHES *Wilhelm Meisters Lehrjahre* (1795/1796), der für die gesamte folgende Entwicklung von größtem Einfluß ist: TIECK, *Franz Sternbald* 1798, NOVALIS, *Heinrich von Ofterdingen* 1799, JEAN PAUL, *Titan* 1800/03, EICHENDORFF, *Ahnung und Gegenwart* 1815, G. KELLER, *Der Grüne Heinrich* 1854, neue Fassung 1879/1880, G. FREYTAG, *Soll und Haben*

1855, STIFTER, *Der Nachsommer* 1857, RAABE, *Der Hungerpastor* 1864, H. HESSE, *Peter Camenzind* 1904, *Das Glasperlenspiel* 1943 u. a. m.

RL; M. Gerhard, D. dt. E. bis z. Goethes ›W. Meister‹, ²1968; K. Scheuten, Seelengesch. u. E., Diss. Bonn 1934; Ch. Kehr, D. dt. E. seit d. Jh.wende, Diss. Lpz. 1936; H. H. Borcherdt, D. Roman d. Goethezeit, 1949; L. Köhn, E. – u. Bildungsroman, 1969; A. v. Roeder, Dialektik v. Fabel u. Charakter, 1969; F. Trommler, V. Stalin z. Hölderlin (Basis 2, 1971).

Envoi, Envoy (franz. = Geleit), Geleit, Widmung, Postskript, allg. eine kürzere Strophe als Abschluß einer Reihe längerer Strophen z. B. bei der romanischen →Ballade, die meist Metrum und Reime der vorangehenden letzten halben Strophe aufgreift und eine namentliche Zueignung, beginnend mit ›Prince‹ o. ä., e. Schlußfolgerung oder Zusammenfassung enthält. In provenzal. Lyrik →Tornada genannt.

Enzyklopädie (griech. *enkyklios* = rund, allg., *paideia* = Erziehung, Bildung), der Kreis der Wissenschaften und Künste, die jeder freie Grieche in der Jugend betreiben mußte; dann umfassende und übersichtliche Darstellung des gesamten theoretischen wie praktischen Wissensstoffes e. Zeit (Universal-E.) oder e. einzelnen Fachgebiets (Spezial-E.) in systematischem, d. h. inhaltlich geordnetem Zusammenhang oder alphabetischer Reihenfolge, häufig aus philosophischer Betrachtungsweise. Im Ggs. zu der in der Erforschung der Spezialgebiete fortschreitenden Wissenschaft dient die E. der Sicherung, Sammlung und Zusammenstellung gewonnener Teilergebnisse, gewissermaßen der geistigen Bestandsaufnahme und dem In-Bezug-Setzen der Einzelforschung zum Ganzen.

Die älteste (verlorene) E. des europ. Kulturkreises stammt angeblich von SPEUSIPPOS (4. Jh. v. Chr.), Schüler PLATONS. Im Anschluß an die *Disciplinae* des VARRO (1. Jh. v. Chr.) erfolgt in den E.n des CASSIODOR, CELSUS und MARTIANUS CAPELLA die Erhebung der sieben Freien Künste (→artes liberales) zum durchs ganze MA. gültigen Bildungskanon. PLINIUS d. Ä. stellt in den 37 Büchern seiner *Naturalis historia* (um 77 n. Chr.) Lesefrüchte der verschiedensten naturwissenschaftlichen Autoren ohne Kritik zusammen. Die *Origines* des ISIDOR VON SEVILLA (560–636) bilden das Vorbild für HRABANUS MAURUS' *De universo* (847). Im MA. faßt man unter dem Titel →Summa (THOMAS VON AQUIN, *Summa theologiae*) oder →*Speculum* (VINCENZ VON BEAUVAIS, *S. maius*) die Wissensgebiete in Kompendien zusammen und erspart die Lektüre anderer Werke. Die ital. Renaissance bringt neben mehreren E.n auch zuerst den Namen auf; in Dtl. bes. verbreitet war die *Scientiarum omnium e.* von J. H. ALSTED (1630). Die größten E.n aber entstehen in China: *Ku-kin t'uschu tsitscheng*, 5044 Bde., 1726, ²1862 und *Yung-loh-ta-tien*, 11095 Bde. (ungedruckt), nach 1403. Als Begründer der modernen E. gilt F. BACON (*Novum organum scientiarum*, 1620); mit dem Einsetzen aufklärerischer Bestrebungen vermehrt sich die Zahl der E.n, die nun auch in der Muttersprache erscheinen und praktisches Wissen vermitteln: L. MORÉRI, *Grand dictionnaire historique*, 10 Bde. 1674, ¹⁰1759; J. J. HOFFMANN, *Lexicon universale*, 1677; P. BAYLE, *Dictionnaire historique et critique*, 2 Bde. 1695–97, dt. v. GOTTSCHED 1741–44; V. M. CORONELLI, *Biblioteca universale*, 1701–06; E. CHAMBERS *Cyclopaedia*, 2 Bde. 1728; J. P. LUDEWIG, *Großes vollständiges Universallex.*

aller Wissenschaften und Künste, 68 Bde. 1731–54 (nach dem Verleger *Zedlers Lex.* genannt); J. G. SULZER, *Kurzer Begriff aller Wissenschaften,* 1745; als Hauptwerk der Aufklärung die *Encyclopédie ou dictionnaire raisonné des sciences, des arts et des métiers* von DIDEROT, d'ALEMBERT und den franz. →Enzyklopädisten, 35 Bde. 1751–80; *Encyclopaedia Britannica,* zuerst 3 Bde. 1768–71; J. J. ESCHENBURG, *Lehrbuch der Wissenschaftskunde,* 1792; HEGEL, *E. der philosophischen Wissenschaften,* 1817; J. S. ERSCH, J. G. GRUBER, *Allg. E. der Wissenschaften und Künste,* unvollendet, 167 Bde. 1818–1890. Seit Beginn des 19. Jh. wird die E. in Dtl. durch das breitere Bevölkerungskreise ansprechende, knapper und sachlicher informierende →Konversationslexikon abgelöst; daneben besitzt fast jedes Kulturvolk seine große E.: *Brockhaus E.* 20 Bde. 1966–74; *Encyclopaedia Britannica* 30 Bde. [15]1974 ff.; *Grande Encyclopédie Larousse* 1885–1902 und *Larousse du XXe Siècle* 1928–33; *Enciclopedia Italiana,* 36 Bde. 1929–49; *Große Sowjet-E.,* 65 Bde. 1926 ff.; *Enciclopedia Universal,* 70 Bde. 1905–32 für Spanien.

B. Wendt, Idee u. Entwicklungsgesch. d. enzykl. Lit., 1941; H. Kogan, *The great E. Britannica,* Chic. 1958; R. L. Collison, *Encyclopedias,* N. Y. 1962; J. Henningsen, E. (Archiv f. Begriffsgesch. 10, 1966).

Enzyklopädisten, die Mitarbeiter und Herausgeber der großen franz. →Enzyklopädie von 1751–1780, die nach dem Vorbild von CHAMBERS und P. BAYLE (→Enzyklopädie) nicht nur e. popularisierendes Sammelwerk wissenschaftlichen Rüstzeugs, sondern zugleich Hauptorgan des franz. Rationalismus bes. auf religiösem, ethischem und politischem Gebiet sein wollte. Die Leitung hatten DIDEROT und d'ALEMBERT; Teilgebiete behandelten: MALLET (Theol., Gesch.), TOUSSAINT (Jura), DAUBENTON (Medizin), YVON (Logik, Moral), ROUSSEAU (Musik, Philosophie), MARMONTEL (Lit.-gesch.), L. de JAUCOURT (Naturwissensch.), MORELLET (Nationalökonomie), ferner BUFFON, CONDILLAC, MONTESQUIEU, QUESNAY, TURGOT, VOLTAIRE, DUMARCHAIS, HOLBACH, GRIMM u. a.

L. Ducros, *Les e.,* 1900; F. Le Gras, *Diderot et les E.,* Amiens 1928; F. Schalk, D. Encycl. d. franz. Aufklärg., 1936; J. Proust, *L'Encyclopédie,* Paris 1965; J. Lough, *The Encyclopédie,* Lond. 1972.

Epanadiplose, 1. = →Anadiplose, 2. = →Kyklos.

Epanalepse (griech. *epanalepsis* = Wiederaufnahme), →rhetorische Figur: Wiederholung des gleichen Einzelwortes oder e. Wortgruppe am Satzanfang, entweder unmittelbar aufeinander (›Gott, Gott erbarmt sich unser‹, BÜRGER, *Lenore*) oder nach Zwischenschaltung e. Wortes (›Hilf, Gott, hilf!‹, ebda.), schließlich auch am Ende des Satzes (›Laß sausen durch den Hagedorn, laß sausen, Kind, laß sausen!‹, ebda.) oder in der Sonderform der →Anadiplose – stets zur pathetischen Ausdruckssteigerung. Bes. häufig in W. WHITMANS *Leaves of Grass.*

Epanaphora (griech.) = →Anapher

Epanastrophe (griech. = Wieder-Umwendung) →Anadiplose

Epanodos (griech. = Rückweg), Wiederholung e. Satzes in umgekehrter Wortfolge, so daß das erste Wort zum letzten wird usw.; ›Das Ende kommt, es kommt das Ende‹ (HESEKIEL 7,6), kreuzweise Kombination von Anapher und Epiphora bei chiastischer Wortstellung, so daß eigtl. innen Anadiplose und außen Epanalepse vorliegt. – 2. →Regression.

Epeisodion (griech. *epeisodios* = dazukommend, eingeschoben), der ›Akt‹ im griech. Drama, d. h. die anfangs in trochäischen Tetrametern, später meist in jambischen Trimetern gehaltenen Dialogpartien zwischen zwei Chorliedern (→Stasima), durch die sie getrennt werden; dagegen heißt der Dialogteil vor dem Einzugslied des Chors (→Parodos) →Prologos, derjenige nach dem letzten Stasimon →Exodos. Die Zahl der E.a beträgt meist drei, später mehr. Der Name bezeugt den Ursprung des →Dramas aus dem →Chor; später treten an die Stelle mit der Handlung verbundener Chorlieder →Embolima (= ›Einschiebsel‹), unabhängige tänzerisch-lyrische Einlagen.

Epenthese (griech. = Einfügung), Form des →Metaplasmus: Hinzufügung, Zwischenschaltung eines Lautes bzw. einer Silbe im Wortinneren aus poetisch-archaischen oder metrischen Gründen, z. B. Mavors für Mars (VERGIL, *Aen.* 8,630).

Epexegese (griech. *epexegesis* = eingefügte Erklärung), →rhetorische Figur: →parataktische Auseinanderlegung logisch einander untergeordneter Begriffe zum Zwecke deutlicheren Hervortretens, bes. bei VERGIL.

Ephemeriden (griech. *ephemeris* = Tagebuch), Aufzeichnungen von Tagesereignissen in chronologischer Reihenfolge, dann ähnl. →Almanach bes. astronomische Jahrbücher mit vorausberechneter Stellung der Gestirne für jeden Tag; im Bibliothekswesen = Zeitungen, Zss. u. a. periodisch erscheinende Organe, z. B. O. v. GEMMINGENS *Wiener E.* (1786).

Ephymnien (griech. *ephymnein* = dazu singen), e. Art Kehrreim in antiken Chorliedern, meist in anderem Versmaß als die Strophen gehalten und diese verknüpfend.

Epicedium →Epikedeion

Epideiktik (griech. *genos epideiktikon* =) die prunkende, zur Schau stellende Art der Rede, im Ggs. zur Gerichtsrede und der politischen Rede nicht praktische Zwecke verfolgend, hat Lob und Tadel von Personen, Gegenständen, Eigenschaften zum Ziel und ist im hohen Maße in der Gelegenheits- und Festrede entwickelt. Ihre freiere und stofflich weniger gebundene Form erlaubt dem Redner eine künstlerische Schaustellung seines Könnens.

V. Buchheit, Unters. z. Theor. d. Genos epideiktikon v. Gorgias bis Aristoteles, 1960.

Epigonendichtung (griech. *epigonoi* = Nachgeborene), allg. die auf große schöpferische Epochen folgende Dichtung, die das Erbe der vergangenen Generation unter dem Eindruck ihrer hohen Leistungen ohne eigene Schöpferkraft nachahmt. Sie bringt es leicht zu formaler Beherrschung der erprobten Technik und erreicht dank der Langsamkeit geistiger Entwicklung bei der breiten Masse zeitweilig große Erfolge, bleibt jedoch ohne Sinn für das organisch Gewachsene des Gehalts und unfähig zum Gestalten eigener Probleme. In dt. Dichtung entsteht E. zuerst als Nachbildung der höfischen Epik bei RUDOLF VON EMS, KONRAD VON WÜRZBURG u. a. E. im engeren Sinne meint die dt. nachklassische und nachromantische Dichtung des 19. Jh. als stärkste Gegenströmung zum gleichzeitigen Realismus. Sie entsteht in Anlehnung an den dt. Idealismus zuerst in der Zeit nach den Befreiungskriegen bis 1848 und verliert erst um 1880 mit dem Aufkommen des Naturalismus alle Geltung. Den Namen gibt IMMERMANNS Roman *Die*

Epigonen (1836). Im Bewußtsein des Epigonentums strebt man mit rückwärtiger Blickrichtung nach vollendeter Formkunst und Schönheit als Weltanschauung (→Ästhetizismus). IMMERMANN selbst findet zum Realismus durch; PLATENS aristokratische Kunstauffassung und reines Formgefühl zeigen den unbedingten Willen zur Schönheit, der sich in der Italiensehnsucht der Zeit (GREGOROVIUS u. a.) ausspricht; bes. Pflege findet die E. im →Münchner Dichterkreis um GEIBEL und HEYSE, ferner bei A. GRÜN, RÜCKERT, HAMERLING, WOLFF, DAHN (→Professorenroman), EBERS, GAUDY u. a. Einen bes. Zweig bilden die heroisch-pathetischen Dramen der Schiller-Epigonen von H. J. v. COLLIN bis WILDENBRUCH und die traditionsbewußte Dichtung der Jahrhundertwende (HOFMANNSTHAL, GEORGE-Kreis, P. ERNST).

K. Viëtor, D. Kunstanschauung d. höf. Epigonen (Beitr. 40, 1922); RL; E. Sohns, Vergleich u. Bild b. d. Epigonen nachhöf. Zt., Diss. Greifswald 1941; M. Windfuhr, D. Epigone (Arch. f. Begriffsgesch. 4, 1959); E. Alker, D. dt. Lit. i. 19. Jh., ²1961; H. Henel, Epigonenlyrik (Euph. 55, 1962); C. David, Üb. d. Begriff d. E'ischen (Tradition u. Ursprünglichkeit, 1966); M. Durzak, Epigonenlyrik (Jb. d. Dt. Schiller-Ges. 13, 1969).

Epigramm (griech. *epigramma* = Inschrift, Aufschrift), urspr. Aufschrift auf Gebäuden, Kunstwerken, Weihgeschenken, Grab- und Denkmälern u. ä. zur Erläuterung ihrer Bedeutung, anfangs meist in elegischen Distichen (Kurz-Elegie) verfaßt und zweckentsprechend von prägnantester Kürze des Ausdrucks; seit Ende des 6. Jh. v. Chr. dichterisch erweitert als selbständige Gattung (lit. Buch-E.) zur einprägsamen Ausformung von Gefühlen, Stimmungen und geistreichen Gedanken um den bezeichneten Gegenstand, Würdigung der Person des Grab- oder Denkmals, bes. Deutung von Ereignissen, allg. Betrachtungen u. ä., Gattung der →Gedankenlyrik: Sinngedicht, schließlich oft mit satirischem Inhalt und überraschender Sinndeutung des Berichteten in der Schluß→pointe, die hohe künstlerische Formgebung verlangt.

Als Begründer des E. gilt SIMONIDES von Keos (556–468 v. Chr.) mit Grabinschriften der in den Perserkriegen Gefallenen (›Wanderer, kommst du nach Sparta, verkündige dorten, du habest / uns hier liegen gesehen, wie das Gesetz es befahl‹ für die Thermopylenkämpfer); es folgten AISCHYLOS (Marathon-Inschrift?), PLATON und bes. die hellenist. und alexandrin. Dichter wie KALLIMACHOS, LEONIDAS von Tarent, ASKLEPIADES von Samos u. a. mit kunstvollen, feingeschliffenen Formen; die *Griech. →Anthologie* enthält rd. 3600 E.e verschiedener Dichter. Die Römer, zuerst ENNIUS (200 v. Chr.), dann CATULL, später AUSONIUS, übernehmen das E. von den Alexandrinern, z. T. als Grabinschrift (z. B. des PACUVIUS), bes. aber der Meister des E., MARTIAL (um 40–102) gibt ihm den straffen satirischen Charakter, der bis zu LESSING in der Poetik als das Wesen der Gattung gelten sollte, während es in der ind. und pers. Lit. als allg. Sinnspruch gilt. Auch in dt. Lit. erscheint es zuerst als →Spruchdichtung, etwa in FREIDANKS *Bescheidenheit* (um 1230) oder der Form des →Priamel (13./14. Jh.), schließlich im volkstümlichen → Schnadahüpfel. In der Folgezeit neigen bes. antikisierende Epochen zur E.dichtung. Nach dem Vorbild MARITIALS entsteht die franz. (C. MAROT, 1495–1544, und die Opposition gegen RICHELIEU) und neulat. (Engländer OWEN, 1560–1622) E.dichtung der Renaissance. OPITZ führt 1625 das E. als kurze Satire mit spitzfindiger Endpointe in die dt. Lit. ein und zeigt Abhängigkeiten von OWEN wie MARTIAL. Im herrschenden Maß des →Alexandriners entsprach das E. der antithetischen Lebensauffassung des Barock und fand reiche Blüte bei FLEMING, GROB, PLAVIUS und fast allen anderen Dichtern der Zeit, bes. in den zeitsatirischen *Sinngedichten* LOGAUS und WERNICKES als Verhöhnung der Laster und Modetorheiten, während D. CZEPKO und ANGELUS SILESIUS *(Cherubinischer Wandersmann)* dieselbe Form zum Ausdruck mystischer Religiosität benutzten. Ebenso erscheint das E. in der verstandesklaren Aufklärung als bevorzugte scharfsinnige Form bei fast allen Dichtern, bes. vollendet bei KÄSTNER und LESSING, der auch in den *Zerstreuten Anmerkungen über das E.* (1771) seine theoretische Begründung im Sinne MARTIALS versucht: Erwartung (Spannungserregung) und Aufschluß (überraschende Lösung) bilden nach ihm die Bauelemente des E. Demgegenüber vertritt HERDER (*Über das griech. E.*, 1785), von der *Anthologie* ausgehend, e. freiere Abgrenzung des Stoffkreises und legt Wert auf befriedigende Darstellung e. Gehalts. In Frankreich schreiben BOILEAU, MALHERBE, ROUSSEAU, VOLTAIRE, LEBRUN, in England POPE, PRIOR, HERRICK, W. BROWNE, bes. LANDOR und BELLOC E.e. SCHILLER und GOETHE verwenden die Distichenform der →Xenien (1797) als Lit.- und Kultursatire gegen ihre Gegner, GOETHE ferner in den *Venezianischen E.en* (1790) u. a. mit tiefem philosophisch-ethischem Gehalt. Im 19. Jh. lebt das E. fort als Literatursatire bei KLEIST, PLATEN und GRILLPARZER, als politische Offensive im Jungen Dtl., bei HERWEGH u. a., daneben aber als schlichte, friedliche Spruchdichtung bei EICHENDORFF, UHLAND, RÜCKERT (in Anlehnung an oriental. Spruchweisheit), GEIBEL, VISCHER, HEBBEL (ethische und ästhetische Betrachtungen und Lebenserfahrungen) und MÖRIKE (menschlich erfüllte ›Aufschriften‹ nach dem formvollendeten Typ der *Anthologie*, Erlebnisbilder ohne didaktischen oder satirischen Beiklang). Seit rd. 1850 entstehen keine nennenswerten neuen E.e mehr, nur noch vereinzelte Ausformungen bei E. POUND, Ch. MORGENSTERN u. E. KÄSTNER. →Monodistichon.

R. Reitzenstein, E. u. Skolion, 1893; M. Rubensohn, Griech. E.e in dt. Übersetzung d. 16./17. Jh., 1898; E. Urban, Owenus u. d. dt. E.atiker d. 17. Jh., 1899; R. Levy, Martial u. d. dt. E.atik d. 17. Jh., 1903; E. Beutler, V. griech. E. i. 18. Jh., 1909; F. Fuchs, Beitr. z. Gesch. d. frz. E., Diss. Würzb. 1924; T. K. Whipple, *Martial and the Engl. E., 1925;* P. Nixon, *Martial and the modern e.*, New York 1927; RL; Th. Erb, D. Pointe i. d. Dichtg., 1928; W. Hammond-Norden, Warum werden keine E.e mehr geschrieben? (D. Lit., Sept. 1939); H. H. Hudson, *The E. in the Engl. Renaiss.*, 1947; O. Weinreich, E.stud., 1948; R. Raiser, Üb. d. E., 1950; W. Preisendanz, D. Spruchform i. d. Lyrik d. alten Goethe, Diss. Hdlbg. 1952; G. Bernt, D. lat. E., Diss. Mchn. 1968; Das E., hg. G. Pfohl 1969; G. Neumann, Nachw. zu: Dt. E.e, hg. ders. 1969; G. C. Rimbach, D. E. u. d. Barockpoetik (Jb. d. Dt. Schiller-Ges. 14, 1970); R. K. Angress, *The early German e.* Lexington 1971; K. M. Holum, *The e.* (*Linguistics* 94, 1972); W. Dietze, Abriß e. Gesch. d. dt. E. (in: Erbe u. Gegenwart, 1972); J. Weisz, D. E. i. d. dt. Lit. d. 17. Jh., 1979.

Epigraph (griech. *epigraphein* = darauf schreiben), antike →Inschrift.

Epigraphik (zu →Epigraph), Inschriftenkunde, d. h. Sammlung und Sichtung der →Inschriften an antiken Denkmälern u. ä.; Teil der Altertumswissenschaft.

E. Hübner, Röm. E., [2]1892; W. Larfeld, Hdb. d. griech. E., II 1902–07; ders., Griech. E., [3]1914; C. M. Kaufmann, Hdb. d. altchristl. E., 1917; F. Hiller v. Gärtringen, Griech. E., [3]1924; H. Dessau, Lat. E. (Einl. i. d. Altert.wiss., 1925); J. E., Sandys, *Lat. Epigraphy*, [2]1927; R.

Bloch, *L'epigraphie lat.*, Paris 1952; V. Wanscher, *Epigraphie étrusque et préromaine*, Koph. 1954; G. Klaffenbach, Griech. E. ²1966; M. Guarducci, *Epigrafia greca*, Rom 1967; E. Meyer, Einf. i. d. lat. E., 1972.

Epik (griech. *epikos* = episch, zum →Epos gehörig), die epische, d. h. erzählende Dichtung und damit die mittlere der drei natürlichen →Gattungen dichterischer Gestaltungsmöglichkeiten überhaupt, insofern sie objektiver als die Lyrik, subjektiver als die Dramatik ist, da die Vorgänge weder im Innern des Dichters selbst spielen noch in darstellenden Personen objektiviert vorgeführt werden. Ihre Grundhaltung ist e. Ursituation zwischenmenschlichen Verkehrs: das Erzählen als Vermitteln zwischen Ereignis und Zuhörer (Erzählhaltung), die betrachtende, distanzierte und gelassen-ausgeglichene Darstellung von der Vergangenheit angehörenden Geschehnissen der inneren, bes. aber der äußeren Welt (Wirklichkeit, Phantasie- oder Traumwelt), Schilderung von Zuständen und Menschen in breiterer Form (→epische Breite) oder knapp gedrängtem Bericht, in Vers oder Prosa, vom festen, überschauenden Standpunkt des →Erzählers, der selbst selten hervortritt oder an der Handlung teilhat (→Ich-Form), häufiger die bloße →Er-Form oder eine →Perspektive (→Briefroman, →Chronikalische oder →Rahmenerzählung) wählt. Das Weltgeschehen in bunter Fülle, in das der epische Vorgang hineingestellt wird, nicht e. einzelne, um e. tätigen Helden streng verknüpfte Handlung steht im Vordergrund. Außer der selbstgefügten, lockeren und durch →Episoden beliebig erweiterbaren Einheit des Geschehens bedarf es keiner Grenzen von Raum und Zeit wie etwa der Einheiten des Dramas oder des geschlossenen Stimmungseinklangs der Lyrik; Zeitgestaltung des Erzählens in Beschleunigung und Verharren z. T. selbst Zurückdrehen der →Zeit (→Rückblende) steht im Belieben des Epikers, ebenso die Gliederung in einzelne Aufbauteile (→Gesänge, →Abenteuer, →Bücher, →Kapitel usw.), und nur in stark betontem Eigengewicht der Einzelabschnitte bekundet sich e. tektonischer Aufbauwillen. Aus dem weniger auf e. Schluß hindrängenden Aufbau der E. ergibt sich bes. in den ausgeprägten Großformen e. größere Selbständigkeit der Teile, und selbst →Vorausdeutungen auf das Ende (aus der Allwissenheit des überschauenden Epikers heraus) wirken nicht spannungsraubend.

Hinsichtlich der Untergliederung der epischen Formen unterscheidet man die auf komische Wirkung angelegten von den ernsten oder lösenden. Als präliterarische Vorgänger erzählender Dichtung gelten die sog. →einfachen Formen →Märchen, →Sage, →Legende (in individuell dichterischer Gestaltung als →Kunstmärchen usw. bezeichnet). Von den epischen Großformen → Roman und →Saga in Prosa, →Epos (→Volks-, →Kunstepos) in Versen trennt man die Kleinformen wie →Novelle, →Kurzgeschichte, → Skizze, →Anekdote und allg. →Erzählung in Prosa; →Ballade, →Romanze, →Idylle und →Verserzählung in gebundener Rede; →Parabel und →Fabel als lehrhafte wie →Satire, →Parodie und →Travestie als lächerlich darstellende Formen erscheinen sowohl in Prosa als in Versen. Die Entwicklung der E. als Dichtgattung, fast überall gleichzeitig mit der Lyrik einsetzend, ist für die einzelnen Arten unterschiedlich (daher s. d., bes. →Epos und →Roman).

Die Theorie der epischen Formen beginnt mit ARISTOTELES' *Poetik*, dann erst im 18. Jahrhundert; während vorher lediglich die Form des Epos als Heldengedicht Gegenstand theoretischer Erörterungen war, wird nun mit der reichen Ausbildung epischer Gattungen die Frage nach der stofflichen Abgrenzung bes. von der Dramatik deutlich (SCHILLER-GOETHE Briefwechsel; GOETHE *Über epische und dramatische Dichtung*, 1797). Die Prosa-E. wird erst (nach Vorgang von BLANKENBURGS *Versuch über den Roman*, 1774) im 19. Jh. als dichterische Gestalt erschlossen (HEYSES →Falkentheorie, SPIELHAGEN, *Neue Beiträge zur Theorie und Technik der E. und Dramatik*, 1898 u.a.) die Diskussion über das Wesen des Romans hält an.

W. P. Ker, *E. and Romance*, Lond. 1897; K. Friedmann, D. Rolle d. Erzählers i. d. E., 1910; H. Frank, Dt. Erzählkunst, 1922; A. Schaeffer, Üb. Tragödie u. Epos (in: Dichter u. Dichtg., 1923); E. Hirth, D. Formgesetz d. ep., dr., lyr. Dtg., 1923; E. Weber, Gesch. d. epischen u. idyll. Dichtg., 1924; O. Walzel, Objektive Erzählg. (in: Wortkunst, 1926); M. F. Lawson, Spanng. i. d. Erzählg., 1934; R. Petsch, Z. Lehre v. d. ältest. Erzählformen (Dichtg. u. Volkstum 35, 1934/35); W. Schäfer, D. Wesen d. epischen Dichtg. (Zs. f. Kulturphilos., 1939); R. Petsch, Wesen u. Formen d. Erzählkunst, ²1942; H. Brandenburg, D. Kunst d. Erz., 1946; G. Müller, D. Bedeutg. d. Zeit i. d. Erzählkunst, 1947; ders., Üb. d. Zeitgerüst d. Erzählens, DVJ 24, 1950; K. Hamburger, Beobachtungen üb. d. urepischen Stil (Trivium VI, 1948); dies., Z. Strukturprobl. d. ep. u. dram. Dichtg., DVJ 25, 1951; J. Wassermann, D. Kunst d. Erzählung, ²1948; M. L. Shedlock, *The Art of the story-teller*, N. Y. ²1951; R. Lidell, *Some principles of fiction*, Lond. 1953; P. Lubbock, *The Craft of Fiction*, Lond. 1954; W. Flemming, E. u. Dramatik, 1955; H. Eggers, Symmetrie u. Proportion ep. Erzählens, 1956; B. Rang, D. Wandlungen d. Epischen (in O. Mann, Dt. Lit. i. 20. Jh., ²1956); D. M. Foerster, *The fortunes of ep. poetry*, 1962; H. E. Hugo, *Aspects of fiction*, Boston 1962; R. Male, *Types of short fiction*, Belmont 1962; M. Church, *Time and Reality*, Carbondale 1963; W. Lockemann, D. Entstehg. d. Erzählproblems, 1964; W. Bausch, Theorien d. ep. Erzählens i. d. dt. Frühromantik, 1964; J. Pfeiffer, Wege z. Erzählkunst, ⁶1964; E. Neis, Struktur u. Thematik d. tradit. u. mod. Erzählkunst, 1965; R. Scholes, R. Kellogg, *The nature of narrative*, N. Y. 1966; H. Maiworm, Neue dt. E., 1967; K. Hamburger, D. Logik d. Dichtg., ²1968; *Perspectives on fiction*, hg. J. L. Calderwood, N. Y. 1968; E. Kahler, Untergang u. Übergang, 1970; A. Ros, Z. Theorie lit. Erzählens, 1972; J. Ihwe, *On the foundations of a general theory of narrative structure* (*Poetics*, 1972); T. Todorov, Poetik d. Prosa, 1972; E. Lämmert, Bauformen d. Erzählens, ⁵1972; H. Meyer, D. Kunst d. Erzählens, 1972; J. Vogt (Grundzüge d. Lit.- u. Sprachwiss. I, 1973); J. Anderegg, Fiktion u. Kommunikation, 1973; W. C. Booth, D. Rhetorik d. Erzählkunst, 1974; A. Behrmann, Einf. i. d. Analyse v. Prosatexten, ⁴1975; S. E. Larsen, *Litteraer semiologi*, Odense 1975; K. Kanzog, Erzählstrategie, 1976; Erzählforschung, hg. W. Haubrichs III 1976–78. →Poetik, →Gattungen.

Epikedeion (griech., lat. *epicedium* =) schwermütiges Trauer-, Grab- und Trostgedicht im Angesicht e. Toten, meist in Form der Kurz→elegie oder des →Epigramms, auch rein daktylisch; beliebte Dichtart der Antike bes. seit hellenist. Zeit; in lat. Dichtung auch auf verstorbene Lieblingstiere; vgl. →Threnos, →Consolatio.

G. Herrlinger, Totenklage um Tiere i. d. antiken Dichtg., 1929; E. Springer, Stud. z. humanist. E.dichttg., Diss. Wien 1956; H.-H. Krummacher, D. barocke E. (Jb. d. Dt. Schiller-Ges. 18, 1974).

Epilog (griech. *epilogos* = Nachrede), abschließendes Nachwort zur Erläuterung e. Literaturwerkes (z. B. persönliche Anrede in den meisten höfischen Epen), bes. im Drama nach der Vorstellung v. e. Mitwirkenden (in Tragödien ernste, in Komödien lustige Person; bei zwei Personen Nähe zum →Nachspiel) an die Zuschauer gerichtete Schlußrede, naive Form der Verbindungnahme zum Publikum; in die röm. Komödie von PLAUTUS eingeführt, bes. im 16./17. Jh. in den Anfängen des neuen Dramas verwendet (SHAKESPEARE) und bis ins 19. Jh. gebräuchlich (GOETHES *E. zu Schillers Glocke* anläßlich deren Aufführung; TIECK); im modernen Drama nur noch parodierend. Der E. enthält oft e. Bitte um Beifall oder Nachsicht (PLAUTUS), Ankündigung weiterer Vorstellungen und Aufforderung zu erneutem Erscheinen, Danksagung ans Publikum für den Besuch oder die Spielerlaubnis, Huldigung an Gönner (im elisabethanischen Drama Schlußgebet für die Königin); bes. häufig zur Verdeutlichung der Absichten des Dichters und zu seiner Rechtfertigung gegenüber Polemiken (18. Jh.), zur Ausdeutung der dargestellten Heilsgeschichte und Mahnung zur Frömmigkeit (ma. Drama durch e. Praecursor oder Herold), Verbindung des dargestellten historischen oder biblischen Stoffes mit der Zeitlage (Humanistendrama), Zusammenfassung, belehrende Folgerung und moralische Nutzanwendung (Hans SACHS, Fastnachtsspiel) oder ganz primitiv zur Verkündung des Endes, im modernen Theater oft auch in satirisch-ironischem Sinn.

E. Zellweker, Prolog u. E. i. dt. Drama, 1906; H. Hirte, Entw. d. Prologs u. E. i. früh-neuengl. Dr., Diss. Gießen 1928; RL; E. Mason-Vest, Prolog, E. u. Zwischenrede i. dt. Schauspiel d. MA., Diss. Basel 1950; E. M. Krampla, Prolog u. E. v. engl. Mysterienspiel bis z. Shakesp., Diss. Wien 1958; M. E. Knapp, *Prologues and E. of the 18. century,* New Haven 1961.

Epimythion (griech. =) die moralische Nutzanwendung am Schluß e. Beispiels (→Exemplum) oder e. Fabel als Ergebnis rationaler Schlußbetrachtung.

Epinikion (griech. *e. melos* = Siegesgesang), im antiken Griechenland Preislied zu Ehren des Siegers in den panhellenischen Festspielen, bei seinem festlichen Triumphzug, dem Einzug in die Heimat oder Festmahl, von Chören zu Flötenbegleitung gesungen; häufig von 3teiligem Bau (Strophe, Antistrophe, Epode) und daktylo-epitritischen Maßen; von SIMONIDES als Kunstform entwickelt und neben BAKCHYLIDES bes. von PINDAR gepflegt.

Epiparodos (griech. *epi* = darauf), das Einzugslied (→Parodos) des altgriech. Chors bei seinem evtl. zweiten Aufziehen nach erfolgtem Abzug.

Epiphonema (griech. = Nachklang), in der antiken Rhetorik die Sentenz oder verallgemeinernde Schlußbetrachtung als Abschluß eines längeren Gedankengangs, meist in Form eines Ausrufs.

Epiphora (griech. = Herzubringen, Zugabe), bes. in der Antike übliche →rhetorische Figur: ausdrucksvolle Wiederholung desselben Wortes oder Wortgefüges jeweils am Schluß mehrerer aufeinanderfolgender Sätze oder Satzglieder, Sonderfall des →Homoioteleuton, Umkehr der →Anapher, doch jünger und künstlicher als diese; auch in der Form des →Polyptoton oder mit Lockerung durch Setzung von Synonymen. Beispiel: ›Ich sah auf dich und weinte nicht. Der Schmerz / schlug meine Zähne knirschend aneinander; / Ich weinte nicht ...‹ (SCHILLER, *Don Carlos* I, 2), NIETZSCHE, *Nachtlied* u. ö.

Epiphrase (v. griech. *epiphrasis* = Nachsatz), Stilfigur, die einem syntaktisch scheinbar beendeten Satz in nachträglicher Anknüpfung noch ein oder mehrere ergänzende Glieder folgen läßt, sei es zur Abrundung oder Richtigstellung des Gedankens, sei es zur Betonung oder Steigerung: ›Mein Retter seid ihr und mein Engel.‹

Epiploke (griech. = Anknüpfung), fortgeführte →Anadiplose, indem vor Fortsetzung des Gedankens oder Anknüpfung e. neuen das soeben Gesagte wiederholt wird, oft mit Wechsel der syntaktischen Funktion, etwa entsprechend dem Geschlechtsregister Matth. I, 2–16, z. B. VERGIL, *Ekloge* 2, 63; häufig zum Zwecke e. Steigerung (→Klimax) verwendet.

Epirrhema (griech. = das Dazugesprochene), Sprechpartie, die auf die Liedstrophe folgt; in der →Parabase der alten att. Komödie oft satir. Ansprache des Chorführers der einen oder (Antepirrhema) der anderen Chorhälfte an das Publikum nach der Ode der entsprechenden Chorhälfte, meist in trochäischen Tetrametern gehalten und in Rat und Ermahnung ausklingend. Die epirrhematische Komposition (Gesungenes – Gesprochenes im Wechsel a b a b), eine der Grundformen der Komödie, ist im →Agon am sichtbarsten verwirklicht und auch in der Tragödie, bes. bei AISCHYLOS, häufig.

Episch, über die bloße Zugehörigkeit zur →Epik hinaus eines der natürlichen Grundelemente der Dichtung und nicht allein an die Erscheinungsform in epischen Gattungen gebunden, vielmehr als erzählende Haltung des Vor-einen-Hinstellens schlechthin auch im Drama (B. BRECHTS →episches Theater) und in der Lyrik (z. B. Elegie) denkbar, wie auch das Epos wieder mehr zum →Lyrischen oder →Dramatischen drängen kann.

E. Staiger, Grundbegriffe der Poetik, [8]1968.

Epische Breite, das Gesetz der erzählenden Großformen, die in breit ausmalender Schilderung, gemächlichem Verweilen bei Einzelheiten, Abschweifungen, →Episoden, →epischen Wiederholungen oder ständigen Rückgriffen (HOMER) die Freude an der bunten Fülle der darstellbaren Welt bekunden. Die Grenze der e. B. liegt dort, wo sie zum Zerfließen des Gesamteindrucks führt.

Episches Präteritum, die Zeitform des Imperfekts oder P. als natürlichste Erzählform der aus rückblickender Haltung berichteten Ereignisse ohne Ablenkung durch irgendwelche zeitliche Brechung.

K. Stanzel, E. P., erlebte Rede, hist. Präsens, DVJ 33, 1959; W. Rasch, Z. Frage d. e. P. (Wirk. Wort, 3. Sonderh. 1961); K. Hamburger, D. Logik d. Dichtg., [2]1968.

Episches Theater, von B. BRECHT formulierte und ausgebildete Theater- und Dramenform im Sinne der marxistischen Kunsttheorie des →sozialistischen Realismus; fordert statt des illusionistischen Bühnenerlebnisses, das den Zuschauer suggestiv und gefühlsmäßig ergreift und im Miterleben seine Aktivität verbraucht, e. demonstrierend-erzählende Form, die durch Argumente aus der Handlung den Zuschauer zum rationalen Betrachter und Beurteiler macht, ihn der Handlung gegenüberstellt, zu eigenen Entscheidungen zwingt und durch Distanz seine Aktivität weckt (→Verfremdungseffekt), ›Gegenstand der Untersuchung‹ sei der ›veränderliche und veränderte Mensch‹, die Spannung richte sich daher nicht wie beim illusionistischen Drama auf den Ausgang, sondern auf den Gang der Handlung, die in Einzelszenen, Kurven und Sprüngen (→Montage) ohne ›evolutionäre Zwangsläufigkeit‹ abrolle. Die durch den Verfremdungseffekt gesteigerte antiillusionistische Haltung verzichtet auf Akteinteilung, Exposition und ›Natürlichkeit‹, da nicht Unterhaltung, sondern Kritik erstrebt wird (›dramatische Bilderbogen‹). Die polemisch überspitzten theoretischen Postulate BRECHTS schließen praktisch die Zugrundelegung eines ›Dramatischen‹ als dynamisches Spannungsmittel nicht aus; ob ihr revolutionärer Charakter für die Dramatik der sozialistischen Länder wegweisend wird oder nur aus der persönlichen Veranlagung BRECHTS resultierte, muß die Zeit erweisen; mit der seit der Antike praktisch verwirklichten und erprobten Dramenform ist er nicht vereinbar. →Stationenstück.

W. Benjamin, Was ist e. T. (in: Schriften II, 1955); E. Schumacher, D. dramat. Versuche B. Brechts, 1955; P. Szondi, Theorie d. mod. Dramas, 1956; M. Dietrich, E. T. (Maske u. Kothurn 2, 1956); J. Rühle, D. gefesselte Theater, 1957; B. Brecht, Schriften z. Theater, 1957; O. Mann, B. Brecht, 1958; W. Hinck, D. Dramaturgie d. späten Brecht, 1959; U. Weisstein, *From the dramatic novel to the e. t.* (*Germanic Review* 38, 1963); F. H. Crumbach, D. Struktur d. E. T., 1960; Das e. T., hg. R. Grimm 1966; M. Kesting, Das e. T., 71978; J. Gassner, *Varieties of e. t. in mod. drama,* (*Compar. Lit.*, hg. A. O. Aldridge, Urbana 1969); M. Hahnloser-Ingold, D. engl. Theater u. B. Brecht, 1970; W. Hecht, Brechts Weg z. e. T., 21976.

Epische Wiederholung, die Wiederkehr gleicher Formeln, Wendungen, Ausdrücke u. Sprüche, ist bes. im frühen Volksepos und im Märchen e. wesentliches Stilmittel. →Epitheton. In der griech. Epik entsteht aus der e. W. das Phänomen der ›typischen Szenen‹ und der versus iterati (= wiederholten Verse), was beides der hellenist. und entsprechend der röm. Geschmack vermeidet.

S. Hock, D. Wiederholg. i. d. Dichtg., Festschr. f. Jerusalem, 1915.

Episode (griech. *epeisodion* = Einschaltung, Einschiebsel), ursprünglich die zwischen die Chorgesänge ›eingeschobene‹ Handlung des altgriech. →Dramas: →Epeisodion; heute allg. in Roman, Epos und Drama e. in sich geschlossene, in die Haupthandlung eingeschaltete und mit ihr meist nur locker verknüpfte Nebenhandlung, die durch Gegensatz oder Parallele der plastischeren Hervorhebung des Hauptthemas, seinem besseren Verständnis und seiner allg. Ausweitung dient, bei fehlendem Sinnzusammenhang dagegen bes. im Drama den Gesamteindruck beeinträchtigt. Als eigene Literaturform für die E. erscheint die Novelle (bei SCHNITZLER u. a.) mit tieferer Sinndeutung des Lebens aus scheinbaren Zufälligkeiten. Beispiel e. E.: Thekla und Max Piccolomini in SCHILLERS *Wallenstein.* Episodenstück heißt in Film, Funk und Fernsehen eine Reihe nur durch gemeinsames Thema verbundener Einzelszenen, die verschiedene Autoren und Regisseure zum Rahmenthema beitragen.

U. Wertheim, Fabel u. E. i. Dramatik u. Epik (Neue dt. Lit. 12, 1964).

Episodenstück →Episode

Epistel (griech. *epistole,* lat. *epistula* =) →Brief, 1. allg., bes. 2. die Apostelbriefe des NT. und deren zur sonntäglichen Verlesung bestimmte Abschnitte (→Perikopen), daher häufig im Sinne von Mahnschreiben, Strafpredigt u. ä., 3. als Dichtform die poetische E. (Briefgedicht) in Versen (Hexameter, Distichen, dt. Jambus, franz. Alexandriner), meist lehrhaften moral., philosoph. oder ästhet. Inhalts in epischer (Ereignisdarstellung) oder lyrischer (Empfindungen, Bekenntnisse) Form, familiärem Stil und an e. bestimmte Person gerichtet (HORAZ, *Epistula ad Pisones = Ars poetica*), häufig mit Nähe zu Elegie (OVID, *Epistulae ex Ponto*) und Satire. Über PETRARCA, ARIOST, GARCILASO DE LA VEGA *(Epistula moral a Fabio),* J. DONNE, A. POPE, C. MAROT, BOILEAU und VOLTAIRE bis ins 19.

Jh. üblich (GOETHES E.n). Sonderform: →Heroiden.

H. Peter, D. Brief i. d. röm. Lit., 1901; E. L. Rivers, *The Horatian E. and its Introduction into Spanish Lit.* (*Hispanic Review* 22, 1954); J. A. Levine, *The Status of the Verse E. before Pope* (*Studies in Philology* 59, 1962); G. Rückert, D. E. als lit. Gattg. (Wirk. Wort 22, 1972); M. Motsch, D. poet. E., 1974.

Epistolar(ium), Verzeichnis aller bei der Messe zu lesenden Stellen der Bibel außer denen der Evangelien (→Evangelistar) in der Folge des Kirchenjahres; hauptsächlich aus den Apostelbriefen (→Episteln), daher Name.

Epistrophe (griech. = Herumdrehen, Wiederkehr) = →Epiphora.

Epitaph (griech. *epitaphios* = zum Begräbnis gehörig), 1. ›epitaphios logos‹ = Leichenrede, in Athen bei der öffentlichen Bestattung der für das Vaterland gefallenen Bürger im Auftrage des Staates von e. bestellten Redner gehalten, z. B. der e. l. des PERIKLES aus dem Jahre 431 v. Chr. (THUKYDIDES II, 34–46) und der des GORGIAS als Musterrede; 2. Grabschrift; 3. e. mit Inschrift versehenes Grabmal.

R. Lattimore, *Themes in Greek and Latin E.s,* Urbana [2]1962; W. Segebrecht, Steh, Leser, still!, DJV 52, 1978.

Epitasis (griech. = Anspannung), die zur Verwicklung sich steigernde dramatische Handlung, Schürzung des Knotens, Höhepunkt der Spannung und →Peripetie, bes. im →Dreiakter.

Epithalamium (lat., v. griech. *epithalamion* = zum Brautgemach, *thalamos,* gehörig), Hochzeitslied, -gedicht, urspr. bei Griechen und Römern von jugendlichen Chören zu Ehren der Neuvermählten vor deren Schlafgemach gesungen, meist in äolischen Versmaßen oder Hexametern und mit Refrain; in der Antike von SAPPHO (Fragm. 91–95), THEOKRIT (*Id.* 18), CATULL (61. 62. 64), STATIUS (*Silvae* I, 2), AUSONIUS, CLAUDIAN u. a. m. gepflegt, in der Renaissance erneuert bei TASSO, MARINO, RONSARD, BELLEAU, DU BELLAY, SPENSER *(E.),* SIDNEY, DONNE, JONSON, HERRICK, CRASHAW, DRYDEN u. a. →Feszenninen, →Hymenaeus.

A. L. Wheeler, *Tradition in the E.* (*American Journal of Philol.* 51, 1930); A. Gaertner, D. engl. E.-lit. i. 17. Jh., 1936; R. Muth, Hymenaios u. E. (Wiener Stud. 67, 1954); V. Tufte, *The poetry of marriage,* L. A. 1972.

Epitheton (griech. = das Hinzugefügte, Zusatz, Beiwort), einem Substantiv oder Eigennamen attributiv beigefügtes Adjektiv oder Partizip zur näheren Erläuterung, Veranschaulichung und Umgrenzung der Person oder Sache, das dieser zunächst eine eigene, unverwechselbare Kennzeichnung gibt; bes. in zwei verschiedenen Formen: 1. typisierendes E., in lat. Rhetorik ›E. ornans‹ (= schmückend) genannt, ständige formelhafte Wiederkehr als stehendes Beiwort; es erscheint, bes. in antiker Dichtung, gewohnheitsgemäß z. T. selbst in sinnwidrigem Zusammenhang. Ein Wandel der Welt- und Lebensauffassung kann es verändern; so heißt z. B. das E. für ›Mond‹ im Rokoko ›silbern‹, in der Romantik ›golden‹, im Impressionismus ›bleich‹. Als Beispiele zeigt die volkstümliche Dichtung stehende Verbindungen wie ›rotes Blut, grüner Wald, tapferer Held, scharfes Schwert‹ u. a. m., bes. Verwendung findet es im Epos als bewußtes und mit tiefem Feingefühl passend gewähltes Stilmittel: ›der listenreiche Odysseus‹ (HOMER), ›der treffliche Hauswirt‹ (GOETHE, *Hermann und Dorothea*). – 2. individualisierendes E. gibt die Einmaligkeit der bezeichneten Eigenschaft durch e. der jeweiligen Situation genau angemessene Nebendarstellung wieder und erreicht durch bewußte Seltenheit der Anwendung stärkere Betonung; seine verfeinerte Auswahl ist kennzeichnend für die Kunstdichtung, z. B. ›gähnende Tiefe‹, ›gesellige Wolken‹; schon in der Renaissance von RONSARD u. a. gefordert und im Barock von OPITZ (*Poeterey*, 1625) zur Nachahmung zwecks Bereicherung der Kunstsprache empfohlen, setzt es sich jedoch erst seit GOETHE in großer Form durch; JEAN PAUL, BRENTANO und HEINE erzeugen durch Setzung unerwarteter E.a witzige Effekte; die franz. Romantiker entwickeln die ›audition colorée‹ unter Zuhilfenahme von →Synästhesien; reiche Verwendung findet das individualisierende E. im Impressionismus. – Hinsichtlich der Stellung ist das vorangehende E. das häufigste; OPITZ wendet sich gegen die Nachstellung, die für volkstümliche Dichtung charakteristisch ist (›Röslein rot‹, GOETHE; ›ein Mädchen schön und wunderbar‹, SCHILLER).

A. Filipsky, D. stehende Beiwort i. Volksepos, 1886; W. Hawel, D. schmückende Beiwort i. d. mhd. volkstüml. Epen, Diss. Greifswald 1908; K. H. Meyer, Unters. z. schmückenden Beiwort i. d. ält. griech. Poesie, Diss. Gött. 1913; RL; M. Parry, *L'épithète traditionelle dans Homère*, 1928; W. Whallon, *The Homeric E.* (*Yale Classical Studies* 17, 1960). →Stil.

Epitomator, Verfasser e. →Epitome.

Epitome (griech. = Ausschnitt), kurzer Auszug (Inhaltsangabe) aus e. größeren Schriftwerk (→Periochen zu LIVIUS) oder e. Wissensgebiet, Zusammenfassung der Wissenschaft, geschichtlicher Abriß (FLORUS, EUTROPIUS); in hellenist., spätröm. (E. des Alexanderromans) und humanistischer Lit. beliebt.

Epitrit(us) (v. griech. *tritos* = der dritte), vierteiliger griechischer Versfuß von 7 Moren Länge, bestehend aus drei Längen und einer Kürze, in der Grundform: –́◡–́– (trochäisches Metrum mit Schlußlänge); je nach Stellung der Kürze an 1., 2., 3. oder 4. Stelle unterscheidet man 1.–4. E. oder E. primus, secundus, tertius, quartus, von denen der 1. und 4. E. als unrhythmisch galten. Verwendung meist in Verbindung mit Daktylen: Daktyloepitriten.

Epizeuxis (griech. = Hinzufügung) = →Epanalepse

Epochalstil, abstrahierende Sammelbz. für diejenigen Stilelemente einer Epoche, die über die individuellen Stilformen der einzelnen Autoren hinaus das gemeinsame Stilbild der Epoche prägen, z. B. rhetorisch-manieristische Züge oder Topoi des Barock, Sprachverkürzung und Ekstatik des Expressionismus u. ä. Bei der Stiluntersuchung älterer Literaturwerke ergibt erst der Abzug von Elementen des E. die Möglichkeit zur Charakteristik des Persönlichkeits- oder Individualstils; dabei bleibt zu berücksichtigen, daß jeder E. jedoch erst von den Neuerern geprägt und von deren Nachfolgern zum E. entfaltet wurde.

Epochen (griech. *epoche* = Haltepunkt, Zeitpunkt e. bedeutsamen Ereignisses als Ausgangspunkt e. neuen Entwicklung), heute allg. Zeitraum, Periode, in der Lit.-geschichte die einzelnen, aufeinanderfolgenden Zeiträume der lit. Entwicklung, die sich auf Grund e. Reihe von Gemeinsamkeiten gleichzeitiger Dichtungen als Abstraktionen ergeben und, für jeden Sprachraum unterschiedlich innerhalb größerer Kulturgemeinschaften Verwandtschaften aufweisen. Die sinngemäße

Abtrennung und Zusammenfassung der E. erweist sich als theoretisch wie praktisch äußerst schwieriges Problem; genaue Scheidung der einzelnen E. ist bei der Fülle der Individualitäten und dem in ständigem Fluß begriffenen, Älteres weitertragenden und Neues vorausdeutenden Ablauf der Geistes- und Kunstgeschichte unmöglich oder erscheint zunächst als bedenkliche, wenn nicht gar als naive Willkür. Vermeidung größerer Gruppenbildung bietet das →annalistische Prinzip, jedoch bedeutet diese Beschränkung gleichzeitig e. gewissen Verzicht auf gliedernde Überschau. Die ital. Geschichtsschreibung benutzt die ›mechanische‹ Gliederung i. Jhh., die engl. z. T. die Regierungszeiten der Herrscher (elisabethanische, viktorianische E.); in Dtl. hat man sich im 20. Jh. mehr von der Abhängigkeit an von außen herangetragene E.begriffe gelöst und geistesgeschichtliche Strukturen der E.bildung zugrunde gelegt, die jedoch noch häufig umstritten sind.

R. M. Meyer, Prinzipien wiss. Periodenbildg. (Euph. 8, 1901); G. v. Below, Üb. histor. Periodisiergn., 1925; F. Neumann, D. Gliederg. d. dt. Lit.gesch. (Festschr. f. Volkelt, 1926); H. Cysarz, D. Periodenprinzip i. d. Lit.wiss. (in: Philos. d. Lit.-wiss., hg. E. Ermatinger 1930); R. H. Fife, *Epochs in German Lit.* (*Germanic Review* 14); H. P. H. Teesing, D. Probl. d. Perioden i. d. Lit.gesch., Groningen 1949; J. Hermand, Üb. Nutzen u. Nachteil lit. E.begriffe (Monatshefte 58, 1966); *Periods in German Lit.*, hg. J. M. Ritchie, Lond. 1966; RL²: Periodisierung; H. Kreuzer, Z. Periodisierg. d. mod. dt. Lit. (Basis 2, 1971); C. Guillén, *Second thoughts on lit. periods* (in: *Lit. as system*, Princeton 1971); H. Remak, *The periodization of 19th cent. German lit.* (Dichter u. Leser, 1972); E. Ribbat, E. als Arbeitsbegriff d. Lit.gesch. (Historizität i. Sprach- u. Lit.wiss., hg. W. Müller-Seidel 1974); J. Hermand, D. Streit um d. E.nbegriffe (Akten d. 5. internat. Germanisten-Kongr., 1976); Renaissance, Barock, Aufklärg., hg. W. Bahner 1976; H. D. Schäfer, Z. Periodisierg. d. dt. Lit. seit 1930 (Lit.magazin 7, 1977).

Epode (griech. *epodos* = Schluß-, Nachgesang), 1. periodische E.: in 3-teilig aufgebauten altgriech. Chorliedern und Hymnen die auf die gleichmäßig gebauten Rhythmen von →Strophe und Antistrophe folgende, abweichend gebaute 3. Strophe, entsprechend dem →Abgesang der dt. →Meistersangstrophe. – 2. stichische E. (griech. *stichos epodos* = nachgesungener Vers): in der Lyrik e. Kurzvers, der in regelmäßigem Wechsel auf e. längere Zeile folgt, oft jambischer Trimeter und Dimeter o. ä. Wechsel längerer und kürzerer Verszeilen mit Ausnahme des Distichons. Dann Strophen und schließlich Gedichte in solchen Metren; von ARCHILOCHOS um 650 v. Chr. erfunden, im Hellenismus aufgelebt und durch HORAZ' E.n (von ihm selbst nur ›iambi‹ genannt) in die röm. Lit. eingeführt.

Epopöe (griech. *epopoiia* = episches Dichtwerk), veraltete Bz. für →Epos, im engeren Sinn bes. Götter- und Heldenepos.

Epos (griech. = Wort, Erzählung; auch Vers, →Daktylus), frühe und dichterisch am meisten durchgestaltete Großform der →Epik in gehobener Sprache und stets gleichbleibenden, gemessen fortschreitenden Versen (grundsätzlich ist jedes Maß möglich; die epische Wirkung beruht weniger auf dem Versmaß wie Hexameter, Alexandriner, Blankvers u. a., sondern auf dem durch die dauernde Wiederholung erzeugten Gleichmaß), durch die gebundene Rede wie die Öffentlichkeit des feierlichen mündlichen Vortrags durch Rhapsoden vom (späteren) privat gelesenen Roman, durch größeren Umfang und Monumentalität des Stils u. der Darstellung (→epische Breite, →epische Wiederholungen, →Epitheta, feststehende Formeln) von der kürzeren Ballade unterschieden; stofflich meist in den Schicksalskämpfen und Taten der Götter- und Heldensagen (heroische Dichtung), Mythen u. ä. angesiedelt oder große historische Ereignisse und Persönlichkeiten verherrlichend, bietet es jeweils die idealisierte Lebensform der Zuhörerschaft, daher durch Steigerung (Pathos) des Gehalts über das Alltägliche charakterisiert – im Ggs. zur →Idylle. Im Laufe der Entwicklung formen sich verschiedene Arten des E. aus. Die Romantik (bes. J. GRIMM) unterschied das →Volks-E. (→Helden-E.) als ›sich selbst dichtendes‹ Werk aus der Quelle anonymer heimischer Überlieferung mit unreflektierter, ursprünglich empfindender Volksphantasie und naiv wirkenden Elementarkräften (Liebe, Haß) vom bewußt geschaffenen und die Schöpferindividualität widerspiegelnden →Kunstepos, das meist mit lit. Reflexion über die eigene Geschichte auftritt. F. A. WOLF und K. LACHMANN erklärten die großartige Leistung alter Epen aus der →Liedertheorie. Die moderne Forschung lehnt meist beide Theorien zugunsten der selbständigen Schöpfung eines Einzeldichters ab. Eine Sonderentwicklung nimmt das →komische E. als Parodie der erhabenen Form durch niedere Stoffe, ferner das Tier-E. (→Tierdichtung). Seit dem Untergang rhapsodischer Vortragsweise und der Erweiterung des Lesepublikums wie Einbeziehung niederer Stoffkreise wird die hohe Kunstform des E. mit epischer Breite, sprachlicher Überhöhung und metrischer Bindung z. T. als unangemessen oder unnötig schwerfällig angesehen und durch den Prosa→roman verdrängt, der jedoch in äußerer wie innerer Form e. eigene Gattung darstellt und nicht als letzte Stufe des E. anzusehen ist: objektive Gegenstandswelt mit Einheit von Realem und Idealem im E. stehen gegenüber der subjektiven Problemstellung, Psychologie und Gefühlshaltigkeit des Romans. Versuche zu e. Erneuerung des E. in neuester Zeit scheitern am Fehlen e. adäquaten Aufnahmefähigkeit u. -bereitschaft des Publikums, eines allg. verbindlichen Lebensideals und an der Schwierigkeit, Gegenwartsstoffe in die gehobene Kunstform zu steigern.

Das Volksepos bildet sich in der Frühzeit aller Völker aus und zeigt seine ursprüngliche Gestalt in allen Parallelschöpfungen in ähnlicher Weise. Am Anfang der orientalischen Epik steht das großartige *Gilgamesch-E.* aus dem 3. Jahrtausend v. Chr. Große Epen entstehen in Indien im *Mahâbhârata* (5. Jh. v. bis 4. Jh. n. Chr.), tragisches E. vom Kampf zweier Heldengeschlechter göttlicher Abkunft, und im *Râmâyana* (4. Jh. v. – 2. Jh. n. Chr., von VÂLMÎKI u. a.?), Kampf des Helden Râma um seine geraubte Gattin. Ansätze e. hebr. E. sind in der Simson-Sage (*Richter* 13–16) erhalten. In Persien sammelte FERDAUSÎ um 1010 n. Chr. im *Schâh-Nâmê (Königsbuch)* die alten Sagen und Mythen vom Kampf des Lichtes, verkörpert in Ormudz und Rustem, mit dem finsteren Ahriman. Im Anschluß daran schuf RUSTHAVELI im 12. Jh. das georg. National-E. *Vephchis Tkaosani (Der Mann im Pantherfell)*. Bei den Serben entsteht das Volks-E. vom Königssohn Marko und seinem Kampf gegen die Heiden. In Finnland gruppiert sich die Überlieferung um die Gestalt des Volkshelden *Kalevala,* während der russ. Lit. e. geschlossenes umfangreiches Volksepos fehlt und nur einzelne Heldenlieder (*Igorlied,* um 1200, e. höf., E., →Bylinen) um Wladimir und den Bauernsohn Ilja

als Verkörperung des Volkslebens erhalten sind.
Am Anfang der abendländ. Epentradition stehen HOMERS Hexameterdichtungen *Ilias* und *Odyssee* (um 700 v. Chr.), als höchste Verkörperungen ep. Weltsicht alle späteren Dichtungen beeinflussend und noch immer Ausgangspunkt jeder theoretischen Betrachtung des E. Unter dem Namen HOMERS überliefert wurde noch e. Reihe anderer Epen, deren Verfasserschaft man heute den →Kyklikern beilegt; unter ihnen leitet das komische Tier-E. *Batrachomyomachia (Froschmäusekrieg)* als →Parodie der *Ilias* diese im MA. beliebte Gattung ein. Etwa 100 Jahre später entstehen in Anlehnung an HOMER die Dichtungen HESIODS, von den Griechen auf Grund der Hexameter-Form ebenfalls als Epen bezeichnet, nach heutiger Auffassung →Lehrgedichte wie auch die Werke von ARATOS und LUKREZ. Mit dem Aussterben des Mythos und dem Erwachen des Geschichtsbewußtseins geht das Volks-E. ins Kunst-E. über, das – in ständiger Auseinandersetzung mit dem Vorbild HOMER – erst nach ausführlichen antiquarischen Studien über Mythen, alte Lebensformen, Sprache usw. gestaltet wird. KALLIMACHOS fordert in Erkenntnis der fehlenden Voraussetzungen für e. großes E. das →Epyllion. Von den nachhomerischen Epikern (PEISANDROS, PANYASSIS, CHOIRILOS, ANTIMACHOS) ist nur die *Argonautika* des APOLLONIUS RHODIUS erhalten; nachchristliche Epiker waren Quintus SMYRNAEUS, NONNOS *(Dionysiaka)*, MUSAIOS *(Hero und Leander)*, PRUDENTIUS *(Psychomachia)* u. a.
In Rom kam es nicht erst zur Ausbildung e. Volks-E., die Ependichtung steht hier von Anbeginn unter dem Vorbild der Griechen: Übertragung der *Odyssee* in Saturnier durch LIVIUS ANDRONICUS, 240 v. Chr., Behandlung neuerer historischer Stoffe als mythischen Ahnenpreis in NAEVIUS' *Bellum Poenicum* und ENNIUS' *Annales* in Hexametern. Den Höhepunkt bringt VERGILS *Aeneis* (29–19 v. Chr.) als röm. Nationalepos aus der Vereinigung historischer und mythischer Elemente, aufgebaut auf der Rom-Idee des Augustus. Mehr als seine didaktischen *Georgica* wurde die *Aeneis* nunmehr – zufolge der Verbreitung lat. Sprache – Vorbild aller folgenden Epen, bes. im MA. Spätere lat. Epiker waren LUKAN *(Pharsalia)*, STATIUS *(Thebais, Achilleis)*, SILIUS ITALICUS *(Punica)* und als erster christlicher Vertreter IUVENCUS (4. Jh.).
Bei den german. Völkern erwachsen aus den Sagenkreisen der Völkerwanderungs- und Christianisierungszeit eigenständige anonyme →Heldenepen: *Edda* in Island, *Beowulf* in England, *Nibelungen, Gudrun, Dietrich* und der lat. *Waltharius* in Dtl.; Einformung christlicher Inhalte in german. Form bietet der *Heliand*. In den roman. Ländern entstehen die franz. →Chansons de geste und der durch sie beeinflußte span. *Cid* (1140); hier zeigt sich bereits der Übergang zum →höfischen E. des Hoch-MA. (CHRESTIEN DE TROYES, WOLFRAM, GOTTFRIED, HARTMANN, HEINRICH VON VELDEKE), z. T. in Anlehnung an keltische Sagenkreise (König Artus, Gralssage) und auch zur Verserzählung sowie dem Abenteuer-E. der →Spielmannsdichtung. Mit der Renaissance beginnt e. neue große Blüte des E. als Zeichen der höfischen Kultur Italiens: an der Schwelle steht DANTES *Divina Commedia* (1307–21), die in Terzinen der Volkssprache noch einmal e. Himmel, Fegefeuer und Hölle umfassendes christliches Weltbild gibt und

gleichzeitig VERGIL huldigt; es folgen L. PULCIS *Morgante* (1483) und M. BOIARDOS *Orlando innamorato* (*Der verliebte Roland,* 1479–94), Vorstufe zu ARIOSTS *Orlando furioso* (*Der rasende Roland,* 1516), schließlich TASSOS *La Gerusalemme liberata* (*Befreites Jerusalem,* 1575). Das portug. National-E. erscheint 1572 in CAMÕES' *Lusiadas* gleichzeitig mit P. de RONSARDS vergeblichem Versuch e. franz. Nationalepos *La Franciade* (1572) und dem bedeutendsten span. Kunst-E., *La Araucana* (1569–89) von A. de ERCILLA Y ZÚÑIGA; in England beginnt SPENSER 1590 nach dem Vorbild ARIOSTS das allegorische E. *Faerie Queene.* Mit zunehmender Subjektivität der Seelenhaltung und der Auflösung des stofflich beherrschenden Rittertums klingt die Blütezeit des E. ab; es lebt nur noch in theoretischer Beschäftigung fort; in Humanismus und Barock dient die Form zur Einkleidung von Satire, erbaulichen Stoffen (Heiligenleben), Schlachtenberichten u. ä., in der Aufklärung als Lehrgedicht.

Eine letzte Stufe des E. wird erreicht in der bewußten Hervorholung der bereits ungewöhnlich gewordenen Gattung durch einzelne Dichter als Protest gegen die Verflachung der poetischen Formen im nivellierenden Roman, so in MILTONS religiöspathetischem *Paradise Lost* (1667) in Blankversen und seinen Nachfolgern in den →Patriarchaden, VOLTAIRES *Henriade* (1728); in Dtl. steht im Aufklärungszeitalter KLOPSTOCKS pietistischer *Messias* (1748–73, Hexameter), begeistert aufgenommene Neuerweckung der epischen Form, gegenüber der rokokohaft-galanten Ritter- und Feenwelt von WIELANDS *Oberon* (1780, Stanzen). Angeregt durch VOSS' idyllisches E. *Luise* (1795) schreibt GOETHE, bewußt homerisierend, *Hermann und Dorothea* (1797, Hexameter) und verknüpft die erhabene Formtradition des E. ohne mythischen Hintergrund mit modernem, bürgerlichem Geist und idyllischen Inhalten; in seiner Nachfole steht noch HEBBELS *Mutter und Kind* (1857), soziale Themen bringt REUTERS *Kein Hüsung* (1857/59). Die Erneuerung alter Stoffe und Dichtformen in der Romantik bringt zunächst Bearbeitungen und Übersetzungen älterer Epen (SIMROCK, HERTZ, JORDAN u. a.) bzw. Volksmärchen (BAUMBACHS *Zlatorog,* oriental. in PLATENS *Abbassiden*) oder nach roman. Vorbild locker gefügte Romanzenkränze im Anschluß an HERDERS *Cid*-Übertragung: BRENTANO, LENAU (*Savonarola,* 1837; *Die Albigenser,* 1842).

In England schreibt BYRON seine romantisch-ironischen Epen *Childe Harold* (1812–17) und *Don Juan* (1819–24); in Spanien entspricht ihm J. de ESPRONCEDA (*El Diablo Mundo,* 1841), in Schweden verfaßt E. TEGNÉR die *Fritjofssaga* (1825), in Rußland begründet PUŠKIN mit dem Epos auf Peter den Großen (*Der eherne Reiter,* 1833) e. russ. historisches E.; ihm folgt der Pole A. MICKIEWICZ mit heroischen Gesängen um die Niederlage des Deutschordens und *Pan Tadeusz* (1834) als östlichem Gegenstück zu *Hermann und Dorothea.* Neben der eigenständigen Gattung des →komischen E. verbreitet sich in Anlehnung an den historischen Roman des 19. Jh. noch e. Reihe historischer Epen, von denen sich jedoch nur wenige und bes. geistesgeschichtlich orientierte gehalten haben: A. MEISSNERS *Ziska* (1846), SCHEFFELS *Trompeter von Säckingen* (1854), HAMERLINGS *König von Sion* (1869), C. F. MEYERS *Huttens letzte Tage* (1871), WEBERS *Dreizehnlinden* (1878) u. a. m. Nach Vorgang von BYRON und HA-

MERLING (*Ahasverus in Rom,* 1866) gelingt SPITTELER noch einmal die Darstellung e. mythisch geschlossenen Weltanschauung im philosophischen E. (*Prometheus und Epimetheus,* 1881, bes. *Olympischer Frühling,* 1900–06 u. a.); zwar entstehen noch im 20. Jh. Epen wie HAUPTMANNS idyllisch-philosophisches E. vom Landleben *Anna* (1922) und sein philosophisch-volkstümlicher *Till Eulenspiegel* (1927) mit der Gestaltung moderner Probleme, idyllische Epen wie LILIENCRONS *Poggfred* (1896), DEHMELS soziales und erotisches E. *Zwei Menschen* (1903) und bes. WILDGANS' reifes kulturkritisches E. *Kirbisch* (1927), ferner A. SCHAEFFERS *Parzival* (1922), Paul ERNSTS *Kaiserbuch* (1923 ff.), DÄUBLERS *Nordlicht* (1910) und DÖBLINS *Manas* (1927), allein die Form lebt nicht wieder auf.

Die Theorie des E. beschränkte sich bis ins 19. Jh. auf das Vorbild VERGILS, bestenfalls noch HOMERS, und sah in der Erfüllung ihrer Normen die Meisterung der Gattung; auch LESSING (*Laokoon* 16) greift auf ihn zurück. Tiefbedeutsame Erkenntnisse vom Wesen des E. enthält der SCHILLER-GOETHE-Briefwechsel und dessen Zusammenfassung in GOETHES Aufsatz *Über epische und dramatische Dichtung* (1797): der Unterschied zum Drama wird durch die Möglichkeiten des jeweiligen Vermittlers, Rhapsode bzw. Mime, dargetan. W. v. HUMBOLDT betrachtet die Möglichkeiten neuerer Epik in *Über Goethes Hermann und Dorothea* (1799); seine Forderung e. bürgerlichen statt heroischen E. führt zur Idylle und bedeutet die Auflösung der alten Form von innen heraus. In der Romantik bemühen sich bes. die Brüder SCHLEGEL um Erfassung des Wesens früherer Epen. HEGELS Auffassung von der Ablösung des E. durch den Roman als moderne ›bürgerliche Epopöe‹ bewahrheitet sich im Laufe des 19./20. Jh., und damit verklingt mehr oder weniger die theoretische Beschäftigung mit Nähe zur Praxis.

J. Clark, *History of Epic Poetry,* 1900; F. Panzer, D. altdt. Volks-E., 1903; K. Furtmüller, D. Theorie d. E., 1903; W. P. Ker, *Epic and romance,* 1908; J. Meier, Wesen u. Leben d. Volks-E., 1909; G. Finsler, Homer i. d. Neuzeit, 1912; W. Flemming, E. u. Drama (Zs. f. Ästhetik 9, 1916); R. Meszleny, C. Spitteler u. d. nhd. E., I, 1918; J. Fränkel, D. E. (Zs. f. Ästhet. 13, 1918); K. Borinski, D. Antike i. Poetik u. Kunsttheorie, 2 Bde., 1914–24; E. Hirt, D. Formgesetze d. ep., dram. u. lyr. Dichtg., 1923; E. Weber, Gesch. d. ep. u. idyll. Dichtg., 1924; M. Rockenbach, Z. Wiedergeburt d. Vers-E. (Orplid 5, 1929); R. Petsch, D. ep. Dialog (Euph. 32, 1931); H. Schneider, D. germ. E., 1936; M. Wilmotte, *L'épopée française,* Paris 1939; P. A. Becker, V. Kurzlied z. E. (Zs. f. franz. Spr. u. Lit., 1940); E. Busch, D. Verhältn. d. dt. Klassik z. E., GRM 29, 1941; W. Wehe, D. moderne Vers-E. (Zs. f. dt. Geisteswiss. 4, 1942); H. T. Swedenberg, *The theory of the epic in Engl.,* 1944; C. M. Bowra, *From Virgil to Milton,* Lond. 1945; V. H. Debidour, *Epique et Epopée* (in: *Saveurs des Lettres,* Paris 1946); W. Matz, D. Vorgang i. E., 1947; C. Spitteler, D. Kriterium d. ep. Veranlagung u. a. Aufsätze (in: Ästhet. Schriften, 1947); H. Maiworm, D. Wiederbelebg. d. dt. E. i. 18. Jh., Diss. Tüb. 1949; J. Crosland, *Old French Epic,* Lond. 1951; H. Halbach, H. Maiworm in ›Aufriß‹; K. Wais, Frühe E. Westeuropas I, 1953; E. v. Richthofen, *Estudios epicos medievales,* Madrid 1954; R. A. Sayce, *The French bibl. epic in the 17th cent.,* Oxf. 1955; RL; A. Heusler, Lied u. E. i. germ. Sagendichtg., [2]1956; E. M. W. Tillyard, *Seven Engl. E. writers,* Lond. 1958; G. Murray, *The rise of the Greek epic,* Oxf. [5]1960; F. Pierce, *La poesia epica del siglo del oro,* Mail. 1960; D. M. Foerster, *The fortunes of epic poetry,* 1962; H. J. Bayer, Unters. z. Sprachstil weltl. Epen d. dt. Früh- u. HochMA., 1962; D. Haenicke, Unters. z. Vers-E. d. 20. Jh., Diss. Mchn. 1963; C. M. Bowra, Heldendichtg., 1964; A. B. Lord, D. Sänger erzählt, 1965; L. Pollmann, D. E. i. d. roman. Lit., 1966; L. B. Smith, *The Elizabethan epic,* Lond. 1966; A. S. Cook, *The classic line,* Bloomington 1966; E. M. W. Tillyard, *The Engl. epic and its background,* Lond. [2]1966; H. J. Schneler, *The german verse epic i. the 19th and 20thcent.,* Haag 1967; H. Maiworm,

Neue dt. Epik, 1968; D. dt. Versepos, hg. W. J. Schröder 1969; P. Merchant, *The epic,* Lond. 1971; D. ma. E., hg. F. Wagner 1973; *The epic in medieval society,* hg. H. Scholler 1977; H. Görgemanns u. a., Studien z. antiken E., 1977; E. R. Haymes, D. mündl. E., 1977; K. Werner, D. Gattg. d. E. nach ital. u. frz. Poetiken d. 16. Jh., 1977. →Epik, →Poetik, →Gattungen.

Epyllion (griech. Kunstwort, geprägt von M. HAUPT als Diminutivform von Epos), Kleinepos, vom Haupt der alexandrin. Dichter, KALLIMACHOS, anstelle des nicht mehr zeitgemäßen großen heroischen →Epos geforderte epische Kleinform oft mythologischen oder idyllisch-psycholog. Inhalts, Meisterstück des →poeta doctus für e. gelehrtes Publikum mit bis ins kleinste ausgefeilter Form und feinstem Versbau. Nach dem Muster von KALLIMACHOS' *Hekale* fand die neue Form weite Verbreitung bei THEOKRIT, EUPHORION und bes. den röm. →Neoterikern: CATULL (64: *Peleus und Thetis*), OVID und die Epyllien *Culex* und *Ciris* der *Appendix Vergiliana.*

J. Heumann, *De e. Alexandrino,* 1904; G. May, *De stilo epilliorum Romanorum,* Diss. Kiel 1910; M. M. Crump, *E. from Theocritus to Ovid,* Oxf. 1931; W. Allen, *The E.* (*Transactions and Proceedings of the Amer. Philol. Assoc.* 71, 1940); Ders., *The Non-Existent Classical E.* (*Studies in Philol.* 55, 1958); V. d'Agostino, *Considerazioni sull'e.* (*Rivista di studi class.* 4, 1956).

Erato, griech. →Muse der Liebesdichtung.

Erbauungsliteratur, betrachtende Schriften über Glaubensfragen zur privaten religiösen Erbauung weiterer Kreise und Pflege innerlicher Religiosität; bereits im christlichen Altertum und MA. neben den Hl. Schriften verbreitet: Heiligenleben u. -legenden, Schriften CYPRIANS und GREGORS d. Gr., der →Mystiker (Meister ECKART, TAULER, *Theologia Teutsch,* THOMAS A KEMPIS, *De imitatione Christi,* WEIGEL, J. BÖHME), zahlreiche ›Seelengärtlein‹ u. a. m.; bes. seit der Reformation als ev. E.: LUTHERS *Betbüchlein* (1522), HABERMANNS Andachtsbücher (1567), religiöse Flugschriften u. a.; dann von neuem durch die engl. Puritaner (BAKER, HALL, AMES, bes. BUNYAN und BAXTER) über den Schweizer und holländ. Calvinismus auf den Kontinent verbreitet, bes. von vielen Schriftstellern des Barock ausgebildete lit. Wegweiser zur Religion, praktische Sittenlehren, Predigtbücher und →Postillen, die bis 1750 e. wesentlichen Teil des dt.-sprachigen Schrifttums ausmachen, z. T. die Belletristik überwuchern und lange Zeit neben Bibel, →Gesang- und →Gebetbuch Hauptlektüre des Volkes bleiben: H. MÜLLERS *Geistliche Erquickstunden,* Ch. SCRIVERS *Seelenschatz,* ZESENS *Des kirchlichen Frauenzimmers Tugendwecker* (1659), bes. J. ARNDTS *Vier Bücher vom wahren Christentum* (1609), *Paradiesgärtlein* (1612) und die *Meditationes* (1612) seines Schülers J. GERHARD unter mystischem Einfluß stehen gegen e. seit dem Tridentinum weitverbreitete jesuitische E. Die in England vorgebildete →pietistische Tendenz verstärkt sich im 18. Jh. zu subjektiver Innerlichkeit: SPENER, FRANCKE, STARK, BOGATZKY u. a. Die Richtung setzt sich mit starker individueller Differenzierung übers 19. ins 20. Jh. fort: Losungen der Brüdergemeine, Bibelkalender; auf kath. Seite SAILER, A. STOLZ, R. GUARDINI und P. LIPPERT.

H. Beck, D. E. d. ev. Kirche Dtl.s, I, 1883; ders., D. rel. Volkslit. d. ev. Kirche Dtl.s, 1891; C. Grosse, Die Alten Tröster, 1900; P. Althaus, Forschungen z. ev. Gebetslit., 1927; W. Stammler, V. d. Mystik z. Barock, ²1950; RL; W. Schmidt, Z. dt. E. d. späten MA. (Altdt. u. altniederl. Mystik, hg. K. Ruh 1964); G. F. Merkel, Dt. E. (Jb. f. internat. Germanistik 3, 1971); Triviale Zonen i. d. relig. Kunst d.

19. Jh., hg. W. Wiora 1971; H Kech, Hagiographie als christl. Unterhaltgs.lit., 1977.

Ereignislied, das altgerman. Erzähl- und →Heldenlied, entweder doppelseitiges E. als episch-dramatische Erzählung mit eingebauten Reden der Gestalten (z. B. *Hildebrandslied*), oder einseitiges E. als e. Art →Rollenlied ohne Erzählverse.

A. Heusler, Altgerman. Dichtg., [2]1941.

Er-Form, im Gegensatz zur →Ich-Form die Erzählform in der 3. Person, in der der →Erzähler als Betrachter an der Handlung keinen Anteil hat.

Erfühlung, literaturpsychologischer und Stil-Begriff: das sinnliche Offensein für die Eindrücke der Welt und die Empfänglichkeit für deren Zusammenhänge; stilbildend bes. in der Romantik und im Impressionismus. Ggs.: →Beseelung, →Einfühlung.

H. Pongs, D. Bild i. d. Dichtg., [2]1960.

Erinnerungen →Memoiren

Erinnerungsnovelle, Erzählform, in der e. ältere Rahmenfigur Jugenderlebnisse berichtet; bes. bei Th. STORM: *Im Saal, Immensee* u. a.

Eristik (griech. *eristike techne* =) Streit- und Disputierkunst in spitzfindigem oder polemischem Dialog, z. B. in Frühdialogen PLATONS.

Erlebnis, der ursprüngliche Bewußtseinsvorgang, in dem der Mensch an e. beliebigen Moment des Lebens e. wesentlichen Zug des Daseins, e. Gegenstand, Zustand oder Geschehen in seinem ganzen Bedeutungsgehalt und seiner Sinnschwere erfaßt; es ist gekennzeichnet durch stärkste Gefühlsunmittelbarkeit und -erregtheit, die zwar e. bewußte gedankliche Verarbeitung nicht ausschließt, doch gerade in der erhöhten Intensität des seelischen Erlebens, ›Durchlebens‹, und der Gefühlsresonanz beim schöpferischen Menschen, zum direkten oder indirekten künstlerischen →Ausdruck drängt und nach mitteilbarer Gestalt verlangt. Das E., überhaupt die feinempfindliche E.fähigkeit, bilden e. Grundvoraussetzung dichterischen Schaffens und gehaltlicher Vertiefung, auch wenn sich das Ergebnis unterkühlt vom E. distanziert; mit ihm und nicht erst in der →Konzeption oder bereits bewußten Gestaltung liegt der Ursprung des entstehenden Kunstwerks; insofern ist jede Dichtung zu e. gewissen Grade E.dichtung. Ausschlaggebend ist nicht Größe und Bedeutung des Geschehens oder äußerer Anlaß überhaupt (Real-E.), auch Traumbilder, Vorstellungen, ersehnte Ziele können zum inneren E. ausreifen (Phantasie-E.); im Kunstwerk treten sie meist in komplexer Form unter Anteilnahme des Unbewußten auf, und selbst das Real-E. wird vom echten Dichter nach künstlerischen oder geistigen Erfordernissen umgestaltet, ›verdichtet‹. Aus der geringen Abhängigkeit des E.es von äußeren Anstößen erklärt sich die positivistische biographische Methode der Ableitung aller den Kunstwerken zugrunde liegenden Impulse und E. aus den bekannten äußeren Lebensvorgängen des →Dichters als Mißgriff, und auch die →psychoanalytische Forschung nach ›verdrängten E.‹ aus wiederkehrenden Motiven und Bildern birgt die Gefahr e. einseitig-äußerlichen Beurteilung des Schaffensvorgangs. Als Reaktion auf die Überbetonung des E.-Begriffs durch die Dilthey-Schule wird dessen Relevanz für das dichterische Schaffen heute z. T. abgestritten, wobei übersehen wird, daß das E. nicht nur Gefühl, sondern auch Erkenntnis als Ergebnis e. inneren

Auseinandersetzung sein kann und daher etwa auch für Tendenz- und Auftragsdichtung gilt.

O. Walzel, Leben, Erleben u. Dichtg., 1912; R. Müller-Freienfels, Psychologie d. Kunst, 1923; Ch. Bühler, D. E.begriff i. d. modernen Kunstwiss. (Festschr. f. Walzel, 1924); J. Körner, E., Motiv, Stoff (ebd); K. Schultze-Jahde, E. u. Ausdruck, 1929; W. Krogmann, D. Stoffgestaltg. d. Dichters (Archiv f. d. Stud. d. n. Spr. 165, 1934); E. Ermatinger, D. dichter. Kunstw., [3]1939; RL; W. Dilthey, D. E. u. d. Dichtg., [14]1965; H. Seidler, D. Dichtg., [2]1965; K. Sauerland, Diltheys E.begriff, 1972; ders., Z. Wort- u. Entstehgsgesch. d. Begriffs E. (Colloquia Germ. 1972).

Erlebte Rede, eingebürgerte, wenngleich nicht ganz zutreffende Bezeichnung für franz. ›style indirect libre‹: bes. Art der Wiedergabe von Gedanken, seltener ausgesprochenen Worten e. handelnden Person in der Epik; nicht als Monolog in →direkter Rede (Sie fragte: ›Muß ich wirklich in den Garten?‹) oder als indirekte Rede im Konjunktiv, abhängig von e. übergeordneten Verb (Sie fragte, ob sie wirklich in den Garten müsse), sondern Zwischenform in der 3. Person Indikativ: Mußte sie wirklich in den Garten? (SCHNITZLER). Die inneren Vorgänge werden durch die Perspektive nicht des Erzählers, sondern der sie selbst ›erlebenden‹ Person wiedergegeben, jedoch durch die Verwendung der 3. Person in direktem und dadurch mehr objektiv-unpersönlich erscheinendem Bericht. Stilwerte sind größere, fast suggestive Unmittelbarkeit des Mitfühlens und die durch beliebigen Wechsel der Perspektiven gegebene größere Beweglichkeit und Eindringlichkeit des Erzählens; das Fehlen e. deutlichen Hinweises auf den Übergang von Bericht zu e. R. verlangt den Einsatz feinster Sprachmittel und ermöglicht schwebende Halbtöne. Schon in lat. Lit. z. T. nachgewiesen und in der franz. seit dem 12. Jh. geläufig, findet die e. R. erst im modernen Roman seit Jane AUSTEN und FLAUBERT, bes. aber seit Naturalismus und Impressionismus weite Verwendung: DÖBLIN *Berlin Alexanderplatz,* SCHNITZLER. →innerer Monolog. Ausgangspunkt für den →stream of consciousness.

T. Kalepky, Zum *style indirect libre,* GRM 5, 1913; E. Lorck, D. E. R., 1921; L. Spitzer, Z. Entstehg. d. sog. e. R., GRM 16, 1924; E. Lerch, Urspr. u. Bedeutg. d. sog. e. R. (ebd.); M. Lips, *Le style indirect libre,* Paris 1926; O. Walzel, D. Wortkunstwerk, 1926; W. Günther, Probleme d. Rededarstellg., Diss. Bern 1928; F. Todemann, D. e. R. im Span. (Roman. Forschgn. 44, 1930); Th. Heinermann, D. Arten d. reproduzierten Rede, 1931; W. Bühler, D. e. R. i. engl. Roman, 1938; O. Funke, Z. ›e. R.‹ b. Galsworthy (in: Wege u. Ziele, 1945); W. Neuse, E. R. u. innerer Monolog i. d. erz. Schr. Schnitzlers, PMLA 49; L. Glauser, D. e. R. i. engl. Roman d. 19. Jh., 1949; G. Storz, Üb. d. Monologue intérieur oder die e. R. (Deutschunterr., 1955); K. R. Meyer, Z. e. R. i. engl. Roman d. 20. Jh., 1957; A. Neubert, D. Stilform d. e. R. i. neueren engl. Roman, 1957; N. Miller, E. u. verschleierte R. (Akzente, 1958); F. K. Stanzel, Ep. Präteritum, e. R., hist. Präsens, DVJ 33, 1959; W. G. Hoffmeister, Stud. z. e. R. b. Th. Mann u. R. Musil, Haag 1965; D. Cohn, E. R. i. Ich-Roman, GRM 19, 1969; D. Beyerle, E. vernachlässigter Aspekt d. e. R. (Archiv f. d. Stud. d. n. Spr. 208, 1971 f.); G. Steinberg, E. R., II 1971; P. Hernadi, *Dual perspective* (*Compar. Lit.* 24, 1972); R. Pascal, *The dual voice,* Manch. 1977.

Erlösungsspiele →Passions- und →Osterspiele; als Quelle dient bes. *Die Erlösung,* Dichtung e. unbekannten Geistlichen nach 1300.

Ermetismo →Hermetismus

Erotiker, Verfasser von →erotischer Literatur, insbes. die der altgriech. Romane und Liebesnovellen.

Erotische Literatur (Eros = griech. Gott der Liebe), Schriften mit stärkerer Hervorhebung der Liebeshandlungen und Geschlechtsbeziehungen im Unterschied zu solchen, in denen das Sinnliche kaum

Erwähnung findet, einerseits und den rein auf die Beschreibung sexueller Vorgänge als Stimulans abzielenden Werken der →Pornographie andererseits. Die Beurteilung der Freimütigkeit in der lit. Darstellung der sinnl. Liebe und ihrer Freuden und Leiden, die die e. L. unbefangen als integrierenden Bestandteil des Körper-Geist-Wesens Mensch sieht, schwankt in den verschiedenen Zeiten und Völkern je nach der Macht der öffentl. Tabuierung der Sexualsphäre; und erst allmählich bricht sich die Erkenntnis Bahn, daß die Verpönung des Erotischen, vorwiegend durch die christl. Kirche, dem natürl. Wesen des Menschen ebensowenig gerecht wird wie dessen teilweise Überbewertung; dennoch wird e. L. häufig mit obszöner Lit. gleichgesetzt. Wesentliches Kriterium der lit. Wertung ist auch hier allein die Veredelung des Derb-Stofflichen durch e. ästhetisch befriedigende Kunstform und seine Unterordnung unter höhere Werte. Der fragwürdige bibliophile Sammelwert der Erotika beruht demnach nicht auf den offiziell außer Kurs gesetzten lit. Wertungsmaßstäben, sondern auf der Rarität der unterdrückten Objekte und zweifelsohne z.T. auch auf einem durch die Unterdrückung geförderten lit. Voyeurtum. Ihre Bedeutung für psychoanalyt. Erkenntnisse wurde zeitweilig überschätzt, da ihre Überbewertung des Erotisch-Sexuellen ebensowenig zum Maßstab des Normalverhaltens genommen werden kann. Der Hauptanteil der e. L. entfällt auf die roman. Länder (Italien, Frankreich). Wichtigste Werke: Das ind. *Kâmasûtra,* einige chines. Romane (*Chin P'ing Mei;* LI YÜ, *You Pu Tuan*), japan. Sittenromane von IHARA SAIKAKU, das hebr. *Hohelied,* die *Milesischen Geschichten* des ARISTEIDES von Milet (um 100 v. Chr.), erotische Novellen, die als Einlagen (›Milesiaka‹) bei PETRONIUS und APULEIUS fortleben; der griech. Liebes- und Abenteuerroman (logos erotikos oder erotikon genannt), der meist von glücklicher Vereinigung des Liebespaares nach Überwindung zahlreicher Hindernisse handelt (ANTONIUS DIOGENES, XENOPHON von Ephesos, HELIODOR, ACHILLEUS TATIOS, LONGOS); der *Apollonius von Tyros*; die *Hetärengespräche* des LUKIAN; Dichtungen der röm. Elegiker, bes. CATULLS; OVIDS *Ars amatoria,* z.T. MARTIAL; arabische Märchen aus *1001 Nacht*; derbe Schwänke des MA.; die franz. →Fabliaux; BOCCACCIOS *Dekameron*; ARETINOS *Ragionamenti*; BANDELLOS Novellen; das *Heptameron* der MARGUÉRITE DE NAVARRE, die Sittenschilderungen BRANTÔMES und BÉROALDE DE VERVILLES, die *Contes* von LAFONTAINE; bes. die galante Dichtung des 18. Jh. (CRÉBILLON, CHODERLOS DE LACLOS, RESTIF DE LA BRETONNE, LOUVET DE COUVRAY, NERCIAT, CASANOVA, CLELAND) und die Romane des Marquis de SADE sowie Frühwerke DIDEROTS, aus der dt. Klassik etwa SCHILLERS *Venuswagen* und GOETHES *Röm. Elegien* wie *Venezianische Epigramme*; BALZACS *Contes drôlatiques*; Werke MAUPASSANTS; psychologisch motiviert in der Dekadenzdichtung (BAUDELAIRE, MALLARMÉ, VERLAINE); SCHNITZLERS *Reigen*; ferner WEDEKIND, DEHMEL, SACHER-MASOCH, F. HARRIS u. a., schließlich die oft krasse sexuelle Realistik einzelner Szenen moderner Romane (J. JOYCE, H. MILLER, D. H. LAWRENCE, V. NABOKOV, *Lolita,* L. DURRELL, N. MAILER, M. MCCARTHY, *The Group,* SOUTHERN/HOFFENBERG, *Candy,* M. AYMÉ, J. GENET, Ch. ROCHEFORT, P. RÉAGE, *Histoire d.O,* A. MORAVIA, R. MYKLE, H. BATAILLE, M. LEIRIS).

Bibliogr.: H. S. Ashbee, *Index librorum prohibitorum,* III 1867–85, N. Y. [2]1963; Comte d' Imecourt, *Bibliographie des ouvrages rélatifs à l'amour,* IV [4]1894 bis 1900; H. Hayn, A. Gotendorf, *Bibliotheca Germanorum erotica et curiosa,* IX [3]1912–29; B. Stern-Szana, *Bibliotheca Curiosa et Erotica,* 1921; L. Perceau, *Bibliogr. du roman érotique au 19. siècle,* Paris II 1930; R. S. Reade, *Registrum Librorum Eroticorum,* Lond. 1936. – Lit.: A. Schumann, Gesch. d. e. L. d. Dt., 1904/05; P. Schultz, D. erot. Motive i. d. dt. Dichtgn. d. 12./13. Jh., Diss. Greifsw. 1907; B. Stern, Illustr. Gesch. d. e. L., 1908; E. Rohde, D. griech. Roman, [3]1914; H. Lewandowski, D. Sexualproblem i. d. modern. Lit., 1927; E. Fuchs, D. gr. Meister d. Erotik, 1931; M. Coulon, *Hist. de la poésie priapique,* 1932ff.; H. L. Marchand, *Erotic hist. of France,* 1933; H. Klose, Sexus u. Eros i. d. dt. Nov.-Dichtg. um 1900, Diss. Bresl. 1941; C. v. Bolen, Gesch. d. Erotik, 1951; W. Feyerabend, D. Erotik i. amerik. Roman, [2]1953; R. Ginzburg, *An unhurried view of erotica,* Lond. 1959; F. Saba Sardi, *Sesso e mito,* 1960; C. Waldemar, Spielarten d. Liebe, 1961; D. Loth, *The erotic in lit.,* N. Y. 1961; H. E. Wedeck, *Dictionary of e. L.,* N. Y. 1962; A. Mordell, *The erotic motive in lit.,* N. Y. 1962; P. H. Simon, *Le thème érotique dans la lit. mod.* (in: *Le jardin et la ville,* 1962); G. Legman, *The Horn book,* N. Y. 1963; P. Englisch, Gesch. d. e. L., [4]1963; M. Praz, Liebe, Tod u. Teufel, 1963; L. A. Fiedler, Liebe, Sexualität u. Tod, 1964; Eckart-Jhrb. 1964/65; E. u. P. Kronhausen, Bücher a. d. Giftschrank, 1969; S. B. Purdy, *On the psychology of e. l.* (*Lit. and psychol.* 20, 1970); H. Schlaffer, Musa iocosa, 1971; R. P. Basler, *The taste of it* (Mosaic 6, 1972f.).

Errata (lat. = Irrtümer) →Druckfehler

Erregendes Moment, im →Drama der erste andeutende Durchblick auf die Verwicklung oder das Zwischenziel (und damit mittelbar auf das Endziel) der Handlung; leitet als ›Steigerung‹ von der →Exposition zum Höhepunkt über.

Erscheinen, im Buchhandel die Auslieferung e. in einer Anzahl von Stücken vervielfältigten Werkes an die Einzelhändler zwecks Angebots an das Publikum. Als E.-termin gilt der Tag des Auslieferungsbeginns, im Zweifelsfall der Tag des Eintreffens e. Belegstücks bei der Deutschen Bibliothek bzw. Deutschen Bücherei.

Erscheinungsjahr, das Jahr der →Erstausgabe e. Schriftwerkes, als solches in der Literaturgeschichte bedeutsam, da mit ihm Breitenwirkung und Einfluß des Werkes beginnen; wird seit 1457 meist auf dem Titelblatt oder Impressum angegeben, doch ist diese Praxis leider noch nicht restlos durchgedrungen; z.T. waren im Buchhandel Vordatierungen um ein Jahr zwecks größerer Aktualität üblich (so z.B. GRIMMELSHAUSENS *Simplicissimus* 1668!).

Erscheinungsort, der Ort, an dem ein Buch bei →Erscheinen zur Auslieferung gelangt; in der Frühzeit des Buchdrucks zumeist mit dem →Druckort, heute mit dem Verlagsort identisch.

Erstaufführung (Première), im Ggs. zur →Uraufführung überhaupt die erste Aufführung e. musikalischen oder dramatischen Werkes als Neueinstudierung in e. bestimmten Sprache, e. neuen Übersetzung, an e. bestimmten Bühne oder e. bestimmten Ort. Bei fremdsprachigen Bühnenstücken unterscheidet man ferner die deutschsprachige E. (einschließl. DDR, Österreich und Schweiz) von der deutschen, österr. oder Schweizer E. und europ. von amerikan. E.

Erstausgabe, die erste Veröffentlichung e. Druckwerkes, zumeist im Buchhandel, und e. Exemplar derselben; braucht keine vom Verfasser besorgte, →authentische Ausgabe zu sein (→Raubdruck), bildet jedoch meist bei Verlust der Hs. neben der →Ausgabe letzter Hand die Grundlage der →kritischen Ausgabe und hat hohen →bibliophilen Wert. →Editio princeps.

L. Brieger, Ein Jh. dt. E.n (1750–1880), 1925; G. Bogeng, Einführg. i. d. Bibliophilie, 1931; G. v. Wilpert u. A. Gühring, E.n dt. Dichtg., 1967.

Erstdruck, 1. erster Druck- (auch z. T. Schreibmaschinen-)Abzug e. Werkes überhaupt, z. B. Korrekturabzug, Probedruck für den Buchhandel, doch im Ggs. zur →Erstausgabe nicht für die Veröffentlichung bestimmt. – 2. die erste Veröffentlichung e. lit. Werkes in Zeitung, Zeitschrift, Sammelwerk u. ä., also nicht als selbständige Buchausgabe (→Erstausgabe) bzw. vor einer solchen; wichtig für die Druckgeschichte e. Werkes und die Erstellung e. histor.-krit. Ausgabe.

Erstlingsdruck, 1. das erste Druckerzeugnis e. Landes, e. Stadt u. ä. als Zeugnis des fortschreitenden Kulturlebens wertvoll. – 2. = →Inkunabel. – 3. in der Graphik die ersten Abzüge e. Druckform; bei Stichen, Radierungen u. a. empfindlichen Illustrationsverfahren wertvoller als die späteren, weniger scharfen Abzüge von der bereits abgenutzten Druckform und z. T. durch e. ganz feine, später verschwindende Signierung gekennzeichnet.

Erstlingswerk, das erste, veröffentlichte oder unveröffentlichte Werk e. Autors.

D. Gesch. d. E., hg. K. E. Franzos 1894.

Erweiterter Reim →reicher Reim

Erzählende Dichtung →Epik

Erzähler, 1. allg. Verfasser erzählender Werke in Prosa. – 2. fiktive Gestalt, nicht identisch mit dem Autor, die ein episches Werk erzählt, es aus ihrer →Perspektive heraus darstellt und dem Leser vermittelt. Durch die erneute subjektive Spiegelung des Geschehens im Charakter und den Eigenarten des E. entstehen reizvolle Brechungen. Bei den älteren Erzählformen ist die Haltung des E. weitgehend durch die Tradition fixiert: der E. des Epos ist der feierliche, allwissende und alles überschauende Sänger, der E. des Märchens ein naiv-kindlich Wundergläubiger, der E. der Novelle ist der nur äußerlich als Zuschauer am Geschehen teilnehmende (C. F. MEYER, *Der Heilige*), z. T. anonyme (DROSTE, *Die Judenbuche*) Berichterstatter. Der Roman dagegen als jüngste epische Großform hat seit dem 18. Jh. eine Fülle verschiedener Haltungen für den E. entwickelt, die als zentrales Formprinzip der Großepik und möglicherweise als Grundlage einer neuen Typologie des Romans in jüngster Zeit die bes. Beachtung der Lit.-wiss. gefunden haben. Im Ichroman ist der E. entweder selbst Held des Romans (Briefroman, Entwicklungs- und Bildungsroman), oder er schildert aus ironischer Distanz Selbsterlebtes wie im Schelmen- und Reiseroman. Auch die Utopie bedient sich zur Beglaubigung weitgehend des Ich-E. Grundsätzlich ist das Ich des E. nicht gleichzusetzen mit dem Ich des Autors. Im Er-Roman spiegelt sich die Individualität des E., der auch hier nicht mit dem Autor identisch zu sein braucht, im Maße seiner Kenntnis, seiner Anteilnahme am Geschehen und seinem inneren Verhältnis zum Stoff, die von unbeteiligter Allwissenheit bis zu mühsamer Erforschung der Zusammenhänge und von kühler, sachlicher Distanz bis zu tiefster innerer Ergriffenheit, von ironischer Betrachtung bis zu spielerischen Verwirrversuchen reichen können. Maßgeblich für die Bedeutung des E. ist letztlich auch die Wichtigkeit, die der Autor seiner Rolle zugesteht; so kann die

Subjektivität des E. den Erzählstoff überwuchern (STERNE, JEAN PAUL), seine Rolle kann stark akzentuiert sein und die Handlungsfäden individuell verschlingen (RAABE, Th. MANN), sie kann aus dem Streben nach objektiver Darstellungsweise aller stärker hervortretenden persönlichen Eigenarten entkleidet, unpersönlich sein oder schließlich in modernen Erzählmitteln wie erlebter Rede und innerem Monolog oder der Scheinobjektivität des →nouveau roman gänzlich verschwinden und damit das traditionelle Bild des Romans als geordnetes Sinngefüge der Welt zum Einsturz bringen.

R. Petsch, Wesen u. Formen d. Erzählkunst, [2]1942; F. Stanzel, D. typ. Erzählsituationen i. Roman, 1955; W. Kayser, Entstehg. u. Krise d. mod. Romans, 1955; ders., D. Problem d. Erzählens i. Roman (*The German Quarterly* 19, 1956); ders., Wer erzählt den Roman? (in: Die Vortragsreise, 1958); E. Lämmert, Bauformen d. Erzählens, [2]1967; D. Friedemann, D. Rolle d. E. i. d. Epik, [2]1965; V. Klotz (hg.), Z. Poetik d. Romans, 1965, H. Seidler, D. Dichtg., [2]1965; W. Kayser, D. sprachl. Kunstwerk, [12]1967; K. Hamburger, D. Logik d. Dichtg., [2]1968; U. Pörksen, D. E. i. mhd. Epos, 1971; H. van Gorp, *Het optreden van de verteller in de roman,* Hasselt 1971; L. E. Kurth, Unzuverlässige Sprecher u. E. i. dt. Dichtg. (*Traditions and transitions,* Fs. H. Jantz 1972); A. Ros, Z. Theorie lit. Erzählens, 1972; F. Piedmont, Z. Rolle d. E. i. d. Kurzgesch., (Zs. f. dt. Philol. 92, 1973); J. M. Ellis, *Narration in the German Novelle,* Cambr. 1974; W. H. Schober, Erzähltechniken im Roman, 1975; K. Kanzog, Erzählstrategie, 1976; D. Meindl, Z. Problematik d. E.begriffs (LiLi 8, 1978). →Epik.

Erzählerdistanz →Distanz

Erzählgedicht, von H. PIONTEK (*Neue dt. E.e.,* 1964) geprägte, unscharfe Bz. einer modernen Form kürzerer Versepik, die sich durch distanzierend-rationale Haltung und z. T. histor., reportagehafte oder groteske Stoffe von der mehr mythisch-numinosen, gefühlsbetonten →Ballade unterscheidet.

H. Müller, Formen d. neuen dt. E. (Deutschunterr. 21, 1969); H. Graefe, D. dt. E. i. 20 Jh., 1972; H. Laufhütte, Neues z. E. (Zs. f. dt. Philol. 92, 1973).

Erzählhaltung →Erzähler

Erzählkunst →Epik

Erzähllied, Sammelbz. für alle gesungenen erzählenden Volkslieder wie →Ballade, →Schwank, →Legende, →Moritat u. ä.

Erzählung, allg. Darstellung des Verlaufs von wirklichen oder erdachten Geschehnissen; nicht genauer zu bestimmende Form der →Epik: 1. im weiteren Sinne Sammelbegriff für alle epischen Gattungen, 2. im engeren Sinne e. Gattung, die sich durch geringeren Umfang und Breite von Epos, Roman, Saga, durch weniger kunstvollen und tektonisch straffen Aufbau von der Novelle, durch Vermeidung des Unwirklichen von Sage und Märchen unterscheidet und somit alle weniger gattungshaft ausgeprägten Formen der Erzählkunst umfaßt, gekennzeichnet durch dezentriertes, lockeres, gelegentl. verweilendes und entspannendes Entfalten des Erzählstoffes. Sie erscheint meist in Prosa, doch auch in Versen (Vers-E., z. B. des Rokoko, bes. WIELANDS) und bildet Sonderformen als →Rahmen-E. und →chronikalische E.

J. Müller, Novelle u. E. (*Études Germaniques* 16, 1961).

Erzählzeit, die →Zeit, die e. episches Werk beansprucht (Dauer des Lesens), im Ggs. zur ›erzählten Zeit‹ als dem Zeitumfang, über den sich die erzählte Handlung erstreckt. Das Verhältnis beider Komponenten zueinander ist bedeutsam für Struktur und Erzählweise: während im klass. Roman die E. wesentlich kürzer ist als die erzählte Zeit (Raffung, Aussparung, Konzentration auf breiter geschilderte Höhepunkte), halten sich bei modernen Bewußtseinsromanen beide annähernd die Waage (V. WOOLF, *Mrs. Dalloway*, J. JOYCE, *Ulysses*).

G. Müller, Morpholog. Poetik, 1968; W. H. Schober, Erzähltechniken i. Roman, 1975.

Erziehungsroman, weniger häufige Nebenform des →Entwicklungs- und →Bildungsromans mit stärkerer Blickrichtung auf die äußeren Daseinsbedingungen und Kräfte als auf die innere Menschwerdung, unter pädagogischen Gesichtspunkten. Im Extremfall führt er pädagogische Theorien und Einzelfragen am praktischen Beispiel vor und fand sinngemäß größte Verbreitung in der europ. Aufklärung. Beispiele: XENOPHONS *Kyrupädie*, J. WICKRAMS *Knabenspiegel* 1554, J. J. ROUSSEAUS *Émile* 1762, HERMES' *Sophiens Reise* 1769/73, PESTALOZZIS *Lienhard und Gertrud* 1781/89, ferner zahlr. →Fürstenspiegel.

O. Benda, D. Kunstform d. E.s, Progr. Triest 1913; P. Stolz, D. E. d. wechselnden Bildungsideals i. d. 2. Hälfte d. 18. Jh., Diss. Mchn. 1935; H. Germer, *The German novel of education 1792–1805*, 1968.

Esbattement (niederl., v. franz.), Komödienform der →Rederijker-Bühne des 15./16. Jh. von einfacher Handlung, übermütiger Ausgelassenheit, vielfach satir. Schilderung zeitgenöss., genau lokalisierter Vorkommnisse und Zustände. Bes. vertreten durch Cornelis EVERAERT.

Escola Mineira (portug. = Schule von Minas Gerais), frühromant., im Grunde recht heterogener Dichterkreis der brasilian. Lit. des ausgehenden 18. Jh. im Goldminengebiet der Provinz Minas Gerais und dessen Zentrum Vila Rica (heute Ouro Preto), der z. T. mit der Aufstandsbewegung gegen die portug. Unterdrückung in Verbindung stand. Wichtigste Vertreter waren die Epiker J. de SANTA RITA DURÃO und J. Basílio DA GAMA sowie die Lyriker C. Manuel DA COSTA und T. António GONZAGA.

Eselsbrücke (lat. *pons asinorum*), urspr. in der Scholastik Figur zur Veranschaulichung logischer Verhältnisse, Anleitung zum logischen Schluß: heute Übersetzung fremdsprachlicher Texte für Schüler. →Denkvers.

Esoterisch (griech. *esoterikos* = innerlich, für die Eingeweihten) im Ggs. zu →exoterisch heißt e. Stil oder e. Schrift, die durch strengste Vermeidung der Alltagssprache und künstliche Formen der Stilisierung dem Laien dunkel bleibt und nur dem Eingeweihten zugänglich ist; häufiger in Versen als in Prosa.

Esperpento (span.), Bz. von R. del VALLE-INCLÁN für seine sozialsatir. Grotesken.

Espinelas, seit ihrer Erfindung durch Vicente ESPINEL um 1590 die gebräuchliche und klassische Form der span. →Dezime, die das Zerfallen der Strophe in 2 Quintilhas zu 5 Zeilen vermeidet durch Aufgliederung und gleichzeitige Zusammenfassung in aufeinander bezogene Gruppen zu 4 und 6 Zeilen mit der Reimfolge abba accddc.

D. C. Clarke, *Sobre la e. (Revista de filología española* 23, 1936).

Esprit Gaulois (franz. = gallischer Geist), der ausgelassen-witzige und ungenierte franz. Humor mit s. Freude am Sinnlichen und am derben Spaß im Ggs. zum Esprit précieux. In der Lit. bes. vertreten durch RABELAIS.

Essay (engl., franz. *essai* = Versuch), kürzere Abhandlung über e. wissenschaftlichen Gegenstand, e. aktuelle Frage des geistigen, kulturellen oder sozialen Lebens u. ä. in leicht zugänglicher, doch künstlerisch wie bildungsmäßig anspruchsvoller, geistreicher und ästhetisch befriedigender Form, gekennzeichnet durch bewußte Subjektivität der Auffassung, die dem E. auch im Fall überholter wissenschaftlicher Voraussetzungen im einzelnen als geistigem Zeugnis seines Schöpfers bleibenden Wert gibt, bewußten Verzicht auf systematische und erschöpfende Analyse des Sachwertes zugunsten mosaikhaft lockerer, das Thema von verschiedenen Seiten fast willkürlich, sprunghaft-assoziativ belichtender Gedankenfügung, die wesenstiefe individuelle Erkenntnisse zu vermitteln sucht, e. Nachvollziehen des persönlichen Erlebnisses erstrebt und das Thema in großen Zusammenhängen sieht, Vorläufigkeit der Aussage bei aller aphoristischen Treffsicherheit im einzelnen und Unverbindlichkeit der aufgezeigten möglichen Zusammenhänge, die keine Verallgemeinerung zuläßt, schließlich die Souveränität in der Verfügung über den Stoff. Der E. gilt daher als →offene Form von fragmentarischer Wahrheit, als ein Schwebezustand zwischen Wissen und Zweifel, und unterscheidet sich durch die subjektive Formulierung von der streng objektiven wissenschaftlich-sachlichen Abhandlung, durch das geistige Niveau und Streben nach zeitlosen Einsichten vom breiteren und oberflächlicheren journalistischen Feuilleton.

Der E. setzt in allen Lit. mit Ausbildung der Kunstprosa ein. Den Namen prägte zuerst MONTAIGNE (*Essais,* 1580), formal in Anlehnung an röm. Vorbilder (PLUTARCH, *Moralia,* SENECA, *Epistulae morales,* GELLIUS, *Noctes Atticae*) und den sich auflösenden ma. Schulstil. Ihm folgten in England F. BACON (*Essays* 1597 ff., rel. Betrachtungen) und im 18. Jh. die engl. →Essayisten. Philosophische Abhandlungen erschienen in Form des E. zur Betonung des Fragmentcharakters gegenüber der geschlossenen Schulform: DESCARTES, PASCAL, LOCKE, HUME, LEIBNIZ; in Dtl. stehen im 18. Jh. Aufsätze von LESSING, HERDER, WIELAND, MÖSER, STURZ, KNIGGE, G. FORSTER, LICHTENBERG, W. v. HUMBOLDT, SCHILLER und bes. GOETHE (*Von dt. Baukunst* u. ä.) dem E. nahe. Im 19. Jh. beginnt mit stärkeren lit. Anforderungen e. neue Blüte der Kunstform: in England bei HAZLITT, LAMB, Lord STANHOPE, CARLYLE, DE QUINCEY, MACAULAY, M. ARNOLD, RUSKIN, BULWER-LYTTON; in Amerika R. W. EMERSON, in Frankreich BRUNETIÈRE, SAINTE-BEUVE, TAINE; in Dtl. übernimmt erst H. GRIMM *(E.s)* 1859 die Bezeichnung anstelle des bisherigen ›Versuch‹ (F. SCHLEGEL, HEINE, SCHLEIERMACHER); von KLEIST, JEAN PAUL, A. MÜLLER, BÖRNE, SCHOPENHAUER, RUMOHR, GERVINUS, FALLMERAYER, J. SCHMIDT, K. FRENZEL, R. v. GOTTSCHALL ausgebaut, wird sie durch K. HILLEBRAND, F. KÜRNBERGER, O. GILDEMEISTER, V. HEHN, B. GOLTZ, J. BURCKHARDT, K. FISCHER, NIETZSCHE, FONTANE u. a. fortgesetzt. E. letzte ästhetische Verfeinerung um die Jh.-wende machte den E. zum Spiel höchster Geistigkeit: in England WILDE, BELLOC, CHESTERTON, HUXLEY, FORSTER, T. S. ELIOT; in Frankreich A. FRANCE, BARRÈS, MAURRAS, P. VALÉRY, RIVIÈRE, GIDE; in Dänemark BRANDES; in Spanien UNAMUNO und ORTEGA Y GASSET, in dt. Lit. S. FREUD, A. KERR, F. RATZEL, W. RATHENAU, H. und Th. MANN, R. BORCHARDT, R. KASSNER, O. SPENGLER, H. WÖLFFLIN, K. KRAUS, G. SIMMEL, G. LANDAUER, K. SCHEFFLER, W. F. OTTO, R. SCHICKELE, H. BAHR, H. v. HOFMANNSTHAL, St. ZWEIG, R. A. SCHRÖDER, M. WEBER, J. WASSER-

MANN, W. BENJAMIN, H. BALL, E. BERTRAM, P. ERNST, O. LOERKE, W. LEHMANN, M. HEIMANN, A. POLGAR, F. BLEI, J. HOFMILLER, E. und F. G. JÜNGER, K. JASPERS, Th. HAECKER, R. HUCH, F. GUNDOLF, W. MUSCHG, G. BENN, H. BROCH, J. ROTH, R. MUSIL, E. G. WINKLER, M. KOMMERELL, M. RYCHNER, L. und E. R. CURTIUS, A. DÖBLIN, C. J. BURCKHARDT, Th. ADORNO, M. BENSE, H. HOLTHUSEN, W. JENS u. a. m. Seit Th. MANN, R. MUSIL, H. BROCH u. a. dringen essayistische Elemente als Erweiterung der Wirklichkeitsbewältigung in weitem Maße auch in den Roman ein. Im Zeitalter zunehmender Faktengläubigkeit schließlich wird der ursprüngliche Bereich des E. durch das ästhetisch anspruchslosere Sachbuch eingeengt.

G. Lukács, Üb. Wesen u. Form d. E. (in: D. Seele u. d. Formen, 1911); H. Walker, *The Engl. E. and e.ists,* London 1915; O. Williams, *The e.,* 1915; J. B. Priestley, *E. of today and yesterday,* London 1926; O. Doderer, D. dichter. E. (D. Lit. 29, 1926); H. Newboldt (hg.), *E. and e.ists,* Lond. 1927; R. D. O'Leary, *The E.,* N. Y. 1928; F. H. Brooksbank, *E. and Letter writing,* Lond. ²1932; H. Merk, Dt. E.isten (Neue Jhrb., 1937); E. Dovifat, E. (in: Hdb. d. Zeitgs.wiss., 1940); B. Klie, D. dt. E. als Gattg., Diss. Bln. 1944; M. Bense, Üb. d. E. u. seine Prosa (Merkur 1, 1947); H. Fischer, D. lit. Form d. E., Diss. Mchn. 1950; J. Lincoln Stewart, *The E.,* 1952; R. Schirmer-Imhoff, Montaigne u. d. Frühzt. d. engl. E., GRM 34, 1952/53; G. Just in ›Aufriß‹; P. M. Schon, Vorformen d. E., 1954; W. E. Süskind, D. E. (Dt. Rundschau 80, 1954); H. Wolffheim, D. E. als Kunstform (Fs. f. H. Pyritz, 1955); H. de Haas, D. Kunst d. lit. E. (Hochland 47, 1955); K. A. Horst, Wandlgn. d. E. (Jahresring 1955/56); Th. W. Adorno, E. als Form (in: Noten z. Lit., 1958); L. Fiedler, *The art of the e.,* N. Y. 1958; RL; W. Schmied, D. essayist. Mensch (Wort i. d. Zeit 6, 1960); K. G. Just, D. Gesch. d. E. i. d. europ. Lit. (Anstöße, 1960); R. Exner, Z. Problem e. Definition u. e. Methodik d. E. (Neophil. 46, 1962); W. Haacke, Exkurs z. E. (in: Definitionen, 1963); B. Berger, D. E., 1964; W. Hilsbecher, E. üb. d. E. (in: Wie modern ist e. Lit., 1965); L. Rohner, Anfänge d. E. (Akzente 12, 1965); H. Rehder, D. Anfänge d. dt. E., DVJ 40, 1966; K. G. Just, Versuch u. Versuchung (in: Übergänge, 1966); G. Haas, Stud. z. Form d. E. u. zu s. Vorformen i. Roman, 1966; L. Rohner, D. dt. E., 1966; ders. (hg.), Dt. E.s, IV 1968; H. Schumacher, D. dt. E. i. 20 Jh. (Dt. Lit. i. 20. Jh., ⁵1967); R. Champigny, *Pour une esthétique de l'e.,* 1967; A. Fischer, Stud. z. histor. E., 1968; M. Christadler, Gesch. d. amerikan. E., 1968; G. Haas, E., 1969; H. Küntzel, E. u. Aufklärg, 1969; D. Bachmann, E. u. E.ismus, 1969; H. W. Drescher, Themen u. Formen d. period. E. i. späten 18. Jh., 1970; F. Hiebel, Biographik u. E.istik, 1970; R. Miles, *First princip. of the e.,* N. Y. 1971; H. Mörchen, Schriftsteller in der Massengesellschaft, 1973; A. Auer, D. krit. Wälder, 1974; G. Haas, Z.Gesch. u. Kunstform d. E. (Jb. f. internat. Germanistik 7, 1975); H. Mörchen, Gegenaufklärg. u. Unterwerfg. (D. dt. Lit. i. 3. Reich, hg. H. Denkler, 1976).

Essayisten, 1. Verfasser von →Essays, 2. bes. Bz. für die Mitarbeiter der engl. →moralischen Wochenschriften, bes. ADDISON und STEELE, ferner COWLEY, DRYDEN, TEMPLE, S. JOHNSON.

Estampie (franz., v. ahd. stampăn = stampfen), Tanzlied der altfranz. Lit. des 13./14. Jh.

Estilo culto (span. = gepflegter Stil) →Gongorismus

Estribillo (span. = Steigbügel), →Kehrreim aus einer oder mehreren Zeilen in span. Lyrik und Balladendichtung. Er kann (im 14. Jh.) auch am Anfang eines Gedichts stehen und in den Strophen thematisch abgehandelt werden.

Ethopoeie (griech. *ethopoiia* = Sittenbildung), Darstellung von Charakteren, Beschreibung der geistigen Beschaffenheit und des Seelenzustandes e. Person, meist durch fingierte Reden und Briefe; beliebter Kunstgriff der antiken Rhetorik und bes. Geschichtsschreibung, demzufolge nicht alle überlieferten Äußerungen als echt zu betrachten sind. Deutlichste Ausprägung in OVIDS →Heroiden.

Etymologie (griech. *etymos* = wahr, *logos* = Wort, Sinn, Lehre), die Lehre vom wahren Sinn und der urspr. Grundbedeutung der →Wörter. Die antike Philosophie, bes. PLATO *(Kratylos)* und die Stoa, aber schon HOMER und HESIOD, glaubten, aus der Lautgestalt und -symbolik e. Wortes genaue Kenntnis von seinem Wesen und damit dem wahren Kern der Sache zu erlangen, wobei das Wissen um e. Ding wiederum magische Gewalt darüber geben sollte. Aus der Deutung der Personennamen sucht man Eigenschaften und Schicksal zu begründen. Erst ab 1. Jh. v. Chr. geht man zur Ableitung aus Homonymen über (VARRO, FESTUS, ISIDOR VON SEVILLA), in oft ganz willkürlicher Weise; bis ins MA. (HRABANUS MAURUS, WALAHFRID STRABO, NOTKER DER DT.) reicht diese Spekulation um Herkunft und Bedeutung bes. theologischer Begriffe. Die moderne historisch-wissenschaftliche E. als Zweig der vergleichenden Sprachwissenschaft beginnt mit F. BOPP und J. GRIMM zu Anfang des 19. Jh.; sie erschließt die formale Verwandtschaft der Wörter e. oder mehrerer Sprachen und geht auf die Urbedeutung der Wurzel zurück, gibt damit e. Bild der Sprachentwicklung und erklärt Wortbildung, Lautveränderungen und Bedeutungswandel geschichtlich und nach ihren Ursachen.

H. Steinthal, Gesch. d. Sprachwiss. b. Griech. u. Röm., II [2]1890; R. Reitzenstein, Gesch. d. griech. E., 1897; R. Thurneysen, D. E., 1905; F. Kluge, Wortforschg. u. Wortgesch., 1912; W. W. Skeat, *The Science of E.*, 1912; H. Hirt, E. d. nhd. Sprache, [2]1921; V. Thomsen, Gesch. d. Sprachwiss., 1927; F. Maurer, F. Stroh, Dt. Wortgesch., I–III, 1943; V. Pisani, *L'etimologia*, Mail. 1947; A. S. C. Ross, *Etymology*, Oxf. 1958; L. Mackensen, Dt. E., 1962; P. Guiraud, *L.' é.*, Paris 1964; E., hg. R. Schmitt, 1977. – E.sche Wb.: J. Prokorny, Idg. etym. Wb., 1949 ff.; F. Holthausen, Got. et. Wb., 1934; F. Kluge, A. Götze, Et. Wb. d. dt. Sprache, [20]1967; Duden-E., 1963; L. Mackensen, Reclams et. Wb. d. dt. Spr., 1966; E. Boisacq, *Dict. et. de la langue grecque*, [4]1950; J. B. Hofmann, Et.Wb. d. Griech., 1950; H. Frisk, Griech. et. Wb., 1960 ff.; Ernout-Meillet, *Dict. et. de la langue latine*, [4]1961; A. Walde, Lat. et. Wb., [4]1965; C.-A. Battisti, *Diz. et. ital.*, 1950; J. Corominas, *Diccionario critico et. de la lengua castellana*, Bern 1955 ff.; W. v. Wartburg, Franz. et. Wb., 1950; E. Gamillscheg, Franz. et. Wb., [2]1966 ff.; A. Dauzat, *Dictionn. et. de la langue franç.*, 1954; O. Bloch, W. v. Wartburg, *Dictionn. et. de la langue franc.*, [3]1961; F. Holthausen, Et. Wb. d. engl. Spr., [3]1949; ders., Altengl. et. Wb., [2]1963; J. de Vries, Altnord. et. Wb., Leiden 1957 ff.; H. S. Falk, A. Torp, *Et. ordbok over det norske og det danske sprog*, II 1910; E. Hellquist, *Svensk et. ordbok*, Stockh. II [3]1957; L. Levander, E. Wessén, *Kort et. ordbok*, Stockh. 1960; M. Vasmer, Russ. et. Wb., 1953–1958; E. Partridge, *Origins*, Lond. 1959; W. Meyer-Lübke, Roman. et. Wb., [4]1968.

Eucharistikon (v. griech. *eucharistos* = dankbar), rhetorisches Dankgedicht in antiker Lit., z. B. STATIUS IV, 2.

Euphemismus (griech. *euphemein* = Worte guter Vorbedeutung gebrauchen), uneigentliche Redeweise: verhüllende Umschreibung (→Periphrase) e. unangenehmen, anstößigen oder unheilbringenden Sache (Tabu) durch e. mildernden oder beschönigenden Ausdruck aus Schamgefühl, Anständigkeit, religiöser Scheu oder Aberglauben, der gefahrbringende Worte meidet, auch allg. zu rhetorischen Zwecken, z. B. entschlafen für sterben, Luzifer (lat. = Lichtbringer) für Teufel u. ä.; auch Fremdwörter dienen z. T. der Vermeidung unschöner Worte, z. B. transpirieren für schwitzen. Übersteigerter E. ironisiert die sich hinter ihm verbergenden ges. Tabus, z. B. in TH. MANNS *Felix Krull*.

Ch. Bruneau, E. (Fs. f. E. Gamillscheg, 1952); K. Sornig, Beob. z. Motivation u. Wirkg. v. E., Istanbul 1969; E. Leinfellner, D. E. i. d. polit. Sprache, 1971.

Euphonie (griech. *euphonia* = Wohlklang), sprachlicher Wohllaut; ihm dient z. T. die Einschiebung von Lauten zur Vermeidung der →Kakophonie, z. B.: ›meinetwegen‹.

Euphuismus, nach dem Roman *Euphues* (1578) von J. LYLY benannter engl. Beitrag zum manieristischen Prosastil des →Schwulst (→Gongorismus, →Marinismus) im europ. Barock, gekennzeichnet durch Überwiegen des intellektuellen Moments in der Sprachgebung: gezierte Wortwahl, gesuchte und verselbständigte Umschreibungen, Häufung überladener Bilder (statt naturbezogener Metaphern höchst künstliche Chiffren), gelehrte Anspielungen auf antike Mythologie, spitzfindige Wortspiele, Verzierung durch rhetorische Figuren wie Anapher und Epiphora, geistreich zugespitzte Antithesen und epigrammatische Parallelismen. Der Kunststil fand Nachahmung bei BRETON, FORDE, GREENE, LODGE, z. T., meist witzig, selbst bei SHAKESPEARE (*Love's Labour's Lost, Romeo and Juliet* I,5; Beatrice und Benedict in *Much Ado about Nothing).*

F. Landmann, Der E., 1881; C. G. Child, *J. Lyly and E.*, 1894; A. Feuillerat, *J. Lyly and E.*, Cambr. 1910; M. W. Croll, H. Clemons, *The Sources of Euphuistic Rhetoric* (in: *Euphues,* Lond. 1916); T. K. Whipple, *Isocrates and E. (Modern Language Review XI,* 1916); W. Ringler, PMLA, 1938.

Eupolideion, nach dem altattischen Komödiendichter EUPOLIS (5. Jh. v.Chr.) benannte Verszeile aus einem 3. Glykoneus und e. katalektischen trochäischen Dimeter:
–⏓–⏓ | –◡◡– ‖ ⏓◡–◡–◡–
verwendet in griech. Komödie und Satyrdrama (DIPHILOS, MENANDER).

Eurhythmie (griech. *eurhythmia* = Ebenmaß), das ausgeglichene und daher vollendet schöne Maßverhältnis 1. im engeren Sinne in der Rede- und Strophenführung der Dichtkunst, 2. im weiteren Sinne aller Lebens- und Ausdrucksformen (Bewegung, Rede, Gesang, Musik und Tanz), insbes. e. in der Anthroposophie R. STEINERS 1912 begründete Bewegungs- und Ausdruckskunst mit dem Zweck e. allseitig gleichmäßigen Entfaltung des menschlichen Wesens.

R. Steiner, E. als sichtbare Sprache, 1927.

Euripideion, von EURIPIDES abgeleitete Bezeichnung für e. katalektischen trochäischen Dimeter (→Lekythion): –́◡–◡–́◡–; oft mit zwei vorangehenden Kretikern.

Europamüder →Pessimismus

Euterpe, griech. →Muse der Tonkunst (Flötenmusik), des Gesanges und der lyrischen Dichtung.

Evangeliar (lat. *evangeliarium*), Buch für den gottesdienstlichen Gebrauch in der christl. Spätantike und im MA., das die vier Evangelien vollständig mit vorangestellten Vorreden und Inhaltsangaben der Kapitel sowie einige Briefe von Heiligen und Kirchenvätern und die Canones enthält, oft mit kostbarer Buchmalerei, Darstellungen des Lebens Jesu, ausgestattet; berühmte Hss. aus dem 9.–12. Jh. erhalten. →Evangelistar.

S. Beissel, Gesch. d. Evangelienbücher, 1906.

Evangelienharmonie (griech. *euangelion* = frohe Botschaft, *harmonia* = Verbindung, Einklang), die Zusammenarbeitung der vier Evangelien zu e. fortlaufenden und einheitlichen Darstellung der Lebensgeschichte Jesu unter Einbeziehung möglichst großer Teile der Originaltexte, z. T. durch Zusätze des Kompilators erweitert. Theoretische Richtlinien gaben AUGUSTINUS (*De consensu evangelistarum)* und die

Reformatorenkreise (Calvin, Chemnitz, der auch die Bezeichnung prägte, Osiander). – Ältester Versuch ist das →Diatessaron des Syrers Tatian, um 170 n. Chr., das bis ins 4. Jh. die Form des NT. für die syr. Kirche bildete und später als ketzerisch auf Ablehnung stieß. Es wurde um 546 vom Bischof Victor von Capua in lat. Übersetzung aufgefunden, in e. Abschrift, wohl durch Bonifatius, nach Fulda gebracht, dort um 830 auf Anregung von Hrabanus Maurus übersetzt und bildet e. Hauptquelle der 1. selbständigen dt. E., des *Heliand* (um 830). Größere Auswahl der Quellen, Benutzung von Kommentaren, von Schriften der Kirchenväter und Perikopen zeigt die E. des Mönchs Otfried von Weissenburg, entstanden um 863–871, mit Endreim-Versen von kunstvollem Bau in Anlehnung an lat. Hymnenverse, aufgegliedert in fünf Bücher mit Einleitungs- und Schlußkapiteln und sinnerläuternden Zusätzen. Sie wendet sich an e. gebildeten Leserkreis und will durch Einführung der dt. Sprache e. Gegenwert zum lat. Schrifttum der Zeit schaffen. Spätere Gestaltungen sind freier, dichterischer und von eigenem Schöpfergeist beseelt: an der Spitze steht Klopstocks *Messias* (1748–73) und die folgenden →Messiaden, ferner P. Ernsts *Der Heiland* (1930). Rein sachliche Versuche e. restlosen Zusammenschau der vier Evangelien dagegen wie etwa die vom J. Stikkenberger 1932, J. Maiworm 1946, M. J. Lagrange, dt. 1950, G. Ricciotti, dt. [2]1952 und J. Lebreton, dt. 1952, erweisen sich als letztlich nicht möglich, da die Evangelien keine Biographie Jesu geben wollen. →Synopsis.

H. J. Vogels, Beitr. z. Gesch. d. Diatessaron i. Abendl., 1919; R. Bultmann, D. Leben Jesu-Forschung, [5]1933; M. Goguel, D. Leben Jesu, 1934; W. G. Kümmel (Theolog. Rundschau, 1939); C. Peters, D. Diatessaron, Rom 1939; G. Baesecke, Z. Überlieferg. d. ahd. Tatian, 1948; RL. →Bibelübersetzung.

Evangelistar (griech.-lat. *evangelistarium*), →Perikopenbuch, in der alten Kirche e. Zusammenstellung aller bei der Messe zu lesenden Evangelienabschnitte für den sonn- und festtäglichen Gottesdienst in der Reihenfolge des Kirchenjahres; wie das →Evangeliar im MA. oft mit reichem Buchschmuck und Malerei kostbar ausgestattet. Durch Zufügung des →Epistolars mit den übrigen Bibelstellen entsteht das →Lektionar.

Evergreen (engl. = Immergrün), eigtl. ein →Schlager, der sich über die raschen Modewechsel hinweg Jahrzehnte hindurch in der Gunst des Publikums hält; dann im Buchmarkt übertragen auf den →Steadyseller.

Examination →Textkritik

Exegese (griech. *exegesis* = Auseinandersetzen), Auslegung, erklärende Ausdeutung e. (bes. biblischen) Textes zu dessen besserem Verständnis nach den Grundsätzen der →Hermeneutik, und zwar entweder historisch-philologisch als Ermittlung des vom Verfasser gemeinten Sinnes, als typologische Deutung oder als →Allegorese. Der umfassende Begriff ist die →Interpretation. Vgl. →Kommentar, →Scholien.

Exempel (lat. *exemplum*, griech. *paradeigma* = Beispiel), kurze Erzählung von positiven oder negativen →Beispielen sittlichen Lebens, zur Veranschaulichung einer dogmatischen oder moralischen Lehre in einem Text oder einer Rede eingestreut.
In der antiken Rhetorik steht das E.

als eingelegter Beleg in der Beweisführung der Gerichtsrede und verbreitet sich von daher bes. während der Kaiserzeit über alle Dichtungsarten, zunächst als kurze Darstellung von Taten, Leistungen. Aussprüchen um e. hervorstechenden Charakterzug mit folgendem →Epimythion, seit 100 v. Chr. jedoch zumeist in Gruppierung um e. typische Idealfigur als Verkörperung e. bes. Eigenschaft. Stoff für E. bieten erst der Mythos, später Erfahrung und Geschichte; mit zunehmendem Verlangen nach dem E. entstehen die ersten E.-Sammlungen von HYGIN, Cornelius NEPOS und VALERIUS MAXIMUS *(Factorum et dictorum memorabilium libri),* meist nach sachlichen Gesichtspunkten geordnet. Die Gattung lebt fort im MA. in Homilien und Dialogen GREGORS d. Gr., der *Disciplina clericalis* des PETRUS ALFONSI, bes. aber seit der 2. Hälfte des 12. Jh. in Traktaten und Predigten (›Predigtmärlein‹) zur Verdeutlichung von theologischen Vorstellungen, als Beweis für die Kraft des Glaubens an e. Lebensbeispiel und gleichzeitig ›Belohnung‹ der Hörer. Als Quellen dienen zunächst die Gleichnisse des NT. und die *Vitae patrum,* auch antike Autoren (PLINIUS, VALERIUS MAXIMUS, SENECA, OVID), dann entstehen zahlreiche neue E.-Sammlungen: VINCENT VON BEAUVAIS' *Speculum historiale,* PETRUS ALFONSUS, *Disciplina clericalis,* CAESARIUS VON HEISTERBACH, *Dialogus miraculorum,* Don JUAN MANUEL, *Conde Lucanor,* die *Gesta Romanorum* u. a. m., seit dem 13. Jh. in alphabetischer Stichwortfolge und nur knapper Inhaltsangabe, die Ausgestaltung dem Prediger überlassend. Die Verwendung heiterer und in der Kirche Gelächter erregender E. führte zu ihrer Unterdrückung durch die Reformation (erst 1568 Wiedereinführung mit der evangelischen Sammlung von A. HONDORFF *Promptuarium exemplorum*), während die katholische Kirche, die Dominikaner, Franziskaner und bes. Jesuiten das E. weiterhin pflegen. Häufige Verwendung dann im Reformationsdrama u. ä. Meister in seinem Gebrauch waren die großen Volksprediger GEILER VON KAISERSBERG, MARTIN VON KOCHEM und ABRAHAM A SANCTA CLARA. Der Barock sammelt die E. als Bildungsgüter in großen Enzyklopädien oder ›Schauplätzen‹: Th. ZWINGER, *Theatrum humanae vitae,* 1565, P. LAUREMBERG, *Acerra philologica,* 1637, G. Ph. HARSDÖRFFER, *Großer Schauplatz,* 1650f., H. A. VON ZIGLER UND KLIPHAUSEN, *Täglicher Schauplatz,* 1695 u. a. – Bedeutend ist der Einfluß der E. auf Unterhaltungsschrifttum, Schwanklit. (PAULI, *Schimpf und Ernst*) und schließlich moralische Schullesestücke. Auch Sagen, Märchen, Volkslieder, Balladen und Romanzen verwenden Motive der E.: Gang nach dem Eisenhammer, Mönch von Heisterbach und zahlreiche andere. Die Auflösung der E.lit. erfolgt erst mit dem stärkeren Einfluß der ital. Novelle und des Schwanks.

R. Cruel, Gesch. d. dt. Predigt i. MA., 1879; J. J. Mosher, *The E. in the Early Religious and Didactic Lit. of Engl.,* N. Y. 1911; K. Alewell, Üb. d. rhetor. Paradeigma, Diss. Kiel 1913; D. Howie, *Studies in the use of e.,* Lond. 1923; J. Th. Welter, *L'e. dans la lit. relig. et didact. du m. a.,* Paris 1927; A. Closs, Weltlohn, 1934; H. Kornhardt, E., Diss. Gött. 1936; E. R. Curtius, Europ. Lit. u. lat. MA., [6]1967; RL; E. Moser-Rath, Predigtmärlein d. Barockzt., 1964; H. Bausinger, E. u. Beispiel (Hess. Bll. f. Volkskde. 59, 1968); F. C. Tubach, *Index exemplorum,* Helsinki 1969; M. Fuhrmann u. K. Stierle (Poetik u. Hermeneutik 5, 1973); Volkserzählung u. Reformation, hg. W. Brückner 1974; F. P. Knapp, Similitudo, 1975; E. H. Rehermann, D. Predigt-E. b. protestant. Theologen d. 16. u. 17. Jh., 1977.
→Beispiel, →Bîspel.

Exemplar (lat. = Muster, Abbild), früher einzelne Abschrift e. Buches, heute dessen Einzelstück.

Exilliteratur (lat. *exilium* = Verbannung), allg. jedes durch politischen Radikalismus im Mutterland ins ideolog. freie Ausland verdrängte Dichtertum, so z. B. nach der Franz. Revolution (B. CONSTANT, Mme de STAËL), z. Zt. der Reaktion (BÖRNE, HEINE, LAUBE), nach dem poln. Aufstand von 1830/31 (A. MICKIEWICZ, J. SŁOWACKI), nach der russischen Revolution von 1917 (BUNIN, MEREŽKOVSKIJ, RACHMANOVA, zuerst auch A. TOLSTOJ und I. EHRENBURG), im ital. Faschismus (SILONE, FERRERO, BORGESE, PREZZOLINI) und unter der Herrschaft Francos in Spanien (S. de MADARIAGA, J. GUILLÉN) wie nach der Sowjetisierung der balt. Staaten (estn., lett., litau. E.), bes. aber und mit größtem Umfang in der bisherigen Geschichte das Schrifttum der nach 1933 aus politischen oder rassischen Gründen teils freiwilig aus Protest gegen Geistfeindschaft und Unfreiheit, teils gezwungenermaßen unter dem Druck von Verfolgung im Ausland (bes. Frankreich, Schweiz, England, UdSSR und USA) lebenden dt. Dichter und Schriftsteller. Machtergreifung, Reichstagsbrand, Bücherverbrennung, Judenverfolgung, Besetzung Österreichs und der Tschechoslowakei sowie Kriegsbeginn lösten die entscheidenden Emigrationswellen aus, die sich zunächst auf Wien, Prag, Paris und Amsterdam konzentrierten. Daneben unterscheidet man e. →›innere‹ E. als passive Opposition im Mutterland (W. BERGENGRUEN, R. SCHNEIDER, G. WEISENBORN, E. WIECHERT u. a.). E. trennende Spaltung innerhalb der Literaturgeschichte ist nicht erfolgt; beide Gruppen führen in großen Werken die aufgenommenen Entwicklungslinien in Heimat wie Fremde weiter. Hinzu kommt, daß die einseitige Abwertung der Dichtwerke vom politischen Standpunkt (vom Wesen der Dichtung her e. Unmöglichkeit) nicht eine Einzelströmung, sondern eine Vielzahl verschiedenster Persönlichkeiten und Richtungen traf und damit Einheitlichkeit und Geschlossenheit in der dt. E. ausschloß; die einzigen gemeinsamen Züge der E. sind starke Politisierung, vom erbitterten Haß und leidenschaftlichen Angriff bis zu tiefer Sehnsucht und Bemühen um Verstehen, e. Tendenz, die selbst in distanzierten historischen Stoffen hervortritt, Radikalisierung der persönlichen Stellungnahme in Warnung und Anklage, bes. autobiographische Rechtfertigung des eigenen Handelns, schließlich Vereinfachung der künstlerischen Intentionen für die Bedürfnisse e. nichtdt. Leserschaft, mitbedingt durch die völlig veränderten Lebensumstände und die plötzliche Auslösung aus e. geistigen Nährboden wie die Aufnahme von Einflüssen des Gastlandes, z. T. selbst seiner Sprache; jedoch bildeten sich auch wortführende deutsche Zeitschriften (*Maß und Wert, Das Wort* u. a.) und Verlagshäuser (Querido, de Lange, Bermann-Fischer, Malik) im Ausland. Wichtigste Gestalten der dt. E., von denen nur ein Teil nach 1945 zurückkehrte, sind J. R. BECHER, W. BENJAMIN, F. BLEI, B. BRECHT, W. BREDEL, B. v. BRENTANO, H. BROCH, F. BRUCKNER, F. Th. CSOKOR, A. DÖBLIN, A. EHRENSTEIN, C. EINSTEIN, L. FEUCHTWANGER, B. u. L. FRANK, O. M. GRAF, M. GUMPERT, W. HASENCLEVER, St. HERMLIN, M. HERRMANN-NEISSE, H. HESSE, G. KAISER, A. KERR, H. KESTEN, A. KOLB, P. M. LAMPEL, E. LASKER-SCHÜLER, E. LISSAUER, K., H. u. Th. MANN, W. MEHRING, A. MOMBERT,

R. MUSIL, A. NEUMANN, K. PINTHUS, Th. PLIEVIER, A. POLGAR, G. REGLER, E. M. REMARQUE, J. ROTH, H. SAHL, A. SCHAEFFER, R. SCHICKELE, A. SEGHERS, M. TAU, E. TOLLER, F. v. UNRUH, J. URZIDIL, B. VIERTEL, E. WALDINGER, A. T. WEGNER, E. WEINERT, E. WEISS, F. WERFEL, F. WOLF, A. WOLFENSTEIN, K. WOLFSKEHL, P. ZECH, C. ZUCKMAYER, A. u. St. ZWEIG. Nach 1945 wird die BR z. T. selbst erstrebtes Asylland für nonkonformistische Autoren der sozialist. Länder, und es entsteht e. Art zweiter, ideolog. begründeter E. innerhalb Dtls. durch Emigranten oder Ausgewiesene insbes. aus der DDR (U. JOHNSON, Ch. REINIG, M. BIELER, P. HUCHEL, W. BIERMANN, R. KUNZE).

W. A. Berendsohn, D. humanist. Front: Einführg. i. d. dt. E., II 1946–76; R. Drews u. A. Kantorowicz, Verboten u. verbrannt, 1947; F. C. Weiskopf, Unter fremden Himmeln, 1948; W. K. Pfeiler *German Lit. in Exile,* Lincoln 1957; RL; E. Haase, Einf. i. d. Lit. des Refuge, 1959; H. Brenner, Dt. Lit. i. Exil (in: Hdb. d. dt. Gegenwartslit., hg. H. Kunisch 1965); G. Soffke, Dt. Schrifttum i. Exil, Katalog 1965; ›E. 1933–1945‹, Katalog [2]1966; K. Jarmatz, Lit. i. Exil, 1966; ›E. 1933–1945‹, Katalog [3]1967; M. Wegner, Exil u. Lit., [2]1968; K. R. Grossmann, Emigration, 1969; R. E. Cazden, *German exile lit. in America,* Chic. 1970; W. Sternfeld, E. Tiedemann, Dt. E., Bibliogr. [2]1970; J. Radkau, D. dt. Emigration i. d. USA, 1971; W. A. Berendsohn u. a. (Colloquia Germanica 1971); H.-A. Walter, Dt. E., IX 1972 ff., VI 1978 ff.; G. Berglund, Dt. Opposition gegen Hitler i. Presse u. Roman i. Exil, Stockh. 1972; Protokoll d. 2. internat. Symposiums z. Erforschg. d. dtspr. Exils, Stockh. 1972; P. Tabori, *The anatomy of exile,* Lond. 1972; F. Goldner, D. österr. Emigration, 1972; Exil u. innere Emigration, II 1972 f.; D. dt. E., hg. M. Durzak 1973; H.-Ch. Wächter, Theater i. Exil, 1973; H. E. Tutas, NS-Propaganda u. dt. Exil, 1973; H. Müssener, Exil i. Schweden, 1974; Dt. Lit. i. Exil, hg. H. L. Arnold II 1974; E. Bahr u. a. (Jb. f. internat. Germanistik 6, 1974); S. Bock u. a. (Weimarer Beitr. 21, 1975); D. dt. E. seit 1933, Bd. I: Kalifornien, hg. M. Spalek, J. P. Strelka II 1975; A. Gerlach, Dt. Lit. i. Schweizer Exil, 1975; H. E. Tutas, Nationalsoz. u. Exil, 1975; T. A. Kamla, *Confrontation with exile,* 1975; E. Nyssen, Geschichtsbewußtsein u. Emigration, 1975; L. Maas, Hb. d. dt. Exilpresse, 1976; G. Heeg, D. Wendg. z. Gesch., 1977; M. H. Würzner, Dt. E. i. d. Niederlanden, 1977; Dt. E.drama u. E.theater, hg. W. Elfe u. a. 1977; A. Kantorowicz, Politik u. Lit. i. Exil, 1978.

Existentialismus in der Dichtung. Das Weltbild des sich im Anschluß an KIERKEGAARD und NIETZSCHE und die Existenzphilosophie (HEIDEGGER, JASPERS, MARCEL) entwickelnden E., gekennzeichnet durch die Anschauung von der Ungeborgenheit des Menschen, seinem Ausgesetztsein in absoluter Freiheit bei ständigem Entscheidungszwang und absoluter Selbstverantwortung als letztmögliche Steigerung des Individualismus ins Transzendente, findet seinen lit. Niederschlag in den Werken e. Reihe von Dichtern, wobei jedoch stets schon das Bekenntnis zu ästhetischer Ausformung in der Kunst e. Überwindung des letzten Nihilismus bedeutet. Als erste Vorläufer könnten BÜCHNER (1813–1837) und DOSTOEVSKIJ (1821–1881) gelten; in Dtl. werden in neuerer Zeit JÜNGER, KAFKA (*(Der Prozeß,* 1924; *Das Schloß,* 1926) und RILKES Spätwerk nur in ungenauem Sinne dem E. zugeordnet, dessen eigentlicher Durchbruch in der Lit. erst nach dem 2. Weltkrieg und zuerst in Frankreich erfolgt. Der Hauptvertreter ist J. P. SARTRE, der in seinen vielgespielten Dramen (*Les mouches,* 1943; *Huis-clos,* 1944; *Les jeux sont faits,* 1947; *Morts sans sépulture,* 1947; *Les mains sales,* 1949; *Le diable et le bon Dieu,* 1951 u. a.) und seinen Romanen (*La nausée,* 1938; *Le mur,* Nov., 1939; *Les chemins de la liberté,* 1947–49) die von ihm philosophisch begründete Richtung –wenngleich nicht ohne innere Widersprüche und Paradoxien – zu gestalten sucht. Ihm folgen mit der gleichen unerbittlichen Schärfe existentialist. Erzählkunst Simone de BEAUVOIR (*L'Invitée,* 1943), ferner J. ANOUILH und – bis zum Bruch 1952 – A. CAMUS (*La Peste,* 1947).

N. Abbagnano, *Introduzione all'e.,* Mail. 1942; G. de Ruggiero, *L'e.,* Paris 1942; H.Lefebvre, *L'e.,* Paris 1946; J. Wahl, *Petite hist. de l'e.,* Paris 1947; J. Hessen, Existenzphilos., 1947; R. Harper, *E.,* Cambr./Mass. 1948; R. Campbell, *L'e.,* Paris 1948; E. Mounier, Einf. i. d. Existenzphilos., 1949; M. Müller, Existenzphilos. i. geist. Leben d. Ggw., 1949; M. Reding, D. Existenzphilos., 1949; J. Lenz, D. mod. dt. u. franz. E., 1951; L. Gabriel, Existenzphilos., 1951; J. Collins, *The Existentialists,* N. Y. 1952; J. Ell, D. E., 1955; O. F. Bollnow, Existenzphilos., [4]1955; J. Wild, *The challenge of e.,* Bloomington 1955; F. Heinemann, E. lebendig od. tot?, [2]1956; W. Kaufmann, *E. from Dostoevsky to Sartre,* N. Y. 1957; H. H. Holz, D. franz. E., 1958; A. Santucci, *E.e filosofia italiana,* Bologna 1959; H. J. Blackham, *Six existentialist thinkers,* N. Y. 1959; M. Grene, *Introduction to E.,* Chicago [2]1959; D. E. Roberts, *E. and religious belief,* N. Y. 1960; K. F. Reinhardt, *The Existentialist revolt,* N. Y. [2]1960; W. Barrett, *Irrational man,* Lond. 1961; H. E. Barnes, *The lit. of possibility,* 1961; F. T. Kingston, *French E.,* Toronto 1961; F. Molina, *E. as philos.,* N. Y. 1962; A. B. Fallico, *Art and e.,* N. Y. 1962; H. R. Müller-Schwefe, Existenzphilos., 1962; H. E. Barnes, *Humanistic E.,* Nebraska 1962; R. G. Olson, *An Introduction to E.,* N. Y. 1962; E. Breisach, *Introduction to modern e.,* N. Y. 1962; D. D. McElroy, *E. and mod. lit.,* N. Y. 1963; P. Roubiczek, *E. – For and Against,* Lond. 1964; O. F. Bollnow, Franz. E. 1965; C. Wilson, *Introd. to the new e.,* Lond. 1966; F. A. Olafson, *Principles and persons,* Baltimore 1967; L. Pollmann, Sartre u. Camus, 1967; L. Gabriel, Existenzphilos., 1968.

Exkurs (lat. *excursus* = Ausfall), in e. wissenschaftlichen Abhandlung e. selbständige und in sich geschlossene, als Anhang beigefügte oder (z. T. als Anmerkung) in den Text eingeschobene kürzere Abschweifung auf Sonderprobleme, die nicht direkt zum Thema gehören, doch im Zusammenhang der Darstellung auftauchen. Häufige Verwendung auch in der Epik und antiken Lit. (z. B. SALLUST), in Leseranreden und Erzählerreflexionen des Romans seit dem 18. Jh.

M. v. Poser, D. abschweifende Erzähler, 1969.

Exlibris (lat. = aus den Büchern), meist auf die Innenseite des Buchdeckels geklebtes, kunstgraphisch ausgestaltetes Druckblatt als Bucheignerzeichen, das die Zugehörigkeit zu e. Privatslg. oder öffentl. Bibliothek bezeichnen und vor Entwendung schützen soll, heute für die Bibliophilie wertvoller Sammelgegenstand aufgrund seines Kunst- und historischen Wertes als Nachweis früherer Besitzer e. Buches, daher Bildung von E.-Gesellschaften und -Vereinen. – Im 15. Jh. aus hs. Namenszug entstanden, umfaßte die bildl. Darstellung Wappen und Namen, z. T. allegorische Hinweise auf Beruf, Stand u. Interessen des Besitzers. Ihre Blütezeit bildet das 16.–18. Jh.; von Dtl. verbreitet sich ihr Gebrauch im 17. Jh. auf England, Frankreich, Italien. Namhafte Künstler wie DÜRER, CRANACH, HOLBEIN, CHODOWIECKI, KLINGER, THOMA, in England CRANE und A. BELL, in neuer Zeit LIEBERMANN, SLEVOGT und CORINTH gestalten E., im 20. Jh. meist in symbolhafter Form.

F. Warnecke, D. dt. Bücherzeichen, 1890; G. A. Seyler, Ill. Hdb. d. E.kunde, 1895; E. Stickelberger, D. E. i. d. Schweiz u. i. Dtl., 1905; E. de Budan, *Bibliogr. des E.,* [2]1906; R. Braungart, D. neue dt. E., 1913–19; ders., D. moderne dt. Gebrauchs-E., 1922; A. Schramm, Taschenbuch f. E.-Sammler I, 1924; E. Walter, W. v. zur Westen, E., [3]1925; G. W. Fuller, *A Bibliogr. of bookplate lit.,* Spokane, Wash. 1924; H. Heeren (hg.), E. u. Gebrauchsgraphik, 1948/49; E. Geck, E., 1955; N. H. Ott, E., 1967.

Exodium (lat., v. griech. *exodion* =) 1. Ausgang e. Schauspiels, bes. 2. heiteres Nachspiel zu e. Tragödie, meist Satyrdrama oder Atellane.

Exodos (griech. = Hinausweg,

Ausgang), Schluß- und Abzugslied des →Chors in der altgriech. Tragödie, bes. im letzten Stück der Trilogie, später meist durch e. kurzes anapästisches Exodikon ersetzt; schließlich allg. der an das letzte →Stasimon anschließende ganze Schlußteil des Dramas mit der Katastrophe.

Exordium (lat. = Beginn), die kunstgerechte Einleitung als Anfang e. Rede, in antiker und ma. Rhetorik durch bestimmte →Topoi gekennzeichnet, auch →Proömium.

Exoterisch (griech. *exoterikos* = äußerlich) im Ggs. zu →esoterisch heißen gemeinverständliche, für den Außenstehenden (Laien) bestimmte Schriften.

Exotische Dichtung (griech. *exotikos* = ausländisch, fremdartig), Schrifttum, das durch Verlagerung des Schauplatzes in außereuropäische, weitabgelegene Länder bes. Reize aus der Schilderung der dortigen, dem Europäer ungewohnten und merkwürdigen Verhältnisse, Gebräuche und Menschen zieht und die Phantasie der Leser anregt, daher Nähe zum →Abenteuer- und →Reiseroman zeigt. Zu voller Wirkung entfaltet es sich weniger in den Kolonialvölkern (Ausnahmen in England: DEFOE, STEVENSON, CONRAD, LONDON und KIPLING, in Frankreich P. LOTI, Th. GAUTIER, HÉRÉDIA u. a.) als den nicht kolonisierenden Nationen Mitteleuropas. – Die e. D. des MA. griff höchstens auf den durch die Kreuzzüge vertrauten arab.-islam. Orient (WOLFRAM VON ESCHENBACH) oder Indien *(Alexanderroman)* zurück. In der weiteren Lit.gesch. findet sich e. D. bes. in Epochen überschäumenden Lebensgefühls, das zu letzter Steigerung nach den unerhörten Zuständen fremder Länder greift: 1. im Barock als heroisch-galante Romane aus der Sittenwelt des Orients, von ZESEN ins Dt. übertragen und nachgeahmt in *Simson* und *Assenat* aus der ägypt.-hebr. Welt, Herzog ANTON ULRICHS VON BRAUNSCHWEIG *Aramena,* Geschichtsroman aus Babylon, und H. A. von ZIGLER UND KLIPHAUSENS *Asiatische Banise,* nur z. T. die Romane HAPPELS und REUTERS *Schelmuffsky.* Noch die Aufklärung (MONTESQUIEU, HALLER, WIELAND) siedelt den Staatsroman z. T. aus Gründen der Tarnung im Orient an. Eigene Wege gehen die zahlreichen →Robinsonaden des 17./18. Jh. und die mit ihnen thematisch verbundenen kulturfeindlichen Utopien der gemeineurop. Vorromantik, die an den Mythos e. amerikan. Goldenen Zeitalters und e. edlen Wilden als Kontrastfolie zur europ. Unnatur anknüpfen (ROUSSEAU, CHATEAUBRIAND, BERNARDIN DE SAINT-PIERRE, SEUME u. a.) – 2. in der Romantik infolge der verbreiteten Orient- und Indien-Studien: GOETHES *Westöstlicher Divan,* die →orientalisierende Lyrik PLATENS u. bes. RÜCKERTS, später in FREILIGRATHS pathetisch-exotischen Balladen als Effektsteigerung und in STIFTERS *Abdias* mit dem eigenartigen Zauber arab. Wüste. Meister des exot. Romans im 19. Jh. ist Ch. SEALSFIELD mit seinen Schilderungen des amerikan. Lebens aus eigenster Anschauung. Die bei ihm gewonnene dichterische Tiefe wird schließlich im Unterhaltungsschrifttum GERSTÄCKERS und bes. Karl MAYS zugunsten phantastischer und spannungserregender Elemente veruntreut. – 3. in Neuromantik (DAUTHENDEY, H. HESSE) und Expressionismus (EDSCHMID, KLABUND, STUKKEN, DÄUBLER, DÖBLIN, BONSELS, BETHGE, PAQUET, KELLERMANN) greift der Ausdruckswille, dem das Abendland zu eng ist, bes. in fernöstliche Regionen (China). Auch G. HAUPTMANN hat mit *Der weiße Heiland, Indipohdi* und *Die Insel der großen Mutter* Anteil an der e. D., während das breite Unterhaltungsschrifttum von jeher aus den unerhörten und abenteuerlichen Erlebnissen der Fremde bes. Effekte gezogen hat.

R. Riemann, D. Entwicklg. d. polit. u. exot. Romans i. Dtl., 1910; G. Chinard, *L'Amérique et le rêve exot. dans la lit. franç.*, 1911–13; L. Cario u. C. Régismanset, *L'Exotisme*, 1911; P. Jourda, *L'exotisme dans la lit. franç.*, 1938–56; H. Plischke, V. Cooper bis K. May, 1951; D. exot. Roman, hg. A. Maler 1975; W. Reif, Zivilisationsflucht u. lit. Wunschträume, 1975; U. Bitterli, D. Wilden u. d. Zivilisierten, 1976.

Experiment (lat. *experimentum* =) Versuch, Erprobung, in der Lit. die praktische Erprobung neuer Ausdrucksformen, neuer Aussageweisen und neuer Inhalte auf ihre Wirksamkeit und ihre Möglichkeiten als Aussage neuen menschlichen Selbstverständnisses. Ein wesentlicher Teil aller lit. Neuerungen und insbes. der modernen Dichtung entstand aus dem E. als suchendem Bemühen nach neuen Mitteln und Wegen sprachlicher Wirklichkeitsgestaltung, so daß das E., dem zugleich immer der Charakter des Provisorischen, nicht Endgültigen anhaftet, bis seine Ergebnisse sich als anerkannte Kunst legitimieren, als die Vorhut moderner Dichtung bezeichnet werden kann. Experimentelle Dichtung der Gegenwart sind etwa die →abstrakte Dichtung, die →Computerlyrik u. ä.

The Great E. in American lit., hg. C. Bode, N. Y. 1961; H. Motekat, E. u. Tradition, 1962, E. u. Erfahrg. i. Wiss. u. Kunst, hg. W. Strolz 1963; H. Schwerte, D. Begriff d. E. i. d. Dichtg. (Fs. H. O. Burger, 1968 u. Universitas 29, 1974); B. Heimann, Exp. Prosa (Dt. Lit. d. Gegenw., hg. M. Durzak 1971); Exp. Prosa, hg. K. Hohmann 1974; H. Hartung, Exp. Lit. u. konkrete Poesie, 1975; Das E. i. Lit. u. Kunst, hg. S. J. Schmidt 1977.

Explanation (lat. = Ausbreitung), verdeutlichende Sinnerklärung des Sachinhalts e. Textes im Ggs. zum sprachlichen →Kommentar und der dichterischen →Interpretation. Vgl. →Exegese, →Scholien.

Explicit (lat. aus *explicitum est* = ist abgewickelt, in Angleichung an →*incipit*), urspr. Anfangswort der Schlußwendung e. Buchrolle (z. B. ›explicit Plinii liber historiarum primus, incipit secundus‹), dann allg. in alten Hss. und Drucken Schlußvermerk oder -wort.

Exposé (franz. = Darlegung), kurzer Entwurf zur Erläuterung e. Situation oder e. Plans, dient als Grundlage der Diskussion, daher auch Bericht, →Denkschrift, →Memorandum. Vgl. →Drehbuch.

Exposition (lat. *expositio* = Darlegung), wesentlicher Bestandteil des →Dramas: wirkungsvolle Einführung des Zuschauers in Grundstimmung, Situation und Personen des Stückes und Darbietung der für das Verständnis wichtigen Voraussetzungen, die zeitlich vor Beginn der eigentlichen Bühnenhandlung liegen (→Vorgeschichte). Im klassischen Drama bildet sie meist den Inhalt des 1. Akts (z. B. GOETHE, *Egmont*) und wird durch das →erregende Moment abgeschlossen. In dieser Form ist die E. in die Dramentheorie G. FREYTAGS eingegangen, doch ist die Beschränkung auf den 1. Akt nicht notwendig (LESSING, *Minna von Barnhelm*); im →analytischen Drama erstreckt sich die E. über das ganze Drama bis an den Schluß, da zu ihr alle Momente rechnen, die e. zeitlich zurückliegende Ausgangssituation aufhellen. – In einfachster Form erscheint die E. als →Prolog (Antike, geistliches Drama, Fastnachtsspiel, in der Gegenwart bei HAUSMANN, *Lilofee*,

Thornton WILDER, *Our town* u. a.). E.sdialog ist seit der antiken Tragödie üblich, kann jedoch durch starke epische Elemente fast zum Monolog umgestaltet werden (VONDEL, GRYPHIUS, *Cardenio und Celinde*). Selbständige Form der E. ist das →Vorspiel (SCHILLER, *Wallenstein*, GOETHE, *Faust*), am kunstvollsten und dem Dramenaufbau am angemessensten erscheint die möglichst weitgehende Umsetzung epischer Elemente der E. in bildhafte Handlung (SHAKESPEARE) oder schrittweise enthüllenden Dialog (IBSEN).

E. Ziel, Üb. d. dram. E., 1869; RL; R. Petsch, D. dramat. E. (Nationaltheater 3, 1930); D. Dibelius, D. E. i. dt. naturalist. Drama, Diss. Hdlbg. 1935; L. Espenhahn, D. E. i. Drama u. Film, Diss. Wien 1948; O. Mann, Poetik d. Tragödie, 1958; H. G. Bickert, Stud. z. Probl. d. E., 1969; W. Schultheis, Dramatisierg. v. Vorgesch., Assen 1971; J. O. Fichte, *Expository voices in medieval drama*, 1976. →Drama.

Expressionismus (lat. *expressio* = Ausdruck), Ausdruckskunst, Strömung zuerst der europ. bildenden Kunst, dann besonders der dt. Lit. rd. 1910–1925. Getragen von der zwischen 1875 und 1895 geborenen Generation und ausgelöst bes. durch das Erlebnis der inneren Krise vor dem 1. Weltkrieg und diesen selbst, stellt er geistesgeschichtlich e. Reaktion der Seele dar gegen die materielle Wirklichkeitsnachbildung im Naturalismus einerseits und die Wiedergabe äußerer Eindrücke im Impressionismus andererseits: künstlerische Gestaltung erfolgt nunmehr als rein geistiger Ausdruck innerlich geschauter Wahrheiten und seelischer Erlebnisse des Ich unter freier Benutzung der äußeren Gegebenheiten (Natur, Sprache), deren Beziehung zur Kunst geleugnet, selbst als Ggs. ausgegeben wird. Die Idee gestaltet ihre eigene, dynamische Wirklichkeit, daher Sprengung der herkömmlichen ästhetischen Formen, teilweise selbst ihre Umkehr wie die Aufhebung der Sprachlogik im →Dadaismus; die Satzformen werden bewußt vereinfacht, telegrammartig verkürzt und grotesk verzerrt, um die leidenschaftliche Erregung gesteigerten Persönlichkeitsgefühls zu betonen; so erklären sich Stilmittel wie Wortballungen, Worthäufungen, Weglassen des Artikels, der Füllwörter und Präpositionen, kühnste Wortbilder zur Darstellung von Abstraktem, gehetztes Pathos und bis zum Schrei gesteigerte rauschhafte Ekstase bei rhythmischer und metrischer Freiheit des Verses. Aus dem Protest gegen die behagliche Selbstzufriedenheit im Wohlstand des Bürgertums entsteht e. Kampf der Generationen, der in häufiger Verwendung des Vater-Sohn-Motivs Niederschlag findet. Das Streben nach e. Erneuerung, Verwesentlichung des Menschen und neuer Sinngebung des Daseins in verbrüdernder Liebe und Menschenwürde wendet sich gegen fortschreitende Mechanisierung und Zivilisation und dringt als Revolution des Gefühls selbst zu religiöser Haltung vor. Trotz scheinbar kollektivistischer Züge, die auf die Gemeinsamkeiten des Menschenloses verweisen sollen (TOLLER, *Masse Mensch*) vertritt der E. die Überzeugung von Wert und Recht der Persönlichkeit zur Ausbildung seelischer Kräfte, wie sie in den roman. Ländern von →Futurismus und später →Surrealismus erstrebt wird. Nur nach der Ausführung dieses in zahlreichen Zss. (*Der Sturm*, 1910; *Die Aktion*, 1911; *Die Weißen Blätter*, 1913; *Das Ziel*, 1915; *Genius*, 1919), Manifesten, Pamphleten und Essays niedergelegten Programms unterscheidet man e. sich innerlich versenkende, auf seelischem Reichtum und Gefühlswer-

ten aufbauende Richtung von e. betont intellektuellen, die mit dem Ziel grundlegender sozialer Umgestaltung aus extremer Sicht in die Politik eingreift (Aktivismus).
Von den Dichtungen des E. ist manches bereits versunken; das Zeitlose dagegen überdauert, und erst langsam wird e. Scheidung zwischen aufbauenden und zersetzenden Elementen der Epoche möglich. Reinsten Ausdruck fand der E. in der Lyrik; hier überwiegen die Reflexion in langen Monologen, die rhythmisch packende Durchgestaltung und der im Pathos Ausdruck suchende Gefühlsüberschwang, der durch Wort und Symbol die Wirklichkeit umgestalten will. Die Lyrik umfaßt alle Tonlagen vom anklagenden Entsetzen (G. BENN) über die schwermütig verkündete Klage (TRAKL) bis zur ekstatischen Jubelhymne (WERFEL). Wichtigste Vertreter: HEYM, STADLER, J. R. BECHER, E. LASKER-SCHÜLER, G. ENGELKE, A. EHRENSTEIN, A. V. HATZFELD, A. STRAMM, F. SCHNACK, A. MOMBERT, Th. DÄUBLER, P. ZECH u. a. Das express. Drama stellt dem naturalistischen Milieudrama und dem impressionistischen Stimmungsdrama e. symbolhaftes, ausdrucksstarkes Ideendrama gegenüber; es verwendet durchweg typenhafte Verkörperungen (›der Vater, das Kind‹ usw.) ohne individuelle Zeichnung und anstelle des tektonischen Aufbaus lockere Folgen symbolischer Bilder, unterstützt durch musikalische Untermalung, Bewegungschor, z. T. Tanz und Pantomime, ohne Bindung an realen Zeit- und Raumwert (Stationentechnik) und durchsetzt von lyrischen Stellen: der Monolog, im Naturalismus als unwirklich verpönt, wird wieder Hauptausdruck des Seelischen. Auch die Regie bemüht sich um letzte Konzentration auf den Ideengehalt, der ebenfalls durch Bühnenbild (Gerüste, abstrakte Kuben u. ä.) wie Beleuchtungseffekte hervorgehoben wird. Als Vorläufer gelten BÜCHNER, STRINDBERG und WEDEKIND; den Einsatz des express. Dramas bringt R. J. SORGE mit *Der Bettler* (1912), es folgen E. BARLACH, F. v. UNRUH, R. GOERING, P. KORNFELD, W. HASENCLEVER, G. KAISER, B. BRECHT, E. TOLLER, H. MANN, A. WILDGANS und H. JOHST, in der Komödie C. STERNHEIM. Weniger bedeutend und ausgeprägt ist die Prosa des E., charakterisiert durch Einbeziehung des Unwirklichen in die zeitliche Existenz, doch stärkere Bindung an realistische Gestaltungsmittel: L. FRANK, F. WERFEL, K. EDSCHMID, A. DÖBLIN, M. BROD, H. MANN, A. SCHAEFFER, KLABUND, R. SCHICKELE G. HEYM, G. BENN, A. P. v. GÜTERSLOH, H. ULITZ, C. STERNHEIM u. a.; am Rande stehen die großen Revolutionen der Erzählkunst durch J. JOYCE und KAFKA, letzterer erst vom Existentialismus entdeckt; doch auch H. HESSE mit *Demian*, WASSERMANN mit *Christian Wahnschaffe* u. a. gehören dem E. zeitweilig an.

P. Fechter, D. E., [3]1920; K. Edschmid, Üb. d. E. i. d. Lit., [7]1920; H. Bahr, E., [25]1922; H. Walden, D. E., [3]1924; A. Schirokauer, E. d. Lyrik (in: Weltlit. d. Gegenw., hg. L. Marcuse 1924); B. Diebold, Anarchie i. Drama, [3]1925; F. J. Schneider, D. expr. Mensch, 1927; F. Bachmann, D. Theorie ... (*Germanic Review*, 2, 1927); K. Breysig, Eindruckskunst u. Ausdruckskunst, 1927; E. Utitz, D. Überwindg. d. E., 1927; J. Bab, D. Theater d. Gegenw., 1928; K. F. Reinhardt, *The expr. movement* ... (*Germanic Review* 6, 1931); B. Diebold, Was bleibt v. E. (Zs. f. dt. Bildg. 5, 1929); A. Soergel, Dichtg. u. Dichter d. Zt., N. F.: Im Banne d. E., [6]1930; J. P. Steffes, V. Naturalismus z. neuen Sachlichkeit, 1932; M. Hain, Studien üb. d. Wesen d. früh-expr. Dramas, 1933; P. A. Silbermann, H. Walden, Express. Dichtgn., 1932; W. Beer, Untersuchgn. z. Problematik d. expr. Dramas, Diss. Bresl. 1934; W. G. Klee, D. charakterist. Motive d. expr. Erzählgs.lit., Diss. Leipz. 1934; W. Paulsen, E. u. Aktivismus, 1935; M. Keller, D. dt. E. i. Drama,

1936; L. Palmer, *The language of the German e.*, Illinois 1938; R. Samuel, R. H. Thomas, *E. in German life, lit. and theatre*, Cambridge 1939; W. Struyver, D. dt. expr. Dichtg., Diss. Amsterd. 1939; F. E. van Bruggen, I. Schatten d. Nihilismus, 1946; A. R. Meyer, D. maer. v. d. musa expressionistica, 1948; F. Martini, Was war E.?, 1948; W. Milch, Ströme, Formeln, Manifeste, 1949; R. D. Ebeling, Stud. z. Lyrik d. E., Diss. Freibg. 1951; K. Ziegler, D. Drama d. E. (Deutschunterr. 5, 1953); G. Lukacs, Größe u. Verfall d. E. (in: Probleme d. Realismus, [2]1954); W. Kohlschmidt, D. dt. Früh-e. (Orbis literarum 9, 1954); I. Maione, *La Germania espressionista*, Neapel 1955; H. Friedmann, O. Mann (hg.), E., 1956; R. E. Modern, *El e. lit.*, Buenos Aires 1958; I. de Brugger, *Teatro alemán espr.*, Buenos Aires 1959; P. Chiarini, *Il teatro tedesco espr.*, Bologna 1959; R. Brinkmann, E. Forschgsprobleme (DVJ 33/34, 1959/60; separat, 1961); C. Hill, R. Ley, *The drama of German E.*, Chapel Hill 1960 (Bibliogr.); W. H. Sokel, D. lit. E., 1960; RL; P. Chiarini, *L'espressionismo tedesco* (*Studi in onore di L. Bianchi*, Bologna 1960); H. Liede, Stiltendenzen expr. Prosa, Diss. Freib. 1960; E., hg. P. Raabe 1960; K. L. Schneider, D. bildhafte Ausdruck i. d. Dichtgn. Heyms, Trakls u. Stadlers, [3]1968; W. Muschg, Von Trakl zu Brecht, 1961; K. Edschmid, Lebendiger E., 1961; I. u. P. Garnier, *L'e. allemand*, Paris 1962; K. Ziegler u. P. Raabe in Imprimatur III, 1963; E. Runge, V. Wesen d. E. i. Drama u. auf d. Bühne, Diss. Mchn. 1963; E. Krispyn, *Style and society in German lit. e.*, Gainesville 1964; P. Raabe, D. Zss. u. Slgn. d. lit. E., 1964; ders., E., e. Lit.übersicht (Deutschunterr. 16, 1964); ders., D. E. als histor. Phänomen (ebda. 17, 1965); L. Mittner, *L'espressionismo*, Bari 1965; A. Arnold, D. Lit. d. E., 1966; P. U. Hohendahl, D. Bild d. bürgerl. Welt i. expr. Drama, 1967; K. L. Schneider, Zerbrochene Formen, 1967; H. Denkler, Drama des E., 1967; Aspekte d. E., hg. W. Paulsen 1968; J. Hermand, E. als Revolution (in ders., V. Mainz nach Weimar, 1969); E. als Lit., hg. W. Rothe 1969; G. Luther, Barocker E.?, Haag 1969; D. dt. E., hg. H. Steffen [2]1970; J. Willett, E., 1970; A. Viviani, D. Drama d. E., 1970; dies., Dramaturg. Elemente d. express. Dr., 1970; E. Kolinsky, Engagierter E., 1970; G. Martens, Vitalismus u. E., 1971; H. Thomke, Hymn. Dichtg. i. E., 1972; A. Arnold, Prosa d. E., 1972; J. Ziegler, Form u. Subjektivität i. frühen E., 1972; *E. as an internat. lit. phenomenon*, hg. U. Weisstein, Paris 1973; R. S. Furness, *E.*, Lond. 1973; P. Böckmann, Wandlungen d. Dramenform d. E. (Fs. B. v. Wiese, 1973); Ch. Eykman, Denk- u. Stilformen d. E., 1974; G. Perkins, *Contemporary theory of e.*, 1974; R. F. Allen, *Lit. life in German e. and the Berlin circles*, 1974; T. Sapper, Alle Glocken d. Erde, 1974; A. Kaes, E. in Amerika, 1975; H.-J. Knobloch, D. Ende d. E., 1975; R. Hamann, J. Hermand, E., 1975; S. Vietta, H.-G. Kemper, E., 1975; Begriffsbestimmg. d. lit. E., hg. H. G. Rötzer 1976; J. M. Ritchie, *German expr. drama*, N. Y. 1976; W. Steffens, Expr. Dramatik, 1977; W. Rothe, D. E., 1977; M. Durzak, D. expr. Drama, 1978. →Gegenwartsdichtung.

Exspiratorisch →Akzent

Extempore (lat. *ex tempore* = aus der Zeit), in der Schauspielkunst die freie, erfundene →Improvisation aus dem →Stegreif ohne Rückhalt im Text als spontaner Ausbau der jeweiligen dramatischen Situation; Spielprinzip der →Commedia dell' arte und von daher noch länger bes. in komischen Rollen üblich, heute unüblich.

Extemporieren (lat. *ex tempore* = aus der Zeit), aus dem →Stegreif ohne Vorbereitung, Konzept oder schriftl. Text sprechen, spielen u. dgl. Vgl. →Extempore.

Exzerpt (lat. *excerptum* = Herausgehobenes), Auszug, Lesefrüchte aus e. Schriftwerk (→Epitome), entweder des Wesentlichen oder bestimmter Aspekte, zum Zweck leichteren Lernens und geringerer Kosten an teurem Buchmaterial schon im Altertum beliebt (LIVIUS' Periochen, z. T. einzige erhaltene Form des Geschichtswerkes), und zwar in Prosa wie Poesie.

Fabel (lat. *fabula* = Erzählung), 1. der (überlieferte, erlebte oder erdachte) thematisch-stoffliche Vorwurf, Grundplan im Handlungsverlauf e. epischen oder dramatischen Dichtung, der bereits künstlerisch organisiert ist und die Zentralmotive aufzeigt. – 2. im engeren Sinne (Äsopische F.) selbständige kurze episch-didaktische Gattung der →Tierdichtung in Vers oder Prosa, die eine allg. anerkannte Wahrheit, e. moralischen Satz, e. praktische Lebensweisheit an Hand e. überraschenden, doch analogen Beispiels in uneigentlicher Darstellung veranschaulicht und bes. aus der Übertragung menschlicher Verhältnisse, Sitten, auch der Rede, auf die beseelte oder unbeseelte Natur (Pflanzen, Steine, bes. Tiere) witzig-satirische oder moralisch-belehrende Effekte erzielt. Die Tier-F. erspart durch Benutzung der feststehenden, allg. anerkannten Charaktereigenschaften der einzelnen Tiere (List des Fuchses, Majestät des Löwen u. ä.) eine vorgegebene Charakterschilderung. E. bes. Erläuterung der Nutzanwendung im Nachwort (→Epimythion) ist meist nicht erforderlich, da die Kontinuität des Vergleichs in allen Teilen trotz der logisch unmöglichen Verhältnisse (im Ggs. zur bloßen Übereinstimmung in einem Punkt bei →Parabel und →Gleichnis) den Sinn der Darstellung erkennen läßt. Heimat der F. ist der Orient: Indien *(Pañcatantra)* und Arabien. Der phrygische Sklave AISOPOS (um 550 v. Chr.) zeichnete angeblich F.n ind. und griech. Herkunft auf und führte damit die bereits bei HESIOD und ARCHILOCHOS vorgebildete F. als selbständige Gattung ins Abendland ein. Seine F.sammlung wurde von BABRIUS in griech., von PHAEDRUS (um 50 n. Chr.) unter Verstärkung des lehrhaften Elements und später von AVIANUS (um 400) in lat. Verse umgedichtet und schließlich in Prosa aufgelöst (*Romulus* oder *Aesopus latinus*). Während das satirische Element im →Tierepos seine Ausgestaltung erfuhr, sichert die lehrhafte Form der F. ihre Beliebtheit übers MA. (STRICKER, Slg. *Der Edelstein,* 1349 von U. BONER, ferner bes. in Spanien und Frankreich: MARIE DE FRANCE) hinaus in die Reformationszeit, welche die F. individueller und realistischer ausformt und im Dienst der religiösen Erneuerung verwendet (STEINHÖWEL, E. ALBERUS, *Buch von der Tugend und Weisheit,* 1550, B. WALDIS, *Esopus,* 1548, LUTHER, S. BRANT, H. SACHS, FISCHART). Der Barock bringt keine neue F.dichtung, wohl aber ihre Verwendung bei ABRAHAM A SANCTA CLARA und HARSDÖRFFERS Theorie von der F. als Lehrgedicht. In Frankreich durch LAFONTAINE (1621–1695) zum witzig-ironischen, galanten und in der Tierliebe volkstümlichen Kabinettstück lit. Kleinkunst entwickelt, gilt sie dem Vernunftzeitalter der Aufklärung, bes. Rokoko, als wahrhafte Erfüllung des →prodesse et delectare, daher höchste Dichtform (GOTTSCHED, bes. BODMER und BREITINGER), wird in England von GAY und MOORE, in Dtl. von GELLERT, HAGEDORN, GLEIM, LICHTWER, PFEFFEL, MEYER VON KNONAU u. a. übernommen und vereint heiter-gelöste Plauderei mit Lehrhaftigkeit. LESSING wendet sich gegen die zierliche, weitschweifige Form der Versfabel (*Abhandlung vom Wesen der F.,* 1759; dagegen BODMER: *Lessingsche unäsopische F.n,* 1760) und verficht theoretisch wie praktisch (*F.n,* 1759) die epigrammatisch zugespitzte, geistreich-ernste und knappe Prosaform im Sinne der antiken Rhetorik als Zeitkritik. Mit ihm und dem Russen KRYLOV klingt die Hochblüte der F.

ab; sowohl HEYS Kinder-F.n zu Bildern als die sinnreichen F.n von M. v. EBNER-ESCHENBACH und W. BUSCH, im 20. Jh. F. KAFKA, G. ANDERS und J. THURBER brachten kein wesentl. Aufleben der Gattung.

G. Diestel, Bausteine z. Gesch. d. dt. F., Progr. Dresd. 1871; W. G. Rutherford, *The Hist. of Greek F.*, 1883; L. Hervieux, *Les fabulistes lat.*, Paris 1893–1899; O. Weddingen, D. Wesen u. d. Theorie d. F., 1893; M. Marchiano, *L'origine della favola greca,* 1900; M. Plessow, Gesch. d. F.dichtg. i. Engl., 1906; H. Badstüber, D. dt. F., 1924; W. Wienert, D. Typen d. griech.-röm. F., Helsinki 1925; Th. Erb, D. Pointe..., 1928; M. Staege, Gesch. d. dt. F.theorie, 1929; W. Kayser, D. Grundlagen d. dt. F.dichtg.... (Archiv 160, 1931); R. Petsch, Hagedorn u. d. dt. F. (Festschr. f. Melle, 1933); A. Rammelmeyer, Stud. z. Gesch. d. russ. F...., 1938; J. F. Heybroek, *De f. in Nederland en Vlaanderen,* Amsterd. 1941; Th. Spoerri, D. Aufstand d. F. (Trivium I, 1942); F. R. Whitesell, *Fables in ma. Exempla* (*Journ. of Engl. and Germ. Philol.* 3, 1947); D. Sternberger, D. Figuren d. F., 1950; C. Filosa, *La favola e la let. esopiana in Italia,* 1952; K. Meuli, Herkunft u. Wesen d. F., 1954; J. Janssens, *La f. et les fabulistes,* Brüssel 1955; RL; B. E. Perry, *Fable* (Stud. generale 12, 1959); W. Briegel-Florig, Gesch. d. F.-forschg. i. Dtl., Diss. Freib./Br. 1965; H. Friederici, D. Tierf. als operatives Genre (Weimarer Beitr. 11, 1965); M. Vollrath, D. Moral d. F.n i. 13. u. 14. Jh., Diss. Jena 1966; H. de Boor, Üb. F. u. Bîspel, 1966; J. Shea, *Stud. in the verse f. from La Fontaine to Gray,* Minnesota 1967; Ch. H. Wilke, F. als Instrument d. Aufklärg. (Basis 2, 1971); G. Schütze, Ges. krit. Tendenzen i. dt. Tier – F.n d. 13.–15. Jh., 1973; R. Dithmar, D. F., [3]1977; W. Gebhard, Z. Mißverhältn. zw. d. F. u. ihrer Theorie, DVJ 48, 1974; S. Eichner, D. Prosa – F. Lessings, 1974; B. Tiemann, F. u. Emblem, 1974; M. Hueck, Textstruktur u. Gattungsproblem. Stud. z. Verh. v. Emblem u. F., 1975; H. Lindner, Bibliogr. z. Gattungspoetik 5: F. (Zs. f. frz. Spr. u. Lit. 85, 1975); E. Herbrand, D. Entw. d. F. i. 18. Jh., 1975; T. Noel, *Theories of the f. in the 18. cent.,* N.Y. 1975; E. Leibfried, F., [3]1976; K. Doderer, F.n, [2]1977; L. Vindt, D. F. als lit. Genre (Poetica 9, 1977); K. Grubmüller, Meister Esopus. Unters. z. Gesch. u. Funktion d. F. i. MA., 1977; E. Voelk, D. Begriffe F. u. Sujet i. d. mod. Lit.wiss. (Poetica 9, 1977); B. Kosak, D. Reimpaar-F. i. SpätMA., 1977; Texte z. Theorie d. F., hg. E. Leibfried 1978.

Fabian Society, 1884 gegr. engl. Sozialistengesellschaft, die im Ggs. zur radikalen revolutionären Aktion für eine am Beispiel des röm. Feldherrn gegen Hannibal, Quintus Fabius Maximus Cunctator, orientierte Politik der Schwächung des Gegners durch vorsichtiges, hinhaltendes und verzögerndes Handeln anstrebte. Sie publizierte 1889 die *Fabian Essays,* und Sidney und Beatrice WEBB sowie G. B. SHAW und H. G. WELLS standen ihr nahe.

A. M. McBriar, *Fabian socialism and English politics,* Cambr. 1962; M. Cole, *The story of Fabian socialism,* Lond. 1962; A. Fremantle, *This little band of prophets,* N. Y. 1962; E. Pease, *The history of the F. S.,* Lond. [3]1963.

Fablel (franz., zu lat. *fabella* = kleine Erzählung, Mz. *fabliaux*), altfranz. schwank- oder märchenartige Verserzählung in (durchschnittl. 300) Achtsilbern mit Paarreim, meist frivolen bis derbrealistisch-unsittlichen Inhalts (Erotik als volkstüml. Unterhaltung), doch reich an Witz; oft pikante Abenteuer als harmlose Verspottung der Ritter, Geistlichen, Bürger und Bauern durch vortragende Spielleute ohne ernstere sozialkrit. oder moralist. Tendenz, gedacht als derbrealist.-parodist. Gegenstück zu edler höf. Dichtung. Die F.s verwenden teils indogerman. Mythen, teils einheimische oder frei erfundene Motive, teils oriental. Stoffe durch Vermittlung der Kreuzfahrer oder Araber Spaniens und finden ihre häufigsten Themen in weiblicher Untreue, dem Leben der Dirnen und Kupplerinnen und der Unsittlichkeit der Geistlichen. Sie entstanden seit Mitte des 12., bes. aber im 13./14. Jh. in Nordfrankreich (älteste der 150 erhaltenen, um die Pariser Dirne Richeut, 1159); unter den namentlich bekannten Verfassern ragen RUSTEBEUF, HUON LE ROI und Jean BODEL hervor. Die F.s gingen im 15./16. Jh. in Prosanovellen auf und bilden e. unerschöpfliche Stoffquelle späterer Dichter (BOCCACCIO, *Decamerone*, CHAUCER, RABELAIS, MOLIÈRE, LAFONTAINE).

J. Bédier, *Les Fabliaux*, Paris [6]1964; C. H. Livingston, *Le Jongleur Gautier Le Leu*, Cambr./Mass. 1951; P. Nykrog, *Les Fabliaux*, Kopenh. 1957; J. Rychner, *Contribution à l'étude des f.*, 1960; J. Beyer, Schwank u. Moral, 1969; F. Frosch-Freiburg, Schwankmären u. F., 1971.

Fabliaux →Fablel

Fabula, im antiken Rom jedes ›dramatische Gedicht‹ d. h. Schauspiel. Man unterscheidet F. →Atellana, F. Crepidata (lat. *crepida* = Sandale), Tragödie mit griech. Stoff und Kostüm, F. →Palliata, F. →Praetexta und F. →Togata oder →Tabernaria.

Fachbuch, im engeren Sinn ein Lehrbuch über ein bestimmtes Spezialgebiet für Angehörige eines bestimmten Berufs, im weiteren Sinn dann jedes der Vermittlung von Wissen an Fachgenossen dienende, auch wissenschaftliche Buch, das im Ggs. zum →Sachbuch von e. Fachkenner verfaßt ist.

Fachliteratur, die belehrende Lit. über ein bestimmtes, umgrenztes Fachgebiet als Summe der einschlägigen →Fachbücher. Sie ist im allg. nicht Gegenstand der Literaturwissenschaft, da sie in erster Linie nicht ästhet., sondern fachlichen Zwekken dient. Zur ma. F. vgl. →Artesliteratur.

G. Eis, Stud. z. altdt. Fachprosa, 1951; ders. in ›Aufriß‹; ders., Ma. F., [2]1967; F. d. MA., Fs. f. G. Eis, 1968; G. Eis, Forschgn. z. Fachprosa, 1971; P. Assion, Altdt. F., 1973; Fachprosaforschg., hg. ders. u. a. 1974.

Fachprosa →Fachliteratur, →Artesliteratur

Facetiae →Fazetie

Fadentechnik, bes. bei Dramen mit bloßer →Vordergrundshandlung gebräuchlicher Aufbau nach dem zeitlichen Verlauf der Handlung.

Fado (portug. = Tanzlied), portug. Volksliedgattung: in der Unterhaltung der Lissaboner Bevölkerung fortlebende ma. →Cantigas de amigo entsprechend den dt. Frauenliedern oder →Frauenmonologen und den franz. →Chansons de toile mit der Grundstimmung der ›saudade‹ (Sehnsucht), oft zu Gitarrenbegleitung gesungen.

Fälschungen, literarische, im Unterschied zum →Plagiat sind Werke, bei deren Abfassung und Herausgabe die Absicht vorlag, durch Angabe falscher Verfasserschaft oder Entstehungszeit das Publikum zu täuschen; dagegen gilt das Fingieren alter Quellen in der →chronikalischen Erzählung nicht als F. Zahlreich sind die F., bes. Unterstellung falscher Namen (berühmter wie HOMER, VERGIL, selbst e. Briefwechsel zwischen SENECA und PAULUS und die sogen. *Phalaris-Briefe*) im Altertum, deren Aussonderung der Textkritik oft schwere Probleme stellt. Der Auctoritasglaube und das Nachahmungsstreben gegenüber den großen Meistern führt im MA. zu zahlreichen Unterstellungen unechter Werke, die nicht als F., sondern als Huldigung zu verstehen sind (falsche NEIDHARTE u. a.). E. der fruchtbarsten F. der europ. Lit., MACPHERSONS *Ossian* (1760 ff.), angeblich Übersetzung altgälischer Balladenfragmente, bestimmte als vermeintliche ›Volkspoesie‹ weitgehend die Entwicklung der ursprünglichen, naturnahen Ausdruckslyrik im Sturm und Drang (HERDER) und wurde erst 1895 endgültig als unecht entlarvt; ähnlich die sog. *Reliquias da poesia portuguesa* aus dem 17. Jh. und die dt. *Uralindachronik*; weniger glückten die F. des Th. CHATTERTON. ALEXIS' erste Romane erschienen als angebliche Übersetzungen SCOTTS; mit satirischer Absicht veröffentlichte HAUFF den *Mann im Mond* unter dem Namen CLAURENS, F. LEWALD die *Diogena* als Werk der Gräfin HAHN-HAHN, A. HOLZ und J. SCHLAF erfanden für ihre Skizzen *Papa Hamlet* einen norwegischen Dichter Bjarne P. Holmsen u. ä. F. aus jüngster Zeit sind die Gedichte e. Fremdenlegionärs von G. FORESTIER (d. i. K. E. KRÄMER) und *Das dritte Auge* von LOBSANG RAMPA. Endlos ist die Zahl der F. auf politischem Gebiet, von der Konstantinischen Schenkung bis zum Tagebuch der Eva Braun. Eine bes. Art lit. F. bilden die →fingierten Briefe und Autographen-F. →Interpolation, →Pseudepigraphen.

J. M. Querard, *Les supercheries lit. dévoilées,* III 1869/70; F. K. Chambers, *History and motives of lit. forgeries,* 1891; I. A. Farrer, Lit. F., 1907; A. Thierry, *Grandes mystifications lit.,* II Paris 1911–13; C. G. v. Maassen, Lit. F. (Süddt. Monatshefte 33, 1935/36); P. Ricard, *Artifices et mystifications lit.,* Montreal 1945; F. Mendax, Aus d. Welt d. Fälscher, 1954; RL; S. Cole, *Counterfeit,* Lond. 1957; E. Frenzel, Gefälschte Lit. (Archiv f. Gesch. d. Buchwesens 4, 1961); M. Quercu, Falsch aus d. Feder geflossen, 1964; W. Speyer, D. lit. F. i. heidn. u. christl. Altert., 1971.

Fahne, im Buchdruck der 1. Korrekturabzug e. Werkes auf Druckstreifen vor dem Umbruch in einzelne Seiten. Vgl. →Fahnenkorrektur.

Fahnenkorrektur, der 1. Korrekturgang e. Werkes auf beliebig langen →Fahnen, die nur die Breite, noch nicht die Höhe des späteren Satzspiegels bzw. der Kolumne haben, so daß noch umfangreichere Streichungen, Änderungen oder Einfügungen möglich sind, was nach dem Umbruch auf Seitenhöhe nur mit erheblichen Mehrkosten verbunden möglich wäre.

Fahrende, im MA. herumziehende Gaukler und Spielleute, ab 17. Jh. auch Komödianten; standen außerhalb der Ständeordnung und waren in eigene Zünfte zusammengeschlossen; ihre Identität mit den Verfassern der →Spielmannsdichtung (11./12. Jh.) wird angezweifelt.

T. Hampe, D. fahrenden Leute i. d. dt. Vergangenheit, [2]1924; H. Naumann, Versuch e. Einschränkg. d. romant. Begriffs Spielmannsdichtg., DVJ 2, 1924; J. Bolte, F. Leute i. d. Lit. d. 15./16. Jh., 1928; H. Steinger, F. Dichter i. dt. MA., DVJ 8, 1930.

Faksimile (lat. *fac simile* = mach ähnlich!), genaue Nachbildung von Hss., älteren seltenen Druckwerken, Zeichnungen, graphischen Darstellungen u. ä., früher unzureichend durch Pausen, Kupferstich, Holzschnitt, Steindruck, heute durch photomechan. Reproduktion. Einzelne F.s finden sich in vielen wissenschaftlichen Werken; F.-Ausgaben geben altes Schrifttum im Originalbild wieder und sind oft vom Original nur schwer zu unterscheiden.

Falkentheorie. P. Heyse fordert (in Einleitung zum *Novellenschatz,* 1871 und *Jugenderinnerungen,* 1900) nach dem Beispiel von BOCCACCIOS Falkennovelle (9. Geschichte des 5. Tages im *Dekameron*) von jeder guten Novelle e. ›Falken‹, d. h. e. Leitmotiv, fast →Dingsymbol, das als verbindendes Aufbaumittel an wesentlicher Stelle immer wieder erscheint, z. B. bei DROSTE, *Die Judenbuche,* C. F. MEYER, *Das Amulett* und *Jürg Jenatsch* (das Beil), u. ä. – Gefahr der veräußerlichten Technik, doch strenge Form, da ›in e. einzigen Kreise nur e. einziger Konflikt‹ erscheinen soll, der im Falken sein spezifisches Zeichen trägt.

M. Schunicht, D. Falke, GRM, X, 1960; K. Negus, *P. Heyse's Novellentheorie* (*Germanic Review* 40, 1965); D. Locicero, *P. Heyse's F.* (*Modern Language Notes* 82, 1967); R. A. Wolff, D. Falke a. Wendepkt. (*New German Studies* 5, 1977).

Fallhöhe, Begriff der Dramaturgie zur Begründung der →Ständeklausel, vom franz. Ästhetiker BATTEUX geprägt und von seinem Übersetzer RAMLER, später SCHOPENHAUER (*Die Welt als Wille und Vorstellung* III, 37) und BORINSKI aufgegriffen, besagt, daß die höhere, meist fürstliche Stellung und Würde des Helden in der Tragödie eine überzeugendere Wirkung von der Ausweglosigkeit des tragischen Scheiterns hervorrufe, während niederen Personen, z. B. im →bürgerlichen Trauerspiel, die F. fehle, da sich die Umstände ihrer stets verhältnismäßig geringen Bedrängnis, oft Kleinigkeiten, durch machtvolle Menschenhilfe leicht beheben ließen und nicht den Eindruck des Furchtbaren und e. tragische Erschütterung beim Zuschauer erweckten. Die Anschauung übersieht den Wert e. inneren, seinserschütternden Lebenstragik, der äußere, rein materielle Hilfe keine Lösung bietet.

O. Walzel, V. Geistesleben alter u. neuer Zeit, 1922.

Familienblatt, im Ggs. zu kulturkritischen, Gelehrten- und Fachzss. e. meist illustrierte Zs. volkstüml.-unterhaltenden, z.T. dichterischen und halbwissenschaftlich-belehrenden Inhalts unter strenger Vermeidung aller zu polemischem Meinungskampf neigenden aktuellen oder politischen Themen oder verletzenden Stellungnahmen, gekennzeichnet durch einseitige sittlich-religiöse und patriotische Gesinnung. Sie entstehen im 19. Jh. aus den →moralischen Wochenschriften und dem Vorbild etwa von CLAUDIUS' *Wandsbeker Bote* und suchen infolge der politischen Reaktion im trauten Familienleben den Ausweg aus den Unannehmlichkeiten des öffentlichen Lebens; zuerst im Biedermeier, während das Junge Dtl. stärker politisch-liberalistische Tendenzen verfolgt (LEWALD, *Europa* 1835 ff.), dann bes. nach 1850. Schon die Titel sind bezeichnend: GUBITZ' *Gesellschafter oder Blätter für Geist und Herz,* 1817–48; GUTZKOWS *Unterhaltungen am häuslichen Herd,* 1852–64 (nach DICKENS' *Household Words*), führend KEILS *Gartenlaube* ab 1853 (zuerst Beiblatt in STOLLES *Dorfbarbier,* 1844), *Über Land und Meer,* 1859, *Daheim,* 1864, *Buch für alle,* 1866, ANZENGRUBERS *Heimat,* 1876, *Vom Fels zum Meer,* 1881, *Universum,* 1884, ROSEGGERS *Heimgarten,* P. KELLERS *Bergstadt* u. a. m. Eine anspruchsvollere Form künstlerischer Ausstattung erstreben, bes. seit 1890 Westermanns (1857) und Velhagen & Klasings (1886) *Monatshefte* sowie J. RODENBERGS *Dt. Rundschau,* 1874. Erfolgreiche Autoren der F.er sind meist Frauen: MARLITT, WERNER, HEIMBURG, COURTHS-MAHLER. Trotz der späteren antibürgerlichen Zss. (M. G. CONRAD, *Die Gesellschaft,* 1885) und der starken Konkurrenz durch Magazine, Illustrierte u. a. lebt das F. in Unterschichten bis in die Gegenwart fort.

Chr. Touaillon, Z. Psychologie d. F. (Gegenwart 68, 1905); E. v. Wolzogen, D. F. u. d. Lit. (Lit. Echo 9, 1907); RL; E. A. Kirschstein, D. Familien-Zs., Diss. Lpz. 1937; G. Menz, Familien-Zss. (Hdb. d. Zeitgs.wiss. I, 1940); D. Barth, D. F. (Archiv f. Gesch. d. Buchwesens 15, 1975); ders.; Zs. f. alle, 1974.

Familiengemälde →Familienschauspiel

Familienroman, e. stofflich im Problemkreis des bürgerlichen oder adligen Familienlebens, den Konflikten und Bindungen des Zusammenlebens, im weiteren Sinne auch noch der Generationen und der Ehe angesiedelter Roman, doch nur selten rein in dieser thematischen Begrenzung, meist spielen umgreifendere Fragen hinein. Der F. entsteht meist in Zeiten der Unterdrückung öffentlichen Lebens oder geringen Interesses an diesem, setzt realistische Gestaltungsweise voraus und ist bes. e. häufige Form der →Frauendichtung. Erste dt. Vorstufe ist WICKRAMS *Von guten und bösen Nachbarn* (1556); die Folgezeit ordnet die Darstellung von Familienverhältnissen dem →Abenteuerroman unter; den Neueinsatz bringt die Empfindsamkeit mit zahlreichen →Briefromanen (RICHARDSON, GELLERT, HERMES); stehen hier Schicksal, Gefährdung und Tugend der Frau im Mittelpunkt, so neigt e. andere Richtung zum Problem der Kindererziehung und damit dem →Erziehungsroman (NICOLAI, SALZMANN, JUNG-STILLING, PESTALOZZI, S. von LA ROCHE). Während die Dichtung der Klassik und Romantik dem F. fernbleibt, blüht er in der Unterhaltungslit. fort (J. SCHOPENHAUER, LAFONTAINE, KOTZEBUE, CLAUREN, MARLITT, ESCHSTRUTH, COURTHS-MAHLER u. a. bis in die Gegenwart). In der hohen Dichtung finden Familienschicksale auch in der Folgezeit nicht gesonderte Gestaltung, sondern erscheinen als Hintergrund im →Bauernroman, in der →Heimatdichtung, im sozialen bzw. Ständeroman (G. FREYTAG, *Soll und Haben,* O. LUDWIG, *Zwischen Himmel und Erde,* L. von FRANÇOIS, M. von EBNER-ESCHENBACH u. a.). Nach dem Vorgang von FLAUBERT, ZOLA und MAUPASSANT entstehen die Eheromane von L. TOLSTOJ *(Anna Karenina, Kreutzersonate),* DOSTOEVSKIJ *(Die Brüder Karamasow),* FONTANE *(Cécile, Effi Briest, L'Adultera),* G. REUTER *(Aus guter Familie)* und J. WASSERMANN. Eine neue Form bildet der Generationsroman (ZOLA, *Les Rougon-Macquart,* STIFTER, *Witiko,* FREYTAG, *Die Ahnen,* Th. MANN, *Buddenbrooks,* R. MARTIN DU GARD, *Les Thibaults,* GALSWORTHY, *Forsyte Saga,* O. DUUN, *Die Juwikinger,* SIMPSON, *Die Barrings, Der Enkel* u. a.), ferner bei F. NABL, R. HUCH, G. HERMANN, O. ENKING, J. PONTEN, I. SEIDEL, H. STEHR, H. LEIP u. a.

RL[1]; A. Behrens, Der entwurzelte Mensch i. F. (1880–1932), Diss. Bonn 1932; D. Bayer, D. triviale F. u. Liebesroman i. 20. Jh., [2]1971; dies., Falsche Innerlichkeit (in: Triviallit., hg. G. Schmidt-Henkel 1964).

Familienschauspiel, Verflachung des bürgerlichen Dramas ohne tragischen Ausgang zum Zweck moralischer oder rührender Wirkung und Unterhaltung weniger durch dargestellte Handlungen als dramatische Zustandsschilderungen bürgerlicher Familienverhältnisse (›Familiengemälde‹). Blütezeit nach der →comédie larmoyante und dem →bürgerlichen Trauerspiel um die Wende vom 18. zum 19. Jh.: O. H. v. GEMMINGEN, G. F. W. GROSSMANN, F. L. SCHRÖDER, bes. A. W. IFFLAND, A. v. KOTZEBUE, Ch. BIRCH-PFEIFFER, R. BENEDIX, S. H. MOSENTHAL, LENZ u. a. (→Rührstück). Von der antibürgerlichen Romantik ins Trivialschrifttum verdrängt, lebt das F. nach Vorgang von HEBBELS *Maria Magdalene* bes. in den Milieuschilderungen des Naturalismus als künstlerisch wertvolle ›Familienkatastrophe‹ wieder auf: HOLZ/SCHLAF, *Familie Selicke,* HAUPTMANN, *Das Friedensfest,* SUDERMANN, *Ehre.*

A. Eloesser, D. bürgerl. Drama, 1898; A. Stiehler, D. Ifflandische Rührstück, 1898; RL[1]; I. Dünhofen, D. Familie i. Dr., Diss. Wien 1958.

Familienzeitschrift →Familienblatt

Farce (franz. = Füllsel, v. lat. *farcire* = stopfen), urspr. derbkomische Einlage im ma. franz. Mirakelspiel, ähnlich den Zwischenspielen dt. Passionsspiele und den →Fastnachtsspielen, dann im 14.–16. Jh. selbständig als kurzes, possenhaftes Spiel in Versen zur Verspottung menschlicher Schwächen und Torheiten in typischen Verkörperungen und Situationen; zahlreich, doch meist anonym überliefert: berühmt *Maistre Pathelin* (1464), andere von DESCHAMPS, VILLON, MARGUÉRITE DE NAVARRE, RABELAIS, MAROT; bes. in der span. Lit. durch den Portugiesen Gil VICENTE (16. Jh.) u. a. verbreitet und vollendet in den →Entremeses von CERVANTES u. a. In England Bz. für alle einaktigen Komödien, die die unmöglichsten und absurdesten Situationen für derbes Gelächter ausbeuten, z. B. von J. HEYWOOD; in Dtl. als Gattung selbständig eingeführt, häufig zur Verspottung eigener Schwächen oder lit. Gegner in Knittelversen oder Prosa: LENZ, KLINGER, WAGNER, GOETHE *(Satyros, Pater Brey, Götter, Helden und Wieland, Jahrmarktsfest in Plundersweilern)*; in der Romantik bei TIECK und A. W. SCHLEGEL reine →Literatursatire von verschärft polemischer Haltung unter Rückgriff auf das Fastnachtsspiel im Stil des Hans SACHS. Heute bei FRISCH und DÜRRENMATT, JARRY, IONESCO, BEKKETT, ARRABAL u. a.

M. E. Fournier, *Mystères, moralités, farces*, 1872; L. Petit de Juleville, *Histoire du théâtre en France au MA.*, 1886; A. Beneke, D. Repertoire u. d. Quellen d. franz. F.n, Diss. Jena 1910; K. Holl, Gesch. d. dt. Lustspiels, 1923; L. R. Busquet, *Les f.s du m. a.*, 1942; W. Klemm, D. engl. F. i. 19. Jh., 1946; RL; L. Hughes, *A century of Engl. f.*, Princeton 1956; L. C. Porter, *La f. et la sotie* (Zs. f. roman. Philol. 75, 1959); L. Breitholtz, D. dor. F., Stockh. 1961; B. Cannings, *Toward a Definition of F. as a Lit. Genre* (*Mod. Language Review* 56, 1961); B. C. Bowen, *Les caractéristiques essentielles de la f. franç.*, Urbana 1964; O. Levertin, Stud. z. Gesch. d. F., [2]1970; K. S. Guthke, D. metaphys. F. i. Theater d. Gegenw. (Jb. d. Dt. Shakesp.-Ges. West 1970).

Fârsà, ruhmrednerisches Lied der Galla in Afrika zum Preise eines Stammes, oft mit Aufzählung von dessen Helden und Taten.

E. Cerulli, *Folk Lit. of the Galla*, 1922.

Farsa Cavaiola →Cavaiola

Fashionable Novel (engl. = Moderoman), beliebte Form des engl. Gesellschaftsromans zwischen Romantik und Realismus (1825–35), meist Darstellung des Lebens der gesellschaftl. Oberschicht und der Hocharistokratie und Kritik des Dandytums, dem die F. N. eben durch ihr Bild aristokrat. Lebensformen Vorschub leistete: WARD, LISTER, MULGRAVE, DISRAELI, BULWER-LYTTON, GORE, BURY, BLESSING u. a.

M. Rosa, *The Silver Fork School*, 1936; F. Schubel, Die ›F. N.‹, Kopenh. 1952.

Fassung, die vom Autor einmal gegebene Gestalt e. dichterischen Textes. Häufig sind Doppel- oder mehrfache F.en bei gründlicher Überarbeitung e. Werkes, die, in der Reihenfolge der Entstehung verfolgt, ebenso aufschlußreich für die geistige und künstlerische Entwicklung des Dichters als für die dem Kunstwerk selbst entströmenden Formanforderungen und Entfaltungskräfte sind: MANZONI, *I Promessi Sposi*, GOETHE, *Faust*, MÖRIKE, *Maler Nolten*, G. KELLER, *Der grüne Heinrich*, FLAUBERT, *Madame Bovary*, C. F. MEYERS Gedichte.

Fasti (lat. *dies fasti* im Ggs. zu *nefasti:* Tage, an denen das Sakralgesetz Rechtsgeschäfte zuließ), von den Pontifices maximi geführte altröm. Festkalender, enthielten e. Verzeichnis der Feiertage, Spiele,

Opfer, Märkte usw., später auch der höchsten Beamten e. Jahres (F. consulares); oft als Stein- oder Marmortafeln erhalten, bilden sie e. wichtige Geschichtsquelle; poetische F. als Spiegel des Jahreslaufs mit mytholog.-aitiolog. Erklärung der Festtage von OVID.

Fastnachtsspiele, im 14. Jh. (*Neidhardtspiel* von St. Paul) lit. Form annehmende schwankhaft-volkstümliche Spiele, ausgelassene kostümierte Umzüge zur Fastnachtszeit mit Einstreuung kurzer mimischer Szenen ohne eigtl. Handlung als Reihung gleichgebauter Einzelmonologe in Revueform (komischer Wettbewerb gleichartiger Personen u. ä.), oft (Ehe-)Streit- und Gerichtsszenen, teils von unglaublicher Roheit und Unflätigkeit (bes. Arztspiele); ab 15. Jh. bes. in Nürnberg durch die Meistersinger (Hans ROSENPLÜT, Hans FOLZ) zur lit. Standessatire in Knittelversen mit Verspottung des einfachen Volkes, bes. Bauern, Juden, auch Raubritter u. a. mißliebiger Einrichtungen durch den Stadtbürger ausgebaut; in der Schweiz (GENGENBACH, MANUEL) durch Polemik gegen kirchliche Mißstände in den Dienst der Reformation gestellt. Größte lit. Höhe und gleichzeitig Volkstümlichkeit erreicht Hans SACHS (1494–1576, 85 F. erhalten) in Verbindung von schwankhaft-satirischem Scherz mit moralisierendem Ernst: realistische Darstellung menschlicher, auch bürgerlicher Schwächen in komischer Form, witzigem Dialog mit moral-kritischer Absicht in der abschließenden Nutzanwendung. Mit J. AYRER (um 1600), der zahlreiche ältere Schwankmotive, auch Einflüsse der Englischen Komödianten, verarbeitet, klingt das F. aus, vom Protestantismus unterdrückt und von katholischer Seite durch das Schuldrama ersetzt; die Verbesserung des Menschen durch lachende Kritik wählt neue Formen (→Satire); erst der Sturm und Drang (GOETHE) und die Romantik greifen wieder auf die alte Form zurück: A. W. SCHLEGEL (→Farce). Lit. Bedeutung erhält das F. als erste Form des weltlichen Dramas in Dtl.

V. Michels, Stud. üb. d. älteste dt. F., 1896; W. Creizenach, Gesch. d. neueren dt. Dr. I., [2]1911; M. J. Rudwin, *The Origin of German Carnival Comedy,* 1920; K. Holl, Gesch. d. dt. Lustspiels, 1923; R. Stumpfl, D. Kultspiele d. Germanen, 1935; H. G. Sachs, D. dt. F., Diss. Tüb. 1957; D. van Abbé, Was ist F.? (Maske u. Kothurn 6, 1960); E. Catholy, D. F. d. SpätMA., 1961; S. Streicher, Üb. d. F. (Schweizer Rundschau 61; 1962); W. Lenk, D. Nürnberger F. d. 15. Jh., 1966; E. Catholy, F., 1966; RL; G. Simon, D. erste dt. F.tradition, 1970; J. Merkel, Form u. Funktion d. Komik i. Nürnb. F., 1971; R. Krohn, D. unanständige Bürger, 1974.

Faszikel (v. lat. *fasciculus* =) Bündel, Aktenbündel, Heft, im Buchwesen: Lieferung, ungebundener Teilband.

Fatras, franz. Gedichtform pikardischer Herkunft, bestehend aus zwei Teilen: einem Distichon mit der Reimfolge ab und einer 11zeiligen Strophe mit der Reimfolge a*abaab/babab*, die das Distichon als ersten und letzten Vers aufnimmt, es entwickelt und erläutert. Entstanden vermutlich als Gesellschaftsspiel nach einem gestellten Thema, das die Anwesenden nach der festgelegten Form weiterdichteten. Danach, ob das Distichon eine sinnvolle Abwandlung gestattet, unterscheidet man F. possible und F. impossible, letzteres eine Art der Nonsense-Dichtung. Das Doppel-F. besteht aus zwei F., von denen das erste das Distichon in normaler Reihenfolge auslegt, das zweite dessen Zeilen umstellt (ba) und demnach auch die Reime umstellt: b*babba/ababa*.

L. C. Porter, *La fatrasie et le f.*, 1960.

Fatrasie, im franz. MA. Dichtungen aus unzusammenhängenden Versen, die ähnlich den →Fatras impossibles oft komisch-absurde Effekte haben.

L. C. Porter, *La f. et le fatras,* 1960.

Fazetie (lat. *facetiae* = launige Einfälle), kleine schwankhafte Rede oder Erzählung oft erotischer Färbung mit witziger Pointe, zur geistreichen, urbanen Unterhaltung und ironischen Belustigung durch geschliffenen Humor ohne satirisch-moralkritische Absicht. Aus der heiteren Genußfreude der Renaissancekultur heraus vom ital. Humanisten Francesco POGGIO BRACCIOLINI (1380–1459, *Liber facetiarum,* postum 1470) praktisch, von T. PONTANUS theoretisch begründet, geht sie in Frankreich in die Novelle über und bleibt nur im südwestdt. Humanismus als Sondergattung erhalten: STEINHÖWELS Übertragung im *Esop* 1475, A. TÜNGER 1486, H. BEBEL, *Facetiae* (3 Bde. 1508–12, lat., doch volkstümliche schwäb. Stoffe), ERASMUS VON ROTTERDAM, *Colloquia* (1524, ästhetische Dialoge ohne pointierte Kürze der Form), N. FRISCHLIN, *Facetiae* (postum 1600 mit dt.-lat. Pointe). Bereits im 16. Jh. geht die F. in gröberen volkstümlicheren Formen wie →Schwank und Anekdote auf (PAULI, *Schimpf und Ernst* 1522, WICKRAM, *Rollwagenbüchlein* 1555, KIRCHHOFF, *Wendunmut* 1562). Frühzeitig benutzen Predigten und Disputationen (heitere Quodlibet-Quaestionen) der Universitäten die F. als →Exempel. Nachleben in C. F. MEYERS, *Plautus im Nonnenkloster.*

C. Schroeder, D. dt. Facetus, 1911; K. Vollert, Z. Gesch. d. lat. F.-Slgn. d. 15./16. Jh., 1912; RL; W. Mitzka, Facetus (Verfasser-Lex., 1933); W.-K. Nawrath, F. u. Schwank (Fs. G. Bebermeyer, 1974).

Feature (engl.), aktuelles Hörbild für die Rundfunksendung, das unter Verwendung von Reportagen, Kommentaren, Dialogen und Dokumenten in informatorischer Absicht ein Thema, e. Ereignis, e. Zustand oder e. Meinung funkwirksam darstellt. Als Zweckform funkische Gegenform des Essays. Nach engl. Vorbild ab 1945 auch in Dtl. verbreitet: E. SCHNABEL, P. v. ZAHN, A. EGGEBRECHT, A. ANDERSCH u. a. →Hörspiel.

L. Kapeller, F. (Rufer u. Hörer, 1951); A. Andersch, Versuch üb. d. F. (Rundfunk u. Fernsehen, 1953); L. Besch, Bemerkgn. z. F. (Rundfunk u. Fernsehen, 1955); S. Harral, *The F. Writer's Handbook,* Norman 1958.

Federname (dt. für →Nom de plume) →Pseudonym

Feendrama →Féerie

Feengeschichten entstanden nach dem Vorbild ägypt.-ind. Zauberer-zählungen, pers. Geister- und arab.-oriental. Dämonenmärchen (*1001 Nacht,* Peris und Dschinen) bes. z. Z. der Kreuzzüge und verschmolzen mit einheimischen, insbes. auch kelt. Vorstellungen (Dtl.: Alben oder Elfen) zu e. festen Auffassung von e. Feenreich. In der höfischen Dichtung, bes. Artussage, den Lais der MARIE DE FRANCE, *Lanval, Guingamar* u. a., auch bei WOLFRAM VON ESCHENBACH, dem franz. Epos, *Huon de Bordeaux* (1150, Vorlage zu WIELANDS *Oberon*), ebenso später CERVANTES, ARIOST, TASSO *La Gerusalemme liberata,* CHAUCER, SPENSER *Faerie Queene,* SHAKESPEARE *Midsummernight's Dream,* SHELLEY *Queen Mab,* frz. Märchen des 17. Jh. vom Kampf guter u. böser Feen wie Volks- und Kunstmärchen überhaupt (PERRAULT, M. d'AULNOY, WIELAND, TIECK) spielen sie e. große Rolle. →Féerie.

Hdwb. d. dt. Märchens II, 1929; Hdwb. d. dt. Aberglaubens II, 1934 ff.; M. Lüthi, Märchen, 1962; K. Briggs, *The fairies in tradition and lit.*, Lond. 1966; G.-L. Fink, *Naissance et apogée du conte merveilleux en Allemagne,* Paris 1966; H. Hillmann, Wunderbares i. d. Dichtg. d. Aufklärung, DVJ 43, 1969.

Féerie (franz.), →Ausstattungsstück um e. →Feengeschichte, z. B. SHAKESPEARES *Midsummernight's Dream,* Dramen GOZZIS, RAIMUNDS →Zauberstücke.

Fehde →Literaturfehde

Félibrige (provenzal. Félibres, Name ungeklärter Bedeutung aus e. Volkslied), am 1. 5. 1854 in Fontségugne bei Avignon gegr. Dichterkreis zur Pflege und Erneuerung provenzal. Sprache und Lit. Bedeutendste Vertreter sind MISTRAL, ROUMANILLE, AUBANEL, BRUNET, MATHIEU, FAVON.

E. Koschwitz, Üb. d. *provençal. Feliber,* 1894; E. Ripert, *La renaissance provençale,* Paris [2]1924; G. Bertoni, *Poesia provenzale mod.*, Modena 1940; E. Ripert, *Le F.*, [3]1948; A. Gourdin, *Langue et litt. d'oc,* Paris 1949; A. del Monte, *Storia della lett. provenzale mod.*, 1958; E. v. Jan, Neuprovenzal. Lit.gesch., 1959; H.-E. Keller, F. (Neophil. 1964); R. Jouveau, *Hist. du F.*, Nîmes 1971.

Femininus (lat. = weiblich), →weiblicher Reim

Fêng, die chines. Volkslieder im *Shi-king.*

Fermate (ital. = Stillstand), Schluß e. rhythmischen →Periode, meist katalektisch und mit e. im metrischen System nicht vorgesehenen Dehnung der (vor-)letzten Silbe über normale Länge.

Fermatenreim, gleicher Reimklang der Schlußverse der einzelnen Strophen eines Gedichts, so daß sich gewissermaßen die Strophen reimen.

Fernsehspiel, seit der Verbreitung des Fernsehens neu entwickelte Zwischenform von Theater und Film, die speziell für den Bildschirm geschrieben wurde, in der Gestaltung auf das neue Medium Rücksicht nimmt, jedoch zwischen den beiden traditionellen Gattungen noch keine Eigengesetzlichkeit entwickelte. Das Originalfernsehspiel, das im Sendeprogramm zwischen Direktübertragungen von Theateraufführungen (photographiertem Theater), Fernsehaufzeichnungen von Bühneninszenierungen mit geringen, durch die Freizügigkeit der Kamera bedingten Abwandlungen, fernseheigenen Studioaufzeichnungen von Theaterstücken und den aus Stoffhunger als Ausweg gewählten Adaptionen epischer Vorlagen nur geringen Raum (etwa ¼) einnimmt, befindet sich zwischen allen diesen Möglichkeiten und den aktuellen Reportagesendungen des Mediums noch in einer Phase der experimentellen Auslotung von Möglichkeiten und Maßstäben. Doch erscheint nach den bisherigen Erfahrungen, nach denen sich das Fernsehen als Transportmittel jeder Art von Wirklichkeiten und Spielwirklichkeiten erweist, eine Eigengesetzlichkeit der Gattung als Illusion: Abgrenzungen und Charakteristika des F. sind mehr aufnahmetechnischer als lit. Art; Eigenart entfaltet allenfalls die Regie, nicht die Dramaturgie. Gegenüber dem Theater hat das F. den Vorteil beweglicherer Handlungsführung mit realistischerem Hintergrund, einer Vielfalt von Einstellungen, rascher Wechsel und Schnitte, der Exaktheit der Bilder und ihrer Nähe in Großaufnahmen, die Mimik verdeutlichen, schließlich des unterbrechungslosen Handlungsablaufs ohne Akteinteilung bei einer optimalen Dauer von 1–1½ Stunden. Die Nachteile des auf intimere Wirkungsmittel zugeschnittenen Kammerformats sind der Ersatz leibhaftiger Darsteller durch deren Abbilder, das Fehlen einstimmender Atmosphäre im Wohnzimmer, der Verzicht auf die direkte Resonanz des Publikums und auf deren Rückwirkung zur Bühne, der kleinere Spielraum ohne echte Raumtiefe, der das Schauspiel in eine flächenhafte Zone überträgt und zugunsten von Nahaufnahmen zum Verzicht auf die gleichzeitige Anwesenheit des Szenenganzen, auf die Darstellung der räumlichen Beziehung der Spieler untereinander und zu ihrer Umwelt drängt, so daß szenische Komposition, raumgreifende Gesten, Gruppen- und Massenszenen weniger zur Geltung kommen und jede Darstellung des Pathos und der Leidenschaft leicht theatralisch wirkt. Gegenüber dem Film ist das F. benachteiligt durch die Reduktion optischer Wirkungen im Kleinformat: Tiefenschärfe, Raumwirkung, Landschaft und Umwelt des Films, Atmosphäre überhaupt treten auf dem Bildschirm zurück, die Intimität der Vorführung im häuslichen Bereich mit ihren Halbnahen und Großaufnahmen läßt keine Massensuggestion und keine Identifikation des Zuschauers mit den Figuren des F. aufkommen. Das F. wendet sich an jeden einzelnen; der spielende Mensch, nicht Milieu und Umwelt stehen in seinem Mittelpunkt, und der Verzicht auf Umweltgestaltung gestattet das Durchspielen größerer szenischer Einheiten im chronologischen Ablauf. Die Funktion des gesprochenen Wortes ist im F. nicht wie im Film dem Bild untergeordnet, sondern begründet es, auch bei satirischen Kontrastwirkungen von Wort und Bild. Die gemäßigte Suggestivität des Bildes läßt Optisches und Sprachliches zu einem Ausgleich kommen, indem das Wort, distanziert und im nüchternen Mittelmaß der Alltagssprache fern aller Extreme, dialektische Denkprozesse darstellbar macht. Der durch die sonstigen aktuellen Reportagen und Berichte des Fernsehens erhöhte Authentizitätscharakter des Bildschirms verwischt für viele Zuschauer die Grenzen zur Fiktion, so daß auch das Spiel als gleichzeitig erlebbare Realität empfunden wird. Dennoch hat sich die damit begründete Forderung nach Ansiedlung des F. in der Alltagsrealität als unberechtigt erwiesen, da gerade der Einbruch satirischer, skurriler und phantastischer Elemente in die Bildrealität neue Wirkungsmöglichkeiten eröffnet. Die soziologische Kuriosität, daß das F. ein völlig heterogenes Millionenpublikum erreichen will, schränkt seine Möglichkeiten zu Experimenten ebenso ein wie die Chance für einen ästhetischen Dogmatismus und die Darstellung von Extremen (Gewalt, Erotik) und läßt die Mehrzahl der Stücke auf das Niveau mittlerer Gebrauchsware um Alltagsprobleme oder Kriminalfälle abstimmen, die im Interesse einer Vororientierung der Zuschauer vielfach in einer wachsenden Zahl von Serien produziert werden, die das durchschnittliche F. zu einer der vergänglichsten und am leichtesten in Vergessenheit geratenden Kunstformen machen. – Wichtige Autoren von F. sind in Dtl. L. Ahlsen, H. von Cramer, R. Erler, Ch. Geissler, F. von Hoerschelmann, C. Hubalek, H. Kipphardt, P. Lilienthal, D. Meichsner, E. Monk, G. Oelschlegel, Th. Schübel, R. Stemmle, O. Storz, K. Wittlinger u. a., im Ausland J. Arden, S. Beckett, P. Chayefsky, W. Hall, L. Lehmann, D. Mercer, J. Mortimer, T. Mosel, H. Pinter, T. Rattigan, R. Rose, A. Wesker, T. Willis u. a.

G. Eckert, D. Kunst d. Fernsehens, 1953; M. R. Weiss, *The T. V. Writer's Guide*, Lond. 1959; A. Swinson, *Writing for Television*, Lond. ^{2}1960; W. Paul, Gibt es e. Dramaturgie des F.? (Neue dt. Hefte 78,

1961); B. Rhotert, D. F., Diss. Mchn. 1961; E. Barnouw, *The Television Writer,* N. Y. 1962; K. V. Riedel, D. F. als Kunstgattg. (Rundfunk u. Fernsehen 11, 1963); H. Schwitzke, D. Verhältn. v. Wort u. Bild i. F. (Sprache i. techn. Zeitalter III, 11, 1964); T. Schwaegerl, D. dt. F. 1936–1961, Diss. Erl. 1964; Acht F.e, hg. H. Schmitthenner 1966; S. R. Elghazali, Lit. als F., 1966; O. Storz, F. – gibt es das? (Deutschunterr. 18, 1966); C. Trapnell, *Teleplay,* S. Franc. 1966; J. Lingenberg, D. F. i. d. DDR, 1968; H. O. Berg, F.e nach Erzählvorlage, 1972; H. Schanze, Fernsehserien (LiLi 2, 1972); Millionenspiele, hg. T. v. Alst, 1972; I. Münz-Koenen, D. Entw. d. Fernsehdramatik i. d. DDR, Diss. Bln. 1973; D. F. hg. P. v. Rüden 1975; H. Kreuzer, Fernsehen als Gegenstand d. Lit.wiss. (in ders., Verändergn. d. Lit.begriffs, 1975); W. Waldmann, D. dt. F., 1977; I. Schneider D. Diskuss. um d. F. (LiLi 8, 1978).

Fescennini →Feszenninen

Festgedicht, →Gelegenheitsgedicht auf e. festliches Ereignis des öffentlichen oder privaten Lebens (Hochzeit, Geburt, Taufe). Die künstlerisch meist wertlose Form gewann durch GOETHE u. a. innere Vertiefung und Veredelung. →Carmen.

Festschrift, Gelegenheitsschrift anläßlich e. bestimmten Ereignisses, bes. e. als Ehrung zum Geburtstag e. hochbetagten Gelehrten von seinen Fachgenossen gewidmete Festgabe, enthält neben e. Würdigung seines Lebenswerkes wissenschaftliche Beiträge zu verschiedenen Spezialfragen des Fachgebietes.

J. Hannich-Bode, Germanistik i. F.n, 1976; O. Leistner, Internat. Bibliogr. d. F.n, 1976.

Festspiel, anläßlich e. religiös-kultischen (Götterfeste, Heiligentage) oder weltlichen Festes (Hoffeiern, Jubiläen, historische Gedenktage) veranstaltete, meist der festlichen Stimmung des Publikums entsprechend prunkvoll inszenierte und ausgestattete Opern-, Dramen- oder Ballettaufführung, z.B. WAGNERS Bayreuther F.e (seit 1876 nach eigenen Kunsttheorien), auch e. eigens hierfür verfaßtes Werk, z.B. G. HAUPTMANNS umstrittenes *F. in dt. Reimen* (1913), DEVRIENTS *Luther* und *Gustav Adolf.* Man unterscheidet periodisch wiederkehrende Gemeinschafts-F.e unter Mitwirkung von Laien, bes. zu Kultfeiern (griech. →Drama und →Chor, →Dionysien, ma. →Mysterienspiele, →Passionsspiele und Ritterturniere) und Gelegenheits-F.e an Fürstenhöfen, bes. in Renaissance und Barock bis ins 18. Jh. zu höfischen Familienfesten, allegorische F.e wie C. CELTIS *Ludus Dianae* (1501), die ital. Trionfi und die Vereinigungen aller Künste am Wiener Kaiserhof (*Il Pomo d'oro,* Roßballett u. a.) zu oft schmeichelhaften Huldigungen, veredelt in GOETHES Weimarer Maskenzügen, *Paläophron und Neoterpe, Des Epimenides Erwachen,* SCHILLERS *Huldigung der Künste* (vgl. auch *Faust II,* 1), auch als z. T. ortsgebundene geschichtliche Gedenkfeiern wie J. RISTS *Das friedejauchzende Teutschland* (1653), die historisch-patriotischen Tellspiele der Schweiz, KLEISTS *Hermannsschlacht* gegen Napoleon, T. S. ELIOTS *Murder in the Cathedral* (1935) u. a. Nationale F.e arten im 19. Jh. und im Dritten Reich (MÖLLER, EURINGER) in phrasenhafte Selbstverherrlichung aus. Seit Anfang des 20. Jh. bildet sich an zahlreichen Orten Europas e. ständige F.-Tradition zur Wahrung und Pflege kultureller Bestleistungen (Weimar, Salzburg, Bochum, Heidelberg, Hersfeld, Schwetzingen, Avignon, Edinburgh). →Volksfestspiele.

A. Jolles, V. Schiller z. Gemeinschaftsbühne, 1919; J. Petersen, D. dt. Nationaltheater, 1919; A. Straka, D. mod. rel. F. i. Österr., Diss. Wien 1932; H. Tintelnot, Barocktheater u. barocke Kunst, 1939; F. Moser, D. Anfge. d. Hof- u. Gesellschaftstheaters i. Dtl., 1940; O.

Rommel, Wiener Renaissance, 1947; RL; A. Hauser, Sozialgesch. d. Kunst u. Lit., ²1958; R. Alewyn u. K. Sälzle, D. große Welttheater, 1959; U. Dustmann, Wesen u. Form d. Goetheschen F., Diss. Köln 1963; K. Sauer, G. Werth, Lorbeer u. Palme, 1971.

Feszenninen (lat. *versus Fescennini,* wohl nach Fescennium in Etrurien), altlatein. prälit. Scherz- und Spottlieder ohne festes Metrum in Dialogform mit Ansätzen zu mimischer Gestaltung und evtl. Vorstufe des Dramas; zum Erntefest, bei Geburten und bes. vor Hochzeiten als Art bäuerliches Polterabendspiel mit Gesang und Tanz vorgetragen, infolge der derben, unzweideutigen Neckerei dann später allg. ›Neckgedichte‹.

E. Hoffmann, D. F. (Rhein. Museum 51, 1898); G. E. Duckworth, *The Nature of Roman Comedy,* 1952.

Feuersegen, Zauberspruch zur Abwehr von Brandschaden und Beendigung e. Feuerbrunst.

O. Ebermann, D. F. i. d. Dichtg. (Hess. Blätter f. Volkskunde 25, 1927).

Feuilleton (franz. = Blättchen), im Ggs. zu den Tagesmeldungen im politischen, wirtschaftlichen und sportlichen Teil e. Zeitung der Unterhaltungsteil, auch dessen einzelner Beitrag, enthält Nachrichten, Kritiken und Aufsätze aus dem Geistes- und Kulturleben (Lit., Theater, Kunst, Wissenschaft), kurze populärwissenschaftliche Darstellungen, allg. Betrachtungen über das Gesellschaftsleben, Reisen und belletristische Beiträge: Gedichte, Kurzgeschichten, Erzählungen und Fortsetzungsromane (anfangs selbst von DUMAS und E. SUE) in leichtverständlichem, witzigem, durchaus persönlichem, subjektivem Plauderton, die im besten Fall, wenn nicht nur im Massenbetrieb und für den Tag hingesetzt, die Form des →Essay erreichen. Dem Sinn nach schon im 18. Jh. vorhanden (LESSINGS *Das Neuste aus dem Reiche des Witzes* als Beilage der *Voßischen Zeitung,* 1751–55), wurde der Name von J. L. GEOFFROY am 22. 6. 1800 im *Journal des Débats* als bewußt abgesetzter Teil ›unterm Strich‹ für Bühnenkritiken eingeführt. In Dtl. erschien das erste moderne F. 1835 im *Nürnberger Korrespondent* von A. LEWALD, seither in allen europ. Zeitungen. Meisterhafte F.isten sind bes. Franzosen (GAUTIER, SAINTE-BEUVE, *Causeries du Lundi,* J. JANIN, BALZAC, BAUDELAIRE, ALAIN, G. MARCEL u. a.), im dt.sprachigen Bereich die leichtflüssigen Wiener und Österreicher (NORDEN, HANSLICK, SALTEN, KÜRNBERGER, SAPHIR, SPEIDEL, ALTENBERG, POLGAR, BAHR, FRIEDELL, KISCH), ferner in Dtl. HEINE, BÖRNE, AUBURTIN, GLASSBRENNER, HARDEN, PENZOLDT, GAN, P. BAMM, TUCHOLSKY, SIEBURG u. a., in der Schweiz WIDMANN und R. WALSER, in England H. BELLOC, G. K. CHESTERTON und J. B. PRIESTLEY, in den USA M. TWAIN, J. STEINBECK und E. HEMINGWAY.

E. Eckstein, Beitr. z. Gesch. d. F.s, 1876; F. Groß, D. Wiener F. (in: Nichtig u. Flüchtig, 1880); T. Kellen, Aus d. Gesch. d. F., 1909; E. Meunier, D. Entwicklg. d. F. d. großen Presse, Diss. Hdlbg. 1914; H. Haufler, Kunstformen d. f.istischen Stils, Diss. Tüb. 1928; E. Meunier, H. Jessen, D. dt. F., 1931; E. Dovifat, F. (Hdb. d. Zeitgs.wiss. I, 1940); W. Haakke, F.-Kunde, II 1943; ders., Hdb. d. F., III 1951–53; H. Knobloch, V. Wesen d. F., 1962; W. Haacke, D. F. i. 20. Jh. (Publizistik 21, 1976).

Feuilletonismus, die leichthin plaudernde lit. Form des →Feuilletons, bes. die wirkungsbedachte Herausstreichung unwesentlicher u. alltäglicher Dinge zu reizvoll scharfer Betrachtung umgreifender Hintergründe des Einzelgeschehens; im positiven Fall auf der Suche nach echter Wahrheit und Argumentation, meist jedoch in negativem Sinn gebraucht für das verantwortungslose Blenden mit geistreich formulierten Halbwahrheiten und oberflächliches Gedankenspiel. Letzterem galt der lebenslange Kampf von K. KRAUS *(Die Fackel)*; ebenso erkennt H. HESSE (*Das Glasperlenspiel*, 1943) das 20. Jh. als ›feuilletonistisches Zeitalter‹.

Fiasko (v. ital.), in der Theatersprache: Durchfallen, Mißerfolg e. Stükkes, e. Inszenierung, e. Schauspielers.

Fibel (wohl entstellt aus ›Bibel‹, die zuerst den Stoff lieferte), Abc-Buch, erstes Lesebuch zum Lesenlernen, heute dem Erleben des Kindes mit (illustrierten) Stoffen aus seiner Umwelt angepaßt; dann allg. Elementarbuch e. Fachgebietes.

E. Schmack, D. Gestaltwandel d. F., 1960; A. Grömminger, D. dt. F.n d. Ggw., 1970.

Fiction (engl. = →Fiktion), allg. die →Phantasie als Kraft dichterischer Weltgestaltung; bes. engl. Bezeichnung für Prosa- und Romandichtung. →Epik.

Figur (lat. *figura* = Gestalt), 1. →Figurant, 2. →rhetorische F. 3. komische F. →komische Person, 4. allg. jede in der Dichtung, bes. Epik und Drama, auftretende fiktive Person, auch Charakter genannt, doch ist die Bz. F. vorzuziehen zur Unterscheidung von natürlichen Personen und den oft nur umrißartig ausgeführten Charakteren.

Beitr. z. Poetik d. Dramas, hg. W. Keller 1976.

Figura etymologica (lat.), Wortspiel ähnlich der →Paronomasie: Verbindung zweier Wörter desselben Stammes zu ausdrucksgesteigerter Bz. eines Begriffes, am häufigsten Verbindung von (meist intransitivem) Verb mit stammverwandtem Nomen als innerem (Akkusativ-)Objekt oder Subjekt, z. B. ›e. Grube graben‹ meist durch attributives Adjektiv erläutert: ›e. guten Kampf kämpfen, e. angenehmes Leben leben‹, z. B. ›Gar schöne Spiele spiel' ich mit dir‹ (GOETHE, *Erlkönig*), ferner die Verbindung zweier verwandter Nomina oder Verba, z. B. ›neuste Neuigkeit‹ (hierbei wie in ›König der Könige‹ und ›das Beste vom Besten‹ als höchste Steigerung).

Figurant (lat. *figurare* = gestalten), Bühnensprache: Träger meist stummer Nebenrollen im Drama, auch Chortänzer.

Figurengedicht →Bilderlyrik

Figurentheater →Handpuppenspiel →Marionettentheater → Schattenspiel

Fiktion (lat. *fictio* =) Erdichtung, Unterstellung e. tatsächlicher Grundlage entbehrenden Sachverhalts, poetisches Kunstmittel z. B. in den →Heroiden, →chronikalischen Erzählungen; allg. auch →Fälschung. Im weiteren Sinne jede Erdichtung als Schilderung eines nicht wirklichen Sachverhalts in e. Weise, die ihn als wirklich suggeriert; als solche Grundlage fast aller pragmatischen Dichtungsformen, insbes. der Epik (im Ggs. zur Historie und zur Geschichtsdichtung). Der F.charakter der Lit. ist Autoren und Lesern nicht zu allen Zeiten gleichermaßen bewußt; seine Erkenntnis greift seit dem 16. Jh. um sich und gipfelt in der Ironie der Romantik. Vgl. →Wahrheit, →Wirklichkeit.

B. Heimrich, F. u. F.ironie i. Theorie u. Dichtg. d. dt. Romantik, 1967; K. Hamburger, D. Logik d. Dichtung, [2]1968; E. Plessen, Fakten u. Erfindungen, 1971; J. Anderegg, F. u. Kommunikation, 1973; W. Iser, D. Wirklichk. d. F. (Rezeptionsästhetik, hg. R. Warning 1975); J. Landwehr, Text u. F., 1975.

Film (altengl. *felmen* = dünne Haut, nach dem F.-Material benannt) entstand im Ggs. zum kultischen Ursprung des →Dramas oder Theaters allg. aus technischer Vervollkommnung der Photographie und ermöglichte die Darstellung bewegter Bilder, bleibt somit trotz des Tonfilms (seit 1929) in erster Linie Bildkunstwerk, nicht Wortkunstwerk, und findet nur im →Drehbuch einstweilen lit. Niederschlag. Wort wie Musik ordnen sich als andeutende Interpretation der Schau unter und bedingen andere Wirkungsmöglichkeiten, -grenzen u. künstlerische Wertmaßstäbe. Vgl. →Verfilmung.

Lit. in: Brack, Portmann, Reinert u. a., Kl. F.-Lexikon, 1946, danach: G. Sadoul, *Hist. générale du cinéma,* Paris V 1946–54; S. Kracauer, *From Caligari to Hitler,* Princeton 1947; G. Sadoul, *Le cinéma,* 1948; R. Low, *The Hist. of the British F. (1906–18),* Lond. 1949–51; G. Aristarco, *Storia delle teoriche del f.,* Turin 1951; B. S. Eichsfelder, F.-Gesch. i. Stichworten, 1951; R. A. Inglis, D. amerik. F., 1951; R. Clair, V. Stumm-F. z. Ton-F., 1952; W. Hagemann, D. F., 1952; C. L. Ragghianti, *Cinema arte figurativa,* Turin 1952; A. Hauser, Sozialgesch. d. Kunst u. Lit., II 1954; H. Agel, *Le cinéma,* Paris 1954; G. Sadoul, *Hist. de l'art du cinéma,* Paris 1955; K. Hamburger, Z. Phänomenologie d. F. (Merkur 103, 1956); F. v. Zglinicki, D. Weg d. F., 1957; R. Spottiswoode, *F. and its Techniques,* Berk. [4]1957; ders., *A Grammar of F.,* ebda. [2]1951; E. Iros, Wesen u. Dramaturgie d. F., [2]1957; E. Morin, D. Mensch u. d. Kino, 1958; V. Pandolfi, *Il cinema nella storia,* Florenz 1958; G. Sadoul, *Les merveilles du cinéma,* Paris 1958; F. Kempe, F., 1958; O. Tartarini, *L'influenza del cinema nella narrativa contemp.,* Rom 1958; R. Oertel, Macht u. Magie d. F., 1959; G. Künstler, D. F. als Erlebnis, 1960; J. Leyda, *Kino,* Lond. 1960; V. I. Pudovkin, *F. Technique and F. Acting,* N. Y. 1960; E. Lindgren, *A picture hist. of the cinema,* N. Y. 1960; A. R. Fulton, *Motion pictures,* Norman 1960; J. L. Anderson, D. Richie, *The Japanese f.,* Tokio 1960; S. Spraos, *The decline of the cinema,* Lond. 1961; P. Leprohon, *Hist. du cinéma I,* Paris 1961; P. Bianchi, F. Berutti, *Storia del cinema,* Mail. 1961; G. Bluestone, *Novels into Film,* Baltimore [2]1961; C. Lizzani, *Storia del cinema italiano,* Florenz 1961; L. Chiarini, *Arte e tecnica del f.,* Bari 1962; L. L. Ghirardini, *Storia generale del cinema,* Mail. II 1962; G. Sadoul, *Le cinéma franç.,* Paris 1962; E. Wagenknecht, *The movies in the age of innocence,* Norman 1962; U. Gregor, E. Patalas, Gesch. d. F., 1962; E. Lindgren, *The Art of the F.,* Lond. [2]1963; E. Barnouw, *The Indian f.,* Berkeley 1963; H. P. Manz, Internationale F.-Bibliogr., 1963; E. Lauritzen, *The Swedish F.,* N. Y. 1963; F. Stepun in ›Aufriß‹; RL: Lit. u. F.; J. Mitry, *Dictionnaire du cinéma,* Paris 1964; J. H. Lawson, *F.: The Creative Process,* N. Y. 1964; S. Kracauer, Theorie d. F., 1964; R. Rach, Lit. u. F., 1964; R. Schickel, *Movies,* N. Y. 1964; A. Estermann, D. Verfilmg. lit. Werke, 1965; U. Gregor, E. Patalas, Gesch. d. mod. F., 1965; H. E. Schauer, Grundprobleme d. Adaption lit. Prosa durch d. Spielf., Diss. Bln. 1965; G. Charensol, *Le cinéma,* Paris 1966; P. Pleyer, Dt. Nachkriegs-F., 1946–48; 1965; *L'Encyclopédie du cinéma,* hg. R. Boussinot, Paris 1966; *Encycl. of the cinema,* hg. I. Cameron, Lond. 1966; L. Halliwell, *The F. goer's Companion,* N. Y. [2]1967; W. Dadek, D. Filmmedium, 1968; J. Mitry, *Hist. du cinéma,* 1968; G. Albrecht, Nat.soz. F.politik, 1969; D. S. Hull, *F. i. the 3rd Reich,* Berkeley 1969; R. D. Richardson, *Lit. and f.,* Bloomington 1970; R. Jeanne, Ch. Ford, *Dict. du cinéma universel,* Paris 1970; D. Prokop, Materialien z. Theorie d. F., 1971; Ch. Metz, Semiologie d. F., 1972; B. Balász, D. F., [3]1972; Theorie d. Kinos, hg. K. Witte 1972; J. Toeplitz, Gesch. d. F., 1972 ff.; U. Kurowski, Lexikon F., 1972; D. Krusche, J. Labenski, Reclams F.führer, 1973; U. Kurowski, Lex. d. internat. F., 1974; S. Kracauer, Kino, 1974; W. Shdan (Hg.), D.sowjet. F., II 1974; F. Courtade, P. Cadars, Gesch. d. F. i. 3. Reich, 1975; R. Arnheim, F. als Kunst, [2]1975; *The Oxford Companion to f.,* hg. L.-A. Bawden 1976; W. Faulstich, Einf. i. d. F.analyse, 1976; W. Tichy, Buchers Enzykl. d. F., 1977; Poetik d. F., hg. W. Beilenhoff 1977; rororo-F.lexikon, VI 1978; U. Gregor, Gesch. d. F. ab 1960, 1978.

Fin de siècle (franz. = Ende des Jh.), nach dem Titel e. Lustspiels von de JOUVENOT und MICARD, 1888, Bz. für die →Dekadenzdichtung der letzten Jh.wende mit ihrem blasierten, nervös überfeinerten Existenzgefühl u. ihrer Neigung zu pessimist. Spätzeit- und Verfallsstimmg.

E. Koppen, Dekadenter Wagnerismus, 1973; F.d.s., hg. R. Bauer u. a., 1976; H. Hinterhäuser, F.d.s., 1977; Jh.ende, Jh.wende, hg. H. Kreuzer II 1977 (Neues

Hb. d. Lit.wiss. 18/19); J. M. Fischer, F.d.s., 1978.

Fingierte Briefe, →Briefe, die nicht in erster Linie zu Mitteilung und Meinungsaustausch zwischen Absender und Empfänger dienen, sondern deren Verfasser, Inhalt und Empfänger fingiert, also entweder erfunden oder gefälscht sind. Die Fiktion des Briefcharakters dient entweder der →Beglaubigung wie im →Briefroman, oder sie ist das Vehikel für die Abfassung überhaupt wie in den →Heroiden oder den *Hetärenbriefen* ALKIPHRONS, dem *Chandos-Brief* HOFMANNSTHALS, in denen der Autor praktisch eine dem Gegenstand oder seinem Empfinden angemessene Rolle übernimmt, oder sie dient als Satire unter betontem Bruch des Briefgeheimnisses bewußt der Charakterisierung und Verspottung von Absender und Adressat, die unter dem Schutz der schon um der Fiktion willen aufrechterhaltenen Anonymität mit den Mitteln ihres scheinbar eigenen Gedankengutes lächerlich gemacht oder ad absurdum geführt werden (z. B. *Epistulae obscurorum virorum* von CROTUS RUBEANUS und Ulrich von HUTTEN). Der weitaus größte Teil der f. B. benutzt die Anonymität oder Verkleidung zu aggressiver polit. Satire auf herrschende Zustände (PASCAL, MONTESQUIEU, *Lettres persanes,* die engl. *Juniusbriefe,* KLEIST, L. THOMA, *Filser-Briefe,* M. HARDEN u. a.).

H. Rogge, F. B. als Mittel polit. Satire, 1966. →Brief.

Flagellantendichtung (v. lat. *flagellare* = geißeln) →Geißlerlieder

Flickvers, inhaltlich und gedanklich überflüssiger, nichtssagender Vers, der nur zur Strophenfüllung oder Reimes halber eingeschaltet ist, meist in strophisch gegliederten Epen, so bes. im 1. Teil des *Nibelungenliedes:* ›Die drîe künege wâren, *als ich gesaget hân, /* von vîl hôhem ellen ...‹

Flickwort →Füllwort

Fliegende Blätter →Flugblatt

Flores rhetoricales (lat. =) Redeblüten, der schwere Stilschmuck der →rhetorischen Figuren, →Tropen und →Topoi, in antiker Rhetorik und in neulat. wie spätma. Schrifttum Kennzeichen der kunstvoll-erhabenen →Stilart.

Florierter Stil →geblümter Stil

Florilegium (lat. = Blütenlese), 1. wie griech. →Anthologie, 2. Sammlung von Lesefrüchten, bes. Sentenzen und rhetorischen Wendungen (→Flores, aus antiken Autoren als Vorbild zur Wiederverwendung bei Ausschmückung von Reden und Predigten.

Floskel (lat. *flosculus* = Blümchen), gezierter Ausdruck, Redeblüte, dann bes. nichtssagende Redensart, inhaltslose, formelhafte Phrase.

Flüsterwitz, der nur hinter vorgehaltener Hand geflüsterte politische →Witz, der sich aggressiv gegen die derzeitigen Machthaber und deren Politik oder die sozialen und kulturellen Zustände und Maßnahmen richtet; ausschließlich in totalitären Regimen beheimatet und dort aufschlußreich für die wahre Volksmeinung.

H.-J. Gamm, D. F. i. Dritten Reich, 1963; F. Redlich, Der F. (Publizistik 8, 1963).

Flugblatt, 1–2-seitige, teils illustrierte Gelegenheitsdruckschrift zur Verbreitung sensationeller Nachrichten oder propagandistischer, teils auch satirischer Stellungnahme zu aktuellen politischen, religiösen, sozialen, moralischen u. a. Fragen, seit 1488 üblich; Vorläufer der Zeitung. →Flugschrift, →Einblattdruck.

K. Schottenloher, F. u. Zeitung, 1922; K. d'Ester, F. u. Flugschrift (Hdb. d. Zeitgs.-wiss. I, 1940); H. Wäscher, D. dt. illustr. F., II 1955 f.; H. Rosenfeld, F., Flugschrift, Flugschriftenserie, Zeitschrift (Publizistik 10, 1965); W. A. Coupe, *The German illustrated broadsheet in the 17. cent.*, II 1966 f.

Flugschrift, als Sprachrohr des Volkes meist bewußt anonyme oder pseudonyme, teils illustrierte (DÜRER, CRANACH) Druckschrift geringen Umfangs (→Broschüre), häufig von marktschreierischer Aufmachung und schlagwortartiger Kürze, die in tendenziöser, oft polemischer Form und derbvolkstümlicher Sprache zu politischen, kulturellen, sozialen, religiösen oder wissenschaftlichen Tagesfragen mit dem Zweck der Meinungsbeeinflussung Stellung nimmt und dabei häufig lit. Formen verwendet: Lied, Dialog, Brief (Telegramm), Satire, Exempel, Fabel, Travestie u. ä. Trotz des oft geringen künstlerischen Eigenwertes bei der Behandlung aktueller Stoffe stellt sie e. wichtiges kultur- und zeitgeschichtliches Dokument dar und wird häufig gesammelt. Sie entsteht kurz nach Erfindung des Buchdrucks als Vorläufer der Zeitung (Berichte von Unglücksfällen, Naturkatastrophen, Prophezeiungen, Mordtaten, Festen u. ä.) und erreicht Hauptverbreitung in Zeiten innerer Spannungen und Kämpfe, bes. im 16./17. Jh. In der →Reformationszeit dient sie gebildeten Vertretern, meist Theologen beider Konfessionen, in gewollt ungelehrter Aufmachung als religiöses Kampfmittel und steht an propagandistischer Wirkung nur der direkten Rede nach. Versuche zu ihrer Einschränkung durch Reichspolizeiverordnung (1548 und 1577) waren vergeblich. Unter den Verfassern überwiegen die Protestanten: LUTHER (*An den christl. Adel dt. Nation, Von der Freiheit e. Christenmenschen)*, Ulrich v. HUTTEN, EBERLIN VON GÜNZBURG, Erasmus ALBERUS u. a.; der St. Galler Reformator J. VADIAN schuf im *Karsthans* (1521) e. stehende Figur der F.en; auf kath. Seite steht bes. Th. MURNER (*Von dem großen Lutherischen Narren*, 1522). Im 17. Jh., bes. im 30jährigen Krieg, überwiegen politische und soziale Themen bei teils bis zur Unflätigkeit gesteigerter Derbheit. Im 18. Jh. behauptet die F. ihre Bedeutung neben den aufkommenden Zeitungen und Zss. in den lit. Kämpfen um GOTTSCHED und die Neubersche Bühnenreform, später in den Befreiungskriegen, im Vormärz und im Kriege 1870/71. Vgl. →Flugblatt.

F. Humbel, D. Flugblattlit. d. schweiz. Reformationsgesch., 1912; F. Behrend, D. lit. Form d. F.en (Zentralblatt f. Bibliothekswesen 34, 1917); K. Schottenloher, Flugblatt u. Zeitg., 1922; K. d'Ester, Flugblatt u. F. (Hdb. d. Zeitgs.-wiss., 1940); P. Böckmann, D. gemeine Mann i. d. F.en d. Reformation, DVJ 22, 1944; W. Stammler, V. d. Mystik z. Barock, [2]1950; RL; H. Rosenfeld, Flugblatt, F., F.enserie, Zeitschrift (Publizistik 10, 1965); B. Balzer, Bürgerl. Reformationspropaganda, 1973; P. Lucke, Gewalt u. Gegengewalt i. d. F. d. Reformation, 1974; H.-J. Ruckhäberle, F.lit. i. histor. Umkreis G. Büchners, 1975; S. Weigel, F.en 1848 in Berlin, 1978.

Flutsagen finden sich in der Frühzeit fast aller Völker mit Ausnahme einiger asiatischer und aller afrikanischen und berichten von großen Wasserfluten, die Berge überdecken, alles Lebende mit Ausnahme je eines würdigen Paares meist als Strafe für sündiges Verhalten vernichten u. ä. (Sintflut der *Bibel, Edda, Gilgamesch* u. a. m.). Den Anstoß sucht man in e. lokalen Überschwemmung in vorhistorischer Zeit oder aufgefundenen Meerestieren im Gebirge.

R. Andree, D. F., 1891.

Folgedrama →analytisches Drama

Folía, span. volkstümliche Strophenform aus vier zumeist achtsilbigen Zeilen; vermutlich im Anschluß an e. portugies. Tanzlied im 16. Jh. entstanden und vorwiegend für Nonsenseverse und scherzhafte Lieder verwendet.

Foliant, Buch in →Folio- →Format, dann allg. jeder unhandliche →›Wälzer‹.

Folio (ital., v. lat. *folium* = Blatt), größtes Buch→format des nur einmal gefalzten →Bogens, der dann 2 Blätter = 4 Seiten ergibt: rd. 42 × 33 cm, abgekürzt fol. oder 2°, beliebtes →Format im 15./16. Jh. (z. B. SHAKESPEARES ›First F.‹ 1623), heute nur noch für Atlanten, kunstgesch. Bildwerke u. ä. gebräuchlich. Nach den Preuß. Instruktionen gelten als F. Formate von über 35 cm Höhe; daneben hat sich für Formate von über 45 cm Höhe die Bz. Groß-F. eingebürgert.

Folkeviser (dän. = Volksweisen), altdän. Dichtungen bes. des 12./13. Jh. unter Einfluß der franz. Troubadours, schottischer Balladen und des dt. Minnesangs; meist höfisch-ritterliche Tanzlieder von Berufssängern, mit Vorgesang und von allen gesungenem Kehrreim, anfangs stabend, später endreimend, schließlich allg. im Volke anonym verbreitet und erst im 16./17. Jh. von Adligen gesammelt. E. Sonderform sind die →Kaempeviser (= Kampfweisen) mit Stoffen der Helden- und Göttersagen.

E. Frandsen, F., 1935; C. Roos, D. dän. F. i. d. Weltlit. (›Forschgsprobl. d. vgl. Lit.-gesch.‹, 1951).

Folklore (engl., von W. J. THOMS 1846 geprägt), = →Volkskunde und deren Gegenstand, bes. die Überlieferungen in Volksglauben, -dichtung (Lieder, Märchen, Sagen, Sprichwörter), -kunst und Brauchtum.

Form (lat. *forma* = Gestalt), die äußere Gestalt, in der e. Kunstwerk erscheint, im Ggs. zum vorausgesetzten Inhalt oder Stoff, jedoch niemals von diesem ablösbar, sondern nur ein Aspekt des vielschichtigen Ganzen und aufs engste mit dem ausgesagten Gehalt verschmolzen, der durch sie erst Bedeutung gewinnt. Letztlich erst in der Formgebung und durch sie wird die Aussage des Dichters zum Kunstwerk und dient der Selbstvergewisserung des Menschen; sie ist die eigentliche produktive Leistung der Kunst, insofern Dichten nicht nur e. Ausströmen, sondern zugleich e. Durchdringen, Klären und Prägen bedeutet. Man unterscheidet äußere F. (Gattungs-F., metrische und stilistische Darstellungsart) von innerer F. als Gestaltwerdung e. innewohnenden Idee; die Verbindung beider zu inniger, wesensgemäßer Einheit ist letzte Erfüllung der F.; ihr Wert besteht nur dort, wo sie Lebendiges umfängt und Innerliches darstellt. Wesen der F. und ihr Beitrag zur Dichtung sind bis in die Gegenwart e. hervorragendes Problem der lit. →Ästhetik; ihre Anschauungen haben vielfache Wandlungen erfahren. MA. wie Renaissance, Barock und franz. Klassizismus sahen in der äußeren F. das alleinige Element des Dichterischen, das dem bloßen Stoff die Kunsthöhe gab. Ihre →Poetik beschränkt sich demgemäß auf verbindliche Abgrenzung der überkommenen Gattungen, Kunstregeln und Bereitstellung von Mitteln zur Meisterung der äußeren F. Gegenüber den traditionell erstarrten F.en versucht LESSING, der gleichzeitig die Scheidung der Aussageformen von Dichtung und bildender Kunst vornimmt, aus Stoff und Aufgaben der

Dichtung deren vorgegebene Erscheinungsformen herzuleiten *(Laokoon, Hamburgische Dramaturgie)*. Erst gegen Ausgang des 18. Jh. begreift man im Gefolge SHAFTESBURYS und damit PLOTINS (›inward form‹ = endon eidos) die F. als e. gleichzeitig mit dem Aussageinhalt nach individuellem innerem Gesetz organisch Erwachsenes, nicht mehr vorgegebene äußere Fassung, in die der Inhalt einzugießen ist. HERDER und GOETHE entwickeln die Anschauung von der ›inneren F.‹ als Organismus, notwendigem Ausdruck innerer Spannung; SCHILLER erkennt in der Vereinigung von Stoff und F. erst die ›lebende Gestalt‹ und verlangt, daß der ›Stoff durch die F. vertilgt‹ werde, denn ›in e. wahrhaft schönen Kunstwerk soll der Inhalt nichts, die F. aber alles tun‹, und die dt. Klassik umgeht die Gefahr e. Willkür und Anarchie der F., indem sie Stoffen wie Gattungen ihr inneres Formgesetz und Maß verstandes- wie gefühlsmäßig ablauscht (SCHILLER-GOETHE-Briefwechsel). Auch für die ältere Romantik und den Idealismus (SCHELLING, HEGEL) ist die F. geistbestimmt; dagegen legt der Positivismus des 19. Jh. seiner F.betrachtung rein naturwissenschaftliche Maßstäbe zugrunde. Das 20. Jh. brachte die Neubesinnung auf die geistige und sprachkünstlerische Grundlage der Dichtung und enthüllte die ganze Problematik des Stoff-Form-Verhältnisses; die Betrachtung erfolgte aus verschiedensten Gesichtspunkten und ging verschiedene Wege: O. WALZEL als wechselseitige Erhellung der Künste, R. PETSCH aus der Gattungspoetik, G. MÜLLER nach Goethes morphologischem Gestaltbegriff, H. KINDERMANN als ›literarhistorische Anthropologie‹, E. STAIGER nach phänomenologischen Vorstellungen und gültigen Verhaltensweisen, W. KAYSER von den inneren Sprachkräften her.

Th. A. Meyer, D. Stilgesetz d. Poesie, 1901; P. Ernst, D. Weg z. F., 1915; M. Hamburger, D. F.problem i. d. neueren dt. Ästhetik u. Kunsttheorie, 1915; O. Walzel, D. künstler. F. d. Dichtwks., 1916; H. Hefele, Gesetz d. F., 1921; E. Hirt, D. F.gesetz d. ep., dramat. u. lyr. Dichtg., 1923; O. Walzel, Gehalt u. Gestalt, 1923; Th. A. Meyer, F. u. F.losigkeit, DVJ 3, 1925; H. Friedmann, D. Welt d. F.en, [2]1930; H. Weston, *F. in Lit.*, Lond. 1934; R. Schwinger, H. Nicolai, Innere F. u. dichter. Phantasie, hg. J. Obenauer 1935; T. Spoerri, D. Formwerdg. d. Menschen, 1938; R. Ingarden, D. F.-Inhalt-Problem (Helicon 1, 1939); G. Müller, D. Gestaltfrage i. d. Lit.-wiss., 1944; H. Read, *F. i. modern poetry*, Lond. 1948; P. Böckmann, D. Lehre v. Wesen u. Formen d. Dichtg. (Petsch-Gedächtnisschrift, 1949); H. Kuhn, Probleme d. produzierten F. (Stud. generale 4, 1951); E. Kerkhoff, Innere F. (Neophilologus, 1952); H. Seidler, Allg. Stilistik, [2]1963; E. Lachmann, D. Gewalt dichter. F. (Ammann-Fs., 1953); Th. Spoerri, D. Weg z. F., 1954; A. Jaszi, Ästh. F., DVJ 29, 1955; RL; P. Hartmann, Probleme d. sprachl. F., 1957; K. Burke, *The Philosophy of Lit.F.*, [2]1957; Stil- u. F.probleme i. d. Lit., hg. P. Böckmann 1959; ders., Formgesch. d. dt. Dichtg. I, [3]1967; ders., Formensprache, 1966; H. Prang, Formgesch. d. Dichtkunst, 1968. →Ästhetik →Dichtg. u. d. einzelnen →Gattungen.

Formalismus, auf der Grundlage des russ. Symbolismus aufbauende Schule der russ. Literaturwissenschaft und -kritik rd. 1915–30, die die Eigenständigkeit und Eigengesetzlichkeit der Dichtkunst postulierte, die Erforschung ihrer Gesetze, Kompositionsprinzipien und Kunstmittel (Stil, Bild, Laut, Klang, Vers, Rhythmus, Metrik, Bild, Motiv usw.) als Hauptaufgabe der Literaturwissenschaft betrachtete und alle nicht ästhetischen (biograph., psycholog., ideolog., soziolog., polit. oder theolog.) Kriterien verwarf, um den Hauptwert auf Formanalyse zu legen: V. ŠKLOVSKIJ, B. EJCHENBAUM, R. JAKOBSON, B. TOMAŠEVSKIJ, V. ŽIRMUNSKIJ, J. TYNJANOV. Der russ. F. schwenkte nach starken Angriffen von seiten der marxistischen

Kritiker um 1927 zur soziologischen Methode über. Er erlebte nach 1930 e. zweite Blütezeit in Polen (M. KRIDL, R. INGARDEN) und der Tschechoslowakei (R. WELLEK), gelangte dann mit emigrierten Vertretern nach Amerika und beeinflußte dort den →New Criticism. Heute ist ›F.‹ allg. abwertender Zensurbegriff für jede bourgeoise ästhet. oder experimentelle Verirrung, die sich nicht der Forderung des →sozialist. Realismus nach polit. Parteilichkeit einfügt.

B. Engelgardt, *Formal'nyj metod v istorii literatury*, 1927; F. W. Neumann, D. formale Schule d. russ. Lit.-wiss., DVJ 29, 1955; C. L. Ebeling, *Taal- en letterkundl. Aspecten van het Russ. F.*, Haag 1955; J. Holthusen, D. russ. F. (Merkur 14, 1960); V. Erlich, Russ. F., 1964; E. Olson u. a., Üb. F., 1966; Texte russ. Formalisten, hg. J. Striedter II 1969–72; F., Strukturalismus u. Gesch., hg. A. Flaker u. a. 1974; P. Medvedev, D. formale Methode i. d. Lit.wiss., 1976; F. Jameson, *The prison-house of langwage*, Princeton 1978.

Format (lat. *formatus* = gestaltet), eigtl. das Verhältnis von Höhe und Breite e. Blattes oder Buches (Hoch-F., Quer-F.), dann allg. seine Größe; durch Falten des großen →Bogens entstehen, jeweils nach Zahl der Blätter benannt: →Folio, Quart, Sext, Oktav, Duodez, Sedez. Bei DIN-F. bleibt das Seitenkantenverhältnis trotz abnehmender Größe konstant. Anstelle der Bogenfaltung hat sich heute allg. die Bz. nach der Höhe der Buchdeckel durchgesetzt, so gelten für die *Deutsche Bibliographie* Höhen bis 18,5 cm als Kleinoktav, bis 22,5 cm als Oktav, bis 25 cm als Großoktav, bis 35 cm als Quart und bis 45 cm als Folio; daneben halten sich die Bezeichnungen Lexikon-Oktav für 25–30 cm, Groß-Quart für 35–40 cm und Groß-Folio für über 45 cm.

Formel (lat. *formula* = Norm, Regel; Wort der Rechtssprache), feststehende Redewendung (Satz, -teil), aus individueller Prägung e. Begriffes oder Gedankens stammend und von der Allgemeinheit als bes. treffend anerkannt und übernommen, die in gewissen Vorstellungszusammenhängen sich immer wieder aufdrängt und meist unverändert wiederkehrt, dabei jedoch als abgegriffene Marke durch Konventionalisierung ihren ursprünglichen tieferen Sinn meist verloren hat (Brief-, Gruß-, Anrede-, Dankes-F.). Häufig dient Rhythmus, Assonanz, →Alliteration oder Endreim (→Reim-F.) der Gedächtnisstütze: ›Mit Haut und Haar; sang- und klanglos‹. Zahlreiche F.n entstammen der Rechtsprechung (Schwur-F.), Kultbräuchen (→Zauber-, →Beschwörungs-, religiöse Gebets-F.), andere als →geflügelte Worte der Lit., Politik u. ä. Die Verwendung fester F.n ist meist Ausdruck e. in sich ruhenden, gleichbleibenden Lebensgefühls. In der Lit. finden sich F.n bes. bei älterer oder archaisierender, weniger individualisierend als typisierend gestaltender Dichtung: in Volksepik der Antike und des MA. als vorgeprägte, wiederholte Wendungen für Kampfschilderungen, Dialogeinleitung, Brautwerbung, Totenklage u. ä., in mhd. und neulat. Lyrik selbst für Naturschilderung, ferner in Volkslied, Märchen, Rätsel, Sage und bei deren Wiederbelebung in der Romantik; in moderner Lit. – freilich individueller, nicht gemeinschaftlich geprägter Redeweise – bis zu Th. MANNS *Doktor Faustus* und T. S. ELIOTS *Murder in the Cathedral*. →Topos, →Epitheton ornans, →Schlagwort.

R. M. Meyer, D. altgerm. Poesie nach ihren f.haften Elementen, 1889; R. Petsch, F.hafte Schlüsse i. Volksmärchen, 1900; RL; F. Thompson, F. (Hdwb. d. dt. Märchens II, 1934/40); W. Hövelmann, D. Eingangs-F. i. germ. Dichtg., Diss. Bonn 1936; H. M. Heinrichs, Üb. germ.

Dichtgsf. (Fs. f. Öhmann, 1954); M. v. Lieres und Wilkau, Sprach-F. i. d. mhd. Lyrik bis z. Walther, 1965.

Formen →Einfache F., →Offene F.

Formenlehre →Poetik, →Gattungen

Formgeschichte →Form

Fornyrðislag, altnord. Versform in der *Edda,* besteht aus Strophen von je vier Zeilen, deren jede durch Zäsur in zwei Halbzeilen mit je zwei Hebungen und 2–3 Senkungen zerfällt, die wiederum durch Stabreim gebunden werden. Vgl. →Alliterationsvers.

Forschungsbericht, kritisch referierender, nicht auf bibliograph. Vollständigkeit angelegter Überblick über Forschungsstand und Fachpublikationen zu e. bestimmten Spezialgebiet als aktuelle Einführung in dieses.

Fortsetzungsroman, der →Zeitungsroman oder Zeitschriftenroman, meist Vorabdruck einer Buchausgabe, der den Lesern in kleineren Tagesrationen zerhackstückelt vorgesetzt wird, im allg. Unterhaltungslit., die zumal in Illustriertenromanen durch effektvolle, spannungerregende Kapitelschlüsse das Interesse des Lesers auf die nächste Nummer erregen soll. Doch lassen sich auch lit. wertvolle Werke in Fortsetzungen drucken, wenn sie das Grundprinzip des F. erfüllen, daß jeder einzelne Teil die Handlung um ein Stück weiterbringt. Vgl. →Feuilleton.

E. Kerr, *Bibliogr. of the Sequence Novel,* Minneapolis 1950; R. D. Mayo, *The Engl. Novel in the Magazines,* 1962.

Forum Stadtpark, avantgardist.-aggressive Künstler- und Literatengruppe in Graz, gegr. 1958 von A. KOLLERITSCH, zentriert um die Zs. *Manuskripte:* P. HANDKE, B. FRISCHMUTH, W. BAUER, O. WIENER u. a.

Wie die Grazer auszogen..., 1975; G. Scheuer, Das F. S. (Lit. i. d. Steiermark, 1978).

Fotoroman →Comics

Frage, rhetorische →rhetorische Frage

Fragment (lat. *fragmentum* =) Bruchstück: 1. nicht vollständig überliefertes Werk. Bes. aus der Antike und dem MA. bis zur Erfindung des Buchdrucks sind zahlreiche Werke nur aus Exzerpten oder Zitaten anderer Schriftsteller erhalten; wichtige F.e: ARISTOTELES' *Poetik,* LIVIUS, got. *Bibel, Hildebrandslied, Muspilli* u. a. – 2. vom Dichter unabsichtlich aus äußeren Ursachen wie Tod (GOTTFRIEDS *Tristan*), Interesseverlagerung im Zuge der Persönlichkeitsentwicklung oder inneren Ursachen wie Scheitern an der Größe des Stoffes nicht vollendetes Werk. Derartige F.e finden sich im Nachlaß fast aller Dichter; sie sind ins allg. Bewußtsein auf Grund ihres F.charakters oder als Nebenprodukte nicht gleichermaßen eingegangen, doch für die literarhistorische und künstlerische Beurteilung ihres Schöpfers im Rahmen des Gesamtwerkes oft sehr wesentlich, so GOETHES *Prometheus, Mahomet, Die natürliche Tochter,* HÖLDERLINS *Tod des Empedokles,* KLEISTS *Robert Guiskard,* GRILLPARZERS *Spartakus, Robert,* JEAN PAULS *Flegeljahre,* BÜCHNERS *Lenz, Woyzeck,* HEBBELS *Moloch,* MUSILS *Der Mann ohne Eigenschaften,* Th. MANNS *Bekenntnisse des Hochstaplers Felix Krull* u. a. m. Zahlreiche F.e zeugen von immer neuem Ringen um die Gestaltung e. Stoffes: Faust (LESSING, GRILLPARZER), Christus (HEBBEL, GRABBE, O. LUDWIG), Demetrius (SCHILLER, HEBBEL). – 3. Beabsichtigte F.e als bewußte lit. Form zeigen die Unendlichkeit e. Stoffes oder Themas, der in konkreter Ausgestaltung nur verengt dargelegt werden konnte. Die offene Form des Suchens erscheint in LESSINGS *Wolfenbüttler F.en,* GOETHES *F. aus e. Reisejournal,* HERDERS *F.en über die neuere dt. Lit.* u. a. und ist bes. der Frühromantik gemäß, als programmatisches Prosastück theoretisch bestimmt von F. SCHLEGEL; auch NOVALIS' *Blütenstaub, Heinrich von Ofterdingen,* ARNIMS *Kronenwächter* fehlte der Wille zur Vollendung, sog. →Aphorismen zum Ausdruck ›progressiven Denkens‹, ähnlich in der Neuromantik HOFMANNSTHALS *Andreas, Bergwerk von Falun.* Hierher gehören auch Werke, deren letzter Abschluß auf Grund der weitgespannten Idee nur äußerlich möglich, innerlich nie erreichbar ist, wie etwa GOETHES *Faust.*

H. Scheffler, Wesen d. F. (D. Lit., 1932); A. N. Fink, Maxime u. F. (Wortkunst, N. F. 9, 1934); A. Höft, Novalis als Künstler d. F., 1935; H. Maier, Anmerkungen z. Wesen d. F. (D. Lit., 1938); A. Carlsson, D. F.e d. Novalis, 1939; G. Gugler, D. Problem d. fragm. Dichtg. i. d. engl. Romantik, 1944; RL; H. Stresau, D. dichter. F. (Dt. Univ. Ztg. 13, 1958); D. F. Rauber, *The f. as romantic form,* (*Mod. Lang. Quarterly* 30, 1969).

Fragreim, lyrische Form der rhetor. oder deliberativen Frage: ›Wie soll ich dich empfangen?‹

Fraktur (lat. *fractura* = Bruch), nach den gebrochenen Linien die sog. dt. oder got. Druckschrift, ursprünglich keine dt. Schriftart, sondern in Italien als Modifikation der →Antiqua 1522 entstanden, bes. in Nordeuropa verbreitet, doch meist im Humanismus verdrängt und nur in Dtl. bis 1800 herrschend, dann allmählich bes. in wissenschaftlichen und auch im Ausland gelesenen Werken durch die Antiqua ersetzt und heute trotz einiger Wiederbelebungsversuche praktisch völlig abgelöst.

G. Milchsack, Was ist F., [2]1925; E. Crous, J. Kirchner, D. got. Schriftarten, 1928. →Schrift.

Frankfurter Forum für Literatur e. V., vom Frankfurter Autor H. BINGEL 1966 begründetes, alljährlich im November stattfindendes Autorentreffen in Frankfurt zu internen Werkstattlesungen mit Sofortkritik, öffentlichen Lesungen, Diskussionen u. a. Veranstaltungen mit dem Ziel, die Beziehungen von Literatur und Publikum in der Buchmessestadt zu intensivieren. Das wechselnde Spektrum der vertretenen Autoren reicht von mäßigen Anfängerarbeiten über viel engagierte Lit. bis zu lettristischen Experimenten: H. C. ARTMANN, K. DEDECIUS, E. FRIED, M. GREGOR-DELLIN, P. HANDKE, E. JANDL, K. KROLOW, F. MON, R. NEUMANN, W. WEYRAUCH, G. ZWERENZ u. a. m., bes. auch junge Autoren des östl. und westl. Auslands.

Franziskaner, der 1209 durch FRANZ VON ASSISI gegründete Orden gewinnt nicht nur durch Traktate, Predigten, Legenden und Erbauungsbücher starken Einfluß auf die dt. Lit., sondern auch mit BERTHOLD VON REGENSBURG, DAVID VON AUGSBURG, Joh. PAULI, Thomas MURNER u. a.

Frauendichtung, das von Frauen verfaßte und bes. weibliche Gefühlswelt und Interesse spiegelnde Schrifttum. Wesen u. kulturelle Stellung der Frau als die Stille, Naturverbundene und ausgleichend Bewahrende im Wandel der Zeiten erklären das späte Einsetzen der F. und die Vorliebe für religiöse, moralische, empfindsame Stoffe, bes. in gefühlsbetonter Lyrik und weltaufgeschlossener Epik, während die straffe, wuchtige Gestaltung des Dramas meist der F. versagt blieb. Aus der Antike sind SAPPHO, CORIN-

NA, SULPICIA, SEMPRONIA, u. a. als dichtende Frauen bekannt. Erste Vertreterin der F. in Mitteleuropa ist die Nonne HROTSVITH VON GANDERSHEIM (10. Jh.) mit religiösen, empfindungsreichen, teils auch humoristischen lat. Lesedramen und Erzählungen als Gegenstücke zum heidnischen TERENZ, in dt. Sprache zuerst Frau AVA (12. Jh., *Leben Jesu* u. a. geistliche Dichtungen). Die Mystik findet reiche Blüte in dt. Nonnenklöstern (HILDEGARD VON BINGEN, MECHTHILD VON MAGDEBURG, M. u. Chr. EBNER, KATHARINA VON SIENA) und wirkt bis in die breite geistliche F. des 18. Jh. fort (Gräfin von SCHWARZBURG-RUDOLSTADT, Gräfin v. KÖNIGSMARK, Sibylla SCHWARZ). Bedeutend ist die Erzähl- und Übersetzungslit. adliger Frauen, meist Fürstinnen: MARIE DE FRANCE (12. Jh.), ELISABETH VON NASSAU-SAARBRÜCKEN *(Hug Schapler)*, ELEONORE VON ÖSTERREICH, Catharina von GREIFFENBERG. In Italien bringt die Renaissance F. von Vittoria COLONNA, Vittoria ACCOROMBONA, Gaspara STAMPA u. a., in Frankreich das 17. Jh. die Romane der MARGUÉRITE de NAVARRE *(Heptameron)*, der Mme de SCUDÉRY und Mme de LA FAYETTE sowie die Brieflit. der Mme de SÉVIGNÉ und de MAINTENON. In Dtl. entstehen im 18. Jh. die ersten großen F.en: die Lyrik der A. L. KARSCH, erfolgreiche Dramenbearbeitungen der NEUBERIN und GOTTSCHEDIN; ein reiches Feld bietet der Roman der Empfindsamkeit: Sophie von LA ROCHE (*Das Frl. von Sternheim,* 1771), e. Entwicklungslinie, die über B. NAUBERT bis zur MARLITT, ESCHSTRUTH und COURTHS-MAHLER wie Vicki BAUM in Triviallit. absteigt. Weniger das strenge Frauenideal der Klassik als die Emanzipation in der Romantik begünstigt F.: Bettina von ARNIM, Dorothea SCHLEGEL *(Florentin)*, Caroline SCHLEGEL, Rahel VARNHAGEN, Karoline von GÜNDERODE *(Mahomet)*, Charlotte von STEIN *(Dido)*, Karoline von WOLZOGEN *(Agnes von Lilien)*, Charlotte von KALB *(Cornelia)*, Sophie MEREAU (Gedichte und Romane), Mme de STAËL, Joh. SCHOPENHAUER und Karoline PICHLER, bes. e. reiche Brieflit. Rückwendung zur Bürgerlichkeit im Biedermeier und Aufgreifen der Tagesfragen im Jungen Dtl. bedingen e. realistische F.; in England die Schwestern BRONTË, E. BARRET-BROWNING und George ELIOT, in Amerika H. BEECHER-STOWE (*Uncle Tom's Cabin,* 1852), in Frankreich wirkt George SAND auf die dt. F.: Gräfin HAHN-HAHN, Fanny LEWALD und die zahlreichen →Familienblatt-Schriftstellerinnen, die Dramatikerin BIRCH-PFEIFFER, die Jugenddichterinnen O. WILDERMUTH und Joh. SPYRI. In der Mitte des 19. Jh. stehen die drei großen Dichterinnen: A. v. DROSTE-HÜLSHOFF als größte dt. Lyrikerin, L. von FRANÇOIS mit historischen Romanen und M. von EBNER-ESCHENBACH mit sozialen Erzählungen und Romanen wie Aphorismen. Über den infolge seiner Derbheit für F. weniger geeigneten Naturalismus (C. VIEBIG, H. BÖHLAU, G. REUTER, A. GERHARD) führt der Weg bis in die Gegenwart mit B. v. SUTTNER, M. v. MEYSENBURG, E. v. HANDEL-MAZZETTI, L. v. STRAUSS UND TORNEY, H. VOIGT-DIEDERICHS, A. MIEGEL, I. KURZ, I. SEIDEL, A. SEGHERS, R. SCHAUMANN, G. von LE FORT, E. LANGGÄSSER, R. HUCH, M. L. KASCHNITZ, N. SACHS, L. RINSER, R. REHMANN, Ch. REINIG, Ch. WOLF, I. BACHMANN, I. AICHINGER, H. DOMIN u. a.; in Amerika M. MITCHELL (*Gone with the Wind,* 1936), MASO DE LA ROCHE, W. CATHER, Pearl S. BUCK, E. WHARTON, E. DICKINSON, M. MOORE, G. STEIN, C. MCCULLERS, M. MCCARTHY, in

England M. WEBB und V. WOOLF, in Frankreich die COLETTE, S. de BEAUVOIR, F. SAGAN, N. SARRAUTE, M. DURAS u. a., in Skandinavien S. LAGERLÖF, S. UNDSET und T. BLIXEN, in Rußland A. ACHMATOVA.

Th. Klaiber, Dichtende Frauen d. Gegenw., 1907; L. Berger, *Les femmes poètes de l'Allemagne,* Paris 1910; H. Spiero, Gesch. d. F. seit 1800, 1913; Chr. Touaillon, D. Frauenroman d. 18. Jh., 1919; K. Helmer, D. Frauenbewegung . . ., Diss. Wien 1922; RL; E. Hoppe, Liebe u. Gestalt, 1934; N. Haperlin, D. dt. Schriftstellerinnen i. d. 2. Hälfte d. 18. Jh., Diss. Frkft. 1935; E. Pollatos, D. histor. Frauenroman, Diss. Wien 1955; I. Meidinger-Geise (Welt u. Wort 12, 1957); M. L. Kaschnitz u. a. (Jb. Dt. Akad. f. Spr. u. Dtg., 1958); D. Typus d. Mannes i. d. Dtg. d. Frau, hg. E. Hoppe 1960; J. Moulin, *La poésie féminine,* Paris 1963; M. A. Bald, *Women writers of the 19th century,* N. Y. ²1963; L. Auchincloss, *Pioneers and caretakers,* Minneapolis 1965; E. Showalter, *A lit. of their own,* Princeton 1976; G. Brinker-Gabler, Dt. Dichterinnen, 1978.

Frauendienst, im MA. fiktives ritterliches Dienstverhältnis zur Verehrung hoher, meist verheirateter Frauen, das nicht nur auf →Minnesang beschränkt ist, sondern sich auch in ritterlicher Haltung und Taten zu Ehren der Minnedame äußert.

K. Burdach, Üb. d. Ursprung d. ma. Minnesangs, 1918; F. Neumann, Hohe Minne (Zs. f. Dt.kunde, 1925 f.); E. Kaiser, D. F. i. mhd. Nationalepos, ²1935; H. Wenzel, F. u. Gottesdienst, 1974.

Frauenmonolog, von Dichtern verfaßte Sehnsuchts- und Klagelieder (→Rollengedichte) liebender Frauen, von HARTMANN u. a.

H. Fischer, D. F. i. d. dt. höf. Lyrik, Diss. Marburg 1934; T. Frings (in: Gestaltg. – Umgestaltg., 1957).

Frauenroman, 1. der von Frauen verfaßte, zumeist auch um das Erleben der Frau kreisende Roman allg. als Teil der →Frauendichtung, – 2. als inhaltliche Qualifikation ohne Rangabstrich allg. ein Roman um ein Frauenleben, – 3. im engeren Sinn e. spezielle Gattung der →Triviallit. mit Nähe zum Liebesroman: er schildert in gefühlsseliger Verwaschenheit ein vermeintlich sublimiertes und natürlich nach einigen spannungfördernden Hindernissen zum Happy-End führendes Liebeserlebnis einer Dame der guten Gesellschaft in einer zeitfernen, edlen und heilen Bilderbuchwelt im Adels- und Gutsbesitzermilieu oder in Studenten- und Künstlerkreisen ohne nähere Lokalisierung und ohne lebensechte oder auch nur gefühlsechte erotische Züge und stilisiert jede Empfindung in angelernte, gestelzte Redensarten.

Ch. Touaillon, D. dt. F. d. 18. Jh., 1919; H. Gude, Stud. z. jungdt. F., Diss. Tüb. 1931; W. Nutz, Konformlit. f. d. Frau (in: Triviallit., hg. G. Schmidt-Henkel 1964); G. Strecker, Frauenträume – Frauentränen, 1969; M. Wildi, D. engl. F., 1976.

Frauenzeitschriften, e. Teil der →Moralischen Wochenschriften, der sich bes. an Frauen wendet und ihrer Unterhaltung und Belehrung dient, bes. im 18. und frühen 19. Jh. (WIELANDS *Journal für dt. Frauen,* 1805 f., FOUQUÉS *Berlinische Blätter für dt. Frauen,* 1829); später im Kampf um die Frauenrechte eingreifend, heute bewußt unpolit. und am aktuellen wie kulturellen Geschehen uninteressierte Illustrierte mit den Zentralthemen Liebe, Mode, Küche, Heim und Kindererziehung.

H. Lachmanski, D. dt. F. d. 18. Jh., Diss. Bln. 1900; A. Zander-Mika, F. (Hdb. d. Zeitgs.-wiss. I, 1940); E. Sullerot, *La presse féminine,* Paris 1963; dies., *Hist. de la presse fem. en France,* Paris 1966.

Freie Bühne, von M. HARDEN, Th. WOLFF, P. SCHLENTHER, H. und J. HART, S. FISCHER, J. STETTENHEIM, P. JONAS, STOCKHAUSEN und O. BRAHM am 5. 4. 1889 nach dem Vorbild des naturalistischen ›Théâtre libre‹ des franz. Schauspielers A. ANTOINE gegründeter Verein für geschlossene

Mitgliedervorstellungen von naturalistischen Dramen, deren öffentliche Aufführung meist durch Zensur verboten war (29.9.1889: IBSENS *Gespenster*, 20.10.1889: HAUPTMANNS *Vor Sonnenaufgang*, ferner *Das Friedensfest*, ANZENGRUBERS *Das 4. Gebot* HOLZ und SCHLAFS *Die Familie Selicke*, TOLSTOJS *Macht der Finsternis*, BJÖRNSON, GONCOURT, STRINDBERG u. a.); ohne festes Theater und mit e. für jede Nachmittagsvorstellung bes. zusammengestellten Ensemble bahnte die F. B. in der kurzen Zeit ihres Bestehens zuerst unter dem Vorsitz O. BRAHMS, ab 1894 unter dem P. SCHLENTHERS und schließlich ab 1898 L. FULDAS dem naturalistischen Drama den Weg. Organ der Bewegung war die 1890 von O. BRAHM begründete Zs. F. B., ab 1894 *Neue deutsche Rundschau*, ab 1904 *Neue Rundschau*. Ähnliche Gründungen erfolgten durch B. WILLE ›Freie →Volksbühne‹, ›Dt. Bühne‹, ›Neue Freie →Volksbühne‹, ebenso F. B. in München, Wien, Kopenhagen und London (›Independent Theatre‹ von I. T. GREIN).

P. Schlenther, Wozu der Lärm, Genesis d. F. B., 1889; W. Thal, Berlins Theater u. d. F. B., 1890; O. Brahm, F. B. (Theater-Kalender, 1911); J. Schlaf, D. F. B. u. d. Entstehg. d. naturalist. Dramas, Diss. Lpz. 1912; RL; A. I. Miller, *The Independent Theatre*, New York 1931; A. Bürkle, D. Zs. ›F. B.‹, Diss. Hdlbg. 1941; L. Baxandall, *The naturalist innovation on the German stage* (*Modern Drama V*, 4, 1963); G. Schley, D. F. B. i. Berlin, 1967; K. Günther, Lit. Gruppenbildg. i. Berliner Naturalismus, 1972.

Freie Künste →Artes liberales

Freie →Rhythmen, reimlose, metrisch gänzlich ungebundene, doch stark rhythmisch bewegte Verszeilen von beliebiger Länge, Hebungszahl (meist 3–4) und Senkungsfüllung, unstrophisch, doch oft sinngemäß in Versgruppen verschiedener Länge gegliedert, von rhythmischer Prosa unterschieden durch den bei aller Unregelmäßigkeit ähnlichen Abstand der Hebungen, Korrespondenz der Zeilen und den ekstatischen, den griech. Dithyramben PINDARS nachgebildeten Charakter, der jedoch nur bei profilierendem, lebendig nachfühlendem (infolge Fehlens e. festen Betonungsschemas recht schwierigen) Vortrag erreicht wird. Stilwerte sind die ungebundene Anschmiegsamkeit und dadurch größere Ausdrucksfähigkeit der freiströmenden Empfindung. Ihre restlose Meisterung gelang nur wenigen, großen Dichtungen meist in feierlich-erhabener, volltönender Form ohne liedhafte Intimität: zuerst KLOPSTOCK (1758 in *Dem Allgegenwärtigen*, 1759 *Frühlingsfeier* u. a.) in bewußtem Aufbruch des Gefühls gegen OPITZschen Metrenzwang, nach dem Vorbild der unstrophischen Psalmen; ferner GOETHE *Wanderers Sturmlied*, *Ganymed*, *Mahomets Gesang*, *Prometheus*; HÖLDERLIN *Hyperions Schicksalslied*, NOVALIS *Hymnen an die Nacht*, HEINE *Nordseebilder*, NIETZSCHE *Dionysos-Dithyramben*, LINGG, SCHEFFEL, SAAR, HOLZ, RILKE, LERSCH, WERFEL, TRAKL, BENN, Walt WHITMAN *(Leaves of Grass)*, CLAUDEL, ELIOT, W. AUDEN.

A. Goldbeck-Löwe, Gesch. d. freien Verse i. d. dt. Dichtg. v. Klopstock bis Goethe, Diss. Kiel 1891; L. Benoist Hanappier, D. F. R. i. d. dt. Lyrik, 1905; R. M. Meyer, D. Gesetz d. F. R. (Euph. 18, 1911); RL; E. Busch, Stiltypen d. dt. freirhythm. Hymne, 1934; A. Closs, D. F. R. i. d. dt. Lyrik, 1947; F. G. Jünger, Rhythmus u. Sprache i. dt. Gedicht, 1952; M. Kommerell, Gedanken üb. Gedichte, [2]1956; H. Enders, Stil u. Rhythmus, Stud. z. f. R. b. Goethe, 1962; L. L. Albertsen, D. f. R., Aarhus 1971. →Metrik.

Freier Schriftsteller →Schriftsteller

Freies Deutsches Hochstift, am 10.11.1859 (100. Geburtstag SCHILLERS) in Frankfurt a.M. gegründete Gesellschaft zur Pflege von Wissenschaft, Kunst und Bildung, seit 1863 im Goethehaus. Seine Aufgaben als Institut sind die Bewahrung des Erbes der Klassiker, die Verwaltung und Publikation des umfangreichen Handschriftenarchivs (20000 Manuskripte aus klass.-romant. Zeit), der Bibliothek und des Goethemuseums, ferner seit 1902 die Herausgabe wissenschaftlicher Jahrbücher, Goethe-Kalender u. ä.

F. Adler, F. D. H. Seine Gesch., I 1959.

Freie Verse (franz. *vers libres*), 1. gereimte Zeilen von verschiedener Länge und Hebungszahl bei gleichen Versfüßen (durchgehend entweder Jamben oder Trochäen). Stilwerte sind gefällige Anpassungsfähigkeit und Wendigkeit der Fügung. Zuerst im ital. Madrigal, dann franz. Fabeln (LAFONTAINE) und Komödien (MOLIÈRE, *Amphitryon*), schließlich bes. bei plaudernden Fabeln des 18. Jh. (GELLERT, HAGEDORN, LESSING) und in WIELANDS *Komischen Erzählungen* und *Oberon.* Später: 2. Verszeilen ungleicher Füllung ohne jede metrische und prosodische Regelung, nur durch Reimbindung, seltener Assonanz, von →Freien Rhythmen und Prosa unterschieden. Zu Ausgang des 19. Jh. unter Einfluß von Walt WHITMAN im franz. Symbolismus (RIMBAUD, LAFORGUE, G. KAHN, E. DUJARDIN, F. VIÉLÉ-GRIFFIN) gebraucht, z. T. heftig abgelehnt (MALLARMÉ, VERLAINE), bald als Kunstform anerkannt (SAINT-POL-ROUX, G. APOLLINAIRE, P. CLAUDEL, vgl. →Verset, Ch. PÉGUY, SAINT-JOHN PERSE), in Dtl. bei E. STADLER, F. WERFEL u. a.

A. Goldbeck-Löwe, Z. Gesch. d. f. V. i. d. dt. Dtg., 1891; H. Morier, *Le rhythme du vers libre symboliste,* Genf III 1943 f.; R. Kloepfer, Vers libre (LiLi 1, 1971). →Metrik

Freiexemplare, Freistücke, im Buchhandel diejenigen Exemplare e. Werkes, die der Verleger unentgeltlich als →Autorenexemplare an den Verfasser, als Belegstücke an Mitarbeiter, als Prüfungsexemplare an Schulen oder als Werbestücke an einflußreiche Persönlichkeiten vergibt. Sie gelten zusammen mit den Pflichtexemplaren an Bibliotheken und den Besprechungsstücken an Zeitungen als honorarfreie Zuschußexemplare.

Freiheitsdichtung →Befreiungskriege

Freilichttheater dient der Aufführung von geeigneten →Festspielen (Opern und Dramen) unter freiem Himmel in natürlicher Umgebung oder Anpassung an e. gegebenes Gelände, das zur künstlerischen Wirkung beiträgt, oft unter Verzicht auf künstliche Kulissen und Beleuchtungseffekte und ursprünglich nur bei Tageslicht gespielt (daher Name). Das antike →Amphitheater wie die →Shakespearebühne waren nur bedingt F.; wohl dagegen die ma. Passionsspiele. Im Zusammenhang mit der →Heimatkunst-Bewegung wurde die Form im 20. Jh. in England, Frankreich, Dtl., Österreich, der Schweiz und Italien aus dem Streben nach Gemeinschaftsbildung durch e. wesenhaftes Kunsterlebnis erneuert; aus zahlreichen lokal begrenzten Anlässen entwickeln sich zu berühmten Unternehmungen zuerst das von E. WACHLER geleitete Harzer Bergtheater bei Thale, die ehem. Zoppoter Waldoper (Wagner-Aufführungen), heute bes. die Salzburger Jedermann-Aufführung vor dem Dom, Festspiele im Heidelberger Schloßhof, die Bad Hersfelder Festspiele in der Stiftsruine, die Bregenzer Festspiele, Tell-Spiele in der Schweiz, Edinburgher F., die Opernbühne in der Arena von Verona und zahlreiche religiöse F. →Heckentheater, →Naturtheater.

E. Wachler, D. F.bühne, 1909; H. Maisch, F. (D. Scene 14, 1924); RL; E. Stadler, Gesch. d. F., 1950; ders., D. neuere F., 1951; B. Schöpel, Naturtheater, 1965.

Freimaurerdichtung, zahlreiche unter dem Einfluß des Freimaurertums, meist von Ordensmitgliedern verfaßte und seine Ziele spiegelnde Werke, gekennzeichnet durch Weltbürgertum, Toleranz und aktive Nächstenliebe, häufig mit mysteriösem Einschlag (MOZARTS *Zauberflöte*): HERDERS *Briefe zur Beförderung der Humanität, Adrastea,* LESSINGS *Ernst und Falk und bes. Nathan*; GOETHE zeigt Spuren im *Wilhelm Meister, Faust* und einzelnen Logengedichten, SCHILLER im *Lied an die Freude* und *Don Carlos.*

F. J. Schneider, D. Freimaurerei u. ihr Einfl. auf d. geist. Kultur i. Dtl., 1909; A. Wolfstieg, Bibliogr. d. freimaur. Lit., III ^{2}1923/26; A. Bartels, Freimaurerei i. dt. Lit., 1929; R. Huss, D. Freimaurertum i. d. Gesch. d. dt. Lit., 1931; H. Schneider, *Quest for Mysteries: The Masonic Background for Lit. in 18. cent. Germany,* Ithaca 1947; E. Lennhoff, O. Posner, Internat. Freimaurer-Lexikon, ^{2}1965; RL.

Freisingen →Meistersang

Freistück →Freiexemplar

Freitagsgesellschaft, von GOETHE angeregte, 1791–97 anfangs wöchentliche, später monatliche Zusammenkunft von Gelehrten und Dichtern wie WIELAND, HERDER, BODE, BÖTTIGER u. a.

Fremdwörter, aus e. fremden Sprache übernommenes und in Aussprache, Betonung, Lautstand und Schreibweise nicht dem heimischen Sprachempfinden angeglichenes, daher als fremd empfundenes Wort im Ggs. zum →Lehnwort, doch bei fließenden Übergängen. Jede kulturelle Berührung verschiedener Völker führt zur Übernahme von fremden Errungenschaften, Einrichtungen, Vorstellungen und Bezeichnungen dafür: F., die allmählich in das eigene Sprachsystem als Lehnwörter eingegliedert werden können (keineswegs müssen); nach der Assimilation ist erneute Übernahme möglich, so z. B. ›Münze‹ und ›Moneten‹ zu lat. *moneta.* Die Bildung der F. begünstigt das Streben nach ›gebildeter‹ Ausdrucksweise, bes. im Bereich der Wissenschaften (griech. und lat. F.) und der Technik. In Zeiten kultureller Unselbständigkeit oder Rückständigkeit können die F. zur Überfremdung der Sprache führen, ähnlich in Römerzeit, Christianisierung, Kreuzzügen, bes. aber im Humanismus und der →Alamode-Zeit nach dem 30jährigen Krieg; →Sprachgesellschaften betreiben oft übereifrig die Reinigung der Sprache von F.n, doch ist extreme F.sucht ebenso sinnlos wie die übertriebenen Versuche zur Ersetzung eingebürgerter Fachbegriffe (→Purismus).

W. Pfaff, Z. Kampf um dt. Ersatzwörter, 1933; A. B. Stiven, Englds. Einfluß auf d. dt. Wortschatz, Diss. Marbg. 1937; E. Kaufmann, D. Fragenkreis ums F. (*Journal of Engl. and Germanic Philol.* 38, 1939); F. Thierfelder u. a. (in: Sprache, Brücke zur Welt, 1948); H. J. Rechtmann, D. F. u. d. dt. Geist, 1953; W. Schneider, Ehrfurcht vor d. dt. Wort, ^{4}1954; E. Öhmann, D. lit. Kunstw. u. d. F. (Neuphil. Mitt. 56, 1955); K. Heller, D. F. i. d. dt. Sprache d. Gegenw., 1966; P. v. Polenz, F. u. Lehnwort sprachwiss. betrachtet (Muttersprache 77, 1967; L. Mackensen, Traktat üb. F., 1972; G. Schank, Vorschlag z. Erarb. e. operat. F.definition (Dt. Spr., 1974); W. Müller, F.begriff u. F.buch (Jb. d. Inst. f. dt. Spr. 1975); G. Augst, Sprachnorm u. Sprachwandel, 1977. – F.- oder Verdeutschungswörterbücher v.: D. Sanders ^{2}1891 f.; H. Schulz und O. Basler, II 1913–42 f., n. 1974 ff.; Düsel 1915; Sarrazin ^{5}1918; J. Ch. A. Heyse ^{21}1922; Engels ^{5}1929; Genius ^{4}1934; R. v. Kienle ^{5}1955; Wasserzieher ^{13}1952; H. Becker 1954; W. Dultz ^{2}1971, Herders F. ^{3}1973, Duden-F. ^{3}1974, G. Wahrig 1974.

Freudenspiel, barockes Ersatzwort für →Komödie.

Friedenspreis des Deutschen Buchhandels, 1950 gestifteter, vom →Börsenverein jährl. zur Buchmesse verliehener Preis für e. Schriftsteller gleich welcher Sprache, dessen Werk einen Beitrag zum Frieden und zur internat. Verständigung liefert.

Friedrichshagener Kreis, 1890 gegründeter Dichterkreis des dt. Naturalismus in Friedrichshagen bei Berlin um W. BÖLSCHE, B. WILLE, später auch um die Brüder HART.

K. Günther, Lit. Gruppenbildg. i. Berliner Naturalismus, 1972; H. Scherer, Bürgerl.-oppositionelle Literaten u. soz.demokr. Arbeiterbewegg., 1974.

Fronleichnamsspiel (mhd. vrôn = des Herrn = Christi), aus den spätma. Fronleichnamsprozessionen entwickelte und 1264 von Papst Urban IV. nach e. Vision der Lütticher Nonne Juliane eingesetzte Form des →geistlichen Dramas, die ohne einheitliche Handlung an bestimmten Stationen des Weges in einzelnen, geschlossenen Bildern und Szenen, oft nur kürzeren diesbezüglichen Sprüchen, das Geheimnis des Altarsakraments verherrlicht und später nach dem Vorbild der Passionsspiele, doch noch breiter als diese, zur symbolhaften Darstellung der gesamten Heilsgeschichte von der Schöpfung bis zur Erlösung erweitert wird; bes. in England aus dem 14./15. Jh. erhalten (York Plays), im dt. Sprachgebiet in Bozen, Eger (1479), Freiburg i. Br., Innsbruck, Künzelsau (1497) u. a.; breiteste Entfaltung in Spanien als →Auto sacramental.

A. Mitterwisser, Gesch. d. Fronleichnamsprozessionen i. Bayern, 1930; O. Sengpiel, D. Bedeutg. d. Prozessionen f. d. geistl. Schauspiel d. MA., 1932; W. F. Michael, D. geistl. Prozessionsspiele i. Dtl., Baltimore 1947; A. Dörrer, Tiroler Umgangsspiele, 1957; E. Wainwright, Stud. z. dt. Prozessionsspiel, 1974.

Fronte →Kanzone

Frontispiz (franz., v. lat.), verziertes Titelblatt, die im 17./18. Jh. übliche Verzierung des Buchtitels durch einen Kupferstich (Titelkupfer), wenn vollständig in Kupfer gestochen, auch Kupfertitel genannt, insbes. dann die mit vielfach allegor. Darstellungen verzierte, auf den Titel, Verfasser oder Inhalt bezogene, dem Titelblatt gegenüberstehende Illustration.

Frottola (ital.), heiteres, volkstümliches ital. Tanzlied satirisch-didaktischen Inhalts, bes. im 14.–16. Jh. gepflegt, anfangs aus 7- und 11silbigen Versen, seit Ausgang des 15. Jh. meist aus 7silbigen Reimpaarversen, in der metrischen Form der Ballata (→Ballade) ähnlich. F. schrieben u. a. F. SACCHETTI, PETRARCA, L. PULCI, LORENZO DE' MEDICI und G. D'ANNUNZIO.

R. Schwartz, D. F. i. 15. Jh. (VJS f. Musikwiss. 2, 1886).

Fruchtbringende Gesellschaft →Sprachgesellschaften

Frühdrucke, unscharfe, in der zeitl. Begrenzung unterschiedl. ausgelegte Bz. für Werke aus der Frühzeit des Buchdrucks: 1. = →Inkunabeln (bis 1500), 2. Nachfolger der Inkunabeln (1500–1550), 3. übergeordneter Begriff für beides (bis 1550).

Frühromantik, die ältere (Berliner und Jenaer) →Romantik, bes. A. W. und F. SCHLEGEL, TIECK, NOVALIS und WACKENRODER, im Ggs. zur Hoch- und Spätromantik.

Lit. →Romantik.

Fu oder Tz'u-fu, chines. Dichtform der Han-Zeit (1.–3. Jh. n. Chr.) in eleganter rhythmischer Prosa mit Parallelversen von gleicher Silbenzahl, gleicher Gliederung und ähnlichem Gedankeninhalt als Zwischenform von Poesie und Prosa aufgefaßt, anfangs elegischen, später mehr beschreibenden oder didaktischen Charakters. Meister des F. waren SSU-MA CH'IEN und MEI SHENG.

Fudohsi oder **Fudoki,** altjapan. Landschaftsbeschreibungen, meist aus dem 8. Jh., wichtige Quelle für Landeskunde und Mythologie.

Fülle des Ausdrucks →Synonyme, →Hendiadyoin, →Pleonasmus, →Klimax, →Diärese (3).

Füllmotiv, mit dem Haupt→motiv in keiner Beziehung stehendes, nicht auf es einwirkendes, selbständiges Nebenmotiv, das etwa bei neuen Bearbeitungen desselben Stoffes leicht durch e. anderes F. zu ersetzen ist.

Füllsilbe, gedanklich unnötige, nur aus rhythmisch-metrischen Gründen zur Füllung des Versmaßes eingefügte Silbe. Vgl. →Füllwort.

Füllung, die Anzahl und Gestalt der →Senkungen zwischen den →Hebungen innerhalb des →Taktes in akzentuierender Dichtung. Man unterscheidet feste F., bei der die Anzahl der Senkungen feststeht, bes. nach antiken und roman. Versformen, und freie F., z. B. im →Alliterationsvers, überspitzt im →Schwellvers.

Füllwort, gedanklich inhaltsloses, für den Sinn überflüssiges Wort, oft aus rhythmischen oder metrischen Gründen (→Füllsilbe), teils als Wiederholung, in den Vers eingeschoben.

Fünfakter, →Drama aus fünf →Akten, seit der Renaissance (CASTELVESTRO u. a.), die den →Dreiakter in Nachfolge von HORAZ *(Ars poetica)* und VARRO wie den Dramen SENECAS zum F. ausbaute, Idealtyp des Dramenaufbaus auch für GOTTSCHED; in der Klassik Regel und von G. FREYTAG gefordert; die häufigste Form des franz., engl. und dt. Dramas.

Fürstenspiegel, Sonderform des →Staatsromans, wendet sich meist an Fürsten und Adel direkt und entwirft in utopisch-didaktischer Form reiner Theorie oder am Beispiel e. historischen Persönlichkeit das Idealbild des Herrschers und gibt Ratschläge zur besten Regierungsweise, stellt sittliche Grundsätze und politische Verhaltungsmaßregeln bis ins Private auf, teils auch e. praktische Erziehungslehre für künftige Fürsten. Wichtigste F.: XENOPHON, *Kyrupaideia,* JOHANNES VON SALISBURY *Policraticus* (1159), THOMAS VON AQUINO *De regimine principum,* ERASMUS VON ROTTERDAM, *Institutio principis christiani* (1516, nach christlichem Sittengesetz und antikem Geist als weiser und gerechter Friedensfürst), bes. MACHIAVELLI, *Il Principe* (1532, postum, nach den selbst unmoralische Handlungen rechtfertigenden Erfordernissen der absolutistischen Staatsräson), FÉNELON, *Télémaque* (1699, nach dem Vernunftgesetz der Aufklärung), WIELAND, *Der goldene Spiegel,* J. GÖRRES, *Geisterstimmen* ..., ferner RAMSAY, MARMONTEL, HALLER u. a.

F. Meinecke, D. Idee d. Staatsraison i. d. neueren Gesch., 1924; G. Richter, Stud. z. Gesch. d. alt. arab. F., 1932; W. Berges, D. F. d. hoh. u. spät. MA., ²1952.

Fugitives, e. Gruppe von Dichtern und Kritikern der nordamerikan. Südstaaten, die als Lehrer und Studenten zu Anfang der 20er Jahre an der Vanderbilt University in Nashville, Tennessee zusammentrafen und dort 1922–25 die Zweimonatsschrift *The Fugitive* herausgaben: J.

C. RANSOM, A. TATE, D. DAVIDSON, R. P. WARREN, M. MOORE und W. C. CURRY. Als bedeutendster Dichterkreis des amerikan. Südens beeinflußte er die Lit. im Hinblick auf Traditionalismus, Regionalismus, antizivilisatorische und antifortschrittl. Haltung.

J. M. Bradbury, *The F.*, Chapel Hill 1958; L. Cowan, *The F. Group*, Baton Rouge 1958; J. L. Stewart, *The Burden of Time*, Princeton 1965.

Fugung →Synaphie

Funkerzählung, Funknovelle, die speziell für den Rundfunk verfaßte Erzählung oder Novelle als dritte, ausgesprochen epische rundfunkeigene Dichtungsform neben →Feature und →Hörspiel, erwächst aus den technischen Besonderheiten und Voraussetzungen des Rundfunks und unterscheidet sich von der gewöhnlichen Lese-Erzählung oder -Novelle insbes. durch ihre starke Abstimmung auf die Mündlichkeit des Erzählens und den Kontakt zum Hörer. Die Mündlichkeit bedingt einen bes. lebendigen, anschaulichen Stil der Schilderung, u. a. mit direkter Ansprache des Zuhörers, und empfiehlt den Kunstgriff, die ganze F. einem am Geschehen teilhabenden oder es miterlebenden Ich-Erzähler in den Mund zu legen, der als einzig hörbarer Erzähler den Hörer zum Nacherleben auffordert. Eingeblendete Dialoge oder Geräusche bilden die Übergangsform zum Hörspiel. Verfasser von F. im dt. Sprachbereich sind u. a. E. SCHNABEL, W. WEYRAUCH, O. H. KÜHNER, S. LENZ, K. KUSENBERG, D. MEICHSNER, R. REHMANN, J. REHN, H. LENZ und E. SCHAPER.

O. H. Kühner, Üb. d. F. (Rundfunk u. Fernsehen, 1961); A. P. Frank, Das Hörspiel, 1963; D. Hasselblatt, F.n, 1963 (Nachw.).

Funktionalismus (v. lat.), die funktionelle Bezogenheit der einzelnen Teile eines Kunstwerks allg. oder eines Literaturwerks auf das Ganze als ein Element desselben, das über seinen Eigenwert hinaus eine oder mehrere Aufgaben im Gefüge des Werkganzen zu erfüllen hat, die wiederum nur aus dem Gesamt des Werkes heraus deutlich sind. Der F. wird am augenfälligsten im →Leitmotiv und im →Schlüsselwort, aber auch jedes andere Motiv, Bild, Symbol oder Wort hat in seinem Maße eine verdeckte Funktion im Aufbau des Sinnganzen.

W. Emrich, Protest u. Verheißung, 1960.

Furchenschrift →Bustrophedon

Furcht und Mitleid →Katharsis

Fuß →Versfuß

Fußnote, →Anmerkung zur Erläuterung des Textes, Lit.- oder Quellenangabe am unteren Seitenrand oder im Anhang. Sie enthält spezielle Weiterungen, die sich in den fortlaufenden Text nicht einfügen ließen, doch zur Abrundung, Ergänzung oder Dokumentation desselben nötig sind.

Futurismus (lat. *futurum* = Zukunft), äußerst radikale Form des →Expressionismus in Italien; als künstlerische Bewegung unter dem Einfluß von NIETZSCHE und BERGSON rein auf das Zukünftige gerichtet, nimmt der F. gegen alle (auf dem historischen Boden Italiens bes. starke) Traditionsgebundenheit in Geschichte, Kunst, Philosophie und der gesamten Kultur auch des öffentlichen und politischen Lebens Stellung, verlangt den endgültigen Bruch mit der Vergangenheit, selbst Vernichtung alter Kunstdenkmäler, erklärt den Krieg daher als Heilung der Welt und sucht nach neuen Formen der Weltaussage im Maschinenzeitalter. Ausgehend von der bildenden Kunst, wurde er von F. T.

MARINETTI 1909 (*Manifeste du futurisme* im Pariser *Figaro* vom 20. Febr.) und erneut 1912 auf die Lit. übertragen und äußert sich hier in einer die konventionelle logisch-grammatische Satzkonstruktion entwertenden Freiheit des Wortes: lockere Folge von Substantiven und Infinitiven, sinnlichen Lauten, Onomatopöie als ein unreflektierter, reinster Ausdruck des Inneren, Aufrüttelung des akademisch erstarrten Epigonentums zu neuer Aussagekraft. Aufgrund seines Radikalismus brachte der F. keine großen Dichter (MARINETTI, z. T. auch GOVONI, PAPINI, SOFFICI, PREZZOLINI u. PALAZZESCHI) und keine breite, anhaltende Wirkung hervor; nach der freudigen Begrüßung des Faschismus fand er um 1924 schnelle Auflösung und wirkte in Kubismus, Dadaismus und Surrealismus weiter. Am stärksten war der Einfluß seiner revolutionären Tendenzen in Rußland als Ego-F. mit Sprachverzerrung und extravagantem Wortbombast (Igor' SEVERJANIN) oder als Kubo-F. mit Neologismen und mechanisierter Sprache (Vladimir MAJAKOVSKIJ, CHLEBNIKOV u. a.).

G. Papini, *L'esperienza futurista*, Florenz 1919; K. Čukovskij, *Futuristy*, Petersb. 1922; F. Flora, *Dal romanticismo al futurismo*, Piacenza 1922; C. Pavolini, *Cubismo, Futurismo, Espressionismo*, Bologna 1926; L. Fillia, *Il futurismo*, Mail. 1932; A. Moretti, *Il futurismo*, Turin 1940; G. Giani, *Il futurismo*, Venedig 1950; E. Falqui, *Il futurismo e il novecentismo*, 1953; R. T. Clough, *Futurism*, 1961; R. Carrieri, *F.*, Mail. 1962; Ch. Baumgarth, Gesch. d. F., 1966; V. Markov, *Russian F.*, Berkeley 1968; K. A. Ott, D. wiss. Urspr. d. F. (Poetica 2, 1968); D. Tschižewskij, D. russ. F. u. d. dichter. Sprache (Archiv f. d. Stud. d. neu. Spr. 209, 1972); U. Apollonio, D. F., 1972; V. D. Barooshian, *Russian Cubo-F.*, Haag 1974; J. Riesz, Dt. Reaktionen auf d. ital. F. (Arcadia 11, 1976); C. Chiellino, D. F.debatte, 1978.

Gag (engl.), witziger, effektvoller Einfall in Film, Theater, Fernsehen, Kabarett und Schaugeschäft.

Gaia sciensa, gai saber (altprovenzal. = fröhliche Wissenschaft), Bz. der Toulouser Meistersingerschule von 1323 für die aussterbende Liebeslyrik der Troubadours und für ihre eigene Dichtkunst, bes. Marienlyrik.

Gaita gallega, Versmaß von durchschnittlich 10–11 Silben in zwei Halbversen, verwendet in der volkstüml. galicischen, portugies. und span. Lyrik.

Gajatri →Gâyatrî

Galante Dichtung (span.-ital. *gala* = höfische Festkleidung), Modeerscheinung in der europ. Lit. des Spätbarock und Rokoko um 1700: geistreich pointierte, oft auch frivole Gesellschaftsdichtung zur Unterhaltung höfischer Kreise, meist Lyrik mit bestimmten, witzig abwandelbaren Stoffen und eleganten Formen (poetische Briefe, Kantate, Madrigal, Ode, Sonett, bes. Epigramm), stark verstandesbetontes Gesellschaftsspiel mit meist erotischen Inhalten zum heiteren Zeitvertreib ohne Streben nach Gefühlsausdruck und Erlebniswiedergabe und in bewußtem Abstand zum Volkstümlichen. Die g. D. entsteht in den tonangebenden Salons von Frankreich (Hôtel de Rambouillet u. a.), wo die Bezeichnung ›galant‹ das →preziöse Bildungsideal und den gesellschaftlichen Lebensstil der Aristokratie umfaßt, und spiegelt das Leben dieser Kreise: gewandte, weltgläubige Konversationsführung voll Esprit, Ironie, amouröser Tändelei und Koketterie, die das Leben als leichtfertiges Spiel im Rahmen der Gesellschaft versteht (LE PAYS, BENSERADE, selbst VOITURE; in Italien GUARINIS *Pastor fido* und der

→Marinismus). In Dtl. hingegen entfällt meist die soziale Voraussetzung solcher Dichtung; sie erscheint hier eher als leere lit. Konvention aus Übernahme der franz. und ital. Vorbilder, bes. um 1695–1715, so in zahlreichen Anthologien: B. NEUKIRCHS *Herrn von Hofmannswaldau und anderer Deutschen auserlesene und bisher ungedruckte Gedichte* (7 Bde., 1695–1727), *Des schlesischen Helicons auserlesene Gedichte* (1699), MENANTES (HUNOLD), *Auserlesene und theils noch nie gedruckte Gedichte verschiedener berühmter und geschickter Männer* (3 Bde., 1718–20) u. a. Hauptvertreter sind neben den obigen: CELANDER, AMARANTHES (CORVINUS), ABSCHATZ, Chr. GÜNTHER (mehr volkstümlich) in der Lyrik; P. WINCKLER (*Edelmann*, 1696), HAPPEL (*Curiositates*), HUNOLD (*Die verliebte und galante Welt; Die liebenswürdige Adalie* u. a.), J. L. ROST, A. BOHSE, MELISSO und J. MEIER als Dichter des frivol tändelnden, burlesken galanten Unterhaltungsromans, der durch viele komische Situationen und Verwirrungen zu einem glücklichen Ende führt und als Verfallsform des →heroisch-galanten Romans nach Wegfall des Heroisch-Abenteuerlichen die galante Liebe als unverbindliches, frivoles Gesellschaftsspiel schildert, und HUNOLD und NEUMEISTER als Poetiker. Später fand die g. D. Nachahmung und Parodie bei Arno HOLZ' *Dafnis* (1904, vollst. 1924).

M. v. Waldberg, D. g. Lyrik, 1885; G. Steinhausen, G., curiös, politisch (Zs. f. dt. Unterr. 9, 1895); A. Hübscher, D. Dichter d. Neukirchschen Sammlg., Euph. 24, 1922; U. Wendland, D. Theoretiker u. Theorien d. sog. g. Stilepoche, 1930; E. Thurau, G., 1936; RL; H. Singer, D. galante Roman, [2]1966; ders., D. dt. Roman zw. Barock u. Rokoko, 1963; D. g. Stil, hg. C. Wiedemann 1969; F. Heiduk, D. Dichter d. g. Lyrik, 1971; J. Schöberl, Lilien-milch u. rosen-purpur, 1972.

Galanter Roman →galante Dichtung

Galimathias (franz., wohl von griech. *chalimadzeis* = du rasest), Schlagwort der lit. Kritik seit MONTAIGNE für sinnloses, verworrenes Geschwätz, Kauderwelsch.

Galliamb (griech. *galliambikon metron*), antiker Vers: katalektischer Tetrameter des →Ionikus a minore, Grundform:
⏑ ⏑ –́ – ⏑ ⏑ –́ – / ⏑ ⏑ –́ – ⏑ ⏑ ⏓́
auch mit →Anaklasis, Zusammenziehung der Kürzen und Längenauflösung, so CATULL (63):
⏑ ⏑ –́ ⏑ – ⏑ –́ – / ⏑ ⏑ –́ ⏑ ⏑ ⏑ ⏑ ⏓́
Verwendung ferner bei KALLIMACHOS, VARRO *Saturae* und MAECENAS.

Gallizismus, Nachbildung e. aus dem Franz. entlehnten, nur ihm eigentümlichen Ausdrucksweise in anderen Sprachen.

Gânas (ind.,), Gesangbücher mit den Melodien zu den ind. →Aranyaka-Texten.

Gândirea (rumän. = Gedanke), rumän. Literatenkreis des 20. Jh. um die gleichnamige, 1919 von C. PETRESCU gegründete, ab 1926 von N. CRAINIC geleitete Zs. (1944 verboten), vertrat gegenüber dem herrschenden Modernismus eine traditionalistische, spiritualistische, kirchlich-orthodoxe Auffassung (Gandirismo). Mitglieder waren u. a. V. VOICULESCU, I. PILLAT und L. BLAGA.

Garbâs (ind.), von Rezitatoren vielfach aus dem Stegreif vorgetragene Lieder der ind. Gujarâtî-Lit. meist zum Preis der göttlichen Mutter Ambâ.

Gartentheater →Heckentheater

Gasel →Ghasel

Gassenhauer, urspr. im 16. bis ins 18. Jh. von dem Gassenläufer, Bummler (frühnhd. hauen = gehen) oder zum G., dem Tanz auf der Gasse, gesungenes volkstümliches Lied im Sinne des späteren Begriffs Volkslied, engl. ballad; erst seit der Romantik geringschätzig und abwertend als durch ständige Wiederholung abgedroschener, kurzlebiger und sentimentaler oder zotig-trivialer →Schlager von eingängiger, primitiver Melodie im Ggs. zum edlen →Volkslied von anhaltender Wirkung. Die neue Forschung erkennt im G.e. wertvolle kultur- und sittengeschichtliche Quelle, so in den Slgn. *Gassenhawerlin* 1535 und *Gassenhawer und Reutterliedlein* 1536.

A. Penckert, D. Gassenlied, 1911; A. Götze, D. dt. Volkslied, 1921; RL; D. Wouters, J. Moormann, *Het Strattlied,* Amsterd. 1933; K. Gudewill, G. (D. Musik i. Gesch. u. Gegenw. 4, 1955); L. Richter, D. Berliner G., 1969.

Gastspiel, Auftreten von Künstlern an fremden Bühnen, seit dem 18. Jh. allg. üblich: 1. G. auf Engagement, zwecks Vorstellung und Erprobung e. Schauspielers vor heimischem Publikum, Kritik und im Ensemblespiel der eigenen Bühne vor fester Spielverpflichtung, 2. Star-G., das einzelne berühmte Künstler anderer Bühnen und Völker dem heimischen Publikum in glanzvollen Vorstellungen bekanntmachen soll; G.e gaben bes. F. L. SCHRÖDER, KEAN, TALMA, IFFLAND, S. BERNHARDT, DUSE, KAINZ, F. HAASE, A. MATKOWSKY, auch Regisseure wie Max REINHARDT u. a., oft unter Gefahr e. Auflösung der Ensemblekunst, 3. Ensemble-G. ganzer Truppen, seit den Meiningern üblich, bes. G.e des Théâtre libre, des Moskauer Künstlertheaters 1906, von C. HEINES Ibsen-Theater, F. KAYSSLERS Tolstoj-Truppe, dem Wiener Burgtheater, G. STREHLERS Piccolo Teatro Milano u. a. in Europa und Amerika. Sie bedeuten e. Verbreitung der Bühnenkunst auch auf Orte ohne feste Bühne und sind oft für Umwälzungen des Theaterwesens entscheidend gewesen.

Gâthâs (altiran. = Lieder), 1. älteste iran. religiöse Hymnen und Kultgesänge, wohl z. T. in Versform umgesetzte Predigten des ZARATHUSTRA im *Awesta.* – 2. die Verseinlagen der →Jâtaka.

H. Humbach, D. G. d. Zarathustra, II 1959; P. Horsch, D. vedische G.- u. Śloka-Lit., 1966; H. Lommel, D. G. d. Zarathustra, 1971.

Gattungen. Der Begriff bezeichnet bei schwankender Terminologie zwei grundsätzlich zu unterscheidende Gruppen: 1. die drei ›Naturformen der Poesie‹ (GOETHE): → →Epik, →Lyrik und →Drama, schon im Wesen der dichterischen Gestaltung angelegte und im Laufe der Geschichte ausgebildete dichterische Aussageweisen, Grundmöglichkeiten der Stoffgestaltung und der Haltung des Dichters zu Umwelt, Werk und Publikum: →Lyrisch, →episch und →dramatisch, die sich in verschiedener Stärke oder Mischung in der Einzeldichtung verkörpern und in reinster Ausprägung die G. am meisten erfüllen. Die G. sind somit nicht erstarrte, konventionelle Formen oder Ordnungsschemata der vorliegenden Werke; ihre Abgrenzung voneinander und die Aufdeckung ihrer inneren Wesens- und Wachstumsgesetze wie Gestaltungsprinzipien ist Aufgabe der →Poetik. Die grundsätzliche theoretische Erkenntnis von der Dreiteilung der G. war der Poetik des Altertums unbekannt, wenngleich damals die praktische Grundlegung erfolgte – ihr ging es mehr um Begriffsbestimmung der einzelnen Dichtarten – und drang auch in Dtl. erst am Ende des 18. Jh., in Frankreich im 19. Jh. durch. Einer internationalen Gleichschaltung hinderlich erweist sich dabei die Verschiedenheit der Begriffe: franz. *poésie* = Lyrik, engl. *novel* = Roman. In neuerer Zeit bestreitet bes. B. CROCE die Berechtigung zur G.-Einteilung, beruft sich auf die Unteilbarkeit und Einheit aller Künste und erkennt in den G. nur traditionelle Schemata der Poetik, denen die Dichter folgen. CROCES Ablehnung rief auf der anderen Seite die Neubesinnung der Dichtungswissenschaft auf das G.problem hervor, die aus verschiedensten Blickrichtungen die natürliche Bedingtheit der G. zu fassen sucht (subjektiv-objektiv; Fühlen, Erkennen, Wollen). – 2. ›Dichtarten‹ im einzelnen wie Ode, Hymne, Elegie, Ballade usw. als Unterteilung der eigentlichen Grund-G. Ihre Einteilung erfolgt teils nach rein formalen Gesichtspunkten (Sonett, chronikalische Erzählung, Briefroman, Vers oder Prosa), teils nach inhaltlichen (Abenteuerroman, Gespenstergeschichte); meist jedoch bedingen Inhalt und Gestalt einander und geben somit feste Anhaltspunkte der inneren →Form (Epos, Novelle, Hymne, Tragödie, Komödie). Zahlreiche Übergangsformen, bes. in Zeiten bewußter Vermischung der G., histor. bedingte Abwandlungen der Einteilungsprinzipien und eigenwillige Benennungen durch den Dichter erschweren die Zuordnung zu e. bestimmten Untergattung; sie wollen weder äußeres Etikett noch Verkörperung e. Gattungsidee sein, sondern jede entstehende Dichtung realisiert sie entweder aufs neue oder schafft ihre eigene G.; jede schematische Abgrenzung und Systematisierung (wie z. B. J. PETERSENS Rad) verkennt somit ihr Wesen. Überhaupt spielt die Zugehörigkeit der einzelnen Dichtung zu e. bestimmten G. weniger für ihr Wesen e. Rolle als für die theoretische Beschäftigung der Literaturwissenschaft, die bei der systemat. Ausweitung ihres Forschungsfeldes gelegentlich auch Didaktik und Essay als G. anzuerkennen geneigt ist.

F. Brunetière, *L' évolution des genres*, Paris [7]1922; B. Croce, *La poesia*, Bari [4]1946; R. K. Hack, *The doctrine of the lit. Forms* (*Harvard stud. in class. philol.* 27, 1916); E. Hirt, D. Formgesetz d. epischen, dramat. u. lyr. Dichtg., 1923; R. Hartl, Versuch e. psycholog. Grundlegg. d. Dichtgs.-G., Diss. Wien 1924; R. Petsch, G., Art u. Typus (Forschg. u. Fortschritt 7); J. Petersen, Z. Lehre v. d. Dichtgs.-G. (Festschr. f. Sauer, 1925); ders., D. Wissensch. v. d. Dichtung I, 1939; G. Müller, Bemerkgn. z. G.poetik (Philos. Anzeiger 3, 1929); K. Viëtor, Probleme d. lit. G.gesch., DVJ 9, 1931; R. Bray, *Des genres lit.*, 1937; P. v. Tieghem, *La question des genres lit.* (Helicon I, 1938); *Actes du 3.e Congrès international d'hist. lit.* (Helicon 2, 1940); L. Beriger, G., Form u. Wert, ebda.; I. Behrens, D. Lehre v. d. Einteilg. d. Dichtkunst (Beiheft z. Zs. f. roman. Phil. Heft 92, 1940); J. Schwarz, D. Lebenssinn d. Dichtgs.-G. (Dichtg. u. Volkstum 42, 1942); J. J. Donohue, *The Theory of Lit. Kinds*, II Iowa 1943–49; I. Ehrenpreis, *The ›Types Approach‹ to Lit.*, 1945; P. Böckmann, D. Lehre v. Wesen u. Formen d. Dichtg. (Fs. f. Petsch, 1949); C. Vincent, *Théorie des genres lit.*, [21]1951; J. Suberville, *Théorie de l'art et des genres lit.*, 1951; K. Voßler, D. Dichtgsformen d. Romanen, 1951 K. Viëtor, D. Gesch. lit. G. (in: Geist u. Form, 1952); I. Brunekker, Allgemeingültigkeit od. hist. Bedingth. d. poet. G., Diss. Kiel 1954; W. Flemming, Epik u. Dramatik, [2]1955; ders., D. Problem v. Dichtgs-G. u. -Art (Stud. generale 12, 1959); J. Ortega y Gasset, Traktat üb. d. lit. G. (Merkur 13, 1959); M. Newels, D. dramat. G. i. d. Poetiken d. Siglo de Oro, 1959; *Handelingen van het 26. Nederlands Filologencongres*, 1960; E. Staiger, Grundbegriffe d. Poetik, [8]1968; H. Seidler, D. Dichtg., [2]1965; F. Sengle, D. lit. Formenlehre, 1967; W. V. Ruttkowski, D. lit. G., 1968; K. R. Scherpe, Gattungspoetik i. 18. Jh., 1968; K. Hamburger, D. Logik d. Dichtg., [2]1968; H. Prang, Formgesch. d. Dichtkunst, 1968; M. Fubini, Entstehg. u. Gesch. d. lit.G., 1971; P. Hernadi, *Beyond genre*, Ithaca 1972; W. Lockemann, Lyrik, Epik, Dramatik, 1973; K.

W. Hempfer, G.stheorie, 1973; W. Ruttkowski, Bibliogr. d. G.poetik, 1973; D. G. i. d. vgl. Lit.wiss., hg. H. Rüdiger 1974; Textsortenlehre – G.sgesch., hg. W. Hinck 1977; I. Behrens, D.Lehre v. d. Einteilg. d. Dichtkunst, 1978.

Gattungslehre →Poetik

Gattungsstil →Stil

Gaucho-Literatur, Sonderform der südamerikan. Lit. des 19. Jh. in den La-Plata-Staaten, bes. Argentinien, behandelt als Stoff Leben und Sitten der aussterbenden Gauchos, der freiheitsliebenden, mutigen Cowboys der Pampa. Die Gaucho-Lyrik (HIDALGO, H. ASCASUBI, E. DEL CAMPO) und -Epik (J. HERNÁNDEZ, *Martìn Fierro*) mit elegischer Klage um das Verschwinden der alten Zeit und mit folkloristischem Interesse lehnt sich im Stil an die Gaucho-Lieder an. Daneben steht als Sondergruppe der Gaucho-Roman, eingeleitet von SARMIENTO, der später entweder zu romantischer Idealisierung (E. GUTIÉRREZ, R. GUIRALDES, *Don Segundo Sombra,* C. REYLES, LARRETA) oder zu realistischer Schilderung (E. ACEVEDO DÍAZ, J. DE VIANA, LYNCH) führt.

J. Furt, *Arte Gauchesco,* 1924; ders., *Lo Gauchesco en la Lit. Argentina,* 1929; C. Reyles, *El Nuevo Sentido de la Narración Gauchesca,* 1930; S. J. García, *Panorama de la Poesía Gauchesca y Nativista del Uruguay,* 1941; M. Nichols, *The Gaucho, 1942;* A. Caillava, *Hist. de la Lit. Gauchesca en el Uruguay,* Montevideo 1945; J. L. Borgés, *Aspectos de la Lit. Gauchesca,* Montevideo 1950; ders. u. A. Bioy Casares, *Poesía Gauchesca,* Mexiko II 1955; E. Larocque Tinker, *G. L. of Argentina and Uruguay,* 1961; ders., *The horsemen of the Americas,* 1966.

Gauda, Gaudiyastil, in der ind. Poetik der dunkle, schwere, vieldeutige, geblümte, mit Alliterationen und Assonanzen verzierte Prosastil im Ggs. zum →Vaidarbha-Stil.

Gaweda, in poln. Lit. die kleine, volkstümliche Verserzählung in schlichtem Konversationsstil aus dem Mund naiv-gutgläubiger Menschen mit Stoffen aus dem alten Adelsleben. Nach Ansätzen bei MIKKIEWICZ und RZEWUSKI bes. gepflegt von W. POL und W. SYROKOMLA als konservative Apotheose des Kleinadels.

Gaya Ciencia →Gaia sciensa

Gâyatrî, altind. 8silbiges Versmaß im *Veda,* bei dem die ersten vier Silben frei, die zweiten vier nach der Kadenz festgelegt sind:
⏓ ⏓ ⏓ ⏓ | ⏑ –́ ⏑ ⏓́.

Gâyatrî-Pâda, altind. Strophenform aus drei →Gâyatrî-Versen zu je 8 Silben; verwendet im *Rigveda.*

Gazette (ital. *gazetta* = 2-Soldi-Stück, Preis der 1. Zeitung in Venedig), alte Bz. für →Zeitung.

Gebände →Abgesang

Gebärde, im Ggs. zur unpersönlichen Geste die mehr persönlichkeitsgebundene geistig-seelische od. körperliche Äußerung des Denkens und Wollens, in jeder Kunst, bes. der Schauspielkunst wesentl. Bestandteil. Das frühe Theater kannte die Beschränkung auf sechs konventionelle, leichtverständliche und vom Dilettanten leicht erlernbare Hauptgesten: Händefalten, Händeringen, Armeheben usw.; GOTTSCHED führte normierte Gesten für Schauspieler ein; lockerer waren GOETHES *Regeln für Schauspieler,* seither verzichtet man auf Normung der G.n; dagegen legten LAVATERS *Physiognomische Fragmente* (1774 ff.) den Grund zu ihrer wissenschaftlichen Erforschung. Jede geistesgeschichtliche Epoche prägt auch im Theater ihre eigene G.-form. Auch in der Epik und der Lyrik erscheint die G. als Umsetzung des Inneren in Handlung, bes. in den Novellen von KLEIST und C. F. MEYER.

C. Michel, G.nsprache, 1886; RL[1]; K. R. Lörges, Mimische Stud. z. Grillparzers Dramen, 1929; F. B. Zons, Auffassg. d. G. i. d. mhd. Epik, Diss. Münster 1933; J. Schänzle, D. mim. Ausdruck, 1939; H. Ruppert, D. Darstellg. d. Leidenschaften u. Affekte i. Drama d. Sturm u. Drang, 1941; M. Riemenschneider-Hoerner, D. Wandel d. G. i. d. Kunst, 1942; A. M. Dietrich, Wandel d. G. auf d. dt. Theater v. 15.–17. Jh., Diss. Wien 1944; H. U. Wespi, D. Geste als Ausdrucksform, 1949; R. P. Blackmur, *Language as gesture,* 1955; W. Habicht, D. G. i. engl. Dichtgn. d. MA. (Abh. Bayr. Akad., Phil.-hist. Kl. 46) 1959; E. Schmid, Üb. d. G. (Wirk.Wort X, 1960); A. Roeder, D. G. i. Drama d. MA., 1974.

Gebäude →Aufgesang

Gebet, als lyrische Kunstform gekennzeichnet durch Bitte, Imperative und direkte Anrede, Ich-Du-Aussprache. →Gebetbuch.

H. Kleinknecht, D. G.parodie i. d. Antike, [2]1967.

Gebetbuch, für den Laiengebrauch bestimmtes Andachtsbuch, bis ins 13. Jh. meist auf Grundlage des lat. Psalters mit je nach Gegend und Benutzerkreis wechselnden Beigaben (Heiligengebeten u. ä.), daher nur für die Gebildeten verständlich. Seit dem 14. Jh. wird der Psalter durch das →Brevier ersetzt, hat jedoch auch darin starken Anteil. Gleichzeitig, in den roman. Ländern etwas früher, entstehen die ersten volkssprachlichen G.er, zunächst Übersetzungen für Nonnen u. ä., im 15. Jh. die ›Stundenbücher‹ (→Livres d'heures) und ›Seelengärtlein‹ (›Hortuli animae‹) für Laien. Der Buchdruck ermöglicht weiteste Verbreitung bes. der wohlausgestatteten franz. ›Livres d'heures‹ seit 1487 und ihrer volkssprachlichen Nachahmungen, meist erweitert durch Ablaß- und Beichtgebete, Meßerklärungen und Beistandsanweisungen für Sterbende. Seit der Reformation treten lat. G.er ganz zurück, das ev. G. (MUSCULUS 1533, HABERMANN 1567, J. ARNDT 1652, J. GERHARD 1669, STARK 1723) wird durch Einfügung von Kirchenliedern zum →Gesangbuch, seit dem Pietismus mit stark subjektiver Innerlichkeit zur Privatandacht. Die Gegenreformation bringt eine Fülle von G.ern des wiedererstarkenden Katholizismus, besonders der Jesuiten, und gibt im 16. Jh. die Grundform des heutigen G.: Petrus CANISIUS, F. V. SPEE (*Gülden Tugent-Buch* 1649), bes. verbreitet W. NAKATENUS *Himmlisches Palmgärtlein* 1667, ebenso des Kapuziners MARTIN VON KOCHEM an 30 G.er, gemütsreich wie *Der große Baumgarten* 1675, *Der Guldene Himmelsschlüssel* 1689 u. a. Im Vernunftzeitalter verbindet sich bei J. M. SAILERS *Vollständigem Lese- u. G.* 1783 Rationalismus mit mystischsentimentalen Zügen. Weitere kath. G.er von K. V. ECKARDTSHAUSEN (1790), Ph. J. BRUNNER (1801), Fürst ALEXANDER VON HOHENLOHE (1818) und J. B. DEVIS (1839) bringen die Verbindung zum modernen, von den Benediktinern weitgehend bestimmten G. im engen Anschluß an die Liturgie und ihre Ausdeutung, im Bestreben, das Leben des Christen vom Gebet her zu erfassen. Allg. verbreitetes ev. G. ist noch das von STARK ([1]1723), ständig verbessert und ergänzt. Durch die Liturgische Bewegung wird ein neues ev. G. gefordert und vorbereitet (1. *Allg. ev. G.* 1955). →Erbauungsbuch.

St. Beissel, Z. Gesch. d. G. (Stimmen aus Maria Laach 77, 1909); F. Hotzky, Z. dt. G.-Lit. d. ausgehenden MA., Progr. Kalksburg 1913; G. Domel, D. Entstehg. d. G. . . ., 1921; H. Bohatta, *Bibliogr. des Livres d'heures,* [2]1924; P. Althaus, Forschgn. z. ev. Gebetslit., [2]1966.

Geblümter Stil (mhd. *bluemen* = mit Blumen schmücken), blumenreiche, ungewöhnl. Stilform mit Überbetonung des formal Gekonnten, Gekünstelten, Auffälligen durch seltsame Wortspiele, Metaphern, überhöhte Vergleiche, rhetorische Figuren, bes. Pleonasmus, Parallelismus, Litotes, Anapher u. ä., pompöse Wortbildungen, Fremdwörter, Neologismen, teils bei geringer, epigonaler dichterischer Schöpferkraft. Kunstausdruck des 13. Jh. für den mit WOLFRAMS VON ESCHENBACH ›dunklem Stil‹ einsetzenden und bes. bei den Epigonen seiner Schule verwendeten Stil: ALBRECHTS VON SCHARFENBERG *Jüngerer Titurel, Lohengrin,* KONRAD und JOHANN VON WÜRZBURG in der Epik, bes. aber in der nachhöfischen Lyrik von KONRAD VON WÜRZBURG, FRAUENLOB, RUDOLF VON EMS, HEINRICH VON MÜGELN, HUGO VON MONTFORT und MUSKATPLÜT bis zum Meistersang, ebenso in Minneallegorie und -rede: HADAMAR VON LABER, SUCHENWIRT, HERMANN VON SACHSENHEIM.

RL; Nyholm, Stud. z. sog. g. S., Abo 1971; K. Stackmann, Redebluomen (Fs. F. Ohly, 1975); F. Schülein, Z. Theorie u. Praxis d. Blümens, 1976.

Gebrauchsliteratur, entsprechend der engl. Bz. *nonfiction* und im Unterschied zu außerlit. Gebrauchstexten (Geschäftsbrief, Protokoll, Nachricht, Gesetzestext u. a.) solche nichtfiktionale Texte, die durch Beachtung gewisser lit.-ästhet. Kriterien ihre zweck- und sachbezogene Aussage in e. literarisiertes Gewand kleiden, jedoch in erster Linie außerkünstlerische Ziele verfolgen: Traktat, Sachbuch, Dialog, Bericht, Interview, Reisebericht, Reportage, Biographie; Essay, Autobiographie, Tagebuch u. a. (letzteres im Ggs. zum rein fingierten lit. Tagebuchroman). Umstrittene Begriffsprägung aus dem Bestreben nach Ausweitung des traditionellen Literaturbegriffs.

H. Belke, Lit. Gebrauchsformen, 1973; ders., Gebrauchstexte (Grundzüge d. Lit.- u. Sprachwiss., hg. H. L. Arnold I, 1973); L. Fischer u. a. (hg.), G., 1976; J. Schwitalla, Was sind Gebrauchstexte (Dt. Sprache, 1976).

Gebrauchslyrik, zu e. bestimmten Zweck (Gebet, Kirchenlied, Zauberspruch, Albumvers, Schlagertext, Werbung, Propaganda) oder Anlaß (→Gelegenheitsdichtung) verfaßte Gedichte.

Gebrochener Reim, verstärkte Form des →Enjambements, benutzt e. im Wortinneren stehende Silbe zur Reimbindung, meist humorvoll: ›Hans Sachs war ein Schuh- / macher und Poet dazu‹.

Gebundene Rede, durch Metrum und Rhythmus, teils auch Reim und Strophe erhöhte Sprachgestaltung im Ggs. zur ungebundenen →Prosa, erreicht durch kunstvolle rhythmische und klangliche Durchformung feierliche Erhabenheit und größeren ästhetischen Genuß des Aufnehmenden und bot obendrein in schriftloser Frühzeit, teils in Verbindung mit der Melodie, wertvolle Gedächtnisstütze zur Einprägung; in Epik und Drama heute meist durch Prosa ersetzt, doch für die Lyrik wesentliches und unersetzliches Formprinzip.

L. Fischer, G. R., 1968.

Gedächtnisvers →Denkvers

Gedankenfiguren →rhetorische Figuren

Gedankenlyrik, Lyrik, die in erster Linie gedankliche Erlebnisse gestaltet. Der problematische Begriff legt die falsche Auffassung nahe, als sei Lyrik im allg. gedankenlos und nur Empfindung. Lyrik als sprachkünstlerische Ausformung innerer, gemütsbetonter Erlebnisse ist aber nicht an die unmittelbare Gefühlsaussprache gebunden, sondern kann ebenfalls der ästhetischen Gestaltung geistiger, gedanklich-weltanschaulicher Inhalte dienen, deren gemüthaftes, inneres Erleben sich nicht in Symbol und bildhafter Anschauung, sondern in direkter dichterischer Aussprache formt. Das starke erlebnishafte Beteiligtsein des Dichters unterscheidet die G. von der nüchtern-objektiven Lehrdichtung. Grundthemen der G. sind etwa das Erleben e. Ideals, e. Gegensatzes oder harmonischen Einsgefühls, die Erkenntnis der Heilsbotschaft (Theodizee) oder tragisch gestimmte, tiefste Erschütterung. Große Vertreter der G. im Ausland sind LAMARTINE, VIGNY, BYRON, LEOPARDI, SHELLEY, KEATS, T. S. ELIOT u. a., wesenhaft ist die G. jedoch Bestandteil der dt. Dichtung. Erste Ansätze, oft mit Didaktik untermischt, zeigt bereits die antike Dichtung, sodann die höfische Lyrik mit FRIEDRICH VON HAUSEN, später MARNER und REGENBOGEN, bes. aber in WALTHERS politischer Dichtung um die Reichsidee; FREIDANKS *Bescheidenheit* leitet zur →Spruchdichtung über, die bes. im 16. Jh. blüht. G. als Ausdruck gespaltenen Weltgefühls zwischen christlichem Offenbarungsglauben und antik-stoischer Welthaltung, sündhaftem, vergänglichem Diesseits und göttlichem Jenseits gestaltet sich im Barock, vorzugsweise in den Formen des Sonetts und Epigramms: OPITZ, HÖCK, RIST; GRYPHIUS, ABSCHATZ, FLEMING; CZEPKO, ANGELUS SILESIUS, LOGAU. Die Aufklärung zeigt bei Vorherrschen des didaktischen Elements und der (Natur-)Beschreibung den Preis der Schöpfung und damit den Theodizeegedanken: HALLER *Über den Ursprung des Übels, Unvollkommenes Gedicht über die Ewigkeit* und *Die Alpen,* teils in befriedigter, gelöster Heiterkeit: BROCKES *Irdisches Vergnügen in Gott,* teils in sehnsüchtiger Klage: E. v. KLEIST *Der Frühling* oder in schwärmerischer Form: KLOPSTOCK, LAVATER und die Brüder STOLBERG, ferner GESSNER, WIELAND, MATTHISSON, CREUZ und UZ, während RABENER, LISCOW und bes. LESSING das Epigramm fortbilden. Die G. des späten GOETHE ist in den Sammlungen *Gott und Welt, Parabolisch* und *Epigrammatisch,* ferner teils im *West-östlichen Divan* vereint. Höhepunkt und eigentliche Ausprägung sind SCHILLERS große sog. philosophische Gedichte als Verkörperung klassischen Ideengehalts im Anschluß an KANT und SHAFTESBURY: *An die Freude, Worte des Glaubens, Die Götter Griechenlands, Die Künstler, Das Ideal und das Leben, Der Spaziergang* u. a. m., entstanden aus der Spannung von Sinnlichem und Geistig-Sittlichem und ihrer Lösung in der Kunst. Ihm folgen die frühen Hymnen HÖLDERLINS, dann die Frühromantiker (NOVALIS), GRILLPARZER, HEBBEL, ferner Ch. A. TIEDGE, HALM, SAAR, SCHEFER, SALLET, D. F. STRAUSS, A. GRÜN, F. Th. VISCHER, A. VON DROSTE-HÜLSHOFF und bes. F. RÜCKERT mit der Einbeziehung östlicher Weisheit; um die Jh.-wende dann bes. NIETZSCHE, DEHMEL, MORGENSTERN, SPITTELER, St. GEORGE und RILKE. Das Anwachsen der sog. ›G.‹ in der Gegenwart bezeugt, daß der Begriff nur von einer falschen Lyrik-Vorstellung aus abgesondert werden konnte.

M. Citoleux, *La poésie philos. au XIX. siècle,* 1906; P. Stanciov-Cerna, D. G., Diss. Lpz. 1913; E. Ermatinger, D. dt. Lyrik seit Herder I, [2]1925; RL; P. Schaaf, D. philos. Ged., DVJ 6, 1928; G. Müller, Grundformen dt. Lyrik (V. dt. Art i. Sprache u. Dichtg. V, 1941); G. Storz, Gedanken üb. d. Dichtg., 1941; H. Falkenstein, D. Problem d. G. u. Schillers lyr. Dichtg., Diss. Marb. 1963. →Lehrdichtung.

Gedicht, allg. jede Erscheinungsform der Dichtung in Versen, auch episches oder dramatisches G.

(SCHILLERS *Don Carlos*), bes. aber für die →Lyrik.

Geflügelte Worte (griech. *epea pteroenta* = d. h. rasch von den Lippen des Redenden zum Ohr des Hörenden eilende Worte), stehender Ausdruck bei HOMER, seit G. BÜCHMANNS →Zitatenslg. mit Quellenangabe *G. W.* (1864) Bz. für sprichwörtlich in aller Munde lebende, bei vielen Gelegenheiten passende und angewendete Schriftstellerzitate und Aussprüche berühmter Persönlichkeiten im Ggs. zum nicht quellenmäßig nachweisbaren → Sprichwort. Slgn. →Zitat.

Gegenreformation (Ausdruck J. S. PÜTTERS), kath. Gegenströmung nach der Reformation, rd. 1555–1648, die nach geistiger Neubesinnung (Konzil von Trient, Jesuiten) die Verbreitung des Protestantismus einschränken will; findet auch in der Lit. des 16./17. Jh. (→Gebets-, →Gesang-, →Erbauungsbücher, →geistliches Lied und bes. →Jesuitendrama) reichen Niederschlag. Wichtigste Vertreter sind J. FISCHART, J. NAS, Ä. ALBERTINUS. Vgl. →Barock.

W. Weisbach, D. Barock als Kunst d. G., 1920; E. Gothein, Staat u. Ges. i. Ztalter d. G. (Schr. z. Kulturgesch. 2, 1924); H. Hermelink, Reformation u. G., [2]1931; L. Schmidt, Volkskunde, G., Aufkläg., DVJ 16, 1938; A. Elkan, Entstehg. u. Entw. d. Begriffs G. (Hist. Zs. 112, 1941); H. Jedin, Kath. Ref. od. G., 1946; P. Hankamer, Dt. G. u. dt. Barock, [2]1947; L. Petry, D. G. i. Dtl., 1952; H. Tüchle, Reformation u. G., 1965; RL; E. W. Zeeden, D. Zeitalter d. G., 1967; R. Newald, D. dt. Lit. v. Späthumanismus z. Empfindsamkeit, [6]1967.

Gegenrefrain, Beginn mehrerer aufeinanderfolgender Versgruppen oder Strophen mit den gleichen Worten, entsprechend der Anaphora in Prosa; häufig bei BRENTANO: ›Einsam will ich untergehen...‹ u. a.

Gegenspieler, im Drama, aber auch in der Epik, bes. der Novelle, der zweite Held, dessen Verhalten oder Taten die Handlungsweise des Haupthelden bedingen und damit ein dialektisches Element in die Handlung bringen, z. B. Franz zu Karl Moor in SCHILLERS *Räubern*. Der G. ist teils als Einzelgestalt (SCHILLER, SHAKESPEARE), teils als Personengruppe (HEBBEL, *Maria Magdalene*, GOETHE, *Götz*) objektiviert oder als innerer Widerstreit in die Seele des Helden verlegt (GOETHE).

H. Jannach, *The antagonist i. the German drama from Gottsched to Schiller*, 1954.

Gegenstandsloser Roman → nouveau roman

Gegenstrophe →Antistrophe

Gegenutopie →Anti-Utopie

Gegenwartsdichtung →Naturalismus, →Dekadenz, →Impressionismus, →Symbolismus, →Futurismus, →Dadaismus, →Expressionismus, →Sachlichkeit, →Neuklassik, →Neuromantik, →Surrealismus, →Existentialismus, →Exilliteratur.

Zur internationalen u. dt. G. vgl.: R. M. Meyer, P. Wiegler, D. Weltlit. i. 20. Jh., [2]1922; A. Soergel, Dichtg. u. Dichter d. Zeit, III 1912–1934; O. Walzel, D. dt. Dichtg. seit Goethes Tod, 1920; F. v. d. Leyen, Dt. Dichtg. i. neuerer Zeit, [2]1927; H. Naumann, D. dt. Dichtg. d. Gegenw., [6]1933; R. Kralik, Weltlit. d. Gegenw., 1923; W. Stammler, D. dt. Dichtg. v. Naturalismus z. Gegenw., 1924; P. Fechter, Dt. Dichtg. d. Gegenw., 1929; W. Mahrholz, Dt. Lit. d. Gegenw., 1930; H. Kindermann, D. lit. Antlitz d. Gegenw., 1930; F. Koch, V. Naturalismus z. Expressionismus, 1930f.; W. Schuster, M. Wieser, Weltlit. d. Gegenw., II 1931; J. Mumbauer, D. dt. Dichtg. d. neuesten Zeit, 1931 ff.; J. P. Steffes, V. Naturalismus z. neuen Sachlichkeit, 1932; Kathol. Leistung i. d. Weltlit. d. Gegenw., 1934; W. Duwe, Dt. Dichtg. d. 20. Jh., 1936; C. Jenssen, Dt. Dichtung d. Gegenw., [2]1938; K. Wais, D. G. d. europ. Völker, 1939; V. Lange, *Modern German Lit.*, Ithaca 1945; J. Bithell, *Mod. German Lit.*, [3]1959; G. Lukács, Dt. Lit. i. Zeitalter d.

Imperialismus, 1947; L. Forster, *German Poetry 1944–1948*, [2]1950; W. Grenzmann, Dt. Dichtg. d. Gegenw., [2]1955; ders., Weltdichtg. d. Gegenw., [4]1964; H. Friedmann, O. Mann, Christl. Dichter d. Gegenw., [2]1968; I. Meidinger-Geise, Welterlebnis i. dt. Gegenwartsdichtg., 1956; W. Muschg, D. Zerstörg. d. dt. Lit., 1956; H. Friedmann, O. Mann, Dt. Lit. i. 20. Jh., II [5]1967; W. Grenzmann, Dichtg. u. Glaube, [6]1968; G. Blöcker, D. neuen Wirklichkeiten, [3]1961; W. Jens, Statt e. Lit.gesch., [2]1958; Dt. Lit. i. uns. Zeit, [4]1966; W. Jens, Dt. Lit. d. Ggw., 1961; A. Soergel u. C. Hohoff, Dichtg. u. Dichter d. Zeit, II 1961–1963; W. Duwe, Dt. Dichtg. d. 20. Jh., II 1962; W. Jacobs, Mod. Dichtg., 1962; H. Motekat, Experiment u. Tradition, 1962; K. A. Horst, Krit. Führer durch d. dt. Lit. d. Ggw., [2]1962; Schriftsteller d. Ggw., hg. K. Nonnenmann 1963; M. Reich-Ranicki, Dt. Lit. i. Ost u. West, 1963; K. A. Horst, D. Abenteuer d. dt. Lit. i. 20. Jh., 1964; A. Schmidt, Dichtg. u. Dichter Österreichs i. 19. u. 20. Jh., 1964; W. Duwe, Ausdrucksformen dt. Dichtg. v. Naturalismus bis z. Ggw., 1965; H. Hatfield, *Mod. German Lit.*, Lond. 1966; P. K. Kurz, Üb. mod. Lit., IV 1967–73; A. Schmidt, Literaturgesch. uns. Zeit, [3]1968; F. Lennartz, Dt. Dichter u. Schriftsteller uns. Zeit, [10]1969; H. Kunisch, D. dt. G., 1968; A. Closs, *20th cent. German lit.*, Lond. 1969; P. Demetz, D. süße Anarchie, 1970; H. Kunisch, Hdb. d. dt. Gegenwartslit., III [2]1970; V. Wehdeking, D. Nullpunkt, 1971; H. Durzak (hg.), D. dt. Lit. d. Gegenw., 1971; Kindlers Litgesch. d. Gegenw., IV 1971 ff.; Tendenzen d. dt. Lit. seit 1945, hg. Th. Koebner 1971; R. Matthaei, Grenzverschiebung, [2]1972; F. J. Raddatz, Traditionen u. Tendenzen, 1972; Mod. Weltlit., hg. G. v. Wilpert, I. Ivask 1972; Lit. d. DDR, hg. H. J. Geerdts 1973; M. Seymour-Smith, *Guide to mod. world lit.*, Lond. 1973; Dt. Dichter d. Gegenw., hg. B. v. Wiese 1973; W. Weiss u. a., Gegenwartslit., 1973; K. G. Just, V. d. Gründerzeit bis z. Gegenw., 1973; R. H. Thomas, K. Bullivant, Westdt. Lit. d. 60er Jahre, 1975; Dt. Dichter d. Moderne, hg. B. v. Wiese [3]1975; Dt. Lit. d. Gegenw., hg. D. Weber, II 1976 f.; E. Alker, Profile u. Gestalten d. dt. Lit. nach 1914, 1977. →Literaturlexika u. d. einzelnen Gattungen.

Gehalt, im Ggs. zur äußeren →Form der stoffliche oder geistige Inhalt e. Dichtwerkes (Lebensanschauung, Welthaltung, ästhetische Weite), der erst durch die einheitliche künstlerische Prägung und Ausgestaltung in der inneren Form zum ideellen Wertbestandteil des Sprachkunstwerkes wird.

Geißlerlieder, Wallfahrts- und Pilgerlieder der in Italien seit 1260, in Dtl. bes. seit dem Pestjahr 1349 herumziehenden Geißler beim Einzug in e. Stadt, beim Bußakt selbst und beim Auszug; formal kunstlos-volkstümliche u. schematische →Leise oder →Leiche, teils Kontrafakturen, teils überlieferte Kreuzfahrerlieder, dichterisch wertlos, nur in Italien kunstvoller, während die slaw. und wallon. G. oft Umformungen der dt. sind. Als frühe Form des geistlichen Volksliedes in zahlreichen Chroniken der Zeit (bes. HUGO VON REUTLINGEN), teils mit Melodien erhalten.

P. Runge, D. Lieder u. Melodien d. Geißler..., 1900; G. F. Collas, Gesch. d. Flagellantismus, 1913; RL; L. Kern, D. Flagellanten (Festschr. f. Schnürer, 1930); A. Hübner, D. dt. G., 1931; J. Müller-Blattau, D. dt. G. (Zs. f. Musikwiss. 17, 1935).

Geisterroman →Gespenstergeschichte

Geistesgeschichte umfaßt die koordinierende Betrachtung der gesamtkulturellen Entwicklung (Religion, Wissenschaft, Philosophie, Künste, Staat, Gesellschaft und Wirtschaft) als Wirkung e. einheitlichen Geistes und sucht auch die Dichtung als geistesgeschichtliches Dokument auszuwerten und in geistige Entwicklungszusammenhänge einzuordnen: DILTHEY, UNGER, KORFF *(Geist der Goethezeit)*. Die moderne →Literaturwissenschaft wehrt sich gegen den Einbruch der G., da diese der Dichtung als Kunst selten gerecht wird.

H. Cysarz, Lit.gesch. als Geisteswiss., 1926; E. Rothacker, Einl. i. d. Geisteswiss., [2]1930; ders., Logik u. Systematik d. Geisteswiss., [2]1948; J. Wiegand, Dt. G. i. Grundriß, [2]1947; P. Böckmann, V. d. Aufgaben e. geisteswiss. Lit.betrachtung,

DVJ 9, 1931; G. Müller, Gesch. d. dt. Seele, [2]1962; K. Muhs, Gesch. d. abendld. Geistes, II 1950–53; W. Ehrlich, G., 1952; F. Heer, Europ. G., 1953; W. Nestle, Griech. G., 1956; H. J. Schoeps, Was ist u. was will d. G.,1959; W. Bossenbrook, Gesch. d. dt. Geistes, 1963; H. Rüdiger, Zwischen Interpretation u. G., Euph. 57, 1963; B. v. Wiese, G. oder Interpretation? (in: Zwischen Utopie u. Wirklichkeit, 1963); RL; K. Viëtor, Dt. Literaturgeschichte als G., 1967; K. Riha, Lit.wiss. als G. (in: Z. Kritik lit.wiss. Methodologie, 1973.

Geistliche Dichtung, zum Unterschied von biblischer im engeren, →christlicher Dichtung im weiteren Sinne die auf dogmatisch-ethischer Grundhaltung und Überlieferung e. Religionsgemeinschaft und ihren historisch-religiösen Inhalten aufbauende Dichtung nicht nur der Geistlichen (die auch weltliche Dichtung schaffen), sondern auch der Laien. Die g. D. des Abendlandes beruht daher auf dem Christentum und legt dessen Glaubensinhalte ihrer Wirkung zugrunde; sie benutzt meist Stoffe aus der Bibel, Heiligenlegenden u. ä. Quellen, oft mit didaktischem Einschlag, teils auch in reiner und hoher Dichtkunst, die aus sich zum Erlebnis des Glaubens hinführt. Hauptformen der g. D. sind →Erbauungslit., →Evangelienharmonie, →geistliches Drama, →geistliche Epik, →Kirchenlied und →geistliches Lied.

A. H. Kober, Gesch. d. rel. Dichtg. i. Dtl., 1919; R. Stroppel, Liturgie u. g. D. zwischen 1050 und 1300, 1927; H. Neumeister, Geistlichkeit u. Lit., 1931; H. Friedmann, O. Mann, Christl. Dichter d. Gegenw., [2]1968; W. Grenzmann, Dtg. u. Glaube, [6]1968; H. Rupp, Dt. rel. Dtgn. d. 11./12. Jh.,1958; RL; L. B. Campbell, *Divine poetry and drama in 16th cent. England*, Berkeley 1959; G. R. Owst, *Lit. and the pulpit in medieval England*, N. Y. [2]1960; A. A. Avni, *The Bible and romanticism*, Haag 1969; C. Soeteman, Dt. g. D. d. 11. u. 12. Jh., [2]1971; D. Kartschoke, Bibeldichtg., 1975; ders., Altdt. Bibeldichtg., 1975; W. Bartenschläger, Gesch. d. spirituellen Poesie, 1977.

Geistliche Epik benutzt Stoffe der Bibel, →Legenden, Visionen u. a. und erreicht größte Höhe im glaubensgeschlossenen MA., wo der strenge gemeinsame Glaubenshintergrund eine genaue Scheidung zwischen weltlicher und g. E. z. T. unmöglich macht: das *Leben Jesu* der Frau AVA, der Friedberger *Christ und Antichrist* u. a., bes. AT.-Übersetzungen: Wiener und Altsächsische Genesis und Exodus, →Evangelienharmonien, Reimbibeln, Heiligenlegenden u. a., Zweckdichtung zur Christianisierung und zur Verinnerlichung und Vertiefung des Glaubenslebens: Mariendichtungen (Priester WERNHER 1170), dann auch in der Ritterdichtung bei HEINRICHS VON VELDEKE *Servatius,* HARTMANNS VON AUE *Der arme Heinrich* und *Gregorius,* KONRADS VON FUSSESBRUNNEN *Kindheit Jesu,* KONRADS VON HEIMESFURT *Unsere vrouwen hinvart,* OTTES *Eraclius,* OTTOS VON FREISING *Barlaam,* REINBOTS VON DURNE *St. Georg,* RUDOLFS VON EMS *Guter Gerhard* und KONRADS VON WÜRZBURG Legenden. Es folgen im Spät-MA. GUNDACKERS VON JUDENBURG *Christi hort,* die hess. *Erlösung,* bes. aber die →Deutschordensdichtung mit zahlreichen Viten, bes. Marienleben, und Legenden. Den Gipfel der g. E. bildet DANTES *Divina Commedia*; die nachreformatorische g. E. erreicht infolge allg. Verweltlichung nicht mehr diese Höhe; ihre Träger sind nunmehr Laien. Der protestantische Geist bringt drei sehr verschiedene Hauptwerke hervor: G. DU BARTAS' Weltschöpfungsepos *La Semaine* (1578), MILTONS puritanisches *Paradise Lost* (1667) und KLOPSTOCKS pietistisch beeinflußter *Messias* (1748 ff.) sind die letzten großen Erscheinungen der g. E.; mit dem Durchbruch des Individualismus zerbricht die Unbedingtheit der allgemeinverbindl. Glaubenshaltung.

J. van Mierlo, *Geestelijke Epiek der Middeleeuwen,* Amsterd. 1939; M. Wehrli, Sacra poesis (F. Maurer-Fs., 1963); B. Naumann, Dichter u. Publikum i. dt. u. lat. Bibelepik d. frühen 12. Jh., 1968; A. Masser, Bibel- u. Legendenepik d. dt. MA., 1976. →geistl. Dichtg.

Geistlichendichtung, die Dichtung geistlicher Verfasser, bes. im europ. MA.

H. Schneider, Heldendichtg., G., Ritterdichtg., 1943; F. Maurer, Zur G. d. MA. (in: Dicht. u. Sprache d. MA., 1963); G. Meissburger, Grundlagen z. Verständnis d. dt. Mönchsdichtg. i. 11. u. 12. Jh., 1970.

Geistliches Drama, im Ggs. zum →biblischen Drama →geistliche Dichtung in Dramenform, die Hauptform des ernsten ma. Dramas in ganz Europa, bes. im 13.–15. Jh., entstand unabhängig vom antiken Drama, doch ebenfalls aus e. Kulthandlung: durch mimisch-szenische Ausweitung weihevoller liturgischer Wechselgesänge an höheren Kirchenfesten zu Darstellungen der lat. vorgetragenen Heilsgeschichte in lebenden, anschaulichen Bildern durch Aufteilung unter verschiedene Sprecher, später auch legendärer Stoffe, teils unter Einformung altheidnischer Kultgebräuche (Jul- und Frühlingsfeiern) und profaner Szenen als Vermenschlichung des Erhaben-Heiligen. Fortschreitende Dramatisierung und Verweltlichung bei zunehmender Zuschauer- und Spielerzahl und Kostümierung führten zum Überwiegen des Theatralischen und veranlassen im 13.Jh. auf Befehl der Kirche die Verlegung des Schauplatzes aus der Kirche ins Freie, seit dem 14./15. Jh. auf die →Simultanbühne auf dem Marktplatz, wo Elemente der weltlichen Fastnachtsspiele eindringen. Seit dem 13. Jh. fließen in den bisher lat. Text volkssprachliche Stellen ein (Wolfenbüttler, Trierer Osterspiel), seit Ersetzung der klerikalen Spieler durch bürgerliche Laien verdrängt die Volkssprache das Lat.; dennoch bleibt das ganze g. D. gottesdienstliche Angelegenheit, religiöse Feier der Gemeinde, Sinngebung des irdischen Geschehens im Hinweis auf das Heilsgeschehen und die Sinngebung des Menschen, die als gemeinsames Erlebnis Dichter, Spieler und Zuschauer umfaßt; es ist überwiegend anonyme und streng stoffgebundene Inszenierung dogmatisch-kirchlicher Inhalte, nicht eigene dichterische Schöpfung nach dramatischen Aufbauprinzipien und künstlerischen Tendenzen; einmal gewonnene Grundtypen wandern und werden geändert, lassen jedoch noch Zusammengehörigkeit erkennen. Die Spieltechnik betonte bes. die Deklamation, weniger die Mimik; Wechsel von Massen- und Soloszenen dienten der Gliederung; Ankündigung durch E. Herold (Praecursor) und Epilog umrahmen das Spiel. Hauptgruppen des g. D. sind die →Weihnachts- (→Advents-, →Propheten-, →Hirten-, →Dreikönigs-)Spiele, die →Oster- (→Passions-, →Apostel-)Spiele, →Antichrist- und Weltgerichtsspiel, →Paradies- und →Fronleichnamsspiel, →Mysterien und →Legendenspiele. Das engl. g. D. ist wie das dt. landschaftlich verschieden, neigt zu Typen- und Gruppenbildung und Verschmelzung von Heiterem und Ernstem, braucht jedoch im Ggs. zur dt. Marktplatzbühne e. kubische Wageninszenierung. In Frankreich dagegen pflegt man früh die effektvolle Schaukunst und Bühnenmaschinerie, Hervortreten des Individuellen in Gestaltung und Autorennamen, ferner wie in Italien scharfe Trennung komischer und ernster Szenen und nationale Zentralisierung des g. D. auf einen Sammelpunkt (Paris bzw. Florenz), wo Genossenschaften (→Passionsbrüder) die Aufführungen betreuen, und schließlich die flächige Simultanbühne (Valenciennes) mit präziser Bildwirkung im Ggs. zur dt. Raumbühne. Bes. das ital. Drama zeigt größte Prachtentfaltung und beschäftigt bedeutende Maler und Bildhauer bei der Ausstattung der Rappresentazione sacra. Die Blütezeit des g. D. endet mit der Ablösung der relig. Vorherrschaft durch die Reformation; es geht in das humanistische →Schuldrama über, z. T. auch in e. Reihe von Barockspielen, doch fehlt diesen nicht mehr Gemeinschafts- sondern Hoffest-Spielen die naive Glaubensoffenheit des MA., die für das g. D. charakteristisch ist; der Dualismus von Diesseits und Jenseits bricht durch. Das →Jesuitendrama behandelt moralische, historische und bes. Märtyrerstoffe und regt in Alpendörfern zur Entstehung von neuen Passionsspielen an (Oberammergau, Erl, Thiersee, Brixlegg u. a.), die sich teils bis in die Gegenwart erhielten. Letzte künstlerische Höhe erreicht das span. g. D. mit den →Fronleichnams- und Märtyrerspielen CALDERÓNS (1600–1681), →Auto. Versuche der Romantiker zur Wiederbelebung der ma. Form als einer der antiken gleichwertigen Dramenschöpfung aus christl. Geist (Z. WERNER) scheiterten; für das moderne Drama wurden andere Formen entscheidend.

E. Wilken, Gesch. d. geistl. Spiele i. Dtl., 1872; C. Callenberg, D. geistl. Spiel d. MA., 1875; R. Heinzel, Beschreibg. d. geistl. Schauspiele d. MA., 1898; E. K.Chambers, *The ma. Stage,* Oxf. 1903; P. E. Kretzmann, *The Liturgical Element in the Earliest Form of the MA. Drama,* 1916; M. J. Rudwin, *A hist. and bibliogr. survey of the German rel. drama,* 1925; W. Stammler, D. rel. Drama i. dt. MA., 1925; RL: Drama, ma.; G. Cohen, *Le théâtre en France au ma., Paris 1929–31;* H. Brinkmann, D. Eigenform d. ma. Dramas i. Dtl., GRM, 1930; K. Young, *The Drama of the ma. Church,* Oxf. 1933; R. Stumpfl, Kultspiele d. Germanen, 1936; E. Eichert, D. geistl. Spiel d. Gegenw. i. Dtl. u. Frkr., 1941; W. F. Michael, D. geistl. Prozessionsspiele i. Dtl., 1947; T. S. Eliot, *Religious drama,* N. Y. 1954; G. Frank, *Ma. French drama,* Oxf. 1954; H. Craig, *Engl. rel. drama of the MA.,* Oxf. 1955; A. J. Hotze, *Mediev. liturgic dr.,* 1956; T. Meier, D. Gestalt Marias i. g. Schausp. d. dt. MA., 1959; H. Brinkmann, D. rel. Drama i. MA. Wirk. Wort 9, 1959); G. Weales, *Religion in Modern Engl. Drama,* Oxf. 1960; M. D. Anderson, *Drama and Imagery in Engl. Medieval Churches,* Lond. 1963; O. B. Hardison, *Christian Rite and Christian Drama in the MA.,* Baltimore 1965; R. Hess, D. roman. geistl. Schauspiel als profane u. relig. Komödie, 1965; A. Grünberg, D. relig. Drama d. MA., III 1965; W. M. Merchant, *Creed and drama,* Phil. 1966; T. Stemmler, Liturg. Feiern u. geistl. Spiele, 1970; W. F. Michael, D. dt. Dr. d. MA.; 1971; D. Brett-Evans, V. Hrotsvit bis Folz u. Gengenbach, II 1975; R. H. Schmid, Raum, Zeit u. Publikum d. geistl. Spiels, 1975; R. Warning, Funktion u. Struktur, 1975.

Geistliches Lied, singbares, strophisches relig. Lied zum Unterschied vom liturgisch gebundenen Kirchenlied einerseits und der weiten relig. Lyrik andererseits, meist für den gemeinschaftlichen Volksgesang entstanden. Das dt. g. L. entsteht aus Nachbildung der neulat. christlichen (Marien-)Hymnen, so zuerst das *Melker Marienlied* (1140); es folgen Kreuzzugshymnen (→Kreuzzugsdichtung) und zur Zeit des Minnesangs wie im SpätMA. g. L.er in Form des →Leis (WALTHERS *Leich* u. a.); in Italien entstehen religiöse Lobgesänge, sog. →›Laudes‹ nach dem Vorbild FRANZ VON ASSISIS *(Sonnengesang, Laudes creaturarum),* bes. bei JACOPONE DA TODI. In Dtl. bringt die Folgezeit nur relig. Themen der Spruchdichter und Meistersinger, dann im 15. Jh. unter dem Einfluß des Meistersangs, der Volkslieder und der neulat. Hymnen die g. L.er des MÖNCHS VON SALZBURG, des Schweizers HEINRICH von Laufenberg, weniger Hugos von Wolkenstein. Erst die Reformation bringt neuen Aufschwung; Luther machte das von der Gemeinde gesungene g. L. zum festen Bestandteil des Gottesdienstes, damit zum →Kirchenlied; seine eigene Dichtung und die seiner Helfer nahm das geistliche Volkslied und die neulat. Hymnen zum Vorbild für e. volkstümliches und glaubensfestes g. L., das die Gemeinde im Gesang vereinigt, e. Wirkung, die auch auf kath. Seite zur Pflege des g. L. führte. Blütezeit erreicht das g. L. im Barock, in metaphorischer Aussprache des Glaubenserlebens oder in mystischer Verinnerlichung mit Ansätzen zum subjektiven Seelenlied: Angelus Silesius, F. v. Spee, in Spanien Juan de la Cruz und Teresa de Jesús auf kath., P. Gerhardt und P. Fleming auf ev. Seite; dann wieder im Pietismus, geprägt von schlichter Innigkeit und subjektiver Gemütstiefe: G. Arnold, G. Tersteegen, L. v. Zinzendorf, in der Aufklärung bei Gellert, im 19. Jh. aus Erneuerung des relig. Gefühls in verwandelter Form, meist als →Kirchenlied bei Novalis, Arndt, Spitta, Gerok, Luise Hensel, A. von Droste-Hülshoff, A. Knapp, J. Sturm u. a. m. →Kirchenlied.

A. H. Kober, Gesch. d. rel. Dichtg. i. Dtl., 1919; G. Müller, Gesch. d. dt. Liedes, 1925; R. Giessler, D. g. Lieddichtg. d. Katholiken i. Zeitalter d. Aufklärg., 1929; S. Singer, D. relig. Lyrik d. MA., 1933; M. C. Pfleger, Untersuchungen an dt. g. L. d. 13.–16. Jh., Diss. Berlin 1937; H. N. Fairchild, *Religious trends in Engl. poetry,* N. Y. V 1939–62; K. Berger, Barock u. Aufklärg. i. g. L., 1951; A. Esch, Engl. rel. Lyrik d. 17. Jh., 1955; J. Pfeiffer, Dichtkunst u. Kirchenlied, 1961; J. Benziger, *Images of eternity,* Urbana 1962; L. L. Martz, *The poetry of meditation,* New Haven 19‿2; S. Manning, *Wisdom and Number,* Lincoln 1962; A. S. P. Woodhouse, *The poet and his faith,* Chic. 1965; J. Janota, Stud. z. Funktion u. Typus d. dt. g. L. i. MA., 1968; R. Gerling, Schriftwort u. lyr. Wort, 1969; B. K. Lewalski, *Protest. poetics and the 17th century rel. lyrics,* Princeton 1978.

Gekreuzte Reime →Kreuzreim

Gekrönter Dichter →Dichterkrönung

Gelegenheitsdichtung, aus bestimmten äußeren Anlässen (Taufe, Geburtstag, Hochzeit, Fest, Fürstenpreis, Tod, Begrüßung, Abschied u. a.), teils auf Bestellung verfaßte →Gebrauchslyrik oder →Tendenzdichtung, die der festlichen Erhöhung e. Tagesereignisses dient, damit ihre Aufgabe erfüllt und selten darüber hinaus großen künstlerischen Wert besitzt; bes. in Humanismus, Renaissance und Barock beliebt, von Scaliger u. a. Renaissancepoetikern ausführlich behandelt, von Opitz dem Epos und der Tragödie gleichgesetzt und zu den →Silvae gezählt. Der Barock überträgt die lat. G. der Humanisten mit Übersteigerung der Stilmittel, allegorischem, gelehrtem und bes. antik-mythologischem Apparat in e. Fülle von Hochzeits→carmina mit erotischen Anspielungen, lobenden Leichencarmina u. a. m. Bevorzugte Formen sind Sonett, Ode und Alexandriner, ferner Formspielereien wie Echo, Bilderlyrik u. a., wobei oft das Mißverhältnis von Anlaß und prunkend hohlem Aufwand heute peinlich wirkt. Mit dem Durchbruch des individuellen Bekenntnis- und Erlebnistons in der G. Ch. Günthers endet diese erste Form der G.; wenn Goethe seine Gedichte als G. bezeichnete, so faßte er die Gelegenheit als Anstoß e. individuellen, verinnerlichten und ins Gültige erhobenen →Erlebnisses, d. h. Dichtung nicht für, sondern aus Gelegenheiten. →Festspiel.

C. Lemcke, V. Opitz bis Klopstock, 1882; M. v. Waldberg, Renaissancelyrik, 1888; C. Enders, Dt. G. bis zu Goethe, GRM I, 1909; RL; H. Rüdiger, Göttin Gelegenheit (Arcadia 1, 1966); O. A. Webermann, Z. Probl. d. G. (*Estonian Poetry and Language,* 1965); E. M. Oppenheimer, *Goethe's poetry for occasions,* Toronto 1974; W. Segebrecht, D. Gelegenheitsgedicht, 1977.

Gelehrtendichtung, Dichtung als Produkt von gelehrter Arbeit und Bildung des Verfassers (der selbst nicht beruflich Gelehrter zu sein braucht, wie auch nicht jede Dichtung e. Gelehrten G. ist), doch nicht didaktischer Wissensprunk, sondern wahrhafte ›Verdichtung‹ des Wissens mit innerem Erlebnisgehalt, die dennoch oft hohes Bildungsniveau des Lesers voraussetzt. Der Hellenismus kennt das Ideal des →poeta doctus; Vermittlung antiker Kultur und Bildung bleibt weiterhin Hauptinhalt der G.: seit der karolingischen Renaissance mit Hymnen und Lehrgedichten Geistlicher (ALKUIN, PAULUS DIAKONUS, HRABANUS MAURUS, WALAHFRID STRABO) oder lat. Nachdichtungen (*Waltharius, Ruodlieb,* HROTSVITH VON GANDERSHEIM), in der Renaissance seit der Lösung der Gelehrsamkeit vom Geistlichenstand an den Universitäten Nachahmung der antiken Vorbilder mit Hilfe von →Florilegien u. a. durch die neulat. Humanistendichter (PETRARCA, ERASMUS VON ROTTERDAM, C. CELTIS, *Amores* 1563, Eobanus HESSUS, *Heroiden* 1514, Simon LEMNIUS, *Amorum libri* 1542) und das didaktisch-allegorische →Jesuitendrama (BALDE, BIDERMANN). Die Barockdichtung ist fast durchweg G. und verwendet zuerst die dt. Sprache durchgängig bei reicher mythologischer Umschreibung in Lyrik, Lehrdichtung, Schäferpoesie und antiquarisch ausgerichteten Romanen: OPITZ, LOHENSTEIN, BUCHHOLTZ, ANTON ULRICH VON BRAUNSCHWEIG. Die Aufklärung betont Interesse für Pädagogik (GELLERT, NICOLAI, KNIGGE, J. J. ENGEL, HIPPEL, PESTALOZZI), Naturwissenschaft (HALLER, BROCKES), Geographie (FORSTER) und bes. den gelehrten Staatsroman (HALLER, WIELAND). Im 19. Jh. entfaltet sich der Historismus bes. im →Professorenroman und reicht als →historischer Roman bis in die Gegenwart, in der der ›poeta doctus‹ angesichts der geistigen Situation zum neuen Idealbild des Dichters wird als intellektueller, das Wissen und die Probleme seiner Zeit souverän beherrschender, zugleich mit der lit. Tradition vertrauter und dennoch eigenschöpferischer Dichter (Th. MANN, R. MUSIL, H. BROCH, W. JENS, E. POUND, T. S. ELIOT), insbes. auch in der esoterisch-anspielungsreichen Lyrik der Nachkriegszeit (W. HÖLLERER, H. M. ENZENSBERGER u. a.).
RL.

Geleitgedicht →Propemptikon

Geleitwort, empfehlendes →Vorwort einer namhaften (vielfach auch außerlit.) Persönlichkeit zu e. Einzelwerk, e. Sammelwerk, e. Reihe oder Zeitschrift, das vielfach aus Werbegründen vorangestellt wird.

Gelenkte Literatur, jede Lit., deren freie Entfaltung durch staatliche oder halbstaatliche Maßnahmen dirigiert und eingeengt wird, etwa durch Förderung bestimmter Tendenzen oder durch Unterdrückung anderer, nicht für opportun erachteter Richtungen; vorwiegend in faschistischen und sozialistischen Ländern.

Gelfrede (mhd. gelf = übermütig, höhnisch),die bereits bei TACITUS erwähnte und im *Hildebrandslied* wie mhd. Heldenepen erhaltene Reizrede der german. Helden vor dem Zweikampf.

Gemäldegedicht hat als Gegenstand e. Werk der Malerei (ggf. auch der Plastik) und gibt entweder

e. nachvollziehende Beschreibung des Dargestellten in langatmiger Verherrlichung, teils mit Anknüpfung witziger Einfälle (im antiken →Epigramm, im ma. →Totentanz, im 16./17. Jh. als Begleittext zu Einblattdrucken, Holzschnitten und Stichen, bes. im Barock, vgl. →Emblem), oder setzt den Eindruck des inspirierenden Werkes ganz in dichterische Stimmung u. Worte um und schafft somit ein gleichwertiges Sprachkunstwerk (Romantik, C. F. MEYER, bes. Neuromantik: LILIENCRON, *Böcklins Hirtenknabe,* GEORGE, *Böcklin,* DEHMEL, HOFMANNSTHAL, RILKE, *Neue Gedichte,* WEINHEBER). Urform schon in den antiken Epen, etwa der Schild des Aeneas bei VERGIL. LESSINGS *Laokoon* trug zur Besinnung auf die grundlegenden Unterschiede von Dichtung und bildender Kunst und deren Eigengesetze bei. KLEIST parodiert das G. im *Zerbrochenen Krug.* →Bilderlyrik, →Dinggedicht, →Beschreibung.

W. Waetzold, Malerromane u. G.e (Westerm. Monatsh. 116, 1914); RL; H. Rosenfeld, D. dt. Bildgedicht, 1935; G. Kranz, D. Bildgedicht i. Europa, 1973.

Gemeinfreie Werke, Werke, deren →Schutzfrist abgelaufen ist und deren Nachdruck daher jedem freisteht.

Gemeinplatz (WIELAND 1770 für lat. *locus communis*), allg. bekannte und unbestrittene, daher nichtssagende Behauptung, oft in Form stehender Redensart: ›Das Leben ist schwer‹. →Topos.

Gemeinsprache, diejenigen Bestandteile e. Sprache, die von der gesamten Sprachgemeinschaft als ihr zugehörig und nicht als Teil einer Mundart, e. Sonder-, Standessprache u. ä. empfunden werden, also Wortschatz und syntaktische Strukturen, die von allen Sprachträgern im Alltagsleben benutzt werden.

W. Porzig, D. Wunder d. Sprache, [3]1962.

Gemenge, in der mutmaßlichen urgerman. Kleindichtung das ungeordnete Nebeneinander von einzelnen oder paarweisen Lang- und Kurzzeilen.

Gemination (lat. *geminatio* = Verdopplung) →Epanalepse.

Genealogie (griech. *genealogia* =) Geschlechterkunde, allg. die Sippen- und Geschlechterforschung als histor. Hilfswissenschaft, insbes. aber die Stammreihe zur Herleitung der Abkunft von den (männlichen) Ahnen. Sagenhafte G.n erscheinen in der pseudohistor., chronikalischen Lit. und der alten Epik als mythische Form, z. B. im AT. der Stammbaum Abrahams von Adam her, in den Geschlechtsregistern der antiken und ma. Epik, die ihre Hauptfiguren vielfach von den trojanischen Helden herleitet, und in den nordgerman. Sagas.

P. Philippson, G. als myth. Form, Oslo 1936.

Genera dicendi →Stilarten

Generalprobe, die letzte, vollständige →Probe e. Theater-, Musik-, Ballettstücks vor der →Erstaufführung, meist nur den Beteiligten, deren Angehörigen und der Presse zugänglich.

Generation (lat. *generatio* = Zeugung), die Geschlechterfolge innerhalb der Familie (Vater-Sohn-Enkel) bei e. durchschnittlichen Altersabstand von 30–35 Jahren; allg. die Gesamtheit der Zeitgenossen e. Menschenalters (geschichtliche G.), die weniger durch biologische Vererbung und Geburt (H. v. MÜLLER) als auf Grund gemeinsamer Bildung, Anschauungsweise und Lebenserfahrungen und gemeinschaftlicher Erlebnisse wie Kriege und epochemachende Persönlichkeiten (K. MANNHEIM, J. PETERSEN) zu e. gewissen Gleichartigkeit der Welt- und Kunstanschauung wie der Stilformen gelangt. Der Begriff fand um 1850 Aufnahme in die Geschichts- und um 1880 in die Lit.wissenschaft und galt dem Positivismus als geschichtliches Ordnungsprinzip und Erklärung des Weltanschauungs-, Geschmacks- und Formenwandels aus dem Gegensatz von Vätern und Söhnen, sollte aber zugleich Rückschlüsse auf Vergangenheit und Zukunft ermöglichen: W. SCHERER schloß aus der Zusammenfassung mehrerer G.en auf e. Periodik lit. Blütezeiten von 600 Jahren (1200, 1800, vermutlich 600). DILTHEY verstand G. als Schicksal, so bes. in der dt. Frühromantik, die unter dem Eindruck der Klassik zur Schaffung eigener Aussageformen vordringen muß. Trotz der Richtigkeit zugrunde liegender Erkenntnisse und der Lockerung der chronologisch oder landschaftlich begrenzten Darstellung durch das G.prinzip birgt die Anwendung auf die Geistes- und Lit.geschichte die Gefahr e. vergewaltigenden Darstellung des geistigen und künstlerischen Lebens in seiner nicht allein biologisch faßbaren Fülle und dem Ineinander alter und neuer Einflüsse schon durch die Überlagerung der G.en. →G. von 98, →Beat g., →Lost g.

W. Pinder, D. Problem d. G., [2]1928; K. Mannheim, D. Problem d. G.en (Kölner Vierteljahrshefte f. Soziologie, 1928); H. v. Müller, 10 G.en dt. Dichter u. Denker, 1928; R. Alewyn, D. Problem d. G.en i. d. Gesch. (Zs. f. dt. Bildg., 1929); J. Petersen, D. lit. G.en (Philos. d. Lit.wiss., hg. E. Ermatinger 1930); W. Linden, D. Problem d. G.en i. d. Geistesgesch. (Zeitwende 8, 1932); W. Schachner, D. G.sproblem i. d. Geistesgesch., 1937; H. Peyre, *Les g.s lit.*, Paris 1948; H. P. H. Teesing, D. Magie d. Zahlen (Misc. litt. 1959); N. A. Donkersloot (Neophil. 43, 1959); J. K. King, *The g. theory in German lit. criticism* (*German life and letters* 25, 1971 f.).

Generation von 98 *(generación del 98)*, die junge Dichtergeneration der span. Lit. nach der Niederlage Spaniens gegen die USA von 1898 und dem Verlust der Kolonien, gekennzeichnet durch das Streben nach nationaler Wiedergeburt, Besinnung auf die Volkstumskräfte und zugleich Ausbruch aus der Isolation, Aufgeschlossenheit gegenüber europ. Kultur und geistigem Austausch mit Iberoamerika, stilist. durch Verzicht auf Prunk und Rhetorik zugunsten nüchterner Sachlichkeit. Hauptvertreter: GANIVET, AZORÍN, BENAVENTE, BAROJA, MACHADO Y RUIZ und R. M. DEL VALLE-INCLÁN, später ORTÉGA Y GASSET, UNAMUNO, R. DARÍO und PÉREZ DE AYALA.

H. Jeschke, D. G. v. 98 in Spanien, 1934; P. Laín Entralgo, *La g. del 98*, 1945; L. Granjel, *Panorama de la G. del 98*, Madrid 1959.

Género chico (span. = kleinere Gattung), typische Gattung des span. Dramas der Zeit 1868 – um 1910, in der einzelne Schauspieltruppen als Reform die Vorstellungsdauer auf eine Stunde beschränkten und dadurch die kostspieligen, langdauernden Theatervorstellungen der Zeit auch breiteren Kreisen zugänglich machen wollten: leichte, einaktige Komödien mit lustigen Szenen aus dem Volksleben vorwiegend Madrids später meist mit Musikbegleitung, die als lebendige, unlit. und anspruchslose Unterhaltung gedacht waren, jedoch durch Zusammenarbeit einfallsreicher Stückeschreiber (R. de la VEGA, *La verbena de la paloma*, C. ARNICHES, J. de BURGOS, M. RAMOS CARRIÓN, V. AZA u. a.), Schauspieler und Musiker zu erfolgreichen kleinen Meisterwerken wurden und die Gattung über Spanien hinaus verbreiteten. Die Vorläufer des G. c. liegen in den →Sainetes und →Entremeses des MA. und den →Zarzuelas.

M. Zurita, *Hist. del g. c.*, Madrid 1920; M. Muñoz, *Hist. de la zarzuela y el g. c.*, 1946; J. Deleito y Piñuela, *Origen y apogeo del g. c.*, Madrid 1949; C. Vian, *Il teatro chico spagnolo,* Maild. 1957.

Genethliakon (griech. *genethlia* = Geburtstag), Form der antiken →Gelegenheitsdichtung: Glückwunschgedicht zur Geburtstagsfeier, meist als stark rhetorische Kunstpoesie reich an Flores und Topik: STATIUS (*Silvae* II, 7; IV, 7 u. 8), AUSONIUS, ähnlich VERGIL *Ekloge* 4. Das Motiv des Geburtstags erscheint auch in anderen Dichtarten bei TIBULL, OVID, PERSIUS, MARTIAL. Daneben bildet die antike Rhetorik den Logos Genethliakos (Geburtstagsrede) aus.

E. Cesareo, *Il carme natalizio nella poesia latina,* 1929.

Genie (franz., v. lat. *genius* = Geist), Begabung zu eigenschöpferischer Gestaltung und Träger dieser Fähigkeit, gekennzeichnet durch Intuition, Originalität und Spontaneität. Von HAMANN, HERDER, GOETHE und dem Sturm und Drang überhaupt wird das →Originalgenie zum Ideal erhoben: SCHILLER setzt es dem →naiven Dichter gleich; e. neue G.verehrung beginnt mit NIETZSCHE. In der Übersteigerung des G. zum Wahnsinn liegt oft die Tragik dieser überragenden Ausnahmepersönlichkeiten (TASSO, SWIFT, HÖLDERLIN, LENAU, NIETZSCHE, KAFKA); PLATO freilich meint mit dem ›göttlichen Wahnsinn‹ der Dichter die nach unmittelbarer Gestaltung drängende Intuition. →Sturm und Drang, →Talent.

F. Brentano, D. G., 1892; J. Ernst, D. G.-begriff d. Stürmer u. Dränger, Diss. Zürich 1916; H. Wolf, Versuch e. Gesch. d. G.-begriffs i. d. Ästhetik d. 18. Jh., 1923; E. Zilsel, D. Entstehg. d. G.-begriffs, 1926; W. Lange-Eichbaum, D. G.problem, 1930; B. Rosenthal, D. G.-begriff d. Aufklärgs.zeitalters, 1933; P. Grappin, *La théorie du g. dans le préclassicisme allemand.* Paris 1952; RL; Dichter; E. Lauterborn, Beitr. z. Gesch. d. franz. G.-begriffs i. 18. Jh., Diss. Freib. 1952; W. Lange-Eichbaum, G., Irrsinn u. Ruhm, [6]1967; R. Brain, *Some reflections on genius,* Lond. 1960; A. Gehring, G. u. Verehrergemeinde, 1968; R. Currie, *Genius,* Lond. 1974; W. Schmidt-Dengler, Genius, 1978.

Geniezeit, -periode (zu →Genie) →Sturm und Drang, im engeren Sinne die Schaffensperioden GOETHES und SCHILLERS bes. 1771–74 und 1781–83.

Genos, Genus (griech.-lat. = Art, Gattung) →Stilarten

Genre →Gattung

Genrebild (franz. *genre* = Gattung), der Malerei entlehnte Bz. für kürzere, vorwiegend epische Prosadarstellungen meist typischer Ereignisse, Personen und Sittenbilder aus dem friedvollen, beschaulichen bürgerlichen Familien- und Alltagsleben in kurzen, einheitlich geschlossenen, handlungsarmen, selbstgenügsamen Szenen von leichtem Humor, bes. in den Moralischen Wochenschriften des 18. Jh., dann wiederum in Einzelwerken aus Sturm und Drang, Romantik (JEAN PAUL, ARNIM), Biedermeier (STIFTER, MÖRIKE, DROSTE) und Realismus (GOTTHELF, STORM, FONTANE), bis dieser auch von beschreibenden Episoden e. funktionelle Bedeutung verlangt. Später in Jugendschriften. →Idyll.

E. Seybold, D. G. i. d. dt. Lit., 1968.

Geonym (griech. *ge* = Erde, *onoma* = Name), Form des →Pseudonyms, das an die Stelle des Autorennamens auf die geographische Herkunft des Verfassers verweist: ›von einem Schweizer‹.

George-Kreis, exklusiver Gelehrten- und →Dichterkreis um St. GEORGE und die *Blätter für die Kunst,* (1892–1919): Ringen um religiöse vergeistigte Weltanschauung, aristokratisch formstrenge Wortkunst und sakraler Persönlichkeitskult: L. ANDRIAN-WERBURG, K. WOLFSKEHL, E. BERTRAM, F. GUNDOLF, M. KOMMERELL, P. GERARDY, L. KLAGES, ferner der junge HOFMANNSTHAL, DAUTHENDEY, VOLLMÖLLER, DERLETH, BOEHRINGER, HELLINGRATH, K. HILDEBRANDT, G. KANTOROWICZ, C. A. KLEIN, H. v. HEISELER und F. WOLTERS.

F. Gundolf, St. George, 1920; F. J. Brecht, Platon u. d. G., 1929; F. Wolters, St. George u. d. ›Bll. f. d. Kunst‹, 1930; H. Rößner, G. u. Lit.wiss., 1938; D. Jost, St. George u. s. Elite, 1949; C. David, *St. George,* 1952; E. Salin, Um St. George, [2]1954; G. P. Landmann, St. G. u. s. Kreis, 1960 (Bibl.); Der G.-K., hg. G. P. Landmann 1965; M. Winkler, G.-K., 1972; M. Nutz, Werte u. Wertungen i. G.-K., 1976.

Georgian Poets, Sammelbz. für eine Gruppe traditionsverbundener engl. Lyriker während der Regierungszeit Georgs V., deren vorwiegend konventionelle, zartfühlende, epigonal-spätromantische Naturgedichte 1912–22 in den fünf von E. MARSH herausgegebenen Anthologien *Georgian Poetry* veröffentlicht wurden. Hauptvertreter: E. BLUNDEN, J. MASEFIELD, W. DE LA MARE, R. BROOKE, L. ABERCROMBIE, W. H. DAVIES, W. W. GIBSON, H. MONRO und D. H. LAWRENCE.

F. Swinnerton, *The Georgian Literary Scene,* Lond. [3]1950; R. H. Ross, *The Georgian Revolt,* Lond. 1966.

Georgikon (griech.), nach VERGILS *Georgica,* Lehrgedichte über den Landbau, gelegentl. Gattungsbezeichnung für dergl.

Germanischer Versbau ist →akzentuierend im Ggs. zum →quantitierenden →antiken Vers.

Germanismus, beim Übersetzen in andere Sprachen übertragene Eigentümlichkeit der dt. Sprache (Redewendung, Wortstellung, z.B. Endstellung des Prädikats im Nebensatz), die in Fremdsprachen eigenartig oder fehlerhaft wirkt.

Germanistik, die germanische →Philologie im weitesten Sinne: Sprach- und Lit.wissenschaft, →Volks-, Altertums- und Rechtskunde aller german. Völker. Als selbständige Wissenschaft neben der Altphilologie von den Brüdern GRIMM und K. LACHMANN Anfang des 19. Jh. begründet, später in ältere und neuere G. aufgeteilt. →Deutschkunde.

Lit. →Philologie.

Gerüststrophen, im Volkslied Strophen, bes. Kehrreime, deren feststehendes Gerüst bei Wiederkehr nur einzelne Worte variiert.

Gesätz →Aufgesang

Gesammelte Werke als Editionsbz. für e. Teilausgabe e. Gesamtwerks sind oft nur ›Ausgewählte Werke‹ oder noch vor Schaffensabschluß des Verfassers herausgegebene, nicht immer das Gesamtwerk umfassende Ausgaben. Sie sollen in ungekürzten Einzelwerken e. Querschnitt durch das Gesamtschaffen e. Autors bieten und dürfen daher im Ggs. zu ›Ausgewählten Werken‹ weder einzelne Werke unvollständig enthalten noch unangemessene Schwerpunkte setzen. →Gesamtausgabe.

F. Strich, Üb. d. Herausgabe g. W. (in: Kunst u. Leben, 1960).

Gesamtausgabe, ungekürzte Ausgabe e. Einzelwerkes oder einer zusammengehörigen Gruppe von Einzelwerken (z.B. aller Dramen, Erzählungen o.ä.) oder ›sämtlicher Werke‹ e. Verfassers. Werke, die vor mehr als 20 Jahren in Einzelausgaben bei e. anderen Verleger erschienen, bedürfen zur Aufnahme in die G. in e. anderen Verlag nicht der Zustimmung des Originalverlegers, wohl aber bedarf jede G. einer gesonderten Genehmigung des Verfassers. Vgl. →Kritische Ausgabe.

Gesamtkunstwerk, Vereinigung aller Künste: Dichtung, Musik, Mimik, Tanz, Malerei und Architektur zu e. einheitlichen, großartig rauschhaften Ganzen in Wort, Ton und Bild, bei dem allerdings, da die bloße Addition der Wirkungen keine Steigerung bedeutet, ein Kunstbereich strukturell überwiegen sollte; nach Ansätzen im archaischen sakralen Drama und im geistlichen Drama des MA. zuerst wieder in den von der Kulissenkunst beherrschten Festspielen des Barock, bes. aber für das →Musikdrama R. WAGNERS geprägter Ausdruck für seine kultischen ›Bühnenweihefestspiele‹ und Bühnenfestspiele unter Rückgriff auf german. und ma. Sagengestalten, letztmögliche Steigerung der ›progressiven Universalpoesie‹ F. SCHLEGELS mit Überwiegen des musikalischen Elements, das über dichterische Schwächen hinweghebt.

S. Kunze, R. Wagners Idee d. G. (Beitr. z. Theorie d. Künste i. 19. Jh., hg. H. Koopmann, Bd. 2, 1972).

Gesang, Unterteilung des →Epos, entsprechend auch = →Canto.

Gesangbuch, Slg. volkssprachlicher →Kirchenlieder für den gottesdienstlichen oder privaten Gebrauch, heute meist in Anordnung nach dem Kirchenjahr. Weite Verbreitung erst nach Erfindung des Buchdrucks möglich. LUTHER führt zuerst den Gemeindegesang ein; das erste ev. *Gesangbüchlein* mit acht Liedern erscheint 1524 in Wittenberg; es folgen, ebenfalls unter LUTHERS Aufsicht, andere offizielle G.er in Straßburg, Leipzig (V. BABST 1545) und Rostock (J. SCHLÜTER, 1531, plattdt.), e. reformiertes Züricher G. 1540, auf kath. Seite der Hallesche Stiftsprobst M. VEHE 1537 mit e. *New Gesangbüchlein Geystlicher Lieder,* des Bautzener Domdechanten J. LEISENTRITT *Geistliche Lieder und Psalmen* (1567) mit Übernahme von 66 protestantischen Texten, ferner 1575 e. gereinigtes offizielles Diözesan-G. des Bischofs von Bamberg, WALASSER (Tegernsee 1574), HECYRUS (Prag 1581), Innsbrucker G. (1587), Würzburger G. (1581), Jesuiten-G.er seit 1596, Kölner G. des Bischofs von Speyer (1599, zuerst mit ›Es ist ein Ros' entsprungen‹), N. BEUTTNER (Graz 1602), teils mit volkstümlichen Liedern u. a. m. Der volksnahe Gemeindegesang des 16. Jh. geht im 17. Jh. in persönlich gehaltene →geistliche Lieder über: P. GERHARDT, ANGELUS SILESIUS, F. von SPEE. Die Fülle der Kirchenlieddichtung (FREILINGHAUSENS *Geistreiches G.* von 1714 mit 815 Liedern) führt zur Auswahl des Geeignetsten aus beiden Konfessionen und zu landschaftlich verschiedenen G.ern, ebenso wie zur Anpassung an den Zeitgeschmack (barocke Titel: *Himmlischer Harfenklang, Geistlicher Paradeiß-Vogel, Keusche Meer-Fräulein*). Weiteren Zuwachs bietet die Dichtung des →Pietismus und der Aufklärung: GELLERT, KLOPSTOCK (*Geistliche Lieder,* 1758), LAVATER, SCHUBART u. a. Die kath. Romantik nimmt ma. und barocke Texte wieder auf, bes. H. BONES *Cantate* (1847); der Cäcilienverein pflegt seit 1867 das kath. Kirchenlied, doch abgesehen von zahlreichen offiziellen Diözesan-G.ern und dem auf der Fuldaer Bischofskonferenz 1916 aufgestellten Kanon von 23 Liedern als Grundstock des G. fehlt e. kath. Einheits-G.; meist ist es mit dem →Gebetbuch vereinigt. Das ev. G. erhält im 19./20. Jh. das alte und historisch empfundene Liedgut ohne wesentlichen Neuzuwachs, der dem veränderten Lebensgefühl Rechnung trägt; 1951 zeigt es e. Stamm von 394 Liedern mit regional abweichenden Zusätzen. →Graduale, →Antiphonar.

M. Dreves, E. Wort z. G.frage, 1884; P. Sturm, D. ev. G. d. Aufklärg., 1923; RL[1]; H. Petrich, Unser G., 1924; L. Cordier, D. dt. ev. Liedpsalter, 1929; O. Söhngen, D. Zukunft d. G., 1949; Ch. Mahrenholz, D. ev. Kirchen-G., 1951; I. Röbbelen, Theologie u. Frömmigkeit i. dt. ev. G., 1957.

Gesangspruch, einstrophige lyrische und zur Instrumentalbegleitung (Fiedel) durchkomponierte Form der →Spielmannsdichtung mit anfangs religiös-didaktischen, später mehr persönlichen Inhalten (Fürstenpreis, Klage); von WALTHER VON DER VOGELWEIDE als politische Werbung an höfische Kreise benutzt.

Geschichte →Erzählung

Geschichtliches Lied →historisches Lied

Geschichtsallegorie, Anspielung auf gegenwärtige politische Zustände durch Darstellung e. ähnlichen Situation in der Vergangenheit, z. B. LOHENSTEINS *Arminius,* ähnl. KLEISTS *Hermannsschlacht.* →Schlüsselroman.

Geschichtsdichtung zeigt, soweit nicht e. oberflächlich historisierendes Gewand der ›bildenden‹ Unterhaltungslit. als Umkleidung dient, an historischen Stoffen wie Kulturbildern, Ereignissen, und bes. Persönlichkeiten (beliebt wegen konzentrierter Thematik) Wesen und Wirkung der geschichtlichen Kräfte in Entfaltung und Ablauf und bedient sich bes. des →historischen Dramas und →historischen Romans. Sie dient oft der Einkleidung e. politischen Tendenz (KLEISTS *Hermannsschlacht*), dem Preis von Herrscherhäusern (SHAKESPEARES Königsdramen, RAUPACH, WILDENBRUCH) oder der angenehmen und ästhetisch ansprechenden Form geschichtlicher Belehrung (→historischer Roman, →Professorenroman).

V. Klemperer, D. Arten d. hist. Dichtung, DVJ 1, 1923; E. Heinzel, Lex. hist. Ereign. u. Pers. i. Kunst, Lit. u. Musik, 1956; ders., Lex. d. Kulturgesch. i. Lit., Kunst u. Musik, 1962; RL: Lit. u. Gesch.; Gesch. i. d. österr. Lit. d. 19. u. 20. Jh., 1970.

Geschichtsdrama →historisches Drama

Geschichtsklitterung, nach dem Titel von FISCHARTS *Gargantua und Pantagruel* ([2]1582) Bz. für fehlerhafte, entstellende und kompilatorische Geschichtsschreibung.

Geschichtsroman →historischer Roman

Geschichtssage, im Ggs. zur Natur-, Volks-, Göttersage und Legende e. um historische Ereignisse gebildete →Sage, bes. die →Heldensage der Völkerwanderungszeit (z. B. Burgundenuntergang im *Nibelungenlied*). Kennzeichnend für die sagenmäßige Auffassung historischer Zusammenhänge in der G. ist, daß ihnen nie politische, stets nur zwischenmenschliche oder persönliche Ursachen zugrunde gelegt werden. Frei von aller historischen Objektivität, schaltet sie oft sehr willkürlich mit Tatsachen und Personen, überhäuft hervorragende Helden eines Zeitalters mit Wundertaten und Worten (Dietrich von Bern) und sucht in Zeiten der Not Trost im Glauben an eine Wiederkehr des alten Glanzes (→Kaisersagen).

Geschlossene Form →Tektonik, →offene Form

Geschmack, das Vermögen objektiver, differenzierter Beurteilung e. Kunstwerks nach adäquaten Gesichtspunkten, die Ansprechbarkeit für ästhetische Werte allg., das in gewissem Grade wandelbar ist (Zeit-G.), sodann das spezielle ästhetische Empfinden e. einzelnen, e. Gruppe oder Epoche als Reaktion auf die Lit. der Zeit. Erst das pädagogische 18. Jh. bemüht sich um lit. G.sbildung des Publikums (GOTTSCHED, BREITINGER, NICOLAI, WIELAND, LESSING, KANT, GERSTENBERG, HERDER, SCHILLER) durch →Kritik (→Ästhetik). Angesichts der Tendenz der erarbeiteten ästhetischen Grundbegriffe und Kunstgesetze, für e. epigonal-traditionelle Kunstübung und das konservative Bildungsbürgertum zu zeitunabhängigen Konstanten zu werden, wird der herrschende G. zum Angriffsziel jeder →Avantgarde. Der Geschmackswandel innerhalb der Epochen und einzelner Gruppen, der sich innerhalb e. ganzen sozialen Schicht, e. Sprachgemeinschaft oder e. Kulturkreises nach dem Wechsel der Leitbilder mit typischen Phasenverschiebungen vollzieht, und seine historisch-soziologischen Bedingungen sind Forschungsgebiet der →Literatursoziologie. Er ist vielfach an Generationswechsel, soziale Umschichtungen, geistesgeschichtliche Umstürze, historische Ereignisse, neue Bildungsgebiete und Interessenbereiche gebunden und kann durch auswählende Instanzen (etwa in Verlag und Theater) oder geschmacksbildende Vorbilder (früher die höfische oder großbürgerliche Gesellschaft, heute das Establishment in Lit., Theater, Kritik und Wissenschaft) und die ihnen zur Verfügung stehenden Massenmedien bis zu e. gewissen Grade gelenkt werden, allerdings mit charakterist. Ausnahmen etwa bei unerwarteten Bucherfolgen oder Fehlschlägen hochgelobter Werke beim breiten Publikum, das sich z.T. nicht an den Geschmacksrichtern, sondern am Angebot orientiert.

R. Schaukal, Vom G., 1910; L. Schükking, Lit.gesch. u. G.sgesch., GRM 5, 1913; ders., Soziologie d. lit. G.sbildung, [3]1961; B. Heimann, Üb. d. G., 1924; RL; W. Weisbach, V. G. u. seinen Wandlgn., 1947; J. D. Hart, *The popular book,* Berkeley 1950; A. M. Clark, *Stud. in lit. modes,* Lond. 1958; B. S. Allen, *Tides in Engl. Taste,* N. Y. II 1961; H. Klein, *There is no Disputing about Taste,* 1967; R. Peacock, *Criticism and personal taste,* Oxf. 1972. →Publikum.

Gesellschaften, literarische, dienen neben dem allg. Interesse an der Dichtung und der Förderung von deren Pflege und Verständnis in Diskussionen, Spezialbibliotheken und periodischen Veröffentlichungen insbes. der Publikation, Sammlung, Erhaltung und Pflege des Werkes einzelner dt. und ausländ. Dichter der Vergangenheit, so z.B. A.-Stifter-G., Annette-von-Droste-G., Dt. Dante-G., Dt. Schiller-G., Dt. Shakespeare-G., E.-Barlach-G., Goethe-G., G.-Hauptmann-G., W.-Raabe-G., Grabbe-G., Heine-G., Jean-Paul-G., Klaus-Groth-G., P.-Ernst-G., Th.-Storm-G. u. v. a. →Sprach-G., →Salon, →Dichterkreis, →PEN-Club.

Aufzählg. d. dt. G.: Kürschners Dt. Lit. Kal., d. ausländ. G.: Cassell's *Encyclopaedia of Lit.* I, 1953 s. v. Societies.

Gesellschaftsdichtung, im Ggs. zur →Individualdichtung die lit. Produktion aus der (höheren) Gesellschaft und für diese. Die Werke werden schon im Entstehen nicht allein von der Verfasserpersönlichkeit, sondern weitgehend vom Hörer- und Leserkreis beeinflußt und zeigen uniforme, konventionelle und repräsentative Züge, weniger individuelle Gefühlsaussprache. Die G. blühte im 16./17. Jh.: Renaissance, Frühbarock bis Anakreontik (→Galante Dichtung, →Schäferdichtung, →Singspiel, →Gesellschaftslied), in Frankreich bes. die →Plejade; erst die Auflösung der Gesellschaftsstruktur bringt ihr Ende und damit die neue Stellung des Dichters ohne →Publikum, ohne festen Hörerkreis, für den er dichtet.

Gesellschaftslied (Bz. von HOFFMANN VON FALLERSLEBEN), im Ggs. zum →Volkslied e. aus Lebenskreis, Welthaltung und Gefühlslage e. beliebigen Gesellschaft entstandenes, für sie bestimmtes und in ihr bei Fest und Tanz gesungenes Kunstlied mit konventionellen, meist ital., doch der Mode unterworfenen Formen (meist strophisch: Villanelle, Kanzone, Madrigal u. a.) und Motiven (Liebe, Wein, Musik, Geselligkeit, Freundschaft). Die Minnelieder gelten nur beschränkt als G.; die eigentliche Ausbildung erfolgt mit dem Einsetzen e. ausgesprochen tragenden Gesellschaftskultur um Mitte des 16. Jh., zunächst unter dem formalen Einfluß ital. Hofmusiker, seit REGNARDS Villanellen (1574) mit Angleichung von Wortlaut und Melodie, bei LINDNER (*Gemma musicalis*, 1588) in Kanzonettform, bei H. L. HASSLER, Ch. v. SCHALLENBERG und HAUSSMANN meist in Anpassung der Texte an Modetänze der Zeit (Galliarde, Intrade, Pavane, Balletto); erste Höhe bei J. H. SCHEIN, Ch. DEMANTIUS, J. CHRISTEN, M. FRANCK (Einführung der Koloratur ins G.), JEEP, E. WEIDMANN und M. ZEUNER. Hauptblütezeit ist der Barock mit allen großen Dichterkreisen: →Königsberger (S. DACHS ›Kürbishütte‹), Schlesien (OPITZ), Leipzig (P. FLEMING, Ch. BREHME, C. DEDEKIND, später A. KRIEGER), Hamburg (Ph. v. ZESEN, J. RIST, J. SCHOP, G. VOIGTLÄNDER) und Thüringen (Kaspar STIELERS *Geharnschte Venus*, 1660), auch in der Ausbildung des gesellschaftlichen →Singspiels. Fortgesetzt wird die Entwicklung im Rokoko (GÖRNER, HILLER), bes. der →Anakreontik: GLEIM, UZ, HAGEDORN, im Singspiel Chr. F. WEISSE. Im Sturm und Drang und bes. der Romantik weicht das G. dem wiederentdeckten Volkslied oder geht ins individuelle Seelenlied über; Ausläufer sind die rein geselligen (→Studenten- u. a.) Lieder des →Kommersbuches der gleichen Kreise, bes. im Biedermeier. Doch noch GOETHE und EICHENDORFF schreiben Tafellieder.

R. Velten, D. ältere dt. G. unter d. Einfl. d. ital. Musik, 1914; L. Nowak, D. dt. G. i. Österr. 1480–1550, 1930; M. Platel, V. Volkslied z. G., 1939; L. Schmidt, ›D. Muckennetz‹, 1947; RL. →Lied.

Gesellschaftsroman zeichnet weniger in ereignisreichem Handlungsablauf mit zeitlichem Nacheinander als in breiter Zustandsschilderung bei zeitlichem Nebeneinander vieler Handlungsstränge das ganze Gesellschaftsleben e. Zeit und die daraus entstehenden Konflikte; er ist meist weltgläubig und teils selbst Verkörperung des Gesellschaftsgeistes (MA.: HARTMANNS *Erec* und *Iwein*, Barock: ZESEN u. a., Klassik: GOETHES *Wilhelm Meister*), teils gesellschaftskritisch (19. Jh.: GUTZKOW, FREYTAG, FONTANE, DICKENS, THACKERAY, STENDHAL, BALZAC, FLAUBERT, ZOLA, H. BEECHER-STOWE, TOLSTOJ, DOSTOEVSKIJ; 20. Jh.: GALSWORTHY, MUSIL, Th. MANN). Der G. setzt e. relative Einheit, Gliederung und Zentrierung der Gesellschaft voraus und entwickelt nur dort feste lit. Tradition, wo er diesen Nährboden findet; sonst führen fließende Übergänge zum →Zeitroman.

E. Cohn, Gesellschaftsideal u. G. d. 17.

Jh. 1921; J. R. Humm, D. G., 1947; R. Pascal, *The German Novel*, 1956; M. Millgate, *American social fiction*, Edinb. 1964; W. French, *The social novel at the end of an era*, Carbondale 1966.

Gesellschaftsstück →Konversationsstück

Gesetz, 1. meistersingerische, in der Schweiz teils noch heute übliche Bz. für →Strophe allg., 2. →Aufgesang.

Gespaltener Reim, Reim, bei dem sich die Reimsilben auf zwei oder mehrere kurze Wörter, nicht nur ein Reimwort verteilen: hat es/mattes.

Gespensterballade, zieht gleich der →Gespenstergeschichte Stimmung und Schreckwirkung aus dem Erscheinen übersinnlicher Gestalten, bes. Toter (totenmagische →Ballade: Begegnung mit dem Geist des oder der gestorbenen Geliebten). Die Entwicklung setzt ein mit *Sweet William* und *William's Ghost* in PERCYS *Reliques,* in Dtl. BÜRGERS *Lenore, Der Wilde Jäger,* begünstigt durch e. der Volksnähe förderlichen Irrationalismus im Sturm und Drang und der Romantik; so folgen GOETHE *(Der untreue Knabe, Die Braut von Korinth, Totentanz),* BRENTANO *(Auf dem Rhein),* UHLAND, DROSTE, FONTANE, v. STRACHWITZ, A. MIEGEL, L. v. STRAUSS UND TORNEY, B. v. MÜNCHHAUSEN u. a.

L. Kämpchen, D. numinose Ballade, 1930.

Gespenstergeschichte, motivbetonte Sonderform der Erzählkunst, erregt durch das Auftreten wirklicher oder vermeintlicher Geister und Spukgestalten Grauen und Schauder des Lesers; mehr auf Spannungserregung und Nervenkitzel als auf künstlerische Wirkung angelegt, bleibt sie größtenteils auf die Triviallit. beschränkt und erreicht selten volle Kunsthöhe, dann in Zeiten des Irrationalismus oder als aufklärerische Parodie des Geisterglaubens. Ihr Einsetzen erfolgt bereits vor dem Barock; GRYPHIUS verwendet sie zuerst im Drama *(Cardenio und Celinde, Das verliebte Gespenst),* LESSING untersucht in der *Hamburgischen Dramaturgie* den Unterschied des echt irrationalen (SHAKESPEARE) vom rational verstandenen Gespenst (VOLTAIRE); gleichzeitig beginnt die eigentliche G. in England mit Horace WALPOLES *Castle of Otranto* (1764) und dessen Nachfolgern (A. RADCLIFFE, *The Mysteries of Udolfo,* M. LEWIS, *The Monk,* M. SHELLEY, *Frankenstein,* E. A. POE u. a.) als Schauerromantik der Geister und findet in Dtl. reiche Nachfolge, andeutend bei GOETHE, *Unterhaltungen dt. Ausgewanderten* (1794), SCHILLER im *Geisterseher,* dann bei TIECK im *Blonden Eckbert* (1796), KLEIST, *Das Bettelweib von Locarno,* bes. E. T. A. HOFFMANN, *Das Majorat, Die Elixiere des Teufels* u. a. als Meister der dämonischen G., bei HEINE und HAUFF (*Phantasien im Bremer Ratskeller, Memoiren des Satan, Märchen*) teils in ironischer Form, im Realismus allein bei STORM (*Der Schimmelreiter* u. a.), dann wieder die okkultistische G. der Neuromatiker H. H. EWERS, MEYRINK (*Der Golem,* 1915, *Das grüne Gesicht,* 1916), A. KUBIN (*Die andere Seite,* 1909), ferner STROBL, BLUNCK, M. LUSERKE, BERGENGRUEN (*Das Buch Rodenstein*) und teils auch Expressionisten. In Frankreich vertreten VILLIERS DE L'ISLE-ADAM und MAUPASSANT, im engl. Sprachbereich BULWER-LYTTON (*Zanoni*), Sh. LE FANU, R. L. STEVENSON, H. JAMES, O. WILDE (*The Canterville Ghost,* 1887) und in russ Lit. GOGOL, TURGENEV u. a., in Polen J. POTOCKI (*Manuscrit trouvé à Saragosse*) die

Mischung von Realem und Unheimlichem. →Schauerroman.

B. Diederich, V. G.n, ihrer Technik u. Lit., 1903; RL; O. Rommel, Rationalist. Dämonie, DVJ 17, 1929; K. Kanzog, D. dichter. Begriff d. Gespenstes, Diss. Bln. 1951; J. Briggs, *Night Visitors*, Lond. 1977.

Gespräch, heute meist im Ggs. zur rein lit. Form des →Dialogs e. wirklich stattgefundene Unterredung wie LUTHERS Tischgespräche, GOETHES G.e mit ECKERMANN, RIEMER, SORET, Kanzler von MÜLLER u. a. oder F. v. BIEDERMANNS Bearbeitungen der G.e von SCHILLER, GOETHE, LESSING.

W. B. Lerg, D. G., 1970.

Gesprächsspiel, im Barock von HARSDÖRFFER, RIST, ABELE, THOMASIUS' und GRIMMELSHAUSEN verwendete lit. Dialogform, Verbindung nüchterner Gelehrsamkeit mit unterhaltend-galanter Form, bes. *Frauenzimmer-G.e.*

R. Hasselbruck, Gestalt u. Entw. d. G., Diss. Kiel 1957; RL; R. Zeller, Spiel u. Konversation i. Barock, 1974.

Gesta (lat. = Taten), ritterliche Abenteuer und Heldentaten, sodann Titel für deren Erzählung, z. B. bei den *G. Francorum, G. Danorum, G. Romanorum, G. Caroli magni* u. a., vgl. auch →Chanson de geste.

Gestalt, 1. →Form, 2. →Figur

Geste (lat. *gestus* = Gebärde), 1. die mehr stereotype und konventionelle Körperbewegung, →Gebärde des Schauspielers oder Redners. – 2. →Chanson de geste.

Geusenlieder, niederländ. Art des histor. Volksliedes: Lieder auf die politischen Ereignisse aus der Zeit der Geusen (16. Jh.), der niederländ. Freiheitskämpfer gegen Spanien, insbes. Spott- und Kampflieder, am bekanntesten *Wilhelmus van Nassouwe.*

Het Geuzenlied, hg. P. Leendertz, Zutphen II 1924 f.

Ghasel (arab. *ghazal* = Gespinst), herrschende Gedichtform der oriental. Lyrik von beliebiger Länge (meist 6–30 vierhebige Langzeilen), die den Reim des ersten Verspaares (Königs- →Beit) in jeder geraden Zeile aufnimmt, während die ungeraden reimlos sind: aa ba ca da ...xa. Jedes Verspaar (arab. →Beit) bildet e. Ganzes ohne wesentlichen Sinneinschnitt oder Interpunktion. Lockere Leichtigkeit der Sprachführung und dauernder Gleichklang durch magische Wiederholung der durch die Flexionsendungen ermöglichten, oft reichen Reime (z. T. das gleiche Wort) ebenso wie das Fehlen e. dynamisch abrundenden Schlusses geben dem G. e. zeitlose Gleichförmigkeit, die tief dem Lebensgefühl der Orientalen entspricht; es tritt daher selbst an gehobenen oder lyrischen Stellen der Prosa ein. Den Inhalt bilden meist geruhsam-idyllische Gedanken: Lob des Friedens, des Weines, des Schenkens, der Genügsamkeit und des ruhigen Lebens (vgl. dagegen →Kasside). Von den Arabern ausgebildet, wurde die Form bald von anderen islam. Völkern übernommen: Persern (bes. bei HĀFEZ, 14. Jh., in höchster Vollendung), Inder und Türken, und in dt. Lit. durch F. SCHLEGEL 1803 nachgeahmt, dann von GOETHE *(Divan),* RÜCKERT, PLATEN, GEIBEL, BODENSTEDT, LEUTHOLD, HAGELSTANGE und ähnlich G. KELLER verwendet.

H. Tschersig, D. G. i. d. dt. Dichtg. 1907; RL[1]; A. K. Kinany, *The Development of Ghazal in Arabic Lit.,* 1951; D. Balke, Westöstl. Gedichtformen, Diss. Bonn 1952. →Metrik.

Ghostword (engl. = Geisterwort) = →Vox nihili

Ghostwriter (engl. = Geisterschreiber), Schriftsteller, die beruflich im Auftrag und anonym unter dem Namen ihrer Auftraggeber (mummies), bes. Politiker, Filmschauspieler, Industrieller u. a. Personen von öffentl. Interesse oder überlasteter Erfolgsschriftsteller (z. B. A. DUMAS d. Ä.), Bücher oder Reden verfassen, bes. in Amerika.

R. Güttler, D. G. (Neue dt. Hefte 81, 1961); H. Stolz, D. G. i. dt. Recht, 1971.

Gierasa, Ruhm- und Preislied der Galla in Afrika auf die Macht und die Taten einzelner Helden im Ggs. zur →Fârsâ.

E. Cerulli, *Folk Lit. of the Galla,* 1922.

Gîtâ (ind. =) Lied

Glagolika, glagolitische Schrift, von KYRILLOS aus Saloniki (826 bis 869) aus der griech. Minuskel des 9. Jh. und z.T. koptischen Schriftzeichen abgeleitete Schrift für die kirchenslaw. (altbulgar.) Sprachen, ab 12. Jh. durch die fälschlich sog. →Kyrillische Schrift abgelöst.

Glaubensbekenntnisse aus ahd. Zeit bilden mit Tauf- und Beichtformeln e. wesentlichen Teil der erhaltenen ältesten dt. Prosa.

W. Matz, D. ahd. G., Diss. Halle 1932.

Gleicher Reim →rührender Reim

Gleichklang →Assonanz

Gleichlauf →Parallelismus

Gleichnis, Großform des →Vergleichs: poetische Veranschaulichung e. Sachverhalts durch Vergleichung e. analogen Vorgangs oder Zustands aus e. anderen Lebensbereich, der sich im Ggs. zur →Fabel nur in einem wesentlichen Punkt (tertium comparationis) einleuchtend mit dem Gemeinten berührt, so daß Bild und Gegenschein wechselseitig die Bedeutung erhellen, die ausdeutend direkt hinzugefügt wird (im Ggs. zur Allegorie, etwa ›so ... wie‹): ›Es traf mich wie ein Blitz aus heiterm Himmel‹. Formale Möglichkeiten sind die parallele Durchführung oder die gesonderte Ausführung der einzelnen Vergleichsglieder, bei der jeder Teil im anderen gegenwärtig ist und die Wirkung erhöht; Vorangehen des Vergleichsbereichs ohne Andeutung der Beziehung dient der Spannungssteigerung. In beiden Fällen neigt der Vergleichsbereich zu e. gewissen sprachl. Verselbständigung und selbstwertigen epischen Breite. Erste und häufige Verwendung des G. erfolgte in griech. Epik (HOMER), die durch Breite des Weltbildes und betrachtende, daher auch vergleichende Haltung des Epikers das klare G. begünstigte. Die sog. G.se des NT. dagegen sind eher →Parabeln.

W. Moog, D. homerischen G.se (Zs. f. Ästhet., 1912); H. Pongs, D. Bild i. d. Dichtg., I, 1927; J. Günther, Üb. d. G. (D. Lit., 1935/36); E. Linnemann, G.se Jesu, 1961; E. Biser, D. G.se Jesu, 1965.

Gleitender Reim →reicher Reim

Gliederreim, die gewöhnliche Stellung der Reimworte am Abschluß paralleler Sätze oder Satzglieder, Verse oder Halbverse im Ggs. zu sog. ›reimenden Verbindungen‹ wie: ›sang- und klanglos‹.

Glimpfwort →Euphemismus

Gliommero (neapolitan. = Knäuel), ital. Gedichtform ähnlich der →Frottola, doch mehr zur Rezitation gedacht, in versch. Versmaßen, meist Endecasillabi, mit Mittelreim, abwechslungsreichem, bunt durcheinandergewürfeltem, meist farcenhaftem Inhalt und reichen Anspielungen auf politische und aktuelle Ereignisse sowie den Tagesklatsch. Einige G. werden SANNAZARO zugeschrieben.

Glosa →Glosse (2)

Glossar, 1. Slg., von →Glossen (1), 2. Wörterbuch zur Erklärung altertümlicher, mundartlicher u.a. unverständlicher Ausdrücke, scheinbare Slg. von Glossen, 3. sachlich oder alphabetisch geordnetes Wörterverzeichnis, Sprachwörterbuch überhaupt.

Glosse (griech. *glossa* = Zunge, Sprache), 1. mundartlicher, veralteter, seltener oder sonstwie unverständlicher und erklärungsbedürftiger Ausdruck, dann bes. die Erklärung oder Übersetzung e. solchen, und zwar als Interlinear-G. zwischen den Zeilen (nächste Stufe: →Interlinearversion), als Kontext-G. im Text selbst oder als Marginal-G. am Rande. Das Abfassen (Glossographie) und Sammeln von G.n, bes. zu HOMER, in →Glossaren war e. Hauptanliegen der antiken Philologie seit dem 5. Jh. v. Chr., die dadurch nicht mehr geläufige Wörter und Wendungen der frühen Klassiker erläuterte (bes. in der alexandrin. Gelehrsamkeit und der röm. PLAUTUS-Renaissance). Auch die ältesten ahd., altfranz. und altengl. Schriftdenkmäler sind G.n: über- oder beigeschriebene Übersetzungen einzelner lat. Wörter oder Wendungen, teils ganzer Wortregister und fremder G.nsammlungen (*Abrogans,* um 765), zur Erleichterung des Lateinunterrichts und der Lektüre für Geistliche und Klosterschüler bei Texten wie VERGIL, *Bibel,* Kirchenväter, PRUDENTIUS u.a. Sie erschienen entweder in der Reihenfolge ihres Auftretens im Text, alphabetisch oder nach Sachgruppen geordnet (*Kasseler Glossar,* um 800, *Vocabularius St. Galli* 776). Sie wurden seit 750 durch das MA. häufig von e. Kloster zum anderen weitergereicht und, teils fehlerhaft, abgeschrieben; am ältesten und bedeutendsten sind die *Malbergischen G.n* (um 600) zur *Lex Salica*; reiche Glossiertätigkeit herrscht bes. in Reichenau und St. Gallen. Die G.n sind e. wichtige Quelle für Sprachentwicklung (Worthorizont, Sprachverfeinerung und -verselbständigung, Ausdrucksmöglichkeiten) und Kulturgeschichte (Aufnahme des antik-christlichen Bildungsgutes, Auswahl der Lektüre, Kultur- und Bildungsstufe der Klöster).

RL; B. Goetz, Glossographie in RE; G. Baesecke, D. dt. Abrogans..., 1930; ders. D. Vocabularius St. Galli, 1933; R. Bergmann, Verz. d. ahd. u. altsächs. G.hss., 1973; A. Schwarz, G.n als Texte (Beitr. z. Gesch. d. dt. Spr. u. Lit. 99, 1977).

2. span. lyrische Gedichtform des 14.–16. Jh. von bes. Zierlichkeit: 4→Dezimen, die e. vierzeiliges Motto oder Thema als Grundgehalt so abwandeln, daß ihre Schlußzeilen zusammen stets das wieder in sich gereimte Motto ergeben und den Inhalt des Gedichts als dessen Variation erscheinen lassen; auch freier mit beliebig langem Motto u. beliebig langen Strophen. Im 16. Jh. bei V. ESPINEL, in dt. Dichtung von den Romantikern, bes. Brüder SCHLEGEL, ferner UHLAND und D. v. LILIENCRON *(G.)* übernommen.

H. Janner, *La glosa española* (*Revista de filologia española* 27, 1943); K. Voßler, Dichtgsformen d. Romanen, 1953.

3. in der Zeitung feuilletonistischer Kurzkommentar mit polemischer Stellungnahme zu Tagesereignissen, daher 4. in der Umgangssprache allg. hämisch-spöttische ›Randbemerkung‹.

Glossographie (griech. *graphein* = schreiben), Aufzeichnen und Sammeln von →Glossen (1), Vorstufe und Quelle der Lexikographie.

Glykoneus, nach dem griech. Dichter GLYKON benanntes antikes Versmaß aus acht Silben: katalektische Tetrapodie aus drei Trochäen und einem Daktylus, nach dessen

Stellung unterscheidet man: 1. G.: –́◡◡–́◡–́◡–́ (auch als Choriambus + Diiambus), 2. G.: ⏓́⏓–́◡◡–́◡⏓́ (Grundform) und 3. G.: –́⏓–́⏓–́◡◡–́. Verwendung in der äolischen Lyrik, bes. der 2. G. als Schlußvers der →asklepiadeischen Strophe: ›Auf den Flügeln der Morgenluft‹ (KLOPSTOCK), auch verkürzt im →Pherekrateus.

Gnome (griech. = Erkenntnis, Meinung), kurzer Denkspruch in Vers oder rhythmischer Prosa, meist lehrhaft: Sittenlehre, Lebensregel und -weisheit, →Sentenz, verbreitet in ind., arab., pers., hebr. Lit., bes. bei den Griechen als Gattung der elegischen Dichtung in Distichen oder Hexametern: HOMER streut G.n in die Epik ein, HESIOD besteht zum großen Teil aus G.n, bes. aber bei der unter dem Namen des THEOGNIS von Megara (500 v. Chr.) überlieferten Sammlung, SOLON, PHOKYLIDES als gnomische Dichtung, später oft gefälscht; in röm. Literatur die Sentenzen des PUBLILIUS SYRUS und die sog. *Dicta Catonis* (2. Jh. n. Chr.), später in Slgn. (Gnomologien) des FAVORINUS (2. Jh.), ORION (5. Jh.) und JOHANNES DAMASZENUS. Altgerman. Spruchgut findet sich in den gnomisch-didaktischen Teilen der *Lieder-Edda,* in dt. Lit. entsprechen FREIDANKS *Bescheidenheit* (1229) und die →Priameln des 14./15. Jh. der Gattung; im 19. Jh. RÜKKERTS *Weisheit des Brahmanen* und SCHEFERS *Laienbrevier,* zuletzt St. GEORGES *Stern des Bundes* (1914).

B. C. Williams, *Gnomic Poetry in Anglo-Saxon,* 1914; K. v. Fritz in RE, Suppl. 6, S. 74 ff., 1935. – →Spruch- u. →Lehrdichtg.

Goethezeit, unscharfe Bz. der Jahrzehnte ca. 1770–1830 als lit. Einheit; Oberbegriff für →Sturm und Drang, →Klassik und →Romantik. Vgl. →Idealismus, →Deutsche Bewegung.

Göttersage →Mythos

Göttinger Hain, von Voss nach KLOPSTOCKS Ode *Der Hügel und der Hain* (Hain als Aufenthalt der german. →Barden gegenüber dem griech. Parnaß) benannter, am 12. 9. 1772 bei Göttingen gegründeter Freundschaftsbund junger Dichter, meist Studenten der dortigen Universität: BOIE, VOSS, HÖLTY, MILLER, J. Fr. HAHN, WEHRS, K. F. CRAMER, später Chr. u. L. v. STOLBERG, J. A. LEISEWITZ, ESMARCH, nahestehend auch G. A. BÜRGER, SCHUBART, M. CLAUDIUS. Wie bereits im vorangegangenen Ausgangs- und Kristallisationspunkt, dem *Göttinger Musenalmanach* (hg. BOIE und F. W. GOTTER, 1770 ff.) sind die Ziele durch die Empfindsamkeit beeinflußt: Befreiung der Dichtung von aufklärerischem Rationalismus und gesellschaftlicher Konvention wie von fremden Vorbildern, bes. franz. Einfluß (WIELAND), dafür Freiheit von Phantasie und Leben, dynamischer Enthusiasmus im Geiste des schwärmerisch verehrten Vorbildes KLOPSTOCK und Verkörperung verschwommener patriotischer, religiöser und sittlicher Ideale: Freundschaft, Tugend und Tyrannenhaß. Ein ›Bundesjournal‹ berichtet über die wöchentlichen Zusammenkünfte, e. ›Bundesbuch‹ sammelt alle nach gemeinsamer Kritik gebilligten Dichtungen. Höhepunkte waren KLOPSTOCKS Geburtstagsfeier am 2. 7. 1773 und sein persönliches Erscheinen im Bund 1774; bald danach brachte der Weggang vieler Mitglieder die Auflösung des G. H. Seine Bedeutung für die Lit.geschichte liegt in der Wiedererwekkung der schlichten volks- und naturnahen Dichtung und der Entstehung der volkstümlichen Kunstballade (HÖLTY, BÜRGER) in Anlehnung an PERCYS *Reliques;* wenige weitere Werke gewannen lit. Größe wie VOSS' Hexameter-Idyllen (*Luise* 1795, *Der 70. Geburtstag* 1780), MILLERS Roman *Siegwart* 1776 als Nachfolger des *Werther,* LEISEWITZ' Tragödie *Julius von Tarent* 1776; nur die Gemeinschaft wirkte in die Zeit.

F. Lüdecke, Z. Gesch. d. G. Dichterbundes, Euph. 11, 1904; A. Köhler, D. G. H., GRM 8, 1920; RL; A. Wicke, D. Dichter d. G. H. i. ihrem Verhältnis z. engl. Lit., Diss. Gött. 1929; R. Baesken, D. Dichter d. G. H. u. d. Bürgerlichkeit, 1937; G. Fricke, G. H. u. G. Ballade, 1937; E. Metelmann, Z. Gesch. d. Gött. Dichterbundes, 1965. →Empfindsamkeit und →Sturm u. Drang.

Gogynfeirdd, die kymrischen Hofdichter des 11.–13. Jh., unter sich in versch. Rangstufen gestaffelt.

Goldene Latinität, Epochenbz. für die lat. Lit. ursprünglich von den Anfängen bis 17 n. Chr. (Tod OVIDS), jetzt für die Klassik der spätrepublikan. (81–43 v. Chr.) und augusteischen (42 v.–17 n. Chr.) Zeit, die Blütezeit der Kunstprosa (CICERO, CAESAR) in sprachlicher Vollendung, der Epik (VERGIL), der Lyrik und Elegie (HORAZ; CATULL, TIBULL, PROPERZ, OVID) und der Geschichtsschreibung (LIVIUS). Der Begriff weitete sich damit von einer sprachl.-stilist. Kategorie höchster Geschmeidigkeit der lat. Literatursprache zur Periodenbz. für diejenige Entwicklungsphase, in der griech. Vorbild und röm. Eigenart zu e. untrennbaren Einheit verschmolzen. Gemäß der antiken Weltzeitalter-Lehre wurde die folgende Epoche als →Silberne Latinität bezeichnet.

L. P. Wilkinson, *Golden Latin Artistry,* Lond. 1963.

Goliarden (v. *golias* = Teufel oder *gola* = Schlund?), Bz. des 13. Jh. für →Spielleute und →Vaganten.

H. Brinkmann, G., GRM 12, 1924; O. Dobiache-Rojdesvensky, *Les poésies des g.,* Paris 1931.

Gongorismus, span. Beitrag zum europ. →Schwulststil des 17. Jh., nach seinem Erfinder, dem Dichter Luis de GÓNGORA Y ARGOTE (1561 bis 1627) benannt, auch →estilo culto, culteranismo oder cultismo; gekennzeichnet durch häufige Fremdwörter, lat. Satzbildung, überladene, gekünstelt-virtuose Wendungen, reiche rhetorische Figuren, Hyperbeln, gesuchte und überraschende Bilder und Metaphern, geschraubte Antithesen, gelehrte Anspielungen bes. auf antike Mythologie, raffinierte Begriffs- und Wortspiele, seltene, preziöse Wortbildungen u. a. m. Der im Großen wie im Kleinen geistig durchgestaltete, ausgesprochen dunkle und esoterische Stil fand Beifall und zahlreiche Nachahmer (Gongoristen, Culteranisten) in anderen Litt.: →Marinismus, →Euphuismus. Sachgerechte und vorurteilsfreie lit.-historische Betrachtung als echter und überzeugender Ausdruck frühbarocker Welthaltung fand der G. erst im 20. Jh. Im Anschluß an die Feierlichkeiten zum 300. Todestag GÓNGORAS bildete sich 1927 in Spanien e. Art Neu-G., dem u. a. G. DIEGO und R. ALBERTI angehörten.

L. P. Thomas, *Gongora et le G.,* 1911; F. Ichaso, *Góngora y la nueva poesia,* Havanna 1927; A. Reyes, *Cuestiones gongorinas,* Madrid 1928; D. Alonso, *Góngora y la lit. contemp.,* Santander 1932; E. Carilla, *El G.o en América,* Buenos Aires 1946; D. Alonso, *La lengua poética de Góngora,* Madrid [3]1961; ders., *Estudios gongorinos,* Madrid 1955; F. García Lorca, D. dichter. Bild b. Góngora, 1954.

Gorgianische Figuren, →rhetorische Figuren, nach GORGIAS d. Ä. (485–375 v. Chr.), der sie zuerst reichlich verwendete.

Gothic Novel →Schauerroman

Gotischer Bund, schwedisch ›Göterna‹, romantischer schwed. Dichterkreis zu Beginn des 19. Jh., pflegt bes. Stoffe aus altnord. Vorzeit. Mitglieder: E. G. GEIJER, P. H. LING. Esaias TEGNÉR u. a.

Gotische Schrift, auch gotische Minuskel gen., e. nicht von den Goten stammende, sondern erst seit dem 11. Jh., bes. 12. Jh. aus der karolingischen Minuskel entwickelte Schriftart mit schmalen Buchstaben, Spitz- statt Rundbogen, gebrochenen Verbindungsstrichen und Grundlinien; herrschend im 13.–15. Jh.

Gottschedianismus nannte GOETHE die von GOTTSCHED geforderte Vorherrschaft der klassizistischen franz. Alexandrinertragödie auf dt. Bühnen.

Grabrede →Epitaph, →Laudatio funebris, →Leichenrede

Grabschrift →Epitaph, →Epigramm

Gracioso (span.), die →komische Person in der span. Komödie seit dem 16. Jh., teils verschlagen-bauernschlaue, teils einfältige Dienerrolle der Hauptfigur; bei LOPE DE VEGA komisches Gegenstück zu seinem Herrn und dessen Taten parodierend, bei ALARCÓN Vertrauter und Ratgeber, bei TIRSO DE MOLINA Verbindung von Komiker und Ratgeber, bei CALDERÓN als der lebensweise Narr.

Ch. D. Ley, *El g.en el teatro de la peninsula*, Madrid 1954; B. Kinter, D. Figur d. G. i. span. Theater d. 17. Jh., 1977.

Gradation (lat. *gradatio* = Steigerung), als →rhetorische Figur die Abstufung in der Anordnung e. Wort- oder Satzreihe nach ihrer Schwere, Bedeutung und Vorstellung entweder nach oben (→Klimax) oder nach unten (→Antiklimax).

Graduale (v. lat. *gradus* = Stufe), 1. Responsorium g., ›Stufengesang‹, in der kath. Messe e. aus 1–2 Psalmversen bestehender kurzer Zwischengesang des auf den Stufen des Altars stehenden Priesters nach der Epistelverlesung, 2. liturgisches Gesangbuch für alle Chorgesänge der Messe.

O. Brodde, Ch. Müller, D. G.lied, 1954.

Gradualismus (v. lat. *gradus* = Schritt, Stufe), von G. MÜLLER auf die ma. Lit. angewandter philosophischer Begriff, bezeichnet das Vorhandensein mehrerer eigenständiger Realitätsschichten in stufenweiser Hinordnung zu Gott und erklärt das Auftreten verschiedener stilistisch-ethischer Grundsätze bei den Werken desselben ma. Autors (z. B. HARTMANN VON AUE), das Verhältnis von Minne- und Marienlyrik und die Weltentsagung vieler ma. Epenhelden aus dem Wechsel dieser Realitätsschichten.

G. Müller, G., DVJ 2, 1924; H. Brinkmann, ebda. 3, 1925; RL; W. Heinemann, Stud. z. G. i. d. dt. Lit. d. 13. bis 15. Jh., Diss. Lpz. 1964.

Gradus ad Parnassum (lat. = Stufen zum →Parnaß), lat. oder griech. Wörterbuch mit Angabe der Quantitäten, Synonyme und Epitheta e. Wortes, Versregeln u. ä. als Anleitung zum Reimeschmieden in lat. oder griech. Sprache. Ähnlich spätere Werke von J. CONRAD 1863, H. LINDEMANN 1866 und L. QUICHERAT (Paris 1906). →Reimlexikon.

Gräberpoesie, nach ihrem bevorzugten Schauplatz Bz. für e. lyr. Richtung insbes. der engl. Vorromantik um die Mitte des 18. Jh., die ihre melanchol. Meditationen an die Gedanken von Tod, Sterblichkeit, Grab und Einsamkeit anknüpft: Th. PARNELL, *Night-Piece on Death* (1721), E. YOUNG, *Night Thoughts* (1742–45), R. BLAIR, *The Grave*

(1743), Th. GRAY, *Elegy Written in a Country Churchyard* (1751) und deren zahlreiche Nachahmer (›Graveyard School‹). Das Motiv, vorgeprägt in A. GRYPHIUS' *Kirchhofsgedanken,* gewann europ. Verbreitung: in Dtl. v. CREUTZ und v. CRONEGK, in Schweden OXENSTIERNA, BELLMAN, LIDNER und KELLGREN, in Italien PINDEMONTE und bes. U. FOSCOLO *(I sepolcri).*

P. van Tieghem, *La poésie de la nuit et des tombeaux,* Brüssel 1921; C. A. D. Fehrmann, *Kyrkogårdsromantik,* 1954.

Gräzismus (lat. *graecus* = griech.), aus dem Griech. entlehnter Ausdruck oder syntaktische Spracheigentümlichkeit, bes. bei den röm. →Neoterikern und den augusteischen Dichtern.

Grammatik (griech. *gramma,* wie lat. *littera* = Buchstabe, Schrift, Lit.) bezeichnete in der Antike das Wissen von Sprache und Lit., Philologie im allg. (lat. *grammaticus* = Gelehrter schlechthin), wird ebenso noch in den →Artes liberales verstanden und erhielt erst später die Einschränkung auf die Wissenschaft vom Aufbau der Sprache, und zwar als Beschreibung e. bestehenden oder früheren Sprachzustandes (deskriptive G.) in Laut-, Stammbildungs-, Formen- und Satzlehre, als Darstellung e. Sprachentwicklung (historische G.) oder als vergleichende G., die Verhältnisse anderer Sprachen gegenüberstellt und Verwandtschaften feststellt.

H. Paul, Dt. G., V [6]1968; H. Stolte, Kurze dt. G., [3]1962; W. Schneider, Stilist. dt. G., 1959; J. Erben, Abriß d. dt. G., [8]1965; ders., Dt. G. [11]1972; H. Glinz, D. innere Form des Dt., [6]1973; Duden-G., [3]1973.

Grammatischer Reim verbindet Wörter des gleichen Stammes, oft auch Flexionsformen desselben Wortes ohne Rücksicht auf Gleichklang: bekleiden / kleidet / kleit / leiden / leidet / leit. Verskünstelei in Minne- und Meistersang, z.B. REINMAR DER ALTE (*Minnesangs Frühling* 198).

Grand Guignol →Guignol

Graserlied, dt. Abart der →Pastourelle, so OSWALD VON WOLKENSTEIN (48 f.).

Graslied, alte Bz. für →Volkslied im 15./16. Jh.

Grazer Forum →Forum Stadtpark

Graziendichtung, von →Rokokodichtung und →Anakreontik nicht scharf abtrennbare lit. Richtung, welche die aus der zeitgenössischen bildenden Kunst bekannten und im Barock vielfach als Zierat verwendeten Grazien als Verkörperung des Anmutigen und damit in ihrem Sinne des Schönen schlechthin preist und als Lebensideal entweder das geistig Lebendige, den Esprit und sinnlichen Reiz (Frankreich, Anakreontik, bes. HAGEDORN) oder die innere, seelische Anmut und Schönheit betont (England: MILTON, RICHARDSON, als Philosoph und Theoretiker SHAFTESBURY; Dtl.: PYRA und der junge WIELAND). Den Höhepunkt und Ausgleich der dt. G. bilden WIELANDS *Musarion oder die Philosophie der Grazien* (1768) und *Grazien* (1770); erzieherische Absichten verknüpft J. G. JACOBIS *Charmides und Theone* (1773); HERDERS *Fest der Grazien* beendet die G.

F. Pomezny, Grazie u. Grazien i. d. dt. Lit. d. 18. Jh., 1900; RL. →Anakreontik.

Greguería, von dem Spanier R. GÓMEZ DE LA SERNA erfundene Form des paradox-humoristischen Aphorismus, der in knappen Sätzen, durch ungewöhnliche Ideenverbindung und schalkhaft-tiefsinnige Einfälle eine neuartige, exzentrische Sicht der Dinge vermittelt. Das Versinnlichen der Abstrakta, das Wörtlichnehmen der sprachlichen Bilder und die Vertauschung der Kausalzusammenhänge liefern der G. komische, banale oder surrealistische Vergleichsebenen, auf denen der Witz entsteht: ›Schwalben versehen den Himmel mit Anführungszeichen.‹

Griechendichtung →Philhellenismus

Grobianismus (›Grobian‹ zu ›grob‹ als Verdeutschung von lat. *rusticus* zuerst 1482 in ZENINGERS *Vocabularius theutonicus;* G. latinisierte Ableitung), das grobe und unflätige Benehmen, wurde Gegenstand ironischer und satirischer Darstellung in der sog. Grobianischen Dichtung des 15./16. Jh., die an die höfischen Anstandslehren des Hoch-MA. (THOMASIN VON ZERKLAERE, *Der welsche Gast,* 1215 bis 1216) und ihre Weiterbildung zu bürgerlichen →Tischzuchten des 15. Jh. anknüpft und in ironisch verkehrten Anstandsregeln die Sittenvergröberung geißelt. S. BRANT erhebt im satirischen *Narrenschiff* (1495, Kap. 72) Grobian zum Schutzheiligen der unflätigen Schlemmer und Säufer seiner Zeit; in MURNERS *Schelmenzunft* präsidiert er als Schwein einer wüsten Tafelrunde; es folgen die Darstellungen des Schlaraffenlandes; neue Tischzuchten (1538) greifen die Gestalt satirisch auf und preisen e. ›grobianischen Orden‹; auch Hans SACHS verwendet sie. Hauptwerk wird F. DEDEKINDS phantastisch-humoristisches Lobgedicht von 1200 lat. Distichen aus der Wittenberger Studentenzeit *Grobianus* (1549, neubearbeitet 1552, 1554 u.ö., ebenso in zahlreichen Übersetzungen bis 1739), von Kaspar SCHEIDT in geschickter und volkstümlicher dt. Bearbeitung (*Von groben Sitten,* 1551) auf doppelte Länge erweitert. Es folgen FISCHARTS grobianische Umdichtung des *Eulenspiegel* (1572), seine *Geschichtsklitterung* (1582), in denen der G. bis ins 18. Jh. fortwirkt.

L. Fränkel, Bemerkungen zur Entwicklg. d. G. (Germania 36, 1891); P. Merker, D. Tischzuchten d. 12.–16. Jh. (Mitteilg. d. dt. Gesellsch. i. Lpz. 11, 1913); RL; E. F. Clark, *The Grobians of H. Sachs and his predecessors* (*Journal of Engl. and Germ. Philol.* 16); B. Zaehle, Knigges Umgang m. Menschen u. seine Vorläufer, 1933; G. Sichel, *Introd. alla lett. grobianesca* (*Studi di fil. germ.*, Fs. N.A. Vitale, Genua 1977).

Groschenhefte, verbreitetste Form der →Trivialliteratur in Gestalt wöchentlich in Millionenauflagen erscheinender, von anonymen oder pseudonymen Schreibern oder Autorenkollektivs verfaßter Romanhefte. Sie unterscheiden sich je nach dem Milieu, in dem sie spielen, in Heimat-, Arzt-, Frauen-, Schicksals-, Wildwest-, Landser-, Kriminal- und utopische Romane u. a. m., finden ihre Gemeinsamkeit in den nur vorgegebenen Konflikten und Problemen, die ebenso gedankenlos ins Happy-End aufgelöst werden, in einer irrealen, alltagsfernen Märchenwelt, einem Überfluß an Tugend und Herz und in einem berechneten Einsatz von Gemütswirkungen, der den Kitsch als Narkotikum benützt.

P. Nusser, Romane f. d. Unterschicht, 1973; A. V. Wernsing, W. Wucherpfennig, D. G., 1976; G. Neumann, D. polit. Gehalt v. G., 1976. →Trivialliteratur.

Großepik, Sammelbz. für →Epos und →Roman.

Großfolio →Folio

Grossobuchhandel →Buchhandel

Großstadtdichtung behandelt die Konflikte und Fragen des menschlichen Lebens im rastlosen Strömen der Welt- und Millionenstädte und ihrem Massencharakter; sie beginnt seit dem Naturalismus und erhebt sich wieder im Expressionismus zu starker Aussagekraft, oft als →sozialer Roman (A. DÖBLIN, *Berlin Alexanderplatz*), →Arbeiterdichtung oder Lyrik (HEYM, TRAKL).

G. Hermann, D. G., 1931; H. Schelowsky, D. Erlebnis d. Großstadt u. seine Gestaltg. i. d. neuen dt. Lyrik, Diss. München 1937; B. H. Gelfant, *The American City Novel,* Oklahoma 1954; R. Trautmann, D. Stadt i. d. dt. Erzählungskunst d. 19. Jh., Diss. Basel 1957; M. Thalmann, Romantiker entdecken d. Stadt, 1965; H. Rölleke, D. Stadt b. Stadler, Heym u. Trakl, 1966; W. Kohlschmidt, Aspekte d. Stadtmotivs i. d. dt. Dichtg. (Fs. f. A. Fuchs, 1967); V. Klotz, D. erzählte Stadt, 1969; K. Riha, D. Beschreibg. d. Großen Stadt, 1970; S. Vietta, Großstadtwahrnehmg., DVJ. 48, 1974; G. M. Hyde, *The poetry of the city* (*Modernism,* hg. M. Bradbury u. a., Harmondsworth 1976).

Groteske (ital. *grottesco* zu *grotta* = Grotte, nach unterirdischen Trümmern, sog. ›Grotten‹ antiker Thermen und Paläste, bes. des Titus-Palastes in Rom, wo man wunderliche und verschnörkelte Wandmalereien mit Verbindungen von Pflanzen-, Tier- und Menschenteilen fand), Dichtart des Derbkomischen, Närrisch-Seltsamen, die teils humoristisch, teils ironisch scheinbar Gegensätzlichstes und Unvereinbares, bes. das Komische und das Grausige, in paradoxem Phantasiespiel in übermütiger, verblüffender Weise nebeneinanderstellt und in Zusammenhang bringt, teils selbst mit Lebensweisheit verknüpft; Gegenströmung gegen jeden Vernunftglauben einerseits und Zeichen einer Verfremdung gegen die Welt andererseits; meist in kürzerer Prosa oder Vers, z. B. MORGENSTERNS deklinierter *Werwolf,* RINGELNATZ' Suahelischnurrbarthaar im Kattegat *(Logik).* Kennzeichnend ist das Umschlagen der Form ins Formlose, des Maßvollen ins Sinnlose bis geradezu Dämonische. Epochen, in denen das G. daher e. bevorzugte Stellung einnimmt, sind immer wieder diejenigen, denen der Glauben an eine heile Welt zerbrochen ist und in denen die bindungslos gewordene Phantasie über das Mögliche hinaus in das noch Unfaßbare umschlägt, um die dämonische Zersetzung der Welt zu beschwören: SpätMA., Spätromantik und Moderne. Meister der G. sind die Romantiker: JEAN PAUL, ARNIM, E. T. A. HOFFMANN, bes. auch Engländer: BYRON, E. A. POE, später Mark TWAIN, Italiener: PIRANDELLO, Russen: GOGOL, ANDREEV und in Dtl. F. Th. VISCHER, W. BUSCH, WEDEKIND, SCHNITZLER, MEYRINK, H. H. EWERS, KUBIN, SCHEERBART, KAFKA, H. MANN, KAISER, STERNHEIM, HERZMANOVSKY-ORLANDO, BRECHT, GRASS, FRISCH, DÜRRENMATT; in Frankreich neuerdings bes. AYMÉ, BECKETT und IONESCO.

K. F. Floegel, Gesch. d. Groteskkomischen, 1788, neu 2 Bde. 1914; Th. Wright, *A History of caricature and the grotesque in lit. and art,* Lond. 1875; H. Schneegans, Gesch. d. G. u. Satire, 1894; M. Untermann, D. G., Diss. Kgsbg. 1929; R. Pernusch, Das G., Diss. Wien 1954; C. Dimić, D. G. i. d. Erzählg. d. Expressionismus, Diss. Freib. 1960; G. Mensching, D. G. i. mod. Drama, Diss. Bonn 1961; W. Kayser, Das G., ²1961; W. van O'Connor, *The Grotesque,* Carbondale 1962; Sinn oder Unsinn, 1962; L. B. Jennings, *The Ludicrous Demon,* Berkeley 1963; I. Drewitz, G. Lit. (Merkur 19, 1965); A. Clayborough, *The G. in Engl. Lit.,* 1965; A. Heidsieck, D. G. u. d. Absurde i. mod. Drama, 1969; C. Pietzker, D. G., DVJ 45, 1971; F. K. Barasch, *The grotesque,* Haag 1971; P. Thomson, *The grotesque,* Lond. 1972; H. Leopoldseder, Groteske Welt, 1973; F. Heuer, D. G. als poet. Kategorie, DVJ 47, 1973; P. Thomson, *The grotesque in German* poetry 1880–1933, Melbourne 1975; Ch. W. Thomson, D. G. u. d. engl. Lit., 1977.

Gründerzeit, aus der Sozialgeschichte entlehnte Epochenbz. für die Hochblüte des Nationalismus und Kapitalismus in Dtl. im Gefolge des Krieges von 1870/71, umfaßt die siebziger und frühen achtziger

Jahre des 19. Jh. und damit lit. die Endphase des bürgerlichen →Realismus. Als typ. Vertreter der G. gelten NIETZSCHE, SPIELHAGEN, C. F. MEYER, ANZENGRUBER, HEYSE, F. DAHN u. a.

R. Hamann u. J. Hermand, G., 1965; J. Hermand, Z. Lit. d. G., DVJ 41, 1967; K. G. Just, V. d. G. bis z. Gegenw., 1973.

Grundmaß, in der Metrik ungenaue Bz. für →More, →Takt, →Vers, →Strophe.

Grundriß, systemat. Darstellung des Wesentlichen und Grundlegenden e. Wissenschaft bzw. e. Wissensgebietes.

Gruppe 47, von Hans Werner RICHTER 1947 in München gegr. und geleiteter Dichter- und Kritikerkreis der jungen lit. Kräfte Dtl.s nach 1945 in lockerem Zusammenhang ohne feste Organisation und ohne festes polit. oder ästhet.-lit. Programm außer der Förderung der jungen dt. Lit. durch gegenseitige Kritik bei den 1947–55 halbjährlichen, 1956–67 jährlichen Tagungen, bei denen Mitglieder und eingeladene Außenstehende in e. begrenzten Kreis aus unveröffentlichten Werken vorlasen, die anschließend in e. mündlichen Sofortkritik der Teilnehmer ohne Möglichkeit zur eigenen Stellungnahme des Autors diskutiert wurden, und der von Verlegern und Rundfunkanstalten gestiftete Preis der G. 47 verliehen wurde. Als bedeutendster und durch die Stellung ihrer Mitglieder einflußreichster Gruppierung der dt. Nachkriegslit. wurde der G. 47 insbes. wegen gelegentl. Resolutionen und öffentl. Stellungnahmen kleinerer Teilnehmergruppen, wegen ihres linkssozialist. polit. Engagements und wegen ihrer wachen Kritik an politischen und sozialen Verhältnissen in der Bundesrepublik von ihren Gegnern ein lit. Meinungsmonopol vorgeworfen, doch überschätzte man allg. Einfluß und Einheitlichkeit der Gruppe, die nur aufgrund ihrer Vielfalt und Vielseitigkeit den Anspruch erheben konnte, repräsentativ für die moderne dt. Lit. zu sein: I. AICHINGER, A. ANDERSCH, I. BACHMANN, R. BAUMGART, J. BEKKER, H. BENDER, H. BIENEK, H. BÖLL, P. CELAN, H. v. CRAMER, M. DOR, G. EICH, H. M. ENZENSBERGER, G. GRASS, P. HÄRTLING, H. HEISSENBÜTTEL, G. HERBURGER, W. HILDESHEIMER, W. HÖLLERER, W. JENS, U. JOHNSON, A. KLUGE, W. KOEPPEN, S. LENZ, R. LETTAU, R. RASP, R. REHMANN, K. ROEHLER, P. RÜHMKORF, E. SCHNABEL, W. SCHNURRE, R. SCHROERS, G. SEUREN, M. WALSER, P. WEISS, W. WEYRAUCH, G. WOHMANN u. a. m.

Almanach d. G. 47, hg. H. W. Richter 1962; H. Meyer-Brockmann, Dichter u. Richter, 1962; R. Schroers, G. 47 u. dt. Nachkriegslit. (Merkur 19, 1965); G. 47, hg. H. Ziermann 1966; Kunst u. Elend d. Schmährede (Sprache i. techn. Zeitalter, Sonderh. 20, 1966); D. G. 47, hg. R. Lettau 1967; H. Lehnert, D. G. 47 (Dt. Lit. d. Ggw., hg. M. Durzak 1971); S. Mandel, *Group 47*, Carbondale 1973; F. Kröll, D. G. 47, 1977.

Gruppe 61, 1961 von F. HÜSER in Dortmund gegr. Kreis von Schriftstellern, Kritikern, Journalisten und Lektoren zur Förderung der ›lit.-künstlerischen Auseinandersetzung mit der industriellen Arbeitswelt und ihren sozialen Problemen‹ durch gegenseitige Kritik, Aussprache, Beratung und Diskussion in zweimal jährlichen Lesungen und Zusammenkünften. Die G. 61 erstrebt e. Erneuerung der →Arbeiterdichtung unter den neuen Aspekten der Industriegesellschaft und pflegt daher weniger soziale Klassenkampfdichtung oder pathet. Verherrlichung des Arbeitsethos als vielmehr nüchtern-distanzierte Bewältigung der modernen Arbeitswelt in Industrie, Betrieb und Freizeit, wenngleich sich einzelne Mitglieder am Stil der sozialromant. Arbeiterdichtung oder an gedankenlos übernommenen, dem realist. Thema abträglichen Kunstgriffen der modernen Lit. orientieren. Infolge der engumgrenzten Thematik, des vorwiegend stofflichen Interesses, der sozialen Herkunft der Mitglieder aus Arbeiter- und Angestelltenkreisen und des mangelnden lit. Feingefühls, das z. T. an konventionellen Formen, abgegriffenen Bildern und dem zerschlissenen Vokabular der Sprachklischees festhält, ist die ästhet.-lit. Bedeutung der G. 61, gemessen am Niveau der höheren Nachkriegslit., geringer als ihre soziale und literaturpolit. Bedeutung als Versuch zur Darstellung eigener Erfahrungen und erlebten Unbehagens in der industrialisierten, vermassenden Arbeitswelt. Mitglieder sind J. Büscher, K. E. Everwyn, B. Gluchowski, A. Granitzki, M. von der Grün, A. Mechtel, E. Runge, W. Körner, K. Struck u. a. Der linke, antiästhet. Flügel der G. 61 spaltete sich 1970 unter E. Schöfer und G. Wallraff als →›Werkkreis Literatur der Arbeitswelt‹ ab.

Aus der Welt d. Arbeit, hg. F. Hüser u. a. 1966; F. Hüser, V. d. Arbeiterdichtg. z. neuen Industriedichtg., 1967; G. 61, hg. H. L. Arnold 1971; K. Bullivant, G. 61 nach 10 Jahren (Basis 3, 1972); F. Schonauer, D. Dortmunder G. 61 (Hb. z. dt. Arbeiterlit., 1977).

Gruppe 63 (ital. *gruppo sessantatre*), nach dem dt. Vorbild der →Gruppe 47 im Oktober 1963 in Palermo gegr. Dichterkreis der ital. Avantgardisten, der wie sein Vorbild in alljährlichen Arbeitstagungen unveröffentlichte, vorgelesene Texte diskutiert; sie werden in jährl. Almanachen im Verlag Feltrinelli, der die Schirmherrschaft der G. 63 übernahm, veröffentlicht. Gemeinsamkeiten der recht verschiedenartigen Mitglieder sind die Polemik gegen das lit. Establishment, die Neigung zu lit. Esoterik, zu Experimenten und modernen Manierismen. Mitglieder sind Anceschi, Arbasino, N. Balestrini, A. Barilli, F. Curi, O. del Buono, Dorfles, U. Eco, A. Giuliani, G. Guglielmi, F. Leontetti, E. Pagliarani, A. Porta, E. Sanguineti u. a. m.

Gstanzl →Schnadahüpfel

Guckkastenbühne, die seit der ital. Renaissance eingeführte, im Barock technisch vervollkommnete, im 18. Jh. allg. verbreitete und im wesentlichen noch heute bestehende Bühnenform an e. Seite des Zuschauerraumes, von diesem durch Vorhang abgeteilt, mit auswechselbarem Schlußprospekt und seitlich abschließenden, perspektivischen Kulissen. →Bühne.

Gudrunstrophe →Kudrunstrophe

Guignol (franz. = Hanswurst), populäre Hauptfigur des um 1815 von dem Puppenspieler Laurent Mourquet in Lyon eingeführten Handpuppen-Kasperlespiels, dann übertragen auf das später nach Paris übernommene aggressiv zeitsatir. Puppenspiel überhaupt. Das Pariser ›Théâtre du Grand Guignol‹ stellt mit echten Schauspielern meist kurze Schauer- und Gruselstücke dar, die als Gattung mit Grand G. bezeichnet werden.

Gunki, Gunkimono, der chronikartige Kriegsroman als Erzählform der japan. Prosalit. seit dem 12. Jh. als romantische Historie von heldischem Kriegsgeist: *Hōgen Monogatari, Heiji Monogatari, Heike Monogatari, Gempei Seisuiki* und *Taheiki.*

Guslar (v. serb. *gusla,* einsaitige Kniegeige), nach dem Begleitinstrument für seinen Vortrag Bz. des serbokroat. Heldenliedsängers.

Hadīth (arab. = Feststellung), dem Propheten MOHAMMED von dritter Seite zugeschriebene Lehren, Aussprüche und Handlungen, die neben der direkten Überlieferung im *Koran* für einen Teil der Muslim als maßgebliche Quelle religiös-moralischer Verhaltensregeln gelten. Die Suche nach solchen Belegen aus der Tradition MOHAMMEDS rief nach dem Tod des Propheten unter seinen Freunden, Bekannten und Zeitgenossen eine reiche H.-Lit. hervor, die z. T. zielbewußt und interessebedingt neue ›Traditionen‹ vortäuschte, so daß als Gegengewicht eine H.-Kritik entstand.

J. Goldziher, Muhammedan. Stud. II, 1889; O. Houdas u. W. Marçais, *Les traditions islamiques,* Paris IV 1903–14; A. Guillaume, *The Traditions of Islam,* Oxf. 1924; G. E. v. Grunebaum, D. Islam i. MA., 1963.

Häufung →Worthäufung

Haftband, pers. Gedichtform aus 12 Strophen zu je 8 Zeilen, davon 7 mit gleichem Reimwort, die 8. mit neuem Reimschluß; von MUHTASHAM KASHI (16. Jh.) erfunden und meist Leben und Taten der Propheten u. ä. beschreibend.

Hagiographie (griech. *hagios* = heilig, *graphein* = schreiben), erbauliche Beschreibung von Heiligenleben, entstand aus den Märtyrerakten, später oft mit kritikloser →Legendenbildung; Beginn bei ATHANASIUS.

Hagionym (griech. *hagios* = heilig, *onoma* = Name), Heiligenname als →Pseudonym, z. B. St. ALBIN für Bettina von ARNIM.

Haibun (japan.), in japan. Lit. ein essayartiger, konziser poetischer Prosatext von gepflegtem Stil mit Einlagen von Haiku, in denen die Stimmung der H. lyrisch gipfelt.

Haikai, Haiku, japan. lyrische Kurzform aus drei Zeilen zu 5–7–5, also zusammen 17 Silben mit heiter skizzierter Pointe, aus dem scherzhaften Kettengedicht (Haikai) entstanden. Kennzeichnend ist trotz der stofflichen Freiheit die knappste und sinnreiche Erfassung des Gegenstandes in geeigneter, typischer Form und treffendem Ausdruck. Meister des auch noch heute beliebten H. waren Matsuo BASHO, BUSON, ISSA und SHIKI; Nachdichtungen u. a. von M. HAUSMANN (*Liebe, Tod und Vollmondnächte,* 1951), E. POUND, W. B. YEATS, J. ULENBROOK (1960) und D. KRUSCHE (1970). →Hokku.

C. Meili, *Le H.,* 1951; H. G. Henderson, *An Introd. to H.,* N. Y. 1957; ders., *H. in Engl.,* N. Y. 1967; K. Yasuda, *The Japanese H.,* Tokyo [4]1960; H. Hennecke, Üb. d. jap. H. (Neue dt. Hefte 79, 1961); R. Etiemble, *Sur une bibliogr. du H.* (*Compar. lit. studies II,* 1974).

Hainbund →Göttinger Hain

Hakenstil, -vers, im Ggs. zum →Zeilenstil, bei dem syntaktischer oder Sinneinschnitt mit dem Schluß der Langzeile oder des Langzeilenpaares zusammenfallen, e. Stilform der german. Alliterationsdichtung (ähnlich dem →Enjambement), die den Sinneinschnitt ans Ende der ersten Halbzeile, also in die Versmitte verlegt, so daß 2. Hälfte e. Langzeile und 1. Hälfte der folgenden e. durch den Sinn verklammerte Einheit bilden; sehr oft im *Heliand* und *Hildebrandslied.*

A. Heusler, Dt. Versgesch. I, 1925; S. Beyschlag, Zeilen- u. H. (Beitr. z. Gesch. d. dt. Spr. 56, 1932). →Metrik.

Halbreim →Doppelreim

Halbzeile = →Kurzzeile

Hallesche Dichterkreise, in der 2. Hälfte des 18. Jh. fast gleichzeitig: 1. älterer H. D. unter engl. Einfluß, bes. MILTONS, stehend, pietistischer und der Empfindsamkeit genäherter Freundschaftsbund von J. J. PYRA und S. G. LANGE, gegründet 1733 als ›Gesellschaft zur Beförderung der dt. Sprache‹, pflegt bes. religiöse und erhabene Stoffe in reimloser Odenform und bereitet KLOPSTOCKS religiöse Dichtung, bes. den *Messias,* vor. – 2. jüngerer H. D., franz. beeinflußt und anakreontisch, um GLEIM, UZ, GÖTZ mit weltlich heiterer Sinnenfreude.

K. Viëtor, Gesch. d. dt. Ode, 1923, [2]1961; RL; W. Rasch, Freundschaftskult u. Freundschaftsdichtg. d. 18. Jh., 1936.

Hamartia (griech. = Irrtum), Verkennung der Situation, nach ARISTOTELES e. Ursache der Verwicklung in der Tragödie.

O. Hay, H. (Philologus 83, 1928).

Hamâsa (arab. = Tapferkeit), arab. Anthologien, bes. mit Preisliedern der Tapferkeit, Totenklagen, Sprüchen, Liebes- und Spottgedichten, bes. von ABÛ TAMMÂM (dt. von F. RÜCKERT 1846).

Handbuch, Zusammenfassung der wichtigsten Realien e. Wissenschaft eigtl. in e. Einzelband handlichen Umfangs und Formats, dann auch in mehrbändigen Sammelwerken.

Handlung als Umsetzung innerseelischer Willensäußerungen in die Tat, in der Epik und bes. als unentbehrliche Ursache der Konflikte im Drama (→Einheit der H.). Nach ihrem Aufbau unterscheidet man steigende H. bis zur →Peripetie und fallende H. bis zur Katastrophe, nach der Wichtigkeit innerhalb des Stückes Haupt- und in diese verwobene →Nebenh., ferner ›äußere H.‹, →Vordergrunds-H. als Ereignisablauf und ›innere H.‹ als seelisch-geistige, sittliche u. ä. Entwicklung.

R. Franz, D. Aufbau d. H. i. d. klass. Dramen, [4]1910; A. Dyrhoff, D. H. i. Drama, 1919; P. Lubbock, *The Craft of Fiction,* 1921; K. Scheffler, Form als Schicksal, 1943; E. M. Forster, Ansichten d. Romans, 1949; W. W. Kirchesch, D. Verhältn. v. H. u. Dramaturgie, Diss. Mchn. 1963.

Handlungsdrama, Drama, das sich im Ggs. zum →Charakterdrama weniger aus den vorgegebenen Anlagen der Personen als aus situationsbedingten oder willensfreien →Handlungen entwickelt.

Handpuppenspiel →Puppenspiel

Handschrift, handgeschriebenes lit. Werk; bis zur Erfindung des →Buchdrucks einzig mögliche Form der Verbreitung (→Codex), und auch später teils als individuellere Form höher geschätzt als der Druck. Schreibstoff und Schriftart gestatten neben den inhaltlichen Indizien e. ungefähre Datierung der H.en; älteste german. H. ist der *Codex argenteus* (got. Bibel). Heute als Druckvorlage aus der Hand des Verfassers gleichbedeutend mit →Manuskript. →Autograph.

RL; K. Löffler, Einf. i. d. Hss.kunde, 1929; (Gesch. d. Textüberlieferg., II 1961–64); P. O. Kristeller, *Latin manuscript books before 1600,* N. Y. [3]1965; A. Brown u. A. Petti, *Engl. Lit. Hands from Chaucer to Dryden,* Lond. 1965; J. Kirchner, Germanist. Hss.praxis, [2]1967. →Paläographie.

Handwerkertheater, durch e. Laientruppe von Handwerkern ähnlich dem →Bauerntheater mit primitivsten technischen und schauspielerischen Mitteln ohne größeren Aufwand an Kostümen und Dekorationen aufgeführtes Bühnenstück, bes. z. Z. des Meistersangs und Hans SACHS', als Handwerker auf provisorischen Podien in Kneipen oder Höfen – nur bei großen und ernsten zumal geistlichen Spielen im Chorraum der Kirchen oder in Sälen – Revuen und →Fastnachtsspiele mit einfachsten, statischen Gebärden (zwecks leichterer Lernbarkeit und Verständlichkeit) und typisierender Darstellungsart aufführten; teils noch im 18./19. Jh. in England, Süddtl. (Lauffener Salzschiffer) und der Schweiz von einzelnen Ständen fortgeführt. SHAKESPEARE im *Sommernachtstraum* und GRYPHIUS in *Peter Squentz* parodieren das H., das nach seiner Blütezeit im frühen 16. Jh. bald ins Ständetheater überging.

M. Herrmann, Forschg. z. dt. Theatergesch. d. MA. u. d. Renaiss., 1914; RL[1]; E. Catholy, D. Fastnachtsspiel d. SpätMA., 1961; L. Schmidt, D. dt. Volksschauspiel, 1961.

Handwerkslied, Lied mit Schilderungen des Handwerks, Zunft- und bes. Wanderburschenlebens, daneben auch Verspottungen (bes. der Schneider).

H. Berg, K. Herig, H. aus alt. Zt., 1927. →Volkslied.

Hanka (japan. = Geleit) oder Kaeshi-uta, in japan. Lyrik eine Strophe in →Tanka-Form, die als Abschluß, Zusammenfassung oder Nachtrag an ein Langgedicht (→Nagauta) angehängt wird. Die Manier, an ein Langgedicht 1–2 H. anzuhängen, kam im 7. Jh. nach chines. Vorbild auf.

Hans-Sachs-Bühne →Bühne

Hanswurst (zur Bz. der Gefräßigkeit und als Vergleich des Dicken mit der Wurst als ›Hans Worst‹ zuerst in e. Rostocker Bearbeitung von BRANTS *Narrenschiff* 1519, dann bei LUTHER, *Vermahnung an die Geistlichen* 1530 und *Wider Hanns Worst* 1541, zuerst 1553 auf den tölpelhaften Bauern im Fastnachtsspiel, seit 1573 den Lustspielnarren allg. übertragen), derb- →komische Person mit Stegreifscherzen zur Belustigung der Zuschauer, Lieblingsfigur des volkstümlichen Theaters, im Gefolge der →Englischen Komödianten (→Pickelhering) entstanden, nach Vorbild der →Commedia dell'arte als →Harlekin bis ins 18. Jh. auf dt. Bühnen, bes. im Fastnachtsspiel (auch Hans SACHS), der Stegreifkomödie und den →Haupt- und Staatsaktionen, um 1710 von den Wiener Schauspielern J. A. STRANITZKY und G. PREHAUSER wiederbelebt als stehende Charakterfigur: einfältig-bauernschlauer Salzburger; von GOTTSCHED erbittert bekämpft, da sein komisches Stegreifspiel oft ohne Zusammenhang mit der Haupthandlung das ernste Drama sprengte, von der NEUBERIN 1737 in e. Vorspiel von der Bühne verbannt, doch bes. in Süddtl. wenig erfolgreich; von LESSING (*Hamburgische Dramaturgie* 18) und MÖSER dagegen in der Berechtigung seiner Rolle verteidigt und schließlich als Kasperl in der Wiener Zauberposse RAIMUNDS künstlerisch neugestaltet, lebt er im Puppenspiel fort.

Lit. →komische Person.

Hanswurstspiel, aus dem ma. Fastnachtsspiel, der Commedia dell'arte und dem Pickelheringsspiel der Englischen Komödianten entwickeltes possenhaftes Stegreif-Bühnenstück um e. →komische Person, die durch köstlichen und schlagfertigen Mutterwitz, bewegliche Fröhlichkeit und unersättlichen Appetit sowie den komisch wirkenden Kontrast zwischen seinem Wesen und seinen Großtaten heitere Effekte erzielt und hierdurch wie durch originelles Benehmen, virtuose Dialogführung und geistesgegenwärtige Beherrschung ganzer Register von Wortwitzen u. ä. den Mittelpunkt der Handlung bildet. Wanderbühne und Engl. Komödianten hängen das H. seit der 2. Hälfte des 17. Jh. als Nachspiel an ihre ernste Hauptaktion an. Trotz der Verpönung der komischen Person und des Stegreifspiels durch GOTTSCHED und die

NEUBERIN lebt das H., vom Wiener Ph. HAFNER zuerst in lit. Formen gefügt, bis ins 19. Jh. fort und erreicht bei RAIMUND und NESTROY neue Formen, später nur noch mit bürgerlichen Berufen der Hauptfigur in Posse und Schwank sowie im heutigen Puppenspiel. →Hanswurst.

RL. →Lustspiel, →komische Person.

Haplographie (griech. *haplus* = einfach, *graphein* = schreiben), fehlerhafte einmalige Setzung e. doppelt erforderlichen Buchstabens oder Wortes. Ggs.: →Dittographie.

Haplologie (v. griech. *haplus* = einfach, *logos* = Wort), ›Silbenschichtung‹, der Ausfall einer von zwei durch Zusammensetzung aufeinanderfolgenden ähnlichlautenden Silben, z. B. ›tragi(ko) komisch‹.

W. U. Wurzel, Zur H. (Linguist. Berichte 41, 1976).

Happening (engl. = Geschehnis), primitive pseudokünstlerische Veranstaltungsform der 60er Jahre in den USA (seit 1957) und Europa, die durch plötzlich überraschend eintretende groteske Ereignisse, durch auf spontane Provokation ausgerichtete Effekte und die Zuschauer irritierende Techniken der Darbietungsform die herkömmlichen Denkgewohnheiten und Gefühlsschablonen in Frage stellen, Unerwartetes in den vermeintlich berechenbaren Alltag hineinbringen und Wirkungen und Assoziationen hervorrufen will, die in den Teilnehmern ein anderes Verhältnis zur Welt hervorrufen sollen, sie von passiven Konsumenten des Gebotenen zu aktiven Mitwirkenden machen will. Das H. entstand und ist erklärbar als Protest gegen die Denaturierung und Mechanisierung des Menschen in e. präfabrizierten Konsumwelt mit e. bewußtseinsbildenden Industriereklame und akzeptierten Tabus und Konventionen. Seine Formenbreite reicht von systematisch aufgebauten, im Effekt vorausberechneten H. über eine freiere, dem Zufall bewußt Raum fassende spontane Improvisation bis zum billigen Klamauk mit überstrapazierten, abgegriffenen Reizwerten, Schablonen und zeitgerechten Phrasen. Exzessiv und auf Sensationen erpicht, bewußt schockierend bis zum Exhibitionismus, dennoch im vielfach zusammenhanglosen Ergebnis immer weit hinter der Theorie wie den Erwartungen zurückbleibend, ist das H. bei aller Aufrichtigkeit des Bemühens unaufrichtig nur in der von den Veranstaltern propagandierten Gleichsetzung der Geschehnisse mit Kunst.

J. Becker, W. Vostell, H.s, 1965; M. Kirby, *H.s*, N. Y. 1965; J. J. Lebel, *Le h.*, Paris 1966; W. Vostell, Aktionen, 1970; ders., H. u. Leben, 1971; W. Nöth, Strukturen d. H., 1972.

Happy end (engl. = glückliches Ende), guter Ausgang in Roman, Film, Drama, bes. →Trivialliteratur.

Harğa →Kharğa

Harinī (ind. = Taube), Strophenform der ind. Epik und Panegyrik aus vier Siebzehnsilbern der Form ◡◡◡◡◡–/––––/◡–◡◡–◡⏓.

Harlekin (franz. *arlequin*, ital. *arlecchino*), die →komische Person der →Commedia dell'arte; seit 1613 vielseitige Hauptfigur auch in franz. Komödie und kom. Oper; in Dtl. seit MOSCHEROSCH 1642 anstelle des →Hanswurst geläufige Bz. in Posse (H.ade) und ernstem Drama; 1737 auf Bestreben GOTTSCHEDS durch die NEUBERIN abgeschafft.

Lit. →komische Person.

Harlekinade →Hanswurstspiel

Hartford Wits →Connecticut Wits

Haufenreim →Reimhäufung

Hauptrolle, in Theater, Film usw. die je nach Anlage des Stückes bis zu 3–5 zentralen, für Ablauf und Ausgang der Handlung entscheidenden Figuren im Ggs. zu den Nebenrollen.

Haupttitel, im Ggs. zu Neben-, Vor- und Untertitel der eigentliche, auf dem Titelblatt angegebene →Titel e. Druckwerks.

Haupt- und Staatsaktion (›Hauptaktion‹ im Ggs. zum komischen Nachspiel, ›Staatsaktion‹ nach dem historisch-politischen Inhalt und der Ausstattung; Ausdrükke der dt. Wanderbühnen), kritisch-polemische Bz. GOTTSCHEDS für die aus Banalisierung der engl., span., franz., ital. und dt. Ereignisdramen, auch Opern, entstandenen Repertoirestücke der dt. →Wanderbühnen um 1685–1720; oft vom Prinzipal verfaßte, auf den breiten Publikumsgeschmack der Zeit zugeschnittene, im Handlungsaufbau stereotype und lit. wertlose Tragödien aus der höfischen Welt, meist mit Stoffen aus oriental. und antiker, fast nie dt. Geschichte und pompösem Großaufgebot von Fürsten und Hofstaat, die dem politisch ausgeschalteten Kleinbürger e. vermeintlichen Blick in die Kulissen, Intrigen, Liebesaffären, Leidenschaften und Festlichkeiten der ›Großen‹ bieten wollen, daher ohne jede höhere Sinndeutung auf Sensationen und grelle Effekte (Blutgier wütender Tyrannen, Märtyrerleiden, Geistererscheinungen, Wahnsinnszenen, Hinrichtungen, Lauschszenen, Krönungen, Hochzeiten) abzielen und die tragische Wirkung meist durch possenhafte Einschübe (→Hanswurst als Vertreter gesunden Menschenverstandes) sowie den obligaten Endsieg des Guten aufheben. Die Spieltexte führten nur die ernsten Szenen schematisch aus, überließen komische Einlagen dagegen der Improvisationskunst, sie wurden nie gedruckt, blieben in hs. Form Eigentum des Prinzipals und sind in dieser Form, bes. in Wien, erhalten; ihre Sprache ist blumenreiche, schwülstige Prosa.

K. Weiß, D. Wiener H. u. S., 1854; C. Heine, D. Schauspiel d. dt. Wanderbühne vor Gottsched, 1889; R. Payer v. Thurn, Wiener H. u. S. (Schr. d. lit. Vereins Wien, 1 u., 13, 1908–10); RL.

Hauskorrektur, die erste, unmittelbar nach Fertigstellung des Satzes in der Druckerei selbst von e. berufl. Korrektor gelesene →Korrektur vor Versand der Autorkorrektur.

Hausväterliteratur, prakt. Anleitungen zur Haus- und Grundverwaltung und Landwirtschaftslehre, Lehrbücher der Ökonomik, bildeten aufgrund der griech. Ökonomik-Lit. (ARISTOTELES u. a.) und röm. Agrarlehre (VERGIL u. a.) sowie ma. Arteslit., einen Zweig der Sachliteratur im 16./17. Jh., so nach Vorgang von C. von HERESBACH (1570) und A. von THUMBSHIRN (postum 1616) bes. in J. COLERS *Oeconõmia ruralis et domestica* (1598/99) und W. H. von HOHBERGS *Georgica curiosa* (1682).

RL.

Hebung (urspr. Übersetzung des gegenteiligen griech. →Arsis), die betonte, d. h. rhythmisch-akzentuell hervorgehobene Silbe im dt. Vers im Ggs. zur →Senkung; in Übereinstimmung mit der gewöhnlichen Wortbetonung. Man unterscheidet nach Schwereabstufung stark betonte Haupt- (′) und schwächer betonte Neben-H. (‵), heute unabhängig von der Silbenlänge. Im altgerman. Stabreimvers liegt die H. auf

Starktonsilben jeder Quantität; nur wenn die Hebung mehr als eine More umfaßt, wird lange Quantität erforderlich, ebenso im ahd. und mhd. Reimvers, später freier. Durch Senkungsausfall entsteht e. ›überdehnte H.‹, oder, wenn die H. auf e. sprachliche Kürze fällt, ›H.sverkürzung‹ (bei OTFRIED und mhd. Dichtern). Die Zahl der H.en, meist 2–6, bestimmt den Vers (›Vierheber‹ usw.). →Vers.

RL. →Metrik.

Heckentheater, im Rokoko gepflegte Naturtheater in Schloßparks, umgeben von Hecken, Lauben, Springbrunnen, Tempeln, Statuen u. ä. mit amphitheatralischem Zuschauerraum u. vertiefter Orchesternische vor dem Schauplatz, bes. für Aufführungen ital. Komödien, leichter Opern, Pantomimen, Schäferspiele, Hirtenballetts u. ä. durch Mitglieder der Hofgesellschaft, ausgestaltet durch Maler wie WATTEAU, FRAGONARD u. a. Nach span. Vorbild wird das H. seit der 2. Hälfte des 17. Jh. zuerst in Frankreich (Versailles, Marly), dann auch in Dtl. nachgeahmt: CHARBONNIER 1689–93 in Hannover-Herrenhausen, Dresden, M. DIESEL 1718 im Salzburger Mirabell-Garten, Schwetzingen, Rheinsberg, Weimar-Belvedere, Darmstadt, Würzburg u. a. m.

A. Kutscher, D. Naturtheater (Fs. f. F. Muncker, 1926); R. Meyer, H.- u. Gartentheater i. Dtl. i. 17. u. 18. Jh., 1934.

Heft, 1. = →Lage, 2. Folge e. Lieferungswerks, 3. selbständiges Druckwerk geringeren Umfangs.

Heftroman →Groschenheft

Heidedichtung, Zweig der Landschafts- und →Heimatdichtung des ausgehenden 19. Jh., findet sich bes. bei DROSTE *(Heidebilder),* STIFTER *(Heidedorf),* LÖNS, STORM u. a.

H. Eick, H. (Freistatt 49, 1905); A. Hinkeldeyn, D. Heide i. Spiegel d. Dichtg. (Monatsbl. f. dt. Lit. 10, 1905); L. Bräutigam, D. Lüneburger Heide (Zs. f. dt. Unterr. 19, 1905); K. Hüber, D. Heide i. d. Dichtg. (Lit. Echo 20, 1918).

Heidelberger Romantik, Dichter- und Schriftstellerkreis der jüngeren →Romantik, bestehend zumeist aus Studenten und Dozenten der Heidelberger Universität seit 1805; A. von ARNIM, C. BRENTANO, J. von EICHENDORFF, L. UHLAND, J. GÖRRES, Brüder GRIMM u. a., zusammengeschlossen um die von ARNIM hg. *Zeitung für Einsiedler.* Ihre Bestrebungen führten über die lit. Ergebnisse hinaus zur Sammlung und Sichtung der lit. Überlieferung in Volksliedern (*Des Knaben Wunderhorn,* hg. A. v. ARNIM und C. BRENTANO 1806–08), Volksbüchern (hg. J. GÖRRES 1807), Märchen (*Kinder- und Hausmärchen,* hg. Brüder GRIMM 1812) und Sagen (Brüder GRIMM 1816).

H. Levin, D. H. R., 1922. →Romantik.

Heiligenleben, Heiligenlegende →Legende

Heiligenlied, geistl. Lied für den kirchlichen Volksgebrauch zur Anrufung e. oder mehrerer Heiliger, mit deren Lobhymnus und Ersuchen um Fürbitte; findet sich zur Verdrängung der heidnischen Heldenlieder durch christliche Heldenverehrung schon in ahd. Lit. (*Petrus-, Georgslied,* RATPERTS *St. Galluslied,* in lat. Übersetzung durch EKKEHARD IV.). Die meisten H.er richten sich an Maria, Johannes den Täufer, die Apostel, bes. Petrus, Johannes, Engel (bes. Michael und die Schutzengel), an Märtyrer und Ordensstifter (Franziskus, Ignatius), daneben an lokale Heilige für Land, Diözese, Stadt, Kirche und Kapelle in e. Fülle von Hymnen und Sequenzen, meist nach lat. Vorbild oder volkstümlichen Wallfahrtsgesängen. Trotz geringer Bedeutung lebt das H. bis in die heutigen katholischen Gesangbücher fort.

RL[1].

Heilige Schriften, eine Gruppe von Literaturwerken, die in erster Linie nicht schöngeistig-ästhetische Ziele verfolgen, sondern der Verbreitung, Pflege und Praxis einer Religion dienen, also der Kanon religiöser Offenbarung, Lehre und Überlieferung, Hymnik und Liturgik, Gebets-, Ritual-, Erbauungsschriften, Aufzeichnungen der Religionsgründer, Urlehrer, Propheten und Weisen sowie die als göttlichen Ursprungs erklärten kirchlichen Gesetzbücher. Die H. S. gelten als inspiriert und unterscheiden sich dadurch vom bloßen religiösen oder theologischen Schrifttum; sie wurden oft aus Furcht vor Mißbrauch lange nicht und dann zuerst nur für den Gebrauch der Priester aufgezeichnet. Zu ihnen gehören u. a.: sumerische Hymnen und Gebete, ägypt. Totenbücher, pers. *Awesta,* arab. *Koran,* ind. *Veden, Puranas, Brahmanas* und *Upanishaden,* japan. *Kojiki* und *Nihongi,* jüd. AT., christl. *Bibel,* schließlich die Grundwerke der zahlreichen nachchristl. Sekten.

H. Hachmann, Religion u. H. S., 1914; M. Mieses, D. Gesetze d. Schriftgesch., 1919; L. Browne, *The World's Great scriptures,* N. Y. 1945; C. S. Braden, *The scriptures of mankind,* N. Y. 1952; J. Leipoldt u. S. Morenz, H. S., 1953; G. Lanczkowski, H. S., 1956; K. Goldammer, D. Formenwelt d. Religiösen, 1960; A. C. Bouquet, *Sacred books of the world,* Lond. 1964.

Heimatdichtung, Heimatliteratur, wertungsfreier Oberbegriff für alles lit. Schaffen aus dem Erlebnis der Heimat, der Landschaft und ihrer Menschen sowie des ländlichen Gemeinschaftslebens im weitesten, nicht nur rein stofflichen Sinne als allg. Grundlage der Welterfahrung. H. im umfassendsten Begriff ist im Grunde ein Großteil aller Lit., auch der Großstadtdichtung, doch wird die Bez. als unterscheidendes Kriterium üblicherweise auf e. mehr in ländlichen Daseinsformen angesiedelte Lit. eingeschränkt, die durchaus zu echter und hoher Kunst erwachsen kann: GOTTHELF, HEBEL, O. LUDWIG, STIFTER, KELLER, STORM, REUTER, GROTH, ROSEGGER, THOMA, ANZENGRUBER, RAABE, EBNER-ESCHENBACH und bes. die Schlesier, im Ausland HAMSUN, UNDSET, DUUN, BOJER, STREUVELS, TIMMERMANNS, FAULKNER, die Vertreter der →Irischen Renaissance, GIONO, VERGA, PAVESE, REYMONT u. a. Der Oberbegriff H. umfaßt dabei ebenso die kritische H., die engagiert Fehlentwicklungen, soziale Mißstände oder gefährliche Charakterzüge aufzeigt, als auch die ihr zuwiderlaufende einseitige, idyllische Schönfärberei, die in der Bewegung der →Heimatkunst ihre histor. Ausprägung findet und später in die →Blut- und Boden-Literatur des Dritten Reiches einbezogen wurde, und er greift auf dem Bereich der Triviallit. bis auf den freilich klischeehaft unverbindlichen, stereotypen →Heimatroman aus. Für die Gegenwartslit. ist die H. weitgehend belanglos, da sie zum Großteil lit. unbedeutend ist, auf den überkommenen Positionen stagniert, nach Erschöpfung der vorhandenen positiven wie negativen Möglichkeiten sich nur noch in sprachlicher Hinsicht vervollkommnen kann und e. sinnvolle Weiterentwicklung der Richtung sich nicht abzeichnet.

J.-M. Greverus, D. territoriale Mensch, 1972; P. Mettenleiter, Destruktion d. H., 1974; Regionalismus, hg. L. Gustafsson (Tintenfisch 10, 1976).

Heimatkunst, dt. Strömung der sog. Stammesdichtung, um 1900 von E. WACHLER, A. BARTELS, F. LIENHARD, T. KRÖGER und H. SOHNREY (Zs. *Heimat*) als Schlagwort geprägt. Gegen die seit Naturalismus und Symbolismus drohende Gefahr e. Vergroßstädterung, Internationalisierung, Intellektualisierung und Verkünstelung der Dichtung in der →Dekadenz fordert sie im Anschluß an Gedankengut LANGBEHNS *(Rembrandt als Erzieher)* und LAGARDES *(Dt. Schriften)* und unter Verweis auf die freilich überragenden Vorbilder der →Heimatdichtung im weiteren Sinne die Betonung des Bodenständigen, Verbindung von Dichtung mit Heimatscholle und Volkstum, Wiederentdeckung der Provinz und der Stammeseigentümlichkeiten etwa in Form des →Bauernromans, der → Dorfgeschichte und des Kleinstadtromans. Ihr Unterschied zur Heimatdichtung allg. liegt in der fast lehrhaften, idealisierenden Verherrlichung von Heimat, Bauerntum und Dorfleben als unumstößlichem Wert, Wurzel und Hort reinen Menschentums und in einer Betrachtung, die aller Kritik, allen unbequemen Fragen und Problemen, aller Desillusionierung des aufgestellten Trugbildes ausweicht. Ihre wesentliche Bedeutung liegt in der Vermittlung zwischen den einzelnen Landschaften und der Würdigung ihrer Eigenständigkeiten. Die Verbreitung der H. in e. Fülle von →Heimatromanen geschieht unbeeinflußt von den einzelnen Stilepochen bis in die sog. →Blut- und Boden-Dichtung des Dritten Reiches, die die H. als Vorläufer in ihr Kulturprogramm eingliederte; trotz e. gewissen provinziellen Enge und oft tendenziöser Übersteigerung in der Verherrlichung bäuerlicher Lebensverhältnisse gegenüber der Großstadt umfaßt die H. e. Reihe begabter Vertreter, von denen freilich die größten wiederum über den engen Programmbereich hinaus ins Gültige aufragen. Den größten Erfolg fand FRENSSENS *Jörn Uhl,* ferner außer den obigen LÖNS, SÖHLE, HOLZAMER, v. POLENZ, VIEBIG, HANSJAKOB, ZAHN, FEDERER, L. v. STRAUSS UND TORNEY, SCHÖNHERR, GREINZ, BARTSCH, WAGGERL, GROGGER, PERKONIG, PONTEN, KNEIP und H. F. BLUNCK; auch auf die Entstehung der → Freilichttheater hatte die H.bewegung wesentlichen Einfluß.

A. Bartels, H., 1904; RL; E. Jenny, D. H.bewegung, 1934; P. E. Schütterle, D. Heimatroman i. d. dt. Presse d. Nachkriegszeit, Diss. Würzb. 1936; L. Dieck, D. lit.gesch. Stellg. d. H., Diss. Münch. 1938; K. Rossbacher, H.bewegung u. Heimatroman, 1975.

Heimatroman, 1. Hauptform der →Heimatdichtung und der →Heimatkunst, vielfach in Gestalt des →Bauernromans und der →Dorfgeschichte. – 2. Form der →Trivialliteratur in der Nachfolge L. GANGHOFERS, die e. unverbindliche, klischeehafte Landschaft (meist die Alpen, daher auch als →Bergroman bezeichnet) zum nicht näher definierten Schauplatz seiner stereotypen Handlung hat, in der in primitiver Schwarz-Weiß-Malerei die guten Menschen kernig, urwüchsig und erdverbunden, die bösen verstädtert und verderbt sind. Heimat und Natur werden hier lediglich als Wertbegriff und als Quelle des antizivilisatorisch-romantizistischen Sentiments veräußerlicht. Auch der auf Großgrundbesitz und Rittergütern spielende H. weicht aus der realen und zeitgemäßen Situation einer industrialisierten landwirtschaftlichen Produktion zurück in e. verlogene und romantisch verbrämte Feudalwelt adligen Junkertums.

P. E. Schütterle, D. H. i. d. dt. Presse d. Nachkriegszeit, Diss. Würzb. 1936; M. Wegener, D. Heimat u. d. Dichtkunst (in:

Triviallit., hg. G. Schmidt-Henkel 1964); K. Rossbacher, Heimatkunstbewegg. u. H., 1975.

Heimkehrerroman, Sondertyp des Zeitromans, der nach Kriegen und Katastrophen e. Neuorientierung der inneren und äußeren Welt und e. Bilanz der Umsturzjahre zugleich mit e. Bestandsaufnahme des Bleibenden versucht, zentriert um die Gestalt e. aus Krieg oder Gefangenschaft Heimkehrenden und dessen Auseinandersetzung mit der vorgefundenen Umwelt. Dt. H. der letzten Nachkriegszeit sind u. a. G. GAISERS *Eine Stimme hebt an* (1950), F. TUMLERS *Heimfahrt* (1950) und *Ein Schloß in Österreich* (1953), H. W. RICHTERS *Sie fielen aus Gottes Hand* (1951) und J. M. BAUERS *Soweit die Füße tragen* (1955); dramatische Gestaltung ähnlicher Problematik gab W. BORCHERTS *Draußen vor der Tür* (1947).

Heischelieder, Volkslieder zu bestimmten Festen des Kirchen- oder Kalenderjahrs, die von Kindern und Burschen von Tür zu Tür vorgetragen und mit Lebensmitteln entlohnt werden. Nach antiken Ansätzen bes. im german. und slav. Bereich verbreitet.

H. Siuts, D. dt. H., 1968.

Heiti, bildliche Umschreibung e. normalen Wortes (Begriff, Gegenstand) durch oft weitabliegende eingliedrige Ausdrücke in altgerman. Dichtung, z. B. ›Renner‹ statt ›Roß‹. →Kenning.

Held, allg. Bz. für die Hauptfigur und -rolle e. Dramas oder e. epischen Dichtung, den Handlungsmittelpunkt ohne Rücksicht auf bes. Eigenschaften, also auch für den unheldischen, negativen H. oder →Antihelden; in der Bühnensprache dagegen nur für e. heldenhafte (auch Neben-) Rolle und deren Träger: ›gesetzter H.‹ (Götz, Tell, Wallenstein) oder ›jugendlicher H.‹ bzw. Erster Liebhaber (Max Piccolomini). →positiver H.

H. Gifford, *The Hero of his time,* Lond. 1950; R. Giraud, *Unheroic hero,* New Brunswick 1957; G. R. Ridge, *The Hero in French Romantic Lit.,* Athens 1959; ders. *The Hero in French Decadent Lit.,* Athens 1962; R. Jones, *The Alienated Hero in Mod. French Drama,* Athens 1962; K. Fuß, D. H. (Zs. f. dt. Philol. 82, 1963); R. Girard, *Deceit, desire, and the novel,* Baltimore 1965; D. D. Galloway, *The absurd hero in American fiction,* Austin 1965; P. Zeindler, D. negative H. i. Drama, Diss. Zürich 1969; J. D. Zipes, *The great refusal,* 1970.

Heldenballade →Heldenlied →Volksballade

Heldenbriefe →Heroiden

Heldenbuch, Bz. des 15./16. Jh. für Slgn. von z. T. umgearbeiteten Heldenepen, bes. drei wichtige, teils einzige Quellen: 1. H. nach e. Straßburger Handschrift, 1477 zuerst gedruckt (bis 1590 wiederholt), enthält: *Ortnit, Wolfdietrich, Laurin, Rosengarten* und e. wichtige Vorrede über Sagengeschichte, 2. Dresdner H., 1472 wohl von KASPAR VON DER RHÖN u. a. für Herzog Balthasar von Mecklenburg geschrieben, verkürzt und sprachlich vergröbert, enthält außer den vorigen noch: *Ekke, Sigenot, Dietrich und seine Gesellen, Etzels Hofhaltung, Jüngeres Hildebrandslied, Herzog Ernst* und *Meerwunder,* 3. Ambraser H., 1504–06 von Hans RIED in Bozen für Kaiser Maximilian geschrieben, enthält u. a. *Kudrun, Biterolf, Wolfdietrich, Erec* und *Iwein, Moriz von Craon,* HEINRICHS VON DEM TÜRLIN *Mantel, Nibelungen Not und Klage,* WOLFRAMS *Titurel,* WERNHERS *Meier Helmbrecht,* ULRICHS VON LICHTENSTEIN *Frauenbuch.* Schließlich wird der Titel ›H.‹ auch auf neuere Sammlungen und Ausgaben (v.

MÜLLENHOFF, v. d. HAGEN, SIMROCK u. a.) übertragen.

RL[1]; H. Schneider, Germ. Heldensage, III 1928 ff.

Heldendichtung, allg. Sammelbz. für →Heldensage, →Heldenlied, und →Heldenepos.

H. Munro Chadwick, *The heroic age,* Cambr. 1912, [2]1967; ders., *The growth of lit.,* ebda. 1932; D. B. Briem, German. u. russ. H., GRM, 17, 1929; W. Jungandreas, Umlokalisierung i. d. H. (Zs. f. dt. Philol. 59, 1934); H. Schäfer, Götter u. Helden, 1937; H. Kuhn, German. Kultur u. Dichtg., DVJ 16, 1938; F. Normann, *The Germanic heroic poet* (Festschr. f. Fiedler, 1938); Th. Frings, Europ. H. (Neophilol. 24, 1938); D. v. Kralik, Geschichtl. Züge dt. H., 1939; F. R. Schröder, Ursprung u. Ende d. german. H., GRM 27, 1939; G. Baesecke, Vor- u. Frühgesch. d. dt. Schrifttums I, 1940, II, 1, 1950; A. Heusler, Altgerman. Dichtg., [2]1943; H. Schneider, H., Geistlichendichtg., Ritterdichtg., [2]1943; H. de Boor, Gesch. dt. Lit. I, [7]1966; L. Wolff, D. dt. Schrifttum bis z. Ausgang d. MA., I, 1951; G. Ehrismann, Geschichte d. dt. Lit., [3]1954; H. Rupp, H. als Gattung d. dt. Lit. d. 13. Jh. (Volk, Sprache, Dichtg., Fs. f. K. Wagner, 1960); RL; C. M. Bowra, H., 1964; W. Hoffmann, Mhd. H., 1974.

Heldenepos, epische Großform mit Stoffen und Gestalten der nationalen →Heldensage im Ggs. zum →höfischen Epos mit franz., lat. und oriental. Quellen, entstanden aus Aufschwellung, dichterischer Erweiterung (Episoden, Nebenfiguren, breit ausladende episierende Schilderungen anstelle des balladesken Liedstils), seltener wohl vereinheitlichender Verknüpfung mehrerer kürzerer →Heldenlieder und Spielmannsepen durch Spielleute, deren Bildungsniveau fast dem der höfischen Dichter gleichkam. Im Ggs. zu mündlicher Überlieferung und Vortrag des Heldenliedes wurde das H. aufgezeichnet und vorgelesen; bei der schriftlichen Überlieferung ergaben sich häufige Änderungen (Verschlechterungen, Einschübe, Kürzungen, seltener Verbesserungen) der Textgestalt aus mangelnder Pietät gegenüber den (im Ggs. zum höfischen Epos) anonymen Verfassern. Wichtige Zeugnisse sind bes. die späteren →Heldenbücher. Das H. als endgültige Gestaltung der german. Sagenstoffe fand in höfischen Kreisen nicht den gleichen Anklang wie das höfische Epos; im Ggs. zu diesem eignet ihm noch mehr ursprüngliche Kraft und Empfindung, Vorliebe für formelhafte Wendungen, Gestalten und elementare Naturmächte (Liebe, Haß), die oft den geschichtlichen Hintergrund zugunsten des Einzelschicksals zurückdrängt und umgestaltet. Erst später gewinnt das Rittertum größeren stilistischen Einfluß, der ursprünglich herbe, archaische Stil (bes. im engl. H. des 8. Jh.) wird durch Aufnahme höfischer Elemente zum Mischstil. Das Vorbild des lat. Buchepos *(Waltharius)* leitet zum Kunstepos über. Der Form nach neigt das H. zu strophischer Gliederung, so in →Nibelungen-, →Kudrun- und →Waltherstrophe, →Hildebrands- und →Bernerton; seltener ist die Verwendung höfischer Reimpaare *(Nibelungen Klage, Biterolf, Laurin, Dietrichs Flucht).* Die europ. Entwicklung des H. beginnt in Frankreich (→Chanson de geste, Form der →Laisse) und Spanien (*Cid,* 1140), es folgt das dt. H., bes. die *Nibelungen,* welche die Siegfriedsage mit der um Dietrich von Bern, Attila und die Burgunden verbinden. Die Christianisierung bewirkt den Wandel der heidnischen Motive in christliche (Kampf mit Ungeheuern und Dämonen zum Kampf gegen Ungläubige und innere Versuchung), aus dem german. Volkshelden wird der christliche Ritter. Schließlich erfolgt die Prosaauflösung des H. in →Volksbücher. →Volksepos.

F. Panzer, D. dt. Volksepos, 1903; A.

Heusler, Lied u. Epos i. german. Sagendichtg., [2]1956; W. P. Ker, *Epic and Romance*, Lond. [2]1908; J. Meier, Werden u. Wesen d. dt. Volksepos, 1909; H. Schneider, D. mhd. H. (Zs. f. dt. Altert. 58, 1921); ders. Dt. u. franz. Epik (Zs. f. dt. Philol. 51; 1926); RL; K. zur Nieden, Üb. d. Verfasser d. mhd. H., Diss. Bonn 1930; A. Heusler, Nibelungensage u. -lied, [3]1934; A. Kuhn, Üb. Urspr. u. Charakter d. westroman. H., GRM 23, 1935; H. Schneider, D. german. Epos (Philos. u. Gesch. 59, 1936); F. Panzer, D. nationale Epik Dtls. u. Frkrs. (Zs. f. dt. Bildg. 14, 1938); A. Wilmotte, *L'épopée française*, Paris 1939; P. A. Becker, V. Kurzlied z. Epos, 1940; H. Schneider, D. dt. Epos (V. dt. Art i. Sprache u. Dichtg. I, hg. G. Fricke 1941); D. v. Kralik, D. Siegfriedtrilogie I, 1941; F. Panzer, Stud. z. Nibelungenlied, 1945; K. Wais, Frühe Epik Westeuropas, 1953; H. Schneider, D. mhd. H. u. dt. u. franz. H. (in: Kleinere Schriften, 1962). →Heldendichtung.

Heldengedicht, komisches →komisches Epos

Heldenlied, Ausgangspunkt des →Heldenepos, german. episch-balladeske Dichtform im 5.–8. Jh. in lockeren Strophen von 2–5 stabreimenden Langzeilen (insges. 80–300), im Stil gekennzeichnet durch Verwendung von Parallelismen und Antithesen, in der Komposition durch Vermeidung epischer Breite, sprunghaftes Zusammenrükken der Gipfelpunkte der Handlung meist in Form des dramatischen Dialogs als Darstellung des Konflikts, im Inhalt durch Stoffe aus german. →Heldensage, bes. der Völkerwanderungszeit, teils auch antike und oriental. (bes. pers.) Motive, die bei der Wanderung aufgenommen wurden, jedoch meist unter Ausschaltung des Politisch-Historischen zugunsten rein persönlicher Einzeltragik. Die gleichen Stoffe finden ständig erneute Behandlung und Umformung. Das H. ist Adelsdichtung zum Preise des Heldentums und wurde von Sängern, die e. angesehene Stellung am Fürstenhof innehatten, vor der Kriegergesellschaft auswendig vorgetragen, doch nie aufgezeichnet. Einziges erhaltenes dt. H. ist das *Hildebrandslied,* um 800 in z. T. niederdt. Fassung e. oberdt. Originals (Langobardische Quelle?) fragmentarisch aufgezeichnet. Eine bei EINHART erwähnte H.-Slg. Karls des Großen wurde durch Ludwig den Frommen vernichtet, doch gestatten Darstellungen, Wiedergaben und Hinweise zeitgenössischer Geschichtsschreiber wie des Goten JORDANES (6. Jh.) und des Langobarden PAULUS DIAKONUS (8. Jh.), auch die späteren mhd. Heldenepen und die Umarbeitungen der *Edda (Brot, Atlakvitha)* Rückschlüsse auf Form, Stoffe und Entwicklung des H.: Im 4./5. Jh. von den Goten auf dem Balkan und in Italien ausgebildet *(Hunnenschlacht, Ermanarich),* wurde es von den Langobarden *(König Alboin)* übernommen und gelangte von dort zu den Bayern (gotische Stoffe wie *Dietrichs Flucht, Rabenschlacht),* Franken *(Burgunderuntergang),* Westfalen *(Wieland der Schmied)* und Skandinaviern (*Edda*-Lieder); andere H.er wie *Siegfried, Wolfdietrich, Walther und Hildegunde, Hilde, Hettel* u. a. m. sind ihrer Herkunft nach unbestimmt. Gehaltlich gemeinsam ist ihnen die beherrschende Auffassung der Ehre und das Fehlen christlicher Haltungen wie Liebe, Jenseitsglaube u. ä. Neben der Erweiterung zu Heldenepen und trotz Unterdrückungsversuchen von seiten der Kirche bestehen die H.er bei vielfacher Umformung in der Unterschicht und bei den Spielleuten bis ins 12./13. Jh. weiter, werden noch im 12. Jh. durch neue Stoffe *(Dietleib, Ortnit, Rosengarten)* vermehrt, doch fast nie aufgezeichnet und bieten schließlich den Ansatzpunkt der jüngeren →Volksballade, indem sie als ›Heldenballaden‹ den Bezug zu Adelsethos und Geschichte verlieren und das allg.-menschliche Erleben betonen.

R. Petsch, Germ. Liederdichtg. i. d. Heldenzeit, GRM 27, 1939; H. Hempel, D. ältest. german. H.er (Zs. f. dt. Bildg. 16, 1940); F. Genzmer, Vorzeitsaga u. H. (Festschr. f. P. Kluckhohn, 1948); J. de Vries, H. u. Heldensage, 1961; F. Draeger, D. german. H., 1961; H. Schneider, Lebensgesch. d. altgerman. H. (in: Kleinere Schriften, 1962). →Heldendichtung.

Heldensage bildet als mündliche oder schriftliche Überlieferung aus der heroischen Frühzeit e. Volkes den Grundbestandteil der →Heldenlieder und →Heldenepen. Ihre Grundzüge sind idealistische und tragische Weltbetrachtung, strenges Nationalbewußtsein, Persönlichkeitskult (Einzelkämpfe statt Schlachten u. ä.), aristokratische Haltung (Könige, Fürsten als Helden) und Nichtachtung politischer, geschichtlicher, geographischer und familiärer Zusammenhänge, Möglichkeiten und Wahrheiten, die sich in beliebiger Verknüpfung von historischen Geschehnissen, selbst von Verwandtschaftsverhältnissen, äußert. Durch Zusammenschluß einzelner Heldenlieder um große Persönlichkeiten entstehen feste Sagenkreise, die oft miteinander verbunden sind. Die wichtigsten sind: ostgot. Kreis: Dietrich von Bern, westgot.: Walter von Aquitanien, burgund.: Siegfried, Attila, langobard.: Rother, ostfränk.: Ortnit, Hugdietrich, Wolfdietrich (?) und niederdt.: Hilde, Kudrun. Beowulf und Wieland sind nur in engl. bzw. isländ. Überlieferung erhalten. Slg. im →Heldenbuch.

W. Grimm, D. dt. H., ³1889; O. L. Jiriczek, D. dt. H., 1898; C. Voretzsch, D. franz. H., 1894; H. Bédier, *Les légendes epiques,* Paris ³1926 ff.; F. v. d. Leyen, D. dt. H.n, 1912; H. Schneider, D. germ. H., III 1928–34, I ²1962; H. de Boor, H. ist Lit.gesch. (Zs. f. dt. Bildg. 8, 1929); H. Schneider, D. dt. H., ²1964; F. Martini, Germ. H., 1935; E. Mudrak, D. dt. H., 1938; O. Höfler, Dt. H. (V. dt. Art i. Sprache u. Dichtg. II, hg. G. Fricke 1941); E. Mudrak, D. nord. H., 1943; E. v. Richthofen, Stud. z. roman. H. d. MA., 1944; W. Betz, in ›Aufriß‹; H. Kuhn, H. vor u. außerh. d. Dtg. (Fs. f. F. Genzmer, 1952); H. Schneider, Einl. z. e. Darstellg. d. H. (Beitr. z. Gesch. d. dt. Spr. 77, 1955); F. R. Schröder, Mythos u. H., GRM 36, 1955; J. de Vries, Heldenlied u. H., 1961; Zur german.-dt. H., hg. K. Hauck ²1964; H. Schneider, Kleinere Schriften z. german. H. u. Lit. des MA., 1962; G. Zink, H. (Kurzer Grundriß d. germ. Philol. 2, 1971); K. v. See, German. H., 1971; H. Uecker, German. H. 1972. →Heldendichtg. u. →Heldenepos.

Helikon, Gebirge in Böotien, Sitz der →Musen und Ursprung der Hippokrene.

Hellenismus, Epoche der griech. Kultur-, Kunst- und Lit.geschichte von Alexander d. Gr. bis zur römischen Weltherrschaft (30 v. Chr.) oder bis zum Untergang der antiken Welt; geprägt bes. durch die starke Einbeziehung oriental. Elemente und Wesenszüge ins Griechentum und seine Verbreitung über die ganze östliche Mittelmeerwelt. In der Lit.-geschichte ausgezeichnet durch die Verschmelzung von Poesie u. Gelehrsamkeit zu einer neuen Bildungsdichtung, die als Spätzeit das Lehrgedicht und die kleineren Formen (Epigramm, Epyllion) bevorzugt. Hauptvertreter: KALLIMACHOS, THEOKRIT, APOLLONIOS RHODIOS und ARATOS.

P. E. Legrand, *La poésie alexandrine,* Paris 1924; U. v. Wilamowitz-Moellendorf, D. hellenist. Dichtg., II 1924; R. Laqueur, H., 1925; J. Kaerst, Gesch. d. H., II ²⁻³1926–27; J. G. Droysen, Gesch. d. H., neu 1952; V. Grönbech, D. H., 1955; A. Körte u. P. Händel, D. hellenist. Dichtg., ²1960; M. Hadas, Hellenist. Kultur 1963; W. W. Tarn, D. Kultur d. hellenist. Welt, 1966; C. Schneider, Kulturgesch. d. H., II 1967–69.

Helming, Langzeilenpaar, Halbstrophe der meist vierzeiligen Strophe altisländ. Alliterationsdichtung.

Hemiepes (griech. *hemi* = halb *epos* = →Hexameter), halber →

Hexameter, d. h. daktylischer Trimeter mit einsilbiger Katalexe: —◡◡—◡◡⏓, u. a. verwendet in der →Archilochischen Strophe.

Hemistichon (griech. *hemi* = halb, *stichos* = Vers), Halbvers einer durch Zäsur geteilten Verszeile als selbständiges Kolon etwa bei der →Stichomythie; in german. Dichtung →Anvers oder →Abvers der Langzeile oder →Kurzvers.

Hendekasyllabus (griech. *hendeka* = elf, *syllabe* = Silbe), Elfsilber, allg. 11silbiger Vers, bes. in der →Sapphischen und →Alkäischen Strophe und der →Phalakäische Vers. Verwendet bei SOPHOKLES, ARISTOPHANES, THEOKRIT und CATULL. Vgl. →Endecasillabo.

Hendiadyoin (griech. = eins durch zwei), →rhetorische Figur, bes. in Antike und Barockstil beliebt: 1. Verbindung von zwei synonymen Substantiven, seltener Verben, zur Ausdrucksverstärkung e. Begriffs: ›Hilfe und Beistand‹. 2. Beiordnung von zwei Substantiven, deren eines nur den Wert e. Attributs besitzt und oft durch e. Adjektiv ersetzt werden kann, z. B. VERGIL, *Georg.* II. 192: *peteris libamus et auro* = aus Schalen opfern wir und aus Gold = aus goldenen Schalen. Der zweite Begriff erscheint als zu wichtig für e. Unterordnung und wird daher beigeordnet.

E. A. Hahn, *H.* (*Classical World* 15, 1921).

Hending, in der nordischen Skaldendichtung der Silbenreim, erscheint neben dem Stabreim schon früh als Binnenreim (BRAGES ›Hofton‹), erst später in Island als Endreim.

Hephthemimeres (griech. *hepta* = sieben, *hemi* = halb, *meros* = Teil, lat. *semiseptenaria*), im →Hexameter, jambischen Trimeter u. ä. männliche →Zäsur nach der 4. Hebung (7. Halbfuß), meist verbunden mit Trithemimeres (Nebenzäsur nach 2. Hebung = 3. Halbfuß), z. B. HOMER A 7: ›Atreus' Sohn, der Männer Fürst, und der edle Achilleus‹:

—́ ◡◡ —́ || ◡◡ —́ ◡◡ —́ ||
◡◡—́◡◡—́◡.

Heptameter (v. griech. *hepta* = sieben, *metron* = Maß), allg. jeder Vers aus sieben Metra, lat. →Septenar.

Heptastichon (v. griech. *hepta* = sieben, *stichos* = Vers), Gruppe oder Strophe von sieben Verszeilen.

Heraldische Dichtung →Heroldsdichtung

Herausgeber, Organisator und geistiger Leiter e. Sammelwerks mit Beiträgen versch. Verfasser (Mitarbeiter) oder e. periodisch erscheinenden Werkes (Zeitung, Zeitschrift, Jahrbuch u. ä.). Er genießt Urheberrechtsschutz, wenn Auswahl und Zusammenstellung der Beiträge (z. B. bei Anthologien, Lexika o. ä.) e. eigene geistige Leistung darstellen. H. heißt auch der für die Textgestalt verantwortlich Zeichnende bei Neuausgaben älterer Dichtungen und Literaturwerke, bei Gesamt- oder Auswahlausgaben oder →kritischen Ausgaben.

Herbstlied, Dichtgattung des späten Minnesangs seit STEINMAR VON KLINGENAU um das Thema: Fülle und Reife, später zum beliebten Schlemmerlied verflacht.

Hermeneutik (griech. *hermeneuein* = auslegen, nach Hermes als Vermittler zwischen Göttern und Menschen), die Kunst der sinngemäßen Auslegung (→Deutung, →Interpretation, →Exegese) e. Schriftwerkes, bes. auch der *Bibel*, dann die wissenschaftliche Darstellung der Regeln und Hilfsmittel, die den vom Verfasser gemeinten Sinn erschließen (Methodologie). Von DILTHEY zur grundlegenden Methode der Geisteswissenschaft gegenüber den ›erklärenden‹ Naturwissenschaften erhoben.

Th. Birt, Kritik u. H. (Hdb. d. klass. Altertumswiss. I, 3), 1913; W. Dilthey, D. Entstehg. d. H. (Ges. Schr. V, 1924); J. Wach, D. Verstehen, III 1926–33; R. Bultmann, Glauben u. Verstehen, I 1933, II 1952; O. F. Bollnow, D. Verstehen, 1949; H. Gadamer, Wahrheit u. Methode, 1960; E. Betti, D. H. als allg. Methodik d. Geisteswiss., 1962; G. Stachel. D. neue H., 1968; N. Henrichs, Bibliogr. d. H., 1968; F. Rodi, Morphologie u. H., 1969; E. Leibfried, Krit. Wiss. v. Text, 1970; P. Szondi, Einf. i. d. lit. H., 1975; K. Weimar, Hist. Einl. z. lit. H., 1975; E. Hufnagel, Einf. i. d. H. 1976; U. Japp, H., 1977.

Hermetische Literatur, dem Hermes Trismegistos als Entsprechung des ägypt. Thoth (Gott der Schrift und helfender Weisheit, Weltgeist) zugeschriebenes religiös-philosophisches u. okkultistisches Offenbarungsschrifttum des 3. Jh. n. Chr. aus Ägypten, vereinigt zum *Corpus Hermeticum,* auch nach dem Titel des 1. der 17 Stücke *Poimandres* genannt, erhält es bes. durch die lat. Übersetzung des M. FICINO 1471 großen Einfluß auf die okkultistische Seite der europ. Geistesgeschichte; bis in die Neuzeit reicht das unter diesem Namen verbreitete alchemistische, magische und astrologische Schrifttum (PARACELSUS).

R. Reitzenstein, *Poimandres,* 1904; W. Scott, *Hermetica,* Oxf. IV 1925–36; W. E. Peuckert, Pansophie, 1936; A. J. Festugière, *La révélation d' H. Tr.,* IV Paris 1944–54.

Hermetismus (ital. *ermetismo*), moderne Strömung der ital. Lit., bes. Lyrik, die Klang- und Gefühlswerte des Wortes vor die Sinnbedeutung stellt und im Anschluß an Parnassiens, Dekadente und Symbolisten des 19. Jh. (RIMBAUD, MALLARMÉ, VALÉRY) nach vieldeutiger, magischer Dunkelheit und Geheimnischarakter der Lyrik strebt. Hauptvertreter: BONTEMPELLI, MONTALE, SABA, UNGARETTI, QUASIMODO, GATTO, SINISGALLI, SERENI, LUZI. Im weiteren Sinn auch außerital., nach esoter. Dunkelheit strebende ›hermetische‹ Lyrik (P. CELAN u. a.).

S. F. Romano, *Poetica dell'ermetismo,* Florenz 1942; F. Flora, *La poesia ermetica,* Bari [3]1947; M. Petrucciani, *La poetica dell' ermetismo italiano,* Turin 1955; V. Orsini, *Ermetismo,* Pescara 1956; S. Ramat, *L'ermetismo,* 1969.

Heroensage, →Heldensage mit stärkerer Ausprägung myth. Züge.

Heroic Couplet (engl. = heroischer Zweizeiler), paarweise gereimte jambische Fünfheber (= Zehnsilber), eins der häufigsten engl. Versmaße in epischer und heroischer Dichtung, dem Blankvers verwandt. Eingeführt, evtl. nach franz. oder ital. Vorbild, von CHAUCER; verwendet u. a. von MARLOWE, SPENSER, DRYDEN, POPE, JOHNSON, GOLDSMITH, CRABBE u. a., freier bei BYRON, KEATS, SHELLEY, BROWNING, SWINBURNE u. a.

W. C. Brown, *The Triumph of Form,* Chapel Hill 1948; W. B. Piper, *The H. C.,* Cleveland 1969.

Heroiden (griech. *heros* = Held), Heldenbriefe, fingierte poetische Liebesbriefe berühmter Helden aus Sage oder Geschichte, später Bibel, an die entfernte Geliebte oder umgekehrt, z. B. Dido und Aeneas, Odysseus und Penelope u. ä., nach dem Vorbild von OVIDS *Epistulae* oder *Heroides,* Frauenbriefen aus griech. Sage, Modegattung in Renaissance und Barock, zuerst in Italien in lat. Sprache (BASINI, MARULLUS, PONTANUS), dann ital. (16. Jh.: Luca PULCI, Marco FILIPPI; 17. Jh.: Pietro MICHELE, Antonio BRUNI, Lorenzo CRASSO), span., portugies.

und bes. franz. (16. Jh.: M. D'AMBOISE, A. DE LA VIGNE, F. HABERT, F. DEBEZ, dann wieder 18. Jh.: FONTENELLE, COLARDEAU, DE LA HARPE, DORAT, MERCIER), engl. M. DRAYTON, POPE) und holländisch (VONDEL, BARLAEUS, CATS). In Dtl. von Eobanus HESSUS 1514 eingeführt, wurden die H. e. beliebte Form der Barockdichter, bes. HOFMANNSWALDAU (28 H.), H. A. v. ZIGLER UND KLIPHAUSEN, LOHENSTEIN, OMEIS, NEUMEISTER, J. B. MENKE u. a. bis 1740; später bei A. W. SCHLEGEL vergebliche Erneuerungsversuche. In stereotypem Aufbau folgt auf e. Prosaeinleitung e. dringlich werbender, bis zur Bitte um Hingabe sich steigernder Brief des Mannes und e. anfangs empört abwehrende, schließlich jedoch gewährende Antwort der Frau, meist in kreuzweise gereimten Alexandrinern von schwülstiger, stark sinnlicher Sprachtönung, oft je Brief genau 100 Verse.

M. v. Waldberg, D. galante Lyrik, 1885; G. Ph. Ernst, D. H. i. d. dt. Lit., Diss. Hdlbg. 1901; RL; H. Dörrie, *L'épître héroique dans les litt. mod.* (*Revue de lit. comp.* 40, 1966); ders., Der heroische Brief, 1968.

Heroische Dichtung →Heldenepos, →Heldenlied

Heroischer Vers, der Vers des Epos, bes. der →Hexameter (griech., lat.), daneben in Frankreich →Alexandriner, in Italien →Endecasillabo, in german. Sprachen der →Blankvers. Vgl. →Heroic Couplet.

Heroisches Drama, Sonderform der engl. Tragödie um 1664–78, Liebe- und Ehre-Dramen in Heroic Couplets unter Einfluß der franz. tragédie classique und des span. Ehrendramas mit ins Maßlose und sprachlich Bombastische verzerrten Beispielen von Tapferkeit, Edelmut und Tugend ohne innere Wahrheit. Hauptvertreter sind DRYDEN mit *The Indian Emperor, The Conquest of Granada* und *Aureng-Zebe,* HOWARD mit *The Indian Queen* und OTWAY. BUCKINGHAMS *The Rehearsal* verspottete den pathetischen Überschwang.

A. Nicoll, *A Hist. of Restoration Drama,* 1928; C. V. Deane, *Dramatic Theory and the Heroic Play,* 1931; L. N. Chase, *The Engl. heroic play,* N. Y. [2]1965.

Heroisch-galanter Roman, letzte Phase des schwülstigen Barockromans, entstanden um 1640 in Frankreich (GOMBERVILLE, LA CALPRENÈDE, SCUDÉRY), nach deren Übersetzung in Dtl. gegen Ende des 17. Jh., Verbindung von unterhaltender und belehrender Tendenz (Liebe und Geschichte in hochhöfischen Kreisen) auf der Basis von Großmut und Stoizismus, z. B. LOHENSTEINS *Arminius,* ähnliche Werke von ANTON ULRICH VON BRAUNSCHWEIG, A. H. BUCHHOLTZ, ZESEN, VON ZIGLER UND KLIPHAUSEN; auch GRIMMELSHAUSEN liefert seinen Beitrag *(Dietwald und Amelinde, Proximus und Lympida, Der keusche Joseph)*; mit A. BOHSE Übergang zum →galanten Roman.

RL. →Roman, →Barock.

Herold *(praecursor)* →Prolog, →geistliches Drama

Heroldsdichtung oder Wappendichtung, lehrhafte Dichtform des 13.–15. Jh., die fürstliche Wappen beschreibt, allegorisch ausdeutet und mit genealogischen Themen und Lobpreisung der Familie verknüpft; nach Vorbildern im höf. Epos von KONRAD VON WÜRZBURG *(Turnier von Nantes)* eingeführt, später von berufsmäßigen Wappendichtern, Spielleuten mit eigener Tracht und Organisation unter e. Wappenkönig, die große Turniererfahrung besaßen und bei Turnieren als Reimsprecher Namen und Devise ihres Herrn verkündeten, als Brotarbeit übernommen, doch oft auf nüchterne Darstellung ganzer Wappenkataloge beschränkt. Nachhöfisches Epigonentum mit dem Streben nach Wahrung des äußeren Ritterglanzes. Wichtigste Vertreter: Peter SUCHENWIRT (14. Jh.), dessen *Ehrenreden* H.en von 100–600 Versen enthalten, ROSENPLÜT aus Nürnberg. WIGAND VON MARBURG, Wappenherold des Deutschordens, und Georg RÜXNER, pfalzgräfischer Herold. Im 16. Jh. ersetzt der →Pritschmeister den Herold.

A. Galle, Wappenwesen u. Heraldik b. Konr. v. Würzbg. (Zs. f. dt. Altert., 53, 1912); H. Rosenfeld, Nord. Schilddichtg. u. ma. Wappendichtg. (Zs. f. dt. Philol. 61, 1936); RL; S. C. van d'Elden, P. Suchenwirt, 1976.

Herrnhuter Brüdergemeine trägt seit ihrer Zusammenfassung 1722 unter dem Graf ZINZENDORF durch Kirchenlieder, Gesangbücher ([1]1735: 999 Lieder) und Erbauungsschriften zur dt. Lit., bes. des →Pietismus, bei.

Heures →Livres d'heures

Hexameter (griech. *hex* = sechs, *metron* = Maß), antiker Vers aus sechs Daktylen, deren letzter katalektisch ist und deren erste vier, der 5. nur ausnahmsweise und mit bes. Absicht (bei HOMER 1 : 50) zur Vermeidung eintönigen Klapperns durch Spondeen (bes. oft im Lat., in dt. Lit. durch Jamben mit schwerer Senkung) ersetzt werden können: –́⏑⏑| –́⏑⏑| –́⏑⏑| –́⏑⏑| –́⏑⏑ |–́⏑ ›Hurtig mit Donnergepolter entrollte der tückische Marmor‹. Die →Zäsur liegt im antiken H. hinter der 3. (→Penthemimeres) oder 2. (→Trithemimeres) und 4. (→Hephthemimeres) Hebung oder der 1. Senkung des 3. Fußes (→Kata triton trochaion), fast nie der des 4. (→bukolische Diärese) und ist im Dt. weniger ausgeprägt. Der H. ist der Grundvers des griech. (HOMER, bes. regelmäßig bei NONNOS) und röm. Epos (zuerst ENNIUS, VERGIL, verfeinert: OVID, LUKAN), der Bukolik, doch auch in Epyllion, Lyrik, Didaktik und Satire; in lat. Dichtung bes. durch die Häufigkeit der Spondeen und Zusammenfall von Wort- und Versakzent am Zeilenschluß gekennzeichnet; im MA. erscheint er als →leoninischer H., seit 1350 dt.; der Humanismus (CLAJUS, GESNER, FISCHART) versucht nach antikem Vorbild e. quantitierenden dt. H. mit natürlicher Betonung nur am Versschluß; einzelne Versuche im 17. Jh. (BIRKEN) bleiben wirkungslos; erst im 18. Jh. wird er auf Hinweis GOTTSCHEDS wieder aufgenommen; KLOPSTOCKS *Messias* (1748) verdrängt mit ihm den → Alexandriner aus dem dt. Epos; es folgen E. v. KLEIST (H. mit Auftakt), GESSNER, VOSS (Idyllen, Homerübersetzung), GOETHE *(Hermann und Dorothea, Reineke Fuchs)*, SCHILLERS Gedankenlyrik, später HEBBELS *Mutter und Kind*, G. HAUPTMANNS *Anna* und *Till Eulenspiegel*, WILDGANS' *Kirbisch* u. a. Trotz derart breiter Aufnahme wird er vielfach für dt. Dichtung als ungeeignet abgelehnt und ist bes. hinsichtlich der Zäsurregeln umstritten. E. andere Verwendungsmöglichkeit bietet die Verbindung mit dem →Pentameter zum →Distichon.

A. Heusler, Dt. u. antiker Vers, 1917; ders., Dt. Versgesch., 1925–29; S. Levy, D. dt. H. (Zs. f. dt. Philol. 54, 1929); H. Gretz, D. Schule des H. (Neue Rundschau, 1937); F. G. Jünger, Üb. d. dt. H. (D. Lit., Juli 1938); T. Georgiades, D. griech. Rhythmus, 1949; C. G. Cooper, *An Introduction to the Lat. H.*, 1952; R. Burgi, *A Hist. of the Russ. H.*, 1954; W.-H. Friedrich, Üb. d. H. (Fs. A. Henkel, 1977). →Metrik.

Hexastichon (v. griech. *hex* = sechs, *stichos* = Vers), Versgruppe oder Strophe aus sechs Verszeilen.

Hexensprüche als Form ältester german.-heidnischer Dichtung sind häufig bezeugt, jedoch selten erhalten.

Hiatus (lat. = klaffende, gähnende Öffnung), Aufeinandertreffen von zwei Vokalen am Wortende und Anfang des folgenden Wortes: ›wo aber‹, in antiker Dichtung und Kunstprosa wie im silbenzählenden roman. Vers als Mißklang streng verpönt und durch →Elision, →Aphärese, bzw. →Synalöphe oder →Synizese vermieden, nur vereinzelt bei Satzschluß, Verseinschnitt oder Interjektion erlaubt. Im Dt. unterscheidet man fallenden (leichtbetontes -e zwischen Senkungen), steigenden (unbetontes -e vor Vokal) und schwebenden H. (zwei unbetonte Vokale). Da durch Elision e. Störung der Sprachmelodie möglich ist, gibt es in neuerer dt. Lyrik keine grundsätzliche H.-Regel; Nichtachtung oder bewußte Vermeidung sind individuelle Stilzüge des Dichters; dagegen wurde er im Ahd., Frühmhd. und Mhd. verpönt, von OPITZ und GOTTSCHED verboten und durch Apostrophierung des Auslautes beseitigt; vermieden wird er bei KLOPSTOCK, VOSS, A. W. SCHLEGEL, LESSING und GOETHE, bes. streng bei PLATEN, RÜCKERT, SIMROCK, CHAMISSO, GRILLPARZER, MÖRIKE und STORM, freier und unregelmäßig gefühlsbestimmt bei SCHILLER, KÖRNER, KLEIST, HEINE, SCHEFFEL, HAUFF, DROSTE, HEBBEL und HAUPTMANN.

RL; W. Scherer, Üb. d. H. i. d. neueren dt. Metrik (in: Kl. Schriften II, 1893); J. Franck, Aus d. Gesch. d. H. i. Verse (Zs. f. dt. Altertum 48, 1907); J. Pelz, D. prosod. H., Diss. Bresl. 1930; A. Stene, *H. in English*, 1954. →Metrik.

Hieratische Schrift, flüssiger und runder als die →Hieroglyphen, entstand durch deren Übertragung vom Stein auf Papyrus.

G. Möller, H. Paläographie, III ³1965.

Hieroglyphen (griech. *hieros* = heilig, *glyphein* = einschneiden: heilige Inschriften), die →Bilder- und Begriffsschrift der alten Ägypter, besteht aus 2–3000 Zeichen teils phonetischer (d. h. für e. Laut), teils ideographischer (d. h. für e. Begriff) Bedeutung nach e. höchst komplizierten System, deren Entzifferung erst Anfang des 19. Jh. dem Franzosen CHAMPOLLION durch den 1799 gefundenen griech.-ägypt. Stein von Rosette gelang. Die reiche Überlieferung an H. wird durch die Ägyptologie nach historischen, geographischen, kulturellen und lit. Gesichtspunkten untersucht. Die H. waren schon vor Eintritt Ägyptens in die Geschichte als System vorhanden, blieben fast 4000 Jahre hindurch in Gebrauch und wurden erst in der 2. Hälfte des 3. Jh. n. Chr. durch die koptische Schrift der ägypt. Christen mit dem griech. Alphabet verdrängt; noch Kaiser Decius († 251) ist in H. erwähnt.

S. Schott, H., 1950; J. Janssen, H., Leiden 1952; E. Iversen, *The myth of Egypt and its h.*, Kopenh. 1961; A. Erman, D. H., ³1968; L. Dieckmann, *Hieroglyphics*, St. Louis 1970.

Hieronym (v. griech. *hieros* = heilig, *onoma* = Name), →Pseudonym in Gestalt e. heiligen, kirchlichen oder religiösen Namens. Vgl. → Hagionym

Hikajat, malaische legendär-histor. Prosaerzählungen bes. um malaische Nationalhelden *(H. Hang Tuah)* oder Chroniken der Fürstenhäuser; Hoflit. der klass. Zeit um 1500, später zunehmende Romantisierung zu bunten pseudohistor.-kosmopolitischen Märchenromanen und schließlich zu langatmigen und lokker komponierten Romanwerken.

Hilarodie (v. griech. *hilaros* = heiter, *ode* = Gesang), Gattung des hellenist. →Mimus, Tragödienparodie in gemessener Form und zurückhaltendem Stil durch einen Mimen in männlicher Kleidung mit Krone und Kothurn. Später nach SIMOS auch Simodie genannt.

Hildebrandston, Abart der →Nibelungenstrophe mit Zäsurreim und vier gleichgebauten Langzeilen (geschrieben auch zu acht Kurzzeilen), nach dem Reimschema ababcdcd, wobei a und c weiblich, b und d männlich reimen; verwendet im *Jüngeren Hildebrandslied.*

Himmelsbriefe, angeblich von e. Gott, in christl. Bereich zumeist Jesus, verfaßte und auf die Erde gesandte Briefe, die nach oriental. und wohl auch spätantikem Vorbild ab 6. Jh. auch im christl. Abendland auftauchen. Sie bringen ihren Besitzern oder Abschreibern angeblich Glück und Segen und schützen sie vor Unfällen und Tod (Abwehrzauber).

O. Weinreich, Antike H.e (Archiv f. Religionswiss. 10, 1907); W. Köhler, Briefe v. Himmel u. aus d. Hölle (D. Geisteswiss. I, 1914); R. Stübe, D. H., 1918, A. Closs, H.e (Fs. f. W. Stammler, 1953); RL.

Hinkjambus →Choliambus

Hintertreppenroman, nach dem Hinterhaus, wo er durch Kolportagehandel vertrieben und meist kritiklos gelesen wird, benannter Roman der →Trivialliteratur; künstlerisch wertlos und auf primitive Spannung und grelle Effekte (Schauer, Unnatur, Erotik) ausgehend; entstanden aus den Ritter- und Räuberromanen des 18. Jh.

Hippokrene (griech. = Roßquelle), Quelle am →Helikon, angeblich durch Hufschlag des →Pegasus entsprungen und seit HESIOD als Quell dichterischer Inspiration verehrt.

Hipponakteisches Maß →Choliambus

Hipponakteische Strophe, nach dem griech. Dichter HIPPONAX (6. Jh. v. Chr. benanntes, 4zeiliges antikes Odenmaß aus katalektischem trochäischem Dimeter und katalektischem jambischem Senar in distichitischem Wechsel:

–́ ◡ – ◡ –́ ◡ ⏓
◡ –́ ◡ – ⏓| –́ ◡ – ◡ –́ ⏓

z. B. HORAZ: ›Non ebur neque aureum / mea renidet in domo lacunar‹ (*Od.* II, 18).

Hirtendichtung, auch →arkadische, →bukolische oder →Schäferdichtung, sucht gegenüber der friedlosen, brutalen Wirklichkeitswelt sentimentalisch Zuflucht in e. unwirklich-idealisierten, friedvollen und anspruchslosen, dafür glücklichen und naturnahen Hirten- und Schäferwelt. Ihre Formen sind bes. →Idylle, →Pastorelle, Schäferspiel (→Pastorale) und →Schäferroman. Sie beginnt mit der Bukolik der Antike als lit. kultivierter Sehnsucht der Großstädter nach der Schlichtheit des Landlebens. STESICHOROS führte die später vielbesungene Gestalt des schönen Schäfers Daphnis in die Lit. ein; THEOKRIT, der größte Vertreter griech. H., nimmt zuerst die sentimentalische Haltung ein; ihm folgen BION und MOSCHOS; in röm. Lit. VERGILS *Bukolika (Eklogen),* 1. Jh. v. Chr., später CALPURNIUS und NEMESIANUS; im 3. Jh. n. Chr. entstand der griech. Hirtenroman (LONGOS, *Daphnis und Chloë*). Die bereits in VERGILS zeitgeschichtlichen Anspielungen angebahnte Neigung zur →Schlüsseldichtung fand in der ital. Renaissance, oft unter Vorherrschen des Gedanklichen, verbreitet Aufnahme, so in PETRARCAS *Bucolicum Carmen,* BOCCACCIOS *Ameto* und bes. SANNAZAROS Idylle *Arcadia* (1495), im Drama in TASSOS *Aminta* (1573) und GUARINIS *Pastor fido* (1585) und im oft lyrisch durchsetzten Hirtenroman der Spanier, im Anschluß an den →Amadis mit reicher Handlung (MONTEMAYOR, *Diana* 1559; CERVANTES, *Galatea*; LOPE DE VEGA, *Arcadia*), der Engländer (Ph. SIDNEY, *Arcadia*, 1590; J. BARCLAY, *Argenis*, 1621), der Franzosen (H. D'URFÉ, *Astrée*, 1610; seine Liebhabergestalt Céladon wird zum Vorbild der Zeit) und der Holländer (HOOFT, *Granida*, Schäferspiel 1605, van HEEMSKERCK, *De Batavische Arcadia*, Roman 1637 u. a. bis ins 19. Jh.). Die dt. H., in Theorie und Praxis von den roman. abhängig, beginnt erst nach der ausländischen Hochblüte im 17. Jh., zuerst mit Übersetzungen, und verbreitet sich mit dem höfischen Gesellschaftsideal des Barock; bedeutsam wird bes. OPITZ' Übertragung von RINUCCINIS ital. Hirtenoper *Daphne* 1627 mit der Musik von SCHÜTZ als erste dt. →Oper. Es folgen OPITZ' eigene *Schäfferey von der Nimfen Hercinie* 1630, BUCHNERS *Orpheus* 1638 mit Musik von SCHÜTZ, HOMBURGS *Dulcimunda* 1643, HARSDÖRFFERS *Pegnesisches Schäfergedicht* 1641, GRYPHIUS' *Geliebte Dornrose* 1660, KLAJ, S. von BIRKEN, ZESEN u. a. m., nicht mehr sentimentalische Sehnsucht nach der Naturnähe e. goldenen Zeitalters, sondern bewußtes lit. Gesellschaftsspiel, unwirklich und meist als beliebte, nur dem Eingeweihten ergötzliche Einkleidung von Liebeshändeln und Anspielungen auf hohe zeitgenössische Personen und Ereignisse im Schäferkostüm – die Dichter erscheinen teils selbst unter Schäfernamen (Dafnis, Damon, Corydon) und bilden Schäferorden (Pegnitzschäfer) – häufig jedoch in traditionellen Figuren und dem einzig möglichen Motiv schwärmerischer, doch unglücklicher Liebesleidenschaft erstarrt, daher von CERVANTES bis A. HOLZ (*Dafnis* 1904) häufig parodiert. Auch das →Gesellschaftslied (SCHEIN, *Musica boscareccia*, 1621) und selbst geistliche Lyrik (F. v. SPEE) benutzt schäferliche Motive. Der Einfluß der H. reicht weiter ins 18. Jh., über lyrisch-schäferliche Einlagen anderer Romane und Dramen hinaus bes. auf die Schäferspiele des Rokoko und der Anakreontik, GLEIMS *Band* und *Der blöde Schäfer*, GESSNERS Idyllen, Maler MÜLLERS *Schafschur* 1775 und auch GOETHES *Laune des Verliebten*.

M. v. Waldberg, D. dt. Renaissancelyrik, 1888; O. Netoliczka, Schäferdichtg. u. Poetik i. 18. Jh. (Vjschr. f. Litgesch. 2, 1889); H. Broglé, D. frz. H. i. d. 2. Hälfte d. 18. Jh., Diss. Lpz. 1903; W. W. Greg, *Pastoral poetry and pastoral drama*, 1906; E. Carrara, *La poesia pastorale*, Maild. 1909; H. A. Rennert, *The Spanish Pastoral Romances*, 1912; J. Hubaux, *Les thèmes bucoliques dans la poésie latine*, Brüssel 1930; H. Wendel, Arkadien i. Umkreis d. bukol. Dichtg., 1933; E. G. Carnap, D. Schäferwesen, Diss. Ffm. 1939; B. Snell, Arkadien (Antike u. Abendld. I, 1945); H. Petriconi, D. neue Arkadien (ebd. III, 1948); M. I. Gerhard, *Essai d'analyse lit. de la pastorale dans les litt. ital. espagn. et franç.*, Assen 1950; J. E. Congleton, *Theories of Pastoral Poetry in England*, Florida 1952; E. Eike, D. Entst. d. rel. Schäferlyr., Diss. Hdlbg. 1957; M. J. Bayo, *Virgilio y la pastoral española del renacimiento*, Madrid 1959; W. Empson, *Some versions of pastoral*, N. Y. 1960; W. L. Grant, *Neolatin lit. and the pastoral*, Chapel Hill 1965; G. Wojaczek, Daphnis, 1970; J. Hösle, D. europ. H. (Neues Hb. d. Lit.wiss. 9, 1972); RL; H. Beckby, D. griech. Bukoliker, 1975; Europ. Bukolik u. Georgik, hg. K. Garber 1976; Schäferdichtg., hg. W. Vosskamp 1977; Effe / Grimm / Krautter, Bukolik, 1977; B. Effe, D. Genese e. lit. Gattg., 1977. →Pastorale, →Schäferroman.

Hirtenlied, lyr. Form der →Hirtendichtung. Vgl. →Ekloge, →Pastorelle.

Hirtenspiel, 1. dramat. Form der →Hirtendichtung, vgl. →Pastorale, 2. Form des →Weihnachtsspiels im →geistlichen Drama des MA.: Verkündung der Hirten.

C. Müller, Z. Gesch. d. H., GRM 2, 1910; R. Roßbach, Volkseigenes Kulturgut i. dt. geistl. H. u. Dreikönigsspiel, Diss. Köln 1954.

Histörchen →Anekdote

Historie (griech. *historia* = Geschichte), eigentl. unterhaltende Erzählung e. historisch wahren Begebenheit im Ggs. zur erfundenen (›Fabel‹), in röm. Lit. ›Zeitgeschichte‹, zwecks stärkerer Glaubwürdigkeit von den ma. Dichtern wie auch den Volksbüchern des 16./17. Jh. gern für ihre erdichteten und oft unglaubhaften Erzählungen verwendet und durch diesen Mißbrauch zur gegenteiligen Bedeutung des Abenteuerlich-Erdichteten gelangt. – H.s heißen ebenfalls die Königsdramen SHAKESPEARES aus der engl. Geschichte, die durch starke Abhängigkeit von der historischen Tatsachenfolge von den übrigen Dramen abweichen.

RL; W. Brückner, H.n u. H. (Volkserz. u. Reformation, hg. ders. 1974).

Historienbibel, volkstümliche, meist illustrierte ma. Darstellung der biblischen Geschichte in Vers oder Prosa, oft unter Einschluß der weltlichen Geschichte und der Apokryphen; bes. im 13.–15. Jh., aus den Überarbeitungen von RUDOLF VON EMS →*Weltchronik* hervorgegangen.

H. Vollmer, Materialien zu e. Bibelgesch. d. MA., IV 1912–19; H. Rost, D. Bibel i. MA., 1939.

Historiendrama, -lied u. ä. →Historisches Drama usw.

Historische Belletristik, 1. Oberbegriff für alle Arten der Geschichtsdichtung (→Historische Erzählung, h. Roman, →historisches Drama). – 2. historische Werke auf der Grenze zwischen Geschichtsschreibung und Dichtung, die einerseits auf wiss. Erörterungen und Quellenangaben, andererseits auf Erfundenes verzichten, z. B. Biographien und Geschichtsdarstellungen von E. LUDWIG, St. ZWEIG, A. MAUROIS u. a.

Historische Epen behandeln geschichtliche Stoffe in der Form des Epos. Während das griech. Epos wie das Volksepos überhaupt auf mythische und Sagenüberlieferung zurückgreift, findet sich zuerst beim Römer NAEVIUS *(Punischer Krieg)* die Gestaltung zeitgenössischer Ereignisse.

F. Shaw, Das h. E. (Stud. z. frühmhd. Lit., 1974).

Historische Erzählung, historische Novelle und **historischer Roman** als Formen der →Geschichtsdichtung behandeln geschichtliche Ereignisse und Personen, in e. Sonderform kulturgeschichtliche Hintergründe e. erfundenen Handlung, in freikünstlerischer Prosagestaltung und geben je nach Art des gewählten Stoffs und der Darstellungsweise e. individuellen Lebenslauf oder e. allg. Geschichtsbild, das jedoch infolge →dichterischer Freiheiten nicht immer das wissenschaftlich anerkannte, sondern auch e. intuitiv erfühltes oder nach ästhetischen Gesichtspunkten umgestaltetes sein kann. Gestaltung zeitgenössischer Stoffe dagegen gibt der →Gesellschafts- oder →Zeitroman. Neben der Fülle von Unterhaltungslit., die das historische Kolorit als neugiererregenden Reiz des Abenteuerlich-Fremden benutzt, steht e. Reihe bleibender und gültiger h. R.e. Das Historische der Barockromane (BUCHHOLTZ, LOHENSTEIN) freilich erweist sich als Kulisse für Staatsromane oder bildungsgehäufte Abenteuer- und Wunderromane, in der Aufklärung als Schlüsselroman (VOLTAIRE, HALLER, WIELAND). Der eigtl. h. R. beginnt mit dem Durchbruch des Geschichtsbewußtseins seit HERDER und GOETHES *Götz,* bes. mit der Geschichtsphilosophie HEGELS und der Romantiker als idealisierte große Vergangenheit. Voran geht in England Walter SCOTT mit *Waverley* (1814) und anderen Romanen aus der Geschichte Schottlands und Englands *(Ivanhoe),* in denen an historisch nebensächlichen oder erfundenen Ereignissen e. breites, auf genauen Studien beruhendes kulturhistorisches Bild von realistischer Menschen- und Detailschilderung entsteht und die sich schnell über ganz Europa verbreiten; ihm folgen E. G. BULWER *(The Last Days of Pompeii)* und Ch. READE *(The Cloister and the Hearth),* in Frankreich A. deVIGNY (*Cinq Mars,* 1826), V. HUGO (*Notre-Dame de Paris,* 1831) später FLAUBERT (*Salammbô,* 1869) und ARAGON, in Italien MANZONI (*I Promessi sposi,* 1827), in Niederland/Belgien H. CONSCIENCE und Ch. de COSTER, in Rußland A. K. und L. TOLSTOJ (*Krieg und Frieden,* 1864–69), ŠOLOCHOV und MEREŠKOVSKIJ, in Polen SIENKIEWICZ (*Quo vadis,* 1896 u. a.) und B. PRUS, in Jugoslawien I. ANDRIĆ *(Die Brücke über die Drina),* in Amerika M. MITCHELL (*Gone with the Wind,* 1936) u. a. m. In Dtl. beginnt der h. R. gleichzeitig mit ARNIM (*Die Kronenwächter,* 1817), K. PICHLER, BRENTANO, den Novellen E. T. A. HOFFMANNS und TIECKS, ZSCHOKKE und bes. HAUFF mit *Lichtenstein* 1826, H. KURZ mit *Schillers Heimatjahre* 1843 und *Der Sonnenwirt* 1855, ALEXIS' Romanen aus verschiedenen Epochen der märkischen Geschiche, SPINDLER u. a. m. Neuen Aufschwung des h. R. brachte das Aufblühen der realistischen Geschichtswissenschaft, die vom h. R., nicht immer zu seinem dichterischen Vorteil, historische Treue verlangt. In ihrem Gefolge entstehen, zunächst noch allzu sentimental, SCHEFFELS *Ekkehard* (mit wissenschaftlichen Quellennachweisen), die kulturhistorischen Novellen von H. RIEHL und MEINHOLD *(Die Bernsteinhexe)* und die h. R.e FREYTAGS, bes. *Die Ahnen* sowie die zahlreichen →Professorenromane der Zeit. Th. STORM schildert die herbe Lebensart seines Stammes vor historischem Hintergrund, G. KELLER sucht die Eigenart seiner Landsleute in humorvoller Weise an historischen Situationen aufzudecken, die im Rahmen der *Züricher Novellen* als Variationen erscheinen, und fragt bes. in *Ursula* nach dem Wesen der Geschichte. E. neue Stufe beginnt mit den h. R.en und Novellen C. F. MEYERS, der eigene Erlebnisse und Gewissensprobleme bewußt ins Geschichtliche distanziert und die Konflikte von Handeln und Schuld, Leid und Gerechtigkeit in hoher, denkbar plastischer Kunstform darlegt, wobei schon in der Stoffwahl seine Vorliebe für die großen Menschen der Renaissance zutage tritt. Ohne Seitenstück bleibt STIFTERS *Witiko* (1867) in bewußt feierlichem, breitem Saga-Stil, der an der Geschichte Böhmens Wesen, Entfaltung und Wirken geschichtlicher Kräfte verdeutlicht. Die impressionistische Detailmalerei FONTANES (*Vor dem Sturm* u. a.) beendet den h. R. des 19. Jh.; der Naturalismus lehnt den h. R. streng ab; erst Impressionismus und Neuromantik (R. HUCH, *Der große Krieg,* 1912 u. a.), schließlich Expressionismus (KLABUND, FEUCHTWANGER mit Kurzformen) nehmen ihn wieder auf; neben realistischen Zügen erhält er schließlich innere, metaphysische Sinndeutung bei J. WASSERMANN, E. G. KOLBENHEYER, Th. MANN, St. ZWEIG, M. BROD, F. WERFEL, J. ROTH, I. SEIDEL, B. FRANK, F. THIESS, W. BERGENGRUEN, R.

SCHNEIDER, H. MANN, E. COLERUS, E. STUCKEN, A. DÖBLIN, E. v. HANDEL-MAZZETTI, A. NEUMANN, E. STICKELBERGER, H. BROCH, St. HEYM, H. SCHOLZ u. a. und bleibt daneben die beliebte Form der historischen Distanzierung von Themen in gültiger Gestalt als Flucht vor der Gegenwart. Die neueste Zeit brachte bes. e. Reihe vorbildlicher h. R.e um die Antike: R. GRAVES' *I, Claudius,* M. YOURCENARS *Memoires d'Hadrien* 1953, Th. WILDERS *The Ides of March* 1948, H. BROCHS *Der Tod des Vergil* 1945.

L. Gregorovius, D. Verwendg. histor. Stoffe i. d. erzähl. Lit., 1891; L. Stephen, *Hours in a Library,* 1892; R. du Moulin-Eckart, D. h. R. in Dtl., 1905; K. Wenger, H. R.e dt. Romantiker, 1905; H. Bock, K. Weitzel, D. h. R. als Begleiter d. Weltgesch., 1922. Suppl. I 1925, II 1931; RL; H. Butterfield, *The hist. Novel,* 1924; W. A. Müller, D. archäolog. Dichtg., 1928; A. v. Grolmann, Üb. d. Wesen d. h. R., DVJ 7, 1929; J. Nield, *Guide to the best hist. novels and tales,* [5]1929; A. T. Sheppard, *The Art and Practice of hist. Fiction,* 1930; A. E. Baker, *Guide to hist. Fiction,* 1932; J. Marriott, *Engl. Hist. in Engl. Fiction,* 1940; A. Luther, Dt. Gesch. i. dt. Erzählg., 1940; M. Wehrli, D. h. R. (Helicon III, 1940); W. v. Scholz u. E. Stickelberger, D. h. R. (Europ. Lit. 1, 1942); I. Herrle, D. h. R. v. Novalis bis Stifter, Diss. Lpz. 1952; Ch. Jenssen, D. h. R., 1954; G. Lukács, D. h. R., 1955; E. E. Leisy, *The American hist. novel,* Norman [2]1952; W. Drop, *Verbeelding en historie,* Assen 1958; W. Schamschula, D. russ. h. R. v. Klassizismus bis z. Romantik, 1961; H. G. Peters, Gesch. als Dichtg. (Neue dt. Hefte 91, 1963); G. Nelod, *Panorama du roman hist.,* Brüssel 1969; Dargestellte Gesch. i. d. europ. Lit. d. 19. Jh., hg. W. Iser u. a. 1970; H. Eggert, Stud. z. Wirkgsgesch. d. dt. h. R. 1850–1875, 1971; K. Schröter, D. h. R. (Exil u. inn. Emigration, 1972); E. Nyssen, Geschichtsbewußtsein u. Emigration, 1974; W. Schiffels, Geschichte(n) erzählen, 1975; H. V. Geppert, D. andere h. R., 1975; E. Lehmann, Dreimal Caesar (Poetica 9, 1977); H.-D. Huber, H.R.e i. d. 1. Hälfte d. 19. Jh., 1978. →Roman.

Historisches Drama, dramatische Form der →Geschichtsdichtung mit historischen Stoffen, die tatsachengetreu oder mehr oder minder nach künstlerischen Erfordernissen abgeändert auf der Bühne erscheinen. Bis zum bürgerlichen Trauerspiel und eigentlich bis zum Naturalismus IBSENS ist Geschichte fast die einzige Quelle der Tragödie (SHAKESPEARES Historien, CORNEILLE, RACINE, GRYPHIUS u. a. m.); in der monumentalen Gestaltung von Einzel- und Massenschicksal, geschichtlicher Freiheit und Notwendigkeit sucht sie in ihren größten Ausformungen das Wesen des Geschichtlichen, Stellung des Individuums zur Geschichte und Tragik geschichtlichen Handelns und Kämpfens zu formen und erscheint dann als Weltgericht oder Theodizee, ausweglose Tragödie der Leidenschaften, des Idealismus oder vernunftgemäße Selbstbescheidung u. diesseitige Vollendung: SCHILLERS *Don Carlos, Wallenstein* und *Maria Stuart,* GOETHES *Götz,* Dramen BÜCHNERS *(Danton),* GRILLPARZERS und HEBBELS, HAUPTMANNS *Florian Geyer,* ähnlich den *Webern* das h. D. des Naturalismus, schließlich bei H. REHBERG und J. WENTER als Auflösung des geschlossenen Aufbaus in e. eindringliche Bilderfolge, die Stimmungshintergrund und Gehalt wiedergibt. Im Ggs. zu diesen zeitlos gültigen Gestaltungen menschlicher Begegnung stehen die sog. ›Historiendramen‹, die den historischen Stoff zum Ausdruck außerdichterischer, didaktischer, religiöser, politischer oder kultureller Tendenzen benutzen, etwa die →Bardiete KLOPSTOCKS, die →Ritterdramen in der Nachfolge des *Götz* (A. TÖRRING, BABO), UHLANDS *Ernst von Schwaben* und *Ludwig der Bayer,* die h. D. des Jungen Dtl., E. RAUPACHS Hohenstaufen- und E. v. WILDENBRUCHS Hohenzollerndramen, F. LIENHARDS *Luther* u. a. m. bis zu den politischen Bewegungen der Gegenwart und den histor. Stoffen B. BRECHTS *(Leben des Galilei).* Als oft außerkünstlerische Erzeugnisse zur Meinungsbeeinflussung erlischt ihre Wirkung mit der geschichtlichen Weiterentwicklung, die deren Erfüllung oder neue Anliegen bringt. Wichtige h. D. im mod. Ausland schrieben in England G. B. SHAW, T. S. ELIOT, L. DURRELL, J. OSBORNE, P. CHAYEFSKY, in den USA M. ANDERSON und A. MILLER, in Schweden STRINDBERG, in Frankreich R. ROLLAND, H. de MONTHERLANT, P. CLAUDEL und J.-P. SARTRE, in Rußland A. PUŠKIN und A. K. TOLSTOJ.

O. v. d. Pfordten, Werden u. Wesen d. H. D., 1901; F. E. Schelling, *The Engl. Chronicle Play,* 1902; G. C. Houston, *The Evolution of h. d. during the 1. half of the 19. Century,* Diss. Lond. 1920; E. Klotz, D. Problem d. gesch. Wahrh. i. h. D. Dtls., 1750–1850, Diss. Greifswald 1927; H. W. Placzek, D. h. D. z. Z. Hebbels, 1928; R. Schantz, D. Gesch. als Stoff i. Dr. d. dt. Klassik, Diss. Ffm. 1929; R. Richter, Stud. üb. d. Drama d. Historismus, Diss. Rostock 1935; G. Dietz, D. h. D. vor d. Umbruch, Diss. Bonn 1935; J. Petersen, Geschichtsdrama u. nationaler Mythos, 1940; R. Fricker, D. h. D. i. Engl., 1940; B. v. Wiese, Gesch. u. Drama, DVJ 20, 1943; I. Ribner, *The Engl. history play in the age of Shakesp.,* Princeton 1957; T. F. Driver, *The sense of history in Greek and Shakesp. drama,* Berkeley 1961; F. Sengle, D. h. D. i. Dtl., [2]1969; B. W. Seiler, Exaktheit als ästh. Kategorie (Poetica 5, 1972); H. Lindenberger, *Hist.drama,* Chic. 1975; W. Keller, Drama u. Gesch. (Beitr. z. Poetik d. Dr., hg. ders. 1976); K. T. v. Rosador, D. engl. Geschichtsdr. seit Shaw, 1976; Gesch. i. Gegenwartsdr., 1976.

Historisches Lied, balladeskes, oft lyrisch durchsetztes Volkslied um historische Ereignisse und Personen, das diese teils wahrheitsgetreu aus eigener Anschauung (chronistisch, Berichtslied), teils tendenziös zur Beeinflussung darstellt (Parteilied) oder nur als Anlaß zu eigenen Meditationen und Gefühlsergüssen benutzt (Totenklage u. ä.). H. L.er der Germanen sind schon bei TACITUS bezeugt, das älteste erhaltene ist das *Ludwigslied* als Preis des Ostfrankenkönigs Ludwig III. nach dem Sieg von Saucourt 881. Die reichere Überlieferung setzt in der Stauferzeit ein und erreicht größte Fülle gegen Ende des MA. durch meist anonyme Dichter, die oft Volks- oder Kirchenlieder mit neuen, historienhaften Texten versehen und in fliegenden Blättern verteilen. Der Inhalt betont das Persönlich-Episodische mehr als die historisch-politische Wichtigkeit des Stoffes und zieht oft Nebensächliches dem Wichtigen vor, daher ist der historische Quellenwert der h. L.er gering. Beliebte Themen sind der Streit der Ritter und Städte, Triumph-, Sieges- und Spottlieder zu einzelnen Schlachten, Kreuzzüge, Türkenkriege, Belagerung, ferner Stoffe wie Störtebeker 1402, Agnes Bernauer 1435, später in Anlehnung an das Gesellschaftslied in neuen festen Formen um den 30jährigen Krieg, Prinz Eugen, Friedrich II., Napoleon. Seit dem Aufkommen der Zeitung verliert das h. L. seine Bedeutung als Vermittler der Zeitgeschichte.

R. F. Arnold, 3 Typen d. hist. Volksliedes (Monatsbl. d. wiss. Clubs, Wien 1901); A. Hartmann, Hist. Volkslied u. Zeitgedicht, 1910–13; F. Jacobsohn, D. Darstellgsstil d. h. L., Diss. Bln. 1915; E. Schroeder, D. hist. Volkslied d. 30jähr. Krieges, Diss. Marbg. 1916; K. Möllenbrock, D. h. L. v. 30j. z. 7j. Krieg (Zs. f. dt. Philol. 67, 1939); RL; C. Stief, *Stud. in the Russ. hist. song,* 1955; G. Kieslich, D. h. L. als publizist. Erscheing., 1958; D. Sauermann, Hist. Volkslieder d. 18. u. 19. Jh., 1968.

Historisches Präsens →Praesens historicum

Historisch-kritische Ausgabe →kritische Ausgabe

Histrione (lat. *histrio* v. etrusk. = Gaukler), Schauspieler, im antiken Rom zuerst Etrusker, dann bes. Griechen und Sklaven.

Hochliteratur, die →Kunstdichtung im Ggs. zur →Volksdichtung.

Hochsprache →Bühnenaussprache, →Schriftsprache

Hochstift →Freies Deutsches Hochstift

Hochton, Betonung, Nachdruck in der Metrik. →Akzent.

Hochzeitsgedicht →Epithalamium, →Hymenaeus, →Feszenninen.

Höfische Dichtung, allg. jede nach Form und Gehalt an höfischen Vorbildern orientierte Dichtung, 1. die dt. Dichtung in mhd. Blütezeit 1150–1250 als Erzeugnis e. ausgesprochen ritterlich-adligen und höfischen Standeskultur, die ihre Ideale und Probleme, Standesbewußtsein und Lebensgefühl und bes. höfische Zucht in vorbildlicher Weise zum Ausdruck brachte. An die Höfe gebunden, entstand sie von Rittern, teils auch bürgerlichen und spielmännischen Verfassern für den Vortrag vor der ritterlichen Gesellschaft und verherrlicht deren Lebensanschauung bes. in →Minnesang, →Kreuzzugs- und →Spruchdichtung und →höfischem Epos. Sie verbreitete sich mit dem Aufstieg des Rittertums von den franz. Trouvères bes. der Champagne und den →Troubadours der Provence über Schwaben, Thüringen, den Niederrhein und das Donauland und blüht in formgewandter, doch mehr inhaltsloser →Epigonendichtung bis ins 14. Jh., wo sie in der bürgerlichen Dichtung aufgeht. – 2. die Dichtung des →Barock, ebenfalls höfische →Gesellschaftsdichtung (nur treten hier an die Stelle der Ritter teils bürgerliche Hofleute), die in der Zeit des Absolutismus das Ideal stoischer Selbstbeherrschung und Zucht selbst in Märtyrertum, Not und Untergang verkündet und auch im Abenteuerroman wie im neugeformten Drama darstellt.

P. Kluckhohn, Ministerialität u. Ritterdichtg. (Zs. f. dt. Altert. 52, 1911); H. Naumann, G. Müller, Höf. Kultur, 1929; H. Naumann, Höf. Symbolik, DVJ 10, 1932; W. Kellermann, Altfranz. u. altdt. Lit., GRM 26, 1934; E. Kohler, Liebeskrieg. Z. Bildersprache d. h. D., 1935; B. Boesch, D. Kunstanschauung i. d. mhd. Dichtg., 1936; W. Bulst, Polit. Hofdichtg., DVJ 15, 1937; H. Spanke, Dt. u. franz. Dichtg. d. MA., 1943; H. Schneider, Heldendichtg., Geistlichendichtg., Ritterdichtg., [2]1943; R. Bezzola, *Les origines et la formation de la lit. courtoise* III, Paris 1944–60; A. Schirokauer, Üb. d. Ritterlyrik (*German Quarterly*, 1946); H. Kuhn, D. Klassik d. Rittertums (in: Annalen d. dt. Lit., hg. O. Burger 1952); H. Kolb, D. Begriff d. Minne u. d. Entstehen d. höf. Lyrik, 1958; J. Schwietering, Mystik u. h. D. im HochMA., [3]1972; H. de Boor, Gesch. d. dt. Lit. II: D. höf. Lit., [9]1974. →Mittelalter.

Höfischer Roman = →höfisches Epos

Höfisches Epos, erzählende Hauptform der →höfischen Dichtung des MA. in Frankreich und Dtl., meist in 4hebigen Reimpaaren verfaßt und mit festen Stoffen und Motiven e. idealisierender Spiegel der durch die Kreuzzüge geadelten ritterlich-höfischen Kultur in ihren heroischen und sentimentalen Zügen, daher zumeist von hochadligen Mäzenen angeregt, gefördert, von ritterlichen Ministerialen verfaßt und für den Vortrag vor e. höfisch-adligen Laienpublikum bei Hofe, erst später auch vor städtischem Patriziat gedacht. Wie das →Heldenepos verwendet es Sagenmotive, jedoch nur solche aus fremden, bes. keltischen (König Artus, Tristan), antiken (Alexander, Troja, Aeneas) und orientalischen (Flore und Blancheflor) Sagenkreisen und Märchen, die in der Anlage von Thema und Figuren wie in der Ethik höfischem Gesellschaftsideal entsprechen oder in ritterlichen Geist umgeformt werden. Die Hauptgestalten sind e. höfischer Kavalier und edle Damen; ihre Lebensform wird geregelt durch das innere Gesetz der ›êre‹, ›mâze‹ und ›minne‹; die Durchgeistung und Beseelung des Heldenideals, in dem fast idyllische Elemente die heroischen überwiegen, führt zu e. idealisierten Humanität, wie überhaupt das h. E. als Idealisierung herrschender Zustände, Gesellschaftsformen und ihrer Problematik gilt. Der ›mâze‹ in der Lebensgestaltung entsprechen auf formaler Seite Beschneidung aller derben und komischen Züge (im Ggs. zum Spielmannsepos) und die Glättung im einheitlichen, fast monotonen Versmaß und damit zu e. unveränderlich festgelegten lit. Kunstwerk. Die Entwicklung des h. E. beginnt um 1150 in Frankreich mit den Artusepen des CHRESTIEN DE TROYES *(Erec, Yvain, Perceval, Lancelot, Guilleaume d'Angleterre),* der um psychologische Motive wie Ehe, Treue, Ehebruch immer neue Abenteuer zu gruppieren weiß. In Dtl. ist vorangegangen HEINRICHS VON VELDEKE *Eneit* (um 1189) als Gestaltung des Rittertums und der Liebesverstrickungen in bewußter Lit. sprache nach franz. Vorlage (*Roman d'Enéas,* um 1165). Die Jahre 1190–1230 bringen die höchste Blütezeit des h. E., zunächst durch rasch folgende dt. Bearbeitung der Stoffe CHRESTIENS durch HARTMANN VON AUE (*Erec* 1190, *Iwein* 1200), ULRICH VON ZATZIKHOFEN *(Lanzelot),* später HEINRICH VON DEM TÜRLIN *(Mantel, Crône)* und WIRNT VON GRAVENBERG (*Wigalois,* 1202/1205), in größter künstlerischer Höhe und geistig-formaler Durchgestaltung in WOLFRAMS VON ESCHENBACH *Parzival* (um 1204). GOTTFRIED VON STRASSBURG führt nach dem franz. Vorbild des Trouvère THOMAS den Liebesroman *Tristan und Isolt* (um 1210) weiter; als eigene Schöpfung entstehen HARTMANNS Legendenepen *Gregorius* und *Der arme Heinrich* um Konflikte von Rittertum und Gottesdienst, WOLFRAMS *Titurel*fragment (fortgeführt von ALBRECHT als *Jüngerer Titurel*). An den Parzivalstoff schließen sich zahlreiche Lohengrindichtungen an, an die Artussage als erfundene Seitenteile STRICKERS *Daniel,* KONRADS VON STOFFELN *Gauriel* und PLEIERS Romane. Auf franz. Quellen zurück gehen Konrad FLECKS *Floire und Blanscheflur* und RUDOLFS VON EMS *Wilhelm von Orleans* als sentimentale Liebesromane; e. lat. Quelle benutzt WOLFRAMS *Willehalm.* Auf die Blütezeit folgt e. breiter Strom von Epigonen, Nachahmern, Erweiterern und Kompilatoren, die mit endlosen und wortreichen Nachschöpfungen von bis zu 50000 Versen die wahren Meisterwerke zu übertrumpfen suchen und tatsächlich zeitweise in Vergessenheit bringen. Erst bei KONRAD VON WÜRZBURG entstand e. Kurzform in der höfischen Novelle, und der in Frankreich seit Mitte des 13. Jh. vordringende höf. Prosaroman setzt sich in Dtl. mit Ausnahme des Prosa-*Lanzelot* (um 1250) erst ab 15. Jh. durch, als die Umgestaltung des h. E. zum →Volksbuch erfolgt.

F. Karg, D. Wandlgn. d. h. E. i. Dtl. v. 13. z. 14. Jh., GRM 11, 1923; RL; H. Brinkmann, Wesen u. Formen ma. Dichtg., 1928; J. D. Bruce, *The evolution of Arthurian Romance,* II 1928; H. Hempel, Franz. u. dt. Stil i. h. E., GRM 23, 1935; E. Caflisch-Einicher, D. lat. Elemente i. d. mhd. Epik, 1936; K. Bollinger, D. Tragik i. h. E., Diss. Bonn 1939; H. Schneider, Heldendichtg., Geistlichendichtg., Ritterdichtg., [2]1943; K. H. Halbach in ›Aufriß‹; A. Schaflitzel, Gehalt u. Gestalt i. vorhöf. E., Diss. Mchn. 1950; H. Eggers, Strukturprobleme d. ma. E., Euph. 47, 1953; F. Maurer, D. Welt d. h. E. (Deutschunterr. 5, 1954); J. Frappier, *Les romans courtois,* [11]1955; I. Nolting-Hauff, D. Stellg. d. Liebeskasuistik i. höf. Roman, 1959; R. Bezzola, Liebe u. Abenteuer im höf. Roman, 1961; Chanson de geste u. höf. Roman, Kolloquium, 1963; M. Huby,

L'adaption des romans courtois en Allemagne, Paris 1968; E. Köhler, Ideal u. Wirklichk. i. d. höf. Epik, [2]1970; K. Ruh, Höf. Epik d. dt. MA., [2]1977. →Mittelalter.

Hörspiel als neue dramatische Lit.-gattung seit der Erfindung des Rundfunks (erstes H. 6. 10. 1923 Glasgow) ist gekennzeichnet durch Wegfall alles Optischen (Szene, Mimik, Milieu, Schauplatz, Kulisse, oft durch sog. Geräuschkulisse ersetzt) zugunsten des rein Akustischen, bes. des gesprochenen Wortes, untermalender Musik u. ä., das den alleinigen Ausdruck des seelisch-geistigen und äußeren Geschehens übernimmt, die Gestaltungsgesetze bedingt und im Interesse des Aufnehmenden strengste Konzentration der Handlung, spannenden Zusammenhang der Einzelszenen, geringe Personenzahl, reiche Abwechslung und kurze Sendedauer (meist bis 1 Std.) fordert. Vorteile sind die scheinbar unmittelbare Nähe des Sprechers zum Hörer und die bes. seit Verwendung des Magnetophonbandes mit filmähnlichem Montage- und Schnittverfahren bestehende Möglichkeit zur Darstellung auch des Irrealen (innere Stimmen, Phantasieträume), Freizügigkeit in Orts- und Szenenwechsel und Zeitgestaltung – Vorzüge, die jedoch nicht als Neigung zu epischer Technik aufzufassen sind, sondern ihrerseits gerade straffsten dramatischen Handlungsaufbau bedingen. Halbepische Mischformen des H. dagegen sind die sog. →Funknovelle als Erzählung mit eingeblendeten Dialogen oder die Hörfolge (→Feature) als Reihung geschlossener, meist dokumentar. Einzelszenen. Auch Funkbearbeitungen von Bühnenwerken und Romanen können durch die Konzentration auf das Wort neue Bereicherung erfahren, doch eignen sich die von vornherein im Rahmen der technischen Möglichkeiten gehaltenen und sie ausnutzenden Neuschöpfungen eher für die Übertragung. Nach frühen Versuchen mit Original-H.n in England (R. HUGHES, *A Comedy of Danger*) und Frankreich (P. CUSY/ G. GERMINET, *Maremoto*) entwikkelte in Dtl. die erste Generation von H.autoren bis rd. 1935 die ästhet. Möglichkeiten der neuen Kunstform, vielfach in balladesker Gestaltung und z. T. mit sozialkrit. Engagement (R. BILLINGER, F. BISCHOFF, B. BRECHT, A. BRONNEN, A. DÖBLIN, H. FLESCH, E. HARDT, E. JOHANNSEN, H. KASACK, H. KESSER, H. KYSER, H. REHBERG, E. REINACHER, H. ROTHE, W. E. SCHÄFER, G. WEISENBORN, F. WOLF). Die NS-Zeit stellte das z. T. chorische H. in den Dienst polit. Propaganda (R. EURINGER). Das frühe Nachkriegs-H. bis etwa 1960 erschloß die gattungsimmanenten Möglichkeiten innerer Erfahrungen und des innerseelischen Bereichs von Traum, Phantasie und Unterbewußtem in Assoziationen und surrealistischen Kombinationen in den Formen des mehr dramat., epischen oder lyr. H. (I. AICHINGER, A. ANDERSCH, I. BACHMANN, W. BAUER, G. BENN, Ch. BOCK, H. BÖLL, W. BORCHERT, H. v. CRAMER, F. DÜRRENMATT, G. EICH, H. EISENREICH, M. FRISCH, P. HACKS, R. HEY, F. HIESEL, W. HILDESHEIMER, P. HIRCHE, F. v. HOERSCHELMANN, C. HUBALEK, W. JENS, M. L. KASCHNITZ, H. KASPER, O. H. KÜHNER, S. LENZ, D. MEICHSNER, Ch. REINIG, J. RYS, E. SCHNABEL, W. SCHNURRE, R. SCHROERS, M. WALSER, D. WELLERSHOFF, W. WEYRAUCH, E. WICKERT). Seit der Konkurrenz von Fernsehen und Fernsehspiel beim Publikum tendiert das H. seit rd. 1965 bei kleineren Hörerzahlen zum esoter. Experiment, zur Entstofflichung und Abstraktion des reinen Sprach- oder stereophonen Schallspiels mit Wort- und Geräuschmaterial (J. BECKER, R. DÖHL, P. HANDKE, K. HANSEN, E. HERHAUS, K. HOFF, E. JANDL, F. MAYRÖCKER, F. MON, H. M. NOVAK, P. PÖRTNER, G. RÜHM, G. SEUREN, U. WIDMER, G. WOHMANN, P. WÜHR). Wichtige H.autoren in England sind R. HUGHES, D. THOMAS und N. CORWIN, in Frankreich E. IONESCO, S. BECKETT, J. PERRET, R. PINGET, N. SARRAUTE u. a. →Sendespiel.

L. Gordon, *Radio Drama,* 1926; H. Pongs, D. H., 1930; K. Elwenspoek, Drama u. Bühne, 1931; R. Kolb, Horoskop d. H., 1932; L. Wegmann, Z. Frage d. dramat. H., Diss. Münster 1935; C. Laronde, *Théâtre invisible,* 1936; K. Paqué, H. u. Schauspiel, 1936; G. Eckert, Gestaltg. e. lit. Stoffes i. Tonfilm u. H., Diss. Bln. 1936; H. M. Loeseke, *The h.* Diss. Chicago 1937; H. Kriegler, K. Paqué, D. H.buch, 1938; J. Whipple, *How to write for radio,* N. Y. 1938; E. Barnouw, *Handbook for radio writing,* Boston 1940; G. Eckert, H.dichter (D. schöne Lit., 1940); H. Thomas, *How to write for broadcasting,* Lond. 1940; A. Pfeiffer, Rundfunkdrama u. H., 1942; W. Metzger, D. Räumliche d. Hör- u. Sehwelt, 1942; E. K. Fischer, Dramaturgie d. Rundfunks, 1942; F. Faßbind, Dramaturgie d. H., 1943; E. Bringol, Was ist e. H. (Jhrb. f. Schweizer Theaterkultur, 1944); M. Merimond, *Comment écrire pour la radio,* Lausanne 1946; E. T. Rohnert, Wesen u. Möglichkeiten d. H., Diss. Mchn. 1947; G. Mehnert, Kritik d. H., Diss. Lpz. 1948; F. Stegmeier, Z. Theorie d. H. (Rhein. Merkur 32, 1948); V. Reingruber, Üb. d. Psychologie d. Hörbühne (Austria 3, 1948); H. Bänninger, Bühnenstück u. H., 1951; F.Bischoff, D. Dramaturgie d. H. (Hans Bredow, Aus meinem Archiv, 1950); R. Pradalié, *L'art radiophonique,* Paris 1951; O. H. Kühner, Mein Zimmer grenzt an Babylon, 1954; G. Müller, Dramaturgie d. Theaters, d. H. u. d. Films, [6]1954; V. Gielgud, *British radio drama 1922–1956,* Lond. 1957; RL; W. Klose, D. H. i. Unterricht, 1958; D. McWhinnie, *The art of radio,* Lond. 1959; A. A. Scholl, Möglichkeiten u. Grenzen d. dichter. H. (Jahresring 1959/60); G. Rentzsch, Kl. H.-Buch, 1960; F. Knilli, D. H. 1961; H. W. Krautkrämer, H. (Rundfunk u. Fernsehen 9, 1961); D. Wellershoff, Bemerkungen z. H. (Akzente 8, 1961); D. Hasselblatt, Was ist H., GRM 43, 1962; F. Jakobsh, D. H. als Kunstform, Diss. Winnipeg 1963; H. Schwitzke, D. H., 1963; J. Haese, D. Gegenwarts-H. in d. sowjet. Besatzungszone Dtls., 1963, H.-G. Funke, D. lit. Form d. dt. H. in hist. Entwicklg., Diss. Erl. 1963; A. P. Frank, D. H., 1963; E. K. Fischer, D. H. 1964; H. L. Hautumn, Symbol. Formen i. H. (Deutschunterr. 18, 1966); H. Schwitzke, Standortbestimmung d. H. (Lit. u. Kritik I, 1966); R. Sanner, Z. Struktur d. lit. H. (Wirkendes Wort 17, 1967); Reclams H.führer, 1969; F. Knilli, Dt. Lautsprecher, 1970; Neues H., hg. K. Schöning, 1970; J. M. Kamps, Aspekte d. H. (Tendenzen d. dt. Lit. seit 1945, hg. T. Koebner 1971); B. Dedner, D. H. d. 50er Jahre (D. dt. Lit. d. Gegenw., hg. M. Durzak 1971); H. Kekkeis, D. dt. H. 1923–73, 1973; M. E. Cory, *The emergence of acoustical art form,* Lincoln 1974; W. Klose, Didaktik d. H., 1974; Lit. u. Rundfunk 1923–33, hg. G. Hay 1975; Ch. Hörburger, D. H. d. Weimarer Republik, 1975; B. H. Lermen, D. tradit. u. neue H. i. Dt.unterr., 1975; W. Klippert, Elemente d. H., 1977; R. Heger, D. österr. H., 1977; H. Priessnitz, D. engl. H., 1977; S. B. Würffel, H., 1978.

Hofpoet, in gewissem Sinne Nachfolger der →Wappendichter und →Pritschmeister um 1700: an Fürstenhöfen (Berlin, Dresden, Wien) beamteter Berufsdichter, dem als Zeremonienmeister gegen festes Gehalt die Organisation und dichterische Ausgestaltung der Hoffeste u. a. Ereignisse des Hoflebens, teils selbst das Verfassen von Opern oblag. Naturgemäß entstanden meist künstlerisch wertlose →Gelegenheitsdichtungen; die Bedeutung der H. für die Lit.geschichte liegt in der ersten bewußten Abkehr vom Schwulst- und Prunkstil des Spätbarock zu rational-nüchterner Reimprosa im Gefolge von OPITZ und BOILEAU und nach dem Vorbild von HORAZ und GRACIÁN *(Oraculo manual).* H.en waren CANITZ, B. NEUKIRCH, J. U. KÖNIG, J. v. BESSER u. a. Das Amt lebt fort im engl. →poet laureate.

RL.

Hoftheater entstanden im 18. Jh.

anstelle der kurzfristigen Gastspiele als erste feste Bühnen in Dtl. für die Festaufführungen an Fürstenhöfen, die schon vorher wesentlich beim Zustandekommen bes. ital. Opernaufführungen beigetragen hatten, nachdem Herzog HEINRICH JULIUS VON BRAUNSCHWEIG und Landgraf MORITZ VON HESSEN die ersten Hofschauspieler beschäftigt hatten, zuerst am Wiener Hof MARIA THERESIAS 1741, dann 1775 in Gotha unter Leitung von EKHOF, ferner Mannheim, Berlin, München u. a. Die Schauspieler dieser unter fürstlicher Aufsicht stehenden und im Ggs. zum früheren Prinzipal nun von e. ernannten Direktor geleiteten H. werden Hofbeamte mit fester Pension. Die Einrichtung dient sozialen und volksbildnerischen Aufgaben, bes. der Pflege guten Geschmacks und feiner Sitten. Trotz der hemmenden Rücksicht auf ihre höfischen Besitzer, die bes. die Aufführung aggressiver zeitgenössischer Stücke (Naturalismus: STRINDBERG, IBSEN, TOLSTOJ) verboten, sind sie von größtem Einfluß auf die Entwicklung des Theaters im Dtl. des 18./19. Jh., so das Weimarer H. unter GOETHE, das Wiener Burgtheater unter SCHREYVOGEL, LAUBE, DINGELSTEDT und bes. die →Meininger. Erst im 20. Jh. wurde ihre Aufgabe von Staats-, →Stadt- und Privattheatern übernommen, die den modernen Spielplananforderungen elastischer nachkommen konnten. →Schloßtheater.

M. Martersteig, D. dt. Theater i. 19. Jh., [2]1924; G. Krause, D. wirtsch. Entwickl. d. dt. Theaters, Diss. Kgsbg. 1925; RL[1]; F. Moser, D. Anfge. d. H.- u. Gesellschaftstheaters i. Dtl., 1940.

Hofzucht, im 13.–15. Jh. beliebte Form der Lehrdichtung, die weltlich-höfische Sitten- und Anstandsregeln in Versform, meist kurzen Reimpaaren, zusammenfaßt: THOMASINS VON ZERKLAERE *Welscher Gast; Der Winsbeke* u. a. m., meist jedoch lit. wertlos und nur von kulturgeschichtlichem Interesse. → Tischzucht, →Grobianismus.

RL.

Hokku, japan. lyrische Kurzform ernsten Inhalts, Strophe von 3 Zeilen zu 5, 7 und wieder 5 Silben, entspricht der Oberstrophe des →Tanka und dem →Haikai.

Holländische Komödianten erreichen an Bedeutung fast die sog. →Englischen Komödianten, denen sie nachgebildet sind.

H. Junkers, Niederländ. Schauspieler i. 17./18. Jh. i. Dtl., 1936.

Holograph (v. griech. *holos* = ganz, *graphein* = schreiben), ein vollständig eigenhändig handschriftlich geschriebenes Schriftstück (→Autograph), z. B. ein eigenhändiges Manuskript eines Werkes.

Holztafeldruck →Blockbuch

Homeriden, Sammelbez. für die griech. Sänger (→Rhapsoden) oder Epiker im Stile HOMERS.

Homilie (griech. *homilia* = Unterhaltung), eng an den Bibeltext sich anlehnende und ihn auslegende →Predigt.

Homme de lettres (franz.), urspr. Bez. für e. lit. Sekretär e. hochgestellten Persönlichkeit im 16./17. Jh., dann soviel wie allg. →Literat.

Homogramm (v. griech. Gleichgeschriebenes), ein Wort, das ebenso wie ein anderes geschrieben, aber (im Ggs. zum →Homonym) verschiedene Aussprache und verschiedene Bedeutung hat, z. B. ›Montage‹ 1. Mz. von Montag, 2. Zusammenbau.

Homoiarkton (griech. = gleich

anfangend), →rhetorische Figur im Ggs. zum →Homoioteleuton: gleichlautender Anfang zweier aufeinanderfolgender Sätze, Satzglieder oder Wörter. →Anapher, →Alliteration.

Homoioprophoron (griech. = Gleichlautendes), antike Bz. der →Alliteration bzw. der mehrfachen Wiederholung desselben Konsonanten oder derselben Silbe in einem Sprechtakt. Galt in antiker Rhetorik als Stilfehler.

Homoioptoton (griech. = gleich fallend), als →rhetorische Figur Sonderfall des →Homoioteleuton: Gleichklang e. Wortreihe durch gleiche Kasusendungen, z. B. ›Maerentes, flentes, lacrimantes, commiserantes‹ (ENNIUS).

Homoioteleuton (griech. = gleich endigend), →rhetorische Figur, antike Vorform des →Reims: Wiederkehr gleichlautender Endsilben – nicht unbedingt gleicher Kasus wie beim →Homoioptoton – in aufeinanderfolgenden Wörtern, Satzteilen oder kürzeren Sätzen im Ggs. zum →Homoiarkton; anfangs nur an pathetischen Stellen, später unbeschränkt gebraucht, bes. zur Bindung von Parallelismen, Antithesen, Isokola.

Homonyme (griech. *homonymia* = Gleichnamigkeit), gleichnamige, d. h. gleichlautende Wörter von ganz verschiedener Bedeutung und etymologischer Herkunft, bes. zahlreich im Franz.: *saint, sain, seing, cinq*; wesentliches Element der →Wortspiele; H.nhäufung bei FISCHART und RABELAIS beliebt.

Honorar (v. lat. *honorare* = ehren), Vergütung von Autoren lit. Werke für die Einräumung von Nutzungsrechten an diesen (Druck, Sendung, Aufführung, vgl. →Tantieme); vor Mitte des 18. Jh. nur vereinzelt, jedoch teils hohe Summen; meist mußte sich der Autor mit dem Ruhm und e. großen Anzahl von Freiexemplaren zufriedengeben, die er jedoch mit anderen Autoren tauschen oder in der Hoffnung auf lohnende Gegengabe an großzügige Gönner verschenken konnte; noch im Humanismus galt der Empfang e. H.s als unehrenhaft. Auch die Klassiker hätten nicht allein von den Erträgen ihrer lit. Tätigkeit leben können: WIELANDS bes. hohes H. umfaßte nur 42 % seines Gesamteinkommens, GOETHES H.e wurden auf insges. 450000 Goldmark geschätzt. In der Gegenwart entspricht das H. oft den mutmaßlichen Absatzmöglichkeiten, der dadurch bedingten Auflagehöhe und z. T. auch dem Ruf des Verfassers als Autor im allg. Publikum. Man unterscheidet die einmalige Abfindung für alle Auflagen ohne Risikobeteiligung (Pauschal-H. oder, auf den Umfang berechnet, Bogen-H.) und das Absatzhonorar nach Maßgabe der verkauften Exemplare.

RL; W. Krieg, Materialien z. e. Entwicklungsgesch. d. Bücherpreise u. d. Autoren-H.e v. 15.–20. Jh., 1953; W. Martens, Lyrik kommerziell, 1975. →Buchhandel.

Hora (rumän.), harmlos scherzendes oder auch satir. Tanzlied der rumän. Volksdichtung zum Gesang im Wirtshaus, bei Hochzeiten u. ä.

Horarium (lat. = Stundenbuch) →Livre d'heures

Horen (lat. *hora* = Stunde), Stundengebete der katholischen Priester und Mönche. Nach den griech. ›Horai‹, Gottheiten der Jahreszeiten, symbolisch für die ›welterhaltende Ordnung‹, benennt SCHILLER seine lit.-ästhetische Zs. *Die H.* (1795–97).

Horrorliteratur →Schauerroman

Hosenrolle, Darstellung e. männlichen Bühnenrolle durch e. Schauspielerin. Während bis rd. 1650 meist auch Frauenrollen von Männern gespielt wurden und erst im 17. Jh. infolge zunehmenden Realismus' Frauen in Italien, Spanien, Frankreich und England als Schauspielerinnen auftraten – in Dtl. zuerst die Gruppe des Magister VELTEN, 1668 mit drei Frauen, findet sich die H. zuerst in westeurop. Ländern im 17. Jh., in Dtl. erst zu Beginn des 18. Jh. (belegt Chr. F. WEISSES *Amalia,* 1766), zunächst als Rollentausch und komische Verkleidungsszene im Lustspiel (SHAKESPEARE, *Was ihr wollt,* TIRSO DE MOLINA, *Don Gil von den grünen Hosen*), wo auch umgekehrt Schauspieler weibliche Rollen spielen, schließlich seit Mitte des 18. Jh. als Übernahme ernster Männerrollen wie Hamlet (Abt, Sarah Bernhardt, Adele Sandrock) und Romeo (A. Schebest, K. Ziegler). Während in der Oper die H. oft aus stimmlichen Gründen (R. STRAUSS, *Der Rosenkavalier*) unvermeidlich ist, wird sie im ernsten Drama und der Tragödie als Snobismus abgelehnt.

B. Diebold, D. Rollenfach ..., 1913; A. Holtmont, D. H., 1925; RL[1]; K. Zerzawy, Entwicklg., Wesen u. Möglichkeiten d. H., Diss. Wien 1951; C. Bravo-Villasante, *La mujer vestida de hombre en el teatro español,* Madrid 1955.

Ho-shêng, Gattung der chinesischen Erzähllit. des 10.–14. Jh.: dialogisierte Erzählung in der Umgangssprache, die von mindestens zwei Sprechern vorgetragen oder gesungen wurde, u. U. mit Nähe zum dramatischen Spiel.

Hrynhent (altnord. = strömendes Maß), jüngeres Versmaß der altnord. Skaldendichtung, Strophe von acht rhythmisch gleichmäßigen Zeilen zu je acht Silben (vier Trochäen), sonst entsprechend dem →Dróttkvaett; evtl. Nachbildung der achtsilbigen Trochäen des lat. Kirchengesangs. Verwendung in der skald. Hofdichtung des 11.–13. Jh., regelmäßig in der geistl. Dichtung des 13. Jh. und bis heute oft in isländ. Lyrik gehobenen Stils.

Hua-pên (chines. = Wurzeln der Geschichte), kurze Inhaltsangabe oder ausführlichere schriftliche Wiedergabe e. Erzählung als Gedächtnisstütze für die chines. Erzähler und Rezitatoren beim freien mündlichen Vortrag. H. waren im 7.–12. Jh. verbreitet und bildeten z. T. die Vorlagen für spätere Veröffentlichungen.

Huitain (v. franz. *huit* = acht), allg. jede Strophe oder jedes Gedicht zu 8- oder 10silbigen Zeilen und üblicherweise in der Reimfolge ababbcbc. Verwendung u. a. in den Lais und Balladen von F. VILLON, im frühen 16. Jh. (C. MAROT u. a.) und der Epigrammdichtung des 18. Jh.

Hula, eine Verbindung von Tanz, Musik, Dichtung und Pantomime als religiöse Zeremonie, die in Hawaii früher von bes. ausgebildeten Tanzgruppen in speziell dafür errichteten Hallen um einen Altar aufgeführt wurde.

M. Homsy, D. Keppeler, H., Honolulu 1943; N. B. Emerson, *The unwritten lit. of Hawaii,* N. Y. [2]1965.

Huldigungsgedicht →Gelegenheitsdichtung

Humanismus (v. lat. *humanus* = menschlich), allg. e. geistige Richtung, die durch Beschäftigung mit antiken Schriftstellern, Dichtern, Philosophen und Wiederbelebung antiker Bildung e. Höchstentfaltung der menschlichen Persönlichkeit als Ideal erstrebt, daher die aus dem Studium und Erlebnis der →Antike (im Ggs. zu den Naturwissenschaften u. ä.) und ihrer Erkenntnis menschlichen Wertes und künstlerischer Formen hervorgehende geistige Welthaltung und deren Menschenbild auf lit., sprachlicher und logischer Grundlage: poeta, orator, philosophus als Ideale des Menschen. Vorherrschend insbes. in zwei Epochen der abendländischen Geistesgeschichte: im H. des 15./16. Jh. am Anfang der Neuzeit (s. u.) und im →Neu-H. als Ergebnis intensiver Beschäftigung mit antiker Lit., Kunst- und Lebensauffassung zur Zeit der dt. Klassik: WINCKELMANN, W. v. HUMBOLDT, WOLF, LESSING, HERDER, GOETHE, SCHILLER, HÖLDERLIN. Die Frage des H. nach dem Bildungswert antiken Geistes für e. neues Menschentum bleibt bis in die Gegenwart.

Der H. des 15./16. Jh. als internationale, wenn auch bei jedem Volk – in Dtl. bes. seit Auffindung von TACITUS' *Germania* – national betonte abendländ. Bewegung begann in Italien als dem größten Wahrer antiken Erbes bereits um 1350 und erstrebte die geistige Erneuerung des Menschen durch Wiederherstellung der individuellen Persönlichkeitswürde und Vernunftfreiheit im Ggs. zur autoritären Herrschaft der Scholastik und der Kirche in ihrer Verkennung der Antike und Vernachlässigung der Sprachpflege, die der H. beide in e. christliches Weltbild einbeziehen will. Er wird eingeleitet durch die grundlegenden Veränderungen in Welt- und Gesellschaftsauffassung, die im Zeitalter der Entdeckungen und Erfindungen das Ende des MA. herbeiführen, und steht mit seinen Zielen nicht nur obenhin in gewisser Beziehung zu denen der Reformation (MELANCHTHON, HUTTEN), geht teils in der Verteidigung menschlicher Willensfreiheit (ERASMUS) sogar über LUTHER hinaus und faßt auch den Kampf gegen Rom von der politischen Seite (HUTTEN). Vorläufer sind DANTE, PETRARCA und BOCCACCIO. Politische Ereignisse wie die Entstehung der ital. Stadtstaaten und der durch die türk. Eroberung Konstantinopels 1453 hervorgerufene Zustrom griech. Gelehrter (Manuel CHRYSOLORAS, Kardinal BESSARION, Georgios Gemisthos PLETHON) nach Italien, die ebenfalls e. Fülle alter Handschriften mitbrachten, begünstigten die Wendung zur Antike und die Belebung der röm. Vergangenheit: die →Renaissance umfaßt in den roman. Ländern alle Lebensbereiche im Unterschied zum nur gelehrten H. Die Wissenschaft bemüht sich um Verbreitung, Lektüre und Übersetzung antiker Autoren, bes. um kritische Ausgaben durch Vergleichung verschiedener Handschriften – auch der *Bibel* u. a. hebr. Schriften –, um ihre Slg. in Bibliotheken, schließlich ihre bewußte Nachahmung; so entsteht e. reiche →antikisierende Dichtung in lat. Sprache, in Dtl. bes. das schlichte, rein dem Wort dienende →Schuldrama nach röm. Vorbild, Vorform des klassischen dt. Dramas, freilich zuerst mehr Rhetorik und Stilpflege und erst seit der Reformation mit innerem Gehalt (NAOGEORG, MACROPEDIUS, FRISCHLIN), ferner Komödie (J. WIMPHELING, REUCHLIN, H. BEBEL, FRISCHLIN), Dialog (JOHANNES VON TEPL, Eobanus HESSUS, ERASMUS, HUTTEN, dt. GERBEL), Satire (S. BRANT, ERASMUS), Lyrik, bes. →Gelegenheitsdichtung, Lob- und Liebesgedichte (HESSUS, LOTICHIUS, CELTIS), →Fazetien und →Brief (REUCHLIN, ERASMUS, HUTTEN und CROTUS RUBEANUS, *Epistulae obscurorum virorum* 1515–17 als Angriff gegen die Scholastik). Das Sprachstudium führt zur Pflege vornehmer Ausdrucksweise in Rede und Schrift (Rhetorik und Stilistik) als Kennzei-

chen der gebildeten Persönlichkeit. Die Schulreform MELANCHTHONS vertritt die Anschauung des H. in pädagogischer Hinsicht.
Wichtigste Vertreter des H. in Italien waren ENEA SILVIO PICCOLOMINI (= Pius II.), Lorenzo VALLA, POGGIO, FILELFO, PONTANO, VITTORINO DA FELTRE, Kardinal Pietro BEMBO u. a.; Mittelpunkt ihrer künstlerischen, wissenschaftlichen, pädagogischen und selbst politischen Tätigkeit ist der Hof der Medici in Florenz. Die Entwicklung greift über nach Frankreich, wo seit 1430 Griech. und Hebräisch an den Universitäten gelehrt wird; LASKARIS, TIPHERNAS, BUDÄUS, CASAUBONUS, SCALIGER, Robert und Henri ESTIENNE sind hier Hauptvertreter wie in Spanien Luis VIVES, in England Th. MORUS, in den Niederlanden H. GROTIUS sowie zahlreiche später in Dtl. wirkende Gelehrte (R. AGRICOLA, WIMPHELING, HEGIUS und CELTIS). Der 1. dt. Humanistenkreis (Früh-H.) bildete sich am Prager Hof um Karl IV.: JOHANNES VON NEUMARKT, JOHANNES VON TEPL (*Der Ackermann aus Böhmen*, 1400) u. a. Vertreter aus Kanzlei und hohem Klerus wirken bes. auf die neugegründeten Fürstenuniversitäten. NIKOLAUS VON CUES (CUSANUS) als Sucher e. neuen, harmonischen Weltbildes leitet zum eigentl. H. über, der erst um 1450, fast ein Jh. nach der ital. Blüte, entsteht und durch die Entwicklung des Buchdrucks weitere Ausbreitungsmöglichkeiten erhält. Seine Zentren sind Gesellschaften humanistisch gesinnter Gelehrter und Juristen in größeren Städten wie Nürnberg (N. von WYLE, PIRCKHEIMER), Bamberg (ALBRECHT VON EYB), Augsburg (K. PEUTINGER, H. SCHEDEL) und Ulm (H. STEINHÖWEL), bes. aber Schulen und alle Universitäten: Basel (OEKOLAMPADIUS, ERASMUS, J. AMERBACH, J. HEYLIN, S. BRANT, J. FROBEN), Straßburg (S. BRANT, WIMPHELING, BEATUS RHENANUS), Heidelberg (R. AGRICOLA, J. VON DALBERG, C. CELTIS, J. REUCHLIN), Erfurt (CELTIS, MUTIANUS RUFUS, Eobanus HESSUS, CROTUS RUBEANUS), Tübingen (BEBEL), Wien, Universität und Hof Maximilians I. (CELTIS, CUSPINIANUS, VADIANUS), Köln (BUSCHIUS) und Münster (A. von LANGEN). Mit der Glaubensspaltung und dem Aufstieg der Volkssprache beginnt die Auflösung des H. – →Renaissance.

J. Burckhardt, D. Kultur d. Renaissance i. Italien, 1860; L. Geiger, Renaissance u. H., 1882; G. Voigt, D. Wiederbelebg. d. klass. Altertums, II [4]1960; K. Burdach, V. MA. zur Reformation, 1893 ff.; A. Schröter, Beiträge z. Gesch. d. neulat. Poesie Dtls. u. Hollands, 1909; E. Caffi, *L'umanesimo ...*, Rom 1912 ff.; R. Wolkan, Üb. d. Ursprung d. H. (Zs. f. österr. Gymnasien 67, 1916); E. Drerup, Kulturwerte d. H., 1920; H. Baron, Z. Frage d. Ursprungs d. dt. H. (Histor. Zs., 132, 1925); W. Jäger, Antike u. H., 1925; K. Burdach, Renaissance, Reformation, H., [2]1926; ders., Urspr. d. H., 1918; G. Bebermeyer, Tübing. Dichterh.ten, 1927; P. Merker, D. Zeitalter d. H. u. d. Reformat. (Zs. f. Dt.kunde 42, 1928); J. Huizinga, Herbst d. MA., [9]1965; G. Ellinger, Gesch. d. neulat. Lit. Dtlds. i. 16. Jh., III 1929 ff.; P. Joachimsen, D. H. u. d. Entwicklg. d. dt. Geistes, DVJ 8, 1930; R. Buschmann, D. Bewußtwerden d. dt. Gesch. b. d. H., Diss. Gött. 1930; L. Helbing, D. 3. H., 1932; A. E. Berger, H. u. Reformat. (Festschr. f. Behagel, 1934); J. Maritain, Integraler H., 1938; H. Rupprich, Dt. Lit. i. Zeitalter d. H., DVJ 17, 1939; O. Kluge, D. H. als ästhet. Idee (Zs. f. Ästhet. 34, 1939); G. Toffanin, Gesch. d. H., 1941; D. Narr, D. H. als volksgesch. Problem, Diss. Würzbg. 1941; R. Roetschi, H. u. Idealismus, 1943; H. de Lubac, *Drame de l'h.athée*, Paris 1944; W. Näf, Aus d. Forschg. z. Gesch. d. dt. H., II 1944; W. Rüegg, Cicero u. d. H., 1946; A. Liebert, D. universale H., 1946; H. Prang, D. H., 1947; H. Kramer, D. H. d. Renaissancezt., 1947; O. Rommel, Wiener Renaissance, 1947; M. Enzinger, D. H. d. dt. Klassik, 1947; M. Heidegger, Rede z. H., 1947; O. Regenbogen, H. heute?, 1947; R. Newald, Humanitas, H., Humanität, 1947; E. Garin, D. ital. H., 1947; H. Rüdiger, Begriff u. Möglichkeiten d. H. (Geistige Welt, 1948); W. E. Peuckert, D. gr. Wende, 1948; A. Cronia,

L'umanesimo nelle letterature slave, Bologna 1948; W. Stammler, Von der Mystik z. Barock, ^{2}1950; P. Hofmann, D. H. i. d. abendländ. Gesch., DVJ 29, 1951; W. Rehm, Griechentum u. Goethezeit, ^{3}1952; E. Przywara, Humanitas, 1953; M. P. Gilmore, *Le monde de l'h.,* Paris 1955; H. Weinstock, D. Tragödie d. H., ^{3}1956; RL; R. Weiss, *H. in Engl.,* Oxf. 1957; A. Renaudet, *H. et renaiss.,* Paris 1958; F. Heer, D. dritte Kraft, 1959; A. Chastel, D. Welt d. H., 1963; W. F. Schirmer, D. engl. Früh-H., ^{2}1963; R. Newald, Probleme u. Gestalten d. dt. H., 1963; L. W. Spitz, *The Religious Renaissance of the German Humanists,* Cambr./Mass. 1963; L. Martines, *The Social World of the Florentine Humanists,* Princeton 1963; G. Ritter, D. gesch. Bedeutg. d. dt. H., ^{2}1964; M. Seidlmayer, Wege u. Wandlgn. d. H., 1965; H. Rüdiger, Wesen u. Wandlgn. d. H., ^{2}1966; E. Kessler, D. Probl. d. frühen H., 1968; H. O. Burger, H., Renaiss., Reformation 1969; H. Rupprich, D. ausgeh. MA., H. u. Renaiss. (Gesch. d. dt. Lit., hg. de Boor/Newald 4, 1, 1970); H., hg. H. Oppermann 1970; F. Gaede, H., Barock, Aufkl., 1971; Neues Hb. d. Lit.wiss. 9–10, 1972; H.forschg. seit 1945, 1975; E. Bernstein, Lit. d. dt. Früh-H., 1978.

Humanistendrama →Schuldrama

Humanistische Front →Exilliteratur

Humanität (lat. *humanitas* = Menschlichkeit), Ausbildung reinster Menschlichkeit im Dienste der Menschheit gilt in der dt. →Klassik als Lebensideal und Endzweck des Daseins schlechthin: LESSINGS *Nathan,* GOETHES *Iphigenie,* HERDERS *Briefe zur Beförderung der H.,* SCHILLERS *Don Carlos* u. a.; daher ist die Zeit des Neu- →Humanismus zugleich die der H.

E. Abt, D. Grundzüge d. H.sidee, Diss. Mchn. 1947; F. Klingner, H. u. humanitas (Beitr. z. geist. Überlieferg., 1947); H. Hoffmann, D. H.idee i. d. Gesch. d. Abendl., 1951; F. Ranke, Gott, Welt u. H. i. d. dt. Dtg. d. MA., 1953.

Humor (lat. = Feuchtigkeit: nach der antiken Säftetheorie ist die Stimmung abhängig vom Mischungsverhältnis der Körperelemente), Gemütsstimmung, die sich über die Unzulänglichkeiten des Menschenlebens wohlwollend, doch distanziert lächelnd erhebt und über das Niedrig-Komische, Unnatürliche hinweg zu e. gesunden und natürlichen Weltauffassung durchdringt, Mittel der Selbstkritik und der Selbstbehauptung im unsinnigen Dasein zugleich, durch milde, humane Nachsicht und erhabene Gelassenheit der direkten Betrachtung vom scharfen Spott der →Satire wie der uneigentlichen Redeweise der Ironie und der derben →Komik geschieden und entweder aus dem Grunde schlichter Kindereinfalt oder der Freiheit des Geistes und dem wiedererlangten seelischen Gleichgewicht nach schwersten Erschütterungen hervorgegangen, stets mit philosophischer Lebensanschauung verbunden und durch seine Erhabenheit der Tragik verwandt. Seine häufigste Erscheinungsform in der Dichtung ist die Epik; seine weltanschaulichen Voraussetzungen (Diesseitsbezogenheit u. a.) finden sich im Ggs. zur Komik nur vereinzelt in Antike und ma. Blütezeit (WOLFRAM, WALTHER), in vollem Maße erst nach Vorgang von SHAKESPEARE und CERVANTES, in engl. Lit. des 18. Jh. (STERNE, FIELDING, SWIFT) und 20. Jh. (WILDE, SHAW, CHESTERTON), in Frankreich ohnehin selten (z. B. RABELAIS, MAUPASSANT, DAUDET, GIRAUDOUX, M. AYMÉ) und in Dtl. seit LESSINGS *Minna von Barnhelm* und WIELAND; selten bei den Klassikern, am wenigsten bei SCHILLER. Die erste Blüte des dt. H. bringt JEAN PAUL, in seinem Gefolge die Romantik: TIECK, E. T. A. HOFFMANN, ARNIM, EICHENDORFF, BRENTANO, MÖRIKE. Die unpathetische Sachnähe des Realismus ist der Entwicklung günstig: in Abhängigkeit von DICKENS stehen F. REUTER, O. LUDWIG, G. FREYTAG, einzeln ANZENGRUBER,

RAIMUND, NESTROY, STORM, W. RAABE und G. KELLER, pessimistischer VISCHER *(Auch Einer)* und W. BUSCH, relativierend abgeschwächt bei FONTANE und ROSEGGER – in Amerika bei MARK TWAIN, in Rußland bei GOGOL' u. ČECHOV. Während die neueren Strömungen (Naturalismus, Neuromantik, Expressionismus) außer der Heimatkunst (L. THOMA) kaum H. zeigen, ragt in der Gegenwart neben Th. MANN, H. v. HOFMANNSTHAL, C. ZUCKMAYER, E. STRAUSS und E. PENZOLDT bes. K. KLUGES *Der Herr Kortüm* (1938) als Meisterwerk echt dt. H. hervor. Zu den dt. ›Humoristen‹ des 20. Jh. zählen H. ERHARDT, W. FINCK, O. E. HARTLEBEN, K. KUSENBERG, Ch. MORGENSTERN, E. ROTH, J. RINGELNATZ, H. SPOERL, K. TUCHOLSKY, K. VALENTIN u. a. →Komik, →Witz, →Humoreske, →schwarzer Humor.

F. T. Vischer, Ästhetik I, ²1922; J. Bahnsen, D. Tragische, 1887; W. E. Backhaus, D. Wesen d. H., 1894; J. Müller, D. Wesen d. H., 1896; F. Baldensperger, *Les définitions de l'h.*, Paris 1907; K. de Bra, Beitr. z. Psychol. d. H., 1913; H. Bergson, D. Lachen, 1914; R. Roetschi, D. ästhet. Wert d. Komischen u. d. Wesen d. H., 1915; M. Bruns, Üb. d. H., 1921; H. Lipps, Komik u. H., ²1922; K. Esselbrügge, Z. Psychologie d. H. (D. Lit. 28, 1925 f.); H. Höffding, H. als Lebensgefühl, ²1930; G. Brunner, V. Geist d. plattdt. H. (Zeitwende 8, 1932); St. Leacock, *H.*, Lond. 1935; F. G. Jünger, Üb. d. Komische, 1936; C. Janentzky, Üb. Tragik, Komik u. H. (Jhrb. d. Fr. dt. Hochstifts, 1936–1940); E. Lancina, Witz und H., Diss. Wien 1937; O. Asch, Bildsprache u. H. als Ausdruck geistiger Reife, Diss. Bern 1937; H. Siebenschein, Dt. H. i. d. Aufklärg., 1939; H. Lützeler, D. Philosophie d. H. (Zs. f. dt. Geisteswiss., 1939); R. Müller-Freienfels, D. Lachen u. d. Lächeln, 1940; G. Berbenkopf, V. H., 1944; L. Radermacher, Weinen u. Lachen, 1947; K. Krause, H. d. Antike, 1948; Th. Haecker, Opuscula, 1949; H. Plessner, Lachen u. Weinen, ²1950; L. Cazamian, *The Development of Engl. H.*, 1953; H. Reinhold, Hum. Tendenzen i. d. engl. Dtg. d. MA., 1953; H. Bunje, D. H. i. d. niederdt. Erz. d. Realismus, 1953; A. Potter, *Sense of humour*, N. Y. 1954; F. Janson, *Le comique et l'humeur*, Brüssel, 1956; F. Rosenthal, *H. in early Islam*, Leiden 1956; A. Krüger, D. hum. Roman, 1957; K. Maier, Unters. z. Struktur d. höh. H. i. dt. Lustsp., Diss. Tüb. 1957; RL; W. Schmidt-Hidding, 7 Meister d. lit. H. i. Engl. u. Amerika, 1959; G. Baum, H. u. Satire i. d. bürgerl. Ästhet., 1959; H. Fromm, Komik u. H. i. d. Dichtg. d. dt. MA., DVJ 36, 1962; T. Vater, D. Komische u. d. H. (Deutschunterr. 14, 1962); W. Preisendanz, H. als dichter. Einbildgs.kraft, ²1976; N. Yates, *The American Humorist*, Ames 1963; W. Schmidt-Hidding, H. u. Witz, 1963; D. H. Monro, *Argument of Laughter*, Notre Dame 1964; W. Thorp, *American H.ists*, 1964; J. Bourke, Engl. H., 1965; J. Schäfer, Wort u. Begriff Humour i. d. elisabethan. Komödie, 1966; H. Meyer, Wesenszüge d. humorist. Romans, 1966; H. Lützeler, Üb. d. H., 1966; F. Forster, Stud. z. Wesen v. Komik, Tragik u. H., 1968; J. Bier, *The rise and fall of American h.*, N. Y. 1968; U. Karthaus, H., Ironie, Satire (Deutschunterr. 23, 1971); H. Helmers, Lyr. H., 1971.

Humoreske (ital.-lat.), kurze humoristische Erzählung von liebenswürdiger Stimmung und versöhnlich schmunzelnder Heiterkeit in Sprachgebung, Motiven, Szenen und Charakteren, im Ggs. zur bissigen Satire, ausgelassenen Burleske, verzerrenden Groteske, gemeinen Zote, geistreich-pointierten Anekdote, Witz und derbstofflichem Schwank, aus dem sich durch verfeinerte Darstellungsart die H. entwickelte. Bes. Typen der H. sind Standes-H. wie Schul-(ECKSTEIN), Militär-(LENZ, F. BONN, SCHLICHT) und Bauern-H. (THOMA). Neben dem breiten Bedarf an Unterhaltung für die Presse, der die Gattungsvorstellung nachteilig beeinflußte, steht die wirklich wertvolle H., zuerst von H. P. STURZ (*Reise nach dem Deister*, 1778), LANGBEIN, HAGEDORN, WIELAND, LESSING, THÜMMEL, JEAN PAUL, ZSCHOKKE, GAUDY, RAABE, H. SEIDEL, G. KELLER, C. F. MEYER *(Der Schuß von der Kanzel)*, F. REUTER, ANZENGRUBER, ROSEGGER, SAPHIR, STINDE, HARTLEBEN, H. HOFFMANN, SCHNITZLER, O. ERNST, RODA RODA,

KLABUND, STERNHEIM u. v. a.

RL; R. Grimm, Begriff u. Gattg. d. H. (Jb. d. Jean Paul-Ges. 3, 1968). →Novelle, →Humor.

Humoristischer Roman → Humor

Hybris (griech. =) frevelhafter Hochmut, in antiker Vorstellung, bes. in der Tragödie dargestellt, die Ursache des Leidens, indem die Gottheit jedes anmaßende Hochgefühl mit rächender Strafe verfolgt. Beispiele: Krösus, Polykrates (vgl. SCHILLER, *Der Ring des Polykrates*).

Hydropathes, nach dem Titel ihrer Zs. e. Gruppe franz. symbolist. Lyriker, die ihre Gedichte 1878–80 im Kabarett rezitierten: GOUDEAU, CROS, ALLAIS, PONCHON u. a.

J. Lévy, H., 1928; R. de Castéras, H., 1945.

Hymenaeus (griech. *Hymenaios* = Gott der Eheschließung), antikes → Hochzeitslied, vom Gefolge der Braut unter Kithara-, Flötenbegleitung und Tanz bei ihrer Heimführung in das Haus des Bräutigams gesungen, mit dem Refrain ›Hymen o Hymenaie‹. Vgl. CATULL 62.

R. Muth, H. u. Epithalamion (Wiener Stud. 67, 1954).

Hymne (griech. *hymnos* =) eigtl. feierlicher Preis- und Lobgesang e. Gottes oder Helden anläßlich von Kultfesten zu Musikbegleitung oder Einzelvortrag: 33 sog. *Homerische H.n* in Hexametern auf Dionysos, Demeter, Apollon, Hermes, mehr episch berichtend, als Einleitung der homerischen Gesänge von Rhapsoden gesungen; sechs H.n des KALLIMACHOS, 88 mystisch-überschwengliche ›orphische H.n‹ aus hellenist. Zeit in lyrischen Maßen, PINDARS H.n auf Wettkampfsieger u. a. griech. lyrische Götter-H.n, in röm. Lit. HORAZ' *Carmen saeculare* gaben das Vorbild für spätere H.n voll pathetischer Begeisterung und mythisch dunklem Stil. Für die christliche Liturgie umgeformt durch AMBROSIUS, heißt im MA. H. jeder – auch unlyrische und nicht erhabene – Lobgesang Gottes (HRABANUS MAURUS, THOMAS VON AQUIN), stets lat., strophisch gegliedert und mit Endreim, sind sie Vorform späterer Lieddichtung. Der Humanismus prägt wieder den Göttergesang, Renaissance und Barock (RONSARD, OPITZ, WECKHERLIN, PONTANUS) unterscheiden die H. nur nach dem religiösen Inhalt von der Ode, deren strophische Form sie annimmt. OPITZ empfiehlt – freilich erfolglos – auch weltliche Stoffe wie Naturerscheinungen u. ä. und dt. Sprache. In der Aufklärung zeigen die als H.n bezeichneten rel. Dichtungen oft lehrhaften Charakter (HALLER, J. E. SCHLEGEL, WIELAND, CRAMER, E. v. KLEIST); aus dem Ansatz von Pietismus und Empfindsamkeit, deren H.n ihr Verhältnis zu Gott, Jenseits und Einsamkeit als persönliches Erlebnis und individuelles Gefühl verherrlichen, entsteht mit KLOPSTOCK die neue lyrische Form der H.: →freie Rhythmen, meist in 4zeiligen Scheinstrophen als adäquater Ausdruck der erhabensten und tiefsten nicht nur religiösen, sondern auch patriotischen Gefühle in rauschhafter Ekstase und Begeisterung. Unter den H.n des Sturm und Drang (Maler MÜLLER in Prosa, Brüder STOLBERG in Hexametern, HÖLTY, LENZ) stehen die großen Jugendhymnen GOETHES unter Einfluß PINDARS (*Wanderers Sturmlied, An Schwager Kronos, Ganymed, Das Göttliche, Mahomets Gesang*) an rhythmischem Schwung und leidenschaftlicher Begeisterung voran. HÖLDERLIN und NOVALIS (*H.n an die Nacht* als letzte Steigerung romantischer Todessehnsucht) führen neue Inhalte ein, PLATENS Festgesänge zeigen starke Anlehnung an PINDAR; es folgen HEINE, SCHEFFEL, GREIF, A. PICHLER u. a. E. Neubeginn bringen NIETZSCHES *Dionysos-* →*Dithyramben,* freilich teils satirischer Haltung; Stefan GEORGE dagegen prägt e. streng esoterische, geschlossene Form. In Amerika bezieht Walt WHITMAN bewußt schlichte Alltagsprobleme und die Technik in seine naturalistischen Prosa-H.n ein. Dem Expressionismus ist die Form der H. als Verkündigung neuer Menschheit sehr gemäß: DÄUBLER, TRAKL, WERFEL, BECHER u. a. geben ihr wieder ekstatischen Charakter. WEINHEBER dagegen lehnt sich an die antike Form KLOPSTOCKS und HÖLDERLINS an *(H. auf d. dt. Sprache),* G. von LE FORT nimmt den ursprünglichen Inhalt des Gottespreises wieder auf. – Feststehende formale oder inhaltliche Kennzeichen besitzt die H. im Laufe der Geschichte kaum; das Versmaß ist beliebig, die Beziehung zur →Ode nicht deutlich abgrenzbar, ebenso die zur übersteigerten Form der H. im →Dithyrambus.

RL; O. Hellinghaus, Lat. H.n d. christl. Altertums u. MA., [3]1934; E. Busch, Stiltypen d. dt. freirhythm. H., 1934, [2]1975; C. S. Phillips, *Hymnody, past and present,* 1937; H. W. Foote, *3 centuries of American Hymnody,* 1940; R. E. Messenger, *The medieval Lat. hymn.,* Wash. 1953; J. Julian, *Dictionary of Hymnology,* [3]1957; I. Schürk, Dt. Übertr. mlat. H.n i. 18. u. 19. Jh., 1963; J. Szövérffy, D. Annalen d. lat. H.-dichtg., II 1964–65; H. Gneuss, Hymnar u. H.n i. engl. MA., 1967; H. Thomke, Hymn. Dichtg. i. Expressionism., 1972. →Ode, →freie Rhythmen.

Hypallage (griech. = Vertauschung), →rhetorische Figur: 1. Veränderung der Wortbeziehung oder scheinbare Verwechslung einzelner Satzteile, bes. Ersetzung e. Adjektivs durch e. Substantiv und umgekehrt: ›revolutionärer Geist‹ statt ›Geist der Revolution‹. 2. →Enallage, 3. → Metonymie.

Hyperbasis →Hyperbaton

Hyperbaton (griech. = Übersteigendes), beliebte →rhetorische Figur: Sperrung, Abweichung von der ›üblichen‹ Wortstellung und künstliche Trennung e. syntaktisch zusammengehörigen Wortgruppe (z. B. Substantiv und Adjektiv) zu ›Spreizstellung‹ durch eingeschobene Wörter (z. B. Verb) oder Voranstellung e. betonten Wortes, oft auch Verschränkungen aus rhythmischen Gründen (Klausel), letztlich auch Inversion. H. gilt in Prosa als fehlerhaft, wenn die Konstruktion unklar wird; seine übertriebene Anwendung findet es in gekünsteltem Stil. Beispiel: ›Der Worte sind genug gewechselt‹ (GOETHE, *Faust* 214), ›Die Freiheit reizte mich und das Vermögen‹ (SCHILLER, *Wallenstein*). → Anastrophe.

Hyperbel (griech. *hyperbole* = Darüberhinauswerfen, Übermaß), in der Stilistik Übertreibung des Ausdrucks in vergrößerndem oder verkleinerndem Sinne bei der Charakterisierung (auch Gleichnis) e. Objekts oder e. Eigenschaft, die, wenn wörtlich genommen, ins gegenständlich Unmögliche gesteigert wird, z. B. der ›Balken im Auge‹. Stilwerte sind Intensivierung des Gemütsgehalts und größere Anschaulichkeit, andererseits verflachen viele wegen ihrer eingängigen Hyperbolik in die Umgangssprache übernommenen H.n zu konventionellen, abgegriffenen und damit nichtssagenden Formeln: ›tausendmal, blitzschnell, Schneckentempo‹ u. ä., bes. Schimpfwörter. Die Anwendung kann komische, bes. ironische, aber auch ernstgemeinte Effekte erzielen, bes. in volkstümlichen Dichtungen (Märchen, Volksepos). In antiker Dichtung darf sie das dezente Maß nicht überschreiten und wird für wirklich ungewöhnliche Maßverhältnisse benutzt (VERGIL, *Aeneis* I, 162, HORAZ I, 1, 36); freier bei den Rednern; häufig ist sie bei oriental. Dichtern und der *Bibel*, ferner bei ma. Panegyrikern, CALDERÓN, SHAKESPEARE, SCHILLER u. a. Sturm- und Drangdichtern, weiter HEBBEL, Victor HUGO, bei JEAN PAUL als komischer Vergleich; von GOETHE gemieden.

Lit. →Stil.

Hyperkatalektisch (griech. *hyper* = über, *katalegein* = aufhören) heißt e. Vers mit überzähliger Silbe im letzten Fuß, bes. bei steigendem Metrum (Anapäst, Jambus). Vgl. →Katalektisch.

Hypermeter (griech. *hypermetros* = übermäßig), Vers, dessen letzte vokalisch auslautende Silbe →hyperkatalektisch ist, doch durch vokalischen Anlaut des folgenden Zeilenanfangs elidiert wird.

Hyperoche (griech. = Übermaß), →rhetorische Figur: Steigerung e. zu lobenden Gegenstandes ins Unvergleichbare, Einmalige; ›Das Beste auf der Erde‹. Sonderart der →Hyperbel.

Hypodochmius, antiker Versfuß: umgekehrter (→anaklastischer) →Dochmius und häufig neben diesem verwendet: —◡—◡—, auch lat. →Klausel.

Hypokrites (griech. = Ausleger, Deuter), nach der Aufgabe des ersten, von THESPIS eingeführten Schauspielers, den Chorgesang zu erklären, Bz. für den →Schauspieler im griech. Drama.

Hypomnema (griech. = Erinnerung, Merkblatt), Denk-, Erinnerungsschrift, Chronik, Tagebuch, Augenzeugenberichte, dann bes. →Kommentar im sprachlichen wie historiographischen Sinne.

Hyporchem (griech. *hyporchema* =) heiter bewegtes Tanz- und Jubellied der griech. Chorlyrik in lebhaften päonischen Rhythmen, später Daktylo-Trochäen, zur Kithara, später Flöte oder beiden gesungen, anfangs vom ganzen Chor, später von einem Teil zum Tanz des anderen Teils, bes. bei Waffentänzen der spartanischen Jugend.

Hypostase (griech. *hypostasis* = Unterlage), die Substantialisierung, Vergegenständlichung oder →Personifikation eines Begriffs.

F. Erdin, D. Wort H., 1939; H. Lausberg, D. lit. Technik d. H. (Archiv f. d. Stud. d. neueren Sprachen 195, 1959).

Hypotaxe (griech. *hypotaxis* = Unterordnung), im Ggs. zur →Parataxe die Unterordnung in der Satzgliederung, d. h. Aufgliederung des Gedankens in Haupt- und von diesen abhängige Nebensätze zu kunstvoll geschachteltem Gefüge; häufig Kennzeichen gedanklicher Straffung und Überschau von Haupt- und Nebensächlichem (antike →Periode bei CICERO, CAESAR) oder der ungeordneten, aus dem Augenblick entstandenen Diktion (H. v. KLEIST) bzw. sich verlierender Nervosität (PROUST) – jedoch stets auf e. fortgeschrittenen Stufe der Sprachentwicklung.

Hypothesis (griech. = Unterlage, Voraussetzung), von alexandrin. Gelehrten verfaßte lit.-hist. und ästhetische Einleitung der von ihnen herausgegebenen griech. Dramen; enthielten neben Inhaltsangaben die →Didaskalien und sind – teils verstümmelt und mit zahlreichen Zusätzen versehen – stellenweise noch bis in die heutigen Ausgaben erhalten. – →Argumenta.

Hysterologie, Hysteron proteron (griech. = das Spätere als Früheres), →rhetorische Figur: frühere

Erwähnung des zeitlich erst späteren von zwei aufeinanderfolgenden Vorgängen oder des aus dem ganzen Satzinhalt logisch erst Folgenden als des Wesentlichen zur Hervorhebung: WOLFRAM *Parzival* 119, 3: ›Vögel würgen und fangen‹; *Faust* 2916: ›Ihr Mann ist tot und läßt Sie grüßen.‹

Iamb- →Jamb-

Iambes (franz.), franz. Versform, Wechsel von je einem Alexandriner mit einem Achtsilber mit der Reimfolge abab cdcd usw., verwendet in den satir. Versen von A. CHÉNIER und A. BARBIER, die diese in Anspielung auf die antike →Jambendichtung I. nannten.

Ich-Form, epische Darstellungsform (Ich-Roman, -Erzählung), deren Ereignisse vom Erzähler als selbsterlebt hingestellt, gewissermaßen autobiographisch eingekleidet werden, im Ggs. zur geschichtlich echten, beglaubigten →Autobiographie jedoch e. erfundene oder in historischem Rahmen doch stark durch dichterische Freiheit umgestaltete und dadurch symbolhaltig gewordene Erzählung – die Grenzen sind fließend (GOETHE, *Dichtung und Wahrheit*; KELLER, *Der Grüne Heinrich*; CAROSSA). Technisch bedeutet die I.-F. den Verzicht auf die Allwissenheit des Epikers zugunsten der beschränkten Perspektive des Erzählers (meist mit der Hauptperson identisch) und stärkerer →Beglaubigung selbst phantastischer Geschehnisse (antike Abenteuerromane, *Münchhausen,* BUTLERS *Erewhon*). Beliebte Stilmittel sind →Rahmenerzählung, →Brief, →Tagebuch. Teile in I.-F. finden sich bereits bei HOMER *(Odyssee)* und VERGIL *(Aeneis)*, erst in der Neuzeit aber gewinnt die I.-F. im Gefolge der →Bekenntnisliteratur stark subjektive Weltsicht und Betonung des inneren Erlebens vor dem äußeren, selbst unter der Gefahr des Psychologisierens. Durchweg bedienen sich ihrer der →Schelmenroman und die →Simpliziaden von GRIMMELSHAUSEN bis GOTTHELF (*Bauernspiegel* 1837), häufig auch der humoristische Roman (FIELDING, DICKENS) oder der →Entwicklungs- und →Bildungsroman (KELLER, STIFTER *Der Nachsommer,* DICKENS *David Copperfield,* HESSE *Demian,* ähnlich R. HUCH *Erinnerungen von Ludolf Ursleu d. J.,* Th. MANN, *Doktor Faustus* und *Felix Krull*) und bes. zur Selbstdarstellung drängende psychologisch interessante Gestalten (*Werther* u. ä.) wie auch die neue Arbeiterdichtung in Form der Lebensgeschichte (GORKIJ, *Kindheit,* LERSCH, *Hammerschläge,* GLASER, *Geheimnis und Gewalt*). Der moderne dt. Roman verzichtet zumeist auf die Objektivität des allwissenden →Erzählers zugunsten der bescheidenen Ich-Perspektive (BÖLL, FRISCH, NOSSACK, GRASS, WALSER, WEISS, LENZ). →Egotismus.

F. Spielhagen, Beitr. z. Theorie u. Technik d. Romans, 1883; Keiter/Kellen, D. Roman, 1912; K. Forstreuter, D. dt. Ich-Erzählg., 1924; RL[1]; F. K. Stanzel, D. typ. Erzählsituationen i. Roman, 1955; B. Romberg, *Studies in the narrative technique of the first-person novel,* Stockh. 1962; F. K. Stanzel, Typ. Formen d. Romans, [2]1965; M. Henning, D. I.-F. u. ihre Funktion i. Th. Manns ›Doktor Faustus‹ u. i. d. dt. Lit. d. Ggw., 1966; D. Geiger, *The dramatic impulse in mod. poetics,* 1967. K. Hamburger, D. Logik d. Dichtg., [2]1968; K. Pestalozzi, D. Entstehg. d. lyr. Ich, 1970; R. R. Wuthenow, D. erinnerte Ich, 1974; K. H. Spinner, Z. Struktur d. lyr. Ich, 1975; M. Głowiński, *On the first-person novel* (New Lit. Hist. 9, 1977 f.).

Idealisierende Darstellung im Ggs. zur naturnahen (realistischen) strebt nach verschönter Darstellung e. vollkommenen, aller Mängel entledigten Gegenstandes oder Menschen als Idealtypus.

Idealismus, im Ggs. zum Materialismus schon seit NIKOLAUS VON CUES und LEIBNIZ als dt. philosophische Strömung bes. des 18. und beginnenden 19. Jh. der geistige Hintergrund der Goethezeit: Durchbruch im Sturm und Drang, Hochblüte in der Klassik, Breitenwirkung und Übersteigerung in der Romantik. I. betrachtet das Geistige als Ursprung, ständigen Hintergrund und letzten Sinn des Seins, als Zentralkraft, die das organisch gedachte Weltsystem in harmonischer Einheit zusammenhält: der Wille, bei FICHTE in optimistischem, bei SCHOPENHAUER in pessimistischem Sinne. Der I. verzichtet auf rationale Erfassung der Welt zugunsten von Gefühl und Phantasie (→Irrationalismus). Organismusgedanke und damit Entwicklungsgedanke (Polarität von Thesis und Antithesis zur Synthesis als reine Denkformen HEGELS, ständige Umgestaltung der Welt bei SCHELLING und GOETHE) werden auf den Menschen übertragen und äußern sich im Streben nach ganzheitlicher und harmonischer Kräfteentfaltung in wechselseitiger Ergänzung als Bildungsideal: →Humanität und Kunst als höchste Erscheinungsformen des Menschlichen, in Übereinstimmung mit der neuen Begegnung mit der apollinisch verstandenen →Antike im Neu- →Humanismus (WINCKELMANN). H. A. KORFF unterscheidet Vernunft-I. als Spannung Materie-Geist (KANT, SCHILLER) und Natur-I. als Schöpfungseinheit (HERDER, GOETHE). Aus der Aufklärung übernimmt der I. die Diesseitsbetonung (Offenbarung des Göttlichen im Irdischen: Einheit, harmonische Schönheit, ordnende Vernunft, Freiheit und Liebe), das hohe Menschenbild und damit die Toleranzidee. Seine Einzelausprägungen sind u.a. Vollkommenheitsglaube und sittliche Selbstbesinnung bei KANT, Auffassung vom Geist als unsichtbarer Natur bei SCHELLING, Vernunftglaube bei HEGEL. Höchste dichterische Ausformung des I.: GOETHES *Faust.*

R. Eucken, D. Lebensanschaug. gr. Denker, 1897; E. Cassirer, D. krit. I., 1906; O. Willmann, Gesch. d. I., III ²1907; M. Kronenberg, Gesch. d. dt. I., 1909–12; E. Cassirer, Freiheit und Form, 1916; P. Ernst, D. Zusammenbruch d. dt. I., 1918; R. Kroner, V. Kant bis Hegel, II ²1961; W. Lütgert, D. Religion d. dt. I., ²1967; H. A. Korff, Geist d. Goethezeit, IV ²1955; N. Hartmann, D. Philosophie d. dt. I., II ²1960; E. Troeltsch, D. dt. I. (in: Ges. Schr. 4, 1924); N. Hartmann, Diesseits v. I. u. Realismus, 1924; W. Dilthey, D. Jugendgeschichte Hegels..., ²1925; H. Groos, D. dt. I. u. d. Christentum, 1928; W. Kunz, Gestaltwirklichkeit u. Lebensgestaltg., 1930; E. Spranger, Kampf geg. d. I., 1931; K. Weidel, D. Religion d. dt. I., 1932; J. Hofmeister, Goethe u. d. dt. I., 1932; W. Dietsch, Problem d. Glaubens i. d. Philos. d. dt. I., 1935; F. Koch, Dt. Kultur d. I., 1935; F. Schultz, Klassik u. Romantik d. Dt., II ²1952; A. Liebert, D. Krise d. I., 1936; C. Ottaviano, Kritik d. I., 1941; H. U. v. Balthasar, Prometheus, 1947; P. W. Wenger, Geist u. Macht, 1948; E. Przywara, Humanitas, 1953; R. Benz, D. Zeit d. dt. Klassik, 1953; R. Bauer, D. I. u. seine Gegner i. Österr., 1966; G. Stiehler, D. I. v. Kant bis Hegel, 1970; H. Nohl, D. Dt. Bewegg., 1970.

Ideenballade, Sonderform der →Ballade im Ggs. zur Volksballade und der numinosen Kunstballade, die den aktiv handelnden Menschen im Bereich diesseitiger, ethischer Normen zeigt. Ausgeprägt bes. in den klass. Balladen GOETHES *(Die Braut von Korinth),* SCHILLERS (*Der Ring des Polykrates, Der Taucher, Der Handschuh, Die Kraniche des Ibykus* u. a.) und UHLANDS, in denen sich in erster Linie e. ideeller Gehalt manifestiert.

Ideendrama, →Drama, das Geschehensablauf und Charakterzeichnung einer herrschenden, einheitlichen Idee (Weltanschauung) unterordnet, die in ihrer Allgemeingültigkeit – oft als kollektivistisches Massendrama – die Einzelzeichnung der Figuren überdeckt: *Jedermann*, GOETHES *Pandora*, SCHILLER, die meisten Dramen HEBBELS, SHAWS, neuerdings SARTRES. Verengerte Ideen ergeben das →Problem- und →Tendenzdrama.

R. Unger, V. Nathan zu Faust, 1916.

Ideengeschichte →Geistesgeschichte

Idejnost (russ. =) die Durchdrungenheit des lit. Werkes mit fortschrittlichen politisch-sozialen Ideen, Forderung des →sozialistischen Realismus.

Identischer Reim (v. lat. *idem* = derselbe) reimt dasselbe Wort: ›Liebe/.... Liebe‹. →Rührender Reim.

Identifikation (lat. *idem* = dasselbe, *facere* = machen), allg. Gleichsetzung: 1. des Schauspielers mit seiner Rollenfigur, des Zuschauers bzw. Lesers mit e. Figur des Dramas, Films, Romans oder dem Ich e. Gedichts; beruht auf lebhaftem und tiefwirkendem Ergriffensein vom Wesen des anderen. Gegen I. wendet sich →Verfremdung. – 2. einer Person mit e. Gegenstand in humorvoller, geistreicher Begründung: beliebter Witz bes. in der Komödie, schon bei PLAUTUS: ›Mein Vater ist eine Fliege – nichts kann vor ihm verwahrt werden‹ (*Mercator* 361).

V. Roloff, I. u. Rollenspiel (Erzählforschg., hg. W. Haubrichs 2, 1977).

Ideographie (griech. *idea* = Begriff, *graphein* = schreiben), im Ggs. zur →phonetischen Schrift gibt die Worte durch einzelne Begriffszeichen (Ideogramme) oder Bilder wieder, wie z.B. die chines. Schrift, →Bilderschrift, →Hieroglyphen, arab. Zahlen.

Idiom (griech. *idios* = eigentümlich), eigentümliche, vom Standard abweichende Ausdrucks- und Sprechweise: 1. →Dialekt, 2. →Jargon e. Standes.

Idiotikon (griech. *idiotikos* = einen einzelnen betreffend), Mundartwörterbuch, Zusammenstellung regional begrenzter Spracheigentümlichkeiten (→Idiotismen) in Wortschatz, Formenlehre, Syntax und Redewendungen.

Idiotismus (griech. *idiotismos* = Benehmen des gemeinen Mannes), Einzelfall e. →Idioms, charakteristische Besonderheit in Schreib- und Sprechweise.

Iduna (german. Göttin, Jugendspenderin, Gattin des Dichtergottes Bragi), konservativer Wiener Dichter-, Schriftsteller- und Kritikerkreis 1891–1904 in Opposition gegen den Naturalismus und →Jung-Wien. Leitung F. von STEINWAND, ferner F. LEMMERMAYER, Guido LIST, R. v. KRALIK (Zs. *Der Gral*, 1906ff.), M. DELLE GRAZIE, R. STEINER, H. FRAUNGRUBER, F. HEROLD, F. HIMMELBAUER, H. GRASBERGER, E. MARRIOT, F. CHRISTEL.

Nagl-Zeidler-Castle, Österr. Lit.gesch. IV, 1937.

Idylle (besser: Idyll, v. griech. *eidyllion* = Bildchen, kleines Gedicht), episch-halbdramatische (dialogische) Dichtform z. Schilderung friedvoll-bescheidenen, ungetrübten Daseins harmlos empfindender Menschen und natürlich-alltäglichen Land- und Volkslebens in schlichter Alltagssprache, Vers oder Prosa, oft mit lyrischen Einlagen in geschlossenen Szenen (→Genrebild), bes. als Form der →Hirtendichtung.

SCHILLER betrachtet in *Über naive und sentimentalische Dichtung* die I. als sentimentalische Form der

Wiederherstellung e. verlorengegangenen Einheit von Natur und Geist, ›Darstellung unschuldiger und glücklicher Menschheit‹ und fordert von ihr statt sehnsuchtsvoller Rückschau auf vergangene Urzustände e. vorwärtsstrebende I. zu höherer Harmonie und ›Ruhe in der Vollendung‹ ohne Rücksicht oder satirische Seitenblicke auf die Wirklichkeit.

Vorformen finden sich schon in hebr. (Buch *Ruth*) und ind. Dichtung (*Śakuntalā*, Einsiedlerleben). Die abendländ. Entwicklung beginnt bei den griech. Bukolikern: THEOKRIT (3. Jh. v. Chr.), BION und MOSCHOS mit heiter gelösten Bildchen aus dem Land- und Hirtenleben, das vom Städter neuentdeckt und sehnsuchtsvoll als glücklicherer und harmonischer Zustand gepriesen wurde. VERGILS mehr lyrische →Eklogen werden Vorbild der europ. →Hirtendichtung von Renaissance und Barock bis ins 18. Jh., der die I. fast ausschließlich angehört. Auch die Theorie des Barock (HARSDÖRFFER) bis zu GOTTSCHED, BODMER und BREITINGER verlegt die I. in paradiesische Urzustände zurück und fordert obendrein e. moralische Tendenz. Die Wiederaufnahme echter I.ndichtung erfolgte in der Aufklärung als Folge e. Diesseitswendung, der erneuten Sehnsucht nach dem verlorenen Frieden und der Tugend e. goldenen Zeitalters aus der Zivilisationsmüdigkeit und überfeinerter Kultur heraus. An der Spitze steht der Schweizer S. GESSNER mit Rokoko-I.n in rhythmischer Prosa aus e. idealisierten Hirtenleben, Flucht aus der Gegenwart, von weicher, empfindsamer Gestaltung. Es folgen BODMERS Patriarchaden, E. v. KLEISTS stark moralische I.n, Maler MÜLLERS Pfälzische I.n, unsentimentalisch, gegenwartserfüllt und von kraftvoller Realistik *(Schafschur, Nußkernen)*, Vorstufe der Dorfgeschichte, in volkstümlicher Weise fortgesetzt in den *Alemannischen Gedichten* J. P. HEBELS und den Mundart-I.n des Schweizers J. M. USTERI, ferner BAGGESENS *Parthenais*, KOSEGARTENS *Jucunde* und U. HEGNERS *Molkenkur*, teils auch JEAN PAUL (in den *Flegeljahren*) u. selbst HÖLDERLIN (*Emilie vor ihrem Brauttag*, 1799) mit elegischen Klängen. Daneben preist J. H. VOSS *(Der 70. Geburtstag, Luise)* zuerst das kleinbürgerliche Alltagsleben in antiken Hexametern. Den Anschluß an die antike Form finden ebenfalls GOETHES I.n: *Alexis und Dora* und Teile aus *Hermann und Dorothea* – selbst keine reine I. mehr; schließlich im 19. Jh. der geistesverwandte Übersetzer THEOKRITS, MÖRIKE *(I. vom Bodensee, Alter Turmhahn)* und HEBBEL *(Mutter und Kind)*; im allg. geht die I. in der Dorfgeschichte auf. Im unidyllischen 20. Jh. versuchen Th. MANN *(Herr und Hund, Gesang vom Kindchen)*, H. v. HOFMANNSTHAL, G. HAUPTMANN *(Anna)*, B. v. MÜNCHHAUSEN (1927, 1933) und J. L. FINCKH vergeblich e. Wiederbelebung der Dichtart; die naive Welthaltung der ursprünglichen I. ist verloren, die sentimentalische bricht durch pessimistische Grundhaltung die Form. – In Italien schrieben u. a. BOCCACCIO *(Ameto)*, SANNAZARO, TASSO und GUARINI I.n, in Spanien CERVANTES, MONTEMAYOR und GARCILASO DE LA VEGA, in Portugal CAMÕES und RODRIGUES LOBO, in Frankreich RONSARD, MAROT, FONTENELLE, GRESSET, bes. BERNARDIN DE ST. PIERRE, CHÉNIER, LAMARTINE und CHATEAUBRIAND, in England SPENSER, GAY, POPE, STEELE, THOMSON, BYRON und TENNYSON, in Holland LOOSJES, in Schweden LINDNER und in Dänemark ÖHLENSCHLÄGER.

W. Nagel, D. dt. I. i. 18. Jh., Diss. Zürich

1887; G. Schneider, Üb. d. Wesen u. d. Entwicklgsgang d. I., Progr. Hbg. 1893; G. Eskuche, Z. Gesch. d. dt. I.ndichtg., Progr. Siegen 1893; G. A. Andreen, *Stud. in the I. in German lit.*, Rock Island 1902; N. Müller, D. dt. Theorien d. I., Diss. Straßbg. 1911; E. Merker, Z. d. ersten I.n von J. Voß, GRM 8, 1920; E. Weber, Gesch. d. epischen u. idyll. Dichtg., 1924; M. M. Prinsen, *De i. in de 18. eeuw*, Diss. Amsterd. 1934; P. Merker, D. dt. I.ndichtg., 1934; G. Possanner, D. dt. I.n-dichtg. d. 18. Jh., Diss. Wien 1938; I. Feuerlicht, V. Wesen d. dt. I. (*Germanic Review* 22, 1947); ders., D. dt. I. seit Geßner (*Modern Language Quarterly* 11, 1950); RL; R. Geißler, Versuch üb. d. I. (Wirkendes Wort 11, 1961); F. Sengle, Formen d. idyll. Menschenbildes (in: Arbeiten z. dt. Lit., 1965); B. Kahrmann, D. idyll. Szene i. zeitgen. engl. Roman, 1969; L. Nagel, Z. Probl. d. I.ndichtg., (Weimarer Beitr. 16, 1970); F. Sengle, Biedermeierzeit Bd. 2, 1972; J. Tismar, Gestörte I.n, 1973; U. Eisenbiß, D. Idyllische i. d. Novelle d. Biedermeierzeit, 1973; G. Kaiser, Wandrer u. I., 1976; T. Lange, Idyll u. exot. Sehnsucht, 1976; R. Böschenstein-Schäfer, I., [2]1977; K. Bernhard, I., 1977; V. Nemoianu, *Micro-Harmony*, 1977. →Hirtendichtung.

Ihâmriga, Gattung der klassischen ind. Dramatik: vieraktiges Stück um den Kampf zweier göttlicher Helden um ein Mädchen oder eine Frau.

Ikon (engl. *icon*, v. griech. *eikon* = Bild), engl. Sammelbz. für das →Bild als Umschreibung e. Person oder e. Gegenstandes durch →Metaphern.

W. K. Wimsatt, *The Verbal I.*, Lexington 1954.

Ikonologie (griech. *eikon* = Abbild, *logos* = Wort), Wissenschaft vom Sinngehalt der Malkunst, bes. von den Attributen und Symbolen der Götter-, Heroen- und Heiligengestalten; wendet sich bes. im Barock auch an die Dichter: OMEIS' Poetik 1712, Kap. 5: *I.*, Cesare RIPA, *I.*, Rom 1593 u. a.

Iktus (lat. *ictus* = Schlag), Markierung der →Hebung, Betonungssilbe in →akzentuierender Dichtung: Versakzent. Die Tatsache, daß die Bz. I. auch für quantitierende Verse aus der lat. Antike (HORAZ, QUINTILIAN) überliefert ist, hat zu versch. Vermutungen veranlaßt.

E. Fränkel, I. u. Akzent i. lat. Sprechvers, 1928; P. W. Harsh, *I. and Accent* (*Lustrum* 3, 1958); A. Labhardt, *Le problème de l'i.* (*Euphrosyne* 2, 1959); O. Seel, Quantität u. Wortakzent i. horaz. Sapphiker (Philologus 103, 1959).

Illusion (v. lat. *illudere* = täuschen), in der Ästhetik die Vortäuschung von Personen, Örtlichkeiten, Handlungen und Ereignissen, die der bloßen Einbildungskraft entstammen, als Wirklichkeit. Der aus dem Kunstwerk (Roman, Erzählung) oder seiner Darstellung (Theater) empfangene Eindruck kann auf empfängliche Menschen stärker wirken als Eindrücke der Erfahrungswelt. Die Poetik untersucht die Mittel der I. Während das späte 19. Jh. z. T. den Kunstwert e. Werkes an seiner Illusionswirkung maß, erstreben andere Richtungen wie das →epische Theater die bewußte Durchbrechung der I. zugunsten gedanklicher Auseinandersetzung im →Verfremdungseffekt.

Nachahmung u. I., hg. H. R. Jauß 1964; E. P. Nassar, *I. as value* (*Mosaic* 7, 1973 f.); E. Lobsien, Theorie lit. I.sbildung, 1975.

Illusionsbühne, Form der →Bühne, entstand, seitdem die →Guckkastenbühne der Renaissance – im Ggs. zur ma. Marktbühne – die Vortäuschung e. Schauplatzes durch gemalten Prospekt (Landschaft, Häuser), Telari und später Kulissen erforderte, wurde durch die Perspektivenmalerei, geschlossene Zimmerdekoration, Scheinwerfereffekte, Requisiten u. a. m., auch technische Erneuerungen, vervollkommnet, in den historisch genauen Kostümen der →Meininger sowie den echten Dekorationsstücken des Naturalismus (natürliche Bäume in

REINHARDTS ersten Inszenierungen!) überspitzt und schließlich von der →Stilbühne abgelöst, der auch M. REINHARDT folgte.

M. Martersteig, Stilbühne u. I. (Kongreß f. Ästhet., 1914); RL[1].

Illustration (lat. *illustrare* = erleuchten), Bildbeigabe e. Buches, ganzseitig oder im Text, zur Veranschaulichung des Inhalts bei wissenschaftlichen Werken, Verschönerung der Ausgabe in belletristischen Werken, schließlich als Hauptsache in kunstwissenschaftlichen Werken und Kinderbüchern, wo der Text nur Beigabe ist; bes. Holzschnitt (16. Jh. DÜRER, HOLBEIN; 19. Jh. RICHTER, MENZEL), Kupferstich (CHODOWIECKI), Radierung, Zeichnung, Ein- und Vierfarbendruck, Autotypie, graphische Darstellung, daneben auch →Initialen, →Vignetten, Randleisten u. ä. Entscheidend für den künstlerischen Wert der I. ist die gesunde Wechselbeziehung von I. und Text, die bes. in dichterischen Werken der Einbildungskraft des Lesers freien Spielraum lassen muß.

Th. Kutschmann, Gesch. d. I., 1899 f.; A. Rümann, D. ill. dt. Bücher d. 18. u. 19. Jh., II 1925–37; M. Lanckoronska, R. Oehler, D. Buch.-I. d. 18. Jh., III 1932–34; A. Fischer, D. Buch-I. d. Romantik, 1933; D. Bland, *The I. of books*, Lond. [3]1962; ders., *A Hist. of book i.*, Lond. [2]1969; D. Diringer, *The illuminated Book*, Lond. 1958; K. Weitzmann, *Ancient Book Illumination*, Cambr./Mass. 1959; L. Lamb, *Drawing for i.*, Lond. 1962; *Essays on book i.*, hg. F. J. Brewer 1963; D. Buch-I. i. Dtl., Österr. u. d. Schweiz seit 1945, hg. W. Tiessen II 1968; E. Rothe, *Medieval book illumination in Europe*, Lond. 1968; H. Fühmorgen-Voss, Text u. I. i. MA., 1975.

Illustriertenroman, Erscheinungsform der →Trivialliteratur in der illustrierten Wochenpresse, inhaltlich zumeist gleichlaufend mit dem trivialen Kriminal- oder Liebesroman, formal durch den Aufbau in Spannungsbögen, die das Interesse von Woche zu Woche wachhalten sollen, dem →Fortsetzungsroman verwandt, jedoch mit der Ausnahme, daß der erfolgreich ›ankommende‹ I., wenn speziell für die Illustrierte verfaßt, weiter ausgebaut, der erfolglose rasch vorzeitig abgeschlossen werden kann. Seine Ingredienzien sind die üblichen Verzerrungen der Realität: eine stimulierende Kulisse exklusiven, weltweiten und mondänen Milieus, primitive Typenfiguren nach den Leitbildern der Werbung, die die Leser zur Identifikation mit den Helden auffordern und ihnen Ersatzerlebnisse bieten, ideale Wunschträume unverbindlich nachzeichnen, dazu ein Sprachabbau durch Wortklischees, bewußte Begriffsunschärfe und ein Überangebot reizstarker Worte, im Aufbau kurze, auch dem Analphabeten überschaubare Absätze und Partien, die Ereignisse häufen, ohne sie zu integrieren. Der I. beschreibt die klischeehaften Vorstellungen des Durchschnittslesers vom jeweiligen Milieu und schmeichelt ihnen noch durch die Unterstellung, ›vom Leben selbst‹ geschrieben zu sein.

A. Holzinger, D. Thema vor allem ist wichtig (in: Triviallit., hg. G. Schmidt-Henkel 1964); H. Knittel, D. Roman i. d. dt. Illustr., Diss. Bln. 1967; W. Hollstein, D. dt. I. d. Ggw., 1973.

Illyrismus, Bz. für die kulturelle Renaissance der Kroaten 1830 bis 1850 und die Wiedererweckung des südslaw. Einheitsgedankens unter dem Einfluß der Romantik und des Panslawismus von J. KOLLÁR, geführt von L. GAJ; schuf e. einheitl. kroat. Schriftsprache und die Anfänge der modernen kroat. Lit. mit S. VRAZ, D. DEMETER, P. PRERARDOVIĆ und I. MAŽURANIĆ.

Imagination (lat. *imaginatio* =) →Phantasie, bildl. Vorstellung.

Imaginisten (v. lat. *imago* = Bild),

Moskauer Bohème-Dichterkreis 1919–24 in der Nachfolge des →Futurismus mit betonter Verwendung von Bild und Metapher sowie pessimistischer, morbider bis perverser Grundhaltung, die auch in der Mischung erhabener und rohester Bilder zutage tritt. Hauptvertreter war S. A. ESENIN, daneben V. ŠERŠENEVIČ, A. MARIENGOF, A. KUSIKOV.

Imagismus (v. lat. *imago* = Bild), engl.-amerikan. Lyrikerkreis um 1912–20, gekennzeichnet durch neues Formstreben: größtmögliche Bildhaftigkeit und Kürze bei Verwendung der Umgangssprache, unbedingte Sachnähe zum behandelten Gegenstand, Vermeidung jedes nicht für die Darstellung wesentlichen oder ausschmückenden Wortes, Ersetzung des Metrums durch musikalischen Rhythmus als Ausdruck neuer Stimmungen und unstrophische Form (FLINT, *Poetry,* März 1913). Anregungen gaben der Symbolismus, auch chines. und japan. Lyrik, doch zeigt der I. ihnen gegenüber schärfere Konturen. Im Anschluß an die antiromantische Dichtungsauffassung von T. E. HULME (1886–1917) gegründet von Ezra POUND, Hauptvertreter: H. DOOLITTLE, Amy LOWELL, R. ALDINGTON, J. G. FLETCHER, F. S. FLINT, D. H. LAWRENCE; starker Einfluß auf T. S. ELIOT.

F. Vordtriede, D. I., Diss. Freib. 1935; H. Monroe, *A Poet's Life,* N. Y. 1938; L. Berti, *L'imagismo,* Padua 1944; S. K. Coffmann, *Imagism,* Norman 1951; G. Hough, *Image and experience,* Lond. 1959; G. Hughes, *Imagism and the Imagists,* Lond. [2]1960; W. C. Pratt, *The Imagist Poem,* 1963; R. Bianchi, *La poetica dell' i.,* Mail. 1965.

Imayō-uta (japan. = Lieder in moderner Weise), Form der japan. volkstümlichen Lyrik, die von der üblichen Form der Kunstlyrik abweicht: vierzeilige Strophen, deren jede Zeile in zwei Halbverse zu 7 und 5 Silben zerfällt. Seit dem 12. Jh. verbreitete Form buddhist. Ursprungs für gesungene Lieder.

Imitation (lat. *imitatio* =) Nachahmung von musterhaften Vorbildern durch Anpassung an deren Stil, Wortgebrauch, Metrik, Figuren und Bilder; Grundbegriff bes. für röm. Dichtung, die durch den Wetteifer mit griech. Vorbildern erst zu eigener Höhe und Kunstvollendung gelangt. Noch im dt. Barock empfiehlt OPITZ die I. fremder Dichter, und HARSDÖRFFER nennt das Abborgen e. rühmlichen Diebstahl. – Über I. als Nachahmung der Natur →Mimesis.

Immoralismus →Amoralismus

Impressionismus (lat. *impressio* = Eindruck), Eindruckskunst, Stilrichtung urspr. der franz. Freilichtmalerei im letzten Viertel des 19. Jh., auf die Dichtung von 1890–1910 übertragen, sucht im Ggs. zum geistbedingten Expressionismus und der objektiven, vollständigen Wirklichkeitsdarstellung des Naturalismus die getreue Wiedergabe subjektiv-sinnlicher Eindrücke genau beobachteter Stimmungsgehalte, bes. der zufälligen und vorübergehenden Augenblicksbewegung und einmaliger Seelenzustände in allen ihren feinsten Differenzierungen und Nuancen, Halbtönen und Schattierungen, erreicht dadurch e. letztmögliche Vollendung und Verfeinerung der sprachlichen Ausdrucksmöglichkeiten: Lautmalerei, Synästhesie, angemessene, fein unterscheidende Beiwörter und Bilder für die einmalig-unverwechselbare Empfindung, Parataxe als Nebeneinander der Einzelkomponenten, Verunklärung (Verzicht auf begriffliche Analyse komplexer Eindrücke) und bes. →erlebte Rede. Gegenüber dieser vertieften psychologischen Erlebnis- und Reaktionsfähigkeit tritt die Darstellung äußerer Handlung, ethische Wertung und Willenstätigkeit zurück; so erreicht das Drama des I. höchstens den lyrischen Einakter; bevorzugte Formen sind Lyrik und kürzere Prosa (Skizze), später auch längere Romane. Hauptvertreter sind in Italien d'ANNUNZIO, in Frankreich die Brüder GONCOURT, BAUDELAIRE, VERLAINE, BOURGET, FLAUBERT, A. FRANCE, GIDE, CLAUDEL, M. BARRÈS, LENORMAND, DUHAMEL, H. de RÉGNIER, z.T. P. VALÉRY, J. ROMAINS, M. PROUST, in Belgien MAETERLINCK und teils VERHAEREN, in Dänemark J. P. JACOBSEN, H. BANG, in Norwegen K. HAMSUN. In Dtl. gelten als Vorläufer Th. FONTANE und in gewissem Sinne A. STIFTER *(Studien)*, als Hauptvertreter bes. D. v. LILIENCRON, P. ALTENBERG, P. HILLE, A. SCHNITZLER, der junge HOFMANNSTHAL und der junge RILKE, R. MUSIL, H. BAHR, E. v. KEYSERLING, R. SCHICKELE, M. DAUTHENDEY, R. DEHMEL, z.T. St. GEORGE, H. MANN, Th. MANN *(Buddenbrooks, Der Zauberberg)*, G. FALKE, C. HAUPTMANN, A. KERR, L. ANDRIAN, R. BEER-HOFMANN, B. KELLERMANN, St. ZWEIG. In der Wiedergabe des rein Sinnenhaften wenden sich ihm auch die Naturalisten (G. HAUPTMANN, A. HOLZ, J. SCHLAF, C. VIEBIG) zu, die gleich dem I. die Sprachpräzision erstreben; auch neuromantische und symbolistische Züge weist er auf, indem die meisten großen Dichter auch anderer Richtungen durch ihn hindurchgehen. →Dekadenzlit.

R. Hamann, D. I. i. Leben u. Kunst, 1907; A. Soergel, Dichtg. u. Dichter d. Zeit I, 1911; M. Picard, D. Ende d. I., [2]1920; H. Breysig, Eindruckskunst u. Ausdruckskunst, 1927; L. Thon, D. Sprache d. dt. I., 1928; K. Brösel, Veranschaulichg. i. Realismus, I. u. Frühexpr., 1928, O. Walzel, Wesenszüge d. dt. I. (Zs. f. dt. Bildg. 6, 1930); M. Belang, Flaubert als Begründer d. lit. I. i. Frankr., Diss. Münster 1933; G. Decker, *D. i. in die Nederlandse letterkunde*, 1933; R. F. Lissens, *Het i. in de Vlamsche letterkunde*, 1934; C. M. Bowra, D. Erbe d. Symbolismus, 1948; W. Milch, Ströme, Formeln, Manifeste, 1949; R. Moser, *L' i. français*, 1951; B. J. Gibbs, *I. as a Lit. Movement (Modern Language Journal* 36, 1952); R. Hamann, J. Hermand, I., 1960; H. Sommerhalder, Z. Begriff d. lit. I., 1961; A. Stroka, D. I. d. dt. Lit. (Germanica Wratislaviensia 10, 1966); W. Falk, I. u. Expressionismus (Expr. als Lit., hg. W. Rothe 1969); M. Diersch, Empiriokritizismus u. I., 1973; A. Schmidt, D. geist. Grundl. d. Wiener I. (Jb. d. Wiener Goethe-Ges. 78, 1974); W. Kohlschmidt, I. u. Jugendstil als lit. hist. Termini (*Filologia e critica*, Fs. V. Santoli 1976). →Gegenwartsdichtung.

Impressum (lat. = Eingedrücktes), Druckvermerk, Angabe von Verlag, Verfasser bzw. verantwortlichem Herausgeber, auch Druckerei, Einband, Papierart, Umschlagentwurf, Auflagehöhe, Erscheinungsjahr und z.T. Copyright bei Druckschriften, meist auf der Rückseite des Titelblattes; für Zeitungen gesetzlich verlangt (Pflichteindruck).

Imprimatur (die lat. Formel der staatlichen oder – bei religiösen, dogmatischen und moralischen Schriften – der kirchlichen kathol. Bücher→zensur lautete entweder ›damnatur‹ = wird verdammt, d.h. darf nicht gedruckt werden, oder ›i.‹ = es werde gedruckt), 1. die vom Autor nach der letzten Korrektur erteilte endgültige Druckerlaubnis, – 2. die Druckfreigabe e. nach § 1385 des *Codex Juris Canonici* der kathol. Bücherzensur bei dem für den Autor zuständigen Diözesanoberhirten unterworfenen relig. Schriftwerks; wird in Bibelausgaben und -kommentaren, Erbauungs-, Gebets- und Andachtsbüchern sowie allen theolog. Werken eingedruckt.

H. Lackmann, D. kirchl. Bücherzensur nach gelt. kanon. Recht, 1962.

Imprint = →Impressum

Impromptu (franz. v. lat. *in promptu* = in Bereitschaft), unvorbereitetes, im Augenblick entstandenes Stegreifgedicht oder -rede. →Improvisation, →Stegreif.

Improvisation (lat. *improvisus* = unvermutet, unvorhergesehen), unvorbereitete Rede, Dichtung und schauspielerische Darstellung, Rollenerweiterung u. ä. aus dem →Stegreif, setzt lebhafte Phantasie voraus. Bes. beliebt in der ital. Renaissance (→Commedia dell'arte, B. Accolti, A. Marone), später bei Berufsdichtern verflacht.

W. Hermann, Dtls. Improvisatoren, 1906, H. Schultze, Theater aus d. I., 1955; J. Hodgson, E. Richards, *I.*, Lond. 1966.

Inauguraldissertation = →Dissertation

Incipit (lat. = es beginnt), urspr. Anfangsformel alter Hss., Buchrollen und Drucke anstelle des damals noch nicht üblichen Titels (→explicit); dann Anfangsworte e. Textes.

Incrementum (lat. = Wachstum, Steigerung), rhetorische Figur der →Amplifikation: graduell gesteigerte Bezeichnungen des Gegenstandes durch e. Abfolge vom schwachen zum stärkeren Ausdruck gesteigerter Synonyme für denselben. Heute meist als Sonderform der →Gradation oder →Klimax betrachtet.

Index (lat. = Anzeiger), Inhaltsverzeichnis oder alphabetisches Stichwort-, Sach- und Namenregister bei Büchern (→Register). Indices (Mz.) waren Schriftenverzeichnisse einzelner Autoren in röm. Lit. als erste literarhistorische Tätigkeit zur Scheidung von echten und unechten Werken.

Index librorum prohibitorum (lat. = Verzeichnis verbotener Bücher), vereinzelt im MA., seit dem Konzil von Trient ab 1559 als Zusammenstellung von Einzelverboten von der kath. Kirche veröffentlichtes Verzeichnis derjenigen Bücher, die gegen kath. Dogma oder Moral verstoßen und deren Lektüre daher ihren Anhängern verboten ist; häufig neu herausgegeben und laufend bis auf die Gegenwart ergänzt, besteht aus drei alphabetisch zusammengeordneten Gruppen: 1. Autoren, deren Schriften sämtlich verboten sind, z. B. Luther, d'Annunzio, A. Gide, Sartre, 2. Einzelwerke sonst erlaubter Schriftsteller, 3. anonyme Werke. Die letzte Auflage (1948, Supplement 1954) umfaßte rd. 6000 Werke. Seit 1966 hat der I. l. p. nicht mehr kirchliche Gesetzeskraft und wird nicht fortgeführt, behält jedoch seine moral. Bedeutung.

F. H. Reusch, D. I., II 1883–85, [2]1967; L. Petit, *L'Index*, Paris 1886; J. Hilgers, D. I. d. verbot. Bücher, 1904; G. Casati, *L'Indice dei libri proibiti*, III Maild. 1937; A. Sleumer, *I. Romanus*, [11]1956; J. B. Scherer, 400 Jahre I. Romanus, 1958; H. Kühner, I. Romanus, 1963.

Indizierung →Zensur

Indianerroman, Sonderform des →Abenteuer- und →exotischen Romans aus dem Leben der nordamerikan. Indianer insbes. der Pionierzeit und ihrer Auseinandersetzung mit den weißen Ansiedlern; reicht von Coopers *Lederstrumpf* über Sealsfield, Strubberg, Gerstäcker und K. May *(Winnetou)* bis zu F. Steuben u. a.

H. Plischke, V. Cooper bis K. May, 1951; E. Lips, D. Indianerbuch, [4]1967.

Indianismus, Geistes- und Lit.-Strömung der südamerikan. Romantik, gekennzeichnet durch Hinwendung und Sympathie zum Indio als romantisch verklärtem Gegenstand einer exotisch-folkloristisch bestimmten Lit. Hauptvertreter: J. M. Lavardén, E. Echeverría, A. G. Dias, J. M. de Alencar und G. de Magalhães.

C. Meléndez, *La novela indianista en Hispanoamerica,* Madrid 1934; A. Cometta Manzoni, *El indio en la poesía de America esp.*, Buenos Aires 1939; D. Miller Driver, *The Indian in Brazilian Lit.*, N. Y. 1942.

Indigenismus, ähnlich dem →Indianismus Geistes- und Lit.-Strömung der südamerikan. Romantik bes. in den Andenländern des 19. Jh., betrachtet den Indio als Vorfahren der eigenen Geschichte und wesentliches Element der sozialen Erneuerung, protestiert gegen seine Unterdrückung und verlangt seine soziale Gleichstellung. Hauptvertreter: C. MATTO DE TURNER, A. GAMARRA, A. ARGÜEDAS, C. ALEGRÍA und J. ICAZA.

Indireke Rede, im Ggs. zur →direkten Rede die von e. übergeordneten Verb abhängige Wiedergabe von Worten anderer in der 3. Person und im Konjunktiv: Er sagte, er sei entrüstet.

A. Banfield, *Narrative style (Foundations of language* 10, 1973); G. Kaufmann, D. i. R., 1976.

Individualdichtung (lat. *individuus* = unteilbar), im Ggs. zur →Gesellschaftsdichtung persönlichkeitsbetonte und rein vom Dichter aus gestaltete Dichtung; in der Extremform etwa das Tagebuch, das für keinen Leser bestimmt ist.

Individualstil (lat. *individuus* = unteilbar), von jedem gestaltungskräftigen Dichter ausgeprägter, persönlichkeitsgebundener →Stil, der durch typische Eigenarten vom →Epochenstil abweicht.

F. Martini, Persönlichkeitsstil u. Zeitstil (Stud.generale 8, 1955).

Indravajra (ind. = Indras Blitzstrahl), ind. Metrum der höfischen Dichtung, Strophen von vier Elfsilbern der Form:
——◡———◡◡—◡—⏓.

Indravamsha, ind. Metrum der höfischen Dichtung, Strophe von vier Zwölfsilbern der Form:
——◡———◡◡—◡—◡⏓.

Industriedichtung, →Arbeiterdichtung im engeren Sinne, die das Verhältnis von Mensch und Maschine zum Gegenstand hat; in Dtl. gepflegt von der →Gruppe 61 und dem →Werkkreis Lit. der Arbeitswelt.

H. W. Kistenmacher, Maschinen u. Dichtg., Diss. Mchn. 1913; W. Wolff, Technik u. Dichtg., 1923; J. Winckler, D. dt. Industrielyrik (Pädagog. Warte 34, 1934); V. Frobenius, D. Behandlg. v. Technik u. Industrie i. d. Dichtg. v. Goethe bis z. Gegenw., Diss. Hdlbg. 1935; R. Dithmar, Industrielit., 1973.

Ineditum (lat. = nicht Herausgegebenes), ungedrucktes, noch unveröffentlichtes Schriftwerk.

Inhalt, im Ggs. zu →Form und beider Verbindung im (ästhet.) →Gehalt noch mehr der bloß →stoffliche, wertfrei nacherzählbare Tatsachenablauf e. Dichtung. Lit. Inhaltsforschung sollte als Oberbegriff die Quellen-, Stoff-, Motiv- u. Symbolforschung zusammenfassen.

Initia (lat. = Anfänge), die Anfangswörter ma. Hss. und Frühdrucke vor Entstehung des eigtl. Titels, auch die Anfangswörter einzelner, insbes. der 1. und 2. Seite. Sie werden zus. mit →Incipit und →Explicit zur bibliographischen Zitierung und Identifikation herangezogen.

Initialen (lat. *initium* = Anfang), Anfangsbuchstaben von Textabschnitten: Büchern, Kapiteln, Absätzen, Strophen; schon in Spätantike und bes. im MA. in den Hss. durch Größe, Farbgebung und Verzierung (ornamentale Linien und Schnörkel), schließlich durch kunstvolle bunte Miniaturmalerei – meist auf den Inhalt des folgenden Textes Bezug nehmend – hervorgehoben und auch in der Frühzeit des Buchdrucks mit der Hand ausgemalt, später durch teils bunte Holzschnitte oder Kupferstiche ersetzt. – →Unzialen.

K. Lamprecht, I.ornamentik, 1882; K. Faulmann, D. I., 1886; W. L. Schreiber, D. I.-Schmuck (Zs. f. Bücherfreunde 5, 1901); A. F. Johnson, *Decorative I. Letters,* Lond. 1931; A. J. Schardt, D. I., 1938; I. Reiner, I., 1942; J. Gutbrod, D. I., 1965.

Inkantation (v. lat.) →Beschwörungsformeln

Inkonzinnität (lat. *inconcinnus* = unharmonisch, unebenmäßig), im Ggs. zur →Konzinnität die syntaktisch ungleiche Konstruktion gleichwertiger Satzteile, entspricht e. übertriebenen Streben nach Wechsel im Ausdruck und Durchbrechung ermüdender Gleichmäßigkeit, in röm. Prosa zuerst bei ASINIUS POLLIO, dann SALLUST und bes. TACITUS' *Annalen.*

Inkunabeln (lat. *incunabula* = Windeln, Wiege), ›Wiegendrucke‹, früheste Erzeugnisse des Buchdrucks mit beweglichen Lettern aus der Zeit bis 1500, als dieser noch ›in den Windeln‹ lag, wegen teils typographischer Schönheit, Seltenheit (auch der Inhalt oft nie nachgedruckt) wie kultur- und literaturgeschichtlicher Bedeutung äußerst gesucht und wertvoll für Bibliophile und Bibliotheken.

L. Hain, *Repertorium Bibliographicum,* IV neu 1950; Suppl. dazu von W. A. Copinger, III neu 1950; E. Vouilliéme, D. I. in ihren Hauptwerken, 1921 ff.; Gesamtkatalog der Wiegendrucke, VII [2]1968; D. Fava, *Manuale degli incunabuli,* Mail. 1939; K. Haebler, Hdb. d. I.kunde, [2]1966; F. Geldner, D. dt. I.drucker, II 1968 f.; ders., I.kunde, 1977.

In medias res (lat. = mitten in die Dinge), nach HORAZ (*Ars poetica* 149) ein dichterisches Verfahren, das sich nicht lange bei einführenden Worten und einstimmenden Schilderungen aufhält, sondern den Leser gleich mitten in die Handlung führt und während deren Ablauf die Vorgeschichte nachholt.

Innenreim →Inreim

Innere Emigration, von F. THIESS 1933 geprägte, August 1945 in e. offenen Brief veröffentlichte Bz. für diejenigen dt. Schriftsteller, die während des Dritten Reiches im Lande blieben, doch geistig in die Emigration gingen, den ›Rückzug ins Schweigen‹ antraten und e. meist höchst indirekten Widerstand durch betontes Nichtengagement oder ästhetischen Eskapismus leisteten, der ihnen eine Mittelstellung zwischen der offiziellen Dichtung des Dritten Reiches und der →Exilliteratur zuweist. Ihre lit. Technik war vielfach die der Camouflage, des durch einen anderen, vorgegebenen Gegenstand getarnten Schreibens ›zwischen den Zeilen‹, das sich im Einverständnis mit dem Leser entschlüsseln ließ (bes. R. PECHEL in der *Dt. Rundschau*) oder die des histor. Parallelismus als chiffrierte polit. Aussage. Die i. E. fand daher deutlichsten lit. Ausdruck im histor. Roman: W. BERGENGRUEN *(Der Großtyrann und das Gericht; Am Himmel wie auf Erden),* R. SCHNEIDER *(Las Casas vor Karl V.),* F. P. RECK-MALLECZEWEN, F. THIESS *(Das Reich der Dämonen),* J. KLEPPER *(Der Vater)* und G. VON LE FORT, seltener in der Lyrik (R. A. SCHRÖDER, R. HAGELSTANGE, O. LOERKE) und in der Rede (E. WIECHERT, *Rede an die Münchener Studenten,* 1935). In späteren Jahren schlossen sich auch G. BENN und E. JÜNGER *(Auf den Marmorklippen)* der i. E. an.

H. R. Klieneberger, *The ›I.E.‹* (Monatshefte 57, 1965); H. Wiesner, I.E. (Hdb. d. dt. Gegenwartslit., hg. H. Kunisch 1965); H. R. Klieneberger, *The christian writers of the i. e.,* Haag 1968; W. Brekle, D. antifaschist. Lit. i. Dtl. (Weimarer Beitr.

16, 1970); W. A. Berendsohn, I. E. (Germanist. Beiträge, Fs. G. Mellbourn, Stockh. 1972); Exil u. i. E., hg. R. Grimm, J. Hermand 1972; dass. II, hg. P. U. Hohendahl, E. Schwarz 1973; G. Berglund, Einige Anm. z. Begriff d. i. E., Stockh. 1974; R. Schnell, Lit. i. E., 1976.

Innere Form →Form

Innerer →Monolog, in Romanen und Erzählungen die Wiedergabe von in Wirklichkeit unausgesprochenen Gedanken, Assoziationen, Ahnungen der Personen in Sprache, direkter Ich-Form im Ggs. zur →erlebten Rede in 3. Person; erstrebt die Wiedergabe der Augenblicksregungen, wie sie im Bewußtseinsstrom und aus dem Unterbewußtsein erscheinen, und versucht die →Identifikation von Leser und Romanheld durch unmittelbare Gleichsetzung und völliges Verschwinden des Erzählers; nach Vorgang der simultanen Schilderung in Dadaismus und Futurismus erst im seelenanalytischen Roman eingeführt: zuerst beim Russen W. M. GARŠIN, *Vier Tage,* 1877 und E. DUJARDIN, *Les lauriers sont coupés,* 1887, dann bei H. CONRADI, *Adam Mensch,* 1889, SCHNITZLER, *Leutnant Gustl,* 1901, *Fräulein Else,* 1924, A. DÖBLIN, *Berlin Alexanderplatz* 1930, Th. MANN, *Lotte in Weimar,* 1939, BROCH, *Der Tod des Vergil,* 1945, bes. aber bei J. JOYCE als Darstellung des Unterbewußten, das freilich als unlogische, dämmerhaft angedeutete und ständig komplex überlagerte, formlose Masse die sprachlichen Formen sprengt (*Ulysses,* 1922, *Finnegans Wake,* 1939), bei seiner Schülerin Virginia WOOLF dagegen als logisch geordneter Bewußtseinsstrom und bei M. PROUST und W. FAULKNER (*The Sound and the Fury,* 1929) zu Dauermonologen ausgeweitet. Das ästhetische Problem, inwiefern e. auf bewußte Inkohärenz, freie Assoziationen, Aufhebung, ja Umkehrung des Zeitablaufes und Auflösung des syntaktischen Gefüges abzielendes, scheinbar unkontrolliertes Psychogramm dieser Art noch e. Anspruch auf Anerkennung als Kunstwerk erheben kann, wird erst durch genaue Analyse des i. M. geklärt, in der sich vielfach herausstellt, daß der i. M. keineswegs bloße Wiedergabe e. (fiktiven) Bewußtseinsstromes ist, sondern vielmehr dessen durch musikalische Leitmotive und aufeinander bezogene Formmuster (patterns) künstlerische Gestaltung.

E. Dujardin, *Le monologue intérieur,* 1931; W. Neuse, Erlebte Rede u. i. M. in den erzählenden Schriften Schnitzlers, PMLA 49; D. Bickerton, *Modes of interior monologue* (*Modern Language Quarterly* 28, 1967); E. Höhnisch, Das gefangene Ich, 1967; W. J. Lillyman, *The interior monologue in J. Joyce and O. Ludwig (Compar. Lit.* 23, 1971); G. Uellenberg, Bewußtseinsstrom i. M. u. Rollenprosa (Tendenzen d. dt. Lit. seit 1945, hg. T. Koebner, 1971). →erlebte Rede.

Inneres Objekt, effiziertes im Ggs. zum affizierten oder äußeren Objekt, entsteht erst durch Vollzug der Verbalhandlung und ist deren Ergebnis (›e. Brief schreiben‹) oder – meist mit erläuterndem Attribut – deren Inhalt (›e. tödlichen Hieb schlagen‹), oft e. sinn- oder gar stammverwandtes Substantiv: →Figura etymologica.

Innerlichkeit, die Abwendung von der Außenwelt und den Umwelteinflüssen zu den inneren Erfahrungen und Reichtümern der Seele, zur Besinnung und inneren Sammlung.

J. Brändle, D. Problem d. I., 1950; W. Kohlschmidt, Form u. I., 1955; H. Staub, Laterna magica, 1960.

Inreim, Form des →Reims durch Gleichlaut e. Wortes im Versinneren mit dem Endwort der Zeile: ›Eine starke, schwarze Barke / segelt trauervoll dahin / Die verstummten und vermummten / Leichenhüter sitzen drin‹ (HEINE), Form des →Binnenreims, oft auch für →Mittelreim.

Inschriften mit meist farbig nachgezogenen Buchstaben in Stein, Metall, auf Holz (→Album), Hauswänden und Gebrauchsgegenständen – die →Ostraka werden meist zu den Papyri gerechnet – sind häufig älteste Denkmäler e. Sprache und gehören, da das Schreibmaterial keinen Unterschied begründen darf, in weiterem Sinne auch zur Lit., sind jedoch selten von lit. Wert (Grabgedichte, →Epigramme, Reden), meist für rein praktische, außerkünstlerische Zwecke verfaßt: Weih-, Triumph- und Ehren-I. (*Monumentum Ancyranum*: Taten des Augustus), Gesetze (*Tabula Bantina* u. a.), Bekanntmachungen, Staatsurkunden und -verträge, Kalender, Rechenschaftsberichte (Ägypten, Babylonien) u. ä.; sie sind daher mehr Quellen für Geschichte, Kultur und Alltagsleben früherer Zeit und – bes. da meist in Dialekt gehalten – wertvoll für die Sprachgeschichte. Ihre weite Verbreitung und große Bedeutung im Alten Orient und der Antike erklärt sich aus dem Fehlen anderer Möglichkeiten zu weitreichender Veröffentlichung und der relativ größeren Öffentlichkeit des antiken Lebens überhaupt. Auswertung und Ordnung der I. ist Aufgabe der →Epigraphik. →Runen.

F. Panzer, I.kunde, in ›Aufriß‹ I; A. G. Woodhead, *The Study of Greek Inscriptions*, Lond. 1959.

Inspiration (lat. = Einhauchen), die dem künstlerischen Schaffensprozeß vorausgehende, ihn z. T. auch dauernd leitende Eingebung als Voraussetzung für die Entstehung hoher Dichtung. Der irrationale und teils abgelehnte Begriff wurde in Antike und MA. oft mit der religiösen I. verglichen oder gleichgesetzt.

G. Kleiner, D. I. d. Dichters, 1949; C. M. Bowra, *I. and Poetry*, Lond. 1955; R. Harding, *An anatomy of i.*, Lond. [2]1948; J. Press, *The fire and the fountain*, Lond. 1966; E. Barmeyer, D. Musen, 1968.

Inspizient (lat. *inspicere* = ansehen, beaufsichtigen), Spielwart, hinter den Kulissen tätige Aufsichtsperson beim Theater, die für Durchführung der Regieanordnungen sorgt: Szenenaufbau, rechtzeitiges Vorhangziehen und Auftreten der Schauspieler, Geräusch- und Lichteffekte u. ä.

Institutio (lat. = Anweisung), zusammenfassende Einführung in e. Wissensgebiet (Recht, Rhetorik, Grammatik, Arithmetik, Theologie); weitverbreiteter Zweig der röm. Lit., der sich durch erzieherisch geschickte Darstellung, stoffreiche Mannigfaltigkeit bei selbständigem Denken und Forschen von den steifen Kompendien unterschied und erst im 3. Jh. n. Chr. zu diesen absank (→Isagoge); am bekanntesten die *I. oratoria* des QUINTILIAN.

Inszenierung (griech. *skene* = Bühne), die gesamten vorbereitenden Maßnahmen zur Aufführung e. Theaterstückes unter Leitung des Regisseurs: →Bühnenbearbeitung durch Dramaturg oder Regisseur, Entwurf und Herstellung der →Dekoration durch Bühnenbildner oder -maler, der Kostüme durch den Kostümbildner und der technischen Hilfsmittel durch den Bühnentechniker, Einstudierung (→Proben) des Regisseurs mit den Schauspielern u. a. m., das der theatralischen Verwirklichung e. dramatischen Dichtung vorausgeht.

C. Kaulfuß-Diesch, D. I. d. dt. Dramas an der Wende d. 16./17. Jh., 1905; C. Hagemann, D. Kunst der Bühne, 1922; H. Hilpert, Formen d. Theaters, 1943; I. u.

Regie barocker Dramen, hg. M. Bircher 1976. →Theater.

Integration (lat. *integratio* = Wiederherstellung, Erneuerung, zu *integer* = ganz, vollständig), Verbindung zahlreicher Einzelzüge inhaltlicher, gedanklicher oder sprachkünstlerischer Art zu e. geschlossenen, durchkomponierten und sinnvollen Ganzen von einheitlicher Stimmungslage.

Intelligenzblätter (lat. *intellegere* = verstehen), Bz. des 18. Jh. für periodisch erscheinende Nachrichtenblätter, meist mit Geschäftsanzeigen (Angebot und Nachfrage) und geringem redaktionellem Teil; erschienen in Dtl. seit 1720 als amtliche Publikationen und erhielten durch das Anzeigenverbot für andere Zeitungen das Monopol für Inserate als staatliche Erwerbsquelle; nach Aufhebung des Monopols 1848 in Zeitungen und Zss. übergegangen.

H. Max, I. (Hdb. d. Zeitgswiss., 1942).

Intendant (lat. *intendere* = seine Bemühungen auf etwas richten), vom Staat oder der Stadt angestellter verantwortlicher und repräsentativer Leiter e. Theaters in künstlerischer und geschäftlicher Hinsicht, der, durch e. festes Gehalt nicht an Massenerfolgen und damit an der Aufführung von Kassenreißern interessiert (im Ggs. zum früheren Prinzipal), für einen wertvollen Spielplan Sorge trägt. Die I.en der früheren →Hoftheater waren meist vom Fürsten ernannte Adlige, Offiziere oder Beamte (Frh. v. DALBERG in Mannheim, Graf v. BRÜHL in Berlin), die ihm für den Geist der Bühne verantwortlich waren und selbst wiederum kunstverständige Bühnenleiter beschäftigen mußten; die jetzigen Staats- und Stadttheater dagegen erstreben durch Berufung künstlerisch hervorragender Persönlichkeiten (Regisseure, Dramaturgen, berühmte Schauspieler oder Kritiker) die Erhöhung des künstlerischen Niveaus. Radikale Strömungen versuchen, durch Mitbestimmungsmodelle die Autonomie des I. zu untergraben.

RL[1]

Interlinearglosse →Glosse

Interlinearversion (lat. *inter* = zwischen, *linea* = Zeile, *versio* = Wendung, Übersetzung), zwischen den Zeilen des Urtextes stehende Wort-für-Wort-Übersetzung ohne Berücksichtigung anderer Wortstellung und sinngemäßer Zusammenhänge der Wiedergabe nur zum lehrhaften Zweck der Verständniserleichterung oder tatsächlich als mangelhafte Übertragungsversuche wie das *Trierer Kapitulare*. Zahlreiche ältere dt. Lit.denkmäler des 9./10. Jh. sind I.en lat. Texte wie *St. Galler Psalter* und *Benediktinerregel, Murbacher Hymnen, Tegernseer Carmen* u. a. m., die im Zusammenhang mit der Glossierungstätigkeit des Klosters Reichenau entstanden und erst später auch die dt. Inhaltsgestaltung berücksichtigen. →Glosse.

RL; G. Baesecke, Unerledigte Vorfragen d. ahd. Textkritik (Beiträge 69, 1947); W. Betz, Dt. u. lat., 1949.

Interludes (engl. =) komische →Zwischenspiele, engl. Komödiengattung des 15./16. Jh., anfangs bes. als Einlage zur Unterhaltung bei höfischen Banketten und Festen, später auch als selbständiger Teil des Festprogramms mit typischen, nicht allegorischen Figuren und Masken als Sprechern (Interlocutoren) ähnlich der antiken Komödie; in England zuerst von M. MEDWALL (*Fulgens and Lucres* 1495), bes. von J. HEYWOOD gepflegt, dessen sechs erhaltene I. (*The Play of the Weather*

1533, *The four P's* 1545 u.a.) von der Form des Streitgesprächs ausgehen. Blütezeit in der Renaissance; später zusehends individualisiert, in Akt und Szenen aufgeteilt und nach Haupt- und Nebenfiguren gegliedert, dann Übergang zum Drama schlechthin im 16. Jh.

A. Brandl, Quellen d. weltl. Dramas i. Engl., 1898; A. W. Pollard, *Engl. Miracle Plays, Moralities and I.*, Oxf. 1923; H. Zühlsdorff, D. Technik d. kom. Zwischenspiels d. frühen Tudorzeit, Diss. Bln. 1938; T. W. Craick, *The Tudor I.*, N. Y. 1958; W. Habicht, Stud. z. Dramenform vor Shakespeare, 1968.

Interludium (lat. *inter* = zwischen, *ludus* = Spiel) →Zwischenspiel

Intermedium →Intermezzo

Intermezzo (ital., v. lat. *intermedium* =) →Zwischenspiel als Einlage in e. Bühnenwerk, bes. die in Italien seit der Wiederaufnahme der PLAUTUS-Komödien im 16. Jh. beliebte Zwischenakts-Unterhaltung in den Pausen der Tragödien, ernster Schauspiele und großer Opern, zuerst im Madrigalstil, später Musikstücke, komische Chor- und Singspiele mytholog. Charakters und bes. pompös ausgestattete Ballette, burleske Typenstücke aus dem Volksleben und in der Volkssprache, meist mit erotischer Beleuchtung; anfangs mit gar keinem oder nur losem Zusammenhang untereinander, ohne Sinnbezug zur eigentlichen Aufführung, zu deren ernstem Inhalt sie höchstens das komische Gegenstück bildeten, später dagegen zu e. fortlaufenden Handlung zusammengeschlossen (PERGOLESI, *La serva padrona,* 1733) und schließlich als opera buffa oder komische Oper verselbständigt und vom Drama gelöst.

Interpolation (lat. *interpolatio* = Aufstutzung, Verfälschung), in der Philologie die spätere Einschaltung von Worten, Sätzen und ganzen Abschnitten, Versen oder Strophen in e. feststehenden überlieferten Text, die entweder als Erklärung vom Sinn gefordert werden, daher in dem Text als ausgelassen angesehen werden müssen, oder aber sich als Fälschung bzw. Verderbnis erweisen, wie z. B. jüd. und christliche Gelehrte des Altertums durch I.en in fremden Schriften ihrer Lehrmeinung den Anschein höheren Alters und damit mehr Gewicht geben wollten. Aufdeckung und Beseitigung anerkannter I.en ist Aufgabe der →Textkritik; maßgeblich ist meist der fehlende Anschluß e. I. nach unten, d. h. zum folgenden Gedanken.

Interpretation (lat. *interpretatio* = Erklärung, Auslegung), allg. erklärende Auslegung und Deutung von Schriftwerken nach sprachlichen, inhaltlichen und formalen Gesichtspunkten (Aufbau, Stil, Metrik); bes. e. Methode der modernen →Dichtungswissenschaft, die durch möglichst eindringliche, tiefe Erfassung e. dichterischen Textes in seiner Ganzheit als untrennbare Einheit von →Gehalt und →Form rein aus sich heraus – ohne Seitenblicke auf biographisches oder literaturgeschichtliches Wissen – zu e. vertieften Verständnis und voller Einfühlung in die eigenständigen, weltschöpferischen Kräfte des Sprachkunstwerks führen, die Dichtung als Dichtung erschließen will. Sie beginnt mit Textkritik, Feststellung des Wortsinnes, Behandlung und Aussagewert der benutzten Gattung, evtl. des Versmaßes und schreitet weiter zur Ausdeutung des symbolischen Gehalts und der Formanalyse, kann auch schließlich zur Einordnung e. Werkes in lit. Gattungen und Epochen führen, ist jedoch stete Voraussetzung jeder solchen Gruppierung und damit unerläßlicher Ausgangspunkt der modernen Literaturwissenschaft. Gründlichkeit der Untersuchung und ständige, unmittelbare Textnähe als Voraussetzung richtiger I. fördern den Kontakt zum Dichterwort und entwickeln das Einfühlungsvermögen, dienen dabei gleichzeitig der praktischen Einführung in die Phänomene des Dichterischen, die Schaffensweise sprachlicher Kräfte und die Probleme der Poetik. Ihre Grenzen liegen darin, daß schon die Frage nach dem genauen Wortgebrauch und der Vorstellungswelt, den ›Bildfeldern‹ e. Dichters, in früheren Zeiten oft e. ganzen Epoche, zur Heranziehung seiner weiteren Schriften führt.

Th. Spoerri, Präludium z. Poesie, 1929; ders., D. Formwerdung d. Menschen, 1938; H. O. Burger, Method. Probl. d. I., GRM 32, 1951; Th. Spoerri, D. Struktur d. Existenz, 1951; Th. C. v. Stockum, Z. Deutg. d. Wortkunstwerks (Neophilologus 35, 1951); W. H. Brudford, *Lit. I. in Germany,* Cambr. 1952; W. Kayser, Lit. Wertg. u. I. (Deutschunterr. 1952); E. Trunz, Üb. d. I. dt. Dichtg. (Stud. generale 5, 1952); A. Closs, Gedanken z. Auslegg. v. Gedd., DVJ 27, 1953; H. Haekkel, ebda.; E. Trunz, Lit.wiss. als Auslegg. u. Gesch. d. Dichtg. (Fs. f. J. Trier, 1954); P. Böckmann, D. I. d. lit. Formensprache, DVJ 7, 1954; W. Flemming u. E. Buddeberg, ebda.; RL; E. Betti, *Teoria generale della i.,* II Maild. 1955; H. Oppel in ›Aufriß‹, 1955; W. Kramer, *Inleiding tot de stilistische i. van lit. kunst,* Groningen [4]1956; W. Kayser, D. sprachl. Kunstwerk, [12]1967; W. Ross, Grenzen d. Gedicht-I. (Wirkendes Wort 7, 1956); E. Staiger, Grundbegriffe d. Poetik, [8]1968; ders., D. Kunst d. I., [4]1963; F. Koch, Z. Kunst d. I. (Zs. f. dt. Philol. 77, 1958); K. May, Z. Fragen d. I., DVJ 33, 1959; E. D. Hirsch, *Objective i.,* PMLA 75, 1960; W. Babilas, Tradition u. I., 1961; H. Kuhn, I.lehre (Unterscheidg. u. Bewahrg., Fs. f. Kunisch, 1961); K. A. Ott, Üb. e. log. I. d. Dichtg., GRM 42, 1961; *Analyzing lit. works,* hg. L. Steinmetz, N. Y. 1962; R. Guardini, Sprache, Dichtg., Deutg., 1962; W. Hübner, D. engl. Lit.werk, 1963; B. v. Wiese, Geistesgesch. od. I.? (Fs. f. F. Maurer, 1963); H. Rüdiger, Zwischen I. u. Geistesgesch., Euph. 57, 1963; G. Storz, Grundfragen d. I. v. Dichtgn. (in: Figuren u. Prospekte, 1963); W. Höllerer, Möglichkeiten d. I. lit. Werke (Orbis litterarum 19, 1964); Die Werk-I., hg. H. Enders 1967; E. Betti, Allg. Auslegungslehre als Methodik d. Geisteswiss., 1967; H. Politzer, D. Handwerk d. I. (in: ders., D. Schweigen d. Sirenen, 1968); E. Leibfried, Krit. Wiss. v. Text, 1970; P. D. Juhl, *Intention and lit. i.,* DVJ 45, 1971; ders. ebda. 49, 1975 u. LiLi 1973; N. Mecklenburg, Krit. Interpretieren, 1972; A. Fuchs, Z. Theorie u. Praxis d. Text-I. (Dt. Weltlit., Fs. J. A. Pfeffer 1972); E. D. Hirsch, Prinzipien d. I., 1972; W. Martin, *The hermeneutic circle and the art of i.* (*Compar. Lit.* 24, 1972); H. Lehnert, Struktur u. Sprachmagie, [2]1972; W. Krauss, Grundprobleme d. Lit.wiss., [3]1973; J. Hermand, Synthetisches Interpretieren, [4]1973; P. Böckmann, Formensprache, [3]1973; H. Göttner, Logik d. I., 1973; E. Leibfried, I., 1973; A. P. Foulkes, *The search for lit. meaning,* 1975; L. Spitzer, E. Methode, Lit. z. interpretieren, [2]1975; G. Pasternack, Theoriebildg. i. d. Lit.wiss., 1975; G. Meggle, M. Beetz, I.theorie u. I.praxis, 1976; E. D. Hirsch, *The aims of i.,* Chic. 1976; R. Haas, Theorie u. Praxis d. I., 1977; C. Eykman, Phänomenologie d. I., 1977; M. Titzmann, Strukturale Textanalyse, 1977; Methoden d. Textanalyse, hg. W. Klein 1977. →Dichtung, →Dichtungswiss.

Interpunktion (lat. *interpuctio* =) Setzung von Satzzeichen für Redepausen und Sinneinschnitte beim Vortrag sowie zur logischen Durchgliederung des Satzgefüges; im dichterischen Text nicht an die üblichen I.sregeln gebunden, da auch sie der Aussagekraft als stilistische Akzentsetzung, gewissermaßen schon wieder eigene Deutung, untergeordnet ist, so bes. im Symbolismus, bei St. GEORGE, BINDING u. a.

J. Stenzel, Zeichensetzung, [2]1970.

Interversion →Interlinearversion

Intrige (franz. *intrigue* v. lat. *tricae* =) Ränke, Machenschaften, Verwicklungen und Vertauschungen als absichtliche oder zufällig herbeigeführte Komplikationen im Drama, führen in der Tragödie zum Untergang (SCHILLER, *Kabale und Liebe*), in der Komödie zu heiterer Lösung und glücklichem Ende (SHAKESPEARE, *The Merchant of Venice*). Bes. das roman. Drama ist häufig I.ndrama im Unterschied zum Charakterdrama, so die →comedia en capa y espada, die allg. Komödie schon seit PLAUTUS, dann bes. CALDERÓN *(Dame Kobold)*, CONGREVE *(Love for Love)* und BEAUMARCHAIS *(Mariage de Figaro)*. Oft formale Grundlage der Ironie.

H. Knorr, Wesen u. Funktion des Intriganten, Diss. Erl. 1951.

Intuition (lat. = Anschauung), das unmittelbare, spontane Gewahrwerden von Sachverhalten und Zusammenhängen in ihren wesentlichen Zügen nicht als Ergebnis eingehender, bewußter Reflexion, sondern vom Unterbewußten her, daher als Eingebung empfunden und als Kennzeichen des Genies erachtet. In der Kunst- und Literaturpsychologie ist I. das Vermögen des Künstlers, seinen Absichten angemessenen sinnlichen, musikalischen, sprachlichen oder bildlichen Ausdruck zu verleihen, und damit Voraussetzung jeder echten Eigenschöpfung, die allerdings nur zustande kommt, wenn ihr das handwerkliche Können zu kongenialer Gestaltung entspricht.

J. König, D. Begriff d. I., 1926; J. Maritain, *Creative I. in Art and Poetry*, N. Y. 1953; A. J. Bahm, *Types of I.*, New Mexico 1961; K. Möhlig, Die I., 1965.

In usum Delphini →ad usum Delphini

Invektive (lat. *invehi* = jdn. ›anfahren‹), persönliche oder politische Schmährede (invectiva oratio), -schrift; verbreiteter Zweig antiker Lit.: ARCHILOCHOS, BION, NAEVIUS, LUCILIUS, SALLUST, JUVENAL, VARRO u. a. m.; →Jamben, →Satire.

Inversion (lat. *inversio* = Umkehrung), Umstellung der üblichen, regelmäßigen Wortfolge, im engeren Sinne nur von Subjekt und Prädikat, im Satz zur Hervorhebung e. Wortes an ungewohnte Stelle: ›*Groß* ist die Diana der Epheser‹ (*Apostelgesch.* 19, 28), aus metrischen Gründen oder in schlechtem Sprachgebrauch, bes. Geschäftsstil nach ›und‹: ›und will ich‹. Wichtig für die Sprache des 18. Jh. als Durchbruch des Emotionellen (HALLER, BODMER, BREITINGER, KLOPSTOCK). Da das Dt. kein festes Wortstellungsschema hat, die Reihenfolge vom Gewicht abhängt, das man den Redeteilen zuerkennt, ist die Anwendung der Bz. I. im Dt. umstritten, das Faktum aber sehr viel häufiger und weniger ungewöhnlich als in anderen Sprachen.

H. Henze, D. I. i. d. Poetik u. Dichtersprache d. 18. Jh., Diss. Gött. 1965. →Stilistik.

Invokation (lat. *invocatio* =) →Anrufung Gottes, Heiliger usw. am Beginn von Urkunden u. ä.

Inzision (lat. *incisio* = Einschnitt), in der Verslehre = →Zäsur, bes. des →Pentameters; in der Rhetorik der Abschnitt e. →Kommas.

Ionikus (griech. *ionikos* = ionischer Vers, nach dem Dialekt der Dichtungen), viersilbiger antiker Versfuß aus zwei Längen und zwei Kürzen, je nach Stellung I. a maiore (——◡◡) oder I. a minore (◡◡——) genannt, oft mit →Anaklasis (1) dem →Choriambus verwandt; verwendet in griech. und lat. Lyrik (ANAKREON) und Tragödie (EURIPIDES) in Di- und Trimetern (so bildet HORAZ III, 12 e. Strophe aus 2:2:3:3 I. a minore), auch in beliebiger Folge oder mit Anakreonteen vermischt oder im →Sotadeion, in dt. Lit. etwa bei GOETHE: ›Ufm Bergli bin i gsässe‹ u. a.

Lit. →Metrik.

Irische Renaissance, 1893 mit der Gründung der Gaelic League beginnende und bis zur Gegenwart andauernde Strömung zur Wiedererweckung der alten kelt.-irischen Folklore (Mythen, Sagen und Legenden) durch Sammlung und lit. Neubearbeitung; Begleiterscheinung der polit. Emanzipation Irlands und seines erwachenden Nationalismus, getragen von D. HYDE, W. B. YEATS, G. MOORE, J. M. SYNGE, S. O'CASEY, Lady GREGORY u. a. mit Einfluß auf J. JOYCE. Haupterfolg der I. R. war die Begründung e. eigenständigen und weltlit. einflußreichen Theaterkultur in Dublin.

W. P. Ryan, *The Irish Lit. Revival,* 1894; L. R. Morris, *The Celtic Dawn,* N. Y. 1917; E. A. Boyd, *Ireland's lit. Renaiss.,* Lond. [2]1922; D. Morton, *The Renaiss. of Irish poetry,* 1929; U. Ellis-Fermor, *The Irish Dramatic Movement,* Lond. [2]1967; R. Hogan, *After the I. R.,* Minneapolis 1967.

Ironie (griech. *eironeia* = Verstellung), die komische Vernichtung eines berechtigt oder unberechtigt Anerkennung Fordernden, Erhabenen durch Spott, Enthüllung der Hinfälligkeit, Lächerlichmachung unter dem Schein der Ernsthaftigkeit, der Billigung oder gar des Lobes, die in Wirklichkeit das Gegenteil des Gesagten meint (→Litotes) und sich zum Spott der gegnerischen Wertmaßstäbe bedient, doch dem intelligenten Hörer oder Leser als solche erkennbar ist; z. B. Antonius' stehende Wendung ›Und Brutus ist ein ehrenwerter Mann‹ in SHAKESPEARES *Julius Caesar,* oder in der Alltagssprache ›Du bist mir e. schöner Freund‹ – im Ggs. zum →Humor weniger versöhnlich als kritisch, je nach Grad vom Heiteren bis zur Bitterkeit (→Sarkasmus). – Objektive I. (›I. des Schicksals‹) treibt den Betroffenen unabsichtlich durch scheinbare Begünstigung und Erfolge in →Hybris und damit Vernichtung; sie trägt als tragische I. im Drama zur Steigerung der tragischen Wirkung bei, indem der Zuschauer bereits das Verhängnis um den noch in völliger Sicherheit sich wiegenden, ahnungslosen Helden schweben sieht (SOPHOKLES' *Oidipus,* SCHILLERS *Wallenstein*: ›Ich denke einen langen Schlaf zu tun‹). – Subjektive I. erscheint als komische Selbstvernichtung, Selbstverkleinerung; so dient die sog. sokratische I. dem pädagogischen Zweck, im Anschein eigner Unwissenheit e. eingebildeten Weisen ebenfalls seines Nichtwissens zu überführen, zu beschämen und zu echtem Wissen zu leiten (HAMANN). Ihr verwandt ist die epische I., die unvoreingenommene Erzählung von Handlungen und Personen scheinbar ohne Wissen um den weiteren Fortgang (WIELAND, z. T. JEAN PAUL). Stärkste Ausprägung der subjektiven I. ist die sog. romantische I. als Erhebung über die eigenen Schwächen und Unfähigkeiten, entstanden aus der Erkenntnis des unüberbrückbaren Zwiespalts von Ideal und Wirklichkeit, von F. SCHLEGEL und F. SOLGER im Anschluß an FICHTES Philosophie vom Ich und Nicht-Ich als Lebenshaltung und lit. Prinzip gefordert, das dem Schöpfergeist die Freiheit zugesteht, sich souverän über seine Schöpfung, sein Ideal zu erheben, diese teils wieder aufzuheben, durch I. zu durchbrechen. In dieser Form erscheint die I. in den Dichtungen von TIECK *(Der gestiefelte Kater),* BRENTANO, E. T. A. HOFFMANN, als satirische Zerstörung der Empfindungen bei HEINE und als bewußter Effekt der Illusionsstörung bei IMMERMANN, KELLER, RAABE und z. T. FONTANE, ähnlich in allen Gattungen der Narrenliteratur *(Till Eulenspiegel, Schildbürger),* bei Ch. MORGENSTERN, W. BUSCH, RINGELNATZ und E. KÄSTNER wie allen →Epigrammendichtern. – In neuer Form dagegen verwendet sie Th. MANN als Selbsterhaltung durch Distanzierung des Geistes von der Daseinstragik. MUSILS ›konstruktive I.‹ beruft die automat. I. einer nichtig gewordenen Welt, GRASS' I. spielt mit falscher Motivierung. →Dry Mock.

S. Kierkegaard, Üb. d. Begriff d. I., 1841, dt. 1929; M. Schasler, D. Reich d. I., 1879; F. Brüggemann, D. I. als entwicklungsgesch. Element, 1909; M. Pulver, Romant. I. u. romant. Komödie, Diss. Freibg. 1912; J. Paulhan, *La morale de l'i.*, 1914; F. Ernst, D. romant. I., Diss. Zürich 1915; K. Friedemann, D. romant. I. (Zs. f. Ästhet. 13, 1919); J. A. K. Thomson, *I.*, 1926; F. Turner, *The Elements of I. in Engl. Lit.*, 1926; R. Jancke, D. Wesen d. I. 1929; A. Hübner, D. mhd. I., 1930; F. Ingerslev, Romant. I. i. d. mod. Lit. (Edda 30, 1930); F. Wagener, D. romant. u. d. dialekt. I., 1932; K. P. Biltz, D. Problem d. I. i. d. neueren dt. Lit., Diss. Ffm. 1933; G. G. Sedgwick, *Of I.*,1935; V. Jankélévitsch, *L'i.*, Paris 1936; W. T. Miermann, *Romant. I.*, N. Y. 1949; H. Hahn, D. I. i. Drama, Diss. Lpz. 1949; H. E. Hass, D. I. als lit. Phänomen, Diss. Bonn 1950; G. Vogt. D. I. i. d. romant. Komödie, Diss. Ffm. 1953; RL; R. B. Sharpe, *I. in the drama,* Chapel Hill 1959; N. Knox, *The Word Irony and its Context,* N. Y. 1961; H. Boeschenstein, V. d. Grenzen d. I. (Stoffe, Formen, Strukturen, Fs. f. H. H. Borcherdt, 1962); R. Baumgart, Das Ironische u. d. I. i. d. Werken Th. Manns, 1964; A. E. Dyson, *The crazy fabric,* Lond. 1965; B. Allemann, I. u. Dichtg., [2]1969; D. C. Muekke, *The compass of i.*, Lond. 1969; R. Immerwahr, *Romant. i. and romant. arabesque prior to romanticism* (*German Quarterly* 42, 1969); Ch. I. Glicksberg, *The ironic vision in mod. lit.*, Haag 1969; E. Behler, D. Ursprung d. Begriffs d. trag. I. (Arcadia 5, 1970); I. u. Dichtg., hg. A. Schaefer 1970; U. Karthaus, Humor, I., Satire (Deutschunterr. 23, 1971); W. Ingendahl, Sprachl. Grundlagen u. poet. Formen d. I. (Sprachkunst 2, 1971); E. Behler, *Techniques of i.* (*Rice Univ. stud.* 57, 1971); B. O. States, *I. and drama,* Ithaca 1971; E. Bahr, D. I. i. Spätwerk Goethes, 1972; E. Behler, Klass. I., romant. I., trag. I., 1972; H. Prang, D. romant. I., 1972; I. als lit. Phänomen, hg. H.-E. Hass 1973; R. Bourgeois, *L'i. romantique,* Grenoble 1974; H. Löffler, D. sprachl. I. (Dt. Sprache, 1975); D. H. Green, *Alieniloquium (Verbum et signum,* Fs. F. Ohly 1975); W. C. Booth, *A rhetoric of i.*, Chic. 1975; V. R. Rossman, *Perspectives of i. in ma. French lit.*, Haag 1975; W.-D. Stempel, I. als Sprachhandlung (Poetik u. Hermeneutik 7, 1976); D. H. Green, *On recognising ma. i.* (*The uses of criticism,* hg. A. P. Foulkes 1976); I. Strohschneider-Kohrs, D. romant. I., [2]1977; A. P. Frank, Z.hist. Reichweite lit. I.begriffe (LiLi 8, 1978).

Irrationalismus (lat. *irrationalis* = unvernünftig, nicht verstandesgemäß), allg. e. geistige Bewegung im Ggs. zum Rationalismus, die das vom Verstand nicht mehr Faßbare, das Gefühlserlebnis zur Aussage bringt, insbes. der Gegenstoß des Gefühls im 18. Jh. gegen die Vernunftherrschaft der Aufklärung, eingeleitet durch Ansätze in der spätma. →Mystik, die das Rationale überwindet (Überrationalismus), durch die Wiederaufnahme solcher Bestrebungen im →Pietismus und bes. durch die →Empfindsamkeit; am schärfsten verkörpert im →Sturm und Drang und im →Göttinger Hain; ROUSSEAU, HEMSTERHUIS, teilweise auch KANT und LESSING schließen sich ihm an. Die Klassik vereinigt rationale und irrationale Kräfte zu e. neuen Weltsicht, die Romantik, aber auch Neuromantik und bes. der Expressionismus und Surrealismus sind wiederum durch Überwiegen irrationaler Kräfte gekennzeichnet.

R. Müller-Freienfels, D. Irrationale, 1922; J. Joel, Seele u. Welt, [2]1923; G. Rensi, *L'irrationale,* Maild. 1923; A. Bäumler, Irrationalitätsproblem i. d. Ästhet. u. Logik d. 18. Jh., 1923; R. Müller-Freienfels, Metaphysik d. Irrationalen, 1927; H. E. Eisenhuth, D. Begriff d. Irrationalen als philos. Problem, 1931; H. Kindermann, Durchbruch d. Seele, 1931; W. Hellpach, Schöpferische Unvernunft?, 1937; A. Konrad, I. u. Subjektivismus, 1939; H. Läubin, Stud. z. Irrationalitätsproblem, 1941; D. Brinkmann, Mensch u. Technik, 1946; W. Rosteutscher, D. Wiederkunft d. Dionysos, 1947; H. Boeschenstein, Dt. Gefühlskultur, 1954; W. Shumaker, *Lit. and the irrational,* Englewood Cliffs 1960; W. Promies, D. Bürger u. d. Narr, 1966.

Isagoge (griech. *eisagoge* = Einführung), Einleitung, Einführung in e. Wissenschaft, Kunst oder Praxis, meist in Form e. Kompendiums, des didaktischen Dialogs oder Briefes, im Ggs. zur freien geistigen →Institutio; entsprechend der praktischen Veranlagung der Römer in ihrer Lit. weitverbreitet.

Isokolon (griech. *isos* = gleich, *kolon* = Glied), →rhetorische Figur: gleiche oder annähernd gleiche (→Parison) Silbenzahl bei zwei oder drei koordinierten Gliedern e. Periode, drückt die Paarigkeit der Begriffe durch gleiche Satzlänge aus, oft als Parallelismus oder Antithese gebaut und durch Homoiarkton oder Homoioteleuton zusammengehalten.

Isometrie (v. griech. *isos* = gleich, *metron* →Maß), Gleichheit des Metrums bei Versen, Verspaaren, Strophen und Gedichten von genau gleicher Silbenzahl.

Isoponie = →Isokolon

Iteration →Anapher

Ithyphallikos (nach Ithyphallos, griech. Fruchtbarkeitssymbol), antiker Kurzvers: akatalektische trochäische Tripodie: –́ ◡ –́ ◡ –́ ⏓, ursprünglich katalektisches →Lekythion; oft in Verbindung von Daktylen verwendet, so z. B. im →Archilochius maior; ursprünglich bei Fruchtbarkeitsriten gesungen. Auch Klausel unter Trochäen.

Itinerar (lat. *itinerarium* zu *iter* = Weg), Straßen-, Wegedauer- und Stationen-Verzeichnis aus röm. Kaiserzeit, bes. 4. Jh. n. Chr. Dichterisch bei Horaz, *Iter Brundisinum* (*Sat.* I, 5).

Jägerlatein, aufgebauschte Erzählungen der Jäger von Jagderlebnissen und -erfolgen, →Lügendichtung.

Jägerlied →Jagddichtung

Jäscht →Yasht

Jagatî, ind. Versmaß von 12 Silben mit der Kadenz ⏓ ⏓ ⏓ ⏓ ⏓ ⏓ ⏓ / – ◡ – ◡ ⏓, verwendet in vierzeiligen Strophen.

Jagdallegorie, verbreitete lit. Gattung des Spätma., 13.–16. Jh., aus Jagdepisoden der Heldenepen entstanden, benutzt die Jagd als Allegorie für Minne: Dichter als Jäger, Geliebte als edles Wild, Liebe, Lust, Treue u. a. als Meute, feindliche Aufpasser als Wölfe usw. Älteste Form in der *Königsberger J.* des 13. Jh., am kunstvollsten bei Hadamar von Laber, *Die Jagd* (1335/40), zahlreich nachgeahmt in Peter Suchenwirts *Geiaid,* Lassbergs *Der Minne Jagd* und *Geistliche Hirsch-Jagd* e. Benediktiners aus Tegernsee. Das allegorische Motiv wirkt fort in Maximilians *Teuerdank,* zahlreichen Volksliedern und schließlich, zum Symbol erhoben, in Goethes *Novelle,* mit geistlicher Wendung bei F. Thompsons *Hound of Heaven.*

RL[1]; H. Niewöhner, Jagdgedichte (Verfasserlex. II, 1936); M. Thiébaux, *The story of love,* Ithaca 1974.

Jagddichtung. In Heldendichtung (Karls-, Rolandssage, *Nibelungenlied*) und höfischer Dichtung *(Tristan, Titurel)* sowie den Artus- und Abenteuerromanen findet sich das Jagdmotiv als Unterhaltung der ritterlichen Welt; im MA. entsteht als neue Ausformung die →Jagdallegorie; erst seit dem 19. Jh. wird das Jägerlied Ausdruck neuer Naturverbundenheit, bes. bei F. v. Kobell in bayr. Mundart. Die Heimatdichtung benutzt häufig die Jagd als Nebenmotiv, bes. in Süddtl.: GANGHOFER, ROSEGGER, PERFALL, SCHÖNHERR, SKOWRONEK, RENKER, v. DOMBROWSKI, P. BUSSON u. a. Zur selbständigen und eigenwertigen Gestaltung gelangt die Jagd erst bei TURGENEV und AKSAKOV und im Anschluß daran bei LÖNS; ähnlich LILIENCRON und in Österreich Frhr. von GAGERN und E. WITTING.

E. Bormann, D. Jagd i. altfranz. Artus- u. Abenteuerroman, 1887; U. Wendt, Kultur u. Jagd, 1907; O. Wiener, D. dt. Jägerlied, 1911; RL^1; K. Lindner, Dt. Jagdschriftsteller, 1964; A. T. Hatto, *Poetry and the hunt in ma. Germany* (*Journ. of the Austral. Univ. Language and Lit. Assoc.* 25, 1966).

Jahrbuch, periodisch erscheinende Veröffentlichungen bestimmter Gesellschaften mit Aufsätzen, Forschungsberichten, Bibliographien u. ä. zu dem betreffenden Forschungsgebiet, für die dt. Lit. bes. Brecht-, Droste-, Görres-, Goethe-, Grillparzer-, Hebbel-, Hölderlin-, Jean Paul-, Kleist-, Raabe-, Schiller-J. und das J. des →Freien Dt. Hochstifts. →Annalen.

Jahresberichte, jährlich erscheinende Zss. mit e. möglichst vollständigen Bibliographie, teils kritischer Rezension wichtiger Neuerscheinungen (meist der Vorjahre) e. Fachgebietes, so z. B.:

Bursians J. üb. d. Fortschritte der klass. Altertumswiss., 1875 ff.; J. üb. d. Erscheinungen auf d. Gebiet der germ. Philol., 1876 ff., N. F. 1921 ff.; J. f. neuere dt. Lit.gesch., 1890–1919; J. üb. d. wiss. Erscheinungen auf d. Gebiet d. neueren dt. Lit., 1924 ff.; J. f. dt. Sprache u. Lit., 1960 ff.

Jahreszeitenmythos, Mythos, der auf dem Wandel der Natur in den Jahreszeiten beruht und sich mit bestimmten Gottheiten verbindet, in Ägypten mit Osiris, in Griechenland mit →Dionysos, in Germanien mit Baldur.

Jahrhundertwende →Fin de siède

Jahrmarktsspiel, jahrhundertealtes →Puppen-, →Kasperl-, →Marionetten- und →Schattenspiel, oft außerhalb der Lit., von GOETHE im *Jahrmarktsfest zu Plundersweilern* satirisch-symbolisch ausgestaltet.

Jakobiner (nach dem polit. Klub der Franz. Revolution im Pariser Kloster St. Jakob) in Dtl. Sammelbz. für alle ›revolutionären Demokraten‹ und Sympathisanten der Franz. Revolution, die in deren Gefolge 1789–1806 grundlegende Reformen der Gesellschaft oder Umsturz des dt. Staatswesens erstrebten. Ihre vielfach primitiv-dilettant., formal epigonalen, oft anonymen Agitationstexte (Aufrufe, Reden, Artikel, Gedichte, Lieder, Kontrafakturen, Satiren und Schauspiele) zeigen weniger lit.-ästhet. Qualitäten als progressive Gesinnung und blieben für die Entwicklung der dt. Lit. außer Belang.

Dt. revolut. Demokraten, hg. W. Grab V 1971–78; Demokrat.-revolut. Lit. i. Dtl., hg. G. Mattenklott, K. R. Scherpe 1975; H. Segeberg, Lit. Jakobinismus i. Dtl. (Lit.wiss. u. Sozialwiss. 3, 1974); I. Stephan, Lit. Jakobinismus i. Dtl., 1976.

Jambelegos, altgriech. Vers aus dem jambischen Kurzvers (Dimeter) ◡ – ◡ – ◡ – ◡ – und Hemiepes: ⏓ –́ ◡ –́ ⏓ –́ ◡ –́ –́ ◡ ◡ –́ ◡ ◡ –́; wird in der Umkehrung zum →Enkomiologos; in der →Archilochischen Strophe verwendet.

Jambendichtung (zu →Jambus), Schmähgedichte, Spott- und Schimpfverse meist in jambischen Maßen (Trimeter oder katalektische Tetrameter), auch trochäischen Tetrametern. Ihre Vorform sind scherzhaft-spöttische Stegreifgedichte und -reden am griech. Demeterfest; ARCHILOCHOS von Paros (um 650 v. Chr.) schafft durch Einführung des Jambus eine Übergangsform zwischen Lyrik und Epos und schreibt persönliche Schmähverse gegen seine untreue Braut und deren Vater Lykambes; ihm folgen weniger kraß SIMONIDES von Amorgos (um 625), in gleicher Stärke HIPPONAX (um 540, →Choliambus), mit politischen Jamben auch SOLON und in hellenist. Zeit mit unpersönlichem Spott HERONDAS und PHÖNIX von Kolophon; CATULL und bes. HORAZ in röm. Dichtung, in Dtl. u.a. F. L. v. STOLBERG (1784). Vgl. →Jambes

Jambenfluß, Prosafehler: Auftauchen e. alternierenden Metrums in ungebundener Rede; so verbessert Th. STORM *(Ein Fest auf Haderslevhuus)* auf Hinweis P. HEYSES: ›Ich háb doch dárum níchtden Tód gefréit‹ zu ›Ich hab dárum doch nicht den Tód gefreit‹.

Jambengang, →alternierender Vers allein aus Jamben, durch OPITZ' Einfluß fast bis zu KLOPSTOCK herrschend.

Jambograph (v. griech. *graphein* = schreiben), Vertreter der →Jambendichtung.

Jambus (griech. *iambos* v. *iaptein* = schleudern?), 3zeitiger und 2teiliger antiker Versfuß im Ggs. zum Trochäus, aus e. kurzen mit folgender langen bzw. unbetonten mit betonten Silbe bestehend: ◡ –́ (in griech. Metrik doppelt gemessen: ⏓ – ◡ –), z.B. ›Herbeí‹. Urspr. in altgriech. volkstüml. Spottgedichten (→Jambendichtung) verwendet, von ARCHILOCHOS von Paros in die Lyrik eingeführt. Charakteristisch ist bei alleiniger →alternierender Verwendung (→Jambengang) das andrängende, schwungvoll-lebendige Element. Seine Erscheinungsformen sind bes. jamb. →Trimeter oder →Senar (6 J.), der Standardvers für den Dialog im griech. Drama, →Alexandriner (6 J.), Tetrameter (8 J.); auch in dt. Dichtung das Grundgerüst des Verses, 3-, 4-, bes. aber 5hebig gebraucht (ungereimt: →Blankvers); ital. Strophenformen wie Sonett, →Stanze, →Terzine und →Kanzone mit 5füßigen gereimten J. →Choliambus.

Lit. →Metrik.

Jargon (franz. = unverständliche Redeweise), Rede- und Ausdrucksweise e. bestimmten Berufs- oder Standeskreises (Theater-, Künstler-, Studenten-, Börsen-J.), künstliche Sondersprache bes. der Gauner und Verbrecher (Rotwelsch) oder verdorbener, vermischter Dialekt z.B. e. Grenzvolkes (Neger-Englisch).

Jâtaka, rd. 500 buddhist. Erzählungen um Ereignisse aus den früheren Lebensläufen BUDDHAS, früh beliebt als belehrend-erbaulicher Einschub in Predigten, später unter Einbeziehung auch anderer Geschichten, Fabeln, Erzählungen und bes. der volkstüml. Märchendichtung als J. zuerst im *Pâli-Kanon,* später bes. von ÂRYASHÛRA *(Jâtakamâlâ)* gesammelt, bilden den Schatz ind. Erzähllit., meist in Prosa mit Verseinlagen (Gâthâs), die älter sind als die Prosa und allein zum Kanon gehören, während der Prosatext sich als Kommentar um sie rankend entstanden gedacht wird.

Jean Potage (franz. = Hans Suppe), Name der franz. →komischen Person.

Jenseitsführer →Totenbuch

Jeremiade, nach den biblischen sog. Klageliedern des JEREMIAS allg. Bz. für ein jammerndes Klagelied um ein geschehenes und insbes. zukünftiges, prophezeites Unheil.

Jesuitendichtung, als international verbreitete, meist lat. Dichtung Ordensangehöriger von 1550 bis ins

18. Jh. einesteils Gelegenheitsdichtungen (Begrüßungs- und Festdichtung), andererseits bewußte und wirksame Waffe im Dienst der Ordensaufgaben (Beichte, Schule, Predigt) und bes. der Gegenreformation in den roman. Ländern (Spanien, Italien, Frankreich), Dtl. und Österreich jeweils im Anschluß an die landesüblichen Formen. Hauptformen sind →Jesuitendrama und →geistliches Lied, so in lat. Sprache J. BALDES (1604–1668) Marienoden und polit.-moral. Gedichte von streng männlicher Selbstbeherrschung, seelischer Ausgeglichenheit und Genügsamkeit, des Wieners AVANCINI Oden gegen Sittenverrohung und Fremdtümelei, bei den Polen M. K. SARBIEWSKI (1596–1640), in dt. Sprache bes. die Lyrik F. v. SPEES (*Trutznachtigall* 1649, *Güldenes Tugendbuch* 1649) mit inniger Gottesliebe und religiöser Naturbeseelung in volksliednahem Ton, doch barocker Bilderfülle.

B. Duhr, Gesch. d. Jesuiten, IV 1907–28; R. Eckart, D. Jesuiten i. d. Dichtg. u. i. Volksmund, 1906; RL; H. Weisweiler, D. Jesuitenorden, [2]1928; H. Becher, D. Jesuiten, 1951; M. P. Harney, *The Jesuits in history,* Chic. [2]1962; Ch. Hollis, *A hist. of the Jesuits,* Lond. 1968. →Barock, →Jesuitendrama.

Jesuitendrama, dichterische Erscheinungsform der Gegenreformation von der Mitte des 16. bis ins 18. Jh., bes. des Barock und höchste Entfaltung des barocken Theaters: religiös werbende Bühnenstücke in lat. Sprache, für Laien mit dt. Programmheften, meist von Lehrern an Jesuitenschulen verfaßt und von den Schülern zur Übung in rednerischer und gesellschaftlicher Gewandtheit in der Schulaula, Sälen, an Höfen, nur anfangs im Freien (München 1570–1600, Aachen bis 1772) aufgeführt, somit gleichzeitig im Dienst pädagogisch-didaktischer und religiös-propagandistischer Zwecke, weniger dichterische Kunstform. Das J. bearbeitet Stoffe aus der gesamten Weltlit., vorzugsweise aber der Bibel (AT.), Kirchengeschichte, Heiligen- und Märtyrerlegenden, später auch antike Vorwürfe; bes. beliebt: Esther, Herodes, Abraham, Achab, Jakob, Joseph, Samson, Saul, Judith, Makkabäer, Verlorener Sohn, Genoveva, Don Juan, Das Leben ein Traum, Konradin u. a. m., die an die Hinfälligkeit und Verführung des Welttreibens den Verweis auf Tod und Jenseits anschließen lassen, daneben auch Stoffe aus der Lokalgeschichte wie die Ludi Caesarei in Wien anläßlich von Fürstenbesuchen. Als Bühne dient anfangs die kubische Simultanbühne, später die Guckkastenbühne mit gemalten Kulissen, Telari, Prospekt, Versatzstücken und Requisiten, oft durch e. Mittelvorhang von der dekorationslosen Vorderbühne getrennt. Jede Jesuitenschule besaß e. festen Bestand von Dekorationen (Thronsaal, Garten, Wildnis, Meer, Marktplatz). Auf einzelne während des Schuljahrs klassenweise aufgeführte kleinere Übungsstücke (declamationes) mit szenischer Ausstattung folgt bei Schulschluß jeweils e. große Prunkaufführung. Da die meisten Zuschauer den (bis auf die zur Belebung eingestreuten komischen Zwischenspiele in Mundart) lat. Text nicht verstehen, liegt die Betonung auf vielfarbiger Sinnenkunst mit Streben zum →Gesamtkunstwerk. Musik, Ballett, e. Massenaufgebot von meist über 100 Darstellern und Prunkdekoration mit allen denkbaren Theatermaschinen (Versenkung, Meeresdekoration, Flugvorrichtungen) und Effekte der ital. Verwandlungsbühne wie der Barockoper entsprechen der theatralischen Grundgebärde des Barock und sollen die schaulustige Menge fesseln: das J.

ist Bildkunst, nicht Wortkunst, sein Pathos zielt nicht auf künstlerische Erhebung, sondern auf moralische Endzwecke: Ergreifen der Gemüter und Abschreckung vor bösen Taten durch Grauen- und Schauderszenen. – Nach Vorgang Spaniens, von wo jedoch wenige Übersetzungen erfolgten, beginnt die dt. Entwicklung zunächst 1565 in Wien und Köln mit in Kirchen aufgeführten theatralischen Dialogen (später A. BRUNNERS *Bauernspiele* in Innsbruck 1644–48). Das erweiterte geistliche Lehrdrama verbreitet sich von dort über die süddt. (bes. bayr.) und rhein. Ordensniederlassungen bis zur Auflösung des Ordens 1772. Die ersten Stücke werden aus Italien und Belgien übernommen. Wichtigste Autoren in Dtl. sind J. BIDERMANN (*Belisar* 1607, *Cenodoxus* 1609), N. AVANCINI (*Pietas victrix* 1659), S. RETTENBACHER, P. ALER und J. GRETSER, Theoretiker daneben J. PONTANUS, J. MASEN und F. LANG. – Nach Vorbild des J. entstehen auch bei anderen Orden, bes. Piaristen und Benediktinern in Österreich, ähnliche Schaustellungen; auch ev. Schultheater und schles. Barocktheater werden beeinflußt.

J. Zeidler, Stud. u. Beitr. z. Gesch. d. J.komödie, 1891; P. Bahlmann, D. Drama d. Jesuiten, Euph. 2, 1898; N. Neßler, Dramaturgie d. Jesuiten, Progr. Brixen 1905; L. Pfandl, Einf. i. d. Lit. d. J. i. Dtl., GRM 2, 1910; A. Happ, D. Dramaturgie d. Jesuiten, Diss. Mchn. 1923; W. Flemming, Gesch. d. J.theaters, 1923; RL; J. Müller, D. J., 1930; N. Scheid, D. lat. J. i. dt. Sprachgebiet (Lit.wiss. Jhrb. d. Görres-Ges. 5, 1930); E. Haller, D. österr. J., 1931; K. Fischer-Neumann, D. Dramentheorie d. Jesuiten, Diss. Wien 1937; W. Flemming, Ordensdrama (DLE Rhe. Barockdrama, 1930); H. Becher, D. geist. Entwicklgsgesch. d. J., DVJ 19, 1941; K. Adel, D. J. i. Österr., 1957; ders., D. Wiener J.theater u. d. europ. Barockdramatik, 1960; L. van den Boogerd, *Het J. in de Nederlanden*, Groningen 1961; E. M. Szarota, Versuch e. neuen Periodisierg. d. J. (Daphnis 3, 1974); dies., D. J. als Vorläufer mod. Massenmedien (Daphnis 4, 1975); P.-P. Lenhard, Rel. Weltanschaug. u. Didaktik i. J., 1976; N. Griffin, *J.school drama*, Bibl., Lond. 1976; J.-M. Valentin, D. J. u. d. lit. Tradition (Dt. Barocklit. u. europ. Kultur, hg. M. Bircher 1977).

Jesuitentheater →Jesuitendrama

Jeune France (franz. = Junges Frankreich), Dichterkreis der zweiten franz. Romantikergeneration um Th. GAUTIER; von diesem in *Les Jeune-France* (1833) persifliert.

Jeu parti →Tenzone

Jeux floraux (franz. =) →Blumenspiele

Jig (engl., v. ital. *gigue* = rascher Tanz), im Elisabethanischen Theater e. kurze, von Komikern aufgeführte Posse mit Gesang, Tanz und derben Scherzen als Abschluß e. Theateraufführung; zur Restorationszeit nur noch kurze Gesangs- und Tanzszenen nach Komödien vor deren Epilog.

Ch. R. Baskervill, *The Elizabethan J. and Related Song Drama*, Chicago 1929.

Joc partit →Tenzone

Jokulator (lat. *ioculari* = scherzen) →Jongleur, →Spielmann.

Jongleur, franz. Bz. der berufsmäßigen →Spielleute in der Provence und Nordfrankreich im Ggs. zu den aus Gesellschaftskreisen hervorgegangenen →Trouvères und →Troubadours. Sie waren im 5.–15. Jh. die Nachfahren der spätantiken Jokulatoren, Enkel des Mimus, unterhielten die Vornehmen durch Gesang, Musik, Erzählung (Lais, Chansons de geste, Fabliaux), Mimik, Akrobatik und Tanz, erst später Gaukelspiel und Possenreißerei, retteten somit, stets auf Effekt ihrer Darbietungen bedacht, Elemente des antiken Mimus durch das MA., oder zogen mit Troubadours, die selbst nicht sangen, und trugen deren Gedichte zu eigener (Saiteninstrument-) Begleitung vor. Als selbstdichtende J.s im Dienste nordfranz. Fürsten hießen sie Menestrels. Ab 15. Jh. ging der Stand unter den Schauspielern auf.

E. Faral, *Les J. en France au MA.*, 1910; R. Menéndez Pidal, *Poesía juglaresca y juglares*, 1924.

Jonikus →Ionikus

Jornada (span. eigtl. = Tagereise), der →Akt im span. Drama.

Jôruri, das volkstümliche japan. →Puppenspiel mit kostbaren, durchschnittl. 1,50 m hohen, oft bis zu lebensgroßen Figuren, die von bis zu drei Spielern je Puppe auf der Bühne sichtbar geführt werden. Den balladenartigen Text mit eingestreuten Dialogen, Verschmelzung von Nô und Kabuki mit romantisch-histor. oder bürgerlichen Motiven, liest ein Rezitator zu (Samisen-)Musikuntermalung, so daß Spiel, Dialog bzw. Rezitation und Musik e. Einheit bilden. Blütezeit im 18. Jh.; nach Erneuerung durch UEMURA BUNRAKUKEN unter der Bz. ›Bunraku‹ Fortbestehen bis zur Gegenwart (Theater ›Bunrakuza‹ in Osaka). Die bekanntesten J.-Texte schrieb CHIKAMATSU MONZAEMON.

C. Glaser, Japan. Theater, 1930; F. Bowers, *The Japanese Theatre,* N. Y. [2]1959; A. C. Scott, *The Puppet Theatre of Japan,* Rutland/Tôkyô 1963; Shuzaburo Hironaga, *Bunraku,* Tôkyô 1964.

Journal (franz., v. mlat. *diurnale* = Tagebuch), 1. in Frankreich seit 1669, in Dtl. seit dem 18. Jh. geläufige Bz. für urspr. täglich erscheinende →Zeitung, dann auch periodische →Zeitschriften, bes. gelehrte Wochen- und Monatsschriften. – 2. im Ggs. zum bekenntnishaft verinnerlichenden →Tagebuch die mehr nüchterne Art der Aufzeichnung tatsächlicher Geschehnisse der Außenwelt (und des tägl. Klatsches) in unpersönlicher Kürze und geschäftsmäßiger Sachlichkeit, z. B. GOETHES spätere Tagebücher.

G. Hager, Grundform u. Eigenart v. Goethes Tgb., DVJ 25, 1951.

Journalismus (zu →Journal), das gesamte →Zeitungs-, →Zeitschriften- und Pressewesen, im weiteren Sinne unter Einschluß von Rundfunk und Fernsehen; im engeren Sinne das zwischen reiner, ungeformter Nachrichten- und Anzeigenvermittlung und unterhaltenden Beiträgen liegende, Tagesfragen und -geschehnisse kritisch behandelnde und erläuternde Schrifttum in periodischen Organen, meist in kurzer und prägnanter, doch leicht eingängiger Formulierung und Bezugnahme auf allg. Interesse, ohne tiefere Durchdringung, daher oft abwertend gebraucht, und stets in uneingestandener, doch bewußt subjektiver bis tendenziöser Färbung zum Zwecke sozialer, politischer, kultureller oder künstlerischer Meinungsbeeinflussung. Die Richtung der zu erstrebenden Anschauung wird bestimmt durch die Besitzer-, Verleger- und Herausgeberkreise des jeweiligen Organs, durch Leserkreis und öffentliche Meinung, eingeschränkt dagegen zeitweise durch →Zensur.

D. B. Baumert, D. Entstehg. d. J., 1928; RL[1]; E. Dovifat, J. (Hdb. der Zeitgswiss., 1942); E. Hartl, D. lit. Problem d. J. (Wiener lit. Echo 3, 1949); F. L. Mott, *American J.*, N. Y. [2]1950; H. Herd, *The March of J.*, Lond. 1952; E. H. Butler, *An Introduction to J.*, Lond. 1955; T. E. Berry, *J. Today,* Philadelphia 1958; W. C. Price, *The Lit. of J.*, Minneapolis 1959 (Bibliographie); F. F. Bond, *Introduction to J.*, N. Y. [2]1961; *The Practice of J.*, hg. J. D. Dodge u. G. Viner, Lond. 1962; *Enciclopedia del periodismo,* Barcelona [4]1966. →Zeitung.

Jüngstes Deutschland (nach L. A. v. HANSTEINS *Das j. D.*, 1900), Sammelname für die fortschrittlichen Dichterkreise bes. des →Naturalismus zu Ausgang des 19. Jh., die in den Großstädten versammelt e. traditionslose neue Dichtung proklamierten, jedoch nach radikalen Anfängen infolge Stilwandels teils in die bodenständige Heimatdichtung (CONRAD), teils in religiöse Dichtung (H. BAHR) oder e. gemäßigten Naturalismus übergingen. Hauptzentren waren Berlin (Brüder HART, A. HOLZ, CONRADI, HAUPTMANN, SUDERMANN, HENCKELL, KRETZER, BRAHM, SCHLENTHER), München (M. G. CONRAD, KIRCHBACH, BIERBAUM, HARTLEBEN) und →Jung-Wien.

Jugendgefährdende Schriften im Sinne des Gesetzes über die Verbreitung j. S. sind solche Druckschriften, die vom sozial-ethischen Standpunkt aus eine – im weitesten Sinne – sittliche Gefährdung der Jugend bedeuten und deren Verbreitung bei Jugendlichen unter 18 Jahren daher, soweit für sie nicht der Kunstvorbehalt geltend gemacht werden kann, durch die →Bundesprüfstelle für jugendgefährdende Schriften untersagt wird: unsittliche, grobsexuelle und unzüchtige Schilderungen, brutalisierende und verrohend wirkende Schriften, die den Krieg oder Verbrechen verherrlichen, zu Rassenhaß anreizen, falschem Heldentum oder gar einem Führerkult huldigen und dadurch zu gesteigerter, mißgeleiteter Aggressivität und Gewalttätigkeiten anregen, und schließlich Schriften mit verfassungsfeindlichen Tendenzen.

Lit. →Bundesprüfstelle.

Jugendliteratur, in Problemstellung, Inhalt, Stoff und Form der Welthaltung dem Interesse der Jugend auf verschiedenen Altersstufen angemessenes Schrifttum teils dichterischen, unterhaltenden, belehrenden und meist indirekt erzieherischen Charakters, das gleichzeitig durch ästhet. ansprechende Formgebung der künstlerischen Geschmacksbildung dienen soll. Der Umfang der J. reicht vom Bilderbogen und Bilderbuch über Volks- und →Kinderlieder, Märchen, Schwänke, Götter- und Heldensagen, Volksbuch, Jugendzss. und speziell für die Jugend geschriebenen, frei erfundenen Erzählungen bis zu Bearbeitungen von Werken der Weltlit., die durch Kürzung, Erleichterung und Bereinigung anstößiger Stellen wegen ihrer künstlerischen und erzieherischen Werte schon der Jugend zugänglich gemacht werden *(Simplicissimus, Gulliver, Don Quijote, Robinson, 1001 Nacht).* Ch. Bühler unterscheidet als verschiedene altersbedingte Entwicklungsstufen Märchen-, Sagen-, Balladen-, Robinson-Alter usw., wobei jeweils Mädchen e. geordnetes, Jungen e. abenteuerlich-erlebnisreiches Weltbild vorziehen. – Schon PLATON (*Staat* II) fordert e. geeignete Lektüre für die Jugend; in Antike und MA. gelten ÄSOPS Fabeln als J., im 16./17. Jh. J. WICKRAMS *Knabenspiegel* (1554), B. WALDIS Fabeln *Esopus* (1557) und Beispielslgn. wie ROLLENHAGENS *Froschmeuseler,* COMENIUS' *Orbis sensualium pictus* und Chr. WEISES *Der grünenden Jugend überflüssige Gedanken* (1668 ff.). Die eigentliche J. beginnt mit den erzieherischen Tendenzen der Aufklärung, entweder belehrend, religiös-moralisch oder patriotisch: FÉNELONS *Télémaque* 1717 in Frankreich und DEFOES *Robinson Crusoe* 1719 in England, von ROUSSEAU *(Emile)* als Vorbild empfohlen. In Dtl. folgen als Jugendzss. ADELUNGS *Wochenblatt für Kinder,* Lpz. 1716, Chr. F. WEISSES und ROCHOWS *Kinderfreund* 1775–84, als Jugendbücher J. CAMPES Bearbeitung *Robinson d. J.* 1779 und weitere 37 Werke, ferner SALZMANNS

Unterhaltungen für Kinder und Kinderfreunde 1811. Mit der Wendung zu volkstümlichen Dichtungen (Ballade, Sage, Märchen) um 1800 wächst, bes. in Romantik und Biedermeier, das Verständnis fürs Kind. BRENTANO, FOUQUÉ, HEBEL, CHAMISSO, HAUFF, MÖRIKE und STORM schreiben Märchen und Novellen; religiös bestimmte J. verfassen auf kath. Seite der Augsburger Domherr Chr. v. SCHMID, auf ev. Seite KRUMMACHER und W. HEY (*Fabeln,* 1833); ferner H. HOFFMANN *(Struwwelpeter),* GÜLL, R. REINICK, S. WÖRRISHÖFER, POCCI, F. HOFFMANN (*Neuer dt. Jugendfreund,* 1846ff.), W. O. v. HORN, daneben e. Reihe erfolgreicher →Frauendichtungen von O. WILDERMUTH, Thekla von GUMPERT (*Töchteralbum,* 1854), J. SPYRI *(Heidi, Gritli),* A. SAPPER, H. WEILER, E. v. RHODEN, E. URY; in neuerer Zeit bes. die Dichter der Heimatkunst, LÖNS und FRENSSEN, ferner BONSELS, E. KÄSTNER, G. FOCK, T. SONNLEITHNER, M. KYBER, W. SPEYER, F. SCHNACK, W. BERGENGRUEN, H. BAUMANN, O. PREUSSLER, M. ENDE, H. Ch. KIRSCH, W. SCHNURRE, G. HERBURGER, P. HÄRTLING, L. TETZNER und J. KRÜSS; in Italien J. COLLODI *(Pinocchio),* in England L. CARROLL, J. BARRIE, H. LOFTING, BURNETT, J. LONDON, Ch. LAMB, R. KIPLING, F. MARRYAT, R. L. STEVENSON, P. L. TRAVERS, F. A. MILNE und E. BLYTON, in Frankreich die Kinderbücher MALOTS *(En famille, Sans famille),* im Norden dagegen bes. Frauen: in Schweden Selma LAGERLÖF (*Nils Holgerson* 1906f.) und A. LINDGREN, in Dänemark K. MICHAELIS *(Bibi)* und H. ANDERSEN, in Norwegen M. HAMSUN *(Langerudkinder),* in Amerika bes. R. SAWYER und D. CORNFIELD mit Mädchenbüchern. In der Nachfolge des Abenteuer- und Schelmenromans und der Robinsonade stehen teils exotische Erzählungen wie COOPERS *Lederstrumpf,* J. VERNES Utopien, K. MAYS Abenteuerromane, ferner W. BUSCH (*Max und Moritz* 1856), Mark TWAIN (*Tom Sawyer* 1876ff.), R. L. STEVENSON (*Treasure Island* 1883), KIPLING (*Jungle Book* 1894), E. KÄSTNER (*Emil und die Detektive* 1929 u. a.). Als Bearbeiter von Volksüberlieferungen für die Jugend traten hervor K. F. BECKER (*Erzählungen aus der alten Welt* 1801ff.), G. SCHWAB (*Sagen des klass. Altertums* 1838ff. und *Dt. Volksbücher* 1836ff.), BECHSTEIN mit Märchen- und Sagenbüchern, MUSÄUS, SIMROCK, bes. aber GRIMMS Märchen. Daneben stehen schließlich belehrende Werke wie zahlreiche historische Erzählungen, Reise- und Naturbeschreibungen, GRUBES *Naturbilder,* Bastelbücher u. ä. Vgl. →Backfischroman.

A. Merget, Gesch. d. dt. J., [2]1882; W. Fricke, Grundriß d. dt. J., 1886; G. Dreyer, D. J., 1888; D. Theden, D. dt. J., [2]1893; H. Wolgast, D. Elend unser. J., 1896, [7]1950; ders., Vom Kinderbuch, 1906; L. Göhring, D. Anfänge d. dt. J. i. 18. Jh., 1904; E. Ackerknecht, Jugendlektüre u. dt. Bildungsideale, 1914; M. Zollinger, D. lit. Verständnis d. Jugendl., 1926; A. Rumpf, Kind u. Buch, 1926; H. L. Köster, Gesch. d. dt. J., [4]1927; J. Antz, Führung d. Jugend z. Schrifttum, [2]1950; F. Seyforth, Führer durch d. dt. J., 1928; G. Dost, Jugend u. Buch, 1929; E. Zeisel, D. lit. Entwicklungsgang d. Jugend, 1930; F. J. H. Darton, *Children's Books in Engl.,* Lond. [2]1958; J. Prestel, Gesch. d. dt. J., 1933; E. S. Smith, *A Hist. of Children's Lit.,* Chic. 1937; A. Rühmann, Alte dt. Kinderbücher, 1937; I. Graebsch, Gesch. d. dt. Jugendbuches, 1942 (Dyhrenfurth-Graebsch [3]1967); D. Kraut, D. Jugendbücher i. d. dt. Schweiz bis 1850, 1945; J. de Trigon, *Hist. de la lit. enfantine,* Paris 1950; M. Voigt, D. dt. Kinderbilderbuch, Diss. Hbg. 1950; P. Hazard, Kinder, Bücher u. gr. Leute, 1952; B. P. Adams, *About Books and Children,* N. Y. 1953; L. H. Smith, *The unreluctant years,* Chic. 1953; P. Muir, *Engl. Children's Books,* Lond. 1954; Th. Rombach, D. Probl. d. J.buchs (Wirkendes Wort 5, 1954); A. Krüger, D. Buch – Gefährte deiner Kinder, [2]1955; R. Bamberger, D.

Jugendlektüre, ²1965; RL; Probleme d. J., 1955; Stud. z. J., 1955 ff.; K. Friesicke, Hdb. d. Jugendpresse, 1956; E. Weissert, V. Abenteuer d. Lesens, 1959; T. Rutt, Buch und Jugend, ²1960; Hdb. d. Dt.-Unterr., hg. A. Beinlich Bd. 2, ²1961; M. Valeri, E. Monaci, *Storia della lett. per i fanciulli,* Bol. 1961; G. Klingberg, *Barnboken genom tiderna,* Stockh. 1962; M. Crouch, *Treasure seekers and borrowers,* Lond. 1962; V. Stybe, *Fra askepot til anders and,* Koph. 1962; M. F. Thwaite, *From primer to pleasure,* Lond. 1963; B. Hürlimann, Europ. Kinderbücher i. 3 Jhh., ²1964; M. Fisher, *Intent upon reading,* Leicester ²1964; Jugendlit. heute, hg. K. Doderer 1965; H. Kunze, Schatzbehalter, ²1965; B. Hürlimann, D. Welt i. Bilderbuch, 1966; V. Haviland, *Children's lit.,* Wash. 1966; P. Aley, J. i. Dritten Reich, 1967; *A critical approach to children's lit.,* hg. S. I. Fenwick, Chic. 1967; G. Klingberg, D. Gattungen d. Kinder- u. Jugendbuches (Wirk. Wort 17, 1967); J. R. Townsend, *Written for children,* N. Y. 1967; J. P. Colby, *Writing, illustrating and editing children's books,* N. Y. 1967; J. Krüss, Naivität u. Kunstverstand, 1968; A. Pellowski, *The world of children's lit.,* N. Y. 1968; A. Ellis, *A hist. of children's reading and lit.,* Oxf. 1968; R. Whitehead, *Children's lit.,* N. Y. 1968; C. Meigs u. a., *A critical hist. of children's lit.,* N. Y. ²1969; A. C. Baumgärtner, Perspektiven d. Jugendlektüre, 1969; M. Dahrendorf, D. Mädchenbuch, 1970; R. Gollmitz, D. Kinderbuch, 1971; J. i. e. veränd. Welt, hg. K. E. Maier, 1972; H. Wegehaupt, Dt.spr. Kinder- u. J. d. Arbeiterklasse, Bibliogr. 1972; S. Köberle, J. z. Zt. d. Aufklärg., 1972; H. Wegehaupt, Theoret. Lit. z. Kinder- u. Jugendbuch, Bibliogr. 1972; Bilderbuch u. Fibel, hg. K. Doderer 1972; G. Klingberg, Kinder- u. J.forschg. 1973; K. E. Maier, Jugendschrifttum, ⁷1973; G. Oestreich, Erziehg. z. krit. Lesen, 1973; D. polit. K., hg. D. Richter 1973; Dt. Jugendbuch heute, hg. A. C. Baumgärtner 1974; Histor. Aspekte z. J., hg. K. E. Maier 1974; D. Jugendbuch als Medium lit. Kommunikation, hg. K. L. Lingelbach 1974; B. Nauck, Kommunikationsinhalte v. Jugendbüchern, 1974; B. Hurrelmann, J. u. Bürgerlichkeit, 1974; E. Schmidt, D. dt. Kinder- u. J. v. d. Mitte d. 18. Jh. bis z. Anfg. d. 19. Jh., 1974; H. Bertlein, D. geschichtl. Buch f. d. Jugend, 1974; Zum Kinderbuch, hg. J. Drews 1975; K. Doderer, Klass. Kinder- u. Jugendbücher, ³1975; D. Bilderbuch, hg. K. Doderer ²1975; Lexikon d. Kinder- u. J., hg. K. Doderer III 1975 ff.; Phantasie u. Realität i. J., 1976; Umstrittene J., hg. H. Schaller 1976; R. Bamberger, Jugendschriftenkunde, ²1976; Kinder- u. J., hg. G. Haas ²1976; G. Ebert, Ansichten z. Entw. d. ep. Kinder- u. J. i. d. DDR, 1976; Lit. f. Kinder, hg. M. Lypp (LiLi, Beih. 7, 1977); C. Bravo-Villasante, Weltgesch. d. Kinder- u. J., 1977; B. Nauck, Jugendbuch u. Sozialisation, 1977; Sozialist. Kinder- u. J. d. DDR, hg. F. Wallesch 1977; W. Scherf, Strukturanalyse d. Kinder- u. J., 1978.

Jugendschutz, literarischer, die gesetzlichen Verordnungen und Maßnahmen zum Schutz der Jugendlichen unter 18 Jahren vor →jugendgefährdenden Schriften. Ihre Durchführung obliegt der →Bundesprüfstelle für jugendgefährdende Schriften.

Jugendstil, Richtung der bildenden Kunst um 1895–1905, die durch eigenartig stilisierte Pflanzen- und Naturformen in schwungvoll-ornamentaler Linienführung dem historisierenden Akademismus der Gründerzeit entgegentrat (Zs. *Jugend,* 1896 ff.) und bes. für Architektur, Kunst, Kunstgewerbe, Inneneinrichtung, Schmuck und – im Anschluß an die engl. Präraffaeliten – Buchschmuck bedeutsam wurde. Bedeutendster Vertreter ist der Architekt Henry van de VELDE. Die Übertragung des Begriffes auf die Lit. ist umstritten; SCHNITZLER, HOFMANNSTHAL, WILDGANS, DEHMEL, DAUTHENDEY, BEER-HOFMANN, SCHAUKAL, R. HUCH, STUCKEN, E. HARDT und GINZKEY, auch RILKE, GEORGE und SPITTELER, bes. aber die Dichter der Neuromantik weisen in Einzelwerken ähnliche Stilzüge auf, die auf eine Abkehr vom Naturalismus und auf eine flächenhafte, idealisierende Stilisierung eines schönen, alltagsfernen Lebens durch die Kunst zielen.

F. Schmalenbach, D. J., 1935; F. Ahlers-Hestermann, Stilwende, ³1956; D. Sternberger, Üb. d. J., 1956; E. Rathke, J., 1958; E. Klein, J. i. dt. Lyrik, 1958; J., hg. H. Seling, 1959; V. Klotz, J. i. d. Lyrik (in: Kurze Kommentare, 1962); J. Hermand, J., 1965; J. R. Taylor, *The Art*

Nouveau Book, Lond. 1965; I. Cremona, D. Zeit d. J., 1966; S. T. Madsen, J., 1967; R. Hamann, J. Hermand, Stilkunst um 1900, 1967; D. Jost, Lit.J., 1969; H. Fritz, Lit.J. u. Expressionismus, 1969; E. Hajek, Lit.J., 1971; J., hg. J. Hermand 1971; J., Stil d. Jugend, hg. H. Glaser 1971; E. Melichar, Stud. z. lit. J., Diss. Wien 1974; R. Gruenter u.a. (Jb. d. Dt. Akad. f. Sprache u. Dichtg. 1976); W. Kohlschmidt, Impressionismus u. J. als lit.hist. Termini (Filologia e critica, Fs. V. Santoli, 1976); H.-U. Simon, Sezessionismus, 1976; RL: Sezessionismus.

Jugendtheater, Dramenaufführungen von Kindern und Jugendlichen, seit dem →Schuldrama des 16./17. Jh. zumeist erzieherisch ausgewertet, bes. mit dem Verlorenen-Sohn-Stoff, im 18. Jh. von Chr. WEISE, PFEFFEL, BODMER, WEISSE, SALZMANN, SCHUMMEL u.a., im 19. Jh. bei K. KANNEGIESSER, A. FRANZ und in den →Puppenspielen des Grafen POCCI, als →Märchenoper bei HUMPERDINCK; im 20. Jh. geht das für Jugendliche geschriebene J. weitgehend in den →Laienspielbühnen auf. Dagegen findet das reine Kindertheater entweder auf der Ebene surrealistischer Nonsenseszene oder im Gefolge antiautoritärer Strömungen als Mittel sozialer Bewußtseinsbildung stärkere Pflege.

M. Eickemeyer, D. Kindertheater, 1910; G. Dieke, D. Blütezeit d. Kinder-Th., 1934; H. Schultze, D. dt. J., 1960; J. H. Davis u. M. Watkins, *Children's theatre,* N. Y. 1960; *Children's theatre and creative dramatics,* hg. G. B. Siks, Wash. [2]1967; Y. Howard, *The Compl. Book of children's theatre,* N. Y. 1969; E. Baur, Theater f. Kinder, 1970; M. Schedler, Kindertheater, 1972; ders., Schlachtet den blauen Elefanten, 1973; J. D. Zipes, Kindertheater (Popularität u. Trivialität, hg. R. Grimm 1974); M. Jahnke, Kindertheater, 1977; A. Paul, Kindertheater als krit. Volkstheater (Diskussion Dt. 8, 1977).

Junges Deutschland (Name zuerst in L. WIENBARGS *Ästhetischen Feldzügen,* 1834), lit. Bewegung in Dtl. rd. 1830–50, deren einzelne Vertreter (GUTZKOW, WIENBARG, LAUBE, MUNDT, KÜHNE, HERWEGH; nahe BÖRNE und HEINE) nur in sehr losem Kontakt zueinander standen und erst durch das auf Anregung W. MENZELS und des österreichischen Gesandten am 10.12.1835 (in Preußen schon 14.11.1835) erlassene Verbot ihrer Schriften öffentlich zusammengefaßt wurden, doch auch innerlich von den gleichen Ideen erfaßt waren: Ablehnung des absolutistischen Staates, der orthodoxen Kirche, moralischer und gesellschaftlicher Konvention wie jeden Dogmas; dafür Individualismus, Gedanken- und politische Meinungsfreiheit, Diesseitsglaube, Sozialismus, Frauenemanzipation (Gräfin HAHN-HAHN, F. LEWALD) und Bindungslosigkeit der Geschlechterbeziehungen; Forderungen, die z.T. auf ethische Vernunftnormen der Aufklärung und der Humanität LESSINGS und HERDERS, der Frühromantik und HEGELS Geschichtsphilosophie, teils auf den Liberalismus, die franz. Julirevolution u.a. franz. Vorbilder (SAINT-SIMON, George SAND) zurückgehen und in ihrer Radikalität bereits an kollektivistisches Ideengut anklingen. Das J. D. entstand im Zusammenhang der europ. Jugendbewegung (MAZZINIS *Giovine Italia,* →*Jeune France,* ›*Das junge Europa*‹ um 1834 in der Schweiz). Im Ggs. zum weltanschaulich wie künstlerisch für rückständig angesehenen Idealismus in Klassik und Romantik suchte man die derzeitige Gefahr der Stagnation für die Lit. zu überwinden durch e. neuen Kontakt zum politisch-sozialen Leben und der Wirklichkeit (Realismus), nicht ideale Zeitlosigkeit, sondern bewußte Zeitnähe und direkte, tendenziöse Beeinflussung. Am radikalsten und ästhetisch am nachteiligsten wirkte sich die Forderung aus, Dichtung habe in den Dienst des Tageskampfes und der Politik zu treten, da sie notwendig e.

Vergröberung und Radikalisierung der ethischen Ziele zur Folge hatte. Zahlreiche Zeitungen und Zss. vertreten die neuen Ideen. Es verbindet sich daher realistische Kunstauffassung mit journalistischem Stil: streng konzentrierte Prosa, doch stets subjektiv und tendenziös getönt, geistreich wandelbar und auch vor saloppen Ausdrücken nicht zurückscheuend. Beliebte Formen sind das stilistisch verhüllte Feuilleton (HEINE, BÖRNE), das zeitsatirische und -kritische Reisebild (HEINE) wie andeutende Fragmente und Aphorismen. Nur wenige Werke haben durch bleibende lit. Werte das Zeitbedingte überdauert; literarhistorische Bedeutung gewinnt das J. D. bes. durch die Entwicklung e. realistischen Stils und journalistischen Feuilletons. Wichtigste theoretische Schriften waren WIENBARGS *Ästhetische Feldzüge* 1834, BÖRNES *Briefe aus Paris* 1832ff. und HEINES *Romantische Schule* 1836. Der Roman des J. D. ist Zeit- und Gesellschaftsroman, Darstellung und Erörterung von Tendenzen, oft durch Reflexion und Kritik zersetzt. LAUBE gestaltete schon 1833 im Roman *Das junge Europa* das von allen Bindungen befreite Weltbild; ebenso GUTZKOWS Romane *Wally die Zweiflerin* (Frauenemanzipation, Geschlechterfreiheit, gegen kirchliche Ehe) und *Maha Guru* (gegen Orthodoxie). Ausdruck der religiösen Skepsis ist auch D. F. STRAUSS' *Leben Jesu* 1835. Nach dem Verbot 1835 ging BÖRNE nach Paris, wo HEINE seit 1831 weilte; GUTZKOW, der drei Monate Gefängnis erhielt, und LAUBE schlossen sich anderen Richtungen an und ließen nur in versteckten Anspielungen die polemische Haltung erkennen. Um 1840 steigt das Drama des J. D. als strengste und am längsten überdauernde Form auf: GUTZKOWS *Zopf und Schwert, Urbild des Tartüff, Uriel Acosta,* LAUBES *Graf Essex* und *Die Karlsschüler,* daneben ab 1850 breite zeitkritische Romane wie GUTZKOWS *Ritter vom Geist* 1850/51 mit Darstellung des zeitlichen Nebeneinander und *Der Zauberer von Rom* (1858–1861, gegen Papsttum), ferner →Frauenromane (HAHN-HAHN).

J. Proelß, D. J. D., 1892; V. Schweizer, Beitr. z. e. j.-dt. Ästhet., 1897; H. Friedrich, D. rel.-philos., soziolog. u. polit. Elemente i. d. Prosadichtg. d. J. D., Diss. Lpz. 1907; L. Geiger, D. J. D., 1907; H. H. Houben, J.-dt. Sturm u. Drang, 1911; F. Kainz, Stud. üb. d. J. D., Euph. 26, 1925; H. v. Kleinmayr, D. Welt- u. Kunstanschauung d. J. D., 1930; H. Förster, Stud. z. Begriff d. j.-dt. Dramas, Diss. Bresl. 1930; P. Malthan, D. J. D. u. d. Lustspiel, 1930; E. Gamper, Dichter u. -tum z. Zt. d. J. D., Diss. Zürich 1934; E. Jenal, D. Kampf geg. d. j.-dt. Lit. (Zs. f. dt. Philol. 58, 1934); W. Suhge, Saint-Simonismus u. J. D., 1935; E. A. Greatwood, Dichterische Selbstdarstellg. i. Roman d. J. D., 1935; H. Bessler, Stud. üb. d. hist. Drama d. J. D., Diss. Lpz. 1935; H. G. Keller, D. jge. Europa, 1938; G. Schüler, D. Novelle d. J. D., Diss. Bln. 1941; G. Weydt, Biedermeier u. J. D., DVJ 1951; C. P. Magill, *Young Germany,* (Fs. f. L. A. Willoughby, Oxf. 1952); M. Greiner, Zw. Biedermeier u. Bourgeoisie, 1953; RL; W. Dietze, J. D. u. dt. Klassik, [3]1962; H. Koopmann, D. J. D., 1970; H. Denkler, D. Drama d. Jungdt. (Zs. f. dt. Philol. 91, 1972); U. Köster, Lit. Radikalismus, 1972; Polit. Avantgarde 1830–40, hg. A. Estermann II 1972; J. L. Sammons, *Six essays on the Young German novel,* Chapel Hill 1972; W. Hömberg, Zeitgeist u. Ideenschmuggel, 1975; W. Wülfing, J. D., 1978.

Junges Österreich, Sammelbez. für die freiheitlich gesinnten österr. Dichter des Vormärz, bes. M. HARTMANN, A. MEISSNER und H. ROLLETT.

Junges Polen *(Młoda Polska),* lit. Bewegung in Polen um die letzte Jahrhundertwende, Gegenbewegung gegen den poln. →Positivismus, die unter dem nationalen Aspekt des Befreiungskampfes die Lyriker, Erzähler und Dramatiker der verschiedensten Richtungen zusammenschloß: WYSPIAŃSKI, PRZYBYSZEWSKI, TETMAJER, KASPROWICZ, STAFF, ZEROMSKI, REYMONT u. a. Grundzüge waren ein dem L'art pour l'art-Gedanken nahestehender, an NORWID und SŁOWACKI geschulter Schönheitskult und eine gegen jede Tendenzlit. gerichtete Auffassung von der Freiheit der Kunst und der Phantasie. Zss. des J. P. waren *Zycie* und *Chimera*.

J. Lorentowicz, *Młoda Polska*, III 1908–13; S. Bzozowski, *Legenda Młodej Polski*, Lemberg 1919.

Jungrömische Dichterschule →Neoteriker

Jung-Tirol, Tiroler Dichterkreis um Adolf PICHLER um 1900: H. v. SCHULLERN, F. KRANEWITTER, F. LECHLEITNER, H. POVINELLI, A. v. WALLPACH u. a.; Zss.: *Der Scherer*, *Der Föhn*, Almanach *J.-T.* 1899 von H. v. GREINZ und H. v. SCHULLERN.

Nagl-Zeidler-Castle, Österr. Lit.gesch. IV, 1937.

Jung-Wien, Wiener Dichter- und Kritikerkreis um H. BAHR 1891–97, lehnte den norddt. Naturalismus ab und schloß sich dem Symbolismus, Impressionismus, der Neuromantik, teils auch der Dekadenzdichtung an. Weitere Vertreter: A. SCHNITZLER, H. v. HOFMANNSTHAL, P. ALTENBERG, R. BEER-HOFMANN, F. SALTEN, F. DÖRMANN, O. STÖSSL, R. AUERNHEIMER, L. v. ANDRIAN und P. WERTHEIMER; Zss.: *Moderne Rundschau* 1890–91, *Wiener Rundschau* 1896 ff., *Die Zeit* 1894–1904, *Österr. Rundschau* 1904–24.

A. Möller-Bruck, D. J. W., 1902; Nagl-Zeidler-Castle, Österr. Lit.gesch. IV, 1937; E. Rollett, D. Männer d. letzten Aktes (Wort i. d. Zeit 5, 1959); D. Junge Wien, hg. G. Wunberg II 1976.

Junimea (rumän. = Jugend), 1863 von T. MAIORESCU in Jassy gegründeter rumänischer Schriftsteller- u. Philosophenkreis zur Pflege der rumän. Sprache (Reinerhaltung des Wortschatzes, Festigung der Orthographie, Bildung e. Lit.-sprache), Förderung der originalen, bodenständigen Lit., Ablehnung der Nachahmung westlicher Vorbilder und Bekämpfung des Pseudoliteratentums. Mitglieder des um die 1867 gegründete Zs. *Convorbiri Literare* gescharten J.-Kreises waren u. a. CREANGA, CARAGIALE, CONTA, EMINESCU, GANE, NEGRUZZI, SLAVICI und XENOPOL.

Juoigos, meist improvisierte, kurze Lieder der Lappen.

A. Launis, Lapp. J.-Melodien, Helsinki 1908.

Juvenilia (lat. = jung), Jugend- und Frühwerke e. Autors.

Kabarett (franz. *cabaret* = Schenke), Kleinkunstbühne zum Vortrag von Gedichten, Liedern, Balladen, Couplets, →Chansons, Parodien, Pantomimen, Conférencen, Sketches, Tänzen u. a. Darbietungen in Vers oder Prosa, teils durch Berufsschauspieler und Amateure, teils durch die Verfasser selbst und stets witzigen, satirischen, aktuellpolitischen oder besinnlichen Inhalts und von scharf pointierter Form, stets kritisch bis oppositionell zur herrschenden Gesellschaftsordnung, die es in ihren kleinen und großen Schwächen verspottet, daher geringe Entfaltungsmöglichkeiten in totalitären Staaten wie gut funktionierenden Demokratien. Zuerst in dem vom Maler R. SALIS 1881 auf dem Montmartre in Paris gegr. K. ›Chat noir‹ als Unterhaltungsstätte für Bohemiens und verkannte Genies, die sich an gegenseitigen Geistesprodukten ergötzten, ähnlich in anderen Künstlerkneipen, dann allmählich zum festen Bühnenunternehmen ausgebildet (A. Bruants ›Le Mirmilton‹), nach dem Vorbild in Bierbaums Roman *Stilpe* (1897) in Dtl. zuerst durch E. v. Wolzogens 1901 in Berlin gegr. →›Überbrettl‹ nachgeahmt, dann in schneller Folge ›Die Brille‹, Entstehungsort von Chr. Morgensterns *Galgenliedern,* Max Reinhardts ›Schall und Rauch‹, die Münchner ›Elf Scharfrichter‹, der ›Simplicissimus‹, Wiener K.s u. a., das Berliner ›Neopathetische Cabaret‹ und K. Hillers ›Gnu‹, in Zürich das ›Cabaret Voltaire‹ (→Dadaismus), W. Schaeffers ›K. der Komiker‹, W. Fincks ›Die Katakombe‹ und ›Die vier Nachrichter‹, als Emigranten-K. E. und K. Manns ›Die Pfeffermühle‹ in Zürich, in der Gegenwart bes. ›Die Amnestierten‹, urspr. Kieler Studenten, das Düsseldorfer ›Kommödchen‹, W. Fincks ›Mausefalle‹ in Hamburg und K. G. Neumanns ›Insulaner‹ sowie ›Die Stachelschweine‹ in Berlin E. Kästners ›Schaubude‹, R. Rolfs ›Die Schmiere‹ (Frankfurt), das Stuttgarter ›Kleine Renitenztheater‹ und die ›Münchner Lach- und Schießgesellschaft‹. Trotz der Beteiligung oft bedeutender Dichter wie Liliencron, Bierbaum, L. Thoma, M. Dauthendey, R. A. Schröder, O. E. Hartleben, W. Mehring, Wedekind, Hille, F. Blei, E. Mühsam, Klabund, Brecht, Tucholsky, Ringelnatz, Dehmel, F. Holländer, H. v. Gumppenberg, F. Endrikat, E. Friedell, K. Valentin, H. H. Ewers, G. H. Mostar, E. Kästner u. W. Borchert bleibt es meist bei kurzlebigen Unternehmungen.

A. Möller v. d. Bruck, D. Varieté, 1902; H. H. Ewers, D. K., 1904; G. Meerstein, D. K., Diss. Mchn. 1938; RL; O. Osthoff, D. lit. K., 1946; W. Schumann, Unsterbl. K., 1948; K. Budzinski, D. Muse m. d. scharfen Zunge, 1961; L. Ríhová, *The Origin, development and present state of c.* (*Theatre Research* 5, 1963); J. Henningsen, Theorie d. K., 1967; H. Mandl, *Literary C.* (*Mod. Austrian Lit.* 2, 1969); R. Höch, K. v. gestern u. heute, II 1969–72; H. Greul, Bretter, die die Zeit bedeuten, II ^{2}1971; K. Riha, Lit.K. u. Rollengedicht (D. dt. Lit. i. d. Weimarer Republik, hg. W. Rothe 1974). G. Zivier u. a., K. mit K, 1974; L. Appignanesi, D. K., 1976; G. Hofmann, D. polit. K. als gesch. Quelle, 1976; F. Scheu, Humor als Waffe, 1977.

Kabartschuk →Karagöz

Kabbala (hebr. = Überlieferung), angeblich aus mündlicher Überlieferung auf Moses zurückgehende, im 9./13. Jh. erst in e. Zyklus von Schriften niedergelegte jüdische Geheimlehre, spekulative Mystik, Religionsphilosophie; besteht neben *Bibel* und *Talmud* und nahm Einflüsse aus Neuplatonismus, Neupythagoreismus und Gnosis auf. Hauptschriften sind das Buch *Jezira* (= Schöpfung, 9. Jh.) und bes. Buch *Zohar* (= Glanz, 13. Jh.); Grundlehre ist der Ursprung der Welt aus e. absoluten Einheit von 10 schöpferischen Urideen (Sephirot), die in der Spiegelung als Vielheit die Erscheinungsformen von Welt und Mensch schaffen, und e. Seelenwanderung durch die Materie zurück in den obersten, 10. Sephirot. Aus Verbindung mit der magischen 10-Zahl und den 22 Buchstaben entwickelte sich e. Buchstaben- und Zahlenmagie, die durch das ma. Weltbild noch bis zu Reuchlin, Giordano Bruno, Paracelsus und Böhme sich auswirkt.

R. Bloch, Gesch. d. Entwicklg. d. K., 1894; E. Bischoff, Elemente d. K., II 1913–14; ders., K., ^{2}1917; A. Franck, *The K.*, N. Y. 1926; G. Scholem, Bibliogr. Kabbalistica, 1927; A. E. Waite, *The Holy K.*, 1929, ^{2}1960; W. E. Peuckert, D. große Wende, 1948; C. D. Ginsburg, *The K.*, London ^{2}1956; D. Fortune, *The Mystical Q.*, Lond. ^{5}1958; E. Benz, D. christl. K., 1958; G. Scholem, Zur K. u. ihrer Symbolik, 1960; ders., Ursprung u. Anfge. d. K., 1962; A. Safran, D. K., 1966.

Kabel oder Programma, barockes Zahlenspiel, Gleichung von Wörtern, deren Buchstaben den Zahlenwert ihrer Stellung im Alphabet (A = 1, B = 2 usw.) erhalten.

Kabuki (japan. = Singtanzstück), japan. Dramenform im Ggs. zum adligen →Nô-Spiel ohne Maske und mit Männern in Frauenrollen, mit prächtiger Ausstattung gespielt; im 17. Jh. aus komischen Volkstänzen, Singtanzpantomimen und Zwischenspielen entstanden, scheidet es sich unter Einwirkung der Puppenspiele im 18. Jh. in drei Hauptformen: Ihosagoto = Tanzdrama, Jidaimono = Geschichtsdrama und Sewamono = bürgerl. Zeitstück.

Z. Kinkaid, *The Popular Stage of Japan*, London 1925; A. E. Jakovlev u. S. Elisseeff, *Le théâtre japonais*, Paris 1933; A. C. Scott, *The K. Theatre of Japan*, Lond. [2]1956; A. u. G. Halford, *The K. Handbook*, Tôkyô 1956; S. Kawatake, *K.*, Tôkyô 1958; E. Ernst, *The K. Theatre*, N. Y. 1959; S. Miyake, *K.*, 1965; B. Ortolani, Das K.theater, Tôkyô 1964; T. Senzoku, K., 1964; R. M. Shaver, *K. Costume*, Tôkyô 1967. →Nô.

Kadenz (v. lat. *cadere* = fallen), metrische Form des Versausgangs; im allg. →männl. und →weibl. Reim, auch →Katalexe und →Klausel. Die Stabreim-K. umfaßt den ganzen 2. Takt des 2. Kurzverses und ist oft weniger silbenreich als die Auf- und Innentakte; bes. Pflege benötigt die K. erst im →Reimvers. Für den mhd. →Reimpaarvers unterscheidet LACHMANN ebenfalls stumpfe K. (auf Hebung endigend, statt dessen auch Auflösung zu zwei Kürzen) und klingende K. (auf Senkung endigend); HEUSLER dagegen unter Zugrundelegung der gesamten Verszeile, deren metrischer Aufbau durch die K. bestimmt wird, unterscheidet 1. volle K. mit durchgeführtem 4. Takt, einsilbig: ›Sáfran mácht den Kúchen géel‹ oder zweisilbig: ›Wér will gúten Kúchen bákken‹; bei zwei Silben wiederum männlich voll mit kurzer, weiblich voll mit langer, reimfähiger Hebungssilbe; 2. stumpfe K. mit Ausfall der 4. Hebung und Ersatz durch e. Pause: ›Fällt er ín den Súmpf‹, wobei die 3. Hebung auch zweisilbig sein kann; 3. klingende K. als Schluß auf e. für den Reim ungenügenden, sprachlich schwachen Nebenhebung, die den 4. Takt verwirklicht, während die 3. oft e. ausgehaltene Länge bildet, so daß keine Senkung zwischen den beiden letzten Hebungen liegt: ›Bácke, bácke Kúchèn‹. – Die höfische Blütezeit beschränkt sich meist auf (einsilbige und männlich) volle oder auf klingende K.

RL. →Metrik.

Kaempeviser (dän. = Heldenlieder), in Skandinavien zum Tanz gesungene Balladen mit Stoffen aus Mythologie und Heldensage; Blüte in Dänemark um 1500. Vgl. →Folkeviser.

Kaeshi-uta →Hanka

Kagura (japan. = Gottesmusik), altjapan. pantomimische Tänze sakralen Charakters, die zu primitiver Orchestermusik bei shintoistischen Kultfeiern bes. im 9.–12. Jh. zur Ergötzung der Götter aufgeführt wurden; durch pantomimische Darstellung mythischer Stoffe Ursprungsform des japan. Theaters.

Kagura-uta, einfache, volkstümliche Lieder der japan. shintoistischen Kultfeiern in regelloser Form von meist 5–7silbigen Versen, von denen nur ein Hauptvers (hon) und ein Schlußvers (matsu) festgelegt sind; sie behandeln religiöse ebenso wie weltliche Themen und bes. die Liebe.

Kahlschlag, von W. WEYRAUCH (*Tausend Gramm*, 1949) geprägtes

Schlagwort für die wünschenswerte Reinigung der dt. Sprache in der Nullpunkt-Situation der dt. Lit. nach 1945, am besten belegt in G. EICHS Gedicht *Inventur*.

Kailyard School (*k.* = Gemüsegarten), spött. Bz. e. Gruppe schott. Heimatdichter 1880–1914, die mit Dialekt und Sentiment schott. Landleben beschrieben: J. M. BARRIE, J. MACLAREN, S. R. CROCKETT.

G. Blake, *Barrie and the K. S.*, 1951.

Kaisersagen, →Sagen von der Wiederkehr volkstümlicher und berühmter Herrscher, die meist in Bergen verzaubert schlafen, um in Zeiten der Not entscheidend hervorzubrechen und mit der Wiederherstellung der alten Reichsmacht e. neues goldenes Zeitalter heraufzuführen; in Dtl. bes. um ma. Kaiser (Kyffhäusersage um Barbarossa); vielfach dichterisch verwertet.

R. Schröder, D. dt. K., 1893; F. Kampers, D. dt. Kaiseridee, 1896; ders., V. Werdegang d. abendländ. Kaisermystik, 1924; F. Pfister, D. dt. K., 1928; E. F. Ohly, Sage u. Legende i. d. Kaiserchronik, 1940.

Kakophonie (griech. *kakos* = schlecht, *phone* = Klang), Mißklang, im Ggs. zur →Euphonie als häßlich empfundene Lautverbindung, Silben- oder Wortfolge, z. B. häufiger Gleichlaut: ›Jetztzeit‹.

Kakawins, altjavan. Kunstdichtungen nach Vorbild der ind. →Kâvyas, behandeln Stoffe der ind. Epen in vorgeschriebenem ind. Versmaß, daher oft gekünstelt und für hohe intellektuelle Ansprüche.

Kakozelon →Katachrese (2)

Kalauer, Berliner Eindeutschung des franz. →Calembourg in Anlehnung an die Stadt Kalau: fauler Wortwitz aus z. T. gewaltsam-gesuchten Ähnlich- oder Gleichklängen.

E. Heyk, Witz u. K. (Gaja, 1928).

Kalender (lat. *Calendae* = Monatserster), Verzeichnis der Tage, Wochen und Monate e. Jahres mit Angabe kirchlicher Festtage, evtl. auch astronomischer und meterologischer Daten. Seit Erfindung des Buchdrucks (1. gedruckter K. 1455, vorher 1439 Holzschnitt) treten daneben belehrende Aufsätze (Ratschläge, Anweisungen, Rezepte, Praktiken), später auch Erzählungen, Schwänke, Legenden, Satiren, die den eigtl. K.teil überwuchern, zu e. beliebten und weitverbreiteten Lektüre niederer Volksschichten umgestalten und seit dem 18. Jh. auch durch Übermittlung von Wissen volksbildende Zwecke verfolgen (*Lahrer Hinkender Bote* 1801 ff. u. a. bis in die Gegenwart). Besinnliche K.geschichten aus dem Volksleben meist in lehrhaft-volkstüml. Ton schrieben u. a. P. GENGENBACH (1520), GRIMMELSHAUSEN (*Ewigwährender K.* 1670, *Wundergeschichten-K.* 1669–1673) und dann bes. süddt. Autoren des 18./19. Jh.: J. P. HEBEL (1802), GOTTHELF *(Elsi)*, B. AUERBACH, L. ANZENGRUBER, H. FEDERER, A. STOLZ, HANSJAKOB, P. ROSEGGER, neuerdings O. M. GRAF (1929), H. WAGGERL und B. BRECHT (1949). Daneben seit dem 19. Jh. verschiedene K. für Berufs- und Standeskreise: Philologen-, Ärzte-, Chemiker-, Ingenieur-, Adels-K. →Almanach, →Cisiojanus, →Fasti, →Praktik.

W. Uhl, Unser K., 1893; W. Wislicenus, D. K., 1910; V. v. Sievers, K. u. Almanache (Zs. f. Bücherfreunde 18, 1926); H. Gauch, K. u. Brauchtum, 1939; RL; H. Rosenfeld, K. (Bayr. Jb. f. Volkskunde, 1962); K. G. Irwin, *The 365 days*, Lond. 1966; H. Kaletsch, Tag u. Jahr, 1970; J. Knopf, Gesch.n zur Gesch., 1973; H. Pongs, D. Bild i. d. Dichtg. 4, 1973; L. Rohner, K.gesch. u. K., 1978; H. Härtl, Z. Tradition e. Genres (Weimarer Beitr. 24, 1978).

Kalendergeschichte →Kalender

Kalliope (griech. = die Schönstimmige), 9. und älteste der →Musen, Mutter des Orpheus; mit den Attributen Wachstafel und Griffel Vertreterin der epischen Dichtung, teils auch der Poesie und Rhetorik allgemein.

Kammerspiele, im Ggs. zum großen Schauspielhaus für Klassikeraufführungen u. ä. urspr. e. kleinerer Theaterbau für rd. 300–500 Zuschauer ohne Orchester und Galerie, wie er im Symbolismus und der Neuromantik für intimer wirkende, verinnerlichte Bühnenstücke eingeführt wurde: STANISLAVSKIJS Moskauer Künstlertheater 1900, Max REINHARDTS K. des Dt. Theaters Berlin 1906 (Eröffnung mit IBSENS *Gespenster*), O. FALCKENBERG in München; seither auch Frankreich und Österreich: so das Josefstädter Theater, Leon EPPS ›Insel‹, Wien. Danach auch Bz. für Dramen intimeren Charakters mit geringerer Personenzahl und Betonung der Sprachwirkung, die sich für K.-Aufführungen eignen; so nannte STRINDBERG seine Dramen *Wetterleuchten, Brandstätte, Gespenstersonate* und *Scheiterhaufen* K., doch auch Stücke von WEDEKIND, SCHNITZLER, MAETERLINCK, TARDIEU, Jugenddichtungen HOFMANNSTHALS oder K.-Inszenierungen anderer Dramen (ARISTOPHANES *Lysistrata* durch REINHARDT). →Zimmertheater.

RL[1]; A. Delius, Intimes Theater, 1976.

Kampfschrift →Streitschrift, →Pamphlet.

Kanevas (franz. *canevas* = gitterartiges Gewebe als Untergrund für Stickereien), in Steigreifkomödien, bes. der →Commedia dell'arte das im Aufbau festgelegte, in Akte und Szenen eingeteilte, jedoch nicht dialogisierte äußere Handlungsschema, auch →Szenarium.

Kanon (griech. = Richtschnur, Maßstab), festgesetzte Regel, Norm: 1. die anerkannten heiligen Schriften e. Religion, so die in die *Bibel* aufgenommenen und als glaubenswahr bestätigten Bücher im Ggs. zu den →Apokryphen. – 2. unabänderlich feststehender Mittelteil der kath. Messe. – 3. in der Lit. e. als allgemeingültig und dauernd verbindlich gedachte Auswahl vorbildlicher dichterischer oder rednerischer Leistungen, K. mustergültiger Autoren. In der Spätantike stellen bes. alexandrin. und byzantin. Gelehrte im Gefolge der Grammatiker ARISTOPHANES von Byzanz und ARISTARCHOS von Samos K.es aller Literaturgattungen für die Schullektüre auf: 3 Tragiker (AISCHYLOS, SOPHOKLES, EURIPIDES), 9 Lyriker (ALKMAN, STESICHOROS, IBYKOS, SIMONIDES, BAKCHYLIDES, PINDAR, ALKAIOS, SAPPHO, ANAKREON), 10 attische Redner (ANTIPHON, ANDOKIDES, LYSIAS, ISOKRATES, AISCHINES, ISAIOS, DEMOSTHENES, HYPEREIDES, LYKURGOS, DEINARCHOS). In röm. Lit. geschah Ähnliches für 10 Palliatendichter und Redner. Dem Auswahlverfahren ist die zahlreiche Überlieferung der betroffenen Autoren (bzw. deren ausgewählter Stücke), aber auch die Vernachlässigung der anderen (z. B. zahlreicher Tragiker) zuzuschreiben.

H. Rüdiger, Lit. ohne Klassiker? (Wort u. Wahrheit 14, 1959); D. alte K. neu, hg. W. Raitz 1976.

Kantate (ital. *cantata* =) kurzes, formal geschlossenes Singstück für Solo- oder Chorstimmen, später auch beides abwechselnd, mit Musikbegleitung, im Ggs. zur nur instrumentalen Sonate; besteht aus Arien, Rezitativen und Ritornellen, doch im Ggs. zu den dramatischen Partien der Oper und den erzählenden des Oratoriums meist von lyrischem Charakter; um 1600 entwikkelt, im Barock bes. als Fest- und Hochzeits-K.n (ALBERT, ZESEN, HOFMANNSWALDAU, WEISE, HUNOLD), als kirchliche K. höchste Entfaltung unter J. S. BACH (Texte von E. NEUMEISTER); in der Dichtung seltener, so GERSTENBERGS K. *Ariadne auf Naxos,* J. E. SCHLEGEL, RAMLER, GOETHES K.n, BRENTANOS K. auf die Gründung der Universität Berlin (15.10.1810).

E. Schmitz, Gesch. d. K., 1914, [2]1966; RL; H. J. Moser, V. d. Motette z. K. (Gesch. d. dt. Musik II, [5]1930); M. Lange, D. Anfänge d. K., Diss. Lpz. 1938; R. Jakoby, D. K., 1968; K. Conermann, D. K. als Gelegenheitsged. (Gelegenheitsdichtg., hg. D. Frost u.a. 1977).

Kanzelrede, Ersatzwort des rationalist. 18. Jh. für →Predigt

Kanzleisprache, die im Schriftverkehr der geistlichen, fürstlichen und bes. kaiserlichen Kanzleien seit dem 13. Jh. gepflegte dt. Sprachform, die allmählich das Lat. verdrängte; wird durch Streben nach Allgemeinverständlichkeit in Anlehnung an ober- und mitteldt. Lautstand sowie Vermeidung mundartlicher Formen neben den Bestrebungen der Druckersprachen die Grundlage der nhd. Schriftsprache. Für LUTHER wurde die kursächs. K. verbindlich.

G. Kettmann, D. kursächs. K., [2]1969.

Kanzleistil, das formelhaft-schwerfällige Behördendt. der Kanzleien, Ämter und Dienststellen, gekennzeichnet durch papierene, d.h. von der natürlichen mündlichen Sprechart abweichende, teils auch altertümliche oder fremdsprachliche Redewendungen und überlieferte, verbindliche Formeln für die stehenden Amtshandlungen; Titel, Anrede und Schluß (sog. Kurialen), wie sie die seit den Habsburgern von Lat. auf Dt. umgestellte königliche Kanzlei unter Ludwig dem Bayern und Karl IV. regelte.

Kanzone (ital. *canzone* v. lat. *cantio* = Gesang), roman. lyrische Gedichtform aus 5–10 gleichgebauten Strophen von beliebiger Zeilenzahl, später meist 13zeilig. Diese zerfallen in →Aufgesang (fronte), wiederum gegliedert in →Stollen (piedi) und →Abgesang (sirima), gegliedert in Volten. Beide Teile sind durch kunstvoll verknüpfte Reimfolge verbunden. Vers ist meist der Elfsilber, später auch 13-Silber, in der 7. und 10. Zeile durch 7-Silber ersetzt. Den Abschluß bildet e. ungleiche, kürzere Strophe, das Geleit (cauda). Die K. stammt aus der nordfranz. und provenzal. Dichtung des 12. Jh., wurde bes. von den Italienern im 13./14. Jh. (PETRARCA, DANTE, TASSO, später LEOPARDI) zu hoher, virtuoser Kunstform für feierlich-erhabene Inhalte entwickelt und bildete auch den Ausgangspunkt für Sonett und Ottaverime. Durch A. W. SCHLEGELS PETRARCA-Übersetzung in dt. Dichtung eingeführt, wurde sie von den Formkünstlern RÜCKERT *(Canzonetten),* PLATEN, bes. ZEDLITZ, DINGELSTEDT, HAMERLING und BECHSTEIN nachgebildet.

O. Floeck, D. K. i. d. dt. Dichtg., 1910; K. Vossler, D. Dichtgs.formen der Romanen, 1951; W. Th. Elwert, Ital. Metrik, 1968.

Kanzonette, ital. Gedichtform, urspr. im 14. Jh. eine →Kanzone volkstümlichen Inhalts in kurzen Versen (Septenare, Oktonare), im 15. Jh. Gedichtform von verschieden langen Versen in Nachahmung anakreontischer Lieder (Sizilianische Schule, CHIABRERA), dann Bz. für ein kurzstrophiges Liebesgedicht, so bei den Mitgliedern der Arcadia und bei METASTASIO.

W. Dürr, D. ital. K. u. d. dt. Lied i. Ausg. d. 16. Jh. (*Studi in onore di L. Bianchi,* Bologna 1960).

Kapitälchen, Großbuchstaben (→Versalien) von der Höhe der

Mittellänge der sonstigen Satzschrift als Auszeichnungsschrift z. B. für Eigennamen.

Kapitale (v. lat. *caput* = Haupt), antike lat. Schriftart in Großbuchstaben (→Majuskeln), zunächst ohne Worttrennung. In ihr sind die ältesten erhaltenen, aus dem 4.–6. Jh. stammenden Codices lat. Schriftsteller geschrieben. Man unterscheidet die C. monumentalis für Steininschriften, die C. quadrata mit runden Formen (4.–7. Jh., 4. Hss. erhalten) und die spätere C. rustica mit schmäleren Buchstaben (23 Hss. erhalten). Beide werden seit dem 5. Jh. durch die →Unzialen abgelöst.

Kapitel (lat. *capitulum* = Köpfchen), urspr. stichwortartige Inhaltsangabe als Überschrift e. Abschnittes oder Buches, dann nach Vorbild der *Bibel* Abschnitt e. Schrift (›Hauptstück‹) selbst. Geschlossenheit, innere Abrundung und annähernd gleichmäßige Ausdehnung der K. (G. GRASS, *Die Blechtrommel*) zeugen oft für tektonischen Aufbau e. Werkes; im 16.–18. Jh. setzt man den Gehalt gern als →Motto voran. Humoristische Romane ziehen aus der K.einteilung und -reihenfolge bewußte komische Effekte (STERNES *Tristram Shandy*, IMMERMANNS *Münchhausen*).

E. P. Wieckenberg, Z. Gesch. d. K.überschrift i. dt. Roman, 1969; P. Stevick, *The chapter in fiction*, Syracuse 1970.

Kapuzinade, Kapuzinerpredigt, derb-volkstümliche Strafpredigt, z. B. von ABRAHAM A SANCTA CLARA oder in SCHILLERS *Wallensteins Lager.*

Kapuziner, 1525 gegr. Mönchsorden, Zweig der →Franziskaner, übt wie diese Einfluß auf die dt. Lit. aus: MARTIN VON KOCHEM, PROKOP VON TEMPLIN u. a.

K. Menze, Stud. z. spätbarock. K.-dichtg., Diss. Köln 1954.

Karagöz (türk. = Schwarzauge), nach der Hauptfigur, dem Narren, benannte türk. →Schattenspiele mit bunten, transparenten Lederfiguren, die das Abbildungsverbot des Islam umgehen, und mit Stoffen insbes. aus dem Volksleben der Stadtviertel Istanbuls. Volksbelustigung wohl chines. Herkunft, in Kleinasien seit 14. Jh. belegt; mit Witz, Humor und deftiger Satire. Auch in anderen (Balkan-)Ländern des früher osman. Reiches verbreitet.

G. Jacob, D. türk. Schattentheater, 1900; R. Roussel, K., Athen II 1921; H. Ritter, K., III 1924–53 (Slg.); S. E. Sivavusgil, *K.*, Istanbul; H. Aigner, D. neugriech. Schattentheater, 1963.

Karikatur (ital. *caricare* = überladen, -treiben), Zerrbild, das durch Überbetonung einzelner, dennoch erkennbarer Charakterzüge komisch oder satirisch wirkt, dient durch die einseitige Verzerrung neben dem Spott oft auch der Kritik mit der Absicht, durch Aufdeckung verurteilenswerter Schwächen und Mißstände auf politischem, sozialem oder sittlichem Gebiet zu deren Abstellung anzuregen. Neben der zeichnerischen K., bes. vertreten durch CARACCI, CALLOT, HOGARTH, DAUMIER, GRANDVILLE, ROWLANDSON, GOYA, DORÉ, GAVARNI, W. BUSCH, TOEPFFER, Th. Th. HEINE, H. ZILLE, G. GROSZ, P. FLORA, GULBRANSSON, MATEJKO, A. WEBER und LOW sowie die Zss. *Münchner Fliegende Blätter* (1844 ff.), *Kladderadatsch* (1848 ff.), *Simplicissimus* (1896 ff.), *Charivari* (Frankr., 1832 ff.) und *Punch* (Engl. 1841 ff.), meist mit politischen u. persönlichen K.en, steht die lit. K. als Typen-K. in der Charakterkomödie MOLIÈRES, in SHAKESPEARES

Falstaff, CERVANTES' *Don Quijote*, GOZZIS Tartaglia u. a., als unpersönlich-unpolitische Charakter-K. bei W. BUSCH und als groteske K. des Menschlichen im →absurden Drama.

Th. Wright, *Hist. of C. and Grotesque in Lit. and Art*, 1875; G. Hermann, D. dt. K. i. 19. Jh., 1901; E. Fuchs, D. K. d. europ. Völker, [4]1921; B. Lynch, *A Hist. of C.*, Lond. 1926; L. Refort, *La c. litt.*, Paris 1932; Th. Heuß, Z. Ästhetik d. K., 1954; W. Hofmann, D. K., 1959; E. G. Gianeri, *Storia della caricatura*, Mail. 1959; A. Sailer, D. K. 1969; M. Molot, D. K., 1975.

Karmen →Carmen

Karolingische Minuskel →Minuskel

Karolingische Renaissance, mißliche Bz. für die durch irische Mönche angeregten Bestrebungen des Kreises um Karl den Großen (ALKUIN, PAULUS DIAKONUS, THEODULF VON ORLEANS, ANGILBERT, EINHARD, PETRUS VON PISA u. a. m.) um Lektüre, Sammlung, Abschrift und Kommentierung von lat. Klassikern, auf die e. Großteil der erhaltenen Hss. röm. Lit. zurückgeht.

S. Singer, D. K. R., GRM 13, 1921; E. Patzelt, D. K. R., 1924; G. Baesecke, D. K. R., DVJ 23, 1949 (auch in: Kl. Schriften, 1966); L. Wallach, *Alcuin and Charlemagne*, Ithaca 1959; P. v. Polenz, Karlische R. (Mitteilungen, Univ.-Bund Marb. 1959); P. Lehmann, Erforschung des MA. II., 1959.

Kasperletheater, →Puppenspiel, nach seiner komischen Hauptfigur benannt, die der Wiener Komiker J. LAROCHE 1781 im Wiener Leopoldstädter Theater (daher K. genannt) als Nachfahren des →Hanswurst schuf: naiv-fröhlicher Bauernbursche mit e. auf dem Brustflecken aufgenähten roten Herzen als Abzeichen, beliebte Volksgestalt voll Mutterwitz und Humor, um Mitte des 19. Jh. als →komische Person des Puppenspiels und Marionettentheaters für Kinder in der Rolle des schlauen, doch ständig mißverstehenden Begleiters abgesunken; Stücke u. a. von POCCI, M. KOMMERELL (*Kasperlespiele für große Leute*, 1949).

RL[1]; T. Keller, D. Kasperlspiel, 1954.

Kasside *(arab. qasida)*, in arab., türk. und pers. Lit. Zweckgedicht in Form des →Ghasel für Lob des Krieges, Kampfes, Sieges oder für Totenklagen, auch beides vereint, indem sich an die Klage der Preis e. Erhabenen, Lob des Dichters oder Verhöhnung des Feindes anschließt. Nachahmungen in dt. Lit. bei RÜKKERT und PLATEN.

D. Balke, Westöstl. Gedichtformen, Diss. Bonn 1952.

Kastalia, Apoll und den Musen heilige Quelle am Südhang des →Parnaß bei Delphi nahe dem Heiligtum der Nymphe K., galt den hellenist. und bes. röm. Dichtern als Quelle und Sinnbild dichterischer Begeisterung.

Kastigator (v. lat. *castigator* = Züchtiger), im Humanismus vom Verleger angestellter Wissenschaftler, der eingereichte Manuskripte überprüfte und verbesserte; Vorläufer des →Lektors.

Kastrierte Ausgabe →editio castigata

Kasualgedicht (v. lat. *casus* = Fall, Zufall) →Gelegenheitsdichtung, ebenso Kasualreden und -predigten solche zu bes. Anlässen (Taufe, Trauung, Tod).

Kasus (lat. *casus* = Fall), aus Jurisprudenz und Morallehre entlehnter Begriff für e. vorlit. →einfache Form: Beurteilung e. Falles nach e. zugehörigen Norm, Erwägung und Messung des Wechselverhältnisses von Norm und Tat in beiden Richtungen als Anreiz zur Überlegung, doch ohne eigene endgültige Entscheidung.

A. Jolles, Einfache Formen, [5]1974; R. Koch, Der K. (Fabula 14, 1973).

Kat'a = →Qita

Katabasis (griech. = Abstieg), nach ARISTOTELES (*Poetik* X und XI) die auf die Peripetie folgende, ›absteigende‹ d.h. fallende →Handlung.

Katachrese (griech. *katachresis* = Mißbrauch), Gebrauch e. Wortes in uneigentlicher Bedeutung: 1. notwendige →Metapher zur Ausfüllung e. sprachlichen Lücke, d.h. e. fehlenden Begriffsbezeichnung, bes. Abstrakta durch e. aus anderen bildlichen (metaphorische K.) oder verwandten (metonymische K.) Bereichen übertragenes Wort, z.B. ›Bart‹ e. Schlüssels. Allg., des Bildes unbewußter Gebrauch und Mangel des eigentl. Ausdrucks unterscheiden sie von der →Metapher, so daß aus e. okkasionellen eine habituelle Verwendung wird. – 2. in antiker Rhetorik ›Kakozelon‹, d.h. schlecht Nachahmendes: Bildermengung, Verstoß gegen die Einheit e. Bildes durch Vermischung nicht zusammenpassender Metaphern und Worte aus verschiedenen Bereichen, meist als unfreiwilliger und lächerlich wirkender Stilfehler – die häufigste Form der →Stilblüte – auf Verflachung und Nichtachtung der schwülstigen Metapher bei übertriebener Neigung zu ihrer Anwendung zurückzuführen und erst bei genauem gedanklichem Nachvollziehen des sprachlichen Bildes auffällig, z.B. ›Der Zahn der Zeit, der schon so manche Träne getrocknet hat, wird auch über diese Wunde Gras wachsen lassen‹, doch auch mit dichterischer Absicht in kühnen Stilformen und gewollten Disharmonien bis zum →Oxymoron gesteigert, wenn aus dem scheinbar Sinnlosen, gedanklich wie stimmungsmäßig Widerspruchsvollen, in höherer Überschau ein sinnbildender Stilwert hervorgeht: ›welkes Licht‹. – 3. schlechthin fehlerhafte Verwendung von dem Sinn nicht genau entsprechenden Ausdrücken.

Katalekten (griech. *katalegein* = aufhören), Bruchstücke, →Fragmente.

Katalektisch (griech. *katalektikos* = aufhörend, unvollständig) heißt in antiker Metrik e. Verszeile, deren letztem Fuß eine oder mehrere Silben fehlen, so daß er nur aus einer Silbe (k. in syllabam) oder zwei (k. in bisyllabam) besteht, wie z.B. der Hexameter u.a. fallende Maße. Die Erscheinung heißt →Katalexe, in german. Metrik besser →Kadenz.

Katalexe (griech. *katalexis* = Aufhören), Abbrechen der sprachlichen Füllung e. Verses vor dem Ende der rhythmischen Reihe, bewirkt e. Stillstand am Versende durch Pause oder Dehnung. →katalektisch, →brachy-, →di-, →hyper- und →akatalektisch.

Katalog (griech. *katalogos* =) Verzeichnis, bes. von Büchern, Bildern einer wissenschaftlichen Sammlung u.ä. Gegenständen. Als gedruckter K. Verlags-, Barsortiments-, Sortimenter-, Antiquariats-, Auktions-K. u.ä., als Band-, Zettel- oder Blatt-K. nach verschiedenen Gesichtspunkten geordnet, so im Bibliothekswesen alphabetischer K. nach Autoren, bei anonymen Werken Titeln, systematischer Sach- oder Real-K. nach sachlicher Zugehörigkeit der behandelten Themen, Schlagwort-K. nach Schlagwörtern, Kreuz-K. als Verbindung dieser drei Formen und Zugangs- oder Akzessions-K. nach der Reihenfolge der Anschaffung. Zentral-K. vereinigt die K.e wissenschaftlicher Bibliotheken e. Bundeslandes, Gesamt-K. die e. Staates zur besseren Erschließung der Bestände.

B. Hack, D. Bücher-K., 1955; K. Löffler, Einführg. i. d. K.kunde, [2]1956; L. Jolley, *The principles of cataloguing*, Lond. 1960; H. Fuchs, Kommentar z. d. Instruktionen f. d. alphabet. K. d. Preuß. Bibliotheken, [4]1966.

Katalogvers, listenartige Aufzählung von Personen, Orten, Dingen oder Begriffen, die einem gemeinsamen Oberbegriff zuzuordnen sind; in allen Literaturen verbreitet, ursprünglich mit pädagog. Zielsetzung als →Merkvers z. B. für Inseln, Flüsse, Herrscherlisten und Geschlechter-K., dann mit künstlerischer Absicht, um anstelle e. Sammelbegriffs die Weite seines Begriffsumfangs vorzuführen, so im antiken Epos (Trojanerhelden *Ilias* 2; APOLLONIOS RHODIOS, *Argonautika*; VERGIL, *Aeneis* 7), schließlich in moderner Lit. als Ausdruck für die Einheit des Universums (WHITMAN, RILKE, GEORGE, AUDEN, WERFEL).

Kata metron (griech. =) nach Metren gebaut, heißen Verse oder Perioden, die durch beliebig häufige Wiederholung eines bestimmten Metrums gebildet werden.

Katastase (griech. *katastasis* = Aufstellung), in Epik und bes. Drama die Verdichtung und Vollendung der Verwicklung bis zur Lösung in der →Katastrophe.

Katastrophe (griech. = Wendung, Umsturz), in der Dramaturgie bes. der →Tragödie entscheidender Wendepunkt meist am Abschluß der →Handlung, bringt die Lösung des Konflikts und bestimmt das Schicksal des Helden zum Schlimmen (Untergang in der Tragödie) oder zum Guten (humorvolle Lösung der Verwicklung in der Komödie). Im Ideendrama gibt sie der Idee höchste Leuchtkraft. Sie entwickelt sich mit innerer Notwendigkeit aus den Charakteren, den Verkettungen der äußeren Ereignisse und Situationen oder wird, bes. im Mysterienspiel, im antiken, Barock- und Jesuitendrama, durch e. →deus ex machina als Eingriff höherer Mächte herbeigeführt. G. FREYTAGS Dramentheorie (→Akt und →Fünfakter) verlegt die K. in den Schlußakt, doch ist grundsätzlich e. Ausdehnung der K. bis über das ganze Drama möglich, so im →analytischen Drama, das nur die K. einer vor Einsatz des Dramas liegenden Handlung darstellt, oder in zahlreichen griech., Renaissance-, Schicksals- und neuromantischen Dramen wie auch bei SENECA und IBSEN, wo durch Verkürzung der aufbauenden Handlung die K. breiteren Raum gewinnt; selten ist Fehlen e. eigtl. K. (z. B. HAUPTMANNS *Weber*) als Frage an die Zuschauer.

H. Fiedler, D. Darstellg. d. K. i. d. griech. Tragödie, Diss. Erlangen 1914; R. Petsch, Drei entscheidende Punkte i. Drama, GRM 24, 1922; ders., Wesen u. Formen d. Dramas, 1945; O. Mann, Poetik d. Tragödie, 1958.

Kata triton trochaion (griech. = nach dem 3. Trochäus), weniger häufige weibliche →Zäsur im Hexameter nach der 1. Kürze des 3. Fußes.

Kata-uta (japan. = Strophenfragment), Kurzform des →Tanka, bestehend aus 3 Zeilen zu 5, 7 und 7 Silben.

Katechismus (v. griech. *katechein* = mündlich belehren), religiöse Unterweisungsschrift meist in Dialogform (Frage und Antwort), schon im MA. üblich, am bekanntesten LUTHERS *Großer* und *Kleiner K.* (1529), *Heidelberger K.* (1563) und *C. Romanus* (1566); schließlich allg. kürzeres Lehrbuch (H. v. KLEIST, *K. der Deutschen*, 1809).

Katena, 1. →Catenen, 2. →Epiploke

Kathakali, Dramenform in Malabar, bei der ein Rezitator den Text singt, während die Schauspieler ihn durch Tanz, Gesten und Mimik illustrieren.

A. Meerwarth, *Les K. du Malabar* (*Journal Asiatique,* 1926).

Katharsis (griech. = Reinigung). ARISTOTELES (*Poetik* Kap. 6, 1449b) definiert die Wirkung der →Tragödie als Erregung von Mitleid und Furcht und dadurch Reinigung (›K.‹) solcher Leidenschaften. Die Deutung des lapidaren Satzes und damit die Rechtfertigung des Urhebers wie des Gegenstandes ist heute noch umstritten. Der Barock verstand K. als ethische Abschreckung oder Erziehung zu stoischer Haltung (OPITZ), CORNEILLE und der franz. Klassizismus als Reinigung der Leidenschaften im Zuschauer durch Schrecken, LESSING (*Hamburgische Dramaturgie* 74–83) in moralischem Sinn als Umwandlung von Mitleid (mit den Leiden des Helden) und Furcht (für uns selbst, im Ggs. zum ›Schrecken‹) in ›tugendhafte Fertigkeiten‹ und vereinigt die Gemütsregungen, HERDER (*Adrastea* 4) e. heilige Vollendung, mystische Sühnung des Menschen; GOETHE (*Nachlese zu Aristoteles' Poetik,* 1827) bezieht K. nicht auf die Zuschauer, sondern auf das Drama und schreibt ihr e. ästhetische Abrundung (›Ausgleichung‹) des Kunstwerks zu; J. BERNAYS (*Grundzüge der verlorenen Abhandlung des Aristoteles über die Wirkung der Tragödie,* 1858) faßt sie psychologisch-materialistisch als ›erleichternde Entladung‹ von Gemütsaffekten im Zuschauer. Neuere Deutungsversuche von Th. LIPPS, Th. GOMPERZ, A. v. BERGER, J. VOLKELT, R. PETSCH und A. PERGER lassen allg. die Läuterung der Seele von Affekten zu e. klaren, vernunftgeleiteten Leben durch Verstummen der Ich-Gefühle vor dem tragischen Bühnenvorgang und Einsicht in das teleologische Gefüge des Kosmos gelten, während W. SCHADEWALDT die Übersetzung ›Jammer und Schrecken‹ im Sinn einer Schocktherapie erneut rechtfertigt; doch hat sich die Diskussion vom Wesen der K. mehr auf das der →Tragik verlagert.

P. Manns, D. Lehre d. Aristot. v. d. trag. K., 1883; Th. Lipps, D. Streit üb. d. Tragödie (Beitr. z. Ästh. 2, 1891); Th. Gomperz, Aristot. Poetik, 1897; A. v. Berger, Wahrheit u. Irrtum i. d. K.-Theorie d. Aristot., ebda.; F. Knoke, Üb. d. K. d. Tragödie b. Aristot., Progr. Osnabrück 1908; H. Otte, Kennt Aristot. d. sog. trag. K.?, 1912; M. J. Wolff, Zur K. d. Aristot. (Zs. f. franz. u. engl. Unterr. 13, 1914); J. Volkelt, Ästhet. d. Tragischen, 1917; K. Tischendorf, D. wahre Sinn d. griech. K. (D. neue Schaubühne I, 1919); Petersen-Ohlshausen, Lessing-Ausg., 1925ff.; H. Otte, Neue Beitr. z. aristot. Begriffsbestimmg. d. Tragödie, 1928; H. Kuhn u. R. Petsch (Zs. f. Ästhet., 1929); F. Dirlmeier, K. (Hermes 75, 1940); M. Kommerell, Lessing u. Aristot., [2]1957; K. H. Volkmann-Schluck, D. Lehre v. d. K. i. d. Poetik d. Aristot. (Fs. f. K. Reinhardt, 1952); E. P. Papanoutsos, *La C. des passions,* Athen 1953; W. Schadewaldt, Furcht u. Mitleid? (Hermes 83, 1955); C. W. van Boekel, K., Utrecht 1957; O. Mann, Poetik d. Tragödie, 1958; ders., Lessing, Hamb. Dramat. (hg.), [2]1963; RL; P. Michelsen, D. Erregung d. Mitleids durch d. Trag., DVJ 40, 1966; T. Brunius, *Inspiration and K.,* Stockh. 1966.

Kauderwelsch (oberdt. kaudern = wuchern, welsch = ausländisch, oder verdorben aus Churwelsch nach der roman.-german. Mischsprache des Kantons Chur), unverständliche, durch fremdsprachliche Elemente und falsche Formen verworrene Sprache.

Kâvya, der bilder- und figurenreiche, durch Wortballung, Vokalfülle und Lautmalerei raffiniert ausgebaute Stil der klassischen ind. Kunstdichtung rd. 300 bis 1300 sowie die in diesem Stil verfaßten

Kunstepen und Werke höfischer Panegyrik.

Kehrmotiv →Leitmotiv

Kehrreim oder →Refrain, in strophischer Dichtung regelmäßig wiederholte Laute (Ton-K.: Interjektion, Klangmalerei, Jodler), Worte, Wortgruppen oder Sätze (Wort-K. von einem oder mehreren Versen), meist am Schluß, doch auch an anderer gleichmäßiger Stelle der Strophe, oft als Rundgesang vom Chor gesungen. Man unterscheidet festen K. mit unveränderter und flüssigen K. mit variierter, der Strophe angepaßter Form (z. B. GOETHES *Ballade, Johanna Sebus*). K. erscheint häufig schon in antiker Dichtung, im Tagelied, religiöser Dichtung, Preislied und bes. Tanz- und Volkslied, doch auch im Kunstlied (GOETHE, BRENTANO, ROSSETTI, F. GARCÍA LORCA) zumal in festen Gedichtformen wie Triolett, Rondel, Rondeau, Ballade. Er entstand aus Wechselgesang von Vorsänger und Chor, ist somit urspr. Kunstmittel der Gemeinschaftsdichtung, dabei teilweise ohne nähere Beziehung zum Inhalt, ablösbar und austauschbar, in Kunstlyrik dagegen meist zur Verstärkung und Rundung des Strophenabschlusses und Zusammenfassung des Stimmungsgehalts. →Gegenrefrain.

Starck, D. K. i. d. dt. Lit., Diss. Gött. 1886; R. M. Meyer, Üb. d. Refrain (Zs. f. vgl. Lit.gesch. 1, 1886); ders., D. Formen d. Refrains, Euph. 5, 1898; H. Freericks, D. K. i. d. mhd. Lit., Progr. Paderborn 1890; G. Thurau, D. Refrain i. d. frz. Chanson, 1901; O. Schreiber, D. K. als dichter. Ausdrucksmittel (Zs. f. dt. Unterr. 30, 1916); F. Ruhrmann, Stud. z. Gesch. u. Charakteristik d. Refrains i. d. engl. Lit., 1927; RL; J. Wiegand, Abriß d. lyr. Technik, 1951.

Keilschrift, die aus verschiedenen Kombinationen senkrechter, waagerechter und schräger Keilstriche zusammengesetzten und in Stein gemeißelten oder in weiche Tontafeln eingedrückten rechtsläufigen Schriftzeichen der Sumerer, Assyrer, Babylonier, Hethiter, Perser und des gesamten vorderen Orients; älteste Schrift der Menschheit, urspr. seit dem 4. Jahrtausend v. Chr. als Bilderschrift wie die Hieroglyphen, dann allmählich zu e. Silbenschrift (assyr. ›Syllabare‹, 3spaltige K.-Listen für den Unterricht), bei den Persern zur Lautschrift entwickelt und bis in hellenist. Zeit in Gebrauch. Erst ihre Entzifferung 1802 durch G. GROTEFEND erschloß die zahlreich erhaltenen Inschriften von Persepolis, Ninive, Babylon, das *Gilgamesch-Epos* u. a. Literaturdenkmäler.

L. Messerschmidt, D. Entzifferg. d. K., ²1910; A. Dümel, K.paläographie, II 1930f.; H. Jensen, D. Schrift, 1935; E. Unger, K.-Symbolik, 1940; E. Chiera, Sie schrieben auf Ton, ²1941; B. Meißner, D. K., ³1967.

Kellertheater, österr. Bz. für →Zimmertheater.

Keltische Renaissance, seit Ende des 18. Jh. in England einsetzende Strömung, die sich um Wiedererweckung der altkelt. Volksdichtungen bemüht: MACPHERSONS *Ossian,* PERCYS *Reliques,* BLAKE u. a. m. Vgl. →Irische Renaissance.

Kengeki (japan.), das moderne japan. Schwerter-Theater, Bühnenstücke mit Stoffen aus der nationalen Geschichte, insbes. um Outlaw-Gestalten, die reiche Anlässe zu den beim Publikum beliebten Schwertkämpfen bieten.

Kenning (altnord. *kenna* = kenntlichmachen: Kennzeichnung; Mz. Kenningar), die Metapher in altnord. Stabreimdichtung der Skalden (→Drápa, →Dróttkvaett u. a.), im Ggs. zum eingliedrigen →Heiti die mehrgliedrige bildliche Umschreibung von alltäglichen Hauptwörtern: Lindwurmlager = Gold, Walstraße = Meer, Burghirte = König, oft kunstvoll und kühn zur gekünstelten Manier übersteigert, bes. im Preislied, weniger im Helden- und Erzähllied, daher nur für aristokratische Zuhörer bestimmt, denen die Anspielungen auf Mythen und Sagenstoffe verständlich waren, dem Uneingeweihten dagegen schwülstig erscheinend. Auf der Suche nach Alliterationen übernimmt auch die westgerman. Dichtung die K., z. T. bis in die Gegenwart erhalten: Rebenblut, Wogenroß.

R. Meißner, D. K.ar d. Skalden, 1921; W. Krause, D. K., 1930; W. Mohr, K.stud., 1933; M. Marquardt, D. altengl. K.ar., 1938; L. Mittner, Wurd, 1955; J. L. Borges, D. K. (in: ders., Das Eine u. d. Vielen, 1966); T. Gardner, *The old Engl. K.* (*Mod. Philology* 67, 1969/70); ders. (Neophil. 56, 1972); B. Fidjestøl, *K.systemet* (*Maal og Minne*, 1974).

Kernmotiv, den Gang der Handlung bestimmendes →Motiv, Zentralmotiv.

Kettengedicht →Renga

Kettenmärchen, alte (oriental.?) Märchenform, die dasselbe Motiv in mehreren Episoden abwandelt.

M. Haavio, K.stud., Helsinki II 1929–32.

Kettenreim →äußerer Reim

Keulenverse, Sonderart meist des Hexameters, besteht aus Worten, deren folgendes stets eine Silbe mehr zählt als das vorhergehende: ›Weit bahnlos ausschweifet verheerende Wasserbeflutung‹; lat. bei AUSONIUS.

Khamsa (arab. = fünf), in pers. Lit. e. Slg. von fünf epischen Gedichten, bei NEZĀMĪ u. a.

Kharğa, urspr. der in vulgärarab. Dialekt verfaßte Schlußvers des →Muwaššaha, also letzte ›simt‹ oder letzte ›vuelta‹ im →Zéjel. Da diese Schlußverse arab. und bes. hebräischer Gedichte seit dem 11. Jh. teilweise in span. (mozarab.) Sprache erscheinen, stellen sie die ältesten Zeugnisse für den Gebrauch e. romanischen Volkssprache in der Lyrik oder überhaupt als Lit.sprache dar und sind für die Entstehung der romanischen Lyrik überhaupt und bes. der Troubadourlyrik interessant.

S. M. Stern, *Les chansons mozarabes*, Palermo 1953; K. Heger, D. bisher veröff. Hargas u. ihre Deutgn., 1960; E. García Gómez, *Las jarchas romances*, Madrid 1965.

Kidungs, altjavan. Versdichtungen bes. des 12. Jh. mit gegenüber den →Kakawins freieren, eigenständig javan. Versformen und mehr javan. Stoffen: mythische Erzählungen und histor. Romane in lebendiger Darstellung.

Kiltlieder, Volkslieder um heitere oder ärgerliche Ereignisse beim Kiltgang (Fensterln); z. T. volkstüml. Formen des →Tageliedes.

G. Rösch, D. dt. Kiltlied, Diss. Tüb. 1957; ders., K. u. Tagelied (Hb. d. Volksliedes I, 1973).

Kiltsprüche (ahd. chwilt = Abend), Sprüche, die der Einlaß begehrende Bursche beim Kiltgang (alemann.; bayr. = ›Fensterln‹) vor dem Fenster der Geliebten aufsagt.

Kinädenpoesie (griech. *kinaidos* = unzüchtig), erotische bis rein sexuelle Dichtung der alexandrin. Griechen. An die Trinklieder des Ioniers PYTHERMOS und die unzüchtigen Tänze der alten Ionier anknüpfend, mit denen unflätige Possenreißer (Kinäden) bei Weingelagen die Zechgenossen belustigten, dichteten SOTADES, ALEXANDER AITOLOS, PYRES, TIMON u. a. im Versmaß des →Sotadeus und nachgeahmtem ion. Dialekt entsprechende, meist schlüpfrige Texte, oft auch mit netten Sentenzen durchsetzte Schwänke und Plaudereien, die ENNIUS als *Sota* ins Lat. übersetzte.

Kinderbuch, der Zweig der →Jugendliteratur, der sich vorwiegend an Kinder im Alter von 4–12 Jahren wendet und daher in besonderem Maß der kindlichen Psyche und kindlichem Verständnis angepaßt ist, auch durch weitgehende und oft farbige Illustration das Leseinteresse fördert: →Bilderbücher, Märchen, Sagen, Fabeln, Erzählungen, Liederbücher u. ä.

Lit. →Jugendliteratur.

Kinderlieder, durch oder für Kinder gesungene Lieder, die in schlichtester Form (kurze Strophen und Verse, einfacher Reim) unter Vermeidung alles Lehrhaft-Verstandesmäßigen die gemüthafte Welt des Kindes nachschaffen und, meist aus mündlicher Überlieferung stammend, dem Kinde gefühlshaltige Vorstellungen und Unterhaltung bieten: Wiegen- und Koselieder, Neckverse, Lieder zum Spiel (Kniereiter, Kuchenbacken, Ballspiel, Reigenverse und →Abzählreime), Heilsprüche, Tierverse, Sommersprüche, Abendlieder, Gebete, auch Zungenbrecher u. dgl., ferner bis zur Unkenntlichkeit zersungene Volks- und Kunstlieder mit willkürlichem, lautmalendem Kehrreim (›Eia popeia‹), deren Reim und Rhythmus bei einfachster Assoziation den Sinnzusammenhang teilweise übergehen. Neben diesen teils aus dem Volksmund überlieferten K. stehen bewußte Kunstschöpfungen, die in herzensnaher oder gewollter Einfalt auf die paradiesische Kinderwelt zurückgreifen, etwa schon LUTHERS ›Vom Himmel hoch‹ und Lieder von M. CLAUDIUS, bes. aber in Romantik und Biedermeier: ARNIMS und BRENTANOS *Des Knaben Wunderhorn* enthält e. Gruppe K., ferner E. M. ARNDT, A. KOPISCH, RÜCKERT, HOFFMANN VON FALLERSLEBEN (›Alle Vögel sind...‹), Luise HENSEL (›Müde bin ich...‹), R. REINICK, W. HEY, POCCI, G. H. KLETKE, J. STURM, G. Ch. DIEFFENBACH, G. SCHERER, J. TROJAN, in Mundart bes. J. P. HEBEL und K. GROTH; neuerdings R. und P. DEHMEL, RINGELNATZ, MORGENSTERN, E. KÄSTNER, J. KRÜSS, P. HACKS, H. BAUMANN, C. BUSTA.

K. Wehrhan, K. u. Kinderspiel, 1909; J. Lewalter u. G. Schläger, Dt. K. u. Kinderspiel, 1911; H. Hetzer, D. volkstüml. Kinderspiel, 1927; J. Wenz, D. dt. K. i. 18. Jh., Diss. Kiel 1935; RL; B. Kürth, D. dt. K. d. 19. Jh., Diss. Halle 1955; R. Lorbe, D. Welt d. K., 1971; E. Gerstner-Hirzel, K. (Hdb. d. Volksliedes I, 1973).

Kindertheater →Jugendtheater

Kinderzeitschrift →Jugendliteratur

Kino →Film

Kirchenlehrer →Kirchenväter

Kirchenlied, für den gottesdienstlichen Gebrauch als Gemeindegesang bestimmtes und strophisches →geistliches Lied, Ausdruck christlicher Frömmigkeit und Glaubensbewußtseins im Welterfahren; bis zu LUTHER nur beschränkt verwendet und ohne liturgische Funktion. Die ersten christlichen Gemeinden übernahmen jüd. Psalmen und Hymnen; die kath. Hymnen und Sequenzen des MA. sind als lat. Teil der Liturgie wiederum kein Gemeindegesang. Bischof AMBROSIUS von Mailand, JACOPONE DA TODI (›Stabat mater‹) und THOMAS VON CELANO (›Dies irae‹) sind Hauptvertreter dieser Gattung, deren beliebteste Dichtungen auch in die Volkssprache übersetzt wurden und weithin Inhalt und Rhythmus der K.er bestimmen; außerhalb des kirchlichen Gebrauchs entstehen vielgestaltige religiöse Volksgesänge, teils in Mischsprache (›In dulci jubilo‹); an das nach Predigt und Vesper von der Gemeinde gesungene ›Kyrie eleison‹ schließen sich dt. Lieder, sog. →Leisen, an; ferner entstehen Wiegenlieder Christi, →Kreuz- oder Pilger-, →Geißler-, →Heiligenlieder, selbst religiöse Schlachtlieder. E. Aufschwung bringt das 14./15. Jh., teils im Gefolge des Volkslieds als →Kontrafaktur, teils als weitere Übersetzung lat. Hymnen und Sequenzen (HERMANN VON SALZBURG, HEINRICH VON LAUFENBERG) und durch Vermehrung religiöser Feste, bes. die Liedeinlagen der →geistlichen Dramen. Dagegen werden die innigen geistlichen Lieder der Mystik nicht volkstümlich. Die ersten Sekten (böhm. und mähr. Brüder, Wiedertäufer, Hussiten) entwickeln ein volkssprachliches K., oft für das ganze Kirchenjahr und teils früh gedruckt. Erst die Reformation führt das – somit schon früher vorhandene – K. als Gemeindegesang, Anteil des Volkes am Gottesdienst, in die Liturgie ein, sammelt das Liedgut in →Gesangbüchern und beeinflußt durch sprachgewaltige Neuschöpfungen in Anlehnung an ältere Tradition, bes. Psalmen (LUTHER: ›Ein feste Burg‹, ›Aus tiefer Not‹, ähnlich in Frankreich Clément MAROT 1543) und geistliche Volkslieder auch stark die kath. K.-Dichtung, welche bes. im 18. Jh. zahlreiche protestantische K.er umdichtet (doch auch umgekehrt: ›Großer Gott wir loben dich‹) und seit Georg WICEL 1541 bes. in ANGELUS SILESIUS und F. v. SPEE wie PROKOP VON TEMPLIN bedeutende Vertreter fand. LUTHERS Vorbild (seit 1523) folgen auf ev. Seite Paul SPERATUS (1484–1551, ›Es ist das Heil uns kommen her‹), plattdt. N. DECIUS (1525), N. HERMANN (1560), B. RINGWALDT (1530–99), in der Brüdergemeine das Gesangbuch des Pfarrers M. WEISE 1531 mit z. T. tschechischen Vorlagen, unter den Reformierten J. ZWICKS Schweizer Gesangbuch 1536, später MELISSUS, und – trotz ZWINGLIS Abneigung gegen Gemeindegesang – Übernahme von LUTHERS K. und LOBWASSERS Bearbeitung franz. Psalmen. Gegenüber diesem glaubens- und bekenntnisfreudigen, von siegesbewußter Kampfstimmung getragenen ersten K. des jungen Protestantismus erwächst in der Notzeit der Gegenreformation (SELNECKER, HERBERGER, P. NICOLAI) und in den Wirren des 30jährigen Krieges eine Fülle bedeutender K.er von verinnerlichter Glaubenshaltung, bes. auch religiöse Trostlieder: größte Höhe bei P. GERHARDT (1607–76: ›O Haupt voll Blut und Wunden‹; ›Befiehl du deine Wege‹; ›Nun ruhen alle Wälder‹), ferner Martin RINCKART (›Nun danket alle Gott‹, 1630), Michael SCHIRMER (1606–73), Paul FLEMING und Georg NEUMARK, unter den Reformierten bes. NEANDER (1650–80, ›Lobe den Herrn‹). Starke Verinnerlichung bringt wieder der Pietismus mit ARNOLD, TERSTEEGEN, ZINZENDORF und den →Gesangbüchern von FREYLINGHAUSEN (1705) und PORST (1713). Unter den K.-Dichtern der Aufklärung ragt GELLERT hervor (›Die Himmel rühmen‹, ›Jesus lebt‹); es folgen KLOPSTOCK und CLAUDIUS. Von Wiederbelebung des religiösen Gefühls in der Romantik zeugen die K.er von NOVALIS, E. M. ARNDT, im 19. Jh. RÜCKERT, GEROK, STURM, SPITTA, KNAPP, Luise HENSEL mit mehr →geistlichen Liedern als K.; auch die gegenwärtigen Bestrebungen um Neubelebung des K. (R. A. SCHRÖDER, J. KLEPPER u. a. mit neuem Liedgut) laufen z. T. nur auf Wiedereinführung der alten Originaltexte und -melodien durch die Liturgische Bewegung hinaus. →Oster- und →Pfingstlied.

F. A. Cunz, Gesch. d. dt. K., II 1855, n. 1969; A. H. Hoffmann v. Fallersleben, Gesch. d. dt. K. bis auf Luthers Zeit,

[3]1861; P. Wackernagel, Bibliogr. z. Gesch. d. dt. K. i. 16. Jh., [2]1961; ders., D. dt. K. v. d. ältest. Zeit bis z. Anfg. d. 17. Jh., V 1864–77; E. E. Koch, Gesch. d. K., VIII 1866–77; K. A. Beck, Gesch. d. kath. K., 1878; A. F. W. Fischer, K.-Lex., III 1878 f., n. 1967; W. Bäumker, J. Gotzen, D. kath. dt. K., IV 1883–1911; J. Zahn, D. Melodien d. dt. ev. Kirche, V 1887–93; O. Wetzstein, D. dt. K. i. 16.–18. Jh., 1888; T. Odinga, D. dt. K. d. Schweiz i. Reformationszeitalter, 1889; R. Wolkan, D. dt. K. d. Böhm. Brüder, 1891; E. Wolff, D. dt. K. d. 16./17. Jh., 1894; J. Westphal, D. ev. K., 1901; A. Fischer/W. Tümpel, D. dt. ev. K. d. 17. Jh., VI 1902–16; P. Dietz, D. Restauration d. ev. K., 1903; A. Benzinger, Beitr. z. kath. K. i. d. Schweiz, 1910; F. Spitta, D. dt. K., 1912; G. Erlemann, D. Einheit d. kath. dt. K., 1911; F. A. Hunich, D. Fortleben d. älteren Volkslieder i. K. d. 17. Jh., 1911; P. Sturm, D. dt. Gesangbuch d. Aufklärung, 1923; M. Bertheau, 400 Jahre K., 1924; G. Müller, Gesch. d. dt. Liedes, 1925; K. Böhm, D. dt. ev. K., 1927; W. Nelle, Gesch. d. dt. ev. K., [4]1962; R. Gießler, D. geistl. Lieddichtg. d. Katholiken i. Zeitalter d. Aufklärg., 1929; P. Gabriel, D. dt. ev. K., 1935; K. Fellerer, D. dt. K. i. Ausld., 1935; Th. Humpert, Kath. K., 1935; R. A. Schröder, Dichter und Dichtg. d. Kirche, 1936; ders., D. Kirche u. ihr Lied, 1937; R. Fink, D. protest. K. d. 30jähr. Krieges (Neue Jhrb. 13, 1937); P. Sturm, Grundfragen e. neuen K., 1938; Th. Goldschmidt, D. Lied uns. ev. Kirche, 1941; W. Bräutigam, D. Wiedergeb. d. ev. K. i. 20. Jh., Diss. Marb. 1952; W. Blankenburg, P. Gabriel, Gesch. d. K., 1957 (Hdb. z. ev. Kirchengesangbuch); RL; J. Pfeiffer, Dichtkunst u. K., 1961; W. Kiefner, Z. ev. K. (Deutschunterr. 15, 1963); K. C. Thust, D. K. d. Gegenw., 1976. →geistl. Lied.

Kirchenschriftsteller, im Ggs. zu →Kirchenväter von der allg. zeitgenössischen oder späteren Lehrmeinung abweichende christlich-theologische Schriftsteller des Altertums: ORIGENES, TERTULLIAN, EUSEBIUS.

Kirchenväter, lat. *Patres*, zusammenfassende Bz. für die großen kirchlichen Schriftsteller aus der frühchristlichen Zeit (bis 600 n. Chr.). Griech. K.: JUSTIN, CLEMENS ALEXANDRINUS, IRENAEUS, HIPPOLYT, ATHANASIUS, BASILIUS d. Gr., GREGOR v. Nazianz, JOHANNES CHRYSOSTOMOS u. a., röm. K.: LAKTANZ, CYPRIAN, AMBROSIUS von Mailand, HIERONYMUS, AUGUSTINUS und GREGOR d. Gr.; später von den orthodoxen auch auf die häretischen altchristl. →Kirchenschriftsteller ausgedehnt (ORIGENES, TERTULLIAN).

A. Harnack, Gesch. d. altchristl. Lit., II [2]1958; B. Altaner, Patrologie, [7]1963; H. v. Campenhausen, Griech. K., [3]1961; ders., Lat. K., 1960; H. Kraft, D. K., 1966; ders., K.-Lexikon, 1966.

Kit-Cat-Club, nach den Kit-cats genannten Pasteten des Pastetenbäckers Ch. Katt, dessen Haus den ersten Versammlungsort bildete, benannter Klub liberaler engl. Aufklärer um den Verleger Jacob TONSON. Ihm gehörten ADDISON, STEELE, CONGREVE, VANBRUGH, GARTH u. a. an.

Kitharodie (griech. = Gesang zur Kithara), Vortrag urspr. epischer (hexametrischer) Dichtungen zur Kitharabegleitung. Berühmtester Vertreter der alten K. war TERPANDER; von PHRYNIS durch Verwendung freier lyrischer Metren erneuert. →Nomos.

Kitsch (entstellt aus engl. *sketch* = Skizze, billiges Bild für engl.-amerik. Käufer in München), leichtverkäufliche, dem breiten Geschmack angepaßte, d. h. also geschmacklose und innerlich unwahre Scheinkunst ohne künstlerischen Wert, die aus vergröbernd-entstellender Nachahmung e. Anerkannten scheinbare Ansprüche auf Aussagekraft ableitet. Lit. K. im Ggs. zur unprätentiösen →Schundlit. bedient sich daher der Formen und Aussageweisen hoher Lit., jedoch nicht aus innerer Notwendigkeit, sondern um mit Hilfe aufgesetzter, gemachter Symbolik, falscher Metaphorik und gekünstelter Sprache äußerlich e.

Kunstwert vorzutäuschen, der einem blassen, innerlich unwahren, mit Pseudoidealen verbrämten Stoff Kunstwirklichkeit geben soll. Inhaltliche Charakteristika sind dabei pseudoromantische oder biedermeierliche, unzeitgemäße Idyllik, Süßlichkeit (im Ggs. dazu arbeitet der sog. ›saure‹ K. mit gekünstelter Schwarzmalerei), Vermeidung jeder echten tragischen Erschütterung, Entdämonisierung des Weltbildes, Schwarzweißzeichnung der Charaktere und Verbrämung mit vorgeprägten und aufgesetzten, klischeehaften Idealen.

H. Karpfen, D. K., 1925; H. Reimann, D. Buch v. K., 1936; E. Ackerknecht, D. K. als kultureller Übergangswert, 1950; H. Rieder, Volkstümlichkeit u. K. (Zeit im Buch 4, 1950); W. Wunnenberg, Kulturgesch. d. K. (Begegnung 5, 1950); H. Broch, Essays I, 1955; H. Kellerer, Weltmacht K., 1957; K. Deschner, K., Konvention u. Kunst, 1957; R. Egenter, Kunst u. K. i. d. Lit., 1958; F. Taucher, E. Versuch üb. d. K. (in: D. wirkl. Freuden, 1958); L. Giesz, D. Phänomen d. K. (Dt. Lit. i. 20. Jh., hg. H. Friedmann, O. Mann, [4]1961); A. Fröhlich, K. in soziolog. Sicht (Mutterspr. 72, 1962); H. Sauter, D. K. i. d. Lit. (Saarbrücker Hefte 18, 1963); C. Baumann, Lit. u. intellektueller K., 1964; U. Beer, Lit. u. Schund, [2]1965; M. Durzak, D. K. (Deutschunterr. 19, 1967); J. Elema, D. K. als Randerscheing. d. Kunst (Orbis literarum 21, 1967); P. Beylin, D. K. (Poetik u. Hermeneutik 3, 1968); G. Dorfles, D. K., 1969; L. Giesz, Phänomenologie d. K., [2]1971; J. Schulte-Sasse, D. Kritik an d. Triviallit. 1971; H. Schüling, Z. Gesch. d. ästhet. Wertg., 1971; H. Breloer u. a., K. als Kriterium lit. Wertg. (Literaturdidaktik, hg. J. Vogt 1972); Das Triviale i. Lit., Musik u. bild. Kunst, hg. H. de la Motte-Haber 1972; A. A. Moles, Psychologie d. K., 1972; W. Killy, Dt. K., [7]1973; G. Ueding, Glanzvolles Elend, 1973; O. F. Best, D. verbotene Glück, 1977.

Kiue-kiu, chines. Gedichtform aus vier Zeilen oder Strophen zu vier Zeilen von je fünf oder sieben Silben.

Kladde (m.-niederld. = Schmutz), Schmierheft, dann erster, vorläufiger Entwurf e. Schriftwerkes ›ins Unreine‹.

Klagelied, gekennzeichnet durch schwermütige Stimmungshaltung gegenüber e. sich lösenden Vergangenheit, etwa der früheren Heimat (OVIDS *Tristia*), e. abreisenden Geliebten (→Propemptikon) oder bes. der Verstorbenen (→Totenklage, →Epikedeion, →Threnos, →Nänie) →Elegie.

Klang. Dichtung als gesprochenes Wort besitzt neben Rhythmus als prosodischer und Melodie als musikalischer Gliederung e. Klangleib mit eigenen magischen Stimmungs- und Ausdruckswerten, die freilich erst in der naheliegenden Verbindung mit der Wortbedeutung wirksam werden, doch gerade beim Fehlen begrifflicher Klarheit, etwa in der Lyrik, durch gesteigerte Ausdrucksgehalte der Stimmungshaftigkeit dienen. E. absolute Aussagekraft der Klänge und Laute dagegen ist e. beliebte Täuschung; auch scheinbar sinnfreie Lautverbindungen in Kinderliedern zeigen Anlehnung an dumpfe Vorstellungs- und Bedeutungsgehalte oder werden wertlos; im Sinnzusammenhang dienen sie der →K.malerei, →K.symbolik, →K.musikalität oder sog. →K.figuren.

W. Schneider, Üb. d. Lautbedeutsamkeit (Zs. f. dt. Philol. 63, 1930); H. Werner, Grundfragen d. Lautphysiognomik, 1932; H. Lützeler, D. Lautgestaltg. i. d. Lyrik (Zs. f. Ästhet. 29, 1935); J. Pfeiffer, Ton u. Gebärde, i. d. Lyrik (Dichtg. u. Volkstum 37, 1936); K. Knauer, D. klangästhet. Kritik d. Wortkunstwerks, DVJ 15, 1937; F. Kainz, D. Sprachästhetik d. jg. Romantik, DVJ 16, 1938; R. Petsch, Z. Tongestalt d. Dichtg. (Festschr. f. J. Petersen, 1938); V. Mönckeberg, Der Klangleib d. Dichtg., 1946; F. Lockemann, D. Ged. u. seine K.gestalt, 1953; P. Böckmann, Bild u. K. (Festschr. f. R. Benz, 1954); K. Wagner, D. Stimme d. Dichters, 1958; F. Berry, *Poetry and the physical voice*, Lond. 1962; U. Gaier, Form u. Information, 1971.

Klangfarbe, die allg., durch mitschwingende Obertöne naturbedingte oder durch Augenblicksstimmung des Sprechenden wie seine Seelenhaltung bedingte Aussprachetönung einzelner Laute oder Worte.

Klangfiguren →rhetorische Figuren

Klanggedicht →Lautgedicht

Klangmalerei, die Wiedergabe oder Nachahmung von Gehörs- (und Gesichts-)Eindrücken durch sprachliche Bildungen (Wort und Satz), die im Leser bzw. Hörer die gleichen Sinnesvorstellungen erwekken wollen und oft über die bloße Nachbildung der Natur- bzw. Kunstlaute hinaus durch die akzentuierte und artikulierte Sprachgestaltung zu geistiger Ausdeutung fortschreiten. Beispiele: Einzelworte wie ›Kuckuck, klatschen, summen‹ u. a., auch lautmalende Neubildungen: ›Des Krüppels Krückenstock krackt, grackelt, humpt und zackt‹ (KLAJ). E. genaue Schallimitation wird weder erreicht noch innerhalb der gegebenen Möglichkeiten erstrebt. Ohne Bedeutungsinhalt, etwa in unbekannten Sprachen, bleibt die K. daher unverständlich; die gleichen Laute dienen bei verschiedenen Völkern zu verschiedener Wirkung; gleiche Geräusche, z. B. Hahnenkrähen, werden in verschiedenen Sprachen grundverschieden wiedergegeben. Durch →Synästhesie kann die K. auch andere Sinneseindrücke erfassen, z. B. ›blitzen, flimmern‹. Stilwerte sind stets die Einbeziehung neuer Ausdrucksmöglichkeiten durch affektisches Erfassen irrationaler Eindrücke, daher unmittelbare Frische der Sprachgebung. Bereits die antike Lit. kennt K. (→Onomatopöie bei VERGIL, OVID u. a.). OPITZ befürwortet klangmalende Neubildungen zur Bereicherung der Sprachmöglichkeiten; in seinem Gefolge entsteht in der Barocklit., bes. den Nürnberger Pegnitzschäfern (HARSDÖRFFER, KLAJ) e. übersteigerte Anwendung; neuaufgenommen wird sie in der aufblühenden Volksdichtung als schlichtere Form, bes. BÜRGERS *Lenore* u. ä., in den Balladen der Klassiker, bei SCHILLER kraftvoll-akustisch *(Der Taucher),* bei GOETHE meist feiner abgetönt auch mit Lichtreizen, erst im Alter hervorgehoben *(Der Totentanz),* dann wiederum in der Romantik, bes. seit BERNHARDIS *Sprachlehre* (1801), von BRENTANO über DROSTE-HÜLSHOFF zu R. WAGNER, bei anderen z. T. überspitzt ausgewertet, von den Impressionisten für neue Ziele verwendet, als →Klangsymbolik bei LILIENCRON und A. HOLZ, zu komischen Effekten bei MORGENSTERN. Die roman. Sprachen sind ärmer an K. als die german., dagegen sind die K. überall häufig in Mundart und Kindersprache.

J. G. Kohl, Üb. K., 1873; E. Reinhardt, Z. Wertg. d. rhythm.-melod. Faktoren i. d. nhd. Lyrik, Diss. Lpz. 1908; RL[1]; W. Kaiser, D. K. b. Harsdörffer, [2]1962; F. Sommer, Lautnachahmg., 1933; B. Snell, D. Aufbau d. Sprache, 1952; H. Wissemann, Unters. z. Onomatopoiie, 1954; G. Kahlo, D. Irrtum d. Onomatopoetiker (Phonetica 5, 1960). →Klang.

Klangmusikalität, im Ggs. zur →Klangsymbolik nicht die gedankliche, sondern melodische Wirkung der Laute e. Gedichts, bes. durch Vokale oder Häufung von stimmhaften Konsonanten (l und Nasale) als Beitrag zur seelischen Gesamtstimmung. →Klang.

J. Tenner, Üb. Versmelodie (Zs. f. Ästhet. 8, 1913); R. Peacock, Probleme d. Musikal. i. d. Spr. (Fs. f. F. Strich, 1952); S. P. Scher, *Verbal music in German lit.*, New Haven 1969.

Klang→reim besteht aus Gliedern, die verschiedenen Wortklassen angehören, z. B. acht/Macht/gedacht/ (Zahlwort, Substantiv, Verb) u. ä.

Klangsymbolik, im Ggs. zur →Klangmalerei nicht die Nachahmung von äußeren Klängen durch Laute, sondern die symbolische Verkörperung der Bedeutung e. Begriffs, e. Außeneindrucks oder e. Vorstellung durch Laut und Artikulationsart, bes. bei Lauthäufungen. Die Resultate im einzelnen sind sehr umstritten; Widersprüche in der individuellen Auffassung erklären sich u. a. auch aus den verschiedenen →Klangfarben der unter einem Schriftzeichen zusammengefaßten Laute; Verfechter der K. sind RIMBAUD (Sonett *Voyelles*), BRENTANO (*Ehegeheimnis der Diphthonge*) und E. JÜNGER (*Lob der Vokale* in *Blätter und Steine*, 1934).

P. Beyer, Üb. Vokalprobleme u. -symbolismus i. d. neuen dt. Lyrik (Festschr. f. Litzmann, 1920); A. Debrunner, Lautsymbolik i. alter u. neuer Zt., GRM 14, 1926; W. Kayser, D. sprachl. Kunstwerk, [13]1968; RL: Lautsymbolik; S. Ertel, Psychophonetik, 1969; A. A. Hill, *Sound symbolism* (Fs. G. L. Trager, 1972).

Klappentext, der den eingefalteten Schutzumschlagklappen aufgedruckte Werbetext des Verlags, soll dem präsumtiven Käufer einen ersten Eindruck von Verfasser, Inhalt, Thema und Darstellungsweise e. Werkes geben und sein Interesse zu erwecken suchen.

H. Gollhardt, D. K., 1966.

Klapphornverse, Form der →Nonsense-Verse; scherzhafte Vierzeiler mit dem Eingang ›Zwei Knaben...‹, erschienen seit 1878 in den Münchner *Fliegenden Blättern*.

Klarismus, lit. Strömung in Rußland zu Anfang des 20. Jh., proklamiert 1910 von M. A. KUZMIN, der nach Ausklingen des Symbolismus im Ggs. zum herrschenden Mystizismus e. Rückkehr zur ästhetischen Klarheit, objektiver Darstellung irdischer Themen und formaler Übersichtlichkeit im Sinne der franz. Lit. des 18. Jh. forderte. Der K., dem sich auch V. BRJUSOV anschloß, fand durch die Oktober-Revolution ein rasches Ende.

Klassik (lat. *classicus* = zur 1., höchsten Steuerklasse gehörig, nach der Vermögensstufung der röm. Bürger durch Servius Tullius, daher = materiell und geistig hervorragend; seit GELLIUS, 2. Jh. n. Chr., erscheint ›scriptor c.‹ als mustergültiger Schriftsteller ›1. Ranges‹) bezieht sich seit der Anerkennung des antiken Vorbildes in der Renaissance auf Kultur, Kunst und Lit. des griech.-röm. Altertums (noch heute: klass. Sprachen, klass. Philologie), dann erweitert auf den Charakter des Mustergültigen, Vorbildlichen als Normbegriff; schließlich übertragen auf die kulturellen (lit. und künstlerischen) Höchstleistungen e. Volkes und damit zur lit.-geschichtlichen Epochenbezeichnung geworden: Höhepunkt der Entfaltung e. Nationallit., in neueren Lit. durch e. bes. Verhältnis zur Antike gekennzeichnet. Zeiten der K. sind in Griechenland das Zeitalter des PERIKLES, in Rom das unter AUGUSTUS, in Italien die Wende vom 15./16. Jh. oder von DANTE bis TASSO, in Spanien die Zeit CALDERÓNS und CERVANTES', in England das elisabethanische Zeitalter (SHAKESPEARE), in Frankreich das Zeitalter LUDWIGS XIV. (17. Jh.) von CORNEILLE bis RACINE und in Dtl. die GOETHEzeit, daneben auch die sog. ›mhd. K.‹. – Die dt. K. bringt den Abschluß des seit Renaissance, Humanismus und Barock währenden Ringens um Aneignung der antiken Bildungswerte, doch nunmehr nicht so der bisherigen röm. als historische Erinnerung, sondern – seit WINCKELMANN – bes. der griech. Elemente als lebende Gegenwart, in harmonischer Kunstvollendung und -begrenzung unter gleichem Anteil von Verstand und Gefühl, Geist und Natur, daher nicht das ›Dionysische‹ im Sinne NIETZSCHES, sondern das apollinische Schönheitsideal aus WINCKELMANNS Harmoniestreben. Synthese von griech. und dt. Welterfahrung, Bildungsideal und Kunstanschauung ist die Grundlage, der dt. →Idealismus der geistige Hintergrund; die vorbereitenden Strömungen sind rationale Aufklärung als diesseitsbetonte Verweltlichung der Dichtung, Seeleninnerlichkeit des Pietismus und der Empfindsamkeit und Sturm und Drang als dynamischer Durchbruch des Irrationalen, freie Entfaltung der Gemütskräfte jenseits mechanischer Formgesetze. Erst in Bändigung des jugendlichen Gefühlsüberschwangs und seiner Reifung von der Darstellung des Charakteristischen zu der des Allgemeinen (Symbolsprache) liegen die Voraussetzungen der K. Ihr eigtl. Zeitraum reicht von GOETHES ital. Reise bis nach SCHILLERS Tod, also rd. 1786–1805, und umfaßt in engerem Sinne nur das Schaffen dieser beiden großen →Klassiker während dieser Zeit; wogegen die gleichzeitigen Werke von JEAN PAUL, KLEIST und HÖLDERLIN e. Sonderstellung einnehmen. Daneben stehen Ausläufer der Aufklärung und des Sturm und Drang, teils ins Trivialschrifttum abgesunken, und Ansätze der entgegenlaufenden Romantik, ebenso die Spätwerke HERDERS. – Gemeinsame Merkmale des höchst bewußten, weil reifen Kunstschaffens der K. sind das Streben nach Gestaltung von Typischem, Urbildern als höchsten Erscheinungsformen von Welt und Mensch, Welterfassung im Symbol, sittliche Ordnung, Größe und Klarheit bei Anerkennung e. sinngebenden Polarität; Ruhe und Ebenmaß der Persönlichkeitsbildung, →Humanität, nicht die Aussicht ins Unendliche, sondern diesseitige Vollendung in geschlossener, harmonisch ausgewogener Kunstform als Ausdruck e. tiefen Harmonie des Welt- und Menschenbildes. Der Unterschied von SCHILLER und GOETHE bleibt davon unberührt: Einfügung des Welterlebens und des darin als tragisch anerkannten Menschen in ein harmonisches All, in die Gesetze des Kosmos, Ausgleichung von Gefühlsüberschwang und Wirklichkeitsforderung in Selbstzucht bei GOETHE gegen SCHILLERS dualistisches Menschenbild als Polarität von Freiheit und Form, Bändigung größter Gegensätze nicht im Kompromiß, sondern als gegenseitige Ergänzung in dynamischer, lebenserhöhender Spannung, doch innerlich ausgewogener Form, die in gesetzmäßiger Wandlung und Entfaltung die Einheit in der Vielheit der Erscheinungen und damit den Symbolwert des Daseins erspürt und für die künftige Generation Vorbilder reinen, tiefen Menschentums und plastischer, schöner Kunstgestalt von überzeitlich-zeitloser Gültigkeit errichtet. – Das Drama der K. gestaltet Grundfragen des Daseins um Menschsein und Menschenwürde, Seelengröße in innerer und äußerer Freiheit sowohl in den reifen Dramen GOETHES *(Egmont, Iphigenie, Tasso, Faust I)* als auch den →Ideendramen SCHILLERS *(Wallenstein, Maria Stuart, Jungfrau von Orleans, Braut von Messina, Wilhelm Tell)*. Seine Sprache ist gebunden an den Vers und zeigt in allgemeingültigen Formulierungen die Neigung zur Sentenz. Beschränkung der Personenzahl und der Schauplätze dient der dramaturgischen Konzentration auf die Grundlinien. Das Epos der K. entsteht in *Hermann und Dorothea*. Der Roman, von SCHILLER nur als ›Halbbruder

der Poesie‹ betrachtet, wird zum symbolischen Bildungsroman *(Wilhelm Meister)*. Die Lyrik erscheint bei SCHILLER als →Gedankenlyrik, bei GOETHE als geklärte und geläuterte Darstellung der geordneten menschlichen Gesellschaft und der Gesetzlichkeit des Weltlebens, von e. verantwortungsbewußten Ich gesehen. Dem Geiste nach gehören auch noch Karl Philipp MORITZ *(Von der bildenden Nachahmung des Schönen,* 1788) und Wilhelm von HUMBOLDT zur dt. K.

O. Harnack, D. dt. Klassizismus i. Zeitalter Goethes, 1906; E. Cassirer, Freiheit u. Form, 1917; ders., Idee u. Gestalt, 1921; V. Klemperer, Franz. K. (Festschr. f. O. Walzel, 1925); H. Hettner, Gesch. d. dt. Lit. d. 18. Jh., [7]1925; E. v. Sydow, D. Kultur d. dt. K., 1926; H. A. Korff, Üb. d. Wesen d. klass. Form (Zs. f. dt. Unterr. 40, 1927); O. Walzel, Dt. Dichtg. v. Gottsched bis z. Gegw. I, 1927; M. Kommerell, D. Dichter als Führer i. d. dt. K., 1928; W. Schadewaldt, Begriff u. Wesen d. antiken K. (D. Antike 6, 1930); W. Jäger, Z. Problem d. Klassischen u. d. Antike, 1931; W. Weisbach, D. klass. Ideologie, DVJ 11, 1933; H. A. Korff, Geist d. Goethezt., Bd. 2, [2]1954; A. Bettex, D. Kampf um d. klass. Weimar, 1935; F. Schultz, K. u. Romantik d. Dtschen., II [3]1959; Th. C. v. Stockum, D. Begriff Dt. K. (Neophil. 20, 1936); E. Franz, Dt. K. u. Reformation (DVJ Buchreihe 22, 1937); H. Rose, K. als künstler. Denkform d. Abendlandes, 1937; E. Busch, D. Erlebnis i. Antikebild d. dt. K., DVJ 18, 1940; D. Mornet, *Hist. de la litt. franç. classique,* 1940; F. Neubert, D. franz. K. i. Europa, 1941; F. Schultz, D. Kunst- u. Kulturideal d. dt. K. (V. dt. Art. i. Spr. u. Dichtg. IV, 1941); F. Usinger, K. u. Romantik, 1941; E. Busch, D. Verhältnis d. dt. K. z. Epos, GRM 1941; E. Busch, D. Idee d. Tragischen i. d. dt. K., 1942; H. Peyre, *Qu'est-ce que le classicisme?* Paris [2]1942; G. Fricke, Vollendung u. Aufbruch, 1943; Concinnitas. Beitr. z. Probl. d. Klassischen (Festschr. f. H. Wölfflin, 1944); H. E. Lauer, D. dt. K., 1944; R. Buchwald, D. Vermächtnis d. dt. K.er, 1946; K. Scheffler, Späte K., 1946; M. Turnell, *The class. moment,* Lond. 1947; K. H. Halbach, Zu Begriff u. Wesen d. K. (Festschr. f. P. Kluckhohn, 1948); K. Toggenburg, D. Werkstatt d. dt. K., 1948; K. Reinhardt, D. Klass. Philologie u. d. Klass. (in: V. Werken u. Formen, 1948); V. Tornius, D. klass. Weimar, 1949; W. v. d. Steinen, D. Zt.alter Goethes, 1949; F. Strich, Dt. K. u. Romantik, [5]1962; F. Martini, D. Goethezt., 1949; H. Kindermann, Theatergesch. d. Goethezt., 1949; H. H. Borcherdt, D. Roman d. Goethezt., 1949; A. Heussler, K. u. Klassizismus i. d. dt. Lit., 1952; W. Muschg, Dt. K., tragisch gesehen, 1952; R. Benz, D. Zt. d. dt. K., 1953; W. Kohlschmidt, Form u. Innerlichkeit, 1955; P. H. Frye, *The terms classic and romantic* (in: *Romance and tragedy,* 1961); RL; W. H. Bruford, *Germany in the 18. cent.,* Cambr. [5]1965; ders., Kultur u. Gesellschaft i. klass. Weimar, 1966; L. A. Willoughby, *The class. age of German lit.,* N. Y. 1966; W. Rehm, Griechentum u. Goethezeit, [4]1968; Die K.-Legende, hg. R. Grimm, J. Hermand 1971; E. Schmalzriedt, Inhumane K., 1971; Begriffsbestimmung d. K. u. d. Klassischen, hg. H. O. Burger 1972; G. Storz, K. u. Romantik, 1972; D. Secretan, *Classicism,* Lond. 1973; M. Windfuhr, Kritik d. K.begriffs, (*Etudes germaniques* 29, 1974); K. L. Berghahn, Ansichten z. K., 1975; T. Gelzer, K. u. Klassizismus (Gymnasium 82, 1975); W. Wittkowski, D. Drama d. Weimarer K., 1977; D. dt. Lit. z. Zt. d. K., hg. K. O. Conrady 1977. →Idealismus.

Klassiker, die Vertreter der →Klassik oder allg. die größten Dichter e. Nation, die in die Weltlit. hineinragen und deren Werke durch vollendete Gestalt mustergültig sind; in dt. Lit. noch ausgedehnt auf die hervorragenden Dichter des 18. Jh. als Wegbereiter der Klassik, also neben GOETHE und SCHILLER noch KLOPSTOCK, HERDER, WIELAND und LESSING infolge ihrer gemeinsamen Rückbeziehung auf die Antike. Heute ist der Begriff bes. durch die billigen ›K.‹-Ausgaben fast aller druckfreien Dichter sehr ungenau geworden.

RL; H. Rüdiger, Lit. ohne K.? (Wort u. Wahrheit 14, 1959); T. S. Eliot, Was ist ein K., 1963; W. Brandt, D. Wort K., 1976.

Klassizismus, jeder antikisierende Kunststil in Architektur, Malerei und Lit., der durch Überwiegen der rezeptiven Einstellung über die produktive von der →Klassik selbst geschieden wird. Die neuformende Nachahmung antiker Formen, Stoffe und Motive bewegt sich in festen, später als drückend empfundenen Normen, die vielfach nicht auf direktem Wege, sondern durch Mittlerschaft anderer Nationen abgeleitet werden. Entscheidend ist eine stark verstandesmäßige Kunstauffassung der führenden Gesellschaft als geschmackbildendes Element. Der K. setzt im Italien der Renaissance ein und erreicht seine Blüte dort im 18. Jh. (Alfieri, V. Monti), gleichzeitig im Frankreich Ludwigs XIV. und des gesamten 18. Jh. höchste Entwicklung und von dort Einfluß auf ganz Europa; Nachklänge in England (Dryden, Pope) und Dtl., wo sein erstes Einsetzen mit Opitz (›vorbarocker K.‹) durch die Entwicklung des Barock abgebrochen war. Der dt. K. umfaßt die gesamte →Aufklärungslit. und bildet zunächst unter Gottsched e. rationale Gegenströmung gegen den Schwulst des Spätbarock, wobei nicht die Antike, sondern der franz. K. (Boileau, Corneille, Racine, Molière) das Vorbild bietet, auf das sich die Theoretiker berufen. Einfachheit und fast nüchtern kühle Klarheit bei antiker Formstrenge sind die Hauptzüge, bis Anakreontik und Rokoko (Wieland) Schönheit und Zierlichkeit einführen. Lessing verstärkt die Formstrenge durch Erkenntnisse vom Wesen der Gattungen, bahnt andererseits durch Aufdeckung der falschen Aristoteles-Auslegung durch die Franzosen, Rückgang auf Aristoteles und Shakespeare den Weg zu e. inneren Formerfüllung. Winckelmann schließlich eröffnet durch sein neues, persönliches Verständnis und tiefes Erleben von Kunst und Menschenbild des Griechentums den Weg zur dt. Klassik, deren Vorbereitung der K. war. Im 19. Jh. folgt eine epigonale Nachblüte des K. als Nachahmung der dt. Klassik im →Münchner Dichterkreis; im 20. Jh. klassizistische Bestrebungen in →Neuklassik, Expressionismus und Existentialismus.

O. Harnack, D. dt. K. i. Ztalter. Goethes, 1906; C. H. C. Wright, *French C.*, 1920; F. Ernst, D. K. i. Italien, Frankr. u. Dtl., 1924; RL; E. v. Sydow, Kultur d. dt. K., 1926; O. Walzel, Dt. Dichtg. von Gottsched bis z. Gegenw., 1927; E. Spranger, D. dt. K. u. Bildungsleben d. Gegenw., 1927; F. Schultz, D. Mythos d. dt. K. (Zs. f. dt. Bildg. 4, 1928); O. Walzel, K. u. Romantik (Propyläen-Weltgeschichte 7, 1929); S. Vines, *The Course of Engl. Classicism,* Lond. 1930; R. Unger, K. u. Klassik (Neue Jhrb. f. Wissen u. Jugendbildg. 8, 1932); W. Rehm, Röm.-franz. Barockheroismus, GRM 1934; A. Heussler, Klassik u. K., 1952; G. E. v. Grunebaum, W. Hartner, K. u. Kulturverfall, 1960; R. Alewyn, Vorbarocker K. u. griech. Trag., ^{2}1962; R. Wellek, D. Wort u. d. Begriff K. i. d. Lit.gesch. (Schweizer Monatshefte 45, 1965 u. ders., Grenzziehungen, 1972); G. Stratmann, Engl. Aristokratie u. klassizist. Dichtg., 1966; *French Classicism,* hg. J. Brody 1966; J. W. Johnson, *The formation of Engl. neoclassical thought,* Princeton 1966; M. Praz, *Neoclassicism,* Lond. 1968; D. Secretan, *Classicism,* Lond. 1973.

Klausel (lat. *clausula* = Schluß), 1. auf dem Wechsel verschiedener Quantitäten beruhender rhythmischer Satzschluß in antiker Rhetorik und Kunstprosa, gibt jedem Kolon, stellenweise auch Komma, am Abschluß nachdrücklichere Wirkung und feierlichen Wohlklang. Die K. besteht aus Basis (meist Kretikus — ◡ — oder Varianten wie Päon — ◡ ◡ ◡ oder Molossus — — —) und trochäischer Kadenz (einfach oder ditrochäisch, letzteres auch katalektisch), deren letzte Silbe anceps ist. Hauptformen sind daher: 1. — ◡ —| — ◡, z. B. *non haberemus* (Kretikus + Trochäus = →Cursus planus); 2. — ◡ — | — ◡ —, z. B. *cessit audaciae* (Kretikus + katalektischer Ditrochäus = Doppelkretikus, = →Cursus tardus); 3. — ◡ —| — ◡ — ◡, z. B. *consules perveremus* (Kretikus + Ditrochäus = →Cursus velox), seltener mit Ersatz des

1. Trochäus durch e. Spondeus: — ◡ — | — — — ◡, z. B. *impetu compilavit* und vereinzelt 4. — ◡ — ◡ — →Hypodochmius. Verpönt ist dagegen der Hexameterschluß — ◡ ◡ — ◡. Von der griech. Sophistik und Rhetorik des 5. Jh. v. Chr. ausgebildet, durch ISOKRATES und seine Schule verbreitet und mit dem →Asianismus von den Römern, bes. CICERO, übernommen und in die vier festen Schemata gebracht, ist der K.rhythmus durch seine beherrschende Stellung in der griech. und lat. Kunstprosa gleichzeitig in der Textkritik wesentliches Kriterium für evtl. Korruptelen. Mit dem Verfall des Gefühls für Quantitäten im 4. Jh. geht er in den spätlat. →Cursus des MA. über, der auf Wortlänge, -grenze und Betonung aufbaut. – 2. In der Metrik lyrischer Dichtung die Schlußverse von Perioden und Strophen, oft die katalektischen oder hyperkatalektischen Formen der jeweiligen Metra (so enden z. B. Jamben auf Bacchius, Glykoneen auf Pherekrateus, Anapäste auf Parömiakos).

E. Norden, Antike Kunstprosa, II [2]1923; H. Lausberg, Elemente d. lit. Rhetorik, 1949; ders., Hdb. d. lit. Rhetorik, 1960; K. D. Thieme, Z. Problem d. rhythm. Satzschlusses i. d. dt. Lit. d. SpätMA., 1965.

Kleinkunstbühne →Kabarett

Kleio →Klio

Kleist-Preis, von der dazu gegründeten Kleist-Stiftung 1912–32 jährl. vergebener Förderpreis für junge dt. Autoren; polit. oft heftig angegriffen.

Der K.-P., hg. H. Sembdner 1968.

Klimax (griech. = Leiter), →rhetorische Figur: Anordnung e. Wort- oder Satzreihe nach stufenweiser Steigerung in Aussageinhalt (vom weniger Bedeutenden zum Wichtigen) oder Aussagekraft (vom schwachen zum starken Wort), z. B. ›veni, vidi, vici = ich kam, sah, siegte‹, ›Heute back' ich, morgen brau' ich, übermorgen hol' ich der Königin ihr Kind‹ *(Rumpelstilzchen);* dient der Verstärkung des Erzählfortganges. In antiker Rhetorik als →Gradation bezeichnet, verlangt sie die Wiederholung des jeweils vorhergehenden Begriffs (→Epiploke), erscheint auch stellenweise nach dem Gesetz der wachsenden und steigenden Glieder mit zunehmender Silbenzahl der Schlußglieder. Ggs.: →Anti-K.; die Verbindung der beiden heißt Doppel-K.: ›Tapfer ist der Löwensieger, tapfer ist der Weltbezwinger, tapfrer, wer sich selbst bezwang‹ (HERDER).

Lit. →Rhetorik, →Stil.

Klingender Reim →weiblicher Reim

Klingender Versschluß →Kadenz

Klinggedicht, Ersatzwort des Barock für →Sonett.

Klio (griech. *Kleio* = Verkünderin), →Muse der Geschichtsschreibung und vergangener Ruhmestaten, daher auch z. T. des Epos.

Klischee (franz. *cliché*), vorgefertigter Druckstock für Abbildungen, dann übertragen vorgeprägte Wendungen, abgegriffene, durch allzu häufigen Gebrauch verschlissene Bilder, Ausdrucksweisen, Rede- und Denkschemata, die ohne individuelle Überzeugung einfach unbedacht übernommen werden.

E. Partridge, *A Dictionary of Clichés,* Lond. 1947, [5]1966; L. D. Lerner, *Clichés and Commonplaces* (*Essays in Criticism* 6, 1956).

Klopfan, witzige Verschen oder Wechselgespräche, die im süddt. Raum an den drei letzten Donnerstagen im Advent von Burschen, die von Haus zu Haus ziehen, als Neujahrsgruß und Heischeverse aufgesagt werden; seit dem 15. Jh. belegte Sitte; lit. bei H. FOLZ, H. ROSENPLÜT und H. KRUG.

Klosterromane mit Motiven und Problemen aus dem Klosterleben als e. unnatürlichen Lebensweise zeigen entweder freisinnige Tendenzen oder Neigung zum Erotischen und beeinträchtigen dadurch die künstlerische Höhe; bedeutend dagegen: D. DIDEROT, *La réligieuse*, E. T. A. HOFFMANN, *Die Elixiere des Teufels*, C. F. MEYER, *Die Hochzeit des Mönchs*, H. HESSE, *Narziß und Goldmund*.

H. Strauß, D. K., Diss. Mchn. 1921.

Klucht, kurzes possenhaftes Bühnenstück, erotische Satire im Ggs. zur politisch-sozialen Farce; als Nachspiel der ernsten →Abelespelen beliebt im spätma. Holland, entsprechend den span. Entremeses und den Schwänken des H. SACHS, in Frankreich den Stücken RUTEBEUFS und ANTOINES DE LA HALE; im 16. Jh. als soziale Satire; trotz zahlreicher Vertreter (G. A. BREDERO u. a.) im 17. Jh. verfallen und durch die klassische Komödie abgelöst.

J. van Vloten, *Het nederl. k.spel tot de 18e eeuw*, 1881; van Moekerken, *Het nederl. k.spel in de 17e eeuw*, 1899.

Kneiplied →Trinklied

Knickerbockers, locker verbundene amerikan. Schriftstellergruppe in New York 1. Hälfte 19. Jh., bes. um die Zs. *Knickerbocker Magazine* (1833–65), geeint in Fragen lit. Geschmacks und im Bestreben, New York lit. Relevanz zu geben: W. IRVING, W. C. BRYANT, J. K. PAULING, J. F. COOPER u. a.

K. B. Taft, *Minor K.*, 1947; J. T. Callow, *Kindred spirits*, Chapel Hill 1967.

Knittelvers (Knüttelvers), vierhebiger Vers des 16. Jh., entweder alternierend-akzentuierend (8–9silbig, bei H. SACHS u. a.) oder mit freier, unregelmäßiger Senkungsfüllung (ROSENPLÜT u. a.), teils auch quantitierend und stets im Paarreim; zurückgehend auf das altdt. →Reimpaar seit OTFRIED, doch da infolge fehlenden rhythmischen Feingefühls die Hebung nicht mit der sinntragenden Silbe zusammenfällt, von e. gewissen schwerfälligen Holprigkeit, die ihm in der Poetik des 17./18. Jh. den abschätzigen Namen einbrachte. Verwendet von SACHS, FOLZ, BRANT, MURNER, GENGENBACH, FISCHART. Von OPITZ bekämpft und durch den Alexandriner verdrängt, von GRYPHIUS spöttisch verwendet, lebte er zunächst nur in volkstümlicher Dichtung fort, von GOTTSCHED in alternierender Form für komische Dichtung empfohlen (Beispiele in *Critische Dichtkunst*, senkungsfreier K. im *Nötigen Vorrat*), dadurch im 18. Jh. für volkstümlich-naive Wirkungen, auch Parodien und Satiren, wieder aufgenommen, so als freier Vierheber mit beliebiger Senkungszahl bei GOETHE seit der Leipziger Zeit, z. B. in den Farcen (*Jahrmarktsfest in Plundersweilern, Satyros* u. a.), in *H. Sachsens poetischer Sendung*, dem *Urfaust* u. a., parodistisch bei SCHILLER in *Wallensteins Lager* und bei KORTUM *(Jobsiade)*, ferner bei WIELAND, ZACHARIÄ, UHLAND, neuerdings WEDEKIND (*Lulu*-Prolog) und HAUPTMANN *(Festspiel in dt. Reimen)* aus dem Streben nach Volkstümlichkeit. →Doggerel.

O. Flohr, Gesch. d. K. v. 17. Jh. bis z. Jugend Goethes, 1893; E. Feise, D. K. des jg. Goethe, 1909; RL; H.-J. Schlütter, D. Rhythmus i. strengen K. d. 16. Jh., Euph. 60, 1966; H. Heinen, D. rhythm.-metr. Gestaltg. d. K. b. H. Folz, 1966; D. Chisholm, Goethe's K., 1975.

Knüller, →Bestseller auf dem Buchmarkt, bes. spannender Kriminalroman.

Koda →Coda

Kodex →Codex

Kölner Schule, Schriftstellerkreis der dt. Nachkriegslit. Anfang der 60er Jahre, bemüht um einen neuen Realismus der sinnl. konkreten Erfahrung in der Alltagswelt mit gesellschaftskrit. Akzenten: D. WELLERSHOFF, G. HERBURGER, R. D. BRINKMANN, G. SEUREN u. a.

Königsberger Dichterkreis, 1636 gegr. Vereinigung religiös-volkstümlicher Lyriker und Komponisten des Barock in der 1. Hälfte des 17. Jh. in Königsberg um das geistige Haupt R. ROBERTHIN (1600–48); pflegt meist Gelegenheitsdichtung, doch auch zu allg. Themen, bes. Liebe und Tod, Natur und Freundschaft durchstoßend. Die Dichtungen wurden im Freundeskreis, meist in ALBERTS Garten, vorgetragen, kritisiert, von den Komponisten (ECCARD, STOBAEUS, bes. H. ALBERT) liedartig vertont, gemeinsam gesungen und in H. ALBERTS *Arien* und *Musikalische Kürbishütte* gesammelt. Mitglieder, meist 12 und mit Schäfernamen oder Anagramm benannt, waren ferner: A. ADERSBACH, Chr. KALDENBACH, G. MYLIUS, J. P. TITZ, V. THILO, bes. Simon DACH; auch OPITZ weilte 1638 im K. D. Bekanntestes Lied des K. D.: *Anke von Tharau* (ALBERT?).

RL; A. Schöne, Kürbishütte u. Königsberg, 1975.

Königsnovelle, altägypt. Erzählform des Mittleren und Neuen Reiches zwischen Geschichtsschreibung und Novelle, in deren Mittelpunkt der Pharao als typische Figur steht: irgendein Anlaß führt ihn zu einem Entschluß, dessen Verkündigung und Ausführung die K. schildert.

A. Hermann, D. ägypt. K. (Leipziger ägyptolog. Stud. 10), 1938; E. Otto in Hdb. d. Orientalistik, I, 2: Ägyptologie, Lit., Leiden 1952.

Körner, in mhd. Lyrik Verszeilen, deren Reim nicht in der eigenen Strophe, sondern erst in der (den) folgenden seine Entsprechung hat und die einzelnen Strophen und deren Aussagen miteinander durch Reimklang umschlingt. Vgl. →Waise

Kogge, ›Die K.‹, 1924 gegr. Schriftstellerkreis der Gegenwart in Minden/Westfalen mit gewählten Mitgliedern; pflegt bes. die Beziehungen zu niederländ., belg. und franz. Autoren.

Kôlam, eine Art alter dramatischer Maskentänze als kultische Darbietung in der singhales. Lit. Ceylons.

Kollage →Collage

Kollation (lat. *collatio* = Zusammentragen), 1. in der →Textkritik Vergleich e. Abschrift mit dem Original zur Überprüfung der Genauigkeit oder verschiedener Hss. bzw. Druckausgaben zur Feststellung von Varianten (→Lesarten), bes. bei der Herausgabe von kritischen Ausgaben. – 2. Im Antiquariat das Prüfen e. Exemplars auf Vollständigkeit der Seiten, Tafeln, Beilagen usw.

Kollektaneen (lat. *collectaneus* = angesammelt), Sammelhs., →Lesefrüchte, Auszüge aus Werken verschiedener Schriftsteller, bes. als Material zur Lösung e. Frage, im Barock als →Blütenlese Handwerkszeug fast aller Dichter. →Analekten.

Kolometrie (v. griech. *kolon* = Glied, *metrein* = messen), Messung der →Kola, 1. Zerlegung von hs. in fortlaufender Prosa aufgezeichneten Gedichten (z. B. antike Lyrik) in sichtbare Verszeilen, Aufteilung in Strophen usw. 2. Darstellung der

Gliederung e. Abschnitts nach seinen logischen Bestandteilen.

Kolon (griech. = Glied), ›Wortfuß‹ (KLOPSTOCK), Sprechtakt als Gliederung in Prosa oder Vers, durch leichte Atempausen oder merkliche Einschnitte beim Sprechen begrenzte rhythmische Elementareinheit von einem oder mehreren Worten; in ungebundener Rede die Unterteilung der Periode, die noch e. gewisse abgeschlossene und selbständige Sinneinheit darstellt und wiederum in kleinste, unselbständige Sprechtakte (→Komma) zerfällt; nach antiken Rhetorikern rd. 7–16 Silben umfassend; in gebundener Rede (Vers) die kleinste rhythmische Einheit aus mehreren (bis zu 6) Versfüßen, enthält meist einen Haupt- und eine oder mehrere Nebenhebungen. Länge oder Kürze der einzelnen Kola bedingt den Schwung, Fluß oder Nachdruck des Verses; da gleichmäßiger Bau oft monoton wirkt, bringt Variation in Lage und Form der Kola lebendigere Sprache. Ständig wiederkehrende, herrschende K.-Formen bezeichnet man als rhythmisches →Leitmotiv.

A. du Mesnil, Begriff d. 3 Kunstformen d. Rede: Komma, K., Periode, 1894; W. Kayser, D. sprachl. Kunstwerk, [13]1968.

Kolophon (griech. = Gipfel, Spitze), Schlußvermerk ma. Hss. (→Explicit) und Drucke, enthält ähnlich dem →Impressum Titel, Verfasser, Schreiber bzw. Drucker, Druckjahr und -ort.

Kolportage (franz. *col* = Nacken, *porter* = tragen: hausieren), meist anonyme, auf billige Spannung und Sensation berechnete, lit. wertlose Massenprodukte, die durch Hausierer (heute: im Zeitschriftenhandel) an anspruchsloses Publikum verkauft werden: →Hintertreppenromane, →Groschenhefte.

K. M. Michel, Z. Naturgesch. d. Bildung (in: Triviallit., hg. G. Schmidt-Henkel 1964); G. Ueding, Glanzvolles Elend, 1973.

Kolumne (lat. *columna* = Säule), untereinandergeschriebene Buchstaben- oder Zahlenreihe; im Buchdruck Druckseite oder Spalte, daher K.-Titel: am Kopf der Seite stehende stichwortartige Inhaltsangabe (lebende K.-Titel von Seite zu Seite wechselnd, tote über mehrere Seiten gleichlautend nach der Kapitelgliederung oder gar dem Buchtitel). Auch längere antike Inschriften und die Texte der →Papyrusrollen erscheinen in K.n. In der Publizistik: feststehende, an gleicher Stelle e. Zeitung oder Zs. erscheinende Spalte, die einem oder mehreren Journalisten (Kolumnisten) regelmäßig offensteht zu Meinungsäußerungen, →Glossen oder Klatsch (Klatschspalte).

Komik (zu griech. *komos* = nächtlicher Umzug fröhlicher Zecher unter Musikbegleitung; Gelage), die der →Tragik entgegengesetzte Weise des Welterlebens, e. zum Lachen reizende, harmlose Ungereimtheit, beruhend auf e. lächerlichen Mißverhältnis von erstrebtem, erhabenem Schein und wirklichem, niedrigem Sein von Personen, Gegenständen, Worten, Ereignissen und Situationen. Der innere Widerspruch kann von vornherein offensichtlich sein oder plötzlich verblüffend zutage treten und ruft e. leichtes Unlustgefühl hervor, das im Lachen abgewendet und in Überlegenheitsgefühl gelöst wird. Ästhetische Werte erreicht die K., indem ihr Objekt nicht vollständig dem Lächerlichen anheimfällt und abgewertet wird, sondern seine Werte selbst der K. gegenüber bewahrt (z. B. MOLIÈRES Misanthrop) oder wenn die K. selbst als Wert erscheint (KLEISTS *Zerbrochener Krug*). Ihre lit. Erscheinungsformen sind bes. Epik (→komisches Epos) und Drama (→Komödie, →Tragikomödie). Je nach den ihr zugrunde liegenden lächelnd verstehenden, gemüthaften oder beißend kritischen Haltungen ragt die K. in →Humor oder →Satire hinein und bildet die übergreifende Haltung der beiden Ausformungen. Man unterscheidet ferner: nach der Darstellung: objektiv-anschauliche (im Drama: der Wirt in LESSINGS *Minna von Barnhelm*) und subjektiv-sinnhafte K. (→Witz); nach der Feinheit: derbdrastische, handgreifliche und feine K.; nach der Wirkung: drollige und groteske K.; nach der Ursache: freiwillige und unfreiwillige K., und nach der Grundlage: →Situations- und Charakter-K. – Die Empfindung für das Komische ist abhängig von bestimmten Werthaltungen und Lebensauffassungen e. Volkes und damit national unterschiedlich, bes. als Temperaments-K. oft anderen Nationen verschlossen; dagegen sind die höchsten lit. Ausprägungen (ARISTOPHANES, PLAUTUS, SHAKESPEARE, MOLIÈRE, CERVANTES, GOLDONI, HOLBERG, GOGOL, NESTROY, RAIMUND, B. SHAW) allgemein-menschlich und -verständlich. – Eine der verschiedenen Entwicklungslinien der K. reicht vom antiken → Mimus über die Spielmannsepen und die komischen Einlagen in den geistlichen Dramen des MA. bis zur Minnesang-Parodie, Schwanklit. (*Eulenspiegel, Lalebuch = Schildbürger, Finkenritter* u. a. Lügenbücher mit drastischer Wort- und Situations-K.) und Fastnachtsspiel; e. andere, kultiviertere von PLAUTUS und TERENZ über die Dramen der HROTSVITH VON GANDERSHEIM zur Renaissance-Komödie und bis ins 18. Jh. (LESSING, LENZ), während im Barock die Englischen Komödianten auf engl., franz. und holländ. Vorbilder zurückgehen, ebenso GRYPHIUS. Aus dem Barocktheater entfaltet sich bes. in Österreich erst im 19. Jh. das Volksstück (RAIMUND, NESTROY, ANZENGRUBER). Die K. der Aufklärung ist meist Charakter-K., die des Rokoko Liebes-K. (WIELANDS komische Erzählungen mit franz. Vorbildern), doch auch Travestie (BLUMAUER). Im Ggs. zur Empfindsamkeit der Tugendromane RICHARDSONS entsteht in England um 1750 der komische Roman (FIELDING, SMOLLETT, STERNE) und verbreitet sich über Europa (KNIGGE, G. MÜLLER, LAFONTAINE, LANGBEIN), ähnlich WIELANDS *Abderiten* und die →Münchhauseniaden. Die K. der Klassik greift zurück auf die antike Komödie, bes. des ARISTOPHANES, erreicht jedoch selten originale Wirkungen (*Wallensteins Lager* im Gefolge von ABRAHAM A SANCTA CLARA, während die K. des Mephistopheles im *Faust* an Ironie und Tragikomödie grenzt). Bürgerliche K. entwickelt sich im 19. Jh. im Lustspiel der IFFLAND und KOTZEBUE, später BENEDIX und L'ARRONGE wie in epischer Großform bei JEAN PAUL als Welt der schrulligen Käuze und Sonderlinge. Die Romantik pflegt die phantastisch-ausgelassene Grotesk-K. (TIECK, BRENTANO, KLEIST), die über E. A. POE in der Neuromantik wieder aufgenommen wird und in MORGENSTERN gipfelt; der Realismus lenkt seit IMMERMANN und GRABBE wie der fast idyllischen K. des Biedermeier (MÖRIKE, CASTELLI, STELZHAMER, GRILLPARZER) in e. behäbigen Humor ein: KELLER, RAABE, ANZENGRUBER, FREYTAG, ROSEGGER, REUTER, O. LUDWIG, DICKENS bis zur liebenswürdigen K. der Heimatkunst (P. KELLER, FEDERER, GREINZ, SCHÖNHERR). K. wiederum erscheint bei W. BUSCH. Die Satire dagegen blüht im Jungen Dtl., in den Komödien des Naturalismus (HAUPTMANNS *Biberpelz* u. a., THOMA) und des Expressionismus (WEDEKIND, STERNHEIM, G. KAISER). – Um die theoretische Bestimmung der K. von der philosophischen Seite oder des Lachens von der psychologischen Seite bemühten sich u. a.: KANT, JEAN PAUL, SCHOPENHAUER, F. Th. VISCHER, VOLKELT, LIPPS, BERGSON, FREUD.

K. Flögel, Gesch. d. kom. Lit., IV 1784–87, n. 1968; ders., Gesch. d. Grotesk-Komischen, 1788, 1914; ders., Gesch. d. Burlesken, hg. v. Smith 1794; F. W. Ebeling, Gesch. d. kom. Lit. i. Dtl., III 1865–69, n. 1968; O. Speyer, Üb. d. Komische, 1877; G. Meredith, *On Comedy and the Uses of comic spirit,* 1877; A. W. Bohtz, Üb. d. Komische u. d. Komödie, 1884; K. Überhorst, D. Komische, 1896–1900; J. Ziegler, D. Komische, 1900; F. Jahn, D. Problem d. Komischen, 1904; H. Bergson, D. Lachen, 1914; R. Roetschi, D. ästhet. Wert d. Komischen u. d. Wesen d. Humors, 1915; H. Sommerfeld, Versuch e. Theorie d. Komischen, Diss. Lpz. 1917; W. Süß, D. Problem d. Komischen i. Altert. (Neue Jahrb. f. d. klass. Altert. 23, 1920); E. Roellenbeck, Beitr. z. Theorie d. Komischen, Diss. Köln 1922; Th. Lipps, K. u. Humor, [2]1922; Ch. Janentzky, Üb. Tragik, K. u. Humor (Jhrb. d. Freien dt. Hochstifts, 1936 bis 1940); P. Hofmann, D. Komische (Zs. f. Ästh. 9, 1940); C. Saulnier, *Le sens du comique,* 1941; H. Meyer, D. Typ d. Sonderlings i. d. dt. Lit., Diss. Amsterdam 1943; O. Rommel, D. wiss. Bemühgen, um d. Analyse d. Komischen, DVJ 21, 1944; R. Müller-Freienfels, D. Lachen u. d. Lächeln, 1948; F. G. Jünger, Üb. d. Komische, [3]1948; C. P. Magill, *The comic muse in Germany* (*Philological Quarterly* 31, 1949); RL; H. Pleßner, Lachen u. Weinen, [2]1950; M. T. Herrick, *Comic Theory in the 16th cent.,* Urbana 1950; A. Plebe, *La teoria del comico,* Turin 1952; D. Joannu, Ontologie d. K., 1959; J. Borew, Üb. d. Komische, 1960; W. Hirsch, D. Wesen d. Komischen, Amsterd. 1960; S. M. Tave, *The Amiable Humorist,* Chicago 1960; M. C. Swabey, *Comic Laughter,* New Haven 1961; H. Fromm, K. u. Humor i. d. Dichtg. d. dt. MA., DVJ 36, 1962; T. Vater, D. Komische u. d. Humor (Deutschunterr. 14, 1962); M. Ramondt, Stud. üb. d. Lachen, Groningen 1962; G. Müller, Theorie d. K., 1964; B. N. Schilling, *The comic spirit,* Detroit 1965; F. Forster, Stud. z. Wesen v. K., Tragik u. Humor, 1968; B. Schoeller, Gelächter u. Spannung, 1971; P. Haberland, *The development of comic theory in Germany,* 1972; L. Thomas, *The comic spirit in 19th cent. German Lit.,* Hull 1972; P. Jung, Strukturtypen d. K. (Deutschunterr. 25, 1973); R. A. Müller, K. u. Satire, 1973; P. C. Giese, Das Gesellschaftlich-Komische, 1974; J. Suchomski, Delectatio u. utilitas, 1975; Wesen u. Formen d. Komischen i. Drama, hg. R. Grimm 1975; Das Komische, hg. W. Preisendanz u. a. 1976. →Humor.

Komische Alte, Rollenfach auf dem Theater.

H. G. Oeri, D. Typ d. k. A. i. d. griech. Komödie, 1948.

Komische Oper →Oper

Komische Person, internationale Theaterfigur zur Belustigung der Zuschauer, ihrer Einbeziehung und Verbindung – durch direkte Anrede – mit dem Bühnengeschehen; urspr. weniger durch Charakter- oder Situationskomik als durch eingestreute Stegreifscherze (Verrenkungen, Posen, Witze). Als Liebling des breiten Publikums heißt er gern nach dem Lieblingsgericht der Masse: →Hanswurst, →Pickelhering, → Jean Potage, Hans Stockfisch, Jack Pudding, Maccaroni u. ä. – Die antike Komödie (ARISTOPHANES, PLAUTUS, TERENZ) wie der →Mimus bilden feste Typen, meist Sklavenrollen heraus. Erste dt. k. P. ist der Salbenkrämer-Gehilfe Rubin im ma. Passionsspiel und der geprellte Teufel im geistlichen Drama, wohl unter Einfluß von Gauklerdarbietungen entstanden. Das Überhandnehmen seiner Rolle führt zur Entfernung des geistlichen Dramas aus der Kirche. Die Fastnachtsspiele des 15./16. Jh. entwickeln den derben und geilen Bauerntölpel zur stehenden k. P. (H. SACHS); die Wanderbühnen des 16./17. Jh. führen mit dem Berufsschauspieler stereotype k. P.en in ganz Europa ein: →Gracioso, Arlecchino, Dottore, Truffaldino u. ä. landschaftlich bestimmte Typen der →Commedia dell'arte,

→Pickelhering der Englischen Komödianten, der von den Italienern übernommene →Harlekin der franz. Bühne u. a. Figuren beeinflussen die Entstehung der dt. Narrentypen des Barockdramas und um 1700 die von STRANITZKY geschaffene →Hanswurst-Figur der Wiener Bühne, e. Salzburger Bauerntyp, der unter RAIMUND, NESTROY und ANZENGRUBER mit vielerlei Namen und wandelbarer Gestalt bis ins 19. Jh. hinein fortleben sollte. Seit Auflösung des streng tragischen Stils dagegen hatte die k. P. als Verkörperung des gesunden Menschenverstandes auch in die Tragödie Eingang gefunden. SHAKESPEARE benutzt die Narrenfigur noch als Ersatz des antiken Chors, in den Haupt- und Staatsaktionen dagegen verflacht ihre Ironie die ernste Höhe der tragischen Darstellung zum platten Theaterspiel und sprengt die Wirkung des Tragischen. Unter Einfluß GOTTSCHEDS, der in seinem Bemühen um Hebung und Besserung der dt. Bühne die k. P. schroff ablehnt, erfolgte daher 1737 die feierliche Verbannung der k. P. von der Bühne in e. allegorischen Spiel der NEUBERIN in Leipzig, die freilich nur in Nord- und Mitteldtl. Nachfolge fand. LESSING, MÖSER und auch der junge GOETHE nahmen dagegen Stellung und erkannten den Wert des in der k. P. verkörperten Volkswitzes. Sie erhielt sich – häufig unter anderen Namen wie Harlekin, Staberl, Thaddädl u. ä. – auf der südd t., bes. österr. Bühne, ging im 19. Jh. vom improvisierten Typus zur komischen Charakterrolle – meist in bürgerlichem Beruf – über und lebt als Kasperl, Hanswurst, Bajazzo u. ä. im Volksschauspiel, als Typ in der komischen Oper (MOZART, ROSSINI, R. STRAUSS, *Ariadne*, WOLF-FERRARI) und unabhängig von der Bühne im Zirkusclown weiter.

G. Reuling, D. k. Figur i. d. wichtigst. dt. Dramen bis z. Ende d. 17. Jh., 1890; X. Flock, Hanswurst u. seine Erben, 1892; F. v. Radler, D. Wiener Hanswurst, 1894; E. Eckhard, D. lustige P. i. d. älteren engl. Dramen, 1902; O. Driesen, D. Urspr. d. Harlekin, 1904; C. Beaumont, *The Hist. of Harlequin*, Lond. 1926; W. Gottschalk, D. humorist. Gestalt i. d. frz. Lit., 1928; W. Meyer, Wesen u. Werden d. Wiener Hanswurst, Diss. Lpz. 1932; H. M. Flasdieck, Harlekin (Anglia 61), 1937; L. Sainéan, *La Mesnie Hellequin*, Paris 1939; H. Hohenemser, Pulcinella, Harlekin, Hanswurst, 1940; W. Krogmann, Harlekins Herkunft (Volkstum u. Kultur d. Romanen 13, 1940); G. Obzyna, D. Nachkommen d. lust. Pers. i. österr. Dr. d. 19. Jh., Diss. Wien 1941; O. Rommel, D. gr. Figuren d. Wiener Volkskomödie, 1946; ders., Harlekin, Hanswurst u. Truffaldino, 1950; Th. Nikolaus, *Harlequin*, N. Y. 1957; S. Melchinger, Harlekin, 1959; A. Nicoll, *The World of Harlequin*, Cambr. 1963; H. Steinmetz, D. Harlekin, 1965 u. (Neophil. 50, 1966); W. Zitzenbacher, Hanswurst u. d. Feenwelt, 1965; E. Catholy, Kom. Figur u. dramat. Wirklichkeit (Fs. H. de Boor, 1966); W. Promies, D. Bürger u. d. Narr, 1967.

Komisches Epos erzielt komische Kontrastwirkung durch Behandlung e. verhältnismäßig geringfügigen Gegenstandes oder e. unbedeutenden Persönlichkeit in der feierlich-erhabenen, formelhaften Kunstform des großen Epos, parodiert somit wechselseitig Form und Inhalt und dient allg. der Erheiterung. Die Anfänge sind Parodien des Heldenepos: der *Ilias* in der HOMER zugeschriebenen *Batrachomyomachia* (= Froschmäusekrieg) und der höfischen Epen in WITTENWEILERS *Ring* (Bauernhochzeit mit Turnierkämpfen). E. feste Tradition des k. E. entsteht erst mit dem Selbstgefühl der Renaissance, zuerst in Italien, nach Ansätzen schon in ARIOSTS *Orlando furioso* 1516 ff., bes. in TASSONIS *La secchia rapita* (*Der geraubte Eimer*, 1614) um e. mißglückte Belagerung. In Frankreich folgt BOILEAUS *Le Lutrin* (*Das Chorpult*, 1764), Kampf der Prälaten um e. Chorpult, im Anschluß daran in

England POPES *The Rape of the Lock* (*Der Lockenraub*, 1712). Beide finden in den dt. ›scherzhaften Heldengedichten‹ des 18. Jh., meist wohl naiver und mit Parodie der antiken Mythologie, weite Nachahmung: ZACHARIÄS *Renommiste* 1744 und sechs andere k. E., DUSCH, UZ, bes. geglückt THÜMMELS *Wilhelmine* in Prosa, als Meisterstück des rokokohaften k. E. auch ins Franz., Ital., Russ., Holländ. übersetzt. Auf die Blütezeit des k. E. in Europa 1760–70 folgte e. rascher Ausklang, Übergang entweder in Parodie und Travestie wie BLUMAUERS *Aeneis* und KORTUMS *Jobsiade* oder in echten Humor wie WIELANDS komische Erzählungen und IMMERMANNS *Tulifäntchen* und seit dem 19. Jh. in humoristischen Roman, seltener Novelle oder Erzählung; kaum jedoch erreicht er die Komik der *Jobsiade*, am meisten noch bei W. BUSCH, dessen k. E. durch seine enge Verbindung mit dem Bild eher e. neue Form begründet. In die kom. Prosaepik des 19. u. 20. Jh. (JEAN PAUL, G. KELLER, W. RAABE, F. REUTER, K. KLUGE) mündet auch die von den Volksbüchern *(Eulenspiegel, Lalebuch)* über REUTERS *Schelmuffsky* und WIELANDS *Abderiten* führende Entwicklung ein.

H. Kind, D. Rokoko u. seine Grenzen i. dt. k. E., Diss. Halle 1945; K. Schmidt, Vorstudien z. e. Gesch. d. k. E., 1953; RL; L. Beeken, D. Prinzip d. Desillusionierung i. k. E. d. 18. Jh., Diss. Hbg. 1954; U. Broich, Stud. z. kom. Epos, 1968.

Komma (griech. = abgehauenes Stück, ›Abschnitt‹), kleinere rhythmische Unterteilung der Periode, Sprechtakt aus einem oder mehreren Worten, rd. 2–6 Silben, doch im Ggs. zum →Kolon ohne selbständige Sinneinheit – die Grenzen fließen; meist bilden mehrere K.ta e. Kolon.

Kommentar (lat. *commentarius* = Notizen, Tagebuch, Denkschrift), in röm. Lit. entsprechend den griech. →Hypomnemata: 1. Chroniken und Memoiren als Rohmaterial für e. spätere Geschichtsschreibung wie die K.e CAESARS über den gallischen und den Bürgerkrieg; 2. fortlaufende sprachliche (grammatische, stilistische) und sachliche Erläuterung e. Textes in Anmerkungen oder gesondertem Anhang, so bes. der CICERO-K. des AUSONIUS aus dem 1. Jh. n. Chr., nunmehr zahlreiche moderne K.e.

Probleme d. Kommentierg., hg. W. Frühwald 1975.

Kommersbuch (lat. *commercium* = Verkehr), Slg. der bei den Kommersen u. a. geselligen Zusammenkünften gesungenen →Studentenlieder; älteste von KINDLEBEN in Halle 1781 (›Gaudeamus igitur‹ u. a. Kneip- und Liebeslieder, oft mit Kehrreim), NIEMANN in Kiel 1782; erstes mit dem Titel ›K.‹ in Heidelberg 1810; bes. Blüte in der Zeit des Biedermeier als Ausgleich für die politische Ausschaltung (Verbot der Burschenschaften), auch patriotische (Freiheitskriege) und Gesellschaftslieder, u. a. von HÖLTY, LESSING, BÜRGER, CLAUDIUS, GOETHE, SCHILLER, NOVALIS, KERNER, ARNDT, KÖRNER, RÜCKERT: G. SCHWABS K. *Germania* 1815; weiteste Verbreitung und zahlreiche Ausgaben fand das *Lahrer K.* von 1843 mit rd. 900 Liedern, unter Patronanz von ARNDT hg. von SILCHER und ERK, mit Liedern von W. MÜLLER, HOFFMANN V. FALLERSLEBEN, HEINE, GEIBEL, SCHEFFEL u. a.; für kath. Verbindungen das *Dt. K.*, ab 7. Auflage seit 1896 durch REISERT textkritisch bearbeitet; mit Musikbearbeitung M. FRIEDLÄNDERS *K.*

Kommissionsbuchhandel → Buchhandel

Kommissionsverlag, ein →Verlag, der Vertrieb und evtl. Herstellung e. Druckwerks nur im Auftrag und auf Rechnung e. Dritten, meist des Verfassers, übernimmt, am finanziellen Risiko also nicht und am Umsatz durch e. vertraglich fixierten Anteil für Werbung, Lager und Versand beteiligt ist.

Kommos (von griech. *koptein* = schlagen), von leidenschaftlichen Gebärden (Schlagen des Hauptes und der Brust) begleitete rituelle Totenklage der alten Griechen, in die attische Tragödie eingegangen als Toten-Wechselklage zwischen Chor oder Chorteilen und Schauspieler(n).

Komödianten, →Englische und →Holländische Komödianten

Komödie (griech. *komos* = Umzug beim Zechgelage, *ode* = Gesang), komisches Bühnenstück als dramatische Gestaltung e. oft nur scheinbaren Konflikts (→Komik), der nach Entlarvung der Scheinwerte und Unzulänglichkeiten des Menschenlebens mit heiterer Überlegenheit über menschliche Schwächen gelöst wird; damit im Ggs. zu Tragödie und ernstem Schauspiel. Nach den der Wirkung zugrunde liegenden Elementen unterscheidet man Situations-K. (z. B. KLEISTS *Zerbrochener Krug*, häufig in Nähe zum Schwank) und →Charakter-K. (MOLIÈRE), nach der herrschenden Grundstimmung zerfallen diese wiederum in ironische und satirische K.n oder das mehr übermütig-humorige →Lustspiel. Es ergeben sich daher: satirische Situations-K.: Selbstbehauptung und innerlicher Triumph des vernünftigen, von der törichten Welt verlachten Menschen über seine Spötter (MOLIÈRES *Misanthrop*); ironische Situations-K.: Selbstauflösung e. ad absurdum geführten Konflikts oder e. Verwicklung in e. für den Helden glücklichen Ausgang (SHAKESPEARES *Comedy of Errors*; LESSINGS *Minna von Barnhelm*); satirische Charakter-K.: Bloßstellung und Preisgabe des Toren an die Lächerlichkeit; ironische Charakter-K.: Bekehrung des Toren durch die Wirkung seiner Torheit (SHAKESPEARE, *The Taming of the Shrew*). – Die griech. K. ging hervor aus spöttischen Gesängen der Phallosprozessionen und entwickelte sich bes. bei den dorischen Megarern zu fester Form; sizilische Vorstufen in lit. Prägung sind die mimischen Possenspiele des EPICHARMOS um 500 v. Chr. und die →Mimoi des SOPHRON. Die Blüte der attischen K. begann erst mit ihrer Einführung in die →Dionysien als Wettkampf von fünf K.n und Ausstattung mit e. Chor (486 v. Chr.) ähnlich der Tragödie. Als Teil der Dionysien will sie Lachlust, Heiterkeit erregen und Mißstände der Zeit verhöhnen. Hauptvertreter dieser sog. alten K. sind KRATINOS, KRATES, EUPOLIS u. bes. ARISTOPHANES von dem 11 K.n erhalten sind. Nach anfänglich persönlichem Spott wendet sich die Komödie späterhin der schonungslosen Kritik und Satire öffentlicher, politischer wie lit. Verhältnisse zu, oft in ausgelassener Groteske und phantastischer Karikatur. Ihr Aufbau ist ähnlich der Tragödie mit Prolog, Parodos und Agon, nur daß sich vor die Akte (Epeisodia) die →Parabase einfügt, in der sich der Chor im Namen des Dichters ans Publikum wendet. Das Ende der Demokratie um 400 brachte neue Formen: allg. Verarmung ließ den wesenlos gewordenen Chor meist entfallen, die Schauspielerrollen wurden weiter ausgebaut, aktuelle Anspielungen auf politische Personen mußten aufgegeben werden; die K. wandelte sich zur Parodie von Tragödien- und Mythenstoffen oder zur Typensatire (Hetären, Parasiten, Renommisten, Philosophen). Hauptvertreter waren ALEXIS und ANTIPHANES. Um 336 beginnt die sog. neue K., Nea, die Stoffe aus dem Alltagsleben des Stadtbürgers aufnahm und in typischen Gestalten verkörperte (schlauer Sklave, Bauerntölpel, geiziger Vater, leichtsinnige Söhne, Adelsstolze, Parvenü). Glückliches Ende und Zusammenfinden der Geliebten nach langer Trennung und gefährlicher Verwicklung bildet den stehenden Rahmen, Züge wie →Anagnorisis u.ä. werden aus der Tragödie bes. des EURIPIDES entliehen. PHILEMON, MENANDER und DIPHILOS sind Hauptvertreter. Die Stoffe und Typen der jüngeren attischen K. lebten seit 240 v. Chr. in der röm. K. (→Palliata) des PLAUTUS und TERENZ fort und haben sich in vielen Variationen über die Jahrtausende erhalten. Röm. Vorstufen waren in Unteritalien im 4./3. Jh. die unlit. →Phlyakenposse, →Mimus und →Atellane; letztere beide erst ab 1. Jh. v. Chr. und bes. in der Kaiserzeit bei der Unterschicht beliebt, daneben durch AFRANIUS ausgebildet die →Togata. Die röm. K. kennt keinen Chor, nur Flötenmusik für Zwischenakte, dagegen zahlreiche gesungene Einlagen: →Cantica. – Die ital. Renaissance nimmt die Formen von PLAUTUS und TERENZ in Übersetzung, Bearbeitung und Nachahmung wieder auf (MACHIAVELLI, BIBBIENA, ARIOST, GELLI, CECCHI, ARETINO). Daneben läuft seit dem 15. und bes. im 16. Jh. die aus dem Mimus über Farce und Fastnachtsspiel entwickelte Volks- und Typen-K. in Dialekt (RUZZANTE, CALMO, GIANCARLI), die in Anlehnung an die Atellane im 16./17. Jh. zur →Commedia dell'arte fortschreitet und sich auch über Frankreich und das übrige Europa verbreitet, im 18. Jh. durch GOLDONI vom Stegreif zu lit. Form erhoben wird und über GOZZI bis in die Moderne reicht, wo PIRANDELLO im 20. Jh. neue Formen entwickelt. – Die franz. K. geht von der Farce zur Nachahmung der Italiener (LARIVEY) und Spanier (CORNEILLES *Menteur*) über und schafft damit die Charakter-K. MOLIÈRES, die von der franz. Klassik aus für ganz Europa Vorbild wird (REGNARD; in Dänemark HOLBERG). Im 18. Jh. entstehen gleichzeitig neue Formen bei LESAGE, MARIVAUX, GRESSET und PIRON, bes. die Salon- und Intrigen-K. der BEAUMARCHAIS und SCRIBE, die soziale K. der LABICHE, AUGIER und DUMAS Fils und die moderne Gesellschaftskritik bei PAILLERON und SARDOU, die in der Gegenwart bei COURTELINE, JARRY, FEYDEAU, J. ROMAINS und ANOUILH herrscht. – Die engl. K. steigt von der PLAUTUS- und TERENZ-Nachahmung zu den K.n und Tragik.n SHAKESPEARES und Ben JONSONS an, nimmt im 17. Jh. unter franz. Einfluß die Wendung zum witzigen Dialog, in der Aufklärung zum Tugendideal (DRYDEN, STEELE, CIBBER und die Empfindsamkeit: GOLDSMITH, SHERIDAN) und führt schließlich über die →Comedy of Manners (ETHEREDGE, WYCHERLEY, CONGREVE, FARQUHAR, VANBRUGH) unter Einfluß der franz. K. und KOTZEBUES zum Konversationsstück (S. MAUGHAM, O. WILDE, G. B. SHAW). Die span. K. erreicht ihre Blütezeit unter LOPE DE VEGA, CALDERÓN, TIRSO DE MOLINA und MORETO. Die K. der slaw. Völker entsteht erst um Mitte des 18. Jh.: in Rußland SUMAROKOV, KATHARINA II., FONVIZIN, KNJAŽNIN, KAPNIST, GRIBOEDOV, GOGOL, OSTROVSKIJ, PISEMSKIJ, KATAEV, ŠVARC; in Polen A. FREDRO, LUBOWSKI, NARZYMSKI, BALUCKI, K. ZALEWSKI, SWIETOCHOWSKI, BLIZINSKI u. a.;

bei den Tschechen Klicpera, Tyl, Jeřábek, Bozděch, in Ungarn F. Molnar, in Rumänien Caragiale u. a. – Die dt. K. kommt infolge Fehlens e. festen Gesellschaftsordnung und -kultur (deren Kritik die K. bildet) bis ins 19. Jh. nicht zu voller Entfaltung; die Versuche der Hrotsvith von Gandersheim und die humanistische K. (Reuchlin, Wimpfeling) bleiben unoriginell und nachfolgelos; das Fastnachtsspiel endet in den Wirren der Reformation und des 30jährigen Krieges; im 17. Jh. ragt allein Gryphius hervor; der Klassizismus des 18. Jh. begnügt sich mit Nachahmung der ital., franz. und dän. Vorbilder bei der Gottschedin, Weisse, Gellert, J. E. Schlegel und dem jungen Lessing wie dem →weinerlichen Lustspiel. Auch nach der bahnbrechenden Höhe von Lessings *Minna von Barnhelm* gleitet die K. bei Kotzebue u. a. wieder zum bühnenwirksamen, doch platten Lustspiel ab. Die Klassik findet nicht zur K.; die Romantik verfehlt durch Nichtachtung der Formgesetze die dramatische Wirkung, und Platens K.n bleiben Literatursatiren. Die wichtigsten K.n des 19. Jh. sind Kleists *Zerbrochener Krug,* Tiecks Märchen-K.n, Büchners *Leonce und Lena,* Grabbes *Scherz, Satire, Ironie,* Grillparzers *Weh dem, der lügt,* Gutzkows und Laubes historisch-zeitkritische K.n, die Konversationsstücke der Bauernfeld und Benedix, Freytags *Journalisten,* Anzengrubers Dorf-K.n, Raimunds →Zauberpossen, Nestroys Volks-K.n u. a. Im Naturalismus gelingt G. Hauptmann im *Biberpelz* und *Kollege Crampton* e. neue Höhe; im Impressionismus Wedekind, Schnitzler und Hofmannsthal, im Expressionismus kommen Sternheim, Kaiser, Toller und Hasenclever zu grotesk-satirischen Formen, ferner H. Bahr, Schönherr, C. Götz, H. J. Rehfisch, P. Kornfeld, F. Werfel, C. Zuckmayer, schließlich mit Groteskformen der K. W. Hildesheimer, M. Frisch und F. Dürrenmatt. – Die Theorie der K. ist weniger umstritten als die der Tragödie (→Komik). Platon im *Symposion* hält es für die Sache desselben Dichters, Tragödien und Komödien zu schreiben. Von der Renaissance bis zum Aufkommen des →bürgerlichen Trauerspiels dagegen gilt für beide Formen die →Ständeklausel unter umstrittener Berufung auf Aristoteles und Horaz.

J. Mähly, Wesen u. Gesch. d. Lustspiels, 1862; J. Denis, *La c. greque,* II 1886; F. Bettingen, Wesen u. Entw. d. kom. Dramas, 1891; W. Harlan, Schule des Lustsp., 1903; K. Hille, D. dt. K. unter d. Einwirkung d. Aristophanes, 1907; K. Holl, Gesch. d. Lustspiel-Theorie v. Aristot. bis Gottsched, 1910; M. Pulver, Romant. Ironie u. romant. K., 1912; A. Körte, D. griech. K., 1914; H. Prutz, Z. Gesch. d. polit. K. i. Dtl., 1919; F. Bouquet, D. Problem d. echten K., Diss. Freibg. 1921; K. Holl, Gesch. d. dt. Lustspiels, 1923; W. Plehnt, Erscheinungsformen d. Komischen i. dt. Lustspiel, Diss. Kiel 1924; E. Beutler, Forschgn. u. Texte z. frühhumanist. K., 1927; A. Pickard-Cambridge, *Dithyramb, Tragedy, C.,* Lond. 1927; M. Beare, D. Theorie d. K. v. Gottsched bis Jean Paul, 1928; F. W. Bateson, *Engl. Comic Drama,* 1929; P. Malthan, D. Junge Dtl. u. d. Lustspiel, 1930; RL: Lustspiel; G. Norwood, *Greek C.,* N. Y. [2]1963; W. Bardeli, Theorie d. Lustsp. i. 19. Jh., 1935; E. Winkler, Z. Gesch. d. Begriffs comédie i. Frankr., 1937; F. Güttinger, D. romant. K. u. d. dt. Lustspiel, 1939; H. T. E. Perry, *Masters of Dramatic Comedy and their Social Themes,* 1939; J. Feibleman, *In Praise of Comedy,* Lond. 1939; B. Aitkin-Sneath, *The Comedy in Germany,* 1940; O. Rommel, Komik u. Lustsp.-Theorie, DVJ, 1943; A. Seyler u. S. Haggard, *The Craft of Comedy,* 1943; H. Herter, V. dionys. Tanz z. kom. Spiel, 1947; M. Pohlenz, D. Entstehg. d. att. K., 1949; L. J. Potts, *Comedy,* Lond. 1949; H. Mahler, D. Tragische i. d. K., Diss. Mchn. 1950; O. Rommel, D. Altwien. Volks-K., 1952; H. Kindermann, Meister d. K., 1952; G. E. Duckworth, *The Nature of Roman C.,* Princeton 1952; T. B. L. Webster, *Stud. in later Greek Comedy,* 1953;

W. K. Wimsatt, *Engl. stage c.*, 1955; H. Wetzel, D. empfindsame Lustsp. d. Frühaufklärg., Diss. Mchn. 1956; W. Sypher, *Comedy*, 1956; P. Yershov, *C. in the Soviet theatre*, Lond. 1957; H. Friederici, D. dt. bürgerl. Lustsp. d. Frühaufklärg., 1957; K. Lever, *The art of Greek comedy, Lond. 1957;* N. N. Holland, *The first modern comedies*, Cambr./Mass. 1959; H. Hartmann, D. Entw. d. dt. Lustspiels v. Gryphius bis Weise, Diss. Potsd. 1960; J. Loftis, *Comedy and society from Congreve to Fielding*, Stanford 1960; M. T. Herrick, *Italian Comedy in the renaissance*, Urbana 1960; T. H. Fujimura, *The restoration comedy of wit*, Princeton 1960; J. W. Krutch, *Comedy and conscience after the restoration*, N. Y. 1961; F. M. Cornford, *The origin of Attic comedy*, N. Y. 1961; J. L. Styan, *The dark comedy*, Cambr./Mass. 1962; G. Kluge, Spiel u. Witz i. romant. Lustsp., Diss. Köln 1963; K. Bräutigam, Europ. K.n. 1964; P. Voltz, *La comédie*, 1964; W. Hinck, D. dt. Lustsp. d. 17. u. 18. Jh. u. d. ital. K., 1965; *Comedy*, hg. R. W. Corrigan, San Francisco 1965; B. Gibbons, *Jacobean city comedy*, Lond 1967; G. Wicke, D. Struktur d. dt. Lustsp. d. Aufklärg., ²1968; E. Catholy, D. dt. Lustsp. v. MA. bis z. Ende d. Barockzt., 1968; H. Arntzen, D. ernste K., 1968; H. Prang, Gesch. d. Lustsp., 1968; D. dt. Lustsp., hg H. Steffen II 1968 f.; E. Olson, *The theory of comedy*, Bloomington 1969; I. Donaldson, *The world upside down*, Oxf. 1970; D. Brüggemann, D. sächs. K., 1970; W. G. McCollom, *The divine average*, Cleveland 1971; S. D. Feldman, *The morality-patterned comedy of the renaiss.*, Haag 1971; B. Schoeller, Gelächter u. Spannung, 1971; W. M. Merchant, *Comedy*, Lond. 1972; R. Urbach, D. Wiener K. u. ihr Publikum, 1973; P. Haida, K. um 1900, 1973; K. u. Gesellschaft, hg. N. Altenhofer 1973; F. Martini, Lustspiele u. das Lustsp., 1974; M. Thalmann, Provokation u. Demonstration i. d. K. d. Romantik, 1974; P. C. Giese, D. Gesellschaftlich-Komische, 1974; H.-J. Knobloch, D. Ende d. Expressionismus, 1975; Wesen u. Formen d. Komischen i. Drama, hg. R. Grimm 1975; D. dt. K. i. 20. Jh., hg. W. Paulsen 1976; D. dt. K., hg. W. Hinck 1977; H. Steinmetz, D. K. d. Aufklärung, ³1978; H. J. Schrimpf, K. u. Lustsp. (Zs. f. dt. Philol. 97, 1978, Sonderh.).

Komödienroman, Sonderform des →galanten Romans im Frührokoko als Ergebnis der Erotisierung des →heroisch-galanten Romans mit komödienhaften Stoffen. Verkörpert in HUNOLDS *Die liebenswürdige Adalie* (1702), am reinsten in MELISSUS, *Des glückseligen Ritters Adelphico Lebens- und Glücksfälle* (1715), ausklingend mit J. G. SCHNABELS *Der im Irrgarten der Liebe herumtaumelnde Cavalier* (1738).

H. Singer, D. galante Roman, 1961; ders., D. dt. Roman zwischen Barock u. Rokoko, 1963.

Komparatistik →vergleichende Literaturwissenschaft

Komparse (ital. *comparsa* = Erscheinen), Statist, stumme Person auf der Bühne und im Film; deren Gesamtheit, Auftreten und Anordnung in Massenszenen heißt Komparserie.

Kompendium (lat. = Ersparnis), Handbuch, kurzer, zusammenfassender Abriß e. Wissenschaft mit Beschränkung auf allg. Tatsachen, Daten u. ä., meist für Nachschlagezwecke.

Kompilation (lat. *compilare* = zusammenplündern), das Zusammentragen unverarbeiteter und geistig nicht durchdrungener Materialien aus anderen Schriften zu bloßer Stoffslg., auch das derart entstandene lit. Produkt, oft ohne geistigen Eigenwert.

Komplimentierbuch (franz.), im Barock beliebte Slg. von höfisch-gesellschaftlichen Redensarten und Briefwendungen aus Romanen u. ä. zur Wiederverwendung, von A. BOHSE, Chr. WEISE u. a.

B. Zaehle, Knigges Umgang mit Menschen u. s. Vorläufer, 1933; RL.

Komposition (lat. *compositio* = Zusammensetzung), ältere Bz. für den formalen →Aufbau e. Sprachkunstwerks als Zuordnung der Einzelteile nach gewissen Ordnungsprinzipien wie Einheitlichkeit, Gegensatz, Steigerung. Das Wort erweckt die falsche Vorstellung vom dichterischen Schaffensprozeß als e. verstandesmäßig-mechanischen Zusammensetzung der einzelnen Bestandteile (Form und Inhalt), gegen die sich schon GOETHE (zu ECKERMANN 20.6.1831) wendet und die Dichtung als organisch gewachsenes schöpferisches und unzerlegbares Ganzes erkennt. PLATON (*Phaidros* 47) hatte in der Gliederung des Ganzen und der Verhältnisbeziehung der Einzelteile e. Kunstprinzip erkannt. In diesem Sinne bezeichnet ›äußere K.‹ den architektonischen Aufbau: Gliederung in Akte, Kapitel, Strophen, Gesänge usw., der in untrennbarer Einheit und ständiger Wechselbeziehung zur ›inneren K.‹ steht und zu deren Erhellung beiträgt, im Ggs. zu der meist unbewußt in der Konzeption eingeschlossenen inneren K. vom Kunstverstand vorgenommen wird und weniger für den Schöpfer selbst als für die wissenschaftliche Beschäftigung mit der Schöpfung aufschlußreich ist.

B. Seuffert, Beobachtg. üb. dichter. K., GRM 1 u. 3, 1909 u. 1911; O. Walzel, D. künstler. Form d. Dichtwerks, 1916; ders., Wechselseitige Erhellung der Künste, 1917; ders., Gehalt und Gestalt, 1923; RL[1]; B. A. Uspenskij, Poetik d. K., 1975.

Konfiguration (lat.), die Anordnung, das wechselseitige Aufeinanderbezogensein der Einzelteile, etwa der Figuren und ihrer Konflikte im Drama als dichter. Struktur.

K. K. Polheim, D. dramat. K. (Beitr. z. Poetik d. Dramas, hg. W. Keller 1976).

Konflikt (lat. *conflictus* = Zusammenstoß), der äußere Kampf, Streit, meist jedoch innerer Widerstreit gegensätzlicher Werthaltungen und Kräfte: Pflicht und Neigung, Wille und Aufgabe, auch zwei verschiedene Pflichten oder zwei verschiedene Neigungen; bildet den Angelpunkt jedes →Dramas, Zeugnis e. als dualistisch aufgefaßten Welt, und endet als tragischer K. mit dem Untergang oder Scheitern des Helden (ähnl. Liebe und Auftrag in SCHILLERS *Jungfrau von Orleans*), in Komödie und ernstem Schauspiel mit der Lösung der Spannungen (z.B. Liebe und Ehre in LESSINGS *Minna von Barnhelm*).

G. Stolpmann, Wesen u. Funktion d. K. (Dt. Zs. f. Philos. 12, 1964); H. Marnette, Z. Problem d. lit. K. (Wiss. Zs. d. Päd. Hochsch. Potsdam 9, 1965).

Konjektaneen (lat. *coniectanea* =) Slg. von Einzelbemerkungen.

Konjektur (lat. *coniectura* = Vermutung), in der →Textkritik e. auf bloße Annahme des Herausgebers gegen den Befund der Überlieferung gegründeter Vorschlag zur Berichtigung oder Ergänzung einer Lesart in schlecht überliefertem, lückenhaftem oder verderbtem Text (→Korruptele), die e. bessere Sinnentsprechung versucht.

Konkordanz (lat. *concordare* = übereinstimmen, in Einklang stehen), alphabetische Zusammenstellung aller in e. Schriftwerk oder bei e. Schriftsteller vorkommenden Wörter und Ausdrücke (Verbal-K.) oder Gedanken (Real-K.) mit Stellenbeleg, dient dem Überblick über Wortgebrauch, Ideen- und Begriffsgehalt des Werkes und der Auffindung von Zitaten; häufig schon seit dem MA. für die *Bibel* (u.a. *Calwer K.* nach LUTHERS Übersetzung [2]1905), später für den *Koran* und die Werke großer Dichter: DANTE-K., CHAUCER-K., SHAKESPEARE-K., GOETHE-K.; ähnlich Lexika zu antiken Schriftstellern.

Konkrete Poesie (v. lat. *concretus* = zusammengewachsen), internationale Strömung der modernen Lyrik, die von den sprachlichen Elementen als konkretem Material ausgeht, sie von ihrer Funktionalität zu erlösen sucht und sie gemäß ihrem Klangcharakter nach rein klanglichen Gesetzen unter Verzicht auf jede Aussage oder Mitteilung neu kombiniert, so daß eine alogische, sinnfreie, optisch-akustisch ornamental wirkende Anordnung entsteht. Ähnliche Bestrebungen in Frankreich (→Lettrismus), USA, Japan, Brasilien (Noigandres-Gruppe), in Dtl. zuerst bei Chr. MORGENSTERN und den Dadaisten (ARP, SCHWITTERS), später etwa H. HEISSENBÜTTELS *Topographien*, F. MON, E. GOMRINGER, G. RÜHM, E. JANDL, O. WIENER, F. MAYRÖCKER, R. DÖHL, K. MARTI, D. ROT. Vgl. →absolute Dichtung.

Sprache i. techn. Zeitalter, H. 15, 1965; P. Garnier, *Spatialisme et poésie conc.*, Paris 1968; *Conc. Poetry*, hg. M. E. Solt, Bloomington 1970; Ch. J. Wagenknecht, K. P. (Berliner Germanistentag, 1970); K. P. Sonderh. (Text u. Kritik 25, 1970 u. 30, 1971); S. J. Schmidt, Ästhet. Prozesse, 1971; R. Döhl, K. Lit. (D. dt. Lit. d. Gegenw., hg. M. Durzak 1971); K. P. hg. E. Gomringer 1972; K. Dichtg., hg. S. J. Schmidt 1972; M. Butler, *Conc. Poetry and the crisis of language* (*New German Stud.* 1, 1973); D. Brüggemann, D. Aporien d. k. P. (Merkur 28, 1974); R. Wiekker, K. P. (Text & Kontext 2, 1974); Theoret. Positionen zur k. P., hg. T. Kopfermann 1974; H. Hartung, Experimentelle Lit. u. k. P., 1975; G. Henniger, Reduktion (Spr. i. techn. Zeitalter 53, 1975); D. Kessler, Unters. z. konk. Dichtg., 1976; L. Gumpel. *Conc. poetry from East and West Germany*, Yale 1976; M. Wulff, K. P. u. Sprachimmanente Lüge, 1978.

Konstruktivismus, vom →Futurismus ausgehende Gruppe der Sowjetlit. 1924–30, theoretisch begr. von K. L. ZELINSKIJ und vertreten bes. von I. SELVINSKIJ, V. INBER, E. G. BAGRICKIJ und V. A. LUGOVSKOJ; forderte e. zielbewußt ›motivierte Kunst‹ der Arbeiterklasse und die Unterordnung (›Lokalisation‹) aller Formen (Stil, Wortgefüge, Bilder, Rhythmus) unter das Thema, meist die Bewunderung der Technik und der bolschewist. Revolution.

G. Struve, Gesch. d. Sowjetlit., [2]1958.

Kontakion, die Form der frühbyzantinischen gesungenen Hymne theologischen Charakters (Heilige, Feste), bes. bei ROMANOS MELODOS im 6. Jh., bestehend aus einer Anfangsstrophe (Kubuklion, Kukulion), die als Vorlage für alle folgenden 20–30 mehr oder weniger gleichmäßig gebauten Strophen (Oikoi) mit gleichem Refrain dient.

E. Wellesz, *A Hist. of Byzantine Music and Hymnography*, Oxf. 1949.

Kontamination (lat. *contaminare* = beflecken, verschmelzen), 1. in der Grammatik Verschmelzung zweier formal und inhaltlich verwandter Worte, Wendungen, Konstruktionen, die dem wählenden Bewußtsein gleichzeitig erscheinen, zu e. neuen (Misch-)Form: rauschen + rascheln = rauscheln; gehört mir + ist mein = gehört mein; 2. in der Literaturwissenschaft die Verschmelzung, Ineinanderarbeitung von zwei verschiedenen Quellen, Vorbildern, zu e. neuen Werk, wie man sie z. B. für zahlreiche Komödien des PLAUTUS und TERENZ nachgewiesen hat, die mehrere Werke der griech. neuen Komödie (MENANDROS, DIPHILOS, PHILEMON) zu e. neuen Stück zusammenziehen. 3. in der →Textkritik Verschmelzung mehrerer gleichzeitig nebeneinander als Vorlage benutzter Hss. zu e. neuen Text bei der Herstellung e. Abschrift.

G. Jachmann, Begriff u. Wesen d. K. (in: Plautinisches u. Attisches, 1931).

Kontext (lat. *contextus* = Verknüpfung), der Zusammenhang e. Wortes oder Zitats mit seiner Umgebung im Schriftwerk, die erst eindeutig seinen Sinn erschließt.

Kontrafaktur (lat. *contra* = gegen, *factura* = Verfertigung), geistliche Umdichtung e. weltlichen Liedes, seltener umgekehrt, unter Beibehaltung der Melodie, doch Ersetzung der inhaltlich wichtigen Wörter durch entsprechende andere (LUTHER: ›Vom Himmel hoch‹ aus: ›Aus fremden Landen komm ich her‹) bis entgegengesetzte (→Palinodie), so daß die Beziehung nur lokker ist. Älteste K.en sind aus dem 13. Jh. für zwei Lieder WALTHERS bezeugt, später bes. für Volkslieder; höchste Blüte in der Mystik (HEINRICH VON LAUFENBERG u. a.) und weiter bis ins 16., stellenweise 17. Jh. (ZESEN). Da viele frühere Volkslieder nur als K. erhalten sind, ermöglicht diese Rückschlüsse auf deren urspr. Gestalt, Beliebtheit und Verbreitung, daher wertvoll für die Volksliedforschung. Auch polit. Agitationsdichtung bedient sich vielfach d. K. gängiger Lieder.

K. Henning, D. geistl. K. i. Jh. d. Reformation, 1909; L. Berthold, Beitr. z. geistl. K. vor 1500, Diss. Marburg 1920; F. Gennrich, Lat. K. altfranz. Lieder (Zs. f. rom. Phil. 50, 1930); ders., Lied-K. i. mhd. u. ahd. Zt. (Zs f. dt. Altert. 82, 1948, erw. in: D. dt. Minnesang, hg. H. Fromm 1961); ders., D. K. im Liedschaffen d. MA., 1965; RL; H. Jantz, K., Montage, Parodie (Tradition u. Ursprünglichkeit, hg. W. Kohlschmidt 1966); W. Braun, D. evangel. K. (Jb. f. Liturgik u. Hymnologie 11, 1966); H.-H. S. Räckel, Lied-K. i. frühen Minnesang (Probleme ma. Überlieferg. u. Textkritik, hg. P. F. Ganz 1968).

Kontrast (ital. →*contrasto* v. lat. *contra stare* = entgegenstehen), auffallender Gegensatz nebeneinandergelegter Elemente, so K.-Figuren im Drama als Verkörperung extrem gegensätzlicher Ideen, die entweder den →Konflikt herbeiführen (Karl und Franz Moor in SCHILLERS *Räubern*) oder der Hauptfigur stärkeres Profil geben, indem der Ggs. e. Eindruck verstärkt (Weislingen und Götz). Gefahr allzu einseitiger K.e ist die Schwarz-Weiß-Zeichnung.

J. Wiegand, D. Ggs. als Mittel d. Aufbaus i. lyr. Gedicht (Zs. f. Ästhetik 31, 1937).

Kontroverse (lat. *controversia* =) Streit, -frage, bes. wissenschaftliche Auseinandersetzung. Vgl. →Literaturfehden.

Kontur (franz. *contour* = Umrißlinie), die deutliche Abgrenzung, Profilierung der Personen und Eindrükke in der Dichtung.

Konversation (lat. *conversatio* = Verkehr, Umgang), Gespräch, Unterhaltung; K.ssprache = Umgangssprache im Ggs. zur Schrift- und Dichtersprache.

Konversationslexikon, Sonderform der →Enzyklopädie für weitere Benutzerkreise, gibt in alphabetischer Anordnung Aufschluß über alles nach dem Bildungsstand der Zeit Wissenswerte, urspr. alles für e. gebildete Konversation Unerläßliche, dann ausgeweitet auf das Gesamtwissen der Zeit, bearbeitet von e. Stab von Fachleuten, meist mit großem Stichwortreichtum und Literaturangaben; in Dtl. eigtl. erst seit 1808 BROCKHAUS (begr. von R. G. LÖBEL 1795–1811, 6 Bde.), später H. A. PIERER 1822–36, 26 Bde.; J. MEYER 1840–55, 46 Bde. und HERDER 1853 ff. (kath.) mit zahlreichen Neuauflagen.

M. Berger, D. K., 1931; E. H. Lehmann, Gesch. d. K., 1934; B. Wendt, Idee u. Entwicklungsgesch. d. enzyklopäd. Lit., 1941; H. Brockhaus, Aus d. Werkstatt e. großen Lex., 1953; G. Zischka, Index lexicorum, 1959.

Konversationsstück, leichteres Schau- oder Lustspiel aus dem Alltagsleben der höheren Gesellschaft, das weniger Wert legt auf Charakter- und Handlungsentwicklung als auf Wiedergabe e. gepflegten, geistvollen und durch Witz, Charme und Pointen leicht unterhaltenden Dialogs aller Bühnenfiguren: SCRIBE,

SARDOU, DUMAS, BAUERNFELD, WILDE, GUITRY, MOLNAR, C. GOETZ, z.T. auch A. SCHNITZLER und HOFMANNSTHAL.

A. Doppler, D. K. b. Schnitzler u. Hofmannsthal (Sprachthematik i. d. österr. Lit., 1974).

Konvolut (lat. *convolutum* = Zusammengerolltes), Sammelband, mehrere in einem Einband zusammengebundene oder auch nur zusammen verkäufliche Bücher, Schriften usw.

Konzept (lat. *conceptum* = kurz Abgefaßtes, Gedachtes), Entwurf einer Rede oder Schrift.

Konzeption (lat. *conceptio* = Zusammen-, Erfassen), der auf e. meist unbewußtes Vorstadium der ›produktiven Stimmung‹ folgende und für das künstlerische Schaffen entscheidende Augenblick, in dem sich das Kunstwerk plötzlich, oft im Anschluß an e. vorangegangenes →Erlebnis, vor die Phantasie seines bisher passiven Schöpfers stellt; somit das visionäre Anfangsstadium der Dichtung, deren Realisierung wiederum den Übergang von der Passivität der K. zur Aktivität des bewußten Schöpfertums und technische Fähigkeiten hierzu voraussetzt. Vgl. →Intuition.

J. Reicke (Zs. f. Ästhet. 10, 1915); R. Müller-Freienfels, Psychologie d. Kunst, 1923; RL.

Konzeptismus (span. *conceptismo*), der beziehungsreich zugespitzte Stil der →Konzetti, bes. bei GRACIÁN und QUEVEDO.

Konzetti (ital. *concetto* = Einfall, Begriff), geistreich zugespitzte Gedankenspiele, gekünstelte →Wortspiele, witzige, überraschende Einfälle und weithergeholte Bilder und Metaphern in verschnörkelter Redeform, bes. oft durch →Zeugma, finden sich zum Nachteil des einfach-klaren Stils gelegentlich bei zahlreichen Schriftstellern, wurden aber bes. seit der ital. Spätrenaissance (TASSO, MARINI) und bes. im Barock in allen europ. Litt. zum Schmuck der Dichtung (Marinismus, Euphuismus, Gongorismus, Konzeptismus, Schwulst); von SHAKESPEARE in *Love's Labour's Lost* verspottet.

K. M. Lea, *Conceits* (*Mod. Lang. Review* 20, 1925); M. Praz, *Studi sul concettismo*, Florenz 1946; K. K. Ruthven, *The conceit*, Lond. 1969.

Konzinnität (v. lat. *concinnus* = ebenmäßig, harmonisch), im Ggs. zu →Inkonzinnität in Stilistik und Rhetorik die gleichartige syntaktische Konstruktion gleichwertiger oder korrespondierender Sätze bzw. Kola; bes. bei CICERO.

Kopialbuch (zu →Kopie), Sammelband für Abschriften, Urkunden, Privilegien, historische Quellen u. ä.

Kopie (lat. *copia* = Menge), Abschrift, Vervielfältigung e. Schriftwerkes.

Korrektur (lat. *corrigere* = verbessern, berichtigen), im Buchdruck die Verbesserung der vom Setzer verursachten Satzfehler in e. Schriftsatz (Druckabzug, K.bogen), zuerst der gröbsten Versehen durch den Korrektor in der Druckerei (→Hauskorrektur), dann vom Verfasser (→Autorkorrektur) auf K.-Fahnen (→Fahnenkorrektur), schließlich auf umbrochenen Bogen (Umbruch- oder Bogen-K.) mit Hilfe feststehender K.-Zeichen (s. Duden). Nach der letzten K. erteilt der Verfasser für den fehlerfreien Satz das →Imprimatur. – In Antike und MA. erfolgte die K. nach Abschrift e. Rolle durch e. Korrektor, nicht den Schreiber selbst.

W. Kreutzmann, D. Praxis d. K.lesens, 1957; E. L. Grieshaber, Wider d. Druckfehler, 1961.

Korrespondenz (franz. *correspondance* v. lat. *respondere* = antworten), 1. Briefwechsel, Schriftverkehr; 2. Übereinstimmung, Einheitlichkeit und Wechselbezogenheit der Teile e. Dichtwerks, z. B. der Strophen und Zeilen e. Gedichts, der Kola in Prosa (→Isokolon); 3. K.-Büro, das die Presse regelmäßig mit politischen, kulturellen und lokalen Nachrichten, Informationen, Bildern und teils Unterhaltungsbeiträgen versorgt, teils durch eigene K.blätter.

Korrigenda →Corrigenda

Korruptele (lat. *corruptus* = verdorben), verderbte Textstelle bei überlieferten antiken Schriftstellern, wird durch →Konjekturen verbessert.

Koryphaios (griech. =) Chorführer und Sprecher des →Chors im antiken Drama, der mit den Schauspielern den Dialog führt; auch im lyrischen Chor.

Kosmisten, 1920 aus dem →Proletkult hervorgegangene Gruppe junger Schriftsteller der Sowjetliteratur, in Moskau als ›Kuznica‹ (= Die Schmiede), in Petersburg als ›Kosmist‹ bezeichnet, um V. KIRILOV, V. KAZIN, V. ALEKSANDROVSKIJ, S. OBRADOVIČ u. a.; erstrebte in ekstatischen freirhythmischen Hymnen unter Verwendung kosmischer Terminologie und übertriebener Bilder die Verherrlichung von Revolution, Industrialisation, Maschine, Arbeiterklasse und Kollektivsystem.

A. Kaun, *Soviet Poets and Poetry*, Berkeley 1943; G. Struve, Gesch. d. Sowjetlit., ²1958.

Kosmogonie (v. griech. *kosmos* = Ordnung, *goné* = Geburt), die Lehre von der Entstehung der Welt, fand bei allen Völkern mythisch-poetische Behandlung und Deutung: altägyptischer Mythos, babylonisches Weltschöpfungsepos, biblische Schöpfungsgeschichte (Genesis), ind. Veden, HESIODS *Theogonie* u. a.

S. A. Arrhenius, D. Vorstellg. v. Weltgebäude i. Wandel d. Zeiten, ⁷1921; C. F. Troels Lund, Himmelsbild u. Weltanschaug. i. Wandel d. Zeiten, ⁵1929; F. Lämmli, V. Chaos z. Kosmos, 1962.

Kostüm (franz.-ital. *costume* = Gewohnheit) als besondere Kleidung der Bühnendarsteller kennt schon das antike Theater und das geistliche Drama des MA.: für hohe Personen wurde von der Geistlichkeit die kirchliche Amtstracht zur Verfügung gestellt: Alba (langes Hemd), Stola, Dalmatika und Casula, teils aus Seide und Brokat, dazu seit dem 12. Jh. Pluviale (Festmantel) und Mitra (spitze Mütze); für kleinere Rollen angemessenes eigenes K. Bildliche Darstellungen der Zeit ergeben für das – freilich nicht historisch echte – K. verschiedene Symbolformen: Maria mit blauem Mantel, Judas gelb, der Auferstandene rot usw., ferner differenzierende und stilisierende Attribute: die Hl. Drei Könige mit Kronen und buntem K., Herodes mit Zepter, Teufel mit zottigem Fell und Masken; bis ins 15. Jh. mit zunehmender Prachtentfaltung. Das Fastnachtsspiel dagegen benutzt das Zeitkostüm. Seit dem 16. Jh. vollzieht man e. ethnographische Scheidung der K.e: jüd., heidn., türk., span. usw., bes. seit Sigismund HELDTS großem K.werk mit 867 Abb. (Nürnberg 1570) u. a. Die ital. Commedia dell'arte bildet zu ihren Typen feste K.e aus, die sich rasch verbreiten und z. T. auf Maskenbällen bis in die Gegenwart fortleben (Pierrot), und führt Verkleidungs- und Umkleidungsszenen auf offener Bühne ein. Die Barockoper bringt große Prachtentfaltung in K. und Dekoration, doch im zeitgenössischen oder nach der Hoftracht stilisierten K.: alttestamentliche und antike Helden der tragédie classique erscheinen mit Reifrock und Perükke nach Versailler Mode. Das Streben nach historischem und natürlichem K. beginnt in Frankreich seit 1750: Mlle. CLAIRON tritt 1755 in chines. K., Mme. FAVART 1753 als Bäuerin in Holzschuhen auf. In Dtl. bemühen sich GOTTSCHED und die NEUBERIN um echte K.e. Erste Ansätze, etwa Charlotte BRANDES' nach WINCKELMANNS Beschreibung angefertigtes griech. K. in BRANDES-BENDAS *Ariadne auf Naxos* 1775 und H. G. KOCHS Berliner Inszenierung des *Götz* 1774 mit Hilfe des Kupferstechers MEIL blieben ohne große Wirkung, zumal GARRICK in England im Zeit-K. spielte und die K.-forschung noch kaum genügend brauchbare Vorlagen lieferte. Erst der realistische Historismus um Mitte des 19. Jh. ersetzt das halbechte durch das bis ins Kleinste historische K.; nach Vorgang von IFFLAND und Graf BRÜHL in Berlin forderten die →Meininger um 1870 e. fast sklavische historische Treue, die auch der Naturalismus für seine Zwecke aufnahm, bis M. REINHARDT in freierer Auffassung e. stilechtes, doch nur andeutendes K. verwendete, das mit Licht, Symbol und Farbe arbeitet. Gegenüber dem extremen Stil-K. im russ. Impressionismus und Expressionismus ohne historische Anlehnung streben moderne Bühnenbildner, meist bedeutende Künstler, ebenfalls nach e. stilisierten K. mit Echtheitsanschein, das doch Farb- und Lichtwirkung als wesentlich berücksichtigt.

M. v. Boehn, D. Bühnen-K., 1921; J. Gregor, D. Bühnen-K. (Wiener szen. Kunst 2, 1925); RL[1]; W. Klara, Schauspieler-K., 1931; R. Colas, *Bibliogr. générale du costume,* Paris II 1932 f.; Laver, D. K., 1951; W. Bruhn, M. Tilke, K.gesch. i. Bildern, [2]1955; L. Zirner, *Costuming for the mod. stage,* Urbana 1957; F. P. Walkup, *Dressing the part,* Lond. [2]1959; L. Barton, *Historic c. for the stage,* Lond. 1961; J. Brooke, *C. in Greek Class. drama,* Lond. 1962; F. Tröster, K.entwürfe f. d. Bühne, 1962; M. Braun-Ronsdorf, Modische Eleganz, 1963; M. C. Linthicum, *C. in the drama of Shakesp.,* N. Y. [2]1963; C. Bradley, *A hist. of world c.,* Lond. [4]1964; J. Laver, *Costume in the theatre,* London 1964; B. Prisk, *Stage c.handbook,* N. Y. 1966; J. Brooke, *Medieval theatre c.,* Lond. 1967; A. Bradshaw, *World c.s,* Lond. [6]1967; M. Lister, C., Lond. 1967; E. Thiel, Gesch. d. K., [3]1968; R. T. Wilcox, *The dictionary of c.,* N. Y. 1968; N. Bradfield, *Costume in detail,* Lond. 1968.

Kothurn (griech. *kothornos*), von AISCHYLOS für die Schauspieler der Heldenrollen in der griech. Tragödie eingeführter hochgeschnürter Halbstiefel mit bes. dicken Sohlen, seit dem 2. Jh. v. Chr. mit Holzsohlen und bis zur Kaiserzeit fast stelzenartig angewachsen; gab den Schauspielern e. den großen Räumen des Theaters und ihrer erhabenen Rolle entsprechende größere Erscheinung und Monumentalität; dann auf den erhaben-pathetischen Stil der Aufführung übertragen.

Kraftgenies, Bz. für die Sturm- und Drang-Dramatiker und deren Helden.

Kranzlied, mhd. Volksliedform des 15./16. Jh. zu e. Spiel: beim Wettsingen erhält der Sieger in e. Kreis von Mädchen für richtig gelöste Rätselfragen e. Kranz.

RL.

Krasis (griech. = Mischung), Verschmelzung zweier getrennter Vokale zu einem einzigen, etwa aus metrischen Gründen, z. B. mhd. ›daz ist‹ zu ›deist, dêst‹.

Kratineion, nach dem griech. Komödiendichter KRATINOS (5. Jh. v. Chr.) benannte Versform in der attischen Komödie, bestehend aus 1. Glykoneus und katalektischem trochäischem Dimeter:

— ⏑ ⏑ —| ⏓ —⏑—|| ⏒ ⏓ — ⏓| — ⏑ ⏓.

Kreis von Münster →Münster

Kretikus, fünfzeitiger antiker Versfuß, sog. →Amphimacer: — ◡ —, dessen Längen auch durch Kürzen aufgelöst werden können: ◡́◡ ◡ ◡́◡, meist als eigener Sinnabschnitt; in griech. Lyrik (Bakchylides) und griech. wie röm. Komödie (Aristophanes, Plautus) beliebt, auch bei Ennius und Livius Andronicus, meist als Tetrameter. →Klausel.

Lit. →Metrik.

Kreuzfahrerlied, Kreuzlied, Gattung der provenzal. und mhd. höfischen Lyrik, die mittelbar oder unmittelbar propagandistisch zum Kreuzzug aufruft: Marcabru, Friedrich von Hausen, Hartmann von Aue, Walther, Albrecht von Johannsdorf, Heinrich von Rugge u. a.; seltener sind direkte Pilgerlieder erhalten, meist handelt es sich um e. Verbindung mit dem Minnelied, indem der Dichter auf der Kreuzfahrt an die Geliebte denkt, sich des tiefen Konflikts zwischen Minne- und Kreuzzugspflicht bewußt wird, oder es geht um politische Mahnungen und Kritik: Freidanks Buch von Akkers, Tannhäuser.

Lit. →Kreuzzugsdichtung.

Kreuzreim, paarweise gekreuzte Reimstellung, so daß der 1. Vers mit dem 3., der 2. mit dem 4. usw. reimt: Reimfolge ababcdcd; in Volkslied und volkstümlicher Lyrik beliebt.

Kreuzzugsdichtung entstand aus der inneren Aufbruchsstimmung, den Erlebnissen und Eindrücken der Kreuzzugszeit (12. bis 13. Jh.) wie allg. der Heidenkämpfe bei den Zeitgenossen. Vorläufer sind die franz. *Chanson de Roland,* das *Rolandslied* des Pfaffen Konrad u. a. Die Epik erscheint teils auf historischer Grundlage wie *Ludwigs des Frommen Kreuzfahrt* (14. Jh.), teils in phantasievollen Spielmannsepen und Romanen wie *Herzog Ernst* und das Fragment um *Graf Rudolf* von Arras oder als Episode in anderen Romanen *(Orendel, Wolfdietrich, König Rother);* die lyrische Form der K. ist das →Kreuzlied. Die romantische Freude an Zauber und Abenteuern des Orients wirkte befruchtend auf e. Reihe anderer Dichtungen von Lamprechts *Alexander* zu *Salman und Morolf, Oswald* und auch Wolframs *Willehalm* mit dessen Fortsetzern, bes. aber auf die Volksbücher des 16. Jh. und fand in der Romantik neue Aufnahme.

G. Wolfram, Kreuzpredigt u. -lied (Zs. f. dt. Philol. 30, 1886); Schindler, D. Kreuzzüge i. d. altfrovençal. u. mhd. Lyrik, Progr. Dresd. 1889; I. Bédier, *Les chansons de croisade,* 1909; A. Hatem, *Les poèmes épiques des croisades,* 1932; C. Erdmann, D. Entstehg. d. Kreuzzugsgedankens, 1935; M. Colleville, *Les chansons allemandes de croisade,* Paris 1936; F. W. Wentzlaff-Eggebert, Kreuzzugsidee u. ma. Weltbild, DVJ 30, 1956; ders., Gesch. u. dichter. Wirklichk. i. d. dt. K. (Fs. f. Lortz II, 1958); ders., K. d. MA., 1960; A. Waas, Gesch. d. Kreuzzüge, 1956; St. Runciman, Gesch. d. Kreuzzüge, 1957 ff.; RL; S. Kaplowitt, *Influences and reflections of the crusade in medieval German epics,* Diss. Philadelphia 1962; H. Ingebrand, Interpret. z. K.lyrik, Diss. Ffm. 1966; M. Böhmer, Unters. z. mhd. K.lyrik, Rom 1968; K., hg. U. Müller 1969; U. Müller, Tendenzen u. Formen. Vers. üb. mhd. K. (Fs. W. Mohr, 1972); P. Hölzle, Kreuzzug u. K. (Fs. K. H. Halbach, 1972); G. Spreckelmeyer, D. K.lied d. lat. MA., 1974; F. W. Wentzlaff-Eggebert, Belehrung u. Verkündg., 1975; P. Hölzle, D. Gattungsproblem K.lied (Akten d. 5. Intern. Germ. Kongr. 1975, 1976).

Kriegsdichtung ist bei allen Völkern verbreitet und umfaßt neben der eigtl. für den Kampf und aus seinem Erlebnis heraus geschaffenen Dichtung vom Schlachtruf bis zur Totenklage auch die Epik und Dramatik, die den Krieg bes. vergangener Zeiten durch innere Anverwandlung als Motiv benützt: die Epen seit HOMER und VERGIL, ferner TYRTAIOS, SOLON, XENOPHON, die Formen der →Heldendichtung und e. Teil der historischen Romane und Dramen. Ihr eignet die ganze Skala der vom bevorstehenden, während oder vollendeten Kampf hervorgerufenen Empfindungen, von Haß, Mut, Kampfeslust, Vaterlandsliebe und Gefolgschaftstreue bis zur religiösen Erhebung einerseits, Trauer über Zerstörung und Tod, Sehnsucht nach Heimat und Frieden und Ablehnung des Mordens andererseits. – Älteste Vorstufen dt. K. sind der bei TACITUS bezeugte →Barditus und das Absingen von Arminiusliedern; erhalten ist allein das *Ludwigslied* auf den Normannensieg Ludwigs III. 881, gleichzeitig geistlicher Gottespreis. Auch die K. der Völkerwanderungszeit spiegelt sich nur im →Heldenlied. Erst seit dem 13. Jh. beginnt in der Schweiz mit den →historischen Volksliedern und →Landsknechtsliedern e. kunstmäßige K., bes. dann im ma. →Heldenepos und im Barock unter dem Eindruck des 30jährigen Krieges: OPITZ *Poema Germanicum Laudes Martis* 1628 und *Trostgedichte in Widerwärtigkeit des Krieges* 1633; J. RIST *Kriegs und Friedens Spiegel* 1640 und das Spiel *Das Friede wünschende Teutschland* 1647, J. VOGEL ›Kein selgrer Tod ist in der Welt...‹ (in D. MORHOFS *Dt. Gedichten*) u.a.m.; LOGAUS Epigramme und GRIMMELSHAUSENS *Simplicissimus* schildern das Wüten des Krieges und die Auswüchse des Soldatenlebens. Die Zeit Friedrichs II. schafft preuß.-nationale K.: GLEIMS *Preuß. Kriegslieder* 1758; E. v. KLEISTS *Ode an die preuß. Armee* 1757; RAMLERS *Kriegslieder* 1758 und zahlreiche Volkslieder. Im Gefolge des 7jährigen Krieges entstehen als mittelbare Spiegelung LESSINGS Dramen *Philotas* und *Minna von Barnhelm,* aus der nationalen Bewegung erwächst die →Bardendichtung. Der junge SCHILLER schreibt 1781 e. Schilderung *Die Schlacht* und gibt später in *Wallensteins Lager* ein Bild des Soldatenlebens (›Wohlauf Kameraden!‹). Die vaterländische Gesinnung zeigt sich in den →Befreiungskriegen, bes. in KLEISTS Haßgesängen und der *Hermannsschlacht.* 1831 entstehen GRABBES Napoleondramen, 1839 STENDHALS *Chartreuse de Parme,* seit 1849 SCHERENBERGS Schlachtenepen, 1864–69 TOLSTOJS *Krieg und Frieden* und 1867, rückblickend auf die böhmische Geschichte, STIFTERS *Witiko;* →Philhellenismus und →Polenlit. wenden sich den Freiheitskämpfen anderer Völker zu. Der Krieg 1870/71 ruft die Kriegslyrik der GEIBEL, FREILIGRATH, GEROK hervor, nimmt SCHNECKENBURGERS *Wacht am Rhein* und das *Kutschke-Lied* auf, bietet aber bes. den Anlaß zu ZOLAS *La débacle* 1892, FONTANES *Vor dem Sturm* 1879, den impressionistischen Kriegsnovellen von LILIENCRON und WILDENBRUCHS historischen Dramen. Ricarda HUCHS Gemälde des 30jährigen Krieges leitet unbewußt zur ausgedehnten →Weltkriegsdichtung über, die bis zu den Zeugnissen des 2. Weltkrieges reicht. Eine Trivialform der K. ist das →Landserheft.

G. Huysen, D. Poesie d. Krieges, 1883; E. O. G. Fritsche, D. franz. Kriegslyrik d. J. 1870 in ihrem Verhältn. z. dt., Progr. Zwickau 1893; R. Neumann, D. dt. K. 1870/71, 1911; H. Stümcke, Theater u. Krieg, 1915; M. Scherrer, Kampf und Krieg i. dt. Drama v. Gottsched bis Kleist, 1919; O. Herpel, D. Frömmigkeit d. dt. Kriegslyrik, 1917; J. Bab, D. dt. Kriegslyrik 1914–18, 1920; RL[1]; C. Falls, *War Books,* Lond. 1930; B. v. Wiese, Polit. Dichtg., 1931; H. Pongs, Krieg als Volksschicksal i. dt. Schrifttum, 1934; G. Lutz, D. Gemeinschaftserlebnis i. d. Kriegslit.,

Diss. Greifsw. 1936; K. Hildebrandt, D. Idee d. Krieges b. Goethe, Hölderlin, Nietzsche, 1941; K. Pfeiler, *War and the German mind,* N. Y. 1941; G. Muncker, D. Krieg i. d. dt. Dichtg., Diss. Cincinnati, Ohio, 1951; I. Weithase, D. Darstellg. v. Krieg u. Frieden i. d. dt. Barockdichtg., 1953; K. Betzen, Deutg. u. Darstellg. d. Krieges i. d. dt. Epik d. 20. Jh. (Deutschunterr. 14, 1962); P. H. Hoffmann, D. österr. Kriegs-, Soldaten- u. histor.-polit. Dichtg. i. 18. Jh., Diss. Wien 1964; H. Zimmer, Auf d. Altar d. Vaterlandes, 1971; E. Neis, D. Krieg i. dt. Gedicht, 1971; W. J. Schwarz, *War and the mind of Germany,* 1975; R. Flatz, Krieg i. Frieden, 1976.

Kriminalroman, -novelle (v. lat. *crimen* = Verbrechen), behandelt ein Verbrechen im Hinblick auf psychologischen Anstoß, Ausführung, Entdeckung und Aburteilung des Verbrechers. Neben den wegen ihrer willkürlich-zufälligen und auf Überraschungseffekte berechneten Tatsachenverknüpfung dichterisch wertlosen und nur durch stoffliche Spannung die Abenteuerlust befriedigenden Werken der Trivialliteratur steht e. Reihe künstlerisch bedeutsamer K.e großer Dichter, denen das rein Stoffliche willkommenen Anlaß zu e. Einblick in die Seele des zum Verbrechen getriebenen Menschen und die soziale Bedingtheit seines Handelns bot. – Vorstufen sind teils Motive der Volkslieder, span., franz., engl. und dt. Schelmenromane des 17. Jh. und die im Anschluß an SCHILLERS *Räuber* zahlreich entstandenen →Räuberromane teils verurteilender, teils verstehend-romantisierender Art. Stoffquelle der ersten K.e ist bes. die Slg. von Kriminalfällen des franz. Rechtsgelehrten F. G. de PITAVAL *Causes célèbres et intéressantes* (20 Bde. 1734 ff., später erw.) – Die Aufklärung zeigt psychologisches Interesse am Verbrecher ohne heroische oder tragische Verklärung seiner Tat als Grundlage e. Besserung. Der erste K. dieser Art ist SCHILLERS *Verbrecher aus verlorener Ehre* 1786 und sein K.-Fragment *Der Geisterseher* 1789. Auch das 19. Jh. gestaltet zunächst den Leidens- und Irrweg des Menschen als Anlaß zum Verbrechen: KLEISTS *Michael Kohlhaas,* BRENTANOS *Geschichte vom braven Kasperl,* E. T. A. HOFFMANNS *Das Fräulein von Scuderi* u. a., DROSTE-HÜLSHOFF *Die Judenbuche,* FONTANE *Unterm Birnbaum, Quitt,* RAABE *Stopfkuchen,* H. KURZ *Der Sonnenwirt,* DOSTOEVSKIJ *Schuld und Sühne,* DICKENS, E. SUE, W. COLLINS, späterhin HAUPTMANN *(Phantom),* A. DÖBLIN, H. FALLADA, C. VIEBIG u. a. Seit rd. 1840 verlagert sich das Interesse vom Täter auf das tatsächlich begangene Verbrechen, so bei den zahlreichen K.en von J. TEMME nach Aktenberichten. Lit. bedeutsame K.e des 20. Jh. sind u. a. R. HUCH *Der Fall Deruga,* W. BERGENGRUEN *Der Großtyrann und das Gericht,* Romane von G. GREENE und T. CAPOTE *In cold blood,* ansonsten überwiegt zur Gegenwart hin der →Detektivroman, als Grenzfall zur Triviallit. der →Agentenroman.

F. W. Chandler, *The lit. of roguery,* Boston II 1907; A. Schimmelpfennig, Beitr. z. Gesch. d. K., 1908; A. Lichtenstein, D. K., 1908; H. Roehl, D. K. als Kunstwerk (Schaubühne 12); A. Ludwig, Kriminaldichtg. u. ihre Träger, GRM 18, 1930; E. Birkhead, *The Tale of Terror,* Lond. 1932; F. Fosca, *Histoire et technique du roman policier,* Paris 1937; Th. Würtenberger, D. dt. K.erzählg., 1941; R. Caillois, *Le roman policier,* Buenos Aires 1941; H. Haycraft, *Murder for Pleasure,* Lond. 1942; *The art of the mystery story,* hg. H. Haycraft 1946; Th. Narcejac, *Esthétique du roman policier,* Paris 1947; P. Reiwald, Z. Psychologie d. K. (D. Weltwoche 788, 1948); E. Haala, D. K. (D. Zeit im Buch 6, 1949); R. Chandler, *The simple art of murder,* Boston 1950; O. Eckert, D. K. als Gattung (Bücherei u. Bildg. 8, 1951); F. Wölcken, D. lit. Mord, 1953; D. L. Sayers, Aristoteles üb. d. K. (Eckart, 1954); F. Hoveyda, *Petite histoire du roman policier,* Paris 1956; RL; S. Radine, *Quelques aspects du roman policier psychologique,* Genf 1960; W. Haas,

Mysteries (Imprimatur 2, 1960); W. Eickhorst, *The mod. German criminal story* (*Arizona Quarterly* 16, 1960); H. Pfeiffer, D. Mumie i. Glassarg, 1961; G. Schmidt-Henkel, K. u. Triviallit. (Sprache i. techn. Zeitalter 1, 1962); A. del Monte, *Breve storia del romanzo poliziesco,* Bari 1962; H. Heißenbüttel, Spielregeln d. K. (Trivialliteratur, hg. G. Schmidt-Henkel 1964); G. Schmidt-Henkel, D. Leiche am Kreuzweg, ebda.; D. Naumann, Der K. (Deutschunterricht 19, 1967); R. Gerber, Verbrechensdichtg. u. K. (Neue dt. Hefte 13, 1966); T. La Cour, H. Mogesen, *Mordbogen,* Koph. 1969; R. Schönhaar, Novelle u. Kriminalschema, 1969; P. Fischer u. a., D. K. (Merkur 23, 1969); J. Barzun, W. H. Taylor, *A catalogue of crime,* N. Y. 1971; P. Nusser, Aufklärg. durch d. K. (Neue dt. Hefte 18, 1971); Der K., hg. J. Vogt II 1971; Der wohltemperierte Mord, hg. V. Žmegač 1971; E. Marsch, D. K.erzählung, 1972; J. Symons, Am Anfang war der Mord, 1972; D. Wellershoff, Lit. u. Lustprinzip, 1973; A. Dworak, D. K. der DDR, 1974; U. Schulz-Buschhaus, Formen u. Ideologien d. K., 1975; W. Freund, D. dt. K.novelle, 1975; K. Hickethier u. a., D. K. (Triviallit., hg. A. Rucktäschel u. a., 1976), W. Schiffels, Z. Typologie d. K.gesch. (Lit. für viele I, 1976); I. Tschimmel, K. u. Gesellschaftsdarstellg., 1978; Reclams K.führer, 1978. →Detektivroman.

Kriminalspiel, dramatisches Gegenstück zum →Kriminal- bzw. →Detektivroman und vielfach dessen Bühnenfassung, seltener von vornherein als Theaterstück konzipiert. Das K. ist fast durchgängig aus der Sicht des Detektivs geschildert und findet mit der Ermittlung und Verhaftung des Täters seinen naturgemäßen Abschluß. Vom Bedarf der Boulevardtheater angeregt, eroberte es als Kriminalhörspiel den Rundfunk und als Fernsehspiel, dann vielfach auf Serienproduktionen nach gleichem Schema und mit denselben Detektiven angelegt, den Bildschirm. Verfasser von K. sind u. a. A. CHRISTIE und F. DURBRIDGE.

E. August, Dramaturgie d. K.stückes, Diss. Bln. 1966.

Krippenspiel, das →Weihnachtsspiel des →geistl. Dramas im MA.; im 20. Jh. erneuert durch Max MELLS *Wiener Kripperl von 1919* (1921).

Kritik (griech. *kritike* = Kunst der Beurteilung). Lit. K. als Beurteilung von Dichtungen im Ggs. zur referierenden Literaturwissenschaft und regelsetzenden früheren Poetik verfolgt praktische Zwecke e. Vermittlerstellung zwischen Dichtung und Publikum: Aufdeckung der Werte und Schwächen e. Werkes und Analyse seiner Wirkungsursachen. Sie fördert die Verbreitung und Wirksamkeit e. Werkes, indem sie den Boden für angemessene Aufnahme der Werte vorbereitet, und dient dem Publikum, indem sie auf solche Werte verweist und durch Empfehlung oder Ablehnung zu eigener Stellungnahme und kritischer Durchdringung anregt. Neben diesem doppelseitigen Verantwortungsbewußtsein vor Dichter und Leser verlangt sie vom Kritiker tiefe und richtig angemessene Erlebnisfähigkeit, Einfühlungsgabe in das Objekt, gesunde Geschmackslage und die Ausdrucksfähigkeit für die gewonnenen und zu verteidigenden Erkenntnisse. Die Darstellungsarten der lit. K. wechseln im Laufe ihrer Geschichte von Gedicht, Impression, Essay, Charakteristik bis zur Rezension und wissenschaftlichen Abhandlung. Ungeachtet der evtl. eindringlichen und ansprechenden Form subjektiver Eindruckswiedergabe kann nur die objektive K. nach festen, gerechtfertigten Maßstäben unter möglichst weitgehender Ausschaltung des eigenen Standpunktes wissenschaftlichen Wert beanspruchen. Wertvolle Wirkung aber entfaltet sie erst dann, wenn sie über den evtl. rein negativen Nachweis der Unzulänglichkeit e. Werkes zur Darstellung der erstrebenswerten Eigenschaften aufsteigt. – Die Geschichte der K. als ständiger Begleiterscheinung jeder Lit. reicht bis in die Anfänge des Schrifttums zurück. Die dt. lit. K. beginnt im MA.: OTFRIED, GOTTFRIED VON STRASSBURG (*Tristan* 4643 ff.) und RUDOLF VON EMS (*Alexanderlied* 3156 ff.) fügen ihre K. und Charakterisierung anderer Dichter, auch Abwehr erfolgter oder Vorwegnahme künftiger K., ihren Werken ein; sonst wurde sie selten schriftlich festgehalten. Im Humanismus und Barock erscheint die K. oft als persönlicher Angriff versteckt in Epigramm (LOGAU), Satire (SCHUPP, LAUREMBERG, Chr. WEISE, RACHEL, CANITZ, bes. SAGER, *Reime dich oder ich fresse dich* 1673) und Roman (GRIMMELSHAUSEN), meist jedoch in Vorreden der Werke (HOFMANNSWALDAU, NEUKIRCH, Chr. GRYPHIUS, WERNICKE) oder in Poetiken (BEBEL, SCALIGER *Hypercriticus,* J. P. TITZ, MORHOF, NEUMEISTER) als formale, Sprach- und Vers-K. Die eigtl. Begründung der großen Zeit der K. als Macht im lit. Leben bringt die Aufklärung, zuerst unter der Geschmacksdiktatur BOILEAUS, dann GOTTSCHEDS. Neben Broschüren und Büchern bilden sich die literaturkritischen Zss. zu Zentren theoretischer, doch das Schaffen beeinflussender Auseinandersetzungen u. Förderern der lit. Geschmacksbildung heraus; NICOLAIS *Bibliothek der schönen Wissenschaften und freien Künste* 1759 ff., *Allg. dt. Bibliothek* 1768 ff.; *Briefe, die neuste Lit. betreffend* 1759 ff.; WIELANDS *Teutscher Merkur* u. a. GOTTSCHEDS rational-starren Wertprinzipien der Deutlichkeit und Wahrscheinlichkeit (*Critische Dichtkunst,* 1730) begegnen die Schweizer BODMER und BREITINGER durch den Verweis auf das Recht der Phantasie und auf die Bedingtheit des Dichtens durch Zeitumstände (Rechtfertigung MILTONS und DANTES). Ihnen folgen PYRA, F. G. MEIER u. a. Chr. LISCOW und J. E. SCHLEGEL bereiten e. neue Phase vor, die gegenüber der bisherigen aufräumenden K. nunmehr aufbauend und fruchtbar wird. Die von NICOLAI kommerziell betriebenen Literaturbriefe geben M. MENDELSSOHN und LESSING (auch *Hamburgische Dramaturgie*) die Möglichkeit zu kritischer Äußerung. LENZ und VOSS, in Österreich J. v. SONNENFELS und T. SATTLER eifern diesem größten Kritiker der Zeit nach. Gegenüber LESSINGS rationaler, scharfer K. führen GERSTENBERG, HAMANN und HERDER irrationale Elemente ein und erstreben stärker e. direkte Kunsterziehung. Die Stürmer und Dränger (SCHUBART, LENZ) wehren sich gegen e. analysierende K. und liefern teils eigene K. in dichterischer Form: →Farcen (GOETHE *Götter, Helden und Wieland*), persönliche Satiren und Dramen. Ihr größter Kritiker ist J. H. MERCK. Auch die K. der Klassik in den Zss. *Horen, Propyläen, Kunst und Altertum* bleibt beurteilend und förderd durch Aufzeigen der ewigen Gesetzlichkeiten: Dichtertum, Kunst, Humanität. Abrechnung mit den lit. Gegnern bringen die →*Xenien.* SCHILLERS K.en *(Über Bürgers Gedichte)* messen an e. strengen, idealistischen Kunstauffassung. Rationale Elemente brechen noch einmal bei SCHREYVOGEL (Wiener *Sonntagsblatt*) durch. – Den lit. Strömungen des 19. Jh. ist gemeinsam, daß sie die K. als werbendes Mittel zur Verbreitung ihrer eigenen Kunstanschauung und -maßstäbe benutzen. Die K. der Romantik betrachtet Charakteristik des Werkes als ihre Hauptaufgabe: K. ist Kunst, ihre Form daher Kunstform: neben den Vorlesungen der Brüder SCHLEGEL und A. MÜLLERS, bes. Aphorismus und Essay: TIECK, GÖRRES, EICHENDORFF. Die K. des Jungen Dtl. stellt sich in den

Dienst der Zeittendenz und Politik, gerät damit in die Hände des Journalismus und wird programmatisch tendenziös, teils übereilt im Urteil, von zersetzendem Witz, doch geistreicher Form- und Stilgebung: BÖRNE, HEINE. Zeitschriftenaufsätze erscheinen später meist in Buchform gesammelt: L. WIENBARGS *Ästhetische Feldzüge,* A. LAUBES *Moderne Charakteristiken,* Th. MUNDTS *Kritische Wälder,* bes. K. GUTZKOW, K. A. VARNHAGEN, A. RUGE, H. MARGGRAFF und A. JUNG. Der scharfe Ton der Stellungnahme dringt bisweilen zum Pasquill vor. Im Realismus erfolgte e. Annäherung von K. und Literaturwissenschaft z.B. bei H. HETTNER, F. Th. VISCHER und R. PRUTZ; dagegen treten der geistvolle Österreicher KÜRNBERGER, G. FREYTAG, Th. FONTANE und K. FRENZEL weiterhin als Kunstrichter auf. In Frankreich ist SAINTE-BEUVE, in England Matthew ARNOLD das Haupt der K. E. neue programmatische Welle der K.en und Manifeste beginnt mit dem Naturalismus: die *Kritischen Waffengänge* der Brüder HART, NIETZSCHES *Unzeitgemäße Betrachtungen* als K. von Epigonentum und Dekadenz, ferner Leo BERG, F. MAUTHNER, A. HOLZ, führend bes. O. BRAHM und P. SCHLENTHER. In der folgenden Generation des Impressionismus ragen A. KERR, J. HOFMILLER und H. BAHR hervor; in der Heimatkunst F. LIENHARD und A. BARTELS, in der Neuklassik P. ERNST, W. v. SCHOLZ, O. STOESSL und S. LUBLINSKI, im Expressionismus B. DIEBOLD, H. JEHRING und K. EDSCHMID. Auch die Gegenwart ist reich an kritischen Stimmen zum lit. und bes. Theaterleben; ihre höchsten Vertreter suchen ebenfalls über die Tageserörterung vorzudringen, auch macht die steigende Bedeutung der Presse den Erfolg e. Buches nicht zuletzt von seiner K. abhängig. Der kritischen Sichtung der Neuerscheinungen dienen kritische →Literaturzss. der jeweiligen Richtungen. →Literatursatire. →Wertung.

Anm.: In den roman. Ländern wird ›critique littéraire‹ usw. wie auch engl. ›literary criticism‹ oft mit →Literaturgeschichte oder →Literaturwissenschaft gleichgesetzt.

K. Borinski, D. Poetik d. Renaiss. u. d. Anfge. d. lit. K. i. Dtl., 1886, [2]1967; G. Saintsbury, *Hist. of Criticism and Lit. Taste in Europe,* III 1900–04; R. Petsch, Z. Gesch. d. lit. K. i. Engl., GRM 3, 1911; F. Michael, D. Anfänge d. Theater-K., 1918; S. v. Lempicki, Gesch. d. dt. Lit.-wiss., 1920; ders., Üb. d. Anfge. lit. K. u. d. Probleme ihrer Erforschg., Euph. 25, 1924; H. Knudsen, Theater-K., 1928; M. Sommerfeld, Z. Problem d. lit. K., DVJ 1929; RL; W. Milch, Lit. K. u. Lit.gesch., GRM 18, 1930; A. Thibaudet, *Physiologie de la C.,* 1930; K. F. Müller, D. lit. K. i. d. mhd. Dichtg., 1933, [2]1967; T. S. Eliot, *The Use of Poetry and the Use of Criticism,* 1933; E. v. Jan, Wandlgn. d. lit. K. i. Frankreich, GRM 11, 1933; A. v. Grolman, Wesen u. Problematik d. lit. K. (D. neue Lit. 34, 1933); F. Melzer, Gesch. d. ev. Lit.-K., 1933; H. Knudsen, Wesen u. Grundlagen d. Theater-K., 1935; C. W. Sauermann, K. und Publikum, 1935; G. Boas, *A Primer for Critics,* Baltimore 1937; L. Beriger, D. lit. Wertg., 1938; A. Polgar, Hdb. d. Kritikers, 1938; H. W. Häusermann, Stud. z. engl. Lit.-K. 1910–1930, 1938; D. Andreae, Liberale Lit.-K., Diss. Göteb. 1940; A. Reyes, *La critica en la Edad Ateniense,* Mexico 1941; S. C. Pepper, *The basis of criticism in the arts,* Cambr./Mass. 1945; S. E. Hyman, *The armed vision,* 1948; P. Wiegler, Gesch. d. K., 1948; C. H. Garbo, *The Creative Critic,* Chicago 1948; *Lectures in Criticism,* hg. E. Coleman, N. Y. 1949; G. Boas, *Wingless Pegasus,* Baltimore 1950; H. T. Levin, *Perspectives of Criticism,* Cambr. 1950; P. Rilla, Lit. K. u. Polemik, 1950; W. Kayser, Lit. Wertg. u. Interpretation (Deutschunterr., 1952); J. W. Atkins, *Lit. Criticism in Antiquity,* II [2]1952; ders., *Engl. Lit. criticism,* III 1952; R. S. Crane, *Critics and Criticism,* Chicago 1952; W. Shumaker, *Elements of Critical Theory,* Berkeley 1952; W. v. O'Connor, *An Age of Criticism,* Chicago 1952; E. Jordan, *Essays in Criticism,* Chicago 1952; R. B. West, *Essays in mod. lit. criticism,* N. Y. 1952; J. E. Springarn, *A hist. of lit. criticism in the renaissance,* [2]1954; F. Stovall, hg., *The development of American lit. criticism,* Chapel Hill

1955; J. P. Pritchard, *Criticism in America*, Oklahoma 1956; D. Daiches, *Critical Approaches to lit.*, N. Y. 1956; H. Wutz, Z. Theorie d. lit. Wertung, 1957; W. K. Wimsatt, C. Brooks, *Lit. Criticism. A short hist.*, Lond. [2]1959; I. A. Richards, *Principles of lit. criticism*, Lond. [15]1959; H. Risse, Lit.-K. (Stud. generale 12, 1959); R. Wellek, ebda.; ders., Gesch. d. Lit.-K., 1959; S. Melchinger, Keine Maßstäbe? 1959; V. Giraud, *La crit. lit.*, Paris 1959; G. Blöcker u. a., K. i. uns. Zeit, 1960; I. A. Richards, *Practical Criticism*, Lond. [11]1960; P. Moreau, *La crit. lit. en France*, Paris 1960; S. H. Monk, *The sublime*, Ann Arbor 1960; C. S. Lewis, *An experiment in criticism*, Cambr. 1961; H. J. Lang, Stud. z. Entstehg. d. neueren am. Lit.-K., 1961; B. Weinberg, *A hist. of lit. criticism in the Italian renaissance*, II Chicago 1961; I. B. Walde, Unters. z. Literatur-K. u. poet. Kunstanschauung i. dt. MA., Diss. Innsbr. 1961; W. Höllerer, Z. lit. K. i. Dtl. (Sprache i. techn. Zeitalter 1, 1962); Y. Winters, *The function of criticism*, Lond. 1962; G. Watson, *The lit. critics*, Harmondsworth 1962; H. Gardner, *The business of Criticism*, Oxf. [2]1963; V. Hall, *A short hist. of lit. criticism*, N. Y. 1963; J. C. Carloni, J.-C. Filloux, *La critique lit.*, Paris [4]1963; A. Carlsson, D. dt. Buch-K., 1963; R. Molho, *La crit. lit. en France au 19. siecle*, Paris 1963; R. A. McCanse, *The art of book review*, Madison 1963; N. Frye, Analyse d. Lit.-K., 1964; R. Wellek, Grundbegriffe d. Literatur-K., 1965; G. Blöcker, Z. Situation d. lit. K. (Jhrb. d. Dt. Akad. f. Spr. u. Dichtg. 1965); R. Wellek, *A hist. of modern criticism*, vol. 3–4, Lond. 1966; K. Tober, *The meaning and purpose of lit. criticism* (*Colloquia germanica*, 1967); H. Reinitzer, Gesch. d. dt. Lit.-K. i. MA., Diss. Graz 1967; H. Peyre, *The failures of criticism*, Ithaca 1967; M. Krieger, *The play and place of criticism*, Baltimore 1967; L L. Duroche, *Aspects of criticism*, Haag 1967; K., hg. P. Hamm 1968; H. Mattauch, D. lit. K. d. frühen frz. Zss., 1968; *Criticism*, hg. L. S. Dembo, Madison 1968; P. Glotz, Buchk. i. dt. Zeitungen, 1968; J. T. Reed, *Crit. consciousness and creation* (*Oxf. Germ. stud.* 3, 1968); A. Carlsson, D. dt. Buchk., 1969; R. Mülher, Strömgn. d. dt. Litk. i. 19. Jh. (Jb. d. Wiener Goethe-Vereins 74, 1970); M. C. Beardsley, *The possibility of criticism*, Detroit 1970; H.-D. Weber, Üb. e. Theorie d. Literaturk., 1971; H. F. Nöhbauer, D. Situation d. Buchk. (Tendenzen d. dt. Lit. seit 1945, hg. T. Koebner 1971); W. Hinderer, Z. Situation d. westdt. Literaturk. (D. dt. Lit. d. Gegenw., hg. M. Durzak 1971); R. Wellek, Grenzziehungen, 1972; Kritik d. Literaturk., hg. O. Schwencke 1973; P. U. Hohendahl, Literaturk. u. Öffentlichk., 1974; K. Aschenbrenner, *The concepts of criticism*, Dordrecht 1974; H. S. Daemmrich, Literaturk. i. Theorie u. Praxis, 1974; B. Rollka, V. Elend d. Literaturk., 1975; K. Jarmatz, Z. Gesch. d. Literaturk. d. DDR (in ders.: Forschungsfeld Realismus, 1975); E. Keller; Krit. Intelligenz, 1976; W. Hinderer, Elemente d. Literaturk., 1976; Literaturk. u. Medienk., hg. J. Drews 1977.

Kritische Ausgabe, nach den Grundsätzen moderner →Textkritik und →Editionstechnik veranstaltete Ausgabe e. Schriftwerks in kritisch durchgesehenem, authentischem Wortlaut der →editio princeps oder der →Ausgabe letzter Hand, bei ma. und antiken Texten die nach Überlieferungsbefund und Sinngehalt wahrscheinlichsten Lesarten oder Konjekturen mit Anfügung aller hiervon abweichenden →Lesarten in Hss. und älteren Drucken im kritischen →Apparat, der gegebenenfalls e. Bild der verschiedenen Entstehungsstufen e. Werkes wiedergibt.

Kritischer Apparat →Apparat

Kritischer Realismus, in der marxist. Literaturkritik derjenige →Realismus, dem zwar sozialkrit. Einstellung eignet, aber im Ggs. zum →sozialist. Realismus das marxist.-leninist. Bewußtsein für den wahren Sozialismus der jeweils gültigen Parteilinie fehlt.

Krokodil →Münchner Dichterkreis

Kryptogramm (griech. *kryptos* = verborgen, *gramma* = Schrift), in der Anakreontik beliebtes lit. Versteckspiel: bes. hervorgehobene Buchstaben innerhalb e. Textes (meist Verse) ergeben zusammen e. neues Wort bzw. Satz.

J. V. Reed, *Fun with c.s*, N. Y. 1968.

Kryptonym (griech. *kryptos* = verborgen, *onoma* = Name), Form des Decknamens, entsteht durch bloße Setzung der Anfangsbuchstaben oder -silben des Autorennamens oder deren Zusammenziehung zu neuen Namen. Auch in e. Reihe von Wörtern oder in e. Satz versteckter Name.

Kubismus, literarischer, Nebenströmung zur gleichnamigen Richtung in der modernen Kunst seit 1908, die die Naturformen in geometrischen Gebilden (Rechteck, Kreis, Rhombus, Würfel, Zylinder, Kegel usw.) zu erfassen und wiederzugeben sucht (PICASSO, BRAQUE). Dem gebrochenen Verhältnis zur Realität und der Ablehnung aller Naturnachahmung zugunsten reduzierter, auf geometrische Grundmuster gebrachter Formen entsprechen Stilkennzeichen e. Gruppe von Dichtern, die den Künstlern des K. z. T. nahestanden: G. APOLLINAIRE, P. REVERDY, B. CENDRARS, L.-P. FARGUE, M. JACOB und A. SALMON.

G. Lemaître, *From C. to Surrealism in French Lit.*, 1941; W. Sypher, *Rococo to C. in Art and Lit.*, 1960; E. Fry, D. K., 1967; P. W. Schwartz, C., Lond. 1971.

Kubo-Futurismus →Futurismus

Kudrunstrophe, nach ihrer Verwendung im *Kudrun*-Epos benannte und der Titurelstrophe ähnliche Abwandlung der →Nibelungenstrophe, von dieser unterschieden durch klingende Kadenz der 3. und 4. sowie meist eine zusätzliche Hebung in der 4. Langzeile (6. Kurzzeile daher 4hebig, 8. 5hebig), erreicht teils getragen-heroischen, teils lyrisch-weichen Klang.

Küchenlatein, seit rd. 1500 Bz. für das durch Aufnahme volkssprachlicher Worte, Formen und Konstruktionen arg verdorbene, barbarisierte Mönchslatein des MA., von den Humanisten in den *Epistulae obscurorum virorum* verspottet.

P. Lehmann, MA. u. K. (Histor. Zs. 137, 1928); R. Pfeiffer, K. (Philologus 86, 1931).

Künste, die sieben Freien K. →Artes liberales.

Künstlerdrama, Bühnendichtung um e. Maler, Bildhauer, Musiker, Sänger, Schauspieler, Dichter usw. Neben der dramatisierten Künstlerbiographie als anekdotenhafter Aneinanderreihung überlieferter Episoden ohne tieferes Eingehen auf die Probleme des Künstlertums, tagesgebundenen Unterhaltungsstücken ohne dauernde Werte, die dem Interesse am Künstlernamen den evtl. Erfolg verdanken und dennoch vom Schaffen des betreffenden Künstlers keine Vorstellung zu geben vermögen, steht das wahre dichterische K., in e. verwandte Natur eingekleidetes Selbstbekenntnis eigener Schaffensnöte und Lebensproblematik die zum dramatischen Konflikt führt: Spannung zwischen Innerlichkeit, Gedankenflug des Genies und amusisch-philiströser Umwelt, zwischen leidenschaftlichem Gefühlsüberschwang und maßgebietender Vernunft, innerer Widerstreit der die Künstlergabe als Segen oder Fluch empfindet. Erst seit dem Sturm und Drang ermöglicht durch das aufkommende Verständnis für seelische Eigenart und zwischenmenschliche Sonderstellung des Künstlers: auf GOETHES Frühdramen *(Künstlers Erdenwallen, Künstlers Apotheose)* folgt das vollendetste K., *Tasso,* als ›Disproportion des Talents mit dem Leben‹, Zusammenprall künstlerischer Illusion mit der Gesellschaft, die, selbst als Wert verstanden, trotz allen Verständnisses seine Entfaltung hemmt. Die Romantik läßt nur den Künstler als wahren Menschen gelten: ÖHLENSCHLÄGERS *Correggio* und F. KINDS *Van Dyks Landleben.* E.

ebenbürtiges K. bildet GRILLPARZERS *Sappho* als innerer Konflikt zwischen Selbstbewahrung zur Erfüllung der Sendung und Selbstaufgabe im Verzicht auf das Leben beeinflußt von BYRON und Mme de STAËLS *Corinna.* Es folgen A. de VIGNYS *Chatterton* mit Einfluß auf das jungdt., teils polemische K. LAUBES und GUTZKOWS, die in historischer Spiegelung Zeitfragen beantworten, HOLTEIS *Lorbeerbaum und Bettelstab,* IMMERMANNS *Petrarca,* HEBBELS *Michelangelo,* DEINHARDSTEINS K.en, u. a. *Hans Sachs* als Vorbild für R. WAGNERS realistische *Meistersinger,* sein *Tannhäuser.* Der Naturalismus beginnt mit Milieuschilderungen der Bohème bei E. v. WOLZOGEN, A. HOLZ *(Sonnenfinsternis)* und HIRSCHFELD; G. HAUPTMANN gestaltet in *Kollege Crampton, Michael Kramer, Gabriel Schillings Flucht* und *Die versunkene Glocke* das Los des übersensiblen Künstlers. F. LIENHARD greift in die Vergangenheit zurück, ebenso PFITZNERS musikalische Legende *Palestrina.* Im Expressionismus beschwört JOHST die düstere Welt GRABBES *(Der Einsame),* HRASTNIK schafft e. surrealistisches Lebensbild des *Maler Vincent* van Gogh. →Künstlerroman.

W. Krimnitz, D. dt. K. i. d. 1. Hälfte d. 19. Jh., Diss. Lpz. 1922; H. Goldschmidt, D. dt. K. v. Goethe bis R. Wagner, 1925; RL[1]; E. Levy, D. Gestalt d. Künstlers i. dt. Drama v. Goethe bis Hebbel, Diss. Ffm. 1929; K. Laserstein, D. Gestalt d. bildenden Künstlers i. d. Dichtg., 1931; L. Rausch, D. Gestalt d. Künstlers i. d. Dichtg. d. Naturalismus, Diss. Gießen 1932; W. Krimitz, D. K. (Allg. Musikzeitg. 64, 1937); R. S. Collins *The Artist in modern German drama, 1942;* D. Gerber, Stud. z. Problem d. Künstlers i. d. mod. dt.-schweiz. Lit., 1948.

Künstlerroman, -novelle, Erzählung um die Schicksale e. Künstlers, entwickelt sich parallel zum →Künstlerdrama, erfaßt jedoch weniger die einzelne Konfliktsituation als die künstlerische Entfaltung im Lebenslauf (→Entwicklungsroman) oder auf wenige Szenen konzentriert (Novelle). Auch hier steht neben der historisch gebundenen und oft sentimental verflachten Künstlerbiographie der bildenden Unterhaltungslit. e. höhere Form, die an erfundenen, nachgefühlten oder angedeuteten Gestalten Probleme oft der eigenen künstlerischen Sendung und der Stellung zur Gesellschaft aufweist und die Frage nach dem Wesen ihres Schaffens stellt. Den Einsatz bringt der Sturm und Drang: HEINSES *Ardinghello* 1787 fordert für den Künstler als Sonderwesen Ungebundenheit durch Norm und Gesetz, auch moralische Freiheit des nur im Rausche schaffenden Genies, ähnlich in *Hildegard von Hohenthal.* Anders und tiefer faßt GOETHES *Wilhelm Meister* das Problem: aus der im Fragment *Wilhelm Meisters theatralische Sendung* geplanten Gestalt des großen Theaterdichters wird im Zuge der eigenen Entwicklung später die Einordnung des Künstlers in das praktisch-tätige Leben, da nach Auffassung der Klassik ein nur künstlerischer Mensch unzulänglich ist. Die Romantik bringt den Gegenschlag: fast alle ihre Romanhelden stehen als Künstler im Ggs. zum Bürger. WACKENRODER *(Berglinger)* und TIECK *(Franz Sternbald)* fordern echte Kunstfrömmigkeit; F. SCHLEGELS *Lucinde* gibt dem Künstler das Recht zur Überschreitung bürgerlicher Sittlichkeitsnormen. NOVALIS' *Heinrich von Ofterdingen,* in bewußtem Ggs. zum *Wilhelm Meister* geschrieben, löst alle Realität ins Dichterische auf, ähnlich der poetisierten schwärmerischen Welt der K.e EICHENDORFFS *(Ahnung und Gegenwart, Dichter und ihre Gesellen).* E. T. A. HOFFMANN zeigt die dämonische Zerrissenheit des Künstlers als Tragik (*Kreisleriana, Das Fräulein von Scuderi* u. a.). MÖRIKE verwendet in seinem *Maler Nolten* wie G. KELLER in der 1. Fassung des *Grünen Heinrich* autobiographische Züge; in dem Zwiespalt von Künstlertum und Bürgertum liegen Nachklänge der Romantik, während die 2. Fassung des *Grünen Heinrich* gleich dem *Wilhelm Meister* ins praktische Leben mündet, Ideal und Wirklichkeit vereinend. Im Realismus beginnt mit H. KURZ' *Schillers Heimatjahre* 1843 der kulturhistorische biographische Roman, über MÖRIKES Skizze *Mozart auf der Reise nach Prag*, KELLERS *Hadlaub*, oft reichlich sentimentale Darstellungen (BRACHVOGELS *Friedemann Bach*), HOLTEIS *Vagabunden* und C. HAUPTMANNS *Einhart der Lächler* zu MOLOS 4bändigem SCHILLER-Roman. Im 20. Jh. behandelt neben BARTSCH, EULENBERG, SÖHLE, R. HOHLBAUM, H. NÜCHTERN, KOLBENHEYER, H. HESSE, F. HUCH, WASSERMANN, K. KLUGE und WERFEL *(Verdi)* bes. Th. MANN das Problem des Künstlertums als Entartung, Verfallserscheinung im Sinne des Bürgertums: *Buddenbrooks, Tonio Kröger, Tod in Venedig, Dr. Faustus.* Vertreter des franz. K. sind BALZAC, die GONCOURTS, H. MURGER, MAUPASSANT, ZOLA, ROLLAND *(Jean-Christophe),* ARAGON u.a. →Malerroman.

M. Ostrop, Dt. Dichter i. Roman (Lit. Echo 20–25, 1917–22); C. Helbling, D. Gestalt d. Künstlers i. d. neueren dt. Dichtg. (Th. Mann), 1922; H. Marcuse, D. dt. K., Diss. Freibg. 1922; H. Heckel, D. Bild d. Künstlers i. neuen dt. Roman (Festschr. f. Koch, 1926); ders., D. Gestalt d. Künstlers i. d. Dichtg. d. Romantik (Lit.wiss. Jhrb. d. Görres-Ges. 2, 1927); RL[1]; K. Laserstein, D. Gestalt d. bild. Künstlers i. d. Dichtg., 1931; H. F. Menck, D. Musiker i. Roman, 1931; K. J. Obenauer, D. Problematik d. ästhet. Menschen i. d. dt. Lit., 1933; G. C. Schoolfield, *The Figure of the musician in German lit.,* Chapel Hill 1956; H. Riedel, Musik u. -erlebnis i. d. erz. dt. Dichtg., 1959; H. Granzow, Künstler u. Gesellsch. i. Roman d. Goethezeit, Diss. Bonn 1960; M. Z. Shroder, *Icarus: The image of the artist in French romanticism,* Cambr./Mass. 1961; E. Bloch, Ansicht d. K. (in: Verfremdungen, 1962); J. Mittenzwei, D. Musikalische i. d. Lit., 1962; H. Pütz, Kunst u. Künstlerexistenz b. Nietzsche u. Th. Mann, 1963; M. Beebe, *Ivory towers and sacred founts,* N. Y. 1964; R. Noll-Wiemann, D. Künstler i. engl. Roman d. 19. Jh., 1977.

Kürbishütte →Königsberger Dichterkreis

Kürze, im Ggs. zur →Länge schwaches rhythmisches Element der antiken Metrik, entsprechend der dt. Senkung; →Quantität.

Kürze des Ausdrucks →Brachylogie und die einzelnen Figuren der Worteinsparung: →Asyndeton, →Apokoinu, →Ellipse, →Syllepse, →Zeugma.

Kürzestgeschichte, Kleinform mod. Erzählprosa in knappster, z.T. bewußt kom. Diktion: H. v. DODERER, G. EICH, G. B. FUCHS.

A. Datta, Kleinformen i. d. dt. Erzählprosa seit 1945, 1972.

Kuhreihen, Schweizer Alpengesang, entstanden aus den Treib- und Lockrufen beim Eintreiben und Zusammenhalten der Kühe auf der Alm, indem zur Namensnennung der Kühe verschiedene lyrische und satirische Einlagen traten; urspr. auf den Alpen geblasen, dann volksliedartig gesungen, gehen sie evtl. bis auf NOTKERS Sequenzen zurück, sind jedoch erst seit Mitte des 16. Jh. nachweisbar und erlangten durch die Hirtendichtung des 18. Jh. weite Verbreitung.

RL.

Kulisse (v. franz. *couler* = gleiten, schieben), bewegliche Seitenwand der Bühnen→dekoration, perspektivisch bemalte flache Leinwand, in beliebiger Zahl hintereinander aufgestellt, auf Gleitschienen fahrbar und bei Dekorationswechsel früher aufgerollt, später hängend auf den Schnürboden hochgezogen, ermöglicht dadurch vielfältigere und raschere Verwandlungen und bes. größere Prachtentfaltung als die schwerfälligen →Telari, die sie im Barock seit 1620 von Italien aus (ALEOTTI im Teatro Farnese in Parma) verdrängte, in Dtl. zuerst 1659 im Wiener Jesuitentheater, bis ins 19. Jh. herrschend.

Kultismus →Gongorismus

Kultlegende, →Legende von den Wundertaten e. Gottheit oder e. Religionsstifters, die zur Einrichtung e. Kults geführt haben.

Kulturgeschichtlicher Roman →historischer Roman

Kulturmythisches Drama, Sammelbz. für e. Gruppe romantischer Dramen und deren neuromantische Entsprechungen, die den Übergang ihres Volkes von einer urtümlichen, mehr oder weniger unzivilisierten Frühphase zum Christentum darstellen, und zwar nicht als Geschichtsbruch oder Epochengegensatz wie bei HEBBEL, sondern als organische Ausweitung auf bereits im Keim angelegte Möglichkeiten. Die formale Übereinstimmung dieser meist von CALDERÓN angeregten k. D. (Verwendung von Heiligenfiguren, Zeichen und Wundern; Verseinlagen; Figuren als typische Epochenvertreter; Neigung zum Gesamtkunstwerk) gestattet ihre Zusammenfassung: TIECKS *Heilige Genoveva,* BRENTANOS *Gründung Prags,* Z. WERNERS *Kreuz an der Ostsee,* BYRONS *Manfred,* später HOFMANNSTHALS *Turm* und CLAUDELS *Seidener Schuh.*

W. Kayser, Formtypen d. dt. Dramas um 1800 (in: Die Vortragsreise, 1958).

Kung-ti (chines. = Palast-Stil), Stil der altchines. Lyrik, der in sentimentaler Liebeslyrik die Schönheit der Hof- und Haremsdamen beschreibt.

Kunst-→ballade, -→drama, -→dichtung, -→epos, -→lied, -→märchen im Ggs. zur →Volks-Ballade usw. sind Dichtungen, deren Verfasser nach Namen und Eigenart bekannt sind, sich in ihren nach zielbewußtem Plan individuell gestalteten Werken spiegeln, keine Grenzen der Stoffwahl kennen und selbst bei Anlehnung an die Form der Volksdichtung deren Eigenheiten vermeiden. Sie entstehen stets nach diesen und als Produkte e. bewußt schaffenden Kunstverstandes.

Kunstprosa, im Ggs. zur ungeformten Umgangssprache einerseits und der durch Reim oder Metrum festgelegten Sprache des Gedichts andererseits die lockere Form der durch Gliederung (→Kolon), Rhythmus (→Klausel), Ausdruck und Schmuckmittel (→rhetorische Figuren) →gebundenen Rede; in antiker Rhetorik ausgebildet, in Reden, Briefen und Geschichtswerken seit der Antike gepflegt, in Dtl. seit der Renaissance und bes. dem 17. Jh. die Erscheinungsform der Epik, welche die pathetische Erhöhung und Gefügeeinheit des Verses als beengend empfand und in größere geistige Freiheit und Weiträumigkeit vorstieß. →Prosa.

E. Norden, Antike K., II [2]1923.

Kurialen (v. lat. *curia* = Rat, -haus) →Kanzleistil

Kuriosa (lat. = Seltsames), als bibliophiles Sammelgebiet merkwürdige, seltsame, aufgrund ihres Inhalts außergewöhnliche Bücher.

Kurrentschrift (lat. *currere* = laufen), fortlaufende d. h. die Buchstaben nicht einzeln absetzende Schreibschrift im Ggs. zur Druckschrift.

Kursive (mlat., zu *cursus* = Lauf: laufend, schräg), schrägliegende lat. Druckschrift im Ggs. zur aufrechten, dient oft als Auszeichnungsschrift zur Hervorhebung bes. Wörter, Sätze usw. (bes. Zitate und Titel) im Druck.

Kursorische Lektüre (lat. *cursus* = Lauf), im Ggs. zur →statarischen das fortlaufende, nicht durch eingehendere Erklärung, Interpretation und Würdigung unterbrochene Lesen.

Kursus →Cursus

Kurzepik im Ggs. zur Großepik (Epos und Roman) sind alle epischen Kleinformen wie Märchen, Sage, Legende, Schwank, Anekdote, Novelle, Erzählung, Kurzgeschichte usw. in Vers oder Prosa.

Kurzgeschichte, urspr. Übersetzung des amerikan. →short story, doch in Europa als Sondergattung, kurze epische Prosa-Zwischenform von Novelle, Skizze und Anekdote, charakterisiert durch zielstrebige, harte und bewußte Komposition auf eine unausweichliche Lösung hin (vom Schluß her geschrieben), die auf Erschütterung abzielt oder einen Lebensbruch bringt. Zusammendrängung e. in sich gerundeten Geschehens mit unvermuteter Pointe auf engstem Raum, Summe eines Menschenlebens, aus dem Augenblick belebt, realistische Tatsachenwiedergabe oder impressionistisches Stimmungsbild bilden die Skala ihrer Möglichkeiten, die in ständiger Erweiterung begriffen ist; aus Vorstufen etwa der Fazetien- und Schwanklit. und HEBELS →Kalendergeschichten sowie Ansätzen bei H. v. KLEIST, E. T. A. HOFFMANN und HEBBEL entstand sie in Dtl. um 1920 im Zusammenhang mit den Erfordernissen der Zeitschriften- und Magazinform, die statt der für geselliges Lesen gedachten Novelle eine kurze Lektüre für den eiligen Einzelleser braucht. Hauptvertreter P. ERNST, H. FRANCK, P. ALTENBERG, G. MEYRINK, W. SCHÄFER, E. LANGGÄSSER, O. DODERER, G. WEISENBORN, E. KREUDER, K. KUSENBERG, W. BORCHERT, G. GAISER, H. BÖLL, W. SCHNURRE, H. RISSE, M. L. KASCHNITZ, G. EICH, H. BENDER, A. GOES, S. LENZ, M. WALSER u. a. Ausländische Vorbilder waren etwa ČECHOV, KIPLING, K. MANSFIELD, W. S. MAUGHAM, A. MUSSET, A. DAUDET und MAUPASSANT. →short story.

G. Fritz, D. Anfänge d. K. (Weltlit. d. Gegenw. I., hg. Schuster u. Wieser, 1931); H.-A. Ebing, D. dt. K., Diss. Münster 1936; F. Güttinger (Hg.), Amerikan. Erzähler, Einl., 1946; K. Zierott, D. K. in Lit. u. Presse, Diss. Mchn. 1952; K. Doderer, D. angelsächs. short story u. d. dt. K. (Neuere Sprachen 1953); R. Lorbe, D. dt. K. (Deutschunterr. 9, 1957); H. Motekat, Gedanken z. K. (Deutschunterr. 9, 1957); A. Behrmann, So schreibt man K.n, [2]1959; H. Bender, Ortsbestimmung d. K. (Akzente 9, 1962); RL; K. Doderer, D. K. als lit. Form (Wirkendes Wort, Sammelbd. 3, 1963); K. Kusenberg, Üb. d. K. (Merkur 19, 1965); H. M. Damrau, Stud. z. Gattungsbegriff d. dt. K., Diss. Bonn 1966; H. Brustmeier, D. Durchbruch d. K. i. Dtl., Diss. Marb. 1966; P.-O. Gutmann, Erzählweisen i. d. dt. K. (Germanist. Stud. 2, 1970); J. Kuipers, Zeitlose Zeit. D. Gesch. d. dt. K.forschg., Groningen 1970; R. Kilchenmann, D. K., [3]1971; A. Datta, Kleinformen i. d. dt. Erzählprosa seit 1945, 1972; K. Doderer, D. K. i. Dtl., [3]1972; D. amerikan. K., hg. K.-H. Göller u. a. 1972; D. engl. K., hg. ders. 1973; H. Pongs, D. mod. dt. K. (ders., D. Bild i. d. Dichtg. 4, 1973); G. Jäckel, U. Roisch, Große Form in kleiner Form. Z. sozialist. K., 1974; P. Freese, D. amerikan. K., 1974; E. Brandenberger, D. span. K., 1974; L. Rohner, Theorie d. K., [2]1976. →short story.

Kurzroman, nicht genauer abgegrenzte Zwischenform von Roman und Novelle, etwa romanhafter Stoff in knapper Ausführung oder novellistischer Stoff in romanhafter Breite, z. B. bei E. HEMINGWAY *(Der alte Mann und das Meer)*, A. SCHMIDT u. a.

Kurzvers, -zeile, Vers von durchschnittlich acht Silben mit vier Hebungen (im dipodischen Stabreimvers zwei Haupt- und zwei Neben-Hebungen, im monopodischen mhd. Reimvers vier theoretisch gleichwertige Hebungen), oft als K. geschrieben und aus der Schreibgewohnheit herzuleiten oder je zwei zu einer →Langzeile zusammengefaßt, bei OTFRIED, in der höfischen Dichtung, später als →Knittelvers.

Kusa-zōshi (japan. = vermischte Bücher), volkstümliche japan. Bilderbücher des 17./18. Jh.: Erzählungen, deren lit. wenig belangvoller Text mehr oder weniger nur die Erklärung zu der Fülle beigegebener Holzschnitt-Illustrationen gibt und den bildfreien Raum der illustrierten Seiten einnimmt. Hauptvertreter dieser Gattung, die vom Kindermärchen bis zum Roman reicht, war TANEHIKO. →Yomihon.

Ku-shih oder **Ku-t'i-shih** (chines. = alter Stil), chines. Gedicht mit beliebiger Anzahl von Zeilen zu je fünf oder sieben Silben und frei behandelter Metrik, entstanden aus der Volkspoesie. Blützeit bes. in der Tang-Zeit (7.–9. Jh.).

Kustode (lat. = Hüter), in älteren Büchern ab 1470 das auf einer Seite unten links oder rechts angegebene Anfangswort der folgenden Seite, dient der Kontrolle der richtigen Reihenfolge der Blätter und der Erleichterung des Übergangs bei der Lektüre; im modernen Buchdruck durch die Bogensignatur abgelöst. In ma. Hss. heißt der K. Reklamante.

Ch. Wagenknecht, E. P. Wieckenberg, D. Geheimspr. d. K., DVJ 50, 1976.

Ku-wên (chines. = alte Prosa), die schmucklose, knappe leichtverständliche und sachlich klare Prosa der altchines. Zeit (bes. Han-Zeit), die später im 9. Jh. zeitweilig wieder als Stilvorbild aufgenommen wurde.

Kviðuháttr, altnord. Stabreimvers ähnlich dem →Fornyrðislag, doch nicht mit regelmäßig vier, sondern mit alternierend jeweils drei und vier Silben in An- und Abvers, Verwendet zuerst im *Ynglingatal* (vor 900), dann bei EGILL SKALLAGRÍMSSON u. a.

Kykliker, altgriech. Dichter aus der ion. Schule des 8. Jh. v. Chr., die kurz nach HOMER Stoffe und Motive seiner und damit zusammenhängender Götter- und Heldensagen von Uranus und Gäa bis zum Tod des Odysseus bearbeiteten. Ihre Epen, später zu e. ›epischen Kyklos‹ (= Kreis) zusammengeschlossen, wurden von den Rhapsoden neben den Homerischen Epen zitiert und Ansehens halber meist HOMER zugeschrieben (die echten Verfassernamen sind umstritten), konnten sich jedoch neben den echten Werken nicht behaupten. Sie dienten der Tragödie als Stoffquelle, sind jedoch nur in Bruchstücken erhalten. Aus dem trojanischen Sagenkreis stammen die *Kyria, Aethiopis, Iliu Persis, Kleine Ilias, Nostoi* und *Telegonie,* aus dem thebanischen Kreis die *Thebais, Epigonen* und *Oidipodie,* aus anderen Sagenkreisen die *Theogonia, Titanomachia* und *Danais.*

Kyklos (griech. = Kreis), →rhetorische Figur: Wiederholung des Anfangswortes e. Satzes (Verses) als Schlußwort desselben Satzes (Verses, wobei Versende nicht = Satzende zu sein braucht) in unveränderter oder flektierter Form (→Polyptoton); ›Ein Pferd, ein Pferd, mein Königreich für'n Pferd‹ (SHAKESPEARE).

Kyōbun (japan. = verrückte Aufsätze), in japan. Lit. kleine Prosastücke komischen Inhalts, doch in Stoff und Sprache mehr niedrig-komisch und vulgär.

Kyôgen →Nô-Spiele

Kyoka (japan. = Tollgedichte), japan. Scherz- und Spottgedichte, vormals seit 12. Jh. aus dem →Uta hervorgegangen und wie dieses aus 31 Silben bestehend, inhaltlich jedoch dessen komisches Gegenstück mit Parodie, Satire, Groteske, Doppelsinn, Wortspiel und selbst Unsinn.

Kyoku (japan. = Tollvers), japan. Scherz- und Spottgedicht als satirisch-komisch-burleskes Gegenstück zum Hokku und wie dieses aus 17 Silben bestehend; seit 2. Hälfte des 18. Jh. gepflegt.

Kyrielle (franz. Diminutiv von ›Kyrie‹), franz. Gedichtform: achtsilbige Verse in Reimpaaren oder Vierzeilern mit der Reimfolge aabb, deren letzte Zeile (Halbzeile, Wort) von Strophe zu Strophe als Refrain wiederkehrt.

Kyrillische Schrift, Kyrillika, nach ihrem angeblichen Erfinder, dem Slawenapostel KYRILLOS, benannte, wohl aus der griech. Majuskelschrift entwickelte und in den Kirchenschriften der griech.-kath. Slawen verwendete Schrift, Grundlage des heutigen Alphabets der Russen, Ukrainer, Weißrussen, Makedonier, Bulgaren, Serben und Montenegriner. →Glagolika.

Länge, in antiker →quantitierender Metrik die lange, daher einzig als Betonungsträger mögliche Silbe von zwei Moren Wert, entweder Natur-L. (langer Vokal oder Diphthong) oder →Positionslänge. Sie entspricht in →akzentuierender Dichtung der →Hebung, die jedoch auch kurz sein kann. →Kürze.

Läuterungsdrama →Besserungsstück

Lage oder Heft, bei e. Hs. zusammengeheftete Doppelbogen; nach deren Zahl als Binio (2 Doppelbogen = 4 Blätter = 8 Seiten), Ternio (3), Quaternio (4), Quinternio (5), Sexternio (6) usw. unterschieden.

Lai (breton., v. ir. *laid* = Lied), urspr. Lieder der breton. Harfner, dann franz. und provenzal. lyr. Gedichte mit oder ohne oder mit von Strophe zu Strophe wechselnder Strophengliederung und mit Bindung durch Assonanz, ab 12.–15. Jh. Reim. Bei Freizügigkeit des Metrums kennt jede Strophe nur zwei Reime. Beliebte Form des individuellen Liebeslieds im 14. Jh. (GUILLAUME DE MACHAUT, E. DESCHAMPS); im 15. Jh. mit religiöser Thematik. Aus der bei den Bretonen üblichen erzählenden Einleitung zum Vortrag e. Musikstückes, die den Ursprung der Melodie angab, entwickeln sie sich, in altfranz. Lit. übernommen, zu volksmäßigen epischen L., dichterischen Kurzerzählungen mit Motiven aus Lokalsage, Volksmärchen und Episoden der Helden-(Artus-)Sage, ähnlich den Fabliaux, später oft zu weiten, z. T. schwankartigen oder legendenhaften Versnovellen in 100 bis über 1000 paarweise gereimten Achtsilbern ausgesponnen, in mhd. Lit. entsprechend durch →Leich übersetzt, wo diese Form den L. angenähert wurde. Wichtigste L.-Dichterin war MARIE DE FRANCE. Vgl. →Lay.

F. Wolf, Üb. d. L., Sequenzen u. Leiche, 1841; H. Spanke, Sequenz u. L. (*Studi medievali,* N. S. 11), 1938; J. Maillard, *Evolution et esthétique du l. lyrique,* Paris

1963; H. Baader, Die L.s, 1965; J. M. Donovan, *The Breton Lay*, Notre Dame 1969; K. Ringger, Die L.s, 1972; C. Bullock-Davies, *The form of the Breton Lay* (Medium Aevum 42, 1973); H. Spanke, Stud. z. Sequenz, L. u. Leich, 1977.

Laienspiel (griech. *laikos* = zum Volke, *laos*, gehörig), nicht von Berufsschauspielern veranstaltete volkstümliche Bühnenaufführung und das hierzu verfaßte Stück, im Ggs. zum →Liebhabertheater nicht der Zerstreuung, sondern e. künstlerisch-ethischen Sendung (religiöse Erbauung, soziale Bindung, nationale Erhebung) dienend. L. sind in gewissem Sinn die →Passions-, Mysterien- und Fastnachtsspiele des Spätma., Schul- und Jesuitendrama, lokalpatriot. Volksschauspiele wie die Schweizer Tell-Spiele und das →Bauern- und →Handwerkertheater, nicht mehr dagegen wegen Beteiligung halbprofessioneller Kräfte das Jugend- und Studententheater und das polit. agitierende Straßentheater. In der aus der Jugendbewegung um 1912 (Pfadfinder, Wandervogel) bes. durch M. LUSERKE und R. MIRBT erneuerten L.bewegung vereinen sich Schüler, Studenten, Bürger, Arbeiter oder Bauern zu gemeinschaftlichen Gruppen und verbreiten die Idee in weihevollen, den Fest- und Passionsspielen verwandten (meist Freilicht-)Aufführungen als echte Gemeinschaft zwischen Künstlern und Zuschauern. Häufige Erneuerung der ma. Bühnenform, der Mysterienspiele u. a. alter Stücke meist religiösen Inhalts (›Spielleute Gottes‹), doch auch klassische und lit. Texte, Sagen und Märchen wie z. T. moderne Dramatiker (bes. Max MELL); Aufschwung bes. nach dem 1. Weltkrieg und im Expressionismus; zahlreiche Dachorganisationen zur Betreuung einzelner L.-Gruppen.

E. K. Fischer, D. L.-Bühne, 1920; M. Luserke, Jugend u. Laienbühne, 1927; ders., Betrachtg. z. heutigen Jugend- u. Laienbühne, 1928; ders., D. L., 1930; R. Beitl, Taschenbuch f. L.er, 1928; J. Gentges, D. L.-Buch, 1928; Conradt-Leibrandt, Ratgeber f. L.-Scharen, II 1929–31; R. Mirbt, Münchner L.führer, 1930; R. Beitl, D. weltl. Volksspiel, 1933; K. Ziegler, D. volksdt. L., Diss. Erl. 1937; E. Eichert, D. geistl. Spiel d. Gegenw. i. Dtl. u. Frkr., 1941; J. Gentges u. a., L.ratgeber, 1949; ders., Bibliogr. d. L. seit 1945; 1952; P. Leonhardt, L.-Hb., 1949; H. Haven, L., ²1954; R. Mirbt, L. u. -theater, 1960; ders., D. Bärenreiter-L.-Berater, ²1965; RL; P. Wolfersdorf, Stilformen d. L., 1962; R. Drenkow, C. Hoerning, Hdb. f. Laientheater, 1968.

Laisse, in der Zahl der Verse (meist 8–10-Silber, Tiraden) ungleich lange, durch Assonanz, später Reim, verbundene Sinnesabschnitte in altfranz. Heldenepen (Chansons de geste).

Lake Poets (engl. = Seedichter), 1809 eingeführte Bz. für einen lockeren Freundeskreis engl. romantischer Dichter, benannt nach den Seen von Cumberland und Westmorland als Sitz der Hauptvertreter (Lakisten, Lakers); WORDSWORTH, COLERIDGE und SOUTHEY, die trotz aller Verschiedenheiten in naturnaher und sentimental-elegischer Stimmungslyrik zusammentreffen, ohne deswegen eine lit. Schule zu bilden.

N. Nicholsen, *The Lakers*, 1955.

Lakon (indones. = Handlung), die Repertoirestücke des javan. → Wayang-Spiels, urspr. wohl Ahnenkult, dann unter ind. Einfluß ind. Mythen, Sagen und Epen *(Râmâyana, Mahâbhârata)*, seit islamischer Zeit auch selbständige Werke. Die Texte sind nur selten vollständig schriftlich fixiert, meist nur knappe Inhaltsangaben als Gerüst für die Improvisation des →Dalang. Festes Gliederungsschema: Einleitungsmusik, Beschreibung von Ort und Personen durch den Dalang. Einleitung (21–24°°), Intrige (0–3°°) und Lösung (3–6°°).

Lakonismus, kurzbündige und treffende, dabei objektiv-unbeteiligte Sprechweise.

Lambang, für die indones. Lit. bezeichnende Form des Wortspiels, die auf dem Mitklingen e. symbolisch übertragenen Begriffs von ähnlicher Lautgestalt als ständige inhaltliche Assoziation beruht, z. B. padi = Reis und hati = Herz.

Lamentation (lat. =) Wehklage, →Klagelied (→Threnos), bes. die bibl. Klagelieder des JEREMIAS; als Gattung in HEINES *Romanzero.*

Landestheater, vom Land oder Staat subventionierte Bühne als festes Staatstheater oder Wanderbühne für bühnenlose Orte.

Landjuweel (niederländ., nach dem Preis), dramatische Wettstreite urspr. der Brabanter Handwerkergilden im 15. Jh., dann der →Rederijkers im 16. Jh. mit Aufführungen von Kluchten, Esbattements und Sinnespelen. 1922 als Laienspiel-Wettstreite erneuert.

G. J. Steenbergen, *Het L. van de Rederijkers,* Löwen 1950.

Landschaftstheater →Freilicht-, →Hecken- und →Naturtheater

Landserheft, -roman, →Groschenheft der →Kriegsdichtung auf dem Niveau der →Trivialliteratur, schildert, an der Realität des Krieges und polit.-moral. Überlegungen vorbeigehend, den Kampf als Schicksal und Bewährungsprobe des Mannes und mündet gelegentl. in elitären Heldenkult oder die Rehabilitation der angebl. unpolit. dt. Wehrmacht.

K. F. Geiger, Kriegsromanhefte i. d. BRD, 1974; D. Kühn, Luftkrieg als Abenteuer, 1975; W. Nutz, D. Krieg als Abenteuer und Idylle (Gegenwartslit. u. 3. Reich, hg. H. Wagener 1977).

Landsknechtslied, →historisches Volkslied des 15.–17. Jh., das Leiden und Freuden der unter MAXIMILIAN Ende 15. Jh. aufgekommenen Landsknechte besingt, häufig von ihnen selbst gedichtet und bis auf Jörg GRAFF anonym. Ihr Inhalt spiegelt Lebenskreis und Gesinnung der Söldnertruppen; Realismus der Weltauffassung, Rauheit und Sucht nach Augenblicksgenuß mit Wein, Weib, Gesang, Karten- und Würfelspiel, Lob eigener Tüchtigkeit und Standesbewußtsein in Schlachtliedern, Preisliedern auf den Feldherrn, Totenliedern usw., bes. vollendet in *Auf den Tod des Franz von Sickingen* 1523 und auf die Schlacht bei Pavia 1525. Nach dem Absterben dieser Volksdichtung im 30jährigen Krieg erfolgt im 19. Jh. bei E. M. ARNDT, HOFFMANN VON FALLERSLEBEN u. a. e. Erneuerung ihrer Tonlage.

W. Böckel, Hdb. d. Volksliedes, 1908; RL.

Landstreicherroman, nach der romantischen Vorform etwa in EICHENDORFFS *Taugenichts* beliebte Form des modernen →Abenteuerromans, meist in lyrischer Naturnähe: K. HAMSUN, H. HESSE *(Knulp).* M. HAUSMANN *(Lampioon)* u. a.

Langvers, -zeile, aus zwei unselbständigen →Kurzversen (An- und Abvers) bestehender, meist viertaktiger Vers (4 × 4/4) als syntaktische und inhaltliche Einheit der german. Stabreimdichtung und, in Strophenformen mit Endreim, der mhd. Heldenepen (→Nibelungenstrophe), des frühen Minnesangs und WOLFRAMS *Titurel,* später im höfischen Epos durch den vierhebigen Reimpaarvers ersetzt. Im weiteren Sinn in mhd. Metrik jeder Vers von mehr als vier Hebungen.

H. de. Boor, Langzeilen u. lange Zeilen i. Minnesangs Frühling (Zs. f. dt. Philol. 58, 1933); F. Maurer, Üb. Langzeilen u. -strophen (Fs. f. E. Ochs, 1951); ders., Langzeilenstrophen u. fortlaufende Reimpaare (Deutschunterr. 1959); C. Minis, Z. Probl. d. frühmhd. Langzeilen (Zs. f. dt. Philol. 87, 1968).

Laokoon-Problem, die durch LESSINGS Abhandlung *Laokoon* aufgeworfene Frage vom grundsätzlichen Unterschied zwischen Dichtung als zeitlichem Nacheinander e. Handlung und Malerei als räumlichem Nebeneinander e. fruchtbaren Moments. →Beschreibung.

T. A. Meyer, D. Stilgesetz d. Poesie, 1901; H. Keller, Goethe u. d. L.-P., 1935; J. H. Hagstrum, *The sister arts,* Chic. 1958; M. Bieber, L., Detroit 1967; H. Althaus, Laokoon, 1968; P. Böckmann, D. L.-P. (Bild. Kunst u. Lit., hg. W. Rasch 1970).

Lapidarium (v. lat. *lapis* = Stein), Steinbuch, beliebte Gattung ma. Lehrdichtung ähnlich dem →Bestiarium, Beschreibung und z. T. allegorische religiös-ethische Deutung von Eigenschaften der Edelsteine und ihrer vermeintlichen schützenden oder heilenden Kräfte. Am weitesten verbreitet die Schrift *De gemmarum lapidumque praetiosarum formis atque virtutibus* von MARBOD VON RENNES (11. Jh.), das L. von PHILIPPE DE THAON (12. Jh.) und der Traktat *Delle pietre* von F. SACCHETTI.

L. Pannier, *Les lapidaires français,* Paris 1882; A. Pazzini, *Le pietre preziose nella storia della medicina e nella leggenda,* Rom 1939.

Lapidarschrift (v. lat. *lapis* = Stein), Schriftform der in Stein gehauenen lat. Inschriften, meist Unzialen; nach ihrer wuchtigen Wirkung und knappen, bündigen Ausdrucksweise bezeichnet ›Lapidarstil‹ eine entsprechende Stilform.

Lapsus calami (lat. = Ausgleiten der Rohrfeder), Schreibfehler.

L'art pour l'art (franz. = die Kunst um der Kunst willen), zuerst von Victor COUSIN (*Du vrai, du beau, du bien,* Druck 1836) formulierte, von T. GAUTIER im Vorwort zu seinem Roman *Mademoiselle de Maupin* (1835) entwickelte Forderung einer zweckfreien, nicht von äußeren (moralischen, religiösen, politischen) Anlässen beeinflußten und zu verstehenden, eigengesetzlichen Kunst als Selbstzweck allein aus der Idee des Schönen, bes. in der Dichtung aufgegriffene These (Symbolismus, Parnassiens, BAUDELAIRE, FLAUBERT, LECONTE DE LISLE, BANVILLE, Brüder GONCOURT, O. WILDE, T. GAUTIER, St. GEORGE); führt in der Übersteigerung zu ästhetizistischer Formenspielerei. →Poésie pure.

A. Cassagne, *La théorie de L'a. p. l'a. en France,* [2]1960; K. Scheffler, *L'a. p. l'a.,* 1929; L. Rosenblatt, *L'idée de l'a. p. l'a. dans la lit. anglaise,* Paris 1931; R. Mühlher, Dichtg. d. Krise, 1951; H. Herrigel, *L'a. p. l'a.* (Sammlung 9, 1954); F. M. Gatz, D. Theorie des l'a. p. l'a. (Zs. f. Ästh. 29. 1955); K. Heisig, L'a. p. l'a. (Zs. f. Relig.- u. Geistesgesch., 1962); A. L. Guérard, *Art for art's sake,* N. Y. 1963; E. Heftrich, Was heißt L'a. p. l'a. (Fin de siècle, hg. R. Bauer 1977); N. Kohl, L'a. p. l'a. i. d. Ästhetik d. 19. Jh. (LiLi 8, 1978).

Latinismus, bei schlechter Übersetzung in andere Sprachen übertragene Besonderheit der lat. Sprache in Syntax oder Stilistik (bes. Wortstellung), so die Voranstellung des Subjekts vor e. Nebensatz: ›Der Frosch, als er ...‹ oder das dt. Gerundivum.

Latinität (lat. *latinitas*), die mustergültige lat. Ausdrucksweise. Vgl. →Goldene L., →Silberne L.

Lauda (ital.) →Laudes

Laudatio funebris (lat. =) →Leichenrede, Lobrede auf Verstorbene, im antiken Rom von befähigten Verwandten oder bei Staatsbegräbnissen von bestellten Rednern auf dem Forum gehalten, früh schriftlich aufgezeichnet und aus den Familienarchiven in die Öffentlichkeit verbreitet. Sie verkündeten neben dem Ruhm des Verstorbenen auch das Lob seiner Vorfahren und waren daher e. wichtige Quelle antiker Biographie.

F. Vollmer, *L.um f.ium Romanarum hist. et reliquiarum editio* (Fleckeis, Jhrb. Suppl. 18, 1892).

Laudes (lat. = Lob), Lobgedicht, -lied, bes. Gottes oder Marias als volkstümliches geistliches Lied in Form der Ballata im Italien (Lauda) des 13.–17. Jh. unter Einfluß von FRANZISKUS VON ASSISI *(Laudes creaturarum)* enstanden, um 1260 durch die Geißler in ganz Italien verbreitet und in jeder Stadt Bruderschaften (Laudesi) zu seiner Pflege; Dichter bes. JACOPONE DA TODI. Ausgangspunkt für das italien. geistl. Drama, in dem die dialogisierte Lauda drammatica, anfangs ohne jeden szen. Apparat, von mehreren Sprechern wechselweise vorgetragen bzw. dargestellt wurde.

G. Ippoliti, *Dalle sequenze alle laudi,* 1914; K. Jeppesen, D. mehrstimmigen ital. L. um 1500, 1935; F. Liuzzi, *La Lauda,* 1935; E. H. Kantorowicz, L. Regiae, 1946; V. de Bartholomaeis, *Origini della poesia drammatica italiana,* Turin 1952.

Laureat →Poeta Laureatus

Laut- →Klang-

Lautgedicht, phonetische Poesie, ›Verse ohne Worte‹, experimentelle Form der Lyrik, die nicht Wortbedeutungen und Sätze, sondern ästhetisch gefilterte Laute aneinanderreiht und über dem rein musikalisch-melodischen Wohlklang auf Aussageinhalt oder Sinngebung fast oder gänzlich verzichtet; damit Nähe zur →Nonsense-Dichtung: J. H. VOSS *Klingsonate,* J. L. RUNEBERG *Höstsång,* Ch. MORGENSTERN *Das große Lalulā,* P. SCHEERBART *Kikakokú,* O. NEBEL, J. WEINHEBER, bes. im →Dadaismus (H. BALL, K. SCHWITTERS, R. HAUSMANN), →Lettrismus und →konkreter Poesie (E. Jandl).

A. Liede, Dichtg. als Spiel, II 1963; K. Riha, Üb. L. (Sprache i. techn. Zeitalter 55, 1975).

Lautschrift gibt im Ggs. zur →Bilderschrift jeden Einzellaut durch e. bes. Zeichen wieder; dann auch genaue phonetische Schrift.

Lay (engl., v. breton. →Lai), engl. Bz. für jede Art kurzen Erzählgedichts, Ballade oder Lied, z. B. MACAULAYS *L.s of Ancient Rome,* W. SCOTTS *L. of the Last Minstrel.*

Layout (engl.), Entwurf für die graph. Gestaltung e. Druckerzeugnisses, e. Buchseite usw. hinsichtlich der Anordnung von Illustrationen, Überschriften, Zwischentiteln, Text, Bildlegenden usw.

Lazarettpoesie, Ausdruck (GOETHES (zu ECKERMANN 24. 9. 1827) für Weltschmerz-Dichtung, die unzufrieden von Leiden und Jammer der Erde spricht, anstatt dem Menschen Kraft und Mut zu ihrem Ausgleich zu geben.

Lazzi (ital., v. *le azioni* = die Handlungen), die Gags, komischen Einlagen, Tricks, Späße und mimischen Improvisationen der Schauspieler, insbes. der komischen Person, in der →Commedia dell'arte, die im Stegreifspiel tote Punkte und stockenden Spielfluß überwinden halfen.

Lebende Bilder, die Darstellung von Szenen aus biblischer Geschichte, antiker Sage oder vaterländischer Geschichte, schließlich auch von bekannten Werken der Malerei und Plastik oder anspielungsreicher Allegorien durch lebende, aber stumm und bewegungslos verharrende Personen, begann nach Vorläufern in der Antike als selbständiger Kunstzweig im MA. mit religiösen Darstellungen etwa von Krippenszenen, barocken Festzügen und Trionfi, wurde im 18. Jh. bes. in Frankreich durch die Comtesse de GENLIS wieder aufgenommen und in den ›Attituden‹ der Lady E. HAMILTON fortgeführt, im 19. Jh. (vgl. GOETHES *Wahlverwandtschaften* II, 6 und *Bilder-Szenen*) weit verbreitet und lebt etwa in den tableaux vivants der ›Folies bergère‹ in Frankreich bis heute fort.

K. Gram Holmström, *Monodrama, Attitudes, Tableaux vivants*, Stockh. 1967; N. Miller, Mutmaßungen üb. l. B. (Das Triviale i. Lit., Musik u. bild. Kunst, hg. H. de la Motte-Haber 1972).

Lebensbeschreibung, -bild, -erinnerung →Autobiographie, →Biographie, →Memoiren.

Lebenslehre →Weisheitslehre

Leberreim, improvisierte Gesellschaftsdichtung des 17. Jh.; zweizeiliges scherzhaftes Tischgedicht ähnlich dem Schnadahüpfel: beim Zutrinken wird die – ohne Rücksicht auf den Inhalt – stereotype Anfangszeile ›Die Leber ist von einem Hecht und nicht von einem ...‹ durch e. Tiernamen vollendet und e. 2. Zeile dazu reimend improvisiert. Unbekannten Ursprungs, wird der L. seit Beginn des 17. Jh. mit Vorliebe für Sprichwörter und Sprüche verwendet: J. JUNIORS niederdt. *Rhythmi mensales* 1601, hochdt. von J. SOMMER (THERANDER) *Epatologia hieroglyphica rhythmica* 1605, ferner G. GREFLINGER 1665; schon 1620 Slgn. in Schweden, seit rd. 1640 in zahlreichen Komplimentierbüchern, erst um 1720 abflauend, doch stellenweise, bes. in bäuerlichen Kreisen, bis ins 19. Jh. erhalten – auch in HOFFMANNS VON FALLERSLEBEN *Weinbüchlein* 1829.

H. Brandes, Z. Gesch. d. L. (Niederdt. Jhrb. 15); RL.

Lectio difficilior →Textkritik, 2a.

Lectionarium →Lektionar

LEF (Abkürzung von russ. Levji Front Iskusstva, d. h. Linke Kunstfront), avantgardistischer russ. Literatenkreis, von V. V. MAJAKOVSKIJ 1923 in Moskau gegründet, mit Mitgliedern aus dem Kreis der Futuristen u. a. revolutionären, antikonservativen Richtungen (N. N. ASEEV, B. PASTERNAK, S. TRETJAKOV, V. CHLEBNIKOV, A. FADEEV u. a.). Von der offiziellen Kritik wegen seiner Revolte gegen die bürgerliche Ästhetik und seines Eintretens für eine Lit. der Tatsachen anfangs als positiv gefördert, 1929 stark kritisiert und im Zuge der Unterdrükkung des Formalismus aufgelöst. Zs. der Gruppe war die Zs. *Lef* (1923–25), später als *Novyj Lef* (1927–28).

Legendar(ium), seit dem 7. Jh. übliche Slg. von →Legenden in kalendarischer Ordnung für die Lesung an Heiligenfesttagen.

Legende (lat. *legenda* = das zu Lesende), urspr. Lesung ausgewählter Stücke aus dem Leben e. Heiligen an seinem Festtag bei Gottesdienst oder Klostermahlzeit, dann auf den Lesestoff übertragen, religiös erbauliche, volkstümliche Erzählung in Vers oder Prosa um den irdischen Lebenslauf e. Heiligen (Jesus, Maria, Apostel, Märtyrer, Anachoreten, Ordensstifer u. a.) oder einzelner Wunder und Geschehnisse daraus, bes. den Kampf glaubensstarker Menschen mit der Umwelt, Erleuchtung irdischen Geschehens durch himmlische Mächte zu symbolischem Gehalt, vorwiegend in zwei Formen: Heiligen-L. zu tendenziöser Belehrung und Volks-L. zur Unterhaltung als geistliche Volkssage (→einfache Form), dann nicht auf den christlichen Glauben beschränkt. Sinngebung und Stimmungsgehalt reizten früh zu lit. Gestaltung, bes. in epischer Form oder als →L.nspiel, wobei ausschmükkende Dichterphantasie und das Streben nach größerer Wirkung den historischen Kern überwucherten; häufige Quellen sind neben den Apokryphen und der mündlichen Überlieferung auch buddhistische und orientalische Erzählungen. Wichtigste ma. Slg.: *Legenda aurea* (um 1270) des JACOBUS DE VORAGINE, Erzbischof von Genua, *Väterbuch* und *Passional* (um 1300) e. unbekannten Geistlichen aus dem Deutschordenskreis. Größte und offizielle kath. Slg. sind die *Acta sanctorum* der Bollandisten (Gruppe der Jesuiten) in Antwerpen und Brüssel, 1643 bis 1794 in 70 Bdn., bis in den November des Kalenderjahres fortgesetzt, enthaltend die Lebensbeschreibungen der kanonisierten Heiligen bis in die Gegenwart mit rd. 25 000 L. – Die dichterische Gestaltung bei einzelnen Völkern beginnt mit PRUDENTIUS (um 403), in Dtl. folgten in lat. Sprache WALAHFRID STRABO aus Reichenau (9. Jh.) und HROTSVITH VON GANDERSHEIM (10. Jh., 8. L.n) mit Verherrlichung ihrer Klosterheiligen u. a. Mit dem *Georgslied* (um 900) beginnt die dt.-sprachige L.ndichtung, die im ma. Marien- und Heiligenkult wurzelt, mit der cluniazensischen Reform und den Kreuzzügen Verinnerlichung und stoffliche Erweiterung erfährt, seit dem 11./12. Jh. auch biblische Motive einbezieht und um Mitte des 12. Jh. zu voller Blüte kommt. L.nzüge dringen in die *Kaiserchronik* und das *Annolied* ein. Seit HEINRICHS VON VELDEKE *Servatius* griffen die höfischen Dichter L.nstoffe auf: HARTMANN *Gregorius* und *Armer Heinrich,* GUNDACKER VON JUDENBURG *Marienleben,* KONRAD VON FUSSESBRUNNEN *Kindheit Jesu,* KONRAD VON HEIMESFURT *Himmelfahrt Mariä, Die Urstende,* REINBOT VON DURNE *St. Georg* und, als Ausklang dieser Blütezeit, die großen Epigonen: RUDOLF VON EMS *Der gute Gerhard, Barlaam und Josaphat* und KONRAD VON WÜRZBURG *Silvester, Alexius, Pantaleon.* Im 14. Jh. erfolgt mit dem Heiligenbuch HERMANNS VON FRITZLAR der Übergang zur Prosa-L., die sich im 15. Jh., bes. seit dem Buchdruck schnell verbreitet. Trotz ihrer Ablehnung durch die Reformation (LUTHER: ›Lügenden‹) lebt sie in der Unterhaltungslit., vielfach humoristisch fort (H. SACHS' Schwänke von St. Peter), taucht im Barock bes. als L.nspiel des Jesuitendramas, doch auch als Märtyrererzählung wieder auf und dringt als Stoff auch in weltliche Dichtungen ein (Genoveva-L. aus MARTINS VON KOCHEM *Auserlesene History-Buch*). In der Aufklärung wie vorher bereits im Humanismus tritt die L.ndichtung zurück, wird teils sogar durch Satire und Travestie verspottet; ihre Neubelebung beginnt im Sturm und Drang, als HERDER (in *Adrastea* und *Zerstreute Blätter*) auf ihren dichterischen Gehalt verweist und in Neuschöpfungen für sie eintritt. Auch GOETHE (Hufeisen-L., *Der Gott und die Bajadere,* Rochus-, Siebenschläfer- und Paria-L.) wie die Romantik (KOSEGARTEN, ARNIM, BRENTANO, TIECK, FOUQUÉ, auch KLEIST) und das Biedermeier (UHLAND, KERNER, MÖRIKE) pflegen sie erneut wegen ihrer Idyllik. Im realistischen 19. Jh. vom Jungen Dtl. bis zum Naturalismus findet sie keinen Raum. Als einzige bedeutende Ausnahme neben HEINES *Wallfahrt nach Kevelaer* stehen G. KELLERS *Sieben Legenden,* bei aller realistischen Diesseitsfreude und leichten, humorvollen Ironie e. dichterisches Meisterwerk; im Ausland BALZAC, FLAUBERT, BJÖRNSON, LAGERLÖF, LESKOV, TOLSTOJ,

TIMMERMANS. Erst Neuromantik und Expressionismus, die auf Vereinfachung und dichterische Vertiefung des Weltbildes abzielenden Strömungen des 20. Jh., bringen neue Formmöglichkeiten vom Wunderbaren her: WERFEL, VOLLMÖLLER, HESSE, ST. ZWEIG, R. SCHAUMANN, W. BERGENGRUEN, E. SCHAPER, R. SCHNEIDER, M. MELL, G. v. LE FORT u. a. Beispiele mod. psycholog.-iron. Umdeutung der L. geben G. HAUPTMANNS *Der arme Heinrich,* R. G. BINDING, J. ROTH und Th. MANN (*Der Erwählte,* 1951).

P. Merker, Stud. z. nhd. L.dichtg. 1906; A. H. Guerber, *Myths and L.s of the MA.,* Lond. 1906; H. Günter, L.studien, 1906; F. Wilhelm, D. L.n u. Legendare, 1907; E. Ackerknecht, Moderne L.nkunst (Eckart II, 1907/08); L. Zöpf, D. Heiligen-L. i. 10. Jh., 1908; H. Günter, D. christl. L. d. Abendld., 1910; A. v. Gennep, *La formation des L.s,* Paris 1910; H. Delahaye, *Les l.hagiograph.,* dt. [3]1923; A. Schmitt, D. dt. Heiligen-L., Diss. Freibg. 1929; RL; R. Günther, D. abendld. Heiligen-L. (Theol. Rundschau, 1931); G. Eis, Neue Quellen f. d. ma. L.ndichtg. (Forschg. u. Fortschritt 10, 1934); J. Dubrock, D. christl. L. u. ihre Gestaltung i. d. modern. dt. Dichtg., Diss. Bonn 1934; H. Hansel, Neue Quellen z. ma. L.ndichtg. (Zs. f. dt. Philol. 60, 1935); G. Eis, Beitr. z. mhd. L. (Germ. Stud. 161, 1935); T. Ittner, *The christ. l.s in German lit. since romanticism,* Urbana 1937; H. Hansel, D. Nachleben d. Heiligen i. d. Dichtg. (Volk u. Volkstum 3, 1938); H. Rosenfeld, D. Wesen d. L. als lit. Gattg. (Neues Abendld. 8, 1938); J. Merk, D. lit. Gestaltg. d. altfranz. Heiligenleben, 1946; H. Günter, Psychologie d. L., 1949; H. Rosenfeld, D. L. als lit. Gattg., GRM 33, 1951/52; A. Jolles, Einfache Formen, [4]1968; T. Gad, *L.n i dansk middelalder,* Koph. 1961; H. Rosenfeld, L., [2]1964; T. Wolpers, D. engl. Heiligenl. d. MA., 1964; G. Kranz, D. L. als symbol. Form (Wirk. Wort 17, 1967); B. H. Lermen, Mod. L.dichtg., 1968; RL; K. Brinker, Formen d. Heiligkeit, Diss. Bonn 1968; R. Schulmeister, Aedificatio u. imitatio, 1971; H. Rosenfeld, L., [3]1972; U. Wyss, Theorie d. mhd. Leg.epik, 1973; S. Ringler, Z. Gattg. L. (Würzb. Prosastud. 2, 1975); A. Masser, Bibel- u. L.epik d. dt. MA., 1976.

Legendenepos, epische Gestaltung legendenhafter Stoffe, Gattung der ma. Dichtung z. B. in *Sankt Oswald, Orendel* u. a. Vgl. →Legende.

Legendenspiel →geistliches Drama nach e. Stoff aus der →Legende mit →Mirakeln und →Deus ex machina oder ohne Wunderwirkung als →Moralität, im 13.–15. Jh. als Darstellung vom Heiligenleben (Nikolaus, Katharina, Dorothea, Georg u. a.) im MA., als Darstellung meist der Märtyrerleiden im →Jesuitendrama häufig. Im 19. Jh. nimmt SCHILLER den Stoff *Jungfrau von Orleans* auf, im 20. Jh. Erneuerung der L.e aus Streben nach laienhafter Schlichtheit und Einfachheit; G. HAUPTMANN *Kaiser Karls Geisel, Der arme Heinrich,* HOFMANNSTHAL *Jedermann,* VOLLMÖLLER *Das Mirakel,* M. MELL *Apostelspiel,* ferner L. WEISMANTEL, DIETZENSCHMIDT, P. CLAUDEL, T. S. ELIOT u. a.

H. Biermann, D. dtspr. L., Diss. Köln 1977.

Lehnübersetzung, wörtliche Übersetzung eines fremdsprachigen Worts als Eindeutschung seiner Begriffsbestandteile, z. B. praeiudicium zu Vorurteil, skyscraper zu Wolkenkratzer.

Lehnwort, aus e. fremden Sprache entlehntes, jedoch mittlerweile in Lautstand, Betonung und Schreibweise an die Aufnahmesprache angeglichenes, nicht mehr als fremd empfundenes Wort. Die Grenzen zum →Fremdwort sind oft fließend. Man unterscheidet ferner →Lehnübersetzungen und Bedeutungslehnwort, d. h. ein früher bestehendes Wort, das aus e. Fremdsprache e. bes. Bedeutung entlehnt, z. B. ahd. ›buozzen‹ = ›ausbessern‹ zu christl. ›büßen‹.

F. Seiler, Entwicklg. d. dt. Kultur i. Spiegel d. dt. L.s, [4]1925; A. Stender-Petersen, German.-slaw. L.kunde, Göteborg 1927; W. Betz, Dt. u. Lat., [2]1965; P. v. Polenz, Fremdwort u. L. sprachwiss. betrachtet (Muttersprache 77, 1967).

Lehrbuch, leichtverständliche, systematisch aufgebaute, sachlich einführende Darstellung einer Wissenschaft, die in klarer, einprägsamer Form einen Überblick über die Disziplin bietet und deren einzelne Gegenstände beschreibt.

M. Fuhrmann, D. systemat. L., 1960.

Lehrdichtung, vermittelt Wissen um subjektive oder objektive Wahrheiten (Lehren, Wissen, Erkenntnisse) in sprachkünstlerischer Form. Lehrhaften Charakters sind auch angrenzende Gattungen wie dramatische: Tendenzdrama, Lehrstück, epische: Fabel, Parabel, Legende, lyrische: Gnome, Priamel, Spruch und die Sonderform des Epigramms, ferner alle deskriptive Dichtung; erst das ausdrückliche Überwiegen der belehrenden Tendenz über die Kunst ergibt die Form des Lehrgedichts. Die umstrittene, nach heutigem ästhetischem Standpunkt noch vielfach übliche Einstufung der L. als Unpoesie entspricht nicht der Auffassung des Altertums und MA., wo praktische Nützlichkeit als gleichberechtigt galt (→prodesse et delectare). Der Ursprung der L. liegt bei allen Völkern auf e. Kulturstufe, auf der die Wissenschaft noch nicht selbständig war, sondern nur zusammen mit dem Künstlertum gepflegt wurde, bes. da in schriftloser Zeit der Vers (Hexameter) als Gedächtnisstütze diente, so z.B. die Sûtras bei den Indern, bes. aber die griech. L. um alle Wissensgebiete: Götterlehre und Landbau (HESIOD), Philosophie (PARMENIDES, EMPEDOKLES, XENOPHANES), dann in hellenist. Zeit: Astronomie und Meteorologie (ARATOS *Phainomena*), Medizin (NIKANDROS), Geographie (SKYMNOS, DIONYSIOS), Grammatik (HERAKLEIDES PONTIKOS), Jagd und Fischerei (OPPIANOS), selbst epische Kochbücher. Sie wirken auf die Entstehung der röm. L.: ENNIUS' Übersetzung e. Kochbuchs (*Hedyphagetika*), seine philosophischen L.en *Epicharmos* und *Euhemeros,* LUKREZ' philosophisches Lehrgedicht *De rerum natura,* HORAZ' *Ars poetica,* VERGILS *Georgica* und die pseudovergilsche *Aetna,* OVIDS *Ars amatoria, Remedia amoris, De medicamine faciei* (Schönheitsmittel!) und →*Fasti,* GRATTIUS über Jagdhunde, Übersetzung des ARATOS durch CICERO, GERMANICUS und AVIENUS, MANILIUS' Lehrgedicht über Astronomie und -logie, SERENUS SAMMONICUS über Medizin und TERENTIANUS MAURUS über Grammatik. COMMODIANUS brachte die Lehre des Christentums in Verse, doch wird die Form seit der vollen Entwicklung der Wissenschaften fragwürdig, da die Neigung zur bloßen Lehre als Hauptzweck die künstlerische Formung hemmt. L.en des MA. sind etwa die →Spruchdichtung WALTHERS, die FRAUENLOBS, THOMASINS VON ZERKLAERE *Welscher Gast* (Morallehre), FREIDANKS *Bescheidenheit,* die Allegorie der Minnegrotte in GOTTFRIEDS *Tristan* und STRICKERS →Bîspel. Es folgen auf weniger hoher Kunststufe die L.en der Meistersinger, des Humanismus und die stark tendenziösen, doch wirksamen Fabeln und Satiren der Reformationszeit (BRANT, FISCHART, MURNER, WALDIS), im 17. Jh. nach antikem und franz. Vorbild OPITZ' *Vesuvius* und LOGAUS Epigramme. E. neue Blüte beginnt mit der franz. Klassik (RACINE, BOILEAU, DORAT, LACOMBE, DELILLE) und der Aufklärung sowohl in England (DAVIES, DYER, AKENSIDE, DRYDEN, POPE, YOUNG, E. DARWIN) und Frankreich (VOLTAIRE) als auch in Dtl.: BROKKES, HALLER, DUSCH, GLEIM, UZ, ZACHARIÄ, BODMER, CRONEGK, GISEKE, LICHTWER, E. v. KLEIST bis zu GELLERT und ihrer Vollendung an der

Wendung zum Idealismus bei WIELAND, LESSING und TIEDGE *(Urania)*, in der Klassik bei GOETHE *(Metamorphose der Pflanzen)* und SCHILLER *(Der Spaziergang)*. Im 19. Jh. von A. W. SCHLEGEL als Verbindung von Dichtung und Philosophie empfohlen, findet sie nur noch vereinzelte Vertreter wie L. SCHEFER *(Laienbrevier)*, SALLET *(Laienevangelium)* und bes. RÜCKERT *(Weisheit des Brahmanen)*. Radikale Strömungen des 19./20. Jh. benutzen alle lit. Formen als L. zu polit. Agitation. Das 20. Jh. entwickelt in der Sowjetunion, in Dtl. bei B. BRECHT, das →Lehrstück. Vgl. GOETHE, *Über das Lehrgedicht*.

R. Eckart, D. L., [2]1910; W. Vontobel, V. Brockes bis Herder, 1944; K. Spitteler, Vom Lehrged. (Ästhet. Schr., 1947); W. Ulrich, Stud. z. Gesch. d. dt. Lehrged. i. 17. u. 18. Jh., Diss. Kiel 1959; B. Fabian, D. didakt. Dichtg. i. d. engl. Lit.theorie d. 18. Jh. (Fs. W. Fischer, 1959); RL; L. L. Albertsen, D. Lehrged., Aarhus 1967; B. Fabian, D. Lehrged. als Problem d. Poetik (Poetik u. Hermeneutik 3, 1968); H.-W. Jäger, Z. Poetik d. L. i. Dtl., DVJ 44, 1970; L. L. Albertsen, Z. Theorie u. Praxis d. didakt. Gattungen i. dt. 18. Jh., DVJ 45, 1971; B. Sowinski, Lehrhafte Dichtg. i. MA., 1971; Ch. Siegrist, D. Lehrged. d. Aufkl., 1974; E. Leibfried, Philos. Lehrged. u. Fabel (Neues Hb. d. Lit. wiss. 11, 1974); B. Effe, Dichtg. u. Lehre. Unters. z. Typol. d. antiken L., 1977; B. Boesch, Lehrhafte Lit., 1977.

Lehrgedicht, von HARSDÖRFFER 1646 geprägte, unscharfe und unterschiedl. angewandte Bz. für alle Formen der →Lehrdichtung in Versen, umfaßt im antiken Sinn (VERGIL, HORAZ) die epischen Großformen der Darstellung e. Wissensgebiets, dem heutigen Sprachsinn nach mehr die lyriknahen Kurzformen wie das philos. Gedicht.

Lit. →Lehrdichtung

Lehrstück, als Form der →Lehrdichtung Sonderart des →Thesenstückes innerhalb der →Tendenzliteratur: Drama mit der Aufgabe, die Zuschauer für e. bestimmtes politisches oder soziales Ideal zu gewinnen; abstrakt-parabelhafte Verdeutlichung e. Lehre, der die durch Projektionen, Spruchbänder, Songs u. a. Verfremdungseffekte aufgelokkerte Kunstform nur noch als Mittel zur Demonstration von falschen oder richtigen Verhaltensweisen dient, die das L. sowohl unter den Aufführenden wie den Zuschauern zur Diskussion stellt. Verwirklicht bes. von B. BRECHT in seiner mittleren Schaffensphase: *Der Ozeanflug, Das Badener L. vom Einverständnis, Der Jasager, Der Neinsager, Die Maßnahme, Die Ausnahme und die Regel* u. a. und seinen Nachahmern (P. HACKS u. a.). Vgl. →episches Theater.

Ideas in the drama, hg. J. Gassner, N. Y. 1964; P. Beyer, D. L. i. d. DDR. Potsd. 1967; R. Steinweg u. a. (Alternative 14, 1971); Brechtdiskussion, hg. J. Dyck, 1974; Brechts Modell d. L.e, hg. R. Steinweg 1976; R. Steinweg, Das L., [2]1976.

Leich (got. *leiks* = Spiel, Tanz), in mhd. Zeit = Melodie, Weise, auch ohne Text, dann als lit., rhythmische oder chorische Form der mhd. Lyrik vom Lied schon seit NOTKER LABEO geschieden, bes. durch unregelmäßigen Strophenumfang und -bau, Freiheit der – dennoch meist korrespondierenden – Reim- und Versformen, 2-gliedrigen Strophenbau (statt 3-gliedrigen des Liedes) und durchkomponierte Musikbegleitung statt wiederholter Melodie. Die Entwicklung greift auf die lat. Sequenzen des Kirchengesangs zurück und führt zu e. Wort- und Tondichtung hymnischer Form. Inhaltlich unterscheidet man Tanz-, religiösen und – im Rittertum – Minne-L. Seit Ende des 12. Jh. häufig überliefert als Bz. für Dichtungen zahlreicher Minnesänger: WALTHER (Marien-L.), ULRICH VON LICHTENSTEIN, REINMAR VON ZWETER, TANN-

HÄUSER, KONRAD VON WÜRZBURG, HADLAUB u.a.; seit dem 14. Jh. nur noch in geistlicher Dichtung (→Leis); im 13.–16. Jh. steht L. daneben als Übersetzung für franz. →Lai.

F. Wolf, Üb. Lais, Sequenzen u. L.e., 1841; O. Gottschalk, D. dt. Minne-L., Diss. Marbg. 1908; RL; K. H. Bertau, Sangverslyrik, 1964; I. Glier, D. Minne-L. i. späten 13. Jh. (Werk, Typ, Situation, hg. dies. 1969); H. Spanke, Stud. z. Sequenz, Lai u. L.., 1977.

Leichenrede, über griech. →Epitaph, →Enkominon, lat. →Laudatio funebris bis zu den *Oraisons funebres* des franz. Kanzelredners BOSSUET (17. Jh.) beliebte lit.-rhetorische Gattung.

E. Winkler, D. Leichenpredigt i. dt. Luthertum bis Spener, 1967; L.predigten als Quelle hist. Wiss., hg. R. Lenz 1975.

Leihbücherei →Bibliothek

Leimon-Literatur (griech. *leimon* = Wiese, lat. *prata*) nach dem bunten Inhalt e. Werkes gewählter Name als Titel, z.B. bei PAMPHILOS u.a. griech. Grammatikern, in lat. Lit. SUETONS *Prata* u.a. →Satire, →Silvae.

Leipogrammatisch (griech. *leipein* = weglassen, *gramma* = Buchstabe) heißt e. Schreibart, die bewußt einen oder mehrere Buchstaben meidet, aus lit. Spielerei oder unbewußt als →Klangmalerei. Häufig in ind. Lit., z.B. bei DANDIN, bei PINDAR, HARSDÖRFFER, BROCKES und J. WEINHEBER *(ohne e)*.

E. Schulz-Besser, Dt. Dtgn. ohne den Buchstaben R. (Zs. f. Bücherfreunde, 1910); A. Liede, Dichtg. als Spiel, II 1963.

Leis, nach dem von der Gemeinde gesungenen Refrain ›Kyrie eleison‹ (= Herr, erbarme dich) benannte älteste Form des dt. →geistlichen Volksliedes, Anfang des Gemeindegesangs (→Kirchenlied), aus der Litanei entwickelt bei kirchlichen Festen und Prozessionen, Wallfahrten, Geißlerfahrten, Kreuzzügen, dann auch vor der Schlacht und in Gefahr gesungen, schon im *Ludwigslied* enthalten; ältestes das *Petruslied* (um 885), später auch Weihnachts-, Oster-L. (Krist ist erstanden, 12. Jh.), Himmelfahrts-L. (Krist fur gen himel) und Marienrufe.

W. Mettin, D. ältest. dt. Pilgerlieder, 1896; RL[1].

Leitartikel, der wichtigste, meist auf der Titelseite befindliche und oft vom Chefredakteur verfaßte Artikel e. Tages- oder Wochenzeitung zur Erörterung politischer, wirtschaftlicher oder sozialer Tagesfragen. Seit Aufkommen der Meinungspresse bekundet er die politisch-weltanschauliche Stellung des Blattes, bes. seit 1848 meist in parteipolitischem Sinne. Bedeutend als Verfasser von L.n war GÖRRES im *Rheinischen Merkur* 1814–16.

C. Gentner, Z. Gesch. d. L. (Publizistik i. Dialog, Assen 1965); H. Heigert, D. L. (Jb. d. dt. Akad. f. Spr. u. Dichtg. 1974).

Leitfaden, seit Mitte 18. Jh. übliche Bz. für e. kurze, zusammenfassende Einführung in e. Wissensgebiet bes. für Studenten.

Leitmotiv, 1. in der Musikwissenschaft charakteristischer Melodieteil in größeren Musikwerken mit symbolischer Bedeutung, bes. bei Wiederkehr inhaltlich wesensverwandter Stellen (Gedanken, Gefühle) oder als Thema e. Person, z.B. bei WEBER und R. WAGNER verwendet; 2. daher in der Lit.wissenschaft entlehnt als formelhaft wiederkehrende bestimmte Wortfolge mit gliedernder und verbindender Funktion, teils →Motiv, z.B. →Dingsymbol, →Falke, stehende Redewendung bestimmter Personen, wiederholte Handlungsteile oder sprachliche Bilder, teils nur stilist. oder ornamentaler →Zug. Bes. bei

GOETHE (*Wahlverwandtschaften*), ZOLA, RAABE, FONTANE, IBSEN und Th. MANN ausgebildet; in der Lyrik auch e. rhythmisches Motiv. 3. fälschlich gebraucht für die durchgehende Haltung e. Dichtung, z. B. Jenseitssehnsucht u. ä.

O. Walzel, D. Wortkunstwerk, 1926; L. Hotes, D. L. i. d. neueren dt. Romandichtg., Diss. Ffm. 1931; R. Peacock, D. L. b. Th. Mann, 1934; W. Kayser, D. sprachl. Kunstwerk, [13]1968; E. Frenzel, Stoff- u. Motivgesch., 1966.

Leitwort, auch Reizwort, bes. in der Lyrik e. zentral stehendes, klanglich u. sinnhaft aufgeladenes Wort, das Assoziationen auslöst und lenkt.

V. L. Ziegler, *The L. in Minnesang,* Penns. 1975.

Lektion (lat. *lectio* = Lesung), 1. ursprünglich Schriftlesung im Gottesdienst, dann der entsprechende Bibelabschnitt; 2. übertragen auf die allg. Lit. Lernabschnitt e. Lehrbuchs, bes. im Unterricht.

Lektionar(ium), seit der Karolingerzeit übliche Zusammenstellung der bei der kath. Messe zu lesenden Bibelstellen (→Perikopen, →Lektion) in der Reihenfolge ihrer Verlesung im Kirchenjahr, auch getrennt als →Epistolar und →Evangelistar; umfaßt bei Vollständigkeit fast den ganzen Text des NT.

Lektor (lat. = Leser), wissenschaftlich ausgebildeter Prüfer eingesandter Werke bei e. Verlag, bestimmt durch seine Konzeption und seine Ideen oft wesentlich Gesicht und Programm desselben mit, indem er dem Verlag zu Annahme oder Ablehnung e. Werkes rät, neue Richtlinien erarbeitet und aus seinem antizipierenden Bewußtsein für künftige Entwicklungen heraus seine Auswahl trifft. Für den schöngeistigen Autor ist er oft vielfach erster Leser des Manuskripts, Berater für Umarbeitungen, Verdeutlichungen, Kürzungen u. a. und überhaupt erster Widerpart, dem der Autor seine Absichten verdeutlichen muß. Bedeutende L. und zugleich Schriftsteller waren z. B. O. LOERKE, H. KASACK, M. TAU, P. HÄRTLING, D. WELLERSHOFF u. a.

Lektüre (franz. *lecture*), 1. das Lesen e. Textes, entweder →kursorisch oder →statarisch; 2. Lesestoff.

B. Arens, D. L., 1911; E. Ackerknecht, D. Kunst d. Lesens, [4]1949; H. G. Göpfert, Traktat üb. d. Lesen, [2]1958; A. Quiller-Couch, *On the art of reading,* Lond. 1958; Ö. Lindberger, R. Ekner, *Att läsa poesi,* Stockh. [2]1960; R. A. Brower, *The fields of light,* Oxf. 1962; F. G. Jennings, *This is reading,* N. Y. 1965; Lesen, e. Hb., hg. A. C. Baumgärtner 1973; W. Iser, D. Akt d. Lesens, 1976; Leser u. Lesen i. 18. Jh., hg. R. Gruenter 1977.

Lekythion (griech. = Fläschchen), von den antiken Metrikern nach dem stereotyp wiederholten komischen Trimeterteil ›lekythion apolesen‹ (ARISTOPHANES, *Frösche* 1208 ff.) gebildete Bz. des katalektischen trochäischen Dimeters: —◡—◡̄—◡—, bei ALKMAN (*Partheneion*), EURIPIDES u. a.

Lemma (griech. = Empfangenes), 1. Stichwort (Merkwort oder Satzanfang), das bei den Anmerkungen e. Kommentars oder den Lesarten des kritischen Apparates auf die Bezugstelle im Text des Autors verweist oder zur weiteren Behandlung herausgehoben ist. – 2. Titel und gedanklicher (nicht ästhetisch-dichterischer) Gehalt e. lit. Werkes. 3. →Zitat.

Lenäen (griech. *Lenaia*), ionisch-attisches Dionysosfest in Athen im Jan./Febr., seit 450 v. Chr. mit Wettkämpfen von anfangs nur Komödien, später auch Tragödien gefeiert. →Dionysien.

L. Deubner, Att. Feste, 1932; A. Pickard-Cambridge, *The Dramatic Festivals of Athens,* Oxf. 1953.

Leoninische Verse, nach dem Dichter LEONINUS (12. Jh.) oder (in Parallele zum →Cursus leoninus) nach Papst LEO benannte Hexameter und Pentameter mit →Zäsurreim von Penthemimeres und Versende; schon in lat. (z.T. OVID, VERGIL), spätlat. (SEDULIUS) und frühma. Dichtung vereinzelt (Legenden der HROTSVITH, *Waltharius, Ecbasis captivi, Ruodlieb,* 10./11. Jh., Lehninische Weissagung, 13. Jh., z.B. ›His replicans clare tres causas explico quare / more Leonino dicere metra sino.‹) In dt. Dichtung zuerst bei EBERHARD VON CERSNE und Joh. ROTHE (14./15. Jh.), später bei FISCHART.

C. Erdmann, Leonitas (Fs. K. Strecker, 1941).

Lesart (lat. *lectio*), Variante, vom Dichter selbst oder aus der Überlieferung herrührende Abweichung e. Textes. Ihre Feststellung durch →Kollation ist Aufgabe der →Textkritik; in →kritischen Ausgaben erscheinen sie im →Apparat.

D. German, Z. Frage d. Darbietg. v. L.n. i. d. Ausg. neuerer Dichter (Weimarer Beitr. 8, 1962).

Lesebuch, Slg. dichterischer (Vers und Prosa) u.a. Texte für Unterrichtszwecke (Lese-, Sprach- und Sachunterricht), teils als →Chrestomathie oder →Anthologie (z.B. HOFMANNSTHALS *Dt. L.* 1922), auch außerhalb des Schulgebrauchs, teils, mit der →Fibel beginnend und durch Sprüche und religiöse Lesestücke erweitert, jeweils dem Schulalter angepaßt. Sie entstehen im 18. Jh. (ROCHOWS *Kinderfreund* 1776), zunächst nach dem moralischen Wert der häufig erst zu diesem Zweck verfaßten Lesestücke ausgerichtet, später nach dem grammatisch-stilistischen Wert und dem Bildungswert zusammengestellt, seit Ph. WACKERNAGELS *Dt. L.* (1845) bes. als Auswahl der größten Dichter und Denker e. Volkes als Einführung in seine Lit., je nach der Zeitströmung und dem Bildungsideal humanistisch, moralistisch, patriotisch, kosmopolitisch, chauvinistisch oder tolerant, z.T. zum Instrument e. Ideologie herabgewürdigt und z.T. bis heute von einer erschütternden, pseudoromantischen Zivilisationsferne, die weder der gewandelten politischen, wirtschaftlichen und sozialen Wirklichkeit noch dem Wandel der sprachl. Gestaltung gerecht wird.

P. M. Roeder, Z. Gesch. u. Kritik d. L., 1961; G. Grüder u.a., D. L. (Deutschunterr. 18, 1966); W. Killy, Z. Gesch. d. dt. L. (Nationalismus i. Germanistik u. Dichtg., hg. B. v. Wiese 1967); J. Ehni, D. Bild d. Heimat i. Schul-L., 1967; D. Diskuss. um d. dt. L., hg. H. Helmers 1969; ders., Gesch. d. dt. L., 1970; Neue L.er, hg. P. Braun 1972; P. Hasubek, D. dt. L. i. d. Zeit d. Nat.soz., 1972; H. L. Arnold, D. dt. L. d. 70er Jahre, 1973; N. Griesmayer, L. u. Gegenw.lit., 1975; L.diskussion 1970–75, hg. H. Geiger 1977.

Lesedrama →Buchdrama

Lesefrüchte, bei der Lektüre ›angelesene‹ Erkenntnisse und Kenntnisse, die z.T. wieder zu eigener Gestaltung anregen.

Lesegesellschaft, Organisationsform lit. Interessierter im 17.–19. Jh. zum gemeinsamen Bezug der für den einzelnen oft preislich unerreichbaren Zeitungen, Zss. und Bücher, die entweder wie beim heutigen Lesezirkel unter den Mitgliedern zirkulierten (Umlaufgesellschaft) oder in örtl. Leseräumen zur Einsicht auslagen. Die stets lokal, z.T. auch sozial (obere Schichten) begrenzten L.en entwickeln sich bes. im 18. Jh. zu allg. lit.-kulturellen und geselligen Klubs, z.T. mit polit. Ambitionen. Mit der Massenproduktion billiger Zss. und Bücher Ende 19. Jh. erlöschen sie.

K. Gerteis, Bildg. u. Revolution (Archiv f.

Kulturgesch. 53, 1971); M. Prüsener, L.en i. 18. Jh. (Archiv f. Gesch. d. Buchwesens 13, 1972); B. M. Milstein, *Eight 18th cent. reading societies,* 1972; H. G. Göpfert, L.en i. 18. Jh. (Aufkläg., Absolutismus u. Bürgertum i. Dtl., hg. F. Kopitzsch 1976); M. Prüsener, H. G. Göpfert, L.en (Buchkunst u. Lit., hg. E. L. Hauswedell 1977); O. Dann, D. L.en d. 18. Jh. (Buch u. Leser, hg. H. G. Göpfert 1977).

Leser, 1. der einzelne, reale Aufnehmende e. lit. Werkes. Er bildet in Gemeinschaft mit seinesgleichen die Gesamtheit des →Publikums, ist als Konsument der Lit. mitbestimmendes Endglied des lit. Lebens und als solcher Untersuchungsgegenstand der →Literatursoziologie. – 2. der irreale, fiktive L. als eine aus dem lit. Werk durch Anreden, Niveau der Darstellung und der Anspielungen, Zitate u. a. Eigenarten der Erzähltechnik sich ergebende, gleich dem →Erzähler erdichtete Rolle. Er wird durch Kommentare gelenkt, durch rezeptionssteuernde Signale in seiner Erwartung bestimmt, eine in das Werk ästhetisch eingeplante Rolle und wird durch erzähltechnische Reflexionen zum Teilhaber am lit. Schaffensprozeß. Dieser ›innerästhetische‹ oder ›implizite‹ L. tritt erst mit der Entwicklung einer subjektiven, persönlich gefärbten Erzählweise eigtl. seit dem 18. Jh. (STERNE, FIELDING, WIELAND, HOFFMANN, POE) in Erscheinung und in Korrelation zu dem fiktiven Erzähler, fehlt dagegen bei objektiv-unpersönlichem Erzählstil (KLEIST) und bei den erzählerlosen Formen der →erlebten Rede und des →inneren Monologs bzw. Bewußtseinsstroms.

W. Kayser, D. sprachl. Kunstwerk, [13]1968; A. Nisin, *La litt. et le lecteur,* Paris 1959; R. Escarpit, D. Buch u. d. L., 1961; M. Naumann, Lit. u. L. (Weimarer Beitr. 16, 1970); P. E. Schramm, Z. Lit. gesch. des Lesenden (Fs. W. Schadewaldt, 1970); E. Wolff, D. intendierte L. (Poetica 4, 1971); D. L. als Teil d. lit. Lebens, 1971; H. Weinrich, Lit. für L., 1971; Dichter u. L., hg. F. van Ingen, Groningen 1972; W. Iser, D. implizite L., 1972; H. Steinmetz, D. L. als konstituierendes Element lit. Texte (Duitse Kroniek 24, 1972); Lesen, e. Hb., hg. A. C. Baumgärtner 1973; R. Engelsing, Analphabetentum u. Lektüre, 1973; V. Lange, *The reader in the strategy of fiction* (*Proceedings of the 12. congr. of the Internat. Federation for Mod. Lang. and Lit.,* 1973); ders., D. Interesse am L. (Historizität i. Spr.- u. Lit.wiss., hg. W. Müller-Seidel 1974); B. Zimmermann, D. L. als Produzent (LiLi 4, 1974); R. Engelsing, D. Bürger als L., 1974; G. Erning, D. Lesen u. d. Lesewut, 1974; M. Głowiński, D. potentielle L. (Weimarer Beitr. 21, 1975); Lit. Rezeption, hg. H. Heuermann u. a. 1975; L. u. Lesen i. 18. Jh., hg. R. Gruenter 1977; Text, L., Bedeutg., hg. H. Grabes 1977.

Lesering →Buchgemeinschaft

Leserschaft →Publikum (2)

Le style est l'homme même (franz. = Der Stil ist der Mensch selbst), Ausspruch aus der Antrittsrede BUFFONS vor der Pariser Akademie 1753, urspr. in der Bedeutung gemeint, ›Was zur Sache hinzukommt, ist das eigtl. Menschliche‹, heute beliebtes Schlagwort der Stilforschung. →Individualstil.

W. G. Müller, D. Topos L. s. e. l'h.m. (Neophil. 61, 1977).

Letrilla (span. = Briefchen), kurze poet.-satir. Versepistel in Kurzversen, oft mit Refrain z. B. von L. GÓNGORA und F. QUEVEDO.

Letterkehr →Anagramm

Lettrismus (v. franz. *lettre* = Buchstabe, also: Buchstabismus), franz. Form der avantgardistischen →konkreten Poesie, erstrebt die Atomisierung der Worte zu Buchstaben und deren Neuzusammensetzung zu sinnfreien Lautgebilden unter Einbeziehung selbst neuerfundener Laute und erreicht, wenigstens beim Vortrag seiner Gedichte durch Sprechchöre, gekonnte rhythmische Effekte. Letzte Konsequenz des schon in den sinnlosen Lautkehrreimen des Volksliedes und dann vom Dadaismus aufgegriffenen sinnfreien →Lautgedichts. Hauptvertreter: Isidore IDOU.

Lever de rideau (frz. = Vorhangheben), kurzes, meist anspruchsloses Spiel, z. B. Proverbe dramatique, vor einem nicht abendfüllenden Theaterstück.

Lever-Szene (franz. *lever* = Aufstehen), seit der antiken Komödie beliebte Eingangsszene im Lustspiel mit dem morgendlichen Erwachen und Aufstehen, oft bedingt durch die →Einheit der Zeit, z. B. KLEISTS *Zerbrochener Krug.*

Lexikographie, das Verfassen e. →Wörterbuches.

Lexikon (griech. *lexis* = Wort Ausdrucksweise) →Wörterbuch →Konversations-, →Literaturlexikon, →Enzyklopädie.

Ley →Lai

Libell (lat. *libellus* = Büchlein), kleine, bes. Schmäh-, Schrift.

Librettist, Verfasser e. →Librettos.

Libretto (ital. = Büchlein), Textbuch für →Oper, →Operette und →Singspiel, das dem Komponisten vom Librettisten geliefert wird, gänzlich dem Gesang untergeordnet, daher oft lit. wertloses Machwerk, das nur der Musik sein Bestehen und Fortleben verdankt, doch als dramatischer Handlungsverlauf oft auch für den Erfolg e. Musikwerkes entscheidend (Mißerfolg von WEBERS *Euryanthe*), wo glückliche Wahl oder hohe Ansprüche und Fähigkeiten des Komponisten e. Einheit von Wort und Musik schaffen. Erst die neuere Zeit schafft L.i, die dank ihres dichterischen Wertes auch unabhängig von der Musik bestehen könnten: WIELANDS Singspiele, GRILLPARZERS *Melusine,* WAGNERS →Musikdramen, HOFMANNSTHALS Dichtungen für R. STRAUSS *(Der Rosenkavalier, Elektra, Ariadne auf Naxos, Frau ohne Schatten),* PFITZNERS *Palestrina.* Auch P. CORNELIUS, LORTZING, BERLIOZ, HINDEMITH, G. V. EINEM, ORFF und EGK schreiben ihre eigenen Texte in Ermangelung geeigneter L.i. Als Librettisten waren ferner bedeutend in Italien D. RINUCCINI (*Dafne,* von OPITZ für SCHÜTZ übersetzt), A. ZENO, P. METASTASIO, C. GOLDONI, Lorenzo DA PONTE (*Figaro* nach BEAUMARCHAIS, *Don Juan, Cosi fan tutte*), in Frankreich Ph. QUINAULT, P. CLAUDEL, J. COCTEAU, in England J. GAY *(Beggar's Opera),* H. W. AUDEN, im dt. Sprachraum SCHIKANEDER *(Zauberflöte),* KIND *(Freischütz),* B. BRECHT, G. KAISER, H. v. CRAMER.

E. Istel, D. L., 1914; M. Ehrenstein, D. Operndichtg. d. dt. Romantik, 1918; A. Scherle, D. dt. Opern-L., Diss. Mchn. 1955; A. Heriot, *Lives of the librettists,* Lond. 1959; RL; U. Weisstein, *The l. as lit.* (*Books abroad* 35, 1960); K. Honolka, Der Musik gehorsame Tochter, 1962; E. A. Dworak, D. dt.sprachige Opern-L. i. d. 1. Hälfte d. 20. Jh., Diss. Wien 1966; E. Thiel, L.i., Bibliogr. 1970; J. D. Lindberg, *The German Baroque opera l.* (*The German Baroque,* hg. G. Schulz-Behrend 1972); K. G. Just, D. dt. Opern-L. (Poetica 7, 1975); K.-D. Link, Lit. Perspektiven d. Opern-L., 1975; G. Schmidgall, *Lit. as opera,* N. Y. 1977.

Liebesbrief →Liebesgruß

Liebesdichtung, im Ggs. zur begrifflich eingeengten →erotischen Lit. jede Form der Dichtung in Vers oder Prosa, die nicht in erster Linie die sexuelle, sondern die gefühlhafte Beziehung zwischen Liebenden (z. T. auch, wie im Orient, solche homoerotischer Art) zum Zentralthema nimmt, vorwiegend in der Lyrik, gipfelnd im ma. →Minnesang, in Prosa meist in der Novelle, in der Triviallit. im →Liebesroman.

T. Frings, D. Anfge. d. europ. L. i. 11. u. 12. Jh., 1960; H. Brinkmann, Gesch. d.

lat. L. i. MA., [2]1967; M. Bowra, *Mediaeval Love-Song,* Lond. 1962; J. B. Broadbent, *Poetic love,* Lond. 1963; H. M. Richmond, *The school of love,* Princeton 1964; *Patterns of Love and Courtesy,* hg. J. Lawlor, Lond. 1966; L. Pollmann, D. Liebe i. d. hochma. Lit. Frankreichs, 1966; P. Dronke, *Medieval Latin and the rise of European love-lyric,* Oxf. II [2]1968.

Liebesgruß, e. Lied, das man der Geliebten vorsang bzw. singen ließ oder schickte; aus ma. Dichtung seit e. dt.-lat. L. im *Ruodlieb* mehrfach überliefert. Schon die karolingischen Kapitularien verbieten den Nonnen das Schreiben und Senden von →›wineleodos‹ (Buhlenlieder) für Verwandte. Unter Einfluß des provenzal. ›salut‹ (Liebesbrief in Reimpaaren aus Achtsilbern, z. B. ARNAUT DE MAREUIL) entsteht e. dt. lit. Gattung, bes. in den →Büchlein der mhd. Blütezeit (HARTMANN VON AUE, ULRICH VON LICHTENSTEIN) als poetischer Liebesbrief.

E. Meyer, D. gereimten Liebesbriefe d. dt. MA., Diss. Marbg. 1898; RL[1].

Liebeshöfe, Minnehöfe, franz. Cours d'amour, ma. Hofgesellschaften im Südfrankreich des 11. Jh., in denen als e. Art gesellschaftlicher Unterhaltung vor e. fiktiven Gerichtshof von Rittern und Hofdamen Streitfragen um Liebesprobleme in e. dem Jeu parti ähnlichen Form, z. T. mit allegor. Figuren, vorgetragen und entschieden wurden. Beispiele dazu lieferten u. a. Traktate von ANDREAS CAPELLANUS und MARTIAL D'AUVERGNE.

J. Laffite-Houssat, *Troubadours et cours d'amour,* Paris 1950; P. Rémy, *Les cours d'amour* (*Revue de l'Univ. de Bruxelles,* 1955); U. Peters, Cour d'amour (Zs. f. dt. Altert. 101, 1972).

Liebeslyrik →Liebesdichtung, →Minnesang

Liebesroman, 1. vom stofflichen Aspekt jeder Roman, dessen zentrales Thema die Liebe bildet, so etwa im (allerdings auch stark abenteuerhaften) spätantiken Roman (LONGOS, HELIODOR). – 2. im engeren Sinne die häufigste Gattung der →Trivialliteratur für weibliche Leser, die meist aus der Sicht einer klischeehaft idealisierten Heldin in typisierten Figuren und Geschehnissen, mit einer kitschigen falschen Innerlichkeit und einer preziös gespreizten, dem Banalen poetischen Anstrich verleihenden Sprache die Geschichte einer Liebe bis zum stereotypen, unvermeidlichen und unrealistischen happy end erzählt. Aus der breiten Fülle der trivialen L. unterscheidet man nach Gewohnheit der Konsumenten Arzt-, Berg-, Frauen-, Gesellschafts-, Heimat- und Sittenroman. Der triviale L. entstand nach Ansätzen im Trivialroman des 18. Jh. insbes. aus den franz. Feuilletonromanen des 19. Jh. und den entsprechenden Romanen der dt. *Gartenlaube.*

D. Bayer, Falsche Innerlichkeit (Triviallit., hg. G. Schmidt-Henkel 1964); L. Brodbeck, Roman als Ware, 1975.

Liebhaber, 1. allg. →Amateur, →Dilettant; 2. als Rollenfach im Theater: trag., jugendl., sentimentaler usw. L.

Liebhaberausgabe, besonders geschmackvolle und kostbare →Ausgabe e. Buches (korrekter Text, typographische Schönheit, handgeschöpftes Papier, kunstvoller Buchschmuck und Einband nach Zeitgeschmack) für →Bibliophile, meist in beschränkter, numerierter Auflage hergestellt.

Liebhabertheater, im Ggs. zum Berufsschauspielertum einerseits wie zum sendungsbewußten →Laienspiel andererseits e. Bühnenvereinigung, deren Mitglieder als Nichtfachleute Interesse und Liebe an der Aufführung von Theaterstücken finden. Vorform etwa im bürgerlichen Fastnachtsspiel, Ausbildung später bes. an Höfen unter Förderung und Beteiligung fürstlicher Personen: Paris, Stuttgart, Heidelberg, Dresden, Wien (meist Opern und Ballette), Berlin und Weimar unter GOETHE. Im 19. Jh. Verbürgerlichung zum (oft ständischen) Vereinstheater an Orten ohne stehende Bühne, meist mit trivialen Repertoirestücken.

R. Falck, Z. Gesch. d. L., 1887; D. Schulz, Katechismus f. L., 1898; RL; E. Bradwell, *Play production for amateurs*, Lond. 1953; V. H. Cartmell, *Amateur theatre*, Princeton 1961; A. Rendle, *Everyman and his theatre*, Lond. 1968.

Lied, wichtigste und schlichteste Form der →Lyrik zum reinsten und unmittelbarsten Ausdruck menschlichen Gefühls in seiner Wechselbeziehung zur Natur, durchgestaltet von Rhythmus und Melodie der zugrunde liegenden Gestimmtheit, daher in nahem Verhältnis zur Musik und dem Streben – wenngleich nicht notwendig – zur Vertonung (SCHUBERT, SCHUMANN, BRAHMS, H. WOLF, P. CORNELIUS, REGER, PFITZNER, R. STRAUSS) als Vollendung seines Wesens. Die Form ist einfache strophische Gliederung mit Reimbindung (mhd. liet, Einzahl = Strophe, einstrophiges L., daher bei Mehrstrophigkeit ›diu liet‹, Mz.); speziell dt., daher ›L.‹ auch als Fremdwort von anderen Völkern übernommen. – Die Unterteilung der Fülle an L.ern erfolgt 1. nach dem Inhalt: weltliches und →geistliches L., 2. nach Thema und Träger: →historisches, →Helden-, →Gesellschafts-, →Kinder-, →Kirchen-, →Stände-L. usw. 3. nach der Entstehung: →Kunst- und →Volks-L., wobei e. strenge Trennung infolge gegenseitiger Beeinflussungen und Übernahmen unmöglich ist: Volks-L. als zersungenes, umgestaltetes oder nachgeahmtes Kunst-L., dieses wiederum aus Motiven und Ton des Volks-L. erneuert. – Die Geschichte des L. beginnt im Frühma.: formaler Ursprung aus der christlich-lat. Hymne, Marienlyrik und älteren romanischen Versformen, durch gleichbleibende Strophenform und Wiederholung der Melodie vom →Leich und durch die gesungene Form vom rezitatorischen →Spruch unterschieden. Lit. Entwicklung seit 1150, zunächst als primitive Gemeinschaftslyrik: Tanz-, →Arbeits-, Toten- und Liebes-L., bis zum KÜRENBERGER meist einstrophig, erst im Minnesang mehrstrophig. Schon in den Vagantenliedern des 13./14. Jh. *(Carmina burana)* herrscht echter Erlebniston in Liebes- und Natur-L.ern; auch in Österreich gleichzeitig das geistliche L. *(Melker Marien-L.)*. Weniger persönlichen Erlebnisausdruck trotz der Sangbarkeit bringt der höfische →Minnesang, bes. in den beiden aus der Provence übernommenen Formen Minne-L. und →Tage-L., von Minnesangs Frühling über REINMAR, HEINRICH VON MORUNGEN und WALTHER bis zu WOLFRAM, um volkstümliche Töne bereichert in der →dörperlichen Dichtung. Im Spätma. und 16. Jh. steht neben dem starr schematisierten und regeltreuen Meistersanglied eine Fülle von ungebundenen →Volksliedern, die bei ihrer Auflösung im 17. Jh. durch die von J. REGNART eingeführten strengen und rationalen Formen des →Gesellschafts-L. abgelöst wurden (Villanellen usw.). Im Barock folgen OPITZ, HOECK und SCHELLENBERG, individueller bei FLEMING und dem →Königsberger Dichterkreis, als reines Gesellschaftslied bei GREFLINGER und FINKELTHAUS, galant und spielerisch-erotisch bei HARSDÖRFFER, v. BIRKEN, SCHIRMER, ZESEN und STIELER wie HOFMANNSWALDAU, als geistliches L. dagegen bei GERHARDT, v.

SPEE und ANGELUS SILESIUS. Sowohl im Zusammenhang mit der höfischen Kultur als mit der religiösen Anschauung bleibt das L. des Barock wie später das der Anakreontik unpersönlich, typen- und rollenhaft. Erst mit Chr. GÜNTHER und dem Pietismus beginnt subjektiv-innerlicher Gefühlsausdruck und reicht über die Anakreontik hinweg zu den *Freundschaftlichen Liedern* PYRAS und LANGES (1745) und KLOPSTOCKS Oden. Damit beginnt die hohe Entfaltung der volkstümlichen Gefühlslyrik: →Göttinger Hain (bes. CLAUDIUS und HÖLTY), BÜRGER, SCHUBART, LENZ und der junge GOETHE, der auch im Alter *(West-östl. Divan)* im Ggs. zur gedanklichen Dichtung SCHILLERS verinnerlichte Liedtöne findet und den Ausgangspunkt aller weiteren L.dichtung bildet: von der gefühlvollen Schwärmerei der Frühromantik (NOVALIS, TIECK) zur eigtl. L.dichtung der Hochromantik (BRENTANO, EICHENDORFF, UHLAND) als der verinnerlichten, sehnsuchtsvollen und volksliednahen *(Des Knaben Wunderhorn)* Blüte der Gattung, bei MÖRIKE schon individueller abgetönt, während bei HEINE starke persönliche, bei LENAU weltschmerzliche Züge den allg.-gültigen Charakter des L. einschränken. Neben Tendenz (Junges Dtl.), Exotik (FREILIGRATH) und oft bloßer Formkunst (HEYSE, GEIBEL, GROSSE, LEUTHOLD) führen G. KELLER, DROSTE und bes. STORM im Realismus zu neuen, zartherben Formen. Auch der Impressionismus begünstigt die L.dichtung (LILIENCRON, RILKE), während Georgekreis und Expressionismus dem L.haften fernstehen. Die Wandervogelbewegung u. ä. führen zu neuer Volksliedpflege, doch findet die Gegenwart nur vereinzelt individuelle, echt l.hafte Töne (R. SCHAUMANN, CAROSSA, R. A. SCHRÖDER, M. HAUSMANN), während über die Massenmedien Schlager, Chansons und Songs in die Breite dringen.

A. Reissmann, Gesch. d. dt. L., 1874; J. Meier, Kunstlieder i. Volksmunde, 1906; M. Friedländer, D. dt. L. i. 18. Jh., II [2]1908; H. Kretzschmar, Gesch. d. neuen dt. L., 1911; H. Naumann, Primitive Gemeinschaftskultur, 1921; G. Müller, Gesch. d. dt. L., [2]1959; RL; F. Gennrich, Grundriß e. Formenlehre d. ma. L., [2]1970; E. Duméril, *Le l. allemand*, Paris 1934; G. Müller, Grundformen dt. Lyrik (V. dt. Art i. Sprache u. Dichtg. V, 1941); G. Raynaud, Bibliogr. d. altfranz. L., 1955 f.; R. Stephan, L., Tropus u. Tanz i. MA. (Zs. f. dt. Altert. 87, 1956); D. Stevens, *A hist. of song*, Lond. 1960; H. Moser, L. u. Spruch i. d. hochma. dt. Dichtg. (Wirk. Wort, 3. Sonderh. 1961); A. Sydow, D. L., 1962; C. M. Bowra, *Primitive song*, Lond. 1962; R. H. Thomas, *Poetry and song in the German Baroque*, Oxf. 1963; W. Wiora, D. dt. L., 1971; J. M. Stein, *Poem and music in the German l.*, Cambr., Mass. 1971; C. Petzsch u. a. (Zs. f. dt. Philol. 90, 1971, Sonderh.); J.-L. Backès, *De la poésie à la musique* (*Revue de lit. comp.* 45, 1971); E. Brody, R. A. Fowkes, *The German L. and its poetry*, N. Y. 1971; A. Riemen, L. (Wirk. Wort 22, 1972); J. J. Wilhelm, *Medieval Song*, Lond. 1972; W. Suppan, Dt. Liedleben, 1973; W. Oehlmann, Reclams Liedführer, 1973. →Lyrik, →Volkslied.

Liederbuch, hs. oder (seit 1512) gedruckte Liederslg., im MA. als →Liederhs., noch 1477 gewerbsmäßig hergestellt von Klara HÄTZLERIN in Augsburg, meist jedoch persönlich angelegte Sammelhs. für Fürsten, Studenten, Soldaten, Handwerker usw. mit meist städtischen Gesellschaftsliedern: *Lochheimer L.* (1452–1460), *Augusburger L.* (1454), *Rostocker L.* (Ende 15. Jh.); bei den für den Druck bestimmten L.ern ist oft die Melodie wichtiger als der Text: G. FORSTERS *Frische Teutsche Liedlein* 1539–56, Zwikkauer →Bergreihen, 1531 und *Frankfurter (Ambraser) L.* [2]1582, Quelle für UHLAND mit zahlreichen Volksliedern; Studenten-L.er dagegen von Petrus FABRICIUS 1603, NARCISSUS 1611, SCHWEHLE 1658 und bes. Paul von AELST, Quelle GOETHES.

Liederhandschriften, Sammelhss. des MA. als Vereinigung zahlreicher Einzelhss., so schon die mlat. *Cambridger L.* (um 1045), dann die *Carmina Burana* (Anfg. 13. Jh.) aus dem Kloster Benediktbeuren als Slg. lat. u. mhd. →Vagantenlyrik, bes. aber die L. des →Minnesangs, die seit seinem Abklingen bes. im SW. des dt. Sprachgebiets entstehen: *Kleine Heidelberger L.* aus Straßburg Ende 13. Jh. (A); *Weingartner* oder *Konstanzer L.* aus dem 14. Jh. (B), jetzt in Stuttgart; *Große Heidelberger,* sog. *Manessische L.* aus Zürich im 14. Jh. (C); *Würzburger L.* Mitte 14. Jh. und *Jenaer L.* Ende 14. Jh. mit mhd. Spruchdichtung und rhythmisch-musikalischen Bzz. (J). Ihre Gedichte sind meist nach Verfassern geordnet, diese nach ihrem gesellschaftlichen Rang. Die L. sind von kostbarem Material und wertvoller Ausstattung, mit reichen Illustrationen versehen: Bilder der Minnesänger, bei C auch einzelne Szenen. Die Dichtung des Meistersang sammelt die *Colmarer L.* (1546). Dichterische Darstellung der Entstehung e. L.: G. KELLERS *Hadlaub.*

C. v. Kraus, Minnesangs Frühling, ^{31}1954.

Liederspiel, Abart des Singspiels als Übertragung der franz. →Vaudevilles, seit dem 16., bes. im 19. Jh. als Schauspiel mit Gesangseinlagen nach bekannten Melodien (J. F. REICHARDT, L. SCHNEIDER, K. v. HOLTEI), später zur Gesang- oder Tanzposse abgesunken.

L. Kraus, D. L. 1800–30, Diss. Halle 1923.

Liedertheorie, die vom klassischen Philologen F. A. WOLF *(Prolegomena ad Homerum)* 1795 für HOMER, VON LACHMANN 1816 für das *Nibelungenlied (Über die ursprüngliche Gestalt des Gedichts)* und HOMER (*Betrachtung über Homers Ilias,* 1846) aufgestellte Entstehungstheorie für die →Volksepen: aus e. Zahl von feststehenden Einzelliedern (*Nibelungen* 20, *Ilias* 15) um Episoden des Sagenkreises fügte e. Hauptredaktor ohne große dichterische Qualitäten (bei HOMER angebl. PEISISTRATOS) nach e. flüchtigen Plan das große →Heldenepos zusammen. Die L., von MÜLLENHOFF unterstützt, von J. GRIMM, HOLZMANN, ZARNCKE u. a. scharf abgelehnt, entfachte im 19. Jh. einen langen wiss. Streit, der für die schwierigere ›homerische Frage‹ beigelegt, wenn nicht endgültig entschieden ist, während für das *Nibelungenlied* A. HEUSLER aus e. Rekonstruktion die Entstehung als bewußte Kunstschöpfung weniger anonymer Einzeldichter bewies. (*Nibelungensage und -lied,* ^{3}1929).

Lieferung, im Buchhandel aus mehreren Bogen bestehender Teil e. Fortsetzungswerkes, das zur Erleichterung des Bezuges für die Subskribenten nicht en bloc ausgeliefert wird.

Lien-chü (chines.), Kettengedichte aus altchines. Zeit (1. Jh. v. Chr.), die beim Dichterwettstreit entstanden, indem jeder Dichter den Versen seiner Vorgänger einen neuen, in Ton und Inhalt passenden Vers hinzufügte.

Ligatur (lat. *ligare* = binden), Verbindung einzelner Buchstaben miteinander zur Raumersparnis; aus antiken und ma. Hss. auch in den Buchdruck übernommen: æ.

Limerick (Name nach e. irischen Gesellschaftslied des 19. Jh., das in unzähligen Strophen Abenteuer von Einwohnern ir. Städte besang), volkstümliche engl. →Nonsenseverse von humorvoll-ironischem Inhalt mit grotesk-komischer oder unsinniger Endzeile; meist anapästische Fünfzeiler mit 3, 3, 2, 2, 3 Hebungen nach dem Reimschema aabba; Ursprung ungeklärt, meist in mündlichem Umlauf, seit 1820 nachweisbar, auch durch Dichter wie TENNYSON, SWINBURNE, ROSSETTI, RUSKIN, GILBERT, BENNETT, E. LEAR, R. L. STEVENSON, O. W. HOLMES, L. CARROLL, J. GALSWORTHY, KIPLING, C. AIKEN, O. NASH und M. BISHOP gepflegt. Der L. beginnt oft mit e. Ortsangabe, schildert e. komische Situation, steigert sie, läßt sie ins Groteske umschlagen und endet mit einer Pointe, die die Anfangszeile wieder anklingen läßt.

W. Baring-Gould, *The lure of the L.*, Lond. 1967. →Nonsense-Verse.

Lindenschmidstrophe →Morolfstrophe

Linksläufig, d.h. von rechts nach links laufend, sind die Schriftzeichen der Araber und Hebräer, früher auch die der Griechen und Römer, die dann von der →Bustrophedonschreibung im 6. Jh. v. Chr. zur rechtsläufigen Schrift übergingen.

Lipogrammatisch →leipogrammatisch

Lira (Name nach GARCILASO DE LA VEGAS Cancion ›Si de mi baja lira‹), 5-, seltener 6zeilige span. Gedichtform, Sonderform der Kanzone, Verbindung von Fünfsilber (1. 3. 4. Zeile) und Siebensilber (2. 5. Zeile) mit der Reimfolge ababb. Vermutlich ital. Ursprungs (B. TASSO, 16. Jh.), von GARCILASO im Span. nachgeahmt und bes. von Luis de LEÓN gepflegt.

Lisette (franz. Koseform für Elisabeth), Name und Rolle der →Soubrette in der franz. Komödie, zumeist Dienstmädchenrolle.

Litanei (griech. *litaneia* = Beten, Flehen), kirchlicher Bittgesang, Wechselgebet zwischen Priester und Gemeinde, beginnt und endigt mit ›Kyrie eleison‹ (vgl. →Leis) und besteht aus e. großen Zahl von Anrufungen der Dreieinigkeit, Marias, der Engel und Heiligen, wobei auf die Namensnennung durch den Priester die Gemeinde mit e. jeweils feststehenden Bittruf antwortet. Im MA. bei allen Prozessionen üblich. Bis ins 12. Jh. bedeutet L. = Bittgesang allg., bis 17. Jh. im liturgischen kath. Gottesdienst nur als Allerheiligen-L., dann schnelle Vermehrung der Zahl der Angerufenen, heute vom Papst auf vier weitere beschränkt; von LUTHER in der Türkengefahr auch in den ev. Gottesdienst als Fürbitte übernommen. Zahlreiche poetische Umschreibungen der L. seit dem 9. Jh.: HRABANUS MAURUS in lat. Distichen, NOTKER der Stammler, RATPERT, Abt HARTMANN von St. Gallen u. a., im 12. Jh. *Heinrichs-L.*, im 14. Jh. volkstümliche L.gesänge (MÖNCH VON SALZBURG u. a.); schließlich auch allg. für weltliche Klagelieder gebraucht.

RL; L. Eisenhofer, Hdb. d. kath. Liturgik, II 1941.

Literalsinn (lat. *litera* = Buchstabe), buchstäblicher Sinn e. Schriftstelle.

Literarhistorie →Literaturgeschichte

Literarhistorische Biographie →Dichterbiographie

Literarische Fälschungen →Fälschungen

Literarische Gesellschaften →Gesellschaften

Literarische Kritik →Kritik

Literarischer Agent →Agent

Literarisches Colloquium Ber-

lin 1963 von der Ford Foundation gestiftete, vom Berliner Senat und durch Industriestiftungen getragene, von W. HÖLLERER initiierte und geleitete Institution für literarische Begegnungen (Seminare, Gemeinschaftsarbeiten, Veröffentlichungen, Vortrags- und Veranstaltungsreihen) und Experimente.

Literarisches Eigentum →Urheberrecht

Literarische Zeitschriften →Literaturzeitungen

Literat (lat. *literatus* = schriftkundig, gelehrt), urspr., der eigtl. wissenschaftlich Gebildete, Gelehrte im Ggs. zu Literator = Sprachgelehrter; dann der hauptberufliche →Schriftsteller, wie er als Stand mit dem Aufblühen des europ. Zeitungswesens im 18. Jh. aufkam und bes. Ende des 19. Jh. weiten Einfluß auf das nationale Geistes- und Kulturleben gewann; seit rd. 1840 oft im abwertenden Sinne des geistig unproduktiven, lebensfern ästhetisierenden Schreibers gegenüber dem wahrhaft begnadeten →Dichter und dem mehr intellektuell-kritisch oder unterhaltend (journalistisch, feuilletonistisch) arbeitenden →Schriftsteller.

J. Wassermann, D. L., 1910; F. Goldmann, L.enstücke, 1910; T. Curti, L.enstand u. Presse, 1911; RL.

Literatur (lat. *literatura* = Buchstabenschrift), ›Schrifttum‹, dem Wortsinn nach der gesamte Bestand an Schriftwerken jeder Art einschließlich wissenschaftlicher Arbeiten über alle Gebiete (lit. wiss.: →Sekundär-lit.) vom Brief bis zum Wörterbuch und von der juristischen, philosophischen, geschichtlichen oder religiösen Abhandlung bis zur politischen Zeitungsnotiz. Gegenüber diesen von äußeren Anlässen und Gegenständen ausgehenden, ›sachbezogenen‹ L., faßt ›L.‹ im engeren Sinne als Gegenstand der →Literaturwissenschaft mehr die sog. schöne L., →Belletristik, die nicht zweckgebundene und vom Gegenstand ausgehende Mitteilung von Gedanken, Erkenntnissen, Wissen und Problemen ist, sondern aus sich heraus besteht und e. eigene Gegenständlichkeit hervorruft, durch bes. gemüthafte und ästhetische Gestaltung des Rohstoffs Sprache zum Sprachkunstwerk wird und in der →Dichtung ihre höchste Form erreicht. Als solche umfaßt sie andererseits über den Wortsinn des schriftlich Niedergelegten hinaus auch das vorlit., mündlich Überlieferte (Mythos, Sage, Märchen, Sprichwort, Volkslied): Nicht alle L. ist Dichtung, nicht alle Dichtung L. im Wortsinn. Engere Begriffsbestimmungen gibt B. CROCE, weitere dagegen J. NADLER, LANSON u. a. – Die Gliederung der →Welt-L. erfolgt sprachlich in verschiedene →National-L., zeitlich in →Epochen, formal in →Gattungen, inhaltlich nach Motivgruppen, →Stoffen usw. Über Möglichkeiten der L.-Betrachtung →Dichtungs- und →Literaturwissenschaft.

S. P. Cowardin u. P. E. More, *The Study of Engl. l.*, N. Y. [2]1939; W. H. Hudson, *An introduction to the study of l.*, Lond. [2]1930; J. Maass, D. Geheimwiss. d. L., 1949; E. Wagenknecht, *Preface to l.*, N. Y. 1954; R. Wellek, A. Warren, Theorie d. L., 1959; S. Barnet u. a., *An introduction to l.*, Boston 1961; H. Ischreyt, Welt d. L., 1961; R. Escarpit, *La definition du terme l.* (*Actes du 3. Congr. de l'Association Internat. de lit. comp.*, 1961); P. Goodman, *The structure of l.*, Chicago 1962; M. Beebe, M. Rowan, *Handbook for the study of l.*, Belmont 1962; R. Mayhead, *Understanding l.*, Cambr. 1965; J. Tortel, *Clefs pour la l.*, Paris 1965; R. Ingarden, D. lit. Kunstwerk, [3]1965; ders., Vom Erkennen d. lit. Kunstwerks, 1968; D. Daiches, *A study of l.*, Lond. 1968; J. J. Gielen, *Taalkunst*, Groningen 1968; L. u. Dichtg., Vers. e. Begriffsbestimmung, hg. H. Rüdiger 1973; H. Seidler, D. L.begriff i. gesch. Wandel

(Sprachthematik i. d. österr. Lit. d. 20. Jh., 1974); B. Gray, *The phenomenon of l.*, Haag 1975; H. Kreuzer, Verändergn. d. L.begriffs, 1975; H. D. Zimmermann, V. Nutzen der L., 1977.

Literaturarchiv →Archiv

Literaturatlas, 1. geographisches Kartenwerk, das durch Bezeichnung der Herkunft, Heimatzugehörigkeit oder Wirkungsorte einzelner Dichter bzw. Dichtungen die landschaftliche Gliederung der Lit. in den verschiedenen Epochen veranschaulicht. – 2. Slg. von Bildmaterial (Dichterporträts, Faksimiles u. ä.) zur Lit.geschichte.

1.: A. Schleusinger, Lit.karte, 1903; K. Ludwig, Heimatkarte d. dt. Lit., 1906; C. Lüdtke, L. Mackensen, Dt. Kulturatlas, VI 1928–42. 2.: G. Könnecke, Bilderatlas z. Gesch. d. dt. Nat.lit., 1887, [3]1926 als Dt. L.; G. v. Wilpert, Dt. Lit. i. Bildern, [2]1965; G. Albrecht u. a., Dt. Lit.gesch. i. Bildern, II 1969–71.

Literaturbriefe, Form der lit. →Kritik im 18. Jh.: NICOLAIS *Briefe, die neueste Lit. betreffend* 1759 ff. (Mitarbeit LESSINGS) und GERSTENBERGS *Briefe über Merkwürdigkeiten der Lit.* 1766 f.

Literaturfehden, auf breiter Front zwischen versch. lit. Auffassungsgruppen ausgefochtene Streite, spielen sich vor allem in Zeiten lit. Umbruchs zwischen den Vertretern der alten, konservativen und der jungen Generation ab und bedienen sich vorzugsweise der →Parodie, der Satire (→Literatursatire), der →Streitschrift oder des →Pamphlets. Nach beschränkten lit. Auseinandersetzungen im MA. beginnen die L. in der neueren dt. Lit. mit der Kritik Ch. WERNICKES am Schwulststil des Hochbarock, werden fortgeführt in der L. zwischen GOTTSCHED und den Schweizern, zahlreichen L. der Aufklärung (um LESSING, WIELAND) und Klassik (HERDER, GOETHE, SCHILLER), gipfelnd in den *Xenien,* sowie der Romantik (TIECK, PLATEN, HEINE) und finden nach FONTANE ihren Höhepunkt im 20. Jh. in K. KRAUS. Die bedeutendsten franz. L. zentrierten sich um einzelne Werke: die Querelle des anciens et des modernes, andere um CORNEILLES *Cid,* um V. HUGOS *Hernani* und G. FLAUBERTS *Madame Bovary.*

Literaturgeschichte, der geschichtliche Verlauf der (meist belletristischen) Lit. e. Stammes, Landes oder Volkes oder e. Zeit mit Einzelwerken, Dichtern und umgreifenden lit. Strömungen sowie dessen Darstellung. Jedes Kulturvolk zeichnet neben seiner politischen, kulturellen und Kunstgeschichte auch die L. auf. Sie ist jedoch nur eine von vielen Betrachtungsmöglichkeiten der Dichtung und sieht die Dichtung vom historischen Standpunkt als e. geschichtlich Gewordenes, indem sie auch das Vergangene für erforschens- und aufbewahrenswert hält. Sie strebt über die Fülle von Einzelwerken hinweg nach e. Einblick in umgreifende Zusammenhänge der Entfaltung. Dabei ordnet sich das einzelne Sprachkunstwerk, mit Hilfe der Interpretation künstlerisch erfaßt, dem induktiv errichteten Bild geschichtlicher Bewegkräfte unter und empfängt wiederum Wert und Ausdeutung deduktiv vom Sinn des Ganzen. Hinsichtlich dieses übergeordneten Prinzips aber, des möglichen oder richtigen Blickpunktes der Betrachtung, gehen die Meinungen auseinander: stoffgeschichtlich kann nach den verschiedenen künstlerischen Gestaltungen e. Stoffes oder den bevorzugten Stoffen gefragt werden, ohne daß damit e. Veräußerlichung zur Inhaltsangabe eintritt, gattungsgeschichtlich nach der Entfaltung und Erfüllung vorgegebener Formen; die Aufteilung kann nach Räumen, Völkern und Sprachen oder Epochen in ihrer Eigenart und Sonderentwicklung oder ihren gemeinsamen geistigen und künstlerischen Grundanschauungen erfolgen oder diese sowie die Einzelwerke und Dichter in ihren Gemeinsamkeiten und Wechselbeziehungen darstellen (→vergleichende L.); in jedem Fall bedingt die Stoffülle e. strenge Auswahlmethode.

Erste Ansätze zur L., eng verbunden mit der literarischen →Kritik, gehen von den alexandrinischen und pergamenischen Philologen aus, die überkommene Dichterbiographien verarbeiten und Schriften- und Schriftstellerverzeichnisse (→Pinakes, →Kanon) anlegen (KALLIMACHOS), →Didaskalien und Inhaltsangaben abfassen, jedoch kaum über biographische Studien und kritische Wertung zu historischen Zusammenhängen vorstoßen. Auch die Römer sammeln Viten der Schriftsteller (SUETON) und verfassen →Indices, daneben lit. Studien bei VARRO, VELLEIUS PATERCULUS und QUINTILIAN (*Institutio* 10) und →Kommentare. Im Frühma. beherrscht das Bildungsinteresse der Kirche die literarhistorische Tätigkeit; man scheidet seit HIERONYMUS das heidnische Schrifttum der Antike als ›literatura‹ von der christl. ›scriptura‹ und sammelt Namen und Biographien christlicher Autoren nach dem Vorbild SUETONS in Schriftstellerkatalogen und literarhistorischen Querschnitten der Chroniken, daneben als Schul-L. nach dem Vorbild von CASSIODORS *Institutiones* oder stärker geistesgeschichtlich interessiert nach Vorbild des DIOGENES LAERTIUS, alles Formen, die sich teils von der Antike bis ins 18. Jh. erhalten haben, hier jedoch nur biblische und christliche Schriften umfassen und das dt.sprachige Schrifttum übergehen – erst HUGOS VON TRIMBERG Lehrgedicht *Registrum multorum autorum* (um 1300) spiegelt die gesamte Lit.kenntnis. OTFRIED blickt (I, 1) auf die lat. Dichtung zurück. Die dt. Lit. erfährt kritische Musterung in den Lit.-Stellen der höfischen Epen: GOTTFRIEDS *Tristan* und RUDOLFS VON EMS *Alexander* (Vorrede), den Totenklagen mhd. Dichter um ihre Genossen und dem *Ehrenbrief* des PÜTERICH VON REICHERTSHAUSEN (1462). Der Humanismus schafft aus nationalem Ehrgeiz systematische Überblicke über die dt. Lit. als Beweis ihres Wertes gegenüber der roman. und lat.-antiken: WIMPHELING, C. CELTIS, VADIANUS (= Joachim WATT: 1. Vorlesung über L. Wien 1518: *De poetica et carminis ratione*), Joh. TRITHEMIUS (1. L. mit Einschluß der Humanisten: *Catalogus illustrium virorum Germanorum* 1486), FLACCIUS ILLYRICUS u.a. bringen die Werke HROTSVITHS VON GANDERSHEIM und OTFRIEDS erneut zur Geltung und geben erste Interpretationen. Seit C. GESNER und bes. im Barock entstehen riesige polyhistorisch-bibliographische Stoffslgn, die bis ins 19. Jh. fortwirken. Karl ORTLOB periodisiert 1657 als erster die dt. Lit.; OPITZ *(Poeterey)* und HOFMANNSWALDAU ziehen die Verbindung zu zeitgenössischer und vergangener antiker und ausländ. Dichtung; MORHOF (*Unterricht von der dt. Sprache und Poesie* 1682) beschreibt zuerst die Aufgaben der L. Mit dem Erwachen kritischen Geistes (NEUMEISTER, LEYSER) zu Beginn der Aufklärung erfolgt die Wendung von der L. zur allg. →Poetik, die durch Erforschung von Wesen und Gesetzen der Dichtung Maßstäbe zur Lit.betrachtung und Urteilsbildung liefert und so den Grund zur ersten wissenschaftlich-systematischen L. legt. Dabei dient der Blick in die Vergangenheit bei GOTTSCHED der Bestätigung des eigenen Standpunktes durch neue Beispiele; bei den Schweizern (BODMER und BREITINGER) dagegen, die Minnesang, *Nibelungenlied* und die Lit. der Hans-Sachs-Zeit wiederentdeckten, führt er um die Jh.mitte zur Erklärung der Dichtung aus ihren Quellen, ihrem Werden und ihrer Epoche. LESSING verbindet philologischen Scharfsinn mit kritisch-ästhetischem Urteil. Die eigtl. Überwindung der rationalen Sphäre bringt neben GERSTENBERG bes. erst HERDER, der von der individuellen Schöpferkraft des Genies und der Einmaligkeit und Individualität der Werke ausgehend, in ihnen den individuellen Ausdruck der Völker und Zeiten sieht, durch die sie bedingt sind; die einzelnen Nationallitt. erscheinen ihm als Organismen, zu Wachstum und Untergang bestimmt, doch untereinander zum Chor der Weltlit. vereinigt. Die Romantik übernimmt HERDERS Anschauung und gibt ihr historische Perspektive durch den Geschichtssinn, die Einfühlung und Freude am Vergangenen und seine Einordnung in größere Zusammenhänge. A. W. SCHLEGELS Berliner Vorlesung ordnet die gesamte europ. Lit. in e. an die antike anknüpfende und e. selbständige Gruppe: klassisch und romantisch; seine Wiener Vorlesung *Über dramatische Kunst und Lit.* gibt ebenfalls e. universalhistorischen Überblick. F. SCHLEGEL dagegen, anfangs der Betrachtung von Individual-, Epochen- und Gattungsstil zugewandt, faßt in der Wiener Vorlesung *Geschichte der alten und neuen Lit.* die Weltlit. in ihrer nationalen Bedingtheit als Ausdruck e. Volkes und leitet damit aus der universalhistorischen Betrachtung HERDERS zur nationalen über, die in der Volksgeistlehre der Heidelberger Hochromantik gipfelt. Auch EICHENDORFF schreibt im Alter lit.-historische Werke über Roman, Drama und bes. e. *Geschichte der poetischen Lit. Dtl.s* (1857). Vorangegangen sind 1827 als erste reine L.n die Werke von W. MENZEL und A. KOBERSTEIN. Die erste große wissenschaftliche Leistung aber erwächst z. Z. des Jungen Dtl. aus der sog. ›Historischen Schule‹: G. G. GERVINUS' *Geschichte der poetischen Nationallit. der Dt.* (1835–42). GERVINUS betrachtet ähnlich der späteren geisteswissenschaftlichen L. die einzelnen Dichterpersönlichkeiten ohne Sinn für ihren individuellen Wert als Vertreter der Ideen, untermischt die objektive Darstellung mit kritisch wertenden Bemerkungen, die jedoch nicht vom ästhetischen, sondern ethisch-politischen Standpunkt aus erfolgen, und schreibt aus der Überzeugung, die Zeit der poetischen Leistungen sei vergangen und werde durch die Politik abgelöst. Trotz dieser problematischen, gegen den Geist der Dichtung gerichteten Grundhaltung erlangt sein Werk als geschichtliche Rückschau und Verbindung der Lit. mit dem politischen und Volksleben große Bedeutung und macht die L. zu e. Angelegenheit allg. Interesses. Es folgen SCHERR (Weltlit.), VILMAR und WAKKERNAGEL (objektive dt. L.) sowie CHOLEVIUS *(Gesch. d. dt. Poesie nach ihren antiken Elementen)*. H. HETTNER entwirft in seiner *L. des 18. Jh.* (1855 ff.) ein Gesamtbild der Epoche bis zur Klassik einschließlich auf europ. Basis und im Zusammenhang mit den politischen, philosophischen und religiösen Strömungen. R. HAYMS *Romantische Schule* (1870) gibt e. erste Würdigung der bisher als Niedergang betrachteten Frühromantik und erkennt die Einzelpersönlichkeit als Träger der Geistesgeschichte. Mit dem Aufblühen der empirischen Naturwissenschaften entsteht die positivistische L., die nur auf Tatsachenforschung unter Verzicht auf Spekulation und Metaphysik abzielt und nach naturwissenschaftl. Methoden der strengen Kausalität, nahezu Naturgesetzlichkeit, arbeitet. Ihr repräsentatives Werk ist W. SCHERERS *Gesch. d. dt. Lit.* (1883), die, auf genauer Quellenforschung und -kenntnis fußend, danach die Dichtung unter den drei Aspekten des Ererbten, Erlernten und Erlebten analysiert. Trotz der zergliedernden Methode gelingen umfassende Zeitbilder und Charakteristiken, die der ›nationalen Ethik und Erziehung‹ dienen sollen. Auch der biographischen und rein philologischen Richtung des Positivismus um die Jh.-Wende verdankt die spätere L. und →Literaturwissenschaft bes. hinsichtlich der Quellenerschließung, wertvolles Material (E. SCHMIDT, HEINZEL, MINOR, R. M. WERNER, SEUFFERT u. a.) – ihre Grenzen fanden sie, wo in der heutigen L. die Deutung anfängt. SCHERERS Werk war der letzte große Versuch, die ges. dt. Lit.entwicklung nach allen möglichen Gesichtspunkten aus der Hand e. einzelnen darzustellen – abgesehen von den nunmehr zahllosen populären und Schul-Darstellungen. Zunehmende Stoffülle und methodische Spezialisierung verwehren dem modernen Gelehrten gleichmäßige Kenntnis aller Epochen und führen zu Sammelwerken verschiedener Lit.historiker, die durch vertiefte Sachkenntnis im einzelnen die universale Überschau ersetzen. Seit Beginn des 20. Jh. tritt unter dem Einfluß von DILTHEY (*Das Erlebnis und die Dichtung* u. a.) e. Krise der L. ein, die zu e. Annäherung der L. an die Geisteswissenschaft führt. Sie will, auf dem soliden Grund positivistischer Forschungsergebnisse, von der analytischen zur synthetischen Forschungsmethode fortschreiten und führt in notwendiger Erweiterung des Forschungsfeldes zur →Literaturwissenschaft. Aus ihr entstanden in neuester Zeit im Gefolge ihrer weltanschaulichen und wissenschaftlichen Tendenzen e. Reihe gleichwertiger Richtungen der Lit.-betrachtung, die teils in gegenseitiger Befehdung begriffen sind, teils bei Übersteigerung der einen Richtung einander ablösen. Für sie alle gilt, daß sie desto näher zum eigtl. Phänomen der Dichtung vordringen, je weniger sie außerdichterische Gesichtspunkte zur Betrachtung heranziehen. Als wichtigste sind zu unterscheiden: 1. biographische L. (→Dichterbiographie): ERMATINGER, 2. soziologische L., betrachtet die Lit. als Funktion des gesellschaftlichen Entwicklungsprozesses: LUBLINSKI, G. LUKÁCS, 3. stammestümliche L., betrachtet die lit. Entwicklung der Einzelstämme und ihre Wechselbeziehungen: SAUER, NADLER, 4. kunstgeschichtliche L.: F. STRICH, 5. kulturgeschichtliche L.: R. BENZ, 6. problemgeschichtl. L.: R. UNGER, 7. geistesgeschichtl. L. fragt nach philosophisch-weltanschaulichem Hintergrund, gedanklichen Gehalten und ideengeschichtlichen Zusammenhängen der Dichtung, wobei das Sprachkünstlerische zurücktritt: H. A. KORFF, 8. strukturanalytische L., stellt in Monographien einzelne Schöpferpersönlichkeiten oder Epochen als vielschichtig strukturierte Gebilde in Wechselbeziehung zur Sprachgemeinschaft dar: GUNDOLF, BERTRAM, F. SCHULTZ, 9. gattungsgeschichtliche L.: Monographien der einzelnen Dichtarten (vgl. →Ode, →Lied, →Ballade, →Elegie, →Tragödie, →Roman, →Novelle usw.), 10. rein von künstlerischer Gestaltung, Stil, Form und Dichterkraft ausgehende L.: O. WALZEL, VOSS-

LER, formgeschichtlich bei P. BÖCKMANN, 11. L. unter dem Aspekt der →Rezeptions- und Wirkungsgeschichte. Entsprechende Blickrichtungen kehren in der →Literaturwissenschaft wieder.

A. Sauer, L. u. Volkskunde, 1907 ff.; J. Petersen, L. als Wiss., 1914; J. Nadler, D. Wiss.lehre d. L., Euph. 21, 1914; A. Morize, *Problems and methods of Lit. Hist.*, Boston 1922; R. Unger, L. als Problemgesch., 1924; G. Lanson, *La méthode de l'hist. lit.*, Paris 1924; H. Cysarz, L. als Geisteswiss., 1926; R. Unger, Aufsätze z. Prinzipienlehre d. L. (in: Ges. Stud. I, 1929); F. Schultz, D. Schicksal d. dt. L., 1929; Philos. d. Lit.wiss., hg. Ermatinger 1930; RL[1]: L., Literarhistoriker; P. v. Tieghem, *Tendances nouvelles en hist. litt.*, Paris 1930; W. Mahrholz, L. u. Lit. wiss., [2]1932; M. Ertle, Engl. L.schreibg., 1936; J. v. Dam, L. als Stilgesch. (Neophil. 22, 1939); K. Rossmann, Üb. nationalist. L. (Wandlg. 10, 1946); W. Milch, Üb. Aufgaben u. Grenzen d. L., 1950; J. Dünninger, Gesch. d. Dt. Philol. (in: Aufriß, 1951); R. H. Five, *The basis of lit. hist.* (PMLA, 1951); P. Kluckhohn, Lit.wiss., L., Dichtg.wiss., DVJ 1952; G. B. Parks, *Writing literary hist.* (*Yearbook of comp. and general lit.* 8, 1959); R. Wellek, A. Warren, Theorie d. Lit., 1959; R. Wellek, *Lit. theory, criticism and hist.* (*Sewanee Rev.* 68, 1960); F. Sengle, Aufgaben u. Schwierigkeiten d. heut. L.schreibg. (Archiv f. d. Stud. d. neu. Spr. 200, 1963); M. Janssens, D. Dämmerungsjahre d. geistesgesch. Methode (*Leuvense Bijdragen* 52, 1963); *Literary history and lit.criticism,* hg. L. Edel, N. Y. 1964; Probleme d. L.schreibg., hg. L. Forster (Jb. f. Internat. Germanistik 2, 1970); W. Kohlschmidt, Method. Erwäggn. b. Abfassen e. L. (Sprachkunst 1, 1970); C. Guillén, *Lit. as system,* Princeton 1971; R. Wellek, *The fall of lit.hist.* (Poetik u. Hermeneutik 5, 1973); H. A. Glaser, Methoden d. L.schreibg. (Grundzüge d. Sprach- u. Lit.wiss. I, 1973); K.-H. Götze, D. Entstehg. d. dt. Lit.wiss. als L. (Lit.wiss. u. Sozialwiss. 2, 1974); Über L.schreibg., hg. E. Marsch 1975; J. Söring, L. u. Theorie, 1976; Lit.wiss. u. Lit.gesch., hg. T. Cramer u. a. 1975; L. J. Goldstein, *Lit. history as history* (*New Lit. History* 8, 1976/77).

Literaturkalender, Verzeichnis der lebenden Schriftsteller und Dichter mit biblio- und biographischen Angaben: *Kürschners Dt. L.* seit 1879, 57. Jahrg. 1978; dazu Nekrologe 1936 und 1973.

Literaturkritik →Kritik

Literaturlexikon, alphabetisch geordnete Aufbereitung der Fakten aus der nationalen oder allg. Literaturgeschichte nach Stichwörtern. Zu unterscheiden sind reine Autorenlexika (A), reine Reallexika (Sachwörterbücher: S), vorzüglich →bibliographische Lexika (B), Lexika der Werke (W) und Mischformen (M). Wichtigste:

F. Brümmer, Lex. dt. Dichter u. Prosaisten, [6]1913 (A); H. A. Krüger, Dt. L., 1914 (M); J. Gross, Biogr.-lit. Lex. d. dt. Dichter u. Schriftsteller, 1922 (A); L. Magnus, *Dictionary of European Lit.*, N. Y. 1926 (M); RL, [2]1955 ff. (SB); W. Kosch, Dt. L., VIII [3]1968 ff. (AB); H. Röhl, Wb. z. dt. Lit. [2]1931 (M); W. Stammler (Hg.), D. dt. Lit. d. MA., V 1933–55 (AB); Grente u. a., *Dictionnaire des lettres franç.*, Beauchesne 1939 ff. (M); W. J. Burke, W. D. Howe, *American Authors and Books 1640–1940,* N. Y. 1943 (AB); F. B. Millett, *Contemporary American Authors,* N. Y. 1944 (A); *Dizionario dei capolavori della lett., del teatro e delle arti,* hg. A. Gabrieli, Maild. 1945 (W); *Dizionario letterario Bompiani,* IX + II Maild. 1947 ff. (W); H. Smith, *Columbia Dictionary of modern European lit.*, N. Y. 1947 (M); J. Hart, *The Oxford Companion to American lit.*, N. Y. [3]1956 (M); St. J. Kunitz, *American Authors 1600–1900,* N. Y. [3]1949 (A); ders., *20. century Authors,* II N. Y. [3]1950 (A); K. A. Kutzbach, Autorenlex. d. Gegenw., 1950, kl. Ausg. 1952 (A); P. Harvey, *Oxford Companion to Class. Lit.*, Oxf. [4]1951 (M); E. Frauwallner, D. Weltlit., III + I 1951 ff. (MB); W. Kayser, Kl. lit. Lex. IV [4]1966–73 (M); H. Steinberg, *Cassell's Encyclopedia of Lit.*, Lond. III [2]1973 (M); H. Kindermann, M. Dietrich, Lex. d. Weltlit., [4]1954 (M); F. C. Sainz de Robles, *Ensayo de un diccionario de la lit.*, Madrid III [2]1953–56 (M); H. R. Keller, *The Reader's digest of books,* N. Y. [20]1964 (W); H. Pongs, D. kl. Lex. d. Weltlit., [6]1967 (M); C. Buddingh, *Encyclopedie vor de wereldlit.*, Utrecht 1954 (M); F. N. Magill, *Cyclopedia of World Authors,* N. Y. 1954 (A); DWL., [2]1955 (S); L. H. Hornstein u. a., *The Reader's Companion to world lit.*, N. Y. 1956 (M); E. M. Fusco, *Scrittori e idee,* Turin 1956 (M); M. Newmark, *A dictionary of Spanish lit.*, N. Y. 1956 (A); *The New Century Handbook of Engl. Lit.*, hg. C. L. Barnhart, N. Y. 1956 (M); M. H. Abrams u. a., *A glossary of literary terms,*

N. Y. 1957 (S); F. Lennartz, Dichter u. Schriftsteller uns. Zeit, I (Dt.) ^{11}1978, II (Ausl.) ^{3}1960 (A); Laffont-Bompiani, *Dictionnaire des Auteurs,* II Paris 1957 (A); B. Deutsch, *Poetry Handbook,* Lond. 1958 (S); W. E. Harkins, *Dictionary of Russian Lit.,* Lond. 1958 (M); D. C. Browning, *Dictionary of literary biography, Engl. and American,* Lond. ^{2}1962 (A); P. Harvey, *Oxford Companion to Engl. Lit.,* ^{4}1967 (M); ders., *Oxford Companion to French Lit.,* ^{3}1961 (M); U. Renda, P. Operti, *Dizionario storico della let. italiana,* Turin ^{4}1959 (M); *Dizionario universale della let. contemporanea,* Maild. V 1959–63 (M); K. Beckson, A. Ganz, *A Reader's Guide to literary terms,* N. Y. 1960 (S); Lex. d. Weltlit. i. 20. Jh., 1960 f. (M), kl. Ausg. 1964 (A); Laffont-Bompiani, *Dictionnaire des personnages,* Paris 1960 (lit. Figuren); Laffont-Bompiani, *Dictionnaire universel des lettres,* Paris 1961 (M); *Dictionnaire des auteurs franç.,* Paris 1961 (A); S. D. Braun, *Dictionary of French lit.,* Paterson 1961 (M); H. Morier, *Dictionnaire de poétique et de rhétorique,* Paris 1961 (S); W. R. Benét, *The Reader's Encyclopedia,* N. Y. ^{2}1962 (M); M. J. Herzberg, *The Reader's encyclopedia of American lit.,* N. Y. 1962 (M); S. Barnet u. a., *A dictionary of literary terms,* Boston 1962 (S); *Dictionnaire de lit. contemporaine, 1900–1962,* hg. P. de Boisdeffre, Paris 1962 (A); A. D. Dikkinson, *The world's best books,* N. Y. ^{3}1962 (W); O. Bantel, Grundbegriffe d. Lit., 1962 (S); W. Kosch, Dt. L., 1963 (A); Lex. d. Weltlit., hg. G. Steiner 1963 (A); G. Albrecht u. a., Lex. dt.sprach. Schriftsteller, II ^{7}1972–74 (A); Lex. sozialist. dt. Lit., 1963 (M); Tusculum-Lex. d. griech. u. lat. Lit., ^{2}1963; *The concise encyclopedia of modern world lit.,* hg. G. Grigson, N. Y. 1963 (M); *The concise encyclopedia of Engl. and American poets and poetry,* hg. S. Spender u. D. Hall, N. Y. 1963 (M); F. N. Magill, *Cyclopedia of literary characters,* N. Y. 1963 (lit. Figuren); ders., *Masterpieces of world lit. in digest form,* N. Y. IV ^{3}1963 ff. (W); *Moderne encyclopedie der wereldlit.,* IX Gent 1963–77 (M); E. Frenzel, Stoffe d. Weltlit., ^{4}1976; G. v. Wilpert, Dt. Dichterlex. ^{2}1976 (A); Lex. d. Weltlit., hg. G. v. Wilpert, II 1963–68, ^{2}1975 ff. (A, W); *Thesaurus of Book Digests,* hg. H. Haydn, E. Fuller, N. Y. ^{11}1963 (W); H. Giebisch, G. Gugitz, Biobibliogr. L. Österreichs, 1964 (A); *The Encyclopedia of Poetry and Poetics,* hg. A. Preminger, Princeton ^{2}1975 (S); A. F. Scott, *Current lit. terms,* Lond. 1965 (S); Handbuch d. dt. Gegenwartslit., hg. H. Kunisch 1965, III ^{2}1969 f. (A), kl. Ausg. 1967; Kindlers L., VII 1965–72 (W); J. van Geelen, *Auteurs von de 20e eeuw,* Utrecht 1966 (A); *Encyclopedia of World Lit. in the 20th century,* III N. Y. 1967 ff. (M); *Dictionnaire des littératures,* hg. P. v. Tieghem, III Paris 1968 ff. (M); W. F. Thrall u. a., *Handbook to lit.,* N. Y. ^{2}1968 (S); W. N. Hargreaves-Mawdsley, *Dictionary of European writers,* Lond. 1968 (A); A. C. Ward, *Longman Companion to 20th cent. lit.,* Lond. 1970 (A); Meyers Hb. üb. d. Lit., ^{2}1970 (A, S); *A Dict. of lit. in the Engl. language,* hg. R. Myers, Oxf. II 1970 (A); Lit.lex. 20. Jh., hg. H. Olles III 1971 (A), R. Hess u. a., Lit.wiss. Wörterb. f. Romanisten, ^{2}1972 (S); H. Shaw, *Dictionary of lit. terms,* N. Y. 1972 (S); O. F. Best, Hb. lit. Fachbegr., 1972 (S); W. Engler, Lex. d. franz. Lit., 1975 (M); E. Endres, Autorenlex. d. dt. Ggw.lit., 1975 (A); Handlexikon zur Lit.wiss., hg. D. Krywalski ^{2}1976 (S); E. Frenzel, Motive d. Weltlit., 1976; H. u. M. Garland, *The Oxf. Companion to German lit.,* Oxf. 1976 (M); J. A. Cuddon, *A Dictionary of lit. terms,* Lond. 1977.

Literaturoper, →Oper nach einem vorgeprägten lit., nicht unbedingt dramatischen Stoff wie z. B. die zahlreichen KAFKA-Veroperungen der letzten Jahre, ferner Werke von FORTNER, EGK, ORFF, HENZE u. a. m.

Literaturpreise, Geldbeträge, die aus staatlichen, städtischen, akademischen, Vereins-Mitteln oder Stiftungen in meist jährlichen Abständen für das Gesamtwerk oder für einzelne Werke an Schriftsteller verliehen werden, neben dem Ehrenpreis z. T. auch Förderungspreise vielversprechender junger Autoren. Die Praxis, im Grunde so alt wie die griech. Dionysien, gerät in jüngster Zeit durch eine Flut belangloser Kleinpreise, die Unübersichtlichkeit der verschiedenen Usancen der Wahl und die an L. geknüpften verlegerischen Spekulationen zusehends in Mißkredit, so daß nur noch wenige L. eine echte Auszeichnung bedeuten, so etwa auf internationaler Ebene →Nobelpreis, →Balzan-Preis, Prix Formentor und Internationaler Verlegerpreis, in Dtl. Büchner-, Droste-, Fontane-, Goethe-, Hauptmann-, Hebel-, Heine-, Immermann-, Kleist-, Lessing-,

Raabe-, Schiller-, R. A. Schröder-Preis, Friedenspreis des dt. Buchhandels und Hörspielpreis der Kriegsblinden, in Österreich Staatspreis, in der Schweiz Keller-, Schiller- und Charles-Veillon-Preis, in Frankreich Prix Goncourt, Prix Renaudot, Prix Fémina, Prix Medicis und Prix Interallié, in Italien Premio Viareggio, Premio Strega, in Spanien Premio Nadal und Premio Planeta, in den USA National Book Reward, Books Abroad und →Pulitzer-Preis.

A. J. Richter, *Lit. Prices and their winners,* N. Y. 1946; *Guide des prix litt.,* Paris [4]1961; J. Clapp, *International dictionary of lit. awards,* N. Y. 1963; Dokumentation dt.sprachiger Verlage, [3]1968; O. S. Weber, *Lit. and Library Prices,* N. Y. [6]1967.

Literaturpsychologie als Teilgebiet der Kunstpsychologie befaßt sich einerseits mit der Psychologie des lit. Schaffensprozesses innerhalb des →Dichters, andererseits mit der psychischen Wirkung des Dichtwerks (Klangwirkung usw.) auf den Erlebenden (Hörer, Leser) und dessen Rezeption, Geschmack und Verständnis des Werkes und verbindet sich dann mit der →Ästhetik und der Psychologie der →Sprache.

L. Cazamian, *Étude de psychologie litt.,* 1913; R. Müller-Freienfels, Psychologie d. Kunst, 1921, ders. (Hdb. d. vergl. Psychologie, hg. G. Kafka 1922); D. Sayers, Homo creator. 1953; F. J. Hoffmann, *Freudianism and the lit. mind,* Baton Rouge [2]1957; L. Fraiberg, *Psychoanalysis and American lit. criticism,* Detroit 1960; L. Edel, *Lit. and psychology* (*Comparative lit.,* hg. N. P. Stallknecht, Carbondale 1961); G. Beckers, Versuche z. dichter. Schaffensweise dt. Romantiker, Koph. 1961; N. Kiell, *Psychoanalysis, Psychology, and Lit., a Bibliogr.,* Madison 1963; N. Groeben, L., 1972; W. Salber, L., 1972; M. S. Lindauer, *The psychol. study of lit.,* Chic. 1974. →Dichter, Inspiration, Genie, Talent.

Literatursatire, Sonderform der →Satire: Verspottung lit. Werke, Persönlichkeiten, Stilrichtungen, gleich der →Kritik Waffe im lit. Kampf, doch in sprachkünstlerischer Form (Epigramm, Dialog, Brief, Gedicht, Komödie, komisches Epos, Roman), meist in Zeiten lit. Umwälzungen, an Wendepunkten und Überlagerungen der Epochen, wo die Ausläufer der früheren Epoche in sachlichen oder persönlichen Angriffen verhöhnt, die Neuansätze gehoben werden; bes. wirksam bei allg. Interesse an den lit. Vorgängen. – In der Antike ist die Komödie bevorzugtes Mittel der L. (ARISTOPHANES). TANNHÄUSER und die →dörperliche Dichtung NEIDHARTS verspotten die Übertreibungen des Minnesangs, WITTENWEILERS *Ring* das höfische Epos. Blüte der L. im Humanismus, bes. die von CROTUS RUBEANUS und HUTTEN anonym verfaßten *Epistulae obscurorum virorum* 1515–17, absichtlich in primitivem Küchenlatein gehaltene Angriffe gegen die Humanisten zur Verspottung der Scholastiker als angeblicher Verfasser, ferner N. GERBELS Dialog *Eccius dedolatus* gegen ECK und die Gegner der Reformation. Im Barock parodiert GRYPHIUS das →Handwerkertheater der Meistersinger im Schimpfspiel *Peter Squentz* (nach SHAKESPEARE); LOGAU, LAUREMBERG und WERNICKE verspotten in Epigramm und Scherzgedicht die Entartungen der Zeit. In der Aufklärung kämpft GOTTSCHED durch L. gegen die Hofdichter, SCHÖNAICH *(Neologisches Wörterbuch)* gegen KLOPSTOCK, die NEUBERIN schließlich gegen GOTTSCHED. Auch LESSINGS Polemiken zeigen satirischen Unterton. Erneute Blüte der L. bringt erst die Goethezeit: der Sturm und Drang bekämpft mit ihr die ausklingende, doch noch anmaßende Aufklärung und Empfindsamkeit: KLINGER, LENZ, H. L. WAGNER *Voltaire am Vorabend seiner Apotheose,* GOE-

THES Farcen, bes. *Götter, Helden und Wieland* (1774). Später sind die Modedichter und Rousseauisten Zielscheibe der L. In der Klassik rechnen SCHILLERS und GOETHES →Xenien (1797) mit lit. Gegnern ab. Die ältere Romantik, bes. TIECK *(Der gestiefelte Kater)* und die Brüder SCHLEGEL, doch auch FICHTE, SCHLEIERMACHER und BERNHARDI richten die L. in Zss. und Komödien gegen NICOLAI und KOTZEBUE wie IFFLAND; KOTZEBUE antwortet mit e. Cento aus F. SCHLEGELS *Lucinde (Hyperboreischer Esel)*, A. W. SCHLEGEL pariert mit *Ehrenpforte und Triumphbogen für den Theaterpräsidenten von Kotzebue*. In der Hochromantik führen BRENTANO und GÖRRES die L. gegen J. H. VOSS und die Triviallit. Auf GRABBES L. des Schriftstellers *Scherz, Satire, Ironie und tiefere Bedeutung*, die als Meisterwerk bereits in realistischen Bereich vorstößt, folgte e. unerfreuliche persönliche lit. Fehde zwischen IMMERMANN, PLATEN und HEINE; PLATENS Lit.komödien nach Muster des ARISTOPHANES verfehlten z. T. e. geeignetes Objekt. HEINE führt scharfen Gegenangriff in *Die Bäder von Lucca*; daneben greifen HEINES *Atta Troll* und IMMERMANNS *Münchhausen* von verschiedenen Seiten das ganze kulturelle und lit. Leben an. GRILLPARZER unterzieht in – erst postum veröffentlichten – bissigen Epigrammen, scheinbaren Buchberichten und dramatischen Skizzen das laue lit. Leben der Metternichzeit scharfer Kritik. Erst der erneute Umschwung zum Naturalismus gibt Anlaß zu L.n, teils Schlüsselromanen, teils Polemiken (WEDEKIND) oder Parodien (E. v. WOLZOGEN, BIERBAUM, H. MANN, am bedeutendsten A. HOLZ' *Blechschmiede* 1924). Für den Expressionismus kämpft C. STERNHEIM, gegen seine Auswüchse PRESBER, FRESKA und FRERKING, gegen Manierismus KLABUND und F. BLEI.

RL; H. Hüchting, D. L. d. Sturm- u. Drangbewegung, Diss. Mchn. 1942; S. Hilling, D. L. d. dt. u. franz. Klassik, Diss. Marbg. 1950. →Satire.

Literatursoziologie oder soziologische Literaturwissenschaft untersucht die vielfältigen Wechselbeziehungen zwischen Dichtung und Gesellschaft im weitesten Sinne als unentbehrliche Hilfe für das Verständnis der Lebenszusammenhänge, aus denen die Lit. hervorgeht. Sie untersucht die Stellung des Schriftstellers in seiner Zeit (Umwelteinflüsse, Zeiterscheinungen, →Geschmack) und seine soziale Stellung in der Gesellschaft (→Mäzenatentum), die Abhängigkeit von deren Geschmack, Ansichten und Bildungsstand und seine Wirkung auf das →Publikum, Zeitgenossen, spätere Generationen, Ausland. Sie betrachtet ferner die soziologische Struktur des Publikums als Grundlage für die wiss. Erforschung des Büchermarktes, seine Vorlieben für bestimmte Bucharten und Gattungen als Voraussetzungen der Bucherfolge (→Bestseller) und für die Buchentleihungen in den Bibliotheken. Sie wertet schließlich im Zusammenhang mit dem →Buchhandel das Buch als Handelsware und untersucht die einzelnen Buchtypen und ihre Verbreitung, die Gepflogenheiten des Buchhandels und die Auswirkungen der öffentlichen Meinung (Massenmedien, →Kritik, →Rezension, →Literaturpreise, →Zensur) und der Werbung auf den Vertrieb. Als Wiss. um 1900 entstanden; bes. ausgeprägt in der →Literaturwissenschaft der sozialistischen Länder und den USA.

P. Sakulin, D. soziol. Methode i. d. Lit. wiss. (russ.), 1925; A. Kleinberg, D. dt. Dichtg. i. ihren soz., zeit- u. geistesgesch. Bedingungen, 1927; A. L. Guerard, *Lit. and Society*, 1935; D. Daiches, *Lit. and*

Society, 1938; F. Hodeige, D. Stellg. v. Dichter u. Buch i. d. Gesellsch., Diss. Marb. 1949; C. Lessing, D. method. Problem d. L., Diss. Bonn 1950; H. Kuhn, Dichtgs.wiss. u. Soziologie (Stud. generale 3, 1950); K. Freisitzer, D. L., Diss. Graz 1957; A. Hauser, Sozialgesch. d. Kunst u. Lit., [2]1958; R. Escarpit, Das Buch u. d. Leser, 1961; J. Klein, Ästhet. u. soziolog. Lit.-Betrachtg. (Arch. f. Sozialgesch. I, 1961); L. L. Schücking, Soziologie d. lit. Geschmacksbildung, [3]1961; G. Lukács, Schriften z. L., [2]1963; *Lit. and society*, hg. B. Slote, Lincoln 1964; E. K. Bramstedt, *Aristocracy and the middle-clases in Germany*, Chicago 1964; H. Meyer, Grundlagen d. L. (Stud. generale 17, 1964); L. Löwenthal, Lit. u. Gesellschaft, 1964; G. Linz, Lit. Prominenz i. d. BR., 1965; H. Hiller, Z. Sozialgesch. v. Buch u. Buchhandel, 1967; P. Stöcklein, L. (Fs. H. O. Burger, 1968); H. Oswald, Lit., Kritik u. Leser, 1969; K.-P. Philippi, Method. Probl. d. L. (Wirk. Wort 20, 1970); L. Goldmann, Soziol. d. mod. Romans, 1970; S. Sarkany, *Essai sur la sociol. de la litt.* (*Revue de lit. comparée* 45, 1971); J. Strelka, D. gelenkten Musen, 1971; H. N. Fügen, Wege d. L., hg. [2]1971; R. Ulshöfer u. a. (Deutschunterr. 23, 1971); J. Leenhardt, *Introd. à. la sociol. de la litt.* (*Mosaic* 5, 1971 f.); D. T. Laurenson, A. Swingewood, *The sociol. of lit.*, Lond. 1972; H.-D. Göbel, Meth. u. Ziele d. L. (Diskussion Deutsch 3, 1972); R. Williams, Gesellschaftstheorie als Begriffsgesch., 1972; H. N. Fügen, Dichtg. i. d. bürgerl. Ges., 1972; Ch. I. Glicksberg, *Lit. and society*, Haag 1972; V. Žmegač, Probleme d. L. (Zur Kritik lit.wiss. Methodologie, hg. ders. 1973); D. Steinbach, D. hist.-krit. Sozialtheorie d. Lit., 1973; *Lit. criticism and sociology*, hg. J. P. Strelka (*Yearbook of compar. criticism* 5, 1973); *Sociol. of lit. and drama*, hg. E. u. T. Burns, Harmondsworth 1973; U. Jaeggi, L. (Grundzüge d. Sprach- u. Lit.wiss., hg. H. L. Arnold I, 1973); L., hg. J. Bark II, 1974; A. Hauser, Soziol. d. Kunst, 1974; H. N. Fügen, Hauptrichtgn. d. L., [6]1974; D. H. Miles, *Lit. sociol.* (*German Quarterly* 48, 1975); M. J. Böhler, Soz. Rolle u. ästh. Vermittlg., 1975; L. Löwenthal, Notizen z. L., 1975; J. Scharfschwerdt, Grundprobl. d. L., 1975; P. E. Sörensen, Elementare L., 1976; R. Escarpit, Elemente e. L., 1977; J. L. Sammons, *Lit. sociol. and pract. crit.*, Bloomington 1977; P. V. Zima, Kritik d. L., 1978.

Literatursprache →Schriftsprache

Literaturtheorie, unscharfes Modewort für alle nichthistorischen Disziplinen der →Literaturwissenschaft, bes. Poetik und Literatursoziologie, und beide kombinierende theoret. Systeme oder Versuche zur Frage der Aufgaben und Funktionen der Lit. innerhalb der Gesellschaft, zumal von marxist. Sicht.

Positionen, hg. W. Mittenzwei 1969; M. L. Gansberg, Methodenkritik d. Germanistik, [2]1970; H. Gallas, Marxist. L., 1971; H. J. Heinrichs, Spielraum Lit., 1973; M. Jurgensen, Dt. L. d. Gegenw., 1973; H. Göttner, J. Jakobs, D. log. Bau v. L.n, 1976; H. Turk, L., 1976.

Literaturwissenschaft (Ausdruck zuerst bei Th. MUNDT, Einleitung zur *Gesch. d. Lit. d. Gegenw.* 1842), die gesamte systematische Wissenschaft von der Lit., ihren möglichen Betrachtungsarten und Methoden zur Erschließung der Sprachkunstwerke entweder in ihrem Wesen als Dichtung (→Dichtungswissenschaft) oder ihrer historischen Entwicklung und ihrem Lebenszusammenhang (→Literaturgeschichte), neben der Sprachwissenschaft Unterabteilung der →Philologie im weiteren Sinne, doch über die mehr sprachlich und volkskundlich ausgerichtete Germanistik hinausragend. Als wichtigste Unterfächer dienen der Gegenstandsbestimmung im Einzelfall die →Stilistik, im allg. die →Poetik, als Hilfswissenschaften die Biographik zur Kenntnis der Dichterpersönlichkeit. Gemäß der doppelten Blickrichtung der L. auf Schöpfer und Werk ermöglicht jeder Aufgabenbereich grundverschiedene Methoden und Fragestellungen: 1. genetische L., erforscht das Werden a) des Werkes: philologische Forschung zur Textgeschichte, b) des Dichters: →Dichterbiographie, c) des Werkes im Dichter: psychologischer Schaffensprozeß. 2. historische L. erforscht entwicklungsgeschichtliche Zusammenhänge a) in bezug auf das Werk: Quellenforschung, b) in bezug auf den Verfasser: personalistische Forschung nach Anstößen, Einflüssen, →Erlebnissen, 3. systematische L. beschreibt und erforscht a) das Werk: →Interpretation, b) die Dichtergestalt als Einheit: sog. monumentalistische L. Diese möglichen Grundverhaltensweisen treten nie rein, sondern stets mit anderen Aspekten gemischt auf. – Auf die Vorarbeiten der Romantik (Brüder SCHLEGEL) und der sog. Historischen Schule gestützt, erfolgt im letzten Drittel des 19. Jh., bes. mit W. SCHERER und seiner Schule, die Loslösung der L. als wissenschaftlich anerkannte eigene Disziplin von der Germanistik. Der Positivismus des 19. Jh. fördert die Arbeit nach philologischen und historischen Methoden und legt durch seine mit großem Fleiß und weitem Wissen durchgeführten Arbeiten zur Textkritik, Entstehungsgeschichte, Quellenanalyse und Biographik (E. SCHMIDT: *Lessing*, J. MINOR: *Schiller*) die feste Grundlage späterer Entwicklung, die in mehrere Richtungen führt: 1. E. ELSTER (*Prinzipien der L.*, II 1897–1911) verwendet den Begriff L. zuerst im Ggs. zur philologischen Methode des Positivismus für e. psychologisch auf das dichterische Schaffen gerichtete Lit.forschung, Zurückführung des Einzelwerks auf zeitlose menschliche Verhaltensweisen, die sich in der geisteswissenschaftlichen Psychologie DILTHEYS und – nicht selten in Anlehnung an KRÜGERS Entwicklungspsychologie, SPRANGERS und KRETSCHMERS Typologien, selbst FREUDS und JUNGS Lit.pathologie – bei NOHL, MAHRHOLZ, F. J. SCHNEIDER, MÜLLER-FREIENFELS u. a., in der Gegenwart bei MUSCHG (*Tragische Lit.gesch.*, ³1957) und in der Archetypenforschung amerikan. L. fortsetzt. 2. Gegen die voraussetzungslose Tatsachendarstellung des Positivismus entstand im Gefolge der Selbstbesinnung der Geisteswissenschaften (RICKERT, WINDELBAND, DILTHEY) e. Gegenströmung, die auf den Unterschied zwischen nomothetischer Natur- und ideographischer Geisteswissenschaft verweisend, die Lit. nicht mehr nach biographischem Detail, Quellenforschung, philologischer Bestandsaufnahme und rationaler Tatsachenfeststellung zergliedert, sondern Dichterpersönlichkeit, Strömung und Einzelwerk in geistesgeschichtliche Entwicklungszusammenhänge eingeordnet, oft nur als Ausdruck ideengeschichtlichen Ringens sieht. Dabei verlangt das Streben nach Verständnis von innen her e. bewußte Stellungnahme des Forschers, e. Wertskala. Sie beginnt mit den enger problemgeschichtlichen Forschungen R. UNGERS (*Hamann und die Aufklärung*, II 1911), bes. über das Todesproblem (*Herder, Novalis, Kleist*, 1922), ferner KLUCKHOHN (*Die Auffassung der Liebe*, 1922), FLEMMING, REHM u. a.; andere Forscher untersuchen einzelne lit. Strömungen, Epochen, ganze Kulturbereiche nach allg. geistesgeschichtlichen Grundhaltungen: G. MÜLLER, W. STAMMLER, H. NAUMANN, CYSARZ, KINDERMANN, PETSCH, KOCH, ERMATINGER, STRICH, VIËTOR, BOHNENBLUST, DEUTSCHBEIN und bes. ausgeprägt bei H. A. KORFFS *Geist der Goethezeit*, IV ²1949–54, wo das Einzelwerk nur nach seinem gedanklichen Aussagewert für imponierende geistesgeschichtliche Zusammenhänge befragt wird. Die Textslg. *DLE* gruppiert die Dichtungen nach solchen Aspekten; auch die russ., engl. und franz. L. arbeitet weitgehend nach geistesgeschichtlichen Grundsätzen. 3. e. andere geistesgeschichtliche Richtung, bes. vom →Georgekreis ausgehend, sucht auf dem Umweg über die Biographik e. vertieftes Erfassen der Dichterpersönlichkeit in ihrer zeitlosen Einmaligkeit und Monumentalität (im Ggs. zum Aufzeigen zeitbedingter Züge durch die Positivisten!): GUNDOLFS *Goethe,* E. BERTRAMS *Nietzsche,* teils unter der Gefahr der Auflösung des Geschichtlichen ins Legendär-Mythenhafte. 4. zahlreiche Richtungen erforschen die Lebenszusammenhänge der Lit.; am wenigsten überzeugend und glücklich gelang die Darstellung des →Generationsproblems: KUMMER, PETERSEN, SCHULTZ. 5. soziologische Fragestellungen nach den gesellschaftlichen Verflechtungen der Dichter und ihrer Werke finden schon bei A. W. SCHLEGEL (mönchische, ritterliche, bürgerliche und gelehrte Dichtung) und dann, angeregt durch die Forschungen E. TROELTSCHS und M. WEBERS wie auch des historischen Materialismus (F. MEHRING, H. KLEINBERG, L. BALET) seit LUBLINSKI (*Lit. u. Gesellschaft i. 19. Jh.,* 1899–1900) weite Beachtung, bes. in der Anglistik: DIBELIUS, FEHR, FISCHER, SCHÖFFLER, ferner MERKER, BENDA, H. SCHNEIDER *(Geistlichen-, Helden-, Ritterdichtung),* bei K. LAMPRECHT und F. BRÜGGEMANN als psychogenetische L., die aus dem sozial bedingten Wandel geistiger Werke auf e. seelischen Wandel des Menschen im gesellschaftlichen Unterbau schließt, und in der Gegenwart als zwei verschiedene Richtungen: gesellschaftsgeschichtl. bei W. H. BRUFORD, R. PASCAL und M. GREINER, materialistisch bei G. LUKÁCS (*Fortschritt und Reaktion in der Lit.,* 1947)und der sog. marxist. L. in der DDR wie im Westen, die den ästhet. Wert der polit. Aussage unterordnet und deren Analysen um so ertragreicher, je inferiorer die Werke sind. 6. kulturgeschichtliche Zusammenhänge, selbst in Erneuerung der romantischen Volksgeistlehre (Lit. als Ausdruck e. Volks- oder Zeitgeistes) zeigt R. BENZ auf *(Die dt. Romantik),* während J. WIEGANDS Literaturgeschichte ohne Namen, aus ähnlicher Grundhaltung geschrieben (›Gesamtpersönlichkeit des dt. Volkes‹ als Träger der Lit.), über bloße Stoff- und Motivkompilation nicht weit hinausragt. 7. stammestümliche L., vom Stamm als der kleinsten ethnologischen Einheit ausgehend, entsteht auf Anregung SAUERS bes. mit J. NADLERS *Lit.-gesch. d. dt. Stämme und Landschaften* 1912–28 und Einzeldarstellungen verschiedener Stammeslitt. 8. im Ggs. dazu steht die Betrachtung der →Weltlit. und die →vergleichende L. 9. gegenüber den bisher betrachteten Richtungen, gemeinsam gekennzeichnet durch ständige Heranziehung außerdichterischer Gesichtspunkte und historischer Perspektive bis zu reinem Subjektivismus, Veräußerlichung u. Vernachlässigung des eigtl. Dichterischen, wandte sich e. neue Richtung der L., indem sie aus der Besinnung auf ihren eigtl. Gegenstand die Dichtung selbst wieder in den Mittelpunkt der Betrachtung hob. Den Anstoß gab bes. die Romanistik, wo VOSSLER die Sprachwissenschaft mit CROCE der Ästhetik zuordnete, dadurch e. formal-ästhetische Stilistik hervorrief und mit KLEMPERER e. ›idealistische Neuphilologie‹ begründete; ferner L. SPITZER, E. WINKLER und die russ. →Formalisten, die Prager Schule und in deren Gefolge der amerikan. →New Criticism. E. ERMATINGERS *Dichterisches Kunstwerk* (1921) mit dem bezeichnenden Untertitel ›Grundbegriffe der Urteilsbildung in der Lit.gesch.‹ begründete e. ästhetisch-ideale Wertung der Dichtung und führte einerseits zur sog. existentiellen Stilforschung H. PONGS *(Das Bild in der Dichtung),* andererseits zur Frage nach Wesen und Gesetzen der

→Gattungen (PETSCH, VIËTOR, BEISSNER) und damit zu e. modernen Poetik (E. STAIGER); gleichzeitig verbinden die von O. WALZEL (*Gehalt und Gestalt,* 1923) und W. BRECHT begründete stilästhetische Forschung und F. STRICHS aus der Kunstwissenschaft (WÖLFFLINS *Kunstgeschichtliche Grundbegriffe,* 1915) gewonnene Typologie (*Dt. Klassik und Romantik,* 1922) die ästhetische Richtung wiederum mit der Geisteswissenschaft und suchen nach ästhetisch möglichen und historisch realisierten Typen dichterischer Welterfassung und -gestaltung durch Stilanalyse (AUERBACH, K. MAY, A. LANGEN, H. SEIDLER, F. MARTINI). Spätere Entwicklungsrichtungen gehen ins Kulturpsychologische (STEFANSKY), ins Philosophische (CYSARZ), zu e. ›literarhistorischen Anthropologie‹ (KINDERMANN, *Goethes Menschengestaltung,* 1932) und ins Morphologische (G. MÜLLER). 10. Zu e. engeren Kontakt mit dem Wort der Dichtung selbst führt die von der →Dichtungswissenschaft entwickelte Methode der →Interpretation, die in bewußter Wendung zum Einzelwerk am Phänomen selbst erneut die Grundfragen der L. stellt, das Dichterwort als Formgebilde erschließt und es in seinem Wesen deutend erschaut (J. PFEIFFER, M. KOMMERELL, G. STORZ, STAIGER, KAYSER). Die engl. und bes. franz. L. übersteigern die Methode zur sog. existentialistischen L. durch Hineindeutung existenzphilosophischer Spekulationen. Neuere Strömungen konzentrieren sich auf poetolog. Probleme der L. wie die Erzählforschung (KAYSER, LÄMMERT), die lit. Inhaltsforschung nach Stoffen, Motiven, Symbolen, Topoi (E. CURTIUS, E. FRENZEL, W. EMRICH, W. KILLY, W. KOHLSCHMIDT) oder den Strukturalismus, oder gehen in Rezeptionsästhetik und Wirkungsgeschichte (H. R. JAUSS) der Aufnahme des lit. Werkes nach.

P. Merker, Neue Aufgaben d. L., 1920; K. Voßler, Geist u. Kultur i. d. Sprache, 1925; H. Nohl, Typ. Kunststile i. Dichtg. u. Musik, 1925; H. Maync, Entwicklg. d. dt. L., 1927; O. Benda, D. gegenw. Stand d. dt. L., 1928; E. Howald, Probleme d. L. (Neue Jahrb. 4, 1928); K. Schultze-Jahde, Z. Gegenstandsbestimmung v. Philol. u. L., 1928; RL; A. Hirsch, Soziologie u. L., Euph. 1929; E. Ermatinger, Philos. d. L., 1930; W. Mahrholz, Lit.-gesch. u. L., ²1932; H. Oppel, D. L. d. Gegenwart, 1939; G. Müller, D. Gestaltfrage i. d. L., 1939; R. Petsch, Dt. L., 1940; J. Petersen, D. Wissenschaft v. d. Dichtg. I, 1939; A. Reyes, *El Deslinde,* Mexiko 1941; W. Richter, Strömungen u. Stimmungen i. d. L.en v. heute (*Germanic Review* 21, 1946); E. Rupprecht, D. Situation d. L. (Universitas I, 1946); H. Oppel, Morpholog. L., 1947; K. May, Üb. d. gegenw. Situation e. dt. L. (Trivium 5, 1947); St. E. Hyman, *The Armed Vision,* 1948; R. Newald, Einführg. i. d. Wiss. d. dt. Sprache u. Lit., ²1949; M. Wehrli, Z. Probl. d. Historie i. d. L. (Trivium 7, 1949); A. Mulot, Z. Neubesinnung d. L., GRM 32, 1950; H. Oppel, Methodenlehre d. L. (in: Aufriß, 1951); P. Kluckhohn, L., Lit.gesch. u. Dichtgs.-wiss., DVJ 1952; E. Lunding, Strömgn. u. Strebgn. d. mod. L., Kopenh. 1952; H. Oppel, Z. Situation d. allg. L. (Neuere Sprachen 1, 1953); C. F. P. Stutterheim, *Problemen d. L.,* Antwerp. 1953; E. Trunz, L. als Auslegg. u. Gesch. d. Dichtg. (Fs. f. J. Trier, 1954); H. Kuhn, Sprach- u. L. als Einheit, ebda.; H. Horsman, L. u. Autonomie d. Dichtg., Diss. Bonn 1954; O. Mann, L. u. Dichtg. (Dt. Univ.Zeitg. 11, 1956); W. K. Wimsatt, C. Brooks, *Lit. criticism,* N. Y. 1957; RL²; R. Wellek, A. Warren, Theorie d. Lit., 1959; B. v. Wiese, Geistesgesch. oder Interpretation (Fs. F. Maurer, 1963); W. Flemming, Bausteine z. systemat. L., 1965; K. O. Conrady, Einf. i. d. neuere dt. L., 1966; P. Hallberg u. a., *Litteraturvetenskap,* Stockh. 1966; H. Seidler, Dichtkunst u. L., 1966; K. Hanneborg, *The study of lit.,* Oslo 1967; B. u. W. Flach, Z. Grundlegg. d. Wiss. v. d. Lit., 1967; W. Kayser, D. sprachl. Kunstwerk, ¹³1968; W. Krauss, Grundprobleme d. L., 1968; S. v. Lempicki, Gesch. d. dt. L., ²1968; J. Hermand, Synthet. Interpretieren, 1968; *The disciplines of criticism,* hg. P. Demetz u. a. New Haven 1968; R. Ingarden, V. Erkennen d. lit. Kunstwerks, 1968; H. Adams, *The interests of criticism,* N. Y. 1969; M. Wehrli, Allg. L., ²1969; Ansichten e. künft. Germanistik, hg. J. Kolbe II 1969–73; *Contemporary criticism*, Lond. 1970; J. Strelka, Vergl. Lit.kritik, 1970; L. u. Lit.kritik i. 20. Jh., hg. F. P. Ingold 1970; P. Salm, Drei Richtgn. d. L., 1970; E. Leibfried, Krit. Wiss. v. Text, 1970; Methoden d. dt. L., hg. V. Žmegač 1971; J. Strelka, D. gelenkten Musen, 1971; L. Pollmann, L. u. Methode, II 1971; W. Binder, Lit. als Denkschule, 1972; I. A. Richards, Prinzipien d. Lit.kritik, dt. 1972; M. H. Abrams, *In search of lit.theory*, Ithaca 1972; R. Hess, Erkenntnis u. Methode i. d. L., GRM 22, 1972; M. Maren-Grisebach, Methoden d. L., ²1972; Methodenfragen d. dt. L., hg. R. Grimm, J. Hermand 1973; Z. Konstantinović, Phänomenologie u. L., 1973; Grundzüge d. Lit.- u. Sprachwiss., hg. H. L. Arnold I, 1973; H. Stauch, Kritik d. klass. L., 1973; L. – e. Einf., hg. D. Breuer u. a. 1973; Z. Kritik lit.wiss. Methodologie, hg. V. Žmegač 1973; Propädeutik d. L., hg. D. Harth 1973; *Directions in lit. criticism*, hg. S. Weintraub u. a., Lond. 1973; J. M. Ellis, *The theory of lit. criticism*, Berkeley 1974; J. Link, Lit.wiss. Grundbegriffe, 1974; N. Mecklenburg, H. Müller, Erkenntnisinteresse u. L., 1974; F. C. Maatje, *Lit.wetenschap*, Utrecht ³1974; P. M. Wetherill, The lit. text, Berk. 1974; S. J. Schmidt, L. als argumentierende Wiss., 1975; K. Stierle, Text als Handlg., 1975; G. Pasternack, Theoriebildg. i. d. L., 1975; R. Ingarden, Gegenstand u. Aufgaben d. L., 1975; K. Eibl, Krit.-rationale L., 1976; A. P. Frank, L. zwischen Extremen, 1977; D. Freundlieb, Z. Wissenschaftstheorie d. L., 1977; H. Fricke, D. Sprache d. L., 1977; J. Schulte-Sasse u. a., Einf. i. d. L., 1977; D. Fokkema, *Theories of lit. i. the 20. cent.*, Lond. 1977; Grundlegg. d. L., hg. V. Bohn 1978; F. Nemec u. a., D. gegenw. L., 1978; H. Brackert, E. Lämmert, Grundkurs L., II 1978; D. Gutzen u. a., Einf. i. d. neuere dt. L., ²1978; J. Strelka, Methodologie d. L., 1978. →Literaturgeschichte.

Literaturzeitungen oder -zeitschriften, die in Form von Buchanzeigen oder Rezensionen über die lit. Neuerscheinungen aller oder einzelner Wissenschaften unterrichten, sind seit dem 18. Jh. üblich: *Acta eruditorum* 1682–1776 und die noch bestehende *Göttinger Gelehrten Anzeigen,* in der Aufklärung bes. NICOLAIS Zss. zur lit. →Kritik, seit 1850 Zarnckes *Lit. Zentralblatt,* seit 1880 als wichtigste die *Dt. L. zur Kritik der internationalen Wissenschaft,* hg. von den Dt. Akademien; daneben mehrere mehr schöngeistige L.: AVENARIUS' *Kunstwart,* HEILBORNS *Lit. Echo,* die *Neue dt. Rundschau, Akzente, Alternative, Hochland, Merkur, Text u. Kritik, Lit. und Kritik, Sinn und Form, Weimarer Beiträge* u. a.; in der Gegenwart spiegelt sich e. großer Teil der lit. Forschung in wissenschaftlichen L.: *DVJ, GRM, Euph., Zs. f. dt. Philol., Zs. f. dt. Bildung, Zs. f. Dt.kunde, Neophil., PMLA, Germanistik, Colloquia Germanica, Poetica, Arcadia, Seminar, LiLi* u. a. m. →Jahresberichte →Zeitschrift.

Zusammenstellung aller L. →Bibliographien u. C. Diesch, Bibliogr. d. germanist. Zss., 1927.

Litotes (griech. = Einfachheit), →rhetorische Figur: verstärkte Hervorhebung e. Begriffs durch Verneinung des Gegenteils; uneigentliche Sprechweise: ›nicht übel‹ oft ironisch: ›nicht gerade einer der Tapfersten‹ = feig; häufig bei mhd. Dichtern. →Meiosis.

A. Hübner, D. mhd. Ironie u. d. L. i. Altdt., 1930; C. Weymann, Stud. üb. d. Figur d. L. (Jhrb. f. klass. Philol., 15. Suppl.).

Littérature engagée →engagierte Literatur

Liturgie (griech. *leiturgeia* = Leistung an die Öffentlichkeit), 1. im antiken Athen den reichsten Bürgern auferlegte Ehrenpflichten, so u. a. die →Choregie, Ausstattung und Einstudierung e. Chors bei Tragödien- oder Komödienaufführung. – 2. in der christlichen Kirche die Ordnung des Gottesdienstes, in der röm.-kath. und orthodoxen Kirche streng geregelte Abfolge der von bestimmten Amtspersonen vorgenommenen Handlungen: Gebete, Messen, Sakramente, Prozessionen, Exorzismen und Horen, niedergelegt in den liturgischen Büchern: Brevier und Missale, ev. Agende. Sie bildet teils selbst in →Gebeten, →Sequenzen, →Hymnen und →Tropen dichterische Formen, teils ist sie aus selbständiger Umgestaltung ihrer Teile unerschöpfliche Quelle dichterischer Gattungen und Formen: Kirchenlied, Litanei, geistliches Drama, Legende u. a. m. Auch OTFRIEDS 4-hebiger Reimvers entstammt der L.

R. Stoppel, L. u. geistl. Dichtg. (Dt. Forschgn. 17, 1927); O. Cargill, *Drama and l.*, 1930; H. Brinkmann, Liturg. Formen i. geistl. Spiel d. MA., 1932; R. Pascal, *On the origins of the liturg. drama of the MA.* (*Mod. Language Review* 36, 1941); RL; H. Brinkmann, Z. Urspr. d. liturg. Spieles (in: Stud. z. Gesch. d. dt. Spr. u. Lit. II, 1966); J. Hennig, Z. lit. wiss. Betrachtg. d. L. (Lit.wiss. Jb. 7, 1966).

Liu-che →Lü-shih

Living Newspaper (engl. = lebende Zeitung), Form des engl. dramatischen Lehrstücks und →Dokumentartheaters aus den 30er Jahren des 20. Jh., gepflegt bes. im amerikan. Federal Theatre: Dramatisierung von aktuellen sozialen und wirtschaftlichen Problemen und ihrer Bewältigung in oft experimenteller Form mit Episoden- oder Stationentechnik, typenhaften und symbolischen Figuren, eingefügten Leitartikeln, Reden, Tanz und Film. Im 2. Weltkrieg auch für Volkserziehungs- und Propagandazwecke benutzt.

Livre d'heure (franz. = Stundenbuch), seit 1487 von Frankreich aus verbreitete, kostbar ausgestattete Form des →Gebetbuchs, enthält Evangelienanfänge, Passion, Offizien Marias, des hl. Kreuzes und hl. Geistes, Bußpsalmen, Allerheiligenlitanei, Totenoffizien u. a. Einzelgebete.

Lizenz →Dichterische Freiheit

Lizenzausgabe, jede nicht vom Originalverleger, doch in der Originalsprache herausgebrachte Ausgabe e. Werkes (z. B. Taschenbuch- oder Buchgemeinschaftsausgabe), für die der Lizenznehmer durch Lizenzvertrag mit dem Originalverlag befugt ist.

Ljóðahättr, →Spruchton, vierzeilige Strophe der *Edda* aus je zwei Langzeilen mit Zäsur im Wechsel mit zwei dreihebigen Zeilen ohne Zäsur.

Loa (span. = Lob), Lobgedicht, als Prolog e. span. Dramenaufführung (L. sacramental vor e. →Auto, L. humana vor e. →Comedia) vorangestelltes kleines Vorspiel, meist in losem Zusammenhang mit dem Stück, bereitet darauf vor oder enthält Lob des Autors, des Publikums, der Stadt usw., anfangs in Prosa, später in poetischen Formen: Oktave, Romanze u. ä., bald stofflich vom Hauptdrama abgelöst.

J. A. Meredith, *Introito and l.*, Phil. 1925.

Lobgedicht, lyrisches oder episches Gedicht zum Lob von Personen oder Sachen (Gott, Christus, Maria, Heilige, Freunde, Frauen; Länder, Orte, Flüsse, Landschaften; Wein, Natur, Sonne, Frühling usw.), im engeren Sinn ein ausgesprochen dem Lobe einer individuellen zeitgenössischen Person gewidmetes Gedicht als weltliche Huldigung, Gattung der Gelegenheits- und Auftragsdichtung. Ältere Vorläufer des L. sind die antiken →Enkomien und →Epinikien und die german. →Preislieder. Volle Ausbildung erfuhr das L. in Form der Elegie im dt. Humanismus (BEBEL, HUTTEN, BALDE) und in Alexandriner- und Odenform im Barock (WECKHERLIN, OPITZ, KUHLMANN, ROMPLER, →Hofpoeten). Mit dem Schwinden des rein rhetorischen Elements in der jüngeren Dichtung bleibt das L. auf vereinzelte Gelegenheitsdichtungen bes. auf Fürsten und Landesherren beschränkt und fand nur wenige Vertreter; erst dem Nationalsozialismus blieb es vorbehalten, den politischen ›Führer‹ wieder zum Gegenstand schmeichlerischer L. zu machen.

RL[2]; O. B. Hardison, *The enduring monument*, Chapel Hill 1962; A. Georgi, D. lat. u. dt. Preisged. d. MA., 1969.

Lobpreis, -rede →Panegyrikos, →Eloge, →Enkomion

Lobspruch, Spruch zum Preis e. Stadt oder e. Landes, bes. bei H. SACHS und W. SCHMELTZL; →Städtegedichte.

Locus communis (lat. =) →Gemeinplatz

Lösung →Katastrophe

Lösungsdrama, Tragödie, die vor Eintritt der tragischen Katastrophe in e. überraschende Lösung des Konflikts umbiegt, meist durch Eingriff einer numinosen (→deus ex machina) oder höheren (königlichen) Macht: KLEISTS *Prinz Friedrich von Homburg*, GOETHES *Iphigenie*. →Schauspiel.

Logaödische Verse (griech. *logos* = Rede, *aoide* = Gesang), frühere Bz. der →äolischen Versmaße wegen ihrer scheinbar die Mitte zwischen Prosa und Vers haltenden Form.

Logograph (griech. *logos* = Wort, *graphein* = schreiben), 1. älteste griech., meist ion. Geschichtsschreiber vor der mit HERODOT einsetzenden eigtl. Geschichtsschreibung, aus der Zeit, als der Vers des Epos durch die Prosaerzählung verdrängt wurde: seit 7., bes. 6. und 5. Jh. v. Chr.; verfaßten unkritische Ortschroniken, Beschreibungen der durch den Handelsverkehr erschlossenen fremden Länder und Völker, legendäre Städtegründungen und mythische Stammbäume der Götter und Heroen. Wichtigste: KADMOS von Milet, HEKATAIOS von Milet, PHEREKYDES von Leros, CHARON von Lampsakos, XANTHOS von Lydien und HELLANIKOS von Mytilene. – 2. in Athen Redner und Rechtsanwälte, die – teils als Ausländer oder wegen körperlicher Gebrechen – nicht selbst vor Gericht auftraten, sondern für die streitenden Parteien Reden verfaßten, welche diese dann vortrugen: ANTIPHON und bes. LYSIAS.

Logogriph (griech. *logos* = Wort, *griphos* = Netz, Rätsel), Buchstaben→rätsel, bei dem durch Versetzung (→Anagramm), Auslassung oder Hinzufügung einzelner Buchstaben e. neues Wort entsteht: Bau -blau.

Lokalkolorit →Ortskolorit

Lokalposse →Lokalstück

Lokalsage (lat. *locus* = Ort), an bestimmte Örtlichkeiten (Schlösser, Felder, Haine) untrennbar gebundene →Sage, z. B. Lorelei (BRENTANO).

Lokalstück, heiter-realistisches →Volksstück, das Personen, Geschehnisse und Sitten e. Gegend oder e. bes. Stadt meist in Mundart auf der Bühne darstellt, teils als rein komische oder parodierende Lokalposse, teils als moralisierendes Sittenstück oder sozial betontes →Volksstück, selten von höherem lit. Wert und über die Grenzen des Entstehungskreises hinauswirkend. In Italien entstanden landschaftliche Sondertypen im Zusammenhang mit der →Commedia dell'arte, in Frankreich neben der Pariser Lokalposse meist soziale L.e in Südfrankreich und der Provence; im dt. Sprachraum bilden einzelne Großstädte Zentren zur Pflege des L.: am reichsten Wien, wo im Zusammenhang mit der Zauberposse e. lokales →Zauberstück entsteht; daneben die von Ph. HAFNER aus dem Stegreifspiel des →Hanswurst (STRANITZKY, PREHAUSER, KURZ-BERNARDON) entwickelte soziale Typenkomödie und burleske, charakterkomische Lokalposse, von PERINET ins Singspiel umgeformt, späterhin teils Satire sozialer Spannungen, Modeunsitten und lokaler Charaktertypen, teils mythologische Karikatur (weanernde Götter), teils lit. Parodie der Schwächen großer Dichter (NESTROY). Das Münchner L. ist reines →Volksstück (L. THOMA). Das Hamburger L. beginnt nach Vorformen in den Zwischenspielen der Barockopern 1741 mit BORKENSTEINS *Bookesbeutel* zuerst als Ständesatire, im 19. Jh. auch als lit. Parodie, schließlich als bäuerlich-komisches L., um die Jh.wende dann wieder als soziale Satire oder allg. Volksstück (J. STINDE). Das Frankfurter L. ist Typenkomik; in Darmstadt ragen NIEBERGALLS Charakterkomödien über den Rahmen des L. hinaus. Das von L. ANGELY begr. Berliner L., ursprünglich nahe dem Wiener Vorbild, verwendet seit HOLTEI eigene Berliner Typen, wird im Jungen Dtl. um D. KALISCH zur politischen Satire und schließlich mit L'ARRONGE zum sentimentalen Volksstück. Das rheinische L. gipfelt in H. MÜLLER-SCHLÖSSERS *Schneider Wibbel;* das L. im Elsaß ist seit ARNOLDS *Pfingstmontag* Mundarttheater.

Losbuch, Sammlung von Orakelsprüchen und Morallehren zum Zweck der Schicksalsbefragung, Belehrung und Unterhaltung, nach Vorgang antiker Orakelbücher seit 14./15. Jh. hsl. erhalten, ab 1483 gedruckt, obwohl von der Kirche bekämpft. Literarisch in J. WICKRAMS *Weltlich L.* (1539).

H. Rosenfeld, L. (Archiv f. Gesch. d. Buchwesens, 1962).

Lost generation (engl. = verlorene Generation), von G. STEIN geprägte Sammelbz. für die Generation nordamerikan. Schriftsteller, die als Teilnehmer im 1. Weltkrieg ihre Illusionen eingebüßt hatten und sich durch ihre eigenen neuen Probleme und ihre skeptische negative Weltanschauung wie ihre selbstbewußte Gleichgültigkeit von der Tradition abhoben. Bes. der Kreis um G. STEIN: E. HEMINGWAY, DOS PASSOS u. a., weiter E. E. CUMMINGS und F. S. FITZGERALD.

M. Cowley, *The L.g.*, 1931.

Losung →Devise

L. s. (lat. *lectori salutem* = dem Leser einen Gruß), Einleitungsformel alter Bücher.

Ludlamshöhle, 1817 gegr. Wiener Dichterkreis, dem auch GRILLPARZER angehörte; nach dem 2. Weltkrieg erneuert.

O. Zausmer, D. L. (Jhrb. d. Grillparzer-Ges., 1933); K. Wache, Neue Kunde v. d. alten L. (in: Jahrmarkt d. Wiener Lit., 1966).

Ludus (lat. = Spiel), 1. in Rom öffentliche Spiele ähnlich den griech. →Dionysien: ludi Romani (Anfg. Sept.), zu denen seit 240 v. Chr. auch ludi scaenici, Dramenaufführungen, gehörten. Nach dem Vorgang von LIVIUS ANDRONICUS mit Latinisierung griech. Stücke vermehrt sich mit der Zahl der Dramendichter auch die der Spiele: ludi Plebeii (Anfg. Nov.), Apollinares (Anfg. Juli), Megalenses (Anfg. April), Florales (Anfg. Mai) u.a. von urspr. zwei Tragödien und zwei Komödien jährlich auf 55 Spieltage im Jahr in der spätrepublikanischen Zeit und noch mehr in der Kaiserzeit. – 2. das →geistliche Drama des MA. sowie spätere geistliche Spiele

(16. Jh.), so L. paschalis = →Osterspiel u. ä.

Lügendichtung, weitverbreitete volkstümliche Dichtart: Erzählung phantastischer, gänzlich unmöglicher oder an sich möglicher, doch bis zur Unwahrscheinlichkeit übertriebener Begebenheiten, deren Unwahrheit der Leser/Hörer durchschauen soll; Nähe zu Schwank, Märchen, Abenteuer- und →Reiseroman. Seit der Antike, bes. dem hellenistischen Roman (LUKIANS *Wahre Geschichte*) zahllose Aufschneiderfiguren, die bes. im Barock wiederkehren: Miles gloriosus, Bramarbas, Vincentius Ladislaus, Horribilicribrifax (GRYPHIUS) und Schelmuffsky (REUTER), dazu oriental. Einflüsse aus *1001 Nacht,* z. B. Sindbad der Seefahrer, ferner *Talmud,* Legenden, Märchen u. a.; im dt. MA. Fabeln der Schwabenstreiche, e. *Modus florum*, dann bes. in der Spielmannsdichtung ausgebildet, schließlich in den Lügenschwänken der Volksbücher im 15./16. Jh.: *Finkenritter* 1560, *Eulenspiegel* 1515 gesammelt; im 18. Jh. z. T. unter den →Münchhauseniaden vereinigte Jagd-, Reise-Kriegs-Lügen und -anekdoten. Meister der L. sind RABELAIS, FISCHART, GRIMMELSHAUSEN, CYRANO DE BERGERAC und SWIFT. Im 20. Jh. M. WALSERS *Lügengeschichten* (1964).

C. Müller-Fraureuth, D. dt. L. bis auf Münchhausen, 1881, ²1965; A. Ludwig, D. Lügner (Lit. Echo 23); J. Minor, Wahrheit u. Lüge auf d. Theater u. i. d. Lit., Euph. 3, 1896; O. Lipmann, P. Plaut, Die Lüge, 1927; H. Weinrich, Linguistik d. Lüge, 1966; ders., Lit. für Leser, 1971.

Lü-shih, chines. Gedicht aus 8 Versen oder Strophen zu je 8 Versen mit je 5 oder 7 Silben, wobei der 3. und 4., 5. und 6. Vers parallel laufen; seit 5./6. Jh. aufgekommen.

Lukubration (lat. *lucubratio*) = gelehrte Nachtarbeit und deren lit. Produkt.

Lullabies, engl. Wiegenlieder (urspr. Marias), Abart der →Carols, benannt nach ihrem Kehrreim ›Lully my child‹.

Lustige Person →komische Person

Lustspiel (seit 1536, doch erst mit GOTTSCHED durchgesetztes Ersatzwort für →Komödie), im Ggs. zu der aus der →Komik abgeleiteten →Komödie die aus der Haltung des →Humors entstandene Dramenform; bezweckt nicht Lächerlichkeit durch Aufdeckung der Unzulänglichkeiten, sondern reines Lachen der Heiterkeit, entstanden aus der Überlegenheit des Wissens um menschlich-irdische Bedingtheit und getragen von e. fröhlich verzeihenden weil verstehenden Liebe zu Mensch und Natur, welche die Gegensätzlichkeit der Welt anerkennt, aber nicht richten oder ändern will. – Die Antike und die romanischen Völker pflegen mehr das komisch-drastische Element in Mimus und Komödie; SHAKESPEARES L.e dagegen zeigen die charakteristische ungebrochene Lebensfreude, wie sie auch in der dt. Lit. sich in e. Reihe bedeutender L.e verkörpert, während die Komödie hier keine feste Tradition aufweist. Fastnachtsspiel und seine heidnischen Vorformen stehen noch unter Einwirkung des Mimus; das L. der Humanisten (REUCHLINS *Henno,* T. STIMMERS *Von zween Eheleuten,* bes. N. FRISCHLIN) dagegen schult sich an den antiken Komödien (ARISTOPHANES, PLAUTUS, TERENZ). Im Barock wirkt e. Fülle von ausländischen Anregungen: Englische Komödianten, ital. Commedia dell'arte, holländ. →Kluchten und →Rederijkerspiele wie die Komödie MOLIÈRES. Sie werden erst langsam zu eigenen Gestaltungen verwertet, so den L.en von Herzog Heinrich Julius von Braunschweig, Gryphius *(Die geliebte Dornrose)*, Chr. Weise und Chr. Reuter. Im 18. Jh. gewinnt das mimische Stegreifspiel Überhand, bis Gottsched durch Verbannung des Hanswurst e. lit. L. erstrebt, jedoch gleichzeitig viel volksnahen und ursprünglichen Witz ausschließt. Krüger und J. E. Schlegel beziehen Anregungen durch den Dänen Holberg; die franz. comédie larmoyante aber führt bei Gellert u. a. zum →weinerlichen L. der Empfindsamkeit, das, schon bei H. Sachs vorgeformt, auf der Rührung als ›Lachen unter Tränen‹ beruht und weiterhin auf die Entstehung des bürgerlichen Trauerspiels wirkte. Auf die bühnenwirksamen L.e Chr. F. Weisses folgt in Lessings *Minna von Barnhelm* das erste und klassische dt. L. Dem Irrationalismus des Sturm und Drang stand die Komödie näher als die humoristische Weltweisheit des L.; der Ernst und das Bewußtsein der hohen Sendung gaben ihr in der Klassik keinen Raum; daneben entstand jedoch e. Fülle tagesgebundener Repertoirestücke, die ihre Erfolge weniger dem lit. Wert als der theatralischen Wirksamkeit zuschreiben, zumal die Verfasser, meist selbst Schauspieler, Bühnenwirkungen geschickt ausnutzen: Iffland, Schröder, Grossmann, Brandes, bes. Kotzebue, dessen oft ins Komische oder Schwankhafte übergreifende L.e durch ganz Europa ziehen. Die Romantik schult sich an der Übersetzung der L.e Shakespeares; während ihr satirisches Märchen-L. (Tieck) theaterfern bleibt, gelingen Brentano *(Ponce de Leon)* und später Büchner *(Leonce und Lena)* übermütig leichte L.e voll sprühenden Wortwitzes, doch mit Nähe zur Satire, die auch Grabbes *Scherz, Satire, Ironie und tiefere Bedeutung* bestimmt. Aus romantischen Einflüssen und barocker Tradition entsteht das österr. →Volksstück F. Raimunds, dessen freilich auch dem Mimus nahestehende Form die innere Überwindung tragischer Grundstimmungen zu gelöster Heiterkeit spiegelt und sich mit Nestroy zur Satire und Komödie wandelt, wie auch Kleists *Zerbrochener Krug* reine Komödie ist. Aus ähnlicher tieftragischer Weltanschauung entsteht Grillparzers L. *Weh dem, der lügt*. Allzu starke gedankliche Belastung kennzeichnet das L. Hebbels. Überwindung des Leides zu gültiger Heiterkeit zeigt auch die Gestalt des H. Sachs in Wagners *Meistersingern*. Das von Molières Komödien ausgehende Charakter-L. mündet schließlich bei Anzengruber ins Volksstück. Die bürgerliche Enge des 19. Jh. verhinderte e. breite Entfaltung des Trivial-L.; als Gesellschafts- und Salon-L. erscheint es bei Bauernfeld und Benedix und gipfelt in der Kunstform von Freytags *Journalisten*, während die Flut der nichts als Lachlust erregenden Stücke bruchlos in die →Posse übergeht. Der Naturalismus neigt zur Komödie, der auch H. Bahr und Schnitzler nahestehen, während der Expressionismus (Wedekind, Kaiser, Sternheim) das L. mit freierer Entfaltung der intellektuellen Satire verknüpft. Die unruhevolle Gegenwart bringt nach Hofmannsthal bezeichnenderweise nur wenige bedeutende, tiefere L.e (Lernet-Holenia, Schreyvogl), dagegen e. Fülle theaterfester Komödien gewandter Praktiker hervor.

Lit. →Komödie.

Lyoner Dichterschule, heterogene Gruppe in Lyon ansässiger franz. Renaissancedichter zwischen Petrarkismus und Pleiade: M. Scève,

Pontus de TYARD, L. LABÉ, A. HÉROËT, P. DU GUILLET u. a.

Lyrik (griech. *lyra* = Leier), die subjektivste der drei Naturformen (→Gattungen) der Dichtung; unmittelbare Gestaltung innerseelischer Vorgänge im Dichter, die durch gemüthafte Weltbegegnung (→Erlebnis) entstehen, in der Sprachwerdung aus dem Einzelfall ins Allgemeingültige, Symbolische erhoben werden und sich dem Aufnehmenden durch einfühlendes Mitschwingen erschließen. Die Unmittelbarkeit des Gefühlsausdrucks läßt die L. als Urform der Dichtung erscheinen (franz. *poésie* = L.). Sie verzichtet auf Objektivierung in erzählten Ereignissen (Epik) oder handelnden Personen (Drama) und bietet daher, abgesehen von formalen Reim- und Versregeln, wenig Ansatzpunkte zu Formentheorie und normativer Poetik, führt aber dennoch zu ästhetischer Formprägung im Sprachkunstwerk – freilich in verschiedenem Grade vom ausströmenden Seelenlied bis zur bewußtesten und durchgeistigten Kunstform. Nicht die Intensität des verdichteten Gefühls, die Erlebnisstärke und die Tiefe der Empfindungen allein, auch die Durchdringung und Bewegung des Sprachmaterials zu sprachkünstlerischer Gestaltung sind wesentliche Kriterien der Dichtung, denn sie erst geben der einmaligen Empfindung zeitlos-gegenwärtige Form und lösen das Gedicht aus der unruhevollen Seele des Schöpfers zu erfülltem Eigenleben. Die ungestaltete, aus bloßem Einfall und Augenblicksstimmung herausströmende Aussage gerät in die Gefahr des Zerfließens. Grundlage der sprachlichen Bindung bildet der →Rhythmus, auch als sog. freier Rhythmus, zu dem e. →metrisches Schema und →Reim, als Gliederung →Vers und →Strophe dazutreten können. Das zugrunde liegende stimmungshafte Welterleben kann selbsterfahren oder aus fremder Erfahrung anverwandelt und im eigenen Ich gespiegelt sein; es umfaßt sowohl seelische Gestimmtheiten (Freude-Leid in allen Variationsmöglichkeiten) als auch das Verhältnis vom Ich zum Mitmenschen (Einsamkeit-Gemeinschaft, als Liebe, Freundschaft, Verehrung) und schließlich von Seele und Welt (Natur, Schöpfung, Vergänglichkeit, Religion, Gott). Im einzelnen lassen sich dabei wieder alle Stufen möglicher Haltungen feststellen: von dem an keine Kausalzusammenhänge, Ort und Zeit gebundenen, rein im Einsgefühl mitschwingenden, kaumgeformten Urlaut im musiknahen Naturlied mit dem Ton des Naiv-Herzlichen über das intuitiv-dunkle Ahnen um elementare Urbilder, die geistige Vision des Symbols und die allegorisierend-deduktive Meditation bis zum streng gedanklich sichtenden Gegenüber (→Gedanken-L.) – Haltungen, die mit Epochengeist und individuellem Lebensgefühl wechseln und als deren Extreme G. MÜLLER Lied und Ode erkannt hat. In den einzelnen Zeiten und Völkern entstehen daraus zahllose Abarten und Untergattungen der L., teils in formaler Hinsicht – wobei jeweils die Form auch die Aussageweise mitbestimmt – teils in inhaltlicher und gedanklicher Hinsicht.

Entwicklung und Arten der L. bei den verschiedenen Völkern variieren nach ihrer Volkseigenart und verschiedenen Epochen; ihnen gemeinsam ist der Charakter als tiefste kunstgeformte Aussage letzter menschlicher Belange überhaupt, die überall und immer gleich sind. Die Chinesen pflegen seit 1500 v. Chr. das Volkslied, als Jagd-, Liebes-, Familien- und Opferlied, oft mit lehrhaftem Charakter (Slg.: *Shih-ching*); die Ägypter bes. Hymnen und Totenklagen (Isis und Osiris), die Hebräer enthusiastisch-hymnische Formen im Psalm (DAVID), Spruch (SALOMON), Liebeslied *(Hohelied)* und Kriegsgesang (Deborah), die Inder anfangs religiöse L. (*Rigveda*-Hymnen), später lehrhafte Spruchdichtung und erotische L. (JAYADEVA), die Iranier Lehrdichtung *(Awesta)*, im MA. dann als mystische und moralische Kontemplation (RŪMĪ, SA'DĪ) und schließlich farben- und formenfrohe Wein- und Liebesl. voll Sinnen- und Lebenslust (HĀFEZ, DJĀMĪ), die Araber im MA. Totenklagen, dann Liebes- und Spottlieder (*Hamāsa*, IMRA'ALQAIS), Spruchdichtung nach dem Vorbild des *Koran* (al-MUTA-NABBĪ) und wieder reiche Liebes-L. Die abendländische Entwicklung beginnt mit den Griechen, wo sich zuerst das Epos entwickelt hatte, und zwar in enger Verbindung mit der Musik: L. im engeren Sinne war nur das zur Musikbegleitung gesungene Lied (nicht →Jamben, →Elegie, →Epigramm), teils monodische, subjektive und strophische sog. äolische L. für den Einzelvortrag (TERPANDER, ALKAIOS, SAPPHO, später ANAKREON), teils in Strophe und Antistrophe gegliederte →Chorlyrik der Dorier (ALKMAN, STESICHOROS, IBYKOS, SIMONIDES, PINDAR und BAKCHYLIDES). Beliebte Formen sind Ode, Hymne, Skolion und Elegie. Letztere tritt in hellenist. Dichtung wieder hervor, während seit rd. 450 v. Chr. die lyrische Dichtung sich nach e. frühen Blüte auf die Choreinlagen der Dramen beschränkt hatte. Die Römer übernehmen erst spät die griech. Formen, so HORAZ die äolische Odendichtung und die Jamben, CATULL, TIBULL, PROPERZ und OVID bes. die Elegie, MARTIAL das Epigramm; ihnen liegt z. T. weniger unmittelbare Gefühlsaussprache als die vollendete Formkunst, und so bleibt die Zahl der röm. Lyriker gering. – Aus vermutlichen heidn. Volksliedern der Germanen, Kelten, Romanen und Slawen entwickelt sich im christlichen MA. teils e. →geistliche L. als künstlerische Verarbeitung christlichen Gedankenguts, deren gemeinsame Züge von der kath. Kirche bestimmt werden; →Marienl., geistliche Kampflieder (→Kreuzlied), als Ermutigung zum Kampf gegen die Ungläubigen, auch Bestrafung Unwürdiger in den eigenen Reihen (bei WALTHER) und bes. das Sündenlied (*Dies irae* des THOMAS VON CELANO); teils e. weltliche L. unter Einfluß der höfischen Kultur des Rittertums, seit der Begegnung mit dem Orient (Mohammedaner in Spanien, Kreuzzüge) auch der arab. L. Sie verbreitet sich als →Minnesang der →Troubadours aus der Provence über das ganze christliche Abendland. Daneben auch →Spruchdichtung. Mit der Auflösung des Rittertums im Spät-MA. erstarrt die äußere Form des streng regelgebundenen Minnesangs im →Meistersang. Erst die Reformation bringt Erneuerung des Volksliedgutes mit dem kraftvollen →Kirchenlied und legt den Grund zur lyrischen Verinnerlichung; mit ihr beginnt e. stärkere nationale Differenzierung des lyrischen Schaffens.

Voran geht Italien mit der Bildung neuer Formen seit der Renaissance: Sonett, Kanzone, Sestine, Triolett, Madrigal (DANTE, PETRARCA, MICHELANGELO). Für die weitere Entwicklung der italien. L. sind Dichter wie METASTASIO, MONTI, FOSCOLO, PINDEMONTE, LEOPARDI (Weltschmerz), CARDUCCI (Oden), D'ANNUNZIO, UNGARETTI, MONTALE und QUASIMODO entscheidend. –

Die franz. L. des 16.–18. Jh. geht teils von röm. (RONSARD, Pléjade, BOILEAU), teils von griech. Vorbildern aus (A. CHÉNIERS Oden) und mündet mit VOLTAIRE in die anakreontische Poésie fugitive; nach der Revolution folgt BÉRANGER mit der Chanson-Form; größere Mannigfaltigkeit bringt erst die Romantik (LAMARTINE, V. HUGO); im Realismus des 19. Jh. folgen A. MUSSET, de VIGNY, MURGER (soziale L.), die →Parnassiens (Formkunst), als Vertreter des →L'art pour l'art BAUDELAIRE, VERLAINE und RIMBAUD, schließlich im fortgeschrittenen Symbolismus VALÉRY, LAFORGUE, VERHAEREN und LERBERGHE, ferner APOLLINAIRE, R. CHAR, P. ELUARD, SAINT-JOHN PERSE u. a. – Die engl. L. entwickelt sich aus der franz. beeinflußten Gedankenlyrik des 18. Jh. (POPE, GAY, THOMSON), zur empfindsamen L. (GRAY, COLLINS, AKENSIDE), greift bes. in der Romantik (BURNS, →Lake Poets, in Irland Th. MOORE) ins Volksliedhafte über, erreicht bei BYRON und SHELLEY große kosmopolitische Züge und klingt im 19. Jh. mit der schwermütig-feinnervigen Dichtung von TENNYSON, BROWNING und SWINBURNE ab, um im 20. Jh. mit J. MASEFIELD, F. THOMPSON, W. DE LA MARE, E. SITWELL, W. H. AUDEN und bes. T. S. ELIOT neue Formen zu suchen, vorbereitet durch die nordamerikan. Dichter E. A. POE, LONGFELLOW, Bret HARTE, C. AIKEN, E. POUND, bes. Walt WHITMAN (naturalist. L.).

Die dt. L. greift auf e. weite Volkslied-Tradition zurück, die nach der lat. Humanistenl. durch die Reformation verstärkt und auch – teils durch →Kontrafaktur – in religiöse Bahnen gelenkt wurde, so daß in der Folgezeit zunächst das →geistliche Lied beherrschend bleibt. Der Barock führt mit der Besinnung auf die dichterischen Kunstmittel aus seiner Antithetik heraus zu e. erhöhten, teils manierierten und bilderreichen Sprache, entwickelt nach ausländischem Vorbild e. reiche →Gesellschaftsdichtung (OPITZ, HOECK, WECKHERLIN, →Königsberger Dichterkreis, K. STIELER, LOGAU, HOFMANNSWALDAU, LOHENSTEIN), daneben jedoch aus tiefstem Bedürfnis e. religiöse L. (CZEPKO, ANGELUS SILESIUS, GRYPHIUS, SPEE, P. GERHARDT). Vereinzelt und vorerst ohne Nachfolge steht an seinem Ausgang der Erlebniston J. Chr. GÜNTHERS. Der Optimismus der Aufklärung verdrängt die barocke Gespaltenheit zunächst mit Gedankenl. von logisch-nüchterner Linienführung (BROCKES, HALLER, E. v. KLEIST). Es folgt die →Anakreontik (HAGEDORN, GLEIM, UZ) und die Empfindsamkeit (GELLERTS geistliche Lieder), schließlich der Durchbruch des Gefühls in KLOPSTOCKS Oden, die die leidenschaftlich-gefühlsstarke Sprachform des →Göttinger Hain und des →Sturm und Drang einleitet (HERDER und HAMANN: Volkslieder, der junge GOETHE, LENZ, CLAUDIUS, HÖLTY, SCHUBART, BÜRGER). Über sie führt der Weg zur Harmonie von Gefühl und Verstand in der ausgeglichenen, seelentiefen Erlebnis-L. GOETHES und sog. Gedanken-L. SCHILLERS und HÖLDERLINS, der zur L. der Romantik überleitet. Sie beginnt mit der religiösen und ideellen L. der Frühromantik (NOVALIS, Brüder SCHLEGEL) und steigt in der natur- und gottnahen Stimmungs-L. der Hochromantik (ARNIM, BRENTANO, EICHENDORFF, UHLAND) auf. e. Stufe der Gefühlseindringlichkeit, die weit in den Realismus hinein und z. T. bis in die Gegenwart das ideale Wesen der L. verkörpert. Vielfarbig ist die weitere Entfaltung im 19. Jh., von zunehmender Gedanklichkeit (MÖRIKE, GRILLPARZER,

Platen, Rückert), Zynismus und Tendenz (Heine), Weltschmerz (Lenau) zur politischen L. des Vormärz (A. Grün) und von der Freude an der neuentdeckten, vielfarbigen Realität (Droste, Hebbel, Storm, Keller) und Symbolgestaltung (C. F. Meyer) zur antikisierenden Formkunst des →Münchner Kreises. Gegen sie rebelliert der Naturalismus, teils mit sozialer L. (Conradi, A. Christen), teils mit Prosa-L. nach dem Vorbild W. Whitmans (J. Schlaf) und neuen rhythmischen Formen (A. Holz). Neue Klänge bringen →Arbeiterdichtung, →Impressionismus (Liliencron, Dehmel, Wildgans), Neuromantik (Hofmannsthal, Dauthendey) u. der ekstatische →Expressionismus (→Charon, magische L. bei Stadler, Werfel, Becher, Däubler, Benn, →Sturmkreis, E. Lasker-Schüler). Die bleibenden Ströme im 20. Jh. neben diesen vorüberflutenden Wellen sind die der religiös-seelischen Verinnerlichung u. der Vorstoß zu letzten Seinsfragen: George, Rilke, Trakl; daneben stehen liedhafte Züge (Carossa) und bewußte Formkunst (Weinheber, R. A. Schröder). Ferner entsteht als Gebrauchs-L. bei Morgenstern, Ringelnatz, Kästner e. oft satirische Karikatur des Bürgertums. Die dt. L. nach 1945 folgt teils traditionellen Formen (Bergengruen, Goes, Hagelstange, Holthusen, Kaschnitz, Busta), z. T. auch in der Naturlyrik (Loerke, Lehmann, Britting, Eich, Krolow, Huchel, Bobrowski), oder greift ins Metaphysische (Höllerer, Poethen, Piontek, I. Bachmann); sie geht ins Surreal-Groteske über (Celan, Arp, Härtling, Rühmkorf, Grass, Mekkel), neigt zur →konkreten Poesie (Heissenbüttel, Gomringer, Mon, Rühm, Jandl, Mayröcker) oder trägt als polit. L. zur Meinungsbildung bei (Brecht, Hermlin, Kunert, Biermann, Reinig, Enzensberger, Fried).

R. M. Werner, L. u. L.er, 1890; P. Witkop, D. Wesen d. L., Diss. Hdlbg. 1907; H. Spiero, Gesch. d. L. seit Claudius, 1908; R. Findeis, Gesch. d. dt. L., 1914; H. Bethe, Griech. L., 1920; P. Witkop, D. dt. L.er v. Luther bis Nietzsche, II ^{2}1921–25; F. Sieburg, D. Grade d. lyr. Formg., Diss. Münster 1922; K. Bock, D. Gedicht, 1922; H. Werner, D. Ursprünge d. L., 1924; M. Thalmann, Gestaltgsfragen d. L., 1925; A. Jeanroy, *Les origines de la poésie lyr. en France,* Paris 1925; E. Ermatinger, D. dt. L. seit Herder, III ^{2}1925; H. Brémond, *Prière et Poésie,* Paris 1926; F. Brunetière, *L'évolution de la poésie en France au 19. siècle,* II ^{10}1929; RL; J. Pfeiffer, D. lyr. Gedicht als ästhet. Gebilde, 1931; Ph. S. Allen, *Medieval Latin L.,* Chic. 1931; E. Voege, Mittelbarkeit u. Unmittelbarkeit i. d. L., 1932, ^{2}1968; H. Goertz, D. Wesen d. dt. L., 1935; H. O. Burger, Wesen u. Ursprung d. dt. L., 1936; J. Pfeiffer, Ton u. Gebärde i. d. dt. L. (Dichtg. u. Volkstum 37, 1936); A. Closs, *The Genius of German L.,* Lond. ^{2}1962; R. Petsch, D. lyr. Dichtkunst, 1939; H. Piwonka, Hdb. d. dt. L., 1940; G. Müller, Grundformen dt. L. (V. dt. Art i. Sprache u. Dichtg. V, 1941); E. Hederer, Mystik u. L., 1941; H. O. Burger, Gedicht u. Gedanke, ^{3}1943; H., Gregory u. M. Zaturenska, *A hist. of American poetry 1900–1940,* N. Y. 1946; M. Kommerell, Gedanken üb. Gedichte, ^{2}1956; J. Pfeiffer, Zwischen Dichtg. u. Philos., 1948; W. van O'Connor, *Sense and Sensibility in Modern Poetry,* Chic. 1948; J. Wiegand, Abriß d. lyr. Technik, 1951; M. Geilinger, V. lyr. Dichtkunst, 1951; K. Berger, D. schöpfer. Erleben d. lyr. Dichters, 1951; E. Staiger, L. u. Lyrisch (Deutschunterr. 2, 1952); S. S. Prawer, *German l. poetry,* Lond. 1952; F. Lockemann, D. Ged. u. s. Klanggestalt, 1952; F. G. Jünger, Rhythmus u. Sprache i. dt. Ged., ^{2}1966; P. Böckmann, D. Sagweisen d. mod. L. (Deutschunterr. 3, 1953); R. Ibel, Gestalt u. Wirklichkeit d. Ged., ^{3}1964; W. Schneider, Liebe z. dt. Ged., ^{5}1963; R. Boehringer, D. Leben v. Gedd., ^{3}1955; M. L. Rosenthal u. A. J. M. Smith, *Exploring poetry,* N. Y. 1955; J. R. Kreuzer, *Elements of poetry,* N. Y. 1955; H. Friedrich, D. Struktur d. mod. L., ^{6}1962; G. Benn, Probleme d. L., ^{5}1958; R. N. Maier, D. Ged. ^{3}1963; Wege z. Ged., hg. R. Hirschenauer, ^{5}1962; V. Klemperer, Mod. franz. L., 1957; K. Leonhard, Silbe, Bild u. Wirklichkeit, 1957; J. Klein, Gesch. d. dt. L., ^{2}1960; J. McCormick, Amerik. L. d. letzten 50 Jahre, ^{2}1961; B. v. Wiese, D. dt. L., II 1957;

R. P. Blackmur, *Form and value in mod. poetry*, N. Y. 1957; R. Kienast, A. Closs in ›Aufriß‹, [2]1958; W. Killy, Wandlgn. d. lyr. Bildes, [4]1964; M. Gilman, *The idea of poetry in France*, Cambr./Mass. 1958; J. Pfeiffer, Was haben wir an e. Gedicht, [3]1966; M.-H. Kaulhausen, D. gesprochene Gedicht u. s. Gestalt, 1959; E. Drew, *Poetry*, N. Y. 1959; R. N. Maier, D. mod. Gedicht, [2]1963; M. Oakeshott, *The voice of poetry*, Lond. 1960; F. C. Prescott, *The poetic mind*, Oxf. 1960; G. Highet, *The powers of poetry*, Oxf. 1960; M. L. Rosenthal, *The mod. poets*, Oxf. 1960; M. Bowra, *Greek lyr. Poetry*, Lond. [2]1961; C. Heselhaus, Dt. L. d. Moderne, 1961; K. Krolow, Aspekte zeitgenöss. L., 1961; N. Friedmann u. a., *Poetry*, N. Y. 1961; J. Reeves, *A short hist. of Engl. poetry*, Lond. 1961; V. de S. Pinto, *Crisis in Engl. poetry*, Lond. [4]1962; R. Haas, Wege z. engl. L., 1962; E. Muir, *The estate of poetry*, Cambr./Mass. 1962; K. O. Conrady, Lat. Dichtungstradition u. dt. L. d. 17. Jh., 1962; K. Hopkins, *Engl. poetry*, Lond. 1963; H. Adams, *The contexts of poetry*, Boston 1963; K. Leonhard, Mod. L., 1963; D. Hasselblatt, L. heute, 1963; A. Wellek, D. Struktur d. mod. L. (Stud. generale 16, 1963); B. Deutsch, *Poetry in our time*, N. Y. [2]1963; H. Friedrich, Epochen d. ital. L., 1964; H. Hinterhäuser, Mod. ital. L., 1964; J. Miles, *Eras and modes in Engl. poetry*, Berkeley [2]1964; A. Thwaite, *Contemp. Engl. poetry*, Lond. [3]1964; G. Cambon, *The inclusive flame*, Bloomington [2]1965; H. Gross, *Sound and form in mod. poetry*, Ann Arbor 1965; D. Bush, *Engl. poetry*, Lond. [2]1965; C. Brooks, *Mod. poetry and the tradition*, Oxf. [2]1965; S. Stepanchev, *American poetry since 1945*, N. Y. 1965; R. D. Gray, *An introduction to German poetry*, Cambr. 1965; G. Siebenmann, D. mod. L. i. Spanien, 1965; Theorie d. mod. L., hg. W. Höllerer, 1965; W. Naumann, Traum u. Tradition i. d. dt. L. 1966; P. L. Henry, *The early Engl. and Celt. l.*, Lond. 1966; J. M. Cohen, *Poetry of this age*, Lond. [2]1966; W. P. Ker, *Form and style in poetry*, Lond. [2]1966; D. Peterson, *The Engl. lyric*, Princeton 1967; M. C. Bowra, Poesie d. Frühzeit, 1967; D. mod. engl. L., hg. H. Oppel 1967; R. Haller, Gesch. d. dt. L. II 1967 ff.; Versdichtung d. engl. Romantik, hg. T. A. Riese u. D. Riesner, 1968; H. Galinsky, Wegbereiter d. mod. amerikan. L., 1968; D. engl. L., hg. K. H. Göller, II 1968; M. Boulton, *The anatomy of poetry*, Lond. [5]1968; A. Schöne, Üb. polit. L. i. 20. Jh., [2]1969; Interpretationen mhd. L., hg. G. Jungbluth 1969; W. Höck, Formen heutiger L., 1969; H. Müller, Formen mod. dt. L., 1970; K. Pestalozzi, D. Entstehg. d. lyr. Ich, 1970; H. H. Waggoner, *American poets*, N. Y. [3]1970; S. Vietta, Sprache u. Sprachreflexion i. d. mod. L., 1970; O. Knörrich, D. dt. L. d. Gegenw., [2]1978; G. Laschen, L. i. d. DDR, 1971; J. Flores, *Poetry in East Germany*, New Haven 1971; R. M. Browning, *German Baroque poetry*, Phil. 1971; H. W. Wittschier, D. L. d. Pléiade, 1971; G. Gillespie, *German Baroque poetry*, N. Y. 1971; H. Lehnert, Struktur u. Sprachmagie, [2]1972; H.-G. Werner, Gesch. d. polit. Gedichts i. Dtl. 1815–40, [2]1972; M. Hamburger, D. Dialektik d. mod. L., 1972; K. Richter Lit. u. Naturwiss., 1972; D. amerikan. L., hg. M. Christadler 1972; W. Raible, Mod. L. i. Frankr., 1972; W. Killy, Elemente d. L., [2]1972; P. Dronke, D. L. d. MA., 1973; Dt. Barock-L., hg. M. Bircher 1973; D. amerikan. L., hg. K. Lubbers 1973; L. Wiesmann, D. mod. Gedicht, 1973; Z. L.-Diskussion, hg. R. Grimm [2]1974; L. Büttner, V. Benn zu Enzensberger, [3]1975; H. Domin, Wozu L. heute, [3]1975; D. franz. L., hg. H. Hinterhäuser 1975; Sprachen d. L., Fs. H. Friedrich 1975; B. Asmuth, Aspekte d. L., [4]1976; J. Schütte, L. d. dt. Naturalism., 1976; J. Theobaldy, Veränderg. d. L., 1976; R. Gray, *German Poetry*, Lond. 1976; D. mod. franz. L., hg. W. Pabst 1976; W. H. Rey, Poesie d. Antipoesie, 1978.

Lyrisch, eine der drei möglichen Grundhaltungen der Dichtung (→dramatisch, →episch). Ihr Wesen bezeichnet E. STAIGER als ›Erinnerung‹ (›Verinnerung‹, W. KAYSER), d. h. Ineinsfließen von Welt und Ich, Zeit und Raum zu wechselseitiger Durchdringung, Unschärfe der gegenständlichen Konturen und Sachverhalte zugunsten e. wirksamen Eigenlebens von Klang und Rhythmus der Sprache, und findet es im →Lied am reinsten ausgeprägt. Die Erscheinungsform des L. ist nicht an die →Lyrik allein gebunden, sondern kann auch als durchgehender oder in einzelnen Szenen hervortretender Grundton – abgesehen von lyrischen Einlagen im Drama (antiker Chor) oder im Epos (SCHEFFELS *Trompeter von Säckingen*) – in den anderen Gattungen erscheinen. So gelten etwa GOETHES *Werther*, HÖLDERLINS *Hyperion*, EICHENDORFFS Versepos *Julian* und Romane von

KELLERMANN, HESSE, GIDE, V. WOOLF u. a. als ›lyrische Epik‹, Dramen HÖLDERLINS, GRILLPARZERS *Des Meeres und der Liebe Wellen*, die Frühdramen HOFMANNSTHALS und Bühnendichtungen MAETERLINCKS als ›lyrische Dramen‹.

E. Staiger, Grundbegriffe d. Poetik, [8]1968; F. Hassenstein, Sprachphil. Beitr. z. Stilproblem d. L., Diss. Gött. 1954; R. Freedman, *The lyrical novel,* Princeton 1963; P. Szondi, D. lyr. Drama d. Fin de siècle, 1975. →Lyrik.

Lyrischer Roman →lyrisch

Lyrisches Drama 1. →Lyrisch. – 2. →Versdrama. – 3. Um 1775–80 beliebte Gattung →melodramatischer Bühnenstücke, die in Monolog und Dialog musikalisch untermalte Gefühlsergüsse darstellen: ROUSSEAUS ›scène lyrique‹ *Pygmalion,* WIELANDS *Wahl des Herkules,* HERDERS *Brutus,* GOETHES *Proserpina,* SCHILLERS *Semele,* ferner Werke von BRANDES, GOTTER, SCHINK, RAMLER, MEISSNER u. a. →Monodrama.

A. Köster, D. l. D. i. 18. Jh. (Preuß. Jhrb. 68, 1891); RL.

Lyrisches Epos →lyrisch

Lysiodie (griech.), nach dem griech. Dichter LYSIS genannte lasziv-komische Form des →Mimus, dessen Schauspieler zu Flötenbegleitung auch Frauenrollen in Männerkleidung spielten, dann auch dessen Lieder. Vgl. →Magodie.

Maccaronische Dichtung, Maccheronische Poesie →Makkaronische Dichtung

Madrāshā, in der syr. Lit. Lieder und Strophen mit Kehrreim für Chorgesang und Musikbegleitung, meist lyrisch-didaktische Mischformen balladesken Charakters von metrisch einfachem Bau (Langstrophen).

Madrigal (ital. *madriale* = Schäfergedicht, zu *mandra* = Herde), ursprünglich von Hirten gesungenes Lied; seit dem 14. Jh. von italien. Lyrikern (PETRARCA, SACCHETTI, DONATI) zu kurzen, ländlich-idyllischen Kunstliedern umgestaltet, ohne feste sprachliche und musikalische Formregeln, meist 8–11-Silber, seit dem 16. Jh. (bes. TASSO) auch 7-Silber in freier Abfolge der Verszeilen und Reime, auch Waisen, unstrophisch und von verschiedener Ausdehnung, mit über 15 Zeilen Madrigalon genannt. Erst im 16. Jh. entwikkelt sich e. festere Formtradition: drei Terzette und zwei abschließende Reimpaare in der Reihenfolge abb/cdd/eff/gg/hh; in Italien anfangs mit, später ohne Musikbegleitung gesungen. Seit dem 16./17. Jh. erweitert sich die Bz. auch auf philosophische Betrachtungen, bes. aber satirisch-epigrammatische und witzig-tändelnde Inhalte, die mit e. zierlichen Kompliment schließen. Durch das ital. Singspiel des Barock auch nach Frankreich (de MONTREUIL, LAINEZ, MONCRIF) und seit H. L. HASSLERS Slg. 1596 auch in Dtl. verbreitet, wo sich seit K. ZIEGLER (*Von den M.en,* 1653) durch die Barockpoetik e. verbindliche epigrammatisch zugespitzte Formtradition entwickelt, dann in dt. Lyrik bes. in Anakreontik und Romantik nachgebildet: HAGEDORN, GÖTZ, GOTTER, GELLERT, VOSS, GOETHE (Leipziger Lieder, Singspiele und *Faust I*), A. W. SCHLEGEL, PLATEN, UHLAND; dabei nähert sich das M. bei einsilbiger Senkungsfüllung den →freien Versen.

L. Stümpell, D. franz. M., 1873; Ph. Spitta, D. Anfge. madr. Dichtg. i. Dtl., 1894; K. Voßler, D. dt. M., 1898, [2]1972; RL[1]; E. H. Fellowes, *The Engl. M.*, 1925; J. B.

Trend, Beitr. üb. d. span. M. (Lütticher Kongreß-Bericht, 1930); C. K. Scott, M. u. Villanella (Neuphilol. Monatsschr., 1932); E. Kiwi, Z. Gesch. d. ital. Lied-M., Diss. Hdlbg. 1937; H. Schultz, D. M. als Formideal, 1939; E. H. Fellowes, *The Engl. M. composers*, Oxf. [2]1948; A. Einstein, *Italian M.*, Princeton III 1949; K. Voßler, Dichtungsformen d. Romanen, 1951; J. Kerman, *The Elizabethan M.*, Lond. 1963; *Chanson and M. 1480–1530*, hg. J. Haar, Cambr./Mass. 1964; E. H. Fellowes, *Engl. M.verse*, Oxf. [3]1968; U. Schulz-Buschhaus, D. M., 1969.

Mädchenbuch, leserbezogene Sonderform der →Jugendliteratur, vielfach am traditionellen Frauenbild orientiert und den sozialen Anpassungsprozeß fördernd.

M. Dahrendorf, D. M. u. seine Leserin, 1970; ders., D. M. (Kinder- u. Jugendlit., hg. G. Haas 1974); ders., D. mod. M. (in: ders., Lit.didaktik i. Umbruch, 1975).

Mädchenlied, neue Form des Minnesangs seit WALTHER VON DER VOGELWEIDE 1197: nicht an die unzugänglich hohe Dame der Gesellschaft, sondern – unter Einfluß der Vagantendichtung – an ein lebensvoll-schlichtes Mädchen (wîp) gerichtet und somit Abweichen von der hohen Minne im streng konventionellen Sinne REINMARS zu sog. niederer Minne, doch echter, zarter Herzensneigung und Hingabe aus bewegter Seele; einflußreich auf die spätere Entwicklung.

Männlicher Reim, im Ggs. zum →weiblichen der einsilbige, auf e. Hebung endigende Reim: Not – Brot.

Männlicher Versschluß →Kadenz

Männer, Zornige →Zornige junge Männer

Mär →Märe

Märchen, kürzere volksläufig-unterhaltende Prosaerzählung von phantastisch-wunderbaren Begebenheiten und Zuständen aus freier Erfindung ohne zeitlich-räumliche Festlegung: Eingreifen übernatürlicher Gewalten ins Alltagsleben, redende und Menschengestalt annehmende Tiere und Tier- oder Pflanzengestalt annehmende, verwunschene Menschen (→Metamorphosen), Riesen, Zwerge, Drachen, Feen, Hexen, Zauberer u. a. den Naturgesetzen widersprechende und an sich unglaubwürdige Erscheinungen, die jedoch aus dem Geist des M. heraus glaubwürdig werden, indem e. gedanklich mitvollzogene Unwahrscheinlichkeit die andere schon wahrscheinlich macht. Der ethische Grund ist e. denkbar einfache Weltordnung: Belohnung des Guten, Bestrafung des Bösen, je nach dem Grad an Sympathie oder Antipathie für die Hauptgestalt Wendung zum Guten oder Schlechten entsprechend den Wünschen des naiv moralisierenden, kindlichen Aufnahmekreises; →einfache Form, bes. das anonyme Volks-M. aus mündlicher Überlieferung des Volkes auch in vorlit. Zeit, geprägt von seiner Erzählweise, mit Variationen und Umdichtungen, im Ggs. zum Kunst-M., das als Schöpfung e. Dichterindividualität Erzählweise und Motive des Volks-M. übernimmt und mit bewußtem Kunstverstand gestaltet, dabei jedoch teils das unbewußte Phantasiespiel durch allegorische Verkleidung von Gedanken, Tendenzen und Meinungen zerbricht. – Das Volks-M. entstammt urspr. dem Orient, gelangt jedoch schon weit vor den Kreuzzügen ins Abendland. In der Antike (HOMER: Kirke, PLATON: Ring des Gyges, APULEIUS: Amor und Psyche) und im MA. *(Kaiserchronik)* ist es noch keine selbständige Gattung, sondern Bestandteil anderer epischer Dichtungen. Auch märchenhafte Bestandteile der german. Heldensage lassen auf frühes Vorhandensein der – evtl. bei der Völkerwanderung am Schwarzen Meer von den Persern übernommenen – Märchenform (Ur-M.) schließen. Erste M.-Slgn. in Italien: STRAPAROLAS *Tredici piacevoli notti* 1550, G. BASILES *Pentamerone* 1674, schon seit Mitte des 14. Jh. die *Gesta Romanorum;* in Frankreich erst seit PERRAULTS *Contes de ma mère l'Oye* 1697 aus echten Volks-M. GALLANDS franz. Übersetzung (1704) von *1001 Nacht* eröffnet den ganzen Reichtum oriental. Erzählfreude (seit 9. Jh. gesammelt) dem Abendland. In England, Schottland und Irland wird reiches keltisches M.gut verarbeitet; auch die Slawen verfügen über große Fülle; während das skandinav. M. dem dt. verwandt ist, mischen sich im Alpengebiet bodenständige mit dt., roman. und slaw. Überlieferungen. Die ersten dt. Slgn. von MUSÄUS (*Volksm.,* 1782), B. NEUBERT und E. M. ARNDT werden durch starke lit. Umstilisierung von Volkssagen im romantischen Sinne zu Kunst-M.; die erste planmäßige und wissenschaftliche Volksm.-Slg. sind die durch BRENTANO 1805 angeregten *Kinder- und Hausmärchen* (I 1812, II 1815) von J. u. W. GRIMM. Schon J. GRIMM verweist auf Motivzusammenhänge zum german. Heldenepos, der Tierfabel und dem roman. M.; BECHSTEIN (*Dt. M.buch* 1845, *Neues dt. M.buch* 1856), F. ZISCHKA (*Österr. Volksm.* 1822), VERMALKEN (*Österr. Kinder- und Hausm.* 1864), I. und J. ZINGERLE (*Kinder- und Hausm. aus Tirol,* 1852, ... *aus Süddtl.,* 1854), H. PRÖHLE (*M. für die Jugend,* 1854), W. WISSER (*Wat Grotmoder vertellt,* 1904/09), M. MELL (*Alpenländ. M.buch,* 1946), GERAMB (*Kinder- u. Hausm. aus der Steiermark,* 1947), W. E. PEUCKERT (*Schles. Kinder- u. Hausm.* 1952) u. a. m. setzen die schriftliche Fixierung der Volksmund-Überlieferung fort. Die seit HERDER entstandene Theorie des Volks-M. verweist auf seine tiefe Ursprünglichkeit als Wesensmerkmal und gibt zahlreiche Entstehungstheorien, anthropologische, mythologische Deutungen u. ä. Die 1910 von K. v. KROHN in Helsinki gegr. finn. Gesellschaft treibt vergleichende M.forschung aller Länder und Erdteile und untersucht die ausgebreiteten M.wanderungen (Organ: *Folklore Fellows Communications*). – Das Kunst-M. dagegen, ebenfalls auf die im höfischen Epos, Tierepen und Volksbüchern des MA. verarbeiteten M. zurückgehend, beginnt im franz. Rokoko als witzige, ironische, satirische Kunstform selbständig in Vers oder Prosa *(Cabinet des Fées)* zur geistreichen Unterhaltung der aufgeklärten Gesellschaft durch phantasievolle Geschehensverknüpfung, überlegene Distanz gegenüber den naiven Erfindungen e. überwundenen Vorzeit und durchscheinende Moral (MUSÄUS, WIELAND). Erst seit HERDERS Eintreten fürs Volksm. und der Erkenntnis vom Wert des Naiven, Ursprünglichen, wird es ihm angeglichen, seine magische Wunderwelt als tiefste und reinste Poesie aus der Seele des Volkes erkannt. TIECKS frühe M. sind noch satirisch; auf der Höhe der Romantik erfolgt der Umschlag zum M. als ›bewußte Poetisierung der Welt‹ mit Durchbrechung der Wirklichkeit, Erfahrung und Kausalität, Loslösung von Zeit und Raum: TIECK, GOETHE *(M.),* BRENTANO, FOUQUÉ, CHAMISSO, später HAUFF. Doch spielen in diese volkstümlichen Formen auch philosophische (NOVALIS) wie dämonische Elemente (E. T. A. HOFFMANN) hinein und belasten die Form durch erstrebte Symbolik und subjektive Problematik des Schöpfers. Im Realismus folgen MÖRIKE, RAIMUND

(M.- und Zauberspiele), KELLER, STORM, O. LUDWIG, M. von EBNER-ESCHENBACH. Vorbild moderner M.dichtung wird der Däne H. Ch. ANDERSEN (*M.* 1847, vermehrt bis 1876) in seiner Verbindung von Realistik und behäbigem Humor: R. REINICK, VOLKMANN-LEANDER (*Träumereien an franz. Kaminen*), H. SEIDEL, V. BLÜTGHEN, K. GINZKEY, M. GRENGG, M. SEEMANN, A. T. SONNLEITNER, S. WALDECK, M. KYBER, H. v. HOFMANNSTHAL, E. WIECHERT, A. KRIEGER, in Frankr. ST. EXUPÉRY.

F. Panzer, M., Sage u. Dichtg., 1905; H. Todsen, Üb. d. Entw. d. romant. Kunstm., Diss. Mchn. 1906; A. Thimme, D. M., 1909; H. Buchmann, Helden u. Mächte d. romant. Kunstm., 1910; A. Aarne, Verzeichn. d. M.typen, Helsinki 1910; ders., Leitfaden d. vergleich. M.forschg., 1913; K. Spiess, D. dt. Volksm., 1917; E. Bethe, M., Mythos, 1922; F. v. d. Leyen, Z. Probl. d. Form b. M. (Fs. f. H. Wölfflin, 1924); ders., D. dt. M., ²1925; R. Benz, D. M.dichtg. d. Romantiker, ²1926; E. Müller, Psychologie d. Volksm., 1928; Ch. Bühler, D. M. u. d. Phantasie d. Kindes, ³1929; K. Krohn, Übersicht üb. einige Resultate d. M.forschg., 1931; A. Wesselski, Versuch e. Theorie d. M., 1931; Bolte-Mackensen, Hdwb. d. dt. M., II 1931–40; H. Honti, Volksm. u. Heldensage, Helsinki 1931; O. Nossag, Volksm. u. Volksm.interesse i. 18. Jh., Diss. Greifsw. 1932; M. I. Jehle, D. mod. dt. Kunstm. (*Journal of Engl. and German Philol.* 33, 1934); L. Mackensen, D. dt. Volksm., 1935; R. Petsch, D. Kunstform d. M. (Zs. f. Volkskunde 45) 1935; M. I. Jehle, D. dt. Kunstm. v. d. Romantik z. Naturalismus, Urbana 1935; F. Ranke, M.forschg., DVJ 1936; R. Petsch, Wesen u. innere Form d. Volksm. (Niederdt. Zs. f. Volkskde. 15), 1937; D. Bäuerle, D. nachromant. Kunstm., Diss. Hbg. 1937; H. Parr, D. mod. dt. Kunstm., Diss. Wien 1938; W. E. Peuckert, Dt. Volkstum i. M. u. Sage, 1938; W. Spanner, D. M. als Gattung (Beitr. z. dt. Philol. 68), 1939; G. Wegmann, Stud. z. Bedeutg. d. M. i. d. dt. Romantik, 1944; M. Ninck, Ältest. M. v. Europa, 1945; E. Koechlin, Wesenszüge d. dt. u. franz. Volksm., 1945; S. Thompson, *The Folktale*, N. Y. 1946, ²1951; M. Lüthi, M. u. Sage, DVJ 1951; E. Pröbstl, Neuromant. Prosa-M.dichtg., Diss. Mchn. 1950; W. E. Peuckert, Volkskunde, 1951; ders. in ›Aufriß‹; F. v. d. Leyen, D. Welt d. M. 1953f.; G. Mudrak, D. Kunstm. d. 19. Jh., Diss. Wien 1953; J. Bieringer-Eyssen, D. romant. Kunstm., Diss. Tüb. 1953; G. Dippel, D. Novellenm. d. Romantik, Diss. Ffm. 1953; J. de Vries, Betrachtgn. z. M., Helsinki 1954; G. Kahlo, D. Wahrheit d. M., 1954; H. Bausinger, L. Röhrich u. a. (in Deutschunterr. 8, 1956); U. Hasselblatt, D. Wesen d. Volksm. u. d. mod. Kunstm., Diss. Freibg. 1956; A. Jolles, Einfache Formen, ²1956; F. v. d. Leyen, D. M., ⁴1958; ders., M. u. Mythos, DVJ 33, 1959; K. J. Obenauer, D. M., 1959; I. Schneeberger, D. Kunstm. i. d. 1. Hälfte d. 20. Jh., Diss. Mchn. 1960; W. Liungmann. D. schwed. Volksm., 1961; M. Thalmann, D. M. u. d. Moderne, ²1967; M., Mythos, Dichtg., Fs. F. v. d. Leyen, 1963; F. v. d. Leyen, D. dt. M., 1964; L. Santucci, D. Kind, s. Mythos u. s. M., 1964; R. Steffens-Albala, Darstllg. u. Tendenz i. dt. Kunstm. d. 20. Jh., Diss. Tüb. 1964; F. v. d. Leyen, D. dt. M. u. d. Brüder Grimm, 1964; H. v. Beit, D. M., 1965; B. Ewe, D. Kunstm. i. d. Jugendlit. d. 20. Jh., Diss. Mchn. 1965; E. Voerster, M. u. Novellen i. klass.-romant. Roman, ²1966; RL; G.-L. Fink, *Naissance et apogée du conte merveilleux en Allemagne 1740–1800*, Paris 1966; Ch. Federspiel, V. Volksm. z. Kinderm., 1968; M. Lüthi, Es war einmal, ⁵1977; E. Meletinskij, Z. strukturell-typolog. Erforschg. d. Volksm. (Dt. Jb. f. Volkskunde 15, 1969); H. E. Giehrl, Volksm. u. Tiefenpsychol., 1970; F. Lenz, Bildsprache d. M., 1971; K. Hellwig, Engl. Volksm., 1971; W. Propp, Morphologie d. M., 1972; V. Mönckeberg, D. M. u. uns. Welt, 1972; Wege d. M.forschg., hg. F. Karlinger 1973; L. Röhrich, M. u. Wirklichkeit, ³1974; M. Lüthi, D. europ. Volksm.,⁵1976; O. Stumpfe, D. Symbolsprache d. M., ³1975; M. Lüthi, D. Volksm. als Dichtg., 1975, M.forschg. u. Tiefenpsychologie, hg. W. Laiblin ²1975; M. Lüthi, Volksm. u. Volkssage, ³1975; H. v. Beit, Symbolik d. M., ⁵1975; B. Bettelheim, *The uses of enchantment*, N. Y. 1976; Enzyklopädie d. M., hg. K. Ranke 1975 ff.; L. Röhrich, Sage u. M., 1976; M. Lüthi, So leben sie noch heute, ²1976; ders., M., ⁶1976; A. Nitschke, Soz. Ordnungen i. Spiegel d. M., II 1976; H. Schumacher, Narziß an d. Quelle. D. romant. Kunstm., 1977; J. Tismar, Kunstm., 1977.

Märchendrama, Bühnenstück um märchenhafte Begebenheiten: TIECK, *Der gestiefelte Kater*, KLEIST, *Käthchen von Heilbronn*, GRILLPARZER, *Der Traum ein Leben*, RAIMUNDS →Zauberpossen und dramatisierte →Märchen, HEBBELS *Rubin*, G. HAUPTMANN, *Und Pippa tanzt*, E. ŠVARC, *Der Drache, Der Schatten* u. a.

M. Kober, D. M., 1925; W. S. Denewa, D. österr. M. d. Biedermeier, 1940.

Märchenoper, beliebte Opernform mit märchenhaftem Vorwurf, musikalische Art des →Märchendramas; schon im Singspiel in Gestalt des Zauberers, ferner Länder usw. angedeutet; nach Vertonung fremder Märchen zuerst einheimische bei J. F. REICHARDT 1772 *Hänsel und Gretel*, G. BENDA 1775 mit dem Märchen von den drei Wünschen als Singspiel, zahlreiche Oberon- und Undine-Opern; MOZARTS *Zauberflöte;* romantische M. (WEBER, *Der Freischütz*, MARSCHNER), R. WAGNERS Mythenopern, PUCCINIS *Turandot*, in der Neuromantik R. STRAUSS *Die Frau ohne Schatten*, HUMPERDINCK *Hänsel und Gretel* und bes. PFITZNER.

L. Schmidt, Z. Gesch. d. M., Diss. Rostock 1895; RL.

Märe (mhd. *daz maere* = Kunde, Nachricht, meist in Mz.: *diu maere*), in mhd. Dichtung die gesprochen vorgetragene Erzählung im Ggs. zum gesungenen →Lied, doch urspr. als ›Bericht‹ auch dies umgreifend; erst im 13. Jh. Bedeutungswandel von M. als Stoff und glaubhafte Quelle der Erzählung zu ›Erdichtung‹, im späteren Diminutiv →Märchen. Als Gattung des 13. bis 15. Jh. kleine weltliche Reimpaarerzählung, Versnovelle mit menschl. Figuren, bes. bei H. FOLZ.

J. Schwietering, Singen und Sagen, 1908; RL; A. Mihm, Überlieferg. u. Verbreitg. d. M.dichtg. i. Spätma., 1967; H. Fischer, Stud. z. dt. M.dichtg., 1968; K.-H. Schirmer, Stil- und Motivunters. z. mhd. Versnovelle, 1969; G. Köpf, M.ndichtg., 1978; J. Heinzle, M.begriff u. Novellentheorie (Zs. f. dt. Altert. 107, 1978).

Märtyrerdrama, abgesehen vom →geistlichen Drama bes. im →Jesuitendrama und Barock beliebte Dramenform, die Leiden der Glaubenszeugen oder auch weltlicher standhafter Charaktere mitleiderregend schildert, jedoch innere Konflikte und tragisches Verschulden vermissen läßt: CORNEILLES *Polyeucte*, MASSINGERS *Virgin Martyr*, LOPE DE VEGAS *Lo fingido verdadero*, CALDERÓNS *Il principe constante*, BIDERMANNS *Philemon Martyr*, GRYPHIUS' *Leo Armenius, Carolus Stuardus, Papinian*, LOHENSTEINS *Epicharis*, häufig mit Frauen als Heldinnen: GRYPHIUS *Catharina von Georgien*, HALLMANN *Sophia, Marianne*, HAUGWITZ *Maria Stuarda u. a. m.*

E. M. Szarota, Künstler, Grübler und Rebellen, 1967.

Mäzen, nach Gaius MAECENAS (1. Jh. v. Chr.), dem Freund, Gönner und Förderer von HORAZ, VERGIL, PROPERZ u. a., Bz. für jeden Förderer der Künste und Wissenschaften, bes. seit MARTIAL: ›Gebt uns Mäzenaten, dann wird es auch Vergile geben‹. Bis zum Aufkommen des Buchdrucks und eigtl. erst des →Honorars war der mittellose Dichter auf die Unterstützung durch kunstverständige Gönner wie die MEDICI oder MAXIMILIAN I. angewiesen – bes. in der ma. Blütezeit. In der Neuzeit übernehmen z. T. Städte, Stiftungen, Literaturpreise, Aufträge durch Anstalten öffentl. Rechts (Rundfunk, Fernsehen) und Ehrentitel (poet laureate) ähnliche Funktion.

K. J. Holzknecht, *Lit. patronage in the MA.*, 1923, n. 1967; W. F. Schirmer u. U. Broich, Stud. z. lit. Patronat i. Engl. d. 12. Jh., 1962; W. C. McDonald, *German medieval literary patronage*, Amsterd. 1973; J. Bumke, M.e i. MA., 1979.

Magazin (ital. *magazzino* von arab. *machsan* = Scheune), im Bibliothekswesen der den Benutzern unzugängliche Aufbewahrungsort der Bücher, danach seit 18. Jh. auch Titel für periodische Zss. gemischten Inhalts, im 18. Jh. populärwissenschaftlich oder kritisch (*Wiener M. der Kunst und Lit.*, 1793–97), im 19. Jh. unterhaltend-belehrend, in der Gegenwart entweder polit. Nachrichten-M. *(Time, Spiegel)* oder noch mehr zur reich illustrierten Unterhaltungs-Zs. niedrig-erotischen Inhalts abgesunken. Die engl.-amerikan. ›little magazines‹ *(Criterion, Horizon, Scrutiny, Poetry)* boten das Forum für ein Großteil avantgardist. Lit.

F. L. Mott, *A Hist. of American M.s.*, V Cambr./Mass. 1930–68; R. Whittemore, *Little M.s*, Minneapolis 1963; T. Peterson, *M.s in the 20th century*, Urbana ²1964; R. E. Wolseley, *Understanding m.s*, Iowa 1965; W. Haacke, Genesis u. Stil d. M. (Publizistik 11, 1966); L. N. Richardson, *A hist. of early American m.s*, N. Y. ²1967; J. L. C. Ford, *M.s for millions*, Carbondale 1969; J. Tebbel, *The American m.*, N. Y. 1969; W. Haakke, D. M. (Archiv f. Gesch. d. Buchwesens 11, 1970).

Magierspiele →Dreikönigsspiel

Magischer Realismus, die bei J. und F. G. JÜNGER, H. KASACK und E. LANGGÄSSER u. a. ausgebildete moderne Form des →Realismus, die die konkreten Erscheinungen, Bilder und Figuren der Wirklichkeit als Chiffren e. geheimen Sinnes, Symbole des Elementaren auffaßt und den realistisch hergestellten Befund ins Innere umschlagen läßt zu e. seltsamen metaphysischen Transparenz.

L. Forster, Üb. d. m. R. (Neophil. 34, 1950); H. Rieder, D. m. R., 1970.

Magodie (griech. *magos* = Gaukler, *ode* = Gesang), niedere, unlit. Art des altgriech. →Mimus, komische Darstellung einzelner Typen (z. B. betrunkener Liebhaber) durch e. Schauspieler zu Musikbegleitung. E. annähernd ähnliches Libretto bildet das alexandrinische Gedicht *Des Mädchens Klage.*

P. Maas, Simodoi (RE, 2. Rhe. III, 159f.) 1927.

Mahâkâvya (ind. = großes Gedicht), Bz. für das Epos, bes. das Kunstepos, in der Sanskrit- und ind. Lit.

Mahâpurânas →Purânas

Maikäferbund, nach dem Abzeichen genannter rheinischer Dichterbund um G. KINKEL, SIMROCK, J. BURCKHARDT 1840–1846.

F. Wiegand, D. Verein d. M. (Dt. Rundschau 160, 1914).

Majuskeln (lat. *maiusculus* = etwas größer) oder →Versalien: Großbuchstaben ohne Ober- und Unterlängen im Ggs. zur späteren →Minuskel, Schriftart der älteren lat. und griech. Codices (→Kapitalis, →Unziale); seit 16./17. Jh. in Dtl. für Anfangsbuchstaben der Substantiva.

Makame (arab. *makâmeh* = Zusammenkunft, Aufenthalt), arab. Versammlung von Philosophen, Gelehrten u. a. lit. Interessierten an Fürstenhöfen, bei deren Disputationen, meist über Fragen der Grammatik, Schlagfertigkeit, witzige Wortspielerei und Einfallsreichtum den Sieg über die Gesprächsgegner davontrug. Aus solchen Stilformen bildete sich bei den Kunstdichtern e. unterhaltende Stegreifdichtung in Form von kunstvoller rhythmischer Reimprosa, durchsetzt mit Wortspielen, witzigen Anspielungen, Sprachkünsteleien u. durch lyrische Verseinlagen unterbrochen. Mehrere Erzählungen werden zusammengehalten durch den gemeinsamen Helden, e. Witzbold, der von Stadt zu Stadt ziehend in verschiedensten Masken und Situationen durch Schlagfertigkeit und Mutterwitz seine Mitwelt unterhält. Vorbild des pikarischen Romans. Begründer war al-HAMADHĀNĪ (gest. 1007, *Maqāmāt*), ihr Vollender al-HARĪRĪ (1054–1122), dessen 50 M.n F. RÜCKERT 1826 als *Die Verwandlungen des Abu Seid von Serug* übersetzte.

L. Jacoby, D. dt. M., 1883; RL; O. Rescher, Beitr. z. M.dichtung, Istanbul 1913.

Makkaronische Dichtung, ursprünglich lat. Gedichte mit Einmischung griech., bes. aber volkssprachlicher Wörter und Wendungen mit lat. Flexionsendungen, schließlich Gedichte aus Mischung zweier Sprachen überhaupt, Sprachspielerei zur Erzielung komischer oder parodistischer Wirkungen. Nach vereinzelten spätantiken und ma. Vorläufern (4. Jh.: AUSONIUS, *ep.* 12), die in Zeiten ständiger Kulturübergänge und Völkermischungen nicht auffallend und ungewöhnlich waren, erfolgt die Entwicklung der m. D. bes. durch die Humanisten: in Italien zuerst TIFI DEGLI ODASI, dessen *Maccharonea* 1490, nach den ital. Makkaroni, der Gattung den Namen gab; wirksamer T. FOLENGO (= Merlin COCCAI, 1517 mit *Maccaronea, Zanitonella* und *Moschaea,* dt. von H. FUCHS 1580); in Dtl. die Satiren von S. BRANT, Th. MURNER (*Ketzerkalender,* 1527), FISCHART (als ›Nuttelverse‹ entsprechend von Nudel), H. SACHS (Fastnachtsspiele) u. a. Anonyme Gedichte wie *Floia, cortum versicale* (Hamburg 1593) erfahren zahlreiche Bearbeitungen, ebenso das kleine Epos *Cortum carmen de Rotrokkis atque Blaurockis,* 1600. Im Barock entstehen m. Studentenzeitungen (*Gaudium Studenticum,* 1693), MOSCHEROSCHS satirische Burleske *Fahrimus in Schlittis* und zahlreiche Hochzeitscarmina bis ins 18. Jh. In Frankreich benutzt MOLIÈRE (3. Zwischenspiel zu *Malade imaginaire*), in England SKELTON, in Schottland W. DRUMMOND, m. Formen. Beispiel aus neuester Zeit: ›Totschlago vos sofortissime nisi vos benehmitis bene‹ (B. v. MÜNCHHAUSEN). →Poesia Fidenziana.

F. W. Genthe, Gesch. d. m. Poesie, [2]1836, n. 1970; J. A. Morgan, *M. Poetry,* 1872; C. Blümlein, Die ›Floia‹, 1900; RL; U. E. Paoli, *Il latino maccheronico,* Florenz 1959.

Mālahāttr, altnord. Stabreimstrophe der *Edda* aus vier →Langzeilen zu je zwei durch Zäsur getrennten Halbzeilen zu je zwei betonten und drei bis vier unbetonten Silben.

Malapropismus (v. frz. ›unpassend‹), Verwendung e. unpassenden Fremdworts aus Unbildung oder Scherz, lit. personifiziert in Mrs. Malaprop in SHERIDANS *The rivals* (1775).

Malerdichter, künstlerische Doppelbegabung bes. bei visuell Veranlagten, bei denen auch die Dichtung von optischen Elementen gestaltet wird. Häufig fällt erst nach langem innerem Schwanken und Ringen ihre Entscheidung für die Dichtung als Hauptaufgabe, während die Malerei Nebenbeschäftigung bleibt (WICKRAM, MANUEL, GESSNER, Maler MÜLLER, GOETHE, E. T. A. HOFFMANN, V. HUGO, MÉRIMÉE, GRILLPARZER, MÖRIKE, STIFTER, KELLER, RAABE, POCCI, STRINDBERG, GARCÍA LORCA, KAFKA, LASKER-SCHÜLER, HESSE, R. SCHAUMANN, WEINHEBER, WAGGERL, M. GRENGG, F. HARTLAUB, F. DÜRRENMATT, G. von der VRING, W. MEHRING, H. MICHAUX, M. FRISCH, E. PENZOLDT, W. HILDESHEIMER, G. GRASS, Ch. MECKEL, W. SCHNURRE, G. B. FUCHS), seltener für die bildende Kunst unter Hintansetzung der Dichtung (MICHELANGELO, →Präraffaeliten, W. BUSCH, HRASTNIK, K. KLUGE, BARLACH, KUBIN, KO-

KOSCHKA, ARP als dichtende Maler bzw. Bildhauer).

B. Ruettenauer, Maler-Poeten, 1899; H. Günther, Künstlerische Doppelbegabungen, [2]1960; D. Aubin, D. Probl. d. Doppelbegabung, Diss. Wien 1950; E. Scheidegger, Malende Dichter – dichtende Maler, 1957; Katalog ›Dichtende Maler, malende Dichter‹, St. Gallen 1957; H. Platschek, Dichtg. mod. Maler, 1956; D. Tschičevskij, Russ. Dichter als Maler, 1960; Berliner Malerpoeten, hg. A. Gustas 1974.

Malerroman, häufigste Sonderform des →Künstlerromans mit e. Maler als Helden; wie dieser seit dem Ende des 18. Jh. beliebt: zuerst HEINSES *Ardinghello* 1787, voll Leidenschaft und Sinnlichkeit, die sich unter dem Einfluß von Roms Plastiken enfaltet, mit zahlreichen Kunstgesprächen und -beschreibungen. Blütezeit in der Romantik: WACKENRODERS *Herzensergießungen eines kunstliebenden Klosterbruders* 1797 und TIECKS *Franz Sternbalds Wanderungen* als Bekenntnisse zu Dürer, F. SCHLEGELS *Lucinde* 1799 als Entwicklung des Malers Julius und der Malerin Lucinde, Dorothea SCHLEGELS *Florentin* 1801; im Biedermeier MÖRIKES *Maler Nolten* 1832 und im Realismus KELLERS *Grüner Heinrich* (1855, neu 1872) schildern mehr das Wesen des Malers als der Malerei. Im 20. Jh. führen C. HAUPTMANN *(Einhart der Lächler),* H. HESSE, W. SCHÄFER *(Karl Stauffers Lebensgang),* E. STICKELBERGER (Holbein-Romane), S. LENZ *Deutschstunde* u. a. die Gattung fort.

W. Waetzold, M.e u. Gemäldegedichte, 1914; RL; K. Harnisch, Dt. Malererzählg., 1938; Th. R. Bowie, *The Painter in French Fiction,* Chapel Hill 1950.

Malinî (ind. = Mädchen mit Girlande), ind. Strophenform aus vier Versen von der Form ⏑⏑⏑⏑⏑⏑––/–⏑––⏑–⏓.

Malke' (äthiop. = Bild), äthiopische Gedichtart, gibt eine genaue Personenbeschreibung, für jedes Körperglied eine gesonderte Strophe zu je fünf Zeilen.

Mandâkrântâ (ind. = Langsamschreiter), ind. Versmaß etwa bei KÂLIDÂSA: ––––/⏑⏑⏑⏑⏑–/–⏑––⏑–⏓.

Manier (franz. *manière* = Handhabung, Art und Weise), künstlerische Eigenart; in der lit. Kritik die dauernde, gewohnheitsmäßige Wiederholung oder geistlose Nachahmung, schablonenhaft erstarrte und gekünstelte Anwendung e. urspr. eigenartigen und wertvollen Stils.

Manierismus, urspr. Stilrichtung der bildenden Kunst des späten 16. Jh. zwischen Renaissance und Barock; durch E. R. CURTIUS auf die Lit. des Barock übertragen als Bz. für den sog. →Schwulststil, wo er bei den großen dichterischen Vertretern aller gegenklassischen Strömungen als echter Stil erscheint, der in subjektiv-willkürlicher Abwandlung der überlieferten Formeln und Formen mit Neigung zu esoterisch-spielerischen Verzerrungen, →Konzetti, Abstrusem und Groteskem das Weltgefühl der Zeit ausspricht und der Darstellungsfreude wie dem Streben nach Kunstformung für alle Lebensäußerungen Raum gibt. Die histor. Ausprägungen des barocken M. sind insbes. die hohen rhetorischen Prunkstile: →Gongorismus, →Marinismus, →Euphuismus. Im weiteren Sinne Bz. für ähnliche esoterische, obskure und verschlüsselte Stilformen im 19. Jh. und der modernen Lyrik.

M. Weisbach, M. (Zs. f. bild. Kunst 54, 1919); E. R. Curtius, Europ. Lit. u. lat. MA., [6]1967; R. Mühlher, C. F. Meyer u. d. M. (in: Dichtg. d. Krise, 1951); G. Melchiori, *The tightrope walkers,* Lond. [2]1957; R. Scrivano, *Il m. nella lett. del cinquecento,* Padua 1959; G. R. Hocke, M. i. d. Lit., 1959; G. Weise, *M. e littera-*

tura (*Rivista di lett. mod.* 13, 1960, – 27, 1974); H. Hartmann, Barock od. M.? (Weimarer Beitr. 7, 1960); H. Kunisch, Z. M.-Problem (Lit.wiss. Jb., N. F. 2, 1961); A. M. Boase, *The definition of mannerism* (*Actes du 3. Congr. de l'Association Internat. de lit. comp.*, 1961); M. Thalmann, Romantik u. M., 1963; A. Hauser, D. M., 1964, u. d. T. D. Ursprung d. mod. Kunst u. Lit., [2]1973; K.-P. Lange, Theoretiker d. lit. M., 1968; D. lit. Barockbegriff, hg. W. Barner 1975; W. Drost, Strukturen d. M., 1977.

Manifest (lat. *manifestus* = offenkundig), öffentliche Erklärung, programmatische Zusammenfassung der Ziele e. Kunst- oder Lit.strömung.

Mantel- und Degenstück →Comedia en capa y espada

Mantra, heilige Worte und magische Formeln der ind. *Veden,* enthalten in den →*Sanhitâs.*

Manuskript (lat. *manu scriptum* = mit der Hand Geschriebenes), jede Druckvorlage, in Handschrift (→Autograph), in Maschinenschrift oder auch e. Drucktext früherer Auflage. Die vor oder z. T. auch nach Erfindung des Buchdrucks handgeschriebenen Bücher dagegen werden als →Handschrift bezeichnet. Der Vermerk ›Manuskriptdruck‹ oder ›als M. gedruckt‹ bezeichnet ein im Auftrag des Verfassers nur für ihn oder e. engen, von ihm bestimmten Personenkreis in geringer Zahl angefertigte Druckschrift, die als Privatdruck nicht im Buchhandel allg. zugänglich ist (Festgedichte, Familienchroniken, Theaterstücke u. ä.) und für die der Verfasser Eigentums-, Zitier- und gegebenenfalls Aufführungsrechte vorbehält.

O. Schumann, D. M., [2]1960; K. Poenikke, D. wiss. M., 1964; G. Bangen, D. schriftl. Form germanist. Arbeiten, [7]1975.

Manuskriptdruck →Manuskript

Marginalien (lat. *margo* = Rand), Randbemerkungen als Übersetzung, stichwortartige Inhaltsangabe, Erläuterung am Rande e. hs. oder gedruckten Textes. →Glossen.

Mariendichtung in epischer, lyrischer oder dramatischer Form dient der Darstellung und Verherrlichung von Gestalt und Leben Marias und dem Ausdruck ihrer Verehrung. Sie bildet den Übergang von der biblischen zur Legendendichtung, setzt schon früh im Christentum ein, doch bis ins 12. Jh. ausschließlich lat. (dt. nur OTFRIED I, 11, 39–54): HRABANUS MAURUS' Hymnen, NOTKERS Sequenzen, HROTSVITHS VON GANDERSHEIM Marienleben und die Legende *Theophilus,* CAESARIUS' VON HEISTERBACH *Dialogus miraculorum* mit Marienlegenden; daneben lat. Hymnen: ›Ave praeclara maris stella‹, ›Salve regina‹, JACOPONE DA TODI: ›Stabat mater‹ u. a., seit dem 12. Jh. auch volkssprachlich als epische Marienleben nach apokryphen Evangelienberichten und dichterisch gestaltete Marienlegenden. In Frankreich Marienleben von WACE, HERMANN VON VALENCIENNES, *Miracles de Nostre Dame* von GAUTIER DE COINCY, JEHAN LE MARCHANT; in Spanien ALFONSO X. von Kastilien *Cantigas de St. Maria* (um 1250); in Dtl. das *Grazer Marienleben* und das des Bruder WERNHER (1172) und PHILIPP (um 1270), die *Himmelfahrt Mariä* des KONRAD VON HEIMESFURT (1220), 25 Legenden im *Passional;* seit der Intensivierung der Marienverehrung durch Zisterzienser und Prämonstratenser (Feier der unbefleckten Empfängnis) ab 1140 auch dt. Marienlyrik, meist in Form des →Leich und im Anschluß an lat. Vorbilder: *Melker* und *Arnsteiner Marienlied,* Mariensequenzen von St. Lamprecht und Muri und andere, WALTHERS Leich. Um 1276 vereinigt KONRAD VON

WÜRZBURG *(Die goldene Schmiede)* den in der ganzen christlichen Welt ausgeprägten festen Formelkanon von Epitheta, allegorischen Bildern und Umschreibungen für Maria zu e. Preisgedicht. Seit dem 13. Jh. erscheinen auch dramatisierte Marienlegenden im →geistlichen Drama als →Mirakelspiele. Sie erreichen später, bes. im span. Barock, ihren Höhepunkt. Das lyrische Marienlob entfaltet sich bes. am Rhein, später auch als Kontrafaktur weltlicher Liebeslieder, im 15. Jh. als volkstümliche Marienlyrik bei HEINRICH VON LAUFENBERG. Der Meistersang (FRAUENLOB, HEINRICH VON MÜGELN, MUSKATPLÜT, Hans FOLZ) übernimmt das Marienthema von spähöfischen Spruchdichtern (REINMAR VON ZWETER u. a.). Sonderformen sind die Mariengrußdichtung nach dem lat. Ave Maria, Marienklagen (dramatisierte Klagegesänge um den Tod des Sohnes) am Karfreitag in der Kirche in Form von Sequenzen, die später vom Monolog zum Dialog zwischen Maria und Jesus oder Johannes erweitert, ins →Passionsspiel übergehen. Seit der Reformation beschränkt sich die M. – meist Lyrik – vorwiegend auf kath. Gebiete, erneuert bes. im Barock (SPEE, ANGELUS SILESIUS) und in der Romantik (NOVALIS, BRENTANO, EICHENDORFF), später bei A. v. DROSTE und im Neukatholizismus (CLAUDEL *Annonce fait à Marie,* 1901, 2. Fassung 1912), in der Gegenwart bes. G. von LE FORT, R. SCHAUMANN, S. WALDECK, R. M. RILKE *(Marienleben),* K. WEISS, F. WERFEL, R. SCHNEIDER.

A. Schönbach, D. dt. M.klagen, 1874; K. Benrath, Z. Gesch. d. M.verehrg. (Theol. Stud. 59, 1886); A. Mussaffia, Stud. z. ma. M.legenden, 1889; E. Wechssler, D. roman. M.klagen, 1893; P. Küchenthal, D. Mutter Gottes i. d. altdt. Lit. d. 12./13. Jh., Diss. Gött. 1898; H. Thien, Üb. d. engl. Marienklagen, Diss. Kiel 1906; St. Beissel, Gesch. d. Verehrung M. i. Dtl. i. MA., 1909; A. Kober, Gesch. d. dt. M. (Zs. f. dt. Unterr. 28, 1914); RL; St. Eustratiades, D. Gottesmutter i. d. Hymnologie, Paris 1931; W. Lipphardt, Stud. z. dt. M.klagen (Beitr. 58, 1934); M. E. Goenner, *M.verse of the teutonic knights,* Wash. 1943; H. Gaul, Wandel d. Marienbildes, Diss. Marbg. 1948; M. Hendricks, D. Madonnendtg. d. 19. u. 20. Jh., Diss. Marbg. 1948; Th. Wolpers, Gesch. d. engl. M.lyrik d. MA. (Anglia 69, 1950); G. Seewald, D. M.klage, Diss. Hbg. 1953; K. Büse, D. M.bild d. Barockdtg., 1955; T. Meier, D. Gestalt Marias i. geistl. Schausp. d. MA., 1959; H. Bühler, D. Marienlegenden als Ausdruck ma. Marienverehrung, Diss. Köln 1965; P. Kesting, Maria – Frouwe, 1965; RL; M. Bindschedler, Gedanken z. M.lyrik d. MA. u. d. Romantik (Fs. W. Kohlschmidt, 1969); P. Appelhans, Unters. z. spätma. M., 1970; D. Lorenz, Stud. z. Marienbild i. d. dt. Dichtg. d. hohen u. späten MA., Diss. Mchn. 1970; G. M. Schäfer, Unters. z. dtspr. M.lyrik d. 12. u. 13. Jh., 1971; P. Kern, Trinität, Maria, Inkarnation, 1971; H. Schottmann, D. isländ. M., 1973; G. Taubert, D. M.klagen i. d. Liturgie d. Karfreitags, DVJ 49, 1975.

Mariengruß →Mariendichtung

Marienklage →Mariendichtung

Marienleben →Mariendichtung

Marienlob →Mariendichtung

Marienlyrik →Mariendichtung

Marienpreis →Mariendichtung

Marinismus, nach seinem Schöpfer und theoretischen Begründer Giambattista MARINO (1569–1625) benannter →Schwulststil der ital. Barocklit., gekennzeichnet durch dunkle Worte, gesuchte Bilder und überkünstelte, überladene Sprache. Das Streben nach immer neuen Reizen, die Staunen und Verwunderung erregen sollen, führt zu e. forcierten Virtuosität der Formen, zu süßlich überströmender Weichheit des Stils. MARINOS Hauptwerke *Adone* 1623 und *La strage degli innocenti* 1633 wirken stark auf den →Manierismus der dt. Barockdichtung. →Euphuismus, →Gongorismus.

S. Fillipon, *L'imitatione di Marino in Hofmannswaldau*, 1909; ders., *Il M.o nella letteratura tedesca*, Florenz 1910; W. Krauß, Marino, GRM 33, 1934; A. Meozzi, *Il seicentismo europeo*, Pisa 1936.

Marionettentheater (franz. Diminutiv von Marie), Art des →Puppenspiels: durch Drähte oder Schnüre von oben her bewegliche Gliederpuppen.

Lit. →Puppenspiel

Marivaudage, nach dem franz. Dramatiker Pierre de MARIVAUX (1688–1763) Bz. für den preziösen, sorgfältigen und empfindsamen Ausdruck belangloser Gedanken und Gefühle in wohlgesetzten Worten, etwa in MARIVAUX' *Jeu de l'amour et du hasard*.

F. Deloffre, *Une preciosité nouvelle. M. et le m.*, Paris [2]1967; J. Lacant, *Marivaux en Allemagne*, Paris III 1975 ff.

Marschlied →Soldatenlied

Martelliano, 14silbiger italien. Vers aus Verbindung von zwei Septenaren, vom Dichter P. J. MARTELLI zu Anfang des 17. Jh. als Ersatz des franz. Alexandriners geschaffen.

Martinslied, zu Ehren des Hl. Martin von Tours (4. Jh.) zu seinem Geburtstag (11. Nov.) gesungenes Lied, seit dem 14. Jh. als Gesellschaftslied zu den dabei üblichen Trinkgelagen – Martin galt in Frankreich als der von Zechern verehrte Weinheilige – formal von kirchlichen Hymnen, Bacchanten- und Vagantendichtung abhängig; als Kinderlied auch in den Niederlanden und Norddtl. bis Thüringen beim Holzsammeln für das Martinsfest-Feuer gesungen oder als Heischelied beim Gabensammeln unter Hinweis auf seine legendäre Mildtätigkeit.

W. Jürgensen, M.er (Wort und Brauch 6, 1910); RL; D. Sauermann, M. (Hdb. d. Volksliedes I, 1973).

Maske (arab. *maskharat* = Possenreißer, mlat. *masca*), künstliche Hohlform zur Gesichtsverkleidung zwecks eigener Unkenntlichkeit oder Schreckwirkung für andere; kultischen Ursprungs als Schreckbild zur Dämonenverscheuchung (Abwehr von Unglück), bei fast allen Völkern durch Maskenumzüge und -tänze: Chinesen, Naturvölker Nord- und Südamerikas, Australiens, Afrikas, german. und kelt. Frühlingsfeier, Winter- und Krankheitsvertreibung; heute noch als Mohrentänze in England, Perchtenlaufen in Tirol; im antiken Griechenland Medusenhaupt als abwehrendes Schildzeichen, Toten-M.n in Mexiko, Ägypten, Gold-M.n in den Gräbern von Mykenä und Kertsch schützen den Toten vor Begegnung mit Dämonen. Das aus dem religiös-magischen Kult der →Dionysien entstandene griech. Drama behielt für die tragischen wie komischen Schauspieler und Satyrn die M. bei. Sie bestand aus Baumrinde, Leder, Holz, später meist stuckierter Leinwand, seit AISCHYLOS buntbemalt und mit trichterförmiger, schallverstärkender Mundöffnung, bedeckte den ganzen Kopf und ermöglichte die Darstellung mehrerer Nebenrollen durch denselben Schauspieler wie die Wiedergabe von Frauenrollen durch Männer, da Frauen nicht spielen durften. Man unterschied tragische M.n mit ernst-erhabenen Zügen, komische M.n mit burlesk-drolligen Zügen und orchestrische M.n mit schönen Gesichtszügen für Tänzer, jedoch durchweg von feststehender Typik ohne individuelle Züge, erst später in reicherer Typenausgestaltung für Charaktere, Leidenschaften, Temperamente und Stände, schließlich auch M.nwechsel innerhalb e. Stückes. Die Römer übernahmen die konventionellen griech. M.n für die Typen der →Atellane und – nachdem erste Versuche zu ihrer Einführung durch NAEVIUS gescheitert waren – vom 1. Jh. v. bis 4. Jh n. Chr. auch für Tragödie und Komödie; dagegen begnügte man sich z. Z. des PLAUTUS und TERENZ allein mit Perücken, ebenso im →Mimus, der schließlich auch zum Aufgeben der M. im klassischen Drama führte und dieses bald ganz verdrängte. Die →Commedia dell'arte und ihre Nachahmungen dagegen verwenden seit dem 15. Jh. für ihre Typen wiederum die M., ebenso die jap. Nô-Spiele mit künstlerischen M.n. Mit der Ausbildung individueller Schauspielkunst ging ihr Gebrauch zurück, von LESSING (*Hamburgische Dramaturgie* 56) sehr bedauert und auch von GOETHE bei e. Aufführung von TERENZ' *Adelphoi* (Weimar 1801) erfolglos wieder zu beleben versucht. BRECHT (Der kaukasische Kreidekreis) und das absurd-groteske Drama (GENET, IONESCO) schreiben gelegentl. M. vor. – In moderner Theatersprache bezeichnet M. das gesamte nach Maßgabe e. bestimmten Rolle umgestaltete Äußere des Schauspielers durch →Kostüm, Bart, Perücke, Schminke einschließlich der Bewegungen, meist im Ggs. zur starren, gleichbleibenden Typen-M. e. freiere →Charakter-M. je nach Rolle oder Stand.

H. Reich, D. Mimus, 1903; C. Robert, D. M. d. neueren att. Komödie, 1911; B. Diebold, D. Rollenfach i. dt. Theaterbetrieb d. 18. Jh., 1913; M. Bieber, Denkmäler z. Theaterwesen i. Altertum, 1920; dies., *The Hist. of the Greek and Roman Theatre,* [2]1960; F. Perzynski, Jap. M.n, 1925; H. Doerry, D. Rollenfach i. dt. Theaterbetrieb d. 19. Jh., 1926; RL; R. Stumpfl, Schauspiel-M.n d. MA. (Neues Archiv f. Theatergesch. 5, 1931); K. Meuli, M. (Hdwb. d. Aberglaubens V, 1931); A. Nicoll, *M., Mimes and Miracles,* Lond. 1931; W. Klingbeil, Kopfm.n u. M.ierungszauber i. antiken Hochkulturen, 1935; H. Emmel, M.n i. volkstüml. dt. Spielen, 1936; J. Gregor, D. M.n d. Erde, 1936; K. Meuli, Schweizer M.n, 1943; O. Bihalji-Merin, M.n d. Welt, 1971.

Maskenspiel, -zug, theatralisch angeordnete Festzüge und Aufführungen von allegor. Bedeutung, seit der ital. Renaissance an europ. Fürstenhöfen, bes. im England des 17. Jh. (→Masques) beliebte Art des Hoffestes, dessen Teilnehmer dem Thema des M. entsprechende Kostüme trugen (vgl. →Wirtschaften); am Weimarer Hof in GOETHES *M.n* wiederaufgelebt.

H. A. Evans, *Engl. Masques,* 1900; R. Brotanek, Engl. M.e, 1902; P. Reyher, *Les masques anglais,* 1909; M. S. Steele, *Plays and masques at court,* Lond. 1926; E. Welsford, *The Court Masque,* 1927; A. Nicoll, *Stuart Masques,* 1937, n. 1964; S. Orgel, *The Jonsonian masque,* Cambr./Mass. 1965; *A book of masques,* hg. T. J. B. Spencer, Cambr. 1966; W. Hecht, Goethes Maskenzüge (Fs. L. Blumenthal, 1968).

Maskierte Literatur →verkleidete Literatur

Maskulinus (lat. *masculinus* = männlich) →männlicher Reim

Masques (engl.), die engl. →Maskenspiele des frühen 17. Jh., theatralische Aufführungen und Aufzüge nach Stoffen aus Mythologie und Legende oder Hirten-, Feen- und Märchenwelt mit reichem Kostümprunk sowie szenischen und musikalischen Effekten, Ballett und Maschinerie (I. JONES). Die bei Hofe sehr beliebten M. wurden z. T. von bedeutenden Dramatikern der Zeit (Ben JONSON, SHIRLEY, CAREW, DAVENANT, auch MILTON) verfaßt. Der Beginn des Bürgerkriegs 1642 und die Schließung der Theater brachten der Form ein plötzliches Ende.

Lit. →Maskenspiel.

Maß (Versmaß) →Metrum

Massendrama setzt an Stelle von

Einzelmenschen e. Gruppe oder Masse in den Mittelpunkt: HAUPTMANNS *Weber, Florian Geyer.* →Massenszenen.

Massenliteratur, in Buchgemeinschaften, Taschenbüchern, Groschenheften, Zss. u. a. massenhaft verbreitete Lit., vorwiegend →Bestseller und →Trivialliteratur, die in totalitären Staaten vielfach zur polit. Indoktrination mit manipulierten Leitbildern oder als anti-aufklärerische Fluchtlit. benutzt wird.

K. Ziermann, Romane v. Fließband, 1969; R. Schenda, Volk ohne Buch, 1970; K. Riha, M. i. 3. Reich (D. dt. Lit. i. 3. Reich, hg. H. Denkler 1976).

Massenszenen, Bühnenszenen mit größerer Anzahl namenloser, nur nach ihrer Standeszugehörigkeit hin charakterisierter Personen; im klassischen Drama *(Egmont, Wilhelm Tell)* meist mit individuell gekennzeichneten Sprechern durchsetzt, doch stets als Summe gedacht; im 19. Jh. seit Vorgang von BÜCHNER, GRABBE und HEBBEL bes. in HAUPTMANNS *Webern,* im ekstatischen Kollektivdrama des Expressionismus (TOLLER) und der neuen Sowjet-Dramatik erscheinen M. nach der Massenpsychologie durchgestaltet. – Seit der Barockoper ließ man M. durch Dilettanten und Soldaten darstellen; allein das Jesuitentheater versuchte e. Vorstoß zu ihrer künstlerischen Durchdringung und Gliederung. GOETHE verlangte ihre Darstellung nicht durch gedrillte Statisten, sondern durch gute Schauspieler, die die natürliche Bewegung der Volksmasse wirkungsvoll gestalten konnten; doch erst seit den →Meiningern, die GOETHES Forderung in die Tat umsetzten (z. B. SHAKESPEARES Römerdramen, Chöre der *Braut von Messina,* antike Chordramen) trotz der wenig dankbaren Rollen von geschulten Kräften verkörpert. Meister der M. wurde M. REINHARDT mit den Zirkusaufführungen von *König Ödipus* und VOLLMÖLLERS *Mirakel.*

W. Lohmeyer, D. M. i. ält. dt. Drama, Diss. Hdlbg. 1912; ders., Dramaturgie d. Massen, 1913; A. Neuweiler, Massenregie, 1919; RL; E. Harnapp, Masse u. Persönlichkeit i. Drama, Diss. Mchn. 1933.

Mathnawi, pers. Dichtform aus einzelnen, jeweils grammatisch und inhaltlich in sich geschlossenen Reimpaaren (→Distichen), in mittelpers. oder islam. Zeit entstanden und später von den Türken übernommen; bes. geformt bei RŪDAKĪ, FERDAUSĪ *(Shāh-Nāmé),* NEẒĀMĪ und DJALĀLO 'D-DĪN RŪMĪ.

Mauerschau →Teichoskopie

Maxime (lat. *maxima,* sc. *regula* oder *propositio* =) oberster Grundsatz als allg. Lebensregel und Richtschnur des Wollens und Handelns, oft auch im Sinne von Denkspruch, →Aphorismus: GOETHE *M. und Reflexionen,* LAROCHEFOUCAULD *M.s,* VAUVENARGUES *Sentences et M.s.*

A. H. Fink, M. u. Fragment, 1934; M. Kruse, D. M. i. d. frz. Lit., 1960; C. Rosso, *La m.,* Neapel 1968; S. Meleuc, Struktur d. M. (Lit.wiss. u. Linguistik, hg. J. Ihwe III 1972).

Meeresdichtung, vom Motiv des Meeres, der Seefahrt usw. bestimmte Dichtung, entsteht in der fast ausschließlich in Süddtl. beheimateten mhd. Dichtung nur vereinzelt: *Kudrun,* Volkslieder von Störtebecker und den zwei Königskindern. Den poetischen Wert des Meeres entdeckt erst das 19. Jh.: HEINES *Nordseezyklen,* GEIBELS *Ostseelieder,* Einzelwerke von LENAU, FREILIGRATH, MÜGGE, STRACHWITZ, Th. STORM, LILIENCRON, ALLMERS, FALKE, FRENSSEN, LÖNS, A. MIEGEL, Otto ERNST u. a., bes. in der Heimatkunst der Küstenländer, gipfelnd in Gorch FOCKS *Seefahrt ist not;* in

England SMOLLETT *(Roderick Random)* u. J. CONRAD, in Amerika MELVILLE und HEMINGWAY *(Der alte Mann und das Meer)*.

A. Schneider, D. Entw. d. Seeromans i. Engl., Diss. Lpz. 1901; H. M. Tomlinson, *Great Sea Stories*, N. Y. 1917; RL; G. Müller, Meer u. Mensch im Spiegel neuerer Dichtg., 1930; H. F. Watson, *The sailor in Engl. fiction and drama*, N. Y. 1931; C. L. Lewis, *Books of the sea*, Annapolis 1943; E. C. Ross, *The development of the Engl. sea novel*, Ann Arbor o. J.; A. Carlsson, D. Meeresgrund i. d. neueren Dichtg., DVJ 28, 1954; I. Schaefer, D. Meermotiv i. d. neuen dt. Dichtg., Diss. Bonn 1955; F. Knight, *The Sea Story*, Lond. 1958; T. Philbrick, *J. F. Cooper and the development of American sea fiction*, Cambr./Mass. 1961.

Meininger, die Schauspieltruppe des ›Theaterherzogs‹ GEORG II. von Sachsen-Meiningen (1826–1914), der, selbst fachkundiger Regisseur und Bühnenmaler (Schüler des Münchner Historienmalers LINDENSCHMITT), an seinem →Hoftheater eine entscheidende Bühnenreform einführte, die z. T. bei Charles KEAN, E. DEVRIENT und DINGELSTEDT Vorläufer hatte. Hauptziele waren: 1. Einheitlichkeit und Geschlossenheit des Ensemblespiels bei Wahrung der schauspielerischen Einzelleistung als Gegenschlag gegen das Virtuosentum der Zeit. Ihr fügten sich auch große Schauspieler wie KAINZ, BARNAY, MATKOWSKY, 2. bewegte Organik der →Massenszenen, 3. stilvolle Einheit des Bühnenbildes (feste Wände und Decken statt Kulissen und Soffitten), 4. historische Treue der →Kostüme und Requisiten bis an die Grenze des Möglichen, als Übertragung historischer Erkenntnisse auf die Bühnendekoration. – 80 große Gastspielreisen in Dtl., Europa und Amerika 1874–90 unter Leitung des Herzogs oder seines Regisseurs L. CHRONEGK verbreiteten in epochemachenden Vorstellungen die völlig neue Bühnenauffassung und beeinflußten weitgehend nicht nur das dt. Theater, meist mit neuartigen Klassikeraufführungen, daneben auch IBSEN, BJÖRNSON, ANZENGRUBER. Max REINHARDT führte die Bestrebungen erfolgreich weiter, daneben aber auch flache, veräußerlichte Nachahmung, ›Meiningerei‹. Das Verdienst der M. ist es, den Sinn für →Ausstattung der Bühne geweckt zu haben.

C. W. Allers, D. M. 1890; H. Herrig, D. M., 1879; M. Grube, D. M., 1904; ders., Gesch. d. M., 1926; RL; A. Kruchen, D. Regieprinzip d. M., Diss. Danzig 1932; G. F. Hering, D. M. (in: D. Ruf z. Leidensch., 1959).

Meiosis (griech. = Verkleinerung), →rhetorische Figur des ironischen →Understatement: Erniedrigung e. Tatsache, e. Leistung durch Verwendung von Worten, die weniger ausdrücken, als sie bedeuten, ›Übertreibung nach unten hin‹, die den gegenteiligen Eindruck beim Hörer verstärkt (→Litotes). – Bei QUINTILIAN auch = ›fehlerhafte Wortauslassung‹.

Meister, 1. im 13./14. Jh. der bürgerl. Künstler oder Dichter im Ggs. zum adligen Herrn; 2. →Meistersang.

Meisterlied →Meistersang

Meistersang, Fortsetzung der starren Spätformen des →Minnesangs seit dem Anfang des 14. Jh. in den Kreisen bürgerlicher Zunfthandwerker, anfangs auch Fahrender, zunächst in kirchlich organisierten Singbruderschaften an Pfarrkirchen, die bei Prozessionen, Bittfahrten, Begräbnissen usw. auftraten und zweimal jährlich Wettsingen (Haupt- und Freisingen) in der Kirche hielten; so zuerst in Mainz – doch ist die Gründung der ersten Meistersingerschule ebda. durch FRAUENLOB um 1300 wie auch die Zurückführung auf die 12 legendären Meister wohl nachträgliche Legende – später bes. seit Beginn des 15. Jh. reine handwerkliche Zunftgenossenschaften, die auch für sich selber üben und aus den kirchlichen Singschulen eigene, zunftmäßige Formen entwickeln, vom Rhein aus über ganz Süddtl. verbreitet (nicht in der Schweiz und Norddtl. mit Ausnahme Danzigs), Blüte um 1500 in Nürnberg, wo gleichzeitig 250 ›Meister‹ leben u. a. Hans FOLZ, H. SACHS, H. ROSENPLÜT u. a., von dort aus nach Österreich (Schwaz/Tirol, seit 1532 Steyr, Wels und Eferding), Böhmen (Trautenau, Eger und Elbogen), Mähren (Iglau, Mährisch-Schönberg und Olmütz) und in viele Kleinstädte übernommen, in Sachsen unter dem Weber Linhart NUNNENPECK, im Elsaß mit Jörg WICKRAM. Die letzten Ausläufer reichen bis ins 19. Jh.: Ulm bis 1839, Memmingen bis 1875! – Der M. bildet den Übergang der persönlichen Pflege des Minnesangs zu schulmäßiger Übung der Sangeskunst am Feierabend. Die höfischen Formen wurden übernommen und ihre Künstlichkeit auf die Spitze getrieben, mit gelehrtem Wissen gefüllt. Die Kunst galt als lernbar, es bildeten sich feste Regeln und Formgesetze, die seit 1493 in der →Tabulatur zusammengefaßt wurden und deren Einhaltung die →Merker überwachten. Das Lied bestand aus e. ungeraden Anzahl von (meistens drei gleichen) →Meistersangstrophen. Die Strophe hieß ›Bar‹, mit Melodie ›Ton‹, die Melodie allein ›Weise‹. Die neuen Weisen erhielten durch oft höchst merkwürdige Namen e. Art Musterschutz (kurze Affen-, gelb Löwenhaut-, abgeschiedene Vielfraß-, traurige Semmelweis u. ä.); ihr Vortrag erfolgte als Gesang ohne Musikbegleitung. Der schulmäßigen Kunstübung entsprach e. feste Rangordnung mit Titeln: der bloße Teilnehmer hieß ›Schüler‹, nach der Beherrschung der Regeln ›Schulfreund‹, wer fremde Meistertöne vortragen konnte, war ›Singer‹, der Verfasser e. neuen Meisterliedes nach überliefertem Ton ›Dichter‹, der Verfasser e. neuen Tons ›Meister‹. Die neuen Dichtungen gingen in das Schularchiv ein. Der Inhalt der Meisterlieder war meist biblisch-belehrend, ab 16. Jh. daneben weltlich, selbst ›Buhllieder‹ und erzählende Gedichte; beim ›Zechsingen‹ in Gasthöfen trug man auch Schwänke, Spruchreden, Spottverse und Rätselstrophen vor. Der naiv-treuherzigen und bürgerlich-pedantischen Dichterei in ihrem handwerksmäßigen Betrieb und der Ausrichtung auf rein formale Kunsterfüllung fehlt freilich jeder Schwung und ›Atem der Leidenschaft‹ zur ästhetischen Hochschätzung, doch legt sie e. kulturgeschichtlich äußerst wichtiges Zeugnis ab für e. geistig-künstlerisches Bedürfnis der Zeit (vgl. WAGNERS *Meistersinger*). Ferner hat der M. das Verdienst, die Kunst unabhängig von Gönnern gemacht zu haben. Wichtige Quelle: PUSCHMANNS *Gründlicher Bericht des dt. M.*, 1571. →Gaia Sciensia.

O. Plate, D. Kunstausdrücke d. Meistersinger, 1888; C. Mey, D. M. i. Gesch. u. Kunst, ²1901; W. Nagel, Stud. z. Gesch. d. M. (Musikal. Magazin, 1909); H. Lütcke, Stud. z. Philos. d. M., 1911; M. Herrmann, Forschgn. z. dt. Theatergesch. d. MA. u. d. Renaiss., 1914; ders., D. Bühne d. H. Sachs, 1923; A. Köster, D. Meistersingerbühne d. 16. Jh., 1921; W. Stammler, D. Wurzeln d. M., DVJ 1, 1923; RL; K. Unold, Z. Soziologie d. dt. M., 1932; H. O. Burger, D. Kunstauffassung d. frühen Meistersinger, 1936; A. Taylor u. F. H. Ellis, *A bibliogr. of M.*, Bloomington 1936; J. Taylor, *The Lit. Hist. of the M.*, N. Y. 1937; R. Weber, Z. Entwicklg. u. Bedeutg. d. dt. M. i. 15./16. Jh., Diss. Bln. 1951; B. Nagel, D. dt. M., 1952; ders. in GRM 1934, Zs. f. dt. Unterr. 56, DVJ 17, Zs. f. dt. Philol. 65/66, Archiv f. Kulturgesch. 25, Zs. f. dt. Altert. 71; ders., M., 1962, ²1971; ders. (hg.), D. dt. M., 1967; H. Rosenfeld, Vor-

u. nachreformator. M. (Fs. H. Moser, 1974); Ch. Petzsch, Singschule (Zs. f. dt. Philol. 95, 1976).

Meistersangstrophe, dreiteilige, altdt. oder Minnesangstrophe, die schon im Hochma. aus arab. in roman.-provenzal. Lyrik eingeführte, von dort in mhd. Dichtung (Kürenberger) übernommene, im Meistersang fortgepflegte und mit Bezeichnungen versehene Strophenform aus einem →Aufgesang zu zwei gleichgereimten →Stollen und einem anders gereimtem, gleichwiegenden →Abgesang. Der regelmäßige Bau entspricht der Musikbegleitung: beide Stollen haben dieselbe Melodie, der auch in der Form abweichende Abgesang e. neue. Gegenüber der von A. Heusler vertretenen Auffassung der Dreigliedrigkeit, wie sie auch im Sonett und z. T. im Kirchenlied erscheint, hält Saran die M. für 2-teilig, indem der Abgesang dem 2-teiligen Aufgesang nach metrischem Bau das Gegengewicht hält.

Lit. →Metrik.

Meistersonett →Sonett

Meiuros (griech. = mit gestutztem Schwanz), Hexameter mit Kürzung der vorletzten Silbe: —◡◡—◡◡—◡◡—◡◡—◡◡◡⏓.

Melancholie →Pessimismus

Melik, melische Dichtung (griech. *melos* = Lied), die eigtl. gesungene →Lyrik in griech. Sinne; bes. Lieddichtung.

Melodie →Sprachmelodie

Melodrama (griech. *melos* = Lied, *drama* = Handlung), allg. jede Verbindung von gesprochenem Wort mit untermalender Musik, die den Ausdruck verstärkt, so schon in antiker Lyrik (Archilochos). Tragödie und Komödie. 1. gesungenes →Monodrama, aus dem dramatischen Ballett J. Noverres um 1750 entstanden: J. Rousseau *Pygmalion* 1762, G. Benda *Ariadne auf Naxos* 1774, *Medea* 1775, Goethes *Proserpina* u. a. – 2. gesprochener Monolog mit Orchesterbegleitung, entstanden aus dem ›recitativo accompagnato‹ bei Neefe, Reichardt, Abbé Vogler, auch in die Oper übernommen: Beethoven *Fidelio* (Anfang 2. Akt), C. M. v. Weber *Freischütz* (Wolfsschlucht), H. Marschner, Schluß von Goethes *Egmont* mit Beethovens Musik. – 3. gesprochenes Gedicht mit Musikbegleitung als zwitterhafte Konzertform zwischen Drama und Oper, oft unbefriedigend durch Disharmonie von Sprach- und Instrumentalmelodie, doch bei guter Ausführung teils sehr wirkungsvoll: Zumsteeg, Schumann, Liszt, Schillers *Siegesfest* und Wildenbruchs *Hexenlied* von M. Schillings, R. Strauss *Enoch Arden,* Honegger *König David.* – 4. in engl. und franz. Lit. das populäre Schauer-, Sensations- u. Rührstück der Triviallit. mit stereotypen Figuren Ende 18./1. Hälfte 19. Jh. z. B. von G. de Pixérécourt und D. Boucicault, oft dramatisierte Schauer- und Trivialromane. Daher melodramatisch = übertrieben sentimental-pathetisch, larmoyant.

A. Solerti, *Le origine del m.,* Turin 1903; E. Istel, D. Entstehg. d. M., 1906; P. Ginisty, *Le m.,* 1910; R. Austen, *Les premiers m. français,* Paris 1912; M. Steinitzer, Z. Entwicklgs.gesch. d. M., 1918; C. v. Bellen, *Les origines du M.,* Utrecht 1927; H. Martens, D. M., 1932; H. Clesius, Z. Ästhetik d. M., Diss. Bonn 1944; M. W. Disher, *Blood and thunder,* Lond. 1949; ders., *M.,* Lond. 1954; J. van der Veen, *Le m. musical,* Haag 1955; F. Sinfonia, *Storia del m.,* Bari 1961; M. Booth, *Engl. m.,* Lond. 1966; F. Rahill, *The World of M.,* Philadelphia 1967; R. B. Heilman, *Tragedy and m.,* Seattle 1968; D. Grimsted, *M. unveiled,* Chic. 1968; J. Smith, *M.,* Lond. 1973.

Melodramatisch →Melodrama (4)

Melopöie (griech. =) Liederdichtung, Tonsetzung.

Melpomene (griech. = die Singende), →Muse der Tragödie mit den Attributen der tragischen Maske in der Hand oder auf dem Scheitel, Keule, Efeu- oder Weinlaubkranz.

Memoiren (franz. *mémoires* =) Denkwürdigkeiten, Lebenserinnerungen, Darstellung selbsterlebter historischer Tatsachen verbunden mit e. Rechtfertigung des eigenen Verhaltens; bei zusammenhängendem Lebensbild in zeitlicher Abfolge mit fließenden Grenzen zur →Autobiographie, doch meist stärker auf die Umweltgeschehnisse und -zustände ausgerichtet, an denen der Verfasser handelnd oder leidend teilhat, auch sorgloser, detailfreudiger plaudernd und unverbindlicher als diese, bes. durch die subjektive Färbung, die in Auswahl und Ausdeutung des Erzählten oft tendenziöse Zwecke verfolgt und nicht zuletzt unwillkürlich ein uneingestandenes Wunschbild des Vergangenen, wie es hätte sein sollen, wiedergibt. Vor wissenschaftlicher Verwertung des in M. überlieferten, oft wichtigen biographischen, politisch-historischen und kulturgeschichtlichen Materials bedarf es daher e. kritischen Untersuchung über die Zuverlässigkeit des Verfassers. – Antike M. sind erhalten in den *Memorabilien* XENOPHONS und den →Kommentaren CAESARS, ma. M. z. B. von Marco POLO und der Kottannerin. Größte Beliebtheit erreicht die M.lit. in Frankreich seit dem 14. Jh.: JOINVILLE *Histoire de Saint-Louis,* FROISSARD *Chronique,* Philippe de COMMYNES *Mémoires* (um Ludwig XI. und Karl VIII.). Die M. des 16. Jh. spiegeln die Religionskämpfe der Zeit: M. Blaise de MONLUC, Gaspard de SAULX-SAVANNES, Michel de CASTELNAU und MARGUERITE DE VALOIS (Gattin Heinrichs IV., Schilderung des Hoflebens), ferner VILLEROIS, der Prinz von CONDÉ, BRANTÔME (erotisches Zeitbild der Wende 16./17. Jh.) und SULLY *Economies Royales* (Gesellschaftsbild). Im Zeitalter Ludwigs XIII. folgen BASSOMPIERRE, RICHELIEU, AUBERY und MONTRÉSOR, unter Ludwig XIV. LAROCHEFOUCAULD, RETZ, BREINE, MOTTEVILLE, RABUTIN, ESTRADES, GRAMMONT, SAINT-SIMON, LUXEMBOURG, NOAILLES u. a. m. Über das Revolutionszeitalter schreiben BEAUMARCHAIS, NEKKER, BESENVAL, FERRIERE, LAFAYETTE, Mme de STAËL, CAMPAN, DUMOURIEZ, MIRABEAU, MOUNIER und DESMOULINS, über die Napoleonzeit BIGNON, LAS CASES, CONSTANT, LAVALETTE, SAVARY, MARMIER, BEAUHARNAIS und Mme de REMUSAT; im 19. Jh. schließlich CHATEAUBRIAND, CARNOT, George SAND, BROGLIE u. a. m. Franz. geschrieben sind auch die pikant-erotischen M. des Italieners G. J. CASANOVA. Die engl. M.lit. beginnt im Elisabethanischen Zeitalter: J. MELVILLE, Th. BIRCH, D. CRAWFORD OF DRUMSEY, umspannt die Kämpfe des 17. Jh.: RUSHWORT, LUDLOW, CLARENDON, WHITELOCK, TEMPLE (Slg.: *Collection des mémoires relatifs à la révolution d' Angleterre,* 33 Bde. Paris 1823), die Herrschaft Cromwells und den Fall der Stuarts: PECK, J. DALRYMPLE, PEPYS, BRUNET und MARLBOROUGH, schließlich die Zeit Georgs I.: BOLINGBROKE, WALPOLE, J. KER. Im dt. Schrifttum überwiegt die Neigung zur →Bekenntnislit., weniger M.: zuerst Götz von BERLICHINGEN, daneben im 16. Jh. Vigilius van ZWIECHEM, S. SCHÄRTLIN VON BURTENBACH, Graf Wolrad von WALDECK, SASTROW, Ritter von SCHWEINICHEN u. a. Bedeutend sind erst die M. von FRIEDRICH II., von DOHM und M. v. GENTZ; im 19. Jh.

VARNHAGEN, ARNDT und bes. BISMARCK, in Österreich HORMAYR und METTERNICH, für die Lit. wichtig M. v. WOLFF, J. J. MOSER und IMMERMANN; der weitaus größte Teil ist reine →Autobiographie. Die Wirren der Weltkriege und das Streben e. neuen Lesepublikums nach Einsicht in die Hintergründe politischer Geschehnisse haben im 20. Jh. e. unabsehbare Fülle von teils wertvollen, teils reine Konjunktur ausnutzenden M. entstehen lassen, meist jedoch rein politischer Art (CHURCHILL, DE GAULLE, ADENAUER). →Tagebuch.

M. Westphal, D. besten dt. M., 1923, [2]1971; E. Fueter, Gesch. d. neueren Historiographie, [3]1936; A. v. Harnack, Kritik v. M. u. Tagebüchern, 1950; F. Ernst, Ph. de Commynes, (Einl.), 1952; M. N. Young, *Bibliography of memory,* Phil. 1961. →Autobiographie.

Memorabile (lat. = erinnerungswürdig), nach JOLLES e. →einfache Form: e. in allen historischen Einzelheiten erzähltes und als einmalig hingestelltes Ereignis im Ggs. zum verallgemeinernden →Kasus.

A. Jolles, Einf. Formen, [5]1974; O. Görner, V. M. z. Schicksalstragödie, 1931; L. Bødker, *Folk lit.,* Koph. 1965.

Memorabilien (lat. *memorabilis* = erinnerungswürdig), Denkwürdigkeiten, Titel der →Memoiren von XENOPHON *(Apomnemoneumata),* IMMERMANN u. a.

Memorandum (lat. = zu Erinnerndes) →Denkschrift

Mēmrā, in syr. Lit. ein Gedicht didaktisch-epischen Inhalts in gebundener Rede und von beliebiger, oft großer Länge zur Lektüre oder Rezitation.

Menestrels (altfranz.) →Jongleure und →Minstrels

Menippea, satira menippea, menippeische Satire, nach ihrem Begründer MENIPPOS von Gadara (3. Jh. v. Chr.) benannte und von QUINTILIAN (10, 1, 95) als Sonderform anerkannte antike Satire allg.-menschlicher Schwächen und Torheiten ohne persönliche Bezüge, stellt das inhaltlich Lächerliche in ernstem Dialog, in e. Mischung von Prosa und Versen dar; in LUKIANS Dialogen, lat. von VARRO und HORAZ, SENECA *(Apocolocyntosis),* PETRONIUS, MARTIANUS CAPELLA u. a. nachgeahmt, in Frankreich in der *Satyre Ménippée* (1593/94) fortlebend.

R. Helm, Lukian u. Menipp, 1906; J. W. Duff, *Roman Satire,* 1937.

Merker (mhd. merkaere), 1. im Minnesang seit dem KÜRENBERGER ständig wiederkehrende Aufpasser, teils ›unholde Verwandte‹, die hindernd zwischen die Liebenden treten, sie aufspüren, umschleichen, verraten oder ihre Zusammenkunft vorbeugend verhindern; seit HEINRICH VON VELDEKE die Bösen, Mißgünstigen schlechthin, auch im Epos (Zwerg Melot im *Tristan*); im provenzal. Minnesang als ›lauzengier‹, und auch in arab. Liebeslyrik als typische Figur vorhanden. – 2. im Meistergesang die Schiedsrichter und Kritiker beim Preissingen, meist vier, die im ›Gemerk‹ den Blicken entzogen unerbittlich die Verstöße des Vortragenden gegen die Tabulatur in Form und Vortragsweise ›merken‹ – meist auch ein Geistlicher, der die dogmatische Richtigkeit überwacht – und den Meisterpreis (›Kranz‹ oder ›Gehänge‹) verleihen.

E. Wechssler, Kulturproblem d. Minnesangs, 1909; RL; W. Hofmann, Die Minnefeinde, Diss. Würzb. 1974.

Merkvers →Denkvers

Mesnewi →Mathnawi

Mesodos (griech. = Zwischengesang), im Chorlied der att. Tragödie gelegentlich zwischen Strophe und Antistrophe eingeschobenes lyrisches System ohne Responsion. →Epode, →Proodos.

Mesostichon (griech. *mesos* = mitten, *stichos* = Vers), Figur ähnlich dem →Akrostichon, bei der die hervorgehobenen, zusammenzulesenden Buchstaben in der Versmitte stehen.

Meßbuch →Missale

Messiade, →geistliches Epos zur Darstellung von Leiden und Leben Christi: *Heliand,* OTFRIEDS *Krist,* HELLES *Jesus Christus,* bes. im Gefolge von KLOPSTOCKS *Messias.* →Evangelienharmonie.

Messianismus, von J. HOENE-WRONSKI geprägte Bz. für den Glauben an e. neue, von e. Werkzeug Gottes herbeigeführte Geschichtsepoche, meist in Verbindung mit der Vorstellung von e. ›auserlesenen Volk‹. Als Erscheinung in versch. Völkern und Zeiten wiederholbar: Perser, Juden, Araber u. a. Im engeren Sinn e. Geistesströmung in Polen rd. 1840–63, getragen von KRASIŃSKI, MICKIEWICZ und SŁOWACKI sowie den Philosophen A. TOWIAŃSKI und B. TRENTOWSKI, die in religiös-mystischen und phantastischen Zukunftsträumen vom Exil aus e. neues Sendungsbewußtsein des poln. Volkes hervorrief und die bisherige Unterdrückung i. metaphysischen Sinne als Voraussetzung für die Wiedergeburt aller Völker auslegte. Nach dem Scheitern des Aufstandes von 1863 vom →Positivismus abgelöst.

J. Kleiner, D. poln. Lit., 1929; K. Krejči, Gesch. d. poln. Lit., 1958; J. L. Talmon, Polit. M., 1963.

Meßkatalog, Verzeichnis aller buchhändlerischen Neuerscheinungen, oft auch Ankündigung der in Vorbereitung befindlichen Bücher im In-, z. T. auch Ausland; erster M. 1564 von G. WILLER in Augsburg, dann seit 1574 zu jeder Oster- und Michaelis-Messe in Frankfurt a. M., bis 1598 in Privathand, seit 1595 auch in Leipzig, das mit dem Abnehmen der internationalen lat. Lit. um 1680 die Führung im Buchwesen übernahm; heute durch das in der BR. zweimal, in der DDR einmal wöchentlich erscheinende *Börsenblatt für den dt. Buchhandel,* den Lagerkatalog u. ä. ersetzt, doch lit.-historisch wichtig für die Beurteilung des Schrifttums e. Zeit und seine Aufteilung nach Sachgebieten sowie für Datierungsfragen. Der M. trennte bis um 1720 das dt. und lat. Schrifttum und gab außer den ohnehin sprechenden, weitläufigen Titeln kurze Inhaltsangaben.

R. F. Arnold, Allg. Bücherkunde, [4]1966; M. Fontius, Z. lit. Bedeutg. d. M. i. 18. Jh. (Weimarer Beiträge 7, 1961).

Mester de clerecía →Cuaderna via

Metabole (griech. = Wechsel, Änderung), 1. in der Rhetorik allg. jeder unerwartete Wechsel in Wortwahl oder Stil, 2. = →Polyptoton.

Metalepsis (griech. = Vertauschung), umstrittene Wortfigur der antiken Dichtersprache, Form der →Metonymie, setzt 1. den erzeugenden Gegenstand (Ursache) anstelle der Wirkung: Zunge = Sprache, Hand = Schrift, 2. anstelle e. Wortes das Synonym seines Homonyms: HOMER *Il.* 8, 164: statt ›kore‹ (Mädchen) ›glene‹ (Augapfel), da ›kore‹ sowohl Mädchen als auch Augapfel bedeutet.

Metamorphose (griech. *metamorphosis* =) Verwandlung in e. andere Gestalt, z. B. Menschen in Tiere oder Pflanzen u. ä.; im Anschluß an die Mythologie oder aitiologisch als

Erklärung von Ähnlichkeiten häufig in griech. Dichtung seit HOMER und bes. in röm. Dichtung: OVID, APULEIUS; später im →Märchen, im Barock (MARINO, LOHENSTEIN), bei GOETHE und E. T. A. HOFFMANN, in der Gegenwart KAFKA *Die Verwandlung*, D. GARNETT *Lady into Fox*.

C. Heselhaus, M.-Dichtgn., Euph. 47, 1953; S. Jannacone, *La letteratura greco-latina delle metamorfosi*, Messina 1953.

Metanoia (griech. = Meinungsänderung) = →Correctio

Metapher (griech. *metaphora* = Übertragung), die dichterischste der →rhetorischen Figuren, uneigentliche Redeform: bildlicher Ausdruck für e. Gegenstand (oft zur Verlebendigung und Veranschaulichung von abstrakten Begriffen), e. Eigenschaft oder e. Geschehen; entsteht nach QUINTILIAN aus e. abgekürzten Vergleich, indem e. Wort(gruppe) aus dem eigtl. Bedeutungszusammenhang auf e. anderen, im entscheidenden Punkt vergleichbaren, doch ursprünglich fremden übertragen wird, doch ohne formale Ausführung des Vergleichs im Nebeneinander der Werte (›so – wie‹) unmittelbar und komplex anstelle desselben tritt: es steht nicht in eigtl. Bedeutung, sondern ›übertragen‹. Die antike Figurenlehre (QUINTILIAN) unterscheidet Übertragung von Belebtem auf Belebtes (Fuchs = listiger Mensch), von Leblosem auf Lebloses (Fluß*bett*), von Leblosem auf Belebtes (Schiff der Wüste = Kamel) und am häufigsten von Belebtem auf Lebloses (*Fuß* des Berges); die heutige Theorie scheidet wesensgemäßer in Veranschaulichung des Geistigen durch Sinnliches und Beseelung des Sinnlichen durch Geistiges. – Die Umgangssprache besitzt unzählige verblaßte M.n (Ex-M.n), die nicht mehr mit Bewußtsein als solche empfunden werden: konventionalisierte Sprachbilder. Die dichterische und bes. die lyrische Sprache dagegen lebt nicht zuletzt von dem Bildgehalt der M., indem sie die über die bloße Bedeutung hinausgehenden Ausdruckskräfte des Wortes freilegt, die einfache Beziehung von Namen und Gegenstand in ihrer selbstgeschaffenen Eigenwelt aufhebt und im Bild den Gehalt des Wortes von neuem faßt. Dabei reicht die Skala je nach dem Sprachgefühl des Dichters von der intellektuellen Verwendung der M. als äußeres Schmuckmittel über geistreich bebildertes Sprechen bis zur tiefen Durchdringung des →Bildes, das nicht mehr intellektuellen Vergleich, Stellvertretung der Werte, sondern letzte Wesenserfassung der Dinge ist (HÖLDERLIN, Romantik, Symbolismus). →Allegorie, →Katachrese, →Kenning, →Heiti.

F. Brinkmann, D. M.n, 1878; A. Biese, D. M.orische i. d. dichter. Phantasie, 1889; ders., D. Philos. d. M.orischen, 1893; G. Kohlfeldt, Z. Ästhetik d. M. (Zs. f. Philos., 1894); J. G. Jennings, *An Essay on M. in Poetry*, 1915; H. Werner, D. Ursprünge d. M., 1919; RL; H. Pongs, D. Bild i. d. Dichtg., II [2]1960 f.; P. J. Flesch, Metaphysik d. Symbols u. d. M., Diss. Bonn 1934; H. Konrad, *Etude sur la M.*, [2]1958; H. Adank, *Essai sur les fondements de la m.*, Genf 1939; C. F. P. Stutterheim, *Het begrip M.*, Amsterd. 1941; C. Day Lewis, *The poetic image*, Lond. [6]1951; H. J. Newiger, M. u. Allegorie, 1957; C. Brooke-Rose, *A Grammar of M.*, Lond. [2]1965; *M. and Symbol*, hg. L. C. Knights u. B. Cottle 1960; H. Dempe (Päd. Prov. 12, 1958); M. I. Baym, *The present state of the study of m.* (*Books abroad* 35, 1961); P. Wheelwright, *M. and reality*, Bloomington 1962; C. M. Turbayne, *The myth of m.*, New Haven 1962; G. Söhngen, Analogie u. M., 1962; J. G. Bomhoff, *De metafoor in de lit.* (*Handelingen van het 27. Nederl. Filologencongres*, Groningen 1962); *Poetics*, hg. D. Davie u. a., Warschau 1963; H. Meier, D. M., 1963; E. Sewell, *The human m.*, Notre Dame 1964; H. H. Lieb, D. Umfang d. histor. M.begriffs, Diss. Köln 1964; ders., Was bezeichnet d. herkömml. Begriff M.? (Muttersprache 77, 1967); H.-H. Krummacher, Das ›als ob‹ i. d. Lyrik, 1965; L. Röhrich, Gebärde, M., Parodie, 1967; H. Weinrich u. a., D. M. (Poetica 2, 1968); ders., Semantik d. M. (Folia Linguistica 1, 1967); I. Ziemendorff, D. M. b. d. weltl. Lyrikern d. dt. Barock, [2]1967; M. B. Hester, *The meaning of poetic m.*, Haag 1967; H. Henel, *M. and meaning* (*The disciplines of criticism*, hg. P. Demetz, New Haven 1968); D. C. Allen, *Image and meaning*, Baltimore [2]1968; B. Allemann, D. M. (Weltgespräch 4, 1968); J. Sinnreich, D. Aristotel. Theorie d. M., Diss. Mchn. 1969; H. Jürgensen, D. antike M.begriff, Diss. Kiel 1969; T. Gardner, Z. Problem d. M., DVJ 44, 1970; G. Neumann, D. absolute M. (Poetica 3, 1970); W. A. Shibles, *An analysis of m.*, Haag 1971; ders., *M., an annotated bibliogr.*, Whitewater 1971; H.-W. Jäger, Polit. Metaphorik i. Jakobinismus u. i. Vormärz, 1971; W. Ingendahl, D. metaphor. Prozeß, 1971; J. Helmer, *M.* (Linguistics 88, 1972); T. Hawkes, *M.*, Lond. 1972; G. Lüdi, D. M. als Funktion d. Aktualisierg., 1973; W. Abraham, Z. Linguistik d. M. (Jb. d. Inst. f. dt. Sprache 1973); H. A. Pausch, D. M. (Wirk.Wort 24, 1974); H. Pilch, Theorie d. M. (Fs. H. Viebrock, 1974); W. A. Shibles, D. metaphor. Methode, DVJ 48, 1974; J. Derrida u. a. (*New Lit. History* 6, 1974/75); W. Köller, Semiotik u. M., 1975; W. Abraham u. a., *Theory of m.*, (*Poetics* 4, 1975); P. Ricoeur, *La m. vive*, Paris 1975; Kommunikative Metaphorik, hg. H. A. Pausch 1976; G. Kurz u. a., M., 1976; J. Nieraad, Bildgesegnet u. bildverflucht, 1977; H. Seidler, Vers. üb. d. M. (Fs. R. Henz, 1977); H. Kubczak, D. M., 1978.

Metaphrase (griech. *metaphrasis* = Umschreibung), 1. Übertragung e. Versdichtung in wortgetreue Prosa, 2. lockere Form der →Anapher, die statt des wiederholten Wortes e. Synonym setzt.

Metaphysical poets (engl. = metaphysische Dichter), Bz. bes. John DRYDENS für die theologisch-spekulativen engl. Dichter des frühen 17. Jh.: J. DONNE, A. COWLEY, T. CAREW, G. HERBERT, R. CRASHAW, H. VAUGHAN und A. MARVELL, die in religiös orientierter, ins Metaphysische strebender und bilderreicher Gedankenlyrik und Epik letzte Probleme behandeln.

J. Bennett, *Five M. P.*, Cambr. [3]1964; J. B. Leishmann, *M. P.*, Oxf. 1934; T. S. Eliot, Essays, 1950; H. C. White, *M. P.*, N. Y. [2]1956; J. E. Duncan, *The Revival of M. Poetry*, Minneapolis 1959; F. J. Warnke, *European m. poetry*, New Haven 1961; M. Willy, *Three m. p.*, Lond. 1961; J. Hunter, *The M. P.*, Lond. 1965; G. Williamson, *A Reader's Guide to six m. p.*, Lond. 1967; *The M. P.*, hg. F. Kermode 1969; E. Miner, *The M. P.*, Princeton 1969.

Metaplasmus (griech. *metaplasmos* = Umformung), Form des →Barbarismus: die in antiker und roman. Dichtersprache erlaubte Umgestaltung e. Wortes aus Gründen des Wohlklangs, z. B. im archaisierenden Stil, oder des metrischen Zwanges. Die entsprechenden Mittel sind entweder Vorsetzung (→Prothese), Einfügung (→Epenthese), Anhängung (→Paragoge) von Buchstaben oder Silben oder →Aphärese, →Synkope und →Apokope, ferner Qualitätsänderungen: Längung, Kürzung von Vokalen, →Diärese, →Synizese und →Synalöphe.

Metathese (griech. *metathesis* = Umstellung), Lautumstellung innerhalb e. Wortes, bes. r-Umsprung: Born und Brunnen.

Methnewi →Mathnawi

Methode (griech. *methodos* = Nachgehen), die Arbeitstechnik planmäßigen wiss. Vorgehens zur Untersuchung und Darstellung e. Problems in Forschung und Lehre. Sie ist bedingt u. a. durch das vorhandene Textmaterial, die jeweilige Problemstellung, den zugrunde liegenden Literaturbegriff und weitgehend auch durch personale (z. B. weltanschauliche) Konstituenten, so daß der herrschende Methodenpluralismus in der Lit.wissenschaft wohl zu intensiver Methodendiskussion, nicht jedoch zu e. einheitlichen Methodenlehre (Methodologie) gelangen kann.

Lit. →Literaturwissenschaft

Metonymie (griech. *metonymia* = Namensvertauschung, Umbenennung), →rhetorische Figur ähnlich der →Synekdoche, uneigentliche Redeweise: Ersetzung des eigtl. Wortes durch e. anderes, das zu ihm in realer Beziehung steht, also in e. zeitlichen, räumlichen, ursächlichen, logischen oder erfahrungsgemäßen Zusammenhang im Ggs. zum bloßen Vergleich bei der →Metapher. Nach QUINTILIAN können eintreten: 1. Erzeuger für Erzeugnis, Erfinder für Erfindung, Autor statt Werk (›im Schiller lesen‹), Gottheit für ihren Funktionsbereich (mythologische Umschreibung: Amor für Liebe, Mars für Krieg), homerische Helden für ihre Tugenden und Fehler, Ursache für Wirkung (→Metalepsis), 2. Erzeugnis für Erzeuger: ›Wunden abschießen‹ (statt: Pfeile, VERGIL, *Aen.* 10, 140), 3. Rohstoff für Fertigware: Eisen = Dolch, 4. Besitzer für Besitztum (›unser Nachbar ist abgebrannt‹), Person für die Sache, Feldherr für die Truppe (›Caesar marschierte ...‹), 5. Kollektivabstraktum für Konkretum in Mz. (Jugend = junge Leute), 6. Gefäß, Ort, Land, Zeit für Inhalt bzw. Person (Ein Glas trinken, England fürchtet ..., London meldet ..., Das 18. Jh. glaubte ... Köpfchen = Verstand, Himmel = Gott) und 7. Sinnbild für Abstraktum: Lorbeer = Ruhm.

Metrik (griech. *metrike techne* = die das Silbenmaß, →Metrum, betreffende Kunst), Lehre von den Versmaßen, →Strophen, im weitesten Sinne auch →Reim und →Rhythmus als Gliederung der dichterischen Sprache, urspr. Verslehre überhaupt, seit der Wandlung der Dichtungswissenschaft von e. Augen- zu e. Ohrwissenschaft Teil der Verswissenschaft neben der am gesprochenen Vers untersuchenden →Rhythmusforschung und → Schallanalyse, da die Gliederung nur ein Element des Verses – wenngleich das wesentlichste – neben anderen (→Klang, →Sprachmelodie, Sprachschmuck, Versästhetik) ist. Sie erforscht (seit WESTPHAL) als vergleichende M. die dem Geist der verschiedenen Sprachen entsprechenden drei Gliederungsprinzipien: →alternierend, →akzentuierend und →quantitierend, verhindert durch die grundsätzliche Erkenntnis der Verschiedenheit die unbedachte Übertragung metrischer Begriffe auf wesenhaft andere Systeme, zeigt z.B. die Problematik der Übernahme von antiken Versmaßen in akzentuierende Sprachen (dt. Hexameter- und Oden-Nachbildungen) und weist auf Möglichkeiten zu ihrer Lösung. Sie erfaßt als systematische M. die verschiedenen Gliederungsgefüge (z.B. →Hebung und →Senkung, →Takt, →Versfuß, →Dipodie, Verszeile, →Strophe), die größeren Gedichtformen (Sonett, Ode, Triolett usw.), bestimmt sie nach ihren wesensgemäßen Eigenheiten und beachtet dabei auch die gliedernde Klangfunktion des Reims in verschiedenen Reimschemata. Sie stellt schließlich als historische M. oder Versgeschichte die zeitliche Entwicklung und Abfolge verschiedener metrischer Prinzipien dar: in Dtl. die Ablösung des altgerman. →Alliterationsverses um 870 durch den Reimvers, der in drei Entwicklungsstufen (altdt. bis rd. 1400, frühnhd. bis rd. 1600, nhd. bis in die Gegenwart) beibehalten wurde. – Die theoretische Beschäftigung mit der M. begann in Griechenland etwa seit der Loslösung der Dichtung von Musik und Tanz zu e. eigenen Kunstform im Zeitalter Alexanders d. Gr., also in verhältnismäßig großem Abstand von der lit. Blütezeit, so daß e. durchgehende Tradition angezweifelt werden kann. Hauptvertreter sind die sog. Grammatiker, in Griechenland bes. ARISTOXENOS, ARISTOPHANES von Byzanz, PHILOXENOS, HEPHAISTION, HELIODOROS und ARISTIDES QUINTILIANUS sowie die Enzyklopädisten der Zeit, in Rom bes. TERENTIUS VARRO, Caesius BASSUS, TERENTIANUS MAURUS, JUBA u. a. m., in Byzanz Michael PSELLOS, die Brüder TZETZES u. a. Man unterschied zwei verschiedene Systeme: eins, das alle Maße aus 8 (–10) ›metra prototypa‹, Grundmaßen, ableiten will, und die sog. Derivationstheorie, die alle Metra aus Hexameter und jambischem Trimeter ableitet. Trotz des großen zeitlichen Abstandes von den Quellen selbst behält die antike metrische Theorie – freilich neben den Werken selbst – heute noch aufschlußreiche und für die antike M. grundlegende Bedeutung, während sie das Aufkommen e. eigenen dt. Verslehre stark behindert hat. Die neuzeitliche Betrachtung der griech. Metrik beginnt mit den Engländern BENTLEY (1662–1742) und PORSON, in Dtl. mit G. HERMANNS *Elementa doctrinae metricae* 1816, A. BOECKHS *De metris Pindari* 1811 und den gemeinsamen Forschungen von ROSSBACH und WESTPHAL *M. der griech. Dramatiker und Lyriker,* 1854–65, schließlich U. v. WILAMOWITZ; die der röm. M. bes. mit F. RITSCHL, C. LACHMANN und M. HAUPT. Die dt. M. untersuchen außer den beiden letzten MÜLLENHOFF, BARTSCH und W. WACKERNAGEL in philologischer Hinsicht als Grundlage der Textkritik. Sie wurden abgelöst durch e. zweite Richtung, die den gesprochenen Vers bes. als akustische Erscheinung mit Verwandtschaft zur Musik betrachtet (SIMROCK, *Die Nibelungenstrophe und ihr Ursprung* 1858, R. WESTPHAL, *Theorie d. nhd. M.* 1870). E. SIEVERS entwickelte, auf der RUTZschen Entdeckung über den Zusammenhang von Körperbau und Sprachklang fußend, die Untersuchung von →Sprachmelodie und Sprechrhythmus in der →Schallanalyse zu großer Feinheit. F. SARAN baut darauf e. melodische Rhythmuslehre, A. HEUSLER beschränkt sich mehr auf den Rhythmus, behält e. Mittelstellung und zieht die endgültigen Grenzen zwischen dt. und antikem Vers. Die dt. wissenschaftliche M. leidet dabei bes. an e. erschreckenden Verwirrtheit der Terminologie und Zeichenschrift, die jedes System neu entwirft.

Allg. M.: A. W. de Groot, *Algemene Versleer,* Den Haag 1946; R. Westphal, Allg. M. d. idg. u. semit. Völker, 1893; Th. Fitzhug, *The indoeuropean superstress and the evolution of verse,* 1917; Taig, *Rhythm and Metre,* Oxf. 1930; K. Wagner, Phonetik, Rhythmik, M. (Festschr. f. Behaghel), 1934; Hofmann-Rubenbauer, Wb. d. grammat. u. metr. Terminologie, ²1963; V. Žirmunskij, *Introduction to m.,* Den Haag 1966. – Antike M.: W. Christ, M. d. Griech. u. Röm., ²1879; H. Usener, Altgriech. Versbau, 1887; H. Gleditsch, M. d. Griech. u. Röm., ³1901; W. K. Hardie, *Res metrica,* Oxf. 1920; U. v. Wilamowitz, Griech. Verskunst, ²1958; W. M. Lindsay, *Early Lat. Verse,* 1922; P. Maas, Griech. M. und F. Vollmer, Röm. M. (in Gercke-Norden, Einl. i. d. Altertumswiss. I, 1923); G. Thomson, *Greek lyric metre,* N. Y. ²1961; O. Schröder, *Nomenclator metricus,* 1929; ders., Grundriß d. griechisch. Versgesch., 1930; W. J. W. Koster, *Traité de m. grecque,* ²1954; K. Rupprecht, Einf. i. d. griech. M., ³1950; ders., Abriß d. griech. Verslehre, 1949; B. Snell, Griech. M., ³1962; Th. Georgiades, Musik u. Rhythmus b. d. Griechen, 1958; E. Crusius, Röm. M. ⁸1967; D. Norberg, *Introduction à l'étude de la versification lat. ma.,* Stockh. 1958; J. W. Halporn, M. Ostwald, Lat. M., 1963; dies., *The metres of Greek and Latin poetry,* Lond. 1963; D. S. Raven, *Greek metre,* Lond. 1962; ders., *Latin metre,* Lond. 1965; A. Dain, *Traité de m. grecque,* Paris 1965; H. Drexler, Einf. i. d. röm. M., 1967; A. M. Dale, *The Lyric metres of Greek drama,* Lond. ²1968; P. Klopsch, Einführg. i. d. mlat. Verslehre, 1972. – Dt. M.: J. Minor, Nhd. M., ²1902; H. Paul, Dt. M., 1905; E. Sievers, Altgerman. M., 1905; A. Heusler, Dt. u. antiker Vers, 1917;

Blümel, Kl. dt. Verslehre, 1918; H. G. Atkins, *A hist. of German versification,* Lond. [1]1923; F. Kauffmann, Dt. M. nach ihrer gesch. Entw., [3]1925; A. Heusler, Dt. Versgesch., III 1925, [2]1956; RL; F. Saran, Dt. Verskunst, 1934; ders., Dt. Verslehre, 1907; O. Paul, Dt. M., [9]1974; S. Beyschlag, Altdt. Verskunst, [6]1969; U. Pretzel in ›Aufriß‹; F. G. Jünger, Rhythmus u. Sprache i. dt. Gedicht, 1952; W. Kayser, Kl. dt. Versschule, [13]1968; W. P. Lehmann, *The development of German verse form,* Austin 1956; E. Arndt, Dt. Verslehre, [5]1968; W. Kayser, Gesch. d. dt. Verses, 1960, [2]1971; K. v. See, German. Verskunst, 1967; W. Hoffmann, Altdt. M., 1967; G. Storz, D. Vers i. d. neueren dt. Dichtg., 1970; F. Schlawe, Neudt. M., 1972. – Engl. M. von P. Verrier, III Paris 1900–1910; J. W. Bright u. R. D. Miller, Lond. 1910; G. Murray, Oxf. 1927; P. F. Baum, Cambr. 1927; E. W. Scripture, 1929; G. W. Allen, 1935; C. M. Lewis, Yale 1946; J. Thompson, Lond. 1961; J. Raith, 1962; E. Hamer, [5]1964; P. Fussell, N. Y. 1965; J. Malof, Bloomington 1970; G. Saintsbury (Versgesch.), III Lond. 1906–09. – Franz. M.: Lubarsch, 1879; Tobler, 1833; P. Verrier, 1922, III Paris 1931/32; Spoerri, 1929; M. Fromont u. A. Lemerre, Paris 1937; M. Grammont, Paris [4]1937; ders., [2]1946; J. Subervielle, [2]1946; Y. Le Hir, Paris 1956; M. Burger, Genf 1957; W. T. Elwert, [2]1966; R. Baehr, 1971; Franz. Versgesch.: G. Lote, Paris 1949; W. Suchier, [2]1963. – Ital. M.: T. Casini, Florenz 1900; P. E. Guenerio, Mail. 1893; F. D. Ovidio, Mail. 1910; M. M. Fubini, Mail. 1962; W. T. Elwert, 1968. – Span. M.: E. Benot, III Madrid 1902; R. Baehr, 1962; A. Quilis, Madr. 1969. – Portug. M.: A. Pimenta, Lissab. 1928; J. da Silva Corriera, ebda. 1930; Amorim de Carvalho, Porto [2]1965. – Niederld. M.: G. S. Overdiep, o. J. – Russ. M.: B. O. Unbegaun, Oxf. 1956.

Metrische Dichtung →quantitierende Dichtung

Metrische Drückung, die Lagerung e. inhaltlich-akzentuellen Hebung i. e. metrische Senkung, so daß e. Widerspruch von rhythmischer und metrischer Gliederung entsteht, der nicht durch →›schwebende Betonung‹ oder Brechung des Metrums zugunsten der grammatischen Betonung zu verschleiern ist, sondern als feines Kunstmittel der Belebung des Versrhythmus dient, indem die Spannung zwischen Sinn- und Verston e. schwebende Doppeltonigkeit hervorruft.

Metron →Metrum

Metrum (lat. griech. *metron* = Maß), 1. Versmaß im Unterschied zum →Rhythmus, das metrische Gesetz des Versaufbaus als Gliederung der Dichtersprache durch Akzent oder Quantität, Inbegriff der rhythmischen Eigenart e. Einzeldichtung oder e. Versform, bes. e. metrisches Schema, das in seiner Erscheinungsform festliegt und für verschiedene Versdichtungen benutzt werden kann; e. →freier Rhythmus hat dagegen wohl e. eigenes M., doch kein metrisches Schema. – 2. Versfuß als kleinste rhythmische Einheit, durch dessen Wiederholung eine ›meßbare‹ Reihe entsteht, die nach der Zahl der Füße benannt wird: Monometer, Dimeter, Trimeter, Tetrameter, Pentameter, Hexameter. Dabei zählen Jambus, Trochäus sowie Anapäst nur verdoppelt, z. B. jambischer Trimeter = 6 Jamben, die übrigen einfach: daktylischer Hexameter = 6 Daktylen. – 3. im MA. der →quantitierende Vers im Ggs. zur →rhythmischen Dichtung.

RL; E. Vandvik, Rhythmus u. M., Oslo 1937; S. Chatman, *A theory of meter,* Haag 1965.

Mikton (griech. = Gemischtes), →logaödischer oder →äolischer Vers.

Milieu (franz. = Mitte), natürliche und gesellschaftliche Umwelt des Menschen, sein Lebenskreis nach Herkunft, Beruf und Stand. Die positivistische Anschauung H. TAINES von der Bedingtheit des Menschenwirkens und auch des Kunstschaffens durch die drei Faktoren Rasse, historisches Moment und M. fand – freilich nicht allzu sklavisch – Eingang in die positivistische →Literaturgeschichtsschreibung (SCHERER: Ererbtes, Erlerntes, Erlebtes) und in die Dichtung des Naturalismus, die in M.schilderung und →M.drama die Lebensanschauung, Charaktere, Geschehnisse, und Zustände aus dem M. heraus erklärt.

Milieudrama leitet die Handlung vom Einfluß äußerer Umweltbedingungen ab, die es als Schicksalszwang empfindet, daher Nähe zum Schicksalsdrama bes. im Naturalismus: G. HAUPTMANN *Vor Sonnenaufgang*. Eine andere Form stellt mit kaum merklicher äußerer Handlung Zustände innerhalb e. bestimmten Gesellschaftskreises dar und läßt weniger die Einzelperson als das Gesamtbewußtsein, das sich in den Zuständen dieses Kreises verrät, als Handlungsträger erscheinen, während die Charaktere nur innerhalb der gegebenen Zustände entwickelt und differenziert werden. Ansätze dieser Form schon im Sturm und Drang: GERSTENBERG *Ugolino*, LENZ *Die Soldaten*, Höhepunkt ebenfalls im Naturalismus: HAUPTMANNS *Weber*. Eine häufige Abart ist das zum Bohèmestück trivialisierte Künstlerdrama.

Militärstück, im Unterschied zum ernsten, teils trag. Drama aus soldat. Milieu (SCHNITZLER, HARTLEBEN u. a.) oder der →Kriegsdichtung im engeren Sinne der unverbindlich-triviale Schwank aus der Offiziers- und Militärwelt in Garnison, Etappe und Manöver, die in wilhelminischer Zeit vielfach die Bühne beherrschten.

R. Flatz, Krieg im Frieden, 1976.

Mime (griech. *mimos* =) Schauspieler, →Mimus (2).

Mimesis (griech. =) Nachahmung allg. (→Imitatio, →Ethopoeie), bes. im Anschluß an ARISTOTELES und PLATON (*Staat* X) die Nachahmung der Natur in der Kunst als dichterische Darstellung (›dargestellte Wirklichkeit‹). Als Zeichen der Diesseitigkeit der Kunst bes. in Renaissance, franz. Klassizismus und dt. Aufklärung und Klassik wichtig und erst von der Romantik aufgegeben.

A. Tumarkin, D. Überwindg. d. M.lehre (Festschr. f. Singer, 1930); W. J. Verdenius, M., Leiden 1949; H. Koller, M. i. d. Antike, 1954; E. Auerbach, M., [3]1964; J. D. Boyd, *The function of m. and its decline*, Cambr./Mass. 1968; S.-A. Jørgensen, Nachahmg. d. Natur (Kopenh. Germanist. Stud. 1, 1969); Nachahmg. u. Illusion, hg. H. R. Jauß (Poetik u. Hermeneutik 1, [2]1969); R. Tarot, M. u. Imitatio (Euph. 64, 1970); H. P. Herrmann, Naturnachahmg. u. Einbildgskraft, 1970; F. Gaede, Realismus v. Brant bis Brecht, 1972; H.-W. Schaffnit, M. als Problem, 1971; W. Preisendanz, M. u. Poiesis i. d. dt. Dichtgstheorie d. 18. Jh. (Fs. G. Weydt, 1972); B. Wehrli, Imitatio u. M. i. d. Gesch. d. dt. Erzähltheorie, 1974; U. Hohner, Z. Problematik d. Naturnachahmg. i. d. Ästhetik d. 18. Jh., 1976; B. Berke, *A generative view of m.* (Poetics 7, 1978).

Mimiamben, in →Choliamben geschriebene realistische Alltagsszenen in Dialogform, für Aufführung, Rezitation oder Lektüre bestimmt; begründet vom Griechen HERONDAS von Kos (um 250 v. Chr.) durch Einführung des Choliambus in den Prosa→mimus des SOPHRON, der dadurch die Gattung belebte und in Rom bei Gnaeus MATIUS (1. Jh. v. Chr.) Nachahmung fand.

Mimik (zu griech. →*mimos*), Gedanken-, Gefühls- und Willensausdruck durch Mienen und →Gebärden, als Fähigkeit und Kunst der Nachahmung von psychischen und physischen Eigenheiten anderer Personen oder der Gestaltung seelischer Erlebnisse wichtiges Mittel des Schauspielers zur verdeutlichenden Übertragung eigener Vorstellungen auf den Zuschauer.

Mimus (griech. *mimos* = urspr. Schauspieler, Possenreißer, dann auch deren Darbietung), 1. volkstümlich-komische Darstellungen aus dem Alltagsleben, Nachahmung e. bestimmten Situation oder Person in kurzen, realistischen, oft obszönen Szenen zur Belustigung der breiten Volksschichten, entstanden aus der allg. menschlichen und ursprünglichen Freude an übertreibender Nachahmung. Aus Vorstufen unlit. Possen, die öffentlich an Volksfesten oder bei privaten Gesellschaften im antiken Griechenland aufgeführt wurden, entwickelte der Syrakusaner SOPHRON um 430 v. Chr. e. Lit.gattung: ›männliche‹ und ›weibliche‹ M., dialogisierte Charakterszenen aus dem Volksleben in Prosa-Umgangssprache, häufig von Sprichwörtern durchsetzt und zum Vorlesen bestimmt – sie sind als Lieblingslektüre PLATONS bezeugt. THEOKRIT veredelt sie zu höchster Kunstform (*Adonisfest* u. a.), HERONDAS schreibt →Mimiamben. Daneben beherrscht der unlit. M. als Volkskomödie die Bühne nach dem Absterben der klassischen Tragödie und Komödie. Er erreicht seine größte Ausformung im Rom der Kaiserzeit. Aus dem griech. Süditalien früh übernommen, erscheint er hier zuerst als Tanz zu Flötenbegleitung, ab 212 v. Chr. als Intermezzo (embolium) bei Theateraufführungen, verdrängt ab 46 v. Chr., durch LABERIUS und PUBLILIUS SYRUS im Anschluß an die röm. Komödie künstlerisch durchgeformt und zum lit. Mittel oft sozialer und politischer Kritik gemacht, als Exodium nach Tragödien die →Atellane. Er bildete schon früher bei den →Ludi Florales eine selbständige, aus Gesang, Tanz und Dialog gemischte Posse. Nicht Schauspiel, sondern Schauspieler(in) – weibliche Rollen wurden durch Frauen dargestellt – mimus und mima erregten das Hauptinteresse der Zuschauer. Da Mimik und lebhafte – teils betont unzüchtige – Gesten den ›Sketch‹ unterstreichen mußten, trugen die Darsteller keine →Masken und Kothurn (daher ›planipes‹ genannt). Dagegen war starkes Schminken üblich; die Kleidung der Männer bildete der centunculus (Lappenjacke), für Frauen das ricinium (kurzer Überwurf) – bei den Ludi Florales erschienen letztere auf Verlangen des Volkes auch nackt, wie überhaupt ihr Stand gesellschaftlich verachtet und in berüchtigte Skandalgeschichten verwickelt war. Die Schauspieler schlossen sich unter e. archimimus (Hauptdarsteller), der die Aufführungen leitete, zusammen. Ständige Typen waren der parasitus, der kahlgeschorene stupidus (Dümmling) und der Grimassenschneider sannio. Sinn des M. ist, mit drastischen, derbwitzigen bis obszönen Mitteln (Ehebruchs-, Freß-Szenen u. ä.) das Lachen breitester Volkskreise zu erregen. Der nur lose geschürzte Handlungszusammenhang gab der Improvisation freien Raum. An Beliebtheit bei der Menge übertraf der M. daher die übrigen Formen des röm. Theaters und überdauerte den Untergang des röm. Reiches; Elemente des M. (Situationen und Typen) kehren in allen Formen europ. Stegreifdichtung (Possen-, Schatten-, Puppen-, Fastnachts-, Volks-, Bauernspiel, Aufführungen ma. Spielleute und komische Szenen im geistlichen Drama des MA.) wieder und dringen selbst in Formen des ernsten Dramas ein, weil sie dem ursprünglichen menschlichen Spieltrieb und Streben nach Schaustellungen entsprechen. →Pantomime.

2. Der Schauspieler des M. In der Völkerwanderungszeit und der

Übergangszeit zum MA. wird der Stand zum Wanderstand, der an german. und roman. Fürstenhöfen wie auch in Städten durch seinen mit beredten Gebärden begleiteten Vortrag von schwankhaften Erzählungen mit erotischen Anspielungen und leichter Gesellschaftslyrik großen Eindruck macht. Doch gilt der wandernde Berufskomödiant, meist roman. Herkunft, weiterhin als ehrlos und hebt sich scharf vom german. Sängerstand und dem späteren adligen Hofdichter (Skop) ab, obwohl er durch seine an die Urtriebe gerichteten Darbietungen meist großen Erfolg hat und auch wegen seiner unkriegerischen, plaudernden Haltung von der Kirche bevorzugt, selbst mit dem Vortrag von Heiligenlegenden betraut wird. Auch neben dem seit dem 9. Jh. auftretenden dt. →Spielmann als Träger des Heldengeistes bleibt er Vertreter der ausgelassenen, burlesken Komik, der sinnlich getönten Schwänke und Gesellschaftslieder und wirkt auf die Entstehung neuer Bühnenformen.

H. Reich, D. M., II 1903; A. Glock, Üb. d. Zusammenhang d. röm. M. m. d. neueren kom. Drama (Zs. f. vergl. Lit.gesch. N. F. 16, 1906); M. Bieber, Denkmäler z. Theaterwesen i. Altertum, 1920; P. Winterfeld, Dt. Dichtg. d. lat. MA., 1913; J. R. A. Nicoll, *Masks, Mimes and Miracles,* 1931.

Mimodrama (v. griech.), Drama ohne Worte, dessen Handlung nur pantomimisch dargestellt wird; auch Dramenteile mit ausschließl. stummen Spiel, z. B. bei ARTAUD, COCTEAU, IONESCO, BECKETT, ARRABAL und HANDKE.

Miniatur (v. lat. *minium* = Mennige, die im MA. zur Herstellung roter Farbe verwendet wurden), künstlerischer Buchschmuck ma. Hss. und früher Drucke durch verzierte →Initialen, Randleisten, kleinere oder größere Textbilder; schon im Altertum, bes. in Byzanz gepflegt; M.malerei daher = Buchmalerei, erst seit dem 17. Jh. für Kleinmalerei und Kleinkunst überhaupt (z. B. M.-Ausgabe) infolge fälschlicher Ableitung von lat. *minor* oder *minutus,* klein(er).

Ministerialen (nlat. = Diener), im MA. unfreie Dienstmannen der Fürsten, häufig als Kriegs- oder Verwaltungsbeamte, die sich durch Übernahme von Lehnsgütern zum Kriegsdienst verpflichteten und schließlich im Rittertum aufgingen (niederer Dienstadel). Aus ihren Kreisen stammen viele Träger der mhd. Lyrik (Minnesang, Spruchdichtung) wie auch der höf. Epik: FRIEDRICH VON HAUSEN, HARTMANN VON AUE, WOLFRAM, WALTHER u. a., wenngleich ihr bisher überschätzter Anteil (in Wirklichkeit wohl unter 20 %) zu falscher soziolog. Einordnung der höf. Dichtung geführt hat. Vgl. →Minstrels.

P. Kluckhohn, M.ität u. Ritterdichtg. (Zs. f. dt. Altert. 52, 1911); E. Molitor, D. Stand d. M., 1912; J. Bumke, Ministerialität u. Ritterdichtg., 1976.

Minneallegorie, allegorisierende →Minnelehre als lit. Modegattung des 14. Jh. Nachdem schon OTFRIED aus frühma. Bibelkommentaren die Allegorie übernommen hatte und die geistliche Minne aus dem *Hohelied* allegorisch gedeutet worden war, greift die Allegorie im 13. Jh. aus der geistlichen Sphäre in die der Minne über, deutet statt der Eigenschaften Marias die der Geliebten und ersetzt Personifikationen wie Caritas und Fides durch Frou Minne, Triuwe, Aventiure u. ä., selbst heidnische: Amor, Venus, Cupido. Die ideale, z. T. platonische Auffassung der Minne im Ggs. zur zuchtlosen Liebe schafft aus moralisierenden Absichten heraus e. Art Minnelehre als Gattung der ma. Didaktik.

In der Einleitung wird der Liebende durch Traum, Vision oder Spaziergang an allegorisch verstandene Orte (Grotte, Garten, Burg, oft von deutlicher Farbensymbolik) versetzt und erlebt allegorische Vorgänge, die sich auf die Minne beziehen – am häufigsten in Form der →Jagdallegorie. Im Mittelpunkt stehen ebenfalls allegorisch eingekleidete theoretische Erörterungen und Belehrungen über Entstehung der Minne, Verhaltensmaßregeln, Pflichten u. Tugenden des Minnenden, teils als direkte Belehrung durch Frou Minne, teils als Streitgespräch der Tugenden, als Schlichtung von Streitfällen in Gerichtsszenen oder echte Allegorie. Nach Vorgang der franz. und lat. M. (z. B. im *Rosenroman*) setzt die dt. M. ein mit GOTTFRIEDS *Tristan* (Minnegrotte), ALEXANDERS Minneleich und der rein didaktischen Konstanzer Minnelehre. Der Haupteinsatz beginnt im 14. Jh.; die Blüte reicht bis zur Mitte des 15. Jh., meist als rein theoretische Erörterung in der Minnerede in Reimpaaren, die für Vortrag durch e. Sprecher bestimmt ist, artet jedoch von der zarten dichterischen Spielerei im 15. Jh. oft zu Manier und unfeiner Derbheit aus. Hauptwerke im Gefolge von HADAMARS *Jagd*, meist anonym: *Die Minneburg, Kloster der Minne, Minne und Gesellschaft, Schule der Ehre*, EBERHARD VON CERSNE *Der Minne Regel* (nach des Franzosen ANDREAS CAPELLANUS *Tractatus de amore*), Meister ALTSWERT *(Der Kittel, Das alte Schwert, Der Tugenden Schatz)*, HERMANN VON SACHSENHEIM *Möhrin*, HEINZELIN VON KONSTANZ *Ritter oder Pfaffe*, RUSCHART *Der Klaffer*, EGEN VON BAMBERG u. a.

F. Ranke, D. Allegorie d. Minnegrotte, 1925; C. S. Lewis, *The Allegory of Love*, Oxf. [2]1959; F. Ranke, Z. Rolle d. M. i. d. dt. Dichtg. (Festschr. f. T. Siebs, 1933 u.: Kl. Schrr., 1971); R. Gruenter, Bemerkgn. z. Probl. d. Allegor. i. d. dt. M. (Euph. 51, 1957); RL; H. Kolb, Der Minnen hus (Euph. 56, 1962); T. Brandis, Mhd., mndt. u. mnl. Minnereden, 1968; W. Blank, D. dt. M., 1970; J. Glier, Artes amandi, 1971; M. Rheinheimer, Rheinische Minnereden, 1975.

Minnebrief, Gattung des Spätma., als der Minnesang durch das geschriebene Minnelied in Briefform ersetzt wurde, z. B. bei HUGO VON MONTFORT. →Liebesgruß.

Minnehöfe →Liebeshöfe

Minneklage →Minnesang

Minnelehre, lehrhaft-rationale Erörterung über das Wesen der Minne mit Ratschlägen und Vorschriften für das Verhalten der Minnenden, Gattung des Spätma., meist als →Minneallegorie.

Minnelied, Minnelyrik →Minnesang

Minneparodie, im Verfall des Minnesangs beliebte Gattung, die mit den höfischen Formen des hohen Minnesangs derbe bäuerliche Liebe oder allg. niedere Liebe der Unterschichten besingt, auch in Tageliedern von Magd und Knecht u. ä., und durch Auseinanderklaffen von Form und Inhalt komische Wirkung erzielt.

Minnerede →Minneallegorie

Minnesang, Hauptform der höfischen Lyrik des Hochma. im 12.–14. Jh., die wiederum neben Volkslied und Vagantendichtung den Hauptbestandteil der weltlichen Lyrik des MA. überhaupt ausmacht; zerfällt inhaltlich in →Kreuzlieder, →Tanzlieder, →Tagelieder, →Spruchdichtung und das eigtl. Minnelied; seine Formen sind →Leich und →Lied in der kunstvollen sog. →Meistersangstrophe mit hochentwickelter Reimkunst, die feinstes akustisches Zartgefühl der Hörer voraussetzt und statt des Vierhebers gepflegte Vers- und Strophenformen einführt. Die streng architektonische, zuchtvolle Vers- und Strophenkunst in ständig fortschreitender Vervollkommnung entspricht dem Wesen des M., der nicht erlebnishaft ausströmende Liebesdichtung, sondern konventionelle Gesellschaftslyrik ist, zur Unterhaltung höfischer Kreise vorgetragen; seine Dichter sind selbst Angehörige des Ritterstandes oder →Ministerialen; der →Frauendienst, die Verehrung des weiblichen Idealbildes in Gestalt der erwählten Ritterfrau, der unerreichbaren Herrin, als ästhetisches Spiel und dichterische Gestaltung ist das von dieser Gesellschaft geformte und gebilligte Ideal, Ritterpflicht. Dennoch kann das zugrunde liegende Gefühl des Seeleneinklangs, des Sichverlierens und der Hingabe zur Liebe führen und mit der Liebesdichtung zusammentreffen. Schon aus der Grundsituation des Minnesängers, der mit seinem Lied die ritterliche Dame, Gemahlin seines Herrn, unter der Gefahr der →Merker umwirbt, preist, selbst alles Irdischen entrückt, ergibt sich von selbst die Form der Minneklage: das Wissen um die Hoffnungslosigkeit, Unerfüllbarkeit eines Sehnens nach Erhörung bleibt Grundmotiv, in dessen psychologischer und künstlerischer Abwandlung die Kunst des M. beruht. Dt. Vorstufen des M. sind die ältere dt. Liebesdichtung, z.T. noch die Lieder des KÜRENBERGERS und zwei DIETMAR VON AIST zugeschriebene Lieder, in denen noch die Frau als Werbende erscheint. Die eigtl. höfische Form des Frauenkults im MA. entsteht zuerst bei den →Troubadours der Provence (WILHELM IX. VON POITOU, BERNART VON VENTADOUR, MARCABRU, ARNAUT DANIEL u.a.) aus verschiedenen Wurzeln, die die wissenschaftliche Forschung erschlossen hat: bes. die Araber in Spanien, die e. ähnliches Erlebnis hoher Minne bereits seelisch voll ausgebildet haten (von BODMER, HERDER, K. BURDACH und S. SINGER vermutet), ferner die Antike, bes. – trotz ihrer Andersartigkeit – OVIDS *Ars amandi* und das Christentum mit der Marienverehrung (E. WECHSSLER, J. SCHWIETERING) und die zeitgenössische lat. Lyrik (BRINKMANN). Von der Provence aus erfolgt die Verbreitung über Nordfrankreich und die Romania, die Niederlande und Dtl. Dabei werden die übernommenen Elemente in eigene, dem dt. Wesen entsprechende Formen umgeprägt und verwirklichen eigene seelische Möglichkeiten: der dt. M. ist weniger galant, sinnlich und vital als der franz., zeigt mehr Spuren von Naturempfinden, ist inniger und sehnsuchtsvoller, idealisiert die Frauenverehrung durch stärkere Scheidung von der Wirklichkeit und gibt ihr e. ethische Bedeutsamkeit wie seelische Durchdringung. Nach der ersten, stark episch gefärbten Periode des M. bis rd. 1180 (KÜRENBERGER, DIETMAR VON AIST, MEINLOH VON SEVELINGEN und der bayr. BURGGRAF VON RIETENBURG) vermitteln HEINRICH VON VELDEKE am Niederrhein, FRIEDRICH VON HAUSEN am Mittelrhein und der Schweizer RUDOLF VON FENIS die franz.-provenzal. Kunstformen, deren starke Einwirkung fast bis zur Übersetzung der Vorlagen (RUDOLF VON NEUENBURG) geht. Auch Kaiser HEINRICH VI., ULRICH VON GUTENBURG u.a. werden mit diesen ersten dt. Dichtern des M. zu ›M.s Frühling‹ zusammengefaßt. Das umschreibende Naturerlebnis wird verdrängt durch das eigenständige Minneerlebnis, in breiten, selbstbewußten Strophen von eleganter Gedankenfügung, hoher Reimkunst und vollendeter künstlerischer Variation geschildert. Auf diese erste breite Entfaltung im Westen des Reiches (Barbarossas Hoffest in Mainz 1184) folgt 1190 bis 1230 die Blütezeit des M.: HEINRICHS VON MORUNGEN leidenschaftlich-kunstvolle Lieder und REINMARS psychologisch differenzierte Lieder führen die roman. Form zu letzter Kunsthöhe und verbinden spielerische Form mit beseeltem Eros zu untrennbarer Einheit. WOLFRAMS VON ESCHENBACH vitale Züge, sein Preis der ehelichen Liebe und WALTHER VON DER VOGELWEIDE mit dem Bekenntnis zur ›niederen Minne‹ (→Mädchenlieder) überschreiten bereits die strenge Form des M. durch Einmischung erdnaher, menschlicher Elemente. Nach WALTHER, dessen Lieder noch vor Hofe erklangen, verfällt die höfische Richtung des M. zugunsten anderer, teils wertvoller Neuerungen; er erstarrt →epigonal zur überladenen Manier und gezierten Empfindsamkeit (ULRICH VON LICHTENSTEIN), wird in der →dörperlichen Dichtung NEIDHARTS, des TANNHÄUSERS und STEINMARS parodiert, nimmt bei diesen wie auch bei OSWALD VON WOLKENSTEIN und HUGO VON MONTFORT Persönlich-Erlebnishaftes u. volkstümliches Liedgut auf und verflacht in letzter, idyllischer Nachblüte im SW. zur bürgerlichen, teils auch persönlichen Lyrik (HADLAUB in Zürich). ULRICH VON SINGENBERG, BURKART VON HOHENFELS, GOTTFRIED VON NEIFFEN und FRAUENLOB bilden den Ausklang; schon um 1300 wird der M. nur noch historisch verstanden und in →Liederhss. für kommende Generationen gesammelt und aufbewahrt; seine Nachwirkung jedoch erstreckt sich noch über drei Jhh.: der durch die soziale Umschichtung bedingte Verfall ließ die Kunst in die Hand der Bürger übergehen, wo sie ohne wahren Minnedienst als wesenlose Tradition, leere Form oder Parodie, doch ohne die Formkraft der früheren Zeit fortlebt und im →Meistersang sich neu gestaltet. – Die Beschäftigung mit dem M. beginnt bereits im Humanismus als gelehrte, nationalstolze Beschreibung; seine Slg. und Erforschung setzt ein mit BODMER (*Proben der alten schwäb. Poesie des 13. Jh.*, 1748), der bereits seinen gesellschaftlichen Charakter andeutet. Die Frühromantik dagegen betrachtet ihn mehr als Volksdichtung (TIECK, *Minnelieder aus dem schwäbischen Zeitalter*, 1803; A. W. SCHLEGEL, GÖRRES); die hochromantische Germanistik erweitert die sachliche Kenntnis (J. GRIMM, L. UHLAND), zu der C. LACHMANN durch historisch-kritische Ausgaben den philologischen Grund legt. In der modernen Forschung spielen die Frage nach den Ursprüngen des M. und seinen sozialen Implikationen die Hauptrolle.

E. Wechssler, D. Kulturproblem d. M., 1909; S. Singer, Arab. u. europ. Poesie i. MA. (Abhdlgn. d. preuß. Akad. d. Wiss., Phil.-hist. Klass., 1918); Nachträge (Zs. f. dt. Philol., 1927); G. Müller, Stud. z. Formproblem d. M., DVJ 1, 1923; F. Neumann, Hohe Minne (ebda. u. Zs. f. Dt.kunde, 1925); J. Schwietering, Einwirkg. d. Antike auf d. Entstehg. d. frühen M. (Zs. f. dt. Altert., 1924); G. Salomon, M. u. Spruchdichtg., 1925; H. Brinkmann, Z. geistesgesch. Stellg. d. M.er, DVJ 3, 1925; K. Burdach, Üb. d. Urspr. d. ma. M. (Vorspiel I, 1, 1925); H. Brinkmann, Entstehgs.gesch. d. M., 1926, n. 1971; G. Müller, Ergebnisse u. Aufgaben d. M.forschg., DVJ 5, 1927; F. Gennrich, Ursprungsfrage u. Formprobleme d. M., DVJ 1929 u. 1931; H. Langenbucher, D. Gesicht d. dt. M., 1930; C. v. Kraus, Unsere älteste Lyrik, 1930; RL; Erckmann, Einfl. d. arab. Kultur auf d. M., DVJ 1931; F. R. Schröder, D. M., GRM 21, 1933; P. Kluckhohn, D. M. als Standesdichtg. (Arch. f. Kulturgesch. 11); L. Ecker, Arab., provenzal. u. dt. M., Diss. Berlin 1934; A. Jeanroy, *La Poésie lyrique des Troubadours*, II Paris 1934; E. Keller, D. geistesgesch. Ort d. dt. M.,

Diss. Gießen 1934; H. Naumann, Herbst d. M., 1936; K. Voßler, Dichtg. d. Troubadours u. ihre europ. Wirkg., 1937 (Aus roman. Welt I, 1948); K. Axhausen, Theorien üb. d. Urspr. d. provenzal. Lyrik, Diss. Marbg. 1937; C. v. Kraus, M.s Frühling (Unters.), 1939; M. Ittenbach, D. frühe dt. M., 1939; M. Lang, M. u. Volkslied, 1941; R. R. Bezzola, *Les origines et la formation de la litt. courtoise,* Paris 1944; A. R. Nykl, *Hispano-arab. poetry and its relations,* Baltim. 1946; Th. Frings, Minnesinger u. Troubadours, 1949; ders., Erforschg. d. M. (Forschg. u. Fortschritt 26, 1950); G. Amoretti, *Il m.,* Mail. 1949; A. Moret, *Le lyrisme ma. allemand,* Lyon 1950; ders., *Les débuts du lyrisme en Allem.,* Lille 1951; H. Kuhn, M.s Wende, [2]1967; H. Moser, M. u. Spruchdichtg., Euph. 50, 1956; R. Zundel, Z. Minnebegriff d. M., Diss. Tüb. 1956; H. Furstner, Stud. z. Wesensbestimmung d. höf. Minne, Groningen 1956; H. Götz, Leitwörter d. M., 1957; H. Kolb, D. Begriff d. Minne u. d. Entstehen d. höf. Lyrik, 1958; D. Wiercinski, Minne, 1964; A. H. Touber, Rhetorik u. Form i. dt. M., Groningen 1964; P. Dronke, *Medieval Latin and the rise of European love-lyric,* Oxf. 1965 f.; D. provenzal. M., hg. R. Baehr 1967; F. Maurer, Sprachl. u. musikal. Bauformen d. dt. M. (Poetica 1, 1967); P. Dronke, D. Lyrik d. MA., 1968; R. J. Taylor, *The art of the Minnesinger,* 1968; I. Lindner, Minnelyrik d. MA., 1968; H. Tervooren, Bibliogr. z. M., 1969; R. Grimminger, Poetik d. frühen M., 1969; *Formal aspects of ma. German poetry,* hg. S. N. Werbow, Austin 1969; T. Frings, D. Anfge. d. europ. Liebesdichtg. i. 11. u. 12. Jh. (Beitr. z. Gesch. d. dt. Spr. u. Lit. 91, 1969–71); E. Köhler, Vergl. soziol. Betrachtgn. z. roman. u. dt. M. (Berliner Germanistentag 1968, 1970); D. dt. M., hg. H. Fromm [5]1972; H. Wenzel, Frauendienst u. Gottesdienst, 1974; V. L. Ziegler, *The Leitword in M.,* Univ. Park 1975; P. Wapnewski, Waz ist minne, 1975; S. Ranawake, Höf. Strophenkunst, 1976; J. Bumke, Ministerialität u. Ritterdichtg., 1976; V. Held, D. romant. Deutg. d. M. (LiLi 7, 1977); F. C. Tubach, Struktur i. Widerspruch, 1977. →höfische Dichtg. u. →Mittelalter.

Minstrels (engl. v. franz. →*menestrel,* nlat. →*Ministeriale* = Dienstmann), engl. Bz. für die nicht ritterbürtigen Sänger und →Spielleute des 13.–16. Jh., die im Dienste Adliger eigene oder fremde meist epische Lieder zu Harfenbegleitung vortrugen (im Ggs. zur Lyrik ritterlicher →Troubadours). Sie erhielten durch JOHANN VON GAUNT 1381 zu Tutbury in Staffordshire e. eigenen Gerichtshof (Court of M.), der den M. der umliegenden Counties Gesetze gab und ihre Streitsachen schlichtete, 1469 in London e. eigene Gilde und hatten das Recht zur Wahl e. eigenen ›Königs‹, der mit vier Beamten ihre Angelegenheiten verwaltete. Seit Ende des 16. Jh. sank der Stand in England, in Schottland etwas später, völlig ab, so daß e. Edikt von ELISABETH I. 1597 sie den Landstreichern gleichstellt. Die engl. Romantik (J. BEATTIE, *The m.,* 1771; W. SCOTT, *The lay of the last m.,* 1805) idealisierte ihre Rolle.

Lit. →Spielmannsdichtung

Minuskeln (lat. *minusculus* = etwas klein), im Ggs. zu →Majuskeln die Kleinbuchstaben mit Unter- und Oberlängen; in den Klöstern des Frankenreichs aus der röm. →Kapitale entwickelte Schrift, zuerst in der schlanken, langschenkligen merowingischen M., oft mit verschlungenen Buchstaben, dann in der gerundeten, klaren karolingischen M. im 9.–13. Jh. ausgebildet, von den Humanisten des 14./15. Jh. wieder aufgenommen, bildet die Grundlage der heutigen lat. Druckschrift (→Antiqua), während die sog. ›gotische Schrift‹ e. ma. Abwandlung der M. darstellt.

Mirakel (lat. *miraculum* = Wunder), franz. ›Miracles‹, eigtl. die in Mirakelbüchern zusammengefaßten Erzählberichte von Wundern der Heiligen, dann Bz. für das →geistliche Drama des MA. und der Folgezeit (12.–18. Jh.) mit Stoffen um Wunder aus der Heiligenlegende (Märtyrer-, Nothelfer-, Marien- u. Reliquienwunder) als didakt. szen. Exempel göttl. Wunderwirkung, im Ggs. zu den biblischen Stoffen der →Mysterienspiele, doch häufig – so in England – gleichbedeutend mit diesen. In Frankreich: *M. de Theophile* von RUTEBEUF 1250, *M.s de Notre Dame,* 14. Jh., in Dtl. das *Spiel von Frau Jutten* 1480, in Flamland *Mariechen von Nymwegen* 1518.

U. Ebel, D. altroman. M., 1965; E. Ukena, D. dt. M.spiele d. SpätMA., II 1975.

Mischdichtung →Makkaronische Dichtung

Mischprosa, Gemenge von lat. und dt. Prosasprache zur Erleichterung des Verständnisses für antike Schriftsteller, im MA. von NOTKER d. Dt., später Abt WILLIRAM in Ebersberg eingeführter Übersetzungsstil: meist geistlich-gelehrte Worte und Allegorien in Lat., gewöhnliche Ausdrücke in Dt.

P. Hoffmann, D. M. Notkers, 1910.

Mischspiel, →Schauspiel schlechthin ohne ausgeprägt tragische oder komische Einseitigkeit.

K. S. Guthke (*Revue des langues vivantes* 24, 1958); ders., D. Problem d. gemischten Dramenform (Zs. f. dt. Philol. 80, 1961).

Mischung →Krasis

Mise en scène (franz. =) →Inszenierung

Missale (lat. =) Meßbuch, liturgisches Buch mit den für die Messe vorgeschriebenen Gebeten sowie Lesungen und Gesängen für das Kirchenjahr, gesammelt in →Lektionar und →Graduale. Seit 1570 gilt für die Römische Kirche das *M. Romanum.*

A. Ebner, Quellen u. Forschgn. z. Gesch. u. Kunstgesch. d. M. Romanum im MA., [2]1957.

Missingsch (plattdt. = meißnisch: die Mundart Meißens galt im 17. Jh. als Muster nhd. Schriftsprache), Sprachformen der nhd. Schriftsprache in niederdt. Mund, z. B. die Sprache des Inspektors Bräsig in F. REUTERS *Ut mine stromtid.*

Misterien →Mysterienspiel

Miszellaneen, Miszellen (lat. *miscellanea* = Vermischtes, *miscellus* = gemischt), vermischte Schriften, kleine Beiträge und Aufsätze vermischten Inhalts, zu verschiedenen Werken e. Dichters u. ä., bes. in wissenschaftlichen Zss.

Miszellanliteratur (lat. *miscellaneus* = gemischt), ›Buntschriftstellerei‹, in antiker Lit. Werke buntgemischten Inhalts mit Beiträgen zu Literatur, Mythologie, Religion, Naturkunde, Geschichte, Kuriosa usw., z. B. die *Varia historia* des AELIAN, die *Deipnosophistai* des ATHENAIOS, die *Naturalis historia* des PLINIUS d. J. und die *Noctes Atticae* des GELLIUS. Vgl. →Leimon-Lit., →Silvae.

Mitleid und Furcht →Katharsis

Mittelalter, der Zeitraum vom Untergang des weström. Reiches 476 n. Chr. bis zur Entdeckung Amerikas 1492, also rd. 6.–15. Jh., in der Literaturgeschichte bis zum Einsetzen der →Renaissance, umfaßt neben der beherrschenden mittellat. Lit. die Ansätze und ersten Entwicklungen des volkssprachlichen Schrifttums der europ. Völker in drei Epochen: Früh-M. rd. 750 bis 1170, Hoch-M. 1170–1300, Spät-M. 1300–1500 oder die Einzelerscheinungen: →geistliche Dichtung, →Heldendichtung, →höfische Dichtung, →Minnesang, →Spielmannsdichtung, →Meistersang, →Mystik.

G. Gröber, Gesch. d. franz. Lit. d. M., 1902; G. Paris, *La litt. franç. au moyen âge,* [3]1905; ders., *Esquisse historique de la litt. franç. au m.,* 1907; Gesch. d. german. Lit. i. M. (Pauls Grundriß II) [2]1919; v. Unwerth-Siebs, Gesch. d. dt. Lit. bis Mitte d. 11. Jh., 1920; J. E. Wells, *A Manuel of the Writings in Middle Engl.,*

1916, 4 Suppl. 1920–29; W. Golther, D. dt. Dichtg. i. M., [2]1922; H. Hecht u. L. L. Schücking, D. engl. Lit. i. M., 1927; L. Olschki, D. roman. Litt. d. M., 1928; H. Brinkmann, Zu Wesen u. Formen ma. Dichtg., [2]1967; G. Rosenhagen, Geist d. dt. M., 1929; W. Stammler, Verf.-Lex. d. dt. Lit. d. M., V 1933–55, hg. K. Ruh u. a. [2]1978 ff.; R. Benz, Geistesgesch. d. M., DVJ 16, 1938; E. R. Curtius, Dichtg. u. Rhetorik i. M., DVJ 16, 1938; L. Wolff, D. dt. Schrifttum bis z. Ausg. d. M., 1939; H. Schneider, Heldendichtg., Geistlichendichtg., Ritterdichtg., 1943; G. Baesecke, Vor- u. Frühgesch. d. dt. Schrifttums, [2]1951; J. Schwietering, D. dt. Dichtg. d. M., 1941; H. Spanke, Dt. u. franz. Dichtg. d. M., 1943; J. Bühler, D. Kultur d. M., [5]1948; J. Huizinga, Herbst d. M., [9]1965; H. Naumann, Dt. Dichten u. Denken v. d. german. bis z. stauf. Zeit, 1952; W. Stammler, Kl. Schriften z. Lit.-gesch. d. M., 1954; E. R. Curtius, Lat. Lit. u. europ. M., [6]1967; G. Ehrismann, Gesch. d. dt. Lit. bis zum Ausgang d. M., IV [3]1954; P. Zumthor, *Hist. lit. de France médiévale,* Paris 1954; C. J. Stratman, *Bibliogr. of ma. drama,* Berkeley 1954; M. Schlauch, *Engl. ma. lit.,* Warschau 1956; J. Crossland, *Ma. French lit.,* N. Y. 1956; L. Kukenheim, H. Roussel, *Guide de la lit. franç. du M.,* 1957; J. Speirs, *M. Engl. Poetry,* Lond. 1957; S. Singer, German.-roman. M., 1957; H. Kuhn, Dichtg. u. Welt i. M., 1959; C. Grünanger, *Storia della lett. tedesca medioevale,* Mail. [2]1967; M. O. Walshe, *Medieval German lit.,* Lond. 1962; A. T. Laugesen, *M. som litteraturhistorisk periode,* Koph. 1962; M. Manitius, Gesch. d. lat. Lit. d. M., III [2]1964 f.; K. Langosch, D. europ. Lit. d. M., 1966; F. Neumann, Gesch. d. altdt. Lit., 1966; A. T. Laugesen, *Middelalderlitteraturen,* Koph. 1966; M. L. W. Laistner, *Thought and letters in western Europe 500–900,* Ithaca [3]1966; *The medieval lit. of western Europe,* hg. J. H. Fisher, N. Y. 1966; C. S. Lewis, *The discarded image,* Cambr. [2]1967; W. T. H. Jackson, D. Litt. d. M., 1967; P. Salmon, *Lit. in ma. Germany,* Lond. 1967; J. Bumke, Roman.-dt. Literaturbeziehgn. i. M., 1967; Grundriß d. roman. Litt. d. MA., hg. H. R. Jauss u. E. Köhler 1968 ff; P. Dronke, *Poetic individuality in the MA.,* Oxf. 1970; F. W. Wentzlaff-Eggebert, Dt. Lit. i. späten MA., III 1971; W. F. Michael, D. dt. Drama d. MA., 1971; H. de Boor, Gesch. d. dt. Lit. I–III, [4–8]1971–74; P. Wapnewski, Dt. Lit. d. MA., [2]1972; K. Bertau, Dt. Lit. i. europ. MA., II 1972 f.; P. Dronke, D. Lyrik d. MA., 1973; A. Borst, Lebensformen i. MA., 1973; H. Walz, D. dt. Lit. i. MA., 1976; B. Nagel, Staufische Klassik, 1977; Lex. d. MA., 1977 ff.

Mittelreim, Klangspiel: Reimbindung von Worten im Inneren von zwei aufeinanderfolgenden Versen, die jedoch inmitten e. rhythmischen Reihe stehen und nicht an deren Ende, sonst →Zäsurreim. Ferner als →Mittenreim.

Mittenreim, Reimbindung von Versende mit dem Inneren des vorhergehenden oder folgenden Verses.

Mittlere Komödie →Komödie

Mittwochsgesellschaft, 1824 von E. J. HITZIG gegr. spätromant. Berliner Literatenkreis um ALEXIS, CHAMISSO, EICHENDORFF, HOLTEI u. a.

Młoda Polska →Junges Polen

Modell →Musteraufführung

Moden, literarische, kurzfristige, durch den Zeit→geschmack weniger Jahre emporgetragene lit. Richtungen, die keine zeitlose Gültigkeit oder auch nur einen ästhetisch begründbaren Anspruch aufweisen, sondern lediglich e. vorübergehenden, schnellem Wandel unterworfenen Geschmackslaune folgen.

A. M. Clark, *Studies in lit. modes,* Edinb. 1958.

Moderne, die, von E. Wolff (1886) und H. BAHR (*Zur Kritik der M.,* 1890) geprägte Bz. für den →Naturalismus.

RL; Aspekte d. M.ität, hg. H. Steffen 1965; *Modernism 1890–1930,* hg. M. Bradbury, Harmondsworth 1976.

Moderne Literatur →Gegenwartsdichtung

Modernes Antiquariat →Antiquariat

Modernismo, Epoche der lat.-amerikan. Lit. ab 1880 unter franz. Einfluß, gekennzeichnet durch Streben nach Musikalität der Sprache in kurzen Sätzen und exotisches Milieu, auf lyrischem Gebiet zum →Ultraismo fortentwickelt: R. DARÍO, A. MACHADO. Unabhängig davon ist der brasilian. M. seit 1922 als Aufbruch zu bewußter Modernität (M. u. O. de ANDRADE).

R. Blanco Fombona, *El M.*, 1929; M. Henríquez-Ureña, *Hist. del m.*, Mexiko [2]1962; R. A. Arrieta, *Introducción al m. literario*, 1956; M. da Silva Brito, Hist. do m. Brasileiro, São Paulo 1958; R. Gullón, *Direcciones del m.*, Madrid 1963; J. M. Fein, *M. in Chilean Lit.*, Durham 1964; R. Ferreres, *Los límites del m.*, Madrid 1964; J. Nist, *The modernist movement in Brazil*, Austin 1967.

Modewörter, plötzlich aus einem begrenzten Sprach-, Berufs- oder Interessenkreis auf breite Bevölkerungsschichten übergreifende Wörter, die nach einer Periode häufigen Gebrauchs rasch wieder der Vergessenheit anheimfallen.

Modus (lat. = Weise, Melodie), im MA. Bz. für e. feststehende Melodie entsprechend der ›Weise‹ des späteren Meistergesangs, dann von der bloßen Melodieangabe (entsprechend den heutigen Kirchengesangbüchern) übertragen auf den untergelegten Text in Form von →Sequenzen; ungleichstrophige Gedichte, doch mit meist zweizeiligen Strophen. Als Modi erscheinen daher einige kleine weltlich-anekdotische Dichtungen des 10./11. Jh. in lat. Sprache: *M. Liebinc, M. Ottinc, M.qui et Carelmanninc, M. Florum* u. a.

H. Naumann, D. m. Ottinc, DVJ 24, 1950.

Mönchsdichtung →Geistlichendichtung

Mönchslatein →Küchenlatein

Molossus (nach den Molossern in Ephesus), seltener antiker Versfuß aus drei Längen: — — —, z. B. mirari.

Moment der letzten Spannung →retardierendes, →erregendes M.

Monatsreim, an einzelne oder mehrere Monatsnamen anknüpfende und ihr Wesen charakterisierende gereimte Wetterregel aus bäuerlicher Erfahrung: ›Mairegen ist e. Segen‹ u. ä. Sie erscheinen seit dem 15. Jh. im Kalender (→Praktik).

A. Yermoloff, D. landwirtsch. Volkskalender, 1905; R. Walter, Wettersprüche, 1920; B. Haldy, D. dt. Bauernregeln, 1923; RL; G. Hellmann, Üb. d. Ursprung d. volkstüml. Wetterregeln, 1925.

Monobiblos (griech. = Einzelbuch), e. Schrift, die e. einzige Buchrolle füllte.

Monodie (griech. *monodia* =) Solo-, Einzelgesang, unbegleitet, durch Instrumentalbegleitung mit gleicher Melodieführung verstärkt oder durch ähnliche Melodieführung umrankt; erscheint zuerst in den durch Flötenspiel oder Kithara begleiteten Arien der Schauspieler in der griech. Tragödie seit EURIPIDES an den durch letzte Steigerung von Schmerz oder Freude gekennzeichneten lyrischen Höhepunkten und steht dort im Ggs. zu den →Chorliedern, →Kommoi und →Amoibaia; wird von dort in die röm. Tragödie und Komödie übernommen; bis ins 9. Jh. und weiterhin im Volksgesang bleibt aller Gesang monodisch; seit 1600 erscheint die M. in der Oper, wo die Singstimme die Begleitung überragt. →Arie.

Monodistichon (griech. *monos* = allein), e. einzelnes →Distichon, meist Alexandriner-Zweizeiler, →Epigramm, als religiöser Merkvers nach Vorgang von SUDERMANN, FRANCKENBERG und TSCHECH im Barock bei Daniel v. CZEPKO (*600 M.a sapientium*, 1655) und ANGELUS SILESIUS zum Ausdruck mystischverinnerlichten Seinsgefühls gemacht.

W. Milch, D. v. Czepko, 1934.

Monodrama (griech. *monos* = allein), Drama mit nur einer handelnden und sprechenden Person, so das griech. Drama vor AISCHYLOS als Wechselrede zwischen Chor und einem Schauspieler, im Frankreich des 18. Jh. äußerlich durch Auftreten stummer Nebenpersonen erweitert (Alexis PIRON). Mehrere Dramen der Zeit konzentrieren die Gestaltung um Monologe: LENZ *Katharina von Siena,* ähnlich die Monologstellen in SCHILLERS *Jungfrau von Orleans* und GOETHES *Faust,* MEERHEIMBS Psychodramen, die komischen Soloszenen im 19. Jh. im Expressionismus A. BRONNENS *Ostpolzug* 1926 mit Bühnenbewegung durch Zuhilfenahme filmischer Elemente und in der Gegenwart J. COCTEAUS *La voix humaine* 1930, S. BECKETTS *Krapps last tape* 1959 und H. QUALTINGERS *Der Herr Karl* 1962. – Die 2. Hälfte des 18. Jh. bezeichnet mit M. über den urspr. Sinn hinaus e. kurzes Sprechdrama mit Musikbegleitung, sog. →Melodrama: ROUSSEAUS scène lyrique *Pygmalion* 1762 mit eigener Begleitmusik, dessen dt. Bearbeitungen und Nachahmungen – meist antike Stoffe – Glanzrollen für virtuose Schauspieler(-innen) mit bühnenwirksamem Gebärdenspiel schufen: J. Ch. BRANDES *Ariadne auf Naxos* 1774 (für seine Frau), GOTTERS *Medea,* GOETHES *Proserpina* u. a. m., meist vom Komponisten G. BENDA mit musikalischen Wortillustrationen und Einlagen vertont und am Ende des 18. Jh. zur Kantate umgewandelt. →Duodrama.

A. Köster, D. lyr. Drama i. 18. Jh. (Preuß. Jhrb. 68, 1891); W. Buske, D. Pygmaliondichtungen d. 18. Jh., GRM 7, 1915; RL; I. Raffelsberger, D. M. i. d. dt. Lit. d. 18. Jh., Diss. Wien 1955; K. Gram Holmström, *M., Attitudes, Tableaux Vivants,* Stockh. 1967; A. D. Culler, *M. and the dramatic monologue,* PMLA 90, 1975.

Monogatari (japan. = Erzählungen), allg. Bz. für die japan. Prosaerzählungen von Märchen und Liebesgeschichten bis zum umfangreichen Roman (z. B. *Genji M.*), auch als Uta-M. Erzählungen mit Verseinlagen (→Tanka).

Monographie (griech. *monos* = einzig, *graphein* = schreiben), in sich geschlossene, möglichst erschöpfende Darstellung e. einzelnen wissenschaftlichen Gegenstandes, e. speziellen Problems oder e. Einzelpersönlichkeit.

Monolog (griech. *monos* = allein, *logos* = Rede), Selbstgespräch im Ggs. zum →Dialog, wesentliche Form der Lyrik (Ichaussprache), Epik (→Brief-, →Tagebuch-, →Ich-Form, →innerer M.) und bes. im Drama, hier mit verschiedenen Funktionen: 1. technischer Notbehelf, der bei der von GOTTSCHED übernommenen Forderung der tragédie classique, die Bühne dürfe nie leer sein, das Auf- und Abtreten der Personen ermöglicht: Brücken- oder Übergangs-M. zur Verbindung der Auftritte; 2. ›epischer M.‹ als Mittel der →Exposition (PLAUTUS, Hans SACHS), Einbeziehung nicht darstellbarer Vorgänge und Vorbereitung neuer Situationen am Aktbeginn oder Zusammenfassung des Bisherigen am Aktschluß: Rahmen-M. im Ggs. zu den folgenden sog. Kern-M.en; 3. ›lyrischer M.‹, Selbstoffenbarung der Gefühle e. Helden, auch Ausdruck der persönlichen Auffassung des Dichters; 4. Reflexions-M., Betrachtung und Gedanken der Figuren über die Situation, vergangene und künftige Handlung, übernimmt seit Verschwinden des antiken Chors dessen Aufgabe; 5. Konflikt-M. als dramatischste Form auf der Höhe der Verwicklung, seelisches Entscheidungsringen des Helden mit sich selbst, das die Beweggründe des Handelns als innerer

Dialog in Für und Wider darlegt und zur Lösung oder Katastrophe zutreibt. Die einzelnen Funktionen erscheinen selten rein, meist gemischt, doch unter Vorwiegen e. Hauptabsicht. In der griech. Tragödie wird der M. erst mit Zurücktreten des Chors wichtig, ebenso bes. in der Komödie, woher ihn die röm. Komödie übernimmt und dem Renaissancedrama weitergibt. Nach Vorbild von SENECA benutzen Barockdrama (GRYPHIUS) und franz. Klassizismus den M. zur Entfaltung prunkvoller Rhetorik. Christian WEISE entwickelt in ihm das Intrigenspiel, MOLIÈRE seine tragikomischen Wirkungen. Die Übernahme und Verteidigung des M. durch GOTTSCHED entfacht e. Streit um seinen Wert, den der franz. Poetiker HÉLÉDIN aus Wahrscheinlichkeitsgründen verneint – er will ihn durch erregt-abgehackte Sprechweise ersetzen. NICOLAI, MENDELSSOHN, J. J. ENGEL, ESCHENBURG und LESSING beteiligen sich, LESSING verwendet ihn nach Vorbild SHAKESPEARES *(Hamlet)* als glaubhaften Reflexions-M. Im Sturm und Drang dient er häufig als Selbstanalyse der Leidenschaft, affektische Charakterenthüllung des Helden, im Ritterdrama zu dröhnenden Effekten. In der Klassik verwendet ihn GOETHE als lyrische Seelenanalyse, die in zarter Form Tiefen innerer Konflikte eröffnet (*Iphigenie,* ähnlich später GRILLPARZER *Des Meeres und der Liebe Wellen*), SCHILLER bes. als rhetorischen Konflikt-M. *(Wallenstein)*. Bei KLEIST und dann im Realismus tritt er zurück, bes. im Naturalismus und schon bei IBSEN wird er als unnatürlich gemieden, verpönt und durch stummen Gebärden-M. (schon bei IFFLAND) ersetzt oder in Dialoge verteilt. Erst Neuromantik und Expressionismus benutzen ihn wieder als sinnvoll eingefügtes Stimmungsmittel. Die mod. Lit. greift ihn als Zeichen seel. Vereinsamung u. a. im →Monodrama wieder auf.

F. Düsel, D. dramat. M. i. d. Poetik d. 17./18. Jh., 1897; L. Flatau-Dahlberg, D. Wert d. M. i. realist.-naturalist. Drama, Diss. Bern 1907; F. Leo, D. M. i. Drama, 1908; B. Lott, D. M. i. engl. Drama vor Shakespeare, Diss. Greifsw. 1909; H. Grußendorf, D. M. i. Drama d. Sturm u. Drang, Diss. Mchn. 1914; E. W. Roessler, *The Soliloquy in German Drama,* 1915; W. Schadewaldt, M. u. Selbstgespräch, 1926; E. Walker, D. M. i. höf. Epos, 1928; RL; E. Vollmann, Urspr. u. Entw. d. dram. M., Diss. Bonn 1934; I. B. Sessions, *The Dramatic M.*, PMLA 62, 1947; J. Hürsch, D. M. i. dt. Drama v. Lessing bis Hebbel, Diss. Zürich 1947; R. Langbaum, *The poetry of experience,* N. Y. 1957; H. M. Meltzer, D. M. i. d. Trag. d. frühen Stuartzeit, 1974; G. Baumann, Entwürfe, 1976; P. v. Matt, D. M. (Beitrr. z. Poetik d. Dramas, hg. W. Keller 1976); F. B. Carleton, *The dramatic m.*, Salzb. 1977.

Monologue intérieur →Innerer Monolog

Monometer (griech. *monos* = einzig, *metron* = Maß), metrische Einheit aus nur einem →Metrum, z. B. jambische Dipodie, selbständig als →Klausel (Ditrochäus).

Monopodie (griech. *monos* = einzig, *pus* = Fuß), im Ggs. zur → Dipodie der als Einzelglied betonte und gezählte Versfuß, bes. Jambus und Trochäus. Monopodische Verse mit rhythmisch grundsätzlich gleichwertigen Hebungen, deren Stufung durch die Sprachmelodie bestimmt ist, koordinieren die einzelnen Glieder (im Ggs. zur Unterordnung bei der Dipodie) und erzielen bei langsamem Gang e. ernsten, getragenen Gleichfluß der Rhythmen, gehaltvolle, ›gleichschwebende Verse‹.

RL.

Monostichitisch (griech. *monos* = allein, *stichos* = Vers) im Ggs. zu distichitisch heißt e. metrisches Schema aus ständiger Wiederholung derselben Verszeile.

Montage (franz.), Begriff aus der Filmkunst: die schon im Drehbuch vorgesehene künstlerische Aneinanderfügung einzelner Bildfolgen und Szenen in räumlich und zeitlich verschiedenen Situationen, die nicht sachlich-handlungsmäßig oder gedanklich verbunden sind, durch die Assoziationsfügung einzelner konkreter Gegenstände; als Darstellungstechnik auf Roman, Lyrik und Drama übertragen für die verfremdende Zusammenfügung verschiedener Wirklichkeitsebenen oder Wort-, Gedanken- und Satzfragmente unterschiedlicher Herkunft nach rein formalen Grundsätzen zur Erzielung von Überraschungseffekten; im weiteren Sinne auch jede Anwendung filmischer Techniken wie Rückblenden, Überblenden, Einblenden und szenische Gleichzeitigkeit sowie Darstellung von Traumgesichten usw. auf die Literatur, bei BENN, DOS PASSOS, im Drama bei F. BRUCKNER *(Die Verbrecher)* u. a.

P. Szondi, Theorie d. modern. Dramas, 1956; I. Seidler, Stat. M. (Monatshefte 52, 1960); H. O. Burger u. R. Grimm, Evokation u. M., 1961; J. Leclerque, M. i. d. zeitgenöss. dt. Lyrik, Diss. Wien 1962; H. Jantz, Kontrafaktur, M., Parodie (Tradition u. Ursprünglichkeit, hg. W. Kohlschmidt 1966); V. Klotz, Zitat u. M. i. neuerer Lit. u. Kunst (Spr. i. techn. Zeitalter 60, 1976); Theorie d. Avantgarde, hg. W. M. Lüdke 1976; K.-M. Bogdal u. a. (Alternative 20, 1977).

Mora →More

Moralische Wochenschriften, aus bürgerlich-aufklärerischem Geist entstandene Gruppe volkstümlicher Zss., die in Form von gefühlvoll-moralisierenden kleinen Erzählungen, Typen- und Sittenschilderungen, sog. ›Gemälden‹, Briefen und fingierten Dialogen und Diskussionen zwischen Vertretern der Gesellschaftsklassen und Temperamente die verschiedensten Fragen des geistigen oder des praktischen Alltagslebens behandeln (Tabakrauchen, Kartenspiel, Erziehung, Todesfurcht, Aberglaube, Ehe, Frauenbildung, Kunst, Lit., Ästhetik). Das erfolgreiche Vorbild der – übrigens täglich erscheinenden – M. W. der englischen →Essayisten STEELE und ADDISON (*The Tatler* 1709–11, *The Spectator* 1711–12, *The Guardian* 1713), die aus puritanischem Geiste gegen das franz.-galante Treiben des Hofes und Adels Stellung nahmen und die Sittenlosigkeit durch breite Moralerziehung auslöschen wollten, fand zuerst breite Nachahmung im benachbarten und durch Handelsbeziehungen verknüpften Hamburg: MATTHESONS *Vernünftler* 1713–1714 schneidet die englischen Quellen auf Verhältnisse des Hamburger Bürgertums zu; in Hamburg folgen allein 91 M. W. (BROCKES *Der Patriot* 1724–26 u. a.), im gesamten dt. Sprachgebiet bis Ende des Jh. 511 (gegen 200 engl. und 28 franz.), davon wiederum zwischen 1770 und 1780 114 gleichzeitig. In der Schweiz erscheinen als erste originale Neugründung BODMERS und BREITINGERS *Discourse der Mahlern* 1721–23, später *Maler der Sitten*, auf empirisch-sensualistischer Basis, rein rationalistisch dagegen GOTTSCHEDS *Die vernünftigen Tadlerinnen* (mißverstanden nach *Tatler*) 1725–1727 und *Der Biedermann* 1727–29 in Leipzig, die *Spectator*-Übersetzung der GOTTSCHEDIN 1739 ff. (9 Bde.), PYRAS *Gedanken der unsichtbaren Gesellschaft* 1741, CRAMER-EBERT-GISEKE-RABENER *Der Jüngling* 1747 f., J. E. SCHLEGELS skandinav. *Der Fremde*, Kopenhagen 1745–1746, CRAMERS *Nordischer Aufseher* 1758–1761, WEGENERS 1. mundartliche M. W. *De Plattdütsche* 1772 u. a. m., auch pietistischer und katholischer Prägung, bis ins 19. Jh. (J. SCHREYVOGELS

Wiener Sonntagsblatt 1807), wo die M. W. schließlich im →Familienblatt aufgehen. Die dt. M. W. erschienen teils mehrmals wöchentlich, teils monatlich oder in unregelmäßigen Abständen und waren ausgesprochen kurzlebig. Ihr Hauptziel war sittliche Erziehung aus dem Glauben an e. Verbesserung der Welt durch e. vernünftig-tugendhaftes und daher unbedingt glückliches Leben. Daneben gewinnen bes. in den dt. M. W. – im Ggs. zu den engl. politischen – lit. und ästhetische Betrachtungen wie Auseinandersetzungen Raum, zumal alle bedeutenderen Schriftsteller der Zeit befristet mitarbeiteten: KLOPSTOCK (im *Nordischen Aufseher*), der junge LESSING (in den M. W. seines Vetters MYLIUS), HALLER, GLEIM, WEISSE, UZ, CRONEGK, J. A. SCHLEGEL, RABENER, MÖSER, PESTALOZZI, SALZMANN, SONNENFELS, KÄSTNER, LICHTENBERG, LAVATER, HÖLTY, Maler MÜLLER, MILLER, KOTZEBUE u. a. m. Somit besteht ihr Hauptverdienst für die Lit. in der Erfassung weiter Kreise des Bürgertums und Vermittlung zwischen Leser und Lit., indem sie aus dem Alltagsleben heraus die zerrissene Verbindung zwischen Leben und Lit. wiederherstellen.

E. Milberg, D. M. W., 1880; M. Kawczynski, M. W., 1880; O. Lehmann, D. M. W. als pädag. Reformschriften, 1893; L. Keller, D. dt. Gesellsch. d. 18. Jh. u. d. M. W., 1900; M. E. Umbach, D. dt. M. W. u. d. Spectator, Diss. Straßb. 1911; M. Stecher, D. Erziehungsbestrebgn. d. M. W., Diss. Lpz. 1914; RL; W. Oberkampf, D. zeitgs.-kundl. Bedeutg. d. M. W., 1934; H. Krieger, D. Dämonische i. d. M. W., Diss. Marb. 1934; M. Gaus, Idealbild d. Familie i. d. M. W., Diss. Rostock 1937; I. Fuhrmann, D. Entstehg. u. Entwicklg. d. M. W. i. Engl., Diss. Wien 1958; W. Martens, D. Botschaft d. Tugend, 1968; P. Currie, *Moral weeklies and the reading public in Germany* (*Oxf. Germ. Stud.* 3, 1968); H. Lengauer, Z. Sprache d. M. W., 1975; U. Schneider, D. moral. Charakter, 1976; J. Jacobs, Prosa d. Aufkl., 1976.

Moralisten (franz. *moraliste*), Sittenlehrer und Moralphilosophen, im weitesten Sinne allg. deskriptive Sittenschilderer sowie moral. engagierte Belletristen übh.; Sammelbz. insbes. für die franz. Moralphilosophen des 17.–18. Jh.: LA ROCHEFOUCAULD, LA BRUYÈRE, VAUVENARGUES, CHAMFORT, GALLIANI, RIVAROL, SAINT-EVREMOND und JOUBERT, die im Anschluß an MONTAIGNE in Essays, Aphorismen, Tagebüchern, Satiren u. a. lit. Formen die aus scharfer Beobachtung gewonnenen Erkenntnisse über das sittlich-soziale Verhalten des Menschen niederlegen.

L. A. Prevost-Paradol, *Etudes sur les m. franç.*, [7]1890; G. Bauer, *Les m.*, 1945; A. Levi, *French m.*, Oxf. 1964; B. Willey, *The Engl. m.*, Lond. 1964; *The Engl. mind*, hg. H. S. Davies, Cambr. 1964; F. Schalk, D. franz. M., II [5]1973 f.

Moralitäten (franz. *moralités*, engl. *moralities*), religiöse Schauspiele des Spät-MA. seit 1400 mit moralisierender Tendenz, in denen abstrakte Eigenschaften (Tugenden und Laster) personifiziert auftreten (allegorische Personen) und meist um die Seele des Menschen kämpfen (Psychomachie), bes. beliebt in Frankreich als allegorisch-mystische, parabolische oder moralisierend-weltliche M., in England und Schottland *The King of Life* 1400, *The Castle of Perseverance* 1425, *Mankind* 1473, bes. *Everyman* 1500, nach der Reformation als theologisch-polemische Spiele und erst unter CROMWELL verboten, auch in den Niederlanden *(Elckerlijc)* und Italien; in Dtl. dagegen durch die Schulkomödie seit dem 15. Jh. vertreten. Im 20. Jh. Erneuerung bei HOFMANNSTHAL, ELIOT und BORCHERT.

R. Genée, D. engl. Mirakelspiele u. M., 1878; A. W. Pollard, *Engl. Miracle Plays, M. and interludes,* [5]1909; W. R. Mackenzie, *The Engl. M.*, 1914; A. Nicoll,

Masks, Mimes and M., 1931; H. H. Borcherdt, D. europ. Theater in MA. u. Renaissance, 1935; R. Stamm, Gesch. d. engl. Theaters, 1951; W. Habicht, Stud. z. Dramenform vor Shakespeare, 1968. →Drama.

Moralsatire →Satire

More (lat. *mora* = Verweilen, Zeitlänge), ›Grundzeit‹, metrische Einheit in quantitierender Dichtung: der Zeitwert (Aussprachedauer) e. kurzen Silbe; e. →Länge entspricht zwei M.n usw.

Moritat, gesanglich gedehnte Form zu dt. ›Mordtat‹, nach dem wesentlichen Inhalt Bz. für die Lieder des →Bänkelsangs.

Morolfstrophe, nach ihrem ersten Auftreten im Spielmannsepos *Salman und Morolf* (vor 1200) benannte Strophe aus fünf Vierhebern im Reimschema a a b w b (w = Waise) und mit verschiedenem Versschluß, im Volkslied das 2. Reimpaar meist klingend, die anderen Verse voll (→Landsknechtslied auf Sickingens Tod), die Waise z. T. dreihebig; neben Nibelungen- und Titurel-Strophe wichtigste der mhd. Epik, verwandt mit →Tirol- und Winsbekenstrophe, im ganzen MA. verbreitet, ab 15./16. Jh. auch im volkstümlichen und Volkslied als Lindenschmidtstrophe.

C. Colditz, Üb. d. Anwendg. d. M. (Modern Philolog. 31, 1943). →Metrik.

Morphologische →Literaturwissenschaft versteht im Anschluß an GOETHES morphologische Studien und seinen Gestaltbegriff die Dichtung als von innen heraus gewordene Gestalt und die Dichterkraft als eine lebendige Schöpferkraft ähnlich der organischen Natur, die durch das Zusammenwirken der Teile ein neues Ganzes hervorbringt. Vertreten u. a. durch G. MÜLLER und H. OPPEL.

G. Müller, D. Gestaltfrage i. d. Lit.wiss. u. Goethes Morphologie, 1944; ders., Morpholog. Poetik, 1968; H. Oppel, M. L., ²1967.

Mote (span.), span. Gedichtform: ein 1–2 Verszeilen umfassender Gedanke wird von demselben Dichter oder anderen Dichtern in Versen glossiert. Das ganze Gedicht heißt ebenfalls M. oder auch Glosa, Letra, Villancico. Beliebt im 15. Jh.

Motet (v. franz. *mot* = Wort), franz. Gedichtform: Siebenzeiler auf zwei Reime mit der Reimfolge abab/aba, wobei der 6. Vers kürzer ist als die anderen (meist Dreisilber gegenüber Zehnsilbern). In dieser Form M. écartelé, bei Wegfall des 5. Verses M. imparfait genannt. Blütezeit im 13. Jh. in Nordfrankreich; später, als der Text Nebensache und die Melodie Hauptsache wurde, zur mehrstimmigen musikalischen Form entwickelt.

Motiv (nlat. *motivus* = antreibend), 1. in der Psychologie ›Beweggrund‹ für e. Willensentscheidung, so z. B. der handelnden Personen im Drama, dessen Handlungsgefüge durch strenge →Motivation (Veranlassung durch Motive) verknüpft ist. – 2. ideeller Beweggrund des Dichters für das Aufgreifen e. bestimmten Stoffes, zu künstlerischer Gestaltung anregender Gegenstand, der die genauere Stoffwahl bestimmt. – 3. strukturelle Einheit als typische, bedeutungsvolle Situation, die allg. thematische Vorstellungen umfaßt (im Ggs. zum durch konkrete Züge festgelegten und ausgestatteten →Stoff, der wiederum mehrere M.e enthalten mag) und Ansatzpunkt eigener Erlebnis- und Erfahrungsgehalte in symbolischer Form werden kann: unabhängig von e. Idee bewußt geformtes Stoffelement, z. B. das Ans-Licht-Drängen e. ungesühnten Mordes (Ödipus,

Ibykus, Märchen *Der singende Knochen,* Raskolnikov). Zu unterscheiden sind Situations-M. mit konstanter Situation (Dreiecksverhältnis) und Typus-M. mit konstanten Charakteren (Geiziger, Menschenfeind). Der eigene Gehaltswert des M. begünstigt seine Wiederkehr und oft die Formung in e. bestimmten Gattung. Es gibt vorwiegend lyrische M.e (Nacht, Abschied, Einsamkeit), Dramen-M.e (feindliche Brüder, Verwandtenmord), Balladen-M.e (Lenore-M.: Erscheinen des verstorbenen Geliebten), Märchen-M.e (Ringprobe) usw., daneben ständig wiederkehrende M.e (M.konstanz) einzelner Dichter, einzelner Schaffensperioden desselben Dichters, traditionelle M.e ganzer literaturgeschichtlicher Epochen oder ganzer Völker, auch unabhängig voneinander gleichzeitig auftretende M.e (M.gemeinschaft). Die M.geschichte (P. MERKER und seine Schule) untersucht historische Entwicklung und geistesgeschichtliche Bedeutung traditioneller M.e und verfolgt die grundverschiedene Bedeutung und Gestaltung der gleichen M.e bei verschiedenen Dichtern und in verschiedenen Epochen. In Drama und Epik unterscheidet man nach der Wichtigkeit für den Handlungsverlauf: Zentral-M. oder Kern-M. (oft = Idee), →Neben-M. oder Rand-M. →Leit-, untergeordnetes →Füll- und ›blindes‹ M. (d.h. ablenkendes, für den Handlungsverlauf irrelevantes M.) sowie →Zug.

H. Sperber, L. Spitzer, M. u. Wort, 1918; J. Körner, Erlebnis, M., Stoff (Festschr. f. Walzel, 1924); W. Dilthey, D. Einbildungskraft d. Dichters (Ges. Schr. 4, 1924); ders., D. Erlebnis u. d. Dichtg., [13]1957; RL; W. Krogmann, M.übertragg. (Neophil. 17, 1937); E. Ermatinger, D. dichter. Kunstwk., [3]1939; R. Petsch, M., Formel u. Stoff (in: Dt. Lit.wiss., 1940); J. Petersen, D. Wissensch. v. d. Dichtung, [2]1944; K. Burke, *A Grammar of motives,* N. Y. 1945; W. Kayser, D. sprachl. Kunstwk., [13]1968; E. Frenzel in ›Aufriß‹, [2]1956; A. Beiss, Nexus u. M.e, DVJ 36, 1963; H. Levin, *Thematics and criticism* (*The disciplines of criticism,* hg. P. Demetz, New Haven 1968); E. Frenzel, Stoff-, M.- u. Symbolforschg., [4]1978; W. Freedman, *The lit. m.* (*Novel* 4, 1970 f.) E. Frenzel, Stoff- u. M.gesch., [2]1974; A. J. Bisanz, Stoff, Thema, M. (Neophil. 59, 1975); E. Frenzel, M.e d. Weltlit., 1976; F. A. Schmitt, Stoff- u. M.gesch. d. dt. Lit., Bibliogr. [3]1976; H. S. Dämmrich, Wiederholte Spiegelungen, 1978.

Motivation (v. lat.,), die psychologische oder sachliche Begründung des Handlungsgangs in Drama oder Erzählkunst durch bewußte oder unbewußte Antriebe, Beweggründe, Interessen, Umstände, Charakterzüge, Gewohnheiten oder Verhaltensweisen, d.h. die Unterlegung der für jede Handlungsweise bestimmenden Motive. Die M. bestimmt Schlüssigkeit und einleuchtende Folgerichtigkeit des Geschehensablaufs in den traditionellen epischen und dramatischen Bauformen und ist unabdingbare Voraussetzung für die psychologisch-realistische Darstellungsweise. Sie entspricht dem Bedürfnis des Lesers oder Zuschauers, nachzuempfinden, daß ein bestimmt angelegter Charakter unter gegebenen Umständen nur in dieser Weise und nicht anders handeln kann. Das Maß der M. schwankt allerdings für die versch. Gattungen: genaueste M. erfordern die Tragödie – damit die Tragik als zwingend erkannt wird und die tragische Wirkung sich einstellt – und der gute Kriminal- oder Detektivroman, während heitere Formen wie Schwank, Schelmenroman oder Komödie sich oft mit schwächerer M. begnügen können. Im absurden Drama kann die M. fehlen.

Motivgeschichte →Motiv

Motto (ital. = Wort, Spruch), einer Schrift (Dichtung oder wissenschaftl. Werk) oder deren Einzelteilen vorangestellter, Stimmung und

Inhalt des Folgenden andeutender Sinnspruch, Prosaausspruch, Gedichtstrophe u. ä. – im bürgerlichen Stil meist Zitate bekannter Autoren; zeigt oft den tektonischen Aufbau des Abschnittes als sinngeschlossene Einheit.

R. Böhm, D. M. i. d. engl. Lit. d. 19. Jh., 1975; K. Segermann, D. M. i. d. Lyrik, 1976.

Muckrakers (engl. = Mistharker), von Th. ROOSEVELT 1906 in Anlehnung an eine Figur in BUNYANS *The Pilgrim's Progress* gebildete Sammelbz. für eine Gruppe amerikan. Autoren und Journalisten der Jahre 1902–17, die die Korruption in der amerikan. Politik und Wirtschaft der Zeit aufdeckten und grundlegende Reformen forderten, meist in Form von Zeitungs- und Zss.kampagnen, aber auch in Erzählungen und Autobiographien. Hauptvertreter waren L. STEFFENS, I. TARBELL, C. CREEL, T. W. LAWSON, R. S. BAKER, M. SULLIVAN und S. H. ADAMS, von Erzählern bes. U. SINCLAIR *(The Jungle)* und D. G. PHILLIPS.

C. C. Regier, *The Era of the M.*, Chapel Hill 1932; *The M.*, hg. A. u. L. Weinberg, N. Y. 1961; *Years of Conscience: The M.*, hg. H. Swados, N. Y. 1962; K. W. Vowe, Ges. Funktionen fiktiver u. faktograph. Prosa, 1978; A. Hornung, Narrative Struktur u. Textsortendifferenzierung, 1978.

Münchhauseniade, Sonderform der →Lügendichtung, an die Person des Freiherrn K. F. H. v. MÜNCHHAUSEN (1720–97) in Bodenwerder anknüpfend, der den russ.-türk. Krieg an hervorragender Stelle mitgemacht hatte und nach der Heimkehr viele und humorvoll pointierte Abenteuer berichtete. Die ersten 17 Erzählungen erschienen 1781–83 im *Vademecum für lustige Leute,* von dem wegen Veruntreuung nach England geflohenen Prof. R. E. RASPE 1785 ins Engl. übertragen und ergänzt; diese Oxforder Ausgabe übersetzte G. A. BÜRGER im gleichen Jahr ins Dt. zurück, erweiterte sie um 8, bei 2. Aufl. 1788 um 5 weitere Geschichten und gab ihnen die Volkstümlichkeit, den humoristischen und satirischen Einschlag, der sie zum Volksbuch machte und dennoch die Gestalt des Barons durch sein rokokohaft-kavaliersmäßiges Auftreten über die derben Gestalten früherer Lügendichtungen erhob. IMMERMANN erneuerte den Lügenbaron 1838/39 in seinem satirischen Roman gegen den Schwindelgeist der Zeit; es folgen SCHEERBART und die Dramen von LIENHARD, EULENBERG, GUMPPENBERG und HASENCLEVER; Börries v. MÜNCHHAUSEN verfolgt in *Geschichten aus der Geschichte* 1934 das Leben seines Ahnherrn.

W. Schweizer, D. Wandlungen Münchhausens, 1921; C. v. Klinckowström, M.n vor Münchhausen (Börsenbl. 13, 1957); W. R. Schweizer, Münchhausen u. M.n, 1969; E. Wackermann, Münchhausiana, Bibliogr. 1962.

Münchner Dichterkreis, gleichstrebende Vereinigung der von MAXIMILIAN II. seit 1852 nach München gerufenen und dort geförderten, meist norddt. Dichter, die neben den offiziellen Zusammenkünften im königlichen ›Symposium‹ nach Vorbild des Berliner ›Tunnel über der Spree‹ in der privaten ›Gesellschaft der Krokodile‹ (1856–83, nach LINGGS Gedicht) zusammenkamen und dort lit. Fragen und neue Werke erörterten: GEIBEL, HEYSE, LINGG, GROSSE, Graf v. SCHACK, BODENSTEDT, HERTZ, LEUTHOLD, DAHN, RIEHL, KOBELL, DINGELSTEDT. Ihnen gemeinsam ist ein klassisch-romantisches Kunstideal (GOETHE, Italien), das sie gegenüber dem aufkommenden Realismus in die Rolle von →Epigonen drängt, e. bewußte Überbetonung der Formkunst als Leitfaktor dichterischen Schaffens durch Ausschaltung, Glättung alles Häßlichen und die Betonung der Künstlerwürde und künstlerischen Verantwortungsbewußtseins gegenüber deren Vernachlässigung bei den Zeitgenossen. GEIBELS schwungvolle, doch auch zarte Lyrik und bes. HEYSES Novellen sind die bedeutendsten Leistungen des M. D.

A. Helbig, E. Geibel u. d. M. D., Progr. Aarau 1912; RL; F. Burwick, D. Kunsttheorie d. M. D., Diss. Greifsw. 1932; W. Sieber, D. M. D. u. d. Romantik, Diss. Bern 1937.

Münster, Kreis von, orthodox kathol., an pädagogischen Fragen interessierter und der dt. Mystik verhafteter Intellektuellenkreis in Münster rd. 1770 bis um 1820 um den Minister Franz von FÜRSTENBERG, A. M. SPRICKMANN, F. K. BUCHOLTZ, B. OVERBERG und die Fürstin GALLITZIN. Ihm nahe standen F. H. JACOBI, J. G. HAMANN, F. L. Graf zu STOLBERG, C. BRENTANO und L. HENSEL. GOETHE weilte 1792 im K. v. M., und die junge A. von DROSTE-HÜLSHOFF wurde von hier angeregt.

P. Brachin, *Le cercle de M.*, Paris 1952; Der K. v. M., hg. S. Sudhof 1962ff.; ders., V. d. Aufklärg. z. Romantik, 1973; Goethe u. d. K. v. M., hg. E. Trunz [2]1974; RL.

Muiderkring, holländ. Dichterkreis in der 1. Hälfte des 17. Jh. in Muiden um P. C. HOOFT, J. BAECK, VOSSIUS, REAEL, HUYGENS u. z. T. VONDEL.

J. F. M. Sterck, *Van Rederijkerskamer tot M.*, Amsterd. 1928; P. Leendertz, *Uit den M.*, Haarlem 1935.

Munazare, pers. Streitgedicht in Form eines moralischen Streitgesprächs von zwei Partnern entsprechend der roman. →Tenzone.

Mundart →Dialekt

Mundartdichtung →Dialektdichtung

Musammat, arab. Gedichtform, einreimige Distichen mit gleichem Binnenreim, also b/b-b/b, und einer Endzeile, die in jeder Strophe den gleichen Reim trägt: bbbba, cccca, dddda usw.

Musen, in griech. Mythologie Töchter des Zeus und der Mnemosyne mit dem Sitz auf dem Berg →Helikon oder in Pierien, Göttinnen der Wissenschaft und aller nicht handwerklichen Künste (Musik, Gesang, Dichtung, Tanz); ursprünglich drei, seit HESIOD, der auch zuerst die Namen überliefert (*Theogonie* 75 ff.) neun: →Kalliope, →Klio, →Euterpe, →Melpomene, →Terpsichore, →Erato, →Polyhymnia, →Urania, →Thalia. Sie sangen beim Göttermahl auf dem Olymp und gaben dem Dichter auf dem Helikon die Dichterweihe. Erst in spätgriech. Zeit erhalten sie einzelne Funktionsgebiete zugewiesen, zuerst Urania die Astronomie nach dem Lehrgedicht des ARATOS.

E. R. Curtius, Europ. Lit. u. lat. MA., [6]1967; W. F. Otto, D. M., [2]1956; E. Barmeyer, D. M., 1968.

Musen →almanach, nach dem Vorbild spätbarocker Anthologien und des Pariser *Almanac des Muses* 1765 (für die besten im Vorjahr erschienenen Gedichte) in der 2. Hälfte des 18. Jh. beliebte Form jährlich erscheinender Slgn. von – im Ggs. zum Vorbild – bisher ungedruckten Gedichten, Dramenteilen usw. mit beigefügten Kompositionen, Kupferstichen sowie oft e. Kalendarium. Sie entstammten meist e. festen Kreis von Mitarbeitern, deren Beiträge oft anonym oder pseudonym erschienen, hatten gewöhnlich Duodez-Format und brachten manches wichtige Stück dt. Lit. zum 1. Abdruck. Wichtigste: 1. *Göttinger M.*, 1769–1805, zuerst von GOTTER, bis 1774 BOIE, bis 1775 VOSS, bis 1778

GÖCKING, bis 1794 BÜRGER, Organ des →Göttinger Hain, 2. *Leipziger M.* 1770, 3. *Wiener M.* 1776–1796, von RATSCHKY begr., für österr. Dichter, 4. *Hamburger M.*, 1776 von VOSS, 5. SCHILLERS *Anthologie auf das Jahr 1782*, 6. SCHILLERS M. 1796–1800, an dem neben GOETHE bedeutendste Dichter teilhatten: 1797: *Xenien*, 1798: *Balladen*, 1800: *Lied von der Glocke*, 7. SCHLEGEL-TIECKS M. Jena 1802 f., 8. CHAMISSO und VARNHAGEN, HITZIG und KOREFF: *Grüner M.*, 1804–06, 9. *Linzer M.*, 10. KERNERS *Poetischer Almanach* 1812. 11. CHAMISSO und SCHWAB, *Dt. M.* 1832–39 (1830–1832 *Wendts M.*), ferner zahlreiche regionale M.e des 19. Jh. von MÖRIKE, PICHLER, G. FREYTAG u. a., daneben durch die Konjunktur begünstigt viele seichte Produkte, schließlich nach Cottas M. 1891 zahlreiche Verlags- →Almanache und nach Vorgang Göttingens 1896 verschiedene Universitäts-M.e. Zeitweise wurden die M.e durch die Form des →Taschenbuches verdrängt.

RL. – Bibliogr.: R. Pissin, Almanache d. Romantik, 1914; Lachève, *Bibliogr. de l'A. des M.*, 1765–1833, Paris 1928; M. Zuber, Dt. M.e u. schöngeist. Taschenb. 1815–1845 (Archiv f. Gesch. d. Buchwesens Lfg. 5/6, 1957). →Almanach.

Musical (engl. *musical play* = musikalisches Schauspiel), populäre Nachfolgeform der →Operette, der komischen →Oper und des →Singspiels: musikalische Komödie mit meist undramatischen, teils ironischen Stoffen aus Geschichte und Gegenwart, witzigem Sprechdialog und Gesangseinlagen, z. T. auch Chor und Ballett, riesigem Ausstattungsaufwand und Libretti, die meist nach lit. Vorlagen entstehen (Romane und Dramen von SHAKESPEARE, SHAW, DICKENS u. a.) und in enger Zusammenarbeit von Librettist, Komponist, Arrangeur, Regisseur, Sängern, Tänzern und Schauspielern zu Glanzleistungen des Schaugeschäfts hochgezüchtet werden. Entstand in seiner heutigen Form um 1940 in den USA, bes. am Broadway, und gelangte nach 1945 über England auf den Kontinent. Bekannteste M.: R. RODGERS' und O. HAMMERSTEINS *South Pacific* und *Oklahoma*, J. KERNS *Show Boat* 1929, G. GERSHWINS *Porgy and Bess* 1935, C. PORTERS *Kiss me Kate* 1948, L. BERNSTEINS *West Side Story* 1957, F. LOEWES *My Fair Lady* 1956, I. BERLINS *Annie get your gun*, M. STEWARTS *Hello Dolly* 1964, G. MCDERMOT *Hair*, 1967, *Fiddler on the Roof*, *Irene*, *Jesus Christ Superstar*, *Man of La Mancha* u. a.

Q. Eaton, *M. USA*, 1949; C. Smith, *M. Comedy in America*, 1950; J. Burton, *The Blue Book of Broadway M.*, 1952; D. Ewen, *The Story of America's M. Theater*, Philadelphia 1961; S. Schmidt-Joos, D. M., 1965; S. Green, *Encyclopedia of the m.*, Lond. 1977.

Musikdrama, von Th. MUNDT geprägte Bz. für e. musikalisches Bühnenwerk von betont dramatischer Struktur in Text und Vertonung, im Ggs. zu der nach Gesangsnummern abgeteilten, oft auch bei schlechtem →Libretto rein aus der Musik lebenden →Oper e. arienloses, durchgehend vertontes Werk, dessen dichterische und musikalische Elemente (Wort und Ton) sich gleichwertig gegenseitig ergänzen und durchdringen. In gewissem Sinn gilt schon das antike Drama als M., →Gesamtkunstwerk. Seine Renaissance am Ausgang des 16. Jh. in Florenz ordnete anfangs ebenfalls die Musik als Begleitung dem Wort, der Handlung, unter (PERI *Dafne* 1590, *Eurydice* 1600, MONTEVERDI *Orfeo* 1608), doch führte die Entwicklung der Oper zum Überwiegen der Musik, bis zu locker durch Handlung verbundenen Arien. Erst vor deren Auseinanderfall erfolgte die Besinnung auf den dramatischen Ursprung und die Form des M.: so bei GLUCK, der mit *Orfeo* 1762 u. a. die Erneuerung der antiken Tragödie mit antiken Stoffen im musikalischen Geiste erstrebte. R. WAGNER griff zu Stoffen der german. Mythologie, um aus dem nationalen Denken seiner Zeit heraus e. den antiken Festspielen gleichwertiges, doch arteigenes M. zu schaffen, auch R. STRAUSS und PFITZNER nähern sich dem M. Die dabei entstehenden Probleme der geistigen Einheit von Wort und Musik lösen WAGNER und PFITZNER durch selbstverfaßte →Libretti; GLUCK fand in CALSABIGI, R. STRAUSS in HOFMANNSTHAL e. kongenialen Librettisten.

M. Seidel, Oper u. Drama, 1923; C. Dahlhaus, R. Wagners M.n, 1971. →Oper.

Musikerdichter, künstlerische Doppelbegabungen, sind im dt. Sprachbereich z. B. M. LUTHER, A. KRIEGER, J. H. SCHEIN, Chr. D. SCHUBART, H. W. WACKENRODER, R. SCHUMANN, P. CORNELIUS, B. v. ARNIM, E. T. A. HOFFMANN, A. v. DROSTE-HÜLSHOFF, F. GRILLPARZER, O. LUDWIG, F. HALM, R. WAGNER, F. NIETZSCHE, E. v. WOLZOGEN, C. ORFF, E. KRENEK u. a.

Musikerroman →Künstlerroman

Musiktheater, im Ggs. zu →Oper und →Musikdrama die musikal. Bearbeitung urspr. selbständiger lit. Dramen als →Libretto, z. B. STRAWINSKYS *Oedipus Rex* nach SOPHOKLES, HONEGGERS *Johanna auf dem Scheiterhaufen* nach CLAUDEL, ORFFS *Antigone* nach SOPHOKLES-HÖLDERLIN, EGKS *Der Revisor* nach GOGOL, FORTNERS *Bluthochzeit* nach GARCÍA LORCA u. a. m.

W. Felsenstein u. S. Melchinger, M., 1961; J. Mates, *The American musical stage,* Berkeley 1962; W. Panofsky, Protest i. d. Oper, 1966.

Musteraufführung, von B. BRECHT eingeführte Methode zur Verbreitung seiner Inszenierungsformen eigener Dramen: von e. M. werden die kritischen und bezeichnenden Situationen in Photoserien festgehalten und in den ›Modellbüchern‹ des ›Berliner Ensembles‹ mit Anmerkungen und Erläuterungen publiziert.

B. Brecht, Theaterarbeit, 1952.

Mutaqârib, das Versmaß der alt- und mittelpers. Versepik, Elfsilber der Form ◡— — / ◡— — / ◡— — / ◡ —; meist in Reimpaaren verwandt; in neupers. Zeit allein dem großen Epos, etwa FERDAUSĪS *Shāh-Nāmé,* vorbehalten.

Muwaššaha, arab. Gedichtform: Strophengedicht mit zweizeiligen, meist reimgebundenen Einleitungsversen (markaz) und zwei Strophen zu je vier Zeilen, von denen die ersten drei (gusn) untereinander reimen, die vierte (simt) den Reim des Einleitungsverses aufgreift. Reimfolge: AA (oder xA) bbbA cccA dddA usw.; bei Verwendung mundartlicher Verse (→Kharğas) in vulgärarab. oder mozarab. Dialekt →Zéjel genannt. In Spanien entstanden, in nachklassischer arab. Lit. (IBN QUZMAN) verbreitet, dann auch bei provenzal. Troubadours.

M. Hartmann, D. arab. Strophengedicht I, 1897; S. Fiore, Üb. d. Beziehgn. zw. d. arab. u. d. frühital. Lyrik, 1956.

Mysterienbühne. O. DEVRIENT folgerte aus der Tatsache, daß Gott und die Engel im franz. →Mysterienspiel auf e. erhöhten Podest Platz hatten, e. dreistöckige M. des MA. (Himmel, Erde, Hölle) und inszenierte 1876 den *Faust* auf e. vermeintlichen Rekonstruktion derselben. L. TRAUBE erwies 1880 die Auffassung als irrig, so daß e. solche M. nur in der einzigen Aufführung und deren Nachahmungen Gestalt gewonnen hat.

L. Traube, Z. Entw. d. M., 1880.

Mysterienspiele (lat. *mysteria* = mit gottesdienstlichen Gebräuchen verbundene Geheimlehre), in England (mysteries) und Frankreich (mystères) seit dem 14. Jh. übliche Bz. für die aus der Liturgie entwikkelten →geistlichen Dramen des MA. mit Stoffen aus dem Leben Christi, insbes. →Passionsspiele.

E. Prosser, *Drama and Religion in the Engl. Mystery Plays,* Stanford 1961.

Mystifikation (griech.-lat.), allg. verkleidende Täuschung (→Verkleidete Lit.), bes. die Formen der irreführenden Verfasserangabe durch →Pseudonym, →Kryptonym, →Allonym oder →Anonymität, ferner lit. →Fälschungen und →Pseudepigrapha.

Mystik (griech. *mystikos* = geheimnisvoll, zu *myein* = die Augen schließen), interkonfessionelle Frömmigkeitsform, die durch Abkehr von der Sinnenwelt und Versenkung in das eigene Sein die Trennung zwischen irrationaler Gottheit und eigenbewußter, reiner Seele schon im Diesseits überwindet und zu vollkommener Einswerdung von Menschenseele und persönlichem Gott, bzw. pantheistisch dem All, der Weltseele, dem absoluten Sein führt (unio mystica). Nach den seelischen Grundverhaltensweisen des Fühlens, Wollens und Denkens unterscheidet man überwiegend gefühlsbetonte, ›sensitive‹, willensstarke, ›voluntaristische‹ und gedankliche, ›spekulative‹ M. Ihnen gemeinsam ist e. pantheistisch oder spiritualistisch ausgerichtete, auf dem Weltgeheimnis aufbauende Weltanschauung. Die M. tritt als solche in allen großen Religionsgemeinschaften der verschiedenen Völker und Zeiten in verschiedenen Formen als umfassende, auch geistesgeschichtlich bedeutsame Bewegung auf und strebt nach Verinnerlichung des Glaubenslebens unter Abstreifung äußerlicher Formen: in China (Taoismus), Indien (Natur-M., Buddhismus, Brahmaismus), im Islam und dem pers. Sufismus, in der Antike von den Sieben Weisen über die →Orphik bis zum Neuplatonismus (PLOTIN). Die frühchristliche M. beginnt mit der *Offenbarung Johannis,* der Gnosis und dem Manichäismus, ihre Ausbildung im Abendland im Anschluß daran mit AUGUSTINUS, der durch Entgrenzung des Menschlichen den Ausgleich zwischen Ich und Gott sucht. DIONYSIOS AEROPAGITA und BOETHIUS *(Tröstungen der Philosophie)* führen die M. auf dem Boden des Neuplatonismus fort, und im ganzen MA. läuft neben der dogmatischen Scholastik, Philosophie und Methodenlehre als deren großer Gegensatz e. mystische Strömung, die unmittelbares, visionäres Gotterleben und echtes religiöses Gefühl aus dem übersteigerten Sakramentalismus freizulegen sucht: Papst GREGOR d. Gr. (Pastoralregeln), ANSELM VON CANTERBURY. Die vom dt. Theologen HUGO VON ST. VICTOR gegr. Pariser Schule (12. Jh.) schafft e. systematische Stufenleiter von Meditation über das Göttliche bis zur Gottesschau, während ALBERT d. Gr., THOMAS VON AQUINO und DANTE die unio mystica verstandesgemäß als Sehnsuchtswirkung Gottes auf den Menschen erklären. Als glühendster M.er jenseits bloßen Wissens wirkt BERNHARD VON CLAIRVAUX durch das ganze MA. bis zu LUTHER. – Die dt. M., die trotz roman. und spätantiker Einflüsse immer wieder zu eigendeutscher Frömmigkeit durchbricht und als geschlossene, oft von Laien getragene Bewegung bis ins

19. Jh. reicht, entsteht im 12. Jh. zuerst bes. in den Frauenklöstern Mitteldtls. (Hildegard von Bingen, Mechthild von Magdeburg), den Bettelorden und Beghinenhöfen. Den Höhepunkt bildet Meister Eckhart (1260–1327), der neben seiner stark philosophisch-spekulativen M. bes. als Sprachschöpfer für die Lit. Bedeutung gewinnt. Seinem Streben nach verinnerlichtem Selbst- und Gottesverständnis auf suprarationaler Basis folgen die ›Gottesfreunde‹, J. Tauler und H. Seuse, dessen Autobiographie und *Büchlein der ewigen Weisheit* e. empfindungsstarke, lyrische dt. Kunstprosa ausbilden. Daneben stehen J. v. Ruysbroeck, G. Groote, Thomas von Kempen, Gansfort und Ludolf von Sachsen, der die im Barock aufflammende, ekstatische und erotisch eingekleidete M. der roman. Länder, bes. Spaniens (Teresa von Avila, Juan de la Cruz, Ignatius von Loyola *Exercitia spiritualia*) beeinflußt. Luther hat anfangs Beziehungen zum franziskanischen M.er Bonaventura und zu Tauler und gibt die mystische *Theologia deutsch* des Frankfurters (Ende 14. Jh.) heraus. Nach der Reformation folgen Th. Müntzer und die Wiedertäufer, im Späthumanismus der protestantisch-religiöse Individualismus S. Francks und die Naturphilosophie des Paracelsus, von Valentin Weigel in e. System gebracht. E. neue Blüte brachte der Barock auch in Dtl.: Jakob Böhmes spiritualistisch-mystisches Weltbild findet in seinem Kreis bei A. v. Franckenberg, bes. aber D. Czepko, Angelus Silesius und F. v. Spee dichterische Gestaltung und wirkt schließlich auf die Ausbildung des →Pietismus. Nach e. Neubelebung im Sturm und Drang (Hamann) und der Romantik (Novalis, Brentano) mündet die M. im dt. Idealismus. – Ihre Bedeutung für die Dichtung liegt in der Erschließung neuer seelischer Bereiche für die sprachliche Gestaltung, die einerseits die Gemütskräfte und den Bilderreichtum der Sprache und andererseits den Erlebnisgehalt der Dichtung (um das Thema ›gottsuchende Seele‹) bereichert.

W. Preger, Gesch. d. dt. M. i. MA., III, 1874–93, n. 1962; H. Bremond, *Hist. du sentiment religieux en France,* XI, 1916 bis 1933; Ch. Janentzky, M. u. Rationalismus, 1922; J. Bernhart, D. philos. M. d. MA., 1923; E. Lehmann, M. i. Heiden- u. Christentum, ^{3}1923; J. Grabmann, D. Kulturwerte d. dt. M. d. MA., 1923; E. L. Schellenberg, D. dt. M., ^{2}1924; H. Bornkamm, Luther u. Böhme, 1925; L. Naumann, Dt. M., 1925; Van der Leeuw, M., 1925; H. Bornkamm, M., Spiritualismus u. d. Anfge. d. Pietismus i. Luthertum, 1926; G. Müller, Z. Bestimmg. d. Begriffs, ›altdt. M.‹, DVJ 4, 1926; E. Bergmann, Gesch. d. dt. Philos. I: M., 1926; O. Clemen, Dt. M., 1926; J. Schuck, Dt. Frauen-M. d. MA., 1926; G. Luers, D. Sprache d. dt. M. d. MA., 1926; R. Otto, Westöstl. M., ^{3}1971; E. Underhill, M., 1928; E. Wechssler, Dt. u. franz. M., Euph. 30, 1929; RL; W. Muschg, D. M. i. d. Schweiz, 1935; A. Stolz, Theologie d. M., 1936; E. Hederer, M. u. Lyrik, 1941; F. Meier, V. Wesen d. islam. M., 1943; F. W. Wentzlaff-Eggebert, Dt. M. zwisch. MA. u. Neuzt., ^{3}1969; S. Cheney, V. myst. Leben, 1946; A. Mager, M. als sittl. Wirklichkeit, 1946; W. R. Inge, *Christian Mysticism,* Lond. ^{8}1948; J. Tyciak, Morgenld. M., 1949; J. M. Clark, *The great German mystics,* Oxf. 1949; H. S. Denifle, D. dt. M.er d. 14. Jh., 1951; B. Schmoldt, D. dt. Begriffsspr. Meister Eckhardts, 1954; G. Walther, Phänomenologie d. M., ^{2}1960, G. Scholem, D. jüd. M., 1957; I. Behn, Span. M., 1957; D. T. Suzuki, *Mysticism, Christian and Buddhist,* N. Y. 1957; H. Schlötermann, M. i. d. Rel. d. Völker, 1958; H. Kunisch, D. Wesen d. M., 1958; R. C. Zaehner, M., 1960; T. Andreae, Islam. M.er, 1960; J. Seyppel, M. als Grenzphänomen u. Existenzial, DVJ 35, 1961; D. Baumgardt, *Great Western Mystics,* N. Y. 1961; R. C. Zaehner, *Hindu and Moslem Mysticism,* Oxf. 1961; H. Silberer, Probleme d. M. u. ihrer Symbolik, ^{2}1961; W. T. Stace, *Mysticism and philosophy,* Lond. 1961; J. Schwietering, M. u. höf. Dichtg. i. Hochma., ^{3}1972; A. J. Arberry, *Sufism,* Lond. ^{3}1963; C. Rice, *The Persian Sufis,* Lond. 1964; Altdt. u. altniederl. M., hg. K. Ruh 1964; J. Bizet, D. geistesgesch.

Bedeutg. d. dt. M., DVJ 40, 1966; H. Kunisch, D. ma. M. u. d. dt. Sprache (Lit.wiss. Jhrb. 6, 1966); K. H. Rengstorf, Östl. Meditation u. christl. M., 1966; L. A. Govinda, Grundlagen tibet. M., ²1966; R. A. Nicholson, *The M. of Islam*, Lond. ³1966; H. Dumoulin, Östl. Meditation u. christl. M., 1966; D. Knowles, Engl. M., 1967; S. Spencer, *Mysticism in world religion*, Lond. 1967; F.-D. Maaß, M., 1972; W. Beierwaltes, Grundfragen d. M., 1974; W. Riehle, Stud. z. engl. M. d. MA., 1977; Epochen d. Naturm., hg. A. Faivre, R. C. Zimmermann 1978.

Mythologie (griech. →*mythos, logos* = Lehre), 1. Gesamtheit der →Mythen e. Volkes, 2. Wissenschaft, die sich mit systematischer Slg., Erforschung, Vergleichung und Sinndeutung der Mythen befaßt und daraus Aufschlüsse über Wesen und Alter der Kulturen gewinnt. Nach unkritischen Anfängen bei antiken Mythographen (HESIOD, KALLIMACHOS, APOLLODORUS, PARTHENIOS, HYGINUS) gewinnt sie durch Vorgang von Giambattista VICO (*Scienza nuova* 1725) ersten Auftrieb um 1800, bes. in der Romantik: SCHELLING *Über Mythen, hist. Sagen und Philosopheme der alten Welt* 1793. Chr. G. HEYNE untersucht sie von der philologischen, F. SCHLEGEL (*Über die Sprache und Weisheit der Inder* 1808) und BACHOFEN von der religionsphilosophischen Seite; ferner CREUZER *Symbolik und M. der alten Völker* 1810–12. Mit K. O. MÜLLERS *Prolegomena zu e. wissenschaftlichen M.* 1825 beginnt e. moderne M. mit vergleichender Mythenforschung, die auch Ergebnisse der Völkerkunde heranzieht: A. KUHN und Jac. GRIMM *Dt. M.* 1835, Max MÜLLER, C. G. JUNG, K. KERÉNYI.

Lit.: F. Strich, D. M. i. d. dt. Lit. v. Klopstock bis Wagner, II ²1970; J. J. Bachofen, D. Mythus v. Orient u. Occident, hg. M. Schröter 1926; H. J. Rose, *Modern Methods in Class. M.*, 1930; K. Kerényi, C. G. Jung, Einf. i. d. Wesen d. M., ⁴1951; G. Mensching, Gesch. d. Rel.-wiss., 1948; J. de Vries, Forschgsgesch. d. M., 1961; C. Ramnoux, *M.*, Paris 1962; *M.s of the ancient world*, hg. S. N. Kramer, N. Y. 1962; E. B. Hungerford, *Shores of darkness*, Cleveland 1963; D. Bush, *M. and the renaiss. tradition of Engl. poetry*, N. Y. ²1963; J. E. Harrison, *M.*, N. Y. 1963; N. Frye, *Fables of identity*, N. Y. 1963; C. S. Littleton, *The new comparative m.*, Berkeley 1966; W. Killy, M. u. Lyrik (Neue Rundsch. 80, 1969); K. S. Guthke, D. M. d. entgötterten Welt, 1971; J. J. White, *M. in the mod. novel*, Princeton 1971; H. Freier, D. Rückkehr d. Götter, 1976; R. Weimann, Lit.gesch. u. M., 1977. – Darstellungen d. german. M.: W. Golther 1895, E. H. Meyer 1903, J. v. Negelein 1912, J. H. Schlender, ⁶1937, H. Schneider 1938, F. v. d. Leyen 1938, W. Erbt 1941, J. de Vries (Altgerm. Rel.gesch. II) ²1957. – Antike M.: Darstellgn.: Stoll-Lamer ⁷1885, K. Kerényi 1951, H. J. Rose ³1969, F. Pfister 1956, R. Graves 1960. Lexika: W. H. Roscher 1884–1937, ²1965, H. Hunger ⁶1969, P. Grimal, Paris 1958, M. Grant 1964, A. R. A. Van Aken, N. Y. 1965, E. Tripp 1974. – Allg.: *Larousse Encycl. of m.*, hg. F. Guiraud N. Y. 1959, J. Campbell, *The masks of God*, Lond. IV 1962–68; E. Sykes, *Dictionary of non-classical m.*, Lond. 1962, Wb. d. M., hg. H. W. Haussig 1962 ff.; *Asiatic m.*, hg. J. Hackin, Lond. ²1963, Mythen d. Völker, hg. P. Grimal III 1967. →Mythos.

Mythologische Umschreibung →Metonymie

Mythos (griech. = Wort, Erzählung), Erzählung von Göttern, Dämonen und Helden, Ereignissen der Ur- und Vorzeit als symbolische Verdichtung der allg. Urerlebnisse zu religiöser Weltdeutung in der Frühzeit aller Völker (oriental., ägypt., bes. griech. und german.), oft bei gegenseitiger Berührung der Völker verschmolzen, verdrängt oder umgewandelt (dadurch Entstehung der Götterkämpfe u. ä.). Man unterscheidet drei Arten: 1. eigtl. M., den naive Einbildungskraft an Erfahrungstatsachen ableitet, so →Schöpfungs-M. und Natur-M. als Erklärung von Naturerscheinungen (Donner, Ursprung und Eigenart der Tiere und Pflanzen) oder religiösen Bräuchen, oft aus anthropomorpher Sicht, indem Naturgewalten in übermenschlich begabten, doch von menschlicher Gestalt abgeleiteten Personen verkörpert werden, die später neben physischen auch ethische Kräfte erhalten. 2. halbgeschichtlicher M. um früheste Kriege und Heroen, oft mit Götter-M. verschmolzen und durch phantastische Ausmalungen entstellt. 3. aus reiner Phantasiefreude entstandene, unbezogene M.en. – Die Deutung kennt zwei gegensätzliche Möglichkeiten: a) rational-allegorisch aus unbeteiligter Distanz, z. B. die Unschädlichmachung griech. M.en im Frühchristentum durch allegorische Auslegung, b) irrational mit gefühlsmäßiger Annäherung: M. als Urdichtung und unerschöpflicher, vorbildlicher Quell der Poesie. In dieser Form begegnet auf späteren Kulturstufen voll Sehnsucht nach dem irrationalen, einheitlich gerundeten und dichterisch anschaulichen Weltbild gegenüber der rationalen, differenzierten Zivilisation immer wieder der Versuch zur Mythisierung gewisser Bilder und Vorstellungen, die nach Durchgang durch das rationale Denken und die wissenschaftliche Erkenntnis dennoch als rational unfaßbare, ehrfürchtig hinzunehmende Symbole erkannt werden (Volk, Staat), den gefühlsmäßigen Untergrund ins Überwirkliche steigern und im erlebbaren Bild den religiösen Gehalt verlebendigen. Die Beziehungen des M. zur Kunstdichtung bestehen in beständiger Befruchtung derselben, indem sie nicht nur einzelne mythische Symbole verwendet, sondern auch ganze Mythen übernimmt und dichterisch ausformt (griech. Tragödie, Epen HOMERS, OVIDS Metamorphosen, *Edda*) oder neuschafft und damit das Werk in alltagsferne, religiös-werthaltige Bereiche erhebt: GOETHES *Faust II*, die Romantik mit wissenschaftlicher Forschung und Versuchen zur Wiederbelebung des M., WAGNERS Gestaltung german. M.en, HEBBELS *Moloch*, M.-Bestandteile in G. HAUPTMANNS Werk als Überwindung des Allzumenschlichen, GEORGE-Kreis, Expressionismus (BARLACH), KOLBENHEYER, BILLINGER, Th. MANN (Josephsromane) als Psychologisierung des M.

E. Ruprecht, D. Problem d. M. b. Wagner u. Nietzsche, Diss. Freib. 1933; C. M. Gayley, *The classic M.s in Engl. Lit. and in Art*, Boston [2]1939; W. Nestle, V. M. z. Logos, 1940; A. Bäumler, V. Winckelmann z. Bachofen, 1937; P. Philippson, Unters. üb. d. griech. M., 1944; N. D. Brown, *Hermes the Thief*, Madison 1947; E. Ruprecht, D. Aufbruch d. romant. Bewegg., 1948; R. Mühlher, Dichtg. d. Krise, 1951; E. Howald, D. M. als Dichtg., 1951; D. S. Norton, P. Rushton, *Classical m.s in Engl. lit.*, N. Y. 1952; W. Emrich, Symbolinterpretation u. M.enforschg., Euph. 47, 1953; J. L. Seifert, Sinndeutg. d. M., 1954; *M.*, hg. T. A. Sebeok, Bloomington 1955; A. Jolles, Einfache Formen, [4]1968; E. Grassi, Kunst u. M., 1956; *Myth and mythmaking*, hg. H. A. Murray, N. Y. 1960; E. M. W. Tillyard, *Some mythical elements in Engl. lit.*, Lond. 1960; H. Musurillo, *Symbol and m. in ancient poetry*, N. Y. 1961; J. de Vries, D. M. (Deutschunterr. 13, 1961); W. F. Otto, M. u. Welt, 1962; E. Ternoo, *De mythe in de lit. (Handelingen van het 27. Nederl. Filologencongres*, Groningen 1962); N. Frye, *Myth and symbol*, Lincoln 1963; RL; J. Kleinstück, M. u. Symbol i. engl. Dichtg., 1964; M. Hochgesang, M. u. Logik i. 20. Jh., 1965; J.-P. Vernant, *Mythe et pensée chez les Grecs*, Paris 1965; H. Rahner, Griech. Mythen i. christl. Deutg., [3]1967; G. Schmidt-Henkel, M. u. Dichtg., 1967; D. Hoffman, *Barbarous knowledge*, Oxf. 1967; J. B. Vickery, *M. and lit.*, Nebraska 1967; H. Dickinson, *M. on the mod. stage*, Urbana 1969; G. S. Krik, *M.*, Berkeley 1970; H. Schlochower, Mythopoesis, Detroit 1970; H. Weinrich, Erzählstruktur d. M. (in ders.: Lit. f. Leser, 1971); N. Frye, *Lit. and m.* (*Poétique* 2, 1971); B. A. Beattie, *Patterns of m. in medieval narrative* (Symposium 25, 1971); B. Ostendorf, D. M. i. d. Neuen Welt, 1971; Terror und Spiel, hg. M. Fuhrmann (Poetik u. Hermeneutik 4, 1971); H. Hatfield, *Clashing m.s in German lit.*, Cambr., Mass. 1974; W. Righter, *M. and lit.*, Lond. 1975. →Mythologie.

Nachahmung →Mimesis, →Imitation, →Ethopoeie, →Pastiche

Nachdichtung, freiere →Übersetzung als Versuch e. kongenialen Nachschöpfung.

W. Poethen, Grenzen d. N. (Neuphil. Zs. 3, 1951); K. Wais, Übs. u. N. (Komparatistik, hg. H. Rüdiger 1973); ders., Üb. d. Kunst d. N. (Weimarer Beitr. 19, 1973).

Nachdruck, 1. →Emphase, 2. unveränderte Neuauflage (→Reprint) oder Zwischenauflage (Nachschußauflage), 3. unberechtigte Vervielfältigung durch Abdruck e. bereits gedruckten Schriftwerkes zur unrechtmäßigen Teilhabe am Absatzerfolg vielgefragter Bücher, bis zur gesetzlichen Regelung des →Urheberrechts, bes. in der 2. Hälfte des 18. Jh. (›N.-Zeit‹) häufige und gefürchtete Plage der Autoren und Verleger, zumal die N.-Exemplare honorarfrei und daher billiger auf den Markt kamen als die Originalausgaben, z. T. aber auch verstümmelt und entstellt waren. Die unberechtigten ›Raubdrucke‹ geschützter Werke durch linke Gruppen um 1970 zeigen ähnliche Mißachtung geistigen Eigentums.

H. Rosenfeld, Z. Gesch. v. N. u. Plagiat (Archiv f. Gesch. d. Buchwesens 21, 1970).

Nachgesang, an e. Lied angehängte, oft übermütige bis sinnlose, alberne Strophe, die auf die gleiche Melodie gesungen wird, bes. bei Wander- und Kommersliedern.

Nachklassiker, allg. Bz. für die Dichter nach der klassischen Epoche (mhd. oder Goethezeit), doch im Ggs. zu →Epigonen die bedeutenderen derselben.

Nachlese, →postume Slg. einzelner Werke eines Dichters, die nicht zu Lebzeiten in die gesammelten Werke aufgenommen wurden, teils anderweitig erschienen waren oder aus dem Nachlaß hervorkamen.

Nachrede →Epilog

Nachruf, →Echo, →Nekrolog

Nachschöpfung →Nachdichtung

Nachschrift, 1. abgekürzt N. S. (lat. *post scriptum,* P. S.), nachträglicher Zusatz zu e. Brief oder Schriftwerk. – 2. heimliche hs. Abschrift e. Werkes als Grundlage e. unrechtmäßigen →Nachdrucks.

Nachspiel, kurzes selbständiges, meist einaktiges und oft heiter-burleskes Spiel zur Aufführung im Anschluß an ein größeres, abendfüllendes Stück, doch ohne Bezug zu dessen Handlung; in allen Epochen bis zum 19. Jh. vertreten: das →Satyrspiel der griechischen Tetralogien, das römische →Exodium (meist →Atellane), die →Sotternien und →Kluchten des MA., die schwankhaften N.e der humanistischen Schuldramatiker und Rederijkers und als 1. dt. N. das vom *Bauern Mopsus* (1581), ferner die gesungenen →Jigs der Englischen Komödianten und die Pickelhering-Possen des 16. Jh. sowie die →Hanswurstspiele des 17./18. Jh. im Anschluß an die →Haupt- und Staatsaktionen. Nach Vorbild der holländischen Kluchten, der N.e MOLIÈRES und der Commedia dell'arte nahm in Dtl. die Wandertruppe des Magister VELTEN N.e in ihren Spielplan auf. Im 18. Jh. schufen u. a. J. U. KÖNIG, J. T. QUISTORP und die GOTTSCHEDIN regelmäßige einaktige N.e zum Ersatz des Hanswurstspiels. Um 1800 erlischt die Mode, N.e aufzuführen.

H. Kindermann, Theatergesch. Europas, VII 1957 ff.; RL.

Nachtkritik, die unmittelbar nach Schluß der Vorstellung geschriebene, am Morgen darauf bereits in der Zeitung verbreitete Theaterkritik. Sie wurde in der 2. Hälfte des 19. Jh.

bei zunehmendem Aktualitätsstreben konkurrierender Zeitungen die Regel, der sich auch FONTANE, K. FRENZEL, P. SCHLENTHER u. a. unterwarfen. Vielfach angegriffen, weil der Zeitdruck ein ausgereiftes Urteil unmöglich mache und einem bloßen geistreich-epigrammatischen Geplänkel Vorschub leiste, wurde sie z. T. durch einen Vorbericht ersetzt, dem tags darauf eine ausführlichere, abgewogene Hauptkritik folgte, dann durch Goebbels 1936 ganz verboten und lebte nach 1945 nur z. T. wieder auf.

Nachtrag, aktualisierende Ergänzung eines Werkes im Hinblick auf Ereignisse während der Herstellungs- oder Verbreitungszeit in Form von Anhängen, Beiheften oder →Supplement-Bänden.

Nachtstück, in der Malerei die Nachtszene in Helldunkel bei Mond- oder Kunstlicht (CARAVAGGIO, REMBRANDT); danach in der Lit. kurze Erzählform der Romantik (E. T. A. HOFFMANN u. a.), die sich teils mit Spuk- und Geistererscheinungen, teils mit seltsamen seelischen Erscheinungen und psychischen Erkrankungen, also den abnormen ›Nachtseiten‹ der Natur und des Menschen befaßt, Phantastisches und Realistisches mischt und vielfach ins Groteske mündet.

J. Leopoldseder, Groteske Welt, 1973.

Nachtwächterlied, volkstüml. Lied des Nachtwächters mit Stundenausruf, Festtagsankündigung und allg. sittl. Ermahnungen; von F. DINGELSTEDT (*Lieder eines kosmopolitischen Nachtwächters,* 1841) zur Verspottung biedermeierlichen Untertanengeists parodiert.

Nachwort, dem Hauptwerk nachgestellte Bemerkungen des Verfassers zum vorangegangenen Text oder erläuternde Betrachtungen eines Herausgebers meist mit ähnlicher Funktion wie das →Vorwort.

Lit. →Vorwort.

Nâdagama, singhalesische musikalische Volksdramen in West-Ceylon, im 18. Jh. entwickelt und im 19. Jh. weit verbreitet.

Nadal-Preis →Literaturpreise

Nadrealismus (serb. = Überrealismus), jugoslaw. Form des →Surrealismus, von seinem franz. Vorbild durch bewußt klassenkämpferisch-kommunist. Haltung unterschieden und daher bis heute nachwirkend. 1930 in Belgrad durch e. Gruppe junger Schriftsteller gegründet: A. VUČO, D. MATIĆ, M. DEDINAC u. a.

Nänie (lat. *nenia* = Leichengesang), in der Frühzeit des antiken Rom Trauer-, Preis- und Klagelieder auf Verstorbene von deren weiblichen Verwandten oder gemieteten Klageweibern unter Anführung der ›praefica‹ beim Leichenbegängnis vor dem Trauerhause, während der Prozession an der Totenbahre als magisches Beschreien zu Flötenbegleitung, später erstarrt, schon bei NAEVIUS, PLAUTUS und LUCILIUS in Verruf und Verachtung geraten und durch die →Laudatio funebris verdrängt, nicht lit. und daher nicht erhalten; in augusteischer Zeit als Stück alter Volksfrömmigkeit beim Tode großer Persönlichkeiten vergeblich wieder zu beleben versucht; schließlich lit. Grabgedicht allg. OVIDS N. auf Messala ist verloren, nicht dagegen die Parodie der N. in SENECAS *Apocolocyntosis* 12, Klaganapäste auf Kaiser Claudius. In der Neuzeit z. B. GOETHES *Euphrosyne,* SCHILLERS *N.* →Threnos.

H. de la Ville de Mirmont (*Revue de philol.* 26, 1902); RE; O. Brinkmann (D. humanist. Gymnas. 43, 1932).

Nagauta (japan. = Langgedicht)

oder Chōka, frühjap. Gedichtform bis zum 8. Jh., besteht im Ggs. zum →Tanka aus mehr als fünf Versen von anfangs unregelmäßiger, später zwischen 5 und 7 regelmäßig wechselnder Silbenzahl mit e. Siebensilber als Abschluß (5 - 7 - 5 - 7 - 5 - 7 - 7) und ist durch komplexe Epitheta ausgeschmückt; auch für epische Stoffe.

W. P. Malm,, *N.*, N. Y. 1962.

Naive (franz. *naïf* = kunstlos), allg. der Typ des unreflektiert Handelnden aus innerer Harmonie u. natürl. Grazie; im Bühnenfach: Jungmädchendarstellerin.

H. Schlüchtern, D. Typus d. N. i. Drama d. 18. Jh., 1910, n. 1976; W. Donner, D. naive Typus als dramat. Figur, Diss. Köln 1967.

Naive und sentimentalische Dichtung (franz. *naïf* v. lat. *nativus* = angeboren; franz. *sentimental* = empfindsam, gefühlvoll). SCHILLERS Abhandlung *Über n. u. s. D.* in den *Horen* 1795/96 entwickelt unter dem Eindruck des Wesensunterschiedes von ihm und GOETHE, den er schon im Brief an GOETHE vom 23. 8. 1794 in das Gegensatzpaar intuitiv-spekulativ gefaßt hatte, die erste umfassende Typologie der Dichtung: der naive Dichter ist Natur, Genie, steht im Einklang mit der ursprünglichen Schöpfung und strebt unbekümmert als Realist nach ›möglichst vollständiger Nachahmung des Wirklichen‹, Erfüllung im Irdischen, in der ›Kunst der Begrenzung‹ (Antike, SHAKESPEARE, GOETHE); der sentimentalische Dichter dagegen sucht aus der Distanz nach der – durch Kultur und Zivilisation verlorenen – Einheit mit der Natur und sieht in ihr e. erstrebenswertes Ideal, das er als Idealist in der Darstellung der Idee verkörpert: ›Kunst des Unendlichen‹; Satire, Elegie, Idylle sind seine typischen Gattungen (SCHILLER selbst und die neueren Dichter). Beide schöpferischen Grundhaltungen schließen einander nicht aus, sondern ergänzen sich zum Ideal schöner Menschlichkeit durch innige Verbindung von Natur und Kunst, wie sie die dt. Klassik erreicht. – SCHILLERS Abhandlung verdrängt die antike Theorie der drei →Stilarten und bestimmt in seiner antithetischen Erfassung des Schöpferwesens weithin die nachfolgende Kunsttheorie: Frühromantik (Brüder SCHLEGEL): klassisch-romantisch, objektiv-interessant; NIETZSCHE: appollinisch-dionysisch, statisch-dynamisch usw.

RL; H. Meng, Schillers Abh. ›Üb. n. u. s. D.‹, 1936; P. Weigand, *A Study of Schiller's ›Üb. n. u. s. D.‹*, N. Y. 1952; W. Binder, D. Begriffe n. u. s. (Jb. d. dt. Schiller-Ges. 4, 1960); P. Szondi, D. N. ist das S. (Euph. 66, 1972); H. Jäger, Naivität, 1975.

Namen, sprechende, die schon in der Namenwahl Charaktere und Typen andeuten, kennt bereits die ›neue Komödie‹ der Antike, indem sie Bürger, Verliebte, Sklaven und Hetären durch bestimmte Namen in ihrer Standes- und Charakterzugehörigkeit kennzeichnet. E. Reihe antiker Namen, so bes. die der Schäfer- und Liebesdichtung (Daphnis, Chloe, Corydon) bleiben bis ins 18. Jh. für die Gattungen verbindlich. Die Namen der klassischen Dichtungen, bes. bei GOETHE und HÖLDERLIN, sind ebenfalls großenteils aus der Antike entlehnt (Hyperion, Bellarmin, Diotima), verbinden sich jedoch mit dem Wesen der bezeichneten Persönlichkeiten (Mignon, Jarno, Werther). Schon Lustspiel und Roman des 18. Jh. liebten sprechende Namen. Das realistische 19. Jh. (KELLER, FONTANE, RAABE) verwendet große Sorgfalt auf wesensgemäße Namengebung, meisterhaft, weil am wenigsten auffällig und am tiefsten eingängig bei G.

HAUPTMANN, R. HUCH und Th. MANN, deren Namen sich ohne Widerstand den dichterischen Gestalten anfügen.

Ch. Sennewald, D. N.gebg. b. Dickens, Diss. Bln. 1936; E. Berend, D. N.gebg. b. Jean Paul, PMLA 57, 1942; F. Dornseiff, Redende N. (Zs. f. N.forschg. 16, 1940); B. Boesch, Üb. d. N.gebg. mhd. Dichter, DVJ 32, 1958; R. Gerber, Z. N.gebg. b. Defoe (Fs. W. Hübner, 1964); H. Kunstmann, S. N. d. poln. Avantgarde-Dramatik (Welt d. Slaven 10, 1965); G. Eis, V. Zauber d. N., 1970; H. P. Schwake, Z. Frage d. N.symbolik i. höf. Roman, GRM 20, 1970; S. Tyroff, N. b. Th. Mann, 1975; E. M. Rajec, Literar. Onomastik, Bibliogr. 1977.

Nandî, einleitender Segensspruch und Preis Shivas als Eröffnung des klassischen ind. Dramas.

Nani, polynesische Liebeslieder.

Narodniki oder Populisten, ›Volkstümler‹, e. Gruppe russ. Schriftsteller um 1860–90, die im Gefolge der vorrevolutionären sozialistischen Bewegung aus eigener Anschauung das Leben des einfachen Volkes (Bauern, Kleinbürger) in meist skizzenhaften Erzählungen und Romanen darzustellen versuchten, teils in idealistischer Schönfärbung des Gemeinschaftsgeistes, teils auch mit aufklärender Aufzeigung der Rückständigkeiten und Verdorbenheiten: N. G. POMALOVSKIJ, G. USPENSKIJ, V. A. SLEPCOV, A. I. SEVITOV, P. V. ZASODIMSKIJ, N. N. ZLATOVRATSKIJ u. a.

F. Venturi, *Il populismo russo,* Turin II 1952 (engl.: *Roots of revolution,* N. Y. 1960); R. Wortman, *The crisis of Russian populism,* Lond. 1967.

Narodnost (russ. = Nationalcharakter), Forderung des →sozialistischen Realismus, daß die Literatur typische nationale und volkstümliche Gedanken und Charaktere in eigenständigen Formen wiederzugeben habe, im Ggs. zu wurzellosem Kosmopolitismus.

Narrator (lat. =) →Erzähler, heute insbes. der Erzähler oder Ansager im modernen →epischen Theater, der mit seinen Kommentaren und Reflexionen die Handlung auf anderer Ebene unterbricht bzw. die einzelnen Episoden der Handlung erst deutend zu einem Ganzen zusammenfügt.

Narrenliteratur, satirisch-didaktische Dichtung, die menschlich-geistige Schwächen, moralische Fehler und öffentliche Mißstände der Zeit in Verkleidung des Närrischen als Krankheiten des Geistes lächerlich darstellt und scharf geißelt oder andererseits gerade in den Mund des Narren Wahrheiten legt, die e. anderer verschweigen müßte. Das unterscheidet sie von den törichten Narren der Schwankbücher (Lalebuch = Schildbürger). Im AT., Antike und MA. vorgebildet, tritt die N. häufig auf in Zeiten großer geistiger Umwälzung, bes. im Zeitalter des Humanismus und der Reformation im alemannischen Raum. Als Personifizierung der Narrheit verdrängt seit S. BRANT der ›Narr‹ den früheren ›tôre‹ oder ›gouch‹ und erscheint als solcher auch in Fastnachtsspiel, Schwank, →Sottie, bes. aber in der Moral- und Kultursatire, daneben in kirchlicher Satire (festum stultorum = Narrenfest unter Vorsitz e. Narrenpapstes als ma. Volksfest in der Weihnachtszeit, anknüpfend an uralte Fastnachtsbräuche teils mythischer Herkunft) und den scherzhaften akademischen Quodlibetquästionen, z. B. JODOCUS' *Monopolium et societas vulgo des Lichtschiffs,* 1489. Einkleidungsformen der N. sind teils die der Narrenzunft, Gerichtsverhandlungen, Narrenmühlen, -fresser, -schneider u. a., bes. das Narrenfahrzeug: Narrenkarren oder -schiff. Die Einleitung der Hochblüte bildet S. BRANTS *Narrenschiff* (1494), als Geißelung menschlicher Schwächen und Torheiten von den Humanisten hochgefeiert, von J. LOCHER ins Lat. übersetzt und von größtem Einfluß auf das Geistesleben, die Predigtlit. und bes. die Satiren der Zeit: ERASMUS *Encomium moriae* (*Lob der Torheit,* 1511), dt. von S. FRANCK, FLAYDERS *Moria rediviva,* MURNERS *Narrenbeschwörung, Gäuchmatt, Von dem großen Lutherischen Narren,* FISCHART, H. SACHS, GEILER VON KAISERSBERG, GENGENBACH u. a., als letzte große Nachfahren am Ausgang des Barock ABRAHAM A SANCTA CLARA (*Judas der Ertzschelm* 1686, *Der Narrenspiegel*) und Chr. WEISE. Im Ggs. zu dieser Verkehrung der Torheit ins Narrenkostüm steht die seit dem 14. Jh. an Fürstenhöfen eingeführte Rolle des Hofnarren als des weisen Narren. Auch sie sollen anfangs den Hofstaat unter der Maske des Narren unterhalten, und ihre Erzählungen und Schwänke finden im *Pfaffen von Kalenberg,* im *Klaus Narr* u. a. (später in den Narrenbüchern F. v. d. HAGENS gesammelt) lit. Niederschlag, doch gewinnen sie bis zu ihrer Abschaffung seit Übernahme der franz. Hofetikette oft großen politischen Einfluß auf ihre Herren und dürfen als einzige unter der Maske der Narrheit die Wahrheit sagen. In dieser Gestalt – als weiser Narr in törichter Welt – leben sie in SHAKESPEARES Narrengestalten (bes. *König Lear*) und GRIMMELSHAUSENS *Simplicissimus* 1668 wie in den →komischen Personen der Engl. Komödianten, Commedia dell'arte und Wiener Volkskomödie fort. Der weise Narr feiert Auferstehung in der Romantik (TIECK, BRENTANO, EICHENDORFF, BÜCHNER, *Leonce und Lena,* MUSSET, *Fantasio,* NESTROY), bei G. HAUPTMANN (*Schluck und Jau*) und J. HAŠEK (*Schwejk*), im grotesken Drama des 20. Jh. (BRECHT, PRIESTLEY, *Take the fool away,* BEKKETT, *Warten auf Godot,* DÜRRENMATT, *Die Physiker*) und der Narr als Tor bei WIELAND, JEAN PAUL, IMMERMANN, und in K. A. PORTERS *Ship of fools.*

C. F. Flögel, Gesch. d. kom. Lit., IV 1784–87; ders., Gesch. d. Hofnarren, 1789; A. F. Nick, D. Hof- u. Volksnarren, II 1861; O. Monkemöller, Narren u. Toren i. Satire, Sprichwort u. Humor, 1912; O. M. Busby, *Studies in the development of the fool in Elizabethan drama,* Lond. 1923; RL; W. Gaedick, D. weise Narr i. d. engl. Lit. v. Erasmus bis Shakesp., 1928; B. Swain, *Fools and Follies,* N. Y. 1932; H. Goldsmith, *Wise fools in Shakespeare,* [2]1958; H. Wyss, D. Narr i. schweiz. Drama d. 16. Jh., 1959; E. H. Zeydel, *The ship of fools,* [2]1962; W. Kaiser, *Praisers of folly,* Cambr./Mass. 1963; W. Welzig, Beispielhafte Figuren, 1963; R. Klein, *The theme of fool and humanist irony* (*Archivio di filosofia* 3, 1963); K. J. Northcott, *The fool in early new high German lit. (Essays in German lit.* I, hg. F. Norman, Lond. 1965); K. G. Knight, *17th century views of human folly* (ebda.); W. Promies, D. Bürger als Narr, 1966; B. Könneker, Wesen u. Wandlg. d. Narrenidee i. Zeitalter d. Humanismus, 1966; A. Pompen, *The Engl. versions of the ship of fools,* N. Y. 1967; E. Welsford, *The fool,* Lond. [2]1968; J. Lefebvre, *Les fols et la folie,* Paris 1968; C. Träger, Üb. d. soz. Wesen d. lit. Narrenbeschwörg. (in ders.: Stud. z. Lit.theorie, 1970); G. Hess, Dt.-lat. Narrenzunft, 1971; G. Baumgaertel, Formen d. Narrenexistenz in d. dt. Lit. d. 50er u. 60er Jahre (*Revue des langues vivantes* 38, 1972); A. Bodensohn, D. Provokation d. Narren, III 1972–75; H. Rosenfeld, Brants Narrenschiff (Fs. H. Widmann, 1974); W. Deufert, Narr, Moral u. Gesellsch., 1975.

Nasīb (arab.), die erotische Einleitung der →Kasside oder des Ghasel.

Nâtaka, verbreitete Gattung des ind. Dramas mit einem Stoff aus der heiligen Überlieferung und einem Gott, Heiligen oder König als Helden.

Nationalbibliographie →Bibliographie

Nationalepos (lat. *natio* = Volk, griech. →*epos*), dasjenige →Heldenepos e. Volkes, das wegen seiner dem Volkswesen angepaßten Grundhaltung und seiner Behandlung national bedeutsamer Ereignisse aus der Zeit der Volkwerdung bei e. Nation weiteste Verbreitung und Beliebtheit gefunden hat: babylon. *Gilgameschepos,* ind. *Mahâbhârata* und *Râmâyana,* pers. *Shâh-Nāmé,* griech. *Ilias,* röm. *Aeneis,* dt. *Nibelungenlied,* franz. *Chanson de Roland,* span. *Cid,* portugies. *Lusiaden,* engl. *Beowulf,* russ. *Igorlied,* georg. *Der Mann im Pantherfell,* finn. *Kalevala,* estn. *Kalevipoeg* usw.

Nationalhymne (lat. *natio* = Volk, griech. →*hymnos*), allg. bekanntes und bei patriotisch-festlichen Gelegenheiten im Chor gesungenes vaterländisches Lied als Symbol der Zusammengehörigkeit e. Volkes. Die Bz. →Hymne ist unzutreffend, die dichterischen und musikalischen Werte der N. sind infolge des Massenappells gering, werden jedoch durch e. unwillkürlichen Gefühlsgehalt aus der Bedeutung der N. ersetzt; meist aus großem nationalem Anlaß heraus entstanden und im Zuge der Begeisterung übernommen; zuerst in Holland: *Wilhelmus von Nassauen* 1581, England *God save the King (Queen)* 1743 von H. CAREY, Frankreich *Marseillaise* 1792 von C. J. ROUGET DE LISLE, Polen *Jeszcze Polska* (= Noch ist Polen nicht verloren) 1797 von J. WYBICKI, Dänemark *König Christian* 1780, Schweden *Du gamla* (Volkslied von R. DYBECK), Preußen *Heil dir im Siegerkranz* 1793, ab 1871 dt. N., gleichzeitig Österreich *Gott erhalte Franz den Kaiser* 1797 von HASCHKA mit Melodie von HAYDN, zu der HOFFMANN VON FALLERSLEBEN am 26.8.1841 auf Helgoland den neuen Text *Dtl., Dtl. über alles* dichtete, der durch Verordnung des Reichspräsidenten vom 11.8.1922 und wiederum des Bundespräsidenten 1952 zur N. erklärt wurde.

B. Herter, D. N., 1958–65; M. F. Shaw, H. Coleman, *National anthems,* Lond. 1960.

Nationalliteratur, von HERDER und WIELAND diskutierte, dann seit Erwachen des Nationalismus unter dem Druck Napoleons eingeführte Bz. für die gesamten dichterischen und belletristischen Leistungen e. Volkes (→Literatur) als Spiegel der nationalen Selbstreflexion, obwohl schon von GOETHE durch den Begriff der →Weltliteratur im Zeitalter des schrankenlosen geistigen Austausches verdrängt.

H. Rüdiger, N. u. europ. Lit. (in ders.: Definitionen, 1963).

Nationalsozialismus. Der Einfluß des N. und die dirigistischen Maßnahmen des totalitären Regimes im Dritten Reich haben der dt. Lit. im 20. Jh. einen schweren Schaden zugefügt, der erst dann zu ermessen ist, wenn man das Niveau der verbleibenden innerdeutschen Lit. am gleichzeitigen Weltniveau mißt. Die Literaturpolitik des N. zielte im wesentlichen auf: 1. Ausschaltung unliebsamer Schriftsteller und -gruppen aus dem lit. Leben durch Bücherverbrennung (1933), Herausgabe von Listen auszusondernder Lit. an öffentliche Bibliotheken, Neuordnung der →Schriftstellerverbände durch Zusammenschluß in der Reichsschrifttumskammer, deren nichtarische Mitglieder ausgeschieden wurden und wie alle Nichtmitglieder automatisch Schreibverbot erhielten, sowie durch die Neuordnung der Preuß. Dichterakademie, 2. Reglementierung des lit. Lebens durch das Reichskulturkammergesetz, durch Zensur (Amt für Schrifttumspflege;

parteiamtliche Prüfungskommission) und (seit 1936) Kritikverbot, 3. Förderung des NS-Schrifttums durch Aufnahme in die NS-Bibliographie und entsprechende Steuerung der Preise und Ehrungen. Die Folgen dieser Maßnahmen waren das Entstehen einer für das freie Deutschland allein repräsentativen →Exilliteratur, eine →innere Emigration der weniger Engagierten und ein Verharren der geduldeten und geförderten Lit. auf niveaulosem Epigonentum nach dem ästhetisch unhaltbaren Geschmack des Regimes. Die Themen der NS-Lit. sind völkisch-national im Sinne eines überholten, engstirnigen Chauvinismus. Die sog. →Blut- und Bodendichtung mit ihrer naturreligiösen Verherrlichung der Scholle und ihrer idyllischen Verklärung eines gegenwartsentrückten Daseins in bäuerlicher Welt mit betont antizivilisatorischem Affekt erweist sich für eine Industrienation als von höchst fragwürdiger Wirklichkeitsnähe. An die Stelle sozialer Lit. tritt die Verherrlichung der Gemeinschaft in Volk und Nation mit der anti-individualistischen Tendenz zur Entpersönlichung durch Aufgehen in der Gemeinschaft. Die heroisierende Geschichtsdichtung erneuert in blindem Atavismus als vermeintlich german. Blutserbe nordischen Mythos und german. Schicksalsglauben, huldigt in pseudohistor. Geschichtsromanen dem Reichsgedanken und dem Führerkult, indem sie Gefolgschafts- und Fahnentreue als erstrebte Gegenwart in die Vergangenheit projiziert, ohne der histor. Situation Rechnung zu tragen, und verbrämt als →Weltkriegsdichtung in falscher Idealisierung Opfersinn und Kameradschaft mit aktuellen Durchhaltephrasen. Schon gänzlich außerhalb lit. und ästhet. Maßstäbe steht die reine NS-Kampfdichtung mit dem Ziel polit. Massenbeeinflussung. Unter den formalen Aspekten überwiegt ein epigonales Verharren in traditioneller Ästhetik, in dekorativem Sprachpathos (bis zum Kitsch), eine betonte Volkstümlichkeit mit anti-intellektuellem Affekt, die Ausschaltung jedes Experiments, der Ratio und des unverbindlichen sprachlichen Spiels als vorantreibender Impulse zugunsten einer Fortsetzung emotionsbetonter, doch vielfach nur phrasenhafter Gefühls- und Erlebnisdichtung, deren Unechtheit sich darin offenbart, daß die technisierte Umwelt vom Gemüthaften her nicht bewältigt werden kann. Die Lyrik bleibt pseudoromantisch-volkstümlich, neigt zum Pathos der Selbstfeier und greift in Sprechchören und Kantaten wie Chorspielen kultische und pseudoreligiöse Formen auf. Ihre Aggressivität im Dienste der Wehrertüchtigung gipfelt in pathetisch-kitschigen Marsch- und Kampfliedern. Auch das Drama, weitgehend epigonal neuromantisch, entwickelt in Weihespielen und Freilichtspielen pseudokultische Formen von pathetischer Belanglosigkeit. Im Roman dominiert neben den traditionellen Erziehungsromanen und altertümelnd-manierierten Versuchen im Sagastil der Gottsucher- und Eigenbrötler-Roman als verkappter Führerkult, in der Novellistik anstelle menschlicher Probleme heroische Konflikte. Die Kapitulation von 1945 bereitete allen diesen Erscheinungen, die nicht den Anspruch erheben können, das lit. Dtl. zu vertreten, ein rasches Ende.

Des dt. Dichters Sendung i. d. Ggw., hg. H. Kindermann 1933; ders., D. dt. Gegenwartsdichtg., 1936; H. Langenbucher, NS-Dichtung, 1935; K. Köhler, Einf. i. d. Schrifttum d. Ggw., 1937; H. Gerstner u. K. Schworm, Dt. Dichter uns. Zeit, 1939; N. Langer, D. dt. Dichtg. seit d. Weltkrieg, ²1941; A. Mulot, D. Dichtg. uns. Zeit, ²1944; H. Langenbucher, Volkhafte Dichtg. d. Zeit, ¹⁰1944. – F. Schonauer, Dt. Lit. im 3. Reich, 1961; D. Strothmann, Nationalsozialist. Lit.politik, ³1968; H. Brenner, D. Kunstpolitik d. N., 1963; J. Wulf, Lit. u. Dichtg. i. 3. Reich, 1963; ders., Theater u. Film i. 3. Reich, 1964; R. Geißler, Dekadenz u. Heroismus, 1964; ders., Dichter u. Dichtg. d. N. (Hdb. d. dt. Gegenwartslit., hg. H. Kunisch 1965); A. Schöne, Üb. polit. Lyrik i. 20. Jh., 1965; O. J. Hale, Presse i. d. Zwangsjacke, 1965; P. Aley, Jugendlit. i. 3. Reich, 1967; E. Loewy, Lit. unterm Hakenkreuz, 1966; U.-K. Ketelsen, Heroisches Theater, 1968; J. Hagemann, D. Presselenkg. i. 3. Reich, 1970; U.-K. Ketelsen, V. heroischen Sein u. völk. Tod, 1970; D. Aigner, D. Indizierg. ›schädl. u. unerwünscht. Schrifttums‹ i. 3. Reich, 1971; NS-Literaturtheorie, hg. S. L. Gilman 1971; A. Hamilton, *The appeal of fascism*, Lond. 1971; L. Richard, *Nazisme et lit.*, Paris 1971; K. Vondung, Magie u. Manipulation, 1971; ders., Völk.-nationale u. ns. Lit.theorie, 1973; U.-K. Ketelsen, Völk.-nationale u. ns. Lit. i. Dtl., 1976; D. dt. Lit. i. 3. Reich, hg. H. Denkler 1976; Gegenwartslit. u. 3. Reich, hg. H. Wagener 1977; R. Stollmann, Ästhetisierg. d. Politik, 1978; Kunst u. Kultur i. dt. Faschismus, hg. R. Schnell 1978.

Nationaltheater, Bz. für Bühnen, die der Pflege insbes. der einheimischen Dicht- und Schauspielkunst dienen und nationales Wesen darstellen wollen; entstanden im 18. Jh. nach dem Vorbild des Théâtre français und der Comédie française aus der Erkenntnis von der starken Zusammengehörigkeit von Theater und Volkstum als Spiegelung des Volkslebens, Selbstdarstellung der eigenen Art in festlich-repräsentativem Bühnenrahmen; 1747 von J. E. SCHLEGEL in seinen *Gedanken zur Aufnahme des dän. Theaters* gefordert. Der erste dt. Versuch, das 1767 von LÖWEN mit Hilfe LESSINGS und EKHOFS gegr. Hamburgische N., dessen Leistungen LESSING in der *Hamburgischen Dramaturgie* kritisch betrachtete, scheiterte an unzureichenden Mitteln und fehlerhaften Voraussetzungen: die eigene dt. Dramatik und das dt. Berufsschauspielertum waren der franz., engl., ital. und span. Dramatik noch nicht gewachsen, und e. Mäzenatentum bestand nicht. Es folgten 1776 das von Kaiser JOSEPH II. in ›N.‹ umbenannte Wiener Burgtheater ›zur Verbreitung des guten Geschmacks, zur Veredelung der Sitten‹, später bes. unter SCHREYVOGEL, 1779 das Mannheimer N. unter Kurfürst KARL THEODOR mit Hilfe DALBERGS und IFFLANDS, berühmt durch die Aufführung der Jugenddramen SCHILLERS, der dort →Bühnendichter war, und 1786 das Berliner Hoftheater als N. unter IFFLAND. Maßgebend für die Entwicklung e. volkhaften dramatischen Leistung wurde außer den obigen bes. das europ. Bedeutung erreichende Weimarer Theater unter GOETHE, das jedoch erst 1918 mehr in Erinnerung an die ruhmreiche Vergangenheit als infolge gegenwärtiger Kunstleistung in ›Dt. N.‹ umbenannt wurde. Doch durch das ganze 19. Jh. lebt der Gedanke an e. nationales Festspiel von DINGELSTEDT bis WAGNER auch an anderen Bühnen fort – Streben nach kultureller Einigung an Stelle der versagten politischen. Auch der Norden (Oslo, Kopenhagen) und bes. Südosten Europas (Warschau, Lemberg, Prag, Agram, Sofia, Belgrad) folgen dem Vorbild.

E. Devrient, D. N., ²1919; J. Petersen, D. dt. N., 1919; J. Kittenberg, D. Entw. d. Idee d. dt. N., Diss. Mchn. 1925; RL; W. Feustel, N. u. Musterbühne, Diss. Greifsw. 1954.

Naturalismus, allg. jeder durch naturgetreue Abbildung der Wirklichkeit unter Ausschaltung jeder Stilisierung und aller geistigen Faktoren gekennzeichnete Kunststil; bes. e. gesamteurop. lit. Strömung rd. 1880–1900. Ihre geistesgeschichtlichen Grundlagen sind der auf den naturwissenschaftlichen Erkenntnissen aufbauende, jeder Metaphysik abholde Positivismus (A. COMTE, H. TAINE): Der in die Natur als sinnliche Erscheinungswelt eingefügte Mensch ist wie diese naturwissenschaftlich zu verstehen als Produkt der Faktoren Erbe (Rasse), →Milieu und geschichtliche Situation. Die Dichtung muß demnach das naturwissenschaftliche Mittel des Experiments übernehmen (ZOLA, *Le roman expérimental*, 1880). ZOLA, der DIDEROT, BALZAC und die GONCOURTS als seine Vorgänger betrachtet, definiert: ›Die Kunst ist e. Stück Natur, gesehen durch e. Temperament‹ und fügt dadurch noch e. subjektives Moment ein. Aufgabe des Dichters sei obendrein die Aufdeckung von Kausalzusammenhängen, die er in seinem Hauptwerk *Les Rougon-Macquart* (1871 bis 1893) mit wissenschaftlicher Exaktheit aus der materialistischen Milieu- und Vererbungstheorie ableitet. Strenger formuliert A. HOLZ: ›Die Kunst hat die Tendenz, wieder die Natur zu sein. Sie wird sie nach Maßgabe ihrer jeweiligen Reproduktionsbedingungen und deren Handhabung‹ und schaltet damit jede subjektive Phantasie aus. Der dt. N. entsteht aus starken ausländischen Anregungen: in Frankreich der Roman ZOLAS, auf dessen Bedeutung M. G. CONRAD und O. WELTEN schon frühzeitig hinweisen; in Rußland die Romane TOLSTOJS und DOSTOEVSKIJS; in Skandinavien bes. das Drama IBSENS, dessen Gesellschaftsstücke die Brüchigkeit bürgerlicher Weltordnung aufdekken, BJÖRNSONS heiter-religiöse Dichtung und STRINDBERGS Dramen. Auch der dt. Realismus, dessen Übersteigerung der N. darstellt, bot im Drama HEBBELS und BÜCHNERS wie den Romanen FONTANES erste Ansätze. – E. scharfe Kritik des zeitgenössischen Epigonentums in den *Kritischen Waffengängen* von J. und H. HART, in der Zs. *Die Gesellschaft* (1885 ff.), hg. von M. G. CONRAD, und in K. BLEIBTREUS *Revolution der Litteratur* (1886) räumt mit der Vergangenheit auf und bereitet den Weg für die Programmschriften des N.: W. BÖLSCHES *Naturwissenschaftliche Grundlagen der Poesie* (1887) und A. HOLZ' *Die Kunst. Ihr Wesen und ihre Gesetze* (1891) sowie CONRADIS und HENCKELLS Anthologie *Moderne Dichtercharaktere* (1885). Von der formalen Theorie weniger betont wird die inhaltliche Seite des N.: Hier erweist sich das soziale Mitgefühl, Mitleid mit den Armen und Geknechteten, der unter der zunehmenden Industrialisierung leidenden Arbeiterschaft als ausschlaggebend nicht nur für die Stoffwahl – freilich ließ sich ›Wirklichkeit‹ am eindrucksvollsten im äußerlichen und moralischen Elend der Großstadtquartiere, unter Kranken, Geistesgestörten, Alkoholikern und Dirnen gestalten – sondern auch für die sozialrevolutionären Tendenzen und das menschliche Ethos der Dichtung wie für den Stil des N., der die präzise Wirklichkeitsgestaltung übersteigert bis zu Stammeln, Stottern, Anakoluthen, grammatisch falscher Umgangssprache, Vermeidung des unnatürlichen →Monologs und Wiedergabe kleinster Erfahrungseinzelheiten in exakt geordneter Unmittelbarkeit (→Sekundenstil). Die Präzision der schriftstellerischen Technik nähert sich der Reportage, dem Dokumentarfilm und der wissenschaftlichen Arbeitsmethode, enthält sich der Deutung der wiedergegebenen Zustände und konnte bei festgelegter Arbeitsmethode zur Zusammenarbeit zweier Dichter am gleichen Werk führen (HOLZ-SCHLAF). Doch peinliche Wahrhaftigkeit und unmittelbare Lebensnähe ersetzen nicht die künstlerische Vollendung. Die größten Leistungen des N. zeigt das Drama und seine Inszenierung (auf der →Freien Bühne). Es ›hat vor allem Charaktere zu zeichnen. Die Handlung ist nur Mittel‹ (A. HOLZ). Daraus erklärt sich die Vorliebe für geringe Personenzahl, ausführliche →Bühnenanweisungen, →analytischen Handlungsaufbau, Wahrung der Orts- und Zeiteinheit aus Wahrscheinlichkeitsgründen, doch Auflösung der geschlossenen Dramenform in Stimmungsbilder. ZOLA, GONCOURT und H. BECQUE, in Rußland TOLSTOJ *(Macht der Finsternis)* und bes. die skandinav. Naturalisten gehen mit drastisch-düsteren Zustandsschilderungen voran. Unter dem Eindruck von A. HOLZ/J. SCHLAFS Novellenskizzen *Papa Hamlet* folgt G. HAUPTMANN mit *Vor Sonnenaufgang* 1889, dann *Friedensfest, Einsame Menschen, Die Weber,* und, als Anwendung naturalistischer Prinzipien auf das historische Drama, *Florian Geyer*. Wenngleich HAUPTMANN durch Einbeziehung des Märchenhaften in *Hanneles Himmelfahrt* (1894) und *Die versunkene Glocke* (1896) die Grenzen des N. zugunsten neuromantisch-symbolischer Elemente überschreitet, kehrt er doch im Fuhrmann Henschel (1898) und *Rose Bernd* (1903), selbst im Spätwerk bei *Dorothea Angermann* (1926) und *Vor Sonnenuntergang* (1932) immer wieder zum N. zurück. Stärker im N. verhaftet ist das dramatische Schaffen von A. HOLZ, anfangs zusammen mit J. SCHLAF *(Familie Selicke),* M. HALBE, H. SUDERMANN, G. HIRSCHFELD, O. E. HARTLEBEN und F. STAVENHAGEN. – Der Roman des N. erreicht bes. Bedeutung im Ausland: ZOLA, DOSTOEVSKIJ, TOLSTOJ. Er ist meist psychologischer oder gesellschaftskritischer Großstadtroman und bemüht sich um die Erfassung der neuen sozialen Strukturen in minutiöser Beschreibung der Zustände: M. KRETZER, M. G. CONRAD, H. CONRADI, K. BLEIBTREU, K. ALBERTI, H. BAHR, C. VIEBIG, W. v. POLENZ, H. BÖHLAU und bes. SUDERMANN, während LILIENCRONS Novellen trotz des Sekundenstils in den Impressionismus übergehen. – In der Lyrik wird der Bruch mit den traditionellen Formen am deutlichsten. Ihre Inhalte sind ebenfalls Technik und Großstadt. Während LILIENCRON auch hier in den Impressionismus übergeht, erstrebt A. HOLZ im *Phantasus* e. Form, ›die auf jede Musik durch Worte als Selbstzweck verzichtet und, rein formal, lediglich durch e. Rhythmus getragen wird, der nur noch durch das lebt, was durch ihn zum Ausdruck ringt‹. HOLZ verzichtet auf Reim, Strophen und freie Rhythmen und geht zu e. um e. rhythmische Mittelachse geordneten Prosalyrik über. Gemäßigter und z. T. traditionell bleiben W. ARENT, K. HENCKELL, J. und H. HART, J. H. MACKAY und H. CONRADI. Als Gegenströmung zu dem großstädtisch-international orientierten N. (München, Berlin) erscheinen seit 1890 →Heimatkunst und →Neuromantik, als seine Fortsetzung in anderen sozialen Schichten die →Arbeiterdichtung. Die literarhistorische Bedeutung des N. lag in der Erschließung neuer Objekte und Erlebnisbereiche für die dichterische Darstellung, in der Entwicklung neuer Gestaltungsarten und in der ungeheuren Bereicherung der Sprache durch prägnante Ausdrucksmöglichkeiten komplexer Gemütsstrukturen. Die Annäherung der Literatur- an die Umgangssprache und der naturkopierende Darstellungsstil finden jenseits der zeitbedingten Strömung bes. Anwendung in der modernen amerikan.

Erzählkunst (DREISER, Th. WOLFE, Norman MAILER). →Verismus.

F. Brunetière, *Le Roman n.*, ²1895; V. Valentin, D. N., 1891; A. R. Schlismann, Beitr. z. Gesch. u. Kritik d. N., Diss. Zürich 1903; A. Stoeckius, *N. in the recent German drama,* N. Y. 1903; L. Benoist-Hanappier, *Le drame n. en Allemagne,* 1905; O. Doell, D. Entw. d. n. Form, Diss. Halle 1909; M. Günther, D. soziolog. Grundlagen d. n. Dramas, Diss. Lpz. 1912; B. Manns, D. Proletariat u. d. Arbeiterfrage i. dt. Drama, Diss. Rostock 1913; E. Lemke, Hauptrichtgn. i. dt. Geistesleben, 1914; St. A. Brooke, *N. in Engl. poetry,* Lond. 1920; O. F. Walzel, D. Geistesströmungen d. 19. Jh., 1924; J. Bab, D. N. (in R. F. Arnold, D. dt. Drama, 1925); A. Fejes, *Le théâtre n. en France,* Lausanne 1925; H. Röhl, D. N., 1927; L. Deffoux, *Le N.,* Paris 1929; F. Mehring, Lit.gesch. v. Hebbel bis Gorki, 1929; RL; L.; Fischer, Kampf um N., Diss. Rostock 1931; R. Hartogs, Theorie d. Dramas i. dt. N., 1931; R. König, D. n. Ästhetik i. Frkr., 1931; H. Claus, Stud. z. Gesch. d. dt. Früh-N., 1933; L. Niemann, Zur Soziologie d. n. Romans, 1934; I. Günther, D. Einwirkg. d. skand. Romans auf d. dt. N., Diss. Gießen 1934; W. R. Gaede, Z. geistesgesch. Deutg. d. Früh-N. (*Germanic Review* 11, 1936); W. H. Root, *Optimism in the n. Weltanschauung* (ebda. 12, 1937); H. Kasten, D. Idee d. Dichtg. d. N., Diss. Kgsbg. 1936; L. Deffoux, *Le N.*, Paris 1939; C. Beuchat, *Hist. du n. français,* Paris II 1949; J. Weno, D. Theaterstil d. N., Diss. Bln. 1951; P. Cogny, *Le N.,* Paris 1953; R. Dumesnil, *Réalisme et n.*, Paris ²1955; C. C. Walcutt, *American literary n.*, Minneapolis 1956; L. Åhnebrink, *The beginnings of n. in Americ. fiction,* N. Y. ²1961; Lit. Manifeste d. N., hg. E. Ruprecht 1962; W. T. Pattison, *El n. español,* Madrid 1965; P. Martino, *Le n. franç.*, Paris ⁶1966; R. Hamann, J. Hermand, N., ²1968; U. Münchow, Dt. N., 1968; G. Voswinkel, D. lit. N. in Dtl., Diss. Bln. 1970; J. Osborne, *The n. drama in Germany,* Manchester 1971; W. R. Maurer, *The n. image of German lit.*, 1972; K. Günther, Lit. Gruppenbildg. i. Berliner N., 1972; R. C. Cowen, D. N., 1973; S. Hoefert, D. Drama d. N., ²1973; E. McInnes, D. nat. Dramentheorie (Zs. f. dt. Philol. 93, 1974); M. Brauneck, Lit. u. Öffentlichk. i. ausgeh. 19. Jh., 1974; N., hg. H. Scheuer 1974; G. Schmidt, D. lit. Rezeption d. Darwinismus, 1974; G. Mahal, N., 1975; *American lit. n.*, hg. Y. Hakutani u. a. 1975; J. Schutte, Lyrik d. dt. N., 1976; G. Kluge, D. verfehlte Soziale (Zs. f. dt. Philol. 96, 1977); H.-G. Brands, Theorie u. Stil d. sog. konsequenten N., 1978. →Gegenwartsdichtg.

Natureingang, Naturschilderung als Einleitung zu einem Liebeslied in Minnesang oder Volkslied, als Einbeziehung der Natur in die Liebesstimmung seit DIETMAR VON AIST toposartig weitverbreitet, entstanden nicht aus echtem, urspr. Naturgefühl, sondern als abgeleiteter Ausdruck menschlichen Gefühls an den herkömmlichen Requisiten: Bäumen, Blumen und Vögeln.

B. v. Wulffen, D. N. i. Minnesang u. frühem Volkslied, 1963.

Naturgedicht →Naturlyrik

Naturgefühl als seelisch-erlebnishaftes Beteiligtsein des Dichters, bes. Lyrikers, an Naturerscheinungen (Jahreszeit, Klima, Landschaft, Pflanzen und Tiere) kennt schon die Antike, bes. in →Idyll und Elegie (THEOKRIT, VERGIL, PROPERZ, TIBULL), vereinzelt der Minnesang (WALTHER, später NEIDHART) und das ma. Volkslied sowie z. T. die religiöse Lyrik des 17. Jh. (GERHARDT), wobei jedoch Nachwirkung antiker Topoi hineinspielt. Der eigtl. Durchbruch wahrer Naturverbundenheit in der Dichtung erfolgt erst seit KLOPSTOCK, dem Göttinger Hain und GOETHE, bes. in Romantik und Biedermeier, Realismus und Impressionismus, während in rationaler gestalteten Epochen wie Aufklärung, Naturalismus und Expressionismus das Naturerlebnis durch andere Erlebnisgehalte verdrängt wird.

J. Adam, D. N. i. d. dt. Dichtg., II 1906–08; G. Stockmayer, N. i. Dtl. i. 10.–11. Jh., 1910; S. Schultze, D. N. d. Romantik, ²1911; B. Q. Morgan, *Nature in mhd. lyrics,* 1912; W. Ganzenmüller, D. N. i. MA., 1914; A. von der Heide, D. N. i. d. engl. Dichtung i. Zeitalter Miltons, 1915; F. Ratzel, Üb. N.schilderg., ⁴1923; E. Pons, *Le thème et le sentiment de la nature dans la poésie anglosaxonne,* Straßb. 1925; A. Biese, D. N. i. Wandel d. Zeiten, 1926; E. Blunden, *Nature in Engl. lit.,* Lond. 1929; G. Bieder, Natur u. Landschaft i. d. Barocklyrik, Diss. Zürich

1927; M. Greiner, D. frühromant. N., 1930; W. Flemming, D. Wandel d. dt. N. v. 15.–18. Jh., 1931; E. R. Curtius, Rhetor. N.schilderg. i. MA. (Roman. Forschgn. 56); G. Schütze, D. N. um d. Mitte d. 18. Jh., Diss. Lpz. 1933; J. W. Beach, *The concept of nature in 19th-century poetry*, 1936; L. Schneider, D. N.dichtg. d. dt. Minnesangs, 1938; K. O. Schmidt, D. Wandel d. N. i. d. erzähl. Dichtg. d. Gegenw., 1940; H. Mittelbach, Natur u. Landsch. i. klass. höf. Epos, 1941; S. Korninger, D. Naturauffassg. i. d. engl. Dichtg. d. 17. Jh., 1956; H. Schneebauer, Stud. z. Naturauffassg. i. d. geistl. Lyrik d. Barockzeitalters, Diss. Wien 1956; N. Foerster, *Nature in Americ. lit.*, N. Y. [2]1958; G. Atkinson, *Le sentiment de la nature 1690–1740*, Genf 1960; P. v. Tieghem, *Le sentiment de la nature dans le Préromantisme Europ.*, Paris 1960; G. R. Roy, *Le sentiment de la nature dans la poésie canad.*, Paris 1961; J. Arthos, *The Lang. of nat. description in 18th. cent. poetry*, N. Y. [2]1966; M. Ammermann, Gemeines Leben, 1978.

Naturismus, von Saint-Georges de BOUHÉLIER 1897 geprägte Bz. für die von ihm gegründete lit. Richtung, die den franz. Naturalismus bes. im Drama poetisieren und spiritualisieren, materialistische und poetische Elemente verbinden wollte und das Leben als Ganzes betrachtete. Weitere Anhänger der Richtung waren E. MONTFORT und M. LE BLOND; Einfluß auf A. de NOAILLES und F. JAMMES.

Naturlänge →Länge

Naturlyrik, stoffbestimmte Sammelbz. für alle Formen der →Lyrik, deren Zentralmotive Naturerscheinungen (Landschaft, Wetter, Tier- und Pflanzenwelt) sind und die auf dem Erlebnis der Natur aufbauen; in dt. Lit. bes. seit BROCKES und KLOPSTOCK, Höhepunkt bei GOETHE und in der Romantik (EICHENDORFF); in dt. Gegenwartsdichtung etwa vertreten durch G. BRITTING, W. LEHMANN, K. KROLOW, G. EICH u. a. Vgl. →Naturgefühl.

C. V. Deane, *Aspects of 18th. cent. nature poetry*, Lond. 1935; K. M. Scoular, *Natural magic*, Oxf. 1964; A. Reininger, Natur als Gehalt d. Lyrik v. Brockes bis Heine, Diss. Wien 1966; A. v. Bormann, Natura loquitur, 1968; K. Riha, D. Naturgedicht (Tendenzen d. dt. Lit. seit 1945, hg. T. Koebner 1971); U. K. Ketelsen, N. Naturpoesie d. norddt. Frühaufklärg., 1974; N. u. Gesellschaft, hg. N. Mecklenburg 1977; G. Fritsch, D. dt. Naturgedicht, 1978. →Naturgefühl.

Naturmythos →Mythos

Naturnachahmung →Mimesis

Natursagen, an landschaftliche Besonderheiten (z. B. Roßtrappe im Harz) oder klimatische Erscheinungen (z. B. der wilde Jäger) anknüpfende und sie aitiologisch ausdeutende Sagen, meist zugleich →Lokalsagen.

O. Dähnhardt, N., III 1907–12; L. Bødker, *Folk lit.*, Koph. 1965.

Naturtheater →Freilicht-, →Heckentheater; im engeren Sinne auch davon unterschieden e. Theater, bei dem der stimmungsmäßige Einfluß der Natur zur Mitwirkung bei der Aufführung benutzt wird, seit der Empfindsamkeit, dem Sturm und Drang, bes. ROUSSEAU und den engl. Naturdichtern üblich.

B. Schöpel, N., 1965.

Naumachia (griech. = Seeschlacht), theatralische Seeschlachten, häufig Rekonstruktionen historischer Gefechte (Salamis), beliebtes Schauspiel zur Volksbelustigung im antiken Rom; in der unter Wasser gesetzten Arena des Amphitheaters, zu diesem Zweck eigens errichteten Bassins (›N.‹ des AUGUSTUS auf dem rechten Tiberufer) oder selbst Binnenseen veranstaltet. Als Schiffsmannschaften der beiden feindlichen Flotten dienten Gefangene und Verbrecher, die bis zum Tode kämpfen mußten oder vom Kaiser für bes. gute Darstellung begnadigt wurden. Zuerst 46 v. Chr. von CAESAR eingeführt; berühmt die N. auf dem Lacus Fucinus 52 n. Chr. von zwei Flotten zu je 12 Trieren mit 19000 Teilnehmern; später auch in Provinzstädten.

L. Friedländer, Sittengesch. Roms, 1959.

Nâyanâr (ind. = Führer), ind. religiöse Dichter des 7.–9. Jh. n. Chr., shivaitische Sänger der Gottesliebe. Die wichtigsten der 63 überlieferten sind APPAR, SHAMBANDAR und SHUNDARAR; ihre Werke sind in den ersten 7 Büchern des Tamil-Veda zusammengefaßt *(Tirumurai)*.

Nea →Komödie

Nebenhandlung, im Drama eine →Handlung, die nicht für den Verlauf der Haupthandlung und damit des Stückes entscheidend ist, sondern vielmehr als Kompositionselement und organischer Teil des Werkganzen die Haupthandlung variiert, paraphrasiert, ausdeutet, kommentiert, in ihrer Bedeutsamkeit abgrenzt, relativiert und damit die Grenzen der Allgemeingültigkeit des Einzelfalles sichtbar macht. Sie entstand im neueren Drama, z. B. in der elisabethan. Tragödie, vielfach aus gegenläufigen Zwischenspielen, die auf die Haupthandlung bezogen und anfangs nur locker mit ihr verknüpft wurden. Beispiel: Werner und Franziska in LESSINGS *Minna von Barnhelm*.

G. Reichert, D. Entwicklg. u. d. Funktion d. N. i. d. Tragödie vor Shakespeare, 1966.

Nebenmotiv →Motiv

Nebenrechte, im Verlags- und Urheberrecht alle diejenigen Nutzungsrechte, die neben dem Hauptnutzungsrecht in Betracht kommen, für eine Buchpublikation z. B. Rechte für Vorabdruck, Zeitungs- und Zeitschriftenabdruck, Dramatisierung, Aufführung, Rundfunksendung, Verfilmung, Übersetzung und Lizenzausgaben (Taschenbuch- und Buchgemeinschaftsausgabe). Sie werden in Dtl. zumeist vom Verlag, in den USA, wo das →Copyright beim Autor verbleibt, von diesem oder dessen Agenten verwaltet.

Nebenrolle, im Drama jede nicht tragende, d. h. für den Ausgang der Handlung entscheidende →Rolle.

Nebentitel, ein nicht sprachlich, doch sinngemäß mit dem Haupttitel eines Werkes identischer →Titel, etwa verkürzte Fassung desselben als Umschlag-, Vor- oder Kupfertitel.

Negativer Held →Antiheld

Neger = →Ghostwriter

Négritude (franz. = Neger-Sein), von A. CÉSAIRE 1939 geprägte Bz. für das neue kulturelle Selbstbewußtsein der Afrikaner und Afroamerikaner, das zur Aufwertung afrikan. Traditionen, Ablehnung der Verwestlichung und Leugnung europ. Hegemonie führte und dem afrikan. Kulturschaffen neue Impulse gab, bes. in der neoafrikan. Literatur 1939–48: L. DAMAS, A. CÉSAIRE, L. S. SENGHOR, von letzterem zur polit. Ideologie ausgebaut.

J. Jahn, Muntu, 1958; T. Mélone, *De la n.*, Paris 1962; L. S. Senghor, N. u. Humanismus, 1967; I. L. Markovitz, *L. S. Senghor*, N. Y. 1969; S. Adotevi, *N.*, 1972.

Nekrolog (griech. *nekros* = Leichnam, *logos* = Rede), Nachruf auf e. kürzlich Verstorbenen in Form e. Darstellung und Würdigung seines Lebenslaufs und -werks, auch Slg. solcher →Biographien; im MA. Nekrologien: kirchl. Totenregister oder Verzeichnisse der Toten, derer man im Gebet zu gedenken hatte. Vgl. →Leichenrede.

Nemesis (griech. = Unwille, Tadel), in griech. Mythologie Rachegöttin, Göttin der Bestrafung für Missetat und bes. Vergeltung des Übermuts (→Hybris) im Glück. E.

bes. für SCHILLERS Dramen bedeutsame Vorstellung.

C. Heselhaus, D. N.-Tragödie (Deutschunterricht, 1952).

Nenia →Nänie

Neogongorismo →Gongorismus

Neologismus (griech. *neos* = neu, *logos* = Wort), sprachliche Neubildung, meist mit dem Nebensinn des Fehlerhaften, krampfhaft Gewagten, Überflüssigen.

A. Herberth, Neue Wörter, 1977.

Neorealismus (ital. *neorealismo* = neuer Realismus), auch Neoverismus, d.h. neuer →Verismus (→Naturalismus), herrschende Stilrichtung der ital. Erzähllit. der 2. Nachkriegszeit seit 1943 unter Einfluß der amerikan. und russ. Lit., erstrebt ein ungeschminktes, kraßrealist. Bild der sozialen, polit. und eth. Verhältnisse im faschist. Italien, in der Widerstandsbewegung, in Krieg und Nachkriegszeit, in Süditalien/Sizilien und allg. im ital. Proletariat in volkstümlich derber, teils dialektgefärbter Umgangssprache und meist eindeutig linksorientiertem Engagement der Autoren: V. BRANCATI, I. CALVINO, C. LEVI, C. MALAPARTE, A. MORAVIA, C. PAVESE, V. PRATOLINI, D. REA, I. SILONE, E. VITTORINI u. a.

H. Hinterhäuser, Italien zw. Schwarz u. Rot, 1956.

Neoteriker (griech. *neoteroi* = die Neueren), 1. ›jungröm. Dichterkreis‹ um Mitte des 1. Jh. v. Chr., der dem hellenist.-alexandrin. Stil bes. des EUPHORION folgte, sich daher auf kleine Gedichte, mythologische Epyllien, Schmähgedichte, Epigramme, →Elegie und Liebeslied beschränkte und auf Feinheit im einzelnen, subtile und saubere Technik, geschliffene Zuspitzung, Konzinnität und Symmetrie der Sprache wie gelehrten Inhalt größten Wert legte, gleichzeitig jedoch e. subjektiv-individualistische röm. Lyrik ins Leben rief. Als Führer dieser Opposition gegen die herkömmliche Dichtung – daher auch von CICERO angegriffen – erscheinen VALERIUS CATO und LICINIUS CALVUS; die Anregung gab wohl der Grieche PARTHENIOS an CINNA; es folgten FURIUS BIBACULUS, C. MEMMIUS, Q. CORNIFICIUS und als genialste Begabung des Kreises Valerius CATULLUS. – 2. sog ›poetae novelli‹ im 2. Jh. n. Chr.: SEPTIMIUS SERENUS, ANNIANUS, TERENTIANUS MAURUS und ALPHIUS AVITUS, denen Formkünsteleien, metrische Spielereien und gelehrte Inhalte gemeinsam sind.

Neoverismo →Neorealismus

Neudruck, →Abdruck, meist von unveränderter Satzeinrichtung oder auf photomechan. Wege. Vgl. →Reprint.

Neue Komödie →Komödie

Neue Sachlichkeit, lit. Gegenbewegung gegen den ausgehenden und verblassenden Expressionismus (in der Malerei gegen die abstrakte Kunst) seit rd. 1925, Rückkehr zur Wirklichkeit und klarer Erfassung der objektiven Formen und Gegenstände unter Verzicht auf subjektive Bewertung; e. naturhafte Dinglichkeit, in der allein der Dichter seine Visionen gestalten könne und ohne die die Kunst zerfliege. Der Inhalt der Dichtung gewinnt wieder erhöhte Bedeutung, die Form wird von ihm abhängig, Prosaformen, bes. der Roman, Tatsachenbericht zwischen wissenschaftliche Quellen verarbeitender Biographie und Gegenwartsreportage, stehen obenan; die Lyrik versachlicht in e. unposierten Durchschnittsgefühl im Alltagsleben und geht z. T. in schlichte, unauffällig rhythmisierte Prosa über; das Drama desillusioniert geschichtliche und aktuellere Stoffe und wird z.T. erzählende Bilderfolge, ›episches Theater‹. Ausländisches Vorbild ist bes. der Amerikaner Upton SINCLAIR. Die wichtigsten dt. Theoretiker sind E. DIESEL, E. UTITZ, H. KENTER und H. J. WILLE. Auch ehemals führende Expressionisten wenden sich der S. zu, voran ZUCKMAYER *(Der fröhliche Weinberg)*, ferner I. GOLL, P. KORNFELD, F. WERFEL, K. EDSCHMID u. a.; denn ›Tatsachen brechen den ganzen Zauber e. verlogenen Gefühlsdichtung, wirken erlebter, erschütternder als alle Einfälle der Dichter‹ (KENTER). Dabei ergeben sich zwei verschiedene Wege der dichterischen Welterfassung; einerseits erbarmungslose Skepsis und desillusionierende Ironie, oft mit Verwendung psychoanalytischer Erkenntnisse (E. KÄSTNER, H. KESTEN, F. BRUCKNER, R. NEUMANN, L. FEUCHTWANGER, A. BRONNEN, A. ZWEIG, A. DÖBLIN, H. FALLADA), andererseits hoffnungsvolle und leicht idealisierende Verklärung der dargestellten Gegenständlichkeit in bleibenden Werken (M. HAUSMANN, M. MELL, O. HEUSCHELE, R. BILLINGER, A. LERNET-HOLENIA, R. SCHAUMANN, H. CAROSSA, E. WIECHERT).

E. Diesel, D. Weg durch das Wirrsal, 1926; E. Utitz, D. Überwindg. d. Expressionismus, 1927; H. Kindermann, V. Wesen d. N. S. (Jhrb. d. Freien Dt. Hochstifts 36, 1930); ders., Idealismus u. S. i. d. dt. Gegenw.dichtg., GRM 1933; L. Mittner, *La N. S.* (in: *La lett. tedesca del novecento,* 1960); H. Denkler, Sache u. Stil (Wirkendes Wort 18, 1968); K. Prümm, N. S. (Zs. f. dt. Philol. 91, 1972); A. V. Subiotto, N. S. (Deutg. u. Bedeutg., Fs. K.-W. Maurer, Haag 1973); V. Klotz, Forcierte Formen (Dialog, Fs. J. Kunz 1973); D. dt. Lit. i. d. Weimarer Republik, hg. W. Rothe 1974; H. Lethen, N. S., [2]1975. →Gegenwartsdichtung.

Neue Zeitungen, Vorläufer der periodischen →Zeitungen um 1500: Nachrichten- und Flugblätter u. ä.

Neugongorismus →Gongorismus

Neuhumanismus, Geistesströmung seit 1750 und bes. der Zeit des dt. →Idealismus, verstand sich als Vollendung des →Humanismus in erneutem, verstehendem Studium der Antike und Streben nach →Humanität als Mittelpunkt der Menschenbildung; setzt mit SHAFTESBURY ein und findet zuerst in der klassischen Philologie (M. GESNER, J. A. ERNESTI, Chr. G. HEYNE) seine Ausprägung, erreicht den Höhepunkt unter WINCKELMANN, LESSING, HERDER, GOETHE, SCHILLER und A. W. von HUMBOLDT. Zum am. N. →New Humanism.

Neuidealismus, zusammenfassende Bz. für →Neuklassik und →Neuromantik als Gegenströmungen des Naturalismus. In der Philosophie der wiedererstandene Idealismus (Neukantianismus, Neuhegelianismus) als Reaktion auf Materialismus und Positivismus: EUCKEN, NATORP.

Neukatholizismus →Renouveau catholique

Neuklassik, Neuklassizismus, lit. Gegenströmung zum Naturalismus und Impressionismus wie der Dekadenzdichtung um 1905, die sklavische Naturwiedergabe wie übertriebene Seelenergründung bei Relativierung ästhetischer Maßstäbe ablehnt und in e. Neubesinnung auf die ältere klassische Stiltradition bes. die Zucht der Sprache, Verskunst, Formstrenge und ideellen Gehalt der Dichtung hervorhebt: erst der Geist bemächtigt sich zur Aussage der Stoffwelt und prägt sie zur Form; nicht Nachzeichnung, sondern Darstellung der Werte ist seine Aufgabe. Diese neuen Bestrebungen finden Niederschlag weniger in e. Reihe von Dichtungen als bes. in theoretischen Schriften bei P. ERNST (*Der Weg zur Form* 1906, *Credo* 1912), W. v. SCHOLZ (*Gedanken zum Drama* 1904) und S. LUBLINSKI (*Bilanz der Moderne* 1905, *Ausgang der Moderne* 1905); nahe stehen G. R. BINDING und Isolde KURZ. Den Mittelpunkt der Erörterungen bildet die Besinnung auf die Gattungsgesetze bes. der Tragödie und des Tragischen weniger nach dem Vorbild der Klassiker selbst als dem HEBBELS (bei W. v. SCHOLZ) und der Novelle als Erneuerung der strengen und präzisen altital. Renaissance-Novellistik (bei P. ERNST). Neben den theoretischen Schriften erscheinen die eigenen Dichtungen weniger überzeugend, wie überhaupt der N. für die Dichter nur e. Durchgangsstadium war.

R. Müller-Freienfels, D. N. (Lit. Echo 15); R. Faesi, P. Ernst u. d. N., 1913; RL[1]; D. neuklass. Bewegg. um 1905, hg. K. A. Kutzbach 1972. →Gegenwartsdichtung.

Neulieder, jüngere (eddische) Bearbeitungen der alten (→Ur-) →Heldenlieder um rd. 1150–1250, die mit den geprägten und eingeführten Personen der Sagenkreise (bes. Nibelungen) abgeleitete Fabeln bilden und sie mit jüngerer – wenngleich nicht weniger wertvoller – Gestaltung erfassen.

Neumen (mlat. v. griech. *neuma* = Wink), Notenschrift des 8. bis 13. Jh.; lat. N. nur mit Angabe von Hebung und Senkung des Tones, byzantin. N. mit festen Intervallen; gehen später in die heutige Notenschrift über.

P. Wagner, N.-Kunde, [2]1912.

Neunsilber →Alkäische Strophe

Neu→philologie, Wissenschaft der neueren (dt., engl., franz., ital., span. usw.) Sprachen und Litt.

Neurealismus →Neorealismus

Neuromantik, umstrittene Sammelbz. für die lit. Gegenströmungen zum materialistischen Naturalismus mit Ausnahme der →Neuklassik, 1890–1920; umfaßt sehr verschiedene und nur lose zusammenhängende Gruppen, die nur z. T. an die Romantik anknüpfen (Nichtalltägliches, Wunderbares oder Geheimnisvoll-Magisches als Gegenstand, Verachtung der Gegenwart, Erneuerung von Sage, Mythos, Legende und Mystik, Wendung zur Geschichte, bes. dem MA., zur Metaphysik und Exotik), sich in freier Entwicklung noch weiter differenzieren und die ursprünglichen Gemeinsamkeiten (Gefühlsbetontheit, Musikalität, Formstreben, Bildungsgehalt, Schönheitskult, Freiheit der Phantasie als Dichtungsmacht, nicht zuletzt Neigung zur Schwäche, Müdigkeit und Reizbarkeit) schließlich als für die Fortentwicklung unwichtige Randströmungen erscheinen lassen, aus denen sich selbständigere Kunstschöpfer nach episodischem Übergangsstadium bald befreiten. Von den zahlreich empfangenen Anregungen waren die des franz. →Symbolismus am wirksamsten, so daß man neuerdings die maßgeblichen literaturgeschichtlichen Entwicklungen auch in Dtl. unter diesen Begriff faßt. Andere Züge gehen in →Impressionismus und →Dekadenzdichtung und →Jugendstil über. Die Leistungen der N. liegen weniger auf dem Gebiet des Dramas (E. HARDT, H. EULENBERG, K. VOLLMÖLLER, L. GREINER, R. BEER-HOFMANN, W. SCHMIDTBONN, der junge HOFMANNSTHAL, bes. G. HAUPTMANN mit *Die versunkene Glocke, Der weiße Heiland* und *Hanneles Himmelfahrt*) als in Roman (E. STUCKEN, R. HUCH, H. HESSE, J. WASSERMANN,

H. STEHR, F. K. GINZKEY) und Ballade (A. MIEGEL, B. v. MÜNCHHAUSEN, L. v. STRAUSS UND TORNEY). Die unbedingte Zuordnung anderer Dichter der Zeit zur N. bereitet Schwierigkeiten einerseits durch die individuelle Abtönung, andererseits durch den episodischen Anteil der N. am Schaffen der größten wie schließlich bes. zufolge des zeit- und tendenzlosen Charakters der Strömung im Ggs. zum Expressionismus und Naturalismus, die durch Zuordnung aller weniger einseitigen Strömungen der Zeit zu e. Verunklarung des Begriffs geführt hat, die seine Vermeidung wünschenswert macht.

L. Coellen, N., 1906; E. Pauls, Romantik u. N. (Zs. f. dt. Unterr. 32, 1918); J. Bab, Fortinbras, [3]1921; I. A. Thomèse, Romantik u. N., Haag 1923; RL; E. Seillière, *Le néoromantisme en Allemagne*, Paris III 1928–31; W. Muschg, D. dichterische Charakter, 1929; H. Vetter, Formenerneuergs.versuche a. d. dt. Dtg. i. 9. Jahrzehnt d. 19. Jh., 1931; O. Miller, D. Individualismus als Schicksal, 1933; A. Kimmich, Krit. Auseinandersetzg. m. d. Begriff N., Diss. Tüb. 1936; K. Hilzheimer, D. Drama d. dt. N., Diss. Jena 1938; P. Kluckhohn, D. Wende v. 19. z. 20. Jh. i. d. dt. Dichtg., DVJ 29, 1955; G. H. Barfuss, Bühne u. Musik i. d. N., Diss. Köln 1955; D. Nachleben d. R., hg. W. Paulsen 1969. →Gegenwartsdichtg.

New Criticism (engl. = Neue Kritik), von J. E. SPINGARN 1910 geprägte Bz. für e. von B. CROCE ausgehende rein formalästhetisch wertende Form der lit. Kritik in den USA und z. T. England bes. seit 1930, die in erster Linie Form- und Stilfragen, Rhythmus und Bild untersucht und jede ideologische, soziologische, psychologische, hist. oder philosophische Ausdeutung der Dichtung nur vom Thema her verbietet. Hauptvertreter sind meist zugleich Dichter: I. A. RICHARDS, W. EMPSON, Cleanth BROOKS, A. TATE, J. C. RANSOM, Y. WINTERS, R. P. BLACKMUR, R. P. WARREN, K. BURKE, F. FERGUSSON u. a. Vgl. →Formalismus.

J. C. Ransom, *The N. C.*, 1938; R. B. West, *Modern lit. criticism*, N. Y. 1952; W. van O'Connor, *An age of criticism*, Chicago 1952; A. Closs, N. C. (D. Neueren Sprachen 4, 1955); W. Stedtfeld, *Aspects of the N. C.*, Diss. Freib. 1956; R. Foster, *The New Romantics*, Bloomington 1962; L. Lesage, *The French N. C.*, Penns. 1967; U. Halfmann, D. am. N. C., 1971; A. Behrmann, D. anglo-am. N. C. (Kritik d. lit.wiss. Methodologie, hg. V. Žmegač 1973; R. Weimann, N. C., [2]1974.

New Humanism (engl. = Neuhumanismus), konservative philosophisch-lit. Bewegung in den USA um 1920, getragen von I. BABBITT, P. E. MORE, N. FOERSTER und T. S. ELIOT. Reaktion gegen die Auswüchse von Romantik, Realismus und Naturalismus, betonte sie wieder die ethisch-humanen Werte und stellte den Menschen nicht als Teil der Natur, sondern im Gegenteil als in seinem Willensentscheid freies Wesen dar, das gemäß seinen Erfahrungen und den ethischen Maßstäben großer Vorbilder frei und verantwortlich handeln solle.

Humanism and America, hg. N. Foerster, N. Y. 1930; *The Critic of Humanism*, hg. C. H. Grattan, N. Y. 1930; L. Samson, *The N. H.*, N. Y. 1930; G. Santayana, *The Genteel Tradition at Bay*, N. Y. 1931; B. Lücking, D. am. N. H., 1975.

Nibelungenstrophe, nach der Verwendung im *Nibelungenlied* benannte Hauptversart des dt. Heldenepos, besteht aus vier paarweise reimenden Langzeilen zu je zwei Kurzzeilen, von denen gewöhnl. die erste klingende Kadenz aufweist, so daß die beiden letzten Hebungen demselben Wort angehören, während die zweite Kurzzeile jeweils die 4. Hebung durch e. Pause ersetzt (stumpfe Kadenz), und nur in der Schlußzeile (8. Kurzzeile) mit voller Kadenz, d. h. der verwirklichten 4. Hebung als schwererem Abschluß, Gegengewicht zu den vorigen, ausklingt. Schema der Grundform:

I. 1. – ⏊ – ⏊ – ⏊ ⏊ | – ⏊ – ⏊ – ⏊ ⌅ a

2. – ´ – ´ – ⏑́ ` | – ´ – ´ – ⏑́ ∧ a
II. 1. – ´ – ´ – ⏑́ ` | – ´ – ´ – ⏑́ ∧ b
2. – ´ – ´ – ⏑́ ` | – ´ – ´ – ´ – ´ b

Im Auftakt können zwei Kürzen, im Innentakt Senkungsausfall eintreten, so daß zwei Hebungen nebeneinander stehen, stellenweise auch mit Zäsurreim, dann in der Reimfolge (der Kurzzeilen) ababcdcd. Die modernisierte N. (= →Hildebrandston) TIECKS *(Kaiser Octavianus)* und UHLANDS *(Des Sängers Fluch)* führt den stumpfen Versschluß auch in der 8. Kurzzeile durch. – Die N. ist aus der alten Langzeilenstrophe und bes. der Kürenbergweise hervorgegangen; ihre Kurzverse bilden die Grundlage des mhd. Reimpaarverses; dazu kamen zahlreiche Abarten der N.: →Bernerton, →Hildebrandston, →Kudrun-, →Titurel-, →Waltherstrophe u. a.

F. Draeger, D. Bindgs- u. Gliedergsverhh. d. Strophen d. Nibelungenliedes, 1923, ²1967; RL¹; A. Heusler, Dt. Versgesch. II, 1927, ²1956; A. Eegholm, Metr. Beobachtgn., 1936; H. de Boor, Z. Rhythmik d. Strophenschlusses im Nibelungenlied (Fs. U. Pretzel, 1963); U. Hennig, Z. d. Anversen i. d. Strophe d. Nibelungenliedes (Beitr. z. Gesch. d. dt. Spr. u. Lit. 85, 1963).

Nichtaristotelisches Drama →aristotelisches Drama

Niederländische Schauspieler →Holländische Komödianten

Nihilismus (von lat. *nihil* = nichts), als philosoph. Begriff die absolute Verneinung aller Werte und Ordnungen und der Möglichkeiten wahrer Erkenntnis, daher als Grundlage des Kunstschaffens, das zumindest den Kunstwert anerkennt, nicht möglich. Als Prägung von F. H. JACOBI (*Sendschreiben an Fichte*, 1799) und JEAN PAUL in der Lit. durch TURGENEVS *Väter und Söhne* 1862 verbreitet. Nihilisten Bz. der drei russ. Kritiker und Schriftsteller ČERNYČEVSKIJ, DOBROLJUBOV und PISAREV und ihrer Nachfolger um 1850–70, die mit krassem Utilitarismus, grobem Materialismus und der Forderung sozialer Interessen gegen ideale Kunstwerte, bes. gegen die Erscheinungen des Irrationalen wie Mystik, Romantik und Religion zu Felde zogen; Einfluß auf NEKRASOV und TURGENEV.

H. Rauschnigg, D. Revolution d. N., 1938; ders., Masken u. Metamorphosen d. N., 1955; A. Coquart, *D. Pisarev et l'idéologie du n. russe,* 1946; R. Pannwitz, D. N., 1951; H. Thielicke, D. N., 1951; E. Mayer, Kritik d. N., 1958; W. Hof, Stufen d. N. (GRM, N. F. 13, 1963); F. Leist, Existenz im Nichts, 1961; D. Arendt, D. N., DVJ 43, 1969; N., hg. ders. 1970; W. Hof, Pessimist.-nihilist. Strömgn. i. d. dt. Lit. v. Sturm u. Drang bis zu Jg. Dtl., 1970; D. Arendt, D. poet. N. i. d. Romantik, II 1972; W.-H. Schmidt, N. u. Nihilisten, 1973; W. Hof, D. Weg z. heroischen Realismus, 1974; D. N. als Phänomen d. Geistesgesch., hg. D. Arendt 1974; C. I. Glicksberg, *The lit. of n.,* Lewisburg 1975.

Nihil obstat (lat. = es steht nichts entgegen), Druckerlaubnisformel der kath. Buchzensur.

Nikki (japan.), Tagebuch, Kopfkissenbuch, intime Aufzeichnungen über Begegnungen, Erlebnisse, Reisen und Abenteuer; als Gattung der japan. Lit. bes. im 10. Jh. sehr beliebt und bes. unter den Damen des kaiserlichen Hofes weit verbreitet; lieferte interessante Dokumente für Denkweisen und Auffassungen der Zeit und der japan. Lit. überhaupt und im poetischen Tagebuch (utanikki) auch Gedichte und Dichtungen. Am bekanntesten das *Tosa-N.* von KI NO TSURAYUKI und das *Kagero-N.*

Nil Volentibus Arduum (lat. = Nichts ist den Wollenden schwer), 1669 von L. MEYER in Amsterdam gegründete niederländ. lit. Gesellschaft, die sich unter ihrem Gründer zum Geschmacksrichter aufwarf, die klassischen Dramen von HOOFT und VONDEL ebenso ablehnte wie die romantischen von J. VOS und BLASIUS und schließlich das klassizistische franz. Drama nach Vorschrift BOILEAUS zum Vorbild erhob. Die Gesellschaft, der auch A. PELS angehörte, löste sich 1681 auf.

A. J. Kronenberg, *Het kunstgenootschap N. V. A.*, Deventer 1875; J. Bauwens, *La tragédie franç. et le théâtre hollandais au 17e s.*, Amsterd. 1921.

Ninjô-bon (japan. = sentimentale Bücher), japan. Erzählform der 1. Hälfte des 19. Jh.: rührselige Liebesgeschichten, die unter dick moralisierendem Geschwätz oft kaum verkleidete Pornographie enthalten. Ihr Druck wurde 1842 verboten, und ihr Hauptvertreter TAMENAGA SHUNSUI endete im Gefängnis.

Nivola, von Miguel de UNAMUNO scherzhaft geprägtes Kunstwort aus Zusammenziehung der Worte novela (= Roman) und niebla (= Titel eines eigenen Romans von 1914) als Gattungsbezeichnung für diesen Roman.

Nô →Nô-Spiele

Nobelpreis, aus e. Stiftung des schwed. Erfinders des Dynamit, Alfred NOBEL, für hervorragende Leistung in Physik, Chemie, Medizin und Lit. (→Literaturpreis) ohne Rücksicht auf die Nationalität seit 1901 jährlich durch die Stockholmer Akademie verteilte Preise von je anfangs über 100 000, heute rd. 700 000 Schwedenkronen.

N.träger für Lit. waren: 1901 Sully Prudhomme, 02 Th. Mommsen, 03 B. Björnson, 04 F. Mistral u. J. Echegaray y Eizaguirre, 05 H. Sienkiewicz, 06 G. Carducci, 07 R. Kipling, 08 R. Eucken, 09 S. Lagerlöf, 10 P. Heyse, 11 M. Maeterlinck, 12 G. Hauptmann, 13 R. Tagore, 14 nicht verliehen, 15 R. Rolland, 16 V. v. Heidenstam, 17 K. Gjellerup u. H. Pontoppidan, 18 nicht verliehen, 19 C. Spitteler, 20 K. Hamsun, 21 A. France, 22 J. Benavente, 23 W. B. Yeats, 24 W. S. Reymont, 25 G. B. Shaw, 26 G. Deledda, 27 H. Bergson, 28 S. Undset, 29 Th. Mann, 30 S. Lewis, 31 E. A. Karlfeldt, 32 J. Galsworthy, 33 I. A. Bunin, 34 L. Pirandello, 35 nicht verliehen, 36 E. O'Neill, 37 R. Martin du Gard, 38 P. S. Buck, 39 F. E. Sillanpää, 40–43 nicht verliehen, 44 J. V. Jensen, 45 G. Mistral, 46 H. Hesse, 47 A. Gide, 48 T. S. Eliot, 49 W. Faulkner, 50 B. Russell, 51 P. F. Lagerkvist, 52 F. Mauriac, 53 W. Churchill, 54 E. Hemingway, 55 H. Laxness, 56 J. Ramón Jiménez, 57 A. Camus, 58 B. Pasternak (abgelehnt), 59 S. Quasimodo, 60 Saint-John Perse, 61 I. Andrić, 62 J. Steinbeck, 63 G. Seferis, 64 J.-P. Sartre (abgelehnt), 65 M. Šolochov, 66 N. Sachs/J. Agnon, 67 M. A. Asturias, 68 Y. Kawabata, 69 S. Beckett, 70 A. Solženicyn, 71 P. Neruda, 72 H. Böll, 73 P. White, 74 E. Johnson/H. Martinson, 75 E. Montale, 76 S. Bellow, 77 V. Aleixandre, 78 J. B. Singer.

F. Henrikson, *The N. and their founder,* Stockh. 1938; E. Meier, A. Nobel, 1954; L. J. Ludovici, *N. Winners,* Westport 1957; W. Haas, N.träger d. Lit., 1962; H. Schuck u. a., *Nobel, the man and his prizes,* Amsterd. [2]1962; *The Nobel Prize,* Stockh. 1964.

Noëls (franz. =) franz. Weihnachtslieder in schlichter, einfach gläubiger Grundhaltung, entsprechend den engl. Christmas →Carols, gingen z. T. über die Dialogform in geistliche →Weihnachtsspiele über; z. B. v. MAROT.

N. Hervé, *Les n. français,* 1905; J. G. R. de Smidt, *Les n. et la tradition populaire,* 1932.

Nogaku = →Nô-Spiele

Nokturnale (lat. *liber nocturnalis* = Nachtbuch), im MA. liturgisches Buch mit den Psalmen, Lesungen und Gebeten des Nacht-Offiziums im Ggs. zum Diurnale; heute Matutin.

Nô-kyôgen →Nô-Spiele

Nom de guerre (franz. = Kriegsname) und **Nom de plume** (Federname), →Deckname eines Schriftstellers.

Nomenklatur (lat. *nomenclatura* =) 1. Benennung von (wissenschaftlichen) Gegenständen, 2. Namen-, Sach- oder Stichwort-Verzeichnis, Liste oder Gesamtheit der Fachausdrücke e. Wissenschaft.

Nominalstil (lat. *nomen* = Name, bes. Hauptwort), der durch häufige Verwendung substantivischer Konstruktionen und Zusammenziehungen gekennzeichnete Stil. Ggs.: →Verbalstil.

Nomos (griech. = Gesetz, Tonart), urspr. nach feststehenden Kunstregeln gebauter, hymnischer Melodietyp der altgriech. Musik, anfangs allein Instrumentalmusik, später als Kultlied an die Götter vor dem Altar von e. Einzelsänger zu eigener Kitharabegleitung (kitharodischer N.), später mit e. Flötenspieler (aulodischer N.) vorgetragen, in verschiedenen, bes. feierlichen Maßen (Spondeen, Hexameter, bei aulodischem N. bes. das bewegte Elegeion); seit TERPANDER, der im 7. Jh. v. Chr. dem N. seine typische Form und feste Gliederung in sieben Teile gab, wurden ihnen Texte aus den Heldenepen, Hymnen HOMERS oder eigene Verse unterlegt, die spärlich erhalten sind; im 5./4. Jh. unter PHRYNIS und bes. TIMOTHEOS infolge Überhandnehmens der kunstvollen musikalischen Elemente umgeformt zu e. Art Dithyrambos mit eingefügten Chorsätzen, in TIMOTHEOS' *Persai* dann unstrophische Komposition mit wechselnden Rhythmen. →Kitharodie.

H. Reimann, Stud. z. griech. Musikgesch. I, D. N., 1882; O. Crusius, Üb. d. N. (Verhandlgn. d. 39. Philol.-Verslg., 1882); H. Grieser, D. N., 1937.

Nonarime (ital. = Neunreim), um e. Zeile, die auf die 2. reimt, erweiterte →Stanze; Reimfolge abababccb.

Non-fiction →Sachbuch

Nonsense-Verse (engl. = Unsinn) beruhen im Ggs. zu bloß scherzhaften oder satirischen Versen nicht auf Witz, Humor, Komik oder Ironie, sondern auf bloßer Absurdität und der unlogischen Verbindung paradoxer Vorstellungen, z. T. auch auf bloßen Klangspielen, mit der Absicht verblüffender Wirkung und Unterhaltung; vorgebildet in einigen Kinderliedern (Abzähl- und Wiegenliedern) wohl als Endstufe e. Zersingungsprozesses, in der Lit. bes. bei Chr. MORGENSTERN, J. RINGELNATZ, H. ERHARDT, P. SCHEERBART, G. K. CHESTERTON, W. S. GILBERT, E. LEAR und L. CARROLL, Futuristen (MAJAKOVSKIJ) und Dadaisten (ARP, TZARA). Vgl. →Clerihew, →Klapphornvers, →Limerick.

E. Sewell, *The Field of N.*, 1952; L. Forster, *Poetry of significant nonsense*, Cambr. 1962; A. Liede, Dichtg. als Spiel, II 1963; R. Hildebrandt, Nonsense-Aspekte d. engl. Kinderlit., 1970; A. Schöne, Engl. Nonsense- u. Gruselballaden, 1970; dies., Vorklänge surrealist. Dichtg., (Zs. f. Ästh. 17, 1972); D. Petzoldt, Formen u. Funktionen engl. N.-Dichtg. i. 19. Jh., 1972; K. Reichert, L. Carroll, 1974; R. Tabbert, Z. lit. Nonsense (Dtunterr. 27, 1975).

Nordsternbund, spätromantischer Berliner Dichterkreis rd. 1800 bis 1810 um den *Grünen Almanach* (→Musenalmanach) und um die Berliner Vorlesungen A. W. SCHLEGELS: CHAMISSO, FOUQUÉ, VARNHAGEN, J. E. HITZIG, F. W. NEUMANN, D. F. KOREFF.

Norito oder Norigoto, japan. Gebete aus dem Ritual des Shinto-Glaubens seit dem 7./8. Jh., die in Vers oder Prosa mit Zauberformeln die Gnade der Götter beschwören; von den Priestern bei kultischen Hoffeiern z. T. noch heute rezitiert und durch ihr feierliches Pathos einflußreich auf die Dichtung der Zeit und die spätere Literatursprache.

D. L. Philippi, *N.*, Tokyo 1959.

Nô-Spiele (japan. = Fertigkeit,

Kunst), älteste feierliche japan. Bühnensingspiele der aristokratischen Kriegerkaste (Samurai); entstanden wie das griech. Drama aus kultischen Aufführungen mit Tanz, Chor und Gesang (Gigaku und Bugaku) als Darstellungen des Sonnenmythos vom abnehmenden und zunehmenden Licht im 14./15. Jh., seither in streng traditioneller Entwicklung und, bes. seit 17. Jh., kunstvoller Stilisierung, die jede kleinste pantomimische Bewegung und jedes Wort genauestens festlegt. Der Hauptdarsteller (Shite) allein trägt e. kunstvoll nuancierte Gesichtsmaske (Men), deren Wirkung im Spiel, der Haltungs- und Bewegungstechnik hervortritt. Seine expressive Darstellungskunst – nicht Situations-, sondern Seelendramatik – muß auch die fehlenden Dekorationen und Requisiten auf der nach drei Seiten offenen Symbolbühne ersetzen; nur die Rückwand zeigt e. gewaltige Kiefer als Symbol langen Lebens. Die Nô-Spieler, von Fürsten und Mäzenaten verehrt und unterstützt, lebten allein ihrer Kunst. Neben dem Shite, der einziger Träger der Handlung ist, erscheint als Nebenrolle zur Ermöglichung des Dialogs sein Partner Waki, der in unbeschäftigten Szenen – z. B. der großen Solotanzszene des Shite – an der Seite des Chors Platz nimmt, und wiederum dessen Helfer (Tsure), auch e. komische Person, welche die tragische Handlung durch Stegreifeinlagen unterbricht. Auch Frauenrollen werden von Männern gespielt. Der musikalischen Untermalung und Umrahmung der Dialoge dient, von e. kleinen Orchester begleitet (1 Flöte, 1 Trommel, 2 Tamburins), der kleine Chor, der neben dem Orchester Platz hat und sich, wenn nicht benötigt, in den Hintergrund, doch stets sichtbar, zurückzieht. Er bringt die Handlung erzählend in Gang, greift jedoch weiterhin nicht wie der antike Chor in das Geschehen ein. Waki und Tsure geben im Expositionsdialog das Thema, Grundmotiv der Handlung. Der Shite erscheint im 1. Teil des Spiels in irdischer Gestalt; im 2. Teil dagegen naht er feierlich-schicksalhaft über den ›Blumenweg‹ (Verbindung von Bühne und Publikum) in prunkvollem Kostüm zu e. feierlichen, gesungenen und getanzten Arie, in e. Gott oder e. religiöses Numen verwandelt. Die Pausen zwischen den serienweise aufgeführten N. füllen possenhafte Intermezzi (Nô-Kyôgen) ohne Chor und Musik, doch ebenfalls der Kulthandlung zugehörige realistische Dialoge. Als Stoffe wählt das N. Mythos, Legende, Sage; seine lyrisch-epische Singspielform verzichtet auf dramatische Konflikte und konzentriert alles auf seelische Stimmung, die unter Vermeidung der tragischen Katharsis zu innerer Ergriffenheit führen soll. Die Mehrzahl der 264 noch heute gespielten Stücke geht unter dem Namen des ZEAM (15. Jh.). Im 20. Jh. erneuerte Yukio MISHIMA das in der Überlieferung erstarrte N. mit modernen Gehalten. Die Dramaturgie des N. wirkte nachhaltig auch auf das lyr. und didakt. Drama des Abendlandes (E. POUND, W. B. YEATS, B. BRECHT, P. CLAUDEL, Th. WILDER).

A. Waley, *The Nô plays of Japan,* N. Y. [3]1957; M. Piper, D. Schaukunst der Jap., 1927; K. Glaser, Jap. Theater, 1930; N. Peri, *Le N.,* Tokyo 1944; H. Bohner, Gestalten u. Quellen d. N., 1955; ders., N., 1956–59; P. G. O'Neill, *Early N. Drama,* N. Y. 1958; E. Pound, E. Fenollosa, N., 1963; J. Barth, Nôkyôgen (Mitteil. d. dt. Ges. f. Natur- u. Völkerkde. Ostasiens XL IV, 2, 1963); E. Hesse, D. N. u. d. poet. Theater (Merkur 17, 1963); N., hg. E. Hesse 1963; D. Keene, N., N. Y. 1966; S.-K. Lee, Auswirkgn. d. N. (Maske u. Kothurn 22, 1976).

Notae (lat. = Zeichen, griech. *se-*

meia), bei der Kommentierung und Herausgabe antiker Schriftsteller durch alexandrin. Philologen (ZENODOTUS, ARISTOPHANES, ARISTARCHOS) und bis ins MA. hinein verwendete textkritische Zeichen zur Kenntlichmachung von Stellen falscher oder angezweifelter Überlieferung, bes.: Obelos (= Spieß: –, waagerechte Linien an beiden Seiten der Zeile) für Unechtheit, Asteriskos (= Sternchen: *) für fehlenden, unvollständigen Sinn oder anderwärts falsche Wiederholung, Keraunion (= Donnerkeil: T) für e. Reihe unechter Zeilen, →Interpolationen, Antisigma (= umgekehrtes Sigma: ⊃) für irrtümliche Wiederholung oder falsche Wortreihenfolge und Diple (= doppelt: >) für andere bemerkenswerte Stellen. Der Asteriskos verwies auch auf Anmerkungen und wurde bei längeren, selbständigen Kommentaren durch →Lemmata ersetzt.

Lit. →Paläographie.

Notarikon, →Kryptogramm, bei dem bestimmte hervorgehobene Anfangsbuchstaben eines Textes ein neues Wort ergeben: »*L*iebe, *U*nschuld, *I*nbrunst, *S*itte, *E*hre« (F. RÜCKERT).

Nouveau roman (franz. = Neuer Roman), avantgardist. franz. Romanform in radikalem Ggs. zur Tradition, entstanden aus dem Streben nach ›objektiver Lit.‹ durch Ausschaltung vorgeplanter Handlung, individueller Figuren, moral.-polit. Engagements und des Erzähler-Subjektivismus. Umständlich genaue, kühlsachliche Beschreibung der wahrnehmbaren gegenständlichen Gegebenheiten als objektive Entzifferung der Umwelt und ihrer sichtbaren Veränderungen aus der Perspektive e. Hauptfigur oder e. anonymen Sehorgans; fast drehbuchartige geometr.-physikal. Darstellung der Oberflächenwelt, deren bedeutungsleere Realität mit Sinn zu erfüllen dem Leser überlassen bleibt (daher mißverständlich ›gegenstandsloser Roman‹ genannt). Stilexperiment zur Verschlüsselung der z. T. auch hier implizite vorhandenen Handlung. Hauptvertreter der Blütezeit des N. rd. 1950–1970 sind A. ROBBE-GRILLET (*La jalousie),* N. SARRAUTE, M. BUTOR, C. SIMON, nahe stehen J. CAYROL, R. PINGET, C. OLLIER, S. BECKETT, ferner z. T. M. BLANCHOT, M. DURAS, C. MAURIAC, Ph. SOLLERS, J.-M. LE CLÉZIO und G. PEREC.

R. Barthes, Am Nullpunkt d. Lit., 1959; G. Zeltner-Neukomm, D. Wagnis d. franz. Ggw.-romans, 1960; L. Lesage, *The French New Novel,* Pennsylvania 1962; *Un n. r.?,* hg. J. H. Matthews, Paris 1964; M. Butor, Repertoire 2, 1965; G. Zeltner-Neukomm, D. eigenmächtige Sprache, 1965; L. Janvier, Lit. als Herausforderung, 1967; A. Raasch, Gedanken z. N. R. (D. neueren Sprachen 66, 1967); J. Ricardou, *Problèmes du n. r.,* Paris 1967; L. Pollmann, D. Neue Roman i. Frankr. u. Lateinamerika, 1968; G. Zeltner-Neukomm, D. Ich u. d. Dinge, 1968; J. Sturrock, *The French new novel,* Lond. 1969; K. Wilhelm, D. N. R., 1969; Plädoyer f. e. neue Lit., hg. K. Neff 1969; V. Mercier, *The New Novel,* N. Y. 1971; J. Ricardou, *Pour une théorie du n. r.,* Paris 1971; K. Netzer, D. Leser d. N. R., 1971; S. Heath, *The N. R.,* Lond. 1972; J. Wilhelm, N. R. u. antithéâtre, 1972.

Novas rimadas (provenzal. = gereimte Erzählung), in provenzal. Lit. ein erzählendes oder didaktisches Gedicht in achtsilbigen Paarreimen.

Novela picaresca →pikarischer oder →Schelmenroman

Novelle (lat. *novella* sc. *lex* = Nachtragsgesetz, ergänzende Rechtsverordnung, zu lat. *novus* = neu; dann ital. = Neuigkeit, seit der Renaissance lit. Begriff), kürzere Vers- oder meist Prosaerzählung e. neuen, unerhörten, doch im Ggs. zum Märchen tatsächlichen oder möglichen Einzelbegebenheit mit e. einzigen Konflikt in gedrängter, geradlinig auf e. Ziel hinführender und in sich geschlossener Form und nahezu objektivem Berichtstil ohne Einmischung des Erzählers, epische Breite und Charakterausmalung des Romans, dagegen häufig in Gestalt der →Rahmen- oder →chronikalischen Erzählung, die dem Dichter e. eigene Stellungnahme oder die Spiegelung des Erzählten bei den Aufnehmenden ermöglicht und den streng tektonischen Aufbau der N., den sie mit dem Drama gemeinsam hat, betont. Die Verwandtschaft zum Drama (STORM: ›Schwester des Dramas‹) ist größer als die zum Roman, wie aus den erfolgreich dramatisierten Novellen (SHAKESPEARE) und der Vereinigung von Dramen- und N.dichter (KLEIST) hervorgeht. Beide Formen verlangen geraffte Exposition, konzentriert herausgebildete Peripetie und e. Abklingen, das die Zukunft der Personen mehr ahnungsvoll andeuten als gestalten kann. Die Auseinandersetzung mit den Gattungsgesetzen beginnt in der Romantik. Von den wesentlichen Theoretikern der N. zeigt F. SCHLEGEL (*Nachricht von den poetischen Werken des J. Boccaccio,* 1801) den symbolischen Charakter und die objektiv gestaltete Subjektivität der N. wie die gesellschaftliche Formeigenart als thematisch verbundene Unterhaltungskunst auf; A. W. SCHLEGEL und bes. TIECK betonen bei aller stofflichen Vielseitigkeit neben dem Symbolcharakter das Auftreten e. völlig unerwarteten, doch natürlich entwickelten und scharf herausgearbeiteten Wendepunktes in der psychologisch bruchlos gestalteten Charakterentwicklung; GOETHE definiert die N. (zu ECKERMANN 25. 1. 1827) als ›e. sich ereignete unerhörte Begebenheit‹. Er betont in beiläufigen Bemerkungen der Personen in den *Unterhaltungen deutscher Ausgewanderten* den Wert des Neuen, Ungewöhnlichen, Interessanten, ›weil es ohne Zusammenhang Verwunderung erregt und unsere Einbildungskraft e. Augenblick in Bewegung setzt, unser Gemüt nur leicht berührt und unseren Verstand völlig in Ruhe läßt‹. P. HEYSE entwickelt am Vorbild BOCCACCIOS die →Falkentheorie und stellt der Formauflösung der Zeit die strengen Formgesetze der Renaissance-N. gegenüber, an die in der →Neuklassik auch P. ERNST (*Der Weg zur Form,* 1906) wieder anknüpft. Die neue Literaturwissenschaft führt die Erörterung der N.form mit bes. Interesse fort. – Vorläufer der knappen, architektonisch aufgebauten und pointierten Erzählform waren in der Antike die sog. Milesischen Geschichten des ARISTIDES von Milet (2. Jh. v. Chr.), oft ausgelassene Abenteuer- und Liebesgeschichten, die sich auch in Rom größter Beliebtheit erfreuten (Gyges, Witwe von Ephesus u. ä.) und im MA. die →Novas rimadas der Troubadours, in Nordfrankreich als →Fablels oder Contes fortgebildet. Eine weitere Wurzel sind die →Exempel vom Typ des PETRUS ALFONSI, die noch im ital. *Novellino* (Ende 13. Jh.) und in JUAN MANUELS *Conde Lucanor* (um 1330) nachwirken. Die eigtl. Entwicklung der N. beginnt in den roman. Ländern als ausgesprochene Gesellschaftsdichtung: in Italien BOCCACCIOS *Decamerone* (1348–1353), das als Rahmenerzählung – einzelne Mitglieder einer Gesellschaft erzählen Erlebnisse – schon den Grundcharakter der N. enthält: man erzählt natürlich unbekannte und merkwürdige, nicht ›typische‹ und dennoch glaubhafte Ereignisse in spannungsreicher Form von ihren Ursachen bis zum Abschluß der Handlung mit allen für das Verständnis notwendigen Zügen. Es folgen zahlreiche Nachahmungen in der ital. Renaissance, später bes. BANDELLO *(Novelle)* und G. BASILE (*Il Pentamerone*, 1634), in England CHAUCERS *Canterbury Tales* 1391 bis 1399, in Frankreich die *Cent nouvelles nouvelles* (1440), das *Heptameron* der MARGUERITE DE NAVARRE (1549) und N.n von DES PÉRIERS und LA FONTAINE, in Spanien die *Novelas ejemplares* (1612) von CERVANTES – meist pointierte Erzählberichte, die teils erotischen Vorfällen e. überraschende Wendung geben. An diese Form und die *Contes et nouvelles en vers* von LA FONTAINE knüpfen die Vers-N.n WIELANDS an, der sie aus der Gesellschaftsstruktur des franz. Rokoko übernimmt und in Dtl. einführt, während die frühere dt. Erzählprosa bis auf einige N.-Übersetzungen der Humanisten (als rhetorische Musterbeispiele) nur unpersönliche Volksbücher, Schwänke und moralische Erzählungen kannte. Nach ersten, zunächst nachfolgelosen Versuchen durch H. P. STURZ erneuert GOETHE in den *Unterhaltungen dt. Ausgewanderten* (1795) und den in die *Wahlverwandtschaften* und *Wanderjahre* eingelegten Erzählungen die ursprüngliche Form mit geradliniger, strenger Architektur, vertieft aber gleichzeitig stark den seelischen Hintergrund und Wendepunkt der Handlung und wendet sich schließlich in der *N.* vom Realen ins Symbolische, Ideale; H. von KLEIST erreicht in seinen N.n den geschlossensten Aufbau bei tiefer Tragik der Welterfassung; in der vorbildlichen, oft vergeblich nachgeahmten Formstrenge folgt ihm von den Romantikern ARNIM, freier TIECK, EICHENDORFF, BRENTANO, später HAUFF und MÖRIKE; bei E. T. A. HOFFMANN wie auch schon bei KLEIST bahnt sich die vertiefte Menschengestaltung an, die in Biedermeier und Realismus des 19. Jh. zu e. bes. Höhe der N. führt: MÖRIKE, GRILLPARZER, STIFTER, DROSTE, KELLER, C. F. MEYER, STORM, H. KURZ, F. v. SAAR, P. HEYSE, M. v. EBNER-ESCHENBACH, W. RAABE u. a. Gleichzeitig stößt die N.kunst der Franzosen (MÉRIMÉE, STENDHAL, DAUDET, MAUPASSANT, BOURGET, LOTI), Russen (PUŠKIN, GOGOL', TOLSTOJ, LESKOV, TURGENEV, ČECHOV) und Dänen (J. P. JACOBSEN, H. BANG) über den realistischen in den psychologischen Bereich vor. Noch während der großen N.Slg. von HEYSE und KURZ vollzieht sich in den Epochen seit dem Naturalismus, bes. im Impressionismus und Expressionismus, e. Umschwung von der gerundeten und sprachgewandt-glatten zur gelockerten, selbst abrupten und fragmentarischen, teils zerfließenden Handlung, die ihren Gehalt aus dem Seeleninneren schöpft und nur in der Handlungseinheit die Straffung erkennen läßt (SCHNITZLER, STERNHEIM, G. HEYM, EDSCHMID, KAFKA). Andererseits bemühen sich nach Vorgang von FONTANE und LILIENCRON bes. H. und Th. MANN, St. ZWEIG, E. v. KEYSERLING, H. v. HOFMANNSTHAL, H. SUDERMANN, P. ERNST, R. HUCH, H. GRIMM, E. STRAUSS, I. KURZ, H. HESSE, R. BINDING, R. MUSIL, G. von LE FORT, W. BERGENGRUEN, E. WIECHERT, v. UNRUH und St. ANDRES um e. neue Geschlossenheit der Form. In neuster Zeit daneben bei W. BORCHERT, S. LENZ u. a. Übergang zur →Kurzgeschichte und →Anekdote, bei G. GRASS *(Katz und Maus)* Ausweitung zum Roman hin. Im angloam. Bereich, wo der Begriff N. fehlt, stehen R. L. STEVENSON, R. KIPLING, D. H. LAWRENCE, K. MANSFIELD, W. S. MAUGHAM, POE, HAWTHORNE, H. JAMES, E. HEMINGWAY u. a. der Form nahe, in Frankreich SARTRE und CAMUS, in Italien PIRANDELLO. Vgl. →Versnovelle.

M. Maack, D. N., 1896; R. Fürst, D. Vorläufer d. mod. N. i. 18. Jh., 1897; M. Goldstein, D. Technik d. zykl. Rahmenerz., Diss. Bln. 1906; K. Ewald, D. dt. N. i. 1. Drittel d. 19. Jh., Diss. Rostock 1907; E. Walser, D. Theorie d. Witzes u. d. N., 1908; P. Bastier, *La nouvelle individualiste en Allemagne de Goethe à Keller,* 1910; B. Erdmannsdörfer, D. Zeitalter d. N. i. Hellas (Kl. Schr. II, 1911); O. Flake, D. franz. Roman u. d. N., 1912; H. Lilienfein, Z. Gesch. u. Theorie d. N. (Lit. Echo 17, 1914); E. Rohde, D. griech. Roman, ^{3}1914; R. M. Mitchel, *Heyse and his predecessors in the theory of n.,* 1915; H. Mielke-Homann, D. dt. Roman i. 19. u. 20. Jh., ^{5}1920; J. Sprengel, D. dt. Prosadichtg., 1921; E. Auerbach, Z. Technik d. Frührenaissance-n. i. Italien u. Frkr. 1921; L. Bianchi, V. d. Droste bis Liliencron, 1922; H. Weißer, D. dt. N. i. MA., 1926; H. H. Borcherdt, Gesch. d. Romans u. d. N. i. Dtl. 1926; A. Hirsch, D. Gattgs.begriff N., 1928, n. 1967; M. Puccini, Grundzüge d. ital. N. (Schweizer Rundschau 21, 1928); B. Bruch, N. u. Tragödie (Zs. f. Ästhet. 22, 1928); RL; A. v. Grolman, D. strenge N.form u. d. Problematik ihrer Zertrümmerg. (Zs. f. Dt.kunde, 1929); W. Vark, D. Form i. d. N., Diss. Jena 1930; H. Pongs, Grundlagen der dt. N. des 19. Jh. (Jahrb. des Freien Dt. Hochstifts, 1930); I. Wortig, D. Wendepunkt i. d. dt. N., Diss. Ffm. 1931; H. Pongs, Möglichkeiten d. Tragischen i. d. N., 1932; R. Besthorn, Urspr. u. Eigenart d. ält. ital. N., Diss. Halle 1935; J. Klein, Wesen u. Erscheings.form d. dt. N., GRM 24, 1936; H. Steinhauer, D. dt. N. 1880–1933, 1936; G. Schüler, D. N. d. Jg. Dtl., Diss. Bln. 1941; E. K. Bennett, *A History of the German N.,* Cambridge ^{2}1961; H. Pongs, D. Bild i. d. Dichtg., II ^{2}1963; H. Beyer, D. moral. Erzählg. i. Dtl., 1941; R. Petsch, Wesen u. Formen d. Erzählkunst, ^{2}1943; W. Krauss, Novela-N. (Ges. Aufs., 1949); H. Lang, Z. Entw. d. mhd. Versn., Diss. Mchn. 1951; H. O. Burger, Theorie u. Wissensch. i. d. dt. N. (Deutschunterr. 1951); A. Mulot, D. N. u. ihre Interpretation, ebda.; J. Kunz in ›Aufriß‹; W. Pabst, N.theorie u. N.dichtg., ^{2}1967; B. v. Arx, N.istisches Dasein, 1954; I. Jens, Stud. z. Entw. d. express. N., Diss. Tüb. 1954; W. Silz, *Realism and Reality,* Chapel Hill 1954; B. v. Wiese, D. dt. N. v. Goethe bis Kafka, II 1956–62; J. Klein, Gesch. d. dt. N., ^{4}1960; N. Erné, Kunst d. N., ^{2}1961; F. Lockemann, Gestalt u. Wandlungen d. dt. N., 1957; W. Lange, Bemerkgn. z. anord. N. (Zs. f. dt. Altert. 88, 1957); S. Trenkner, *The Greek N. in the Class. Period.,* Lond. 1958; R. Koskimies, D. Theorie d. N. (Orbis Lit. 14, 1959); W. Silz, Gesch., Theorie u. Kunst d. N. (Deutschunterr. 11, 1959); F. Martini, D. dt. N. i. bürgerl. Realismus (Wirk. Wort 10, 1960); J. Müller, N. u. Erzählg. (*Études Germaniques* 16, 1961); H. Tiemann, D. Entst. d. ma. N. i. Frankr., 1961; H. Himmel, Gesch. d. dt. N., 1963; E. Hermes, D. 3 Ringe, 1964; K. K. Polheim, N.theorie u. N.forschg., 1965; H. Remak, Wendepkt. u. Pointe i. d. dt. N. (Wert u. Wort, Fs. E. M. Fleissner, 1965); E. Voerster, Märchen u. N. i. klass.-romant. Roman, ^{2}1966; H. H. Malmede, Wege z. N., 1966; R. Blauhut, Österr. Novellistik d. 20. Jh., 1966; H.-F. Rosenfeld, Mhd. N.nstudien, ^{2}1967; F. Deloffre, *La n.en France à l'âge class.,* Paris 1968; W. Baum, Bedeutg. u. Gestalt. Üb. d. sozialist. N., 1968; R. Thieberger, *Le genre de la n. dans la lit. allemande,* Paris 1968; H.-J. Neuschäfer, Boccaccio u. d. Beginn d. N., 1969; R. Schönhaar, N. u. Kriminalschema, 1969; R. Godenne, *Hist. de la n. franç. au 17. et 18. siècles,* Paris 1970; J. Kunz, D. dt. N. i. 19. Jh., 1970, ^{2}1978; H. Seidler, Österr. N.kunst i. 20. Jh., 1970; R. Schröder, N. u. N.ntheorie i. d. frühen Biedermeierzeit, 1970; D. LoCicero, N.theorie, Haag 1970; J. D. Johansen, *Novelleteorie efter 1945,* Koph. 1970; H. Steinhauer, *Towards a definition of the n.* (*Seminar* 6, 1970); D. N., hg. F. G. Ryder, N. Y. 1971; J. Kunz, D. dt. N. zw. Klassik u. Romantik, ^{2}1971; E. Leube, Boccaccio u. d. europ. N.ndichtg. (Neues Hdb. d. Lit.wiss. 9, 1972); H. Remak, D. Rahmen i. d. dt. N. (*Traditions and transitions,* Fs. F. Jantz 1972); W. Krömer, D. franz. N. i. 19. Jh., 1972; K. A. Blüher, D. franz. N., 1972; P. Brockmeier, Lust u. Herrschaft, 1972; N., hg. J. Kunz ^{2}1973; U. Eisenbeiß, D. Idyllische i. d. N. d. Biedermeierzt., 1973; W. Krömer, Kurzerzn. u. N.n i. d. roman. Litt. bis 1700, 1973; J. M. Ellis, *Narration in the German N.,* Lond. 1974; J. Leibowitz, *Narrative purpose in the n.,* Haag 1974; A. Weber, Dt. N.n d. Realismus, 1975; B. v. Wiese, N., ^{6}1975; D. franz. N., hg. W. Krömer 1976; L. Köhn, Dialektik d. Aufklärg. i. d. dt. N., DVJ 51, 1977; J. Kunz, D. dt. N. i. 20. Jh., 1977; H. Wetzel, D. roman. N. bis Cervantes, 1977; D. roman. N., hg. W. Eitel 1977; M. Swales, *The German N.,* Princeton 1977.

Novellenkranz →Novellenzyklus

Novellenmärchen, volkstüml. Erzählung um e. klar definierten Konflikt mit romant.-surrealen Zügen auf ansonsten realem Hintergrund, z. B. A. v. CHAMISSOS *Peter Schlemihl.*

Novellenroman, Roman, dessen Handlung sich aus e. Anzahl innerlich zusammengehöriger, e. Entwicklung aufzeigender Novellen zusammensetzt (A. ZWEIG, A. DÖBLIN, *Hamlet*).

W. Düsing, D. N. (Jb. d. Dt. Schiller-Ges. 20, 1976).

Novellenzyklus, locker um ein gemeinsames Thema oder eine Zentralfigur als Held oder Erzähler komponierten Zyklus von Novellen, z. B. bei A. ZWEIG, J. WASSERMANN, L. FRANK, F. NABL, W. BERGENGRUEN u. a.

Novellette (ital. *novelletta* =) kurze →Novelle

Nürnberger Dichterkreis der ›Pegnitzschäfer‹ oder ›Pegnesischer Blumenorden‹, 1644 von HARSDÖRFFER und KLAJ gegr. lit. Vereinigung dt. Barockdichter in Nürnberg; weitere Mitglieder: v. BIRKEN, RIST, SCHOTTEL, MOSCHEROSCH; schließt sich in seinen Bestrebungen den →Sprachgesellschaften an und pflegt heitere Hirten- und Gesellschaftsdichtung, Bilderlyrik und Klangmalerei.

J. Tittmann, D. N. D., 1847 n. 1965; RL; B. L. Spahr, *The Archives of the Pegnes. Blumenorden*, Berkeley 1960.

Nullpunkt, lit. Schlagwort für die (umstrittene) Theorie, die dt. Lit. der Nachkriegszeit habe nach dem Zusammenbruch des Dritten Reiches 1945 mit einer tabula rasa beginnen müssen, da infolge der Pervertierung aller Kulturbereiche durch den Nationalsozialismus keinerlei fortwirkende Traditionen als Basis für den Neuaufbau des lit. Lebens vorhanden gewesen wären (›totaler Ideologieverdacht‹).

F. Trommler, D. N. (Basis 1, 1970); ders., D. zögernde Nachwuchs (Tendenzen d. dt. Lit. seit 1945, hg. T. Koebner 1971); V. C. Wehdeking, D. N., 1971.

Numerus (lat. = Zahl), in antiker Metrik die Zahl der →Moren e. Verses; dann auch der durch Pausen, Sprechmelodie und Akzente bestimmte Klangcharakter und Prosarhythmus e. Satzes.

Nyland-Kreis, eigtl. nach e. westfälischen Bauernhof ›Werkleute auf Haus Nyland‹ genannt; rhein. Dichterkreis um J. WINCKLER, W. VERSHOFEN, J. KNEIP und die Zs. *Nyland*; dem Expressionismus weniger geistig als sprachlich nahestehend und durch Einbeziehung des Maschinenzeitalters, der Technik, des Wirtschaftslebens und der Arbeitswelt die →Arbeiterdichtung fördernd.

F. A. Hoyer, D. Werkleute auf Haus N., Diss. Tüb. 1941.

Obelos →Notae

Oberbühne, bei der →Shakespeare-Bühne die über der Vorderbühne befindliche, als erhöhter Ort (Erker, Mauer, Hügel) dienende Galerie.

Objektive Literatur →Nouveau roman

Objektive Lyrik, mißverständliche Bz. für lyrische Gedichte, in denen die Gegenständlichkeit nicht in der Stellungnahme e. aufnehmenden Ich gespiegelt, sondern gewissermaßen selbst Stimme wird. Vgl. →Dinggedicht.

Objektivismus, in kommunist. Definition jede politisch desinteressierte, um Objektivität bemühte und daher parteilose Haltung.

Obszönität (v. lat. *obscoenus* = schmutzig, unzüchtig), gemäß Gesetz alles, ›was geeignet ist, das Scham- und Sittlichkeitsgefühl eines normalen Menschen zu verletzen‹, hier die moralische Anstößigkeit einzelner sexueller oder erot. Schilderungen in der Lit., wie sie in den Werken fast aller Zeiten und Völker anzutreffen sind. Sie gilt in der populären quietistischen Literaturbetrachtung mit ihrer empfindlichen Schamhaftigkeit, die zwar gegen die Darstellung von Greueln, Mord und Totschlag im Krieg keine Hemmungen hat, wohl aber gegen jede Betonung der Sinnenfreude und Körperlichkeit des Menschen, noch immer als Tabu und als Verstoß gegen die guten Sitten. Für den lit. Kunstwert einer Dichtung ist die Frage der evtl. O. völlig irrelevant; für die →Zensurbehörden wird sich jedoch immer die Frage stellen, ob ein Buch seinen Erfolg eigentlich seinem lit. Kunstwert oder vorwiegend seiner O. verdanke und damit zur ausschließlich auf sexuelle Stimulierung abzielenden →Pornographie gehöre. Der Begriff der O. wird immer im Spiel bleiben, solange die moderne Lit. dem Moralkodex ihrer Zeit mit seinen veralteten Tabus um eine Länge voraus ist und solange es menschlicher Prüderie beliebt, lit. Werke mit außerlit. Maßstäben zu messen.

T. Schroeder, *Obscene lit.*, 1911; D. H. Lawrence, *Pornography and obscenity*, 1929; E. T. Atkinson, *Obscene lit.*, 1939; J. N. C. Paul u. M. L. Schwartz, *Federal Censorship*, N. Y. 1961; L. Marcuse, Obszön, 1962; A. Craig, *Suppressed Books*, Cleveland 1963; H. Giese, D. obszöne Buch, 1965; C. Rembar, *The end of o.*, N. Y. 1968; W.-D. Stempel, Ma. O. als lit. Problem (Poetik u. Hermeneutik 3, 1968); P. Gorsen, D. Prinzip Obszön, 1969; E. Mertner, H. Mainusch, Pornotopia, 1970; W. Witte, *The lit. uses of o.* (*German Life and Letters* 28, 1974); R. Krohn, D. unanständige Bürger, 1974. →Pornographie.

Ode (griech. = Gesang), 1. in der griech. Tragödie wie auch die Antode im regelmäßigen Wechsel mit Sprechteilen (Epirrhemata) stehende Chorgesänge. – 2. lyrische Form des Weihevollen, Feierlich-Erhabenen und Schwungvoll-Gedanklichen; in der Antike auch sangbar, doch im Gegensatz zur Einheit von Erlebnis und Erlebendem im heutigen →Lied gekennzeichnet durch ein ›richtendes Gegenüber‹ (häufig als Du-Anrede), eine kühle Distanz und dennoch tiefe Ergriffenheit vom Erlebnis, die sich in strenger, getragener Formgebung bändigt, meist reimlos und strophisch, im Stil des gezügelten Pathos, dadurch – freilich fließend – abgegrenzt gegen →Hymne und →Dithyrambus. Als Stoffe, die mit den durch sie ausgelösten Gefühlen, teils jäh assoziativen Übergängen, doch stets beziehungsklar und konturenfest, von gedanklicher Helle, in e. dem erhabenen Gegenstand angemessenen, gehobenen Sprache dargestellt werden, erscheinen bes.: Gott, Religion, Staat, Vaterland, Natur, Kunst, Wahrheit, Freundschaft, Geselligkeit, Liebe, Lebensgenuß, Gelassenheit, Nachruhm u. ä., auch entsprechende Anlässe der Gelegenheitsdichtung. – Als erste Vorstufe könnten die Psalmen DAVIDS gelten. Die griech. O.ndichtung beginnt im 7. Jh. v. Chr. mit ALKAIOS, SAPPHO, ALKMAN und erreicht ihren Höhepunkt, z. T. mit Nähe zur Hymne, bei PINDAR (*Olympische O.n*). Für die Nachwelt bedeutender waren bes. die lat. O.n des HORAZ, die freilich erst von den Kommentatoren der Kaiserzeit (PORPHYRIO) als O.n benannt, von ihm selbst als ›carmina‹ bezeichnet wurden – wie O. bei den Griechen auch allg. jedes sangbare Lied (→Melik) hieß, das zur Musikbegleitung, zuerst bei den Doriern und Äoliern, vorgetragen wurde. Daher erklärt sich e. gewisse Öffentlichkeit, Einschränkung des Individuellen in den antiken O.n. Die Beschränkung des Gattungsbegriffs erfolgt erst in der Renaissance, seitdem christliches Altertum und MA. (CLEMENS, FRANZ VON ASSISI, JACOPONE DA TODI, THOMAS VON CELANO, THOMAS VON AQUINO) mehr das liedhafte oder hymnische Element pflegten. C. CELTIS führt mit seinen *Libri odarum quattuor* 1513 den Begriff O. als vertontes und gesungenes Kunstlied in die Renaissancelit. ein; zahlreiche neulat. Gelegenheits- (Lob-, Liebes-, Freundschafts-, Landschaft-) Gedichte der Humanisten folgen: Eobanus HESSUS, BRANT, HUTTEN, MURMELIUS, MELISSUS, dessen geistliche O.n (*Melitemata pia,* 1595) die geistliche O.ndichtung der Jesuiten, bes. J. BALDES, im 17. Jh. anregen. Die lat. O.ndichtung endet im 18. Jh., nachdem schon früh die weltliche begann: in Frankreich RONSARD und die Pléjade nach Vorbild von PINDAR und HORAZ, im franz. Klassizismus, bei BOILEAU, der Erhabenheit in Stil und Gehalt sowie ›beau désordre‹ als bewußten Kunsteffekt fordert, bei J. B. ROUSSEAU, LA MOTTE, MALHERBE, freilich mehr nach dem Vorbild der Psalmen und PINDARS; im 19. Jh. folgen A. CHÉNIER, V. HUGO, A. de MUSSET und LAMARTINE mit europ. Einfluß, neuerdings CLAUDEL. In Italien folgen auf die o.nartigen Laudes des MA. im 16. Jh. Bernardo TASSO und L. ALAMANNI; im 17. Jh. G. CHIABRERA mit barocker, plastischer Form, in neuerer Zeit V. da FILICAJA, V. ALFIERI, A. MANZONI *(Il cinque Maggio)* und d'ANNUNZIO. In Spanien ragen PONCE DE LEON (16. Jh.), F. de HERERA und J. B. de ARRIAZA *(Cantos patrioticos)* hervor; aus England wirkten die O.n von A. COWLEY, J. DRYDEN *(Alexander's Feast)* und A. POPE auch auf den Kontinent, später bes. BYRON und KEATS; in Rußland waren DERŽAVIN, PUŠKIN und LERMONTOV bedeutend. – Die dt. O.ndichtung beginnt nach Vorbild Frankreichs im Barock mit WECKHERLIN (stoisch-moralische und gesellige O.n), bes. OPITZ und FLEMING als streng strophische, sangbare Lieder gesellschaftlichen Charakters, oft dem Lied gleichgesetzt. GRYPHIUS dagegen übernimmt zum Ausdruck geistiger Inhalte den dreiteiligen Aufbau (Strophe, Antistrophe, Epode) und den grandiosen Schwung der pindarischen O. Zu Beginn der Aufklärung folgen GÜNTHER mit persönlicher Note und die →Hofpoeten mit Gelegenheits-O.n. Nach Vorbild der franz. Klassik pflegen GOTTSCHED und sein Kreis die heroische O. zur Verherrlichung von Herrschern und Helden; CRAMER und LANGE fassen die neuentdeckte dichterische Schönheit der Psalmen in O.nform. Die Aufklärung bringt oft nüchterne philosophisch-moralisch-lehrhafte O.n bei HALLER, v. CREUTZ, UZ, E. v. KLEIST, GEMMINGEN, doch nicht ohne hymnische Töne und bleibende Werte (GELLERT: ›Die Himmel rühmen‹, vertont von BEETHOVEN); PYRA und LANGE erneuern um die Jh.mitte reimlose horazische O.n zum Ausdruck erhabener Gesinnung, doch gleichzeitig pietistischer Innigkeit und Empfindsamkeit, die sie in der Anakreontik Freundschaft, Geselligkeit, Liebe, Wein und Lebensgenuß besingen läßt. Den Höhepunkt der dt. O.ndichtung aber bildet KLOPSTOCK. Durch ihn erfuhr die O. e. Wendung ins Enthusiastische; Schwung und Erhabenheit des Stils, der das Große besingt, gehen bei ihm oft ins Hymnische über; sowohl in der Nachahmung horazischer Maße als in freien Rhythmen erschien die O. bei ihm als naturgegebene Ausdrucksform für Begeisterung, Gefühl und Berufung; seine Anregung geht über zahlreiche, teils freirhythmische Nachahmungen (CRAMER, DENIS, MASTALIER, LEON, HASCHKA,

KRETSCHMANN), die mehr gefühlvollen als gedanklichen, daher der Elegie nahestehenden O.n des Göttinger Hain (VOSS, HÖLTY, HAHN, MILLER, Grafen STOLBERG) und die vermeintliche präzise Nachbildung antiker Metren bei RAMLER bis zur irrealen Dynamik der Sturm- und Drang-O.n des jungen GOETHE und SCHILLER – freilich mehr Hymnen. Einen zweiten Gipfel erreicht die O. in strenger antiker Form bei HÖLDERLIN als mythische, dialektische oder tragische O., Objektivation der Spannungen seines Geists zwischen Ideal und Wirklichkeit, seiner Griechensehnsucht und Einsamkeit, Ausdruck e. mythischen Weltbildes und des Wissens um die hohen Seinsmächte, anfangs in der Strophe Schillerscher Gedankenlyrik, ab 1798 in streng antiker Form, auch Hexametern und Distichen, schließlich ins Hymnische mündend. Nach ihm bricht im 19. Jh. die O.ndichtung ab; Versuche des Münchner Kreises (GEIBEL, LEUTHOLD, bes. PLATEN) bringen keine echte Erneuerung; erst im 20. Jh. entsteht e. neue ekstatische O. bei R. A. SCHRÖDER, BECHER, WERFEL, HASENCLEVER und F. G. JÜNGER. Den Anschluß an KLOPSTOCK und HÖLDERLIN in der strengen klassischen Form findet erst wieder WEINHEBER. →Odenmaße.

A. Lehnhardt, D. dt. Horazdichtgn. d. 17./18. Jh., 1882; R. Shafer, *The Engl. O. to 1660*, 1918; K. Viëtor, Gesch. d. dt. O., [2]1961; RL; G. N. Shuster, *The Engl. O. from Milton to Keats*, 1940; G. Müller, D. Grundformen dt. Lyrik (V. dt. Art i. Spr. u. Dichtg. V, 1941); G. Swoboda, Wesen u. Gestalt d. dt. O. d. Ggw., Diss. Wien 1943; H. W. Fischer, D. O. b. Voß u. Platen, Diss. Köln 1960; C. Maddison, *Apollo and the Nine*, Lond. 1960; R. Hossfeld, D. dt. horazische O. v. Opitz bis Klopstock, Diss. Köln 1961; K. Schlüter, D. engl. O., 1964; D. Janik, Gesch. d. O. u. Stances v. Ronsard bis Boileau, 1967; J. D. Jump, *The o.*, Lond. 1974; K.-G. Hartmann, D. humanist. O.komposition i. Dtl., 1976.

Odenmaße, die metrischen Systeme der →Ode, insbes. →alkäische, →archilochische, →asklepiadeische, →hipponakteische, →pindarische und →sapphische Strophe.

Odeon (griech. *odeion*, lat. *odeum*), in der griech.-röm. Antike große und – im Ggs. zum Amphitheater – überdachte (meist Rund-) Bauten für musikalische, Gesangs- und deklamatorische Aufführungen, so zuerst in Athen von PERIKLES für die Panathenäen, später von AGRIPPA und HERODES ATTIKOS (170 n. Chr., noch gut erhalten) und in Rom von DOMITIAN. – Heute allg. Konzertsaal.

Offene Formen im Ggs. zu geschlossenen (z. B. Anekdote, Novelle) sind die lit. Formen von weniger kunstvollem, architektonischem Bau wie Brief, Dialog, Diatribe, Essay. – Im engeren Sinne unterscheidet man dann innerhalb von Gattungen, die an sich eine architektonische Bauform verlangen (Roman, bes. Drama) selbst wiederum o. F. und geschlossene Formen als Extrempunkte in der Spannweite der Aufbaumöglichkeiten, zwischen denen Aufbauanalyse und Interpretation den jeweils individuellen Standort e. Werkes zu ermitteln haben. Für das Drama bedeutet o. F. dann breitausgreifende, lockere, epische Handlungsführung mit häufigem Ortswechsel und hoher Figurenzahl (z. B. SHAKESPEARE) im Ggs. zur geschlossenen Form mit straffem, figurenarmem Aufbau an wenigen Schauplätzen (z. B. RACINE). Beide Bauformen sind an sich wertfrei.

M. Peppard, *The poetics of the open form* (Monatshefte 55, 1963); V. Klotz, Offene u. geschl. Form i. Drama, 1960; E. Faas, O. F., 1976. →Dramaturgie, →episches Theater.

Offizin (lat. *officina* = Werkstätte), Buchdruckerei.

Oktameter (lat. *octo* = acht), Verszeile von acht Metra; selten, da sie den zulässigen Höchstumfang des Verses sprengt.

Oktastichon (v. lat. *octo* = acht, griech, *stichos* = Vers), Achtzeiler, Versgruppe oder Strophe von acht Zeilen, = →Huitain.

Oktav (lat. *octavus* = der achte), häufigstes Buchformat, bei dem der dreimal gefaltete Bogen acht Blatt = 16 Seiten ergibt; Abkürzung: 8°; Höhe bei Klein-O. bis 18,5 cm, (Mittel-)O. bis 22,5 cm, Groß-(Lexikon-)O. bis 25 cm.

Oktave →Stanze

Oktett, Strophe von acht Zeilen, bes. auch die beiden Quartette des →Sonetts, als Einheit gesehen.

Oktobergruppe →Vorpostler

Oktodez (lat. *octodecim* = 18), kleines Buchformat des in 18 Blatt = 36 Seiten gefalteten Bogens, meist für Liebhaberausgaben.

Oktonar (lat. *octonarius* = aus acht bestehend), antiker Vers aus acht Füßen: 1. bes. jambischer akatalektischer →Tetrameter: ◡ –́ ◡ –́ ◡ –́ ◡ –́| ◡ –́ ◡ –́ ◡ –́ ◡ –́, meist durch Zäsur in zwei Dimeter oder nach der 5. Senkung in ungleiche Teile geteilt. – 2. akatalektischer trochäischer Tetrameter, der katalektisch →Septenar heißt. – 3. seltener auch anapästischer O. – Versformen der röm. Komödie; in dt. Übersetzungen aus dem Lat. und in PLATENS Literaturkomödie nachgeahmt.

Omphalos (griech. = Nabel), 1. Mittel- und Hauptteil des altgriech. →Nomos, diente der Verherrlichung des Gottes; 2. der mit e. Knauf versehene Stab, um den die antike Buchrolle gewickelt wurde.

Onegin-Strophe, nach ihrer Verwendung in PUŠKINS *Eugen Onegin* benannte 14zeilige Strophe aus vierfüßigen Jamben: 9silbig-weibliche oder 8silbig-männliche Verse in festgelegter Reihenfolge: w/m w/m w/w m/m w/m m/w m/m und dem vorbestimmten Reimschema ababccddeffegg. Die Untergliederung der O. zu verschiedenen syntaktischen oder Sinneinheiten gestattet eine große Lebendigkeit, Geschmeidigkeit und Vielgestaltigkeit der Form, indem die Zeilen etwa folgende Verhältnisse bilden können: 4:4:6, 4:6:4, 4:4:4:2, 4:2:2:4:2, 6:2:4:2, 6:6:2, 4:2:6:2, 6:2:6, 4:2:2:6.

Onomastikon (griech. = Nenner), alphabetisch geordnetes Namen- oder Wörterbuch mit sachlichen Erklärungen; verbreitete Gattung der Kompilationslit. in alexandrin. Zeit, so von dem Sophisten GORGIAS und das erhaltene – freilich sachlich geordnete – des Julius POLLUX (2. Jh. n. Chr.), Vorläufer des Konversationslexikons.

Onomatopöie (griech. =) Wortschöpfung zum Zwecke der →Klangmalerei.

Oper (ital. *opera in musica* =) Musikwerk, urspr. jedes Musikstück; seit dem 17. Jh. Bz. für musikalische Bühnenwerke als komplexe dramatische Kunstgattung, deren Text durch die instrumental begleitete menschliche Gesangstimme interpretiert wird. Das 18. Jh. unterschied vier Gattungen: tragische O. (Opera seria), musikalisches Schäferspiel (Pastorale), mythologische Allegorie (Serenata, Festa teatrale) und komische O. (Opera buffa), die mehr bürgerliche, lebensnah-volkstümliche Typen gestaltete und aus den Zwischenspielen der opera seria entstand; ferner: grande opéra = durchkomponierte Oper mit heroischen Stoffen und Massenszenen und opéra comique oder Spiel-O. als gesprochener Dialog mit reinen Musik- oder Gesangsnummern. Über Einleitung, Zwischenaktmusik und Ausklang bes. durch den Chor verbreitet sich die Musik allmählich über das ganze Drama und läßt die dichterischen und dramatischen Werte des →Librettos zurücktreten. Urspr. eingeführt zur Verdeutlichung der Stimmungen und seelischen Zustände, für die dem gesprochenen Wort der letzte Ausdruck fehlt, verwischt die Melodie bei Überhandnehmen des rein Gesanglich-Virtuosen den gedanklichen Gehalt des Dramas und beeinträchtigt Klarheit des Ausdrucks und Aufnahmemöglichkeiten durch erschwerte Verständlichkeit des gesungenen Wortes. Die Geschichte der O. ist – abgesehen von der musikalischen Entwicklung, die der Musikgeschichte angehört – das Ringen von Wort und Musik um den Vorrang, denn leider stehen nur allzuoft beide im Verhältnis des Gegensatzes anstelle der erstrebenswerten gegenseitigen Ergänzung.

Schon die griech. Tragödie (Chöre, Rezitative mit Kithara-Begleitung) und die röm. Komödie (→Cantica) zogen die Musik als Wirkungsmittel heran. Die moderne O. entstand um 1600 in Florenz aus dem Streben nach Wiedererweckung des antiken Dramas. Dementsprechend wählte man e. homophone Instrumentalbegleitung für den Sprechgesang, die ohne Kontrapunkt und der Rede ähnlich war und sich dem Psalmengesang der Kirche näherte: Stile rappresentativo oder recitativo. Aus der Zusammenarbeit der beiden Musiker G. CACCINI und Jacopo PERI mit dem Dichter Ottavio RINUCCINI entstand 1594 die erste O. *Dafne*. Der Florentiner Emilio DEL CAVALIERE baute die neugeschaffene und erfolgreiche Form in Richtung des Mysterienspiels (*Rappresentazione di anima e di corpo,* 1600), AGGAZARI nach der Pastoral-O. hin aus *(Eumelio)*. War die Musik bisher noch Dienerin des Bühnenwerks, so überwog seit MONTEVERDIS *Orfeo* (1607) das musikalische Element zuungunsten des Wortes. Erweiterung der szenischen Gestaltung, der Lobgesänge zu 3teiligen →Arien, Einführung von selbständig in die Handlung eingreifenden Chorgesängen und Ausbau des Kompositionssystems führen bei M. ROSSI, St. LANDI, V. LORETO, MAZZOCHI, GAGLIANO um 1625 zur Überwindung der strengen florentinischen Form. Die Gründung des 1. O.nhauses in Venedig durch B. FERRARI 1637 löst die O. aus dem höfischen Rahmen und nähert sie dem zeitgenössischen Theater durch Einschränkung der Chöre. In der venezianischen Schule entsteht bei F. CAVALLI (42 O.n) und bes. bei M. A. CESTI (*Il pomo d'oro,* 1665 in Wien aufgeführt) die barocke Prunkoper, die durch sinnliche Szenenführung und hohe Arienkunst als die ihrer Zeit angemessene Form des Dramas das ganze Kulturleben beherrscht und auch die Dichtung beeinflußt, jedoch letztlich mehr Mal- und Maschinenkunst als Dichtung ist. Sie findet in allen Residenzstädten und Kulturzentren Europas weite Aufnahme, bes. in Wien, bescheidener in Dresden und mitteldt. Höfen; dichterische Vertiefung des →Librettos erreicht nach Vorgang von STAMPIGLIA und ZENO erst METASTASIO im 18. Jh. Die 1. dt. O. spielte 1618 im Hellbrunner Park in Salzburg; e. eigenständige dt. Entwicklung, die mit der 1627 in Torgau aufgeführten O. *Dafne* (Text von

OPITZ nach RINUCCINI, Musik von H. SCHÜTZ) einsetzt und in der in Hamburg gegr. O. (1678–1740) erstrebt wird, scheitert an der Vorherrschaft der ital. O. Dagegen geht die von Henry PURCELL Ende 17. Jh. eingeleitete engl. National-O. seit 1719 unter HÄNDELS machtvoller und selbständiger Leitung eigene Wege. In Frankreich traf die ital. O. im 17. Jh. auf erheblichen Widerstand beim Begründer der Pariser National-O. (Académie de musique), CAMBERT, dem in Frankreich wirkenden Florentiner J. B. LULLY und später J. P. RAMEAU, die das Recht der Dichtung gegen die überwuchernde Melodie vertreten. Ihnen schließt sich in Dtl. GLUCK an, der architektonische, dramatische und musikalische Strenge fordert und e. wirkliches Kunstwerk als →Musikdrama erstrebt, bei dem das Wort zur Geltung kommt und der Gesang auf bloße Zurschaustellung virtuoser Stimmkünste verzichtet. In Italien entsteht nunmehr die opera buffa (PERGOLESI), in Frankreich aus dem franz. Singspiel (→Vaudeville) die opéra comique, in Dtl. e. bürgerliches →Singspiel (DITTERS VON DITTERSDORF, HILLER, W. MÜLLER). MOZART verbindet ital. und franz. Elemente zu e. dt. Eigenleistung, kann jedoch nicht die Vorherrschaft der ital. und franz. O.n bes. in Süddtl. brechen, die mit der neuen opera buffa und der franz. grande opéra (ROSSINI, CHERUBINI, BELLINI, DONIZETTI und bes. MEYERBEER *Hugenotten*) als zwar szenisch strengeren, doch betont höfischen Ausstattungsstücken die Spielpläne bis um Mitte des 19. Jh. beherrscht und die Neuschöpfungen beeinflußt. Einzeln ragt in seelischer und gedanklicher Verinnerlichung BEETHOVENS *Fidelio* über das zeitgenössische Opernschaffen als →Musikdrama hinaus. Von ihm und von MEYERBEER führt die Reihe der selbständigen dt.-romantischen O. (SPOHR *Faust,* v. WEBER *Der Freischütz,* MARSCHNER *Hans Heiling* und K. KREUTZER) mit europ. Wirkung zum →Musikdrama WAGNERS als →Gesamtkunstwerk, das dem leidigen Zustand der Libretti durch Gleichstellung von Musik und Wort e. Ende zu machen sucht – e. Ziel, das WAGNER freilich, da der Musiker in ihm den Dichter überwog, nicht ganz erreichte, das jedoch bis heute verbindliche Forderung der O. bleibt. Neben ihm steht noch die komische Spiel-O. von BOÏELDIEU, ADAM und LORTZING als Fortentwicklung von MOZART und ROSSINI und die Nachfolge der romantischen O.n bei GOUNOD und THOMAS, doch WAGNERS Einfluß beherrscht die neue O. selbst im Frankreich des 19. Jh. und in Italien, wo der von der venezianischen Richtung her einsetzende VERDI sich schließlich *(Aida)* seinem Einfluß nicht entziehen kann. Während die direkten Nachahmer WAGNERS heute vergessen sind, gelangten P. CORNELIUS, HUMPERDINCK und die veristische O. aus dem Alltagsleben (BIZET, MASCAGNI, LEONCAVALLO, PUCCINI, d'ALBERT) zu eigenen Formen, ebenso die stimmungsvoll-lyrische O. des franz. Impressionismus (MASSENET, SAINT-SAENS, DEBUSSY) und der letzte große Italiener der O., PUCCINI, mit Nachwirkung auf WOLFF-FERRARI. Von WAGNER ausgehend finden auch R. STRAUSS (mit dichterischen Libretti von HOFMANNSTHAL) und PFITZNER, SCHREKER, F. SCHMIDT, N. von REZNICEK und P. GRAENER zu eigenem Persönlichkeitsstil in musikdramatischer Form. In expressionistische Bereiche kommt die O. mit BRAUNFELS, WELLESZ und Alban BERG *(Wozzeck)*; sie wie auch die Werke von HINDEMITH, W. EGK, ORFF und SCHOECK streben erneut nach strengsten Formen des Musikalischen wie der gedanklich-intellektuellen Durchdringung; ähnlich KLEBE, FORTNER, HENZE, SUTERMEISTER, REUTTER, ZIMMERMANN sowie G. von EINEMS visionär-ekstatische O. *(Danton)*, in Italien MENOTTI, DALLAPICCOLA und NONO, und in England B. BRITTEN. Von zunehmender Bedeutung für den modernen Spielplan wird die slaw. O., die trotz ihrer volksnahen, fast liedhaften Form weite Wirkung über ganz Europa erreicht: in Rußland MUSORGSKIJ *(Boris Godunov)*, RIMSKIJ-KORSAKOV, BORODIN, RUBINŠTEIN und ČAJKOVSKIJ und neuerdings bes. STRAWINSKY, in der Tschechoslowakei SMETANA *(Die verkaufte Braut)* und DVOŘÁK. Mehr im Bereich des Literarischen und des →epischen Theaters liegen die O.n von B. BRECHT (Musik: K. WEILL, P. DESSAU). Vgl. →Literaturoper.

H. Riemann, O.-Handbuch, II 1887–93 (Suppl.); R. Rolland, *Histoire de l'opéra en Europe avant Lully et Scarlatti*, ²1931; E. Hanslick, D. moderne O., 1895–1900; H. Bulthaupt, Dramaturgie d. O., II ²1902; A. Solerti, *Le origini del melodrama*, 1903; H. Kretzschmar, Gesch. d. O., 1919; W. Zenter, D. dt. O., 1922; O. Bie, D. O., ¹⁰1923; E. Istel, D. mod. O., ²1923; RL; P. Bekker, Wandlgn. d. O., 1934; L. Schiedermair, D. dt. O., ²1940; J. Gregor, Kulturgesch. d. O., ²1944; E. J. Dent, O., Harmondsworth 1951; U. Manferrari, *Dizionario universale delle opere melodrammatiche*, III 1954f.; Kobbè's *Complete Opera Book*, Lond. ⁵1954; A. Loewenberg, *Annals of O.*, Genf ²1955; S. Skraup, D. O. als lebendiges Theater, ²1956; B. Jarustowski, D. Dramaturgie d. klass. russ. O., 1957; P. Hope-Wallace, *A Picture History of O.*, N. Y. 1959; D. Ewen, *Encycl. of the O.*, Lond. 1959; J. Kerman, *O. as drama*, N. Y. 1959; H. Graf, Aus d. Welt d. O., 1960; Q. Eaton, *O. Production*, Minneapolis 1961; F. L. Moore, *Hdb. of World O.*, N. Y. 1961; W. Brockway u. H. Weinstock, *The world of O.*, Lond. 1963; G. R. Marek, *O. as theater*, N. Y. 1962; K. Pahlen, O. der Welt, 1963; R. Leibowitz, *Hist. de l'opéra*, Paris 1964; H. H. Stuckenschmidt, O. in dieser Zeit, 1964; R. Brockpähler, Hdb. z. Gesch. d. Barock-O. i. Dtl., 1964; J. Müller-Blattau, O. u. Dichtg., 1965; R. Kloiber, Hdb. d. O., ⁷1966; D. J. Grout, *A short hist. of o.*, Lond. II ²1966; M. Robinson, *O. before Mozart*, Lond. 1966; H. Ch. Worbs, Welterfolge d. mod. O., 1967; Friedrichs O.-Lexikon, 1969; W. Zentner, Reclams O.führer, ²⁶1973; G. Flaherty, *O. in the development of German critical thought*, Princeton 1978.

Opera buffa →Oper

Opéra comique →Oper

Opera seria →Oper

Operette (ital. Diminutiv zu →Oper, = kleine Oper), musikalisches Lustspiel, urspr. kurze Oper ohne volle Entfaltung der musikalischen Möglichkeiten (Arie, Rezitativ, Finale), →Singspiel, dann aus Parodien der Schwächen in der opera seria (LULLY, HÄNDEL, DUFRESNES *L'opéra de campagne* 1692, J. GAY *Beggar's opera*) und der opéra comique in Frankreich (HERVÉ, LECOCQ) von OFFENBACH in den *Bouffes parisiens* (1855) geschaffene Form der heiteren, komischen oder parodistischen Oper; in *Hoffmanns Erzählungen* mit Beziehungen zur Lit., mit graziöser, leichter und eingängiger Musik, schwungvoll und melodiereich, von gutmütig-volkstümlichem Humor, doch lit. meist wertlos und z. Zt. oft klischeehaft erstarrt, hält sie dennoch die Spitze der Provinztheater-Spielpläne. Bes. Pflegestätten sind: Wien (J. STRAUSS, v. SUPPÉ, MILLÖCKER, ZELLER, LEHÁR, L. FALL, O. STRAUS, EYSLER, STOLZ, JARNO), Berlin (mit typischer Berliner Lokalnote: P. LINCKE, W. KOLLO, N. DOSTAL, J. GILBERT, E. KÜNNECKE), Böhmen (NEDBAL, J. WEINBERGER, J. BENEŠ), Ungarn (E. KÁLMÁN) und England (SULLIVAN *Mikado*, Sidney JONES). Fortentwicklung im →Musical.

E. Rieger, Offenbach u. seine Wiener Schule, 1921; A. Neisser, V. Wesen u. Wert d. O., 1923; O. Keller, D. O. i. ihrer gesch. Entw., 1926; RL; K. Westermeyer,

D. O., 1931; F. Hadamowsky, D. Wiener O., 1948; A. M. Rabenalt, O. als Aufgabe, 1948; S. Czech, D. O.buch, [4]1954; G. Hughes, *Composers of O.*, Toronto 1961; B. Grun, Kulturgesch. d. O., 1961; J. Bruyr, *L'O.*, Paris 1962; M. Lubback, D. Ewen, *The complete book of light opera,* Lond. 1962; A. Würz, Reclams O.führer, [13]1973.

Opferlied, in heidnischer Zeit von den Germanen bei rituellen Opfern zum Tanz gesungene, magisch beschwörende chorische Dichtung. Texte sind nicht überliefert; erst in weiterem Sinne gehören die Völsistrophen und der angelsächsische Flursegen mit Anrufung der Erce als ›der Erde Mutter‹ hierher, doch lassen Andeutungen nordischer und lat. (TACITUS) Quellen sicher auf die Existenz solcher O. schließen.

A. Heusler, Altgerman. Dichtg., [2]1943; RL.

Opisthographon (griech. *opisthen* = hinten, *graphein* = schreiben), entgegen der Gewohnheit aus Sparsamkeitsgründen beiderseitig beschriebene →Papyrusrolle. Meist wurde die Rückseite (›verso‹ im Ggs. zur Vorderseite, ›recto‹, auf der die Fasern horizontal liefen) von veralteten Akten und für wertlos erachteten Schriftstücken erst später mit neuem Text versehen; äußerst selten setzt die Rückseite den Text der Vorderseite fort; O.a erscheinen meist für Privatgebrauch oder evtl. als billige Marktware.

Lit. →Paläographie.

Opposition (lat. = Entgegenstellung), 1. = →Antithese, 2. Verbindung von →Litotes mit der entsprechenden vor- oder nachgestellten positiven Aussage, also Negation e. Eigenschaft und Affirmation des Gegenteils: ›Er ist nicht alt, er ist jung‹. In hebr. und griech., seit dem MA. auch in lat. Lit. beliebte →rhetorische Figur zur Verstärkung.

Optimus codex (lat. = der beste →Codex), diejenige Hs. bei der Überlieferung e. lit. Textes, welche in den meisten Fällen die besten Lesarten enthält, doch ebenso an anderen Stellen von Korruptelen durchsetzt sein kann, da e. jüngere Hs. aus besseren, teils älteren Quellen geschöpft haben kann. Die Methode der →Textkritik im 19. Jh., dem o. c. mehr oder weniger blind zu folgen, führte zur Nichtbeachtung mancher wesentlicher Varianten und bequemer Textgestaltung; im letzten Sinne gibt es keinen o. c.

Option (lat. = Wahl), im Verlagswesen ein durch schriftlichen O.svertrag einzuräumendes Vorkaufsrecht, das der Autor für ein noch zu schaffendes Werk oder ein Verleger für eine Übersetzung einem Verlag zugestehen.

M. Brandi-Dohrn, D. urheberrechtl. O.svertrag, 1967.

Opus (lat. =) Werk, Mz.: Opera.

Opusculum (lat. =) kleines Werk, Mz.: Opuscula: kleine Schriften.

Oratio funebris (lat. =) →Leichenrede, →Laudatio funebris

Oratorium (v. ital. *oratorio* = Betsaal, nach dem Ort der ersten Aufführungen), aus teils episch-lyrischen, teils dramatischen Elementen zusammengesetztes Tonstück für Solostimmen (Arien, Rezitative), Chöre mit Orgel- oder Orchesterbegleitung, urspr. auf Grundlage e. zusammenhängenden geistlichen, später auch weltlichen Textes, musikalisch der Oper ähnlich, doch meist ohne sichtbare Szene; entstanden Ende 16. Jh. in Italien als Musikbegleitung zu den Andachten und Vorträgen über biblische Geschichte der von F. NERI in Rom 1564 gegr. Weltpriesterkongregation der Oratorianer, anfangs Lob- und Bittgesänge hymnischer Art (laudi spirituali) von ANIMUCCIA und PALESTRINA, auch CAVALIERES Mysterium *Rappresentazione di anima e di corpo* 1600, das sich wie auch HÄNDELS O. der →Oper nähert. Allegorische O.en als Darstellungen von Begriffen oder biblischen Geschichten (KAPSBERGER, LANDI) setzen szenische Darstellungen voraus, die meisten jedoch verzichten auf die Schaubühne, so ANERIOS *Teatro armonico spirituale* 1619, weltlich MONTEVERDIS *Combattimento di Tancredi e di Clorinda* 1624, wo das Wort des Erzählers die Schau ersetzt, ähnlich BACHS →Passionen. Blütezeit des O. ist das 18. Jh. mit HÄNDELS *Messias* 1741, HAYDNS *Schöpfung* 1798 und *Jahreszeiten* 1800; im 19. Jh. (SPOHR, MENDELSSOHN-BARTHOLDY, SCHUMANN, LISZT) läßt das Schaffen nach und verstummt im 20. Jh. (HONEGGER, STRAWINSKY, HINDEMITH) fast ganz.

A. Schering, Gesch. d. O., [2]1965; W. Flemming, O., Festspiel, 1924; RL; H. Kretzschmar, Führer durch d. Konzertsaal, II [5]1939; F. Rougel, *L'oratorio*, Paris 1948.

Orchestra (griech. = Tanzplatz), im altgriech. Theater der anfangs kreisrunde, später halbrunde Raum zwischen Bühne und Zuschauerreihen, auf dem der →Chor seine Gesänge und Tänze vorführte und sich während des Spiels aufhielt. Urspr. erinnerte wohl e. in seiner Mitte stehender Altar an die religiöse Herkunft des Dramas (neuerdings umstritten). Bei der Wiederbelebung des antiken Theaters in der Renaissance, die zur Entstehung der Oper führte, diente der Raum zuerst der Hofgesellschaft, die bei den Ballettszenen der Zwischenspiele z. T. selbst mitmachte und dann von dort aus über Treppen die Bühne ersteigen konnte (daher der bis ins 18. Jh. übliche Mißbrauch dieses Rechtes, indem adlige Besucher während der Vorstellung auf die Bühne gehen und dort der Vorstellung beiwohnen konnten). Schließlich erhielt die urspr. hinter den Kulissen verdeckte Musikkapelle den Platz im Halbkreis vor der Bühne (seit WAGNERS Bayreuther Festspielen verdeckt unter dieser), und auf sie ging der Name O. über.

Ordensdichtung →Deutschordensdichtung, →Jesuitendichtung, →Freimaurerdichtung.

Ordenstheater, das Schultheater (→Schuldrama) der kathol. religiösen Orden, bes. Jesuiten (→Jesuitendrama) und Benediktiner, im Dienste der Gegenreformation.

Orientalisierende Dichtung entsteht in der 1. Hälfte des 19. Jh. im Anschluß an GOETHES *Westöstlichen Divan* (1819) und sucht neben der Verwendung orientalischer Stoffe und Formen (→Ghasel, →Kasside, →Makame) auch Wesen und Geist des Orients sich anzueignen und produktiv das Erworbene in heimische Dichtung zu fassen. Die nur stofflich vom Orient abhängigen Dichtungen des MA. *(Alexanderlied, König Rother, Herzog Ernst)* und Barock (GRYPHIUS, ZIGLER, HAPPEL) oder die nur aus Tarnungsgründen im Orient angesiedelten zeitkritischen und Staatsromane der Aufklärung (MONTESQUIEU, VOLTAIRE, HALLER, WIELAND) gehören demnach nicht hierher. Erst HERDER erkennt die Bedeutung oriental. Geistes für das Abendland in Untersuchungen und Abhandlungen, bes. didaktisch-moralischer Art; es folgt F. SCHLEGEL, in schöpferischer Eigengestaltung zuerst GOETHES *Divan* unter Einfluß von HAMMER-PURGSTALLS Übersetzung des HAFEZ (1812), weiterhin die o. D. bei RÜCKERT, PLATEN, DAUMER, BODENSTEDT (*Lieder des Mirza*

Schaffy 1851), STIEGLITZ, SCHACK, BETHGE, KEYSERLING, DAUTHENDEY, KLABUND, Th. MANN und H. HESSE *(Siddhartha).* Vgl. →exotische Dichtung.

P. Th. Hoffmann, D. ind. u. dt. Geist, Diss. Tüb. 1915; RL; P. Hutsch, D. Orient i. d. dt. Barocklit., Diss. Bresl. 1938; O. Spies, D. Orient i. d. dt. Lit., 1949; F. Babinger in ›Aufriß‹; R. Gérard, *L'orient et la pensée romantique allemande,* Paris 1963; N. A. Daniel, *The mirror of Islam,* Edinb. 1964; H. Szklenar, Stud. z. Bild d. Orients i. vorhöf. dt. Epen, 1966; M. P. Conant, *The oriental tale in Engl. in the 18. cent.,* Lond. 1967; M. E. de Meester, *Oriental influences in the Engl. lit. of the 19. cent.,* Lond. [2]1968.

Original (lat. *originalis* = ursprünglich), 1. das ursprünglich und selbständig Schöpferische, in einmaligem Schaffensprozeß Hervorgebrachte, daher Eigenartige, ›Originelle‹ im Ggs. zur epigonenhaften Kopie oder Nachbildung. O.ität: die Fähigkeiten und Eigenschaften dazu. – 2. jede zur Reproduktion bestimmte Vorlage; bei Schrift: →Manuskript. – 3. Urbild, z.B. einer lit. Figur.

Originalausgabe im Ggs. zum →Nachdruck, teils auch im Unterschied zur →Erstausgabe, die etwa durch Eingriffe der Zensur, des Druckers oder Verlegers verkürzt oder entstellt sein kann, die Ausgabe eines Werkes in der vom Verfasser bestimmten Form (Originaltext im Ggs. zu späteren Überarbeitungen, Bearbeitungen, Schulausgaben usw.), doch meist = →Erstausgabe, Sammelgegenstand der →Bibliophilen.

Originalgenie, Bz. für die Dichter des →Sturm und Drang, die im Streben nach bes. Ursprünglichkeit die Kritik verachteten.

Originalität →Original

Originaltext →Originalausgabe

Originaltitel, der vom Verfasser selbst bestimmte Titel im Ggs. zum Verlegertitel oder der Umbenennung e. Neuausgabe oder Übers.

Ornatus (lat. = Schmuck), in der →Rhetorik und Stilistik der über die bloße Verständlichkeit und Klarheit hinausgehende Schmuck der Rede durch →rhetorische Figuren, →Tropen, selbst allg. als Sprachfehler anerkannte Bildungen und Wendungen, wenn sie dem Schmuck und der Angemessenheit des Ausdrucks dienen und die Rede angenehmer, interessanter und überzeugender gestalten.

Lit. →Rhetorik

Orphische Dichtung, e. Reihe von 88 griech. Hymnen, Sagen und mystisch-theologischen Dichtungen *(Theogonie, Argonautika, Lithica),* die dem sagenhaften altgriech. Sänger Orpheus (rd. 600 v. Chr.) zugeschrieben wurden, jedoch in der vorliegenden Form endgültig erst im 3. Jh. n. Chr. entstanden und pantheistisches Weltgefühl und Mythologie (Kult des Dionysos Zagreus) der Orphik, e. griech. →Mystik seit dem 6. Jh. v. Chr. spiegeln. GOETHE umschreibt in *Urworte. Orpisch* 1820 ihre fünf stufenweise geordneten Lebensgesetze als Weltmächte.

O. Kern, Orphik, 1920; W. Willi, D. o. Mysterien, Eranos 1944; R. Böhme, Orpheus, 1953.

Orta oyunu (türk. = Spiel der Mitte), Form des türkischen Volkstheaters: aus den Armeeunterhaltungen der Janitscharen nach 1825 entwickeltes Wandertheater mit Stücken nach den Karagöz-Spielen, z.T. Imitationen herkömmlicher Stoffe und improvisierte Parodien auf das zeitgenössische Leben mit altertümlicher Sprache, gereimtem Dialog und zahlreichen Wortspielen. Auch Frauenrollen wurden von Männern gespielt; die Hauptfigur, Kavuklu oder Qavuqlu, trug die alte rote Offiziersuniform; auch die Schauspieltechnik wurde vom Karagöz übernommen. Seit 1908 wurde das bisher volkstümliche O. mehr und mehr durch das moderne türk. Theater, später durch das Kino verdrängt und lebt heute nur noch in den Landgemeinden fort.

Orthographie (griech. *orthos* = richtig, *graphein* = schreiben) →Rechtschreibung

Orthonym (griech. *orthos* = richtig, *onoma* = Name), der richtige, unverkleidet angegebene Verfassername im Ggs. zum →Pseudonym.

Ortskolorit (lat. *color* = Farbe), franz. *couleur locale,* Bz. von CHATEAUBRIAND (1811) für die Berücksichtigung von Natur, Wesensart, Sozialgefüge, Sitten, Trachten, Kulturstand und Dialekt verschiedener Völker, Landschaften und Zeitepochen in der künstlerischen Darstellung in Malerei, Dichtung und Theater. Die Forderung war im MA. und Barock weitgehend unbekannt, und statt realist. Milieuwiedergabe griff man meist zu einer Darstellung im Stil der eigenen Zeit (→Anachronismus). Erst 18. und 19. Jh. entwickeln mit dem Sinn für historisches Denken die Forderung nach O. In der bühnenmäßigen Wiedergabe durch wahrheitsgemäße Dekoration, Kostüme usw. wurde sie erst seit den →Meiningern konsequent durchgesetzt, versank aber dann in vordergründigen Historizismus.

Ortssage →Lokalsage

Oskische Spiele →Atellane

Ossianische Dichtung, die im Anschluß an die lit. →Fälschung des *Ossian* im Sturm und Drang entstehende episch-lyrische Dichtung; neben e. großen Zahl von Übersetzungen (DENIS 1768f., HERDER 1782, GOETHE im *Werther* 1774, STOLBERG 1806), bes. in der →Bardendichtung und bis in die Triviallit. hinein nachgeahmt; kennzeichnend ist die im schroffen Ggs. zur Anakreontik stehende, düster-rauhe Natur- und Landschaftsschilderung (Herbststürme, Winterstimmung, Wettertannen, zerklüftete Fels- und fahle Mondlandschaft). Vgl. HERDER, *Über Ossian*, 1773.

A. Nutt, *Ossian and the O.ic lit.*, 1899; R. Tombo, *Ossian in Germany,* Diss. N. Y. 1901; O. Leo, Ossian i. Dtl., 1909; P. v. Tieghem, *Ossian en France,* 1917; ders., *Le Préromantisme,* 1924; R. Horstmeyer, D. dt. O.-Übersetzg. d. 18. Jh., Diss. Greifsw. 1926; RL; J. Weisweiler, Hintergrund u. Herkunft d. O. D. (Lit.wiss. Jhrb. N. F. 4, 1963).

Osterfeier, die noch liturg. gebundene, im Wort durch den Text des Ostertropus festgelegte Form der szenischen Vergegenwärtigung des Osterevangeliums in der ma. Kirche als e. Form belebter, dargestellter Liturgie. Sie entfaltet sich aus dem einfachen Ostertropus in drei verschiedenen Grundtypen zu den ausgebildeten Versfeiern: zuerst der bloße Besuch der Marien am Grabe (Visitatio), dann erweitert durch den Wettlauf der Apostel zum Grabe, schließlich unter Einbeziehung der Erscheinung Jesu vor Maria Magdalena. Die liturg. O. bildet Voraussetzung und Vorstufe des durch Einbeziehung weiterer realist. Details (Salbenkrämerszene u. ä.) und durch bewußte Verkleidung szenisch verselbständigten ma. →Osterspiels.

H. de Boor, D. Textgesch. d. lat. O., 1967; W. Flemming, D. Gestaltg. d. liturg. O. in Dtl., 1971. →Osterspiel.

Osterlied, liturgischer Gesang aus der Freude über die Auferstehung Christi, schon im MA. verbreitete und beliebteste Form des →Kirchenliedes zum Osterfest, so in lat.

Ostersequenzen von WIPO (11. Jh.), dem Hofkaplan Kaiser KONRADS II.: ›Victimae paschali laudes‹, die noch heute zur Meßliturgie gehört und deren Jubelvers ›Surrexit Christus, spes mea‹ den Anstoß zum 1. dt. O., ›Krist ist erstanden‹ gab, das, bei kirchlichen Anlässen, bes. Auferstehungsfeiern vom Volk selbst gesungen, zum beliebtesten Kirchenlied des MA. wurde. Es fand in zahlreichen Abwandlungen (›Wär er nicht erstanden‹ 1531, ›Erstanden ist der hl. Christ‹, LUTHER: ›Christ lag in Todesbanden‹) weiteste Verbreitung in ev. wie kath. Gesangbüchern und bildet auch in anderen Volkssprachen den Kern der Osterverkündigung. Im 17. Jh. folgen zahlreiche individuellere O.er von J. HEERMANN (›Frühmorgens, da die Sonn aufgeht‹ 1630), P. GERHARDT (›Auf, auf mein Herz mit Freuden‹ 1647, ›Sei fröhlich alls‹ 1653), J. RIST (›Lasset uns den Herren preisen‹ 1641), SCHADE (›Lebt Christus‹ 1692), ANGELUS SILESIUS (›Nun ist dem Feind zerstöret seine Macht‹, ›Nun danket Gott‹ 1657). Eine Verinnerlichung bringt der Pietismus des 18. Jh.: B. JUST, H. BÖHMER, K. NAUMANN, B. SCHMOLCK, J. NEUNHERZ, GELLERT (›Jesus lebt‹) und KLOPSTOCK (›Preis dem Todesüberwinder‹ 1769); im 19. Jh. GEIBEL.

RL; J. Kothe, D. dt. O.er d. MA., Diss. Bresl. 1939. →Kirchenlied.

Ostermärlein, wohl in Verbindung mit alten Osterspielen stehende Sitte im Süddtl. des 15.–17. Jh., daß der Pfarrer zu Ostern lustige Predigtmärlein erzählt, um die durch die Fastenzeit trauernde Gemeinde zu erheitern (risus paschalis).

A. Freybe, Ostern i. dt. Sage, Sitte u. Dichtg., 1893.

Osterspiel, älteste Hauptform des →geistlichen Dramas im MA., aus der Liturgie, dem Oster→tropus (TUOTILO, ›Quem quaeritis‹, 10. Jh.), Wechselgesang des Engels und der drei Frauen am Grabe Christi, im 10. Jh. entstanden und am Morgen des Ostersonntags in der Kirche an dem das Grab bezeichnenden Altar gesungen. An diese Kernszene des O., die ›visitatio‹, schließt sich später der dialogische Teil der Sequenz ›Victimae Paschali‹ (→Osterlied) und die Begegnung Christi als Gärtner mit Maria Magdalena an. Bis zu diesem Punkt der Entwicklung heißt das O. wegen der liturgischen Gebundenheit der Aufführungsweise →Osterfeier. Seit Beginn des 13. Jh. wird auch die Auferstehung selbst dargestellt. Gleichzeitig werden Wächterszenen und Höllenfahrt Christi mit der Besiegung des Teufels ins Spiel aufgenommen. Wichtig wurde gleichzeitig der Übergang zur dt. Sprache, der den Zuschauern das Verständnis des Sprechtexts ermöglichte und die Handlung in ihre Umwelt versetzte. Vor allem in Süddtl. wurden die volkstümlichen Szenen, insbes. die Salbenkrämerszene (→komische Person) und der Wettlauf von Petrus und Johannes zum Grab, drastisch-komisch dargestellt. Durch Aufnahme immer weiterer Szenen (Jesus der Gärtner, Emmaus-Gang, ungläubiger Thomas, Abendmahl), die das Heilsgeschehen von der Schöpfung bis zum Endgericht darstellen, weitet sich das O. zum oft mehrere Tage dauernden →Passionsspiel, löst sich zugleich vom Evangelientext und wird freier und volkstümlicher. Wichtigste O.e: *O. von Muri* (13. Jh., Schweiz, höfisch, außerhalb der Entwicklung stehend), *Innsbrucker* O. (14. Jh., mitteldt., mit gut durchstrukturiertem Krämerspiel), *Redentiner* O. (1464, Lübeck, mit humorvollem Teufelsspiel und Stände →satire), *Rheini-*

sches O. (15. Jh., Mainz, ernster Grundton, auch in den komischen Szenen gemäßigt), *Erlauer O.e* (15. Jh., süddt., teils drastisch).

J. Klapper, D. Urspr. d. lat. O.feiern, 1923; RL: Drama, ma.; H. Ruff, Beitr. z. Gesch. d. dt. O. (Abhdlg. d. Ges. d. Wiss., Göttingen 1927 u. 1935); P. Huppert, Osterfeiern u. O.e i. Dtl., 1929; H. Niedner, Dt. u. franz. O.e, 1932; H. de Boor, D. lat. Grundlage d. dt. O.e (Hess. Bll. f. Volkskde. 41, 1950); W. Werner, Stud. z. d. Passions- u. O.en des dt. MA., 1963; S. Grosse, Ursprung u. Entwicklg. d. österl. Spiele d. MA. (Deutschunterr. 17, 1965); R. Steinbach, D. dt. O. u. Passionsspiele d. MA., 1970; R. Wimmer, Dt. u. Lat. i. O., 1974; A. Roeder, D. Gebärde i. Dr. d. MA., 1974; B. Thoran, Stud. z. d. österl. Spielen d. dt. MA., [2]1976. →Drama, →geistl. Drama, →Theater, →Osterfeier.

Ostraka (griech. =) Tonscherben als billiges Schreibmaterial neben Papyrus und Pergament im alten Griechenland und bes. in Ägypten seit 3. Jh. v. Chr.; meist nur für tagesgebundene Aufzeichnungen (Steuerquittungen, Rechnungen, Schreibübungen, Listen, Sprüche, Notizen), doch auch für rel. und lit. Texte (z. B. e. 1937 entdecktes Gedicht der SAPPHO, Zeilen aus HOMER, EURIPIDES, MENANDER, *Bibel*), Briefe, selbst für ganze Archive verwendet, mit Tinte beschrieben oder mit dem Messer eingekratzt. Bedeutende Fundorte sind Theben in Oberägypten und Fayum; Slgn. in der Bodleian Library, Oxford, Britisches Museum, Louvre und Berliner Museum. Als Zeugnisse weniger für die Lit. als für Wirtschaftsgeschichte, Dialektforschung und Topographie der Antike wichtig.

Ottava, Ottaverime (ital. = Achtreim) = →Stanze.

Ovation (lat. *ovatio* = Huldigung), begeisterter →Applaus, auch Huldigungsgedicht.

Ovî, Strophenform der ind. Marâthî-Lit., umfaßt drei gereimte Verse von versch. Länge (meist an 10 Silben) und einen noch kürzeren, halben Schlußvers ohne Reimbindung zu den vorigen; als Erzählform der Epik der rhythmischen Prosa nahestehend.

Oxymoron (griech. *oxys* = scharf, *moros* = dumm), als →rhetorische oder Stilfigur die sinnreich pointierte Verbindung zweier einander scheinbar widersprechender, sich gegenseitig ausschließender Begriffe zu e. Einheit in →addierender Zusammensetzung oder →Contradictio in adjecto: ›traurigfroh (HÖLDERLIN), helldunkel, bittere Süße, beredtes Schweigen, alter Knabe‹, oft wirkungsvoll mit Paronomasie verbunden: ›concordia discors, sinnvoller Unsinn‹. Bei tatsächlichem Widerspruch Übergang zum →Paradoxon. Zum Ausdruck des Gefühlsmäßigen, Komplexen, Unsagbaren häufig in der Sprache antiker Rhetorik, der →geblümten Rede des MA., der Mystik und des Barock (Petrarkismus), bei SHAKESPEARE und HÖLDERLIN. →Aprosdoketon.

W. Freytag, D. O. b. Wolfram, Gottfried u. a., 1972

Paarreim, Reimbindung von jeweils zwei aufeinanderfolgenden Versen: aa bb cc usw., bes. im mhd. →Reimpaar, auch erweitert zu →Dreireim oder →Reimhäufung.

Pāda (ind. = Fuß), indischer Versfuß, Vers und kurzes Gedicht.

Päan (griech. *paian* nach dem gemeinsam gesungenen Kehrreim ›ie Paian‹ als Anruf Apolls), feierliches altgriech. Chorlied wohl kretischen Ursprungs und über Delphi und Sparta in ganz Griechenland verbreitet; urspr. Jubel-, Dank- und

Bitthymne an Apoll als Nothelfer und Heilgott, z. T. mit Begleitung von Zitherspiel, später Flöten und Tanz, doch bes. in der Schlacht zur Versöhnung des Götterzornes und nach dem Sieg oder glücklich bestandener Gefahr (Seuche, Krankheit und Unternehmungen), beim Symposion nach dem Trankopfer von allen Gästen gemeinsam oder bei öffentlichen Angelegenheiten wie Friedensschlüssen von allen Anwesenden angestimmter Lob- und Siegesgesang, später auch zu Ehren anderer Götter wie Zeus, Poseidon, Ares, Artemis, Asklepios, Hygieia und Dionysos (dessen Lied als →Dithyrambos ursprünglich vom P. streng geschieden war) und in hellenist. Zeit selbst erfolgreicher Menschen und Helden (LYSANDER, TITUS FLAMINIUS) gesungen; schließlich chorisches Lob-, Dank- und Siegeslied schlechthin im Ggs. zum Threnos. Älteste P.dichter waren THALETAS und XENODAMOS; P.e von SOPHOKLES (an Asklepios) und SOKRATES (an Apoll) sind verloren, erhalten nur Fragmente von SIMONIDES, PINDAR und TIMOTHEOS in kurzen Strophen und einfacherer Rhythmik und Sprache als die →Epinikien.

A. Fairbanks, *A study of Greek P.*, N. Y. 1900; A. Deubner, P. (Neue Jhrb. 22, 1919).

Pägnium, griech. **Paignion** (= Spiel), in der Antike kleine und leichte Gedichte spielerisch-tändelnden Inhalts, auch erotisch (Eroto-P.), von PHILETAS, THEOKRIT, MONIMOS, KRATES, LAEVIUS u. a. →Techno-P.

Päon, nach der Verwendung im →Päan benannter, 5zeiliger griech. Versfuß aus drei Kürzen und einer Länge; nach deren Stellung unterschieden in 1. P. — ◡ ◡ ◡, 2. P. ◡ — ◡ ◡, 3. P. ◡ ◡ — ◡, 4. P. ◡ ◡ ◡ —. Da praktisch nur 1. und 4. P. vorkommen, 2. und 3. nur theoretisch, gilt der P. als Kretikus mit einer Längenauflösung; verwendet als akatalektischer Tetrameter aus 4 P. oder 3 P. und einem Kretikus bei den griech. Komikern und in Chor- und Einzelliedern mit enthusiastischem, ungestüm-lebhaftem Rhythmus.

Pageants (engl. =) die einzelnen Szenen des engl. geistlichen Dramas im MA., die den einzelnen Korporationen (Gilden) zur Aufführung und Ausstattung überlassen und vom P.master zum Mysterien- oder Mirakelspiel zusammengefügt wurden, deren Ertrag wiederum den Gilden zugute kam; später auch die Bühnenwagen der Wagenmysterien und schließlich allg. großes historisches Schau- oder Festspiel.

E. K. Chambers, *The ma. stage*, Lond. 1903; H. H. Borcherdt, D. europ. Theater d. MA. u. d. Renaissance, 1935; R. Withington, *Engl. pageantry*, N. Y. II [2]1963.

Paian →Päan

Paignion →Pägnium

Pai-lü, chines. Gedicht in strengem Tonmaß, aber von beliebiger Länge; oft auch ein langes →Lü-shih.

Paion →Päon

Paitan, Peitan (neuhebr., v. griech. *poietes*, Mz. Paitanim), jüdische Dichter des MA., Verfasser zahlreicher synagogaler Hymnen, lyrischer und didaktischer Gedichte (→Piut) zum gottesdienstlichen Gebrauch, die z. T. in die Gebetsordnung Eingang fanden.

Paläographie (griech. *palaios* = alt, *graphein* = schreiben), Wissenschaft und Lehre von den Schriftformen (→Keilschrift, →Majuskel, →Minuskel, →Kursive, → Unziale, →Kapitale), Beschreibstoffen (Wachstafeln, →Ostraka, →Papyrus, →Pergament, →Papier), Schreibmitteln, -gewohnheiten (→Abbreviaturen, →Ligaturen, →Interpunktion, Worttrennung, →Kolophon, →Subskription, →Miniaturen) und den verschiedenen Buchformen (→Blockbuch, Faltbuch, →Buchrolle, →Codex) im Altertum und MA. im weiteren Sinne unter Einschluß der →Epigraphik; dient bes. der Echtheitsbestimmung, Datierung und regionalen Einordnung (nach dem Herkunftsort) der Schriftstücke, ferner der Erklärung von Verschreibfehlern bei der Textkritik und entstand im 15./16. Jh., wissenschaftlich erst im 17. Jh. im Zuge der Streitigkeiten um die Echtheit kirchlicher Dokumente bei den Benediktinern von St. Maur (Jean MABILLON, *De re diplomatica*, 1681), für die lat. P. gefördert bes. durch L. TRAUBE (1861–1907), für die griech. P. B. de MONTFAUCON (1655–1741).

F. Birt, D. antike Buchwesen, 1882; W. Wattenbach, D. Schriftwesen im MA. ³1896; V. Gardthausen, Griech. P., II ²1911–13; K. Brandi, Unsere Schrift, 1911; E. M. Thompson, *Introduction to Greek and Lat. P.*, Lond. 1912; A. Mentz, Gesch. d. griech.-röm. Schrift, 1920; P. Maas u. P. Lehmann (Gercke-Norden, Einl. i. d. Altertumswiss. 1924); W. Schubart, Griech. P. (Hb. d. Altertumswiss., 1925); B. Bretholz, Lat. P., ³1926; K. Löffler, Einf. i. d. Hss.kunde, 1929; F. Steffens, Lat. P., ³1964; F. G. Kenyon, *Books and Readers in Ancient Greece and Rome*, 1932; B. L. Ullman, *Ancient Writing*, Lond. 1932; H. Fichtenau, Mensch u. Schrift i. MA., 1940; J. Kirchner, Germanist. Hss.praxis, 1950; K. Löffler, Allg. Hss.kunde (Hdb. d. Bibliothekswiss. I, ²1952); J. Mallon, *P. romaine*, 1952; R. Devreesse, *Intr. à l'étude des manuscr. grecs*, Paris 1954; B. Bischoff, P. (in: Aufriß I, 1952); ders., P., ²1970; ders., 1978; B. A. v. Groningen, *Short manual of Greek P.*, Leiden ³1963; H. Foerster, Abriß d. lat. P., ²1963.

Palillogie = →Epanalepse

Palimbacchius →Antibacchius

Palimpsest (griech. *palin* = zurück, *psestos* = geschabt, lat. *codex rescriptus* = wiederbeschrieben), Pergament-, seltener Papyrus-Hs., deren urspr. Text aus Sparsamkeitsgründen durch Waschen, Auslaugen mit Milch, Reiben mit Bimsstein oder Schaben mit dem Messer getilgt und durch e. anderen ersetzt ist; schon im Altertum übliche Form der Wiederverwendung des wertvollen Beschreibstoffes, bes. aber von ma. Mönchen des 7.–9. Jh., als Pergament sehr rar und teuer war, gepflegte Praxis, der nicht nur heidnisch-antike, sondern auch weniger wichtige oder in mehreren Exemplaren vorhandene christliche Schriften – mit Vorliebe umfangreichere, daher lohnendere – zum Opfer fielen. Heute versucht man den urspr. und meist weitaus wertvolleren Text wieder lesbar zu machen; nachdem Versuche der ersten P.-Entdecker bes. des Kardinals Angelo MAI, der zahlreiche aus dem Kloster Bobbio bei Genua stammende P.e entdeckte, mit Chemikalien das Pergament so zerstörten, daß e. Nachprüfung angezweifelter Lesarten heute nicht mehr möglich ist, erreicht man neuerdings z. T. bessere Erfolge mit Infrarot-Photographie, Durchleuchtverfahren und Fluoreszenzmethode. Zahlreiche für verloren gehaltene antike Schriftwerke sind als P., wenngleich z. T. nur fragmentarisch, wiederaufgefunden worden, so EURIPIDES *(Phaeton)*, PLAUTUS, CICEROS *De re publica* und Fragmente seiner Reden, GAIUS' *Institutiones*, LICINIANUS, Briefe FRONTOS, das 91. Buch des LIVIUS, e. got. Bibelübers. u. a. Dt. P.-Institut der Erzabtei Beuron.

F. Mone, *De libris P.*, 1855; R. Kögel, D. P.-Photographie, 1920; A. Dold, Üb. P.-Forschung (Jhrb. d. Görres-Ges. 50, 1924–26); ders., P.-Studien. 1955. →Paläographie.

Palindrom (griech. *palindromos* =

rückläufig), Wort, Vers, Satz oder Text, der vor- und rückwärts gelesen das gleiche Metrum und den gleichen oder doch e. Sinn ergibt (→anazyklisch, versus cancrinus = Krebsvers), z.B. die sog. Teufelsverse ›Signa te, signa, temere me tangis et angis‹ oder ›Otto tenet mappam, madidam mappam tenet Otto‹, dt. ›Ein Neger mit Gazelle zagt im Regen nie‹. Schwieriges Wort- und Buchstabenspiel: die Buchstabenfolge der 2. Wort- oder Satzhälfte muß sich spiegelbildlich zur 1. verhalten: ›Reliefpfeiler‹, in weiterem Sinne auch Verse, in denen nicht die einzelnen Buchstaben, sondern die geschlossenen Wörter in umgekehrter Reihenfolge e. Sinn ergeben; angeblich von SOTADES (3. Jh. v. Chr.) erfunden, doch weniger in griech. als bes. in (mittel-) lat. Lit. häufig, selbst e. ganzes Gedicht von J. H. RIESE († 1669), ein Gedichtband von A. PAMPERIS (1802).

Palinodie (griech. *palinodia* = Widerruf), dichterischer Widerruf e. vorangegangenen kränkenden Gedichts, bei strengster Form unter Benutzung der gleichen Worte und Reime; drückt die gegenteiligen Gefühle desselben aus und kann nur durch ironische Übersteigerung des Lobes zur Satire werden. Die erste P. stammt angeblich von STESICHOROS (7./6. Jh.), der, zur Strafe für den Tadel Helenas geblendet, dadurch sein Augenlicht wiedererhielt; bes. gepflegt in neulat. (Humanisten-) und Barockdichtung (OPITZ: ›Asterie mag bleiben‹) als Lob und Absage an Liebe, Weltlust (DACH) u. ä.; am seltensten als Ausdruck von Charakterlosigkeit und sklavischer Abhängigkeit des Schreibers von der Konjunktur (teils LEBRUN und MONTI) meist erwachsen aus antithetischem Lebensgefühl oder innerlich unbeteiligter Gedankenspielerei. P. im weitesten Sinne waren z.B. auch OVIDS *Remedia amoris* nach der *Ars amatoria*.

F. W. Hoffmann, D. P., Diss. Gött. 1956.

Palliata (lat. *pallium* = Griechenmantel) oder →Fabula p., die röm. Ausformung der ›neuen →Komödie‹ mit griech. Kostüm und aus dem griech. Leben oder griech. Lit. entlehntem Stoff, so bei NAEVIUS, PLAUTUS, CAECILIUS, STATIUS, TERENZ, Sextus TURPILIUS u. a. später durch die →Togata abgelöst.

A. Hugh, Einflüsse d. P. auf d. dt. u. lat. Dramen d. 16. Jh., Diss. Hdlbg. 1921. →Komödie.

Palmenorden →Sprachgesellschaften

Pamphlet (franz., wohl von *Pamphilet, Pamphilus,* e. Lied des 12. Jh.), Flugschrift, meist polit. Streit- und Schmähschrift von bes. scharfem, zwar nicht unbedingt persönlichem Ton, jedoch dazu bestimmt, die angegriffene Person und ihr Werk öffentlich zu verunglimpfen und zu vernichten. Als Pamphletist (= Verfasser e. P.) ragt der Venezianer Pietro ARETINO hervor, der für das Schreiben bzw. auch Nichtschreiben von bestellten P.en hohe Bezahlung erhielt. Engl. P. = allg. e. kleine Schrift von unter fünf Bogen Umfang. →Satire, →Literatursatire, →Invektive, →Libell.

Panegyrikos, urspr. im alten Griechenland auf e. Festversammlung (panegyris) gehaltene Festrede zur lobenden Verherrlichung des Anlasses, der Taten der Vergangenheit, öffentlicher Einrichtungen u. ä.; sobald e. Einzelperson Gegenstand des Festes wurde, bes. bei den Römern zur überschwenglichen persönlichen Lobrede ausgestaltet. GORGIAS, LYSIAS und ISOKRATES weisen im P. auf die Notwendigkeit e. griech. Einigung hin, ISOKRATES im *Pana-*

thenaikos auf den Ruhm Athens. Nach dem Vorbild vom P. PLINIUS' d. J. auf Kaiser Trajan (100 n. Chr.) entstehen im 3./4. Jh. in Gallien 11 zu e. Slg. zusammengefaßte P.i auf die zeitgenössischen römischen Kaiser als schmeichlerisch-überschwengliche Lobreden und Dank für erwiesene Würden. →Eloge, →Enkomion.

H. Gärtner, Einige Überlegn. z. kaiserzeitl. P., 1968; A. Georgi, D. lat. u. dt. Preisgedicht d. MA., 1969.

Panorama-Roman, Form des Zeitromans, die in der Technik des Nebeneinander ein Panorama der Epoche in allen soz. Schichten zu geben versucht: GUTZKOWS *Ritter vom Geist,* SEALSFIELD, GERSTÄCKER u. a.

G. Friesen, *The German panoramic novel of the 19th cent.*, 1972.

Pansophie (v. griech.), ›Allwissen‹, mystisch-religiös-philosophische Bewegung, erwuchs aus neuplatonisch-alchemistischem Gedankengut und begann mit PARACELSUS; fortgesetzt durch die Rosenkreutzer, A. COMENIUS, weiter in religiös-naturphilosophischem Sinn durch J. BÖHME, V. WEIGEL und ANGELUS SILESIUS; Nachwirkung bis ins 18. Jh.

W.-E. Peuckert, P., III 1955–73.

Pantalone, e. der stereotypen Hauptfiguren der →Commedia dell'arte, der spitzbärtige, geschäftige venezian. Bürger und geizige Vater in rotem Gewand mit türk. Schnabelschuhen.

Pantomime (griech. *pantomimos* = alles nachahmend), völlig unlit. Theater- oder Tanzvorführung als Darstellung episch-dramatischer Szenen; mimischer Ausdruck von Eindrücken, Gefühlen, Gedanken usw. nur in stummem Gebärden- und Mienenspiel, meist zu Chor- oder Musikbegleitung bei vereinfachend-stilisierter Handlungsgestaltung, Grenzform zur Tanzkunst. In Rom seit dem 4. Jh. v. Chr. heimisch; in der Kaiserzeit um 22 v. Chr. als Nachfolge des Mimus durch PYLADES in wirksamerer tragischer, durch BATHYLLUS in mehr komischer Weise ausgestaltet und, meist mit mythologisch-erotischen Vorwürfen, zur Kunstgattung erhoben, blieb die P. trotz zahlreicher Verbote wegen Unsittlichkeit die ganze Kaiserzeit hindurch sehr beliebt, wenngleich dauernd vom Christentum bekämpft und schließlich 526 n. Chr. unter JUSTINIAN endgültig verboten. Ihre Entstehung ist weniger auf die schwere Verständlichkeit der Worte in den riesigen Theaterräumen als auf e. Verabsolutierung der allg.-verständlichen mimischen Ausdruckskunst zurückzuführen. Der einzige, stets männliche Schauspieler (›P.‹) tanzte oder spielte seine Rollen, bis zu fünf nacheinander, in verschiedenen entsprechenden Masken schweigend zu den von e. Einzelsänger – seit PYLADES von e. großen Chor – gesungenen oder von Orchester begleiteten, doch stets zweitrangigen (oft griech.) Worten und evtl. erläuternden Zwischentexten (Libretti u. a. von LUKIAN und STATIUS). Ausstattung und Szenerie waren revueartig. Erst die spätere Einführung von Frauenrollen ließ die Darstellung des Sinnlichen bis zur äußersten Grenze gehen. Die Beliebtheit der röm. P. bes. beim Volk – hier neben dem Mimus – weniger als Kunstgattung der höheren Stände, führte zu seiner Verbreitung über das ganze römische Reich und trug viel zum Verfall der Tragödie bei. Im MA. setzen die →Jongleure die P. fort; Mysterienspiele, Humanisten- und Schuldramen haben P.-Szenen. Im 16. Jh. entstand aus der P. die improvisierte P.-Posse der Italiener mit stehenden, typischen Masken, die sich in anderen Ländern bes. als symbolischer P.-Festzug für Hoffeste verbreitete. Das 18. Jh. bringt die Erneuerung der P. in Frankreich durch J. G. NOVERRE, in England durch Lady HAMILTON und GARRICK, in Dtl. durch Henriette HENDEL-SCHÜTZ und auch in Rußland. Im 20. Jh. übernehmen Ballett, Revue und Stummfilm Elemente der P. →Dumb Show.

J. R. Broadbent, *A hist. of p.*, Lond. 1901, [3]1961; M. W. Disher, *Clowns and p.*, Lond. 1925; L. F. Friedländer, Sittengesch. Roms, 1959; K. G. Simon, P., 1960; J. Soubeyran, D. wortlose Sprache, 1963; D. Mehl, D. P. i. Drama d. Shakespearezeit, 1964; RL[2]; H. Bollmann, Unters. z. Kunstgattg. d. P., Diss. Hbg. 1968.

Pantoun →Pantun

Pantragismus (v. griech.), Alltragik, die Anschauung von der umfassenden tragischen Verstrickung des Lebens mit jeder Regung des individuellen Willens, begründet in der mit dem Leben selbst schon vorgegebenen Daseinsschuld; ausgeprägt bes. in der Tragödie F. HEBBELS.

Pantun, malaiische Versform: Strophe aus vier Zeilen zu je vier Hebungen, von denen die 1. und 2. Zeile Natur- oder Lebensbilder skizzieren und die 3. und 4. Zeile diese didaktisch oder emotional auslegen. Alle vier Zeilen werden durch Parallelismus und mindestens vier →Lambangs gebunden, die am Zeilenende stehen. Neben der vorwiegend selbständigen Form des P. können die Strophen auch im Wechselgesang zu sog. P.berkait zusammengebunden werden, wobei nach dem Schema abab bcbc cdcd jeweils 2. und 4. Zeile der vorigen in der folgenden Strophe als 1. und 3. Zeile wiederholt werden. Blütezeit des malaiischen P. ist das 17. Jh.; heute hat es sich über die ganze malaiische Halbinsel und die Malaien Indonesiens ausgebreitet; ähnliche und verwandte Versformen erscheinen bei anderen indonesischen Völkern. Die europ. Nachahmungen des P. – auch Pantum genannt – bei A. v. CHAMISSO, V. HUGO, Th. de BANVILLE, LECONTE DE LISLE, BAUDELAIRE, A. DOBSON u. a. übernahmen lediglich die Form der Zeilenwiederholung für eine Reihe von Vierzeilern mit Kreuzreim abab bcbc cdcd usw. in mehr oder weniger freier Form, wobei die 2. und 4. Zeile der letzten Strophe von den Zeilen 3 und 1 der ersten Strophe gebildet werden, so daß das P. mit der Anfangszeile schließt.

J. R. Wilkinson, R. O. Winstedt, *P. Melayu*, Singapur [2]1923; H. Heiss, D. P. malais (Fs. f. O. Walzel, 1924); H. Overbeck, *The Malay P.* (*Journal of the Royal Asiatic Society. Straits Branch*, 85, 1922); G. Kahlo, D. ersten beiden Zeilen d. malai. P. (Wiss. Zs. d. Karl-Marx-Univ. Lpz. IV, 12, 1954).

Paperback, die neue Buchform des im Lumbeckverfahren klebegehefteten und kartonierten, meist glanzfolienkaschierten Einbands von etwas größerem Format als das →Taschenbuch; dient neben verbilligten Ausgaben teurerer Werke und zunehmend Studien-Textbücher bes. aktuellen Themen, die für ein Taschenbuch nicht die nötige Auflagehöhe erreichen würden.

Papier (nach →Papyrus), durch Verfilzung von Flachs-, Hanf-, Baumwoll- und Lumpenfasern oder Ersatzstoffen wie Holz und Stroh entstehender Beschreibstoff von verschiedenen Herstellungsarten (Bütten- und Maschinenpapier) und Qualitätsgraden. Um 100 n. Chr. in China erfunden, von dort im 8. Jh. nach Bagdad und durch die Araber im 12. Jh. nach Spanien gelangt; im Abendland und Dtl. seit 1300 als Ersatz des teuren →Pergaments, bes. seit Erfindung des Buchdrucks und damit Massenverbrauch, doch erst seit rd. 1800 maschinell hergestellt.

P. Klemm, Hb. d. P.kunde, 1923; A. Linhardt, P.kunde, 1932; A. Blum, *Les origines du p.*, Paris 1935; F. Hoyer, Einf. i. d. P.kunde, 1941; D. Hunter, *Papermaking*, N. Y. [2]1947; A. Renker, D. Buch v. P., [3]1950; K. Keim, D. P., 1951; E. Sutermeister, *The story of papermaking*, N. Y. [2]1962. →Buch, →Buchdruck.

Papyrologie, die Wissenschaft vom →Papyrus als Spezialfach der →Paläographie.

Papyrus, bis zu 3 m hohe Wasserstauden im alten Ägypten (heute dort ausgestorben und nur noch im Sudan und auf Sizilien), deren Mark in Streifen geschnitten und in zwei Schichten neben- und kreuzweise (Vorderseite längs-, Rückseite querlaufend) übereinandergelegt, feucht geleimt, getrocknet, gepreßt und geglättet, bis zum Aufkommen des →Pergaments (3./4. Jh.) den hauptsächlichen Beschreibstoff im Altertum, seit dem 7. Jh. v. Chr. auch in Griechenland lieferte. P.-Fabrikation war ägyptisches Staatsmonopol. Einzelne Blätter von gewöhnlich 25 × 20, höchstens 40 × 30 cm, für Briefe u. ä., zu e. Streifen von rd. 6–10 m (Maximum bis zu 40 m) aneinandergeklebt und um e. Holz- oder Elfenbeinstab (→Omphalos) gerollt, ergaben die antike Buchrolle (Kollema, →volumen), seit der Kaiserzeit auch einzelne durchlochte Blätter zu e. →Codex zusammengebunden; das 1. Blatt mit dem →Kolophon hieß Protokollon. E. kleiner, hervorstehender Zettel (Sillybos, →Index) mit Verfasser- und Titelangabe erleichterte das Auffinden der meist in runden Körben zu je rd. sechs Stück aufbewahrten Rollen; eine Rolle enthielt etwa ein Buch des THUKYDIDES oder drei Bücher der *Ilias*; längere, unhandliche Werke wurden in Bände zerlegt. Der Text stand meist nur auf der Vorderseite (→Opisthographon) und quer in je nach Länge der Verse (Hexameter), bei Prosa meist 5–10 cm breiten, durch Rand getrennten und von der Ober- und Unterkante weiter abgesetzten Kolumnen zu je nach Breite der Rolle und Schriftgröße 25–45 Zeilen von je 18–25 Buchstaben; man las, indem man die e. Seite mit der rechten Hand ab-, die andere mit der linken aufrollend, gerade die zu lesende Kolumne offenhielt. Lesehilfen sind selten: kaum Worttrennung, selten Akzente und Interpunktion, nur bei längeren Pausen, Absätzen oder Rollenwechsel im Drama (ohne Sprecherangabe) steht e. kurzer Strich (paragraphos) unter der Linie. Auch beim Nachschlagen und Zitieren höchst unbequem, wurden sie später, bes. nachdem der Verfall der P.-Fabriken im 4./5. Jh. dem Pergament zum Siege verhalf, in →Codices umgeschrieben. Nicht in dem feuchten Klima Italiens und Griechenlands, wohl aber im verschütteten Herculaneum und bes. im trockenen Ägypten (Oxyrhynchus) erhielten sich zahlreiche P.i auf Schutthaufen oder als zu Mumiensärgen verwendete Makulatur, meist Gesetze, Urkunden, Briefe u. ä., die wertvolle Aufschlüsse über das Alltagsleben der Antike geben, doch auch schon verloren geglaubte lit. Texte wie ARISTOTELES *Politeia*, HERONDAS, HYPEREIDES, SAPPHO, ALKAIOS, PINDAR, CORINNA, MENANDER *(Dyskolos)*, TIMOTHEOS (*Persai*, ältester größerer griech. P., aus dem 4. Jh., vielleicht noch zu Lebzeiten des Verfassers), seltener lat. Werke; daneben ältere Fassungen bereits bekannter Werke, die für die Textkritik höchst wichtig sind, da sie die Richtigkeit der Überlieferung in vielen Fällen zeigen und die Vorstellung e. Fülle von Abschreibefehlern aus dem Laufe der Jhh. widerlegen, auch z. T. richtige Konjekturen bestätigen.

L. Mitteis, U. Wilcken, Grundzüge u. Chrestomathie d. P.kunde, IV 1912; K. Wessely, Aus d. Welt d. P., 1914; F. Preisigke, Antikes Leben nach d. ägypt. P.i, 1916; W. Schubart, Einf. i. d. P.kunde, 1918; ders. (in: Gercke-Norden, Einl., [3]1922); K. Preisendanz, P.funde u. P.forschg., 1933; J. G. Winter, *Life and Letters in the P.*, 1933; A. Calderini, *Manuale di papirologia*, 1938; W. Schubart, D. P. als Zeugen antiker Kultur, 1949; M. David, B. A. v. Groningen, *Papyrological Primer*, Leiden [4]1965; E. G. Turner, *Greek P.i*, Princeton 1967; R. Seider, Paläographie d. griech. P.i, III 1967 ff. →Paläographie.

Par →Bar

Parabase (griech. *parabasis* = Danebentreten, Abschweifung), in der griech. ›alten →Komödie‹ ursprünglich der – unter Zerstörung der dramatischen Illusion – ans Publikum gerichtete oder die Götter anflehende Epilog des Chors, der sich dabei unmittelbar den Zuschauern zuwandte, als Sprachrohr des Dichters dessen Absichten erklärte, die Götter pries und bes. Rivalen, unliebsame Zeitgenossen und Einrichtungen angriff, kritisierte und verspottete (politisch-soziale Satire); wohl entstanden aus dem Schlußteil komischer phallischer Festzüge (›Komos‹) mit Neckereien der Zuschauer, später in die Mitte der Komödie nach dem ersten Epeisodion verlegt als außer Zusammenhang mit der Handlung stehende, launig ernste Ansprache oder Gesang des Chorführers bzw. Chors an die Zuschauer in würdevoller Sprache; bestand meist aus sieben Teilen, von denen die ersten drei dem Chorführer, der Rest den beiden Chorhälften zufiel: 1. Kommation, gesungene lyrische Einleitung, 2. eigtl. P. oder ›Anapäste‹ in tänzerischen Rhythmen (Tetrameter), 3. →Pnigos oder Makron, e. lange Sentenz in anapästischen Hypermetern, die in einem Atemzuge gesprochen wurde. 4. Ode, Anruf an die Götter als religiöses Lied des ersten Halbchors, 5. →Epirrhema, satirische Zeitanspielungen, Neckereien der Zuschauer in beliebig vielen Vierzeilern von trochäischen Tetrametern, 6. Antode, Gegenstück zur Ode vom zweiten Halbchor und 7. Antepirrhema, Abschluß durch den Chorführer. Auch freiere Formen *(Vögel, Lysistrata)* und doppelte P., Neben-P. in den sechs ältesten Stücken des ARISTOPHANES (z. B. *Frieden*) erscheinen. Unterdrückung der freien Kritik unter der späteren spartanischen Oberherrschaft führte um 400 v. Chr. zum Verfall der P. Moderne dt. Nachahmungsversuche in RÜCKERTS *Napoleon* 1815 (doch von einzelnen Schauspielern wie: Geist der Zeit, Ohnehose, Napoleon gesprochen) oder in PLATENS Literaturkomödien ebenfalls in abgewandelter Form nach Vorbild des ARISTOPHANES, blieben vereinzelt.

E. Agthe, D. P., 1866–68; RL; E. Burkardt, D. Entstehg. d. P., Diss. Marb. 1956.

Parabel (griech. *parabole* = Vergleichung, Gleichnis), lehrhafte Erzählung, die e. allg. sittliche Wahrheit oder Erkenntnis durch e. analogen Vergleich, also Analogieschluß, aus e. anderen Vorstellungsbereich erhellt, der nicht ein in allen Einzelheiten unmittelbar übereinstimmendes Beispiel gibt wie die →Fabel, sondern nur in einem Vergleichspunkt mit dem Objekt übereinstimmt, und die im Ggs. zum →Gleichnis keine direkte Verknüpfung (so: wie) mit dem zu erläuternden Objekt enthält, wenngleich sie das Beziehungsfeld erkennen läßt, sondern vom Gegenstand abgelöst zur selbständigen Erzählung wird. Besonders in buddhist. und hebr. Lit. häufig; am berühmtesten die

P.n des *NT.* (Verlorener Sohn) und die des MENENIUS AGRIPPA (LIVIUS II, 33), die das Verhältnis von Senatoren und Bürgern durch die P. vom Magen und den Gliedern erläutert; dt. P.n von LESSING, HERDER, GOETHE, RÜCKERT und KRUMMACHER. Vgl. auch LESSINGS P. von den drei Ringen (*Nathan* III, 7) nach BOCCACCIO und SCHILLERS P. im *Fiesko* II, 8. In der mod. Dramatik, Erzählkunst u. Balladendichtung wird parabolisches Dichten vielfach zur einzig möglichen Aussage menschlicher Befindlichkeit (KAFKA, BRECHT, FRISCH, DÜRRENMATT, IONESCO, KUNERT, KUNZE, S. BECKETT, H. PINTER).

J. Jülicher, D. Gleichnisreden Jesu, [2]1910; I. K. Madsen, D. P.n d. Evangelien, Koph. 1936; N. Miller, Mod. P.? (Akzente 6, 1959); L. MacNeice, *Varieties of P.*, Lond. 1965; RL; K.-P. Philippi, Parabol. Erzählen, DVJ 43, 1969; W. Brettschneider, D. mod. dt. P., [2]1978; E. Wäsche, D. verrätselte Welt, 1976; K.-D. Müller, D. Ei des Kolumbus? (Beitr. z. Poetik d. Dr., hg. W. Keller, 1976).

Parachoregem (griech. = Zusatzleistung des Choregen), über die festgesetzte Leistung des →Choregen hinausgehende Stellung eines episodischen Nebenchores oder eines 4. Schauspielers (bes. für Kinderrollen).

Parade (franz., v. lat. *parare* = vorbereiten), kurze, farcenartige, derbdrastische Stegreifstücke in Frankreich im 17./18. Jh., aus Stoffen der Jahrmarktspossen und Typen der Commedia dell'arte entwikkelt und zur Anlockung des Publikums vor dem Theatersaal improvisiert; beim Eindringen in die Salons der aristokrat. Gesellschaft Anfang 18. Jh. entschärft und literarisiert. Texte von MONCRIF, PIRON, VOLTAIRE, NIVELLE DE LA CHAUSSÉE und bes. BEAUMARCHAIS.

Paradiesspiel, aus dem →Prophetenspiel zu Sonderentwicklung losgelöste und z. T. bis heute fortlebende Form des →geistlichen Dramas um den Sündenfall von Adam und Eva; bes. in altfranz. Lit.

C. Klimke, D. volkstüml. P., 1902; E. Peters, Quellen u. Charakter d. Paradiesvorstellungen d. dt. Dichtg. v. 9. bis 12. Jh., 1915.

Paradigma →Exempel

Paradoxon (griech. = Unerwartetes), scheinbar widersinnige und zunächst nicht einleuchtende, da der allg. Meinung und Kenntnis widersprechende Behauptung, z. B. Vereinigung gegensätzlicher Begriffe und Aussagen über e. Objekt (→Antithese), die sich jedoch bei näherer Betrachtung als richtig erweist: ›Das Leben ist der Tod, und der Tod ist das Leben‹. Urspr. Bz. für solche Sätze der Stoiker, die durch eigentümlich schillernde, vieldeutige Formulierung der Erfahrung zu widersprechen scheinen. Nach ROUSSEAU sind P.a große Wahrheiten, die 100 Jahre zu früh erscheinen. Die Form des P. erscheint bes. in religiös bestimmter Lit. bes. in Renaissance und Barock: ERASMUS, SHAKESPEARE, J. DONNE, S. FRANCK (*280 P.a aus der Hl. Schrift*, 1534), LUTHER, ANGELUS SILESIUS, HAMANN, KIERKEGAARD. →Oxymoron.

R. Heiß, Logik d. Widerspruchs, 1932; K. Schilder, Z. Begriffsgesch. d. P., Diss. Erl. 1933; C. Brooks, *The Well Wrought Urn*, 1947; R. L. Colie, *Paradoxia Epidemica*, Princeton 1966.

Paränese →Parainese

Paragoge (griech. = Vorüberführen), Form des →Metaplasmus, Umgestaltung einer Wortform durch Nachschaltung, d. h. Hinzufügung weiterer Buchstaben, z. B. ital. ›virtute‹ für ›virtù‹, bes. in der älteren span. Lyrik und zumal den Romanzen durch die mundartlich bedingten Alternativen weit verbreitet.

Paragramm (griech. = Zusatz, Verschreibung), scherz- oder spotthafte Ersetzung e. Buchstabens durch e. anderen, so statt Claudius Tiberius Nero; Caldius (= der vom Weine Glühende) Biberius (= Trunkenbold) Mero (= Weinsäufer) bei SUETON.

Paragraph (griech. *paragraphos* =) Schriftabschnitt; →Papyrus.

Parainese (griech. *parainesis* = Zuspruch), Ermahnung, ermunternde Rede (z. B. von HESIOD und THEOGNIS in poetischer Form, ISOKRATES in Kunstprosa), ermunternder Teil und ermahnende Nutzanwendung e. Predigt; →Erbauungsschrift.

Parakataloge (griech. = die gesprochene Rede streifend), zwischen Rede und Gesang stehende rezitative Vortragsform antiker Lyrik, die nach der Einführung durch ARCHILOCHOS (→Jamben) bes. in der att. Tragödie gepflegt wurde, um starkes Pathos auszudrücken.

Paraklausithyron (griech. =) Klagelied des ausgeschlossenen Liebhabers vor der Tür der spröden Geliebten, altgriech. volkstümliche Gattung (ALKAIOS, ARISTOPHANES in der Komödie), in alexandrin. und hellenist. Zeit wieder belebt (THEOKRIT), dann bei den röm. Elegikern (CATULL, PROPERZ) und HORAZ (*Ode* III, 10).

O. Garte, *P.i historia,* Diss. Lpz. 1924.

Parakletikos (griech. =) trostreich-ermunternde und stark erbauliche Rede oder Predigt in antiker und frühchristlicher Rhetorik.

J. Albertus, D. P.i i. d. griech. u. röm. Lit., 1908.

Paralipomena (griech. = Übergangenes, Ausgelassenes), Nachträge, Zusätze und Ergänzungen zu e. früher erschienenen lit. Werk, die während der Abfassung zunächst als nicht zur Veröffentlichung bestimmt ausgeschieden wurden, z. B. *Chronik* im AT. als P. der *Könige,* GOETHES P. zu *Faust,* SCHOPENHAUERS *Parerga u. P. (Die Welt als Wille und Vorstellung).*

Paralipse (griech. *paraleipsis* = Auslassung), →rhetorische Figur, besteht darin, daß der Redner etwas als zu gering, unwichtig oder selbstverständlich zu übergehen vorgibt, um zum wichtigeren Gegenstand übergehen zu wollen, jedoch die Sache dennoch erwähnt und dadurch teils heraushebt und die Aufmerksamkeit auf sie lenkt (Abart der Ironie), teils auf die größere Wichtigkeit des Folgenden aufmerksam macht.

Parallelausgabe, jede neben die Originalausgabe e. Werkes im Originalverlag tretende →Ausgabe desselben Textes als →Lizenzausgabe oder in anderer Ausstattung (Luxus- oder Volks-, Studienausgabe).

H. Grundmann, P.n, 1962 ff.

Paralleldrucke →Doppeldrucke

Parallele (griech. *parallelos* = gleichlaufend), Schilderung von zwei Dingen, Geschehnissen und Personen, die so nebeneinandergeordnet sind, daß der Vergleich beider möglich ist, z. B. die P.viten des PLUTARCH (je ein Grieche und ein Römer). P.-Handlung: im Ggs. zum Kontrast e. gleichlaufende Handlung im Drama, bes. im Lustspiel zur Verstärkung der Wirkung, z. B. die beiden Paare in LESSINGS *Minna von Barnhelm* oder KLEISTS *Amphitryon.*

Parallelismus (griech. *parallelos* = gleichlaufend), im Ggs. zum →Chiasmus die Wiederkehr derselben Wortreihenfolge, übereinstimmende, symmetrische Konstruktion bei ungefähr gleicher Wortanzahl (etwa gleichlange Kola: →Isokolon, →Parison) in zwei oder mehreren aufeinanderfolgenden Sätzen, Satzgliedern oder Versen: ›Heiß ist die Liebe, kalt ist der Schnee‹. Der zweite und evtl. folgende Aussageteil lenken den Gedanken wieder in dieselbe Richtung und bringen die Vertiefung des Ausgesagten durch andere Formulierung; Form der →Konzinnität, meist bei strengster inhaltlicher Beziehung oder Sinneinheit gedanklich durch Antithese oder Klimax, äußerlich oft durch Anapher, Epiphora oder Homoioteleuton verbunden; bes. in Sakralsprachen: Bewußtes Stilmittel des gehobenen Ausdrucks in chines., babylon., ägypt., arab. und bes. hebr. Poesie und Prosa, hier als ›P. membrorum‹ (= Gleichlauf der Glieder, Gedanken-P.), Wiederholung und Umschreibung desselben Gedankens mit verschiedener Auffassungs- und Ausdrucksweise (→Tautologie) im folgenden Halbvers, z. B. *Psalmen, Klagelieder* 4, 5; auch in griech. Lit. und Rhetorik, von dort in die *Paulusbriefe* und die lat. Lit., bes. ma.-patristisches Schrifttum eingedrungen; in german. sakraler Stabreimdichtung (Zaubersprüche) als Sprachbindung, in ahd. Dichtung als Ersatz des Reims, in frühmhd. *(Anno-, Rolandslied, Kaiserchronik, Orendel)* und späthöfischer Dichtung, ferner der Prosa der Renaissance (meist 3-teilig im Anschluß an antike Rhetorik: *Ackermann aus Böhmen*, JOHANNES VON NEUMARKT, ALBRECHT VON EYB u. a.), späterhin im Rückgriff auf biblische Formen im Barock (GRYPHIUS, SCHOTTEL), in BÜRGERS *Lenore* und GOETHES Dramen; im modernen Massenstil bei W. WHITMAN, E. POUND, T. S. ELIOT, P. CLAUDEL u. a. →Variation.

R. Stümpell, D. P. als stilist. Erscheinung i. frühmhd. Dichtg. (Beiträge 49, 1925); H. de Boor, Brechg. i. Frühmhd. (Festschr. f. Sievers, 1925); E. A. Kock, Altgerman. P. (Festschr. f. Ehrismann, 1925); RL[1].

Parallelstellen, nach Inhalt oder Ausdruck (Wortgebrauch) ähnliche oder gleiche Textstellen e. oder verschiedener Schriftsteller. In der *Bibel* durchweg angegeben.

Paramythetikos = →Consolatio

Paramythie (griech. *paramythia* = Zuspruch, Ermunterung, Ermahnung), von HERDER mit *Kind der Sorge* und *Lilie und Rose* in den *Zerstreuten Blättern* 1785 begründete Gattung der Lehrdichtung in Vers oder Prosa, die e. Mythos ethisch deutet und an ein ihm entnommenes Thema moralphilosophische Belehrung anknüpft. Auch bei GOETHE *(Nektartropfen)* und RÜCKERT *(Die gefallenen Engel)*.

Paraphrase (griech. *paraphrasis* = Hinzufügung zu e. Rede), erweiternde und erläuternde Umschreibung e. Wortes, Satzes oder e. Schriftwerks, etwa e. Versvorlage in Prosa oder e. Prosatextes in Versen, auch die Umsetzung in e. andere (jüngere bzw. einfachere) Sprachform oder e. freie Übersetzung, →Nachdichtung – bes. der *Psalmen* und des *Hohenliedes* (WILLIRAM).

L. R. Glutman, *Phrase and p.*, N. Y. 1970; R. Nolan, *Foundations for an adequate criterion of p.*, Haag 1970.

Parasit (griech. *parasitos* = Gast), Typenfigur der antiken Komödie bes. seit der mittleren Komödie (ANTIPHANES, ALEXIS, DIPHILOS, MENANDER, TERENZ): der dank seiner Schmeicheleien beliebte und als Gast gern geduldete Schmarotzer, bes. als Begleiter des Bramarbas-Typs.

Parataxe (griech. *parataxis* = Danebenstellen), im Ggs. zur →Hypotaxe die Beiordnung, d. h. (syndetische oder asyndetische) Nebeneinanderstellung gleichberechtigter Hauptsätze bes. in einfacher, volkstümlicher Sprache und Dichtung (Märchen, Lied), doch keineswegs immer Symptom geistiger Primitivität, sondern oft aus dem Wunsche nach klarer Überschaubarkeit der in einfachen Satzbildern fortschreitenden Gedankenentwicklung (z. B. NOVALIS, Expressionismus).

H. Seidler, Allg. Stilistik, [2]1963.

Parechese (griech. *parechesis* = Nachahmung e. Lautes), griech. Bz. für →Alliteration oder →Paronomasie bei etymologisch verschiedenen Wörtern.

Parekbasis (griech.), 1. in der antiken Rhetorik = →Exkurs – 2. bei F. SCHLEGEL = →Parabase

Parenthese (griech. *parenthesis* = Einschub), →rhetorische Gedankenfigur: Durchbrechung der zusammengehörigen Konstruktion e. Satzes in der Mitte durch unverbundene Einschaltung e. anderen, selbständigen, oft beiläufigen, doch durch die Stellung hevorgehobenen Gedankens, der grammatisch nicht eingeordnet wird und äußerlich durch Gedankenstriche oder Klammern (P.n) gekennzeichnet wird: ›Eduard – so nennen wir einen reichen Baron im besten Mannesalter – Eduard hatte ...‹ (GOETHE). Schließt sich die auf die P. folgende Satzhälfte deren Konstruktion an, so entsteht e. →Anakoluth. →Hyperbaton.

E. Schwyzer, D. P. (Abhdlg. d. Preuß. Akad. d. Wiss., Phil.-hist. Klasse), 1939.

Parergon (griech. =) Nebenwerk, Mz. Parerga = Kleine Schriften, Sammlung vermischter Schriften. →Paralipomena.

Parison (griech. = fast Gleiche) = →Isokolon, bes. bei nicht völliger, sondern nur annähernd gleicher Wort- oder Silbenzahl der Kola (meist längeres Schlußkolon).

Parlando (ital. = sprechend), der Sprechstil im Rhythmus der Notenwerte mit ganz leichter Tongebung bes. beim Vortrag der Arien in der komischen Oper.

Parnaß, Apoll, Dionysos und den →Musen heiliges Gebirge in Mittelgriechenland; übertragen: Reich der Dichtung allg., bes. als Buchtitel (→Gradus ad P.). Vgl. →Kastalia →Parnassiens.

Parnassiens, franz. Dichterkreis um Th. GAUTIER und LECONTE DE LISLE in der 2. Hälfte des 19. Jh.: Opposition gegen die Romantik und deren metrische Freiheiten wie dunkle Ausdrucksweise, doch stofflich von ihr abhängig, dabei betont regelgebunden und formgewandt in artistischen Variationen (→ l'art pour l'art) und realistisch beschreibender Dichtung unter Hintansetzung des eigenen Erlebnisses und persönlichen Gefühlsgehalts. Als Vorbilder gelten Th. GAUTIER, P. VERLAINE, SULLY-PRUDHOMME und BANVILLE sowie BAUDELAIRE; in der Stoffwahl werden Motive aus MA. und Orient bevorzugt. Organ ist die 1866–76 von C. MENDÈS und Xavier de RICARD herausgegebene Anthologie *Le Parnasse contemporain;* Mitglieder sind außer den obigen: A. LEMOQUE, L. BOUILHET, G. LAFENESTRE, E. DES ESSARTS, J. LAHOR, A. MÉRAT, L. DIERX, VILLIERS DE L'ISLE-ADAM, L. MÉNARD, F. COPPÉE, J. M. de HÉRÉDIA, J. AICARD, A. SAMAIN, A. GIRAUD und Ch. GUÉRIN.

C. Mendès, *La légende du Parnasse cont.*, Paris 1884; G. Walch, *Le Parnasse*, 1926; A. Thérive, *Le Parnasse*, 1929; M. Souriau, *Hist. du Parnasse*, Paris 1929; A. Schaffer, *Parnassus in France*, 1930; F. Vincent, *Les P.*, Paris 1933; M. G. Rudler, P., Paris 1938; A. Schaffer, *The genres of P. poetry*, Baltimore 1944; P. Martino, *Parnasse et Symbolisme*, [11]1964; F. Petralia, *Il Parnasso*, Bari 1967; A. Racot, *Les P.*, Paris 1968.

Parodie (griech. = Gegengesang), urspr. in griech. Musik die Verzerrung. In der Lit. die verspottende, verzerrende oder übertreibende Nachahmung e. schon vorhandenen ernstgemeinten Werkes oder einzelner Teile daraus unter Beibehaltung der äußeren Form, doch mit anderem, nicht dazu passendem Inhalt – im Ggs. zur →Travestie. Beide Gattungen erreichen Komik durch die Diskrepanz zwischen Form und Inhalt und durch die nur vom Original aus verständliche Abwandlung derselben. Ihr Zweck ist entweder Aufdeckung der Schwächen und Unzulänglichkeiten e. Werkes (kritische P.), scharfer, fanatischer und schmähender Angriff auf Verfasser und Werk mit dem Ziel, sie der Lächerlichkeit preiszugeben und das eigene Überlegenheitsgefühl zu stärken (polemische P.), oder einfach harmloses Spiel aus Lust an komischer Abwandlung des Stoffes (komische P.). Als Objekte der P. können alle lit. Gattungen (episch, lyrisch, dramatisch, oft Einlagen ernster Werke), Richtungen und Werke, auch nur als möglich angenommene (z. B. in den *Epistulae obscurorum virorum*, zahlreichen Festreden-P.n), selbst die größten der Weltlit., dienen, daneben in weiterem Sinne auch kulturelle Zustände, Anschauungen u. ä. Oft bringt gerade erst der Ruhm des großen Werkes der P., die ihm nicht schaden konnte, eigenen Glanz, während die zeitgebundenen P.n ohne eigenen Gestaltungswert längst vergessen und nur noch von kulturhistorischem Interesse sind. Die Lit.geschichte zeigt, daß P.n bei allen Völkern und Zeiten erscheinen, meist jedoch als Verteidigungswaffe der älteren Generation gegen die jüngere, neuaufkommende, welche wiederum mit →Literatursatire und →Satire allg. angreift.
Die antike P. beginnt mit dem →komischen Epos: *Margites* und *Batrachomyomachia* im 8./7. Jh. v. Chr. als Seitenstücke zu HOMER; dem Altertum galten freilich erst HIPPONAX und HEGEMON *(Gigantomachia)* als Erfinder der Gattung. Hochform der P. wird die alte att. Komödie bei HERMIPPOS und bes. ARISTOPHANES in seinen meisterhaften P.n des EURIPIDES, die Mythen-P.n der mittleren Komödie (ALEXIS), später EUBULOS, DIPHILOS und MENANDER, PLATONS P.n über den Stil einzelner Dichter und Redner und schließlich LUKIANS P.n der Mythologie. Die röm. P. verspottet in der Komödie den pathetischen Tragödienstil und erreicht in Nachahmung der Griechen eigene Formen bei LUCILIUS, in der *Appendix Vergiliana*, den *Antibucolica* des NUMITORIUS und PETRONIUS' P. des LUKAN; später oft ins Derbe ausartend, reicht sie bis ins MA. Bei den Franzosen, denen die P. besonders liegt, geht sie bis zur Verspottung der Messe (Eselsmessen) und erlebt ihren Höhepunkt mit SCARRON (VERGIL-P. 1648) und de BEY (HORAZ-P. 1653). CERVANTES parodiert die Ritterromane. Englische Parodisten sind CHAUCER, SHAKESPEARE, POPE, SWIFT, FIELDING, BYRON, SHELLEY, J. AUSTEN, W. M. THACKERAY, SWINBURNE, SHAW, L. CARROLL, M. BEERBOHM, J. JOYCE, T. S. ELIOT, T. L. PEACOCK u. a. – Im dt. SpätMA. sind Minnesang und höfische Epik, Frauendienst und Turnierwelt als Übertreibungen höfischer Lebensformen ebenso Zielscheibe der P. wie das Bauerntum: →Vagantendichtung, →dörperliche Dichtung und →grobianische Dichtung (NEIDHART von REUENTHAL,

HEINRICH WITTENWEILER). Blütezeiten der P. sind Humanismus *(Epistulae obscurorum virorum)*, Reformation (MURNERS →Narrendichtung, FISCHARTS P. der Kalenderprophezeiungen *Aller →Praktik Großmutter* und Barock, bes. der →Alamode-Kampf: MOSCHEROSCHS *Gesichte Philanders von Sittewald*, NEUMARK, LAUREMBERG und die →Sprachgesellschaften, deren übertriebenen Purismus wiederum Chr. WEISES *Lustspiel von einer zweifachen Poetenzunft* 1680 geißelt, schließlich WERNICKES *Überschriften* 1701 als P. des spätbarocken Manierismus und schon vorher GRYPHIUS' P. des Meistersangs *(Peter Squentz)* und des Soldatenunwesens *(Horribilicribrifax)*. In der Aufklärung bot der Streit GOTTSCHEDS mit den Schweizern reichen Anlaß zu P.n. Bes. BODMER wendet sich in e. Reihe geschickter P.n gegen die Gottschedianer. Ihm antwortet TRILLER im Heldengedicht *Wurmsamen* gegen den von BODMER geförderten *Messias* KLOPSTOCKS. SCHÖNAICH parodiert KLOPSTOCKS Oden, und BODMER verspottet SCHÖNAICHS Dichterkrönung durch GOTTSCHED im Pamphlet *Arminius Schönaich* 1756. Gegen GOTTSCHED wenden sich schließlich auch die NEUBERIN und e. anonyme P. *Gottsched* (Zürich 1765). BODMER parodiert weiterhin auch LESSINGS *Philotas* und *Emilia Galotti*, WEISSES *Romeo* und GERSTENBERGS *Ugolino*. Im Rokoko wenden sich HÖLTY und VOSS gegen NICOLAI; WIELAND begründet die Form der komischen Legende, die fortwirkt bis zu KELLERS *Sieben Legenden*, W. BUSCHS *Heiligem Antonius* und R. HUCHS *Lebenslauf des Hl. Wonnebald Puck*, daneben zahlreichen →komischen Epen und →Romanzen sowie im letzten Viertel des 18. Jh. bes. →Travestien. Die Spätaufklärung macht Front gegen den aufsteigenden Sturm und Drang in MUSÄUS' *Grandison der Zweite* (1760–1762), bes. gegen die Volkslieder BÜRGERS (NICOLAI *Kleyner feyner Almanach*, LICHTENBERG, BLUMAUER) und gegen GOETHES *Werther* (NICOLAI *Freuden des jungen Werther*, 1775, H. G. BRETSCHNEIDER, 1775). Gegen MILLERS Empfindsamkeit wendet sich BERNRITTER *(Siegwart)*, gegen LAVATERS Übertreibungen LICHTENBERG, MUSÄUS *(Physiognomische Reisen)* und KNIGGE, daneben bes. zahlreiche P.n antiker Werke (P. MICHAELIS *Aeneis*). GOETHE und SCHILLER, selbst Gegner der P., fallen ihr in bes. Maße zum Opfer: SCHILLERS *Lied von der Glocke* ist wohl das meistparodierte Gedicht überhaupt; die Klassiker wehren sich in den →*Xenien*. Die Romantiker setzen den Kampf gegen die Aufklärung fort mit TIECKS *Prinz Zerbino* und *Der gestiefelte Kater*, bes. aber gegen die Trivialdramatik IFFLANDS und KOTZEBUES: dessen *Hyperboreischen Esel* (1799) aus unsinnig verwendeten Zitaten aus F. SCHLEGELS *Lucinde* beantwortet A. W. SCHLEGEL mit *Ehrenpforte und Triumphbogen für den Theaterpräsidenten von Kotzebue* (1800); gegen IFFLANDS sentimentale Familienstücke richtet sich BERNHARDIS *Seebald, der edle Nachtwächter* (1800), und gegen SCHILLER wenden sich SCHLEGEL und EICHENDORFF; GOETHES *Faust* parodiert gekonnt F. Th. VISCHER (1862), die Heidelberger Romantik Jens BAGGESEN (*Karfunkel*, 1810), die Deutschtümeleien FOUQUÉS u. a. EICHENDORFF (*Krieg den Philistern*, 1824). Zur →Literatursatire werden PLATENS Komödien *Der romantische Ödipus* gegen IMMERMANN und *Die verhängnisvolle Gabel* (1826) gegen das Schicksalsdrama. Neben NESTROYS →Travestien über HEBBEL *(Judith und Holofernes)*,

MEYERBEER und WAGNER entsteht e. Fülle von Travestien und P.n über alle Anlässe des lit.-kulturellen Lebens, bes. in Wien bei PERINET, GLEICH, MEISL und BÄUERLE. Gegen HEINE, die Münchner und die philiströse Gelegenheitsdichtung des 19. Jh. wenden sich L. EICHRODT und A. KUSSMAUL *(Biedermeier-P.n)*, gegen die historisierende Epigonendichtung von SCHEFFELS VISCHER und MAUTHNER (*Nach berühmten Mustern* 1878–1880), der auch die MARLITT parodiert wie H. REIMANN die COURTHS-MAHLER, MEYRINK FRENSSEN, HARTLEBEN und GUMPPENBERG (*Das Teutsche Dichterroß* 1901), IBSEN, FONTANE sich selbst *(James Monmouth)*; im 20. Jh. Ch. MORGENSTERN, A. HOLZ, R. DEHMEL, F. WEDEKIND, W. MEHRING, K. TUCHOLSKY, H. ARP, B. BRECHT, E. KÄSTNER, H. H. v. TWARDOWSKI, R. NEUMANN (*Mit fremden Federn,* 1927), A. EICHHOLZ, F. TORBERG, H. WEIGEL, E. FRIEDELL, F. REXHAUSEN, P. RÜHMKORF, H. REIMANN, M. BIELER, D. SAUPE und G. GRASS (HEIDEGGER-P. in den *Hundejahren*). Auch Th. MANN bekennt sich im Spätwerk zur P. als Formstruktur der Dichtung *(Der Erwählte)*.

J. O. Delepierre, *La P.,* Lond. 1870; E. Grisebach, D. P., 1872; A. T. Murray, *On P. in Aristophanes,* Berlin 1891; H. Schneegans, Gesch. d. grotesken Satire, 1894; A. S. Martin, *On P.,* 1896; C. Stone, *P.,* Lond. 1915; RL; F. Guglielmino, *La P. nella commedia Greca antica,* Catania 1928; G. Kitchin, *A Survey of Burlesque and P. in Engl.,* Lond. 1931; G. V. Bell, *Dramatic P. in the 18.th century France,* Diss. Columbia Univ., N. Y. 1931; W. Steinecke, D. P. i. d. Musik, Diss. Kiel 1934; H. Kleinknecht, D. Gebets-P. i. d. Antike, 1937; H. Walther, Z. lat. P. d. MA. (Zs. f. dt. Altert. 84, 1952); H. Koller, D. P. (Glotta 35, 1956); P. Lehmann, D. P. i. MA., [2]1963; E. Rotermund, D. P. i. d. mod. dt. Lyrik, 1963; W. Hempel, P., Travestie u. Pastiche, GRM 15, 1965; J.-P. Cèbe, *La caricature et la p. dans le monde romain,* Paris 1966; RL[2]; H. Markiewicz, *On the definition of lit. p.* (Fs. R. Jakobson, 1967); L. Röhrich, Gebärde, Metapher, P., 1968; Scharf geschossen, hg. H. R. Schaffer 1968; D. respektlose Muse, hg. W. Dietze 1968; Y. Ikegami, *A linguist. essay on p.* (*Linguistics* 55, 1969); M. Sera, Utopie u. P. b. Musil, Broch u. Th. Mann, 1969; J. v. Stackelberg, Lit. Rezeptionsformen, 1972; R. Ahrens, Engl. P.n, 1972; T. Verweyen, E. Theorie d. P., 1973; K. Riha, Durch diese hohle Gasse, GRM 23, 1973; H. Kuhn, Was parodiert d. P. (Neue Rundschau 85, 1974); S. L. Gilman, *The parodic sermon,* 1974; M. A. Rose, D. P., 1976; W. Freund, Z. Theorie u. Rezeption d. P. (Sprache i. techn. Zeitalter 62, 1977); W. Karrer, P., Travestie, Pastiche, 1977.

Parodos (griech. = Vorbeizug), im Ggs. zur →Exodos im altgriech. Drama Auftrittslied des Chors beim Einzug in die Orchestra; in der Tragödie gelegentlich noch anapästisch, meist in lyrischen Maßen, in der Komödie jambisch oder trochäisch mit vier regelmäßigen Teilen: Ode, Antode, Epirrhem, Antepirrhem; bei evtl. 2. Auftritt nach zeitweiliger Entfernung: Epi-P., bei Auftritt e. 2. (Neben-)Chors: Neben-P. Auch der seitliche Eingang, durch den der Chor einzog, hieß P.

Parömiakos (griech. *paroimia* = Sprichwort), nach dem häufigen Gebrauch in Sprichwörtern benannter griech. Vers: katalektischer anapästischer Dimeter: ⏑⏑ –́ ⏑⏑ –| ⏑ ⏑ –́ ⏓, meist Schlußglied e. anapästischen Systems, doch auch refrainartig eingeschaltet; e. der ältesten griech. Versformen und Vorläufer des Hexameters, dem →Prosodiakos verwandt.

Paroimia (griech. =) →Sprichwort

Paroimiographie (griech. =) Sprichwörtersammlung, die Tätigkeit der griech. Paroimiographen (Sprichwörtersammler), vgl. →Sprichwort.

Paromoiosis (griech. =), Gleichklang mehrerer Wortteile von verschiedener semantischer Herkunft, entweder an den Wortanfängen als →Alliteration oder an den Wortenden als →Homoioteleuton oder →Homoioptoton.

Paronomasie (griech. *paronomasia* = Wortumbildung zur Erreichung e. Nebensinnes), →rhetorische Figur, →Wortspiel durch Zusammenstellung gleichlautender oder ähnlicher Wörter von verschiedener oder entgegengesetzter Bedeutung, teils gleichen Stammes (→Figura etymologica: ›betrogene Betrüger‹), teils pseudoetymologisch zugehörige oder fast unmerklich zum Gleichklang abgeänderte Wörter: ›Eile mit Weile‹. ›Der Rheinstrom ist worden zu einem Peinstrom, die Klöster sind ausgenommene Nester, die Bistümer sind verwandelt in Wüsttümer ...‹ (SCHILLER, *Wallensteins Lager*). In griechischer Rhetorik früher häufiger als in lat. (ENNIUS, PLAUTUS), übers Mittellat. ab 1300 auch in den Volkssprachen, dt. bes. bei ABRAHAM A SANCTA CLARA.

Pars pro toto (lat. = Teil für das Ganze), Redefigur, die e. Teil des Gegenstandes als Bz. des Ganzen nimmt, Form der →Synekdoche: 100 ›Seelen‹ statt ›Menschen‹, 7 ›Lenze‹ statt ›Jahre‹.

Parteilichkeit →Partijnost

Parthenien (griech. *parthenos* = Jungfrau), in Altgriechenland, bes. Sparta, lyrische, halb religiöse, halb weltliche Hymnen, die bei Götterfesten u. ä. von Jungmädchenchören zu Spiel und Tanz gesungen wurden; weniger feierlich-erhaben als Päan und Hyporchem. P. dichteten u. a. ALKMAN (z. T. erhalten: Mythos des Herakles mit anschließendem Neckreim), SIMONIDES, BAKCHYLIDES und PINDAR.

Particula pendens (lat. = hängende Partikel), die ohne Korresponsion gebliebene Partikel beim →Anapodoton.

Partimen, auch Joc parti, →Tenzone

Partijnost (russ. =) Parteigeist, die Durchdrungenheit des lit. Werkes und seine Identifikation mit den Zielen und Methoden der Kommunistischen Partei; Forderung des →sozialistischen Realismus.

Parteilichkeit d. Lit. oder Parteilit., hg. H. C. Buch 1972.

Parvas (javan. = älteste), früheste javan. Prosawerke, Bearbeitungen von Stoffen aus den großen ind. Epen, um 1000 n. Chr.

Paso (span. = Schritt), urspr. die Passionsprozession mit Darstellung der Leiden Christi, dann seit dem 16. Jh. ein kurzes, dramatisches Stück zur Aufführung auf dem Marktplatz (z. B. bei Lope de RUEDA) oder ein komisches Zwischenspiel bzw. eine Episode in einem längeren Spiel (z. B. bei Lope de VEGA).

Pasquill oder **Pasquinade,** anonyme Schmäh- oder Spottschrift, →Satire auf e. Person in Wort oder Bild. Der Name entstammt e. 1501 von Kardinal CARAFFA ausgegrabenen und vor seinem Palais Braschi in Rom aufgestellten antiken Torso des Aiax oder Menelaos, den die spottlustigen Römer des 16. Jh. nach e. gegenüberwohnenden Schneider Pasquino (Diminutiv: Pasquillo) nannten und an den sie wie eben jener Schneider solche Schmähschriften, bissige Satiren und Epigramme auf Zeitereignisse und -zustände anhefteten, die z. T. unter dem Titel P. gesammelt herausgegeben wurden.

W. Pfeiffer-Belli, Antiromant. Zss. u. P., Euph. 26, 1919.

Pasquillant, Verfasser e. →Pasquills.

Passatismo oder **Passéismus** (ital. *passato,* franz. *passé* = vergangen), Bz. der ital. →Futuristen für die Kultur-, Kunst- und Lit.werke der Vergangenheit, die nach ihrer Meinung der Vernichtung anheimfallen sollten, da sie den Weg in die Zukunft erschwerten.

Passion (lat. *passio* = Leiden), musikalische Ausgestaltung der Leidensgeschichte Christi in Form e. →Oratoriums; im 13.–15. Jh. als Choral-P. mit verteilten Rollen, seit OBRECHT motettisch mit chormäßiger Behandlung der Reden, seit H. SCHÜTZ Orchesterbegleitung (*Auferstehungshistorie,* 1623), seit SELLE mit betrachtenden Choreinschüben (*Johannes-P.,* 1643), bei J. SEBASTIANI mit Einführung kontemplativer Choräle; Höhepunkt bei J. S. BACH. Die Texte umschreiben das Karwochenevangelium. Libretti von BROKKES, HENRICI und POSTEL für BACH, BROCKES für HÄNDEL, RAMLER für GRAUN.

Passional, 1. ma. Slg. von Heiligen- und Märtyrer→legenden als liturgisches Buch, bes. die *Legenda aurea* des JACOBUS DE VORAGINE und das *P.,* Werk e. unbekannten Priesters um 1300 (→Deutschordensdichtung). – 2. in frühnhd. Zeit Darstellung der Leidensgeschichte Christi, bes. als Erklärung zu Holzschnitten (DÜRER u. a.).
RL.

Passionsbrüder, im Spätma. meist bürgerliche Vereinigungen zur Aufführung von Passions- und Mysterienspielen; im dt. Sprachraum bes. im Wien des 15. Jh. um den Holzschnitzer und Inszenator W. ROLLINGER, der auch Fürsten angehörten, und in anderen Städten; in Frankreich berühmt die Pariser ›Confrérie de la Passion et de la Résurrection de Notre Seigneur‹ seit rd. 1380, urkundlich zuerst 1398 in St. Maur-les-Fossés bei Paris aufgetreten, seit 1402 von Karl VI. mit e. Privileg für die Bannmeile von Paris ausgestattet und meist im Hôpital de la Trinité, dann ab 1539 im Hôtel de Flandres auftretend; seitdem 1548 das Parlament unter Druck der Reformation die Aufführung religiöser Spiele verbot und nur ›mystères profanes‹ gestattete, spielte sie im Hôtel de Bourgogne, löste sich jedoch 1607 wegen mangelnder Anteilnahme auf und wurde 1676 durch Edikt aufgehoben. Ihr berühmtestes Stück, das *Grand Mystère* des Bischofs J. MICHEL, bestand aus 174 Akten und dauerte aufgeführt mehrere Tage. Während der Pausen brachte e. andere Vereinigung, die →›Enfants sans souci‹, komische Zwischenspiele zur Volksbelustigung.

E. Rigal, *Esquisse d'une histoire des théâtres à Paris de 1548 à 1635,* 1887; H. Rupprich, D. ma. Schauspiel in Wien (Jhrb. d. Grillparzer-Ges. 1947); H. Kindermann, W. Rollinger, 1950.

Passionslied, dt. oder lat. →geistliches Lied zum Gedächtnis der Leidensgeschichte Christi, urspr. Teil der Liturgie, seit dem 12. Jh. übersetzt und seit Ausgang des MA. auch selbständige dt. Dichtung, bes. als Marienklagen (→Mariendichtung) und ev. →Kirchenlied im 17. Jh. (P. GERHARDT, HEERMANN, RIST, SPEE, ANGELUS SILESIUS).

Lit. →Kirchenlied.

Passionsspiel, häufigste Form des →geistlichen Dramas im Spätma., entstanden aus Erweiterung der →Osterspiele durch Einbeziehung der gesamten Leidensgeschichte Christi; ab 9. Jh. als lat. Lesedramen, ab 14. Jh. gänzlich dt., anfangs liturgische Aufführungen in der Kirche am Osterfest, später auf den Marktplatz verlegt und durch Aufnahme possenhafter Bestandteile der Fastnachtsspiele (Engels- und Teufelsszenen) zur Unterhaltung des Publikums zum Riesenschauspiel mit Spieldauer von oft mehreren Tagen erweitert und von Bürgern, Studenten und Spielleuten unter e. Spielleiter an Hand e. →Dirigierrolle, die den Wortlaut in großen Zügen umriß, aufgeführt. Unter dem Einfluß von Reformation, Berufsschauspielertruppen und Schuldrama Ende des 16. Jh. erloschen. Das *Oberammergauer Passionsspiel,* seit e. Gelübde aus der Pestzeit 1634 alle 10 Jahre von der Dorfgemeinde wiederholt, beruht auf e. Augsburger P. des 15./16. Jh., das jedoch 1680, 1750, 1811 und 1860 mehrfach modernisiert wurde und dem ma. Spiel wenig ähnlich sieht; ebenso die noch heute bestehenden, wohl durch Vermittlung der Jesuiten entstandenen P.e in den Alpen (Brixlegg, Erl und Thiersee). Ma. Texte, die z. T. unabhängig voneinander nach bibl. und liturg. Quellen entstanden, sind erhalten im Benediktbeurer, Wiener, Kreuzensteiner, St. Galler, Egerer, Frankfurter (1493), Alsfelder (1501), Sterzinger, Heidelberger (1513), Bozener (1514) und Luzerner P. (1534). Während die Tiroler P.e im Leiden Christi die dramatische Einheit sahen, wurden andere P.e zu Darstellungen der ganzen Heilsgeschichte erweitert.

G. Milchsack, D. Oster- u. P., 1880, n. 1971; A. Rohde, Passionsbild u. -bühne, 1926; W. Müller, D. schauspielerische Stil im P., 1927; H. P. Goodman, *Original elements in the French and German P.*, 1951; M. Müller, Trag. Elemente i. dt. P., Diss. Gött. 1952; G. Högl, D. P.e i. Niederbayern u. d. Oberpfalz i. 17./18. Jh., Diss. Mchn. 1958; W. Werner, Stud. z. d. Passions- u. Osterspielen des dt. MA., 1963; S. Sticca, *The origins and development of the Latin passion play,* N. Y. 1969; R. Steinbach, D. dt. O.- u. P. d. MA., 1970; R. Bergmann, Stud. z. Entstehg. u. Gesch. d. dt. P. d. 13./14. Jh. 1972; Tiroler Volksschauspiel, hg. E. Kühebacher 1976. →geistl. Drama, →Drama, →Theater.

Pastiche (franz. v. ital. *pasticcio* = Pastete), urspr. ein aus Motiven e. Malers in dessen Manier zusammengeflicktes Bild, dann die aus Stücken nach Komponisten zusammengesetzte Flickoper; in der Lit. genaue Nachahmung des Stils e. Autors in Formen- und Phrasenschatz unter Vermeidung e. Individualstils aus Mangel an eigenem Persönlichkeitsbewußtsein, Originalität, in betrügerischer Absicht oder bes. zum Zwecke der Karikatur oder Parodie, z. B. die *P.s et mélanges* (1919) von M. Proust, die *Exercices de style* (1947) von R. Queneau.

L. Deffoux, *Le p. litt.*, 1932; W. Hempel, Parodie, Travestie u. P., GRM 15, 1965; L. L. Albertsen, D. Begriff P. (Orbis litt. 26, 1971); W. Karrer, Parodie, Travestie, P., 1977.

Pastoraldichtung →Hirtendichtung

Pastorale (lat. *pastor* = Hirt), Schäferspiel, ländliche Szene; vor Erfindung des stile rappresentativo in der →Oper Bz. für kleine opernartige, idyllische Bühnenstücke und Singspiele mit Stoffen aus dem idealisierten Hirtenleben, ähnlich Goethes *Laune des Verliebten,* auch Tonidylle zum Preis des Landlebens für Instrumentalmusik. →Pastorelle, →Hirtendichtung.

Pastorelle, Pastourella, provenzal. **Pastoreta,** Schäferlied in Dialogform; in altfranz. und provenzal. Lyrik des 13. Jh. kurzes Erzählgedicht als Zwiegespräch zwischen werbendem Ritter oder Schäfer und Schäferin, meist mit festen Namen Robin und Marion benannt, auch allg. Szenen aus dem Hirtenleben, in anmutig verfeinerter, recht freier und betont naiv-erotischer Sprachform und in lebhaftem Rhythmus; mit Liedern zu Musikbegleitung zum Singspiel ausgestattet; stereotyper Unterhaltungsstoff des nordfranz. Bürgertums, in Frankreich von MARCABRU, GIRAUD RIQUIER, Jean ESTÈVE DE BEZIER, MARRIOT DE PARIS, BOULET DE MARSEILLE und FROISSART, in Dtl. ähnliche Formen bei HEINRICH VON VELDEKE, NEIDHART VON REUENTHAL, idealisiert zum Traum- und Wunschbild bei TANNHÄUSER, ferner GOTTFRIED VON NEIFFEN und ULRICH VON WINTERSTETTEN; vergröbernd in OSWALDS VON WOLKENSTEIN →Graserliedern.

K. Bartsch, Altfranz. Romanzen u. P., 1870; G. Gröber, D. altfranz. P. u. Romanzen, 1872; A. Pillet, Stud. zur P., 1902; W. Greg, *Pastoral poetry and pastoral drama,* Lond. 1906; J. Marsal, *La P.dramatique en France,* Paris 1906; M. Delbouille, *Les origines de la p.*, Brüssel 1926; E. Piguet, *L'évolution de la p.*, Basel 1927; W. P. Jones, *The P.*, Cambr./Mass. 1931; J. W. Powell, *The P.*, 1931; RL; M. I. Gerhardt, *Essai d'analyse lit. de la p.*, 1950; W. Jackson, D. ma. P. als satir. Gattg. (Mittellat. Dichtg., hg. K. Langgosch 1969); S. C. Brinkmann, D. dt.sprachige P., Diss. Bonn 1976.

Patavinitas, der Dialekt von Padua (lat. Patavium), dem Geburtsort des LIVIUS, den ASINIUS POLLIO u. a. Römer am LIVIUS tadelten. Da e. solcher bis auf geringe Nuancen im Wortgebrauch keineswegs herrscht, vermutet man e. Beanstandung des poetisch-romantischen und deklamatorisch-moralischen Tones oder den Horizont e. kleinstädtischen Bildung in dem Vorwurf.

J. Whatmough, *Quemadmodum Pollio reprehendit in Livio P.tem* (*Harvard Studies* 44, 1933).

Pathos (griech. = Unglück, Leid, Affekt, Leidenschaft), der Gemütszustand bes. leidenschaftlicher Erregtheit und Ergriffenheit und der sprachliche Ausdruck hierfür in getragener Sprache von erhabenem Schwung, feierlicher Glut und begeisternder Kraft im Ggs. zur künstlichen Rhetorik, doch mit der ständigen Gefahr des Ableitens in bloße, innerlich hohle Deklamation, geheuchelte Glut und affektierte Emphase. Pathetisch ist die Sprache der Psalmen, der griech. Hymnen PINDARS, der christlichen des MA., der attischen Tragödie, der Oden des HORAZ, KLOPSTOCKS und HÖLDERLINS, des Heldenepos, der Tragödie SHAKESPEARES wie des franz. Klassizismus, der dt. Barockdichtung und bes. der Lyrik und Dramen SCHILLERS. Erst die Romantik bringt die Abwendung vom P. und verlacht SCHILLERS *Lied von der Glocke*; Ironie ist ihr Gegen-P. Realismus und Naturalismus meiden es als epigonenhaft gänzlich. NIETZSCHE erkannte den Stilwert des P. in aristokratischer Abwendung von der Masse und verwendete es in *Also sprach Zarathustra*; ähnlich das P. St. GEORGES. Der Expressionismus sah in der ungebändigten, ekstatischen Sprache des P. ein Zeichen dichterischer Stärke. Die Gegenwart vermeidet im Mißtrauen gegen alles Große und Hochgespannte größtenteils das P. in der Erkenntnis, daß das Große (›seelische Kraft in innerer Freiheit‹, WANNER) auch wortkarg und schlicht ausgedrückt werden kann und auch ohne Lautstärke e. größere Tiefenwirkung erreicht.

E. Staiger, Vom P. (Trivium 2, 1944); J. de Romilly, *L'évolution du pathétique d'Eschyle à Euripide*, Paris 1961; W. Hegele, Z. Problem d. pathet. Stils i. d. Dichtg. d. 20. Jh. (Deutschunterr. 15, 1963); W. Keller, D. P. i. Schillers Jugendlyrik, 1964.

Patriarchade (griech. *patriarches* = Stammvater), breitausgesponnene epische Dichtung um Stoffe des *AT.*, bes. 1. Buch MOSE, aus der Zeit der biblischen Urväter mit Vorliebe für einfache Verhältnisse und Naturschwärmerei, entstand im

18. Jh. im Anschluß an MILTONS *Paradise Lost* (1667, übersetzt von BODMER 1724, Druck 1732) und KLOPSTOCKS *Messias* zuerst in BODMERS *Noah* 1750ff., *Jacob und Joseph* 1751, *Synd-Flut* 1751 u.a., gleichzeitig WIELANDS *Der geprüfte Abraham*, MICHAELIS' *Moses* und NAUMANNS *Nimrod*, sämtlich in Hexametern; seit GESSNERS idyllischer P. *Tod Abels* 1758 in Prosa, ferner bei ZACHARIÄ, LAVATER, F. MÜLLER, F. K. von MOSER.

RL.

Patriotische Dichtung (griech. *patriotes* = Landsmann) bringt in dichterischer Form nationales Empfinden zum Ausdruck, so schon WALTHERS ›Ir sult sprechen‹, die Dichtung des Humanismus und HOFFMANN VON FALLERSLEBENS →Nationalhymne als Nationalstolz, die Dichtung der →Befreiungskriege bis zu KLEISTS *Hermannsschlacht* als Haß und Zorn auf die Feinde und die →Kaisersagen u. ä. als Mahnung zur Einigkeit in Zeiten innerer Zerrissenheit. Sie erlischt mit der Verbindlichkeit des Vaterland-Begriffes. Abarten →Kriegs- und →politische Dichtung.

M. Jähns, D. Vaterlds.gedanke i. d. dt. Dichtg., 1896; G. Drinkwater, *Patriotism in lit.*, Lond. 1924; R. Normand, *Le patriotisme allemand*, Paris 1910; R. Michel, D. Patriotismus, 1929; RL[1]: Vaterländische Dichtung; L. Hunter, *A sociological analysis of certain types of patriotism*, N. Y. 1932; G. Kaiser, Pietism. u. Patriotism. i. lit. Dtl., [2]1973.

Patristik, Patrologie (lat. *pater* = Vater), Lehre von Leben und Schriften der →Kirchenväter und →Apologeten, also die gesamte Geschichte der altchristl. Lit. als Parallele, Erläuterung und Ergänzung der Kirchengeschichte.

O. Bardenhewer, P., 1910; J. Quasten, *Patrology*, Utrecht III 1950–63; F. Overbeck, D. Anfge. d. pat. Lit., 1954; H. v. Campenhausen, Griech. Kirchenväter, [4]1967; ders., Lat. Kirchenväter, 1960; B. Altaner, P., [7]1966; *Bibliographia patristica*, 1959ff.

Patronat →Mäzen

Pause (griech. *pausis* = Aufhören), 1. in der Metrik ein oder mehrere rhythmisch erforderliche Takte oder Taktteile (Hebung und Senkung), die nicht durch e. Teil des Rhythmizomenon dargestellt werden, d. h. auf die keine gesprochene Silbe fällt, sondern die als P. empfunden werden; bes. am Ende eines rhythmischen Abschnitts, so in den ersten drei Langzeilen der →Nibelungenstrophe. Zeichen je nach Länge der P ∧, ⊼, ⊼̆, ⊼̈. – 2. Bz. des Minne- und Meistersangs für den Reim des ersten mit dem letzten Wort e. Verses, e. Periode oder Strophe (Binnenreim): ›tuot mir dîn lîp wol, so bist du guot‹.

Pausenreim, Reimform, bei der eine Zeile am Ende reimlos ist und das Reimwort sich am Anfang der nächstfolgenden Zeile findet. Vgl. →Pause 2.

Pawlatschentheater, spezifisch Wienerische Form des Volkstheaters: halb improvisiertes Spiel von Wanderbühnen mit meist pseudohistor. Stoffen auf Brettergerüsten in den Höfen der Innenstadt.

Pedant (ital. = Erzieher), Typenfigur der Komödie vom Humanistendrama über die Commedia dell'arte (→Dottore) bis ins 18. Jh.: der schulmeisterliche Kleinigkeitskrämer und Fachspezialist.

Pedantesca poesia →Poesia fidenziana

Pegasos, in griech. Mythologie das geflügelte Wunderroß des Bellerophon, entsprang aus dem Blute der von Perseus enthaupteten Medusa. Erst später ist es das Roß der Eos und der Musen: den beim Gesang der Musen vor Begeisterung himmelwärts strebenden →Helikon brachte es durch e. Hufschlag zur Ruhe und schuf dabei den begeisternden Musenquell →Hippokrene. Bellerophon fing und zähmte es, als es an der Quelle Peirene trank, besiegte mit ihm die Chimära, Amazonen und Solymer, wurde jedoch, als er auf ihm zum Olymp zu fliegen versuchte, abgeworfen, während P. den Flug fortsetzte und im Olymp als Roß des Zeus Donner und Blitz trug, nach anderer Sage auch unter die Sterne versetzt wurde. Die Vorstellung von P. als Dichterroß, auf dem sich der Dichter in Begeisterung emporschwingt, ist nicht antik, sondern neuzeitlich (seit M. Boiardo).

Pegnitzschäfer →Nürnberger Dichterkreis und →Sprachgesellschaften.

Peitan →Paitan

PEN-Club (engl. Abkürzung aus **p**oets, **e**ssayists, **n**ovelists, auch ›pen‹ = Feder), von C. A. Dawson Scott 1921 in London gegr. internationaler Dichter- und Schriftstellerverband als völkerverbindende Vereinigung zur Pflege freundschaftlicher geistiger Zusammenarbei von Schriftstellern aller Länder, Förderung lit. Belange, der Meinungsfreiheit und internationalen Verständigung mit z. Zt. rd. 9000 Mitgliedern in rd. 100 nationalen Gruppen (PEN-Zentren) in allen Erdteilen und Ländern, Bundesrepublik und Deutsche Demokratische Republik gesondert. Als Mitglied kann ohne Einschränkung durch Nationalität, Rasse oder Religion jeder bedeutende Schriftsteller gewählt werden, der sich zur PEN-Charta bekennt. Der jährlich jeweils in e. anderen Land stattfindende PEN-Kongreß vereinigt stets mehrere Hunderte von Schriftstellern verschiedenster Herkunft in gemeinsamer Diskussion lit. Themen. Außerdem erscheint monatlich die *PEN News,* hg. vom Internationalen Sekretariat (Sekretär David Carver, P. Elstob) mit Nachrichten über die Arbeit einzelner Zentren und seit 1950 in Gemeinschaftsarbeit mit der UNESCO ein *PEN Bulletin of selected books,* das die lit. Neuerscheinungen bes. kleinerer Staaten allg. bekanntmachen und zu ihrer Übersetzung anregen will. Erster internationaler Präsident war J. Galsworthy, weitere seit 1933 H. G. Wells, 1936–41 J. Romains, seit 1947 M. Maeterlinck, seit 1949 Benedetto Croce, seit 1953 Ch. Morgan, seit 1956 André Chamson, seit 1959 A. Moravia, seit 1965 A. Miller, seit 1969 P. Emmanuel, seit 1971 H. Böll, seit 1974 V. Pritchett, seit 1976 M. Vargas Llosa, in der BR seit 1964 D. Sternberger (Ehrenpräsident war Th. Mann), 1970 H. Böll, 1972 H. Kesten, 1974 W. Jens.

Pentameter (griech. *pente* = fünf, *metron* = Maß), allg. jeder Vers aus fünf →Metra, praktisch insbes. der sog. elegische P., der trotz des Namens aus sechs Daktylen besteht (zwei katalektische Tripodien, da dem 3. und 6. die Senkung fehlt): ´–⏕| ´–⏕| ´– || ´–⏑⏑| ´–⏑⏑| ´⏓ z. B.: ›Was ihr hinein nicht gelegt, ziehet ihr nimmer heraus‹ *(Xenien).* Die antike Metrik zählte fünf Metra entweder durch falsche Messung über die Diärese hinweg als zwei Daktylen + ein Spondeus + zwei Anapäste oder als 2×2½ Daktylen = zwei →Hemiepes; in akzentuierender Dichtung hat er jedoch sechs Hebungen. Die beiden in der Mitte zusammenstoßenden Hebungen werden durch e. unveränderliche Diärese getrennt; Auflösung der

Daktylen in Spondeen ist nur im 1. Teil statthaft, in der 2. Hälfte werden Daktylen gefordert. Der P. zeigt nicht den fortlaufenden, gleichmäßigen Schwung des Hexameters, sondern erhält durch den abreißenden Rhythmus der zweimaligen Katalexe größere Bewegtheit, die ihn zum Ausdruck von Unruhe und Erregung, starker Gemütsbewegung, Kummer und bes. Antithesen (in Form des Parallelismus) geeignet macht. Er erscheint höchst selten monostichitisch und wirkt dann monoton (spätlat.: MARTIANUS CAPELLA, ARION, AUSONIUS), praktisch nur mit vorausgehendem Hexameter im →Distichon.

M. Halle, D. jamb. P. (Lit.wiss. u. Linguistik, hg. J. Ihwe 3, 1972). →Metrik.

Pentapodie (griech. *pente* = fünf, *pous* = Fuß), Fünffuß, Folge oder Zeile von fünf Versfüßen.

Pentastichon (griech. *pente* = fünf, *stichos* = Vers), Versgruppe, Strophe oder Gedicht von fünf Verszeilen, = →Cinquain, →Quintett.

Penthemimeres (griech. *pente* = fünf, *hemi* = halb, *meros* = Teil; lat. *semiquinaria*), bes. im jambischen Trimeter, Hexameter und Pentameter die männliche →Zäsur nach der 3. Hebung (= 5. Halbfuß); gibt dem 1. Glied kräftigen Abschluß und dem ganzen Vers große rhythmische Mannigfaltigkeit, indem die 1. Hälfte bei fallendem Rhythmus mit Hebung, die 2. bei steigendem Rhythmus mit Senkung anlautet.

Percontatio →Correctio

Perevál (russ. = Gebirgspaß), 1924 gegründeter sowjet. Schriftstellerkreis bes. junger Lyriker aus der Jungen Garde und der →Oktobergruppe (I. KATAEV, A. PLATONOV, G. GLINKA u.a., ferner PRIŠVIN und KLYČKOV). Die P.-Gruppe bemühte sich um eine Wiederannäherung der proletarischen Schriftsteller und der Mitläufer und trat für die realistisch-humanistische Tradition ein; wegen ihrer Nähe zum Trotzkismus wurde sie in den frühen 30er Jahren z.T. verfolgt und 1932 aufgelöst.

G. Struve, Gesch. d. Sowjetlit., [2]1958.

Pergament, dünngeschlagene oder -geschabte und geglättete ungegerbte Schafs-, Kalbs- und Ziegenhaut als Beschreibstoff; nach vereinzeltem Gebrauch im Orient (Mesopotamien und Palästina) bes. vervollkommnet im 2. Jh. v. Chr. in Pergamon (daher Name), als die ägyptischen Ptolemäer die Ausfuhr für →Papyrus dorthin sperrten, um den Aufstieg Pergamons zu e. mit Alexandria rivalisierenden Bibliothek und Bildungsmacht zu hemmen, und als man für die Reichsverwaltung wie Bildungszwecke große Mengen Schreibmaterial benötigte. Die dort rasch aufblühende Industrie blieb jedoch räumlich und zeitlich beschränkt und nahm trotz der Vorteile des P. (doppelseitige Beschreibbarkeit, bessere Haltbarkeit) erst seit dem 2. Jh. n. Chr. zu, bis in der 1. Hälfte des 4. Jh. n. Chr. der Verfall der ägypt. Papyrusfabriken dem P. zum allg. Sieg verhalf. Da sich das P. nicht so gut rollen ließ, wurde es umgebrochen und in →Codices gefaßt; im 4./5. Jh. n. Chr. wurden die Papyrusrollen der antiken Schriftsteller in diese Buchform umgeschrieben; dabei ging das weniger Geschätzte verloren. Aus dieser Zeit stammen die ältesten P.-Codices antiker Lit. (VERGIL, CICERO, TERENZ, LIVIUS). P. blieb der eigtl. Beschreibstoff des MA., bis es seit rd. 1300 durch das billigere →Papier ersetzt wurde, das seit dem Buchdruck fast ausschließlich Verwendung fand (wenige P.-drucke); später bes. für Bucheinbände (Schweinsleder) und wertvolle Dokumente benutzt oder durch e. Imitation (P.-Papier) ersetzt.

K. Lüthi, D. P., 1938; Gesch. d. Textüberlieferg. I, 1961. →Paläographie, →Buch.

Periakten →Telari

Periegese (griech. *periegesis* = Herumführen), altgriech. Beschreibungen von Ländern, Kunstdenkmälern u. a. antiquarischen Merkwürdigkeiten einzelner Landschaften und Städte; Literaturgattung seit 3. Jh. v. Chr.: HEKATAIOS, HERAKLEIDES, DIONYSIOS, POLEMON; AVIENUS; erhalten: PAUSANIAS' *Periegesis tes Hellados* um 170 v. Chr. Die Verfasser hießen Periegeten (= ›Fremdenführer‹).

Perikope (griech. = Behauen), Abschnitt, 1. zusammengehörige Strophengruppen, die in e. Dichtung in geregelter Folge wiederholt werden, z. B. Strophe und Antistrophe (a a' b b' oder a b a' b') oder drei verschiedene Strophen (a b c); größte Gliederungseinheit der Metrik: More, Versfuß, Kolon, Periode, System, P. – 2. nach der Gottesdienstordnung festgelegte, sonntäglich zur Verlesung kommende Evangelien- oder Epistelabschnitte, die als Grundlage der Predigt dienen; oft dichterisch bearbeitet (GRYPHIUS, HARSDÖRFFER). Ein P.nbuch ist demnach →Evangelistar, →Epistolar oder →Lektionar.

Perioche (griech. = Umfang) Inhaltsangabe als Kürzung großer, bes. geschichtlicher Werke in antiker Lit.; erhalten für LIVIUS; →Epitome, →Synopse.

Periode (griech. *periodos* = Herumgehen, Kreislauf), 1. →Epoche. – 2. in der Metrik die Verbindung von rd. 2–4 →Kola mit mehreren gleichwertigen Haupthebungen oder beliebig langer Reihen des gleichen Metrums zu e. in sich geschlossenen Einheit, die durch Hiat, Anceps oder Klauseln voneinander abgesetzt sind. – 3. in der Stilistik durch →Hypotaxe von Haupt- und Nebensätzen kunstvoll aufgebautes und gegliedertes, langes und logisch verdichtetes Satzgefüge in Prosa, bestehend aus mehreren →Kola und mit e. gewissen →Prosarhythmus (→Klausel). ARISTOTELES definiert P. als ›e. Gedanken, der an und für sich genommen Anfang und Ende und einen wohlübersehbaren Umfang hat‹. Sinneinheit, Übersichtlichkeit, Konzinnität, Proportion und Wohllaut gelten als notwendige Eigenschaften der P.; e. nur aus je einem Haupt- und Nebensatz bestehendes Gefüge heißt einfache P., sind andere Sätze eingeflochten, zusammengesetzte P., geht der Hauptsatz voran: sinkende P., ist das Gefüge auf den Schluß hin komponiert und gipfelt – wie meist – im Hauptgedanken: steigende P. Ferner unterscheidet man historische P., welche e. Begebenheit mit allen näheren Umständen erfaßt, und oratorische P., welche in mehreren zu e. Einheit zusammengeordneten Sätzen e. Gedanken ausdrückt und bes. auf Verwendung →rhetorischer Figuren als Schmuckmittel angewiesen ist.

Lit. →Kolon und →Stil.

Periodika (griech. *periodikos* = wiederkehrend), alle in regelmäßigen Abständen erscheinenden Veröffentlichungen (Zeitungen, Zss., Jahrbücher usw.).

Peripetie (griech. *peripeteia* = plötzliches Umschlagen), Glückswechsel, unerwartet plötzliche Wendung im Schicksal des epischen oder bes. dramatischen Helden; entscheidender Umschwung, welcher der durch die Exposition begründeten Handlung die Wendung zum Guten (Komödie) oder Schlimmen (Tragödie) gibt; seit ARISTOTELES (*Poetik* Kap. 10 und 11) Begriff der Poetik, insbes. des Dramas für den (oft im Mittelakt liegenden) Höhepunkt des inneren Aufbaus, auf den die Handlung hinstrebt, der e. wegen der Spannung überraschende, jedoch nicht zufällig erscheinende Schürzung des Knotens – oft durch →Anagnorisis – enthält und nach dem Umschlag selbst in die fallende →Handlung (→Katabasis) übergeht.

G. Freytag, Technik d. Dramas, 1863; R. Franz, D. Aufbau d. Handlg. i. d. klass. Dramen, [2]1898; RL; R. Petsch, Wesen u. Formen des Dramas, 1945; O. Mann, Poetik d. Tragödie, 1958. →Drama und →Poetik.

Periphrase (griech. *periphrasis* =) Umschreibung e. Begriffs, Gegenstandes, e. Eigenschaft oder Handlung (d.h. jeder Wortart) durch mehrere Wörter (Eigenschaften, Umgebung, Verhältnis, Wirkung), teils auch ungewöhnliche Ausdrükke oder ganze Sätze anstelle der einfachen Namensnennung; beliebte dichterische und →rhetorische Figur, dient als uneigentliche Redeweise zur Vermeidung anstößiger Wörter (→Euphemismus), abgegriffener, alltäglicher Ausdrücke (→Preziösität), Wiederholungen oder Neologismen, auch zum Zwecke größerer Ausführlichkeit (→Amplifikation) und Ausschmükkung der Rede, z.B. ›Auge des Gesetzes‹. Zur P. gehört auch die Ersetzung e. Substantivs durch dessen Eigenschaft, zu der das Substantiv als Attribut tritt: ›Zu Aachen ... saß König Rudolfs heilge Macht‹ (SCHILLER). →Antonomasie.

Periplus (griech. = Umfahrt), Gattung der antiken →Reiselit. seit 4. Jh. v. Chr.: Beschreibung von Meeresküsten, Häfen, Inseln, Ländern für die Seefahrer mit nautischen Angaben: SKYLAX, PYTHEAS von Marseille, ARRIAN, AVIENUS.

A. E. Nordenskiöld, P., Stockh. 1897; R. Güngerich, D. Küstenbeschreibg. i. d. griech. Lit., 1950.

Peroration (lat. *peroratio* =) 1. Abschlußteil e. Rede, bestehend aus kurzer Zusammenfassung der Hauptpunkte und pathetischem, an das Gefühl der Zuhörer gewandtem Schlußwort. 2. bei mehreren Reden: Schlußrede.

Persiflage (franz. *siffler* = pfeifen), versteckte geistreiche Verspottung, →Parodie.

W. Krauss, Z. Wortgesch. v. P. (in: Perspektiven u. Probleme, 1965).

Persischer Vierzeiler →Rubâi

Personalbibliographie, →Bibliographie speziell der Primärlit. von und der Sekundärlit. über eine bestimmte Persönlichkeit.

M. Arnim, Internat. P., III [2]1952–63; J. Hansel, P. z. dt. Lit.gesch., 1967.

Personalstil →Individualstil

Personifikation, (lat. *persona* + *facere* = machen), häufige →rhetorische Figur, Art der →Metapher: Vermenschlichung, Einführung abstrakter Begriffe, lebloser Dinge, in antiker Rhetorik auch Toter oder Abwesender, in menschlich beseelter Darstellung als sprechende und handelnde Personen zur Belebung der Rede oder Erzählung; häufig in antiker Rhetorik (z.B. die Gesetze in PLATONS *Kriton,* das Vaterland bei CICERO, *Catilina* I, 7, 18), in mhd. Dichtung (z.B. →Minneallegorien), Barockdichtung. Berühmte P. von SCHILLER: *Das Mädchen aus der Fremde* (= Musenalmanach). Abgesehen von der vollständigen ausmalenden Darstellung kann e. P. auch ausgedrückt sein im Verbum: ›Der Glaube besiegt die Furcht‹, im

Adjektiv: ›blinder Zufall‹ oder im Substantiv: ›Mutter Natur‹. →Allegorie.

R. Galle, D. P. i. mhd. Dichtg., Diss. Lpz. 1888; W. Streissle, P. u. poet. Beseelung b. Scott u. Burns, 1911; L. Petersen, Z. Gesch. d. P. i. griech. Dichtg., 1939; C. F. Chapin, *P. in 18th-century Engl. poetry*, 1955; K. Reinhardt, P. u. Allegorie (in: Vermächtnis d. Antike, 1959); I. Glier, P. i. dt. Fastnachtspiel d. SpätMA., DVJ 39, 1965.

Perspektive (lat. *perspicere* = durch-, hineinsehen), 1. beim Theater die Erzeugung des Eindrucks räumlicher Tiefe durch nach hinten zu sich verjüngend gemalte, in Größenverhältnissen abgestufte →Kulissen; rd. 1450 in Italien zuerst in der Bildkunst ausgebildet (MASACCIO, MANTEGNA), im Theater zuerst bei der Aufführung von ARIOSTS *Cassaria* 1508 in Ferrara angewandt, dann 1510 in Rom, 1513 Urbino, bes. reich im Teatro Olimpico in Vicenza 1587; später durch die GALLI-BIBIENA mit Übereckstellung der →Dekoration; durch die ital. Oper über ganz Europa verbreitet; zeigt im Ggs. zum heilsgeschichtlichen Raum der früheren Simultanbühne durch die Dreidimensionalität das menschliche Handeln an Raum und Zeit gebunden, daher als geistiges Prinzip von ungeheurer Kraft wesentlich für die Entwicklung des Sprechdramas im 18. Jh. – 2. In der Lit. der Standpunkt, von dem aus e. Geschehen aufgefaßt wird, das Verhältnis des →Erzählers, der nicht mit dem Autor identisch ist, zu den Vorgängen im Werk (Erzählhaltung, point of view, point de vue). Man unterscheidet mit fließenden Übergängen a) räumlich-zeitlich: die Fern-P. des unbeteiligten, objektiven Beobachters im nachhinein (Er-Form) und die Nah-P. des unmittelbar Beteiligten während der Handlung oder im Rückblick (Ich-Form); b) nach der breitenmäßigen Staffelung: auktoriale P. des allwissenden, sich gelegentlich einmischenden und kommentierenden Erzählers, das Teilwissen des bloßen Augenzeugen, die Außen-P. des am Rande involvierten Ich-Erzählers und die personale P. der erlebenden Figur, bei der der Erzähler hinter der Figur zurücktritt, so daß der Leser durch sie erlebt (→erlebte Rede, →innerer Monolog), wobei ihre P. wiederum durch ihren Charakter und ihre Vorurteile gebrochen sein kann (A. SCHNITZLER, *Leutnant Gustl*); c) P.-Wechsel oder Multi-P. teilt die P. zwischen verschiedene mithandelnde Figuren und/oder beobachtende Außenstehende auf: in der Symposion-Form durch gegenseitiges Widersprechen und Infragestellen, das den Leser zur Entscheidung aktiviert, im Briefroman durch Wechsel verschiedener Sichtweisen Mithandelnder, im sog. Archivroman nach fiktiven Dokumenten durch deren Mehrstimmigkeit, in →Rahmenerzählung und →chronikalischer Erzählung durch Wechsel zwischen Erzähler- bzw. Herausgeber-P. und erlebender P., im mehrschichtigen Bewußtseinsroman (→stream of consciousness, H. JAMES, W. FAULKNER) durch symphonische Gliederung. Die nach Ansätzen in der frühen Novellistik erstmals im Briefroman des 18. Jh. bewußt entfaltete P. wurde von der Romantik zum bewußten Stilprinzip der Subjektivität gemacht (E.T.A. HOFFMANN), führte im 19. Jh. zur Einsicht in die Relativität jeder Erkenntnis und wird im 20. Jh. zum Darstellungsmittel des unbegreiflich gewordenen Daseins. Die Geschichte der P. ist damit ein Hauptaspekt der Formgeschichte des Erzählens. – 3. in marxist. Literaturwiss. des →sozialistischen Realismus der Ausblick auf e. optimist. Zukunft.

G. Schöne, D. Entwicklg. d. P.bühne, 1933; G. Scheele, D. psycholog. P.ismus i. Roman, Diss. Bln. 1933; J. Pouillon, *Temps et roman*, Paris 1946; P. Böckmann, D. dram. P.ismus i. d. dt. Shakesp.-Deutg. d. 18. Jh. (Festschr. f. Petsch, 1949); W. Jens, D. P. i. Roman (Jahresring 61/62, 1962); H. Kaufmann, Üb. P.gestaltg. i. dt. krit. u. soz. Realismus (Weimarer Beitr. 9, 1963); E. Lämmert, Bauformen d. Erzählens, [2]1967; F. van Rossum-Guyon, *Point de vue* (*Poétique* 4, 1970); C. Guillén, *On the concept and metaphor of p.* (in: *Lit. as system*, Princeton 1971); R. Weimann, Kommunikation u. Erzählstruktur im Point of View (Weimarer Beitr. 17, 1971); V. Neuhaus, Typen multiperspektiv. Erzählens, 1971; L. Doležel, D. Typologie d. Erzählers (Lit.wiss. u. Linguistik, hg. J. Ihwe 3, 1972); J. M. Lotman, *Point of view in a text* (*New Lit. History* 6, 1974/75); U. Hansen, Segmentierung narrativer Texte (Text u. Kontext 3, 1975); W. H. Schober, Erzähltechniken i. Roman, 1975; L. Hönnighausen, Maske u. P., GRM 26, 1976. →Erzähler, →Roman.

Pessimismus (v. lat. *pessimus* = der schlechteste) beruht auf dem Zweifel am letzten Sinn der Welt und des Menschenlebens, auf der Anschauung von der Sinnlosigkeit alles Seienden und e. unverbesserlich schlechten, nur zu schlimmsten Erwartungen berechtigenden Welt; pessimist. Lit. zeichnet daher voller Skepsis und Unzufriedenheit die dunklen und leidvollen Seiten des Daseins; sie ist bes. reich in ind. und dt. Lit. und german. Mythologie. Nur bedingt hierher gehört die pessimist. Bewertung des Irdischen gegenüber e. optimistisch betrachteten Jenseits, die Weltverachtung und Weltflucht des MA., die geistliche Dichtung, die Bußpredigten, →Sündenklagen und →Totentänze des Spätma., die alle hinter der Diesseitsnot z. T. ein Jenseits aufleuchten lassen. Auf die Diesseitsfreude in Renaissance und Humanismus folgt die Vanitasstimmung des Barock; auf den selbstzufriedenen Optimismus der Aufklärung ROUSSEAUS empfindsamer Kultur-P. Ins Melancholische mündet die Dichtung der Empfindsamkeit. Selbst dem jugendlichen Sturm und Drang fehlen nicht Züge des trotzig-genialen P.; die Romantik neigt stark zum P., JEAN PAUL, dessen beste Gestalten aus dem P. entstanden, prägt in *Selina* den Begriff ›Weltschmerz‹, für den BYRON, LEOPARDI *(Canzoni, Canti)*, MUSSET (*Confessions d'un enfant du siècle*, 1856), der depressive LENAU wie die Ironie HEINES, aber auch PLATENS Schwermut, BÜCHNERS und GRABBES Anklage und Lebensüberdruß bezeichnend sind durch ihren Subjektivismus, Weltekel, Nihilismus und skeptische Blasiertheit, die die ganze europ. Dichtung von 1815 bis 1840 erfaßt. Das Junge Dtl. fügt den Zug des blasierten Zerrissenen und des ›Europamüden‹ (HEINE, WILLKOMM 1838) hinzu. Als philosophisches System dieses P. gelangt SCHOPENHAUERS *Die Welt als Wille und Vorstellung* (1819) in der 2. Hälfte des 19. Jh. zu breiter Wirkung. Vom franz. und russ. P. (BALZAC, FLAUBERT, ZOLA, TOLSTOJ, DOSTOEVSKIJ) und IBSEN geht der soziale P. in der ›Armeleutedichtung‹ des Naturalismus aus. VERLAINE, MAUPASSANT, HUYSMANS, MAETERLINCK und STRINDBERG wirken auf den P. der →Dekadenzdichtung und des →Fin de siècle. Die neuere Dichtung, z. B. F. KAFKA, zeigt oft e. bedrohliche Selbstverständlichkeit des P., wenngleich sie auf der Suche nach e. vermeintlichen Lösung ist. Die reinste Form des P. bringt der →Existentialismus J.-P. SARTRES.

L. V. Golther, D. mod. P., 1875; O. Plümacher, D. P., 1884; E. v. Hartmann, Z. Gesch. u. Begründg. d. P., [2]1892; A. Lenzi, *La problema del dolore*, 1893; G. Monte, *La poesia del dolore*, 1893; M. Wentscher, D. P., 1897; O. Weddigen, Lord Byrons Einfl. auf d. europ. Lit. d. Neuzeit, 1901; A. Luther, Byron-Heine-Leopardi, 1904; W. A. Braun, *Types of Weltschmerz in German Poetry*, N. Y. 1905; A. Fauconnet, *Le p. de Schiller*,

1905; K. W. Goldschmidt, D. Wert d. Lebens, 1908; A. Vögele, D. P., 1910; G. Häusler, Schopenhauers u. Nietzsches P., 1910; H. Diels, D. antike P., 1921; W. Rose, *From Goethe to Byron*, Lond. 1924 (Auszug: GRM 12, 1924); RL[1]; K. Wais, D. pess. Lit.generation v. 1880, GRM 19, 1928; W. Imhoof, D. Europamüde i. d. dt. Erzählungslit., 1930; I. Kraus, Stud. üb. Schopenhauer u. d. P. i. d. dt. Lit., 1931; C. Hentschel, *The Byronic Teuton, aspects of German p.*, Lond. 1931; C. Kahn, D. Melancholie i. d. dt. Lyrik d. 18. Jh., 1932; L. Marcuse, D. P., 1952; W. Martens, Bild u. Motiv i. Weltschmerz, 1957; L. Babb, *The Elizabethan malady*, Mich. [2]1965; G. Mattenklott, Melancholie i. d. Dramatik d. Sturm u. Drang, 1968; W. Hof, Pess.-nihilist. Strömgen. i. d. dt. Lit. v. Sturm u. Drang bis z. Jg. Dtl., 1970; B. G. Lyons, *Voices of melancholy*, N. Y. 1973; K. Obermüller, Stud. z. Melancholie i. d. dt. Lyrik d. Barock, 1974; W. Hof, D. Weg z. heroischen Realismus, 1974; H.-J. Schings, Melancholie u. Aufklärg., 1977.

Petrarkismus, auf PETRARCA und seinen ungeheuren Einfluß zurückgehende Stilform der abendländischen Liebesdichtung bis zum Barock, nach dem ma. Minnesang das zweite erotische System der europ. Kultur im Zeitalter der Renaissance und des Humanismus; entstanden, indem aus den ursprünglichen und einmaligen Dichtungen PETRARCAS, teils mit Erweiterungen oder Weglassungen, e. verbindlicher Formel- und Formenkanon ausgebildet wurde, der die urspr. Begabung zu genormter Virtuosität erstickte. Gefordert werden formale Schönheit, bestrickender Wohllaut, geistige Pointierung mit Metaphern und Antithesen, auch Übergriffen in kosmische Bezüge als Preis der Liebesmacht, dabei ein fester Motivkreis: Frauenpreis, Beschreibung der körperlichen Schönheit (Augen, Gesicht), Liebesklage, Todeswille, Schwanken zwischen irdischer Leidenschaft, Lust, Leid und himmlischer Verklärung, doch Betonung des Leidens (im Ggs. zum Dolce stil nuovo). Vertreter sind bes. Neulateiner wie PONTANUS, MORULLUS, VALERIANUS, SCALIGER, BUCHANAN, HEINSIUS, MELISSUS, BARTH; durch diese wird der P. auch in die Volkssprachen vermittelt: in Italien ARIOSTO, MICHELANGELO, G. STAMPA, V. COLONNA, T. TASSO, GUARINI und BEMBO, in Spanien GARCILASO DE LA VEGA, QUEVEDO, GÓNGORA und MONTEMAYOR, in Frankreich M. SCÈVE, L. LABÉ, RONSARD und die Pléjade, in England WYATT, SURREY, SPENSER, SIDNEY und SHAKESPEARE, in Dtl. OPITZ, bei FLEMING z.T. überwunden. Als Gegenbewegung gegen pathet. u. formale Übersteigerung des P. wirkte seit 17. Jh. d. Anti-P. mit Parodien.

W. Söderhjelm, Petrarka i. d. dt. Dichtg., Helsingfors 1886; J. Vianey, *Le P. en France au 16.e siècle*, Montpellier 1909; J. M. Berdan, *A Definition of P.*, PMLA 24, 1909; M. Vinciguerra, *Interpretazione del P.*, Turin 1927; C. Ypes, *Petrarca i. d. Nederl. letterkunde*, Amsterd. 1934; H. Pyritz, Flemings dt. Liebeslyrik, 1932, [2]1963; A. Meozzi, *Il P.-ismo*, Pisa 1934; L. Pacini, Petrarca i. d. dt. Dichtgs.lehre, 1936; E. Kanduth, D. P. i. d. Lyrik d. dt. Frühbarock, Diss. Wien 1953; F. Neubert, D. Probl. d. P. i. Europa (Fs. f. Vasmer, 1956 u. in: Franz. Literaturprobleme, 1962); L. Baldacci, *Il p. italiano nel cinquecento*, Mail. 1957; M. Praz, *The flaming heart*, N. Y. 1958; G. Spagnoletti, *Il P.*, Mail. 1959; J. G. Fucilla, *Estudios sobre el p. en España*, Mail. 1960; H. Pyritz, Petrarca u. d. dt. Liebeslyrik d. 17. Jh. (in: Schr. z. dt. Lit.gesch. 1962); J.-U. Fechner, D. Anti-P., 1966; G. Watson, *The Engl. Petrarchans*, Lond. 1967; G. Hoffmeister, Petrarkist. Lyrik, 1973; ders., Barocker P. (Europ. Tradition u. dt. Lit.barock, hg. ders. 1973); L. Keller, Übs. u. Nachahmg. i. europ. P., 1974; L. Forster, D. eiskalte Feuer, 1976.

Petruschka (russ. = Peterle), entsprechend →Pierrot die →komische Person des russ. Theaters.

Pfingstlied, zu Anrufung, Verherrlichung und Dank Gottes für die Ausgießung des Hl. Geistes am Pfingstfest gesungenes →geistliches Lied, doch seltener als Oster- und Weihnachtslied; zuerst lat. liturgische Hymnen: ›Veni creator spiritus‹, HRABANUS MAURUS zugeschrieben (9. Jh.), dann als Sequenz bei NOTKER BALBULUS (9. Jh.): ›Sancti spiritus assit nobis gratia‹, als ›Gold-Sequenz‹ um 1200: ›Veni sancte spiritus‹; 1. protestantisches P. von LUTHER ›Nun bitten wir den Hl. Geist‹ nach Vorlage aus dem 12. Jh.; im Barock M. SCHIRMER: ›O Hl. Geist kehr bei uns ein‹ u. a.; neuerdings bei F. WERFEL: ›Komm, Hl. Geist‹ (*Einander*, 1915); daneben oft verweltlicht.

RL^{1}.

Pflichtexemplar, Pflichtstück, vom Verleger oder Drucker aufgrund gesetzl. oder freiwill. Verpflichtung an staatl. oder Landesbibliotheken abzulieferndes Exemplar e. Druckschrift, anfangs aus Zensur-, später aus bibliogr. Gründen.

Phaläkischer Vers, nach dem alexandrin. Dichter PHALAIKOS benannter 11silbiger antiker Vers: um ein gekürztes jambisches Metrum erweiterter Glykoneus: ⏓ ⏑ – ⏑ ⏑ –́ | ⏑ – ⏑ – ⏓, verwendet bei SAPPHO, ANAKREON, KALLIMACHOS, CATULL (sein häufigstes Versmaß, z. B. c. I), ferner MARTIAL, STATIUS, PRUDENTIUS, SIDONIUS, BOETHIUS und MARTIANUS CAPELLA.

Phantasie (griech. *phantasia* = Vorstellung, Erscheinung), Einbildungskraft, die Gabe zusammenhängender Gestaltung früherer sinnlicher Wahrnehmungen oder allg. innerer Erlebnisse und Bilder in e. neues, von der Wirklichkeit unabhängiges Verhältnis in Kunst und Dichtung, von der abstrakten Denktätigkeit durch die Bildhaftigkeit der Vorstellungsinhalte geschieden. Man unterscheidet passive, d. h. nachvollziehende P. bei Kindern und Naturvölkern in der Mythenbildung, und aktive, d. h. schöpferische P. als e. der Voraussetzungen des →Dichters schlechthin, die nur durch die Darstellungsmöglichkeiten beschränkt wird.

T. Ribot, D. Schöpferkraft d. P., 1902; B. Erdmann, D. Funktionen d. P. i. wiss. Denken, 1913; W. Dilthey, D. Einbildgs.-kraft d. Dichters (Ges. Schr. 6, 1924); R. Müller-Freienfels, D. Denken u. d. P., 1916; M. Nussberger, D. künstler. P., 1935; R. Kaßner, V. d. Einbildgs.kraft, 1936; E. Staiger, D. Zeit als Einbildgs.-kraft d. Dichters, 1939; H. Kunz, D. anthropolog. Bedeutg. d. P., II 1946; A. Vetter, D. Erlebnisbedeutg. d. P., 1950; K. Heymann, D. P., 1956; S. C. Sen Gupta, *Towards a Theory of the Imagination,* Bombay 1960; D. G. James, *Scepticism and Poetry,* Lond. ^{2}1960; A. W. Levi, *Lit., Philos. and the Imagination,* Bloomington 1962; Ch. Dedeyan, *L'imagination phantast. dans le romantisme europ.,* Paris 1965; G. K. Lehmann, P. u. künstler. Arbeit, 1966, ^{2}1976; W. Muschg, D. dichter. P., 1969; R. L. Brett, *Fancy and imagination,* Lond. 1970; Seminar: Theorie d. künstler. Produktivität, hg. M. Curtius 1976; H. Hillmann, Alltags-P. u. dichter. P., 1978.

Phantasmagorie (griech. *phantasma* = Trugbild), Vorspiegelung von Trugbildern und Gespenstererscheinungen auf der Bühne durch optisch-technische Mittel; so bezeichnete GOETHE den Helenaakt des *Faust II* als ›klassisch-romantische P.‹.

Phantastische Literatur, 1. im weitesten Sinne jedes Literaturwerk, das irreale, surreale, wunderbare, traumhafte Elemente, Angst- und Zukunftsvisionen u. a. enthält, vom Schauerroman bis zur Science Fiction. – 2. im engeren Sinne die lit. Darstellung des Wunderbaren/Unheimlichen in einer Weise, die Leser und Figuren zwischen Realität und Imagination unschlüssig werden läßt und aus dem Schwebezustand ästhet. Werte zieht, bes. E. T. A. HOFFMANN, E. A. POE, J. POTOCKI u. a.

H. P. Lovecraft, *Supernatural horror in lit.,* N. Y. 1945; P.-G. Castex, *Le conte fantastique en France,* Paris 1951; P. Penzoldt, *The supernatural in fiction,* Lond.

1952; L. Vax, *L'art et la lit. fantastique,* Paris 1960; M. Schneider, *La lit. fantastique en France,* Paris 1964; R. Caillois, *Au coeur du fantastique,* Paris 1965; L. Vax, *La séduction de l'étrange,* Paris 1965; T. Todorov, Einf. i. d. fantast. Lit., 1972; L. Vax u. a. (Phaicon 1, 1974); E. S. Rabkin, *The fantastic in lit.,* Princeton 1975; G. Haas, Struktur u. Funktion d. p. L. (Wirk. Wort 28, 1978); A. Carlsson, Teufel, Tod u. Tiermensch, 1978.

Pherekrateus, nach dem altatt. Komödiendichter PHEREKRATES benannter katalektischer Glykoneus, 7silbiger antiker Vers aus zwei Trochäen und einem Daktylus, nach dessen Stellung man 1. P.: –́ ◡ ◡ –́ ◡ –́ ⏓ und 2. P.: ⏓́ ⏓ –́ ◡ ◡ –́ ⏓ unterscheidet; urspr. wohl aus daktylischem Trimeter mit Spondeen entstanden, meist in Verbindung mit Glykoneen als deren Klausel gebraucht, so in der →Asklepiadeischen Strophe bei HORAZ, monostichitisch bei MARTIANUS CAPELLA. →Priapeus.

Philhellenismus (v. griech. *philia* = Liebe: Griechenfreundschaft), im Gefolge des neugriech. Freiheitskampfes gegen die Türkenherrschaft 1821–28 entstandene europ. Hilfsbewegung, die sich neben politischen, militärischen und finanziellen Unterstützungen auch in der Lit. äußerte: in England Lord BYRON und P. B. SHELLEY, in Frankreich V. HUGO und CHATEAUBRIAND, in Spanien ESPRONCEDA, in Dtl. CHAMISSO und W. MÜLLERS *Lieder der Griechen* (1821–24) mit Unterstützung LUDWIGS I. von Bayern.

R. F. Arnold, D. dt. P. (Euph.-Ergz.-Heft 2, 1896); C. Erler, D. P. i. Dtl., 1906; A. Heisenberg, D. P., 1913; G. Caminade, *Les chants des Grecs et le P. de W. Müller,* Paris 1913; W. Büngel, D. P. i. Dtl., Diss. Marbg. 1917; RL; E. Rothpelz, Beitr. z. Gesch. d. dt. P., 1931 f.; K. Dieterich, Dt. Philhellenen i. Griechenld., 1929; B. H. Stern, *The Rise of Romantic Hellenism in Engl. Lit.,* 1940; B. Vonderlage, D. Hamburger P., 1940; H. O. Siegburg, D. Erwachen d. polit. Bewußtseins i. Dtl., Diss. Münster 1941; R. Canat, *L'hellénisme des romantiques,* III 1952–56; W. Barth u. M. Kehrig-Korn, D. Philhellenenzeit, 1960; D. Kramer, D. P. (Fs. G. Heilfurth, 1969); C. M. Woodhouse, *The Philhellenes,* Lond. 1969.

Philippika, allg. leidenschaftlich angreifende Rede, Strafpredigt; Name nach den Reden des DEMOSTHENES gegen PHILIPP II. von Mazedonien.

Philologie (v. griech. *philos* = Freund, *logos* = Wort: ›Liebe zum Wort‹), die Wissenschaft von Sprache und Schrifttum, die den Zusammenhang von Wort und Sinn, damit die Leistung der Dichter in der Spache und Geist und Kultur e. Volkes in Wort und Wesen erforscht, im weitesten Sinne auch über den lit. Niederschlag hinaus Altertums- und →Volkskunde, Philosophie, Musik, Rechtswesen, Religion, Sitte, Kunst, Volksüberlieferung (Sage, Märchen, Rätsel, Sprichwort, Mythos) usw. Als Teilwissenschaften dienen ihr Rhetorik, Poetik, Metrik, Stilistik, Phonetik, Grammatik, Epigraphik, Paläographie und bes. Literaturgeschichte und Sprachwissenschaft. – Die Anfänge der P. gehen auf die Antike, zumal die Griechen, zurück. In Alexandria entstand um die Bibliothek (Museion) eine lebhafte philologische Tätigkeit, die sich bes. mit Ermittlung der Verfasser (z. B. bei Fragmenten), deren Lebenslauf und Wirkungszeit, ferner Gattungsgeschichte, Glossographie, Echtheitsfragen (→Notae), Grammatik (bes. Erklärung von Archaismen), Kommentierung (→Scholien) usw. befaßte. Hauptvertreter waren ZENODOTOS und KALLIMACHOS im 4., ERATOSTHENES und ARISTOPHANES im 3., ARISTARCHUS im 2. Jh. v. Chr., in Rom VARRO. Im MA. setzten ISIDOR VON SEVILLA (*Etymologiae,* um 600), EUSTATHIOS (Homerkommentar, 12. Jh.) und bes. die Byzantiner solche Bestrebungen fort, bis der

→Humanismus einen Aufschwung auf dem gesamten Gebiet brachte und zur Entdeckung zahlreicher Hss. führte. Seine durch mühevolle Kleinarbeit um Textherstellung, Wortforschung und Sacherklärung, die P. im engeren Sinne, unterstützten Bestrebungen führten auf höherer Ebene zu einer Kulturwissenschaft von Geist und Wesen der Antike. In der ital. Renaissance (DANTE, PETRARCA) wie im dt. Neuhumanismus (LESSING, GOETHE, SCHILLER, HERDER, VOSS) führt die sog. ›Dichter-P.‹ zu e. vertieften Verständnis antiker Dichtung und Kunstanschauung. Im 18. Jh. ragen bes. HEYNE und F. A. WOLF (→Liedertheorie) als klassische Philologen hervor. Im 19. Jh. begründen die Brüder GRIMM und C. LACHMANN auf Grundlage der in der klassischen P. erprobten Methoden die →Germanistik. Während die →Literaturgeschichte und -wissenschaft seit den Brüdern SCHLEGEL als Sonderzweig der P. eigene Wege geht, wurde die dt. P. als Sprachwissenschaft bes. gefördert durch die Arbeiten der sog. Junggrammatiker (W. BRAUNE, F. KLUGE, E. SIEVERS, H. PAUL, W. STREITBERG, V. MICHELS, O. BEHAGHEL).

Einführungen: R. Newald [2]1949; G. Rohlfs, Roman. P., 1950ff.; E. Schwarz 1951; F. v. d. Leyen 1952; Grundrisse: H. Paul, Grundr. d. german. P., III [2]1900–09, XVIII [3]1911–43; A. Matthias, Hdb. d. dt. Unterrichts, 1906ff.; F. Stroh, Hdb. d. german. P., 1952; W. Stammler, Dt. P. i. Aufriß, [2]1955; L. E. Schmitt, III 1969ff.; G. Gröber, Grundr. d. roman. P., [2]1914ff.; G. Müller-Schwefe, Einf. i. d. Stud. d. engl. P., [2]1968. Geschichte: J. E. Sandys, *History of class. scholarship*, III Lond. 1906/08; A. Gudemann, Grundr. d. Gesch. d. klass. P., [2]1909; U. v. Wilamowitz, Gesch. d. P. (Gercke-Norden, Einl., [2]1921); K. Burdach, D. Wissenschaft v. dt. Spr., 1934; E. Auerbach, *Introduction aux études de philologie romaine*, [3]1964; J. Dünninger in ›Aufriß‹; H. Kuhn, Germanistik als Wiss. (in: Dichtg. u. Welt i. MA., 1959); R. Pfeiffer, Gesch. d. klass. P., 1970; C. Tagliavini, Einf. i. d. roman. P., 1973.

Phlyakenposse oder Hilarotragödie, derbe dorische Volksposse in Sizilien, Unteritalien (Tarent) und Alexandria im 4./3. Jh. v. Chr.: die Schauspieler (›Phlyaken‹) spielten mit obszön ausgepolstertem Kostüm (Dickbauch und überdimensionaler Hintern) und grotesken Masken spaßige Szenen aus dem Alltagsleben oder Mythentravestien und Parodien der Tragödie. Entstanden aus der ital. Freude am Possenspiel, von RHINTON (300 v. Chr.), SKIRAS BLAISOS und SOPATER von Paphos lit. gemacht, doch nur in sehr wenigen Fragmenten erhalten. Szenen der P. finden sich oft auf ital. Vasenbildern dargestellt.

Phosphoristen, schwed. romantischer Dichterkreis zu Beginn des 19. Jh., der sich im Anschluß an dt. Sturm und Drang und Romantik gegen den seit GUSTAV III. in Schweden herrschenden franz. Geschmack wendet. Mittelpunkt war die von ATTERBOM gegr. Zs. *Phosphorus,* Mitglieder ferner bes. PALMBLAD und DALGREN.

Photoroman →Comics

Phrase (griech. *phrasis* = Redensart), urspr. Satz (so franz.), jetzt bloße, nichtssagende und inhaltsleere Redensart, →Gemeinplatz.

Phraseologie (v. griech. *phrasis* = Redensart, *logos* = Lehre), Lehre oder Slg. der gesamten für e. Sprache, e. Fachsprache, Epoche oder e. Einzelmenschen eigentüml. Redewendungen.

Phraseonym (griech. *phrasis* = Redensart, *onoma* = Name), Redewendung als →Pseudonym: ›von e. Großdeutschen‹.

Phrenonym (v. griech. *phren* = Gemüt, *onoma* = Name), →Pseudonym, das anstelle des Namens e. Charaktereigenschaft angibt.

Picareske, Picarischer Roman, Picaro-Roman, nach der Gestalt des Picaro (= Spitzbube), dem abenteuernden Gegenstück aller bürgerlichen Weltordnung, Bz. des →Schelmenromans.

Picaro →Picareske

Pickelhering (engl. *pickle* = Pökel, Salzbrühe), stereotype →komische Person der →Englischen Komödianten, von Robert REYNOLDS 1618 geschaffen (*Engl. Comedien und Tragedien sampt P.*, 1620), entstand aus dem Teufel und Vice der Moralitäten und den engl. Hofnarren, auch unter Einfluß von SHAKESPEARES Narrengestalten, wo er als Narr die Funktion des Chors übernahm, und den gröberen seiner Vorgänger, empfing unterwegs holländische Anregungen und griff bald selbst in die Handlung ein – in dt. Nachahmung bei Chr. WEISE, der ihm bewußt die ›allg. satyrische Inclination‹ des Chors übertrug.

Lit. →komische Person.

Pictura poesis →Ut pictura poesis

Piecè (franz. = Stück), Theaterstück, insbes. *P. à spectacle:* Melodrama, *P. à thèse:* →Thesenstück, *P. à tiroirs:* Episodenstück.

P'ien-wên (chines. = parallele Prosa), auch Ssu-liu-wên genannt, die elegante, gehobene chines. Kunstprosa mit rhythmischen Kadenzen und stilistisch-sprachlichen Feinheiten, blühte bes. im 4.–9. Jh. n. Chr.; seit dem 17. Jh. epigonal erstarrt.

Pie Quebrado, →Coplas de P. Q. (span. = gebrochener, d. h. Halb-Vers), span. Versform bes. des 14./15. Jh.: Verbindung von Achtsilbern mit regelmäßig eingefügten 4- oder 5-Silbern, z. B. im *Libro de buen amor* von Juan RUIZ. Schließlich allg. jede Verbindung e. Langzeile (8-, 10-, 12-, 14-Silber) mit e. Kurzzeile von deren halber Silbenzahl (4-, 5-, 6- bzw. 7-Silber).

Pieriden, Beiname der →Musen nach der Küstenlandschaft am Nordhang des Olymp, die gleich dem →Helikon als Sitz der Musen galt – nach der Überlieferung wurde der Musenkult durch eine Koloniegründung in vorhistorischer Zeit von hier zum Helikon verpflanzt.

Pierrot (franz. = Peterle), Typenfigur der Comédie italienne in Paris (seit 1673) und der franz. Pantomime, gekennzeichnet durch e. weißes, locker fallendes Kostüm, e. weiße Gesichtsmaske und dümmlich-zaghaftes Wesen. Träumerisch-melanchol. Dienerrolle. Sein weibl. Gegenstück heißt Pierrette, sein russ. Bruder Petruschka.

R. F. Storey, *P.*, Princeton 1978.

Pietismus (lat. *pius* = fromm), religiöse Bewegung des dt. Protestantismus mit Höhepunkt von rd. 1670 bis 1740 und weitreichender Nachwirkung; bringt in Opposition gegen die im Beamtenwesen erstarrte und gefühllose protestantische Orthodoxie die Rückwendung zu Gefühl und Phantasie im kirchlichen Leben, Erneuerung der Mystik durch Steigerung der persönlichen Frömmigkeit, des inneren Gotteserlebnisses im eigenen Zugang zur *Bibel*, Belauschung der Seelenregungen, die als erste in die subjektiven Tiefen der Einzelseele führt und einen teils bis zur Rührseligkeit gehenden Seelen- und Freundschaftskult (Konventikel-Wesen) einleitet. Der Weg zu Gott führt über die gotterfüllte Seele, nicht Buchstabengläubigkeit und Dogmatismus, sondern e. praktisches Herzenschristentum. Trotz dieses Gegensatzes zum Rationalismus der etwas später einsetzenden Aufklärung berührt er sich mit dieser in der Ablehnung der Orthodoxie und der Forderung nach Toleranz (LAVATER, JUNG-STILLING). Vorläufer des P. ist J. ARNDT (*Vier Bücher vom wahren Christentum,* 1605–09) mit Betonung des Gefühls in der Religion; eigentlicher Begründer ist Philipp Jakob SPENER (1635–1705), der sich in seinem Hauptwerk *Pia desideria* (1675) und ab 1670 in seinen Frankfurter *Collegia pietatis* (Erbauungsstunden) an die Herzen wandte. Wertvolle Ergebnisse praktischer Menschenliebe zeitigte der P. in den Halleschen Stiftungen (Waisenhaus) A. H. FRANCKES (1663–1727), der SPENERS Bestrebungen lehrmäßig ausbaute. Zahlreiche Konventikel entstanden in Württemberg, bes. aber der Zusammenschluß der Herrnhuter Brüdergemeine auf dem Besitz des Grafen ZINZENDORF in Schlesien. Von hier geht trotz der allg. Kunstfeindlichkeit vieler pietistischer Richtungen die →geistliche Lieddichtung des P. aus, der außer dem Grafen ZINZENDORF selbst und SPENER bes. TERSTEEGEN, NEANDER, G. ARNOLD und z. T. GELLERT angehören. Trotz glänzender Naturschilderungen und erlebnishafter religiöser Begeisterung, echter Gebärden und Worte voll lyrischer Frömmigkeit arten sie z. T. leicht in süßliche und langatmige Schwärmereien und Erbauungslit. aus, die den Übergang zur →Empfindsamkeit zeigt. Eine zweite und bes. zukunftweisende lit. Form entwickelt der P. in der →bekenntnishaften, verinnerlichten →Autobiographie (SPENER, FRANKKE, bes. vollendet JUNG-STILLING), die späterhin zur Entwicklung des Tagebuch- und Briefromans führte. Die stille und breite Wirkung des P. durch christlichen Liebesdienst, bes. von Herrnhut aus, reicht durch die Aufklärung hindurch und tritt bes. im Sturm und Drang wieder hervor: (JUNG-STILLING und LAVATER); sein Einfluß reicht bis auf GOETHE (*Bekenntnisse einer schönen Seele* im *Wilhelm Meister,* Einfluß Susanne von KLETTENBERGS und LAVATERS), KLOPSTOCK, LENZ, HERDER, HAMANN, Göttinger Hain, PESTALOZZI und SCHLEIERMACHER. Die literaturgeschichtliche Bedeutung des P. liegt in der ersten Entfesselung des Gefühls in der Dichtung und in der Verinnerlichung der Außenwelterlebnisse.

A. Ritschl, Gesch. d. P., III 1880–86, ²1966; R. Unger, Hamann u. d. Aufklärung, 1911; K. Reinhardt, Mystik u. P., 1925; H. R. Günther, Psychologie d. dt. P., DVJ 4, 1926; H. Kindermann, Durchbruch d. Seele, 1928; RL; H. Sperber, D. Einfl. d. P. auf d. Sprache d. 18. Jh., DVJ 8, 1930; W. Schlatter, P., 1931; E. E. Roth, D. Stilmittel i. Kirchenlied d. P., Diss. Hdlbg. 1932; H. Renkewitz, D. Struktur d. P. (Die Welt als Gesch., 1936); H. Pleiyel, D. schwed. P. u. seine Beziehgn. z. Dtl., Lund 1935; A. Lang, Puritanismus u. P., 1941; A. Reiche, D. P. u. d. dt. Romanlit. d. 18. Jh., Diss. Marb. 1947; H. Weigelt, P.-Studien, 1965; F. E. Stöffler, *The rise of evangel. p.*, Leiden 1965; M. Schmidt, W. Jannasch, D. Zeitalter d. P., 1965; K. S. Pinson, *P. as a factor in the rise of German nationalism* N. Y. ²1967; J. B. Neveux, *Vie spirituelle et vie soc. entre Rhin et Baltique au 17e siècle,* Paris 1967; A. Langen, D. Wortschatz d. dt. P., ²1968; M. Schmidt, Wiedergeburt u. neuer Mensch, 1969; ders., D. P., 1972; G. Mälzer, D. Wke. d. württ. Pietisten d. 17./18. Jh., Bibliogr. 1972; G. Kaiser, P. u. Patriotism. i. lit. Dtl., ²1973; H. Leube, Orthodoxie u. P., 1975; D. P. i. Gestalten u. Wirkungen, Fs. M. Schmidt, hg. H. Bornkamm u. a. 1975; Z. neueren P.forschg., hg. M. Greschat 1977.

Pikarischer Roman →Schelmenroman

Pilgerlied →Kreuzlied

Pinakes (griech. =) Verzeichnisse der Autoren und ihrer authentischen Schriften mit genauer Angabe des Titels und der Zeilenzahl der einzelnen Bücher (Schutz gegen Pseudepigraphen und Interpolationen), früheste Form der literarhistorischen Erfassung, so von KALLIMACHOS (300 v. Chr.) für die alexandrin. Bibliothek, nach acht Lit.gattungen geordnet angelegt, insges. 120 Bde., als Bibliothekskatalog.

Pindarische →Ode, nach dem griech. Dichter PINDAR benannte Odenform mit freierem, verschieden langem Strophenbau – bei PINDAR selbst meist daktylo-epitrische Metren – und späterhin freier Reimabfolge, doch stetigem Wechsel von Strophe und Antistrophe, die von e. dritten, freier gestalteten →Epode überwölbt werden; in Renaissance und Barock (RONSARD, CHIABRERA, GRYPHIUS) beliebt. Der engl. Klassizismus dagegen bezeichnet als P. O. e. von COWLEY eingeführte, in Strophen-, Zeilenbau und Reimverteilung sehr freie Form, oft mit Übergang zu Freien Rhythmen.

E. R. Keppeler, D. p. O. i. d. Poesie d. 17. u. 18. Jh., Diss. Tüb. 1911.

Pindaristen, nach der Nachahmung der griech. Lyriker PINDAR und ANAKREON benannter ital. Dichterkreis des 16./17. Jh. um G. CHIABRERA und seine Schüler F. TESTI, A. GUIDI und I. FRUGONI.

Piut, Pijut (neuhebr., Mz. Pijutim), die hymnischen, lyrischen und didaktischen Dichtungen der ma. Paitanim (→Paitan) auf jüdische religiöse Feier- und Festtage. Z. T. in die Liturgie aufgenommen, bilden sie wertvolle Dokumente für die Geistigkeit des Judentums im MA.

L. Zunz, Lit.gesch. d. synagogalen Prosa, II 1865–67; ders., D. synagogale Poesie d. MA., [2]1928; I. Elbogen, D. jüd. Gottesdienst, [3]1931.

Plagiat (franz., zu lat. *plagium* = Menschenraub), Diebstahl geistigen, bes. lit. Eigentums durch unbewußte oder unerlaubte Wiedergabe von Werken, Teilen daraus, dichterischen Motiven und Gedanken e. anderen ohne Nennung des Urhebers als eigenes Produkt, auch Mißbrauch des Zitatrechts ohne Kennzeichnung und →Quellenangabe; früher straflos, da der Begriff des geistigen Eigentums erst im 18./19. Jh. erscheint; heute ist für vorsätzliche Verletzung des →Urheberrechts der Plagiator (= Verfasser e. P.) auf Antrag schadenersatzpflichtig und strafbar, wobei die unbefugt hergestellten Exemplare vernichtet werden. P.e in Form von stofflichen, gedanklichen und sprachlichen Übernahmen finden sich schon in griech. Lit., z. B. bei den Tragikern, auch als Selbst-P. (d. h. Wiederverwendung e. eigenen sprachlichen Prägung in mehreren Werken, z. B. KLEISTS Schluß der *Penthesilea* aus seiner *Familie Schroffenstein*) oder als unbewußtes P. bei treffenden Formulierungen, die im Gedächtnis haften geblieben sind. Das MA. kannte kein geistiges Eigentum am Stoff, sondern nur an der Form. Wohl keines der großen Literaturwerke blieb ohne Nachahmung oder P., doch zeigt die allzu genaue Aufdeckung aller Abhängigkeiten – z. B. die Nachweise von P. ALBRECHT über *Lessings P.e* (6 Bde. 1890 f.) – die Sinnlosigkeit solchen Vorgehens, das in allem e. P. sieht; e. P. begeht eigentlich nur der kleine Geist, der sich mit fremdem Geistesgut Ansehen verschafft, während der Große Anleihen bei anderen in e. fest geschlossenes Weltbild übernimmt und einordnet, sie dadurch z. T. erst der Vergessenheit entreißt und wertvoll macht (B. BRECHTS P. an der VILLON-Übersetzung von K. L. AMMER für die Songs der *Dreigroschenoper*). Eine bes. verwerfliche Form des P. entwickelte sich im Dritten Reich, als kleinere dt. Autoren verbotene und daher z. T. nicht zugängliche Werke jüd. Autoren durch oberflächliche Bearbeitung unter ihrem Namen arisierten. →Pastiche.

E. Stemplinger, D. P. i. d. griech. Lit., 1912; ders., D. P. i. d. antiken Lit., GRM 6, 1914; E. Stranik, Üb. d. Wesen d. P. (Dt. Rundschau 211, 1927); H. M. Paul, *Literary Ethics*, 1928; P. Englisch, Meister d. P., 1933; M. Dessoir, D. schriftsteller. P. (Berliner Hefte 1, 1946); H. W. Backer, Vom Segen u. Unsegen d. P. (Zwiebelfisch 25, 1946); A. Lindey, *Plagiarism and Originality*, N. Y. 1952; H. Abramowski, D. urheberrechtliche Begriff d. P., Diss. Kiel 1952; H. Eich u. a., Falsch aus d. Feder geflossen, 1964; H. O. White, *Plagiarism and imitation during the Engl. Renaissance*, N. Y. [2]1965; RL; H. Rosenfeld, Z. Gesch. v. Nachdruck u. P. (Börsenbl. 25, 1969).

Planctus (lat. =) Klage, →Totenklage, →Klagelied in der lat. Lit. des MA.

Planh (v. lat. *planctus* = Klage), in der provenzal. Troubadourlyrik Klagelied für Todesfälle, Katastrophen und Liebestrauer, Unterart der →Sirventes und von ähnl. Form, u. a. bei CERCAMON, BERTRAN DE BORN, AIMERIC DE PÉGUILHAN u. a.

H. Springer, D. altprovenzal. Klagelied, 1895.

Planipes →Mimus

Platitude (franz. =) Plattheit, Niveaulosigkeit, Banalität in Gedanke und Ausdruck.

Plattdeutsche Literatur →Dialektdichtung

Pléiade, Kreis von sieben franz. Renaissancedichtern zu Ausgang des 16. Jh., die e. durch die Begegnung mit der Antike veredelte, doch volkssprachliche franz. Dichtung nach klassischem Vorbild erstreben, die ma. Tradition beiseite schieben und die franz. Sprache durch Neologismen literaturfähig machen. Ihr Führer war P. RONSARD, der seit 1543 mit A. de BAÏF bei J. DORAT im Collège Coqueret in Paris alte Sprachen studierte; ihnen schlossen sich E. JODELLE (der Begründer der klassischen franz. Bühne) und R. BELLEAU, später auch P. de TYARD und 1548 J. DU BELLAY an, der mit seiner Schrift *Défense et illustration de la langue française* 1549 die Anregung zur Gründung und – neben RONSARDS Poetik – das Programm des Dichterkreises gab, der sich anfangs mit elf Mitgliedern militärisch ›La Brigade‹, durch RONSARD aber nach Vorbild der →Pleias ›La Pléiade française‹ nannte. Die bedeutendsten Dichtungen sind RONSARDS Oden, Hymnen und Liebessonette mit Einfluß auf OPITZ. – Als weniger bedeutsame Dichterkreise faßt man unter dem Namen P. auch gern die Häupter der →karolingischen Renaissance, sieben Toulouser Troubadours des 14./15. Jh. und sieben neulat. franz. Dichter des 17. Jh. zusammen.

Ch. Marty-Lavaux, *La langue de la P.*, Paris II 1896–98, n. 1965; G. Wyndham, *Ronsard and la P.*, 1906; J. Vianey, *Le pétrarquisme en France au 16.e siècle*, Montpellier 1909; H. Hatzfeld, D. franz. Renaissancelyrik, 1924; H. Chamard, *Hist. de la P.*, IV Paris 1939 f., [2]1960–63; R. J. Clements, *Critical theory and practice of the P.*, Cambr./Mass. 1942; G. D. Castor, *Pléiade poetics*, Cambr. 1964; H. W. Wittschier, D. Lyrik d. P., 1971.

Pleias (griech. = Siebengestirn), griech. Dichterkreis der sieben Tragiker in Alexandria z. Zt. des PTOLEMAIOS II. (285–247 v. Chr.). Als Namen werden meist überliefert: ALEXANDROS AITOLOS, PHILISKOS von Kerkyra, LYKOPHRON von Chalkis, HOMEROS von Byzanz, SOSITHEOS aus Alexandreia Troas, SOSIPHANES aus Syrakus, DIONYSIADES aus Tarsos. Werke sind außer dem Gedicht *Alexandra* des LYKOPHRON nur sehr fragmentarisch erhalten.

Plenar (v. lat. *plenus* = voll), 1.

liturgisches Buch als Zusammenstellung aller für die Lesung e. Messe in Betracht kommenden u.a. Texte, →Lektionar; 2. Meßerklärung als ma. Vorläufer der →Postille.

W. Kämpfer, Stud. z. d. gedruckten mnd. P., 1954.

Pleonasmus (griech. *pleonasmo* = Überfluß), übertriebene und daher unnütze Anhäufung oder Verbindung von Worten gleicher oder ähnlicher Bedeutung, die keine neuen Merkmale hinzufügen (→Synonyme), z.B. Setzung selbstverständlicher →Epitheta: ›weißer Schimmel, alter Greis‹, als unnötige Doppelaussage, Abundanz sprachlicher Formen als Redeschmuck, bes. zu nachdrücklicherer Wirkung: ›Ich habe es selbst mit meinen eigenen Augen gesehen‹. Ggs.: Ellipse. →Tautologie.

Plot (engl. = Komplott), die →Handlung oder →Fabel in Roman, Novelle usw., bes. der →Konflikt im Drama und zumal dessen kausal streng verknüpfte und rational überzeugende Form.

E. Dipple, *P.*, Lond. 1970; K. Egan, *What is a p.?* (*New Lit. Hist.* 9, 1977/78).

Pluralis majestatis (lat. = Mz. der Majestät) als erhabene Selbstbz. Hochgestellter (›Wir haben geruht...‹) erscheint auch in der Lit. als Selbstbz. des Autors aus Bescheidenheit, Zurückdrängung des selbstherrlichen ›Ich‹ *(p. modestiae)*.

Pnigos (griech. = Ersticken), ein im beschleunigten Tempo gesprochener, hypermetrischer Teil der →Parabase oder als Abschluß von Epirrhem und Antepirrhem (›Anti-P.‹) im Agon.

Pocket-Book (engl. =) →Taschenbuch (2).

Poem (griech. *poiema* = Dichtung), im Dt. heute meist abfällige Bz. für Gedicht; im Franz. Bz. für die philos. Gedankenlyrik A. de VIGNYS; im Russ. jede längere Versdichtung erzählenden oder gedanklichen Inhalts.

Poème en prose →Prosagedicht

Poesia Bernesca, vom ital. Dichter F. BERNI (16. Jh.) begründete Art der satirisch-burlesken Dichtung in Form von Capitoli (elfsilbigen Terzinen) und Sonetten mit dem ironischen Lob unangenehmer Dinge (Pest, Schulden u. ä.) und der erhabenen Andichtung gewöhnlicher Gegenstände sowie der parodistischen Verteidigung des Abzulehnenden, alles in starker Überzeichnung mit grotesken Details. Nachahmung in franz. Lit. bei RÉGNIER und SYGOGNES.

Poesia Fidenziana oder **pedantesca** (nach dem Schulmeister Fidenzio Glottocrisio, dem von der Liebe zu seinem Schüler singenden Helden einer 1565 veröffentlichten PETRARCA-Parodie des ital. Grafen Camillo SCROFA), Ende 16. Jh. ausgebildete, volkssprachliche (ital.) Texte mit lat. Einsprengseln vermischende Form burlesker Dichtung, in einseitiger Auslegung als Ironisierung der lat. Fremdwortsucht zeitgenöss. Gelehrter (Pedanten) auch ›poesia pedantesca‹ genannt; im Prinzip als lit. Sprachmengung, witzig verhüllendes, Atmosphäre evozierendes Sprachspiel, von der Antike bis zur Gegenwart zu verfolgen. →Makkaronische Dichtung.

Poesie (griech. *poiesis,* von *poiein* = machen), →Dichtung allg., im engeren Sinne die in (rhythmisch) gebundener Rede im Ggs. zur →Prosa, so stets als engl. und franz. Bz.

Poesiealbum →Album, →Stammbuch

Poésie engagée (franz.) →engagierte Literatur, →Tendenzdichtung

Poésie fugitive (franz. = flüchtige Dichtung), die tändelnden Kleinformen der franz. →Rokokodichtung. →Anakreontik.

Poésie pure (franz. = reine Dichtung), im Ggs. zur →Poésie engagée die tendenzfreie Dichtung, bes. in der franz. Dichtung des 19. Jh. (→Symbolismus, →L'art pour l'art) die Idealform einer Lyrik, die sich selbst thematisch wird und den poetischen Akt, das freie Spiel der Laute und Wortbedeutungen als ästhetisches Gebilde in den Mittelpunkt stellt, dem gegenüber Stoffe und Ideen zurücktreten. Vorgeprägt von SAINTE-BEUVE und POE, vertreten durch BAUDELAIRE, MALLARMÉ, HEREDIA, VALÉRY u. a.

H. Bremond, *La p. p.*, Paris 1926; V. Klemperer, *La p. p.* (in: Vor 33, nach 45), 1956; W. Weidle, D. p. p. u. d. mediterrane Geist (Hefte f. Lit. u. Kritik 1, 1960); H. W. Decker, *P. p.*, 1962; A. J. Arnold, *La querelle de la p. p.* (*Revue d' hist. litt. de France* 70, 1970).

Poet (lat. *poeta* =) →Dichter

Poeta doctus (lat. = gelehrter Dichter), seit der hellenist.-alexandrin. Epoche der griech. Dichtung gefordertes Ideal e. ›gebildeten‹ Dichters, der in verfeinerter Form und von reichem Wissen zeugendem Inhalt für die gebildeten Hörer oder Leser schreibt. Er steht im Ggs. etwa zum Genie, zum Vates oder zum naiven Naturtalent, und sein Werk zeugt von differenzierter Bewußtheit der Probleme des künstlerischen Schaffens, ist von Reflexion durchsetzt, die andeutungsweise den reichen Wissenshorizont durchscheinen läßt. Beispiele des p. d. sind EURIPIDES, dann die Alexandriner, die römischen Neoteriker, die Frühhumanisten, viele Aufklärungsdichter und im 20. Jh. TH. MANN, MUSIL, BROCH, BENN, ELIOT, POUND. →Gelehrtendichtung.

Poetae novi →Neoteriker

Poeta laureatus (lat. =) gekrönter Dichter, →Dichterkrönung, →Poet laureate.

Poetaster (neulat.), verächtliche Bz.: Dichterling, Reimeschmied.

Poeta vates →Vates

Poète maudit (franz. = verrufener Dichter), nach P. VERLAINES Essaysammlung *Les poètes maudits* (1884, über CORBIÈRE, RIMBAUD, MALLARMÉ u. a.) Schlagwort für die Außenseitersituation des seiner Zeit vorauseilenden, klarsichtigen, nach Wahrheit suchenden genialen Dichters gegenüber der durch seine Existenz brüskierten etablierten, repressiven Gesellschaft.

Poetik (griech. *poietike techne* = Dichtkunst), die Lehre und Wissenschaft von Wesen, Gattungen und Formen der Dichtung sowie den ihnen eigenen Gehalten und Darstellungsmitteln; als Theorie der Dichtung Kernstück der →Literaturwissenschaft und Teil der →Ästhetik, doch ebenso Voraussetzung für →Literaturgeschichte und →Kritik. Mit der Auffassung von der Dichtung wandelt sich die Form der P.: aus der programmatisch-deduktiven, regelsetzenden P. als Lehrbuch für eine vermeintlich lernbare Technik des Dichtens, die zugleich nach allg. formalen Kriterien wertet, wird seit Ausgang des 18. Jh. und eigtl. erst im 20. Jh. die beschreibend-induktive P., die aus vergleichender Beobachtung des Einzelwerks zur Feststellung der Arteigenheiten und Gattungsgesetze führt.
Die ältesten P.en sind die des ARISTOTELES, die nur in Bruchstücken über die Tragödie und das Epos erhalten ist und den Begriff der →Mi-

mesis durchsetzt, und die versifizierte *Epistula ad Pisones* des HORAZ, seit QUINTILIAN *De arte poetica* genannt, die Schlichtheit, rechte Stoffwahl und Formenstrenge betont; beide von grundlegendem Einfluß auf die weitere abendländische Entwicklung, die im MA auch auf CICEROS rhetorische Schriften, die *Institutio oratoria* des QUINTILIAN und Werke anderer spätantiker Rhetoriker und Grammatiker sowie Kommentatoren zurückgreift. – Auch die strenge Kunstform der dt. ma. Dichtung setzt überlieferte Normen voraus, doch treten – mit Ausnahme lehrhafter Stellen in den Epen – theoretische Schriften erst in der →Tabulatur des →Meistersangs zutage, die als reine Anweisung zum richtigen Dichten e. lehrbare Dichtkunst als gestaltete Wissensvermittlung ohne individuellen Anteil voraussetzt und deren allgemeingültige Formgesetze aufzeigt. Die Überbewertung der Regeln und Freude an künstlerischer Gesetzgebung führt in engem Anschluß an die Antike in Humanismus und Renaissance zu e. Fülle von P.en. Die wichtigsten lat. P.er sind L. VALLA, C. CELTIS 1487, H. VIDA 1520, A. VIPERANUS 1558, A. RICCOBONUS 1587, J. PONTANUS 1594, der Niederländer HEINSIUS 1611, G. J. VOSSIUS 1647, BEBEL, FABRICIUS und am bedeutendsten J. C. SCALIGERS *Poetices libri septem* 1561, dessen Aristotelesinterpretation bis LESSING nachwirkt. Die erste volkssprachliche P. schrieb in Italien TRISSINO 1529; es folgten MINTURNO 1563, CASTELVESTRO 1570, T. TASSO (*Discorsi dell'arte poetica* 1587), schließlich MURATORI 1705/07 und G. V. GRAVINA 1708; in Frankreich E. DESCHAMPS (14. Jh.), T. SEBILLET 1548, DU BELLAY 1549, J. PELLETIER 1555, RONSARD 1565, VAUQUELIN DE LA FRESNAYE 1605, Jules de LA MESNARDIÈRE 1640; in Spanien L. PINCIANO 1596, LOPE DE VEGA 1609, F. CASCALES 1617 und GRACIÁN 1648; in England G. PUTTENHAM 1589, Ph. SIDNEY 1595 und J. DRYDEN 1668.

Die erste dt. P. verfaßt OPITZ zu Anfang des Barock (*Buch von der dt. Poeterey* 1624) nach Vorbild von SCALIGER, HEINSIUS und RONSARD. Er überträgt die ganze Tradition humanistischer Sprach- und Dichtungsanschauung ins Dt., gibt auch Anweisungen zur Technik des Dichtens, zur Versgestaltung und Scheidung der Gattungen, setzt jedoch angeborene Begabung voraus und erstrebt bes. die Einführung des Dt. als Dichtersprache auch für höhere Gattungen. Er findet überreiche Nachfolge in den barocken P.en mit rein vordergründigen Gebrauchsanweisungen zur Verbindung traditioneller Formen und Gehalte im Regelkanon: Ph. v. ZESEN 1640, J. KLAY 1645, G. Ph. HARSDÖRFFER 1647 (*Poetischer Trichter*, Nürnberg), A. TSCHERNING 1658, A. BUCHNER 1663, D. MORHOF 1682, NEUMARK, OMEIS, BIRKEN u. a. In der rationalistischen Aufklärung wird die P. Sache des reinen Intellekts; ihr Regelkanon und die klare Scheidung der Gattungen beruhen auf der Nachahmungstheorie; franz. Vorbilder sind BOILEAUS versifizierte *Art poétique* 1674 und später BATTEUX (*Les beaux arts réduits à un même principe* 1746, *Cours des belles lettres* 1747); in Dtl. folgen WEISE und GOTTSCHED (*Critische Dichtkunst* 1730), SULZER 1771, ENGEL, ESCHENBURG u. a.; die Schweizer BODMER und BREITINGER (*Critische Dichtkunst* 1740) treten für das Recht des Wunderbaren, die Phantasie und das Gefühl ein. Mit J. A. SCHLEGELS Übersetzung des BATTEUX beginnt der Streit um die Nachahmungstheorie bei NICOLAI, MENDELSSOHN und LESSING, bes. in den

→Literaturbriefen. LESSING zeigt die Grenzen zwischen Dichtkunst und Malerei *(Laokoon)* und befreit sie damit von der Bevormundung durch die Bildkunst seit dem horazischen →›ut pictura poesis‹. Er erhellt in der *Hamburgischen Dramaturgie* die dramatischen Gattungsgesetze aus der Auffassung von der Dichtung als Organ des Weltverständnisses. Gleichzeitig entsteht die →Ästhetik als eigene Disziplin. Der Sturm und Drang überwindet endgültig die Nachahmungstheorie und die regelsetzende und lehrende P. zugunsten der Deutung aus dem Geniebegriff (engl. SHAFTESBURY, POPE, YOUNG, dt. HERDER, HAMANN und LENZ), da der Künstler aus der Eingebung e. eigene, einmalige und aus sich heraus wachsende Welt schafft, nicht nachahmt. Diese Erkenntnis bleibt Grundlage der sich nunmehr nur noch mit den Stilrichtungen wandelnden P. Die P. der dt. Klassik beruht weniger auf dem franz. Klassizismus als auf dem Antike-Erlebnis WINCKELMANNS als e. überzeitlichen und allg. gültigen Kunstideal mit dem Streben nach Maß, Harmonie und Abrundung. Sie findet Niederschlag in SCHILLERS theoretischen Schriften *(Über Anmut und Würde, Über →naive und sentimentalische Dichtung)* und Rezensionen *(Über Bürgers Gedichte)*, in GOETHES verschiedenen Aufsätzen (Einleitung zu den *Propyläen* und ebda.), K. Ph. MORITZ' Schrift *Über die bildende Nachahmung des Schönen* 1786 und den Schriften Wilhelm v. HUMBOLDTS *(Ästhetische Versuche, Über Goethes Hermann und Dorothea)* mit Forderung dichterischer Objektivität. Gegenüber der strengen Gattungstrennung der Klassik erstrebt die Romantik e. ›progressive Universalpoesie‹ und hebt die Grenzen der Künste und Dichtarten auf zugunsten e. einzig Werdenden, dem Stimmung und Eingebung mehr bedeuten als das Werk selbst (Aphorismen der Brüder SCHLEGEL im *Athenäum*, deren Berliner Vorlesungen, NOVALIS, JEAN PAUL). Die P. des Jungen Dtl. strebt bewußt nach Tendenz und Aktualität der Dichtung im Ggs. zur Zeitlosigkeit des Idealismus: WIENBARG, BÖRNE, MUNDT. Seit dem Realismus, der wieder von der Tagesgebundenheit der Dichtung abrückt, erhält die P. die Neigung zu philosophischer Spekulation und wissenschaftlich-gedanklicher Untermauerung der Gattungen und der Kunst überhaupt. E. Reihe großer Dichter treibt die Besinnung über Wesen und Aufgaben der Dichtung voran: HEBBEL, O. LUDWIG, R. WAGNER bemühen sich um das Wesen des Tragischen, die P.er des Naturalismus (ZOLA, K. BLEIBTREU, W. BÖLSCHE, A. HOLZ) fordern unter Eindruck des Positivismus präzise Wirklichkeitskopie als letzte Verfeinerung dichterischer Technik, Neuklassizismus und Symbolismus dagegen erneuern die Formenstrenge, der George-Kreis gibt dem formstrengen und alltagsfernen Dichtertum e. priesterliche Weihe; in Frankreich verkünden die Parnassiens das Prinzip des →L'art pour l'art, und auch der Expressionismus schafft sich e. eigene P. Neben diesen Bemühungen der Dichter selbst um Darstellung von Wesen und Gesetzen ihrer Kunst, im 20. Jh. fortgeführt bei BENN, BRECHT, BECHER, KROLOW u. a., steht seit dem 19. Jh. die wissenschaftliche P. als allg. theoretischer Teil der Literaturwissenschaft, zuerst empirisch bei W. SCHERER 1888, dann mehr geisteswissenschaftlich bei W. DILTHEY, O. WALZEL, E. ERMATINGER, W. KAYSER u. a. (Titel →Dichtung); hierbei ergeben sich ähnliche Richtungen wie in der →Literaturwissenschaft. Ihr Aufgabenbereich ist etwa: Abgrenzung des Begriffs Dichtung in der Sprache allg., ihre Beziehungen zu anderen Künsten (Malerei und Musik) und Geisteshaltungen (Religion, Philosophie), schließlich Brauchtum als Grundlage e. Wesensbestimmung, Stoff-Form-Problem, immanente Gattungsgesetze, Eigenleben und Wirkung der Dichtung. Neuerdings versucht E. STAIGER e. Gattungspoetik aufgrund der Phänomene des →Lyrischen, →Epischen und →Dramatischen.

K. Borinski, D. P. d. Renaissance, 1886, ^{2}1967; K. Voßler, Poet. Theorien i. d. ital. Frührenaissance, 1900; T. A. Meyer, D. Stilgesetz d. Poesie, 1901; H. Roetteken, P. I, 1902; G. Saintsbury, *A History of Criticism*, Lond. ^{2}1949; T. Kellen, D. Dichtkunst, 1912; K. Borinski, D. Antike i. Kunsttheorie u. P., II 1914–24, n. 1965; ders., Dt. P., 1916; R. Lehmann, Dt. P., ^{2}1919; R. Müller-Freienfels, P., ^{4}1921; E. Faral, *Les Arts poétiques du 12./13. siècle*, Paris 1923; J. E. Spingarn, *A History of lit. Criticism in the Renaiss.*, N. Y. 1925; R. Bosch, D. Problemstellung d. P., 1928; RL; C. S. Baldwin, *Medieval rhetoric and p.*, N. Y. 1928; R. Bray, *La formation de la doctrine classique en France*, Paris ^{2}1931; R. Müller-Freienfels, Psychologie d. Kunst, 1933; T. S. Eliot, *The Use of Poetry*, Lond. 1933; B. Boesch, D. Kunstanschauung d. mhd. Dichtg., 1936; H. H. Glunz, D. Literarästhetik d. europ. MA., ^{2}1962; B. Markwardt, Gesch. d. dt. P., V 1937–67; M. Menéndez y Pelayo, *Historia de las Ideas Esteticas en Espana*, Madr. ^{2}1940; G. Storz, Gedanken üb. d. Dichtung, 1941; J. W. H. Atkins, *Engl. Lit. Criticism*, Cambr. 1943; E. Staiger, Z. Problem d. P. (Trivium 6, 1948); J. Körner, Einf. i. d. P., ^{3}1968; J. Elema, P., Haag 1949; F. Flora, *Saggi di poetica moderna*, Messina 1949; F. Martini, P., in ›Aufriß‹, 1951; P. Kluckhohn, Lit.wiss., DVJ 1952; A. Buck, Italien. Dichtgs.lehren v. MA. bis z. Ausgang d. Renaissance, 1952; E. R. Curtius, Europ. Lit. u. lat. MA., ^{6}1967; ders., in DVJ 1938 und Zs. f. roman. Philol., 1938; C. Roulet, *Traité de poétique supérieure*, Neuchâtel 1956; E. Staiger, Grundbegriffe d. P., ^{8}1968; W. Kayser, D. sprachl. Kunstwerk, ^{13}1968; G. Storz, Spr. u. Dichtg., 1957; R. Wellek, A. Warren, Theorie d. Lit., 1958; S. Møller Kristensen, *Digtningens teori*, Kopenh. 1958; R. Caillos, *Art poétique*, Paris ^{6}1958; H. Seidler, D. Dichtg., ^{2}1965; G. Bachelard, *La P. de la rêverie*, Paris 1960; ders., P. d. Raumes, 1960; A. Nivelle, Kunst- u. Dichtgs.theorien zw. Aufklärung u. Klassik, 1960; Poetik, hg. Bayr. Akad. d. Schönen Künste, 1962; L. Anceschi, *Le poetiche del novecento in Italia*, Mail. 1962; ders., *Le poetiche del barocco*, Bologna 1963; H. Villiger, Kleine P., 1964; H. Schirmbeck, D. Formel u. d. Sinnlichkeit, 1965; W. Höllerer, Theorie d. mod. Lyrik, 1965; G. Wolandt, Philos. d. Dichtg., 1965; *Encyclopedia of poetry and poetics*, hg. A. Preminger, Princeton 1965; Ars poetica, hg. B. Allemann 1966; H.-P. Bayerdörfer, P. als sprachtheoret. Problem 1967; J. Dyck, Ticht-Kunst, dt. Barockp. u. rhetor. Tradition, ^{2}1969; F. Sengle, D. lit. Formenlehre, 1967; G. Müller, Morpholog. P., 1968; K. Hamburger, D. Logik d. Dichtg., ^{2}1968; K. R. Scherpe, Gattungs-P. i. 18. Jh., 1968; W. Muschg, D. dichter. Phantasie, 1969; A. Nivelle, Frühromant. Dichtungstheorie, 1970; H. P. Herrmann, Naturnachahmg. u. Einbildungskraft, 1970; E. Vinaver, *À la recherche d'une p. médiévale*, Paris 1971; P. Zumthor, *Essai de p. médiévale*, Paris 1972; J. M. Lotman, Vorlesgn. z. strukturalen P., 1972; T. A. van Dijk, *On the foundations of p.* (*Poetics* 5, 1972); A. Buck, Dichtgs.theorien d. Renaiss. u. d. Barock (Neues Hb. d. Lit.wiss. 9, 1972); H. Boethius, P. (Grundzüge d. Sprach- u. Lit.wiss., hg. H. L. Arnold I, 1973); R. Jakobson, *Questions de p.*, Paris 1973; M. Fuhrmann, Einf. i. d. antike Dichtungstheorie, 1973; I. Braak, P. i. Stichworten, ^{5}1974; R. Kloepfer, P. u. Linguistik, 1975; M. Hardt, P. u. Semiotik, 1976; C. Küper, Linguist. P., 1976; H. Wiegmann, Gesch. d. P., 1977; F. Gaede, P. u. Logik, 1978.

Poetische Erzählung →Verserzählung

Poetische Gerechtigkeit, der in der Dichtung oft erscheinende, in der Wirklichkeit vermißte Kausalzusammenhang von Schuld und Strafe.

N. Müller, D. p. G. i. dt. Lsp. d. Aufkl., Diss. Mainz 1969.

Poetische Lizenz →dichterische Freiheit

Poetischer Realismus →Realismus (2)

Poetismus, von K. TEIGE und V. NEZVAL 1924 begr. tschech. Avantgardeströmung in Richtung auf eine ideologiefreie →poésie pure nach

Vorbild von RIMBAUD, APOLLINAIRE, MARINETTI und später des Surrealismus (A. BRETON). Der auf die mod. tschech. Lyrik einflußreiche P. wurde 1950–58 von der KP als Formalismus bekämpft.

K. Chvatík, Z. Pešat, *P.*, Prag 1967.

Poet laureate (engl. = mit Lorbeer gekrönter Dichter), vom engl. König zusammen mit e. Stipendium verliehener Titel urspr. für den Hofdichter, der die höfischen Festgedichte verfaßte, heute nur als Auszeichnung; der Titel gilt auf Lebenszeit und wird erst nach dem Tode seines Trägers weiterverliehen. Erster offizieller p.l. war 1670–1688 J. DRYDEN, später neben vielen mittelmäßigen Autoren u. a. SOUTHEY, WORDSWORTH und TENNYSON, 1930–67 J. MASEFIELD, 1968–72 C. DAY LEWIS, 1972 J. BETJEMAN. Vgl. →Dichterkrönung.

E. K. Broadus, *The Laureateship*, 1921.

Point-de-vue-Technik (franz. = Blickpunkt), die Verwendung der →Perspektive (2) eines oder mehrerer →Erzähler und der Zeitgestaltung in der Erzählung; bei STERNE, FIELDING, DICKENS, RAABE, Th. MANN, SMOLLETT, H. JAMES, J. CONRAD, M. PROUST, A. DÖBLIN, H. v. DODERER u. a., in jüngster Zeit bes. durch L. DURRELLS *Alexandria Quartett* wesentlich ausgebaut.

Pointe (franz. = Spitze), der eigentliche, unerwartete Sinn, in den ein →Witz ausläuft; entsteht durch überraschende Umwendung des Gesagten.

Th. Erb, D. P., 1928; H. Stroszeck, P. u. poet. Dominante, 1970.

Point-of-view-Technik →Perspektive, →Point-de-vue-Technik

Polarer Ausdruck, Verbindung von zwei entgegengesetzten (positivem und negativem) Begriffen, von denen nur der erste sachlich zutrifft: ›alles Mögliche und Unmögliche‹.

Polemik (v. griech. *polemos* = Krieg), ›Federkrieg‹, scharfer wissenschaftlicher Wortstreit; daher polemische Lit.: →Streitschriften jeder Art.

Polenliteratur. Die im Absolutismus bis zur Franz. Revolution recht unfreundliche Haltung des Westens gegenüber Polen ändert sich bes. seit Vordringen der Romantik, die das Slawentum für Westeuropa öffnet, dem poln. Freiheitskampf gegen Rußland unter T. KOSCIUSZKO sympathisch gegenübersteht und in zahlreichen Dichtungen die politische Lage, Zerrissenheit und Unfreiheit Polens bedauert sowie Rittertum, Frömmigkeit und Patriotismus der führenden Polen preist. Nach dem poln. Aufstand 1830/31, der zahlreiche Flüchtlinge westwärts führte, schwillt der Chor der mitleidvollen und anfeuernden Polenlieder in Frankreich, England, Dtl. und Österreich an, in denen oft das eigene unerfüllte Streben des dt. Liberalismus Ausdruck fand; künstlerisch am wertvollsten in den Polenliedern PLATENS (1830), am bekanntesten die 1835 in HOLTEIS Singspiel *Der alte Feldherr* eingestreuten; ferner bei Z. WERNER, GRILLPARZER, A. GRÜN, UHLAND, FREILIGRATH, HEBBEL, LAUBE, O. LUDWIG, G. FREYTAG, N. LENAU, A. v. CHAMISSO, H. HEINE u. a., in England COLERIDGE, WORDSWORTH, BYRON, in Frankreich V. HUGO, in Italien MAZZINI.

R. F. Arnold, Gesch. d. dt. P., 1900; ders., Kosciuszko i. d. dt. Lit., 1898; B. Timm, D. Polen i. d. Liedern dt. Dichter, 1907; H. Delbrück, Dt. Polenlieder, 1917; J. Müller, D. Polen i. d. öffentl. Meinung Dtls. 1830–32, 1923; A. Bodmann, D. poln. Bewegg. v. 1830 u. d. Blütezeit d. dt. Polenlyrik, Diss. Münster 1926; RL; G. Bianquis, *La Pologne dans la poésie allemande 1772 à 1832* (*Revue de litt. comp.*, 1949); M. Häckel, Skizze z. e.

Gesch. d. dt. P., Diss. Jena 1954; A. Gerecke, D. dt. Echo auf d. poln. Erhebung v. 1830, 1964; L. Sługocka, D. dt. P. auf d. Gebiete d. DDR i. d. Zt. v. 1945 bis 1960, Posen 1964; J. Chodera, D. dt. P. 1918–1939, Posen 1966, erw. poln. 1969; H.-G. Werner, D. Bedeutg. d. poln. Aufstandes 1830/31 f. d. Entw. d. polit. Lyrik i. Dtl. (Weimarer Beitr. 16, 1970).

Polichinelle, franz. Abwandlung der →Pulcinella-Figur aus der ital. →Commedia dell'arte als e. hakennasiger, buckliger, spöttisch-prahlerischer Querulant, z. B. in dem Zwischenspiel zu MOLIÈRES *Malade imaginaire.*

Politische Dichtung kleidet im Ggs. zur außenpolitisch ausgerichteten →patriotischen (bis nationalen und chauvinistischen) Dichtung und zur gesellschaftlich ausgerichteten →sozialen Dichtung meist innenpolitische Fragen in dichterisch werbende Form, unterscheidet sich jedoch oft nicht von den obigen Formen und ist meistens →Tendenzdichtung, die den Machtwillen und die geistig-moralischen Kräfte e. Volkes aufruft und stärkt gegen wirkliche oder vermeintliche Bedrohungen von innen und außen zur Verteidigung und Erhaltung althergebrachter oder Schaffung neuer, menschenwürdigerer Ordnungen innerhalb e. Volkes. Sie erscheint bes. in politischen Krisenzeiten in allen Gattungen und Formen, direkt in Spruch und →Zeitgedicht, verhüllt in Erzählung und Drama, wobei sie teils nur die politische oder kulturgeschichtliche Lage als Dokument gestalten, teils direkt auf diese einwirken will und dann selten überzeitlichen oder künstlerisch-dichterischen Wert erreicht. In der Antike dienen Geschichtsschreibung (THUKYDIDES, SALLUST, CAESAR, LIVIUS, TACITUS), die Anfänge des Staatsromanes (XENOPHON), die politische Lyrik (TYRTAIOS, HORAZ' Römeroden) und die Komödie (ARISTOPHANES) der politischen Meinungsbildung. Aus dem MA. gehören hierher die 1198 von WALTHER begründete politische →Spruchdichtung im Kampf zwischen Kaiser und Papst, die von REINMAR VON ZWETER und dem MARNER, seit 1220 bes. von den Fahrenden fortgeführt wird (Meister STOLLE, Bruder WERNHER, HARDEGGER, KELYN, der MEISSNER, KONRAD VON WÜRZBURG, KLINGEN, SUNNENBURG, RAUMSLAND, LIPPE, der SCHULMEISTER VON ESSLINGEN u. a. m.), ferner das *Tegernseer →Antichristspiel* und die Lyrik des ARCHIPOETA aus dem Gefolge BARBAROSSAS. Die p. D. des Humanismus und der Reformationszeit verbindet sich mit religiösen Tendenzen zu teils konservativer (MURNERS Satiren), teils nationaler Haltung (HUTTENS →Dialoge). Der Barock verherrlicht die Fürstenhäuser in →Festspielen und schafft Lieder aus den Türkenkriegen, entwickelt aber bes. in England e. breite polit. Versdichtung (DRYDEN, *Absalom and Achitophel,* BUTLER, *Hudibras,* MILTON u. a.). Das Zeitalter des Absolutismus ist – bis auf die →Staatsromane – unpolitisch; e. erneuten Durchbruch der p. D. bringt erst der Sturm und Drang in seinem Kampf gegen Aufklärung, franz. Bevormundung und bes. gegen die Willkürherrschaft des Absolutismus. Das durch ROUSSEAU geweckte Freiheitsstreben bringt e. neuen, pathetischen Ton in die Dichtung, die die unmenschlichen sozialen Vorurteile und Zustände der Zeit anklagt und bessern will: SCHUBART und SCHILLER (*Die Räuber* ›in tyrannos‹, *Kabale und Liebe)* mit menschheitlich-revolutionären Tendenzen stehen gegen e. mehr patriotische Dichtung im Göttinger Hain (BÜRGER, Brüder STOLBERG). Die Probleme der anfangs freudig begrüßten, später meist entsetzt verabscheuten

Franz. Revolution finden Niederschlag und dichterische Verklärung im Werk GOETHES in mißtrauischer und allem Umsturz abgeneigter Haltung *(Venezianische Epigramme, Reineke Fuchs, Die natürliche Tochter, Hermann und Dorothea).* Die Ereignisse um NAPOLEON rufen die p. D. der →Befreiungskriege hervor; doch ihre hohen Hoffnungen wurden getäuscht: während in Italien und Frankreich (BÉRANGER, V. HUGO) der Liberalismus als Nachwirkung revolutionärer Ideen im Vordergrund bleibt und die p. D. hervortritt, siegen in Dtl. Reaktion und Kleinstädterei, und die wahre nationalliberale Meinung muß Auswege suchen in Burschenschaftsliedern, →Polenlit. und →Philhellenismus, selbst in der Verherrlichung NAPOLEONS als Befreier (F. GAUDY *Kaiserlieder,* HEINE, v. ZEDLITZ). Erst später kommt es zu offener, politischer Meinungsäußerung, so bei A. GRÜN, der in *Spaziergängen e. Wiener Poeten* die Metternichherrschaft geißelt, in GRILLPARZERS postumen Gedichten und Epigrammen, HEINES *Dtl., e. Wintermärchen,* in R. PRUTZ' Komödie *Die politische Wochenstube,* LENAUS *Savonarola* und *Albigensern,* bes. aber in der politischen Lyrik des →Jungen Dtl. und von HEINE, BÖRNE, HERWEGH *(Gedichte eines Lebendigen),* FREILIGRATH, HOFFMANN VON FALLERSLEBEN, KINKEL, DINGELSTEDT und G. KELLER. Nach der Revolution von 1848 verstummt die p. D. weitgehend im bürgerlichen Frieden des 2. Reiches. Nur SPIELHAGENS Roman *Problematische Naturen* verherrlicht noch die Märzrevolution, sonst neigt man wie auch G. FREYTAGS *Journalisten* zu Kompromissen. Der Naturalismus erneuert als rein →soziale Dichtung die Anklagen und Forderungen HEINES, HERWEGHS und FREILIGRATHS. Erst die Krise des 1. Weltkrieges gibt der p. D., bes. in Lyrik und Drama, e. neuen Aufschwung, doch in radikal entgegengesetzten Richtungen: teils international und pazifistisch im Expressionismus und bes. Aktivismus (v. UNRUH, TOLLER, H. MANN, L. FRANK, J. R. BECHER, F. WERFEL, B. BRECHT, K. TUCHOLSKY), teils streng national, chauvinistisch, einseitig und dem pathetisch-heroischen Kitsch nahe in der p. D. des →Nationalsozialismus. Eine neue Form der p. D. entsteht im →sozialistischen Realismus, und auch er entgeht nicht der Gefahr, die Verführungskraft der Worte für polit. Ziele auszunutzen. Hauptthemen der polit. Lyrik der Gegenwart sind Aufrufe zu polit. Mündigkeit, zu verantwortlichem Handeln, Proteste gegen Atombombe, Vietnamkrieg, Auswüchse des Wirtschaftswunders, Probleme der Vergangenheitsbewältigung und der deutschen Teilung (BIENEK, BOBROWSKI, ENZENSBERGER, GRASS, HUCHEL, KROLOW, SCHNURRE, WEYRAUCH, ZWERENZ, W. BIERMANN, F. J. DEGENHARDT, E. FRIED u. a.). Die dramatischen Formen der p. D. reichen vom →polit. Theater der russ. Revolution und E. PISCATORS über →Agitprop-Stücke und →Living Newspapers bis zum →Dokumentartheater von HOCHHUTH, GRASS, KIPPHARDT, WEISS u. a. Der polit. Roman greift immer über den abstrakt polit. in den menschlichen Bereich über und gestaltet, soweit er nicht →Schlüsselroman oder →Utopie ist, das Ausgesetztsein des Menschen gegenüber anonymen oder übermächtigen polit. Kräften (H. BROCH, T. DÉRY, U. JOHNSON, J. BREITBACH, *Bericht über Bruno,* u. a.).

Chr. Petzet, D. Blütezt. d. dt. p. Lyrik, 1903; V. Pollak, D. polit. Lyrik u. d. Parteien d. Vormärz, 1911; O. Rommel, D. p. Lyrik d. Vormärz, 1912; G. Roethe, Dt. Dichter d. 18./19. Jh., 1919; RL; K.

Francke, D. Kulturwerte d. dt. Lit., III 1923–28; B. v. Wiese, P. D. Dtls., 1931; H. Gent, D. mhd. p. Lyrik, 1938; H. Bechtoldt, Lit. u. Politik, 1948; A. Döblin, Minotaurus, 1953; J. L. Blotner, *The political Novel,* Garden City 1955; C. V. Wedgwood, *Poetry and politics under the Stuarts,* Lond. 1960; E. Gürster, D. Schriftsteller i. Kreuzfeuer d. Ideologien, 1962; H. M. Enzensberger, Poesie u. Politik (in: Einzelheiten, 1962); R. Nevo, *The Dial of virtue,* Princeton 1963; H. Pross, Lit. u. Politik, 1963; W. Jens, Lit. u. Politik, 1963; H. Eisenreich, Lit. u. Politik (in: Reaktionen, 1964); K. H. Kischka, Typologie d. polit. Lyrik d. Vormärz, Diss. Mainz 1964; C. Savage, *Malraux, Sartre and Aragon as pol. novelists,* Florida 1965; M. E. Speare, *The pol. novel,* N. Y. ^{2}1966; G. Milne, *The American pol. novel,* Norman 1966; K. G. Just, Zw. Verlorenem Paradies u. Utopie (in: Übergänge, 1966); W. Rothe, Schriftsteller u. totalitäre Welt, 1966; C. M. Bowra, *Poetry and politics,* Cambr. 1966; T. Karst, Polit.-soziale Gedichte (Deutschunterr. 19, 1967); J. Blotner, *The mod. American pol. novel,* Austin 1967; H. Bender, Üb. pol. Gedd. (Jahresring 1968/69); E. Ploss, D. Beginn p. D. i. dt. Sprache (Zs. f. dt. Philol. 88, 1969); A. Mädl, P. D. i. Österr. 1830–48, Budapest 1969; A. v. Bormann, Pol. Lyrik i. d. 60er Jahren (D. dt. Lit. d. Gegenw., hg. M. Durzak 1971); W. Hinderer, V. d. Grenzen mod. pol. Lyrik (Akzente 18, 1971); K. W. Klein, *The partisan voice. Pol. Lyr. in France and Germany 1180–1230,* Haag 1971); I. Girschner-Woldt, Theorie d. mod. pol. Lyrik, 1971; P. Stein, Pol. Bewußtsein u. künstler. Gestaltungswille i. d. pol. Lyrik 1780–1848, 1971; H.-W. Jäger, Pol. Metaphorik i. Jakobinismus u. i. Vormärz, 1971; D. Schiller, Plädoyer f. d. pol. Ged. (Weimarer Beitr. 18, 1972); A. Binder, Kategorien z. Analyse pol. Lyrik (Deutschunterr. 24, 1972); U. Jaeggi, Lit. u. Politik, 1972; W. Hinderer, Sprache u. Methode (Revolte u. Experiment, hg. W. Paulsen 1972); Lechzend nach Tyrannenblut, hg. H. D. Zimmermann 1972; H.-G. Werner, Gesch. d. polit. Ged. i. Dtl., ^{2}1972; A. Schöne, Üb. pol. Lyrik i. 20. Jh., ^{3}1972; H. J. Skorna, Z. didakt. Erschließg. p. D., 1972; Poesie u. Politik, hg. W. Kuttenkeuler 1973; G. Lübbe-Grothues, Z. Situation d. pol. Ged. (Neue Rundschau 84, 1973); Theorie d. p. D., hg. P. Stein 1973; U. Müller, Unters. z. pol. Lyr. d. dt. MA., 1974; Polit. Lyrik, hg. B. Lecke 1974; H.-P. Reisner, Lit. unter Zensur, 1975; B. H. Lermen, Mod. pol. Lyrik (Stimmen d. Zeit 194, 1976); E. Röhner, Politik u. Lit., 1976; Gesch. d. pol. Lyrik i. Dtl., hg. W. Hinderer 1978.

Politischer Vers, (griech. *stichos politikos* =) ›gemeinverständlicher‹, da akzentuierender, nicht (wie noch die Gelehrtendichtung) quantitierender Vers der byzantinischen und neugriech. Volksdichtung: katalektischer jambischer Trimeter aus 15 Silben mit Zäsur nach der 8. Silbe: ◡ — ◡ —| ◡ — ◡ —|| ◡—◡ —| ◡ — ◡ und Hauptakzenten auf der 8. (oder 6.) und 14. Silbe. Evtl. volkstüml. Herkunft und seit 10. Jh. in byzantin. und neugriech. Dichtung weit verbreitet.

M. Meyer, Anfg. u. Ursprung d. lat. u. griech. rhythm. Dichtg., 1885; E. Bouvy, *Poètes et mélodes; Etude sur les origines du rhythme tonique,* 1886. →Metrik.

Politisches Theater, Bühnenaufführungen, bei denen Anregung zur polit. Meinungsbildung und polit. Agitation für oder gegen die bestehenden Verhältnisse den Vorrang vor dem Kunstwert haben; zu unterscheiden vom politischen Drama (→politische Dichtung) insofern, als es nur in begrenztem Maße auf dichterisch-literarische Texte (Festspiele, historische Dramen, Zeit- und Thesenstücke) mit polit. Tendenzen (seit AISCHYLOS' *Die Perser*) zurückgreift, z. T. unpolitische Stücke durch die Inszenierung politisiert (E. PISCATOR) und allg. die grelleren Formen der Massenansprache bevorzugt: →Agitprop, →Living Newspapers, →Dokumentartheater, →Lehrstück, →Kinder- und →Straßentheater.

G. Rabkin, *Drama and commitment,* Bloomington 1964; W. Knellessen, Agitation auf der Bühne, 1970; S. Onderderlinden, Formen mod. pol. Dramas (*Duitse Kroniek* 24, 1972); H. J. Schrimpf, D. Schaubühne als moral. Anstalt (Fs. B. v. Wiese, 1973); S. Melchinger, Gesch. d. p. T., II ^{2}1974; F. Trommler, D. pol.-revolut. Theater (Dt. Lit. d. Weimarer Rep., hg. W. Rothe 1974); M. Goldstein, *The pol. stage,* N. Y. 1974; W. Ismayr, P.T. i. Westdtl., 1977.

Polyglotte (griech. *polyglottos* =

vielzüngig), urspr. vergleichendes Wörterbuch mehrerer Sprachen, dann zwei- oder mehrsprachige Inschriften oder Werkausgaben (Urtext und nebenstehende Übersetzung), bes. große Bibelausgaben des 16./17. Jh. in hebr., griech., lat. u. a. Textfassung oft mit Glossar, Grammatik und archäologischen Anmerkungen. Wichtigste: 1. Komplutensische P., unter Leitung des span. Kardinals Franz XIMENES 1514–17 in Alcala de Henares (= röm. Complutum) bearbeitet und 1520 ebda. gedruckt in 6 Bdn. mit hebr., bzw. griech. Urtext, Vulgata, Septuaginta und Targum des Onkelos; abhängig davon, doch vollständiger: 2. Antwerpener P., *Biblia Regia* in 8 Bdn. 1569–72 auf Kosten König PHILIPPS II. von Spanien unter Verantwortung des span. Gelehrten Benedikt Arias MONTANUS von Plantin gedruckt. 3. Pariser P. des Parlamentsadvokaten Guy Michel LE JAY, 1629–45 in 10 Bdn., fügt der vorigen noch eine syr. und arab. Übersetzung hinzu, jedoch trotz äußerlich schönster Ausstattung von geringstem wissenschaftlichem Wert. 4. Londoner P. von Brian WALTON in 6 Bdn. 1657 und 2 Supplementbdn. 1669 mit erneuten Erweiterungen der vorigen, wissenschaftlich am wertvollsten und textlich am zuverlässigsten; protestantisch. Ferner zahlreiche P.n für den Hausgebrauch.

Polyhymnia oder **Polymnia** (griech. = Hymnenreiche), in griech. Mythologie die →Muse des ernsten, instrumental begleiteten Kultgesanges (auch der damit verbundenen Mimik und Tanzkunst); Erfinderin der Lyra, stets in e. Mantel gehüllt und auf e. Felsen gestützt nachsinnend dargestellt.

Polymeter (v. griech. *polys* = viel, *metron* = Maß), Bz. JEAN PAULS für rhythmisierende Prosa ohne eigentliche metrische Versgliederung. Vgl. auch P. ERNSTS *P.*, 1898.

P. H. Neumann, Streckvers u. poet. Enklave (Jb d. Jean Paul-Ges. 2, 1961).

Polymetrie (griech. *polys* = viel, *metron* = Maß), Verwendung vieler verschiedener Silbenmaße (→Metra) in e. Gedicht.

Polyptoton (griech. *polys* = viel, *ptosis* = Fall), →rhetorische Figur: Wiederholung desselben Wortes innerhalb desselben Satzes (derselben Periode) in verschiedenen Flexionsformen, gewöhnlich e. Substantivs in verschiedenen Kasus als Wortspiel, oft in der Figur der Anapher, Epiphora, Symploke, Epanalepse, Anadiplose und Kyklos, z. B. ›Homo homini lupus‹ (= der Mensch ist dem Menschen ein Wolf, PLAUTUS), Auge um Auge; oft superlativisch: das Beste vom Besten, König der Könige.

B. Gygli-Wyss, D. nominale P. i. ält. Griech., 1966.

Polyptychon →Diptychon

Polyschematismus (griech. =) Freiheit in der Verwendung verwandter Versarten (z. B. 1. und 2. Glykoneus oder Pherekrateus u. ä.) in stichischer oder antistrophischer Responsion, bes. in der griech. Dichtung bei ANAKREON, den Komikern und der späteren Tragödie.

Polysyndeton (griech. *polys* = viel, *syndetos* = zusammengebunden), →rhetorische Figur im Ggs. zum →Asyndeton: e. durch ständige, ungewöhnlich häufige Wiederholung derselben Konjunktion verbundene, koordinierte Wort- oder Satzreihe, z. B. ›Und es wallet und siedet und brauset und zischt‹ (SCHILLER), ›und wiegen und tanzen und singen dich ein‹ (GOETHE). Das P. dient dem Eindruck der Häufung und Verstärkung, oft durch Hemmung des Redefortschritts und Festhalten e. Anschauung, der anschaulichen Darstellung der Menge der verschiedenen Gegenstände und Vorgänge, dem stärkeren Stimmungsgehalt der Aufzählung, der Würde und dem Gewicht (Pathos) der Rede.

Pons (lat. = Brücke) →Eselsbrücke

Pop-Art (v. engl. *popular* = beliebt, knallig, *art* = Kunst), Kunstströmung der späten 50er Jahre in Amerika, der 60er Jahre in Europa, als Protest gegen den Ästhetizismus und das Elitär-Esoterische in der Kunstanschauung des Establishments, unter Einfluß des Dadaismus und der Beatniks, strebt nach e. populären Anti-Kunst oder Gebrauchskunst, die den Warencharakter der Kunst betont und den Gefühlsappell des Kitsch weniger parodiert als fetischisiert. Wie die Pop-Kunst beruht die parallellaufende Pop-Lit. auf dem Prinzip der Demonstration oder Montage von Vorgefundenem und präfabrizierten Fertigteilen, indem sie banale Objekte des Massenkonsums durch Isolierung oder Reihung verfremdet und kombiniert: Comics, Triviallit., Western, Science fiction, Schlager, Reklame, Filmsequenzen und Redensarten der Gossensprache. Hauptvertreter in Amerika R. LICHTENSTEIN, A. WARHOL, in der Lit. Tom WOLFE, in Dtl. R. D. BRINKMANN, P. O. CHOTJEWITZ, H. FICHTE, B. BROCK, G. HERBURGER, in der Sprachreflexion verfeinert bei P. HANDKE und W. WONDRATSCHEK.

L. R. Lippard, P., 1968, J. Weber, P., 1970; J. Hermand, P. (Basis 1, 1970); ders., Wirklichkeit als Kunst (Basis 2, 1971); ders., Pop international, 1971; H. Hartung, P. als postmod. Lit. (Neue Rundschau 82, 1971).

Poporanismus, lit. Bewegung in Rumänien zu Anfang des 20. Jh., begründet von C. STERE und bestimmt von der Sympathie zu den unteren Schichten bes. der Bauern, daher auch über die Lit. hinaus nationale und politisch-soziale Tendenzen umfassend.

Popularphilosophen, e. Gruppe von Schriftstellern des 18. Jh., welche die Hauptlehren der Aufklärung (LEIBNIZ, WOLFF) in verflachter Form und mit dem praktischen Zweck der Erziehung, Kunstübung und Anleitung zu bescheidener Glückseligkeit breiten Kreisen zugänglich machen will. Hauptvertreter bes. F. NICOLAI, M. MENDELSSOHN, ferner J. J. ENGEL, Th. ABBT, Chr. GARVE, K. F. POCKELS, J. G. SULZER. P.philosophie allg. heißt jede philosophische Darstellung, deren wissenschaftlicher Wert unter dem bewußten Streben nach Allgemeinverständlichkeit und Volkstümlichkeit leidet.

Populismus (franz. *populisme*), 1929 von L. LEMONNIER und A. THÉRIVE begründete Strömung der franz. Lit., die, angeregt von den russ. →Populisten, der meist in höheren sozialen Schichten angesiedelten Romanlit. der Zeit bewußt Werke aus dem Leben und Fühlen des einfachen Volkes und für dieses Volk entgegenstellen wollte und damit eine neue Wirklichkeitsnähe und Volkstümlichkeit erreichte. Weitere Vertreter waren A. COULLET-TESSIER (1931 Stifterin eines Prix du Roman Populiste), E. DABIT, M. van der MEERSCH, T. MONNIER, T. RÉMY, H. TROYAT u. a.

L. Lemonnier, *Manifeste du roman populiste,* Paris 1929; ders., *P.,* Paris 1931; M. Ragon, *Les écrivains du peuple,* Paris 1947.

Populisten →Narodniki

Poputčiki (russ. =) Mitläufer, Sammelbz. für die sowjetischen

Schriftsteller nicht proletarischer Herkunft, die trotz Sympathien zur Revolution und trotz loyaler Haltung zum Regime wie zur politischen Wirklichkeit nicht Mitglieder der KPSU waren, so u. a. BELYJ, ESENIN, PILNJAK, V. IVANOV, LEONOV, KATAEV, ZOŠČENKO u. a.; sie wurden 1932 den kommunistischen Schriftstellern gleichgestellt.

Pornographie (v. griech. *pornos* = Hurer, *graphein* = schreiben), Schmutz- und →Schundlit., unzüchtige Steigerung der →erotischen Lit. mit ästhetisch, kompositorisch, stilistisch und lit. wertlosen Darstellungen geschlechtlicher Vorgänge (Liebesspiele, Geschlechtsverkehr, Perversionen), entstanden zu dem ausschließlichen Zweck sexueller Stimulierung und daher stets unoriginell, monoton in Wiederholung und Steigerung und das schickliche Maß des noch vertretbaren Geschmacks mit betontem Reiz zum →Obszönen hin übersteigend. P. wird fast überall außer in Dänemark gesetzlich verfolgt, in der BR. seit 1975 neben Verkaufsbeschränkungen nur sog. ›harte P.‹ Die der Rechtsprechung zugrunde liegende Vorstellung, daß das Scham- und Sittlichkeitsgefühl des (abstrakt-fiktiven) Durchschnittslesers vor der Verletzung durch P. zu schützen sei, entstammt dem prüden und restriktiven 19. Jh. und geht von der unbewiesenen Voraussetzung aus, P. erreichte gerade die schamhaften Leser und nicht nur diejenigen, die sich dadurch e. zusätzlichen Lustgewinn versprechen, den das Gesetz gleichwohl trotz nachweisbarer Unschädlichkeit für die Gesellschaft für sittenwidrig und strafwürdig erklärt. Die Problematik der P.-Gesetze liegt darin, daß 1. die angeblich schädliche Wirkung der P. auf Psyche und Moral des Lesers bisher so gut wie nicht untersucht ist, ja im Gegenteil manche P. als nützliches Ventil betrachten, daß 2. zumindest ein Teil der Wirkung auf eben der Tabuisierung und dem gesetzlichen Verbot beruht, und daß 3. die durch zunehmende Sexualisierung des Lebens und der Lit. ständig ansteigende Reizschwelle zum Unzumutbaren je nach Interesse, Bildung und Stand unterschiedlich ist und keine Durchschnittsmaßstäbe erträgt. Echte P. mit primitiver, umständlicher Beschreibung von Details aus dem Geschlechtsleben evtl. noch in derbem, zotenhaftem Vokabular steht außerhalb der Lit. und hat nur die soziale Funktion, an Tabus zu rütteln und durch Unruhestiftung zu deren Überprüfung anzuregen. Sie kann nur bei Verlust aller ästhet. Instinkte mit echter Lit. in Zusammenhang gebracht werden, die stets ernstere und ästhet. Zielsetzungen verfolgt. Auch die Lit. kann sehr wohl in kompositorisch vertretbarem Maß und aus dem ehrlichen Streben nach Erfassung des ganzen Menschen zu e. erotischen Realismus in der Darstellung des Sexuellen gelangen, aber sie wird die Darstellung der Sexualsphäre stets nur als Mittel zum Aufzeigen menschlicher Befindlichkeit, nicht aber als Selbstzweck oder in nur triebsteigernder Absicht benutzen. Die problematischen Fälle der P.-Rechtsprechung haben bisher nie auf mangelnder jurist. Schulung der Literaten, sondern auf mangelnder lit. Schulung der Juristen beruht.

C. H. Rolph, *Does pornography matter?*, Lond. 1961; E. u. P. Kronhausen, P. u. Gesetz, 1963; M. Hyde, Gesch. d. P., 1965; S. Marcus, *The other Victorians*, N. Y. 1966; G. Freeman, *The undergrowth of lit.*, Lond. 1967; P. Faergeman, Perversität, P. u. Entrüstg., 1967; P. Gorsen, D. Prinzip Obszön, 1968; L. Streblow, Erotik, Sex, P., 1968; W. Emrich, Kunst u. P. (in: Polemik, 1968); M. Peckham, *Art and p.*, N. Y. 1969; H. Wolffheim, Sexualität unter Vormundschaft, 1970; E. Mertner, H. Mainusch, Pornotopia, 1970; P. Michelson, *The aesthetics of p.*, N. Y. 1971; G. Zwerenz, Bürgertum u. P., 1971; P. Gorsen, Sexualästhetik, 1972; H. Mayer, Obszönität u. P. i. Film u. Theater (Akzente 21, 1974); Wollüstige Phantasie, hg. H. A. Glaser 1974; ders., P. (Lit. für viele 1, 1975); P. Naumann, Keyhole u. candle, 1976. →Obszönität.

Porsonsches Gesetz (Lex Porson) →Trimeter

Porträt (franz. *portrait* = Bildnis), Charakterschilderung einer historisch echten Persönlichkeit in lit. Form, z.B. bei SAINTE-BEUVE, S. ZWEIG, E. R. CURTIUS u. a.

F. M. Kircheisen, D. Gesch. d. lit. P. i. Dtl. bis 12. Jh., 1904; A. Franz, D. lit. P. i. Frankr. i. Zeitalter Richelieus u. Mazarins, Diss. Lpz. 1906; W. Muschg, D. Dichter-P. i. d. Lit.gesch. (Philos. d. Lit.wiss., hg. E. Ermatinger, 1930); P. Ganter, D. lit. P. i. Frankr. i. 17. Jh. (Roman, Stud. 50, 1938); I. Bruns, D. lit. P. d. Griechen i. 5. u. 4. Jh. v. Chr., [2]1961; E. Meier, *The lit. p.* (Neophil. 60, 1976).

Positionslänge (lat. *positione* als Übersetzung von griech. *thesei* = durch Festsetzung, Übereinkunft): in quantitierender Dichtung gilt e. von Natur aus kurzer Vokal für das Metrum als Länge (ohne deshalb lang gesprochen zu werden), wenn ihm zwei oder mehrere Konsonanten bzw. ein Doppelkonsonant folgen. Folgende Muta und Liquida (b, d, g + l oder r) ergibt schwache Position (positio debilis), d.h. die Silbe ist →anceps und kann je nach Bedarf lang oder kurz gerechnet werden; gehören die beiden Konsonanten verschiedenen Silben an, so tritt stets P. ein. Man unterscheidet Inlaut-P. innerhalb e. Wortes und Wortfügungs-P., wenn einer auf e. Konsonanten ausgehenden Endsilbe e. konsonantisch anlautendes Wort folgt.

Positiver Held im Sinne des →sozialistischen Realismus ist anstelle der ›zersetzenden‹ und zergliedernden Roman- und Dramenfiguren der westlichen Lit. e. im positiven Sinne für die Interessen des Sozialismus handelnder, statt der Selbstzergliederung dem sozialistischen Aufbauwerk sich widmender, also unkomplizierter und problemloser Held, als Verkörperung kommunistisch-revolutionären Heldentums stets ›typisch‹, d.h. übertrieben idealisiert dargestellt im Ggs. zu den z.T. karikierend gezeichneten nichtkommunistischen Gegenspielern.

R. W. Mathewson, *The p. hero in Russ. lit.*, N. Y. 1958; E. Braemer, Problem ›P. H.‹ (Neue Dt. Lit. 9, 1961); W. Dreher, D. p. H. histor. betrachtet (Neue Dt. Lit. 10, 1962); H. Plavius, D. p. H. (Dt. Zs. f. Philos. 9, 1963).

Positivismus →Literaturgeschichte, →Literaturwissenschaft

Positivismus, polnischer, Bz. für den nach dem Zusammenbruch des poln. Aufstandes von 1863 und der Abkehr vom →Messianismus einsetzenden →Realismus in der poln. Lit. mit dem Hauptvertreter H. SIENKIEWICZ.

Posse (franz. *ouvrage à bosse* = erhabene Arbeit, frühnhd. = Zierat, Scherzfigur), anspruchslose Komödienform, die durch primitivderbe und in der Übertreibung die Grenzen des Wahrscheinlichen überschreitende Komik nicht nur Lächeln, sondern Lachen erregen will, meist mit gutmütig-harmlosem Mutterwitz und gesund-natürlichem Urteil auch im Übergang zur satirisch-ironischen Haltung in der Ständesatire bis zur Verspottung des Welttreibens (TIECK, *Verkehrte Welt,* KRASINSKI, *Ungöttliche Komödie*). Den Mittelpunkt bildet die komische Person in allen ihren geschichtlichen Ausformungen als Träger des Humors oder Verkörperung der zu verspottenden Narrheit, die nicht selten durch e. andere Narrheit geschlagen wird (im Ggs. zur Überwindung der Narrheit durch die Klugheit im →Schwank). Allen Abarten der P., der →Zauberposse (entscheidende Wendung durch Feen, Geister und Dämonen), dem traditionellen, meist mundartlichen →Lokalstück, dem Volksstück, der Situations- und Charakterposse gemeinsam ist die Vorherrschaft des Stofflichen in der Handlung und Betonung der Improvisationskunst, dergegenüber das künstlerisch gesprochene und gestaltete Wort zurücktritt. Schon die antike Komödie zeigt possenhafte Elemente, doch die Vorläufer reichen von →Phlyaken-P., →Atellane, →Mimus über die ma. →Fastnachtsspiele, die →Commedia dell' arte, die holländischen →Kluchten im Barock und das Singspiel der Englischen Komödianten, bis bei Magister VELTEN die Bz. P. zuerst als lit. Gattungsbz. auftritt (*P. von Münch und Pickelhäring*, Dresden 1679). Als GOTTSCHEDS Verbannung des Hanswurst die Entwicklung unterbrach, suchte man in Dtl. Ersatz durch Übersetzung franz. P.n bis ins 19. Jh. (LAUBE), die nach e. bis Mitte des 19. Jh. in Frankreich und Dtl. herrschenden Brauch als Einakter jeden Theaterabend abschlossen. Klassik und Romantik neigen zur →Farce. Auch einige bürgerliche Lustspiele von KOTZEBUE und RAUPACH griffen die Bz. P. auf; in Tirol und Bayern entstand e. Bauern-P., reichste Blüte und vollste, echt volkstümliche Entwicklung aber fand die P. in Wien bei STRANITZKY, KURZ-BERNARDON, LAROCHE, HASENHUT, STEGMAYER, BÄUERLE, GLEICH, bes. RAIMUNDS →Zauberpossen und NESTROYS parodistische und satirische P.n *(Judith, Einen Jux will er sich machen, Lumpazivagabundus)* als abendfüllenden Stükken, die die P. lit. machen. Nach den drastischen Bühnenschwänken von SCHÖNTHAN, BLUMENTHAL, KADELBURG, ARNOLD und BACH, franz. T. BERNARD, engl. B. THOMAS, (*Charleys Tante,* 1892) greifen BRECHT *(Kleinbürgerhochzeit)* und MUSIL *(Vinzenz)* die Bz. auf. →Volksstück, →Lokalstück.

K. Holl, Gesch. d. dt. Lustspiels, 1923; RL; L. Breitholtz, D. dor. P. i. griech. Mutterland vor d. 5. Jh., Göteborg 1960.

Posthum, falsche Schreibung für: →postum

Postille, urspr. volkstümliche Erklärung von Bibelstellen, deren Wortlaut abschnittweise vorangestellt war, und an die sich e. für Hausandachten oder kirchlichen Gottesdienst bestimmte Predigt oder Meditation anschloß, daher ›post illa (verba textus)‹ = nach jenen Worten des Textes; allg. Predigtslg., ironisch verwandt in BRECHTS *Haus-P.* (1927).

Postinkunabel, niederl. Bz. für →Frühdrucke der Jahre 1501–1540 nach den →Inkunabeln.

Postreuter, jährlich erscheinende Periodika des 16./17. Jh., die politische Begebenheiten und Lokalneuigkeiten in versifizierter Form, später auch in einfacher Erzählung oder Dialog mitteilen, schließlich oft tendenziöse Flugschriften, Vorläufer der Zeitung.

Postskript →Nachschrift

Postszenium, im Ggs. zum →Proszenium im Theater der Raum hinter der Bühne (Szene) mit den Umkleideräumen der Schauspieler.

Postum (lat. *postumus* = nachgeboren), nach dem Tode des Verfassers veröffentlicht, aus dem Nachlaß herausgegeben. Die p. Ausgabe e. Werkes oder Gesamtwerks kann gegenüber der →Ausgabe letzter

Hand nach letzten Entwürfen verbessert oder verändert sein.

Poulter's measure (engl. = Geflügelhändler-Maß), Versmaß aus regelmäßigem oder unregelmäßigem Wechsel von Alexandrinern und jambischen Siebenhebern, im 16. Jh. in engl. Moralitäten verwandt, später bei SURREY, SIDNEY, WYATT, SWIFT, COWPER und mit komischem Effekt bei THACKERAY.

Povâdâs, histor. Balladen der ind. Marâthî-Lit. des 17.–19. Jh., gereimte Lieder in unregelmäßigen Rhythmen mit zahlreichen Wiederholungen, die von umherziehenden Sängern berufsweise vorgetragen werden und meist nur mündlich überliefert sind.

H. A. Acworth u. S. F. Shaligram, *Marathi Ballads,* Bombay 1891; H. A. Acworth, *Ballads of the Marathas,* Lond. 1894.

Präambel (lat. *prae* = vor, *ambulare* = gehen), →Einleitung, -sformel eines Schriftwerks (besonders bei Urkunden) als mit dem Inhalt mehr oder weniger lose verknüpftes, ihn charakterisierendes oder die Vorgeschichte darstellendes →Vorwort; in antiken Lit.werken bes. gepflegt (→Proömien bei XENOPHON, PLATON, CICERO, TACITUS, PLINIUS, PLUTARCH).

Praeceptor Germaniae (lat. = Lehrer Dtls.), Ehrentitel für HRABANUS MAURUS, Ph. MELANCHTHON und Ch. F. GELLERT.

Prädikation (v. lat. *praedicare* = rühmen), in Gebeten und bes. deren poetischer Formung die partizipial oder relativisch angeschlossene Nennung der Eigenschaften des Angerufenen zur Begründung und Bekräftigung der Anrufung.

E. Norden, Agnostos Theos, [2]1929.

Präfatio (lat. =) →Vorwort

Präfiguration (lat. *praefiguratio* = Vorbildung), andeutende, oft als lebendes Bild aufgeführte Szene aus dem *AT.*, die im ma. Drama auf e. Ereignis des *NT.* vorausweist.

T. Weber, D. P. i. geistl. Dr. Dtl., Diss. Marbg. 1919; C. W. Friedman, *P. in Meistersang,* Wash. 1943.

Prägnanz (v. lat. *praegnans* = schwanger), gehaltvolle →Kürze und treffsichere Gedrängtheit des Ausdrucks.

Präliminarien (v. lat. *prae* = vor, *limen* = Schwelle), Einleitung, → Vorwort.

Präludium (lat. = Vorspiel), Einleitung zu e. größeren Werk oder Zyklus (BLAKE, WORDSWORTH, LAMARTINE), →Vorwort.

Präraffaeliten, ›Pre-Raphaelite Brotherhood‹, 1848 von D. G. ROSSETTI gegr. engl. Vereinigung von Malern (W. H. HUNT, J. MILLAIS, E. BURNE-JONES, J. F. LEWIS, J. BRETT) und Dichtern, denen die schlichte Beseeltheit, Gehaltsvertiefung und innere Ausdruckskraft der ital. Kunst der Frührenaissance vor RAFFAEL, zumal die Madonnenbildnisse BOTTICELLIS, als mustergültig galt und die in der Dichtung in Fortsetzung der Frühromantik (KEATS) nach sorgsam gewählter Sprache, Vermeidung des Abgegriffenen und Symbolgehalt, bes. im Gemäldegedicht, streben: D. G. und Chr. ROSSETTI, W. B. SCOTT, C. PATMORE, A. DOBSON, Th. WOOLNER, W. MORRIS, nahestehend: J. THOMSON, J. RUSKIN, G. MACDONALD, W. ALLINGHAM und A. SWINBURNE. Sprachrohr der P. war die 1850 gegr. Zs. *The Germ.* Die allzu lineare und dekorative Bildkunst der P. fand Nachwirkung im →Jugendstil.

J. Ruskin, *Pre-Raphaelitism,* Lond. 1851; W. Fred, P., 1900; E. Lieper, D. Evangelium der Schönheit in d. engl. Lit. u. Kunst d. 19. Jh., 1904; W. H. Hunt,

P.ism, Lond. II 1905; L. Hearn, *P. and other poets,* N. Y. 1922; M. Vinciguerra, *Il preraffaellismo inglese,* Bologna [2]1925; M. Jaris, D. P., 1927; F. Bickley, *The P. comedy,* Lond. 1932; W. Gaunt, *The P.tragedy,* 1942; D. S. R. Welland, *The P. in lit. and art,* 1953; W. E. Fredeman, *Pre-Raphaelitism,* Cambr./Mass. 1964; G. H. Fleming, *Rossetti and the P. Brotherhood,* Lond. 1966; J. D. Hunt, *The P. imagination,* Lond. 1968; T. Hilton, *The P.,* Lond. 1970; L. Hönnighausen, P. u. Fin de siècle, 1971; R. Barilli, D. P., 1974; G. Metken, D. P., 1974.

Präromantik →Préromantisme

Praesens historicum (lat. =) Historisches Präsens, benutzt die grammatische Gegenwartsform zwecks größerer Lebhaftigkeit zur Schilderung vergangener Ereignisse.

Präsenz →bibliothek (v. lat. *praesens* = gegenwärtig), →Bibliothek, deren Bücher nur im Bibliotheksraum (Lesesaal) benutzbar sind und nicht außer Haus ausgeliehen werden, so die meisten Institutsbibliotheken und zahlreiche öffentliche Bibliotheken im Ausland.

Präterition (lat. *praeteritio* = Vorbeigehen) →Paralipse

Praetexta oder →Fabula p. (nach der Toga p., dem röm. Amtskleid), im Ggs. zur →Palliata in röm. Lit. e. Tragödie mit nationalen Stoffen aus der röm. Geschichte und in röm. Kostüm, doch formal in Verteilung von Gesang und Sprechvers der archaischen Tragödie gleich, Darstellung von röm. Würde und Empfindensweise, nur z. T. unter Verwendung griech. Motive; wohl von NAEVIUS zuerst eingeführt, von ENNIUS, PACUVIUS, ACCIUS, POMPONIUS SECUNDUS, CURTIATUS MATERNUS u. a. weiterentwickelt; einzige erhaltene ist die mit dem Werk SENECAS überlieferte P. *Octavia* um das tragische Schicksal der Gattin Neros. Trotz der sich darbietenden reichen Stofffülle aus röm. Geschichte kam die P. gegenüber den Übersetzungen griech. Tragödien zu keiner Blüte, sondern blieb auf einzelne Versuche beschränkt u. diente bes. zur Ausschmückung der Triumphalfeierlichkeiten.

A. Schöne, D. hist. Nationaldrama d. Römer, 1893; Boissier, *Les fabulae p.* (*Revue de philol.* 17, 1893). →Tragödie.

Prager Kreis, locker zusammenhängende, nicht schulbildende Gruppe der deutschböhmischen Schriftsteller (Kritiker, Verleger) im Prag der Jahre um 1910–1938, bestehend aus dem engeren Freundeskreis von F. KAFKA, M. BROD, F. WELTSCH, O. BAUM und L. WINDER und dem ›weiteren P. K.‹ um F. WERFEL, W. HAAS, J. URZIDIL u. a., denen bei aller Vielfalt der individuellen Ausprägung ein sozial, human oder religiös getönter Realismus gemeinsam ist.

M. Brod, D. P. K., 1966; Weltfreunde, hg. E. Goldstücker 1967; M. Pazi, 5 Autoren d. P. K., 1977.

Pragmatische Gattungen (v. griech. *pragma* = Handlung), die e. →Handlung gestaltenden Gattungen Epik und Dramatik im Ggs. zur nicht primär handlungsbezogenen Lyrik.

Prahasanas (ind. = Gelächter), volkstüml. ind. Possenspiele, z. B. Satiren auf das Alltagsleben oder die Unsittlichkeit und Scheinheiligkeit der Asketen (*Die Streiche des Berauschten,* 7. Jh.); nur selten aufgezeichnet und erhalten.

Prakarana, im Ggs. zum →Nâtaka das bürgerliche Schauspiel der klassischen ind. Lit. mit frei erfundenen Stoffen aus dem Leben meist der höheren Stände.

Praktik (mlat. *practica* = Ausübung, v. griech. *praktikos* = tätig), Bz. für die seit Ende des 15. Jh. aufkommenden Anhänge zu →Kalendern mit Wetterregeln (→Monatsreime), Heilvorschriften (Unglücks- und Aderlaßtage), astrologischen Prophezeiungen u. ä., später auch selbständige und bis Ende 17. Jh. verbreitetste Lit.gattung für untere Volksschichten (Bauern-P., seit 1508). Obwohl auch PARACELSUS, KEPLER u. a. sich an der Abfassung von P.en beteiligten, meist von Nichtskönnern verfaßt und daher früh Zielscheibe zahlreicher Satiren und Parodien sowie ständiger Angriffe bei ERASMUS, LUTHER, BRANT, MURNER, GENGENBACH, MOSCHEROSCH, BEBEL, RABELAIS und bes. geistreich in FISCHARTS *Aller P. Großmutter* 1572.

Phrashastis, 1. panegyrische Hofgedichte der klassischen ind. Lit., meist kurze Gedichte von Hofpoeten in überladener Sprache, z. T. inschriftlich aufgezeichnet. 2. ind. Lobgedichte am Schluß lit. Werke als Dank an den Mäzen.

Prata →Leimon-Literatur

Précieuses →Preziösität

Predigt (v. lat. *praedicare* = verkündigen), mündliche Verkündigung religiösen Inhalts, insbes. der christlichen Heilsbotschaft; erste Formen schon im A.T. (Reden der Propheten), in Evangelien (Berg-P. u. a.), Apostelgesch. und -briefen aufgezeichnet; als P.lit. (Aufzeichnung gehaltener P.en) seit 2. Jh. n. Chr. Die Entwicklung der P. schließt sich seit dem 4. Jh. eng an die Formen der antiken →Rhetorik an, bes. in den sog. synthetischen P.en über e. gestelltes Thema, und setzt als Moral-P. die →Diatribe, als Fest-P. die antike Festrede fort, während die →Homilie (z. B. bei ORIGENES, 3. Jh.) wenig Möglichkeiten zu rhetorischer Ausstattung aufweist und erst im 5./6. Jh. in größerer Freiheit vom Text zur Kunstrede wird, die dank ihres verkündigenden Gehalts keineswegs hinter den formalen Leistungen der spätantiken Rhetorik – oft bloßer Schönmalerei – zurücksteht und für das ganze christliche Abendland als Grundlage der Seelsorge und Meinungsbeeinflussung zu e. beherrschenden Faktor des ma. Kulturlebens wurde. Erste dt. P.en hielt u. a. BONIFATIUS im Zuge der Heidenbekehrung, doch blieb die ma. P. oft unfrei und vom vorgeprägten Muster abhängig, bes. dem *Speculum ecclesiae* des Dt. HONORIUS VON AUTUN. Abschriften, Übersetzungen und Glossierungen von P.en berühmter Kirchenlehrer bilden e. wichtigen Teil der ahd. Lit., doch stehen neben den dt. P.en, wie sie e. Regensburger Bücherverzeichnis als ›sermones ad populum teutonice‹ bezeugt und Wessobrunner, Wiener, Münchner und Klosterneuburger Bruchstücke sie erhalten, noch bis zur Zeit KARLS D. GR., wie aus seinen Erlassen hervorgeht, oft lat. P.en. Sie zerfallen in ›sermones de tempore‹ nach Evangelien- und Epistelperikopen und ›sermones de sanctis› nach Heiligenleben und Martyrologien. Die Bettelorden des ausgehenden MA. benutzen die P. als Buß-P. und bes. erfolgreiches Mittel der Ketzerbekämpfung, so bes. der Franziskaner BERTHOLD VON REGENSBURG. Seine P.en sind seltene Zeugnisse e. dt. Kunstprosa im MA., die dann bes. von den Mystikern (SEUSE, TAULER) ausgebildet und gepflegt wurde und weitgehend auf die dt. Dichtung wirkte, bes. seit die Reformation die P. zum Hauptteil des ev. Gottesdienstes erhob. Als lit. bedeutende und einflußreiche Prediger sind auf kathol. Seite im 16. Jh. GEILER VON KAISERSBERG, im 17. Jh. ABRAHAM A SANCTA CLARA, im 18./19. Jh. SAILER und HANSJAKOB, auf ev. Seite bes. SPENER und SCHLEIERMACHER zu nennen.

R. Cruel, Gesch. d. dt. P. i. MA., 1879, [2]1966; A. Nebe, Z. Gesch. d. P., III 1879; R. Rothe, Gesch. d. P., 1881; A. Linsenmeyer, Gesch. d. P. i. Dtl. v. Karl d. Gr. bis z. Ausg. d. 14. Jh., 1886; F. R. Albert, Gesch. d. P. i. Dtl. bis Luther, III 1892–96; A. E. Schönbach, Stud. z. Gesch. d. altdt. P., II 1896f.; M. Neumayr, D. Schrift-P. i. Barock, 1938; A. Heger, Ev. Verkündigung, 1939; Ch. Schreiber, Aufklärung u. Frömmigkeit, 1940; H. Fromm, Z. Stil d. frühmhd. P. (Neuphil. Mitteil. 60, 1959); D. ev. P., hg. J. Konrad 1963; G. R. Owst, *Lit. and Pulpit in ma. England,* Lond. [2]1961; W. Rupprecht, D. P. über alttestamentl. Texte i. d. luther. Kirchen Dtls., 1962; W. F. Mitchell, *Engl. pulpit oratory,* Lond. [2]1962; RL[2]; R. Krause, D. P. d. späten dt. Aufklärg., 1965; D. kathol. P., hg. R. Kliem 1966; J. B. Schneyer, Gesch. d. kath. P., 1969; H. Caplan, *Of eloquence,* Ithaca 1970; W. Schütz, Gesch. d. christl. P., 1972; S. L. Gilman, *The parodic sermon,* 1974; K. Morvay, D. Grube, Bibliogr. d. dt. P. d. MA., 1974; M. Rössler, Bibliogr. d. dt. Lied-P., Nieuwkoop 1976.

Predigtmärlein →Exempel

Preisausschreiben, literarische. Von Verlegern oder großen Bühnen veranstaltete P. sollen seit dem 18. Jh. durch ausgesetzte Geldpreise zu dichterischer Produktion aufmuntern; e. meist aussichtsloser Versuch, literaturgeschichtlich nur bedeutsam im P. von F. L. SCHRÖDER, in dem 1775 KLINGERS *Zwillinge* über LEISEWITZ' *Julius von Tarent* siegten, und insofern, als G. BÜCHNERS *Leonce und Lena* wie F. HEBBELS *Diamant* durch P. angeregt wurden.

RL[1].

Preise →Literaturpreise

Preisgedicht →Lobgedicht

Preislied, episches Einzellied in gemeingerman. Dichtung, das im Gegensatz zum Heldenlied nicht erzählend vergangene Heldentaten ins Mythische, Überzeitliche erhebt und feiert, sondern aus dem unmittelbaren Augenblicksanlaß, dem Feuer der Ereignisse heraus im Stegreif, daher oft formelhaft, e. bewunderte Leistung e. Anwesenden oder Jüngstverstorbenen (dann Berührung mit der →Totenklage) verherrlicht, meist trotz des höchst komplizierten Metrums als kunstvolle Improvisation von zwei Berufssängern im Wechselgesang in der Fürstenhalle zu Instrumentalbegleitung vorgetragen und die festliche Stimmung des Augenblicks, Bewunderung der Gefolgschaft für die Taten des Gefolgsherrn, einfangend, daher zeitgebundener als das Heldenlied, doch neben diesem zweite Hauptform der german. Dichtung wohl seit dem 4. Jh. als klingendes stilisiertes Kunstlied. Die Dichtungen selbst aus der Völkerwanderungszeit sind nicht erhalten; weiterentwickelt wurde sie bei den altnord. Skalden der Wiking-Zeit (deren kunstvolle P.er nicht mehr als gemeingerman. anzusehen sind) und in OTFRIEDS Lob der Franken und dem *Ludwigslied,* doch ist die Gattung hinreichend bezeugt: bei TACITUS als altgerman. Versform, wohl feierlich kurze Zeilen, die e. Stammbaum höherer Wesen und den Preis der Vorfahren reihen, beim Bericht des PRISCUS über Attilas Trauerfeier, wo zwei Barbaren vor dem Toten in selbstverfertigten Gedichten seine Siege und Tugenden gerühmt hätten, und durch ähnliche Vorgänge im ags. *Beowulf*-Epos. Zum P. in der Antike →Päan, →Enkomion.

F. Genzmer, D. eddische P. (Beiträge 44, 1920); RL; A. Heusler, Altgerman. Dichtg., [2]1943.

Première (franz. = erste), →Erstaufführung

Prenonym (griech.) als →Deckname gewählter eigener Vorname statt Familienname: JEAN PAUL (Friedrich RICHTER), Otto ERNST (SCHMIDT).

Préromantisme (franz. =) Vorromantik, Bz. für die allg.-europ. Gegenströmungen zur Aufklärung und zum Klassizismus im 18. Jh., insbes. →Pietismus, →Rokoko, → Empfindsamkeit, →Irrationalismus, →Sturm und Drang, die ausgezeichnet sind durch starken Subjektivismus und Individualismus, Interesse für Landschaft, Volkskultur und -lit., und Geschichte bes. des MA. und gelegentliche Einbeziehung übersinnlicher Erscheinungen. Mit dem Durchbruch des Gefühls, das sich als Naturgefühl an die Schöpfung, als religiöses Gefühl zu einem sehnsuchtsvollen Mystizismus, als Empfindsamkeit an die Individualität des Nächsten unabhängig von Klassenschranken und als Nationalgefühl der eigenen völkischen Vergangenheit zuwendet, bereitet der P. die →Romantik vor und mündet in sie ein. Typische Vertreter der im nationalen Zusammenhang oft anders bezeichneten Strömung sind in England RICHARDSON und STERNE mit empfindsamen Romanen, THOMSON *(The Seasons)* und YOUNG *(Night Thoughts)* mit Dichtungen aus neuem Naturgefühl, MACPHERSON mit den Ossian-Gedichten als Rückwendung in kulturelle Vergangenheit, H. WALPOLE, A. RADCLIFFE als Vorbereiter der Schauerromantik mit Schauerromanen, in Frankreich MARIVAUX, PRÉVOST D'EXILES, NIVELLE DE LA CHAUSSÉE und DIDEROT sowie insbes. ROUSSEAU als Vertreter e. neuen, gefühlsbetonten Menschenbildes, in Dtl. entsprechend etwa KLOPSTOCK, HAMANN, HERDER, GESSNER *(Idyllen)*, z. T. auch BODMER und BREITINGER, die Dichter des Sturm und Drang und GOETHE *(Werther)*.

D. Mornet, *Le Romantisme en France au 18. siècle*, 1912; P. v. Tieghem, *Le P.*, Paris III 1924–47; A. Monglond, *Le p. franç.*, II 1930; K. Guthke, Engl. Vorromantik u. dt. Sturm u. Drang, 1958.

Presse, 1. Buchdruck-P. und danach die Herstellungsstätte bes. bibliophiler Drucke, z. B. Bremer P. u. ä. – 2. Gesamtheit der gedruckten →Zeitungen und →Zeitschriften wie des Nachrichtenwesens (→ Journalismus) überhaupt als Ausdruck der öffentlichen Meinung – 3. bis 1850: Gesamtheit aller Druckschriften.

O. J. Hale, *The captive p. in the Third Reich,* Princeton 1964; Dt. P. seit 1945, hg. H. Pross 1965; K. Koszyk, Dt. P. i. 19. Jh., 1966; K. E. Olson, *The history makers,* 1966; M. Lindemann, Dt. P. bis 1815, 1968; K. Koszyk, Dt. P. 1914–45, 1972. →Zeitung, →Zeitschrift.

Pressefreiheit als eines der Menschenrechte gestattet jedem die freie Meinungsäußerung in Wort, Schrift und Bild, in der Bundesrepublik seit 21. 9. 1949 durch Art. 5 des Grundgesetzes gewährleistet. → Zensur.

F. S. Siebert, *Freedom of the Press in Engl. 1476–1776,* Urbana 1952; P. Köster, D. Entw. d. P. i. Dtl., Diss. Hdlbg. 1954; H. Kolmar, Gesch. d. P., Diss. Mchn. 1956; L. W. Levy, *Legacy of Suppression,* Cambr./Mass. 1960; W. Thiele, P., 1964; F. Schneider, P. u. polit. Öffentlichkeit, 1968; P., hg. H. Armbruster 1970; D. Stammler, D. Presse als soz. u. verfassgsrechtl. Organisation, 1971.

Preziösität (v. franz. *précieux* = kostbar, geziert), kulturell-lit. Richtung im Frankreich des beginnenden 17. Jh., Blüte 1625–1645, bes. in der tonangebenden Pariser Gesellschaft, im ›Hôtel de Rambouillet‹ der Marquise de RAMBOUILLET, deren weibliche Mitglieder sich den Ehrentitel ›Les Précieuses‹ gaben und sich gegen Verrohung der Sitten und der Sprache wandten, Regel und Eleganz der franz. Sprache pflegten und sich dadurch z. T. große Verdienste um Verfeinerung der Sitten und Durchformung der Dichtersprache erwarben. Dem Kreis gehörten in lockerer Bindung u. a. an: MALHERBE, VOITURE, BALZAC d. Ä., CHAPELAIN, COSTAR, SARRAZIN, MÉ-

NAGE, HUEL, CORNEILLE, BOSSUET, die Marquise de SABLÉ, Mme de SCUDÉRY, SCARRON, SAINT-EVREMOND, BENSERADE, LA ROCHEFOUCAULD, Mme de LA FAYETTE und Mme de SÉVIGNÉ. Nicht ihren eigenen Bestrebungen, wohl aber den Überspanntheiten ähnlicher, nachahmender Vereinigungen ist es zuzuschreiben, daß die P. infolge ihrer unnatürlich-→schwülstigen Übertreibungen zur Vermeidung alltäglicher Wörter durch rätselhaft-geistreiche, teils aber auch gesuchte und affektierte Umschreibungen (wie Wasser = ›himmlicher Spiegel‹, Tagesanbruch = ›der mit Licht schwangere Himmel‹) und die süßlich-überspannte Geziertheit in gepflegten Liebesverhältnissen bald der Lächerlichkeit verfiel und von MOLIÈRE in *Les précieuses ridicules* (1659) und *Les femmes savantes* (1672) verspottet wurde. Die lit. Produktion der P. bediente sich mit Vorliebe lyr. Kleinformen (Epigramm, Rätsel u. a.) und ist heute bis auf die Leistung von V. VOITURE und die histor.-galanten Romane der Mme de SCUDÉRY vergessen. – P. als allg. Stilprinzip des sorgfältig gewählten, gepflegten und betont überfeinerten Ausdrucks ist unabhängig von der histor. Erscheinung in franz. Lit. bis in die Gegenwart (GIRAUDOUX) verfolgbar.

Ch. Livet, *Précieux et précieuses*, [3]1895; G. Mongrédien, *Les Précieux*, 1939; R. Bray, *La p. et les précieux*, 1948; W. Roß, Die ›Précieux‹ (Zs. f. franz. Spr. u. Lit. 67, 1957); Y. Fukui, *Raffinement précieux*, Paris 1965; R. Lathuilière, *La p.*, Genf 1966; W. Zimmer, D. lit. Kritik am Preziosentum, 1977.

Priamel (lat. *praeambulum* = umständliche Vorrede), eigendt., im Ausland nicht vorhandene Form kurzer, volkstümlicher und häufig scherzhafter →Spruchdichtung ähnlich der Gnome und dem Epigramm, die nach umständlich-spannungsreicher Vorbereitung durch steigende Anhäufung von ähnlichen Unterbegriffen im Schlußvers die pointenhaft-überraschende Auflösung in e. einheitlichen, oft satirischen Gesamtbegriff bringt; urspr. im Vierzeiler: ›Berliner Kind / Spandauer Rind / Charlottenburger Pferd / sind alle drei nichts wert.‹ Aus der Stegreifkunst entwickelte Lit.gattung des Spätma., nach handwerklichen Vorformen bei SPERVOGEL (12. Jh.), MARNER, FREIDANK, HUGO VON TRIMBERG u. a. als feste Gattung von Hans ROSENPLÜT, FOLZ u. a. im 15. Jh. geschaffen und z. T. auch im Fastnachtsspiel als Einlagen verwendet, später von Spruchsprechern im Zusammenhang vorgetragen und in mehreren Hss. (Donaueschinger, Wolfenbüttler) gesammelt; Nachklang im P.-Spruchbüchlein des Pritschmeisters und Spruchsprechers Hanns STEINBERGER 1631, bei LOGAU und bis heute in Haus- u. a. Inschriften, doch zu selbständigem Fortleben als Weisheitsspruch infolge des gleichartigen Aufbaus nicht gelangt. Der Begriff wurde im Sinne e. rhetorischen oder poetischen Beispielreihung auch auf andere Litt. übertragen.

F. W. Bergmann, *La p.*, 1868; C. Wendeler, *De praeambulis*, Diss. Halle 1870; W. Uhl, D. dt. P., 1897; K. Euling, D. P., 1905, n. 1977; RL[1]; W. Kröhling, D. P. als Stilmittel i. d. griech.-röm. Dichtg., 1935; G. Eis, P.-Stud. (Fs. F. R. Schröder, 1959); U. Schmid, D. P. der Werte im Griech., 1963.

Priapea, röm. Literaturgattung: an der derbsinnliche Gestalt des antiken Schutz- und Fruchtbarkeitsgottes Priapos anknüpfende, derberotische und bei allem Formempfinden und Witz oft obszöne Scherzgedichte und Epigramme in verschiedenen metrischen Formen (Hendekasyllabus, Distichen, Hinkjamben), ursprünglich als Inschriften auf Priapos-Statuen (Warnung vor Schädigung von Flur und Garten, Abschreckung vor Diebstahl), später als poetische Kunstform auch gesammelt und in e. Hs. von 85 P. (hg. Bücheler, *Petronii Satirae,* [6]1922) erhalten, von denen 1 OVID, 2 TIBULL und 3 VERGIL zugeschrieben werden; andere P. stammen von CATULL (*fragm.* 1,2), HORAZ (*Satire* I,8) und MARTIAL (6, 16, 49, 72 f.).

R. F. Thomason, *The P. and Ovid,* 1931; M. Coulon, *La poésie priapique,* 1932; H. Herter, De Priapo, 1932; V. Buchheit, Stud. z. Corpus Priapeorum 1962.

Priapeus, nach dem Fruchtbarkeitsgott Priapos benannter antiker Vers aus je einem (1. oder 2.) Glykoneus und einem (1. oder 2.) Pherekrateus mit fester Zäsur dazwischen; häufig verwendet in leichter Lyrik (SAPPHO, ANAKREON), Komödie, Satyrspiel und bes. bei den alexandrin. Dichtern; stichisch nachgeahmt bei CATULL (17) in der Form: ⏒́ ⏒ – ⏑ ⏑ – ⏑ –| ⏒́ ⏒ – ⏑ ⏑ – ⏒.

Priesterroman, Roman um Probleme und seelsorgerische Konflikte e. Pfarrers; häufig in franz. Lit.: ZOLA, BERNANOS, MAURIAC, QUEFFELEC u. a.

P. Franche, *Le prêtre dans le roman franc.,* 1902; J. L. Prévost, *Le prêtre,* 1953; E. Trautner, D. Bild d. Priesters i. d. franz. Lit. d. 19. u. 20. Jh., 1955.

Primärliteratur (v. lat. *primus* = erster), die eigtl. dichterischen Texte im Ggs. zur →Sekundärliteratur.

Primiz (lat. *primitae* = Erstlinge), Erstlingswerk.

Prince des sots →Sottie

Prinzipal (lat. = erster), Theaterunternehmer, Leiter einer Theatergruppe z. Z. der →Wanderbühne: NEUBERIN, EKHOF, ACKERMANN, SCHRÖDER u. a.

E. Pies, P.e, 1973.

Pritschmeister, handwerkliche Gelegenheits- und Steigreifdichter des 16./17. Jh., die als Festarrangeure bei höfischen und bürgerlichen Festen (Hochzeiten, Schützenfeste), nachdem sie sich mit der ›Pritsche‹, e. jeden Festlärm durchdringenden Klapperwerkzeug, Gehör verschafft hatten, ihre lit. meist wertlosen, selbstverfaßten Preis-, Ruhm- u. Spottverse zur Verherrlichung der Feier vortrugen. Sie setzten die Tradition der alten Heroldsund Wappendichter fort und gingen später in die →Hofpoeten über. Ihre Verse, höchst selten überhaupt gedruckt, dienen meist nur als kulturhistorische Quelle. Wichtigste P.: Leonhard FLEXEL (Augsburg), Heinrich WIRRI und Hans WEITENFELDER (Wien) im 16. Jh.

RL.

Privatdruck, nicht für den Buchhandel bestimmtes, auf Kosten von Privatpersonen ohne kommerzielle Ambitionen meist in sehr kleiner Auflage ›als →Manuskript gedrucktes‹ Schriftwerk.

Bibliographie: J. Rodenberg, Dt. Pressen, 1925.

Privilegien (lat. *privilegium* = Sonderrecht), vor Einführung des →Urheberrechts provisorischer Schutz gegen →Nachdruck, der vom Landesherrn für einzelne Drucker und Verleger (nicht Verfasser) als Gewerbe-P. auf bestimmte Zeit oder auf einzelne vertriebene Werke innerhalb ihres Landes verliehen wurde.

Proben als Vorbereitung für e. Theateraufführung unter Leitung des Regisseurs gehen der Erstaufführung voraus, je nach Bedeutung der Bühne und der Art des Stückes in verschiedener Zahl als Lese-, Arrangier-, Beleuchtungs-, Stück-, Haupt- oder →General-P. Daneben bildet die P. e. beliebten Vorwurf für Komödien selbst (GRYPHIUS *Pe-*

ter Squentz, PIRANDELLO *Sechs Personen suchen einen Autor*).

K. Schmidt, D. Bühnen-P. als Lustspieltyp i. d. engl. Lit., 1952.

Problem (griech. *problema* = Vorgelegtes), beunruhigende, ungelöste Frage oder Aufgabe des denkenden Bewußtseins, deren Lösung angestrebt wird; oft als geistiger Hintergrund Ideengehalt e. Dichtung (→Problemdrama, →Gedankenlyrik, psychologischer Roman, Tendenzdichtung). Ihre Erforschung ist Aufgabe der p.-geschichtlichen →Literaturwissenschaft, die in der Ausrichtung auf die großen Daseins-P.e des Menschen (Schicksal, Religion, Ich-Welt, Natur, Kultur, Liebe, Tod, Familie, Ehe, Geschlecht, Staat, Gesellschaft, Erziehung, Bildung) jedoch der Dichtung als Dichtung, d. h. Sprachkunst, selten gerecht werden kann (R. UNGER u. a.).

Problemdrama umspielt enger als das →Ideendrama nur e. einziges →Problem und wird bei einseitiger Behandlung zum →Thesenstück.

Prodesse et delectare (lat. = nützen und erfreuen), entstelltes Zitat aus HORAZ, *Ars poetica* 333: ›aut prodesse volunt aut delectare poetae, aut simul et iucunda et idonea dicere vitae‹ = ›Die Dichter wollen entweder nützen oder erfreuen oder zugleich sowohl Angenehmes wie für das Leben Nützliches sagen.‹ Der Aristotelischen Einsicht in das Göttliche setzt HORAZ hier als Endzweck der Dichtung den moralischen Lehrsatz und ästhetischen Genuß entgegen, e. Forderung, die bes. in Barock und Aufklärung wieder aufgegriffen wurde.

Prodigienliteratur (v. lat. *prodigium* = bedeutungsvolles Vorzeichen), Erzählungen über außergewöhnliche Naturereignisse und Wundererscheinungen (Kometen, Sonnenfinsternis, Himmelszeichen, Wetterkatastrophen, Steinregen, Brand- und Blutzeichen, Zauber, Monstren, Mißgeburten, Geistererscheinungen u. a.). In der Antike wurden sie als Zeichen gestörten Verhältnisses zu den Göttern aufgefaßt und forderten entsprechende Sühnehandlungen. Ihre Erwähnung in der antiken Historiographie verselbständigte sich im MA. zu ganzen P.sammlungen, die im 16. Jh. systematisch erweitert und eschatologisch als Zeichen der Endzeit gedeutet wurden. Wichtige P.slgn. von LYCOSTHENES 1557, J. FINCEL 1556–62, K. GOLTWURM 1557.

R. Schenda, D. franz. P. i. d. 2. Hälfte d. 16. Jh., 1961; ders., D. dt. P.slgn. d. 16. u. 17. Jh. (Archiv f. Gesch. d. Buchwesens 4, 1962).

Prodromus (griech. *prodromos* = Vorläufer) = →Vorwort, -rede.

Professorenroman, im Grunde wertfreie Bz. für e. von e. Professor verfaßten Roman; in der Praxis abwertende Bz. für e. Reihe →historischer Romane gegen Ende des 19. Jh., deren Verfasser als poetische Professoren aus ihren Fachgebieten Werke gestalteten, in denen die angeblich historisch getreue Darstellung von Leben und Sitten der Vergangenheit oder fremder Kulturkreise die eigtl., oft unwahrscheinliche, überspannt wirkende Handlung überwiegt und Gelehrsamkeit die dichterische Gestaltung zurückdrängt. Hauptvertreter waren F. DAHN (*Ein Kampf um Rom* 1876), G. FREYTAG, W. H. RIEHL, am erfolgreichsten wohl G. EBERS' *Ägyptische Königstochter* 1866.

O. Krauss, D. P., 1884.

Prognostik (griech. *prognostikon* = Vorzeichen), lat. geschriebene →Praktik.

Programm (griech. *programma* = öffentlicher Anschlag), 1. Verzeichnis von Darbietungen mit Angaben über die Beteiligten, für die Bühne →Theaterzettel, 2. →Spielplan, 3. →Manifest, 4. Verlags-P. als Liste vorliegender und geplanter Publikationen und deren geistige Ausrichtung, 5. früher jährlich von höheren Schulen herausgegebene Berichte über Lage der Schule, Schülerzahl, Veränderungen im Lehrkörper u. ä., denen oft e. wissenschaftliche Abhandlung e. an der Schule tätigen Lehrers angefügt war.

Programma →Kabel

Progymnasmata (griech. =) Vorübungen, übl. Titel für antike Einleitungen in die Rhetorik.

Prokatalepsis (griech. = Zuvorkommen), in der Rhetorik die Vorwegnahme und Widerlegung der möglichen Einwendungen e. gedachten Gegners, bei DEMOSTHENES und spätröm. Rhetoren z. Zt. QUINTILIANS sehr häufig.

Prokeleusmatikos (griech. *prokeleusma* = Aufforderung), antiker Versfuß aus vier Kürzen, häufig als Aufspaltung des →Anapäst: ◡◡◡́◡, in lat. Komödie auch als Aufspaltung des Daktylus: ◡́◡◡◡.

Proklisis (griech. = Vorwärtsneigung), im Ggs. zur →Enklise die Anlehnung e. unselbständigen, bedeutungsschwachen Wortes (Proklitikon, z. B. alle Präpositionen und Artikel) an das nachfolgende, wichtigere.

Prolegomena (griech. = im voraus Gesagtes), Vorbemerkungen, Vorrede, Vorwort, Einführung in Ziele und Absichten e. Werkes, z. B. F. A. WOLFS *P. ad Homerum* (→Liedertheorie).

Prolepse (griech. *prolepsis* = Vorwegnahme), allg. Vorwegnahme e. noch nicht erwähnten Sache, 1. →rhetorische Figur: →Prokatalepsis, 2. stilistisch: →Antizipation, 3. im engeren Sinne grammatisch die Vorwegnahme es Subjekts e. Nebensatzes in den vorhergehenden Hauptsatz, z. B. ›Hörst du den Wind, wie er heult‹ statt ›wie der Wind heult‹.

Proletarierdichtung →Arbeiterdichtung und →soziale Dichtung

Proletkult (russ. Abkürzung für proletarische Kultur), im Sept. 1917 gegr. Organisation zur Entwicklung und Pflege e. spezifisch proletarischen Kultur und Lit. in Sowjetrußland, die von Proletariern getragen werden und ihre kulturelle Eigenständigkeit und schöpferische Selbsttätigkeit unabhängig von der kulturellen Tradition bezeugen sollte; gründete zahlreiche Bildungszentren und Dichterschulen unter Leitung führender vorrevolutionärer Schriftsteller, publizierte die daraus hervorgegangenen Werke und entfaltete 1918–20 (Absonderung der →Kosmisten) e. große Aktivität, wurde aber, da der geistige Führer A. BOGDANOV die Kulturarbeit vom Kontrollmechanismus der Partei freihalten wollte, 1923 aufgelöst. Wesentliche Autoren waren nur die →Kosmisten.

R. Lorenz, Proletar. Kulturrevolution i. Rußl., 1969; P. Gorsen, E. Knödler-Bunte, P., II 1974 f.

Prolog (griech. *prologos* = Vorrede), im Ggs. zum →Epilog im Drama die von e. eigens bestimmten Person (›Prologus‹, auch Götter- und Phantasieerscheinungen), einem der handelnden Schauspieler des Stückes oder dem Dichter selbst gesprochenen Einleitungsworte (-verse) an die Zuschauer. Er dient entweder dem Dichter zur Werbung in eigener Sache (Mitteilung und Rechtfertigung seiner Absichten,

Bezugnahme auf frühere Kritiken, Bitte um Nachsicht für das neue Stück) oder allg. zur Begrüßung des Publikums, bei Festvorstellungen auch noch heute zum Hinweis auf den Anlaß, zur Verkündigung des Spielbeginns (vor Einführung des Vorhangs), der Bitte um Ruhe und bes. – vor Einführung des →Theaterzettels – zu Hinweisen und Mitteilungen über das folgende Stück: Titel, auftretende Personen, Inhalt, Voraussetzungen (→Exposition der Vorgeschichte), Quellen usw. Seine Formen wechseln mit der Zeit vom einfachen Vorspruch über dialogische Ausgestaltung bis zur in sich abgeschlossenen Szene im →Vorspiel, die schon zur Handlung des Dramas überleitet (*P. im Himmel* bei *Faust,* SCHILLER, *Wallensteins Lager*). Auch die zum 1. Akt gehörigen Anfangsteile des Dramas werden z.T. P. genannt (SCHILLERS *Jungfrau von Orleans,* HEBBELS *Demetrius,* griech. Drama).

Im frühesten griech. Drama (AISCHYLOS *Die Schutzflehenden, Die Perser*) begann das Spiel mit dem Auftritt des Chors (→Parodos), der den Gegenstand erläuterte; PHRYNICHOS führte um 478 in den *Phönizierinnen* den P. zur Exposition ein, und seither bezeichnet im griech. Drama P. den ganzen Teil der Tragödie vor Einzug des Chors (ARISTOTELES, *Poetik* 12), der anfangs (AISCHYLOS) monologisch, später bei SOPHOKLES bewegt-dialogisch (oft schon Handlungsbeginn), bei EURIPIDES meist als monologischer Erzählbericht über den Mythos und die auftretenden Personen, nicht selten mit lyrischen Einlagen die Ausgangssituation darstellt, oft zur Erleichterung des Verständnisses den ganzen Gang der Handlung vorauskündend. In der att. Komödie erscheint der P. erst spät – in der sog. neuen Komödie – dann meist als durch e. bes. Kostüm gekennzeichneter P.-Sprecher, ›Prologus‹, der für Verständnis der stets frei erfundenen Stoffe sorgte und oft auch des Dichters persönliche Angelegenheiten dem Publikum mitteilte. In der röm. Komödie dient der P. anfangs (bei PLAUTUS), in Entsprechung zum griech. Vorbild der sog. neuen Komödie, bes. MENANDERS, zur Einführung des Publikums in die Handlung (Inhalt, Personen, Quelle) durch e. allegorische, e. gesonderte oder e. handelnde Person des Stükkes. Er wurde für erneute Aufführungen umgedichtet. Erst später dient er der Verteidigung des Dichters gegen seine Feinde und enthält bei TERENZ e. Ansprache zugunsten des Dichters oder Direktors, die nicht die Fabel des Stückes (diese erschien in der Exposition), sondern des Dichters eigene Angelegenheiten oder Theaterfragen dem Publikum vorträgt und damit die Stelle e. Vorrede des Dichters oder die griech. →Parabase vertritt. DONAT ordnet die verschiedenen Arten in empfehlende, polemische (Verteidigung gegen die Gegner), inhaltgebende und gemischte. Auch SENECAS Tragödien haben P.e. – Bes. Bedeutung erlangt der P. im geistlichen Drama des MA. seit der Verlegung aus der Kirche auf den Marktplatz wegen der durch die Ausdehnung des Stückes auf mehrere Tage entstandenen Unübersichtlichkeiten der Handlung: ein prächtig gekleideter ›Praecursor‹ deutete das Spiel am Anfang, stellte die Schauspieler in ihren Rollen vor, sorgte humoristisch für Ruhe und Spielraum und erläuterte auch während des Spiels die Handlung, bes. am Anfang neuer Spieltage. Bei den Mysterien nimmt der P. oft die Form e. Predigt oder e. Gebetes an; im Fastnachtsspiel begrüßt ein ›Einschreier‹ Wirt und Publikum und stellt die Schauspieler vor; im Reformationsdrama spricht meist der Narr die Quellenangabe, die Ortsbezeichnungen zur Charakterisierung der dekorationslosen Bühne und die ausdeutende Nutzanwendung, während das neulat. Drama und das dt. Drama seit B. WALDIS *Verlorenem Sohn* (1527) den P. von den aus dem lat. Renaissancedrama übernommen, von e. bekränzten Knaben (›schryer‹) aktweise und zu besserer Verständlichkeit in der Volkssprache gesprochenen Argumenta trennt; das Schuldrama faßt beide in Dialogform zusammen. Das engl. Drama (SHAKESPEARE, MARLOWES *Faust* mit Chören vor Aktbeginn) und bes. die Engl. Komödianten verwenden ebenfalls den P.; im Jesuitendrama wird er trotz der gedruckten →Synopsen beibehalten, ebenso im dt. Drama des 17. Jh. Das franz. Drama (MOLIÈRE, DIDEROT, HÉDÉLIN) erzielt mit dem Expositions-P. große Erfolge, während RACINE, QUINAULT u. a. ihn zu Huldigungen für den König benutzen. Auch LESSING tritt für ihn ein. Theaterdichter und Schauspieler des 18. Jh. erbitten in versgewandten P.en, oft Dialogen zwischen Dichter und Schauspieler, Direktor oder Zuschauer, die Gunst des Publikums, und auch GOETHE verfaßt als Theaterdichter zahlreiche P.e zu Festspielen oder als Darlegung seiner künstlerischen Absichten. TIECK führt in *Genoveva* Bonifatius als P.- und Epilogsprecher ein und hebt die Handlung durch solchen Rahmen ins Irreale. Erst Realismus und Naturalismus verzichten – außer bei festlichen Anlässen – auf den als illusionsstörend empfundenen P., während das stark epische Drama der Gegenwart seit WEDEKIND *(Lulu)* und dem Symbolismus (MAETERLINCK, HOFMANNSTHAL) und bes. bei dekorationslosen Stücken mit hohen Anforderungen an die Einbildungskraft der Zuschauer den Ansager-P. verwendet. Th. WILDERS *Unsere kleine Stadt,* CLAUDELS *Seidner Schuh,* M. HAUSMANN *(Lilofee)* u. a. erzielen durch unheimliche P.e starke Wirkung. Die P.e BRECHTS (*Der gute Mensch von Sezuan; Herr Puntila* u. a.) und DÜRRENMATTS führen in die Problematik der Stükke ein. Das ostasiatische Drama verwendet stets den P. (→Nô-Spiele). – In der Epik, z. B. der Legendendichtung, Heldendichtung und höfischen Epik des MA., erscheint der P. als einführendes Gespräch des Autors mit Hörer oder Leser.

F. Zellwecker, P. u. Epilog i. dt. Drama, 1906; O. Spaar, P. u. Epilog i. ma. engl. Drama, Diss. Gießen 1913; O. Koischwitz, D. Theaterherold, 1927; H. Hirthe, Entwicklg. d. P. u. Epilogs i. frühengl. Drama, Diss. Gießen 1928; W. Nestle, D. Struktur d. Eingangs i. d. att. Trag., 1930; H. Schreiber, Stud. z. P. i. d. mhd. Dichtg., Diss. Bonn 1935; E. Mason-Fest, P., Epilog u. Zwischenrede i. dt. Schausp. d. MA., Diss. Basel 1949; S. Hess, Stud. z. P. i. d. att. Komödie, Diss. Hdlbg. 1954; E. M. Krampla, P. u. Epilog v. engl. Mysteriensp. bis z. Shakesp., Diss. Wien 1957; M. E. Knapp, *P.s and epilogues of the 18. cent.*, New Haven 1961; H. Brinkmann, D. P. i. MA. (Wirkendes Wort 14, 1964); C. Flügel, P. u. Epilog i. d. dt. Drr. u. Legg. d. MA., Diss. Basel 1969; RL; P. Kobbe, Funktion u. Gestalt d. P. i. d. mhd. nachklass. Epik d. 13. Jh., DVJ 43, 1969; B. Naumann, Vorstud. z. e. Darstellg. d. P. i. d. dt. Dichtg. d. 12. u. 13. Jh. (Fs. S. Beyschlag, 1970); N. Banerjee, D. P. i. Drama d. dt. Klassik, 1970; W. Hirdt, Stud. z. ep. P., 1975. →Theaterzettel.

Pro memoria (lat. = zur Erinnerung), →Denkschrift

Promptuarium (v. lat. *promptus* = gleich zur Hand), Abriß e. Wissenschaft, Nachschlagewerk zu schnellster Orientierung in alphabetischer, systematischer oder chronologischer Anordnung.

Proodos (griech. = Vorgesang), Gegenstück zur →Epode: responsionsloses lyrisches System, das vor

Strophe und Antistrophe tritt. →Mesodos.

Proömium (griech. *prooimion* =) Vorspiel, -rede, Einleitung als Vorbereitung auf den behandelten Gegenstand; in der Rhetorik = →Exordium, von griech. Rhetoren, z. T. als Muster zur Wiederverwendung gesammelt. Poetische P. hießen auch die sog. *Homerischen →Hymnen*, da sie dem Vortrag der Rhapsoden vorangestellt wurden. →Präambel.

Propemptikon (griech. *propempein* = fortschicken), Geleitgedicht für e. abreisenden Freund oder e. Geliebte; Gattung der antiken Lit. mit feststehenden Segenswünschen als Topoi; altgriech. und hellenist. bei SAPPHO, THEOKRIT, KALLIMACHOS, PARTHENIOS, lat. bei CINNA, TIBULL (I, 3), PROPERZ (I, 17; II, 26), OVID, bes. STATIUS (3, 2), HORAZ an VERGIL (*Carm.* I, 3; III, 27); im Humanismus und dt. Barock nachgebildet.

F. Jäger, D. antike P., Diss. Mchn. 1913.

Prophetenspiel, Form des →geistlichen Dramas im MA. als Erweiterung des →Weihnachtsspiels, das die ganze vorchristliche alttestamentarische Entwicklung, bes. den Streit der Juden und Propheten, vom Sündenfall bis auf Christi Geburt aufrollt und als Vorbereitung, Vordeutung des Erlösers darstellt; aus e. AUGUSTINUS zugeschriebenen Predigt hervorgegangen; bes. im *Benediktbeurer* (13. Jh.) und *St. Galler* (14. Jh.) *Weihnachtsspiel* erhalten.

Prophetie (griech. *propheteia* = Vorhersage), Weissagung, allg. e. Werk der Zukunftsvoraussage, Verkündung e. Gottesoffenbarung bes. in hebr. Lit. seit der assyrischen (722 v. Chr.) und chaldäischen Bedrängung (597, 586 v. Chr.) durch die Propheten, die mit strengen sittlichen Forderungen und oft dichterisch schwungvoller Rede als Gesandte Gottes e. Besserung des Volkes erstreben; die derwischähnlich-ekstatische Prophetenzunft (Nebiim), die 4 großen (JESAJA, JEREMIA, HESEKIEL, DANIEL) und 12 kleinen Propheten (HOSEA, JOËL, AMOS, OBADJA, JONA, MICHA, NAHUM, HABAKUK, ZEPHANJA, HAGGAI, SACHARJA, MALEACHI), deren Werke den Höhepunkt der althebräischen Lit. bilden. – Auch in Griechenland und Unteritalien entstehen in der Antike P.n, abgesehen von den Orakelsprüchen bes. von MUSAIOS, BAKIS, ABARIS und die *Sybillinischen Bücher.*

K. Budde, D. proph. Schrifttum, 1906; H. Gunkel, D. Propheten, 1917; B. Duhm, Israels Propheten, 1922; L. Dürr, Religion u. Frömmigkeit d. AT.-Propheten, 1926; H. Junker, P. u. Seher i. Israel, 1927; N. K. Chadwick, *Poetry and P.*, Lond. 1942; A. Hübscher, D. große Weissagung, 1952; H. H. Rowley, *Prophecy and religion in ancient China and Israel,* Lond. 1956; C. Kuhl, Israels P., 1956; J. Lindblom, *Prophecy in ancient Israel,* Oxf. 1962; A. J. Heschel, *The Prophets,* N. Y. 1963; B. Vawter, Mahner u. Künder, 1963; C. F. Whitley, *The prophetic achievement,* Leiden 1963; J. Scharbert, D. Propheten Israels bis 700 v. Chr., 1965; ders., D. Propheten Israels um 600 v. Chr., 1967; G. Fohrer, Stud. z. alttest. P., 1967; H. Biesel, Dichtg. u. P., 1972.

Proposition (lat. *propositio* = Vorstellung, Darlegung), Herausstellung des Themas in umfassendem Überblick, erstes Hervortreten des Erzählers und Festlegung der Stilart (Höhenlage) zu Beginn e. Epos, z. B. VERGILS ›Arma virumque cano ...‹. In der Rhetorik der auf das Exordium folgende 2. Teil der Rede mit Darlegung des Themas in wenigen Punkten.

Prosa (v. lat. *prorsa oratio* = die geradeausgerichtete Rede), d. h. nicht durch Rhythmus oder Reim →gebundene, im Akzent freie Redeweise der Umgangssprache im Ggs. zur →Poesie im engeren Sinne, doch auch z. T. rhythmisch gestaltet (→Kunstprosa, →Prosarhythmus, →Klausel). Indessen geht der Unterschied tiefer und trifft das Wesentliche; die Poesie wendet sich mehr an die Phantasie der Zuhörer als sinnliche Einbildungskraft, die P. mehr an den Verstand als abstraktes Denkvermögen; in der Poesie herrscht das sinnenfällige Element der Darstellung mit Stilwendungen, welche die P. nicht gestattet, in der P. der gedankliche Inhalt vor, so daß diejenigen Werke, deren Bedeutung bloß auf dem Inhalt beruht, wie z. B. das fachwissenschaftliche Schrifttum, in der Literaturwissenschaft höchstens untergeordnete Aufmerksamkeit finden (vgl. den Wortgebrauch von ›prosaisch‹ = phantasiearm, trokken). Während zweifelsohne die P. der einfachen Mitteilungsrede die geschichtlich ältere Form der Sprache ist und als solche bei primitiven Völkern vor der Poesie (die HAMANN und HERDER zur ›Muttersprache des Menschengeschlechts‹ erklärten, jedoch damit nur allg. ihren poetischen Charakter, nicht die metrisch gebundene Form meinten) in den Märchen und Mythen der Volksdichtung erscheint, geht in der Kunstdichtung aller Völker die Poesie voran, die sich in schriftloser Zeit bei mündlicher Verbreitung und Überlieferung durch Sinnenfälligkeit, klangliche und rhythmische Bindung dem Gedächtnis besser einprägt und von sich aus nach Wiederherstellung in ihrer Form strebt. Die P. dagegen setzt zu ihrem Bestand schriftliche Auszeichnungen voraus und umfaßt in den Anfängen mehr die zweck- und inhaltsbetonte Lit., in der dichterischer Redeschmuck und rhythmischer Satzschluß hinderlich wären: Inschriften, Chroniken, Gesetzesslgn., Verträge usw. Sie beginnt an verschiedenen Stellen unabhängig voneinander: In Griechenland zuerst bei den ionischen Philosophen (PHEREKYDES) und den →Logographen im 6. Jh. v. Chr. Über die Fragmente von HERAKLIT, DEMOKRIT und HIPPOKRATES, die teils zu lit. Durchformung und präzisem Ausdruck vordringen, über HERODOT als erste volle Entwicklungsstufe führt der Weg zur Stilkunst des THUKYDIDES, der klaren Berichtform des XENOPHON u. a. Geschichtsschreiber und erreicht sprachkünstlerische Höhe in den philosophischen Dialogen PLATONS und den Reden der griech. Rhetoren. GORGIAS, ANTIPHON, ANDOKIDES, LYSIAS, bes. ISOKRATES, die Sophisten und DEMOSTHENES bilden e. griech. →Kunstprosa aus, die nach der Entartung im →Asianismus zum →Attizismus zurückkehrt und im spätantiken Roman (LUKIAN) endlich auch in die Dichtung vordringt. Die lat. P. entstand relativ selbständig aus der öffentl. Rede, die im politisch ausgerichteten röm. Staat e. bedeutende Rolle spielte, fand sich zuerst um 450 v. Chr. schriftlich im *Zwölftafel-Gesetz* als Lesewerk für die Jugend, wurde, während die röm. Geschichtsschreibung mit Ausnahme der Annalen noch bis ins 2. Jh. v. Chr. meist griech. P. benutzte, als lit. Stil erst von CATO verbreitet, erreichte ihren Höhepunkt mit weitester Nachwirkung (bis zu BALZAC, BOCCACCIO, WIELAND und LESSING) in den Reden und Schriften CAESARS und bes. CICEROS, ausgezeichnet durch Klarheit, Präzision und Kürze der Diktion, wurde später unter Überhandnehmen der Rhetorik entweder künstlich-sentenziös (SENECA, PLINIUS) oder dichterisch und konzentriert in der Diktion (→Brachylogie und →Inkonzinnität des TACITUS) und kehrte seit QUINTILIAN zum Ciceronianismus zurück. Zwar versucht GREGOR I. (6. Jh.) die Befreiung der P. von den Formen antiker, weil heidnischer Rhetorik, doch wirkt sie durch die Rhetorenschulen in den drei →Stilarten bis ins MA. – Bedeutende dt. P.denkmäler des MA. sind meist Übersetzungen, z. B. die ISIDOR-Übersetzung des 8. Jh., ferner verschiedene Rechtsbücher, bes. geistliche Schriften. In Island bildet sich um 1000 e. eigenständige mündliche P. im →Sagastil aus; in Frankreich folgt im 13. Jh. die Matière de Bretagne und die Auflösung der Artus- und Lanzelot-Epen in P. Für die Entwicklung e. dt. P. werden gleichzeitig bes. die Predigten der großen volkstümlichen Wanderprediger (DAVID VON AUGSBURG, BERTHOLD VON REGENSBURG) und die Schriften der →Mystiker wichtig, deren Sprache durch den religiösen Gehalt vertieft und durch Streben nach Darstellung des Unsagbaren verbildlicht wird; seit dem 14. Jh. treten dazu die dt. Heiligenlegenden und P.fassungen der hochma. Epen in den →Volksbüchern, die bes. nach Erfindung des Buchdrucks in den neuaufgestiegenen sozialen Schichten Verbreitung finden. Der Humanismus bringt, bes. in der Prager Hofkanzlei KARLS IV., neue Bestrebungen um dt. P. im Anschluß an antike Kunstprosa; sein erstes dichterisches Meisterstück ist das Streitgespräch *Der Ackermann und der Tod* (um 1400) von JOHANNES VON TEPL. Der antike Einfluß wirkt fort, auch nachdem LUTHERS →Bibelübersetzung (1524 ff.) den letzten und folgereichsten Schritt zu e. volkstümlichen lit. dt. P. tat. Auch die gleichzeitige volksnahe Erzählkunst der romanischen Länder (in Italien BOCCACCIOS *Decamerone*, in Spanien der →Schelmenroman) benutzt nunmehr die P., und mit der einsetzenden Entwicklung des Romans steht sie selbständig neben dem Vers, der freilich noch oft bei der Poetik als Voraussetzung hoher Dichtung, stellenweise jeder Dichtung überhaupt, gilt. Sie gewinnt nach kurzem Niedergang im Manierismus des Spätbarock seit dem 18. Jh. ihren Platz in der Epik und verdrängt durch den Roman das Versepos; sie setzt sich schließlich im 19. Jh. auch im Drama durch und erreicht als Erzähl-P. ihre Vollendung in der Goethezeit, die ihr durch sprachliche Reinigung und bis heute fortdauernde Differenzierung die Geschmeidigkeit, Klarheit und Ausdrucksfähigkeit für höchste Gedanken wie tiefe Gefühle und letzte Verinnerlichung und Feinheit gibt. STIFTER führt sie in *Witiko* zur Höhe des schlicht-großzügigen Epenstils, GOTTHELF nähert sich dem Sagastil; bei Th. MANN erreicht sie die letzte Stufe psychologischer und stilistischer Feinheit. →Essay, →Fachliteratur.

K. Burdach, V. MA. z. Reformation, XI 1912–34; E. Norden, D. antike Kunstprosa, II [2]1923; G. Lanson, *L'Art de la P.*, 1923; O. Walzel, Gehalt u. Gestalt, 1923; E. Sievers, Schallanalyse, 1924; K. Burdach, Vorspiel I, 2, 1925; K. Polheim, D. lat. Reim-P., 1925; E. Hoffmann-Krayer, Dt. P., 1926; P. Hankamer, D. Sprache, ihr Begriff und ihre Deutung i. 16./17. Jh., 1927; H. Gumbel, Dt. Sonderrenaissance i. dt. P., 1930; W. Schneider, Dt. Kunstprosa, [3]1931; R. W. Chambers, *On the continuity of Engl. p.*, Lond. 1932; O. Walzel, Grenzen von Poesie und Unpoesie, 1937; W. Brauer, Gesch. d. P.-Begriffs v. Gottsched bis z. Jg. Dtl., 1938; L. Beriger, Poesie u. P., DVJ 21, 1943; G. Williamson, *The Senecan Amble*, Chic. 1951; L. Borinski, Engl. Geist i. d. Gesch. s. P., 1951; W. Stammler, Ma. P. (in: Aufriß, 1952); J. D. Denniston, *Greek p.style*, Oxf. 1952; F. Martini, D. Wagnis d. Sprache, 1954; O. Jancke, Kunst u. Reichtum dt. P., 1955; P. M. Schon, Stud. z. Stil d. frühen frz. P., 1960; B. Wackwitz, D. Theorie d. Prosastils i. Engl. d. 18. Jh., 1962; J. R. Sutherland, *On Engl. p.*, Toronto [2]1965; H. Brown, *P.styles*, Minneapolis 1966; V. Šklovskij, Theorie d. P., 1966; I. A. Gordon, *The movement of Engl. p.*, Bloomington 1967; A. Behrmann, Einf. i. d. Analyse v. P.texten, 1967; H. Küntzel, Essay u. Aufklärg., 1968; R. Adolph, *The rise of mod. p.sty-*

le, Columbia 1968; T. Todorov, Poetik d. P., 1972; J. Anderegg, Fiktion u. Kommunikation, 1973. →Stil, →Prosarhythmus.

Prosaepik, die nicht in Versen gehaltenen Formen der →Epik, bes. Roman, Erzählung und Novelle.

Prosagedicht (franz. *poème en prose*), lyrische Behandlung eines epischen Stoffes in kunstvoller rhythmischer, klangvoller und bildstarker Prosa, die sich von der Lyrik nur durch Fehlen von Reim und Verstrennung unterscheidet. Sie wurde nach Vorgang von FÉNELON *(Télémaque)*, MARMONTEL *(Les Incas)* und CHATEAUBRIAND *(Les martyrs)* vor allem im Gefolge der franz. Romantik bei A. RABBE, A. BERTRAND *(Gaspard de la nuit)* und M. de GUÉRIN *(Le centaure)* entwickelt als Folge der romantischen Auffassung von der Vermischung und Überlagerung der lit. Gattungen. Im Gefolge BERTRANDS wiederum entwickelte BAUDELAIRE seine Versuche in einer poetischen, musikalischen, lyrischen Prosa ohne Rhythmus oder Reim in den *Petites poèmes en prose* (1869); es folgen RIMBAUDS *Les illuminations* (1886) und *Une saison en enfer* (1873), ferner LAUTRÉAMONT, JACOB, CHAR, PONGE, MICHAUX u. a. – Die Übertragung des Begriffs P. auf die dt. Lit. (GESSNER, NOVALIS, NIETZSCHE, POETHEN, MECKEL, BACHMANN) ist bei fehlender Tradition umstritten.

F. Rauhut, D. franz. P., 1929; V. Clayton, *The prose poem in French lit. of the 18. cent.*, 1936; A. Chérel, *La prose poétique franç.*, Paris 1940; G. Díaz-Plaja, *El poema en prosa en España,* Barcelona 1956; S. Bernard, *Le poème en prose de Baudelaire jusqu'à nos jours,* 1959; J. Simon, *The prose poem,* Cambr., Mass. 1959; F. Nies, Poesie in prosaischer Welt, 1964; F. Kemp, Dichtg. als Sprache, 1965; W. H. Fritz, Möglichkeiten d. P., 1970; U. Fülleborn, D. dt. P., 1970; Dt. P.e, hg. ders. 1976.

Prosaiker, Prosaist, Schriftsteller in Prosa.

Prosarhythmus, rhythmische Durchgliederung der →Kunst→prosa durch bes. Anordnung der quantitierenden oder akzentuierten Silben an den Tonstellen und bes. am Satz- und Kolonschluß als →Klausel oder →Cursus; vom Versrhythmus unterschieden durch abwechslungsreichere, freiere und weniger hervortretende Tonführung, von der Umgangssprache durch bewußte Prägung und Gestaltung der rhythmischen Effekte.

P. Fijn v. Draat, *Rhythm i. Engl. Prose,* 1910; G. Saintsbury, *Hist. of Engl., P.,* Lond. 1912; W. M. Patterson, *The Rhythm of Prose,* N. Y. 1916; A. W. de Groot, *Handbook of antique P.,* 1919; ders., D. antike P., 1922; H. D. Broadhead, *Lat. P.* 1922; L. Bianchi, P. b. Hebbel, Kleist, 1922; K. Burdach, Vorspiel II, 1925; R. Blümel, D. Rhythmus i. nhd. Prosa (Zs. f. dt. Philol. 60); A. Classe, *The Rhythm of Engl. Prose,* Oxf. 1939; P. F. Baum, *The other harmony of prose,* N. Y. 1962; W. Schmid, Üb. d. klass. Theorie u. Praxis d. antiken P., 1959; G. Lindholm, Stud. z. mlat. P., Stockh. 1963; J. Klockow, Stud. z. P., 1974.

Prosaroman, im Ggs. zu den romanhaften Versepen des MA., die durch Prosaauflösung höfischer Epen entstandenen ›Romane‹ des 15. Jh., die im Ggs. zum →Volksbuch das höf.-ritterl. Wertsystem erhalten.

A. Brandstetter, Prosaauflösg., 1971; V. Straub, Entst. u. Entw. d. frühnhd. P., Amsterd. 1974.

Prosimetrum, Wechsel von Vers (Metrum) und Prosa, z. B. in der →Menippea.

Proskenion →Proszenium

Prosodia (griech. =) Prozessionslieder, Gattung der griech. Chorlyrik bei feierlichen Aufzügen zu Altären und Tempeln vom langsam einherschreitenden Chor zu Flöten-, oft auch Zitherbegleitung gesungen. Sonderform: →Parthenien.

Prosodiakos, nach seiner Verwendung in den →Prosodia benannter griech. Versfuß, scheinbar anapästischer Trimeter, doch meist als Ionikus + Choriambus gerechnet: Grundform ⏓⏓ — ∪ ∪ — | ∪ ∪ — (—), in akatalektischer Form auch Enoplion genannt.

Prosodie (griech. *prosodia* = Zugesang), Lehre von der Behandlung der Sprache im Verse; vieldeutiger Begriff der Metrik, urspr. bei den antiken Grammatikern die Unterscheidung von Hochton, Tiefton und Schleifton (= Hoch- und Tiefton) der Silben gemäß dem musikalischen Akzent der griech. Sprache, die demgemäß seit den alexandrin. Grammatikern des 3. Jh. v. Chr. mit Akut, Gravis oder Zirkumflex versehen wurden und dann die rhapsodische Tonbewegung wiedergaben, jedoch vom geschriebenen, nicht gesprochenen Wort ausgehend; dann die Lehre von der Aspiration, Natur und Dauer (Quantität) sowie dem Verhalten der Silben bei der Zusammenfügung von Wörtern und Sätzen, bes. Versen: Synizese, Elision, Hiat, Aphärese, Diärese, Anceps usw. als Teil der antiken Metrik, seit dem Humanismus als Quantitätslehre schlechthin. Im 18. Jh. erörterte man die Möglichkeiten e. →quantitierenden Dichtung in dt. Sprache, die von Natur →akzentuierend ist, und verstand unter P. den Anteil der Silbenlänge an der Versgliederung. Sulzer verwirrte die metrische Theorie durch Heranziehung der musikalischen Taktlehre (Artikel ›Rhythmus‹ in der *Allgemeinen Theorie der schönen Künste* 1773). Auf seiner Zeitmessung fußen K. Ph. Moritz' *Versuch e. dt. P.*, 1786 (mit Einfluß auf Goethe), J. H. Voss' *Zeitmessung in dt. Sprache,* 1802 und Minckwitz' *Lehrbuch der dt. Verskunst und P. und Metrik,* 1843. Heute meidet man die Bz. wegen ihrer Vieldeutigkeit (Saran) oder versteht sie in engerem Sinne als metrische Sprachbehandlung, d. h. Gestaltung der Sprache durch die musische Form, Rhythmus in Silbenstärke und -dauer.

F. Saran, Dt. Verslehre, 1907; ders., D. Quantitätsregeln d. Griech. u. Röm., 1924; A. Heusler, Dt. Versgesch. I, [2]1956.

Prosopopöie (griech. *prosopon* = Gesicht, Person, *poiein* = machen), 1. →Personifikation, 2. →Ethopöie.

Prospekt (lat. *prospectus* = Ausblick), 1. Ankündigung und Proben e. in Vorbereitung befindlichen und demnächst erscheinenden Schriftwerkes. – 2. im Theater die mit e. Landschaft o. ä. bemalte Rückwand der Bühne; täuscht im Hintergrund oft weitreichende Tiefe vor, gesteigert durch Kulissen, und bemüht sich seit Entdeckung der →Perspektive um großräumige Wirkung; bei Szenenwechsel anfangs aufgerollt, später seitlich auseinandergezogen; heute hängend in den Schnürboden hochgezogen. Berühmte gemalte P.e von Peruzzi und Bramante in der ital. Renaissance.

Prosthesis = →Prothese

Proszenium (griech. *proskenion* = Vorbühne), vorderer Teil der Bühne zwischen Vorhang und Orchester mit seitlichen P.slogen.

Protagonist (griech. *protagonistes* = erster Kämpfer), der erste Schauspieler, Hauptdarsteller im altgriech. →Drama, im Ggs. zum →Deuteragonisten. Der heutige Sprachgebrauch der Literaturkritik, von ›den P.en‹ e. Stückes zu reden, ignoriert fälschlich die antike Unterscheidung.

Protasis (griech. = Vorspann), allg. Einleitung, bes.: 1. Vordersatz der zweigliedrigen (stilistischen oder metrischen) Periode, vor dem

Hauptsatz stehender Bedingungssatz im Ggs. zur →Apodosis; 2. die →Exposition enthaltender erster Teil im →dreiaktigen Drama.

Protestsong, kurzlebige Form der polit. Gebrauchslyrik in den 60er Jahren des 20. Jh., die mit aggressivem zeitkritischem oder politisch-sozialem Engagement das Unbehagen meist der jüngeren Generation an den herrschenden Zuständen in Politik und Gesellschaft zum Ausdruck bringt und ihren gezielten Protest in einfache, eingängige Bilder und Worte kleidet, die freilich mit zunehmender Kunstfertigkeit immer mehr an agitatorischer Wirkung verlieren. Entstanden aus kämpferischen amerikan. Gewerkschaftsliedern und über die Collegejugend in die Konzertsäle vorgedrungen. Texte in den USA von Ph. OCHS, T. PAXTON, B. DYLAN, J. BAEZ, in Dtl. von H. D. Hüsch, F.-J. DEGENHARDT, H. STÜTZ, D. SÜVERKRÜP, W. BIERMANN u. a.

K. Riha, Moritat, Bänkelsang, P.ballade, 1975.

Proteusvers (nach der Fähigkeit des griech. Meergreises P., sich in verschiedene Gestalten zu verwandeln), entsprechend dem Wechselsatz in Prosa ein Vers oder Gedicht, dessen Glieder sich in der Reihenfolge nahezu beliebig vertauschen lassen, ohne den Sinn wesentlich zu ändern; magisch-mystische Sprachspielerei seit der Antike, bes. in lat. und neulat. Dichtung mit einsilbigen Wörtern, dt. im Barock (Q. KUHLMANN) und bei A. v. CHAMISSO (»Das ist die schwere Zeit der Not, / Das ist die Not der schweren Zeit, / Das ist die schwere Not der Zeit, / Das ist die Zeit der schweren Not.«), auf ganze Wechselverse ausgedehnt in R. QUENEAUS *Cent mille milliards de poèmes,* 1961.

A. Liede, Dichtg. als Spiel, II 1963.

Protreptikos (griech. = ermahnend), Prosagattung der antiken didaktischen Lit.: Aufmunterung zu sittlicher Besserung, zu Hinwendung zum vergeistigten Leben, bes. zum Studium der Philosophie; in Anlehnung an die ältere poetische Form der →Parainese bei den Sophisten entwickelt, von PLATON *(Euthydemos),* ARISTOTELES, POSEIDONIUS, lat. von ENNIUS, CICERO (*Hortensius* nach Vorbild des ARISTOTELES, Wirkung auf die Bekehrung des AUGUSTINUS), SENECA (verlorene *Exhortationes*) und LACTANTIUS gepflegt.

P. Hartlich, *De exhortationum a Graecis Romanisque scriptarum historia,* III 1889; W. Jaeger, Paideia, III 1937–43.

Proverb (lat. *proverbium* =) → Sprichwort

Proverbes dramatiques (franz. = dramatische Sprichwörter), Gattung kurzer franz. Schauspiele in einem Akt mit lebhaftem, beziehungsreichem Dialog, die die Wahrheit e. Sprichwortes, prägnanten Lehrsatzes oder e. Lebenserfahrung erläutern, erweisen und beispielmäßig belegen wollen. Mangels Entfaltungsmöglichkeiten für Charakter- und Handlungsgestaltung arbeiten sie mit Genre- und Detailmalerei, oft aus dem Stegreif, so schon als scharadenhafte Belustigung der Hofgesellschaft Ludwigs XIII., die das in der Aufführung gemeinte Sprichwort zu erraten hatte. Als lit. Begründer der Gattung gilt CARMONTELLE (*P. d.,* 8 Bde. 1768–81), als künstlerischer Meister T. LECLERCQ (*P. d.,* 8 Bde. 1828–33), beide in Auswahl von W. v. BAUDISSIN 1875 (2 Bde.) übersetzt, späterhin Mme de MAINTENON (1829), Mme DURAND, GOSSE, A. de MUSSET (z. B. *On ne badine pas avec l'amour*), A. VIGNY, T. GAUTIER, G. SAND, E. SCRIBE, H. MONNIER, O. FEUILLET, P.

BOURGET und G. d'HOUVILLE; auch allg. aufwandlose einaktige Stücke mit zwei Personen in e. einzigen Situation heißen späterhin P. d. Nachahmungen in ital. und russ. Lit. (TURGENEV, OSTROVSKIJ).

R. Werner, Z. Gesch. d. P. d., 1887; C. D. Brenner, *Le développement du p. d. en France*, Berkeley 1937; M. Shaw, *Les p. d.* (*Revue des sciences humaines*, 1959).

Provinzialismus, einer Mundart eigentümlicher und nur auf deren Gebiet beschränkter, von Lautstand und Wortschatz der Schriftsprache abweichender Ausdruck (Wort, Wendung, Form, z. B. die Berliner ›Stulle, Pulle‹ u. ä.).

Prozessionslieder →Prosodia

Prozessionsspiele →Fronleichnamsspiele

Prthvî (ind. = Erde), Versmaß der ind. Epik, bestehend in Strophen von vier Zeilen zu je 17 Silben in der Form ◡–◡◡◡–◡–◡◡◡–◡– –◡⏓.

Psalmen (griech. *psalmos* = Lied zum Saitenspiel, hebr. *tehillim* = Lobgesänge, Hymnen), 150 im *Psalter* des *AT.* gesammelte religiöse Lieder, Hymnen und Gebete der hebr. Lit. aus verschiedenen Zeiten (von DAVID bis zu den Makkabäern, 10.–2. Jh. v. Chr.), die nach dem Exil als Teil des jüdischen Gottesdienstes im Tempel gesungen wurden. Nach dem Gehalt unterscheidet man Lob- und Dank-P. als Preis Gottes, National-P., welche die Offenbarungen Gottes in der jüd. Geschichte verherrlichen, Lehr-P. als Ausdruck sittlich-religiöser Weltanschauung und am zahlreichsten Trost-, Klage- und (sieben) Buß-P. Die Verfasser sind vielfach unbekannt; nach später entstandenen, unzuverlässigen Überschriften, die angebliche Verfasserschaft, Entstehungsursachen oder musikalisch-liturgische Bestimmungen enthalten, werden 73 P. DAVID, 12 dessen Sangmeister ASAPH, 12 den Kindern KORAH, 2 SALOMO, je 1 MOSES, den Musikmeistern HEMAN und ETHAN zugeschrieben, doch ist die Zuordnung fast überall unsicher; die Slg. wuchs erst allmählich zusammen, wurde erst im 2. Jh. v. Chr. als Ganzes betrachtet und in fünf Bücher geteilt, von denen jedes mit e. Doxologie schließt. Ihnen gemeinsam ist bei verschiedener Ausdrucksstärke und Gemütstiefe die Heilsgewißheit und das Stilmittel des →Parallelismus membrorum, der an Stelle des Metrums tritt und, durch den Wechselchor bestimmt, den P. dichterische Kraft und lyrische Vollendung gibt. Nachwirkung und Übersetzungen →Psalmendichtung.

T. Cheyne, *The origins and religious contents of the P.*, 1891; C. Julian, *Dictionary of Hymnology*, 1892; A. Miller, D. P., ^{5}1923; A. Posner, D. P., 1925; E. König, D. P., 1927; C. C. Keet, *A liturgical study of the P.*, 1928; W. E. Barns, *The P.*, Lond. 1931; H. Gunkel, D. P., 1933; H. Schmidt, Hdb. z. AT., 1934; F. A. Herzog, D. P., 1946; A. Weiser, D. P., ^{4}1955; D. Bonhoeffer, D. Gebetbuch d. Bibel, 1953; S. Mowinckel, P.stud., II ^{2}1961; A. Arens, D. P. i. Gottesdienst d. Alten Bundes, 1961; *Studies on the P.*, Leiden 1963; H. Gunkel, J. Begrich, Einl. i. d. P., ^{2}1966; H. Ringgren, P., 1971.

Psalmendichtung. Aus dem jüdischen Gottesdienst in die christliche Liturgie und den Schriftbeweis in Evangelien und Briefen seit den ältesten Zeiten übernommen, wurden die →Psalmen schon seit dem 9. Jh. in die europ. Volkssprachen übersetzt und damit von großer Bedeutung für die Ausbildung der Dichtung; anfangs in Prosa, so in der St. Galler und Reichenauer Interlinearversion, e. altsächs. Psalmenübersetzung und der Übertragung mit Kommentar durch NOTKER LABEO für die Kleriker und als Erbauungsbuch für Laien; häufiger seit dem 14. Jh. und bes. seit der Reformation, die den Fortfall der lat. Liturgie durch dichterische Neubearbeitungen und Nachdichtungen der P. als →Kirchenlieder ausgleicht. An der Spitze stehen LUTHER mit der Umdichtung von 8 Psalmen in Lieder (›Ein feste Burg‹ nach Psalm 46 u. a.) und CALVIN in strengerer Form sowie alle großen Dichter der Reformation. Die erste Slg. als dt. Reimpsalter erschien 1537 durch ABERLIN. Auf diese freien Übertragungen einzelner Dichter folgt mit J. DACHSERS *Gantz-Psalter Davids* (1538) die erste einheitliche Übertragung größerer Gruppen durch e. Einzeldichter; die Zahl solcher P.en vermehrt sich bis OPITZ auf 38, am bedeutendsten die von Burkart WALDIS (1553), J. AYRER (1574) und C. SPANGENBERG (1582), während bei anderen das musikalische Interesse den Wert der Textübertragung überwiegt. Gleichzeitig entsteht in Frankreich die berühmte P. der Hugenotten Clément MAROT und Theodore BEZA (1562), die, ihrer volksliedhaften Melodien wegen in derselben Strophenform durch SCHEDE-MELISSUS (1572) und erfolgreicher durch A. LOBWASSER (1573) ins Dt. übertragen, bei Lutheranern und Kalvinisten lange gesungen und auch für die Entwicklung der dt. lyrischen Verskunst bedeutsam wurden. Daneben steht im 16. Jh. noch e. Reihe lat. P. für die Lektüre, so bes. das *Psalterium Davidis* von Eobanus HESSUS 1542. Der Barock betrachtet die Psalmen in erster Linie als Dichtungen und legt weniger Wert auf Sangbarkeit als auf künstlerische Formung im Zeitgeschmack, d. h. meist in Alexandrinern mit barocker Eleganz und Verschnörkelung ohne hymnische Form. Z.T. geht man auch auf die hebr. Vorlage zurück. Wichtigste P.n: VOGEL 1638, FLEMING (*10 Bußpsalmen,* 1631), BUCHHOLTZ 1640, OPITZ 1637, DEDEKIND (*Davidische Herzlust,* 1669) und Frh. v. HOHBERG (*Lust- und Artzneygarten des königlichen Propheten Davids,* 1675). Im 18. Jh. leitet S. G. LANGE (*Oden Davids,* 1746) die P. in religiöspathetischer Odenform ein, die bes. unter Einfluß KLOPSTOCKS aufblüht (J. A. SCHLEGEL, LAVATER, J. A. CRAMER 1755 ff.), während MENDELSSOHN und seine Nachfolger für die gehobene Prosaübertragung den Parallelismus nachbilden. Nach vielen anderen P.en des 19. Jh. sind im 20. Jh. bes. die Übertragung von W. STORCK in stabreimende Langzeilen (1904) und die sehr sinngetreue von M. BUBER erwähnenswert. Auch für die Entwicklung anderer Volksliteraturen bildet oft die P. den Ausgangspunkt, so bes. in Polen die P. von J. KOCHANOWSKI (1579).

RL; H. v. Lassaulx, Übersetzungen d. Psalmen, 1928; H. Vollmer, D. Psalmenverdeutschg. v. d. Anfängen bis Luther, II 1932 f.; S. Singer, Die rel. Lyrik d. MA., 1933; M. Lücker, D. frz. P.übs. d. 18. Jh., 1933; P. Leblanc, *Les paraphrases franç. des psaumes à la fin de la période baroque,* Paris 1960; K. E. Schöndorf, D. Tradition d. dt. Psalmenübs., 1967; E. Trunz, Üb. dt. Nachdichtgn. d. Psalmen seit d. Reformation (Fs. J. Pfeiffer, 1967); K.-P. Ewald, Engagierte Dichtg. i. 17. Jh., 1975; Psalmen v. Express. bis z. Gegenw., hg. P. K. Kurz 1978. →Psalmen.

Psalter (griech. *psalterion* = Saiteninstrument), 1. in einigen Hss. der *Septuaginta* Bz. der Slg. der →Psalmen. – 2. im MA. lat. Gedichte, deren 150 Strophen nach Zahl und oft auch nach Inhalt den 150 Psalmen entsprechen.

Pseudandronym →Pseudonym

Pseudepigraphen (v. griech. *pseudos* = falsch, *epigraphein* = zuschreiben), unter falschen Namen gehende Schriften, teils Art der lit. →Fälschung, teils Fehler der Überlieferung. Bes. aus der Antike sind e. Reihe von Schriften überliefert, die offensichtlich nach Stil und Inhalt nicht von dem Schriftsteller stammen, unter dessen Namen sie laufen. Man schrieb die P. meist den hervorragenden Vertretern e. Dichtungsgattung zu (z. B. die →Kykliker-Epen HOMER, *Culex* und *Ciris* VERGIL, Elegien TIBULL oder OVID), um ihnen bes. Autorität und höheres Alter zu geben oder sie teurer zu verkaufen. Werke der Schüler e. Philosophen galten oft als seine eigenen (PLATON, ARISTOTELES); stellenweise hielt man rhetorische Übungen (Reden, Briefe) anderer im Namen der Großen für echt (z. B. die Briefe PHALARIS aus der Feder e. Sophisten); auch Abschreibfehler verhalfen zu falschen Unterstellungen. P. sind zu den meisten bedeutenden Schriftstellern des Altertums erhalten und mit ihren Werken überliefert, so gibt es e. Pseudo-ANAKREON, -ARISTEAS, -KALLISTHENES *(Alexanderroman)*, -PLUTARCH (AETIOS von Antiochia), e. Pseudo-CATO, -VARRO, -VERGIL (e. Teil des *Katalepton*), -TIBULL, -OVID, -SENECA (die *Octavia* und e. gefälschter Briefwechsel mit PAULUS), -APULEIUS, -TERTULLIAN u. a. m. – P. heißen auch bruchstückweise erhaltene kirchliche Schriften meist der orientalischen (syr., kopt.) Kirchen in deren Sprache, die mit *AT.* und *NT.* verwandt sind, ohne dazu zu gehören.

P. Lehmann, Pseudoantike Lit. d. MA., 1927; E. Holst Clift, *Latin P.*, Baltimore 1945; M. Steinschneider, Z. p. Lit. d. MA., Amsterd. 1965.

Pseudogynym →Pseudonym

Pseudonym (v. griech. *pseudos* = falsch, *onoma* = Name), e. Schriftwerk, das unter e. vom Verfasser selbstgewählten falschen, erfundenen oder veränderten Namen erscheint, und dieser →Deckname selbst. Die Ursachen zur Verbergung des eigtl. Namens können verschiedene sein: notwendige oder vermeintlich nötige Vorsicht, bes. bei politischen, satirischen und erotischen Schriften, ständisch-soziale Rücksichten, z. B. bei Adligen (CARMEN SYLVA = Königin Elisabeth von Rumänien), Vermeidung häufiger, gewöhnlich oder zu bescheiden klingender Namen zugunsten wohllautender, Verschämtheit vor der Öffentlichkeit, Furcht vor der Verantwortung, stellenweise der Wunsch, jede neue Seite seines Lebens in e. Schriftwerk als gesondertes Ich mit eigenem Namen darzustellen (KIERKEGAARD), oft auch bloßer Spieltrieb (TUCHOLSKY). Eigene Formen des Decknamens sind →Anagramm und →Kryptonym, Sonderformen des P. dagegen →Prenonym, →Hagionym, →Phraseonym, →Geonym, →Phrenonym, →Scenonym, →Sideronym, →Titlonym, bes. häufig Pseudandronym, d. h. männliches P. für e. Frau (Emil MARRIOT = Emilie Mataja, George SAND = Aurore Dudevant, George ELIOT = Mary Ann Evans), sehr selten dagegen Pseudogynym, d. h. weibliches P. für Männer (Clara Gazul = Prosper MÉRIMÉE). P.e im engeren Sinne sind für die Forschung nur solche, die nur auf den Schriften erscheinen, nicht solche, die der Autor auch im Alltagsleben führt. Ältestes dt. P. ist wohl der STRICKER (13. Jh.). Im Humanismus führt der antikisierende Geschmack zu zahlreichen Latinisierungen und Gräzisierungen der Namen, die jedoch, da wörtlich übersetzbar, kein P. im eigentlichen Sinne sind, so z. B.: Neander = Neumann, Agricola = Bauer, Faber = Schmied, Xylander = Holtzmann, Melanchthon = Schwarzert u. a.; Nachklang bis ins 19. Jh.: Corvinus = W. RAABE. Zur lit. Mode wurde das P. im 16./17. Jh. bei fast allen Schriftstellern z. B. ABRAHAM A SANCTA CLARA = U. Megerle, ANGE-

LUS SILESIUS = J. Scheffler, bes. aber als →Anagramm, das oft erst die neue Forschung aufgelöst hat. Auch im 19. Jh. verdrängen viele P.e den bürgerlichen Namen und sind als solche ins heutige Bewußtsein eingegangen: BEAUMARCHAIS = Caron, NOVALIS = Hardenberg, JEAN PAUL = J. P. Friedrich Richter, BONAVENTURA = Klingemann, GOTTHELF = A. Bitzius, LENAU = Niembsch Edler von Strehlenau, STENDHAL = H. Beyle, SEALSFIELD = Postl, HALM = Frh. v. Münch-Bellinghausen, Anastasius GRÜN = Graf v. Auersperg, W. ALEXIS = Häring, Ada CHRISTEN = Christiane Frederik, MARLITT = E. John, Joachim RINGELNATZ = Hans Bötticher, Knut HAMSUN = Pedersen, Anatole FRANCE = Jacques Thibaut, Alfred KERR = Kempner u. a. m.; teils wurden P.e sogar als bürgerliche Namen übernommen wie Martin GREIF = F. H. Frey oder Peter ALTENBERG = Richard Engländer. Seltener werden erfolgreiche P.e wieder zurückgezogen, wie ANZENGRUBER zuerst unter L. Gruber veröffentlichte oder H. v. HOFMANNSTHAL zuerst als Theophil Morren oder Loris erschien.

E. Bormann, D. Kunst d. P., 1901; G. H. Happel, D. P., jur. Diss. Marbg., 1924; RL[1]; J. A. Sint, Pseudonymität i. Altertum, 1960; G. Söhn, Literaten hinter Masken, 1974. – P.enlexika →Anonym, dazu: M. Holzmann, H. Bohatta, Dt. P.lex., [2]1961; E. Weller, Lex. P.orum, [2]1963; Delecourt, *Essai d'un dictionnaire,* 1863 (belg.); Doorninck, *Vernoomde en naamlooze schrijvers,* II [2]1883 f., Nachtr. 1928; Hayne, *P.s of authors,* 1883 (nordamerik.); de la Montagne, *Vlaemsche P.ien,* 1884; W. Cushing, *Initials and P.s,* N. Y. II 1886–88 (nordamerik.); E. Ponce de León y Freire u. F. Zamora Lucas, *1500 seudónimos modernas de la literatura española,* Madrid 1942.

Pseudoromantik, Bz. H. A. KRÜGERS für die Unterhaltungslit. der Restaurationszeit, die auf Grundlage der Spätaufklärung sich durch romantische Stil- und Stoffelemente und Motive rein äußerlich aufputzte, bes. ausgeprägt in dem von Minister NOSTIZ-JÄNKENDORF gegr. Dresdner Liederkreis (anfangs ›Dichtertee‹) mit der von KIND hg. ›Abendzeitung‹ *Vespertina* als Organ, an der sich auch HOUWALD, FOUQUÉ, ALEXIS, W. MÜLLER u. a. beteiligten. Erfolgreichster Schriftsteller des Kreises war KIND (→Libretti zum *Freischütz* von WEBER, *Nachtlager von Granada* von KREUTZER), als Verfasser wertloser, doch vielgespielter Dramen Th. HELL (Übersetzung von CAMÕES *Lusiaden* mit F. A. KUHN), ferner K. A. FÖRSTER (Lyrik, Übersetzung von TASSO, PETRARCA, SHELLEY und DANTES *Vita nuova*), O. H. Graf von LOEBEN (= Isidorus Orientalis, Lyriker, mit NOVALIS-Nachahmungen in *Guido* und *Lotosblätter,* anfangs von Einfluß auf EICHENDORFF), K. A. BÖTTIGER (Kritiker), Helmina von CHÉZY (→Libretto zu *Euryanthe* von WEBER). L. TIECK, derzeit Dramaturg des Dresdner Hoftheaters, sparte nicht mit satirischen Angriffen gegen den Liederkreis und wurde schließlich verdrängt. Kurz darauf verfiel der Liederkreis völlig.

H. A. Krüger, P., 1904.

Psychoanalytische Literaturwissenschaft (griech. *psyche* = Seele, *analysis* = Zerlegung) deutet Stilzüge, Bilder, Symbole und Motive eines Werkes oder Autors psychoanalytisch aus und versucht daraus auf seelische Komplexe, unbewußte Wünsche, verdrängte Vorstellungen u. ä. des Verfassers zu schließen oder Urbilder (→Archetypen) des sog. ›kollektiven Unbewußten‹ (C. G. JUNG) freizulegen. Vom psychologischen mehr als vom lit. Interesse beherrscht, betrachtet sie eher psychisch interessante als künstlerisch bedeutende Schriftsteller und ungewöhnliche, anomale Züge, verzichtet dabei meist auf Wertung und läuft Gefahr, die Forschungsergebnisse für außerdichterische Zwecke und damit das Kunstwerk als Steinbruch für psychologische Erkenntnisse zu benutzen, die vom Werk weg zum Urheber führen und vom ästhetischen und formalen Charakter des Kunstwerkes ablenken.

H. Sachs, D. Bedeutg. d. P. f. d. Geisteswiss., 1913; E. Aulhorn, Dichtg. u. P., GRM 10, 1922; S. Tissi, *La psicanalisi*, Mail. 1929; F. L. Sack, D. P. i. mod. engl. Roman, 1930; W. Muschg, P. u. Lit.wiss., 1930; H. Pongs, P. u. Dichtg., Euph. 34, 1933; R. Hoop, D. Einfl. d. P. auf d. engl. Lit., 1934; C. G. Jung, Gestaltungen d. Unbewußten, 1950; E. Bergler, *Writer and p.*, N. Y. 1950; D. E. Schneider, *The psychoanalist and the artist*, N. Y. 1950; Zs. *Lit. and Psychology*, N. Y. 1951 ff.; *P. et litt.*, 1955; E. Heller, P. u. Lit. (Jahresring 1956/57); S. O. Lesser, *Fiction and the unconscious*, Boston 1957; F. J. Hoffmann, *Freudianism and the lit. mind*, N. Y. [2]1959; L. Fraiberg, *P. and Americ. lit. crit.*, Detroit 1960; *Art and P.*, hg. W. Philips, Cleveland 1963; *P. and Lit.*, hg. H. M. Ruitenbeek, N. Y. 1964; L. u. E. Manheim, *Hidden patterns*, N. Y. 1966; C. C. Morrison, *Freud and the critic*, Chapel Hill 1968; P. Detterming, Dichtg. u. P., II 1969–74; Psychologie i. d. Lit.wiss., hg. W. Paulsen 1971; Lit. u. P., hg. W. Beutin 1972; P. v. Matt, Lit.wiss. u. P., 1972; Schriftsteller u. P., hg. A. Mitscherlich 1972; J. J. Spector, Freud u. d. Ästhetik, 1973; J. Strelka, P. u. Mythenforschg. i. d. Lit.wiss. (Z. Kritik lit.wiss. Methodologie, hg. V. Žmegač 1973); P. u. Lit.wiss., hg. B. Urban 1973; J. Starobinski, P. u. Lit., 1973; H. Politzer, Hatte Ödipus e. Ödipus-Komplex, 1974; Psychoanalyt. Textinterpretation, hg. J. Cremerius 1974; G. Schrey, Literaturästhetik d. P., 1975; Psychoanalyt. Lit.kritik, hg. R. Wolff 1975.

Psychoanalytischer Roman →psychologischer Roman

Psychodrama, 1. →Monodrama, das in bewegter Handlung das seelische Ringen e. einzelnen (im Monolog) gestaltet. – 2. Von J. L. MORENO entwickelte Methode tiefenpsycholog. Gruppentherapie, bei der die Patienten ihre unbewußten Konflikte durch dramat. Agieren zur Katharsis führen.

J. L. Moreno, P., N. Y. II 1946–59; V. Burkart, Befreiung durch Aktion, 1972; Z.-M. Erdmann, P., 1975.

Psychologie →Literaturpsychologie

Psychologischer Roman betont weniger die äußeren Handlungsvorgänge als ihre Wirkungen und Keimzellen im Seelenleben der Personen, deren Empfindungen und innerseelische Reaktionen er im Zusammenhang beobachtet und wiedergibt. Wie stets die Darstellung der Innenwelt, so ist auch der p. R. typisches Zeichen e. verfeinerten Spätkultur; erst auf dem Zustand der Reife steigt das Interesse für Zusammenhänge, Ursachen und Reaktionen des Seelischen. Vorstufen zeigen sich schon im Epos: VERGILS *Aeneis* ist (in Nachfolge des Hellenismus) psychologischer durchgestaltet als HOMERS typisierte Figuren; ähnlich HARTMANNS, WOLFRAMS und bes. GOTTFRIEDS Epen gegenüber den handlungsreichen Heldenepen. Die eigtl. Entwicklung des p. R. beginnt erst mit ROUSSEAUS *Nouvelle Heloïse* und dem engl. Sensualismus, die in Dtl. über WIELANDS *Agathon*, GOETHES *Werther, Wilhelm Meister* zu SCHLEGELS *Lucinde* und bes. GOETHES *Wahlverwandtschaften* zum →Entwicklungsroman führen. Während diese e. strengen empirischen Kausalzusammenhang von Ursache und Wirkung im Seelenleben zugrunde legen, setzt die Romantik, bes. E. T. A. HOFFMANN, e. dämonischen Untergrund als gegeben voraus. Die eigtl. Blüte des p. R. bringt der Realismus des 19. Jh. zuerst in Frankreich bei B. CONSTANT *(Adolphe)*, STENDHAL, CHATEAUBRIAND, in BALZACS Sittenromanen und MAUPASSANTS p. Novellen, erst später in

England (THACKERAY) und Dtl.: SPIELHAGEN *(Problematische Naturen)*, v. SAAR, EBNER-ESCHENBACH, Ada CHRISTEN, H. KURZ (P. →Kriminalroman *Der Sonnenwirt*) u. a., dann steigern O. LUDWIG *(Zwischen Himmel und Erde)*, G. KELLER und C. F. MEYER die Feinheit der Seelenanalyse, und auch in Frankreich bringt die 2. Hälfte des 19. Jh. durch inhaltlich-weltanschauliche Differenzierungen die größte Vollendung des p. R. (FLAUBERT). In Rußland entwickelt sich der p. R. nach dem Vorgang von LERMONTOV *(Ein Held unserer Zeit)* bes. in DOSTOEVSKIJS erbarmungsloser p. Kunst zu größtem Einfluß auf den westlichen Naturalismus und gibt ihm die Neigung zum Pathologischen, Tiefgründigen, bes. bei G. HAUPTMANN, in den impressionistisch-feinnervigen p. R. SCHNITZLERS, HOFMANNSTHALS, RILKES und dem Frühwerk Th. MANNS wie dem Spätwerk FONTANES. Während von hier aus die Entwicklungsrichtung des einfachen p. R. über STEHR, WILDGANS, GINZKEY, HAMSUN, R. ROLLAND, GALSWORTHY zu CAROSSA, I. SEIDEL, S. UNDSET u. v. a. ausgeht, folgt seit der Jh.wende aus FREUDS Psychoanalyse e. Reihe europ. und amerikan. psychoanalytischer Romane. Sie erstreben Seelendeutung und -zergliederung durch Gestaltung von Komplexen, Träumen und verdrängten Sexualvorstellungen, die wie nie zuvor zur Durchleuchtung seelischer Untiefen herangezogen werden. J. JOYCE, M. PROUST, V. WOOLF, R. MUSIL, H. BROCH, Th. MANN, St. ZWEIG, KAFKA und zahlreiche andere, bes. der franz. Existentialismus, z. T. auch SPITTELER *(Imago)* und H. HESSE *(Demian)* sind ihr verpflichtet und entfalten die p. Erzählform des →inneren Monologs und des →stream of consciousness. Erst in der Gegenwart überdecken zeitkritisches, politisches und soziales Engagement wiederum das psycholog. Interesse und greifen dabei vielfach auf vorgeprägte Romanfiguren wie die des Schelmen zurück.

RL; L. Edel, *The psych. Novel,* N. Y. [2]1959; R. Mühlher, D. mod. p. R. i. Österr., 1964; G. Wagner, D. Entwicklg. d. p. R. i. Dtl. v. d. Mitte d. 18. Jh. bis z. Ausg. d. Romantik, Diss. Wien 1965; F. J. J. Buytendijk, Psychologie d. Romans, 1966; G. O. Taylor, *The passages of thought,* N. Y. 1969.

Publikation →Veröffentlichung

Publikum (lat. *publicus* = öffentlich), 1. Zuhörer- oder Zuschauerschaft im Theater. Aus der Einheit von Darsteller und P. in allen dramatischen Frühformen (indem der Darsteller aus der Mitte des P. heraus und in seiner Stellvertretung spielt) entwickelt sich erst seit Aufkommen des Berufsschauspielers die Trennung von Schauspielern als darbietendem und P. als aufnehmendem Faktor, der jedoch nicht passiv bleibt, sondern in der aktiven Aufnahme und innerseelischen Verarbeitung des Dargebotenen das Kunstwerk zu Ende führt und abrundet. Noch im ma. Marktplatzspiel drängt das P. sich unter die Darsteller, und der Prologsprecher muß diesen Raum schaffen; und auch nach der äußerlichen Trennung der Bühne vom Zuschauerraum im modernen Theater bestand in Frankreich und Dtl. bis ins 18. Jh. die Unsitte, daß adlige Besucher während der Vorstellung auf der Bühne Platz nehmen durften (→Orchestra). Der zunehmenden Absonderung der Guckkastenbühne vom P. suchte man im 20. Jh. durch Einführung der Arenabühne (M. REINHARDT) oder der halbkreisförmig in den Zuschauerraum vorspringenden Raumbühne zu begegnen, die e. engeren Kontakt beider Teile herstellt. Seit dem Rückgang der Theaterfreudigkeit versucht man durch →Volksbühnen u. ä. Theatergemeinschaften, deren Mitglieder finanzielle Vergünstigungen erhalten und auch auf die Spielplangestaltung Einfluß haben, die Anteilnahme des P. am Theater zu verstärken oder das P. durch Mitspiele (P. PÖRTNER) für die Spielhandlung zu aktivieren.

2. Die Summe der →Leser lit. Werke. Sie übt durch →Geschmackslage und -anforderungen e. großen Einfluß auf das Schrifttum und das Verlags- und Buchwesen überhaupt aus, der jedoch im einzelnen noch weitgehend unerforscht ist und e. tieferen Untersuchung von seiten der →Literatursoziologie bedarf, da er weniger dichtungswissenschaftliche als kulturhistorisch interessante Aufschlüsse u. a. über das Verhältnis des Autors zum P. – von der einsamen Lyrik bis zum kalkulierten →Bestseller und Auftragswerk – zu geben verspricht.

G. Roethe, V. lit. P. i. Dtl., 1902; H. Schöffler, Protestantismus u. Lit., 1922; A. Thibaudet, *Les liseurs des romans,* 1925; B. Schöne, Schauspiel u. P., Diss. Ffm. 1927; RL; E. Auerbach, D. franz. P. d. 17. Jh., 1933; H. Riefstahl, Dichter u. P. i. d. 1. Hälfte d. 18. Jh., Diss. Ffm. 1934; C. W. S. Sauermann, Kritik u. P., 1935; W. Fechter, D. P. d. mhd. Dichtg., [2]1966; V. Lange, D. Lyrik u. ihr P. i. Engl. d. 18. Jh., 1935; D. Daiches, *Lit. and society,* 1938; Q. D. Leavis, *Fiction and the reading public,* [2]1965; L. Stephen, *Engl. Lit. and society in the 18. century,* 1940; F. Hodeige, Z. Stellung v. Dichter u. Buch i. d. Gesellsch., Diss. Marb. 1949 (auch Börsenbl. 12/1956); F. Kenyon, *Books and Readers in Ancient Greece and Rome,* Oxf. [2]1951; K. Poerschke, D. Theater-P. i. Lichte d. Soziologie u. Psychol., 1951; A. Hauser, Sozialgesch. d. Kunst u. Lit., II 1953; F. Dehn, D. Dichter u. d. Leser, 1954; F. Schalk, D. P. d. ital. Humanismus, 1955; R. D. Altick, *The Engl. common reader,* Chic. 1957; E. Auerbach, Lit.sprache u. P. i. d. lat. Spätantike u. i. MA., 1958; M. Descotes, *Le public de théâtre et son histoire,* Paris 1964; M. Spiegel, D. Roman u. sein P. i. frühen 18. Jh., 1967; W. R. Langenbucher, D. P. i. lit. Leben d. 19. Jh. (Börsenbl. f. d. dt. Buchhandel 65, 1968); R. Escarpit, D. Arten d. P. (Wege d. Lit.soz., hg. H. N. Fügen 1968); Das P., hg. M. Löffler 1970; S. Melchinger, D. P. d. dt. Theaters (D. Gesellsch. i. d. BR., hg. H. Steffen 1971); H. C. Angermeyer, Zuschauer i. Drama, 1971; D. Diederichsen, Method. Probleme d. P.forschg. (Maske u. Kothurn 17, 1971); V. Klotz, Dramaturgie d. P., 1976. →Leser.

Publizist (v. lat. *publicus* = öffentlich), oft tendenziöser politischer Schriftsteller, bes. Journalist, der über Tagesfragen schreibt.

Publizistik, das zu Tagesfragen Stellung nehmende Schrifttum, bes. →Zeitung und →Zeitschrift, im weiteren Sinn auch die übrigen →Massenmedien.

W. Haacke, P., 1962; W. Hagemann, Grundzüge d. P., [2]1966; H. Pross, Moral d. Massenmedien, 1967; Hdb. d. P., hg. E. Dovifat III 1968 f.; K. Koszyk u. a., Wb. z. P., 1969; H. Pross, P., 1970; W. Haacke, P. u. Gesellsch., 1970; P., hg. E. Noelle-Neumann 1971.

Pulcinella (ital. = Hähnchen), →komische Person der süditalien. Volksposse mit ironisch-intriganter Grotesk-Komik im Sinn des →Hanswurst; im 16. Jh. in die →Commedia dell'arte übernommen als Typ des heißhungrigen, bauernschlauen neapolitan. Dieners in weitem weißen Gewand mit Pluderhose, Spitzhut und vogelnasiger Halbmaske. In Frankreich als →Polichinelle, in England als Punch (dort mit s. Frau Judy auch Hauptfigur des Puppenspiels) fortlebend.

Pulitzerpreis, vom amerikan. Journalisten und Zeitungsverleger Joseph PULITZER (1847–1911) gestifteter Preis von 1000 Dollar für Bestleistungen in Zeitungswesen und Lit. der USA, seit 1917 jährlich durch die Columbia-Universität, N. Y., verliehen.

J. Hohenberg, *The P.P.story,* N. Y. 1959.

Punch →Pulcinella

Puppenspiel, dramatische Schaubühne, die menschliche Schauspieler durch mechanisch an Drähten von oben bewegte →Marionetten oder auf die Hand gezogene und mit den Fingern bewegte Handpuppen ersetzt, während ein oder mehrere Sprecher (oft gleichzeitig die Spieler) hinter der Bühne die zugehörigen Reden nachahmen; als Stegreifspiel, dessen Komik auf Volkswitz beruht und dessen Texte – meist volkstümliche oder Sagenstoffe – fast nie lit. fixiert und überliefert sind, dem Mimus verwandt und wie dieser meist Typenlustspiel um e. →komische Person (→Kasperletheater, ital. Polichinello, türk. →Karagöz). Abarten finden sich von alters her bei allen Völkern: China, Japan (→Jôruri), hochkünstlerisch durchgeformt im →Wayang von Java, stark erotisch in der Türkei, bei den Mohammedanern Asiens und Afrikas (bes. in Tunis und Algerien als Volksbelustigung an den Abenden des Hl. Monats), auch bei Griechen und Römern. Vom MA. aus der Spätantike übernommen, ist es in Dtl. zuerst durch e. Abbildung im *Hortus deliciarum* der Äbtissin HERRAD VON LANDSBERG (12. Jh.) bezeugt und wurde von den Spielleuten mit betonter Komik gepflegt. Aufschwung nimmt es im 16./17. Jh. durch Übernahme von Stoffen aus den Haupt- und Staatsaktionen, am beliebtesten das P. vom *Dr. Faust,* das GOETHE, der es als Kind in Frankfurt vom Marionettentheaterspieler R. SCHÄFFER aufgeführt sah, die erste Anregung zum *Faust* gab. (Den nicht überlieferten Text dieses P. versuchte K. SIMROCK 1846 durch Rekonstruktion zu erschließen). GOETHE hebt das Ansehen des P. (bes. im *Wilhelm Meister*); die Romantik pflegt es, KLEIST gibt ihm e. geistvolle, tiefe Deutung im Aufsatz *Über das Marionettentheater* (1810). Gleichzeitig entsteht 1802 das erste feste P.-Theater in Dtl.: Christoph WINTERS Kölner ›Hänneschen-Theater‹ sowie Aufführungen von SCHÜTZ und DREHER in Berlin, GEISSELBRECHT in Frankfurt a.M. Graf POCCI erstrebte mit zahlreichen guten P.-Texten erfolgreich e. lit. Veredelung und Festigung; J. SCHMID schuf in München e. Wirkungsstätte des P. für höhere Ansprüche als bloße Belustigung und verbreitete wie auch sein Nachfolger PUHONNY die Texte POCCIS. Noch höhere künstlerische Ansprüche stellte das Salzburger Marionettentheater des Prof. AICHER, das auch komische Oper und Singspiel einbezog; die Spitze erreicht Prof. TESCHNER in Wien mit dem javanischen ›Figurenspiegel‹. P.-Texte schrieben im 20. Jh. u.a. W. von SCHOLZ, A. von BERNUS, E. TOLLER, M. KOMMERELL und T. DORST. Weite Pflege fand das P. auch in England. – →Schattenspiel.

Ch. Magnin, *Histoire des marionettes en Europe,* Paris [2]1862; R. Pischel, D. Heimat d. Puppenspielers, 1900; E. Maindron, *Marionettes et Guignoles,* Paris 1900; H. S. Rehm, D. Buch d. Marionetten, 1905; Ph. Leibrecht, Zeugnisse u. Nachweise z. Gesch. d. P. i. Dtl., Diss. Freibg. 1919; S. d'Amico, *Il teatro dei fantocci,* Florenz 1920; J. H. Haiman, *A book of marionettes,* Lond. 1920; P. R. Rohden, D. P., 1922; E. Rapp, D. Marionette i. d. dt. Dichtg. v. Sturm u. Drang bis z. Romantik, 1924; C. Niessen, D. rhein. P. (Zs. f. Dt.kde., 1925); P. Jeanne, *Bibliogr. des marionettes,* Paris 1926; A. Altherr, Marionetten, 1926; M. v. Boehn, Puppen u. P., 1929; H. Naumann, Stud. z. P. (Zs. f. dt. Bildg. 5, 1929); L. Buschmeyer, D. ästhet. Wirkgn. d. P., 1931; RL; G. G. Ransome, *Puppets and shadows, a bibliogr.,* Boston 1931; R. Majut, Lebensbühne u. Marionette, 1931; E. Lehmann, D. Hand-P., 1934; G. Schenk, E. Hausbuch f. d. P., 1936; H. Siegel, Handpuppen u. Marionetten, 1941; L. Glanz, D. P. u. sein Publikum, 1941; M. Batchelder, *The Puppet Theatre handbook,* N. Y. 1947; J. Chesnais, *Hist. générale des marionettes,* Paris 1947; A. C. Gervais, *Marionettes et -istes en France,* Paris 1947; T. Schmidt-Ziegler, V. künstler. Hand-P., 1948; H. Merck, D. Kunst d. Marionette, 1948; P. McPharlin, *The Puppet Theatre in America,* N. Y. 1949; F. Eichler, D. Wesen d. Handpuppen- u. Marionettenspiels, [2]1949; F. Arndt, D. Hand.-P., 1950; E. S. Demenij, P. auf d. Bühne, 1951; D. W. Seager, *Marionettes,* Lond. 1952; G. Speaight, *The hist. of the Engl. puppet theatre,* Lond. 1955; A. Fedetow, Technik d. Puppentheaters, 1956; H. R. Purschke, P. in Dtl., 1957; M. Lee, *Puppet Theatre,* Oxf. 1958; E. Li Gotti, *Il teatro dei pupi,* Florenz 1958; P. Spies, D. türk. Puppentheater, 1959; G. Baty, R. Chavance, *Hist. des marionettes,* Paris 1959; E. Bramall, *Making a start with Marionettes,* Lond. 1960; ders., *Puppet Plays and Playwriting,* Lond. 1961; S. Benegal, *Puppet theatre around the world,* Neu-Delhi 1961; H. R. Purschke, Liebenswerte Puppenwelt, 1962; J. E. Varey, *Historia de los titeres en España,* Madrid o. J.; P. L. Mignon, Marionettentheater, 1963; E. Rapp, D. Marionette i. romant. Weltgefühl, 1964; P. D. Arnott, *Plays without people,* Bloomington 1964; W. Meilnik, *Bibliogr. van het P.,* Amsterd. 1965; B. Baird, *The art of the puppet,* N. Y. 1965; P. der Welt, 1966; G. Küpper, Aktualität im P., 1966; Alte dt. P.e, hg. K. Günzel 1971.

Purânas (ind. = die Alten), ind. heilige Schriften, dichterische, belehrende Erzählungen e. neuerblühten Mythologie um Weltschöpfung und -entwicklung, historische und mythische Ereignisse, Herkunft der Helden, Götter und Heiligen, Berichte über die Geschichte der großen Patriarchen und königlichen Dynastien sowie religiöse Riten und philosophisch-wissenschaftliche Anschauungen und Weltordnung, -untergang und Weltseele; meist sehr alte Stoffe, die jedoch erst in jüngeren Fassungen überliefert sind, z. T. zu enormen Enzyklopädien auswuchsen und als anonyme Sammelarbeiten die Lit. mit ungeheuren, ständig erweiterten Stoffmassen überfluteten. Man unterscheidet 18 *Maha-P.* (d. h. große P.), am bedeutendsten das *Bhâgavata-P.* (10. Jh.), daneben *Upa-P.* (Neben-P.) und *Sthala-P.s* (Lokal-P.).

Purgierte Ausgabe (v. lat. *purgare* = reinigen) →editio castigata

Purismus (lat. *purus* = rein), Streben nach Sprachreinheit durch Vermeidung von Fremdwörtern und fremden Wortformen. Schon in der klass. lat. Lit. (CICERO und CAESAR, später MESSALA und SENECA) nach Vorgang von TERENZ, SCIPIO AEMILIANUS und LAELIUS gefordert, bes. als urbane Hochsprache der städtischen Nobilität unter Ausmerzung des Vulgären, im Ciceronianismus selbst durch Periphrase. In dt. Lit. bes. im 17. Jh. durch die →Sprachgesellschaften und im →Alamode-Kampf gegen die franz. Überfremdung gefordert (SCHOTTEL, MOSCHEROSCH, ZESEN, HARSDÖRFFER), später durch die →Deutschen Gesellschaften, den 1885 gegr. Allg. Dt. Sprachverein, den NS-Staat, jeweils wenn das nationale Selbstbewußtsein im Begriff war, seine Dankesschuld gegenüber fremden Kulturen in Abrede zu stellen.

H. Wolff, D. P. i. d. dt. Lit. d. 17. Jh., 1888; A. Kirkness, Z. Sprachreinigg. i. Dt., II 1975.

Puspitâgrâ, ind. Strophenform, Vierzeiler von wechselnd 12 und 13 Silben je Zeile in der Form ◡◡◡◡◡◡–◡–◡–⏓|| ◡◡◡◡–◡◡–◡–◡–⏓.

Puys (franz., v. lat. *podium* = Anhöhe), dichtende Bürgervereine in nordfranz. Städten als Ablösung des Minnesangs durch die aufstrebende Bürgerkultur der Städte (→Meistersang), gemeinschaftliche Wettbewerbe mit Dichterkrönungen in Dichtung (Frauenlied, religiöse Dichtung, Ballade) und Musik und Aufführungen von Mysterienspielen und weltlichen Dramen; nach dem 12. Jh. in Nordfrankreich (Arras, Douai, Amiens, Valenciennes, Caen, Dieppe, Rouen u. a.) weit verbreitet. Aus dem P. von Arras gingen vermutlich frühe geistliche Dramen wie die *Miracles de Notre Da-*

me und Dichter wie Jehan BODEL und ADAM DE LA HALE hervor. →Passionsbrüder.

Pyrrhichius (griech. *pyrrhichios* = zum Waffentanz gehörig), zweiteiliger antiker Versfuß aus zwei Kürzen: ◡ ◡ als gekürzter Jambus oder Trochäus. Von einigen antiken Metrikern nicht als selbständiger Versfuß anerkannt, da ihm der Mindestumfang von drei Moren abgeht.

Pythiambisches Maß, antikes Versmaß aus daktylischem Hexameter und akatalektischem jambischem Trimeter (Senar) in distichitischem Wechsel, z. B. HORAZ *Epode* 16.

Qaside →Kasside

Qenē, äthiopische Hymnen liturgischen Charakters, meist Lobpreisungen von Gott, Maria, Engeln, Heiligen und biblischen Gestalten, gelegentl. auch von bedeutenden zeitgenössischen Persönlichkeiten oder moralischen Grundsätzen.

M. M. Moreno, *Raccolta di q.*, Rom 1935.

Qit'a (arab. = Bruchstück), arab. und pers. Kurzform des →Ghasels oder der →Kasside ohne das Anfangsreimpaar aa, daher mit der Reimfolge ba ca da usw.; bes. für Improvisation und stärker persönliche Betrachtungen philosophischen, ethischen oder religiösen Inhalts verwendet.

Quadratschrift, althebr. Modifikation der Hieroglyphen.

Quadrivium →Artes liberales

Quantität (lat. *quantitas* = Größe), Silbendauer. Die antike →Metrik und →Prosodie beruht auf dem Unterschied von →Längen (→Naturlängen und →Positionslängen) und →Kürzen (vgl. auch →Anceps), die als Maßstab die Zeitdauer von einer bzw. zwei →Moren erhalten, ohne Rücksicht auf die Betonung, da der altgriech. →Akzent musikalisch war, d. h. nur auf Höhe und Tiefe des Tones beruhte. Erst in byzantinischer Zeit tritt mit schwindendem Bewußtsein für die Q.sunterschiede und Wandlung des Akzents die Rücksicht auf die Wortbetonung in den Vordergrund. Die lat. Dichtung nahm anfangs stärker auf die Wortbetonung Rücksicht und erstrebte auch in der freien Nachbildung griech. Metra e. Vermittlerstellung zwischen akzentuierendem und quantitierendem Prinzip; in klassischer Zeit dagegen unter griech. Einfluß und bei strenger Nachbildung der griech. Versmaße war sie rein quantitierend, ohne jedoch die Wortbetonung gänzlich zu vernachlässigen, zumal sie mehr der Rezitation als dem Gesang diente. Auch hier trat mit dem schwindenden Sinn für die Q.sunterschiede ab 3. Jh. n. Chr. ein akzentuierendes Prinzip ein. – Im Anschluß an das antike Vorbild und unbewußt des →akzentuierenden Charakters der dt. und german. Sprache übertrug man das Q.sprinzip auf die dt. Sprache und versuchte hier die Nachbildung der →quantitierenden Dichtung. OPITZ führt 1624 zuerst das akzentuierende Prinzip ein, doch bleibt die Q.slehre noch bis GOTTSCHED daneben bestehen. KLOPSTOCK unterscheidet metrische und grammatische Q. Für ihn bestimmt nicht Anzahl der Laute, sondern Sinngewicht, akzentuelle Schwere, die Q. der Silben und Wörter. Dagegen versuchen die Prosodien von MORITZ, VOSS und MINCKWITZ, denen sich auch Jac. GRIMM anschloß, e. Annäherung an die antike Q.slehre. Im Ggs. zur bisherigen, vom Schriftbild ausgehenden Q.slehre untersuchte E. SIEVERS in phonetischer Forschung den akustischen

Eindruck und setzte an Stelle des Gegensatzes von kurz und lang den von dehnbar und nicht dehnbar. F. SARAN kam in Verfolgung solcher Bestrebungen zur Unterscheidung von Lautzeit (Aussprachedauer der Einzellaute nach Länge und Kürze), Silbenzeit (Aussprachedauer der gesamten gesprochenen Silbe) und Kammzeit (Dauer des Silbenkerns, Vokal mit folgender Konsonanz).

E. Sievers, Phonetik, 1901; F. Saran, Dt. Verslehre, 1907; ders., D. Q.-Regeln d. Griech. u. Römer (Festschr. f. Streitberg, 1924); RL[1]; P. Eringa, *Het phonologische q.sbegrip*, 1948. →Metrik.

Quantitätslehre →Prosodie

Quantitierende Dichtung im Ggs. zur →akzentuierenden und →alternierenden Dichtung beruht auf der regelmäßigen Abfolge von Längen und Kürzen (→Quantität) nach e. vorgefaßten System, d. h. auf der verschiedenen, in bestimmtem Verhältnis stehenden zeitlichen Ausdehnung der sprachlichen Einheiten, so daß nur die meßbare Silbendauer den Rhythmus bestimmt. Sie ist das tragende Prinzip der klassischen antiken Dichtung, wobei hier offenbleiben kann, welche anderen Gestaltungsmittel dem griech. und lat. Vers weiterhin zur Verfügung standen. – In Nachahmung des antiken Vorbildes und der Franzosen (N. RAPIN, PASSERAT u. a.) und ohne Einsicht für den grundlegend anders gearteten Charakter der germanischen Sprachen hat man seit der Renaissance, bes. in dt. Bearbeitungen und Übertragungen antiker Dichtung, die Nachbildung des der german. Sprachgliederung widerstrebenden q. Prinzips versucht. So bildet GESNER 1555 q. Hexameter und Jamben, die eigtl. nur antiken und evtl. romanischen Sprachen entsprechen, CLAJUS erörtert diese Vorstellung in seiner Grammatik 1578, und bes. J. H. VOSS versucht im 18. Jh. q. Nachbildungen des antiken Hexameters. Erst KLOPSTOCK bringt endgültig die Herrschaft der →akzentuierenden Dichtung in dt. Sprache.

F. Saran, D. Rhythmus d. franz. Verses, 1904; A. Heusler, Dt. u. antiker Vers, 1917; F. Saran, D. Quantitätsregeln d. Griech. u. Römer (Festschr. f. Streitberg, 1924); A. Heusler, Dt. Versgeschichte, [2]1956; RL[1].

Quart(o) (lat. *quartus* = der Vierte), Buchformat des zweimal in vier Blatt = acht Seiten gefalteten Bogens, abgekürzt 4°, für großformatige Bände, Kunstbücher, Tafelwerke und Zeitschriften.

Quartett oder **Quartine** (ital.), die ersten beiden, je vierzeiligen Strophen des →Sonetts im Ggs. zu den →Terzetten.

Quaternar(ius) (lat. *quaterni* = je vier), lat. Bz. für →Dimeter.

Quaternio (lat. *quaterni* = je vier) →Lage

Quatrain (franz. =) Vierzeiler, 4zeilige Einzelstrophe, meist in Reimstellung abba, doch auch abab, xaya oder aaaa; zuerst als Zehnsilber im franz. *Adamsspiel* (12. Jh., ältestes franz. Drama), doch meist aus Alexandrinern; im 16. Jh. in franz. Moralsprüchen für die Jugenderziehung nach Vorbild der sog. *Disticha Catonis*; in dt. Dichtung des 17./18. Jh. auf Empfehlung von OPITZ bes. für Epigramme verwendet und sehr geeignet. Q. heißen auch die →Quartette im →Sonett.

Quattrocento (ital. = 400, gemeint: 1000 + 400), der Stil der ital. Früh→renaissance des 15. Jh. in Kunst und Lit.

Quelle, →die stoffliche Vorlage e. Dichtung, die nachweislich vom Dichter benutzt wurde. Sie kann verschiedener Art sein: volksläufige mündliche Überlieferung (z. B. Mythen, Sagen, Märchen) oder wiederum bereits lit. Quellen (fremde Dichtungen, Geschichtswerke, Biographien, Tagebücher, Memoiren, Chroniken, neuerdings bes. Zeitungsnotizen). Die positivistische →Literaturgeschichtsschreibung des 19. Jh. bemühte sich bes. um Aufdeckung der Q. e. Dichterwerks, soweit sie nicht vom Dichter selbst genannt wurden (doch erscheinen hierbei schon im MA. bewußte Irreführungen, indem alles ›nach franz. Quellen‹ gestaltet sein will, später in der →chronikalischen Erzählung). Die Q.nforschung soll stoffliche Abhängigkeiten der Dichtung aufdekken, deren Umfang in vielen Fällen erstaunlich groß ist (bes. Drama, Epos, historischer Roman und Novelle), und durch Vergleich mit dem dichterischen Ergebnis die werteschaffenden Formkräfte in ihrem Wirken aufzeigen; ihr Zweck ist nicht, dem Dichter mangelnde Originalität nachzuweisen, da diese sich höchstens auf das rein Stoffliche, nicht aber auf die sprachkünstlerische Gestaltung als eigtl. Leistung bezieht. Die Praxis früherer Forschung, die sich mit dem bloßen Feststellen der Q. als Beweis der Unselbständigkeit begnügte, hat die Q.nforschung heute z. T. in Verruf gebracht, doch verspricht sie oft wesentliche Erkenntnisse und Einsichten über Schaffensweise, Kunstauffassung und geistige Zielsetzung des Dichters, z. B. in der Handhabung vorgefundener Motive. →Stoff, →Stoffgeschichte.

W. Kayser, D. sprachl. Kunstwerk, [13]1968.

Quellenangabe, durch Urheberrecht gesetzlich vorgeschriebener Hinweis auf die Herkunft der in e. Schriftwerk verwendeten →Zitate, Abbildungen usw.

Quellenkunde. Primäre Quellen der Lit.wiss. sind die lit. Texte selbst; sekundäre Quellen dagegen, deren Erschließung Aufgabe der Q. ist, sind etwa Handschriften, Manuskripte, Drucke, Dokumente, Dokumentensammlungen, Nachlässe und Archivalien, selbst Autobiographien, Memoiren, Tagebücher und Briefe, Gespräche, Urkunden, Zeugnisse und Bildnisse, deren Kenntnis die eigtl. wiss. Erforschung der Werke selbst ergänzt und erweitert.

P. Raabe, Einführung i. d. Q. z. neueren dt. Lit.gesch., [3]1974; ders., Quellenrepertorium z. neueren dt. Lit.gesch., [2]1966.

Quibble (engl. =) →Wortspiel, -witz, spitzfindige Wortklauberei (Haarspalterei) als Ausflucht.

Quinar (v. lat. *quinarius*), 1. Verszeile von fünf Füßen oder fünf Hebungen, 2. Verszeile von nur fünf Silben mit einer einzigen Hebung (Betonung) auf der 4. Silbe.

Quinternio oder **Quinio** (lat. *quini* = je fünf) →Lage

Quintett, allg. jedes Gedicht oder jede Strophe aus fünf Zeilen unabhängig von der Reimfolge.

Quintilla (span.), span. Strophenform aus fünf je 8silbigen Zeilen mit Reimfolge abbab, ababa, abaab u. ä.; vermutlich aus e. auf zehn Zeilen erweiterten und dann in zwei Q. gespaltenen Form der →Arte menor im 16. Jh. hervorgegangene, beliebte Form.

D. C. Clarke, *Sobre la q.* (*Revista de filología española* 20, 1933).

Quitta (ind. *Qit'a*), ind. Strophenform aus vier Halbversen, deren letzte beide aufeinander reimen, häufig als Verseinlage in Prosa oder als eigene Strophe (Q.band) zusammengefügt.

Quodlibet (lat. = was beliebt), seit

dem 16. Jh. Bz. für willkürliche oder willkürlich scheinende Zusammenstellung von Gedichten verschiedenster, oft widersprechendster Art und Herkunft zu e. einheitlich gemeinten Werk, ›dichterisches Allerlei‹.

K. Conermann, Scherzhafter Stil (Europ. Tradition u. dt. lit. Barock, 1973).

Rachetragödie *(tragedy of revenge)*, verbreiteter engl. Dramentyp der Elisabethanischen Zeit, in dem Bluttaten und ihre Vergeltung, vielfach von mahnenden Geistererscheinungen gefordert und mit Zögern, Intrige und Täuschung ausgeführt, die dramatische Handlung bestimmen: T. KYDS *Spanish Tragedy* (1592), SHAKESPEARES *Titus Andronicus*, Stücke von WEBSTER und TOURNEUR, Höhepunkt in SHAKESPEARES *Hamlet*, später Neigung zum blutrünstigen Melodrama.

F. T. Bowers, *Elizabethan revenge tragedy*, Princeton [2]1966.

Radjaz, aus der Reimprosa entwickeltes einfaches arab. Versmaß, e. Art jambischen Trimeters, dessen Verse alle untereinander reimen.

M. Ullmann, Unters. z. Rağazpoesie, 1966.

Räsoneur (franz. *raisonneur* = Schwätzer), im Drama eine in die Handlung nur locker verwickelte Nebenfigur, die als Sprachrohr des Autors dient, die anderen Figuren beobachtet, charakterisiert, ihre Situation erläutert, ihre Handlungsweise motiviert oder ggf. kritisiert und sich in seinen Bemerkungen öfter →ad spectatores wendet.

Rätsel, oft versifizierte sprachliche Umschreibung e. nicht genannten Gegenstandes (Ding, Person, Vorgang) durch dessen Eigenschaften in knapper, geladener Form mit der inneren Aufforderung an die Intelligenz der Leser oder Hörer, als Scharfsinnsprobe die gemeinte Beziehung zur Wirklichkeit, die dem Fragesteller bekannt ist, zu erraten. Die Lösung kann durch bewußte Irreführung erschwert werden. Nach den Arten der Umschreibung unterscheidet man: Buchstabenr. (→Logogriph), Zahlenr. (Arithmogriph), Silbenr. (→Scharade), Bilderr. (→Rebus), →Palindrom (Umschreibung der vor- und rückwärtsgelesenen Bedeutung e. Wortes), →Homonym (zwei verschiedene Bedeutungen desselben Wortes), →Anagramm (Buchstabenversetzung), Rösselsprung, Schach-R. usw. Volksrätsel gehören zu den ältesten lit. Erzeugnissen der meisten Völker; in Sage und Mythe ist ihre Lösung oft mit bestimmten Bedingungen verbunden; Todesdrohung für nichtgelöste R., Freispruch des Verurteilten, falls der Richter ein von ihm aufgegebenes R. nicht löst (R.märchen, sog. Halslösungs-R.). – Der Ursprung des R. liegt im Orient; bedeutsam bes. bei den Hebräern: R. SIMSONS, R.streit SALOMOS mit der Königin von Saba, Prophetien. Bei den Griechen entstehen sie im Anschluß an dunkle Orakelsprüche und werden bes. z. Z. der Sieben Weisen als didaktische Gattung aufgenommen, beim Symposion und im Volke als beliebte Unterhaltung und geistiger Wettstreit geübt und in mehreren Slgn. zusammengefaßt. Bei ihnen sind schon fast alle Formen ausgebildet und erscheinen auch in der Lit., bes. in Epos und Drama (Ödipus und die Sphinx, *Alexandra* des LYKOPHRON); in der Kaiserzeit sind bes. Zahlen-R. beliebt, indem man die griech. Buchstaben e. Namens oder Satzes als Zahlenzeichen addierte und dadurch scherzhafte Bezüge aufdeckte. Bei den Römern ist die

R.dichtung geringer und steht unter Einfluß der griech.; PETRONIUS und GELLIUS zitieren Volks-R., SYMPHOSIUS formt im 4./5. Jh. 100 R. in dreizeilige Hexameter. Bei den Germanen sind R. aus ältester ahd. und got. Zeit bezeugt (z. B. vom *Vogel federlos*); die erste ahd. lit. Formung freilich steht unter antikem Einfluß, dagegen bewahren das Altengl. und die Eddalieder vom König Heidrek altes Volksgut. In höfischer Zeit entstehen R.gedichte wie das *Traugemundeslied* und *Wartburgkrieg* sowie R. in Spruchdichtung (REIMAR VON ZWETER), später im Meistersang; im Spätma. bewahren Volksbücher u. a. Volksdichtungen viele R. Als lit. Kunstform blüht die R.dichtung dann im 18. Jh. auf und wird in den Familienblättern des 19. Jh. verbreitet. Dichterisch bedeutend sind bes. die R. SCHILLERS (für *Turandot* nach GOZZI und *Parabeln und R.*), ferner R. von LUTHER, LOGAU, GOETHE, HUMBOLDT, KÖRNER, HEBEL, HAUG, SCHLEIERMACHER, MISES, THIERSCH, HAUFF, BRENTANO, F. Th. VISCHER, PLATEN, RÜCKERT, GEIBEL u. a. Die erste gedruckte dt. R.-Slg. erschien 1505 in Straßburg. Rätsellieder der Volksdichtung liefern die Lösung mit; R.märchen führen im ep. Rahmen zu Begnadigung, Glück und Reichtum des erfolgreichen Raters.

J. B. Friedreich, Gesch. d. R., 1860, n. 1969; H. Hayn, D. dt. R.-Lit. (Bibliogr., in: Zentralbl. f. Bibliothekswesen 7, 1890); A. Bonus, R., 1907; W. Schultz, R. aus d. hellenist. Kulturkreis, 1909; K. Ohlert, R. u. Gesellschaftsspiele d. alten Griech., [2]1912; F. Loewenthal, Stud. z. germ. R., 1914; R. Petsch, D. dt. Volks-R., 1917; A. Aarne, Vergl. R.forschgn., III 1918–20; A. Jolles u. Porzig, R.forschg. (Festschr. f. Sievers, 1925); J. Meier, Dt. Volkskunde, 1926; R. F. Arnold, D. Irrgarten, 1928; ders., Z. Gesch. d. dt. Kunst-R., Euph. 29, 1929; B. L. Wunderling, Kind u. R., 1935; R. Petsch, Spruchdichtg. d. Volkes, 1938; A. Taylor, *A bibliogr. of riddles*, 1939; M. Hain, in ›Aufriß‹; A. Taylor, *The lit. Riddle before 1600*, Berkeley 1948; ders., *Engl. Riddles*, ebda. 1951; A. Santi, *Bibliogr. della enigmistica*, 1952; L. Sadnik, Südosteurop. R.studien, 1953; M de Filippis, *The lit. Riddle in Italy in the 18. cent.*, Berkeley 1953; J. Dünninger, R. (Deutschunterr. 15, 1963); L. Bødker, *The nordic riddle*, Koph. 1964; M. Hain, R., 1966; RL; V. Schupp, Dt. R.buch, 1972; L. Röhrich, R.lied (Hb. d. Volksliedes I, 1973); A. Jolles, Einfache Formen, [5]1974; A. Schönfeldt, Z. Analyse d. R. (Zs. f. dt. Philol. 97, 1978).

Räuberroman, an SCHILLERS *Räuber* mit der Gestalt des ›edlen Räubers‹ Karl Moor anknüpfende und zur Zeit der dt. Klassik beliebte Form der trivialen Erzähllit., die abgesunkenes Ideengut des Sturm und Drang mit den Forderungen ROUSSEAUS vereint. Hauptgestalt ist meist e. Beschützer der Unterdrückten und Empörer gegen die Willkür der Machthaber und Beamten. Aus e. bis heute fortlebenden Fülle von Schundlit. erheben sich als lit. bedeutsam nur ZSCHOKKES *Abällino* (1794, dramatisiert 1795), als bes. beliebt *Rinaldo Rinaldini* (1798) von Goethes Schwager VULPIUS und K. G. CRAMERS *Der Domschütz und seine Gesellen* (1803), später als echte Dichtungen H. v. KLEISTS Erzählung *Michael Kohlhaas* (1810) und H. KURZ' *Der Sonnenwirt* (1854) mit psychologischer Deutung und in der Gegenwart zahlreiche Romane Leonhard FRANKS, bes. *Die Jünger Jesu* (1950). Reiche Nachfolge als psychologischer Roman findet der R. auch in England aus der Sagentradition um Robin Hood und in DICKENS' *Oliver Twist* (1837f.). Bedeutende R. der europ. Lit. sind A. DUMAS' *San Felice* und G. BERTOS *Il brigante* (1951). Der oriental. R. gipfelt in *Die Räuber vom Liang Schan Moor* von SHIH NAI-AN und LO KUAN-CHUNG.

Lit. →Ritter- u. R.

Rağaz →Radjaz

Rahmenerzählung, Umschließung von einer oder mehreren Erzählungen (Binnenerzählungen) durch eine andere, umgreifende und meist selbst erzählende (Rahmen). Zu unterscheiden sind zwei Möglichkeiten: 1. zyklische R.: Zusammenfassung e. größeren Anzahl von inhaltlich zusammengehörigen Einzelerzählungen zu e. in sich geschlossenen, oft auf e. gemeinsames Rahmenziel (Unterhaltung, Belehrung) ausgerichteten und von ihm aus beleuchteten Einheit, z. B. mehrere Erzählungen desselben Erzählers *(1001 Nacht)* oder abwechselnd der Partner e. ganzen Personenkreises (BOCCACCIO, *Decamerone*), dann meist bezeichnend für eine bestimmte Gesellschaftsstruktur. 2. gerahmte Einzelerzählung, deren Rahmen die Glaubwürdigkeit durch e. fingierte Quelle (→chronikalische Erzählung) unterstützt, die Einführung e. Erzählers (als Distanzierung von der Person des Dichters) oder die Ichform in Brief- und Tagebucherzählung motiviert und dennoch mit ihr e. organisches, unlösliches Ganzes bildet (STORM, MEYER). – In beiden Fällen kann der Rahmen (Reisebekanntschaften, Bekenntnisse, Beichte, Zeitvertreib e. Gesellschaft) lediglich die Funktion der Verbindung der Einzelteile erfüllen *(Decamerone)* und sie voneinander abhebend begrenzen, dabei gleichzeitig durch die Wirkung auf die fingierten Zuhörer den vom Dichter beabsichtigten Sinn ausdeuten, oder als selbständige eigtl. Erzählung Hauptsache sein, in welche die bei aller Handlungsfülle thematisch verwandten und zum gleichen Ziel strebenden Binnenerzählungen von äußerster Konzentration und strengem Bau nur als Parallelen oder Gegenbewegung (›Thema mit Variationen‹) eingelagert sind (KELLER, *Das Sinngedicht*; GRILLPARZER, *Der arme Spielmann*); Voraussetzung ist jedoch stets der vollkommene inhaltliche wie formale Zusammenhang von Rahmen und Binnenerzählung, die wiederum durch e. spannendes Wechselverhältnis bes. Reize erhalten: a) Einführung der →Perspektive (2) als Spannungsverhältnis zwischen dem geringen geistigen Horizont des Erzählenden und der Bedeutsamkeit des Erzählten bedingt e. Weiterverarbeitung und geistige Auseinandersetzung mit dem Berichteten beim Zuhörer (C. F. MEYER, *Der Heilige*); umgekehrt kann die große Gestalt des eingeführten Erzählers auch dem unbedeutenden Stoff bes. wirksame Seiten abgewinnen (C. F. MEYER, *Die Hochzeit des Mönchs*). b) Der Wechsel zwischen Gegenwart der Rahmenhandlung und Vergangenheit der Binnenerzählung erhöht die Distanz zum Stoff und schafft die Atmosphäre des Historischen (C. F. MEYER, *Das Amulett*, STORM, *Der Schimmelreiter*). c) Zahlreiche Übergänge führen von der scharfen Scheidung von Binnenerzählung und einleitendem wie abschließendem Rahmen bis zur kunstvollen gegenseitigen Durchwirkung und Durchhellung der beiden Teile (GRILLPARZER, *Der arme Spielmann*, C. F. MEYER, *Die Hochzeit des Mönchs*) und ergeben die verschiedensten Wirkungen vom architektonisch-symmetrischen Aufbau bis zur ständigen Parallelität der Teile. Die R. bildet e. wesentlichen Bestandteil bes. der gereiften und kunstvoll entwickelten Novellendichtung, wo sie die Architektonik der Kurzform unterstreicht, die scheinbare Objektivität durch den Rahmen steigert und durch die Gestalt des Erzählers die eigentliche Ursprungssituation der Novelle: das (gesellschaftliche) Erzählen, darstellt. Daneben erscheint sie jedoch auch im Epos als großer Erlebnisbericht zur Einbeziehung früheren Geschehens (*Odyssee* 9–12, VERGIL *Aeneis* 2–3) ebenso im Roman (1. Fassung des *Grünen Heinrich* von G. KELLER, M. LUKAS *Aus der Tiefe* u. a.) und im Drama, hier teils als nachträgliche Einfügung der Vorfabel (entsprechend dem Rückblenden im Film: Erinnerung), teils als echter Rahmen bes. kunstvoll bei GRILLPARZER *Der Traum e. Leben* und *Weh dem, der lügt,* teils als →Spiel im Spiel.

Die Technik der R. stammt aus dem Orient; in Indien bereits in vorchristlicher Zeit als rahmenhafte Einkleidung epischer Stoffe erfunden, bildet sie zunächst e. lockere Sammelform zur Reihung von Einzelfällen mit e. bestimmten Rahmenziel, so die belehrende Fabelslg. *Hitopadeśa,* die *Siebzig Erzählungen des Papageien,* die 25 *Geschichten des Leichendämons* und SOMADEVAS *Ozean der Märchenströme* (11. Jh.); am bekanntesten wird sie in den arab. Erzählungen *1001 Nacht,* wo Scheherezade um ihr Leben erzählt. Erste europäische Ausformungen sind im Anschluß daran die *Disciplina clericalis* des PETRUS ALFONSI (12. Jh.), die span. Novellenslg. *Conde Lucanor* von Don JUAN MANUEL (13. Jh.) und die zahlreichen und in Europa weitverbreiteten Hss. der *Sieben weisen Meister* (1. dt. Druck 1470, dann 30 Aufl.). Nach den Vorstufen in *Filocolo* und *Ameto* erreicht BOCCACCIO die erste Kunsthöhe der R. durch seine Gesellschaftskunst im *Decamerone* (1348–1353) mit der Pest als kontraststarkem Hintergrund. In England übernimmt CHAUCER in den *Canterbury Tales* (1387 ff.) die neue Form; in Frankreich folgt 1585 das *Heptameron* der MARGUERITE DE NAVARRE, in Italien G. BASILES *Pentameron* (1634–36). Die franz. Aufklärung bringt die Erneuerung der themat. gebundenen R. in CRÉBILLONS *Le sopha* (1745) und DIDEROTS *Jaques le Fataliste* (1778). Die erste dt. R., wie alle bisherigen zyklisch, ist GOETHES *Unterhaltungen dt. Ausgewanderten* (1795), durch Gespräche auf dem Hintergrund der Franz. Revolution miteinander verbunden. Die Romantik bringt e. Fülle dt. R.en: ARNIM, BRENTANO *(Kasperl)*; TIECKS *Phantasus* und E. T. A. HOFFMANNS *Serapionsbrüder* u. a. behalten die Form des geistreichen Rahmengesprächs – um künstlerisch-lit. Probleme wie Musik, Theater, Kritik – bei, das jedoch nur lose die Einzelteile verbindet, während HAUFFS Märchenzyklen e. organische Einheit bilden. Im Realismus erstrebt G. KELLER nach ersten Versuchen im *Landvogt von Greifensee* und im einstimmenden Eingang der *Leute von Seldwyla* zuerst in den *Züricher Novellen* e. festen Rahmen, der zwar selbst als Novelle angelegt ist, jedoch nicht die Hauptsache bildet, und dann im *Sinngedicht* die kunstvolle Einheit von Rahmennovelle, welche die Frage nach dem Verhalten der Geschlechter und der Erziehung in der Ehe aufwirft, und sechs Binnenerzählungen, die, paarweise in These und Antithese geordnet, Variationen zur Lösung der Frage bilden. Gegenüber den bisherigen, durchweg zyklischen R.en entwickelt sich C. F. MEYER in fast allen Werken zum Meister der gerahmten historischen Einzelerzählung, die bei ihm bes. der Distanzierung des Werkes vom Dichter selbst dient und kunstvoll beide Teile verbindet *(Der Heilige, Die Hochzeit des Mönchs)*; ihm folgen STORMS →chronikalische Erzählungen und e. lange Reihe dt. Novellen, u. a. bei HEYSE (fingierte Reisebekanntschaften und Reisen als Rahmen), im 20. Jh. J. WASSERMANNS *Der goldene Spiegel,* F.

NABLS *Johannes Krantz,* P. ERNST, W. BERGENGRUEN, A. DÖBLINS *Hamlet* und H. SCHOLZ *Am grünen Strand der Spree.* Die kunstvollste Verflechtung von Erzählerrahmen und Binnengeschichte gibt Th. MANNS *Doktor Faustus.* In Frankreich führt die Übersetzung von *1001 Nacht* durch GALLAND (1704–1708) und die Bearbeitung der pers. Slg. *1001 Tag* von DELACROIX und LESAGE schon bei PRÉVOST (*Manon Lescaut* 1728–31) zur R., die in MERIMÉES *Carmen* (1845) und *Lokis* (1869) höchste Kunstform erreicht.

M. Goldstein, D. Technik d. zykl. R. Dtls. v. Goethe bis Hoffmann, Diss. Bln. 1906; A. Waldhausen, D. Technik d. R. b. Keller, 1911; E. Auerbach, Z. Technik d. Frührenaissancenov., Diss. Greifsw. 1921; H. Bracher, R. b. Keller, Meyer, Storm, 1924; RL; H. Lüdeke, D. Funktion d. Erzählers i. Chaucers ep. Dichtg., 1928; O. Löhmann, D. R. des Decamerone, 1935; W. Pabst, Novellentheorie u. -dichtg., 1953; F. Lockemann, D. Bedeutg. d. Rahmens i. d. dt. Novellendichtg. (Wirkendes Wort 1955/56); ders., Gestalt u. Wandlgn. d. dt. Novelle, 1957; D. Stephan, D. Problem d. novellist. Rahmenzyklus, Diss. Gött. 1960; L. E. Kurth, R. u. R.roman i. 18. Jh. (Jb. d. dt. Schiller-Ges. 13, 1969; H. Remak, D. Rahmen i. d. dt. Novelle (*Traditions and transitions,* Fs. H. Jantz 1972); S. Onderderlinden, D. R.n C. F. Meyers, Leiden 1974. →Novelle.

Rakushū, in der japan. Lit. satirische Gedichte von kurzer, epigrammatischer Form und beißendem Sarkasmus, die sich in der Art antiker Epigramme als ›Aufschriften‹ mit Spott, Wortspielen und Doppelsinn gegen politische Persönlichkeiten und Zustände richten, daher meist anonym.

Ramal, elfsilbiges Versmaß der pers. Epik neben dem Mutaqārib: —◡——/—◡——/—◡—. Verwendet bei RŪDAKĪ und RŪMĪ.

Rambouillet, Hôtel de R., →Preziösität, →Salon

Rampe, im Theater der vordere untere Bühnenrand; vielfach Schlagwort für die (überwindenswerte) Trennung von Schauspielern und Publikum im Sinne echter Partizipation.

K. Lazarowicz, D. R. (Sprache u. Bekenntnis, Fs. H. Kunisch, 1971).

Ramsch = modernes →Antiquariat

Rand→glosse→Marginalien

Rangstreitdichtung →Streitgedicht

Rapportati →Versus rapportati

Rappresentazione, R. sacra (ital. = heilige Vorstellung), Bz. der ital. →geistlichen Dramen des 14./15. Jh., die teils in formaler Nachahmung antiker Dramen Stoffe des *NT.* und bes. *AT.* behandeln und später in Tragödie oder Komödie aufgehen.

Rasa (sanskr. = Saft, Geschmack), in der altind. Poetik Bz. für Grundcharakter und Stimmung e. Dichtung, die sich beim Erlebnis derselben durch die →Identifikation des Hörers oder Lesers mit dem Helden als Echo auf das Gemüt des Erlebenden überträgt und die Grundlage für den reinen, unirdischen, ästhetischen Genuß bildet. Man unterscheidet neun R.: erotische, komische, elegische, schreckliche, heroische, furchtsame, abscheuerregende, märchenhafte und quietistische, die in e. Werk vorherrschen oder mit anderen harmonisch verbunden erscheinen können.

H. v. Glasenapp, D. Litt. Indiens, [2]1961.

Rationalismus (lat. *ratio* = Vernunft), allg. jede Weltbetrachtung und Denkweise vom Vernunftstandpunkt als einziger Erkenntnisquelle, bes. das philosophische System der →Aufklärung.

Raubdruck, unrechtmäßiger →Nachdruck

Raumbühne, die vom Bühnenrahmen in den Zuschauerraum hineinragende, von drei Seiten einsehbare, vergrößerte Vorbühne als Spielfläche.

Reader (engl. = Leser, Lesebuch), Textsammlung als Zusammendruck grundlegender oder einführender (meist bereits anderweitig publizierter) Fachaufsätze zu e. bestimmten Thema oder e. wiss. Disziplin als vielstimmige Einführung für Studenten.

Realenzyklopädie →Reallexikon

Realienbuch, Zusammenfassung des Sachwissens für e. Gebiet des prakt. Lebens (Beruf, Handwerk).

Realismus (v. lat. *realis* v. *res* = Sache) 1. als stiltypologischer Begriff die wirklichkeitsgetreue Darstellung der gegebenen Tatsachen und natürlichen Verhältnisse und Vorgänge mit den ihnen angemessenen einfachen sprachlichen Mitteln im Ggs. zu idealisierender Verklärung und traumhaft-dämmernder romantischer Phantasie, allein durch die nach künstlerischen Gesichtspunkten getroffene Auswahl des Dargestellten von seiner Übersteigerung in der Wirklichkeitskopie des Naturalismus unterschieden. – Der aristotelische Begriff der →Mimesis bedingt noch keine realistische Nachahmung. GOETHE erkennt in der ›einfachen Nachahmung der Natur‹ (gleichnamiger Aufsatz) e. zu hohen Kunstschöpfungen fähigen zeitlos-typischen Stil; SCHILLER stellt in seiner Abhandlung *Über →naive und sentimentalische Dichtung* dem Realisten den Idealisten gegenüber; DILTHEYS Weltanschauungslehre dagegen faßt den R. als e. der drei zeitlosen Weltanschauungstypen; AUERBACH versteht den R. historisch und untersucht seine Darstellungsmöglichkeiten im Lauf der Jhh. Zum Dogma versteift ist der R. im →sozialistischen R.

2. bes. als sog. ›poetischer R.‹ (O. LUDWIG), Literaturepoche des 19. Jh. zwischen Romantik und Naturalismus, im engeren Sinne bei der Sonderstellung des →Biedermeier und →Jungen Deutschland die Zeit rd. 1850–80 umfassend; gekennzeichnet durch bewußte Wendung zur weltoffenen Wirklichkeitsdarstellung, unparteiische Beobachtung und Schilderung der von den Sinnen faßbaren Welt unter Ausschaltung der Gefühle und Meinungen des Dichters und der Wertung von Gut und Schlecht, Schön und Häßlich; in Abkehr von der idealisierenden, wesenhaft darstellenden Kunst der Klassik, dem phantasievollen Subjektivismus und der weltfernen Schwärmerei der Romantik (die im →Münchner Dichterkreis →epigonenhaft fortlebten) ebenso wie von der Tendenzlit. und dem Aktualismus des Jungen Dtl., das jedoch den R. kritisch wie praktisch begründete. Entscheidende Grundlagen des neuen Stils sind die Fortschritte in Naturwissenschaft, Technik, Verkehr und Industrialisierung. Doch soziale Probleme und soziales Verständnis in der Dichtung treten trotz der gleichzeitigen Schriften von PROUDHON, MARX und ENGELS nicht wie im Jungen Dtl. und im Naturalismus entscheidend in den Vordergrund, den vielmehr allgemeingültige, dauernde Daseinsfragen des Menschenlebens beherrschen: Verhältnis und Einordnung des einzelnen in die Lebensnotwendigkeiten, die Umwelt und die zwischenmenschlichen Beziehungen der Gemeinschaft werden mit tiefer und gütiger Einsicht behandelt, die den irdischen Daseinsbedingungen eher

kritisch als beschönigend, doch letztlich zuversichtlich gegenübersteht. Für das neue Weltbild waren von großem Einfluß die Auflösung der Religion in Anthropologie durch D. F. STRAUSS und L. FEUERBACH, welche die Wendung zur diesseitigen, sinnlich erfahrbaren Wirklichkeit vollzog und den bloßen Schmuck aus der Dichtung wie die metaphysische Spekulation aus der Philospophie verbannte, ferner die materialistisch-realistisch betrachtende Weltanschauungs- und Naturlehre von L. BÜCHNER (*Kraft und Stoff* 1855), die systematische und natürliche Schöpfungsgeschichte DARWINS (*Über den Ursprung der Arten* 1859) und seines dt. Schülers E. HAECKEL, die eine kausalgesetzliche Bedingtheit des Seelenlebens anerkannte, der religiöse →Pessimismus SCHOPENHAUERS und die quellentreue Geschichtswissenschaft RANKES wie die Ästhetik VISCHERS: Pessimismus, Resignation, Glaubens- und Illusionslosigkeit im metaphysischen Bereich – bei aller Verehrung des Unerforschlichen – bringen als Gegengewicht das Streben nach irdischer Verwirklichung der Menschlichkeit, Sinnenzugewandtheit und Diesseitsfreude, die in dieser Epoche ihren dichterisch gültigsten Ausdruck fand und erst in der pessimistisch überschatteten, abstandslosen Wirklichkeitskopie des Naturalismus das Negative betonte.

Die Entwicklung des R. ist gemeineuropäisch. Während jedoch Dtl. länger und stärker unter dem Eindruck des von ihm geschaffenen Idealismus stand, beginnt früh der Einfluß des Auslandes: aus Frankreich bes. BALZAC, STENDHAL, FLAUBERT und G. SAND in der Epik, DUMAS fils, SARDOU und FEUILLET in der Dramatik (Gesellschaftsstück), aus England DICKENS, CARLYLE, MEREDITH, G. ELIOT und THACKERAY, aus Rußland DOSTOEVSKIJ, TOLSTOJ, GONCAROV und TURGENEV, aus Spanien PEREDA und PÉREZ GALDÓS, aus Portugal EÇA DE QUEIRÓS, aus Italien G. VERGA. –

Als dt. Vorläufer zeigten bereits H. v. KLEIST, GRILLPARZER, GRABBE und BÜCHNER im Drama, IMMERMANN, ALEXIS und DROSTE in der Epik realistische Züge. Doch die eigentliche Unmittelbarkeit zur Erfahrungswelt in Motiven und Gestaltung, wie sie für den R. typisch ist, wird erst um 1850 erreicht; neue Weltbereiche werden der sprachlichen Gestaltung erschlossen; die dichterische Technik befreit sich z. T. vom verbindlichen Vorbild (z. B. SCHILLERS für das Drama) und bleibt dennoch, im Ggs. zum Naturalismus, durchgeistigt und architektonisch: ihr Mittelpunkt ist der Mensch im Alltag, in der Arbeit und in seinen natürlichen gesellschaftlichen Bindungen und Verhältnissen, doch bleibt die Milieuschilderung nicht Selbstzweck; die Aufmerksamkeit richtet sich auf die seelischen Funktionen und ihre Beziehungen zur Körperwelt, jedoch ohne Beziehung zum Transzendenten, da die Religion keine Lösung der Dissonanzen des Daseins zu bringen scheint. Leben und Welt als umgreifende Schicksalsmächte bestimmen das Individuum nach eigenen Gesetzen, denen die menschlichen Vorstellungen von Schuld und Unschuld fremd sind; ihnen unterliegt der einzelne, der schuldlos ihre Ordnungen stört, und die Masse schreitet über ihn hinweg. So paart sich Entsagung und Resignation mit schlichtem Humor als Waffe gegen die Bedrohung des Daseins. Die Hauptleistungen des R. liegen auf dem Gebiet der Prosaepik, bes. der Novolle (G. KELLER, Th. STORM, C. F. MEYER), oft in Form der Rahmenerzählung oder

der chronikalischen Erzählung. Daneben führt die Freude am Detail bei Keller, Auerbach, Ebner-Eschenbach und bes. J. Gotthelf zur →Dorfgeschichte. Erst später tritt der Roman wieder hervor, dessen Stärke in Umweltschilderung, Detailmalerei und Charakterentwicklung unter Vermeidung alles Lyrisch-Subjektiven liegt, häufig in Form des Entwicklungsromans (Keller, Raabe, O. Ludwig, H. Kurz, Th. Fontane), daneben z. T. in Mundart (F. Reuter). E. breite Entwicklung erleben →historischer Roman und historische Erzählung (C. F. Meyer) bis zur Steigerung im →Professorenroman (G. Freytag). Auf dem Gebiet des Dramas war Grabbe vorangegangen. Während andere Dichter vergeblich um die Meisterung der Form ringen, gelingen Hebbel in seinen Tragödien um Ich und Welt in bürgerlichen oder später historischen Stoffen bleibende Kunstformen, die freilich sich in ihrer Zeit gegen die herrschende Gesellschaftsdramatik noch nicht durchsetzen konnten. Als Lyriker eigener Prägung ragen bes. Storm und C. F. Meyer hervor, während Hebbel, Keller und Fontane die Lyrik mehr als Jugend- oder Nebenbeschäftigung pflegen. Für die theoretische Besinnung um die Dichtung sind Erörterungen von F. Th. Vischer, H. Hettner, J. Schmidt und G. Freytag (Zs. *Die Grenzboten*) und bes. die Briefwechsel von Keller, Heyse und Storm sowie O. Ludwigs *Dramatische Studien* höchst aufschlußreich.

J. Schmidt, Gesch. d. dt. Lit. v. Leibniz bis auf uns. Zt., 1886; Mielke-Homann, D. Roman d. 19./20. Jh., ^{5}1920; O. Walzel, D. dt. Dichtg. seit Goethes Tod, ^{2}1920; W. Oehlke, Dt. Lit. seit Goethes Tod 1921; F. Kummer, Dt. Lit.gesch. d. 19. Jh., ^{16}1922; R. Riemann, V. Goethe z. Expressionismus, ^{3}1922; R. M. Meyer u. H. Bieber, Dt. Lit. d. 19. u. 20. Jh., ^{7}1923; H. Kindermann, D. lit. Entfaltg. d. 19. Jh., GRM 14, 1925; ders., Romantik u. R., DVJ 1926; W. L. Myers, *The later r.*, Lond. 1927; H. Bieber, D. Kampf um d. Tradition, 1928; RL; H. Cysarz, V. Schiller zu Nietzsche, 1928; H. Maync, Dt. Dichter, 1928; S. Z. Hasan, *R.*, Lond. 1928; O. Walzel, D. dt. Dichtg. v. Gottsched bis z. Gegenw., II 1930; W. Linden, D. Zeitalter d. R. (Zs. f. Dtkde., 1930); S. v. Lempicki, Wurzeln u. Typen d. dt. R. i. 19. Jh. (Fs. J. Petersen, 1938); B. Weiberg, *French R.*, Lond. 1938; H. Reinhardt, D. Dichtgs.theorie d. sog. poet. Realisten, 1939; K. Löwith, V. Hegel bis Nietzsche, ^{2}1950; A. P. Berkhout, Biedermeier u. poet. R., Diss. Amsterd. 1942; W. Rehm, Experimentum medietatis, 1947; R. Kaßner, D. 19. Jh., 1947; G. J. Becker, *R.* (*Mod. Language Quarterly* 10, 1949); E. Staiger, Meisterwerke dt. Erzählkunst i. 19. Jh., ^{3}1957; G. Lukács, Probleme d. R., 1955; ders., Balzac u. franz. R., 1951; ders., D. russ. R. i. d. Weltlit., ^{2}1952; ders., Dt. Realisten d. 19. Jh., ^{5}1956; W. A. Vetterli, Gesch. d. ital. Lit. i. 19. Jh., 1950; M. Glaser, Dichtg. vor Gott, 1950; H. C. Hatfield, *R. in the German Novel* (*Comp. Lit.* 3, 1951); H. Levin, *What is r.* (*Compar. Lit.* 3, 1951); S. Lide, V. Heine bis Hauptmann, Stockh. ^{4}1952; M. Greiner, Zwischen Biedermeier und Bourgeoisie, 1953; M. Braun, Russ. Dichtg. i. 19. Jh., ^{2}1953; W. Silz, *R. and reality*, Chapel Hill 1954; R. Dumesnil, *Le r. et le naturalisme*, Paris ^{2}1955; F. Koch, Idee u. Wirklichk., II 1956; W. Höllerer, Zw. Klassik u. Moderne, 1958; G. Kaiser, Um e. Neubegründg. d. R.begriffs (Zs. f. dt. Philol. 77, 1958); G. Lukács, Wider den mißverstandenen R., 1958; J. Chiari, *R. and imagination*, Lond. 1960; J. M. Ritchie, *The ambivalence of ›r.‹ in German lit. 1830 to 1880* (Orbis litt. 15, 1960); R. Wellek, *The concept of r. in lit. scholarship*, Groningen 1961 (auch Neophil. 45, 1961); P. Chiarini, *Romanticismo e realismo nella lett. tedesca*, Padua 1961; Lebendiger R., Fs. J. Thyssen 1962; F. Martini, Forschgs.ber. z. dt. Lit. i. d. Zeit d. R., 1962; G. J. Becker, *Documents of mod. lit. r.*, Princeton 1963; H. Levin, *The Gates of Horn*, Oxf. 1963; W. Preisendanz, Voraussetzungen d. poet. R. i. d. dt. Erzählkunst d. 19. Jh. (in: Formkräfte d. dt. Dichtg., 1963); J. P. Stern, *Reinterpretations*, Lond. 1964; W. Berthoff, *The ferment of r.*, N. Y. 1965; D. Pizer, *R. and naturalism in 19th cent. Americ. lit.*, Carbondale 1966; M.-L. Gansberg, D. Prosa-Wortschatz d. dt. R., ^{2}1966; K. Fehr, D. R. i. d. schweizer. Lit., 1965; H. Schlaffer, Lyrik i. R., 1966; H. Kunisch, Z. Probl. d. künstler. R. i. 19. Jh. (Fs H. de Boor, 1966); C. David, Zwischen Romantik u. Symbolismus, 1966; P. Demetz, Z. Definition d. R. (Lit. u. Kritik 16/17, 1967); *R., a Symposium* (Monatshefte 59, 1967); D. Tschizewskij, Russ. Lit.gesch. d. 19. Jh. II: R., 1967; E. J. Simmons, *Introduction to Russian R.*, Bloomington 1967; Dt. Dichter d. 19. Jh., hg. B. v. Wiese 1968; E. Alker, D. dt. Lit. i. 19. Jh., ³1969; H. Boeschenstein, *German lit. of the 19th cent.*, Lond. 1969; G. Kaiser, R.forschg. ohne R.begriff, DVJ 43, 1969; E. Auerbach, Mimesis, ⁵1971; J. P. Stern, *Idylls and realities*, Lond. 1971; D. Grant, *R.*, Lond. 1971; J. Kleinstück, Wirklichkeit u. Realität, 1971; E. Sagarra, Tradition u. Revolution, 1972; S. Grosse, Z. Frage d. R. i. d. dt. Dichtgn. d. MA. (Wirk. Wort 22, 1972); F. Gaede, R. von Brant bis Brecht, 1972; H. Widhammer, R. u. klassizist. Tradition, 1972; B. Sutschow, Hist. Schicksale d. R., 1972; H. Kinder, Poesie als Synthese, 1973; H. Schanze, Drama i. bürgerl. R., 1973; J. P. Stern, *On r.*, Lond. 1973; F. Martini, Dt. Lit. i. bürgerl. R., ³1974; Begriffsbestimmg. d. lit. R., hg. R. Brinkmann ²1974; R.-Theorien in Lit., Malerei, Musik u. Politik, 1975; J. P. Stern, Üb. oder eigtl. gegen e. Begriffsbestimmg. d. lit. R. (Lit. u. Kritik 10, 1975); R. -welcher, hg. P. Laemmle 1976; W. Powroslo, Erkenntnis durch Lit., 1976; U. K. Eggers, Aspekte zeitgen. R.theorien, 1976; W. Preisendanz, Wege d. R., 1976; ders., Humor als dichter. Einbildungskraft, ²1976; H. Widhammer, D. Lit.theorie d. dt. R., 1977; H. Aust, Lit. d. R., 1977; U. Eisele, R.-Problematik, DVJ 51, 1977; H.-J. Ruckhäberle u. a., Roman u. Romantheorie d. dt. R., 1977; S. Kohl, R., Theorie u. Gesch., 1977; R. Brinkmann, Wirklichk. u. Illusion, ³1977.

Reallexikon (v. lat. *realis* zu *res* = Sache), Sachwörterbuch, enthält im Ggs. zum biographischen, Sprach- und Namenlexikon die sachlichen Begriffe und Grundlagen e. Wissenschaft und vermittelt Sachwissen.

Rebus (lat. = durch Dinge, sc. ausgedrückt), Bilder- und Figuren →rätsel, das allein durch Illustrationen oder durch Anordnung von Wörtern (Silben) über- und untereinander das Gemeinte verschlüsselt, z. B. der angebl. Briefwechsel FRIEDRICHS II. mit VOLTAIRE:

$\frac{\text{P}}{\text{venez}}$ à $\frac{\text{ci}}{\text{sans}}$ (= Venez souper à Sanssouci) und die Antwort: G a (= J'ai grand appétit).

E.-M. Schenk, D. Bilderrätsel, 1973.

Recensio →Rezension (1)

Rechtschreibung, die durch feste Regeln einheitlich gestaltete und dadurch erhöhte Lesbarkeit anstrebende Schrift; urspr. nach dem einfachen Ziel der besten phonetischen Wiedergabe des Klanges gestaltet, die ohnehin bei der geringen Zahl der Zeichen und der Fülle der verschiedenen Laute nur annähernd sein kann. Seit der Verbreitung des Schriftwesens eignet ihr jedoch obendrein ein traditioneller Zug zur Konservierung des einmal angenommenen Schriftbildes, so daß die R. trotz ständiger kleiner Veränderungen und Verbesserungen stets ein wenig hinter der Sprachwandlung zurückbleibt, schwindende Sprachformen länger bewahrt und seit ihrer allg. Verbreitung größere Sprachveränderungen verhindert. Bestrebungen und Vereinheitlichung der R. sind seit der Spätantike bekannt; in Dtl. kamen sie erst mit der Ausbildung der nhd. →Schriftsprache zur Geltung, schieden sich jedoch noch im 19. Jh. in die historisch konservative (Jac. GRIMM) und die phonetische Richtung (R. v. RAUMER), die bis heute Angleichung des Schriftbildes an die Aussprache erstrebt. Grundlegend für die heutige R. sind seit 1902 die in der jeweils neuesten Auflage des *Duden* zusammengefaßten Vorschriften.

Rechtsschutz →Urheberrecht

Reconnaissance (frz. =) →Anagnorisis

Recto (v. lat. *rectus* = rechts, richtig), bei unpaginierten, nur nach Blättern gezählten Handschriften die rechts liegende Vorderseite des Blattes im Ggs. zum →Verso.

Redakteur (franz. *rédacteur* zu lat. *redigere* = eintreiben), ›Schriftleiter‹ einer Zeitung, Zs. oder anderer Periodika, auch in Verlag, Rundfunk und Fernsehen, dem die Prüfung, Auswahl und evtl. Umformung der eingesandten Manuskripte und Mitarbeiterbeiträge für den Druck, deren Einordnung und Drucküberwachung, das Verfassen eigener Artikel und Anfordern fremder Beiträge obliegt. Er steht an der Spitze e. Reihe von ihm ausgewählter Mitarbeiter und vertritt, als ›verantwortlicher R.‹ auf jedem Exemplar namentlich angegeben, das von ihm geleitete Unternehmen in juristischer Beziehung. Bei größeren Zeitungen und Zss. arbeiten mehrere Fach- oder Ressort-R.e für die verschiedenen Sparten des Blattes (Politik, Wirtschaft, Kultur, Feuilleton, Sport, Lokales, Gericht, Informationen usw.) unter e. hauptverantwortlichen Chef-R.

Redaktion, 1. Schriftleitung als Arbeitsstätte oder Personenkreis der →Redakteure e. Zeitung, e. Verlags-, e. Rundfunk- oder Fernsehanstalt; 2. deren Tätigkeit: Vorbereitung der Texte für den Druck oder Sendung durch Umformung, Hervorhebung, Kürzung usw., die aus den oft unvollkommenen Einsendungen mit Verständnis und Einfühlungsgabe das herausholen wollen, was keimhaft in ihnen verborgen liegt, doch infolge mangelnder Ausdruckskraft des Verfassers nicht zu voller Entfaltung kam.

Rede →direkte, →indirekte und →erlebte Rede, →gebundene Rede, allg. →Rhetorik

Redefiguren →rhetorische Figuren

Redekunst →Rhetorik

Redensart, durch alltäglichen Gebrauch formelhaft erstarrte Sprachwendung, die jedoch im Ggs. zum Sprichwort nicht aus sich selbst heraus, sondern nur in der jeweiligen Einordnung im Satz- und Sinnganzen Bestand erhält und keine allgemeingültige Erkenntnis zum Ausdruck bringt. Vgl. →Phrase.

Rederijkers (holländ. volksetymolog. Umdeutung von franz. → *rhétoriqueurs* = Redner, im Spätma. = Dichter allg.), urspr. die Mitglieder der seit Ende des 14. Jh. aus den geistlichen Brüderschaften in den Niederlanden hervorgegangenen Redekammern, d. h. lit. Vereine mit dem Ziel von Mirakel- und Mysterienaufführungen, später auch der Aufführung von Moralitäten (›Sinnespelen‹), biblischen Dramen und →Kluchten, auch Refraingedichten (→Refrein) in dichterischem Wettkampf (→Landjuweelen, Refereinfeesten, Haeghspelen); bedeutende R.-Kammern waren ›Violieren‹ in Antwerpen, ›Het Boeck‹ in Brüssel, ›De Fonteine‹ in Gent, am berühmtesten: →Eglantier. Die Leitung der einzelnen Redekammer bestand aus mehreren ›Hoofdlieden‹ (ein Schirmherr, ein Dekan, ein Bannerträger, ein Kammernarr, ein Faktor = Dichter usw.). In Belgien entstanden die R.-Kammern im 16. Jh. und erlebten ihre Hochblüte vor dem Freiheitskrieg gegen Spanien; in Holland verschmilzt in den R. das einheimische Handwerkertheater mit Einflüssen der Englischen Komödianten und erreicht seine höchste Blüte kurz vor dem Verfall unter dem Dramatiker Joost van den VONDEL (1587–1679) mit starkem Einfluß auf GRYPHIUS. Als namhafte Dichter gingen aus ihnen hervor C. van RIJSSELE, A. de ROOVERE, Anna BIJNS, C. EVERAERT und M. de CASTELEIN. – Um 1840 neugegr. R. bildeten nur Kreise zur Pflege der Deklamation.

G. D. J. Schotel, *Geschiedenis der R. in Nederland,* II [2]1871; P. van Duyse, *De R.-kamers in Nederland,* Gent II 1900–02; H. H. Borcherdt, D. europ. Theater i. MA. u. Renaissance, 1935; E. Ellerbroek-Fortuin, *Amsterdamse R.-spelen in de 16de eeuw,* 1937; J. J. Mak, *De R.,* Amsterdam 1944; W. M. H. Hummelen, *Repertorium van het r.-drama,* Assen 1968.

Redondilla (span.), R. mayor, spezifisch span. Gedichtform in vierzeiligen Strophen zu je acht Silben mit der Reimfolge abba. Entstanden im 16. Jh. wohl durch Aufspaltung der Copla de →Arte menor und verwandt mit der →Quintilla, mit kürzeren Zeilen auch R. menor genannt.

D. C. Clarke, *R. and copla de arte menor* (*Hispanic Review* 9, 1941); R. Baehr, Span. Verslehre, 1962.

Referat (v. lat. *referre* = überbringen), mündliche oder schriftliche Berichterstattung über e. Fachgebiet, neue Forschungsergebnisse, lit. Neuerscheinungen usw. durch e. Referenten; im Ggs. zur →Rezension bloße Inhaltsangabe ohne Kritik.

Reflexion (v. lat. *reflectere* = zurückbeugen), das auf die Beobachtung eigener seelischer Vorgänge zurückgewandte Denken; im weiteren Sinne jedes prüfende und vergleichende Nachdenken und dessen Ergebnis. Vgl. GOETHES *Maximen und R.en.* In der Romanpoetik die unanschauliche, direkte Vermittlung von Einsichten in die Gesetze des Lebens und allg. Moralisieren des Autors über die Erzählhandlung hinweg an die Adresse des Lesers.

W. Hahl, R. u. Erzählg., 1971.

Reflexionslyrik →Gedankenlyrik

Reformationsliteratur umfaßt das gesamte durch die Reformation hervorgerufene, mit ihr in Beziehung stehende Schrifttum in lat. und dt. Sprache von LUTHERS 95 Thesen (1517) bis zum Augsburger Religionsfrieden (1555), das meist in scharfer, ausgesprochen polemischer Stellungnahme und Meinungsäußerung für oder gegen die Bestrebungen zur Erneuerung des kirchlichen Lebens eintritt und sich dazu der verschiedensten lit. Formen bedient: →Flugschrift, Streitschrift, Streitgespräch, →Streitgedicht in Vers oder Prosa, auch →Fastnachtsspiel und Fabel, →Satire, Pamphlet u. a. m. An dem religiösen Kampf beteiligen sich fast alle Dichter der Zeit; nur Hans SACHS bleibt größtenteils im rein Dichterischen, zu dem später auch WICKRAM und FISCHART zurückkehren. Auch die neue Buchdruckerkunst beteiligt sich mit großem Eifer, zumal es sich nie um große Werke, sondern stets um Kleinliteratur, am häufigsten Streitgespräche, handelt und die häufige Verwendung der dt. Sprache als gleichwertig neben der lat. ihnen weiteste Verbreitung sichert. – Als Vorläufer gelten die mystische *Theologia Deutsch* aus dem 14. Jh., von LUTHER 1516/18 herausgegeben, ferner die volkstümlichen Predigten GEILERS VON KAISERSBERG, die neulat. Satirenlit. der Humanisten *(Epistulae obscurorum virorum)* und die →Narrenlit. (ERASMUS *Encomium moriae*). Die eigtl. R. beginnt mit den Streitschriften zwischen LUTHER und ECK und seit dem Reichstag zu Worms mit e. Fülle von Flugschriften, in die auch HUTTEN mit lat. →Dialogen, die 1521 als *Gesprächsbüchlein* dt. erscheinen, eingreift. Ihm folgen EBERLIN VON GÜNZBURG (*15 Bundesgenossen,* 1521), Franz von SICKINGEN, STYFEL, u. a. auch der anonyme Dialog *Karsthans,* evtl. von J. VADIANUS, in dem e. Bauer – zum erstenmal nicht wie in der zeitgenössischen Lit. komische Figur – gegen die Überredungskunst TH. MURNERS seinen ev. Glauben verteidigt, e. Figur, die breiteste Nachfolge in anderen Dialogen fand. Höhepunkt der lat. R. bildet das satirische Drama *Eccius dedolatus* (von N. GERBEL?, 1520). Auf der kath. Gegenseite wendet TH. MURNER die Narrenlit. ins Religiöse und Polemische (*Von dem großen Lutherischen Narren,* 1522); auf ev. Seite folgen Fastnachtsspiele von P. GENGENBACH, N. MANUEL (*Vom Papst und seiner Priesterschaft,* 1522), später Burkart WALDIS, Sixt BIRK und bes. drastisch Th. NAOGEORG (Kampfdrama *Pammachius* 1538, satirisches Epos *Regnum papisticum* 1553); unter den Angriffen gegen die R. ragt später noch das lat. Pamphlet *Monachopornomachia* (1528) des Simon LEMNIUS hervor; die Seite der Reformation vertreten späterhin noch Hans SACHS (*Wittenbergische Nachtigall* und Reformationsdialoge 1524), Burkart WALDIS und Erasmus ALBERUS. Bauernkriege und Wiedertäuferbewegung bringen neue Noten in die Kampflit. Doch neben dieser ausgedehnten Streitlit., die, oft derb bis unflätig, dichterische Formen und Werte der Tendenz opfert, für die Dichtungsgeschichte nur durch die Ausbildung der dt. Prosa wichtig und sonst höchstens von kirchen- und kulturgeschichtlichem Interesse ist, steht noch e. geistliches Schrifttum in Predigten, Tischreden und bes. die →Bibelübersetzung LUTHERS (ganz 1534), die wesentlich zur Ausbildung der nhd. Hoch- und Schriftsprache beitrug. MELANCHTHON trägt wesentlich zur Bildung e. neuen religiösen Unterweisungsschrifttums bei. Am folgenreichsten war die R. für die geistliche Dichtung selbst: das →geistliche Lied wird →Kirchenlied, glaubensstarkes und dichterisches Bekenntnis der Gemeinde, und auch das neutrale, strenggeformte Humanistendrama erhielt durch die Reformation neue Gehaltstiefe. Neben der dt. R. entwickelt sich in Frankreich ebenfalls e. Hugenottenlit., von nachhaltigstem Einfluß in MAROTS →Psalmendichtung und DU BARTAS *La semaine.* →Gegenreformation.

F. V. Bezold, Gesch. d. dt. Ref., 1890; H. Schöffler, D. Ref., 1936; K. Brandi, D. dt. Ref., 1941; W. Stammler, V. d. Mystik z. Barock, [2]1950; P. Joachimsen, D. Ref. als Epoche d. dt. Gesch., 1951; R. Newald, Humanismus u. Ref. (Annalen d. dt. Lit., hg. H. O. Burger 1952); K. Brandi, Dt. Gesch. i. Zeitalter d. Ref. u. Gegenref., [3]1960; Gesch. d. dt. Lit. v. 1480–1600, 1960; H. Schöffler, Wirkungen d. R., 1960; W. Pauck, *The heritage of the R.*, N. Y. 1961; P. Smith, *The age of the r.*, N. Y. II 1962; Ch. Beard, *The Ref. of the 16. cent.*, Ann Arbor 1962; V. H. H. Green, *Renaissance and Ref.*, Lond. [2]1964; *The Ref. Crisis,* hg. J. Hurstfield, Lond. 1965; H. J. Grimm, *The r. era,* N. Y. 1965; J. Lortz, D. R. i. Dtl., II [5]1965; H. Bornkamm, D. Jh. d. R., 1966; Wirkungen d. dt. R., hg. W. Hubatsch 1967; R. Stupperich, Gesch. d. R., 1967; A. G. Dickens, *R. and society in 16th cent. Europe,* N. Y. 1967; H. O. Burger, Renaiss., Humanism., R., 1969; RL; H. Rupprich, D. Zeitalter d. R., 1973 (de Boor/Newald, Gesch. d. dt. Lit. 4, 2); Volkserz. u. R., hg. W. Brückner 1974; B. Könneker, D. dt. Lit. d. R.zeit, 1975; *The Renaiss. and R. in Germany,* hg. G. Hoffmeister, N. Y. 1977.

Refrain (provenzal. *refraingre* = wiederkehrendes Sichbrechen der Wellen), →Kehrreim.

Refrán (span.), span. volkstümliches Sprichwort in gereimten oder assonierenden Versen im Ggs. zum prosaischen Proverbio oder zur gelehrten Sentenz. R.es werden oft den realistischen Figuren in Drama und Roman in den Mund gelegt, so z. B. Sancho Pansa in CERVANTES' *Don Quijote.*

Refrein (holländ., v. franz. →*refrain*), lyr. Form der →Rederijkers um 1450–1600 für ernste, religiöse, didaktische, erotische und komische Inhalte: mindestens vier Strophen von beliebiger, aber gleicher Länge und Reimfolge, die auf dieselbe Schlußzeile auslaufen, und e. kurze, oft als Widmung angelegte und z. T. akrostichitische Schlußstrophe. In R.feesten als Wettbewerb nach vorgegebenem Thema und vorgegebener Form vorgetragen; u. a. von Anna BIJNS.

A. van Elslander, *Het r. in de Nederlanden tot 1600*, Gent 1953.

Regeln, die von der jeweils maßgeblichen Poetik oder allg. Kunsttheorie vorgeschriebenen allg. formalen, gattungsbedingten und inhaltlichen Eigenschaften der Dichtung, deren Einhaltung den Charakter der ›Regelmäßigkeit‹ mit sich bringt, so z. B. die Aktzahl im Drama, die dramat. Überleitungen zur Vermeidung der leeren Bühne, die Lehre von der Reinerhaltung der Gattungen und der ihnen angemessenen Stoffe, die →Ständeklausel und die Lehre von den →Einheiten. Sie wandeln sich mit den Generationen je nach Geschmack und Kunstauffassung und gelten meist so lange, bis ein allg. anerkanntes, geniales neues Werk ihre Verbindlichkeit durchbricht und dennoch überzeugt.

Regenbogenpresse, nach der bunten Kopfleiste Bz. für triviale Wochenendblätter, die leserorientiert Themen aus der Welt des Hochadels, des Films und der Reichen ohne substantiellen Gehalt behandeln und dabei den Leserwünschen entsprechend eine unpolitische, heile Märchenwelt von Glanz, Glück, Harmonie und Unschuld projizieren.

W. Nutz, D. R., 1971.

Regesten (mlat. *regesta* = Verzeichnis), zeitlich geordnete, kurz zusammenfassende Inhaltsangaben (Auszüge) bes. ma. Urkunden und Briefe.

Regie (franz. *régie* = Verwaltung), ›Spielleitung‹ beim Theater (und Film), Teil der →Inszenierung als Aufgabenbereich des Regisseurs (Spielleiters): die gesamten Vorbereitungen zur Bühnen→aufführung e. Dramas, soweit sie das Zusammenwirken der einzelnen Faktoren (Schauspieler, evtl. Orchester, Bühnenbild, Kostüme, Beleuchtung, Bühnenmaschinerie u. a.) in einheitlichem →Ensemble zum Ziel haben und durch die Art der Darstellung dem Geist der dramatischen Dichtung den ihm angemessenen Ausdruck und die urspr. ir ihm angelegte Deutung zu geben suchen. Die Tätigkeit des Regisseurs beginnt bereits bei der Rollenverteilung und Einstudierung der einzelnen Rollen, erstrebt dann in e. Reihe von →Proben deren Einordnung und Unterordnung im Zusammenspiel und schließlich die Einfügung in den Rahmen von Bühnenbild und technischem Apparat. Folgt auf die ebenfalls vom Regisseur geleitete Premiere noch e. größere Anzahl von Wiederholungen (z. B. Serienspiel bei Wanderbühnen), so übernimmt die Aufsicht über diese e. Hilfsregisseur (›Stallwache‹). – Die Kunst der R. entwickelt sich als Beruf erst im 19. Jh. Im 18. Jh. und früher lag sie meist in Händen der größten Schauspieler, die oft gleichzeitig die Spielplangestaltung und die Rolle des Inspizienten übernahmen. Während der mittelmäßige Regisseur damals nur die Wahl der Kostüme und Requisiten und die rechtzeitige Abfolge der Auftritte und Abgänge auf der Bühne überwacht, bestimmt bei größeren Begabungen wie EKHOF, SCHRÖDER, IFFLAND oder dem Dramaturgen SCHREYVOGEL schon die eigene Auffassung des Stückes die Inszenierungsart. Im 19. Jh. erweitert sich ihr Aufgabenbereich um Neuentdeckung von Begabungen, Pflege des Ensemblespiels, Rollenbesetzung und Einstudierung. Einzelne Schule machende Begabungen führen die Kunst der R. zu hoher Blüte: IMMERMANN, E. DEVRIENT, LAUBE, R. WAGNER, DINGELSTEDT, Herzog GEORG VON →MEININGEN, O. DEVRIENT, O. BRAHM, SAVITS, MARTERSTEIG, ZEISS und bes. M. REINHARDT. Trotz starker Ausprägung der persönlichen Auffassung blieb ihre R. doch stets, wie es ihre Aufgabe ist, Dienerin am Kunstwerk; sei es als Wort-R. mit Betonung auf der kunstvollen Sprachwirkung des Dramas (LAUBE) oder als Bild- (Szenen-) R. mit dem Hauptgewicht auf malerischem Bühnenbild und Bühnengeschehen (DINGELSTEDT, →Meininger), in jedem Fall zeigte sich die R. als geniale Interpretation e. Dramas, die seinen dichterischen Wert durch kongeniales Nachempfinden ungeheuer steigern konnte, und erhielt e. hervorragende Stellung im Theaterwesen. Nur kleine Geister dagegen gefielen sich in selbstherrlicher Umgestaltung des Dichtwerks als bloße Vorlage zum virtuosen Brillieren mit eigener Regiekunst in sogenannten ›Regietheatern‹. Seit Ende des 19. Jh. verlangte man vom Regisseur e. umfassende lit. und theatergeschichtliche Bildung und errichtete Lehrstühle und Institute für →Theaterwissenschaft an den Universitäten in Amerika, Dtl., Österreich, Rußland, später auch Frankreich, und nach anfänglich starker Opposition hat sich die Eigenständigkeit des R.fachs schließlich durchgesetzt. Das 20. Jh. bringt in ganz Europa starke Umwälzungen und neue Versuche der R.: in England E. G. CRAIG, in Rußland STANISLAVSKIJ und TAIROV, in Dtl. bes. C. HAGEMANN, KAYSSLER, L. JESSNER, J. FEHLING, HILPERT, Saladin SCHMITT, GRÜNDGENS, GEORGE, KLÖPFER, SELLNER, STROUX und LIEBENEINER. Die gegenwärtige Tendenz zur krit., aktualisierenden und ideologischen Umfunktionierung ungeschützter Spieltexte, die nur noch ›Materialwert‹ (B. BRECHT) haben sollen, verabsolutiert die Wirkung der R. zugunsten der ursprüngl. dichterischen Aussage.

C. Hagemann, D. R., [5]1918; M. Martersteig, D. dt. Theater i. 19. Jh., [2]1924; M. Alberti, Moderne R., 1912; H. Ihering, Regisseur u. Bühnenmaler, 1921; C. Hagemann, D. Kunst d. Bühne, 1922; A. Tairoff, D. entfesselte Theater, 1923; A. Winds, Gesch. d. R., 1925; RL[1]; H. Ihering, R., 1943; H. Hilpert, Formen d. Theaters, 1943; R. Biedrzynski, Schauspieler, Regisseure, Intendanten, 1944; P. Legband, D. Regisseur, 1947; J. E. Dietrich, *Play direction,* N. Y. 1953; J. Gregor, D. Theater-R. i. d. Welt uns. Jh., 1958; H. Schwarz, R., 1965; G. M. Bergman, D. Eintritt d. Berufsregisseurs in d. dt.-sprach. Bühne (Maske u. Kothurn 12, 1966).

Regieanweisung →Bühnenanweisungen

Regionalismus (lat. *regio* = Gebiet) →Heimatdichtung

Regisseur (franz.) →Regie

Register (mlat. *registrum* zu →*regesta*), alphabetisches Namen- und Sachverzeichnis (→Index), notwendige Beigabe jedes nicht rein schöngeistigen, sondern fachbezogenen Buches, das die Auswertung des Inhalts erst ermöglicht und damit die wissenschaftl. Arbeit rationalisiert. Optimale Art und Anlage des R. vom reinen (aber vollständigen!) Personenverzeichnis bis zum kombinierten oder separaten Personen-, Orts-, Sach- und Titel-R. sind von Fall zu Fall verschieden, ebenso die optimalen Auswahlkriterien für e. Sach-R. vom nahezu kompletten Wortindex, der den Benützer oftmals in die Irre führt, ohne ihm entsprechende Auskunft zu geben, zur Auswahl nur solcher Stichwörter, die am angeführten Ort eine registrierenswerte Aussage erfahren.

S. K. Spiker, *Indexing Your Book*, Madison [2]1963; R. L. Collison, *Indexes and Indexing*, Lond. [2]1959; ders. *Indexing Books*, Lond. 1961; H. Kunze, Üb. d. R.machen, 1966; G. N. Knight, *Training in Indexing*, Cambr./Mass. 1968.

Regression (lat. *regressio* = Rückgang), →rhetorische Figur: nachträgliche erläuternde Unterscheidung und Wiederholung der bereits ausgesprochenen Einzelglieder e. mehrgliedrigen Ausdrucks, z. B.: ›Beide Eltern waren ihm gestorben, der Vater war im Kriege gefallen, und die Mutter hatte der Kummer aufgezehrt.‹

Reicher Reim, erweiterter Reim, entsteht durch Gleichklang (oder Assonanz) der letzten drei (oder mehr) Silben des Reimwortes, z. T. auch vor der letzten Hebung: ›Freude dem Sterblichen, / den die verderblichen, / schleichenden, erblichen / Mängel umwandeln.‹ (GOETHE); oft in orientalisierender Dichtung (Ghasel). Vgl. →Rime riche, →Doppelreim.

Reigenlied →Tanzlied

Reihen, 1. →Tanzlied, 2. →Reyhen, 3. rhythmische R. →Kolon und →Kurzvers.

Reihung →Asyndeton, →Polysyndeton, →Parataxe.

Reim, mhd. *rîm* unter Bedeutungsbeeinflussung von lat. *rhythmus* und evtl. altfranz. *rime* erscheint zuerst um 1170 in ALBERS *Tundalus* in der Bedeutung ›Verszeile‹, während der Endreim ›bunt‹ heißt. Das Wort behält den urspr. Sinn in nhd. Zusammensetzungen wie Kinder-, Kehr-, Rund-, Leber-, Monats-, Schüttel-reim, R.paar und R.brechung. Nachdem OPITZ im 17. Jh. das Wort ›Vers‹ eingeführt hat, wird die Bedeutung von ›R.‹ frei und bezeichnet seit Mitte des 18. Jh. ›Endreim‹: im Ggs. zur bloßen →Assonanz vollständigen lautlichen Gleichklang zweier oder mehrerer Wörter vom letzten betonten Vokal an, jedoch ohne die davorstehende Konsonanz (sonst →rührender R.); als Endreim am Ende e. rhythmischen Reihe (Kolon, Vers) oder als →Binnenreim in der Mitte eindrucksstarkes, magisches Klangspiel zur melodischen Gliederung der Strophen, akustischen Abgrenzung der Verse und deren Verbindung zu Sinn- und Klangeinheiten. Er gehört jedoch nicht notwendig zum Wesen der Dichtung. Man unterscheidet: 1. nach Art und Zahl der gebundenen Silben: →männlichen, →weiblichen, →reichen, →Doppel-, →rührenden, →identischen, →grammatischen, →gebrochenen, →gespaltenen, →reinen oder →unreinen R. 2. nach der Stellung innerhalb des Verses: →Schlag-, →Mittel-, →In-, →Anfangs-, →Binnen-, →Zäsur-R. und →Pause (2), 3. nach der Stellung zueinander: →Paar-, →Drei-R., →R.häufung, →Kreuz-, →Schweif-, →umarmenden, →verschränkten, →Ketten-R. und →Körner.

Während der german. Vers in der den Rhythmus unterstreichenden →Alliteration und der →antike Vers im Wechsel der →Quantitäten e. feste Form der Versbindung und -ausschmückung besitzen, erscheint bereits in röm. Poesie und Prosa vereinzelt der R. in Form des →Homoioteleuton mit Parallelismus, so schon im altitalischen Carmen, magischen Formeln, Sprichwörtern und Redewendungen (→Reimformeln), in der Rhetorik in Nachfolge des GORGIAS und ISOKRATES, in den →rhetorischen Figuren der antiken Kunstprosa als Satzschmuck, in der Dichtung bei PLAUTUS, TERENZ, ENNIUS, VERGIL, später bei den Archaisten seit FRONTO, dann bes. APU-

LEIUS, TERTULLIAN und AUGUSTIN. Doch ist die ausschließliche Herleitung des R. aus der Antike zweifelhaft und evtl. Beeinflussung aus dem Orient, der syr. Lit. und den Gebeten der jüd. Synagoge, wo er sich bis ins 1. Jh. n. Chr. zurückverfolgen läßt, anzunehmen. Noch im Ausgang des Altertums und im MA. erscheint er in der lat. →Reimprosa und als →leoninischer Vers. Allein entscheidend für die Verbreitung des R. war die lat. christliche Hymnendichtung, die sich von der quantitierenden Dichtung löst und zur Beachtung des Wortakzents drängt. Das älteste Zeugnis liefern die *Instructiones* des COMMODIANUS (um 270), wo einzelne Verse auf denselben Vokal ausgehen; AMBROSIUS verwendet den R. häufiger als Schmuckmittel; SEDULIUS und VENANTIUS FORTUNATUS im 5. und 6. Jh. gebrauchen ihn ausgiebiger, da er sich sowohl mit dem quantitierenden wie auch mit dem akzentuierenden Versbau vereinen läßt und bes. Unregelmäßigkeiten im Bau des Versinneren durch begrenzenden Gleichklang am Schluß wettmacht; doch erst seit dem 10./11. Jh. erscheint er regelmäßig in der ma. religiösen Dichtung und dringt von dort in die volkssprachlichen Litt. In Dtl. führt ihn OTFRIEDS VON WEISSENBURG Evangelienharmonie (um 870) an Stelle des Stabreims ein, begnügt sich freilich z. T. mit bloßer Assonanz, wie überhaupt anfangs der bloße Gleichklang der (auch unbetonten) Endsilbe für R. genügte und er erst später auf den ganzen Wortteil von der letzten Hebung an ausgedehnt wurde. Nunmehr hängt die Reinheit der Reime von der Kultiviertheit der Dichtung e. jeden Zeitalters ab. Die mhd. Klassik führt die R.kunst zu höchster Vollendung und verwendet nur →reine und rührende Reime. Seither herrscht der R. unbeschränkt in dt. Dichtung, bis im 18. Jh. PYRA, LANGE, die Schweizer und bes. KLOPSTOCK als Reaktion auf die Reimspielereien des Barock und mit Verweis auf das antike Vorbild seine Herrschaft anfechten, da er das Gehör betäube und die Gedanken feßle, und dabei auf die Reimlosigkeit antiker und altgerman. Dichtung zurückgreifen. Während Drama und z. T. Epos seither reimlos sind, hat sich der R. in der Lyrik (mit Ausnahme von →Freien Rhythmen und Nachbildungen antiker Strophen, z. B. bei HÖLDERLIN) dank dem jungen GOETHE, dem Göttinger Hain und später der Romantik (die den R.vokalen sogar symbolische Bedeutung zuerkannte) gehalten. Während Naturalismus (W. WHITMAN, A. HOLZ) und Expressionismus reimfeindlich waren und reimlose Gedichte nach dem 1. Weltkrieg den gereimten fast die Waage hielten, hat sich ein derartiger Vorgang nach dem 2. Weltkrieg nicht generell wiederholt, doch bevorzugt die mod. hermet.-experimentelle Dichtung (POUND, ELIOT, AUDEN) reimlose Formen. Auch in der literaturwissenschaftlichen Forschung dienen R.untersuchungen der Klärung von Echtheits- und Verfasserfragen, so etwa KÖSTERS Untersuchung über den Dichter der *Geharnschten Venus* (K. STIELER) und die über GOETHES Josefsdichtung.

W. Grimm, Z. Gesch. d. R., 1852; A. Ehrenfeld, Stud. z. Theorie d. R., 1897; W. Braune, R. u. Vers, 1916; F. Neumann, Gesch. d. nhd. R. v. Opitz bis Wieland, 1920; E. Norden, Antike Kunstprosa, II [2]1923; K. Wesle, Frühmhd. R.-Studien, 1925; A. Heusler, Dt. Versgesch., III [2]1956; L. Wolff, Z. Bedeutungsgesch. d. Wortes R. (Zs. f. dt. Altert. 67, 1930); H. Lanz, *The physical basis of rime*, Stanford 1931; N. Törnquist, Z. Gesch. d. Wortes R., Lund 1935; U. Pretzel, Frühgesch. d. dt. R., I 1941; K. G. Kuhn, Z. Gesch. d. R., DVJ 23, 1949; B. Brecht, Üb. reimlose Lyrik

(Sinn u. Form 3, 1951); W. Stapel, Stabr. u. Endr. (Wirk. Wort 4, 1953); H. Brinkmann, D. R. i. früh. MA. (Fs. H. M. Flasdiek, 1960); G. Schweikle, D. Herkunft d. ahd. R. (Zs. f. dt. Altert. 96, 1967); R. Abernathy, *Rhymes, non-rhymes and anti-rhymes* (Fs. R. Jakobson, 1967); C. Schuppenhauer, D. Kampf um d. R. i. d. dt. Lit. d. 18. Jh., 1970; RL; R. Hasan, *Rime and reason in lit.* (*Literary styles*, hg. S. Chatman, Lond. 1971); F. Vonessen, Z. Metaphysik d. R. (Fs. H. Friedrich, 1975); H. Meyer, Erotik d. R. (Jb. d. Akad. d. Wiss. Göttingen, 1976); D. Genese d. europ. Endreimdichtg., hg. U. Ernst u. a. 1977. →Metrik.

Reimabnutzung, die Verwendung allzu abgegriffener Reime, z.B. Herz/Schmerz.

Reimbrechung, in mhd. Dichtung die Erscheinung, daß zwei durch Endreim verbundene Verse (→Reimpaar) syntaktisch voneinander getrennt werden, indem der 1. Reimvers noch zum Satz der vorangehenden Zeile, der 2. bereits zu dem der folgenden Zeile gezogen wird, also beide völlig verschiedenen Gefügen angehören. Durch LAMPRECHTS *Alexander* (um 1145) in mhd. Dichtung nach franz. Vorbild eingeführt und bes. in der Blütezeit wichtiges Stilmittel; im Drama des 15./16. Jh. als →Stichreim fortlebend. →Enjambement, →Hakenstil.

H. de Boor, Üb. Brechung i. Frühmhd. (Festschr. E. Sievers, 1925); RL; W. Brandt (Fs. E. L. Schmidt, 1975).

Reimchronik, im Unterschied zur lat. Prosa-Chronistik des MA. die volkssprachige versifizierte →Chronik als historische Darstellung längerer geschichtlicher Zeiträume, der Welt- und Schöpfungs- oder Zeitgeschichte in gereimten Versen, oft weitausgesponnen und weniger von dichterischem als historischem Wert, da sie oft heute verlorene Quellen der Zeit benutzen und auch Selbsterlebtes und mündliche Überlieferung einfügen; bis ins 14. Jh. herrschende Form volkssprachiger Geschichtsdarstellung in Dtl., dichterisch noch am bedeutendsten im großen Sammelwerk der *Kaiserchronik* (beendet um 1150) als Geschichte der röm. und dt. Kaiser von CAESAR bis 1147, von Sagen, Legenden, Anekdoten und Novellen durchsetzt, ferner die →*Weltchronik* des RUDOLF VON EMS (1250/54) bis zum Tode SALOMONS, die *Österreichische R.* OTTOKARS VON STEIERMARK über die Jahre 1250–1309, JANS ENIKELS Weltchronik (13. Jh.), NIKOLAUS VON JEROSCHINS Deutschordenschronik (Mitte 14. Jh. nach der lat. Chronik PETER VON DUSBURGS), die Mecklenburgische R. des ERNST VON KIRCHBERG (1378), die des WIGAND VON MARBURG (bis 1494), die Holsteinsche, Appenzeller u. a. m., daneben auch Städtechroniken wie die Kölner Gottfried HAGENS aus dem 13. Jh.

W. Struve, Stud. z. Verh. v. R.- u. Prosachronik, Diss. Bln. 1955; L. Feuchtwanger, D. dt. R.n d. 14. u. 15. Jh. (in: Centum opuscula, 1956).

Reimfolge →Reim, →Reimschema

Reimformel oder reimende Verbindung koppelt reimende Wörter in Prosa zu stehenden Verbindungen: ›Saus und Braus‹, ›Knall und Fall‹; schon in lat. Lit. bezeugt.

Reimhäufung oder Haufenreim, die mehr als zweimalige Wiederholung des gleichen Reims durch Gleichklang vieler aufeinanderfolgender Versausgänge (über den →Dreireim hinaus meist ermüdend) oder durch Unterstützung des Endreims durch gleichen Binnenreim; schon bei HARTMANN und bes. in späthöfischer Dichtung virtuos verwendete Spielerei; Hans SACHS setzt den gleichen Reim oft 5–6mal, FISCHART am Abschluß der *Flöhhaz* 17mal. G. KELLERS *Abendlied* reimt jede der vierzeiligen Strophen auf denselben Reim.

Reimlexikon, Zusammenstellung von Wörtern gleicher Reimendung als Hilfsmittel des Dichters zur Erleichterung des Reimfindens oder zur äußerlichen Normierung des Reimgebrauchs in Zeiten, in denen das Dichten als lehrbar galt, so zuerst in der ital. Renaissance; bes. im 16. Jh.: als erstes Peregrino MORETOS R. aus DANTE und PETRARCA (1528), als bekanntestes das von Girolamo RUSCELLI (1559), als 1. dt. R. (gleichzeitig dt.-lat. Lexikon) das von Erasmus ALBERUS, *Novum dictionarii genus,* 1540; Nachfolge im 17. Jh.: ZESENS R. im Anhang zum *Hochdeutschen Helikon* (1640), nach Reimvokalen und auslautenden Konsonanten in drei Teilen geordnet: Steigton, Fallton und daktylischer Ton, ZESENS Reimschatz erweiterte das gegen Ausgang des Barock erschienene *Poetische Handbuch* von Joh. HÜBNER (1696); das umfangreichste neuere R. ist mit rd. 300000 Reimen das *Allg. dt. R.,* 1826 hg. von Peregrinus SYNTAX (= F. F. HEMPEL); leichter zugänglich sind W. STEPUTATS *Dt. R.* ([3]1963) und die von H. HARBECK ([3]1969), S. BONDY (1954) und K. PELTZER (1966). – Neben diesen dichterischen R.a entstanden, seit J. GRIMM und K. LACHMANN die Bedeutung des Reims für die philologische Forschung erkannten, wissenschaftliche R.a zu Einzeldichtern oder -werken, die an Hand des Reims die Kunstentwicklung verfolgen und Verfasserfragen durch Vergleichung lösen wollen (→Reim).

RL; S. Mehring (Lit. Echo 11, 1904); R. Leclerq, Aufg., Meth. u. Gesch. d. wiss. R.graphie, Amsterd. 1975.

Reimpaar, allg. durch →Paarreim verbundene Verse, insbes. vierhebige Kurzverse, Hauptvers der höfischen und spätmhd. Epik und Lehrdichtung, während die Lyrik fast nur strophisch gegliederte Formen aufweist; meist aus der lat. christlichen Hymnendichtung über OTFRIEDS →Reimvers (Langzeile mit Zäsurreim) abgeleitet und späterhin als beliebte Form für gelesene und vorgetragene Dichtungen und Fastnachtsspiele; als volkstümlicher Vers von OPITZ verpönt und in der Kunstdichtung verdrängt durch den franz. Alexandriner, der später vom Blankvers abgelöst wird, doch im Sturm und Drang als →Knittel-, Hans-Sachs- oder Faustvers wieder verwendet und in der Volksdichtung bis heute erhalten. Das R. bildet die größte rhythmische Einheit gleich der Langzeile des Alliterationsverses; dabei ist der Rhythmus des Einzelverses in seinem Wechsel von Haupt- (/) und Nebenhebungen (\) tragende Grundlage. Von den theoretisch 16 Möglichkeiten erscheinen dabei meist sechs Typen, für die man die Bz. A–F eingeführt hat: A doppelt fallend: /\ /\ B doppelt steigend: \/ \/ C fallend steigend: /\ \/ D steigend fallend: \/ /\ E verstärkt fallend: //\\ F verstärkt steigend: \\//. Die Senkungsfüllung ist frei, doch während OTFRIED insges. 4–10 Silben je Vers zuläßt, durchbricht die frühmhd. R.dichtung das geordnete 4-Takt-Schema mit Versen von 3–18 Silben, und erst die Blütezeit bringt mit intensiver technischer Besinnung die Harmonisierung und strenge Stilisierung zu möglichst ausgeglichener Silbenzahl (durchschnittlich um 8): (x)/x́x/x́x/x́x/x́x, aber erst bei der strengen Kunst KONRADS VON WÜRZBURG erscheinen höchstens Variationen von 7–9 Silben, wogegen in der Blütezeit noch der Auftakt einige, selbst z.T. betonte Silben aufnehmen konnte. →Kadenz.

RL. →Metrik.

Reimpaarsprung, Form des →Enjambements in mhd. Versdichtung:

das Übergreifen der syntaktischen Einheit über ein Reimpaar hinaus, ähnlich dem Bogen- oder →Hakenstil der Stabreimdichtung. Ggs.: →Reimbrechung.

Reimpaarvers →Reimvers

Reimpredigt, Form der mhd. geistlichen Dichtung, die theologisches Wissen und christliches Verkünden in formelhaft angelegten Gedichten von salbungsvollem Ton vorträgt.

Reimprosa, 1. stark mit Reimen (→Homoioteleuta) durchsetzte rhetorische Kunstprosa, bes. in lat. Prosa des ausgehenden Altertums und Frühma. Ähnliche Formen im 20. Jh. in RILKES *Cornet,* RINGELNATZ' *Reisebriefen eines Artisten,* bei WERFEL und DAUTHENDEY. – 2. Bz. W. WACKERNAGELS für die unmetrisch scheinenden, weil durch e. außergewöhnlich hohe und schwankende Zahl von Senkungen stark gefüllten Reimverse einzelner frühmhd. Dichtungen, die das Erbe des Alliterationsverses bewahren (*Merigarto* u. a.). Zur arab. R. →Makame.

K. Polheim, D. lat. R., [2]1963. RL.

Reimrede, allg. didakt. oder polit. Dichtungen des dt. SpätMA. in Reimpaaren, z. B. von HEINRICH DEM TEICHNER: leserbezogene Zwecklit. zur Unterhaltung und Bildung.

E. Lämmert, Reimsprecherkunst i. SpätMA., 1970.

Reimschema, die verkürzte, verallgemeinerte, schematische Aufzeichnung der Reimfolge, d. h. der Abfolge und Korrespondenzen der Reime einer Strophe oder eines Gedichts durch gleiche Buchstaben für gleiche Reime, vgl. z. B. →Sonett. Wörtlich wiederkehrende Reimworte oder Verszeilen werden dabei durch Großbuchstaben bzw. hochgestellte Zahlen, Sterne oder Striche als identisch gekennzeichnet.

Reimspiel, dichterische Klangspielerei durch Verwendung bes. auffälliger und gesuchter Reimstellungen und -verbindungen wie Schlagreim Pause (2), Reimhäufung u. ä., bevorzugt in Barock und Romantik, parodiert bei KORTUM, HEINE, BUSCH.

Reimsprecher →Pritschmeister

Reimspruch, gereimtes Sprichwort oder Denkspruch: ›Sich regen bringt Segen‹.

Reimstrophe, →Strophe mit eigenartiger, fest vorgeschriebener Reimstellung wie Stanze oder Terzine.

Reimvers, im Ggs. zum altgerman. →Alliterationsvers der mit End→reim versehene Vers, den für die dt. Dichtung OTFRIED VON WEISSENBURG 870 nach dem Vorbild lat. Hymnendichtung schuf und damit e. grundlegende Umgestaltung des dt. Versbaus bewirkte; im engeren Sinne nur die von OTFRIED selbst angewandte Form (Langzeile aus zwei durch Zäsurreim gebundenen Kurzzeilen mit je vier Hebungen und dazwischen je bis zu drei Senkungen, also insgesamt 4–10 Silben je Kurzvers), die für gesungenen und gesprochenen Vortrag geeignet war; im weiteren Sinne auch die daraus hervorgegangenen frühmhd. und höfischen →Reimpaare und der Knittelvers.

E. Sievers, D. Entstehg. d. dt. R. (Pauls u. Braunes Beiträge 13, 1888); K. Luick, Z. Herkunft d. dt. R. (ebda. 22, 1897); RL. →Metrik.

Reimzwang, gesuchte und ungewöhnliche Formulierung um des Reimes willen. →Verszwang.

E. Bednara, Verszwang u. R., 1911 f.

Reine Reime im Ggs. zu →unreinen R. zeigen genaueste Übereinstimmung in Vokalen und Konsonanten; bes. in mhd. Dichtung heißen r. R. solche, die allen mundartlichen Unterschieden zum Trotz stets e. genauen Gleichklang ergeben; seit HEINRICH VON VELDEKE Kunstgesetz der höfischen Dichtung.

Reinheit der Sprache →Purismus

Reisebericht, als kunstlose Prosaform die lit. unprätentiöse, sachliche und mitunter von inhaltlicher Spannung getragene Beschreibung e. Reiseerlebnisses.

J. Strelka, D. lit. R. (Jb. f. Internat. Germanistik 3, 1971).

Reisebeschreibung →Reisebericht, →Reiseliteratur

Reisebriefe, Sonderform der →Reiseliteratur in Gestalt von Reiseberichten in Briefform, denen in der Abfolge der Erlebnisse e. gewisse Geschlossenheit und e. persönliche Nähe des Schreibers eignet, e. Beglaubigung, die wiederum fingierte R. anregte. Bedeutende R. von LICHTENBERG, GOETHE, WACKENRODER, FONTANE u. a.

Reiseführer →Periegese, →Reiseliteratur

Reiseliteratur umfaßt das gesamte dem Stoff nach von Reisen berichtende Schrifttum vom Reisehandbuch oder -führer mit sachlichen Angaben und Ratschlägen für Reisende, wie es bereits im Altertum (→Periegese) und MA. zuerst hs., später mit bes. Berücksichtigung der Wallfahrtswege, bekannt war, im 15. Jh. gedruckt erschien und neuerdings durch die BAEDEKER-Serie (seit 1828) fortgesetzt wird, über die wissenschaftliche Reisebeschreibung (z. B. A. v. HUMBOLDT) und die dichterisch ausgestaltete Wiedergabe von Reiseerlebnissen und -erfahrungen oder Beschreibung der Zustände in fremden Ländern als unterhaltender Reiseroman bis zum humoristisch-satirischen, →utopische Zustände schildernden →Staatsroman oder dem der Phantasie freien Lauf lassenden →Abenteuer- und →Lügenroman. Als Bericht von fremden Ländern und Völkern wie von gefährlichen Unternehmungen erwecken alle dichterischen Formen der R. stets die Neugier breiter Kreise und sind eine der verbreitetsten und ältesten Literaturgattungen: am Anfang steht die *Odyssee* HOMERS als dichterische Einheit von Reise und Abenteuer; es folgen die griech. Reisebeschreibungen von SKYLAX aus Karyanda, der im Auftrag des Perserkönigs DAREIOS rd. 516 v. Chr. die persisch-arabische Küste von Indien bis Suez erforschte (der unter seinem Namen überlieferte *Periplus* ist jedoch e. Kompilation des 4. Jh.) und PYTHEAS von Massilia, dessen Bericht über seine Reise bis zu den Shetland- und Orkney-Inseln, dem sagenhaften ›Thule‹, um 325 v. Chr. *(Peri Okeanu)* im Altertum zu Unrecht angezweifelt wurde. Beide Werke sind nicht erhalten, ebenso die der →Periegeten bis auf PAUSANIAS *Periegesis tes Hellados* (170 n. Chr.). Im weiteren Sinne gehört auch XENOPHONS *Anabasis* vom Zug der Zehntausend (um 380) hierher. LUKIAN aber parodiert in seinen *Wahren Geschichten* (Mitte 2. Jh. n. Chr.) die Aufschneidereien zeitgenössischer R., und die spätgriech.-sophistische R. (z. B. HELIODORS *Aithiopika,* Ende 3. Jh.) verbindet erotische und phantastische Elemente, die später bes. auf ma. und Barockroman mit stark →exotischem Einschlag wirken und fabelreiches orientalisches Milieu vorziehen. Im MA. sind es bes. die Spielmannsdichtungen und Romane: *Ruodlieb, Alexanderlied, Herzog Ernst, Fortunatus* u. a. Auf den Bericht Marco POLOS über seine Reise in die Mongolei 1271–1295 (1301, dt. Ende 14. Jh.) von durchaus glaubwürdiger Sachlichkeit folgt der phantastische *Reisebericht des englischen Ritters Mandeville* des franz. Lütticher Arztes Jean de BOURGOIGNE (Mitte 14. Jh.), der ernsthafte Angaben aus eigenen Anschauungen und älteren Reiseberichten mit der dem MA. vertrauten Wunderwelt von Fabeltieren und -menschen mengt. Zahlreiche Pilgerberichte schließen sich an: Hans SCHILTBERGER 1429, die *Pilgerreise* e. Grafen von KATZENELLENBOGEN und eine *Seereise von Venedig bis Beirut,* beide 1434, die *Jerusalemfahrt des Herzogs Friedrich von Österreich,* später Kaiser Friedrich III. (1436, Verserzählung), der *Geographische Traktat* des Eberhart GROSS (1436) und schließlich das *Raisbuch* des Hans TUCHER (1482). Größere Bedeutung erhält die R. erst im Zeitalter der Entdeckungen als Erweiterung des geographischen Gesichtskreises um 1500, doch verbindet sich auch hier schnell der Wirklichkeitsgehalt mit abenteuerlichen Motiven, z. B. im span. →Schelmenroman und den moralerzieherischen Romanen WICKRAMS. Gleichzeitig führt die Entdeckung neuer Länder zur Verlegung utopischer →Staatsromane in ferne Zonen: Th. MORUS *Utopia* 1516, T. CAMPANELLA *Città del Sole* 1623; CYRANO DE BERGERACS *Histoire comique des états et empires du soleil* (1662) aber leitet über zur verwandten Gattung der ›voyages imaginaires‹, der Phantasiereisen zu Sonne und Mond, die bereits GRIMMELSHAUSENS *Reisebeschreibung nach der oberen Mondwelt* eingeführt hatte und die satirisch in SWIFTS *Gulliver* (1726) und VOLTAIRES *Micromégas* (1751) fortlebt. Nachdem CERVANTES im *Don Quijote* (1605) die Ausläufer der →Amadis- und Ritterabenteuerromane parodiert hat, entsteht im Gesellschaftsroman des Barock die Vorliebe für ›curieuse Reisen‹ mit didaktischer Einflechtung des Zeitwissens (E. W. HAPPEL), die von Chr. WEISE in seinen Romanen verspottet und in Chr. REUTERS *Schelmuffsky* (1696) parodiert wird. Die komische Seite bildet STRANITZKYS *Lustige Reisebeschreibung aus Salzburg in verschiedene Länder* (1717) aus, die erotische betont der Rokoko-Reiseroman (HAPPEL, HUNOLD, SCHNABEL, *Der im Irrgarten der Liebe herumtaumelnde Kavalier* 1738). Daneben läuft die volkstümliche R. weiter im →Avanturierroman und in der →Robinsonade, die in Dtl. durch GRIMMELSHAUSENS *Continuatio des Simplizissimus* (1669) eingeleitet wird und seit DEFOES *Robinson Crusoe* (1719) ungeheure Nachfolge erreicht, da er gleichzeitig das Bedürfnis nach Abenteuern und Einfachheit der Sitten erfüllt; DEFOES *Captain Singleton* (1720), SMOLLETTS *Roderick Random* (1748) und *Peregrine Pickle* dagegen begründen den Seeroman. Vereinzelt nur erscheinen dagegen religiöse und allegorische Züge seit John BUNYANS *The Pilgrim's Progress* (1668–1684), in Dtl. JUNG-STILLINGS *Heimweh* (1794). Größten Erfolg hat die von England ausgehende Form der empfindsamen R. Nach Vorbild von L. STERNES *Sentimental journey through France and Italy* (1768) auf Grund e. wirklichen Reise entstehen die russ. R. RADIŠČEVS und KARAMZINS, in Dtl. JACOBIS *Winterreise* und *Sommerreise* (1769 f.), HERMES' mehr aufklärerische *Sophiens Reise von Memel nach Sachsen* (1769 ff.), in starker Abhängigkeit von STERNE SCHUMMELS *Empfindsame Reise durch Deutschland* (1770–1772), künstlerisch überragt von THÜMMELS *Reise in die mittäglichen Provinzen von Frankreich* (1791 bis 1805); hier ist Stimmung und Reflexion, empfindsame Seelenhaltung wesentlich, dabei zugleich ein leicht ironischer Unterton, der später nach dem köstlichen Humor von KNIGGES *Reise nach Braunschweig* (1792) in Parodie (MUSÄUS' Parodie von LAVATERS Reiseberichten: *Physiognomische Reisen,* 1778f.) und Satire übergeht (VOLTAIRES *Contes philosophiques: Candide* 1759, *Histoire de voyage de Scarmentado* 1756, *La Princesse de Babylone* 1768 nach Vorbild der staatsphilosophischen Erziehungsromane von FÉNELON, RAMSAY und TERRASSON). Die Form der →Reisebriefe findet Ausprägung in den *Letters from the East* (1763) der Lady MONTAGU und der tagebuchähnlichen Form von GOETHES *Italienischer Reise* (1786). Mehr wissenschaftlich bedeutsam sind die Berichte der drei großen Weltreisenden der Zeit: J. Georg FORSTERS *Reise um die Welt* (1777, Bericht von COOKS Weltumseglung) und *Ansichten vom Niederrhein* (1791–94), A. v. HUMBOLDTS Amerikareise (1811ff.) und CHAMISSOS *Reise um die Welt* (1821 bzw. 1836). Rousseauischer Kulturpessimismus der Stürmer und Dränger zeigt sich in KLINGERS *Faust* (1791), *Raphael de Aquilas* (1793) u.a. Während der Lügen-Reiseroman nur in den →Münchhauseniaden vertreten ist, schafft JEAN PAUL in e. Reihe von Erzählungen den idyllischen, humoristischen Reiseroman. Die Erzähllit. der Romantik spiegelt in zahlreichen Werken Reiselust und -abenteuer (EICHENDORFF *Taugenichts* u.a.m.); in der weitverbreiteten und einflußreichen R. des Fürsten PÜCKLER-MUSKAU dagegen dringt der blasierte Ton des müden Weltenbummlers durch, und die umfangreiche R. HEINES und des Jungen Dtl. zeigt bei feuilletonistischer Plauderei doch die aktuelle Tendenz. SEALSFIELD leitet zur abenteuerlich→exotischen Lit. zurück und findet Nachfolge in GERSTÄCKER, MÜGGE, RUPPIUS und RETCLIFFE, von Jules VERNE und Karl MAY als →Jugenlit. ausgestaltet. Echte Reiseerlebnisse schildern wiederum J. Ph. FALLMERAYERS *Fragmente aus dem Orient* (1845), F. GREGOROVIUS' *Wanderjahre in Italien* (1856–77), Th. FONTANES *Wanderungen durch die Mark Brandenburg* (1862ff.), G. HAUPTMANNS *Griechischer Frühling* (1907), A. GIDES *Kongo und Tschad,* KEYSERLINGS *Spektrum Europas,* W. KOEPPEN und andere. Bedeutendste Vertreter der jüngeren engl. R. sind R. L. STEVENSON, R. KIPLING, J. CONRAD, S. MAUGHAM, E. M. FORSTER, G. GREENE und D. H. LAWRENCE, der amerikan. Mark TWAIN und J. KEROUAC, der französ. P. LOTI, P. CLAUDEL, A. MALRAUX, J. COCTEAU und B. CENDRARS.

A. Schneider, D. Entw. d. Seeromans i. Engl., Diss. Lpz. 1901; E. Rohde, D. griech. Roman, 1914; J. Brech, Heine u. d. jgdt. R., Diss. Münch. 1922; B. Doerk, Reiseroman u. -nov. i. Dtl., Diss. Münster 1925; W. Rehm, D. Reiseroman, 1928; RL; E. G. Cox, *A Reference Guide to the Lit. of Travel,* III Seattle 1948–52; H. Plischke, V. Cooper bis K. May, 1951; H. Lepszy, D. Reiseberichte d. MA. u. d. Ref., Diss. Hbg. 1953; P. B. Gove, *The imaginary voyage in prose fiction,* Lond. 1961; P. G. Adams, *Travelers and travel liars 1660 to 1800,* Berkeley 1962; M. Link, D. Reisebericht als lit. Kunstform v. Goethe bis Heine, Diss. Köln 1963; J. W. Stoye, *Engl. travellers abroad,* N. Y. [2]1967; R. W. Ray, *The engl. traveller 1660–1732,* Lincoln [2]1967; H.-J. Possin, Reisen u. Lit., 1972; R. Allerdissen, D. Reise als Zuflucht, 1975; Reise u. Utopie, hg. H. J. Piechotta 1976; W. E. Stewart, D. Reisebeschreibg. u. ihre Theorie i. Dtl. d. 18. Jh.. 1978.

Reiseroman, -schilderung →Reiseliteratur

Reißer, abwertende Bz. für Werke

der breiteren Unterhaltungslit., die durch bewußte Anwendung unkünstlerischer Mittel (Kitsch, Spannung, Schwarz-Weiß-Malerei, Sentimentalität) das unbedingte Interesse weiter Leserkreise zu erregen und der Geschmackslage e. sehr zahlreichen, doch nicht gerade lit. wertenden Publikums zu entsprechen suchen; ebenso für entsprechende Bühnenstücke.

Reizianum, nach dem dt. Gelehrten J. W. Reiz (1733–90) benannter antiker Kurzvers, akephalischer 2. Pherekreateus: ⏓⏓ – ⏑ ⏑ – ⏓, häufig bei Pindar und im griech. Drama, oder akephalischer choriambischer Dimeter: ⏑ ⏑ – ⏑ – –, gekürzt als Klausel: ⏓ – ⏑ – – charakteristisch für die Plautinischen Cantica und als versus reizianus mit vorangehendem jambischen Dimeter verbunden: ⏓ – ⏑ –| ⏓ – ⏑ –|| ⏑ – ⏑ – ⏑.

Religiöse Dichtung →Biblisches Drama, →Deutschordensdichtung, →Geistliche Dichtung, →Geistliches Drama, →Geistliche Epik, →Gesangbuch, →Jesuitendrama, →Kirchenlied, →Legende, →Messiade, →Mysterienspiel, →Osterspiel, →Osterlied, →Passionslied, →Passionsspiel, →Pfingstlied, →Renouveau catholique.

Remate, in span. Lyrik e. Kurzstrophe als Abschluß e. Gedichts, bes. e. Canción, als e. Art Widmung oder Geleit, entspricht dem franz. →Envoi und wiederholt meist die letzten Reime der vorangehenden Strophe.

Reminiszenz (lat. *reminisci* = sich erinnern), im Ggs. zum bewußten →Plagiat und der erstrebten →Imitation eine Stelle in e. Schriftwerk oder e. Rede, die an e. andere anklingt und vermutlich vom Verfasser unabsichtlich, erinnerungsmäßig übernommen wurde.

Remittende (lat. *remittenda* = Zurückzusendendes), ein nicht verkauftes Druckwerk (Buch), das vom Buchhändler an den Verleger zurückgesandt wird, weil es 1. mit Rückgaberecht geliefert wurde und unverkäuflich war, oder 2. der Verlag die Rückgabe e. fest gelieferten Exemplars gestattet hat, oder 3. das Exemplar ein sog. ›Mängelexemplar‹ ist, das offensichtliche oder verborgene Schäden aufweist (Einbandfehler, Flecken, Bindefehler, Transportschäden). Die Bz. R. besagt also nichts über den äußeren Befund des Werkes, das (bei 1. und 2.) völlig neuwertig sein kann.

Renaissance (franz. = Wiedergeburt, ital. *rinascimento, rinascita*), allg. Wiedergeburt, jedes Wiederaufleben vergangener Kulturerscheinungen (z. B. →keltische R.), insbes. der Antike, so zuerst in der →karolingischen R.; im engeren Sinne die große gemeineurop. Kulturepoche an der Wende vom MA. zur Neuzeit, rd. 1350–1600, abendländische Erneuerungsbewegung mit individualistischem Persönlichkeitsideal als Überwindung des ma. Weltbildes. Die Wurzeln lagen nicht in gelehrter Forschung, sondern e. allg. Sehnsucht nach geistiger Erneuerung, Wiedergeburt des Menschen, die schon bei Dante und Petrarca ausgeprägt ist. Erst später, unterstützt bes. durch die bei der türkischen Eroberung, Konstantinopels (1453) nach Italien geflohenen Gelehrten, erfolgt die Hinwendung zur Antike, die ihren lit. Niederschlag fand im →Humanismus in neulateinischer und volkssprachlicher Dichtung in Italien (Ariosto, Bembo, Poliziano u. a.), Spanien (Garcilaso), Portugal (Camões), Frankreich (Scaliger, →Pléjade) und z. T. England (Spenser); in Dtl. dagegen wird die erste kurze Entwicklung des Humanismus durch den Einbruch der →Reformation abgebogen, und ihr Wiedereinsatz um 1600 weist bereits starke barokke Züge auf, so daß die Anwendung des Begriffs R. für die dt. Literaturgeschichte problematisch und nur für die romanischen Litt., wenngleich mit national unterschiedlichem Zeitansatz, gerechtfertigt ist.

M. Monnier, Litgesch. d. R., 1888; G. Voigt, D. Wiederbelebg. d. klass. Altertums, ^{14}1960; J. Burckhardt, D. Kultur d. R. i. Italien, 1966; L. Einstein, *The Ital. R. i. Engl.*, N. Y. 1902; L. Lee, *The French R. i. Engl.*, Oxf. 1910; P. Monnier, *Le quattrocento*, II Paris ^{2}1912; H. Morf, Gesch. d. franz. Lit. i. Zeitalter d. R., ^{2}1914; E. Sichel, *The R.*, Oxf. 1914; A. Lefranc, *Grands écrivains franc. de la R.*, Paris 1914; A. Sainati, *La lirica latina del R.*, Pisa 1919; H. de Chamard, *Les origines de la poésie franc. de la R.*, Paris 1921; W. Rehm, D. Werden d. R.-Bildes i. d. dt. Dichtg., 1923; H. Hatzfeld, D. franz. R.lyrik, 1924; F. Neubert, D. roman. Litt. v. d. R. bis z. Franz. Revolution, 1924; J. Plattard, *La r. des lettres*, Paris 1925; G. Müller, D. dt. Dichtg. v. d. R. bis z. Ausg. d. Barock, 1927; C. H. Haskins, *R. of the 12.century*, 1927; J. Wolff, D. R. i. d. engl. Lit., 1928; D. Murarasu, *La poésie franc. de la R.*, Paris 1928; P. Aronstein, D. engl. R.drama, 1929; E. Eckardt, D. engl. Drama i. Zeitalter d. Reformat. u. d. Hoch-R., 1928; ders., D. engl. Drama d. Spät-R., 1929; ders., Stud. z. dt. Bühnenstil d. R., 1931; H. W. Eppelsheimer, D. Probl. d. R., DVJ 11, 1933; J. Huizinga, D. Problem d. R. (in: Parerga, 1934); H. Schaller, D. R., 1935; F. Formigari, *Letteratura del quatrocento*, Mail. 1940; R. Benz, D. R. (in: Stufen u. Wandlgn., 1946); W. K. Ferguson, *The R. in hist. thought*, Boston 1948; W. Stammler, V. d. Mystik z. Barock, ^{2}1950; G. C. Sellery, *The R.*, Madison 1950; E. M. W. Tillyard, *The Engl. R.*, Baltimore 1952; H. Baron, *The Crisis of the early ital. r.*, Princeton II 1955; E. M. Nugent, *The thought and culture of the Engl. R.*, Cambr. 1956; E. Anagnine, *Il concetto di rinascita attraverso il Medio Evo*, Mail. 1958; A. Tilley, *The Lit. of the French R.*, N. Y. II ^{2}1959; R. J. Clements, *The Peregrine Muse*, Chapel Hill 1959; K. H. Dannenfeldt, *The R.*, Boston 1959; J. A. Symonds, *The revival of learning*, 1960; D. C. Allen, *Image and meaning*, Baltimore 1960; M. T. Herrick, *Italian comedy in the R.*, Urbana 1960; ders., *Italian tragedy in the R.*, Urbana 1964; *The R.*, hg. T. Helton, Madison 1961; D. Hay, *The Italian R.*, Cambr. 1961; B. Hathaway, *The age of criticism*, Ithaca 1962; S. C. Chew, *The pilgrimage of life*, New Haven 1962; D. Bush, *The R. and Engl. Humanism*, Toronto 1962; L. W. Spitz, *The religious r. of the German Humanists*, Cambr./Mass. 1963; J. E. Spingarn, *A hist. of lit. criticism in the R.*, N. Y. 1963; E. W. Taylor, *Nature and art in R.lit.*, Cambr., Mass. 1964; V. H. H. Green, *R. and reformation*, Lond. ^{2}1964; J. A. Mazzeo, *R. and revolution*, N. Y. 1965; D. Bush, *Prefaces to R. lit.*, Cambridge/Mass. 1965; H. Gumbel, Dt. Sonder-R. i. dt. Prosa, ^{2}1965; H. Jantz, *German R. lit.* (*Modern language notes* 81, 1966); F. M. Schweitzer, *Dict. of the R.*, N. Y. 1967; R. Ergang, *The r.*, Lond. 1967; K. Brandi, R., 1967; *The French R. and its heritage*, Fs. A. Boase, Lond. 1968; D. Wuttke, Dt. Germanistik u. R.forschg., 1968; H. O. Burger, R., Humanismus, Reformation, 1969; Z. Begriff u. Problem d. R., hg. A. Buck 1969; H. Rupprich, D. dt. Lit. v. späten MA. bis z. Barock I 1970 (De Boor/Newald, Gesch. d. dt. Lit. 4, 1); F. L. Borchardt, *German antiquity in R. myth*, Baltimore 1971; R. u. Barock, hg. A. Buck II 1972 (Neues Hb. d. Lit.wiss. 9–10); H. Geulen, Erzählkunst d. frühen Neuzeit, 1975; L. Borinski, C. Uhlig, Lit. d. R., 1976; Realismus i. d. R., hg. R. Weimann 1977; W. Rüdiger, D. Welt d. R., 1977; *The R. and Reformation in Germany*, hg. G. Hoffmeister 1978.

Renga, japan. Kettengedicht, aus der poetischen Wechselrede hervorgegangene japan. Gedichtform, die Ober- und Unterstrophe des →Tanka auf verschiedene Personen verteilt, an die Unterstrophe e. neue Oberstrophe anfügt und so kettenartige R.s von 50–100, ja bis zu 1000 Gliedern erreicht.

E. Miner, *Japanese linked poetry*, Princeton 1978.

Renouveau catholique (franz. = kathol. Erneuerung), Neukatholizismus, gesamteurop. Gegenbewegung gegen alle Formen der nicht religiös-christl. gebundenen modernen Dichtung seit der Jahrhundertwende aus christl.-kathol. Glaubenshaltung; unterschiedlich in ihren nationalen und lit. Ausformungen (vom Priesterroman und Glaubensdrama bis zu avantgardist. Formen), doch einheitlich in ihrer Betonung des religiösen Ordnungsgedankens. Getragen von führenden Dichtern kathol. Glaubens und bes. Konvertiten in allen westeurop. Ländern: in Frankreich L. BLOY, Ch. PÉGUY, P. CLAUDEL, F. JAMMES, G. BERNANOS, F. MAURIAC, H. de MONTHERLANT, Luc ESTANG, G. MARCEL, P. HUYSMANS, J. MARITAIN, R. BAZIN, H. BORDEAUX, H. GHÉON, P. BOURGET, J. GREEN, P. A. LESORT, M. JOUHANDEAU, J. CAYROL, P. EMMANUEL; in England T. S. ELIOT, G. GREENE, G. K. CHESTERTON, B. MARSHALL, E. WAUGH; in Norwegen E. UNDSET; in Dtl. E. v. HANDEL-MAZZETTI, G. v. LE FORT, E. LANGGÄSSER, W. BERGENGRUEN, St. ANDRES, A. DÖBLIN, F. WERFEL, R. SCHNEIDER, E. SCHAPER, H. BÖLL u. a. m.

C. Calvet, *Le R. c. dans la lit. contemp.*, [2]*1931;* Die kathol. Leistung i. d. Weltlit. d. Ggw., 1934; E. M. Fraser, *Renouveau réligieux,* 1934; H. Weinert, Dichtg. aus d. Glauben, [2]1948; T. Rall, Dt. kathol. Schrifttum heute, 1936; J. Schomerus-Wagner, Dt. kathol. Dichter d. Ggw., 1950; S. Stolpe, D. christl. Phalanx, 1958; J.-L. Prevost, *Le roman cathol.*, 1958; G. Truc, *Hist. de la lit. cathol. contemp.*, Paris 1961; W. Grenzmann, Dichtg. u. Glaube, [6]1968; ders., Weltdichtg. d. Ggw., [4]1964; L.-A. Maugendre, *La renaissance cath. au début du XXe siècle,* Paris 1963; R. Griffiths, *The reactionary revolution,* Lond. 1966; K.-H. Bloching, D. Autoren d. lit. R. C. Frankreichs, 1966; L. Guissard, *Lit. et pensée chrétienne,* Paris 1969.

Repertoire (franz. =) Gesamtheit der auf dem →Spielplan befindlichen oder überhaupt einstudierten, zur Aufführung vorbereiteten und jederzeit spielbaren Stücke e. Bühne bzw. Rollen eines Schauspielers.

Repertorium (v. lat. *reperire* = wiederfinden, ausfindig machen), 1. Sachverzeichnis, →Register, 2. wissenschaftliches Sammelwerk (Kompendium) als methodisch-übersichtliche Zusammenfassung e. bestimmten, meist geschichtlich oder systematisch geordneten Stoffes für Nachschlagezwecke (z. B. das Schrifttum e. bestimmten Zeit, Richtung oder e. Kreises), Zss. u. ä. mit Titeln, kurzen Inhaltsangaben und Charakteristiken, 3. Zss. mit Inhaltsangaben und Rezensionen neuer wissenschaftlicher Werke e. Fachgebietes.

Replik (franz. *replique*), Erwiderung, Entgegnung, im engeren Sinn e. solche, bei der sich der Angegriffene des gegnerischen Materials bedient und es zu seiner Rechtfertigung und der Abfertigung des Gegners umdreht.

Report (engl. =) Bericht, dokumentierter schriftl. Untersuchungsbericht, →Dokumentation.

Reportage (franz. =) Berichterstattung für Zeitung oder Rundfunk als journalistische Gebrauchsform, gekennzeichnet durch Nähe zur objektiven und dokumentarisch nachprüfbaren Wirklichkeit und leidenschaftslos sachliche Schilderung des Details im Idealfall ohne einseitige Tendenz, allenfalls aus der Perspektive des Berichters, in der Praxis jedoch vielfalch ein Exercitium in Parteilichkeit. Als tagesgebundene Sachdarstellung rasch vergessen und nur in seltenen Fällen (J. ROTH, E. E. KISCH, H. KRÜGER, G. WALLRAFF, E. RUNGE) von größerem lit. Wert.

E. E. Kisch, D. R. (Neue Dt. Lit. 2, 1954); D. Schlenstedt, D. R. b. E. E. Kisch, 1959; R. Kunze, D. R., 1960; J. Villain, D. Kunst d. R., 1965; K. Seehafer, D. Rundfunk-R., Diss. Lpz. 1967; R. Neubert, Zu einigen Entwicklungsproblemen d. lit. R., Diss. Lpz. 1972; R. Dithmar, G. Wallraffs Industrie-R.n, 1973; Lit. als Praxis?, hg. R. Hübner, E. Schütz 1976; E. Schütz, Kritik d. lit. R., 1977; Ch. Siegel, D. R., 1978.

Reprint (engl. = Neudruck), unveränderter Neudruck e. Druckwerks, für das Satz und Druckplatten nicht mehr vorhanden sind, insbes. wissenschaftlicher und lit. Bücher und Zss., auf photomechanischem Wege anhand eines Exemplars der Originalausgabe. Das Verfahren, bisher vorwiegend für bibliophile Faksimileausgaben angewandt, wird in jüngster Zeit von Antiquariaten, alteingeführten Verlagen und speziellen R.-Verlagen in reichem Umfang, wenn auch für meist niedrige und teure Auflagen angewandt, um den Bedarf zu dekken, der durch die Kriegsverluste der Bibliotheken, den Nachholbedarf anderer Bibliotheken, die Bestrebungen zum Ausbau bestehender Bibliotheken und vor allem durch die Neugründungen von Universitäten, Instituten und Fachhochschulen überall in der Welt, auch in den Entwicklungsländern, entstanden ist und den das normale Antiquariat nicht befriedigen konnte. Als R. erscheinen vor allem gesuchte Text- und Gesamtausgaben der Lit., wissenschaftliche Standardwerke, Bibliographien und Nachschlagewerke sowie Zss. und Publikationsserien.

Reprise (franz. =) Wiederaufnahme e. älteren, längere Zeit nicht gespielten Stückes in den Spielplan e. Bühne; Prüfstein für die Bühnenfestigkeit älterer Damen.

Requiem (nach dem Introitus der Totenmesse ›R. aeternam dona eis‹), Totenmesse, in der Musik deren Vertonung, in der Lit. eine Dichtung, die sich Geist und Form der Totenmesse anpaßt (I. GOLL, *R. für die Gefallenen von Europa,* 1917); vgl. →Totenklage.

Requisiten (lat. *requisita* = Verlangtes), alle zur Bühnenaufführung e. Schauspiels erforderlichen →Ausstattungsgegenstände mit Ausnahme von Kostümen und Dekoration (Kulissen), z. B. Briefe, Gläser usw.

H.-G. Schwarz, D. stumme Zeichen, 1974.

Résistance (franz. = Widerstand), Bz. der franz. Widerstandsbewegung während der dt. Besetzung Frankreichs im 2. Weltkrieg, deren Lit. mit dem Streben zur sittlich-nationalen Erneuerung das franz. Geistesleben stark beeinflußt hat (CAMUS, SARTRE, BEAUVOIR, ARAGON, VERCORS, ELUARD, CAYROL). Erst in weiterem Sinne die franz. Lit. bis 1960, soweit sie die R. zum Stoff nimmt.

A. Paoluzzi, *La lett. della resistenza,* Florenz 1956; W. Mauro, *La resistenza nella lett. franc.,* Rom 1961; L. Conti, *La resistenza in Italia,* Mail. 1961; H. Michel, *Les courants de la pensée de la R.,* Paris 1962.

Responsion (lat. *responsio* = Antwort, Entgegnung), Entsprechung zwischen symmetrischen Abschnitten im Vers- oder Strophenbau, als Binnen-R. innerhalb e. Verses. →Polyschematismus.

Responsorium (lat. *responsum* = Antwort), gottesdienstlicher Wechselgesang zwischen Geistlichem und Gemeinde bzw. Solist und Chor.

Restaurationszeit (lat. *restauratio* = Wiederherstellung, sc. der vorrevolutionären und vornapoleonischen Zustände), als Epochenbz. der dt. Lit. = →Biedermeier; in Frankreich die Periode nach dem Sturz NAPOLEONS und der Wiedereinsetzung der Bourbonen April 1814 bis zur Julirevolution von 1830 (mit Ausnahme der ›100 Tage‹ März–Juli 1815); in England →Restoration.

Z. Lit. d. R.epoche, hg. J. Hermand 1970; H. Denkler, R. u. Revolution, 1973; Begriffsbestimmg. d. lit. Biedermeier, hg. E. Neubuhr 1974.

Restebuchhandel →Antiquariat

Restoration (engl. = Wiederherstellung, sc. der Monarchie), in engl.

Geschichte und Lit. die Epoche der wiederhergestellten Monarchie unter den STUARTS nach dem Ende des Commonwealth, 1660–rd. 1700, lit. vertreten durch DRYDEN, CONGREVE, ETHEREGE, FARQUHAR, LOKKE, OTWAY, PEPYS, VANBRUGH und WYCHERLEY und die →Comedy of manners.

B. Dobrée, *R. Comedy,* Oxf. 1924; *R. Theatre,* Lond. 1965; J. H. Wilson, *A. preface to R.drama,* New Haven 1965; K. M. Lynch, *The social mode of R. comedy,* N. Y. 1965; K. M. P. Burton, *R.lit.,* Lond. [2]1965; *R. Drama,* hg. J. Loftis, Oxf. 1966; *R. Dramatists,* hg. E. Miner 1967.

Resümee (franz. =) knappe, zusammenfassende Übersicht e. (vorangegangenen) ausführlichen Darstellung.

Retardation (lat. *retardatio* = Verzögerung), Verzögerung im Entwicklungsgang der dramatischen Handlung, die noch einmal e. andere Lösung des Konflikts möglich erscheinen läßt und durch Eröffnung scheinbarer Auswege spannungssteigernd wirkt; meist im vorletzten (4.) Akt als retardierendes Moment im Ggs. zum →erregenden Moment des Beginns (z.B. LESSINGS *Minna von Barnhelm*), wenn nach dem Höhepunkt das Interesse an der Handlung, deren notwendiges Ziel sichtbar wird, nachläßt. Ähnlich erscheint die R. auch in Ballade (*Die Bürgschaft* SCHILLERS), z.T. Novelle (KLEISTS *Die Marquise von O.*) und stets im Epos *(Odyssee)*. Zur theoretischen Besinnung vgl. GOETHE-SCHILLER-Briefwechsel 19. – 26. 4. 1797. G. FREYTAG bezeichnet als ›Moment der letzten Spannung‹ die letzte vorübergehende Sichtentziehung des Handlungsziels vor der Katastrophe.

Retardierendes Moment →Retardation

Retroanse (provenzal.), fünfstrophige Gedichtform mit verschiedenen Reimen und Kehrreim bei den provenzal. Troubadours und altfranz. Trouvères.

F. Gennrich, D. altfranz. Rotrouenge, 1925.

Retroencha, Retrouenge →Retroanse

Retrograde (lat. *retro* = zurück, *gradus* = Schritt) →Palindrom

Reuterlied, urspr. Abart des →Landsknechtsliedes, im 16. Jh. Bz. für →Volkslied allg.

RL[1].

Reverdie (franz. = Wiedergrünen), in altfranz. Lyrik ein Lied, bes. Tanzlied, das den Frühling, den Mai, das Wiedererwachen der Natur, das Grünen und Blühen, den Gesang der Vögel (bes. der Nachtigall) und die Empfindung des Dichters besingt; später zunehmend allegorisch eingekleidet.

Review (engl.), 1. = →Revue (1), 2. = →Rezension (2).

Revolutionsdichtung →politische Dichtung

Revue (franz. = Überschau, Musterung), 1. in weiteren Abständen erscheinende, doch ebenfalls aktuelle Ereignisse behandelnde Zss. in Frankreich, England (›Review‹), Dtl., Rußland und USA, dort zum heutigen →Magazin geworden. – 2. Bühnenvorführung aus zahlreichen, einzeln aneinandergereihten, thematisch nur locker zusammenhängenden bildhaften Szenen mit großem Ausstattungsprunk, oft satirischen oder karikierenden Inhalts. Als Vorform könnten schon die aneinandergereihten Monologe der Meistersingerzeit, Vorform des Fastnachtsspiels, gelten; die eigtl. Ausbildung erfolgt Ende des 19. Jh. in Paris, wo im ›Chat noir‹, ›Moulin rouge‹ und anderen →Kabaretts gegen Jahresende Possen und →Ausstattungsstücke mit Anspielungen auf Zeitereignisse, Personen und unliebsame Zustände des vergangenen Jahres in zufälliger, zusammenhangloser Folge aufgeführt wurden. Diese Form wird Anfang des 20. Jh. in ganz Europa beliebt. Das Berliner Metropoltheater verbindet sie zu großen Ausstattungsstücken, die mit riesigem Aufwand an Kostümen und Dekorationen, Lichteffekten und Bühnenmaschinerie in lockerer Bildfolge Musik, Schlagergesang, Tanz, Parodien auf Zeitereignisse und possenhafte Sprechszenen aneinanderreihen, eine Form, die in anderen Großstadttheatern Europas, bes. Englands und Amerikas übernommen und zu oft geistlosen Schaukünsten als Selbstzweck umgeformt wird.

RL[1]; E. Baral, *R.*, N. Y. 1962; W. Haakke, D. Zs.typ R. (Börsenblatt f. d. dt. Buchhandel 26, 1970); R. Mander u. a., *R.*, Lond. 1971; F. P. Kothes. D. theatral. R., 1977.

Reyen oder **Reyhen,** im barocken Trauerspiel die dem antiken →Chor nachgebildeten Chöre am Aktschluß als Füllung der Aktpause. Sie sind die Ruhepausen der grüblerisch-ernsten Handlung und müssen sich organisch mit dem strengen, düsteren Inhalt der gelehrten Dramen verbinden, um die erstrebte Katharsis zu erreichen. Meist in Alexandrinern, häufig auch in trochäischen oder jambischen Versen gehalten und in den Personen oft wechselnd, geben sie e. Deutung der Handlung, dienen z. T. auch als Trauerklage, sind jedoch im allg. mehr Intermezzi, Ornamente, lockerer mit der Handlung selbst verbunden als der antike Chor, und werden stellenweise durch Zwischenspiele ersetzt. Nach Vorbild des humanistischen Schuldramas (Sixt Birck *Susanna* 1532, Paul Rebhuhn *Susanna* 1535) erscheinen sie bes. beim Niederländer Vondel und bei Gryphius, später bei Lohenstein, Haugwitz, Hallmann u. a.

H. Steinberg, D. R. i. d. Trauerspielen d. Gryphius, Diss. Gött. 1914; E. Beheim-Schwarzbach, Dramenformen d. Barocks, Diss. Jena 1931.

Rezension (lat. *recensio* = Musterung), 1. bei der →kritischen Neuherausgabe e. alten (bes. antiken) Schriftwerkes nach Durchsicht allen erreichbaren Hss.-Materials die Feststellung dessen, was als überliefert gelten muß und darf, und das Verfahren der Auswahl der glaubwürdigsten Lesarten aus der Überlieferung als Grundlage des neuherzustellenden Textes; dann auch diese kritische Ausgabe selbst. →Textkritik und →Emendation. – 2. kritische Beurteilung und Besprechung einer Schrift oder Theateraufführung (vgl. →Kritik) durch e. Rezensenten in e. Zeitung oder Zs. anhand e. →Besprechungsstückes.

Rezensionsexemplar →Besprechungsstück

Rezeption (lat. *receptio* = Aufnahme), die Aufnahme und Wirkungsgeschichte e. Textes, e. Autors oder e. lit. Strömung beim einzelnen Leser, bei sozial, histor. oder altersmäßig bestimmten Lesergruppen, der Leserschaft allg. im Inland und im Ausland (letzteres traditionell Forschungsgegenstand der →vergleichenden Literaturwissenschaft) und deren Varianten und Variable. Die R. ist Gegenstand des trotz vieler Vorgänger relativ jungen lit.wiss. Forschungszweiges der (theoret.) Rezeptionsästhetik, in histor. Perspektive der Rezeptionsgeschichte oder allg. der empirischen Rezeptionsforschung, die, von Leserforschung und Literatursoziologie ausgehend, die gesellschaftlichen Bedingtheiten und Gegebenheiten des R.prozesses erforscht: von wem, wann, warum und wie ein lit. Werk aufgenommen/gelesen wurde. Rezeptionsästhetik analysiert die Voraussetzungen, durch die (spontane oder reaktive) R. bestimmt wird (implizierter, intendierter oder realer Leser, Erwartungshorizont des Lesers, R.vorgaben des Autors, die die R. des Lesers steuern sollen), vergleicht sie mit den Intentionen des Autors (z. B. Diskrepanz von Autorenabsicht und Leserverständnis), erforscht die Mechanismen des Literaturbetriebs und der Literaturvermittlung als Steuerung der Kommunikation zwischen Autor, Leser und Gesellschaft und rekonstruiert als Rezeptionsgeschichte in der Summe aller möglichen historisch-sozial variablen Lesungen, Deutungen und Umdeutungen die Wirkungsgeschichte des Textes mit ihren Schwankungen durch Geschmackswandel (letzteres mangels ausreichender Quellen allenfalls für die letzten Jahrhunderte möglich). Die Rezeptionsästhetik sieht in der R. die eigentliche Konkretisation des Textes, muß sich jedoch zur Wertfrage sowohl auf der Produzenten- als auf der Konsumentenseite neutral verhalten, da reiche R. noch keinen ästhetischen Wert begründet. →Leser, →Literatursoziologie.

H. R. Jauß, Lit.gesch. als Provokation, [2]1970; K. R. Mandelkow, Probleme d. Wirkungsgesch. (Jb. f. Intern. Germanistik 2, 1970); H. Turk, Lit. u. Praxis (Fragen d. Germanistik, 1971); M. Durzak, Plädoyer f. e. R.ästh. (Akzente 18, 1971); W. Bauer u. a., Text u. R., 1972; Historizität i. Sprach- u. Lit.wiss., 1972; H. Turk, Wirkungsästhetik (Jb. d. Dt. Schillerges. 17, 1973); R. Weimann, R.ästh. u. d. Krise d. Lit.gesch. (Weimarer Beitr. 19, 1973); Neue Ansichten e. künftigen Germanistik, hg. J. Kolbe 1973; R.-Interpretation (Amsterdamer Beitr. z. neueren Germanistik 3, 1974); G. K. Lehmann, D. Theorie d. lit. R. (Weimarer Beitr. 20, 1974); P. U. Hohendahl u. a. (LiLi 4, 1974); Sozialgesch. u. Wirkungsästh., hg. ders. 1974; Gesellsch., Lit., Lesen, hg. M. Naumann [2]1975; Literar. R., hg. H. Heuermann 1975; R.ästh., hg. R. Warning 1975; K. Stierle, Was heißt R. b. fiktionalen Texten (Poetica 7, 1975); Lit. u. Leser, hg. G. Grimm 1975; H. Turk, Wirkungsästhetik, 1976; W. Iser, D. Akt d. Lesens, 1976; H. Link, R.forschung, 1976; M. Naumann, D. Dilemma d. R.ästh. (Poetica 8, 1976); N. Groeben, R.forschg. als empir. Lit.wiss., 1977; B. Zimmermann, Lit.-R. i. histor. Prozeß, 1977; G. Grimm, R.geschichte, 1977; W. Faulstich, Domänen d. R.forschg., 1977; P. Bürger, Probleme d. R.forschg., (Poetica 9, 1977); R.gesch. oder Wirkungsästhetik, hg. H.-D. Weber 1978; J. Stückrath, Histor. R.forschg., 1978.

Reziproke Verse (lat. *reciprocus* = zurückgehend) →Palindrom

Rezitation (lat. *recitatio* =) kunstvoller Vortrag von Dichtungen durch den Dichter selbst oder e. Rezitator; bereits in der Antike als Mittel der Verbreitung von Schriften gepflegt, das gleichzeitig die Wirkung des Werkes auf die Zuhörer und deren Kritik feststellt.

F. Trojan, D. Kunst d. R., 1954.

Rezitativ (ital. *recitativo*), in Oper und Oratorium der in den dramatischen oder erzählenden Zwischenpartien übliche Sprechgesang ohne bes. Takt und Rhythmus, von Cembalo oder Orchester nur schwach begleitet, in dem das musikalische Element zugunsten des dichterischen Textes zurücktritt, sich dem natürlichen Tonfall und Sprechakzent weitgehend anpaßt und der in den Ensemblesätzen und →Arien durch die Musik verdeckten Handlung Raum gibt. Man unterscheidet R. secco, gesangähnlich zu kurzen Akkorden gesprochen, und R. accompagnato (obligato, strumentale) mit ausgeführter Instrumentalbegleitung. R.vortrag war bereits z. T. in den →Cantica der antiken Komödie üblich und entwickelt schon in der Frühzeit der Oper e. eigenen Stil.

Rhapsoden (griech. *rhapsodoi*, v.

rhaptein = zusammennähen, *ode* = Gesang, d.h. diejenigen, welche die Gesänge zusammenfügen). Während zu HOMERS Zeit noch →Aöden als Dichter-Sänger zur Phorminx (Laute) die Heldenlieder bei Hofe sangen, vollzog sich gleichzeitig mit der eigenen Ausbildung der Lyrik der Übergang zum rezitierenden Vortrag der R., die als wandernde berufsmäßige Vortragskünstler mit dem Stab (rhabdos) als Wahrzeichen ihrer Würde und e. Lorbeerzweig oder Kranz in der Hand an Fürstenhöfen und Festversammlungen eigene, später meist fremde (bes. HOMERS, dann Homeriden genannt) epische Dichtungen öffentlich vortrugen und so die Kenntnis der großen Epen an breite Volksschichten vermittelten. Athen u.a. Städte richteten später an den Panathenäen Wettkämpfe der R. ein; unter PEISISTRATOS verlangte man von ihnen die ungekürzte Wiedergabe nur der echten Homerverse in richtiger Reihenfolge und ließ meist mehrere R. einander abwechseln. Zur Zeit XENOPHONS schon wurden sie teils wegen ihres handwerksmäßigen, pathetisch deklamierenden Vortrags ohne Verständnis für den tieferen Gehalt des Vorgetragenen verspottet (PLATON, *Ion*), traten jedoch als Einleitung zu Feiern, Gastmählern u.a. Festlichkeiten, aus deren Mittelpunkt sie die Festreden verdrängt hatten, noch bis in nachchristliche Zeit auf. Ihr Vortrag war teils auswendig gelernt, teils Auswahl und Zusammenfügung einzelner Lieder und Abschnitte mit vielen eigenen Interpolationen, teils Stegreifdichtung mit Hilfe e. festen, herkömmlichen Schatzes von vorgeprägten Formeln, Versen und typischen Beschreibungen, die dem Vortragenden Ruhepausen und Bedenkzeit für die Formung der folgenden Worte gaben (›Streckverse‹) und sich an passender Stelle in großem Umfang wiederholten. Ihr Verdienst ist bes. die Vermittlung und – wenngleich stark interpolierte – Erhaltung der homerischen Epen bis zu ihrer schriftlichen Fixierung. – In altgerman. Dichtung entspricht dem R. der →Skop, im MA. der →Spielmann. Im 19. Jh. versteht man unter R. die großen Rezitatoren (→Rezitation), die eigene Dichtungen vortragen, wie W. JORDAN, TÜRSCHMANN, WÜLLNER.

T. W. Allen, *Homer,* Oxf. 1924; M. Nilsson, D. homer. Dichter (Antike 14, 1938); A. B. Lord, *The singer of tales,* N. Y. [2]1965.

Rhapsodie, von e. →Rhapsoden vorgetragene erzählende Dichtung, bes. Bruchstücke derselben (daher rhapsodisch = bruchstückartig, fragmentarisch), dann überhaupt e. formal völlig freies, freirhythmisches Gedicht als leidenschaftlicher, begeisterter Erguß einer erregten, erschütterten Seele (LENZ, SCHUBART). Gedichte und Prosastücke des Irrationalismus (Sturm und Drang und Romantik) erscheinen z.T. nicht mit logisch-kausalgesetzlichem Aufbau, sondern rhapsodisch als scheinbar unzusammenhängende, in Wirklichkeit jedoch durch gedankliche Assoziationen und ihre Herkunft aus gleicher Empfindungs- und Phantasiewelt verbundene Visionen, als Phantasien über e. gedankliches Thema, das unzusammenhängend eingekreist, umsponnen wird, so z.B. HAMANNS *Aesthetica in nuce* (›R. in kabbalistischer Prose‹), HERDERS *Shakespeare*-Aufsatz, GOETHES *Von deutscher Baukunst,* WACKENRODERS *Herzensergießungen,* NIETZSCHES *Zarathustra.* Im weiteren Sinn ist rhapsodischer Stil dann das dynamische, wirkungsbedachte und mitreißende Sprechen aus der Erregung und Ergriffenheit des Augenblicks der Erkenntnis, der Offenbarung mit allen Kennzeichen der Unmittelbarkeit und Subjektivität: asyndetische Reihungen von Substantiva und Adjektiva, eruptive Sprachfülle mit Ausrufen, Anrufen, Fragen und Doppelungen, Synonymen, Parenthesen und Steigerungen.

W. Jordan, D. Kunstgesetz Homers u. d. Rhapsodik, 1869; W. Salmen, Gesch. d. R., 1966.

Rhapsodisch →Rhapsodie

Rhesis (griech. = Rede), die Rede im griech. Drama im Ggs. zum Chorlied.

H. F. Johansen, *General Reflection in Tragic R.*, Koph. 1959.

Rhetor (griech. =) Redner.

Rhetorik (griech. *rhetorike techne* =) Redekunst, Theorie und Technik der Rede als effektvolle Sprachgestaltung der Prosa (im Unterschied zur →Poetik für die Dichtung) mit dem Ziele der wirksamen Meinungsbeeinflussung, ›Überredung‹. Als Teil der Stilistik gibt sie Regeln und Mittel zur wohlgeordneten, wohlklingenden sprachlichen Ausformung der Gedanken und Erkenntnisse, stellt nicht nur die natürlichen sprachlichen Verhaltensweisen, sondern auch künstliche äußere Schmuckformen in den Dienst ihrer Zwecke und übt, indem sie die Sprache derart aus sich heraus in Bewegung setzt, zu allen Zeiten e. ungeheuer starken Einfluß auf die Dichtung aus, in positiver wie in negativer Richtung. – Ihre außerordentliche Bedeutung im öffentlichen Leben des Altertums als politische Rede bei Volksversammlungen zur Beeinflussung der Massen und Gewinnung der Wähler (genus deliberativum, symbuleutikon), als Gerichtsrede (genus iudiciale, dikanikon) zur eigenen Verteidigung und Beeinflussung der Richter bei der Behandlung von Streitfällen oder als →epideiktische Festrede (genus demonstrativum) führt zur Entwicklung e. lehrbaren Theorie der Beredsamkeit und macht sie zu e. selbstverständlichen Bestandteil in der Bildung des freien antiken Menschen, den man sich durch Rhetorenschulen oder häufige eigene Übung aneignete. Das umfangreiche antike Schrifttum über R., beginnend mit der verlorenen Schrift der Sizilianer KORAX und TEISIAS (5. Jh.) über die forensische (d. h. Gerichts-) Rede und der epideiktischen R. des GORGIAS von Leontinoi (Betonung kunstvollen Ausdrucks in →gorgianischen Figuren und der Überredungskunst im Appell an das Gefühl), reicht von PLATON (Kritik der Scheinbeweise, Forderung nach Wahrheit und philosophischer Durchdringung der Rede), ISOKRATES (Kunstformung), ARISTOTELES (Beweisführung, Stiluntersuchung), THEOPHRAST (drei →Stilarten), den Stoikern, HERMAGORAS (starre Schul-R.), CICERO, dem anonymen Autor der *R. ad Herennium* bis zu QUINTILIANS *Institutio oratoria* (95 n. Chr.), deren Wirkung weit ins MA. hineinreicht; es folgen schließlich APOLLODOROS von Pergamon, THEODOROS von Gadara, HERMOGENES, die Schrift *Über das Erhabene* und zahlreiche andere spätantike Rhetoriker. Neben den drei Stilarten und drei Redegattungen unterscheidet die antike Theorie, die gleichzeitig stets praktische Anweisung sein sollte, fünf grundlegende Hauptvorgänge der R.: 1. Vorschriften über die Stoffsammlung und das Finden von Beweisgründen (inventio), 2. Anordnung und Gliederung des gesammelten Materials (dispositio), 3. sprachliche Formulierung und stilistische Ausgestaltung (elocutio), 4. Aneignung der

Rede durch Auswendiglernen (memoria), 5. Kunst der gestenreichen Deklamation (pronuntiatio) beim Vortrag (actio) selbst. Äußere Formkennzeichen der rhetorischen Kunstprosa sind Vermeidung des Hiat, Verwendung rhythmischer Satzschlüsse (→Klauseln) und →rhetorischer Figuren. Während die Einwirkung der R. auf die Lit. überhaupt erst zur Entstehung des Prosastils führte, zeitigte ihr Überhandnehmen in der Spätantike auch ungünstigere Wirkungen, indem die Überschätzung der äußeren wohlklingenden Form und des effektvollen Aufbaus zu e. bloßen Schönrederei führte, die z.T. selbst in geschichtlichen Darstellungen bedenkenlos die Wahrheit des Inhalts der Schönheit der Form opferte, in stilistischen Virtuosenstücken, übersteigertem Pathos und auffälligen gesuchten Wendungen schwelgte, wie sie in den Schulübungen (declamationes) an Hand fingierter →suasoriae (anratender) oder controversiae (Gerichtsreden) zur Kaiserzeit gelehrt wurden, wo die Schüler e. gestelltes Thema in effektvoller und überraschend neuartiger Weise zu beleuchten hatten. Diese Kunst, aus e. gegebenen Situation heraus reden zu müssen, führte in der Lit. zu den zahlreichen fingierten oder gefälschten Reden und Briefen bekannter Persönlichkeiten, deren Verfasserschaft z.T. heute noch umstritten ist.

Im MA. zählt die R. zu den Sieben Freien Künsten (→Artes liberales) und bleibt als solche unerläßliches Bildungsideal für Geistliche und Gelehrte überhaupt (wie noch heute für den Prediger). NOTKER schreibt e. R. für Klosterschulen, und ihre Stillehre befruchtet die höfische dt. Dichtung, ohne sie einzuengen, so als schmückende Hülle der gewählten Rede im frühhöfischen Roman wie in GOTTFRIEDS →geblümtem Stil; negative Auswirkungen zeigt sie erst späterhin. Besondere Bedeutung erlangt die R. wiederum in der lat. Dichtung des →Humanismus, im Barock und selbst bis in die Aufklärung hinein (1750 erscheint R. ERNESTIS Lehrbuch *Initia rhetorica,* 1795 sein *Lexicon technologiae Graecorum rhetoricae,* 1783 BLAIRS *Lectures on R.*). Solange die Dichtung nicht zum individuellen Ausdruck subjektiven Erlebens wurde, bediente sie sich der R. mit ihren vorgegebenen Formen und oft auch vorgegebenen Gedanken, wie sie gewählter Gegenstand und erwünschte Gattung vorschreiben, denn letztlich sind auch diese – freilich typisierte und genormte – Grundverhaltensweisen des menschlichen Denkens.

R. Volkmann, R. d. Griechen u. Römer, [3]1963 (Auszug im Hdb. d. klass. Altertumswiss., [3]1901); F. Blass, D. att. Beredsamkeit, III 1887; Chaignet, *La R. et son histoire,* 1888; O. Navarre, *La r. grecque,* 1900; W. Wackernagel, Poetik, R. Stilistik [3]1906; A. Damaschke, Gesch. d. Redekunst, 1921; D. L. Clark, *R. and poetry in the Renaiss.,* N. Y. 1922; E. Norden, Antike Kunstprosa, [2]1923; C. S. Baldwin, *Ancient R. and Poetic,* 1924; ders. *Medieval R. and Poetic,* 1928; W. Rhys Roberts, *Greek R. and Lit. Criticism,* 1928; R. McKean, *R. in the MA.* (Speculum 3, 1928); Ch. Winkler, Elemente d. Rede, Gesch. ihrer Theorie 1750–1850, 1931; J. A. Richards, *The Philos. of R.,* Lond. 1936; W. Kroll, R., 1937; E. R. Curtius, Dichtg. u. R. i. MA., DVJ 1938; A. Reyes, *La antigua r.,* Mexiko 1942; L. Rambaud, *L'eloquence franc.,* Lyon II 1947; M. Dessoir, Die Rede als Kunst, [2]1948; C. Dockhorn, D. R. als Quelle des vorromant. Irrationalismus, 1949; H. Gauger, D. Kunst d. polit. Rede i. Engl., 1952; E. R. Curtius, Europ. Lit. u. lat. MA., [6]1967; D. L. Clark, *R. in Greco-Roman education,* N. Y. 1957; L. Reiners, D. Kunst d. Rede u. d. Gesprächs, [5]1968; T. Madia, *Storia del'eloquenza,* Mail. 1960; E. Jungmann, D. polit. R. i. d. engl. Renaiss., 1960; R. F. Howes, *Historical Studies of R. and Rhetoricians,* N. Y. 1961; W. C. Booth, *The R. of Fiction,* Chicago 1961; M. H. Nichols, *R. and Criticism,* 1962; G. Kennedy, *The art of persuasion in Greece,* Princeton 1962; U. Stötzer, Dt.

Redekunst i. 17. u. 18. Jh., 1962; M. Joseph, *R. in Shakespeare's time,* N. Y. 1962; A. D. Leeman, *Orationis ratio,* Amsterd. 1963; R. Whately, *Elements of R.,* Carbondale 1963; L. Arbusow, *Colores rhetorici,* [2]1963; M.-L. Linn, Stud. z. dt. R. u. Stilistik d. 19. Jh., 1964; J. W. Cleary u. a., *R. and public address, Bibliogr.,* Madison 1964; H. M. Davidson, *Audience, words, and art,* Ohio 1965; E. P. J. Corbett, *Class. R. for the mod. student,* N. Y. 1965; E. Black, *Rhetorical criticism,* Lond. 1965; *The province of r.,* hg. J. Schwartz u. a. NY 1965; *Readings in r.,* hg. L. Crocker, P. A. Springfield 1965; T. Pelster, D. polit. Rede i. Westen u. Osten Dtl.s, 1966; G. Storz, Unsere Begriffe v. R. u. v. Rhetorischen (Deutschunterricht 18, 1966); H. Lausberg, R. u. Dichtg., ebda.; R. Hildebrandt-Günther, Antike R. u. dt. lit. Theorie i. 17. Jh., 1966; H. Caplan, *Of eloquence,* Ithaca 1967; M. L. Clarke, D. R. b. d. Römern, 1968; L. Fischer, Gebundene Rede, 1968; K. Dockhorn, Macht u. Wirkg. d. R., 1968; J. E. Seigel, *R. and philosophy in renaissance humanism,* Princeton 1968; C. Vasoli, *La dialettica e la r. dell' umanesimo,* Mail. 1968; L. Sonnino, *A handbook of 16th cent. r.,* Lond. 1968; H. Lemmermann, Lehrb. d. R., [2]1968; Chr. Perelman, *La nouvelle r.,* Paris 1969; H. Geißner, Rede i. d. Öffentlichk., 1969; J. Dyck, Ticht-Kunst, [2]1969; H. D. Zimmermann, D. polit. Rede, 1969; W. Jens, Von dt. Rede, 1969; E. Grassi, Macht des Bildes, 1970; B. W. Vickers, *Class. r. in Engl. poetry,* N. Y. 1970; W. Barner, Barock-R., 1970; G. Ueding, Schillers R., 1971; RL; H. F. Plett, Einf. i. d. rhetor. Textanalyse, 1971; H. Lausberg, Hdb. d. lit. R., II [2]1973; H. Geißner, R., 1973; E. Ockel, R. i. Dt.unterr., 1974; R. i. d. Schule, hg. J. Dyck 1974; H. Biehle, Redetechnik, [4]1974; R., Beitr. z. ihrer Gesch. i. Dtl., hg. H. Schanze 1974; H. Schlüter, Grundkurs d. R., 1974; W. Eisenhut, Einf. i. d. antike R., 1974; B. Stolt, Wortkampf, 1974; J. Martin, Antike R., 1974; J. Dubois u. a., Allg. R., 1974; H. Lausberg, Elemente d. lit. R., [5]1976; J. Kopperschmidt, Allg. R., [2]1976; G. Ueding, Einf. i. d. R., 1976; R., hg. H. F. Plett 1977.

Rhétoriqueurs (franz. = Redner), franz. Dichtergruppe z. T. aus Hofbeamten am Hof von Burgund (›Burgundische Dichterschule‹), später in Paris im 15./16. Jh., ahmte in handwerksmäßig gekünstelten Formen didaktisch-moralischer und mytholog. Dichtung mit Allegorien, komplizierten Strophen-, Reim- und Klangspielen und rhetorischen Figuren in ihren Chroniken und historischen Epen den lat. Stil nach und legte ihre dem →Meistersang und den →Rederijkers verwandte Auffassung von der Lernbarkeit der Dichtung in Poetiken (arts de rhétorique) fest. Vorbereiter der lit. Renaissance in Frankreich. Wichtigste: G. CHASTELLAIN, E. DESCHAMPS, J. LEMAIRE DES BELGES, J. MOLINET, A. CHARTIER, J. MAROT u. a.

H. Liebrecht, *Les Chambres de Rhétorique,* Brüssel 1948.

Rhetorische Figuren, in Stilistik und Rhetorik alle beabsichtigt oder unbeabsichtigt vom normalen Sprachgebrauch abweichenden oder mit ihm übereinstimmenden, jedoch ihn zu bes. Zwecken hervorhebenden Formungen des Sprachmaterials, die auf Erhöhung der Rede, Hervorhebung einzelner Teile oder Schmuck der Aussage abzielen und aus natürlichen sprachlichen Verhaltensweisen durch ihre Abgrenzung, Benennung und Pflege in der →Rhetorik zu abgezogenen und vorgeprägten Ausdrucksschemata gewisser Denkvorgänge geworden sind. Man unterscheidet 1. Wortfiguren, die sich entweder als →Tropen auf die Wortbedeutung, als grammatische Figuren auf grammatische Unregelmäßigkeiten oder als Stil- oder Satzfiguren auf die Stellung der Wörter im Satz beziehen und 2. Gedankenfiguren, die Inhalt, Formung und Gliederung der Gedanken ohne direkte Bezugnahme auf den Wortlaut betreffen und bei Abänderung der Wortstellung unbeeinflußt bleiben.

H. Lausberg, Hdb. d. lit. Rhetorik, [2]1973.
→Rhetorik, →Stil.

Rhetorische Frage, in Rede, Predigt, Invektive, Diatribe u. ä. e. Frage des Redners, auf die keine Antwort erwartet wird, da sie in Wirklichkeit nur e. Aussage oder Aufforderung enthält, die zur größeren Eindringlichkeit und Belebung des Vortrags, des bitteren Tones wegen oder, um die Zuhörer zum Nachdenken anzuregen, in Frageform gekleidet wird und dadurch Bewegung in den Tonfall bringt: ›Sind wir nicht Männer?« (= Wir sind doch Männer!), ›Bin ich etwa dein Knecht?‹ (= Ich bin doch nicht dein Knecht!), oft mit Nähe zum Ausruf: ›Wer zählt die Völker, nennt die Namen, die gastlich hier zusammenkamen?‹ (SCHILLER). E. der am häufigsten verwendeten rhetorischen Gedankenfiguren zum Ausdruck von Unwillen, Verwunderung, Gehässigkeit oder Mitleid in antiker Rhetorik, bes. meisterhaft bei DEMOSTHENES *(Kranzrede)* CICERO (*Catilinarische Rede* I) u. a., in den paränetischen und apologetischen Stellen der *Paulusbriefe,* in der patristischen Lit. und Predigt (bes. ARNOBIUS), in ma. Rhetorik, bei WOLFRAM VON ESCHENBACH und GOTTFRIED VON STRASSBURG zur Kennzeichnung innerer Anteilnahme des Dichters am epischen Geschehen u. a. m.

Lit. →Rhetorik, →Stil.

Rhintonica, nach RHINTON von Tarent Bz. für die →Phlyakenposse.

Rhopalikos (griech. *rhopalon* = Keule) = →Keulenvers

Rhyme royal (engl. = königlicher Reim), siebenzeilige Strophe von jambischen Zehnsilbern in der Reimfolge ababbcc, bei CHAUCER (*Troilus and Criseyde,* z. T. *Canterbury Tales*), SHAKESPEARE *(The Rape of Lucrece)* u. a.; herrschende Strophe der engl. Lyrik im 15. Jh.

Rhythmische Dichtung (mlat. *rhythmus* = →Reim), Bz. für die ma. (lat. und dt.) Dichtungen, deren Verse ›rhythmice‹ d. h. nach dem Wortakzent, der Silbenschwere, also →akzentuierend gebaut und meist gereimt sind, im Ggs. zur ›metrice‹ gebauten →quantitierenden lat. Dichtung des MA. (›carmina metrica‹). So nennt sich das ahd. *Ludwigslied* ›rhythmus teutonicus‹. Die r. D. der roman. Litt. alterniert mit Tonsilben. R. D. ist nicht zu verwechseln mit →Freien Rhythmen.

A. Heusler, Dt. Versgesch. II, [2]1956; RL[1].

Rhythmische Prosa →Prosarhythmus, →Klausel, →Kunstprosa

Rhythmischer Satzschluß → Klausel

Rhythmizomenon (griech. = das zu Ordnende, zu Rhythmisierende), Bz. der antiken Metrik für die menschliche Sprache, die in der Dichtung durch die Gliederung nach festen rhythmischen Prinzipien in e. Gleichmaß gebracht, rhythmisiert werden muß. Die Bz. legt das Mißverständnis nahe, die rhythmische Gliederung sei dem sprachlichen ›Substrat‹ urspr. wesensfremd, während in Wirklichkeit nur die regelmäßige Folge der Zeit- oder Betonungseinheiten den Unterschied zum freien rhythmischen Fluß der Prosa ausmacht.

Rhythmus (griech. *rhythmos* von *rhein* = fließen), harmonische Gliederung e. lebendigen Bewegung in der Zeit zu sinnlich faßbaren, ähnlich wiederkehrenden Teilen, doch im Ggs. zum exakt-gleichförmigen, rational zähl- und meßbaren Takt nicht ständige Wiederholung des Gleichen. R. ist ein Urbedürfnis des ordnenden Menschen und als Grundlage der meisten natürlichen Lebensvorgänge (Wogen des Korns, Schlagen des Herzens, Atmen, Arbeits-R.) auch in die Kunst (Musik, Tanz, Dichtung) übernommen. In der Dichtung bezeichnet R. meist im Ggs. zum Prosa-R. den Vers-R., hier im Unterschied vom vorgegebenen und gesetzmäßig gleichbleibenden metrischen Schema die ständig wechselnde, für jeden Vers individuell gestaltete und beseelte innere Spannungs- und Schwingungsform, zu der das Metrum nur den äußeren Rahmen, den Kanevas, bildet, der ihn trägt und von ihm überlagert erst lebendig wird. ›Metrum ist das Außen zum Rhythmus als dem Innen‹ (J. PFEIFFER). Ein Gedicht, das bei völlig korrektem metrischem Bau keinen tragenden R. aufweist oder durch gleichwertiges Skandieren aller Hebungen nicht nach ihm gelesen wird, wirkt eintönig. Für viele Dichter gab e. konzipierter R. den Anstoß zum Schaffen, und →Freie Rhythmen zeigen gar kein metrisches Schema, sondern beruhen allein auf dem R. Im Metrum ist die regelmäßige Abfolge der Hebungen und Senkungen bzw. Längen und Kürzen vorab festgelegt, abziehbares und übertragbares Schema, und erst in dessen sprachlicher Erfüllung aus dem Schwung der lebendig eingeordneten Rede entsteht der R., mitbewirkt vom gedanklichen Gehalt, bes. der Wiederkehr und Gliederung der Haupttonstellen (Akzente), vom Tempo und der Tonabstufung in betonte und unbetonte bzw. lange und kurze Teile durch Nachdruck oder Dauer. Seine sprachlichen Einheiten sind →Periode, →Kolon und →Komma. Dem irrationalen Wesen des R. widerstrebt e. Typisierung bis ins einzelne, doch lassen sich als Grundformen der Bewegung unterscheiden: steigend – fallend, plätschernd – wellig – wogend, hüpfend – tänzelnd – gemessen schreitend – gehämmert, spannend – lösend, drängend – verweilend u. a. m. (Die Terminologie ist hier erst im Werden, und die aus anderen Bewegungsformen übertragenen Bzz. überschneiden sich teilweise). – Die Frage nach dem Wesen und damit der Definition des R. ist seit ältester Zeit viel diskutiert. PLATON *(Politeia)* verbindet ihn mit der Orchestrik (d.h. chorischen Kunst: Vereinigung von Wort, Musik und Bewegung) und erkennt seine erzieherische Kraft, möchte jedoch gewisse R.en ausschließen. Nach ARISTOTELES tritt er als dichterisch geordnete Form zum vorher ungeformten Stoff und bildet e. Eigenschaft des gesungenen oder gesprochenen Wortes. Sein Schüler ARISTOXENOS erkennt die Bindung des R. an die Zeit als wesentlich (›nach festem Zeitmaß geregelte und abgeteilte Bewegung‹), unterscheidet idealen vom realen R. und wirkt mit diesen Einsichten bis in die Gegenwart. Von der Architektur her faßt VITRUV den R. als Maßverhältnis von Zeit und Raum und bahnt damit den metaphorischen Gebrauch des R.-Begriffs in der bildenden Kunst an. Das Frühma. versteht unter ›rhythmi‹ akzentuierende Dichtung schlechthin (→rhythmische Dichtung). Im Barock entwickelt I. VOSS die Lehre des ARISTOXENOS (*De poematum cantu et viribus rhythmi*, 1673). Im 18. und selbst 19. Jh. setzt man lange R. mit Takt oder Metrum weitgehend gleich, und auch experimentalpsychologische Untersuchungen bringen keine Klärung. Während die →Eurhythmie R. STEINERS die einzelnen Seiten des R. zu vereinen sucht, bemüht man sich in der Literaturwissenschaft des 20. Jh. um die Klärung dieses grundlegenden Begriffs, wobei seine Verwendung im verschiedensten Sinne zu großer Verwirrung geführt hat. F. KAUFFMANN definiert ihn als ›nach Akzent, Tempo- und Tonstufen geordnete Sprachbewegung‹, HEUSLER als ›Gliederung der

Zeit in sinnlich faßbare Teile‹, SARAN als ›wohlgefällige Gliederung sinnlich wahrnehmbarer Vorgänge‹. SARAN unterscheidet ferner orchestrischen R. (bei rhythmischer Arbeit gesungen), melischen R. (ungebunden rein der Gemütslage des Menschen entsprechend) und sprachlichen R. (wohlgefällige Gliederung des an sich rhythmuslosen Akzents als Substrat). Von den Dichtern selbst, die sich theoretisch zu ihrem Schaffen äußern, faßt R. VERWEY den R. als ›Gefühls-R.‹ im Ggs. zum metrischen Schema, F. G. JÜNGER als Ergebnis des Widerstreits von Vers- und Satzakzent, E. POUND als ›in Zeit geschnittene Form‹.

E. Graf, R. u. Metrum, 1891; E. Meumann, Unters. z. Psychologie u. Ästhet. d. R. (Philos. Stud. 9, 1894); F. Saran, D. R. d. franz. Verses, 1904; ders., Dt. Verslehre, 1907; E. Sievers, Rhythm.-melod. Stud., 1912; A. Ruckmich, *A bibliogr. of r.* (*The American journal of psychology*, 1913, 1915); E. Petersen, R. (Abh. d. Gött. Ges. d. Wiss. N. F. XVI, 5, 1917); B. Koch, D. R., 1921; K. Bücher, Arbeit u. R., [6]1924; E. Sonnenschein, *What is r.?*, 1925; A. Heusler, Dt. Versgesch. I, [2]1956; R. Blümel, D. rhythm. Arten (Festschr. f. Sievers, 1925); K. Kauffmann, Dt. Metrik, [2]1925; J. H. Scott, *Rhythmic Verse,* Iowa 1925; P. Servien, *Essay sur les r.s toniques du français,* Paris 1925; R. Hönigswald, V. Problem d. R., 1926; E. Tetzel, R. u. Vortrag, 1926; E. Norden, Logos u. R., 1928; RL; P. Servien, *Les R.s,* Paris 1930; R. Blümel, D. nhd. R. 1930; A. W. de Groot, D. R. (Neophil. 17, 1932); A. Verwey, R. u. Metrum, 1934; W. Schurig, D. Prinzip d. Abstufg. i. franz. Vers, 1934; K. Wagner, Phonetik, Rhythmik, Metrik (Festschr. f. Behaghel, 1934); D. Sekkel, Hölderlins Sprach-R., 1937; E. Vandvik, R. u. Metrum, Akzent u. Iktus, Oslo 1937; C. Cetti, *Il ritmo in poesia,* Como 1938; W. Kayser, D. R. i. dt. Gedichten (Dichtg. u. Volkstum, 1939); H. Leeb, V. Wesen d. R., 1941; J. A. Richards, *R. and Metre* (in: *Principles of Lit. Criticism,* Lond. [3]1944); L. Klages, V. Wesen d. R., [2]1944; RL; T. Georgiades, D. griech. R., 1949; F. G. Jünger, R. u. Sprache i. dt. Gedicht, [2]1966; G. Storz, R. u. Sprache (Deutschunterr. 2, 1952); ders. (Hochland 46, 1953); H. Benesch, Probleme d. R., Diss. Jena 1953; W. Kayser, Kl. dt. Versschule, [9]1962; ders., D. sprachl. Kunstwerk, [13]1968; G. Storz, Sprache u. Dichtg., 1957; F. Mayer, Schöpferische Sprache u. R., 1959; F. Lockemann, D. R. d. dt. Verses, 1960; B. Kippenberg, D. R. i. Minnesang, 1962; H. Enders, Stil u. R., 1962; R. Bräuer, Tonbewegung u. Erscheinungsform d. sprachl. R., 1964; U. Müller, D. R., 1966; J. Schmidt, D. R. d. franz. Verses, 1968; P. F. van Draat, *R. in Engl. Prose,* [2]1968; H. Schultz, V. R. d. mod. Lyrik, 1970.

Riciniata (lat. *ricinium* = Kopf- und Schultertuch) = →Mimus

Rima, Mz. rimur (isländ. = Reim), alliterierende oder gereimte isländische Balladen des MA. um historische, ritterlich-heroische oder mythische Stoffe, z. T. nach Vorbild franz. Romanzen. Vierzeilige Strophen, die meist durch e. Liebesklage eingeleitet werden. Unter Einfluß lat. Hymnik zu Ende des 14. Jh. entstanden und als Tanzlieder bis in die Gegenwart gesungen.

Rima equivoca (ital.), Reime, deren Wortmaterial nach Aussprache wie Schriftbild identisch ist, doch e. verschiedenen Sinn ergibt. Beliebt bei GUITTONE, dem frühen DANTE und den Rhétoriqueurs.

Rime couée (franz., v. lat. *rhythmus caudatus* = geschweifter Reim), ein Verspaar oder eine Strophe mit →Coda (2), d. h. mit einer meist kürzeren, manchmal auch längeren Schlußzeile, die entweder reimlos ist oder mit einer späteren Zeile reimt, etwa in der Form aab ccb oder aab bbc ccd usw. Vom Mittellatein aus in roman. und german. Dichtung des MA. verbreitet.

Rime enchaînée (franz. = verketteter Reim), franz. Gedichtform, bei der der folgende Zeilenanfang jeweils das Schlußwort der vorigen Zeile wörtlich oder als Homonym (rime annexée, wenn nur die letzte Silbe, rime fratrisée beim ganzen Wort) oder auch nur den Sinn des

Schlußwortes wieder aufnimmt, z. B. MAROT: ›Dieu des amants, de mort me garde; / Me gardant donne-moi bonheur; / Et me le donnant ...‹

Rime riche (franz. =) →reicher Reim, jedoch auch bei dem in franz. Metrik nicht als fehlerhaft betrachteten Gleichklang des Konsonanten vor der letzten Hebung: →rührender Reim.

Rimur →Rima

Rinascimento (ital. =) →Renaissance

Ringelgedicht →Rondeau

Ringerzählung, Form des Volksmärchens, die sich (ähnlich dem Schema von SCHNITZLERS *Reigen*) kreisförmig in sich schließt, indem etwa eine Reihe von Tieren einander anklagt, bis eine Klage auch das erste klagende Tier trifft und der Ring sich schließt.

M. Lüthi, Volksmärchen u. Volkssage, 1961.

Ringkomposition, jede Aufbauform in Lyrik (Th. STORM, *Die Nachtigall*), Epik oder Dramatik (A. SCHNITZLER, *Der Reigen*), deren Ende in den Anfang mündet.

Rischi (altind.-sanskr. = Weise), altind. Sänger und Dichter der religiösen Hymnen und Heldenepen der Veden, u. a. der mythische Dichter VYÂSA *(Mahâbhârata)*.

Risorgimento (ital. = Wiedererstehung), ital. Bewegung zum nationalen Wiederaufstieg und der politischen Einigung Italiens 1815 bis 1870, an deren Freiheitskampf die ital. Romantik (MANZONI, PELLICO) großen Anteil hatte. Sie wendete sich ebenfalls gegen den Klassizismus. Ihr bedeutendster Vertreter ist der polit. Schriftsteller und Republikaner G. MAZZINI, ihre meist bes. patriot. Autoren F. GUERRAZZI, G. GIUSTI, G. BERCHET u. a., ihr lit. Hauptwerk S. PELLICOS *Meine Gefängnisse* (1832).

R. Huch, Menschen u. Schicksale aus d. R., [11]1925; C. Curcio, *L'eredità del R.*, Florenz 1930; C. Spellanzon, *Storia del r.* V 1933–50; M. Sticco, *La poesia religiosa del R.*, Mail. [2]1945; L. Salvatorelli, *Pensiero e azione del r.*, Turin [3]1950; M. Montanari, D. geist. Grundlagen d. R., 1963; D. M. Smith, *Il. r.*, Bari 1968; S. J. Woolf, *The Italian r.*, Lond. 1969;

Rispetto (ital. = Ehrfurcht, sc. vor der Dame), kurze, volkstümliche ital. Gedichtform versch. Inhalts, meist Liebeslied in acht Endecasillabi, von denen die ersten vier Kreuzreim, die letzten vier Paarreim tragen, also mit dem Reimschema abab cc dd; Parallelform zum →Strambotto oder abgeleitet aus der →Oktave. Bes. in toskanischer Dichtung des 14. Jh., von dort über ganz Italien verbreitet, auch bei POLIZIANO, Lorenzo de' MEDICI, L. GIUSTINIANI, G. CARDUCCI, G. PASCOLI u. a.

M. Barbi, *Poesia popolare italiana,* Florenz 1939.

Ritornell (ital. *ritornello* = Wiederkehr), aus der ital. Volksdichtung stammende und früh in zahlreichen Volksliedern angewandte dreizeilige Strophe mit verschiedenem Metrum, deren 1. und 3. Vers miteinander reimen, während der 2. reimlos bleibt oder assoniert. Die 1. Zeile ist entweder gleichlang mit der 3. oder meist bedeutend kürzer (oft nur ein Wort) und enthält dann e. kurzen Ausruf oder e. Frage (Blumen-R.): ›Dunkle Zypressen! / Die Welt ist gar zu lustig – / Es wird doch alles vergessen‹ (Th. STORM). In dt. Lit. als Übersetzung oder eigene Schöpfung bes. bei RÜCKERT, W. MÜLLER, P. HEYSE und Th. STORM. →Terzine.

H. Schuchardt, R. u. Terzine, 1875.

Ritterdichtung →höfische Dichtung, →höfisches Epos und →Minnesang

Ritterdramen, allg. jedes Drama mit e. Ritter als Hauptfigur, z. B. KLEISTS *Käthchen von Heilbronn,* V. HUGOS *Burgraves,* insbes. im Gefolge von GOETHES *Götz* (1773) zu Ende des 18. Jh. entstandene epigonenhafte patriot. Schauspiele um Stoffe aus dem ma. Ritterleben, die das Rittertum romantisch verklären, so KLINGERS *Otto* (1775), TÖRRINGS *Agnes Bernauerin* (1780) und BABOS *Otto von Wittelsbach* (1782), UHLANDS *Ernst, Herzog von Schwaben* (1817).

O. Brahm, D. dt. R. d. 18. Jh., 1880.

Ritterorden →Deutschordensdichtung

Ritterroman, stoffbestimmte Form des europ. Romans vom ausgehenden MA. bis ins 17. Jh., entstanden als Prosaauflösung und wildwuchernde Fortbildung des →höfischen Romans und →chansons de geste und angesiedelt in e. frei fabulierten, im Grunde unhöfischen, von Riesen, Zwergen und Ungeheuern bevölkerten phantast. Zauberwelt, in der sich der ebenfalls vom Zauber beschützte Held zugunsten seiner Dame hervortut. In der Mischung von Abenteuer, Phantastik, Exotik und galanter Erotik wenig tiefgründige Unterhaltungslit., die in höf. wie bürgerl. Kreisen breites Publikum fand: in Spanien die *Crónica de Turpin* (um 1140), die *Historia de Carlomagno* (1525) u. a. Werke aus der Karlssage und den Empörergesten, *El caballero Cifar* (1512) und der →Amadis-Roman, von europ. Verbreitung und Nachahmung, ebenso die Palmerin-Romane (*Palmerín de Oliva,* 1511, *Palmerín de Inglaterra,* 1547 u. a.); in Portugal bes. Romane mit Stoffen aus der Matière de Bretagne um Artus, Gral und Lancelot; in Frankreich Prosa-Lancelot, Adaptierung des Amadis und reiche Nachblüte in den preziösen Romanen des 17. Jh.: GOMBERVILLE, *Polexandre,* LA CALPRENÈDE, *Cléopâtre,* SCUDÉRY, *Le Grand Cyrus* u. a.; in Italien erst Bearbeitungen der chansons de geste und höfischer Romane durch Andrea da BARBERINO *(Aspramonte, Reali di Francia),* dann als Ausnahmeerscheinung Übergang in wildwuchernde Versepik: L. PULCI, *Il morgante,* M. BOIARDO, *Orlando innamorato,* L. ARIOSTO, *Orlando furioso* aus der Rolandsage sowie T. TASSO *La Gerusalemme liberata,* schließlich preziöse Romane von MARINI, LOREDANO, BIONDI u. a.; in Dtl. nach den →Volksbüchern WICKRAMS *Ritter Galmy* und dt. Amadis-Bearbeitungen Übergang in den →heroisch-galanten Roman und den →Ritter- und Räuberroman. Die Endstufe des R. bilden die Parodien: T. FOLENGO, *Orlandino,* N. FORTEGUERRI, *Ricciardetto* und bes. CERVANTES *Don Quixote* (1605–15).

H. Thomas, *Span. and Portuguese romances of chivalry,* Cambr. 1920; O. Dubsky, *Essai sur l' évolution du genre chevaleresque,* Prag 1932; G. Doutrepont, *Les mises en prose des épopées et des romans chevaleresques,* Paris 1939.

Ritter- und →Räuberroman, im ausgehenden 18. Jh. weitverbreitete Form des Trivial- und Unterhaltungsromans. KLOPSTOCK, HERDER und BODMER brachten die Rückwendung zum MA., WIELAND bereitete stilistisch vor, und GOETHES *Götz* gab durch seinen Erfolg den Anstoß für die Folge der R. u. R., in denen sich Lüsternheit, Wundersucht und Intrigen als spannungserregende Mittel um die Taten e. ›großen Kerls‹ häufen. Den Anfang macht, richtungweisend in Ethos und Stil, Leonhard WÄCHTERS *Männerschwur und Weibertreue* (1785, später in *Sagen der Vorzeit,* 7 Bde. 1787–98); es folgen SCHLENKERTS *Friedrich mit der gebissenen Wange* (4 Bde. 1785–88) und, wesentlich höherstehend, Benedikte NAUBERTS →historische Romane (*Emma* 1785 u. a.). Den →Räuberroman voll Freiheitspathos, verbunden mit Haß gegen die herkömmlichen Ordnungen, bes. die ›Pfaffen‹, und derber Erotik, entwickelt C. G. CRAMER (*Erasmus Schleicher* 1789–91, *Dt. Alcibiades, Paul Ysop,* bes. *Hasper a Spada* 1792), den Geisterroman mit Betonung unheimlicher, lüsterner und sadistischer Züge C. SPIESS.

J. W. Appell, D. Ritter-, Räuber- u. Schauerromantik, [2]1967; C. Müller-Fraureuth, D. R. u. R.e, [2]1965; Ch. Touaillon, D. dt. Frauenroman, 1919; M. Thalmann, D. Trivialroman d. 18. Jh., 1923; RL; A. G. Murphy, *Banditry, chivalry and terror in German fiction 1790–1830,* Diss. Chicago 1936.

Robinsonade (nach DEFOES *Robinson*), Sonderform des →Abenteuerromans, gekennzeichnet durch das Motiv des exilartigen Aufenthalts in inselhafter Abgeschlossenheit, später mit verschiedensten Tendenzen gepaart. Das Motiv erscheint in der Weltlit. schon weit vor DEFOE, so im morgenländischen Roman und in dt. Lit. Ansätze bei *Kudrun* (1220) und in WICKRAMS Roman *Von guten und bösen Nachbarn* (1556), dann bes. seit den großen Entdeckungsreisen zu Beginn der Neuzeit, teils im Anschluß an Seefahrerberichte, episodenhaft in Barockromanen: W. H. v. HOHBERGS *Habspurgischer Ottobert* und bes. E. W. HAPPELS Reiseromane. Als erste eigtl. R. erscheint 1668 die engl. Satire H. NEVILLES *The Isle of Pines,* als erste dt. die *Continuatio* (6. Buch) von GRIMMELSHAUSENS *Simplicissimus* (1669), freiwillige Weltabkehr (trotz Möglichkeit zur Rückkehr) als Flucht vor dem ›politen‹ Zeitalter. Die Blütezeit der R. beginnt jedoch erst mit Daniel DEFOES *Robinson Crusoe* (1719) nach den Berichten und Erlebnissen des Matrosen A. Selkirk. In der realistischen Darstellung, wie der auf e. einsamen Insel Gestrandete sich einzurichten beginnt und e. neues Leben aufbaut, wiederholt sich, in erzieherischer Tendenz verkürzt, der gesamte Kulturgang der Menschheit, doch ist ihm die Insel nur vorübergehendes Exil. Der ungeheure Erfolg des Buches brachte bald Übersetzungen und Nachahmungen in allen Kultursprachen der Erde: dt. 1720, 1721 *Holländischer Robinson,* 1722 *Teutscher Robinson oder Bernhard Creutz, Sächsischer Robinson,* 1723 franz., 1724 schwed., amerikan. Robinson usw., 1726 *Joris Pines* nach NEVILLE u. ä. Die erste bedeutende und selbst wiederum nachfolgereiche dt. R. ist J. G. SCHNABELS *Insel Felsenburg* (anonym 1731 ff.), wichtig wegen ihrer Seelenschilderung im Zeichen der Empfindsamkeit und als soziale und staatsrechtliche →Utopie: Abkehr von der ränkesüchtigen Hofwelt z. Zt. Ludwigs XIV. zu e. idyllisch-patriarchalischen und naturnahen Welt der Humanität. Die große Beliebtheit des Werkes beweist e. Neuausgabe noch 1828 (durch TIECK). Die weitere Entwicklung der R. geht in drei Richtungen: 1. zum utopischen →Staatsroman, 2. zum bloßen →Abenteuerroman, in den auch der →Avanturierroman mündet, und 3. zum belehrenden und moralisch bessernden Erziehungsroman für die Jugend, im Sinne der Aufklärung mit rein utilitaristischem Charakter: J. H. CAMPES Umformung *Robinson der Jüngere* (1779–80) erlebte binnen kurzem 120 Auflagen und Übersetzungen in 25 Sprachen; der künstlerisch wertvollere *Schweizerische Robinson* des Pfarrers J. D. WYSS erreichte nicht solche Verbreitung; von 1822 bis 1848 folgen noch zahlreiche andere politisch oder weltanschaulich abgewandelte R.n bis zum liberalen *Neuen Robinson* von G. H. v. SCHUBERT (1848). Als erste selbständige neue Version des Motivs, die den geänderten Verhältnissen des 19. Jh. Rechnung trägt, erscheint 1841 F. MARRYATS *Masterman Ready* (dt. *Steuermann Rüstig,* 1843), der ebenfalls in den Bestand der Jugendlit. eingeht, dann folgen die naturwissenschaftlichen →Reiseromane von Jules VERNE (*L'île mystérieuse* 1874, *L'école des Robinsons* 1882, *Deux ans de vacances* 1888), im 20. Jh. wieder als kulturkritisch-utopische R. (N. JACQUES' *Piraths Insel* 1917, A. PETZOLDS *Sevarinde* 1923, E. REINACHERS *Robinson* 1919) oder ironisch in G. HAUPTMANNS *Insel der großen Mutter* 1924.

H. Hettner, Robinson u. d. R.n., 1854; H. F. Wagner, Robinson i. Österr. 1886; A. Kippenberg, Robinson i. Dtl. bis z. ›Insel Felsenburg‹, 1892; H. Ullrich, Robinson u. R., Bibliogr., 1898; W. H. Stavermann, *Rob. Crusoe in Nederland,* Diss. Groningen 1907; L. Brandl, Vor-Defoesche R.n, GRM 5, 1913; L. Polak, Vor-Defoesche R.n i. d. Niederlanden GRM 6, 1914; F. Brüggemann, Utopie u. R., 1914, n. 1976; W. E. Mann, *Rob. Crusoe en France,* Paris 1916; H. Ullrich, 12 Jhre. Defoe-Forschg., GRM 12, 1919; H. Schöffler, Protestantismus u. Lit., 1922; H. Ullrich, Defoes Rob. Crusoe, d. Gesch. e. Weltbuchs, 1924; RL; W. de la Mare, *Desert islands and Rob. Crusoe,* Lond. 1930; O. Deneke, Rob. Crusoe in Dtl., 1934; J. H. Scholte, D. Simplizissimus und sein Dichter, 1950; ders., R. (Neophil. 35, 1951); T. v. Stockum, Robinson Crusoe, Vor-R.n u. R.n (in: Von F. Nicolai bis T. Mann, Groningen 1962); K. Reichert, Utopie u. Staatsroman, DVJ 39, 1965; C. Magris, *Le R.* (Fs. L. Vincenti, Turin 1965); H. Brunner, D. poet. Insel, 1967; E. Liebs, D. pädagog. Insel, 1977.

Rodomontade (nach der Figur des großsprecherischen Sarazenenkönigs Rodomonte in ARIOSTS *Orlando Furioso*), großsprecherisches, ruhmrednerisches und leeres Geschwätz, Prahlerei.

Rokoko (v. franz. *rocaille* = Muschel als häufiger Zierat der Kunst des R.), aus der bildenden Kunst entlehnte Bz. für den artistisch gesteigerten, nunmehr ganz diesseitsbezogenen und spielerisch heiter verharmlosten Spätstil des Barock, in der Lit. rd. 1730–1750, der, im Durchgang durch die →Aufklärung geläutert, zu e. Stilerscheinung (Zeitstil) innerhalb der Epoche der Aufklärung wird und seine Zweckbestimmung nicht im Gegenständlichen, sondern im Dekorativen, Kleinen, Naiven und Zierlichen sucht, im stilisierten Ausdruck der nicht unbedingt mehr tiefen und erhabenen Gefühle, einem freien ästhetischen Spiel mit Scherz, Ironie, heiterem Lebensgenuß (Motive: Rosen, Wein, Natur, Liebe) und e. durch Witz und Ironie gebändigten, z. T. frivol tändelnden Sinnlichkeit: eine heiter-galante Gesellschaftsdichtung im Umgangston der großen Welt, die den Ausgleich zwischen protestant. Bürger- und höf. Adelskultur sucht. Ihre lyr. Formen sind →Hirtendichtung, →Idylle, →Graziendichtung und die lyr. Kleinkunst der poésie fugitive (HAGEDORN, GESSNER, GLEIM, UZ, GÖTZ, E. v. KLEIST, L. A. UNZER, H. W. v. GERSTENBERG, jg. GOETHE) und der Fabel (GELLERT, HAGEDORN, J. A. SCHLEGEL). Im Drama überwiegen kleine Komödie (jg. LESSING, J. E. SCHLEGEL, GOETHES *Mitschuldige*), Schäferspiel und Singspiel (C. F. WEISSE, WIELAND, jg. GOETHE), in der Epik das →komische Epos im Anschluß an POPE und VOLTAIRE (WIELAND, *Oberon*) und das zierliche Epyllion (ZACHARIAE, ROST, THÜMMEL, WIELAND), in der Prosa der komischironische Roman nach FIELDING und STERNE (WIELAND, *Don Sylvio*). – In engl. und franz. Lit. hat sich die Bz. R. trotz entsprechender Stile (PRÉVOST, VOLTAIRE, MARIVAUX, STERNE) nicht in gleichem Maße eingebürgert.

F. Neubert, Frz. R.-Probleme (Fs. P. A. Becker, 1922); F. Blei, D. R.; ders., D. Geist d. R., 1923; V. Klemperer, D. Begriff d. R. (Jhrb. f. Philol. 1, 1925); E. Ermatinger, Barock u. R. i. dt. Dichtg., 1926, [3]1972; R. Brie, Engl. R.-Epik, 1927; F. Schürr, Barock, Klassizism. u. R. i. d. frz. Lit., 1928; F. Rohrmann, Grundlagen u. Charakterzüge d. frz. R.-lyrik, 1930; H. Heckel, Z. Begriff u. Wesen d. lit. R. i. Dtl. (Festschr. f. Siebs, 1933); V. Tornius, Dt. R., 1935; S. F. Kimball, *The creation of the R.*, Phil. 1943; H. Kind, D. R. u. s. Grenzen i. dt. kom. Epos d. 18. Jh., Diss. Halle 1945; H. Cysarz, Lit. R. (in: Welträtsel i. Wort, 1948); B. A. Sörensen, D. dt. R. u. d. Verserz. (Euph. 48, 1954); A. Schönberger, D. Welt d. R., 1959; I. S. Stamm, *German lit. r.* (*Germanic Review* 36, 1961); A. Anger, Dt. R.-Dichtg. Forschgsber. 1963 (auch DVJ 36, 1962); R. Laufer, *Style rococo*, Paris 1963; R. H. Samuel, *R.* (*Periods in German lit.*, hg. J. M. Ritchie, Lond. 1966); H. Anger, Lit.R., [2]1968; Z. Libera, *La notion de r.* (*Actes du V.e congrès de l'assoc. internat. de lit. compar.*, Belgrad 1969); H. Dieckmann, Überlegg. z. Verwendg. v. R. als Epochenbz. (in: Diderot u. d. Aufkl., 1972); H. Hatzfeld, *R.*, N. Y. 1972; RL; K. Bohnen, Lit.R. (Text u. Kontext 1, 1973); A. Maler, D. Held i. Salon, 1973; A. Anger, R.dicht. u. Anakreontik (Neues Hb. d. Lit.wiss. 11, 1974); K. Richter, Geselligk. u. Gesellsch. i. Gedd. d. R. (Jb. d. dt. Schiller-Ges. 18, 1974); C. Perels, Stud. z. Aufnahme u. Kritik d. R.lyrik, 1974; T. Verweyen, Emanzipation d. Sinnlichk. i. R., GRM 25, 1975; P. Brady, *The present state of studies on the r.* (*Compar. Lit.* 27, 1975); ders., *Toward autonomy and metonymy, The concept of r. in lit.* (*Yearbook of compar. and general lit.* 25, 1976). →Anakreontik.

Rolle, 1. Buchrolle, →Papyrus. 2. Einzelpart des Schauspielers innerhalb e. Stückes, benannt nach dem früher auf Papierrollen ausgeschriebenen Text, den er zum Studium erhielt – heute erhält er meist den vollen Wortlaut des Stückes und bezeichnet seine Auftritte und Stichworte darin. Nach der Bedeutung staffelt man Haupt- und →Nebenrollen. Im 18. Jh. und bis ins 19. Jh. unterschied man fest umgrenzte Rollenfächer, die sich aus den Typen der ital. →Commedia dell'arte ableiteten, so in Italien Pantalone, Dottore, Capitano, Scaramuccio, Lelio, Octavio, Isabella, Leonore, Scapino, Arlecchino und Colombina, in Frankreich dazu Marinette und Pierrot (Mezzetin); in Dtl. entsprach dem die Aufteilung in →Anstandsrollen (Bonvivant), tragische oder polternde Väter, Mantel-(d. h. komische Charakter-) R.n, z. B. komische Alte, Bediente und Episoden-R.n, als männliche Haupt-R. Erster Liebhaber; als weibliche R.n Liebhaberinnen, edle Mütter, Agnesen und Soubretten, beide später zu →Naiven zusammengefaßt, u. a. m. Während noch BRANDES 1779 erklärte, mit 16 R.nfächern für SHAKESPEARE oder GOETHES *Götz* auszukommen, tritt schon unter EKHOF, DALBERG, GOETHE und im Wiener Burgtheater das R.nmonopol nicht mehr hervor und wird seit der Vorherrschaft der Regie immer unwesentlicher, da die Wirkungsbreite allein von der Wandlungsfähigkeit der Künstlerpersönlichkeit abhängt. Heute dienen die R.nfächer nur noch aus praktischen Gründen bei Theateragenturen und Vertragsabschlüssen mittlerer Kräfte der Eignungsbegrenzung.

B. Diebold, D. R.-fach i. dt. Theaterbetrieb d. 18. Jh., 1913; F. Gregor, D. Schauspieler, 1919; H. Doerry, D. R.-fach i. dt. Theaterbetrieb d. 19. Jh., 1926; RL[1].

Rollenfach →Rolle (2)

Rollengedicht, -lied, lyrische Form, in der der Dichter die Empfindungen und Gedanken e. typischen Gestalt (Liebhaber, Wanderer, Soldat, Schäfer u. ä.) als monologische Ichaussprache zum Ausdruck bringt, also seine eigenen oder nachempfundenen Gefühle e. bestimmten Figur in den Mund legt, die meist durch die Überschrift bezeichnet wird (z. B. GOETHE, *Schäfers Klagelied,* BRENTANO, *Der Spinnerin Lied,* UHLAND, *Des Knaben Berglied*) oder unbezeichnet aus dem Inhalt erschließbar ist. Das R. braucht nicht Selbstaussprache der Dichterseele zu sein, und die Nichtbeachtung der gewählten Rolle bei der Deutung hat in der Literaturgeschichte oft zu Mißdeutungen und damit falschen Vorstellungen von Dichtern und ganzen Epochen geführt (z. B. Minnesang). Schon die antike Lyrik kennt R.e in der →Hirtendichtung, dem alexandrinischen R. *Des Mädchens Klage* und den →*Heroiden* OVIDS; in der ma. geistlichen Dichtung sind die →Sündenklagen und →Marienklagen bewußt R.e, ebenso ist der →Minnesang vom KÜRENBERGER und REINMAR bis zu WALTHERS *Unter der Linden* nur als R. verständlich, ein Großteil der Volkslieder sind R., und auch die neuere Dichtung vom Petrarkismus zur Anakreontik und von der Romantik bis zur Gegenwart (RILKE, *Lied des Bettlers*) greift häufig auf diese Form der Objektivierung zurück.

W. Becker, D. R. als Ausdrucksform d. romant. Lyrik, Diss. Lpz. 1950.

Rollenprosa, entsprechend dem →Rollengedicht ein Prosatext, dessen Perspektive ausschließl. auf eine psycholog./soziol. definierte Figur begrenzt ist.

Roman (urspr. im Frankreich des 12. Jh. jede Schrift in der Volkssprache, der ›lingua romana‹ im Ggs. zum gelehrten Schrifttum in der ›lingua latina‹, im 13. Jh. dichterische Erzählung in Prosa oder Versen und seit Ausgang des 13. Jh. nur das Prosaschrifttum; in dieser Bedeutung dt. seit dem 17. Jh.), epische Großform in Prosa; e. der am spätesten entwickelten Gattungen, heute jedoch nicht nur die verbreitetste der erzählenden Dichtung, sondern auch der Dichtung schlechthin. Der Unterschied zum →Epos, von dem der R. abstammt, liegt tiefer als in der bloßen Unterscheidung von →Prosa- und Versform der Sprache, die ihn jedoch als wesentliches Merkmal entscheidend mitbedingt. Wie das Epos bringt der R. e. umfassend angelegten und weitausgesponnenen Zusammenhang zur Darstellung und unterscheidet sich dadurch von der Novelle, aber während das Epos e. breites Totalbild der Welt, der Zeit und der Gesellschaft in bunter Handlungsfülle, doch ohne kausal geschlossenen Geschehensaufbau entfaltet und seinen typenhaften Helden innerhalb des auf typische Ziele und feste Ordnungen ausgerichteten Lebensideals keinen Spielraum zu individueller Persönlichkeits- und Charakterentwicklung läßt, richtet der R. den Blick auf die einmalig geprägte Einzelpersönlichkeit oder e. Gruppe von Individuen mit ihren Sonderschicksalen in e. wesentlich differenzierteren Welt, in der nach Verlust der alten Ordnungen und Geborgenheiten die Problematik, Zwiespältigkeit, Gefahr und die ständigen Entscheidungsfragen des Daseins an sie herantreten und die ewige Diskrepanz von Ideal und Wirklichkeit, innerer und äußerer Welt, bewußt machen. Dabei bildet nicht die Gegensätzlichkeit der Welt an sich, am Einzelfall aufgerollt, das Hauptthema wie im Drama, sondern das in das Weltgeschehen eingebettete Schicksal spielt sich in ständig erneuter Auseinandersetzung mit den äußeren Formen und Mächten ab, ist ständige individuelle Reaktion auf die Welteindrücke und -einflüsse und damit ständige eigene Schicksalsgestaltung. Bei aller Gebundenheit an die Außenwelt bestimmen letztlich nicht äußere Taten, sondern innere Entwicklungen den Gang des R. und führen in der Gegenwart bis zu seiner ›Entfabelung‹, d. h. dem Verzicht auf äußere Handlung und der Beschränkung auf subtile Seelenanalyse als Beitrag zur Selbstvergewisserung des Menschen. Der zeitlosen Öffentlichkeit der Gestalten im Epos steht die zeit- und raumgebundene, subjektiv-individualistische Intimität der aus dem geordneten Glaubenshorizont losgelösten, einsamen, über die Welt und sich selbst reflektierenden Persönlichkeiten im R. gegenüber; diese aber findet nicht in der Ordnung der gebundenen Rede, sondern allein in der freigestalteten Prosa gemäßen Ausdruck, und nur die Übergangszeit, in der die Prosa noch nicht als Kunstmittel erschlossen war, kennt ›Vers-R.e‹ als romanhafte Erzählungen in Versform. Der Übergang zur Prosa und die Preisgabe des Versrhythmus bedeutete zweifelsohne e. Verlust an Formkraft, erhabener Distanz und ›ursprünglichem poetischem Weltzustand‹ (HEGEL), jedoch e. Bereicherung an Realistik und persönlicher Wärme, wie sie in e. sagen- und mythenlosen Zeit – die daher auch kein großes Epos schafft – und in e. Zeit des Lesepublikums, das privat und persönlich aufnehmen und angesprochen sein will, nicht ausbleiben kann. Die Einbuße an dichterischer Werthaltigkeit in der Form sucht der R. häufig durch bes. ›poetische‹ Stoffe auszugleichen: Liebende, Künstler, Ritter und Räuber, für gewisse Kreise auch Adlige und Millionäre, waren von jeher seine bevorzugten Gestalten; von bestimmendem Einfluß ist hierbei der Publikumsgeschmack, der auf der anderen Seite wiederum zeitweise e. reales, möglichst beglaubigtes Geschehen verlangt und damit zum undichterischen Tatsachen-R. drängt.

Die geringe Formstrenge und die außerordentliche Vielfalt der R.lit. als der am weitesten gefaßten Gattung machen e. restlos zutreffende Aufteilung in einzelne Arten ebenso unmöglich, wie sie sie erfordern. Jede Gliederung muß daher zumal bei der ständigen Entwicklung neuer Formen willkürlich erscheinen. Aufteilungsmöglichkeiten bestehen: 1. nach der von der Verfasserpersönlichkeit bestimmten Eigenart der Aussageweise: empfindsamer, →humoristischer, satirischer, idealistischer, realistischer, didaktischer, →Tendenz-R. usw., 2. nach der Form: →Ich-, →Brief-, →Tagebuch-, Dialog-, →Rahmen-, →chronikalischer R. usw., 3. nach dem Vorwurf, vom rein Stofflichen bis zum geistigen Gehalt: →Abenteuer-, →Ritter- und →Räuber-, →Entwicklungs-, →Bildungs-, →Erziehungs-, →Künstler-, →Maler-, →Staats-, →Kriminal-, →Reise-, →Zeit-, →Gesellschafts-, →historischer, →Heimat-, →Dorf-, →Bauern-, religiöser, →sozialer, →psychologischer, →Familien-, See-R., →Robinsonade u. a. m., 4. nach den formbaren Substanzschichten wie die von W. KAYSER versuchte Einteilung in Geschehnis-, Figuren- und Raum-R., 5. nach den künstlerischen Rangunterschieden: →Bestseller, →Reißer, →Trivial- oder →Unterhaltungs-R. und künstlerisch hochstehender R. In jedem Einzelfall überschneiden sich jedoch diese Einteilungen vielfältig, da es keine eindimensionale Gliederung gibt.

Die Theorie des R. wird bis ins 18. Jh. überschattet von der des Epos als der höchsten Dichtungsgattung und wechselt mit den Auffassungen der verschiedenen Epochen. Sie beginnt im 16. Jh. bei den Italienern GIRALDI und PIGNA und wird in Frankreich von CYRANO DE BERGERAC (*Lettre contre un liseur de r.s*, 1663) und BOILEAU (*Dialogue des héros de r.s*, 1664) fortgesetzt. Erst der franz. Bischof P. D. HUET verweist in e. *Traité de l'origine des r.s* (1670) auf den sittenbildenden Charakter des R. und seine Bedeutung für das Geistesleben und beeinflußt die europ. Poetik bis zu GOTTSCHED. Die dt. Barockpoetik erwähnt den R. teils überhaupt nicht (OPITZ, *Poeterey*), teils nur im Hinblick auf das Epos. Die Befreiung von dieser Bevormundung setzt erst ein, nachdem mit WIELANDS *Agathon* der erste philosophisch bedeutsame Entwicklungsroman hervortrat. Nunmehr fordern MENDELSSOHN (1761 in den *Literaturbriefen*), J. A. SCHLEGEL (für GELLERTS *Schwedische Gräfin* eintretend) und bes. BLANCKENBURG in der ersten großen dt. Theorie des R. (*Versuch über den R.*, 1774) seine Anerkennung als vollgültige Dichtgattung, und zwar als Nachfolger des Epos, der nicht mehr den Menschen typenhaft als Bürger der Staatsgemeinschaft, sondern als Individuum behandeln soll. In der Forderung nach Freihaltung des R. von ausländischem Einfluß folgen ABBT, JUNG-STILLING, HERMES, J. C. WEZEL und J. H. MERCK (im *Teutschen Merkur*). GOETHE bemüht sich anfangs im Verein mit HERDER um die Formgesetze des R., stellt ihn in *Wilhelm Meisters Lehrjahren* als Darstellung von Gesinnungen und Begebenheiten den Charakteren und Taten des Dramas gegenüber und erörtert im Briefwechsel mit SCHILLER das Wesen der Epik allg. am homerischen Beispiel. In der Romantik definiert F. SCHLEGEL den R. als ›mehr oder weniger verhülltes Selbstbekenntnis des Verfassers, den Ertrag seiner Erfahrungen, die Quintessenz seiner Eigentümlichkeit‹ (*Brief über den R., Athenäum* III). NOVALIS entwickelt seine Anschauung im Ggs. zu GOETHES *Wilhelm Meister*, und JEAN PAUL unterscheidet in der *Vorschule der Ästhetik*, nach Nationen geordnet, epischen und dramatischen R. Im Ggs. zum zeitlosen Entwicklungs- und Bildungs-R. des Idealismus erscheint dem Jungen Dtl. der ins Tagesgeschehen einwirkende Zeit- und Sittenroman des zeitlichen Nebeneinanders als höchste Kunstform. Von DICKENS, SCOTT und ELIOT ausgehend, untersucht O. LUDWIG im Realismus den psychologischen Grundzug des R. und definiert als seinen Gegenstand den Menschen unter dem Einfluß historischer Mächte. Die wichtigste R.-Theorie des Realismus aber folgt erst nach den großen R.en; SPIELHAGENS *Beiträge zur Theorie und Technik des R.* (1883) gipfeln in der seinerzeit vielbeachteten und heißumkämpften Forderung, die Person des Erzählers müsse, selbst in der Ich-Form, völlig hinter dem objektiven Bericht zurücktreten, e. These, die W. SCHERER skeptisch, W. HART schroff ablehnt. Der Naturalismus (ZOLA, H. HART, M. G. CONRAD) erstrebt den wirklichkeitsschildernden Experimental-R. nach naturwissenschaftlichen Methoden und weist ihm neue Aufgabenbereiche und Stoffe zu. J. SCHLAF leitet von hier aus zum Religiösen, H. BAHR zum Romantischen über. J. WASSERMANN stellt im Zusammenhang mit der vertieften Seelenanalyse des psychoanalytischen R. e. zunehmende ›Entfabelung‹ fest (s. o.) und tritt für die Kunst des Ungesagten ein. Th. MANN verteidigt den R. 1910 nochmals als echte und vollwertige

Kunstgattung gegenüber e. ihn aus der Poesie verdrängenden Poetik und entwickelt im *Versuch über das Theater* e. R.-Typologie (internat. Zivilisations-R., Bildungs-R., volkstümlicher und mythosnaher R.), G. LUKÁCS schließlich in seiner *Theorie des R.* drei gemeineurop. Ausformungen: abstrakt-idealistischen, Desillusions-R. und die Synthese beider.

Geschichte: Im Osten erfolgt die Ausformung relativ spät: in China und Japan seit dem 13. Jh. als historischer, phantastischer oder bürgerlicher R.; in Arabien nach alten Vorformen seit dem MA. mit sagenhaften, ritterlichen, religionsgeschichtlichen oder historischen Stoffen, neuerdings auch modernen europ. Problemen; in Persien überwiegt das Epos. Die abendländische Entwicklung beginnt in Griechenland, wo bereits im 6. Jh. v. Chr. die Prosa der →Logographen und im 2. Jh. v. Chr. die Novelle (Milesische Geschichten) vorausgegangen waren; romanhafte Elemente erschienen in der *Odyssee,* in XENOPHONS *Kyrupädie* (4. Jh. v. Chr.), in den *Persika* des KTESIAS (4. Jh. v. Chr.) und dem aus der Geschichtsschreibung erwachsenen *Alexanderroman* (um 200 v. Chr.). Den Anfang machen sodann zwei historische R.e: im 1. Jh. v. Chr. das fragmentarisch erhaltene Volksbuch von *Ninos und Semiramis* und im 1./2. Jh. n. Chr. *Chaireas und Kallirrhoe.* Beide wie auch der →Reiseroman des ANTONIUS DIOGENES *Wunder jenseits Thule* aus dem 1. Jh., den LUKIAN in *Wahre Geschichte* verspottet, enthalten bereits episodisch das Liebesmotiv, das in der Blütezeit des spätgriech. Romans im 2./3. Jh. n. Chr. ständig mit dem Abenteuermotiv verknüpft erscheint: stets wird hier e. Liebespaar getrennt und nach e. Reihe langer, oft höchst gefährlicher Abenteuer in Fremde und Sklaverei, welche die gegenseitige Treue bestätigen, wieder vereinigt. Charakter- und Milieuschilderung werden nicht erstrebt. Die Verfasser dieser R.e heißen Erotiker; die wichtigsten sind IAMBLICHOS' *Babyloniaka* um 170/180, XENOPHONS von Ephesus *Antheia und Habrokomes* im 2./3. Jh., LONGOS' bukolischer (Hirten-) R. *Daphnis und Chloe* im 3. Jh., HELIODORS *Aithiopika* in der 2. Hälfte des 3. Jh. und ACHILLEUS TATIOS' *Leukippe und Kleitophon* Ende 3. Jh. Die Wirkung dieser Werke auf Form und Inhalt der späteren R.e war überaus stark, und noch das 18. Jh. definiert den R. als ›verliebte Geschichte‹. Bedeutende R.e der röm. Lit. sind die *Satire* des PETRONIUS und die *Metamorphosen* des APULEIUS, daneben als Volksbücher der *Troja-R.* von DARES und DICTYS und der *Apollonius-R.* Im Spätma. und der Renaissance beginnt der Neuansatz mit der Prosaauflösung der ma. Epen (z. B. Prosa-Tristan) zum →Ritterroman, der Prosaübersetzung franz. Chansons de geste (ELISABETH VON NASSAU-SAARBRÜCKEN: *Hug Schapler, Loher und Maler, Sibille*; ELEONORE VON SCHOTTLAND: *Pontus und Sidonia*), mit den →Volksbüchern (*Eulenspiegel, Fortunatus, Schildbürger, Faustbuch* u. a.) und den ersten selbständigen Großromanen (nach franz. Vorbild RABELAIS' satirisch bei FISCHART, bei J. WICKRAM bügerlich-moralisch um das Aufstiegsproblem), in denen nunmehr erstmalig nicht nach Art der Renaissancenovelle die Geschehnisfülle, sondern die Einzelgestalt des Helden im Mittelpunkt steht. Im Barock wird sodann der span.-franz. →Amadis-R. Vorbild für den heroisch-galanten R., der spätantike R. für den →Schäfer-R. D'URFÉ *(Astrée),* SCUDÉRY und LA CALPRENÈDE sind die franz. Vorbilder, deren Schäfer- und Schlüsselromane als Einkleidung zeitgenössischer Personen und Ereignisse in Italien und Dtl. bei ZESEN – der in der *Adriatischen Rosemund* noch empfindsame Züge zeigt –, Herzog ANTON ULRICH VON BRAUNSCHWEIG, LOHENSTEIN, ZIGLER und BUCHHOLTZ reiche Nachfolge finden. Daneben steht freilich als Nachfolge des spanischen →Schelmenromans der volksnah-realistische Zeitroman, teils Parodie des großen R., teils soziale Fragen aufwerfend: Ägidius ALBERTINUS, GRIMMELSHAUSENS *Simplizissimus,* Chr. REUTERS *Schelmuffsky,* J. BEER, nach span. Vorbild als Traumsatire bei MOSCHEROSCH, B. SCHUPP und GRIMMELSHAUSEN, in Frankreich bei SCARRON und LESAGE, in Spanien CERVANTES. Chr. WEISES satirisch-didaktischer R. leitet zur Aufklärung über. Ihre wesentlichen R.-Formen sind die bürgerlich-moralisierende →Robinsonade im Anschluß an DEFOE (SCHNABELS *Insel Felsenburg*), der →empfindsame →Familienroman im Anschluß an RICHARDSON (GELLERT *Leben der schwedischen Gräfin von G...,* HERMES *Sophiens Reise,* Sophie von LAROCHE *Geschichte des Frl. v. Sternheim,* in Frankreich DIDEROT) und die Anfänge des →psychologischen R. im Anschluß an FIELDING, SMOLLETT, GOLDSMITH und STERNE, der weniger das Geschehen selbst als die menschlichen Reaktionen darauf darstellt und aus den bürgerlichen Bezirken didaktisch-moralischer Nüchternheit zu freier Subjektivität durchdringt: unter engl. Einfluß stehen noch GELLERT, MUSÄUS *(Grandison der Zweite),* NICOLAI *(Leben des Sebaldus Nothanker)* und THÜMMEL *(Reise in die mittäglichen Provinzen von Frankreich),* unter dem Einfluß von ROUSSEAUS *Novelle Héloïse* der sentimentale Sturm- und Drang-R. mit dem Streben nach natürlichem Lebensgefühl. An dessen Spitze steht GOETHES *Werther;* JUNG-STILLING führt pietistische Züge ein, während MILLER die Sentimentalität bis ins Letzte steigert. Den schon bei LENZ, JACOBI und KLINGER ausgeprägten Subjektivismus der Geniezeit steigert HEINSES *Ardinghello* bis zum ›ästhetischen Immoralismus‹. Während der Trivial-R. der Zeit in →Ritter-, →Räuber- und →Schauerromanen schwelgt, entsteht die am stärksten zukunftweisende Form im →Entwicklungsroman und →Bildungsroman (WIELAND, *Agathon,* K. Ph. MORITZ, *Anton Reiser,* GOETHE, *Wilhelm Meister*) als eigendt. Form und stärkster dt. Beitrag zum R. der Weltlit. Die reiche R.lit. der Romantik nimmt den Weg einerseits zum Subjektivismus und der Idylle als Ausweg aus der gewaltsamen Welt (JEAN PAUL) oder als höchste Steigerung des Individualismus (SCHLEGEL, *Lucinde,* NOVALIS, *Heinrich von Ofterdingen,* TIECK, *William Lovell* u. a.), andererseits ins Dämonische (HOFFMANN, *Elixiere des Teufels*) und bevorzugt bes. den →Künstlerroman. Mit W. SCOTT in England, A. MANZONI in Italien, V. HUGO in Frankreich und ARNIMS *Kronenwächtern* in Dtl. beginnt dann die für das 19. Jh. charakteristische Reihe der →historischen R.e, die sich von HAUFF, ALEXIS, H. KURZ und v. SCHEFFEL mit dem Höhepunkt in STIFTERS *Witiko* bis zu C. F. MEYER und den →Professoren-R.n fortsetzt. Aus Vorstufen im Biedermeier und den tagesgebundenen R.en des Jungen Dtl. (GUTZKOW, LAUBE, KÜHNE), das politische, kulturhistorische und soziale Probleme in e. R. der Wirklichkeit und des Nebeneinander lösen will, entwickelt sich seit 1830 der realistische R. (IMMERMANN, REUTER, O. LUDWIG,

L. v. FRANÇOIS, SPIELHAGEN, RAABE, KELLER, ANZENGRUBER, EBNER-ESCHENBACH, STIFTER, FONTANE; in Frankreich BALZAC und STENDHAL, in England DICKENS). Als Sonderformen blühen der →Dorfroman (AUERBACH, GOTTHELF, H. KURZ, ROSEGGER, EBNER-ESCHENBACH), der →humoristische (F. Th. VISCHER) und →exotische R. (SEALSFIELD, GERSTÄCKER, später J. CONRAD). Der R. des →Naturalismus steht in Abhängigkeit von den großen ausländischen Vorbildern FLAUBERT, ZOLA, DOSTOEVSKIJ und TOLSTOJ. Während sich jedoch die Nachahmungen des franz. Experimental-R. (M. G. CONRAD, M. KRETZER, C. ALBERTI, K. BLEIBTREU) nicht durchsetzen, erzielen G. HAUPTMANN, SUDERMANN, POLENZ, FRENSSEN, C. VIEBIG, G. REUTER, H. BÖHLAU u. a. in Verbindung mit den R.en der Heimatkunst als Ggs. zum →Großstadt-R. der Naturalisten große Erfolge und weite Nachfolge bei H. VOIGT-DIEDERICHS, T. KRÖGER, E. ZAHN, K. F. GINZKEY, H. LÖNS, H. STEHR, L. THOMA u. a. Zu Beginn des 20. Jh. eröffnen Th. und H. MANN, R. HUCH, I. KURZ, J. ROTH, H. HESSE völlig neue Gestaltungsmöglichkeiten, die im Expressionismus (STERNHEIM, EDSCHMID, L. FRANK, DÖBLIN, JAHNN, WERFEL) erweitert werden, in der Gegenwart bei PROUST, J. JOYCE, KAFKA, MUSIL, BROCH, DODERER u. a. durch den simultanen R. zu e. Formauflösung führen und unter Verzicht auf streng zeitlichen Handlungsablauf durch e. Vielzahl von Einzelheiten aus Bewußtsein und Unterbewußtsein e. im Leser zusammenfließenden Gesamteindruck erstreben, so daß in der Gegenwart gerade der R. zu vielumstrittenen Gestaltungsfragen hinsichtlich der Erzählform (→innerer Monolog, →stream of consciousness), Perspektive und Zyklenbildung geführt hat. Neue Anregungen kommen dabei vom amerikan. R. (HEMINGWAY, FAULKNER, WOLFE) wie vom franz. Zyklen-R. (DUHAMEL, MARTIN DU GARD) und vom →Nouveau r. Grundthema des dt. Nachkriegs-R. ist die Orientierung in e. verwandelten Welt (BÖLL, KOEPPEN, NOSSACK, KASACK, ANDERSCH, FRISCH, M. WALSER, GRASS, JOHNSON, S. LENZ).

L. Cholevius, D. bedeutendsten dt. R.e d. 17. Jh., 1866; F. Bobertag, Gesch. d. R. i. Dtl. bis z. Anfg. d. 18. Jh., II 1876 bis 1884; H. Körting, Gesch. d. franz. R. i. 17. Jh., 1885 f.; W. L. Cross, *The Development of the Engl. Novel,* N. Y. 1899; J. Wassermann, D. Kunst d. Erzählung, 1904; M. Schian, D. dt. R. seit Goethe, 1904; K. Schmitt, D. moderne R., 1908; H. Keiter, T. Kellen, D. R. Theorie u. Technik, [4]1912; O. Schissel v. Fleschenberg, Entwicklgs.gesch. d. R., 1913; W. Wurzbach, Gesch. d. franz. R. I, 1913; M. L. Wolff, Gesch. d. R.theorie, Diss. Mchn. 1915; E. Rohde, D. griech. R., [4]1961; O. Walzel, D. künstler. Form d. Dichtwerks, 1916; Mielke-Homann, D. R. d. 19. u. 20. Jh., [5]1920; B. Savagnini, *Le origini del romanzo greco,* 1921; W. Dibelius, Engl. R.kunst, II [2]1922; J. Prinsen, *De r. in de 18e eeuw in West-Europa,* 1924; E. A. Baker, *The Hist. of the Engl. Novel,* X 1924–39; A. Thibaudet, *Le liseur des R.s,* Paris 1925; M. Sommerfeld, R.theorie u. -typus d. dt. Aufklärg., DVJ 4, 1926; H. H. Borcherdt, Gesch. d. R. u. d. Novelle, I, 1926; W. Rehm, Gesch. d. dt. R., 1927; K. Voßler, D. R. b. d. Romanen, 1927 (Aus roman. Welt IV, 1940); G. Duhamel, *Essai sur le r.,* Paris 1927; F. Mauriac, *Le r.,* Paris 1928; ders. *Le romancier et ses personnages,* Paris 1933; M. Barrière, *Essais sur l'art du r.,* Paris 1931; P. Lubbock, *The craft of fiction,* Lond. [3]1931; J. W. Beach, *The 20. cent. novel,* 1932; RL; C. Lugowski, D. Form d. Individualität i. R., 1932; H. Walpole, *Tendencies in the modern Novel,* Lond. 1934; M. Braun, Griech. R. u. hellenist. Geschichtsschreibung, 1934; H. James, *The art of the Novel,* Lond. 1935; W. Raleigh, *The Engl. Novel,* Lond. 1935; R. Koskimies, Theorie d. R., [2]1966; H. Hatcher, *Creating the modern American Novel,* N. Y. 1935; E. G. Kolbenheyer, Wie wurde d. dt. R. Dichtg., 1936; A. H. Quinn, *American Fiction,* N. Y. 1936; A. Schmidt, Z. Kunstform d. Ggw.-R., 1936; E. Vowinckel, D. engl. R. zwischen d. Jahrzehnten (1927–35), 1936; R. W. Fox, *The Novel and the people,* 1937; A. Thibaudet, *Réflexions sur le r.,* Paris 1938; E. Muir,

The Structure of Novel, Lond. [7]1957; W. Krauss, Novela – Novelle – R. (Zs. f. roman. Philol. 60, 1939); A. Bettex, D. dt. R. v. heute, 1939; C. van Doren, *The American Novel 1789–1939,* N. Y. [2]1940; K. Haedens, *Paradoxe sur le r.,* Marseille 1941; R. Caillois, *Puissances du r.,* Marseille 1942; A. Kazin, D. amerik. R., N. Y. 1942; R. Petsch, Wesen u. Formen d. Erzählkunst, 1943; E. Schwartz, Fünf Vorträge üb. d. griech. R., [2]1943; P. Valéry u. a., *Problèmes du r.,* Lyon 1943; W. C. Cross, *The modern Engl. Novel,* Yale 1946; R. Liddell, *A Treatise on the Novel,* Lond. 1947; W. van O'Connor, *Forms of modern fiction,* Minneapolis 1948; A. Cowie, *The Rise of the American Novel,* N. Y. 1948; C. E. Magny, *L'âge du r. américain,* 1948; I. Simon, *Formes du r. anglais de Dickens à Joyce,* Paris 1949; A. Torres-Rioseco, *La Novela en la América Hispana,* Berkeley [4]1949; H. Boeschenstein, *The German Novel 1939–44,* Toronto 1949; E. M. Forster, Ansichten d. R., [2]1963; H. H. Borcherdt, D. R. d. Goethezt., 1950; H. Spiero, Gesch. d. dt. R., 1950; H. Gmelin, D. franz. Zyklen-R. d. Gegenw., 1950; H. Oppel, D. Kunst d. Erzählens i. engl. R. d. 19. Jh., 1950; F. J. Hoffman, *The Modern Novel in America,* Chic. [2]1964; F. Martini, Gesch. u. Poetik d. R. (Dt.-unterricht, 1951); ders., Wandlgn. u. Formen d. gegenw. R., ebda.; F. Altheim, R. u. Dekadenz, 1951; F. Lion, D. franz. R. d. 19. Jh., 1952; D. Neill, *A Short Hist. of the Engl. Novel,* Lond. 1952; A. A. Mendilow, *Time and the Novel,* 1952; E. Wagenknecht, *Cavalcade of the American Novel,* N. Y. 1952; G. Müller, Aufbauformen d. R. (Neophil., 1953); B. Rang, D. R., [2]1954; E. Wagenknecht, *Cavalcade of the Engl. novel,* N. Y. 1954; G. Weydt, R. Majut, in ›Aufriß‹; W. Kayser, Entstehg. u. Krise d. mod. R., [5]1968; H. R. Jauss, Zeit u. Erinnerung, 1955; F. Stanzel, D. typ. Erzählsituationen i. R., 1955; H. James, *The Future of the Novel,* N. Y. 1956; A. D. McKillop, *The early masters of Engl. fiction,* Lawrence 1956; *The living novel,* hg. G. Hicks 1957; W. E. Allen, *The Engl. Novel,* N. Y. 1957; R. Pascal, *The German Novel,* Lond. [3]1965; R. Helm, D. antike R., [2]1956; G. Spagnoletti, *Romanzieri ital. del nostro secolo,* Torino 1957; A. Hirsch, Bürgertum u. Barock i. dt. R., [2]1957; D. Perez Minik, *Novelistas españoles de los siglos XIX y XX* Madrid 1957; S. Ullmann, *Style in the French Novel,* Lond. 1957; E. G. Nora, *La novela española contemp.,* Madrid 1958; R. Chase, *The American Novel and its tradition,* Lond. 1958; R. Frikker, D. mod. engl. R., [2]1966; D. Fernandez, *Le Roman italien,* Paris 1958; R. Stang, *The theory of the novel in Engl.,* Lond. 1959; H. v. Doderer, Grundl. u. Funktion d. R., 1959; M. Bewley, *The Eccentric Design,* N. Y. 1959; K. Hamburger, Erzählformen d. mod. R. (Deutschunterr. 11, 1959); F. Sengle, D. Romanbegriff i. d. 1. Hälfte d. 19. Jh. (Fs. f. F. R. Schröder, 1959); J. Goytisolo, *Problemas de la novela,* Barcelona 1959; J. W. Krutch, *Five Masters,* Bloomington 1959; A. M. Springer, *The American novel in Germany,* 1960; W. Pabst, Lit. z. Theorie d. R., DVJ 34, 1960; M. Krieger, *The tragic vision,* N. Y. 1960; W. Emrich, Formen u. Gehalte d. zeitgenöss. R. (in: Protest u. Verheißg., 1960); G. Zeltner-Neukomm, D. Wagnis d. franz. Ggw.-R., 1960; J. McCormick, D. mod. amerik. R., 1960; K. A. Horst, D. Spektrum d. mod. R., [2]1964; H. M. Waidson, *The German Novel,* Lond. 1960; R. R. Bezzola, Liebe u. Abenteuer i. höf. R., 1961; W. C. Booth, *The rhetoric of fiction,* Chicago 1961; D. Daiches, *The novel and the mod. world,* Cambr. [2]1961; J. M. S. Tompkins, *The popular novel in Engl. 1770–1800,* Lond. 1961; K. Tillotson, *Novels of the eighteen-forties,* Oxf. 1961; M. Boucher, *Le r. allemand 1914–1933,* Paris, 1961; R. Church, *The growth of the Engl. novel,* Lond. [3]1961; J. Hassan, *Radical innocence,* Princeton 1961; P. Michelsen, L. Sterne u. d. dt. R. d. 18. Jh., 1962; P. Marshall, *Masters of the Engl novel,* Lond. 1962; H. Arntzen, D. mod. dt. R., 1962; R. Merkelbach, R. u. Mysterium i. d. Antike, 1962; M. Schlauch, *Antecedents of the Engl. novel 1400–1600,* Oxf. 1962; S. H. Eoff, *The mod. Spanish novel,* N. Y. 1962; F. R. Karl, *A Reader's guide to great 20. century Engl. novels,* N. Y. 1962; W. Allen, *The novel today,* [2]1962; K. Kerényi, D. griech.-oriental. R. lit., [2]1962; A. Kettle, *An introduction to the Engl. novel,* Lond. II [5]1962; M. Turnell, *The novel in France,* 1962; O. Weinreich, D. griech. Liebesr., 1962; G. Krause, Tendenzen i. frz. R.schaffen d. 20. Jh., 1962; G. Bree, M. Guiton, *The French novel from Gide to Camus,* N. Y. 1962; W. M. Frohock, *The novel of violence in America,* Dallas [3]1963; C. E. Eisinger, *Fiction of the forties,* Chic. 1963; E. K. Brown, *Rhythm in the Novel,* Toronto 1963; G. Lukács, D. Theorie d. R., [2]1963; G. May, *Le dilemme du r. au 18. siècle,* New Haven 1963; D. dt. R., hg. B. v. Wiese, II 1963; E. Drew, *The novel,* N. Y. 1963; F. R. Karl, *A readers' guide to contemporary Engl. novel,* Lond. 1963; W. Liepe, D. Entstehg. d. Prosa-R. i. Dtl. (in: Beiträge z. Lit.- u. Geistesgesch., 1963); P. West, *The modern novel,* Lond. 1963; L. Borinski, Meister d. mod. engl. R., 1963; H. Singer, D. dt. R. zw. Barock u. Rokoko, 1963; H. Pongs, Romanschaffen i. Umbruch d.

Zeit, [4]1964; V. S. Pritchett, *The living novel,* N. Y. 1964; R.-M. Albérès, Gesch. d. mod. R., 1964; W. Ruben, Ind. R.e, III 1964–67; T. H. Uzzell, *The technique of the novel,* N. Y. [2]1964; L. A. Fiedler, Liebe, Sexualität und Tod, 1964; E. Wolff, D. engl. R. i. 18. Jh., 1964; M. Nadeau, Proteus. D. frz. R. seit d. Kriege, 1964; E. D. Becker, D. dt. R. um 1780, 1964; V. Brombert, *The intellectual hero,* Chic. [2]1964; H. Gifford, *The novel in Russia,* Lond. 1964; F. R. Karl, *A. Reader's guide to the 19th cent. British novel,* N. Y. 1964; W. Allen, *Tradition and dream,* Lond. 1964; J. Baumbach, *The landscape of nightmare,* N. Y. 1965; A. Mizener, *The sense of life in the mod. novel,* Boston 1965; V. Mylne, *The 18th cent. French novel,* Manch. 1965; *The Americ. novel,* hg. W. Stegner 1965; W. Engler, D. frz. R. v. 1800 bis z. Gegenw., 1965; Romananfänge, hg. N. Miller 1965; J. Souvage, *An introduction to the study of the novel,* Gent 1965; P. Dumitriu, D. Transmoderne, 1965; M. Butor, Probleme d. R., 1965; J. S. Rippier, *Some postwar Engl. novellists,* 1965; R. A. Donovan, *The shaping vision,* Ithaca 1966; F. Trommler, R. u. Wirklichkeit, 1966; E. Voerster, Märchen u. Novellen i. klass.-romant. R., [2]1966; H. R. Steeves, *Before Jane Austen,* Lond. 1966; A. Friedman, *The turn of the novel,* Oxf. 1966; *The contemp. novel in German,* hg. R. R. Heitner, Austin 1967; W. Killy, R.e d. 19. Jh., [2]1967; *The theory of the novel,* hg. P. Stevick, N. Y. 1967; A. Mizener, *12 great Americ. rovels,* Lond. 1967; *From J. Austen to J. Conrad,* hg. R. C. Rathburn u. a. Minneapolis [2]1967; L. Stevenson, *The Engl. novel,* Lond. [2]1967; S. Pacifici, *The mod. Ital. novel,* Carbondale 1967; H. Coulet, *Le r. jusqu' à la révolution,* Paris II [2]1967; H. Peyre, *French novelists of today,* N. Y. [2]1967; B. E. Perry, *The ancient romances,* Berkeley 1967; E. Lämmert, Bauformen d. Erzählens, [2]1967; F. J. J. Buytendijk, Psychologie d. R., 1967; M. Spiegel, D. R. u. s. Publikum i. früheren 18. Jh., 1967; W. Larrett, *The Engl. novel from Th. Hardy to G. Greene,* 1967; L. Borinski, D. engl. R. d. 18. Jh., 1968; D. mod. frz. R., hg. W. Papst 1968; N. Miller, D. empfindsame Erzähler, 1968; K.-I. Flessau, D. moral. R., 1968; R. Rabinovitz, *The reaction against experiment in the Engl. novel 1950–60,* N. Y. 1968; P. Goetsch, D. R.konzeption i. Engl. 1880–1910, 1967; O. Holl, D. R. als Funktion u. Überwindg. d. Zeit, 1968; H. Foltinek, Vorstufen z. viktorian. Realismus, 1968; M. v. Poser, D. abschweifende Erzähler, 1968; R. Baumgart, Aussichten d. R., 1968; Möglichkeiten d. mod. dt. R., hg. R. Geißler, [3]1968; D. I. Grossvogel, *Limits of the novel,* Ithaca 1968; J.-P. Monnier, Last des Erbes, 1968; D. dt.sprachige R. d. 20. Jh., II 1969; Z. Poetik d. R., hg. V. Klotz [2]1969; G. Jäger, Empfindsamkeit u. R., 1969; J. Schönert, R. u. Satire i. 18. Jh., 1969; L. E. Kurth, D. 2. Wirklichkeit, Chapel Hill 1969; R. H. Thomas, W. v. d. Will, D. dt. R. u. d. Wohlstandsges., 1969; H. C. Hatfield, *Crisis and continuity in mod. German fiction,* Ithaca 1969; D. engl. R., hg. F. K. Stanzel II 1969; W. F. Greiner, Stud. z. Entstehg. d. engl. R.theorie, 1969; K. L. Klein, Vorformen d. R. i. d. engl. erz. Prosa d. 16. Jh., 1969; M. Raimond, *Le r. depuis la révolution,* Paris [3]1969; L. Pollmann, Aus d. Werkstatt d. R., 1969; K. Migner, Theorie d. mod. R., 1970; L. Goldmann, Soziologie d. mod. R., 1970; E. T. Rosenthal, D. fragmentar. Universum, 1970; J. Mayer, Mischformen barocker Erzählkunst, 1970; W. Welzig, D. dt. R. i. 20. Jh., [2]1970; H. Weinberg, *The new novel in America,* Ithaca 1970; J. v. Stackelberg, V. Rabelais bis Voltaire, 1970; H. Friedrich, 3 Klassiker d. franz. R., [6]1970; L. Pollmann, D. frz. R. i. 20. Jh., 1970; R.theorie, hg. E. Lämmert u. a. II 1971–75; K. Bräutigam, R.betrachtg., 1971; G. Jean, *Le r.,* Paris 1971; W. Hahl, Reflexion u. Erz., 1971; H. M. Waidson, *The mod. German novel,* Lond. [2]1971; R. Heger, D. österr. R. d. 20. Jh., II 1971; T. Feilknecht, D. sozialist. Heimat (DDR-R.e), 1971; K. Otten, D. engl. R. v. 16. bis z. 19. Jh., 1971; D. mod. engl. R., hg. H. Oppel [2]1971; K. Kerényi, D. antike R., 1971; B. Hillebrand, Theorie d. R., II 1972; RL; H. Emmel, Gesch. d. dt. R., III 1972–78; H. G. Rötzer, D. R. d. Barock, 1972; T. Ziolkowski, Strukturen d. mod. R.s, 1972; E. Boas, J. H. Reid, *Critical strategies,* Lond. 1972; D. amerik. R., hg. H.-J. Lang 1972; K. H. Göller, Romance und Novel, 1972; W. Voßkamp, R.theorie in Dtl., 1973; G. v. Graevenitz, D. Setzg. d. Subjekts, 1973; M. Hadley, *The German novel in 1790,* 1973; M. Durzak, D. dt. R. d. Gegenw., [3]1978; Zeitkrit. R.e d. 20. Jh., hg. H. Wagener 1973; D. engl. R. i. 19. Jh., hg. P. Goetsch u. a. 1973; Dt. R.theorien, hg. R. Grimm II [2]1974; *The theory of the novel,* hg. J. Halperin, Lond. 1974; F. K. Stanzel, Typ. Formen d. R., [7]1974; J. Schramke, Z. Theorie d. mod. R., 1974; V. Meid, D. dt. Barock-R., 1974; K. Batt, D. Exekution d. Erzählers, 1974; Positionen i. dt. R. d. 60er Jhre., hg. H. L. Arnold 1974; I. Watt, D. bürgerl. R., 1974; D. amerik. R. i. 19. u. 20. Jh., hg. E. Lohner 1974; A. Kazin, *Bright book of life,* Lond. 1974; G. Zeltner, I. Augenblick d. Gegenw., 1974; H. Steinecke, R.theorie u. R.kritik i. Dtl., II 1975 f.; J. v. d. Thüsen, Erzählbewußtsein u. poet.

Intelligenz, 1975; W. H. Schober, Erzähltechniken i. R.en, 1975; D. Scheunemann, R.krise, 1976; F. Wahrenburg, Funktionswandel d. R. u. ästhet. Norm, 1976; M. Durzak, Gespräche üb. d. R., 1976; U. Herzog, D. dt. R. i. 17. Jh., 1976; D. Kimpel, D. R. d. Aufklärg., [2]1976; D. dt. R. i. 20. Jh., hg. M. Brauneck II 1976; H. Reinhold, D. engl. R. d. 19. Jh., 1976; D. frz. R. i. 19. Jh., hg. W. Engler 1976; P. U. Hohendahl, D. europ. R. d. Empfindsamk., 1977; H.-J. Ruckhäberle, H. Widhammer, R. u. R.theorie d. dt. Realismus, 1977; D. Mehl, D. engl. R. bis z. Ende d. 18. Jh., 1977; M. Christadler, Amerik. R.e d. 19. Jh., 1977; R. Freeborn, *The rise of the Russian novel,* Cambr. 1977; G. Brotherston, *The emergence of the Latin-Americ. novel,* Cambr. 1977; B. Einhorn, D. R. i. d. DDR., 1978; H. Reinhold, D. engl. R. i. 18. Jh., 1978; D. russ. R., hg. B. Zelinsky 1978; Z. Struktur d. R., hg. B. Hillebrand 1978. →Epik.

Roman à clef (franz. =) →Schlüsselroman

Romanbiographie →biographischer Roman

Romance (engl.), unscharfe engl. Bz. für den ›romant.‹ Liebes-, Ritter- und Abenteuerroman von den altgriech. erot. →Romanen über ma. Versromane, Verserzählungen, Volksbücher und Ritterromane mit Stoffen aus Antike, Karls- und Artussage u. ä. bis zum modernen Unterhaltungsroman um Liebeskonflikte mit Happy End.

R. Hoops, D. Begriff R. i. d. mengl. u. früh-neuengl. Lit., 1929; L. A. Loomis, *Ma. r. in Engl.,* [2]1960; A. Johnston, *Enchanted ground,* Lond. [2]1965; B. E. Perry, *The ancient r.s,* Berkeley 1967; D. Mehl, D. mengl. R.n d. 13./14. Jh., 1967; A. H. Billings, *A guide to the mengl. metrical r.s,* N. Y. [2]1967; A. Scobie, *Aspects of the ancient r. and its heritage,* 1969; G. Beer, *The r.,* Lond. 1970; K. H. Göller, R. und Novel, 1972; P. A. Parker, *Inescapable r.,* Princeton 1978.

Romancero (span. =) Slg. von →Romanzen, im Ggs. zum →Cancionero also nicht der Kunstlieder, sondern der episch-lyrischen Volkslieder, erschien seit Mitte 16. Jh. mit dem erwachenden Interesse höfischer Kreise an der Volksüberlieferung, so zuerst *Cancionero de romances* um 1550, *Silva de varios romances* 1550/51, am größten *R.general* 1600–1605 mit späteren Erweiterungen. Später erschienen auch Slgn. einzelner Dichter oder um einzelne Helden unter ähnlichem Titel. Die R.s wurden seit HERDER vielfach übersetzt, so von GEIBEL und HEYSE 1852 und SCHACK 1860.

Romancier (frz. =) Romanschriftsteller

Romanetto, kurzer Roman sensationell-bizarren Inhalts; nach NERUDA als Bz. auf bes. Werke des tschech. Erzählers J. ARBES angewandt.

Roman fleuve →Zyklenroman

Romanhefte →Groschenhefte

Roman noir (frz. =) →Schauerroman

Romantik (›romantisch‹ urspr. zu Roman, also = romanhaft, phantastisch, abenteuerlich, über engl. *romantic,* von F. SCHLEGEL und NOVALIS zuerst als Bz. der neuen Kunst-, Welt- und Lebensanschauung umgedeutet), Epoche der europ. Lit. 1798 – rd. 1830, letzte Entwicklungsstufe des dt. →Idealismus und Blüte der sog. Dt. Bewegung, doch als Einheit derart Gegensätzliches umfassend und so vielseitig in sich gegliedert, daß e. einseitige Definition unmöglich und die geschichtliche Einordnung durch die Vielgesichtigkeit erschwert wird. Sie entsteht in Abkehr vom Rationalismus der Spätaufklärung ebenso wie von der idealistischen, in sich vollendeten Formenwelt der Klassik und deren Welterfassung. Die Abgrenzung gegen die Klassik untersuchen in geistesgeschichtlicher Hinsicht HAYM und WALZEL, in stilistischer

Hinsicht F. STRICH, den geistesgeschichtlichen Zusammenhang sieht F. SCHULTZ, ähnlich H. A. KORFF, der die R. als dritte Stufe der Entwicklung e. einheitlichen Weltanschauung, e. ›Geistes der Goethezeit‹ faßt, und J. PETERSEN, der die Klassik und R. als sukzessive Entfaltungsstufen des im Sturm und Drang begonnenen Idealismus erkennt. E. RUPRECHT dagegen ordnet die stärker idealistische Früh-R. noch mit der Klassik ins 18. Jh., während die Hochromantik mit dem Erlebnis des Völkischen, der dichtenden Volksseele und der Wendung zu e. mythisch gesehenen Vergangenheit neue Grundlagen aufweist. NADLERS These, in der R. holten die östlichen Neustämme die Entwicklung des dt. Westens nach und nur bei ihnen sei sie daher echt und ursprünglich, wurde nach anfänglicher Zustimmung bald aufgegeben. Die theoretische Begründung der R. bringen die Vorlesungen der Brüder SCHLEGEL (A. W. SCHLEGEL, *Über schöne Kunst und Lit.*, 1802 bis 1805) und deren Zs. *Athenaeum* 1798–1800, bes. das 116. Athenaeum-Fragment F. SCHLEGELS: ›Die romantische Poesie ist eine progressive Universalpoesie. Ihre Bestimmung ist nicht bloß, alle getrennten Gattungen der Poesie wieder zu vereinigen und die Poesie mit der Philosophie und Rhetorik in Berührung zu setzen. Sie soll auch Poesie und Prosa, Genialität und Kritik, Kunstpoesie und Naturpoesie bald vermischen, bald verschmelzen‹, und sie ›allein ist unendlich wie sie allein frei ist, und erkennt als erstes Gesetz an, daß die Willkür des Dichter kein Gesetz über sich leide.‹ Steigerung des schöpferischen Ich ins Universale, Unendliche, Elementare, Poetisierung des Lebens durch Vereinigung von Geist und Natur, Endlichkeit und Unendlichkeit, Vergangenheit und Gegenwart und deren Durchdringung mit dichterischen Kräften in freischöpferischer Phantasie ist ihr Ziel; die dichterische Lebensform ist wichtiger als die Form des Dichtwerks, das nach den obigen Zielsetzungen niemals vollkommen, stets nur verzehrende Sehnsucht und ewiges Streben sein kann wie alles Menschenwerk gegenüber dem All. Daher fehlt vielen Werken der R. die strenge formale Konzeption; sie sind nach oben hin offene Formen, Fragmente, Improvisationen, Arabesken, bes. beliebt Aphorismen. Die spielerische Freiheit des Dichters und das Bewußtsein der unüberbrückbaren Kluft von Endlichem und Unendlichem erlauben dem Schöpfer, sich durch sog. romantische Ironie über seine eigene Kunst zu erheben, selbst die durch das Werk erzeugte Illusion wieder aufzuheben und die beengende Wirklichkeit durch die Willkür e. unendlichen Geistes zu besiegen. Auch der Sprachstil dient der Illusionssteigerung durch Wortwahl und -form, Satzbau und Rhythmus, Archaismen und Chronikstil zur Darstellung vergangener Zeiten, der Eindruck des Phantastischen wird erhöht durch Zerreißung des logischen Satzzusammenhanges und Synästhesien. Während der Idealismus den weltanschaulichen Ausgangspunkt bildet für das Streben ins Metaphysische, Religiöse (zahlreiche Konversionen), das das irdisch Geschaffene als Symbol e. Jenseitigen auffaßt, ins All-Eine, den Kosmos, und für die Betonung von Gefühl und Phantasie, zeigen sich zugleich Ansätze zu realer Welt- und Lebensbetrachtung in der Wendung zum Volk (Erforschung der Volksdichtung und Wiederentdekkung volkstümlicher Formen), zur Geschichte (bes. MA., Begründung der Geschichtswissenschaft und

Philologie) und späterhin zur Politik.
Die Wurzeln der R. reichen bis in die Mystik und den Pietismus zurück, die erstmalig den Durchbruch des gefühlsbestimmten Weltbildes bringen und die Kräfte des Gemüts in den Mittelpunkt von Leben und Dichtung stellen (→Préromantisme). Direkte Vorstufen sind der Sturm und Drang, HAMANNS religiöse Haltung und HERDERS Rückbesinnung auf Volkstum und Geschichte. Schon die um 1790 einsetzende ›Gräkomanie‹ vertritt bei aller Goetheverehrung nicht mehr das apollinisch-statische Griechenbild WINCKELMANNS, sondern e. dionysisch-dynamisches. Gegen Ende des 18. Jh. hebt sich aus dieser Gegenbewegung zur Aufklärung e. selbständige geschlossene Geistesgemeinschaft heraus, die sog. ältere oder Früh-R. mit dem Mittelpunkt anfangs in Berlin (TIECK, WACKENRODER), später bes. im eigentlichen Zentrum der Früh-R., Jena, wo inmitten der dt. Klassiker nicht nur die philosophische Grundlegung durch FICHTE (*Wissenschaftslehre,* 1794), SCHELLING (*Ideen zu e. Philosophie der Natur,* 1797, *Über das Verhältnis der bildenden Künste zur Natur,* 1807), G. H. SCHUBERT und SCHLEIERMACHER (*Reden über die Religion,* 1799) erfolgt, sondern auch die Theorie der R. und die ersten dichterischen Leistungen von Bedeutung entstehen: F. SCHLEGELS *Lucinde,* SCHLEGEL-TIECKS SHAKESPEARE-Übersetzung. Ihren dichterischen Höhepunkt erreicht die Früh-R. in den Werken TIECKS, WACKENRODERS *(Herzensergießungen)* und bes. NOVALIS' *(Heinrich von Ofterdingen, Hymnen an die Nacht).* – Die Hoch-R. setzt an Stelle der weltbürgerlichen Haltung die Wendung zum Christentum, zu Staat, Gesellschaft und Geschichte als übergreifenden Einheiten, zum Volkstümlichen und bes. zur Volksdichtung der Vergangenheit als Ausdruck e. ›Volksgeists‹, die sie durch Slg. der Volksbücher (GÖRRES), -märchen (GRIMM) und -lieder (ARNIM/BRENTANO, *Des Knaben Wunderhorn,* UHLAND) aufbewahrt und als geheimnisvolle Volkskräfte zum Aufbau e. neuen Kultur benutzen will, indem sie alte Formen und Anschauungen wieder belebt und dabei den Blick mit bes. Liebe auf e. idealisiertes MA. richtet (altdt. Restauration, Wiedererweckung des dt. Altertums). Auch die Dichtung schöpft nunmehr aus der Volksüberlieferung und Vergangenheit: Lyrik, Märchen, Ballade, chronikalische Erzählung. Ein einheitliches räumliches wie geistiges Zentrum hat die Hoch-R. jedoch nicht: Heidelberg ist seit 1805 der einzige bedeutende Kreis (GÖRRES, BRENTANO, ARNIM, EICHENDORFF) neben zahlreichen unverbundenen Gruppen: Brüder BOISSERÉE, J. und W. GRIMM, L. UHLAND, schließlich Berlin mit CHAMISSO, FOUQUÉ, E. T. A. HOFFMANN, Z. WERNER und dem Salon von VARNHAGEN. Die Betrachtung der lit. Gattungen wird durch die bewußte Grenzverwischung erschwert. Hauptgattung der R. war der Roman, bes. der Entwicklungs-R. nach dem Vorbild des selbst romantisch beeinflußten *Wilhelm Meister,* ferner HEINSES *Ardinghello* und der Romane JEAN PAULS. Fast alle Romane der Früh-R. blieben fragmentarisch wie so manche andere Dichtungen: das →Fragment wird zur Gattung. Dem Roman geben eingefügte Versteile, Lieder, Gespräche, Briefe, Reflexionen, Episoden und Märchen e. z.T. lyrische Gestalt und zerbrechen die Form zu innerer Universalität. Wichtigste: NOVALIS' *Heinrich von Ofterdingen,* TIECKS *William Lovell, Franz Stern-*

bald, WACKENRODERS *Berglinger,* Dorothea SCHLEGELS *Florentin,* BRENTANOS *Godwi,* EICHENDORFFS *Ahnung und Gegenwart,* als historischer Roman ARNIMS *Kronenwächter.* Selbständige kürzere Erzählungen schrieb bes. TIECK, anfangs im Anschluß an Volksbücher und -märchen; die chronikalische Erzählung pflegte BRENTANO; ARNIMS Novellen schlossen sich Kleistscher Form an; häufiger sind dagegen sog. ›Phantasiestücke‹ (Bz. E. T. A. HOFFMANNS), die nach freier Einbildungskraft mit den Ereignissen schalten und die Kausalgesetze aufheben (ARNIM, EICHENDORFF, HOFFMANN). Das große Drama und die Tragödie als streng architektonische Formen waren der formmischenden R. nicht erreichbar; wo sie erscheinen, sind es teils bloße epische Lesedramen (TIECK, ARNIM, BRENTANO) oder →Schicksalstragödien (Z. WERNER, HOUWALD, MÜLLNER); dagegen gelang BRENTANO in *Ponce de Leon* und EICHENDORFF in den *Freiern* das unbeschwerte Lustspiel. Die Lyrik der R. erneuert sich seit Beginn des 19. Jh. aus dem Geist des Volksliedes; sie beruht bei aller Formbegabung letztlich auf dem Melodischen der Sprache (BRENTANO) und den volkstümlich schlichten, zarten Tönen (EICHENDORFF, UHLAND), der Liedhaftigkeit schlechthin, die sie z. T. bis heute als reinste Ausformung der Gattung gelten lassen. Die Auseinandersetzung mit den anderen Kunstrichtungen der Zeit ruft e. Reihe scharfer →Literatursatiren hervor. E. reiche und bis heute vorbildliche Übersetzungslit. erschließt dank der einmaligen geistigen wie formalen Einfühlungsgabe und Offenheit bes. der Früh-R. für fremde Literaturen dem dt. Geiste in Übersetzungen die großen Dichter der Weltlit.: CALDERÓN, DANTE, SHAKESPEARE (SCHLEGEL-TIECK) und CERVANTES (L. TIECK), doch auch die Kunstdichtung des MA. vom *Heliand* bis zum Minnesang wird von der romantischen Germanistik zu neuem Leben erweckt, und die lit. →Kritik erlebt mit den Brüdern SCHLEGEL e. neuen Aufschwung. – Neben der Wirkung auf SCHILLER *(Jungfrau von Orleans),* GOETHE *(Faust II),* KLEIST *(Käthchen von Heilbronn)* und GRILLPARZER *(Der Traum ein Leben, Die Ahnfrau)* und der innerdt. Nachwirkung im →schwäbischen Dichterkreis, in der →Pseudoromantik des Dresdner Liederkeises, der Dichtung der →Befreiungskriege und dem Münchner Dichterkreis erstreckte sich die romantische Bewegung auch auf Frankreich (V. HUGO, CHATEAUBRIAND, VIGNY, MUSSET, LAMARTINE, G. SAND, C. NODIER), wo bes. E. T. A. HOFFMANN von großem Einfluß war, ferner auf Italien (FOSCOLO, LEOPARDI, MANZONI), Spanien (ESPRONCEDA, ZORILLA), Portugal (HERCULANDO, Alm. GARRETT), Schweden (→Phosphoristen), Dänemark (OEHLENSCHLÄGER, H. C. ANDERSEN), Rußland (PUŠKIN, GOGOL', LERMONTOV), Polen (MICKIEWICZ, KRASINSKI, SŁOWACKI) und bes. England (W. SCOTT, BURNS, BLAKE, BYRON, PERCY, SHELLEY, KEATS, WORDSWORTH, COLERIDGE).

R. Haym, D. r. Schule, [6]1961; K. Wendriner, D. r. Drama, 1909; H. Richter, Gesch. d. engl. R., 1911–16; E. Groos, D. ältere R. u. d. Theater, 1911; M. Ehrenhaus, D. Operndichtg. d. R., 1911; F. Ernst, D. r. Ironie, 1915; P. Scheidweiler, D. Roman d. R., 1916; S. Elkuss, Z. Beurteilg. d. R. u. z. Kritik ihrer Erforschg., 1918; A. Tumarkin, D. r. Weltanschaug., 1920; J. R. Kaim, D. r. Idee, 1921; M. Deutschbein, D. Wesen des Romant., 1921; J. Nadler, D. Berliner R., 1921; G. Stefansky, D. Wesen d. dt. R., 1923; H. Levin, D. Hdlbger. R., 1922; V. Klemperer, R. u. franz. R. (Festschr. f. Voßler, 1922); G. Mehlis, D. dt. R., 1922; A. Stockmann, D. jüngere R., 1923; P. v. Tieghem, *Le mouvement r.,*

Paris [2]1923; O. Walzel, Dt. R., [5]1923–1926; H. A. Korff, Humanismus u. R., 1924; F. Strich, D. R. als europ. Bewegg. (Festschr. f. Wölfflin, 1924); F. Schultz, R. u. Romantisch, DVJ 2, 1924; P. Kluckhohn, D. dt. R., 1924; ders., Persönlichkeit u. Gemeinschaft i. d. R. 1925; E. Boucke, Aufkläg., Klassik u. R., 1925; C. Schmitt-Dorotic, Polit. R. 1925; K. Borries, D. R. u. d. Gesch., 1925; E. Seillière, *Le r.,* Paris 1925; Chr. Maurras, *R. et Revolution,* Paris 1925; H. A. Beers, *A Hist. of Engl. R.,* Lond. [2]1926; H. Kindermann, R. u. Realismus, DVJ 4, 1926; R. Benz, Märchendichtg. d. R., [2]1926; P. Hazard, *R. italien et r. europeen* (*Revue de lit. comparée 6,* 1926); L. Reynaud, *Le r.,* Paris 1926; J. Petersen, D. Wesensbestimmg. d. dt. R., 1926; H. Brinkmann, D. Idee d. Lebens i. d. dt. R., 1926; J. Giraud, *L'école r. franç.* Paris 1927; O. Walzel, D. dt. Dichtg. v. Gottsched bis z. Gegenw., 1927–30; A. Farinelli, *Il romanticismo nel mondo latino,* III Turin 1927; M. Souriau, *Hist. du r. en France,* Paris II 1927–31; R. Ullmann, H. Gotthard, Gesch. d. Begriffs Romantisch 1927; P. Kluckhohn, D. Fortwirkg. d. R. (Zs. f. dt. Bildg. 4, 1928); R. de Smet, *Le théatre r.,* Paris 1929; P. Kluckhohn (Hg.), R.-Forschgn. (Buchreihe der DVJ), 1929; E. Barkowsky, D. dt. R., 1929; W. Silz, *Early German R.,* Cambr. 1929; RL; H. A. Korff, D. Wesen d. Romantischen (Zs. f. Dt.kunde, 1929); F. Gundolf, R.er, II 1929; O. Walzel, Klassizismus u. R. als europ. Erscheing. (Propyläen Weltgesch. 7, 1929); J. Körner, D. Botschaft d. R. an Europa, 1929; H. Heiß, D. R. i. d. roman. Litt., 1930; H. Tronchon, *R. et pré-r.* Paris 1930; J. v. Farkas, D. ungar. R., 1931; P. Lassere, *Le r. franç.,* Paris [2]1931; R. Bray, *Chronologie du r.,* Paris 1932; P. Moreau, *Le r.,* Paris 1932, [2]1957; D. Mornet, *Le r. en France,* Paris [3]1933; E. Seillière, *Sur la psychol. du r. allemand,* Paris 1933; R. Ulshöfer, D. Theorie d. Dramas i. d. dt. R., 1935; H. Lohner, Dtls. Anteil a. d. ital. R., 1936; R. B. Mowat, *The r. age of Europe,* Lond. 1937; F. Güttinger, D. romant. Komödie u. d. dt. Lustspiel, 1939; A. Cronia, *Introduzione al romanticismo nelle letterature slave,* Padua 1940; G. Boas, *R. in America,* 1940; E. Hulliger, Stud. z. R. i. d. dt. Schweiz, Diss. Bern 1941; R. Haller, D. R. i. d. Zeit d. Umkehr, 1941; U. Bosco, *Aspetti del r. ital.* Rom 1942; G. Diaz-Plaja, *Introd. al estudio del r. español,* Madrid [2]1942; A. Farinelli, *Il romanticismo in Germania,* Mail. [3]1945; B. Liljegren, *Essence and attitude in Engl. Romanticism,* Stockh. 1945; P. Reiff, D. Ästhet. d. dt. Früh-R., Urbana 1946; E. Ruprecht, D. Aufbruch d. r. Bewegg., 1948; F. L. Lucas, *The decline and fall of the r. ideal,* Cambr. [2]1948; P. v. Tieghem, *Le r. dans la lit. europ.,* Paris 1948; Th. Steinbüchel (Hg.), R., 1948; J. Benda, *Trois idoles romantiques,* Genf 1948; Chr. Flaskamp, D. dt. R., 1948; R. Bach, Dt. R., 1948; G. Charlier, *Le mouvement romant. en Belgique,* 1948; A. de Meeus, *Le r.,* Paris 1948; G. Citanna, *Il r. e la poesia ital.,* Bari 1949; R. Wellek, *The concept of R. in lit. hist.* (*Comp. Lit.* 1, 1949); F. Strich, Dt. Klassik u. R., [5]1962; M. Bowra, *The Romantic Imagination,* Oxf. [2]1961; R. Huch, D. R., 1951; F. Schultz, Klassik u. R. d. Dt., [2]1952; P. Kluckhohn, D. Ideengut d. dt. R., [5]1966; G. Zamboni, D. ital. R., 1953; H. Friedrich, Wirkgn. d. R., 1954; W. Kohlschmidt, Form u. Innerlichkeit, 1955; A. J. George, *The development of French R.,* N. Y. 1955; A. Gérard, *L'idée romant. de la poésie en Angleterre,* Paris 1955; R. Tymms, *German romant. Lit.,* Lond. 1955; H. A. Korff, Geist d. Goethezeit, III [3]1956, IV [2]1955; A. Lubos, D. schles. R., 1956; R. Benz, D. dt. R., [5]1956; T. M. Rayser, *The Engl. r. poets,* N. Y. [2]1956; G. de Ruggiero, *L'eta del r.,* Bari [4]1957; D. Čiževskij, *On Romanticism in Slavic Lit.,* Haag 1957; M. Součkova, *The Czech Romantics,* Haag 1958; E. Carilla, *El romanticismo en la América Hispánica,* Madrid 1958; G. Peterli, Zerfall und Nachklang, 1958; L. Emery, *L'âge r.,* Lyon II 1958; H. M. Battenhouse, *Engl. r. writers,* N. Y. 1958; H. Oppel, *The sacred River,* 1959; C. A. E. Jensen, *L'évolution du romantisme,* Genf 1959; B. Tecchi, *Romantici tedeschi,* Mail. [2]1965; G. Laini, *Il romanticismo europeo,* Florenz II 1959; I. Maione, *Profili della Germania romantica,* Neapel [2]1960; H. H.Remak, *West European romanticism* (*Comparative lit.,* 1961); P. Chiarini, *Romanticismo e realismo nella lett. tedesca,* Padua 1961; M. H. Abrams, *Engl. R. Poets,* N. Y. 1961; K. Kroeber, *R. Narrative Art,* Madison 1961; R. Ayrault, *La genèse du romantisme allemand,* Paris IV 1961–76; P. Martino, *L'époque r. en France,* Paris [4]1962; *Romanticism,* hg. R. F. Gleckner u. G. E. Enscoe, Englewood Cliffs 1962; J. G. Robertson, *Studies in the genesis of r. theory,* N. Y. 1962; G. Schneider, Stud. z. dt. R., 1962; H. W. Piper, *The Active Universe,* Lond. 1962; M. Brion, *L'Allemagne romantique,* Paris II 1962–63; H. Bloom, *The visionary Company,* Lond. 1962; L. Pesch, D romant. Rebellion i. d. mod. Lit. u. Kunst, 1962; D. G. James, *The r. comedy,* Lond. [2]1963; G.-E. Clancier, *De Chénier à Baudelaire,* Paris 1963; M. Puppo, *Poetica e cultura del romanticismo,* Rom [2]1963; M. Thalmann, R. u. Manierismus, 1963; M. Praz, Liebe, Tod u. Teufel. D. schwarze R., 1963; F. Lion, R. als dt. Schicksal,

²1963; L. Abercrombie, *R.*, N. Y. ²1963; G. Michaud, P. v. Tieghem, *Le r.*, Paris 1963; *R. reconsidered*, hg. N. Frye, N. Y. 1963; A. Rodway, *The r. conflict*, Lond. 1963; F. Kermode, *Romantic image*, N. Y. ²1964; A. Müller, Kunstanschauung d. jüngeren R., ²1964; S. O. Simches, *Le romantisme et le goût esthétique du 18.siècle*, Paris 1964; R. Wellek, Konfrontationen, 1964; M. Fubini, *R. ital.*, Bari ³1965; B. Wilkie, *R.poets and epic tradition*, Madison 1965; A. Thorlby, *The r. movement*, Lond. 1966; K. J. Heinisch, Dt. R., 1966; H. Reiss, Polit. Denken i. d. dt. R., 1966; *Le romantisme allemand*, hg. A. Béguin, Paris 1966; J. Droz, *Le romantisme allemand et l'état*, Paris 1966; H. G. Schenk, *The mind of the European romantics*, Lond. 1966; L. A. Willoughby *The r. mouvement in Germany*, ²1966; M. Thalmann, Zeichensprache d. R., 1967; D. dt. R., hg. H. Steffen ³1978; G. Hough, *The r.poets*, Lond. ³1967; A. Henkel, Was ist eigtl. r.? (Fs. R. Alewyn, 1967); Versdichtung d. engl. R., hg. T. A. Riese u. D. Riesner 1968; K. Weimar, Versuch üb. Voraussetzg. u. Entstehg. d. R., 1968; P. Kapitzka, D. frühromant. Theorie d. Mischg., 1968; N. Frye, *A study of Engl. r.*, N. Y. 1968; A. Gerard, *Engl. r. poetry*, Berkeley 1968; P. M. Ball, *The central self*, Lond. 1968; H. Remak u.a. (Colloquia Germanica 2, 1968); *Il romanticismo*, hg. V. Branca u. a., Budapest 1968; H. Graßl, Aufbruch zur R., 1968; F. Jost, *Romantique* (in: *Essais de litt. compar.* 2, 1968); P. van Tieghem, *Le r. franç.*, Paris ⁹1969; D. Nachleben d. R. i. d. mod. Lit., hg. W. Paulsen 1969; G. Ruf, Wege d. Spät-R., 1969; L. R. Furst, *R. in perspective*, Lond. 1969; dies., *R.*, Lond. 1969; J. P. Houston, *The demonic imagination*, Baton Rouge 1969; D. dt. R., hg. H. Steffen, ²1970; E. C. Mason, Dt. u. engl. R., ³1970; R. Navas-Ruiz, *El r. español*, Salamanca 1970; M. Thalmann, R.er als Poetologen, 1970; *The r. period in Germany*, hg. S. Prawer, Lond. 1970; A. Nivelle, Frühromant. Dichtgstheorie, 1970; H. G. Schenk, Geist d. europ. R., 1970; H. Peyre, *Qu'est-ce que le r.*, Paris 1971; Dt. Dichter d. R., hg. B. v. Wiese 1971; H. Hillmann, Bildlichkeit d. R., 1971; H. Meixner, Romant. Figuralismus, 1971; Begriffsbestimmg. d. R., hg. H. Prang ²1972; D. Arendt, D. poet. Nihilismus i. d. R., II 1972; K. K. Polheim, D. Poesiebegriff d. dt. R., 1972; A. Béguin, Traumwelt u. R., 1972; G. Storz, Klassik u. R., 1972; R. Immerwahr, Romantisch, 1972; *›Romantic‹ and its cognates*, hg. H. Eichner, Toronto 1972; H. Behler u. a., D. europ. R., 1972; J.-F. Angelloz, *Le r.allemand*, Paris 1973; B. Zelinsky, Russ. R., 1974; M. Thalmann, R. i. krit. Perspektive, 1976; M. H. Abrams, Spiegel u. Lampe, 1977; Zur Modernität d. R., hg. D. Bänsch 1977; G. Heinrich, Geschichtsphilos. Positionen d. dt. Früh-R., 1977; R. i. Dtl., hg. R. Brinkmann 1978 (DVJ-Sonderh.); H. Timm, D. heilige Revolution, 1978; G. Hoffmeister, Dt. u. europ. R., 1978. →Préromantisme.

Romantische Ironie →Ironie

Romantitel →Titel

Romanze (span. *romance*), roman. Gegenstück der german. →Ballade, episches volkstümliches Preislied auf e. Glaubens- oder Freiheitshelden und dessen Taten, wunderbare Ereignisse oder Liebesgeschichten als kurze Verserzählung in gedrängter, sprunghafter, doch volksliedmäßig einfacher und unmittelbar gemüt- und phantasieerregender Darstellung des Geschehens, meist nicht zum Gesang bestimmt, daher verhältnismäßig breiter, stärker episch, heiterer und farbenprächtiger als die düster-ernste, geheimnisvolle Ballade und mit friedlicher Lösung schließend. Die R. entstand im 14./15. Jh. in Spanien, zuerst als historische R., im 16./17. Jh. als vornehme Literaturgattung der Kunstdichtung mit neuen Typen: Ritter-R., moreske oder Mauren-R. zur Schilderung galanter Feste in maurischem Kostüm, lyrische, pastorale, burleske oder satirische R. Hauptdichter sind GÓNGORA, LOPE DE VEGA, QUEVEDO u. a., im 19. Jh. Duque de RIVAS und ZORILLA, portug. Almeida GARRETT, im 20. Jh. P. de AYALA, J. R. JIMÉNEZ, GARCÍA LORCA und A. MACHADO. – Häufige Strophenform der altspan. R. ist der achthebige trochäische Vierzeiler mit Mittelzäsur und Assonanz, katalektisch oder akatalektisch (Nachbildung: PLATENS *Grab im Busento*), die neuere span. R. benutzt reimlose trochäische Vierheber. – In Dtl. führt GLEIM 1756 Namen und Gattung durch die Übersetzung e. R.

MONCRIFS, *Marianne,* ein und erstrebt durch Einbürgerung der Form e. Veredelung des Bänkelsangs; ihm folgen LOEWEN und SCHIEBELER, doch gleitet sie durch die travestierende Behandlung mit angehängter Moral in volkserzieherischem Sinne zur Moritat ab oder wird mit der Ballade gleichgesetzt. Erst HERDER erkennt und vermittelt ihren echten Geist und volksliedhaften Charakter in Übersetzungen und dichtet seinen *Cid* 1805 (nach e. franz. Prosaroman mit span. Quellen) als span. R.en-zyklus, lockere Einheit mit reimlosen vierhebigen Trochäen ohne Assonanz. Die Romantik übernimmt auch Assonanz und Trochäen als Regel und bringt die Blüte der dt. R.dichtung: die Brüder SCHLEGEL, welche die Form auch theoretisch erfassen, TIECK, FOUQUÉ, UHLAND, EICHENDORFF, am bedeutendsten BRENTANOS *R.n vom Rosenkranz* als geniale dichterische Formung e. tiefreligiösen Gehalts in kunstvollem Aufbau. Parodistisch verwenden die R.form IMMERMANN *(Tulifäntchen)* und HEINE (*Atta Troll* als komisches Epos, Parodie und Abschiedslied der Romantik, und z.T. *Romanzero*). – Franz. heißt ›romance‹ = Liebeslied im Ggs. zum epischen Volkslied der altfranz. Lit.: Lais, engl. = größere Rittergedichte und Romane, während epische Volkslieder ›ballads‹ heißen; auch der dt. Sprachgebrauch macht seit dem Sturm und Drang (BÜRGER, GOETHE, SCHILLER, UHLAND, noch FONTANE) nicht den wünschenswerten, doch nicht grundsätzlich abgrenzbaren Unterschied zwischen der gelösten, helleren, bes. in den roman. Ländern ausgeprägten R. und der nordischen dunkleren Ballade und übernimmt die Bz. schließlich falsch für iron.-gesellschaftskrit. Erzähllieder des 20. Jh. (WEDEKIND, KLABUND, TUCHOLSKY, KÄSTNER, BRECHT), die dem Chanson und Bänkelsang nahestehen. →Romancero.

C. v. Klenze, D. komischen R. d. Dt. i. 18. Jh., Diss. Marb. 1891; M. Ohlischläger, D. span. R. i. Dtl., Diss. Freibg. 1926; L. Spitzer, Z. Kunstgestalt d. span. R. (D. neueren Sprachen 34, 1926); RL; R. Hoops, D. Begriff ›Romance‹ i. d. mengl. u. frühengl. Lit., 1929; W. Storost, Gesch. d. altfranz. u. altprovenzal. R.-Strophe, 1930; L. Pfandl, Span. R., 1933; J. Müller, R. u. Ballade, GRM 40, 1959; G. Adolf-Altemberg, *Il r. tedesco,* Mail. 1959; M. E. Simmons, *A Bibliogr. of R., and related forms in Span. Lit.,* Bloomington 1963; R. Menéndez Pidal, *Romancero hispánico,* Madrid II 1953; U. Böhmer, D. R. i. d. span. Dichtg. d. Ggw., Diss. Bonn 1965; D. Catalán, *Siete siglos de romancero,* Madrid 1969; G. M. Bertini, *La r. spagnola in Italia,* Turin 1970; M. Staub, D. span. R. i. d. Dichtg. d. dt. Romantik, Diss. Hbg. 1970; D. Goltschnigg, D. Entw. d. dt. Kunstballade (Jb. d. Wiener Goethe-Ver. 77, 1973); RL; E. Elschenbroich, D. R. i. d. Dichtgstheorie d. 18. Jh. u. d. Frühromantik (Jb. d. Freien Dt. Hochstifts, 1975); B. Brinkmann Scheihing, Span. R.n i. d. Übs., 1975.

Romanzero →Romancero

Romanzyklus →Zyklus

Rondeau (franz. *rond* = rund), Rundum, Ringelgedicht, Rundreim; franz. Gedichtform aus mindestens 8, meist 13 Zeilen zu 8–10 Silben mit nur zwei Reimen in Gruppen zu 5, 3 und 5 Zeilen. Die Anfangsworte der 1. Zeile kehren in der Mitte der 8. und am Schluß in der 13. Zeile als ungereimter Refrain wieder und gliedern das einstrophige Gedicht in zwei oder drei Teile (Couplets). Aus e. zum Rundtanz gesungenen Lied Ende 15. Jh. als Abart des →Rondel durch Verkürzung des Refrains entstanden; in franz. Dichtung bei CHARLES D'ORLÉANS, VOITURE, CHAPELLE, später bei MUSSET, BANVILLE und ROLLINAT; in engl. Dichtung zum →Roundel umgeformt; in dt. Dichtung bei FISCHART, WECKHERLIN, ZESEN, N. GÖTZ, später HARTLEBEN.

P. Verrier, *Le r.* (Neuphil. Mitt., 1933); F. Gennrich, Dt. R. (Beitr. z. Gesch. d. dt. Spr. 72, 1950); ders., D. altfrz. R. u. Virelai i. 12. u. 13. Jh., 1963; M. Françon, *Sur la théorie du r. litt.* (Aquila 2, 1973).

Rondeau redoublé (franz. = gedoppeltes R.), franz. Gedichtform, komplizierte Abart des →Rondeau, bestehend aus sechs Vierzeilern auf insges. nur zwei Reime: die vier Zeilen des 1. Vierzeilers kehren in gleicher Folge jeweils als Schlußzeilen eines der folgenden Vierzeiler wieder, auf den letzten, ungebundenen Vierzeiler (Envoi) folgen als ungereimter Refrain die ersten Worte oder die erste Hälfte der Anfangszeile des 1. Vierzeilers. Reimfolge ABA'B' babA abaB babA' abaB' babaA. In franz. Lit. im 16. Jh. durch Th. SÉBILLET und C. MAROT eingeführt, später bei LAFONTAINE und BANVILLE, in England bei D. PARKER und L. UNTERMEYER.

Rondel (v. franz. *rond* = rund), franz. Gedichtform aus 13 bzw. 14 Zeilen mit nur zwei Reimen. Die ersten beiden Zeilen (seltener nur die 1.), die das Thema als geschlossenes Ganzes angeben, kehren in der Mitte als 7./8. und am Schluß in vorletzter und letzter Zeile als Refrain wieder, während die übrigen Verse das Thema abwandeln. In franz. Dichtung bei HARACOURT *(R. de l'adieu)* und bes. den Symbolisten (MALLARMÉ); in Portugal von Eugenio de CASTRO, in England von GOSSE, DOBSON, R. L. STEVENSON u. a. wieder aufgenommen.

Rondelet, feste Gedichtform in Gestalt einer einzigen Strophe von fünf Zeilen auf zwei Reime; nach der 2. und 5. Zeile wird als Refrain meist der 1. Teil der Anfangszeile eingeschoben. Reimfolge abR abbR.

Rotationsdruck →Buchdruck

Rotrouenge →Retroanse

Roundel, von SWINBURNE (*A century of R.s,* 1883) aus dem franz. →Rondeau entwickelte engl. Gedichtform, in der der aus den Anfangsworten bestehende Refrain als 4. und 11. (Schluß-)Zeile wiederkehrt und mit der 2. Zeile reimt: abaB bab abaB; von A. SYMONS aufgenommen.

Rubâi, Dichtungsform der pers. Gedankenlyrik: Vierzeiler mit dem Reimschema aaxa; älteste neupers. Versform, z. B. bei 'OMAR CHAYYÂM und ABÛ SA'ÎD, stets mit freier Silbenzahl und gelegentlich auch anderer Reimfolge (abab, abcb, abba); in dt. Lit. von RÜCKERT nachgeahmt.

Rückblende, vom Film übernommene Bz. für eine Zeitgestaltung in Epik und Dramatik, die von einer als Ausgangsposition genommenen Gegenwart her zurück in eine davor liegende Vergangenheit überwechselt, um Erinnerungen, Assoziationen usw. in das Hauptgeschehen einzubeziehen, bes. in →analyt. Drama und →analyt. Erzählung.

Rügelieder, Scheltsprüche und -lieder der ma. Spielleute gegen e. geizigen oder sonstwie tadelnswerten Herren, die das Ansehen des Angesungenen schädigen sollen, sind zu Beginn des 13. Jh. für REIMAR DEN FIEDLER belegt. Vgl. →Sirventes

RL.

Rührender Reim, Gleichklang auch der Konsonanten vor der betonten Reimsilbe bei zwei bedeutungsverschiedenen Wörtern im Endreim: ›zeigen/ . . . erzeigen‹; gilt im Dt. seit OPITZ als unschön und fehlerhaft; im Franz. als →rime riche gesucht.

C. v. Kraus, D. r. R. i. Mhd. (Zs. f. dt. Altert. 56, 1919).

Rührendes Lustspiel →Rührstück

Rührstück, Abart des →bürgerlichen Trauerspiels und der Tragikomödie in der Aufklärungszeit, die e. an sich tragischen Vorwurf durch Vermeidung des schlechten Ausgangs und e. schwer zu motivierendes Übermaß an Tugend, Edelmut und Entsagung versöhnlich endigt, durch mäßige Bestrafung des Schuldigen und reiche Belohnung des Unschuldigen ins Rührselige wendet und die Erschütterung der Zuschauer also durch erleichterte Heiterkeit ersetzen will. Ihre Entstehung ist bedingt durch das Hochkommen des Bürgertums, das im R. sich selbst verherrlicht, durch den Anschein höchster Sittlichkeit idealisiert, jedoch auch seine eigenen Lebensideale und praktischen Interessen darstellt. Moralischer Ernst und sittliche Verantwortung des bürgerlichen Geistes erfreuen sich in dem vereinfachten Weltbild nach e. Schwebezustand zwischen tragischer Erschütterung und gelöster Heiterkeit am obligaten Sieg der Tugend. Stoffliche Verbindungen bestehen zum engl. →Familienroman (RICHARDSON) und →Familienstück wie zum bürgerlichen Drama; gehaltlich wirkt die psychologische Vertiefung der Dichtung durch den Pietismus herein. – Den Ansatz bringt in Frankreich um 1740 die von CHASSIRON als →comédie larmoyante verspottete Rührkomödie. In England beginnt schon früh im 18. Jh. die Parallelentwicklung der ›sentimental comedy‹ (STEELE, CIBBER u. a.); in Dtl. folgt das →weinerliche Lustspiel. Auch LESSING fordert in der *Theatralischen Bibliothek* von der Komödie nicht nur Heiterkeit, sondern auch Rührung, übernimmt in *Minna von Barnhelm* rührende Motive und gibt dem *Nathan* e. guten Ausgang durch edelmütige Versöhnung, die weithin Vorbild bleibt. Nach ihm jedoch sinkt das R. ab. H. L. WAGNER und F. L. SCHRÖDER schmelzen selbst die großen Tragödien der Weltlit. *(Othello, Hamlet, King Lear)* zum R. um, wie schon Chr. F. WEISSE mit seiner Umformung von *Romeo und Julia* u. a. R.en 1749–69 die Bühne beherrschte. Neue Blüte erlebt das R. in der theatersicheren Unterhaltungsdramatik der IFFLAND und bes. KOTZEBUE mit routinierten Reue-, Versöhnungs-, Wiedersehens- und Entsagungsszenen zärtlich weinender Mütter und polternd-gerührter Väter, denen KOTZEBUE mit großem Erfolg noch pikante und erotische Elemente beimengt. Allein 63 R.e entstanden von 1781–1814, und trotz aller Angriffe (SCHILLER und GOETHE in den *Xenien* 332–414, TIECK im *Gestiefelten Kater* u. a.) übertrafen ihre Aufführungsziffern bei weitem die der Klassiker, und ähnlich lag die Entwicklung in den anderen europ. Ländern. Im 19. Jh. pflegt die Trivialdramatik der R. BENEDIX und bes. BIRCH-PFEIFFER das R. mit Erfolg fort, und im Naturalismus überträgt auch SUDERMANN Elemente des R. auf seine Dramen.

A. Eloesser, D. bürgerl. Drama, 1889; A. Stiehler, D. Ifflandsche R., 1898; K. Holl, Gesch. d. dt. Lustspiels, 1923; RL[1]; H. Schlieter, Stud. z. Gesch. d. russ. R. 1758–1780, 1968. H. A. Glaser, D. bürgerl. R., 1969.

Ruinenpoesie, die romantische Landschaftsschilderung mit verfallenen Burgen, Schlössern, Herrensitzen u. ä. und die daran anknüpfenden Dichtungen (WORDSWORTH, VOLNEY, UHLAND). →Burgensagen.

R. Haferkorn, Gotik u. Ruine i. d. engl. Dichtg. d. 18. Jh., 1924; H. H. Stoldt Gesch. d. R. i. d. Romantik, Diss. Kiel 1925; L. Kander, D. dt. R. d. 18. Jh., Diss. Hdlbg. 1933; R. Michéa, *La poésie des ruines au 18e siècle* (*Études italiennes* 16, 1935); M. Holdt, *Ruiner i dansk Lit.*, Koph. 1956; W. Rehm, Europ. Romdichtg., [2]1960.

Rundgesang, schon in der Antike

und in der Volks- und Gesellschaftsdichtung aller Kulturvölker verbreitete →Kehrreimlieder, deren Anfangs- oder Schlußverse der einzelnen Strophen bei geselligem Zusammensein vom Chor aufgenommen oder wiederholt werden.

Runen (altisl. *run* = Geheimnis, vgl. ›raunen‹), älteste gemeingerm. Schriftzeichen, entstanden sehr wahrscheinlich aus den latein. Kapitalbuchstaben unter Vermeidung aller runden und waagerechten, zum Einritzen auf Holz (auch Erz, Stein) nicht geeigneten Linien und im 3.–11. Jh. allg. gebraucht, jedoch nicht für fortlaufende größere Niederschriften verwendet, sondern nur zum Einritzen von Inschriften, Symbolen u. a. Zeichen, da die R. ursprünglich Symbole, Zaubermittel für kultische und prophetische Zwecke waren (Buchenstäbchen). Der Ertrag an dichterischer Überlieferung ist daher gering; wichtigster Fund ist der Eggjumstein aus Norwegen, e. Grabplatte mit über 200 Zeichen. Das älteste gemeingerman. R.-Alphabet bestand aus 24 Zeichen und heißt nach den ersten sechs ›futhark‹. Durch dialektbedingte Weglassungen und Neubildungen entstanden eigene Alphabete der verschiedenen Stämme, so das jüngere nordische Alphabet u. a. mit meist 16 Zeichen. WULFILA legte bei der Erfindung der got. Schrift die R. mit unbedeutenden Veränderungen, Ergänzungen und Angleichungen an griech. Buchstaben zugrunde.

E. Sievers, R. u. R.inschriften, [2]1901; G. Neckel, Einf. i. d. R.forschg., 1909; W. Krause, Was man i. R. ritzte, 1935; ders. D. R.inschriften im älteren Futhark, [2]1966; K. Reichhardt, R.kunde, 1936; F. Altheim, E. Trautmann, V. Urspr. d. R., 1939; E. Weber, Kl. R.kunde, 1944; H. Arntz, Hdb. d. R.kunde, [2]1944; ders., in ›Aufriß‹; ders., Bibliogr. d. R.-Kde., 1927; K. Spiesberger, R.magie, 1955; R. W. V. Elliott, *R.*, Manch. [2]1963; S. Jansson, *The r. of Sweden,* Stockh. 1962; L. Musset, *Introduction à la runologie,* Paris 1965; K. Düwel, R.kunde 1968; W. Krause, R., 1970; H. Klingenberg, R.schrift, 1973. →Paläographie, → Schrift.

Runenlied (finn. *Runo*), die Form des alten finnischen Volksliedes aus dem 8.–15. Jh. in achtsilbigen trochäischen Versen (→Runovers) mit Bindung durch Alliteration oder Parallelismus; von Runensängern in mannigfaltigen Abwandlungen mit meist monotonen Melodien zur Kantele, einer Art Zither, vorgetragen. Insbes. das finnische *Kalevala* besteht z. B. aus 50 solchen R.

Runovers, vierfüßiger Trochäus der finnisch-estnischen *Kalevala-* und *Kalevipoeg*-Epik und der →Runenlieder.

Saalbühne, im Ggs. zum →Freilichttheater alle Formen der →Bühne im Gebäudeinneren, bes. →Guckkastenbühne und →Raumbühne.

Sachbuch (engl. *non-fiction*), eigtl. im Ggs. zur fiktiven schöngeistigen Lit. jedes allg.-verständliche und weitverbreitete Buch, das einen bestimmten Tatsachengehalt aus Natur- und Geisteswelt, insbes. kulturelle, politische, soziale, historische oder kulturgeschichtliche Probleme, in zugleich belehrender und unterhaltsamer Form übersichtlich, leichtverständlich und geschickt aufgemacht darstellen und die Ergebnisse der wissenschaftlichen Forschung in kleiner Scheidemünze weiterreichen will. Das S. – die Bz. kam erst nach 1945 auf –, das sich heute angesichts des Unbehagens an der schönen Lit. zunehmender Beliebtheit bei weiten Kreisen erfreut, ist ein Nachfolger des ›populärwissenschaftlichen Buches‹ des 19. Jh. und dient wie dieses nicht dem Spezialistentum, sondern zur Information e. breiten Publikums unter Vermeidung der Fachsprache in sprachlich verständlicher Form, doch mit wesentlichen Unterschieden: 1. seine Verfasser sind vielfach nicht Fachwissenschaftler, sondern bewußt Nichtfachleute u. ä., die sich selbst erst das Gebiet aneignen, was der Diktion e. gewisse Lebendigkeit und die Neugier des Außenseiters verleiht, 2. seine Abfassung erfolgt nicht im Interesse der Verbreitung wissenschaftlicher Bildung, sondern mit dem Blick auf die geschickte Wirkung und Interesseweckung beim Publikum, 3. es gliedert seinen Stoff demzufolge nicht in Anlehnung an die wissenschaftliche Systematik, sondern versucht in erster Linie den Erwartungen des unvorgebildeten Publikums Rechnung zu tragen, 4. in Verfolgung mod.-aktueller Interessentrends entsteht es vielfach auf Verlegerinitiative, unter Zeitdruck und daher auf der Grundlage wenig sorgfältiger, mehr journalist. Recherchen und kann daher z. T., als Massenkonsumartikel oberflächl. Halbbildung in Verruf geraten. S.-Autoren sind u. a.: H. B. Bürgel, H. E. Jacob, W. Kiaulehn, R. Jungk, C. W. Ceram, R. Pörtner, W. Keller.

J. G. Leithäuser, D. S. (Welt u. Wort 2, 1961); ders., Glanz u. Elend des S. (Ekkart-Jb. 1962/63); O. Doderer, D. S., 1962; I. Auböck, D. lit. Elemente d. S., Diss. Wien 1963; P. Meyer-Dohm u. a., Aussichten u. Probleme d. S., 1965; Probleme d. S. f. d. Jugend, hg. R. Bamberger 1967; H. Frank, Physik als Roman? (Wirk. Wort 17, 1967); R. Pörtner, D. S. i. d. Lit. (Jb. d. Dt. Akad. f. Spr. u. Dichtg. 1968); W. R. Langenbucher, Z. Kritik d. S. (D. Buch i. d. dynam. Ges., Fs. W. Strauß 1970); D. Pforte, D. S.-Autor (Gebrauchslit., hg. L. Fischer u. a. 1976); D. dt.sprachige Sachlit., hg. R. Radler 1977.

Sachlichkeit →Neue Sachlichkeit

Sachwörterbuch →Reallexikon

Sacra rappresentazione →Rappresentazione

Sächsische Komödie, nach ihrem vorwiegenden Auftreten in Sachsen, bes. Leipzig, Bz. der dt. Typenkomödie der Aufklärung; entstanden aus Gottscheds Definition der →Komödie (*Crit. Dichtkunst*, 1730) unter dem Aspekt gesellschaftl. Nützlichkeit als ›Nachahmung einer lasterhaften Handlung, die durch ihr lächerliches Wesen den Zuschauer belustigen, aber auch zugleich erbauen kann‹. Sie gliedert sich in 1. die moralisierende satir. Typenkomödie, die e. bestimmten Charaktertyp im Ggs. zur vernünftigen Umwelt als lasterhaft und lächerlich satirisiert, ihn oft durch e. Intrige zur Vernunft kommen läßt und dadurch das Vergnügen der Zuschauer mit moral. Belehrung verbindet (L. A. Gottschedin, A. G. Uhlich, T. J. Quistorp, H. Borkenstein, Ch. Mylius, der junge Lessing und z. T. J. E. Schlegel), und 2. die rührende oder empfindsame Komödie (→weinerliches Lustspiel, nach der →comédie larmoyante), die nicht auf Gelächter, sondern ergriffene Rührung des Publikums abzielt (Ch. F. Gellert). Mischformen bei J. Chr. Krüger, Ch. F. Weisse und Lessing verbinden die Bloßstellung der Schwächen und Laster bei Bühnenfiguren mit der Selbsterkenntnis des Zuschauers hinsichtl. ähnlicher eigener Eigenschaften.

B. Aikin-Sneath, *Comedy in Germany*, N. Y. 1936; F. Friederici, D. dt.bürgerl. Lustsp. d. Frühaufklärg., 1957; W. Hinck, D. dt. Lustsp. d. 17. u. 18. Jh. u. d. ital. Komödie, 1965; G. Wicke, D. Struktur d. dt. Lustsp. d. Aufklärg., 1965; D. Brüggemann, D. S. K., 1970; H. Steinmetz, D. Kom. d. Aufklärg., [2]1971.

Sämtliche Werke →Gesamtausgabe

Sänger, zusammenfassende Bz. für die Vortragenden epischer oder lyrischer Dichtungen in früherer Zeit: →Barde, →Skop, →Skalde, →Spielmann, →Minstrel, →Menestrel, →Troubadour.

A. B. Lord, *The singer of tales,* Cambr./Mass. 1960.

Saga (Mz. sögur), altisländ. dichterische Prosaerzählungen, Novellen und Sippenberichte im Geiste der alten aristokratischen Heldendichtung, doch realistischer als diese, und mit e. nur leicht christianisierten Überzug; nach Aufbau, Gehalt und Stil wie mündlicher Überlieferung zwischen Chronik und Roman stehend, knapp und sachlich in der Darstellung ohne ausschmückende und wertende Epitheta wie die Dichtung und oft unvermittelt in Dialog übergehend. Träger der S.-Traditon sind die isländ. Großbauerngeschlechter, ihr Sippenverband ist die ordnende Macht der S.-Welt. Neben das beherrschende Motiv der Blutrache treten auch leichtere, humorige. Die S.s wurden im 12./13. Jh. durch Geistliche schriftlich fixiert und gestalten teils tatsachengetreu Begebenheiten aus der Zeit der Besiedlung Islands 900–1050 (Isländer- und Königs-S.), teils stark phantastisch ausgeschmückte Ereignisse aus der ›alten Zeit‹ vor der Besiedlung (Fornaldar-S.), die sich mangels tatsächlicher Überlieferung oft mit Heldensagen- und Märchenmotiven berühren, so die *Wikinger-S.;* e. Sonderfall ist die *Thidrek-S.* mit Helden- und Abenteuergeschichten um Dietrich von Bern, im 13. Jh. in Bergen durch e. Isländer nach Erzählungen hanseatischer Kaufleute aus Niedersachsen aufgezeichnet. Alle etwa 40 erhaltenen S.s haben neben dichterischem auch kulturhistorischen Quellenwert. – Im 20. Jh. bezeichnen sich größere Familien- und Sippengeschichten (GALSWORTHY, *Forsyte-S.*) oder stilistische Nachbildungsversuche der S.-Form (F. GRIESE, L. TÜGEL, H. GRIMM) als S. und schaffen damit e. neue Form der →Epik, nach Vorbild GOTTHELFS und STIFTERS.

R. Heinzel, Beschreibg. d. isl. S., Wien 1880; A. Craigie, *The islandic s.,* Lond. 1913; A. Heusler, Anfänge d. isl. S., 1914; K. Liestøl, *The origin of the Islandic Family S.,* Oslo 1930; A. Hruby, Technik d. isl. S., 1932; ders., Rätselreden i. d. altnord. S., 1933; A. Heusler, Germanentum, 1934; R. Petsch, Z. Poetik d. S., GRM 31; K. May, D. Wiederaufleben d. S. (V. dt. Art i. Spr. u. Dichtg. IV, 1941); W. Baetke, Üb. d. Entstehg. d. Island-S., 1956; M. C. v. d. Toorn, *Ethics and moral in icelandic s. lit.,* 1953; ders., D. S. als lit. Form (Acta Philol. Scandin. 24, 1959); ders., D. Publikum d. isl. S. (Wirk. Wort 10, 1960); ders., Erzählsituation u. Perspektive i. d. S. (*Arkiv för nordisk filologi* 77, 1962); Th. M. Andersson, *The problem of Islandic s. origins,* New Haven 1964; P. Hallberg, D. island. S., 1965; L. Lönnroth, *Europ. sources of Icelandic s.writing,* Stockh. 1965; Th. M. Andersson, *The Islandic Family S.,* Cambr./Mass. 1966; K. Schier, S.lit., 1970; G. Turville-Petre, S. (Kurzer Grundr. d. germ. Philol., hg. L. E. Schmitt, 2, 1971); D. Isländer-S., hg. W. Baetke 1974.

Sage, volksläufige, zunächst auf mündlicher Überlieferung beruhende kurze Erzählung objektiv unwahrer, oft ins Übersinnlich-Wunderbare greifender, phantastischer Ereignisse, die jedoch als Wahrheitsbericht gemeint sind und den Glauben der Zuhörer ernsthaft voraussetzen. Zwar dichtete nicht das Volk selbst, doch die Verfasser bleiben unbekannt; die S. lebt in allen Völkern und Zeiten. Im Laufe der Zeit und im Zuge weiterer Verbreitung von Ort zu Ort und von Volk zu Volk erfolgt e. ständige Umgestaltung und Umdeutung im Geiste der Zeit und des Volkes. Man spricht von Wander-S.n mit bes. verbreiteten Motiven (Vampir-S., Kindeseinmauerung, Opferung e. Jungfrau, Vater-Sohn-Kampf u. a.

m.). Zur S.welt gehören auch die Vermenschlichung der Pflanzen und Tiere, die sprechen können, ferner Elfen, Zwerge, Riesen, Menschen mit übernatürlichen Kräften u. ä. Im Ggs. zum orts- und zeitlosen Märchen knüpft sie urspr. an e. wirklichen äußeren Anlaß an, den sie in freier Phantasie umgestaltet und ausschmückt, bleibt jedoch nicht an ihn gebunden: Um ins Menschenleben eingreifende seltsame und unerklärbare Naturereignisse (z. B. Witterungsvorgänge), die furchterregend oder segenbringend wirken, bilden sich →Natursagen, um grausame Geschehnisse aus dem Menschenleben im Zusammenhang mit Hexenglauben und Träumen Toten- oder Seelen-, Alpdruck- und Gespenster-S.n, um bestimmte Orte →Lokal- oder Wasser-S.; geschichtliche Ereignisse, Personen und Familien rufen Geschichts- oder Geschlechter-S.n hervor, bes. um Helden als →Helden-S., die sich zu großen Sagenkreisen zusammenschließt (Karl d. Gr., Dietrich von Bern) und im →Heldenlied dichterisch geformt wird; das Walten heidnischer Götter gestaltet der →Mythos; um Pflanzen-, Tier- und Ortsnamen bilden sich namendeutende oder aitiologische S.n; als christliches Gegenstück mit religiös umgestaltetem Charakter erscheint um Persönlichkeiten der Heils- und Glaubensgeschichte, Heilige usw. die →Legende (Teufel statt Riesen u. ä.). Die Erforschung der S., angeregt bes. durch J. und W. GRIMM, ist Aufgabe der Volkskunde, doch die S. ist nicht nur bedeutsames kulturhistorisches Dokument (uralte Gemeinschaftsvorstellungen, Naturgefühl), sondern als Auseinandersetzung mit der erlebten Umwelt ebenfalls Dichtung und lieferte von jeher Stoffe und Motive für die Lit. Dabei ist die eigtl. S. stets tendenzlos, erst ihre dichterische Umgestaltung von der epischen Form in Tragödie oder Ballade zeigt tendenziöse Grundlinien auf. Die Romantik erstrebte selbst lit. Neuschöpfungen von S.n, und im Volke ist die S.bildung nicht nur für die Vergangenheit abgeschlossen, sondern nimmt noch bis in die Gegenwart auffällige und phantasieerregende Geschehnisse zum Anlaß e. ›Gerüchts‹. →Burgen-, →Kaiser-S.

F. Panzer, Märchen, S. u. Dichtg., 1905; A. Heusler, Lied u. Epos i. german. S.ndichtg., [2]1956; K. Wehrhan, D. S., 1908; A. Bertsch, Weltanschauung, Volks-S. u. Volksbrauch, 1910; O. Bökkel, D. dt. Volks-S., [2]1922; F. Ranke, S. (Dt. Volkskunde, hg. J. Meyer, 1926); A. Jolles, Einfache Formen, [4]1968; H. Naumann, Grundzüge d. Volkskunde, 1929; O. Brinkmann, D. Erzählen i. e. Dorfgemeinschaft, 1933; P. Böckmann, D. Welt d. S. b. d. Brüdern Grimm, GRM 23, 1935; F. Ranke, Volkssagenforschg., 1935 u. DVJ 1941 (Lit.bericht); H. Lessmann, D. dt. Volksmund i. Lichte d. S., [2]1937; E. A. Philippson, Üb. d. Verh. v. S. u. Lit., PMLA 62, 1947; M. Lüthi, Märchen u. S., DVJ 1951; H. Bausinger, S. (Deutschunterr. 8, 1956); W. E. Peuckert, Hdwb. d. S., 1961 ff.; ders. in ›Aufriß‹; M. Lüthi, Volksmärchen u. Volkss., 1961; L. Schmidt, D. Volkserzählg., 1963; W.-E. Peuckert, S.n, 1965; S.n u. ihre Deutung, hg. W.-E. Peuckert 1965; H. Moser, S.n u. Märchen i. d. dt. Romantik (D. dt. Romantik, hg. H. Steffen 1967); H. Bausinger, Formen d. Volkspoesie, 1968; A. Bodensohn, Zwischen Glaube u. Verhängnis, 1969; Vergl. S.nforschg., hg. L. Petzoldt 1969; M. Lüthi, Volkslit. u. Hochlit., 1970; F. Ranke, Kleinere Schriften, 1971; L. Röhrich, S., [2]1971; Probleme d. S.nforschg., hg. ders. 1973; ders., S. u. Märchen, 1976.

Sagvers, Bz. von E. SIEVERS für einen von ihm angenommenen germanischen Sprech- (nicht Gesang-) vers von wechselnder Länge (1–9), der Stab- und Endreim entbehren konnte und rhythmisch freier war als diese beiden; verwendet vermutlich in den →Sagas, allen ahd. Stabreim- und einigen frühmhd. Endreim-Dichtungen *(Wiener Genesis, Memento mori)*.

E. Sievers, Metr. Stud. IV (Abh. d. sächs. Akad. d. Wiss. 35, 1918–19); ders., Dt. S.-Dichtgn. d. 9.–11. Jh., 1924.

Saibara (japan.), japan. Trink- und Festlieder heiteren Inhalts (Liebe, Satire, Anspielungen) und z. T. derben Tons in unregelmäßiger Form, meist in längeren Zeilenfolgen von abwechselnd sieben und fünf Silben.

Sainete (span. = Leckerbissen), kurzes theatralisches Nach- oder Zwischenspiel mit Musik und Tanz, das später als die →Entremeses entstand, diese verdrängte und sich als derbrealistische Posse (→género chico) oder volkstümlicher Schwank bis heute als Hauptgattung im span. Theater erhalten hat. In Spanien zuerst von L. QUIÑONES DE BENAVENTE (17. Jh.), im 19. Jh. von Ramón de LA CRUZ, González DEL CASTILLO und ALVAREZ QUINTERO gepflegt und seit 1854 durch SCRIBE auch in die franz. Lit. eingeführt.

Salām, äthiopisches Huldigungsgedicht an Christus, Maria oder einen Heiligen mit Aufzählung von dessen Gaben oder Taten.

Salondame, im Theater weibl. Rollenfach der eleganten Dame von Welt entsprechend dem →Bonvivant.

Salons, Erscheinungsform des lit. Gesellschaftslebens in Frankreich im 17./18. Jh., bes. z. Zt. RICHELIEUS: gesellschaftliche Zusammenkünfte von Schriftstellern, Künstlern, Wissenschaftlern und Adligen an bestimmten Wochentagen in Privathäusern meist schöngeistig interessierter Damen: Catherine de VIVONNE im Hôtel de Rambouillet um VOITURE (→Preziösität), Mme de SCUDÉRY, Mme de SABLÉ um LA ROCHEFOUCAULD, Gräfin LA FAYETTE, Mme de SÉVIGNÉ, Mme de MAINTENON, Ninon de LENCLOS, im 18. Jh. die Marquise de LAMBERT um FONTENELLE, MONTESQUIEU, LA MOTTE-HOUDART, Mme DACIER, CRÉBILLON, MARIVAUX, Mme de TENCIN um d'ALEMBERT, FONTENELLE, MARIVAUX, PRÉVOST, MONTESQUIEU und Mme GEOFFRIN, Mme du DEFFAND um VOLTAIRE, MONTESQUIEU sowie Mlle de LESPINASSE um die →Enzyklopädisten u. a.; nach der Revolution nur noch vereinzelt: Duchesse d'ABRANTÈS, Mme de GENLIS, Mme RÉCAMIER mit CHATEAUBRIAND, Mme de STAËL mit B. CONSTANT, im 19. Jh. um G. SAND mit LAMMENAIS, BALZAC, DUMAS, FLAUBERT, um Prinzessin MATHILDE mit GAUTIER, RENAN, MÉRIMÉE, DAUDET, HEREDIA und um Mme de CAILLAVET mit PROUST, Mme de NOAILLES, LECONTE DE LISLE, LOTI und A. FRANCE. Die S. vertreten zu ihrer Zeit die späteren →Dichterkreise und lit. →Gesellschaften, da der Hof noch nicht führendes Kulturzentrum ist; in der entstehenden geistigen Konkurrenz, dem Kult der bon mots und médisances, führen sie zum Bestreben nach pointiertem, raffiniertem Ausdruck interessanter Gedanken (*Maximes* LA ROCHEFOUCAULDS) und zur Selbstanalyse der Gesellschaft, der Empfindungen und Leidenschaften als Gesellschaftsspiel; ihre erzieherische Bedeutung für die Ausbildung eines urteilsfähigen Kunstpublikums ist weitaus bedeutender als die oft belanglose dort entstandene Gelegenheitsdichtung. Dt. S. kannte z. B. Jena um Caroline SCHLEGEL, Berlin z. Zt. von Romantik und Biedermeier (Rahel VARNHAGEN), Wien um Caroline PICHLER, Weimar um Johanna SCHOPENHAUER.

L. Battignol, *Les grands s.s du 17/18e siecle*, Paris 1928; L. C. Keating, *Stud. in the lit. S. in France 1550–1615*, Cambr./Mass. 1941; R. Picard, *Les S. litt.*, Paris 1943; M. Glotz, *S.s du 18e siecle*, Paris 1949; L. Rièse, *Les s. lit. parisiens*, Toulouse 1962; I. Drewitz, Berliner S., 1965; M. Gougy-François, *Les grands s.s feminins*, Paris 1965; I. Himburger-Krawehl,

Marquisen, Literaten, Revolutionäre, 1970; J. v. Falke, D. frz. S., 1977.

Salut d'amour (franz. =) →Liebesgruß, Gattung der provenzal., später franz. Troubadourlyrik seit dem 12. Jh. (RAIMBAUT D'ORANGE).

P. Meyer, *Le S. d' a.*, Paris 1867.

Samavakâraka, ind. Dramengattung: dreiaktiges Spektakelstück nach einem mythologischen Stoff.

Samhitâs (altind.-sanskrit. = Sammlung), die uralten Texte der Hymnen und Sprüche z. T. ritueller Herkunft im altind. *Veda.*

Samisdat (russ. = Selbstverlag), die legale private Verbreitungsform aller Art von der Zensur verbotener oder zum Druck nicht freigegebener Schriften nonkonformist. Autoren in der Sowjetunion durch Photokopie oder Abschreiben von Hand oder mit der Schreibmaschine, z. T. im Schneeball-System, erfaßt neben wiss., polit., gesellschaftstheoret. und -krit. Werken und der Untergrundzs. *Chronik laufender Ereignisse* auch umfangreiche und wichtige avantgardist. lit. Werke unbequemer Schriftsteller wie O. MANDELŠTAM, B. PASTERNAK, A. SOLŽENICYN, A. ACHMATOVA, A. VOZNESENSKIJ, G. SEREBRJAKOVA, A. SINJAVSKIJ, J. DANIEL, A. u. E. GINZBURG, L. ČUKOVSKJA u. a. Viele S.-Schriften wurden im westl. Ausland ohne Copyright nachgedruckt und übersetzt. ›Tamisdat‹ heißt die gleichartige Verbreitung unterdrückter ausländ. Lit.

C. Gerstenmaier, D. Stimme d. Stummen, 1971.

Sammelband, bibliographisch ein nur durch gemeinsamen Einband zusammengehaltener Mischband bibliographisch selbständiger Schriften. Vgl. →Sammelwerk.

Sammelhandschriften →Liederhandschriften

Sammelwerk, ein aus Verbindung thematisch verwandter, doch in sich abgeschlossener Beiträge mehrerer Autoren entstandenes Werk, insbes. Lexikon, Enzyklopädie, Handbuch, Aufsatzsammlung u. ä., für das das Urheberrecht dem Herausgeber oder Verleger zusteht.

San-ch'ü oder San k'iu (chines. = selbständiges Volkslied), chines. Lieder mit Zeilen von unregelmäßiger Länge, die im Drama der Yüan-Zeit stets zu Instrumentalbegleitung gesungen werden. S. wurden daher meist von Dramatikern geschrieben, daneben aber auch als selbständige Form von Lyrikern.

Sangam (dravid. = lit. Versammlung), in der altind. Tamil-Lit. eine halbmythische Lit.-Akademie, die junge Dichter ermutigt und alle Gedichte nach ihrer Güte beurteilt haben soll, der Überlieferung nach in drei Perioden: 1. Periode (4400 Jahre) mit 549 Mitgliedern in einem untergegangenen Ort Madura, 2. Periode (3700 Jahre) ebenda, 3. Periode (1850 Jahre) im heutigen Madura. Während die 1. und 2. Periode völlig sagenhaft sind, wird das Vorhandensein einer dritten S. in der 2. Hälfte des 1. Jahrtausends v. Chr. und den ersten Jhh. n. Chr. durch einige Zeugnisse glaubhaft gemacht.

K. G. Sankara Aiyar, *The Age of the Third Tamil S.* (*Quarterly Journal of the Mythological Society* Bangalore 16, 1926).

Sangspruch →Spruchdichtung

Sapphische Strophe und sapphischer Vers, nach der griech. Dichterin SAPPHO (um 600 v. Chr.) benannte vierzeilige Odenstrophe, bestehend aus drei sog. sapphischen Elfsilbern (zwei trochäische Dipodien mit eingeschobenem Daktylus: –́ ⏑ –́ ⏓ | –́ | ⏑ ⏑ | –́ ⏑ –́ ⏓) und nachfolgendem →Adonius (⏑́ ◡ ◡ ⏑́ ⏓) als Schlußvers. Verwendet von ALKAIOS, SAPPHO, HORAZ (stets mit langer 4. Silbe und Zäsur nach der 5. oder 6. Silbe, z. B. ›Integer vitae scelerisque purus‹ u. ö., bei ihm zweithäufigstes Maß nach der alkäischen Strophe), dt. zuerst von M. MYLIUS 1517, J. CLAJUS 1578 und M. APELLES VON LÖWENSTERN, dann bes. von KLOPSTOCK (z. T. variiert mit der zweisilbigen Senkung im 1. Vers im 1. Takt, im 2. Vers im 2. Takt und im 3. Vers im 3. Takt), RAMLER, HÖLDERLIN *(Unter den Alpen gesungen)*, PLATEN *(Pyramide des Cestius, Los des Lyrikers, Aschermittwoch)* u. a., engl. von TENNYSON, SWINBURNE u. a. – Seltener ist die ebenfalls vierzeilige sog. 2. S. S., in der auf e. Aristophaneus (= 1. Pherekrateus: – ◡ ◡ – ◡ – ⏓) in der 1. und 3. Zeile in der 2. und 4. Zeile jeweils e. größerer S. Vers (sapphicus maior, = 3. Glykoneus + 1. Pherekrateus: – ◡ – –| – ◡ ◡ –| – ◡ ◡ –| ◡ – ⏓) folgt, so nur HORAZ *Ode* I, 8.

E. Brocks, D. s. S. u. ihr Fortleben, Progr. Marienwerder 1890; H. Rüdiger, D. s. Versmaß i. d. dt. Lit. (Zs. f. dt. Philol. 58, 1933); P. Derks, D. s. Ode i. d. dt. Dichtg. d. 17. Jh., Diss. Münster 1970; R. Paulin, *Six s. odes* (Seminar 10, 1974).

Śârdûla-vikrîdita (ind. = Tigersport), ind. episches Versmaß in Strophen von vier Zeilen der Form: – – – ◡ ◡ – ◡ – ◡ ◡ ◡ – / – – ◡ – – ◡ ⏓.

Sarkasmus (griech. *sarx* = Fleisch), ›ins Fleisch schneidender‹, beißender Hohn und Spott, höchster Grad bitterer →Ironie: ›Mit der Axt hab' ich ihm's Bad gesegnet‹ (SCHILLER, *Wilhelm Tell*); in der Antike als rhetorische Figur bes. bei DEMOSTHENES und CICERO meisterhaft gepflegt, in neuerer dt. Lit. bes. bei B. BRECHT und K. KRAUS.

Śastra →Shastra

Śataka →Shataka

Satanismus, Satanisten, ›Satanic school‹, Bz. SOUTHEYS (Vorwort zu *A Vision of Judgment*) für die engl. Romantiker BYRON, SHELLEY, KEATS und deren Nachahmer wegen ihrer Vorlieben für die Nachtseiten des Lebens, Grausamkeit, Gewalttätigkeit, Perversität und Sinnlichkeit. In Dtl. zeigen KLEIST und E. T. A. HOFFMANN, in Frankreich de SADE, V. HUGO, MUSSET, G. SAND, BAUDELAIRE, LAUTRÉAMONT u. a. ähnliche Züge.

M. Praz, D. schwarze Romantik, 1963.

Satira Menippea →Menippea

Satire (lat. *satura*, sc. *lanx*, = 1. mit verschiedenen Früchten gefüllte Opferschale, 2. Füllsel, von *satur* = satt, voll, oder von etrusk. *satir* = reden; die Verbindung mit griech. *satyros* ist unwahrscheinlich, die Schreibung ›Satyre‹ daher falsch), Spott- und Strafgedicht, lit. Verspottung von Mißständen, Unsitten, Anschauungen, Ereignissen, Personen (→Pasquill), Literaturwerken (→Literatursatire) usw. je nach den Zeitumständen, allg. mißbilligende Darstellung und Entlarvung des Kleinlichen, Schlechten, Ungesunden im Menschenleben und dessen Preisgabe an Verachtung, Entrüstung und Lächerlichkeit, in allen lit. Gattungen vom Gedicht, Epigramm (ältere Poetiken hielten die S. für e. ›langes Epigramm‹), Spruch, Dialog, Brief, Fabel, Schwank, Komödie, Fastnachtsspiel, Drama, Epos, Erzählung bis zum →satirischen Roman, meist mit didaktischem Einschlag, und in allen Schärfegraden und Tonlagen je nach der Haltung des Verfassers: bissig, zornig, ernst, pathetisch, ironisch, komisch, heiter, liebenswürdig. Stets ruft die S. durch Anprangerung der Laster die Leser zu Richtern auf, mißt nach e. bewußten Maßstab das menschliche Treiben und hofft, durch Aufdeckung der Schäden e. Besserung zu bewirken. SCHILLER, der in seiner Abhandlung *Über naive und sentimentalische Dichtung* die S. der Elegie gegenüberstellt, leitet sie aus dem Erlebnis der Diskrepanz zwischen Wesen und Erscheinung, Ideal und Wirklichkeit, ab und unterscheidet strafende oder pathetische und scherzhafte S.: ›Die strafende erlangt poetische Freiheit, indem sie ins Erhabene übergeht; die lachende erhält poetischen Gehalt, indem sie ihren Gegenstand mit Schönheit behandelt.‹

QUINTILIANS vielzitierter Satz ›satura tota nostra est‹ (X, 1, 93, = die S. ist ganz unser; jedoch auch: in der S. sind wir allen überlegen) scheint die S. als speziell röm. Erfindung zu beanspruchen, allein es finden sich durchaus griech. Vorstufen: in der altgriech. →Jambendichtung, den Diatriben kynischer und stoischer Wanderprediger (KRATES, BION u. a.) über ethische Themen mit eingestreuten satirischen Epigrammen, Fabeln, Scherzen, Parodien und fingierten Dialogen, in der älteren att. Komödie (EUPOLIS, KRATINOS, ARISTOPHANES) mit zeitkritischen Einlagen in der →Parabase, in der philosophischen S. des MENIPPOS (250 v. Chr.; →Menippea), die später bei LUKIAN (2. Jh. n. Chr.) und JULIAN (4. Jh.) Nachfolge fand, und in den →Sillen des TIMON (3. Jh.) sowie bei SOTADES. – In röm. Dichtung geht der Name S. auf ENNIUS zurück, der um 200 v. Chr. e. Slg. vermischter Gedichte zur Erheiterung und Belehrung ohne satirischen Charakter wegen des verschiedenen Inhalts und der verschiedenen Metren den Titel S.n gab. Der eigtl. Begründer der S. im heutigen Sinne war LUCILIUS, dessen S.n (um 130 v. Chr.) das Zeitgeschehen mit persönlichem, temperamentvoll sprühendem Geist verfolgen und die vier zukunftsweisenden Charakteristika der S. entwickeln: Belehrung, Kritik, persönliche Note und unlit. Umgangssprache meist in lockerer Hexameterform. Während VARRO die →Menippea als Mischung von Vers und Prosa aufnimmt und in der *Apocolocyntosis* des SENECA wie den S.n des PETRONIUS Nachfolge findet, setzt HORAZ in seinen *Sermones* die Hexameter-S. gegen allg.-menschliche Schwächen und Torheiten in kunstvoller, heiter und selbstironisch plaudernder Weise fort; erst bei PERSIUS (1. Jh. n. Chr.), der in dunklem, manieriertem Stil Zeitlaster im stoischen Sinne angreift, und in JUVENALS bitteren, energiegeladenen Sittenbildern bricht der ernste sittenrichterliche Ton durch. MARTIAL füllt das Epigramm zuerst mit satirischem Gehalt. – Im dt. MA. erscheint die S. bes. oft in der Tierdichtung von der *Ecbasis captivi* (um 930) bis zum *Reinke des Vos* (1498); der Gegensatz von Kaiser und Papst spiegelt sich in der nationalen Spruchdichtung (WALTHER), der zwischen Bauern, Bürgern, Rittern und Geistlichkeit als Stände-S. bei HEINRICH VON MELK, Heinrich WITTENWEILER, NEIDHART (→Dörperliche Dichtung) und bes. im →Fastnachtsspiel, Verspottung sowohl des Bauern als auch des gesellschaftlichen Ritterethos durch e. selbstbewußtes Bürgertum. E. reiche Fülle von S.n bringen Humanismus und →Reformationslit. in →Flugschriften, Fabeln, →Dialogen (HUTTEN), fingierten Briefen *(Epistulae obscurorum virorum)*, →Fastnachtsspielen (N. MANUEL, P. GENGENBACH) oder →satirischen Romanen (FISCHARTS *Geschichtsklitterung*) als Gestaltung des Gegensatzes zwischen Humanisten und Scholastikern. Gelehrten und Laien, Katholiken und Protestanten. Dabei erscheinen die Mißstände der Zeit entweder als Ausdruck menschlicher Dummheit, die sich in der →Narrenlit. durch Selbstlob ad absurdum führt (BRANT, MURNER) oder als Auswirkungen des Teufels in der →Teufellit. (MUSCULUS). Die →Grobianische Dichtung dagegen nimmt allg. die Sittenverrohung zur Zielscheibe ihres Spottes (DEDEKIND). Im Barock verspottet die S. als →Alamode-Lit. die Fremdsucht und die höfisch anmaßende Prunkliebe des Bürgertums in Gedichten und Epigrammen (LOGAU, LAUREMBERG, CANITZ, SCHUPP), Predigten und Traktaten (ABRAHAM A SANCTA CLARA), satirischen Romanen (Chr. REUTER) und Traumgesichten (MOSCHEROSCH *Gesichte Philanders von Sittewald* nach span. Vorbild von QUEVEDOS *Los sueños*). Die Aufklärung karikiert allgemein-menschliche Torheiten durch Witz, Spott und Ironie, doch ohne ätzende Schärfe, teils in ernst-moralisierender Lehrdichtung, bes. jedoch im Epigramm und stets getragen vom Glauben an e. Besserung (LÖWEN, HAGEDORN, RABENER, LESSING, bes. geistvoll LICHTENBERG, bitterer LISCOW); STOLBERG, WIELAND *(Abderiten)* und FALK pflegen die →Literatursatire. Der Sturm und Drang benutzt bes. das Drama als Form seiner politisch-sozialen S., ebenso GOETHE in seinen Literatursatiren (*Götter, Helden und Wieland, Pater Brey* u. a.) oder mit SCHILLER zusammen in den →*Xenien,* ferner in der sog. Universitäts-S. (Schülerszene im *Faust*). Die S. der Romantik (SCHLEGEL, TIECK, BRENTANO) ist fast ausschließlich →Literatur-S.; Meister der humoristischen S. im Roman wird JEAN PAUL. Das Junge Dtl. pflegt die politisch-soziale S. in Form des Reisebildes, bes. zynisch bei HEINES *Dtl., ein Wintermärchen.* Um die Jh.mitte gelangt im Anschluß an TIECK und PLATEN die dramatische S. zu erneuter Blüte bei GRABBE, PRUTZ, HAMERLING, BAUERNFELD, bes. aber NESTROY; auch der Naturalismus (G. HAUPTMANN) und Expressionismus (WEDEKIND, STERNHEIM) sowie die Gegenwart (F. DÜRRENMATT, M. FRISCH, M. WALSER, H. QUALTINGER) bevorzugen die Komödie für satirische Darstellung; daneben entwickelt sich die Prosa-S. bei O. J. BIERBAUM, L. THOMA, G. MEYRINK, H. MANN, R. MUSIL, H. BÖLL, G. GRASS, M. WALSER u. a., die S. in Gedichtform bes. seit BUSCH, MORGENSTERN, KRAUS, KÄSTNER, E. ROTH, K. TUCHOLSKY, E. WEINERT, B. BRECHT, H. M. ENZENSBERGER, W. SCHNURRE u. a., und als Sonderformen der Darbietung entstehen politisch-satirische Witzblätter (*Kladderadatsch* 1848 ff., *Simplicissimus* 1896 ff. u. a.) und →Kabaretts. In der Gegenwart erscheint die S. in zweierlei Form: teils als begründeter Angriff auf herrschende Mißstände nach dem Maßstab e. hohen Menschheitsideals, teils als nihilistische Verspottung und Verachtung alles menschlichen Strebens im Guten wie im Bösen, vor deren radikaler Skepsis kein Wert besteht. Als Verzerrung des politischen, geistigen und Volkslebens bleibt die S. stärker national gebunden als andere Dichtarten und reicht nur in den höchsten Ausformungen in die Weltlit. hinein, so in Italien mit ARIOST, ALEMANNI, Salvator ROSA, GOZZI und ALFIERI, in Spanien mit CERVANTES *(Don Quijote)* und QUEVEDO, in Frankreich mit RABELAIS, Th. de VIAU, SCARRON, BOILEAU, REGNIER, VOLTAIRE, CHÉNIER, COURIER, BÉRANGER und FLAUBERT *(Bouvard et Pécuchet),* in England als religiöse S. mit SKELTON, MARKSTON, DONNE, S. BUTLER, DRYDEN und DEFOE, als lit.S. mit POPE und als soziale S. mit SWIFT *(Gulliver's Travels)*, H. FIELDING *(Joseph Andrews)*, GAY *(Beggar's Opera)* und neuerdings bes. G. B. SHAW, A. HUXLEY, G. ORWELL und E. WAUGH, in Polen KRASICKI, in Rußland GOGOL', GRIBOEDOV, SALTYKOV-ŠČEDRIN und ZOŠČENKO.

H. Schneegans, Gesch. d. grotesken S., 1894; K. F. Flögel, Gesch. d. kom. Lit. II 1914; M. Glass., Klass. u. romant. S., 1905; F. Blei, Dt. Lit.-Pasquille, IV 1907; H. Klamroth, Beitr. z. Entw.-gesch. d. Traum-S. i. 17. u. 18. Jh., Diss. Bonn 1912; G. A. Gerhard, *Satura* (Philologus 75, 1918); V. Cian, *La Satira,* Mail. 1923; A. H. Weston, *Lat. satiric writing after Juvenal,* 1925; N. Terzaghi, *Per la storia della satira,* Turin 1932; H. Max, S. i. d. franz. Publizistik, 1934; R. M. Meyer, Hist.-polit. S. (Dt. Rundschau 35); J. W. Duff, *Roman S.,* 1937; G. R. Hocke, Dt. S. d. 18. Jh., 1940; V. Cian, *La s. ital.,* Mail. 1945; E. V. Knox, *The mechanism of s.,* Lond. 1951; H. Rosenfeld, D. Entw. d. Stände-S. i. MA. (Zs. f. dt. Philol. 71, 1951); A. W. Pannenborg, *Ecrivains satiriques,* Paris 1955; J. Peter, *Complaint and s. in early Engl. lit.,* 1956; U. Knoche, D. röm. S., [2]1957; J. Sutherland, *English S.,* Cambr. [2]1961; RL; RE: *Satura;* G. Baum, Humor u. S. i. d. bürgerl. Ästhetik, 1959; K. Wölfel (Wirk. Wort 10, 1960); A. Kernan, *The cancered Muse,* New Haven 1960; R. C. Elliott, *The Power of S.,* Princeton 1960; D. Worcester, *The art of s.,* N. Y. [2]1960; G. Highet, *The anatomy of s.,* Princeton 1962; H. Schroeder, Russ. Vers-S. i. 18. Jh., 1962; G. D. Stephens u. C. A. Allen, *Theory of S.,* Belmont 1962; L. Feinberg, *The Satirist,* Ames 1963; K. Lazarowicz, Verkehrte Welt, 1963; M. Dietrich, D. theatral. S. als Anwalt d. Menschenrechte (Maske u. Kothurn 9, 1963); P. Pörtner, D. S. i. expressionist. Theater, ebda.; C. A. van Rooy, *Stud. in class. s. and related lit. theory,* Leiden 1965; H. Walker, *Engl. s. and satirists,* N. Y. [2]1965; W. O. S. Sutherland, *The art of the satirist,* Austin 1965; S. J. Greenblatt, *Three mod. satirists,* New Haven 1965; A. B. Kernan, *The plot of s.,* New Haven; I. Jack, *Augustan s.,* Oxf. [2]1966; J. Alter, *Les origines de la s. antibourgeois en France,* Genf II 1966–70; R. M. Kulli, D. Stände-S. i. d. dt. geistl. Schauspielen d. ausgeh. MA., 1966; H. Rogge, Fingierte Briefe als Mittel polit. S., 1966; U. Gaier, S., 1967; R. Paulson, *The fictions of s.,* Baltimore 1967; R. Paulson, *S. and the novel in 18th cent. Engl.,* New Haven 1967; L. Feinberg, *Introd. to s.,* Ames 1967; C. W. Previté-Orton, *Polit. s. in Engl. poetry,* N. Y. [2]1968; W. E. Yuill, *Malice in wonderland,* Nottingh. 1968; J. Jacobs, Z. S. d. frühen Aufkl., GRM 18, 1968; F. J. Stopp, *Reformation s. in Germany* (*Oxf. Germ. Stud.* 3, 1968); M. Tronskaja, D. dt. Prosa-S. d. Aufklärg., 1969; H. D. Weinbrot, *The formal strain,* Lond. 1969; J. Heath-Stubs, *The verse s.,* Lond. 1969; K. Meyer-Minnemann, D. Tradition d. klass. S. i. Frankr., 1969; J. Schönert, Roman u. S. i. 18. Jh., 1969; E. A. u. L. D. Bloom, *The satiric mode of feeling* (*Criticism* 11, 1969); G. T. Wellmanns, Stud. z. dt. S. i. Ztalter d. Aufkl., Diss. Bonn 1969; M. Hodgart, D. S., 1969; A. Pollard, *S.,* Lond. 1970; D. röm. S., hg. D. Korzeniewski 1970; H. Arntzen, Satir. Stil, [2]1970; ders., Lit. i. Ztalter d. Information, 1971; J. Brummack, Z. Begriff u. Theorie d. S., DVJ 45, 1971 Sonderh.; U. Karthaus, Humor, Ironie, S. (Deutschunterr. 23, 1971); G. Hess, Dt.-lat. Narrenzunft, 1971; D. C. Powers, *Engl. formal s.,* Haag 1971; K. W. Hempfer, Tendenz u. Ästhetik, 1972; W. Freund, D. dt. Vers-S. i. Ztalter d. Barock, 1972; I. Hantsch, Bibliogr. z. Gattungspoetik: Theorie d. S. (Zs. f. frz. Sprache u. Lit. 82, 1972); J. Weisgerber, *S. and irony as means of communication* (*Comp. Lit. Stud.* 10, 1973); R. A. Müller, Komik u. S., 1973; H. Arntzen, D. S.theorie d. Aufkl. (Neues Hb. d. Lit.wiss. 11, 1974); W. Voßkamp, Formen d. sat. Romans i. 18. Jh. (ebda.); I. Hantsch, Semiotik d. Erzählens, 1975; D. Tschižewskij, S. oder Groteske (Poetik u. Hermeneutik 7, 1976); P. R. Carels, *The sat. treatise in 18th cent. Germany,* 1976; J. N. Schmidt, S.: Swift u. Pope, 1977; R. Homann, Erhabenes u. Satirisches, 1977; U. Kindermann, Satyra, 1978; J. Schönert, Sat. Aufklärg., 1978.

Satirischer Roman, Hauptform der Prosa- →Satire, in der Antike vorgeformt bei LUKIAN und PETRONIUS, im dt. MA. in Volksbüchern wie *Eulenspiegel* und *Lalenbuch (Schildbürger),* in eigtl. Romanform jedoch erst seit RABELAIS *Gargantua und Pantagruel* (1532 ff.) als Darstellung der Zeitlaster, in der dt. Bearbeitung durch FISCHART (*Geschichtsklitterung,* 1575) ins Grotesk-Komische übersteigert. Auch FISCHARTS eigene Schriften (*Jesuiterhütlein* u. a.) zeigen ihn als gewandten Satiriker. In Italien gehen PULCI und FOLENGO, in Spanien CERVANTES *(Don Quijote)* gegen die Amadis- und Ritterromane vor und vereinigen Literatur- und Kultur-Satire. Die Form des dt. und span. →Schelmenromans eröffnet neue Gestaltungsmöglichkeiten und Perspektiven der satirischen Zeitkritik, z. B. in GRIMMELSHAUSENS simplizianischen Schriften (*Das wunderbarliche Vogelnest* u. a.). Chr. WEISES politische Romane wiederum verspotten die Auswüchse des Abenteuer- und Schelmenromans. Dem Pasquill nähern sich HUNOLDS (MENANTES) s. R. (1705) und REUTERS *Schelmuffsky* (1696) auf Hamburger bzw. Leipziger Persönlichkeiten, letzteres gleichzeitig Satire der →Reiseromane. In England folgen SWIFTS politische Satire *Gullivers' Travels* (1726) und FIELDING, SMOLLETT und L. STERNE mit s. R. auf RICHARDSON und die Empfindsamkeit, ähnlich in Frankreich LA BRUYÈRE, LESAGE und VOLTAIRE, in Dtl. MUSÄUS *Grandison der Zweite*. Glänzende Zeitsatiren liefert WIELAND in *Don Silvio von Rosalva* und den *Abderiten*. Humoristische Elemente mischt MÜLLER von Itzehoe (*Siegfried von Lindenberg* 1779) ein; SCHUMMELS *Spitzbart* karikiert die übertriebenen pädagogischen Bestrebungen der Zeit; im Alter folgen KLINGER, BASEDOW und WETZEL, in der Spätaufklärung NICOLAIS *Sebaldus Nothanker* 1773, TIMMES *Der Empfindsame* 1781, CRAMERS politische Satire *Erasmus Schleicher* und HIPPELS *Lebensläufe in aufsteigender Linie*. Während JEAN PAUL vom s. R. zum humoristischen übergeht, sind E. T. A. HOFFMANNS *Seltsame Leiden eines Theaterdirektors, Serapionsbrüder* u. *Kater Murr*, KERNERS *Reiseschatten* und die späteren Novellen von EICHENDORFF und TIECK treffende s. R.e der Romantik. Daneben entsteht e. ganze Reihe s. R.e gegen das Unterhaltungsschrifttum, voran HAUFFS →Parodie auf CLAUREN *Der Mann im Mond* (1826) und seine *Memoiren des Satan*. IMMERMANN trifft in *Epigonen* den Geist der Zeit und in *Münchhausen* die Verlogenheit der Gesellschaft. Der Zeitroman des Jungen Dtl. ist bewußt satirisch (LAUBE, MUNDT, GUTZKOW), ebenso HAMERLINGS *Homunculus*. Im 20. Jh. folgen H. MANN, C. STERNHEIM, M. BROD, J. WINCKLER, R. HUCH, R. MUSIL, H. KASACK, H. BÖLL, G. GRASS, M. WALSER u. a. →Satire. RL.

Saturnier, *Versus saturnius* (= ›altital.‹ oder verächtlich: ›noch aus dem goldenen Zeitalter des Saturn stammend‹), ältester Vers der lat. und altital. Dichtung, in dem LIVIUS ANDRONICUS die *Odyssee* übersetzte, NAEVIUS den *Punischen Krieg*, M. APPIUS CLAUDIUS CAECUS seine Sprüche schrieb und die Grabinschriften der Scipionen bis 150 v. Chr. gehalten sind. Selbst als ENNIUS um 180 v. Chr. den griech. Hexameter durchsetzte und noch die *Odyssee* des LIVIUS ANDRONICUS daraufhin metrisch umgearbeitet wurde, hielt er sich in der Volksdichtung bis in CICEROS Zeit, von HORAZ als ›rusticus‹ und ›horridus‹ verspottet. Der S. ist e. Langvers und besteht ähnlich dem dt. Nibelungenvers aus zwei dreihebigen Kurzzeilen, die auch in anderen Dichtungen (Arvallieder) einzeln erscheinen, hier aber, durch e. Diärese (die sogar Hiat zuläßt) getrennt, nebeneinanderstehen, und von denen die 1. steigend, die 2. fallend ist: ⏓ –́ ⏑ –́ ⏑ –́ ⏓ | –́ ⏑ –́ ⏑ –́ ⏓, z. B. ›malum dabunt Metelli Naevio poetae‹. Durch mannigfache Variationsmöglichkeiten – Ausfall der 6., seltener der 3. Senkung, Senkungsverdoppelung durch zwei Kürzen –

erhält er größere Beweglichkeit. Anfangs wohl akzentuierend gebaut, wurde er seit 240 v. Chr. unter Einfluß der griech. Metrik wohl auch quantitierend verwendet, doch ist sein Grundcharakter sehr umstritten, zumal die Senkungen bisweilen Längen, die Hebungen jedoch nie Kürzen sind.

L. Havet, *De saturnio,* Paris 1880; O. Keller, D. sat. Vers, Prag 1883–86; Thureysen, D. S., 1885; L. Müller, D. sat. Vers, 1885; W. M. Lindsay, *The sat. metre* (*American Journal of philol.* 14, 1893); A. Reichardt, D. sat. Vers (Fleckeis. Jhrb. Suppl. 19, 1893); F. Leo, D. sat. Vers, 1905; C. Zander, *Versus s.,* 1918; W. J. W. Koster (Mnemos., 1929); E. Fraenkel, *The Pedigree of the Sat. metre* (Eranos 49, 1951); F. Novotný, *De versu S.* (*Studia Salač,* 1955); G. B. Pighi, *Il verso S.* (*Rivista di filologia* 35, 1957). →Metrik.

Satyrspiel, heiter-schwankhaftes Nachspiel der klassischen griech. Tragödien→Trilogie, Abschlußstück der →Tetralogie, benannt nach dem Chor der Satyrn, Fruchtbarkeitsdämonen aus dem Gefolge des Dionysos, die mit Pferdeohren und -schwänzen, Ziegenfellschurz, Phallos und Maske verkleidet, um e. älteren Silen geschart neben den – übrigens nicht phallischen, sondern feierlich als Götter und Heroen kostümierten – Schauspielern des Stückes auf der Bühne in toller Ausgelassenheit ihre burlesken Späße, drolligen Lieder, grotesken, oft obszönen Gesten und schnellen, komischen Tänze (›Sikinnis‹ oft Parodien des pathetischen Tanzes) auf der Bühne aufführten. Die Szene stellte dabei e. einsamen Wald, den Tummelplatz der Satyrn, dar, die von ihrem Herrn Dionysos getrennt worden sind und auf der Suche nach ihm ein Abenteuer bestehen. Nach Bestehen des Abenteuers, das meist einer Sagenepisode verbunden ist, setzen sie die Suche fort. Als Erfinder und erster Meister des S. gilt PRATINAS von Phleius (rd. 520 v. Chr.); gleichzeitig erscheinen d. ersten S.e auf Vasenbildern. Das einzige erhaltene S. neben Papyrusfragmenten von SOPHOKLES' *Spürhunden* und AISCHYLOS' *Netzfischern* ist der *Kyklops* von EURIPIDES (Odysseus blendet den Polyphem, in Neubearbeitung von WILBRANDT 1882 im Wiener Burgtheater erfolgreich aufgeführt), doch schrieb jeder Dichter zu e. tragischen Trilogie e. stofflich (Mythos) und formal (Sprache) verwandtes S., und EURIPIDES' Versuch, das S. durch e. heiteres Stück ohne Satyrchor zu ersetzen *(Alkestis),* blieb ohne Nachfolge; zwar spielte man später nur insgesamt ein S. bei jedem Dichterwettkampf, und die Kostüme wurden obszön, doch das S. lebte noch bis in die röm. Zeit fort, wo HORAZ in der *Ars poetica* Regeln dafür gab. – ARISTOTELES' Vermutung, das S. sei e. rudimentäre Vorstufe der Tragödie, findet heute kaum noch Zustimmung. Vgl. auch NIETZSCHES berühmte Deutung in *Die Geburt der Tragödie aus dem Geiste der Musik.*

P. Guggisberg, D. S., Diss. Zürich 1947; F. Brommer, S., ^{2}1959; I. Fischer, Typ. Motive i. S., Diss. Gött. 1959.

Satzakzent →Akzent

Satzgefüge →Periode, →Hypotaxe

Satzmelodie, die e. Satz eigentümliche, bes. von den Vokalen getragene Melodieführung. →Sprachmelodie.

O. v. Essen, Grundz. d. hdt. Satzintonation, 1956.

Satzreim →Gliederreim

Satzschluß →Klausel

Satzspiegel, im Buchdruck das Format des vom Schriftsatz gefüllten Teils der Druckseite zwischen den freien Rändern (Stegen).

Satztitel, →Titel in Form e. ganzen

… Satzes, z. B. … *sind, werden sie* … SCHMID).

…chen →Interpunktion

…udosismo (v. portugies. *saudade* = Sehnsucht, Heimweh), von Teixeira de PASCOAES eingeleitete Strömung der portugies. Lit. und insbes. der Lyrik im Zusammenhang mit der nationalen, kulturellen und politischen Renaissance Portugals um 1910, erstrebte eine innere geistige und moralische Erneuerung des portugies. Volkes und der Lit. durch stärkeres nationales Selbstbewußtsein und Bewußtwerden der ›saudade‹ als völkischer Geistesart zugleich mit einer mystisch verklärten Rückbesinnung auf die große nationale Vergangenheit. Trotz raschem Abklingen in leeres Pathos und unrealistische Phantasiegebilde von starkem Einfluß auf die portugies. Lit. zu Anfang des 20. Jh. (A. LOPES VIEIRA, A. DUARTE, M. BEIRÃO, A. SARDINHA, M. da SILVA GAIO, A. CORREIRA DE OLIVEIRA).

I. Teixeira de Pascoaes, *O espírito lusitano ou o s.*, Porto 1912.

Scapigliatura (ital. = →Bohème, Titel eines Romans von C. ARRIGHI, 1862), antiromantische Strömung der ital. Lit. in den Jahren 1862 bis 1882, gerichtet gegen die idyllisch-patriotische bürgerliche Lyrik der Spätromantik, den histor. Roman und das bürgerliche Lebensgefühl der Zeit. Betonte die grundlegende Einheit der Künste und forderte eine nähere Beziehung der Kunst zum Leben. Hauptvertreter der S. mit den Zentren in Mailand und Turin waren G. ROVANI, C. ARRIGHI, I. u. C. TARCHETTI, E. PRAGA, C. u. E. BOITO, S. FARINA, C. PISANI-DOSSI, A. GHISLANZONI, F. FONTANA, G. CAMERANA, R. SACCHETTI u. a., dazu auch Maler und Musiker.

P. Nardi, *La s.*, Bologna 1924, Mail. [2]1968; G. Galeani, *Tre poeti della s.*, Sora 1937; P. Madini, *La s. milanese*, Mail. 1939; F. Gennarini, *La s. milanese*, Neapel 1961; J. Moestrup, *La s.*, Koph. 1966; G. Mariani, *Storia della s.*, Caltanissetta 1967; G. Catalano, *Momenti e tensioni della S.*, 1969.

Scapin, Scapino (frz. bzw. ital.), Typenfigur der →Commedia dell'arte: verschmitzter, intriganter Diener mit Schnurrbartmaske in Leibchen, Hose und weißem Hut mit grünem Besatz. Ähnl. →Brighella. Als Figur von MOLIÈRE aufgegriffen.

Scaramuz, ital. **Scaramuccia,** franz. **Scaramouche,** Typenfigur der →Commedia dell'arte, neue Aufschneiderfigur in schwarzer span. Tracht als Ablösung des →Capitano, 1640 von Tiberio FIORILLO geschaffen.

Scenario →Szenar

Scenonym, →Pseudonym in Gestalt e. Schauspielernamens oder e. Dramenfigur, z. B. Hamlet (d. i. R. GENÉE).

Schachallegorie →Schachbuch

Schachbuch, Gattung der mhd. und niederdt. allegor. Dichtung des MA., die in Anlehnung an das lat. *Schachzabelbuch* des JACOBUS DE CESSOLIS (um 1275) bzw. dessen dt. Bearbeitung durch KONRAD VON AMMENHAUSEN das Schachspiel zur Allegorie für soziale Verhältnisse nimmt, z. B. das *Schachgedicht* HEINRICHS VON BERINGEN, um 1290.

F. Holzner, D. dt. S., 1896; H. J. Kliewer, D. ma. Schachallegorie, Diss. Hdlbg. 1966.

Schachtelung →Hypotaxe

Schachzabelbuch →Schachbuch

Schäferdichtung →Hirtendichtung

Schäfergedicht →Madrigal

Schäferroman, epische Großform der →Hirtendichtung, oft zugleich als →Schlüsselroman für eigene Seelenzustände oder ›Liebeshändel hoher Personen‹ (HARSDÖRFFER) entsprechend dem Gesellschaftsideal des Barock, also Liebesroman unter der Schäfermaske, dessen Enthüllung jedoch dem Eingeweihten leicht fiel. Der idyllische Charakter dieser Form des Prosaromans tritt meist in zahlreichen Gedichteinlagen klar hervor. Der älteste Sch. stammt noch aus der Spätantike: LONGOS' *Daphnis und Chloe* (3. Jh. n. Chr.) blieb jedoch ohne Nachfolge. Der Neueinsatz in der ital. Renaissance ist zunächst durch Vorherrschen des Gedanklichen gekennzeichnet: BOCCACCIO, SANNAZAROS *Arcadia* (1502). In Spanien wird unter dem Einfluß des →*Amadisromans* der Anteil an Handlung verstärkt, so in MONTEMAYORS *Diana* (1559) mit Fortsetzungen von Alonso PÉREZ; nunmehr reißt die Entwicklungsfolge nicht mehr ab: in Spanien CERVANTES' *Galatea* (1585) und LOPE DE VEGAS *Arcadia*, in England SIDNEYS *Arcadia* (1590), Abenteuerroman mit schäferischen Einlagen, und BARCLAYS *Argenis* (1621), heroisch-galanter Schlüsselroman, in Frankreich Honoré D'URFÉS *Astrée* (1607–27). Die dt. Entwicklung beginnt erst, nachdem der ausländische Sch. seinen Höhepunkt überschritten hat, zuerst mit Übersetzungen. OPITZ überträgt BARCLAYS *Argenis* 1626–31 und schreibt in mehr novellistischer Form e. *Schäfferey Von der Nimfen Hercinie* (1630), in der er die sonst vorwiegende Erotik mehr in Abenteuerlichkeit abbiegt. Die Zahl der Nachahmer, meist als Gesellschaftsdichtung in Gesprächsform, ist Legion: HARSDÖRFFER, KLAJ, BIRKEN, FLEMING, ZESEN *(Adriatische Rosemund)*, NEUMARK, KUFSTEIN, OMEIS, GLÄSER, HALLMANN, RICHTER, RIST, SCHWIEGER, K. STIELER *(Verführte Schäferin Cynthie)* und unzählige anonym erschienene Sch., von denen durchaus viele als autobiographischer Schlüsselroman oder Individualroman zu verstehen sind, z. B. *Die jüngst erbaute Schäferei,* 1632, *Zweier Schäfer neugepflanzter Liebesgarten, Gedoppelte Liebesflamme,* 1663 u. a. m. die z. T. bis ins 19. Jh. nachwirken. – Die geistige Grundeinstellung des Sch. läßt sich nicht im allg. erläutern; neben bloßem Kavalierswesen ohne tiefere Wertschätzung der Frau, das in der oft rhetorisch durchgebildeten ›Liebesbeschreibung‹ die Welt unter dem erotischen Aspekt darstellt, steht die erzieherische Absicht, die Lebenslehre: die Vernunft führt aus der in die Gesellschaft eingeführten Macht der Liebe wieder zur Sitte, und schließlich verbirgt sich hinter der schäferlichen Maskerade viel echte Sehnsucht nach e. einfachen und glücklichen Leben in genügsamer Beschränkung, nach Emanzipation des Menschlichen.

L. Cholevius, D. bedeutendsten dt. Romane d. 17. Jh., 1866; H. Rennert, *The Span. pastoral romances,* 1912; A. Rauchfuß. D. franz. Hirtenroman, Diss. Lpz. 1912; E. Cohn, Gesellschaftsideale u. -roman d. 17. Jh., 1921; H. Cysarz, Dt. Barockdichtg., 1924; U. Schaumann, Z. Gesch. d. erzähl. Schäferdichtg. i. Dtl., Diss. Hdlbg. 1927; H. Meyer, D. dt. Sch. d. 17. Jh., Diss. Freibg. 1927; RL; G. Müller, Barockroman u. Barockromane (Jhrb. d. Görres-Ges., 1929); G. Heetfeld, Vergl. Stud. z. dt. u. franz. Sch., Diss. Mchn. 1954; A. Hirsch, Bürgertum u. Barock i. dt. Roman, [2]1957; J. B. Avalle-Arce, *La novela pastoril española,* Madrid 1959; G. Hoffmeister, D. span. Diana i. Dtl. 1972; ders., Antipetrarkismus i. dt. Sch. (Daphnis I, 1972); Schäferdichtg., hg. W. Voßkamp 1977. →Hirtendichtung, →Roman.

Schäferspiel →Hirtendichtung

Schallanalyse, Untersuchung des Klangs, der →Schallform der gesprochenen Rede oder e. nach schriftlicher Aufzeichnung wieder in Klang umgesetzten Dichtung, meist im Hinblick auf die Echtheit der Verfasserschaft, und zwar allg. 1. auf mechanisch-experimentelle Weise mit Apparaten (Rußtrommel, Grammophon), 2. auf akustische, vom Hörenden ausgehende Weise über Rhythmus und Sprechmelodie (RUTZ, SARAN), bes. aber 3. nach dem von E. SIEVERS ausgebildeten, vom Sprechenden ausgehenden motorischen Weg. E. SIEVERS geht dabei von der Typenlehre des Gesanglehrers J. RUTZ aus, der feststellte, daß bei motorisch veranlagten Menschen der Vortrag von Gesangs- und Dichtwerken bes. Muskelbewegungen (Rutzsche Reaktionen) hervorruft, und daß einzelne Klangformen bei der richtigen Muskeleinstellung willkürlich herbeigeführt werden können. Diesen inneren Bewegungsvorgang, der bei der sprachlichen Äußerung oder Reproduktion die Bewegungsorgane des Körpers anregt und in e. Zustand der Bewegungsbereitschaft versetzt, macht SIEVERS sich zunutze, um durch die zugeordneten Begleitkurven den Rhythmus und die Klangmerkmale der gesprochenen Sprache zu bestimmen, und folgerte daraus sechs Stimmtypen je nach der Körperspannung beim natürlichen Sprechen mit Personalkurven, die als persönliche Konstante in allen sprachlichen Äußerungen e. Menschen wiederkehren und daher zur Identifikation e. Textes benutzt werden können. Wie RUTZ bereits bemerkte, bereitet dem einen Typus die Reproduktion von Schöpfungen e. anderen Typus Schwierigkeiten; darauf beruhen nunmehr SIEVERS' ausgedehnte textkritische Untersuchungen über Dichtwerke verschiedener Epochen und Sprachen (german., Bibel, SHAKESPEARE, GOETHE), die entweder eine einheitliche Verfasserschaft des Werkes feststellen oder aber vom Dichter übernommene Teile sowie Interpolationen, Änderungen und Überarbeitungsschichten von typenfremder Hand abzuheben versuchen und zu bemerkenswerten Ergebnissen gelangt sind. Da jedoch für derartige Arbeiten e. stark ausgeprägte motorische Veranlagung und außerordentliche Klangempfindlichkeit erforderlich ist, bleibt die Anwendung der Sch. nur auf verhältnismäßig wenige Nachfolger beschränkt. Ihr Verdienst ist es vor allem, die Textkritik von den bloßen Fragen des Wortgebrauchs und der einseitigen Erörterung der Korruptelen vom Sinn her zur Berücksichtigung des Klangbildes geführt zu haben.

O. Rutz, Neue Entdeckungen v. d. menschl. Stimme, 1908; Luick, Üb. Sprachmelodisches i. d. dt. u. engl. Dichtg., GRM 2, 1910; O. Rutz, Menschheitstypen u. Kunst, 1921; E. W. Scripture, D. experimentelle Phonetik, 1921; E. Sievers, Ziele u. Wege d. Sch. (Festschr. f. Streitberg, 1924); F. Karg, D. Sch. (Idg. Jhrb. 10, 1926); G. Ipsen und F. Karg, Schallanalyt. Versuche, 1928; R.L[1]; J. Vendryes, *La phonologie et la langue poétique,* Cambr. 1936; G. Ungeheuer, D. Sch. v. Sievers (Zs. f. Mundartforschg. 31, 1964).

Schallform, Gesamtheit der hörbaren (Klang-)Eigenschaften in der gesprochenen (freien oder gebundenen) Rede, die auch im geschriebenen Wort immanent vorhanden ist und durch den Vortrag objektiviert wird: Rhythmus, Sprechmelodie, Artikulation, Klangart (Stimmtypus nach der →Schallanalyse), Tempo, Sprachschmuck (Gleichklang: Stab- oder Endreim, Assonanz u. ä.).

RL[1].

Schallnachahmung →Klangmalerei

Schaltsatz →Parenthese

Schamperlied (schampern = sich im Tanze hin- und herbewegen, frühnhd. schamper = zuchtlos), landschaftliche, bes. obersächs. Bz. für beim Tanz gesungene Vierzeiler. →Schnadahüpfel und andere anzüglich-erotische Volksstrophen – auch Tschamper-, Schlumperlied.

RL1.

Scharade (franz. *charade* v. altfranz. *charaie* = Zauberspruch), im 18. Jh. aus der Provence nach Dtl. gelangte Form des Silbenrätsels, bei dem das zu erratende Wort in mehrere, für sich selbständig sinnvolle Silben zerlegt wird, deren Sinn wie auch der des Ganzen durch Umschreibung oder pantomimische Darstellung in ›lebenden Bildern‹ und kleinen dramatischen Szenen (›Lebende Sch.‹) angedeutet wird, z. B. ›Haus-vogt-ei-platz‹.

Scharteke (ital. *scartata* = Ausschuß oder franz. *charte* = Urkunde), altes, meist wertlos gewordenes Buch, unbedeutendes Schriftwerk.

Schattenspiel, dramatische Vorführung ähnlich dem →Puppentheater durch auf e. beleuchtete Leinwand geworfene Umrißfiguren als Untermalung von Erzählungen durch Schwarz-Weiß-Illustration oder selbständige dramatische Gattung, die infolge ihrer Neigung zu gemüthafter Kleinmalerei und typenhafter Komik und Charakteristik der Genrekunst angehört. Die technischen Voraussetzungen sind e. zentrale, meist künstliche Lichtquelle und e. durchscheinende Wand sowie zweidimensionale Puppen aus Leder oder Pappe, deren Gliedmaßen z. T. mittels Stöcken bewegt werden können und deren feinere Ausgestaltung vom einfachen Umriß im Profil bis zu e. Nuancierung der Gesichtszüge und Gewänder durch entsprechende Aussparungen von Kultur zu Kultur sich abwandeln. Die Stoffe der Sch. stammen zumeist aus Volksüberlieferungen in Heldensage, Legende und Mythologie, die z. T. durch die Räsonneur-Rolle der komischen Figur gebrochen werden. Es verbreitete sich von China über Indonesien (→Wayang), Indien, Persien, Arabien und die Türkei (→Karagöz), wo es heute noch überall gepflegt wird, nach Italien und von dort im 17. Jh. nach Dtl., zunächst als Jahrmarktsbelustigung, von GOETHE im *Jahrmarktsfest von Plundersweilern* zuerst ernst genommen und seit der Romantik als Familienkunst kultiviert. Sch.e verfaßten C. BRENTANO, ARNIM *(Das Loch),* J. KERNER, bes. kunstvoll MÖRIKE *(Der letzte König von Orplid* im *Maler Nolten*) und Graf POCCI, der auch zahlreiche →Puppenspiele schrieb, doch sind die Versuche zu e. Wiederbelebung der Form in Europa im allg. vergeblich gewesen.

G. Jacob, D. türk. Sch., 1900; ders., Erwähngn. d. Sch. i. d. Weltlit., [3]1906; ders. Gesch. d. Sch., [2]1925; ders., D. chines. Sch., 1933; F. W. Fulda, Sch., 1914; O. Höver, Javan. Sch., 1923; RL; M. v. Boehn, Puppen u. -spiele, 1929; P. Kahle, D. oriental. Sch.theater, III 1930–33; G. G. Ransone, *Puppets and shadows,* 1931; M. Cordes, D. Technik d. Sch., 1950; A. Blochmann, Sch., [2]1951; M. Bührmann, D. farb. Sch.„ 1955; ders., Stud. üb. d. chines. Sch., 1963; D. Bordat u. F. Boucrot, *Les théâtres d'ombres,* Paris 1956; B. Svern, *Shadow magic,* N. Y. 1959; W. Hoenerbach, D. nordafrik. Sch., 1959; O. Blackham, *Shadow Puppets,* Lond. 1960; L. Reisiger, *Shadow theatres,* Lond. 1970.

Schatzkammer, im Barock beliebter Titel für poetische Handbücher mit Blütenlesen (→Florilegien) poetischer Redewendungen, Vorstellungen, Ausdrücke, allegorischer Figuren, Embleme usw., nach Stichwörtern geordnet zur Wiederverwendung. Wichtigste von A. TSCHERNING, G. TREUER 1675 und J. MASEN 1654 (lat.).

Schauburg, Verdeutschungsvorschlag Ph. von ZESENS für →Theater, in Norddtl. und den Niederlanden verbreitet.

Schauerroman, bewußt auf Schauereffekte angelegter Roman, der sich durch Schauplatz (oft alte Schlösser und verwahrloste Einzelbauten mit Verliesen, unterirdischen Gesängen, versteckten Wandtüren in wildromantischer Landschaft), unheimliche Requisiten (Waffen, Kerzen, ausgestopfte Tiere, Totenschädel, Folter- und Schreckenskabinette) und mysteriöse, übernatürliche oder erst später natürlich erklärbare Ereignisse mit raffiniertem Spannungsaufbau in sich steigernden Stufen des Schreckens bes. an die Phantasie der Leser wendet. Vielfach verbunden mit →Kriminal-, →Detektiv-, →Vampirroman oder →Gespenstergeschichte. In engl. Lit. zeigt der Sch. in der Gruppe der sog. ›Gothic Novels‹ des 18./19. Jh. eine kontinuierliche Entwicklung von H. WALPOLE (*The castle of Otranto,* 1764), A. RADCLIFFE (*The mysteries of Udolpho,* 1794), M. G. LEWIS (*Ambrosio, or the monk,* 1795) und M. SHELLEY (*Frankenstein,* 1818), die den Schrecken im Sinne der Aufklärung entmythologisieren, über POE u. B. STOKER (*Dracula,* 1897) bis zur Horrorlit. der Gegenwart, die abgesunkene Motive weiter trivialisiert und die Handlung auf die bloßen Schreckensszenen reduziert. In dt. Lit. finden sich Ansätze zum künstlerischen Sch. etwa bei E. T. A. HOFFMANN, W. HAUFF, A. KUBIN, G. MEYRINK, H. H. EWERS, A. M. FREY u. a.

E. Birkhead, *The Tale of Terror,* Lond. 1921; A. Killen, *Le roman terrifiant,* Paris 1923; E. Railo, *The Haunted Castle,* Lond. 1927; H. Garte, Kunstform Sch., Diss. Lpz. 1935; M. Summers, *The Gothic Quest,* Lond. 1938; D. P. Varma, *The Gothic Flame,* Lond. 1957; M. Praz, Liebe, Tod u. Teufel, 1963; G. Zacharias-Langhals, D. unheiml. Roman um 1800, Diss. Bonn 1967; H. Conrad, D. lit. Angstgestaltg., 1974; J. Klein, D. got. Roman, 1975; I. Vetter, D. Erbe d. Schwarzen Romantik, Diss. Graz 1976; I. Schönert, Schauriges Behagen u. distanzierter Schrecken (Lit. i. d. soz. Bewegg., hg. A. Martino 1977); F. Lichius, Sch. u. Deismus, 1978.

Schauspiel, 1. allg. seit N. MANUEL (16. Jh.) dt. Bz. für die Aufführung von Dramen vor Zuschauern, seit HARSDÖRFFER für das →Drama selbst als Oberbegriff für Trauer-, Lust- und Schäferspiel und im Ggs. zu Singspiel bzw. Oper – 2. im engeren Sinne Zwischenform von Trauer- und Lustspiel, die unter Wahrung der ernsten Grundstimmung zur friedlichen Überwindung des Konflikts durch rechtzeitige Besinnung des Helden und zum Sieg des Guten führt (›Lösungsdrama‹), der Form nach der Tragödie näherstehend, jedoch nicht die Höhe des Tragischen erreichend und durch die untragische Entwicklung im ernsten, aber glücklichen – jedoch nie ausgesprochen komischen – Ausgang davon unterschieden und der Tragikomödie angenähert. Vorformen finden sich schon im griech. Drama, so etwa SOPHOKLES' *Philoktet,* EURIPIDES' *Helena* und *Iphigenie in Tauris* und, mehr lustspielhaft, bei SHAKESPEARE *(Cymbeline, Kaufmann von Venedig, Maß für Maß).* Da die →Ständeklausel bis ins 18. Jh. das Trauerspiel den hohen, das Lustspiel den unteren sozialen Schichten vorbehielt, war das moderne Sch. wie es zuerst bewußt in DIDEROTS ›genre sérieux‹ angestrebt wurde, bürgerliches Drama. Typische Sch.e, in denen das Tragische enthalten ist, doch überwunden wird, kennt die dt. Klassik: LESSINGS *Nathan,* GOETHES *Götz* und *Iphigenie,* SCHILLERS *Wilhelm Tell,* KLEISTS *Prinz von Homburg* und *Käthchen von Heilbronn.*

Schauspieler →Schauspielkunst

Schauspielführer, Zusammenstellungen von Inhaltsangaben der meistgespielten Dramen des zeitgenössischen Spielplans in literaturgeschichtlicher, chronologischer oder alphabetischer Anordnung nach Autoren oder Werken zur Vorbereitung und Verständnishilfe für den Theaterbesucher. Sie geben in den besten Fällen auch Ansätze zur Interpretation. Wichtigste dt. Sch. sind:

R. Krauß, Mod. Schauspielbuch, 1934; J. Gregor, X 1953–76; Welttheater, hg. S. Melchinger [2]1966; K. H. Berger u. a., III [5]1975; O. zur Nedden, K. Ruppel, [12]1973; G. Hensel, Spielplan, II [2]1975; S. Kienzle, [2]1973.

Schauspielkunst, aus dem lebendigen Nachahmungs- und Spieltrieb des Menschen hervorgegangene reproduzierende Kunst, die durch darstellerische Wiedergabe den vom Dichter geschaffenen – im einzelnen ausgearbeiteten oder für das Stegreifspiel in den Grundmotiven festgehaltenen – dramatischen Text für die Zuschauer sinnlich (durch Auge und Ohr) faßbar und lebenswirksam gestaltet. Ihre Mittel sind neben der Sprache in allen Lautmöglichkeiten (bis zum Schrei) bes. →Mimik, →Gestik (→Gebärde) und in weiterem Sinne auch →Ausstattung (→Kostüme, →Masken, →Requisiten, →Dekoration); ihr Träger ist die Persönlichkeit des Schauspielers, der die ihm übertragene →Rolle aus eigenem Lebensgefühl schöpferisch nachempfindet und darstellerisch verwirklicht. Jede echte dramatische Dichtung verlangt nach der Aufführung, denn in ihr erst entwickelt sie eigenes Leben und vollendet sich. Bis ins MA. von der dramatischen Technik, dem Schauplatz und der inneren Funktion des aufzuführenden Dramas abhängig, entwickelt sich die Sch. erst in der Neuzeit zu e. selbständigen Stil im Zusammenhang mit der Geisteskultur der jeweiligen Epoche, den sie meist modernisierend auch auf die überkommenen Dichtungen überträgt, während die Versuche historisierender Epochen, die Darstellungsweise e. Dramas dem Zeitstil der jeweiligen Entstehungsepoche anzugleichen, die Fortentwicklung der Sch. nicht aufhalten können. Der griech. Sch. fehlte durch die →Masken mit dem für die großen Räume notwendigen, eingelassenen Schalltrichter die Möglichkeit zu individueller Mimik und Tongestaltung; ihrem Charakter als Kulthandlung gemäß blieb ihr Stil feierlich und getragen. Dem anfänglich einzigen Schauspieler fügte AISCHYLOS e. zweiten, SOPHOKLES um 468 e. dritten hinzu und gab damit erst die Möglichkeit zu wirksamer Kontrastierung der Figuren. Auch AISCHYLOS verwendete daraufhin in späteren Dramen drei Schauspieler, die auch für mehrere Rollen eintraten – z.T. übernahm der Dichter selbst eine der Hauptrollen. Erst in der Spätzeit seit rd. 350 v. Chr. richtete sich das Interesse des Publikums außer auf Stoff und Dichtkunst auch auf die Sch., die Namen der Schauspieler erschienen auf den Didaskalien, und man richtete Wettkämpfe für Schauspieler ein. Die röm. Sch. kannte keine Beschränkung der Spielerzahl und anfangs auch keine Masken, die erst Ende des 2. Jh. v. Chr. nach griech. Vorbild und nur für die Tragödie eingeführt wurden; in der Komödie, dem Mimus und bes. dem Pantomimus entwickelt sich trotz des teils unedlen Gegenstandes die individuelle Mimik und damit die Sch. meist mit stehenden Rollentypen. Während das ma. →geistliche Drama, anfangs von Geistlichen in der Kirche, später von Laien und -bruderschaften (→Passionsbrüdern) auf der Simultanbühne des Marktplatzes gespielt, kaum Feinheiten der Gestik und Mimik kennt, entsteht in den Fastnachtsspielen und den →Stegreifspielen der →Spielleute e. Vorstufe des Schauspielerstandes, dessen Tradition sich bes. von Italien her in der Commedia dell'arte durch viele Jhh. fortsetzt. Die Meistersingerbühne hingegen beschränkt gemäß ihrer regelhaften Kunstübung die Gestik auf e. erlernbares System von wenigen und festgelegten →Gebärden, und das Schuldrama legt im Interesse der rhetorischen Übung allein Wert auf deklamatorischen Vortrag. Die Entstehung e. neuen Sch. steht in engem Zusammenhang mit der Hebung des Theaterwesens durch die Dichter-Schauspieler MOLIÈRE und SHAKESPEARE. Ein echtes Berufsschauspielertum entstand erst im 17. Jh. mit den →Englischen Komödianten und den ihnen nachgebildeten dt. →Wandertruppen, die zwar das Theatralische in den Vordergrund drängen, die lit. Werke im Streben nach Theatereffekten und Publikumswirkung willkürlich verändern und die →komische Person bedenklich stark in den Vordergrund stellen, die jedoch zugleich erstmalig die heute selbstverständliche Anverwandelung des Schauspielers an seine Rolle durchführen. Nach der Theaterreform GOTTSCHEDS und der NEUBERIN, die den Hanswurst nach dem Vorbild des franz. Sprechtheaters von der Bühne verbannt und den Schauspieler wieder zum Diener am Dichterwort macht, und nach LESSINGS grundlegenden theoretischen Erörterungen in der *Hamburgischen Dramaturgie* entsteht dann in Hamburg (SHAKESPEARE – Aufführungen SCHRÖDERS im Sinne der Aufklärung), Mannheim (IFFLAND, SCHILLER-Aufführungen 1781 bis 1784) und später Berlin (IFFLAND) im Zusammenhang mit den Bestrebungen EKHOFS e. neuer, realistischer Bühnenstil. In Weimar dagegen entsteht einzig und nachfolgelos in seiner Zeit, unter der unkonziliaten Leitung GOETHES e. streng klassizistische und idealisierende Sch., die den Schauspieler an strenge Regeln bindet, das Zusammenspiel (→Ensemble) – im Ggs. zum Virtuosentum der anderen Bühnen – betont und durch idealisierende Gebärde und Sprache, teils selbst →Masken, Bühnendarstellung und -werk ins Zeitlos-Ewige zu erheben versucht. Für die weitere Entwicklung im 19. Jh. bes. bedeutsam ist die zunehmende Zahl stehender Bühnen auch in kleinen Städten, bes. aber der →Hoftheater als Pflegestätten der Sch., Wien (LAUBE), Berlin (DEVRIENT), München (DINGELSTEDT), Leipzig, Dresden, Paris u. a. m. Neue Entwicklungsmöglichkeiten gegenüber diesen unter fürstlicher Aufsicht bald konventionell erstarrenden Theaterbetrieben zeigten die Gastspielreisen der →Meininger und die wachsende Bedeutung der →Regie, die in den Händen ausgeprägter Persönlichkeiten (O. BRAHM, M. REINHARDT) Werk und Sch. weitgehend im Sinne e. perfekten Illusionismus beeinflußt. Während der bes. von O. BRAHM und seinem erstklassigen Ensemble in Berlin ausgeprägte Stil des Naturalismus den großen Werken IBSENS und der dt. Naturalisten, bes. HAUPTMANNS, e. kongeniale Bühnenverwirklichung bot, hat das Streben der Sch. im Expressionismus nach e. nicht naturalistischen, neuen Bühnenstil mit ekstatischer Sprachgestaltung und expressiv-unnatürlichen Gebärden kein bleibendes Ergebnis gezeigt. Für die mod. Sch. zeigten B. BRECHTS →Verfremdungseffekt, das amerikan. Understatement und der groteske Stil des absurden Dramas neue Wege, ohne angesichts der bunten Vielfalt des Spielplans, der neben traditioneller realist. Sch. auch die Ummontierung der Klassiker kennt, zu e. neuen, einheitlichen Stil zu gelangen.

H. Oberländer, D. geist. Entwicklg. d. dt. Sch. i. 18. Jh., 1898; E. Devrient, Gesch. d. dt. Sch., Neuausg. 1967; M. Martersteig, D. Schauspieler, 1900; J. Bab, D. Frau als Schauspielerin, 1915; H. Knoll, Theorie d. Sch. v. Lessing zu Goethe, 1916; F. Gregori, D. Schauspieler, 1919; F. Tschirn, D. Sch. d. dt. Berufsschauspieler i. 17. Jh., 1921; R. K. Goldschmidt, D. Schauspielerin, 1922; J. Bab, Schauspieler u. Sch., 1926; RL; H. W. Phillipp, Grammatik d. Sch., II 1948–51, [2]1964; J. Mawer, *The art of mime,* Lond. [6]1955; M. A. Franklin, *Rehearsal: The principles and practice of acting for the stage,* N. Y. [4]1963; H. G. Marek. D. Schauspieler i. Lichte d. Soziologie, 1956 f.; P. Chesnais, *L'acteur,* Paris 1957; Y. Lane, *The psychology of the actor,* N. Y. 1960; M. C. Bradbrook, *The rise of the common player,* Cambr./Mass. 1962; M. Herrmann, D. Entstehg. d. berufsmäß. Sch. i. Altert. u. i. d. Neuzeit, 1962; E. Duerr, *The length and depth of acting,* N. Y. 1962; Grundlagen d. Sch., II 1965; G. B. Wilson, *A hist. of American acting,* Bloomington 1966. →Bühne, →Inszenierung, →Regie, →Theater.

Scheinname→Pseudonym

Schelmenroman, Sonderart des →Abenteuerromans, in dessen Mitte die Gestalt des Picaro (= Schelm, ›Landstörzer‹) steht. Dieser erlangt häufig selbst keinen Eigenwert und ist nicht zur geschlossenen, einheitlichen Individualität im Sinne des Entwicklungs- und Bildungsromans durchgestaltet, sondern seine mannigfaltigen Schicksale und Abenteuer als Umhergetriebener dunkler oder niederer Abkunft, der sich mit allen erlaubten und unerlaubten Mitteln, List und Betrug, Lügen und Schlichen, gerissen durchs Leben schlägt, dienen nur dazu, die vielfältigen dabei berührten Gesellschaftsschichten von der niedersten bis zur höchsten aus der Perspektive von unten her zu desillusionieren: Gesellschaftssatire verbunden mit abenteuerlich-schwankhaften Motiven. Gemeinsam ist dem Sch. die Fülle von Schauplätzen, Figuren und Episoden als Darstellung e. vielfältigen, bunten Welt, ferner die Ich-Form und meist e. soziale Einstellung.

Ähnliche Formen kennt schon die chines. Lit. im *Shui-hu chuan (Die Räuber vom Liang Schan-Moor)* von SHI NAIAN, die röm. Lit. in APULEIUS' *Goldenem Esel* und die arab. Lit. in Form der →Makame, von der man Einflüsse abzuleiten versucht hat. Die Heimat des europ. Sch. ist Spanien in der 2. Hälfte des 16. Jh. Der früheste Sch. ist der *Lazarillo de Tormes* (anonym 1554); es folgen der *Guzmán de Alfarache* (1599) von Mateo ALEMÁN, CERVANTES' Novelle *Rinconete y Cortadillo* in den *Novelas ejemplares* (1613), V. ESPINELS *Marcos de Obregón* (1618), QUEVEDOS *Historia de la vida del Buscón* (1626), GUEVARAS *El diablo cojuelo (Der hinkende Teufel,* 1641), *La garduña de Sevilla* von CASTILLO-SOLORZANO (1634) und *La pícara Justina* von LÓPEZ DE ÚBEDA (1605). Die dt. Nachwirkung beginnt mit sehr raschen und verbreiteten Übersetzungen: *Lazarillo* und CERVANTES von ULENHART 1617, *Guzmán* mit moralisch-asketischer Erweiterung von Aegidius ALBERTINUS 1615 und Fortsetzungen von FREUDENHOLD, die *Pícara Justina* als *Landstörtzerin Justina Dietzin* 1620 und QUEVEDOS *Buscón* 1671. Während der eigtl. Sch. bald bei den Fortsetzern und Nachahmern durch christlich-bürgerliche Ethik, die den Picaro zum Sünder stempelt, seinen wahren Charakter verliert oder in den reinen Abenteuerroman übergeht, ragen die künstlerischen Höhepunkte, in Frankreich der *Gil Blas* (1715–35) von LESAGE und in Dtl. GRIMMELSHAUSENS *Simplicissimus* und die *Simplicianischen Schriften* (bes. *Landstörtzerin Courasche*) darüber hinaus; in England vereinen sich Abenteuer- und Sch. im *Unfortunate Traveller* (1594) von NASH; Motive des Sch. und z. T. die Figur des Schelmen leben fort bis in die Gegenwart (WINCKLER, *Der tolle Bomberg,* HAŠEK, *Schwejk,* GUARESCHI, *Don Camillo und Peppone,* A. V. THELEN, *Die Insel des zweiten Gesichts,* Th. MANN, *Felix Krull,* J. STEINBECK, *Die Schelme von Tortilla Flat,* S. BELLOW, *The adventures of Augie March,* Th. WILDER, *Theophilus North,* G. GRASS, *Die Blechtrommel,* BÖLL, *Ansichten eines Clowns*) als unerschöpflicher Unterhaltungsstoff.

W. Lauser, D. 1. Sch., ²1903; A. Schultheiß, D. Sch. d. Spanier u. seine Nachbildgn., 1893; A. Schneider, Spaniens Anteil a. d. dt. Lit. d. 16./17. Jh., 1898; F. W. Chandler, *Romances of Roguery,* N. N. Y. 1899; F. de Haan, *Outline of the Hist. of the Nov. Picar. in Spain,* N. Y. 1903; F. W. Chandler, *The lit. of Roguery,* N. Y. II 1907; H. Rausse, Z. Gesch. d. span. Sch. i. Dtl., 1908; F. W. Chandler, *The novela picaresca in Spain,* 1910; J. Hofmiller, Sch.e (in: Üb. d. Umgang m. Büchern, 1927); RL; M. Suárez, *La novela picaresca y el pícaro en la lit. española,* Madrid 1928; M. Bataillon, *Le roman picaresque,* Paris 1931; V. Valbuena Prat, *La novela picaresca española,* Madrid 1945; O. Seidlin, Pikareske Züge i. Wk. Th. Manns, GRM 36, 1955; A. Hirsch, Bürgertum und Barock i. dt. R., ²1957; W. Beck, D. Anfge. d. Sch. i. Dtl., 1957; A. del Monte, *Itineraio del romanzo picaresco spagnolo,* Florenz 1957; G. Álvarez, *El amor en la novela picaresca,* 1958; J. B. Avalle-Arce, *La novela pastoril española,* Madrid 1959; J. Striedter, D. Sch. i. Rußld., 1961; R. Alter, *Rogue's Progress,* Cambr./Mass. 1964; W. Schumann, Wiederkehr d. Schelme, PMLA 81, 1966; W. von der Will, Pikaro heute, 1967; A. A. Parker, *Lit. and the delinquent,* Edinb. 1967; S. Miller, *The picaresque novel,* Cleveland 1967; K. Hermsdorf, Th. Manns Schelme, 1968; B. Schleusner, D. neopikareske Roman, 1969; Picarische Welt, hg. H. Heidenreich 1969; M. Nerlich, Kunst, Politik u. Schelmerei, 1969; H. Bernart, D. dt. Sch. i. 20. Jh., Diss. Wien 1970; N. Schöll, D. pikar. Held (Tendenzen d. dt. Lit. s. 1945, hg. T. Koebner 1971); W. Seifert, D. pikar. Tradition i. dt. Roman d. Gegenw. (D. dt. Lit. d. Gegenw., hg. M. Durzak 1971); R. Diederichs, Strukturen d. Schelmischen i. mod. dt. Roman, 1971; C. Guillén, *Lit. as system,* 1971; H. G. Rötzer, Picaro – Landstörtzer – Simplicius, 1972; R. Schönhaar, Pikaro u. Eremit (Dialog, Fs. J. Kunz 1973); D. Arendt, D. Schelm als Widerspruch u. Selbstkritik d. Bürgertums, 1974; U. Wicks, *The nature of the picaresque narrative,* PMLA 89, 1974; A. Schöne, D. Hochstapler u. d. Blechtrommler, 1974; *Knaves and swindlers,* hg. C. J. Whitbourn, Lond. 1974; W. Riggan, *The reformed Picaro* (Orbis litt. 30, 1975); R. Bjornson, *The picaresque novel in France, Engl., and Germany* (*Compar. lit.* 29, 1977).

Scheltlied, -spruch →Rügelied und →Sirventes

Schembartspiel →Schönbartspiel

Scherzgedicht →Nonsense-Verse, →Limerick, →Schüttelreim.

Scherzspiel, barocke, z. T. noch übliche Übersetzung für Komödie.

Schicksalstragödie, im weiteren Sinne jede Tragödie, in der die Handlung durch den Konflikt der Persönlichkeit mit e. von außen hereinbrechenden Schicksal bestimmt wird und e. unabwehrbare Schicksalhaftigkeit das individuelle Wollen erdrückt. Schon die antike Tragödie verehrt im Zusammenhang mit dem Mythos das Schicksal als religiöse Macht (SOPHOKLES, *Oidipus*); in der span. Klassik prägt CALDERÓNS *Eifersucht das große Scheusal* e. ähnlichen Schicksalsbegriff; in der dt. Klassik steht das starke Persönlichkeitsbewußtsein e. solchen Auffassung entgegen: der Mensch überwindet aus innerer Freiheit das Schicksal (*Iphigenie,* selbst *Die Braut von Messina* am Schluß); er scheitert dagegen, wo er als freie geistige und sittliche Persönlichkeit in die Welt der Geschichte einzugreifen sucht *(Wallenstein, Demetrius).* Erst in der Romantik entsteht die Vorstellung von e. dämonischen, unheimlichen Schicksal und die fatalistische Auffassung der Geschehnisse als Erbfluch o. ä. zunächst in der Epik (TIECKS *Blonder Eckbert*, ARNIM, BRENTANOS *Romanzen vom Rosenkranz*, E. T. A. HOFFMANNS dämonische Erzählungen, bes. *Die Elixiere des Teufels* u. a.). Aus dieser Auffassung und in Übertreibung der aus SCHILLERS *Braut von Messina* sprechenden Schicksalsidee entsteht nun jene Reihe von Tragödien, für die GERVINUS die Bz. Sch. im engeren Sinn geprägt hat: Im geschlossenen Schicksalsraum rollt vor Augen der Zuschauer e. planvoll regelmäßig vorgefaßtes Schicksal ab, bricht, durch gewisse Ereignisse (Träume, Ahnungen, Gestirnstand, Orakel) vorausgedeutet und die Geschehnisse vorausbestimmend, vom Menschen unabwendbar herein und macht das Vorhandensein selbständiger Charaktere zwecklos. Bes. fünf Motive (Blutsünde, Unheilsprophezeiung, Familienfluch, Verwandtenmord, Heimkehr) gruppieren sich um die zu zerstörende Gemeinschaft und führen im Dienste des Schicksals durch unheilvolle Verkettung äußerer Umstände, meist in Verbindung mit Waffen (Dolch, Messer, Beil), Familienbildern u. ä. deren Untergang herbei: das außermenschliche, fast personifizierte Schicksal erscheint hier nicht mehr als Größe, sondern als schaurig-geheimnisvolles, doch kleinliches Verhängnis, das an bestimmte Orte und Zeiträume gebunden ist und sich unscheinbarer, fast lächerlicher Mittel bedient, die mit dem Charakter des Helden in keinerlei Zusammenhang stehen: es ist selbst nicht mehr geglaubtes Walten e. Macht, sondern zur Stimmungsmacherei benutztes und theatralisch effektvolles Requisit, das nicht echte tragische Erschütterung und Katharsis, sondern nur Spannung und Nervenkitzel erregt und zum menschlichen Selbstverständnis in keiner Weise beiträgt. Ihr derzeitiger Bühnenerfolg spricht nicht gegen solche Wertung. – Den Anfang macht Zacharias WERNER mit *Der 24. Februar* (1810); A. Müllner (*Der 29. Februar*, 1812; *Die Schuld*, 1813) und E. v. HOUWALD (*Die Heimkehr, Das Bild, Der Leuchtturm, alle 1821*) machen sie zur lit. Modegattung, HOUWALD prägte auch in den vierhebigen trochäischen Reimpaaren der *Heimkehr* das bes. Metrum der Gattung; SMETS, H. SCHMIDT, A. RICHTER, A. v. SECKENDORFF u. a. folgen nach; die langlebigste und beliebteste Gestaltung gelang E. RAUPACH im Allerseelenstück *Der Müller und sein Kind* (1835), auch das Gespensterstück des Wiener Volkstheaters, beruhend auf der Anschauung, die arme Seele könne erst Ruhe finden, nachdem durch e. bestimmtes Ereignis ihre Schuld gesühnt sei, gehört in diese Tradition (HENSLERS *Donauweibchen*), und selbst GRILLPARZER zollt ihr in seinem Erstling *Die Ahnfrau* e. freilich veredelten Tribut, wendet sich jedoch, ohne e. neue Gattung zu begründen, sofort davon ab. In Frankreich erscheint der Einfluß der Sch. bei DUCANGE, DINAUX, V. HUGO, DELAVIGNE, A. DUMAS u. a. mit dem historischen Drama vereint. Die Schwächen der Sch. riefen schon früh Parodien hervor, am gelungensten in JEITTELES-CASTELLIS *Schicksalsstrumpf* (1818) und PLATENS *Die verhängnisvolle Gabel* (1826).

J. M. Minor, D. Sch., 1883; J. Fath, D. Schicksalsidee i. d. dt. Trag., Diss. Lpz. 1895; J. Minor, Z. Gesch. d. dt. Sch. (Grillparzer-Jhrb. 9, 1899); O. Brahm, E. Beitrag z. Entwicklgs.gesch. d. dt. Sch. (Archiv f. Lit.gesch. 9); P. Hankamer, Z. Werner, ›D. 24. Febr.‹, Diss. Bonn 1919; ders., Z. Werner, 1920; RL; M. Enzinger, D. dt. Schicksalsdrama, 1922; O. Görner, V. Memorabile z. Sch., 1931; U. Thiergard, Sch. als Schauerlit., Diss. Gött.

1957; M. Brøndsted, *Digtning og skœbne,* Koph. 1959; W. Rudolf, D. Sch. u. d. Theater d. Romantik, Diss. Mchn. 1963; Z. Škreb, D. dt. sog. Sch. (Grillparzer-Jb. 9, 1972); H. Kraft, D. Sch'drama, 1974.

Schillerstiftung, Dt., Verein zur Unterstützung bedürftiger Schriftsteller und ihrer Hinterbliebenen und Angehörigen, am 10. Nov. 1859 gelegentlich des 100. Geburtstags SCHILLERS in Dresden gegr. auf Anregung J. HAMMERS mit dem Erlös der von Major SERRE 1859 in Dresden veranstalteten Schiller-Lotterie; seither in vielen Zweigvereinen im ganzen dt. Sprachgebiet verbreitet, ab 1890 Sitz in Weimar. Generalsekretäre waren meist selbst Dichter, so GUTZKOW, KÜRNBERGER, GROSSE, Hans HOFFMANN, H. LILIENFEIN, L. FÜRNBERG u. a. Daneben seit 5.5.1905 die Schweizerische Sch. zur Förderung der Schweizer Lit.

R. Goehler, D. dt. Sch., II 1909; 50 Jahre Schweiz. Sch., 1955.

Schimpfspiel, Bz. des 16. Jh. für possenhafte Komödien nach Art der holländ. Kluchten, so bei H. SACHS für e. Teil seiner Fastnachtsspiele, bei A. GRYPHIUS für *Peter Squentz.* →Scherzspiel.

Schlager, das großstädtische ›Volkslied‹ der Gegenwart mit zündender Melodie und primitivem, oft sentimentalem oder heiter-witzigem Text und eingängigem Kehrreim; meist kurzlebige Massenerscheinungen ohne lit. Wert aus Operetten, Musicals, Revuen und Filmen oder aus der Schallplattenindustrie, Industrieprodukte und aus Teamarbeit hervorgegangene Gebrauchsgüter der mod. Wirtschaftsordnung, die nicht aus e. aktuellen Bedürfnis oder e. Aussagedrang heraus entstehen, sondern gezielt gemacht werden und das Bedürfnis nach sich und ihresgleichen erst durch den Appell an die Gefühlswelt des möglichen Konsumenten wecken, mit bescheidenen musikalischen und sprachlichen Mitteln, aber geschickter Ausnutzung der Massenpsychologie auf die Anfälligkeit des breiten Publikums für Talmi und Klischees und die Sucht nach Überwindung des Alltags in rosaroten Träumen mit Identifikationsangeboten spekulieren. →Evergreen, →Schnulze, →Gassenhauer.

E. Haupt, Stil- u. sprachkundl. Unters. z. dt. Sch., Diss. Mchn. 1957; W. Haas, D. Sch.-Buch, 1957; S. Schmidt-Joos, Geschäfte m. Sch., 1960; F. Bachmann, Lied, Sch., Schnulze, 1961; H. C. Worbs, D. Sch., 1963; W. Berghan, In der Fremde (in: Triviallit., hg. G. Schmidt-Henkel 1964); R. Malamud, Z. Psychologie d. dt. Sch., Diss. Zürich 1964; H. Fischer, Volkslied, Sch., Evergreen, 1965; F. Bose, Volkslied, Sch., Folklore (Zs. f. Volkskunde 63, 1967); W. Killy, Gedanken üb. Sch.texte (Neue Rundsch. 82, 1971); H. Bausinger (Hb. d. Volksliedes I, 1972); G. Großklaus, D. Lied als Ware (Lit. f. viele I, 1975); E. Stölting, Dt. Sch. u. engl. Popmusik i. Dtl., 1975; H. Bausinger, Anm. z. Frühgesch. d. Sch. (Zs. f. Volkskunde 71, 1975); G. Mahal, D. Wundertraum v. Liebesglück (ebda.); D. Kayser, Sch., [2]1976; B. Busse, D. dt. Sch., 1976; Triviallit., hg. A. Rucktäschel 1976; D. gr. Sch.-Buch, hg. M. Sperr 1978.

Schlagreim, verbindet zwei unmittelbar aufeinanderfolgende Worte oder Silben innerhalb derselben Zeile: ›Sonne, Wonne ...‹ im engeren Sinne nur zwei oder mehrere direkt nebeneinanderstehende Hebungen durch Reimklang; häufig in mhd. Dichtung und bes. im Barock. Sch. am Zeilenschluß bildet das →Echo.

Schlagwort, 1. im politischen und kulturellen Leben häufige Wörter und Redewendungen, die in prägnanter Form e. Gedankengang, meist e. subjektiv-gefühlsmäßige Beurteilung e. Problems enthalten und für e. bestimmte Richtung kennzeichnend sind, z. B. ›Kampf ums Dasein‹, ›Volk ohne Raum‹, ›artfremde Kunst‹ u. ä. Ihr Verfasser braucht im Ggs. zum →Geflügelten Wort oder →Zitat nicht lit. nachweisbar zu sein, doch sind sie meist das abgezogene Schema e. individuellen Gedankens, der bei Halbgebildeten als abgegriffene Münze kursiert, um e. bestimmte Vorstellung zu treffen, ohne daß man sich bemüht, die von ihnen dargestellte Materie, von der sie nur e. Teil, zwar meist den Kern, doch oft in entstellter Form, ausdrücken, genauer zu durchdringen. – 2. im Bibliothekswesen e. Stichwort, das den Inhalt e. Druckwerks kurz umreißt und als Ordnungswort im Sch.- →Katalog Verwendung findet.

W. Bauer, D. Sch. (Hist. Zs. 122); O. Ladendorf, Hist. Sch.-buch, 1906, n. 1968; P. Hoche, Z. Psychologie d. Sch. (Kunstwart 25, 1912); W. Wannemacher, Vivisektion d. Sch., 1969; Kl. Anatomie polit. Sch.e, hg. O. B. Roegele 1972; A. D. Nunn, Polit. Sch.e i. Dtl. s. 1945, 1974.

Schlesische Dichterschule, überholte Bz. für zwei von Schlesien ausgehende, doch auch anderwärts wirksame und zeitlich aufeinanderfolgende lit. Richtungen der dt. →Barocklit., deren Vertreter meist Beamte bürgerlicher Herkunft an Fürstenhöfen waren: 1. sch. D., von OPITZ ausgehend und maßvoll, teils klassizistisch in der Form: DACH, TSCHERNING, CZEPKO, TITZ, FLEMING, LOGAU u.a., dazwischen: GRYPHIUS, 2. sch. D. mit dem →Schwulststil des Spätbarock: LOHENSTEIN und HOFMANNSWALDAU.

RL; H. Schöffler, Dt. Osten i. dt. Geist, 1940; A. Lubos, Gesch. d. Lit. Schlesiens I, 1960.

Schloka →Śloka

Schloßtheater, Theaterbauten in und an den Wohnsitzen von Fürsten und Adligen für Amateuraufführungen der Adelskreise oder gelegentlich engagierte Schauspielertruppen. Ursprüngl. ständisch gebunden, öffnen sie sich später auch Offizieren, Beamten usw. und werden schließlich z.T. durch allg. zugängliche →Hoftheater abgelöst. Vollständig erhaltenes barockes Sch. in Drottningholm/Schweden. Wichtigste dt. Sch. in München, Schwetzingen, Ludwigsburg, Celle, Gotha, Bayreuth und Erlangen.

H. A. Frenzel, Brandenburg-preuß. Sch., 1959; ders., Thüring. Sch., 1965.

Schlüsselroman (franz. *roman à clef*), e. Roman, in dem wirkliche Ereignisse, Zustände und Schicksale wirklicher Personen der Gegenwart oder Vergangenheit unter veränderten Namen und Umständen, in historischer, allegorischer Einkleidung oder anderer mehr oder minder leichter Verhüllung dargestellt werden, so daß sie für den Wissenden wiedererkennbar sind bzw. durch e. Hinweis (›Schlüssel‹) auf die Wirklichkeitsbezüge dem adäquaten Verständnis der Tatsachen geöffnet werden können. Während jedoch unzählige Romane stofflich auf tatsächlichem Geschehen und Einzelfällen ihrer Zeit beruhen, die von den Zeitgenossen z.T. wiedererkannt wurden (von GOETHES *Werther* über FONTANE, Th. MANNS *Buddenbrooks* und *Doktor Faustus* bis zu K. KLUGES *Herr Kortüm*), sind Sch.e nur solche, in denen die verkleideten Gestalten und Handlungen bewußt nach dem Willen des Autors durchschaut werden sollen, um die Anspielungen und damit den Inhalt überhaupt verständlich zu machen. – Erstes dt. Beispiel ist der *Teuerdank* MAXIMILIANS I. (1517); zur ausgesprochenen lit. Modegattung wurde er im →Schäferroman und im heroisch-galanten Roman des Barock nach dem Vorbild von SANNAZAROS *Arcadia* (1495) und BARCLAYS *Argenis*, in Frankreich bei d'URFÉ *(Astrée)*, GOMBERVILLE, LA

CALPRENÈDE, Mme de SCUDÉRY, DESMARETS u. a., in Italien im Gefolge von BOCCACCIOS *Ameto,* in Dtl. mit OPITZ' *Nimfe Hercinie,* ZESENS *Adriatischer Rosemund,* LOHENSTEINS *Arminius,* Herzog ANTON ULRICHS *Aramena* und *Octavia* u. a. m. In neuerer Zeit respektiert er mehr das Privatleben der Bezugspersonen und dient bes. als Satire, die die allzumenschlichen Seiten und Schwächen gewisser lit. und politischer Gruppen verkleidend enthüllt, so in Frankreich MURGERS *Scènes de la vie de Bohème,* S. de BEAUVOIRS *Les mandarins de Paris* und R. PEYREFITTES *Les clés de Saint Pierre,* in Dtl. SPIELHAGEN, BIERBAUM *(Stilpe, Prinz Kuckuck),* WOLZOGEN, E. JÜNGER *(Auf den Marmorklippen)* und zahlreiche historische u. a. Romane der Exilliteratur, z. B. K. MANNS *Mephisto* in freier Anlehnung an G. GRÜNDGENS, neuerdings in England die satirischen Romane G. ORWELLS *(Animal Farm, 1984)* und S. LENZ *Deutschstunde* in Anlehnung an E. NOLDE. Bekannteste Dramen der Schlüssellit. (›Schlüsselstücke‹) sind ZUCKMAYERS *Des Teufels General* auf UDET, B. BRECHTS *Der aufhaltsame Aufstieg des Arturo Ui* auf HITLER und G. GRASS' *Die Plebejer proben den Aufstand* auf B. BRECHT, nicht aber Werke des →Dokumentartheaters.

F. Drujon, *Les livres à clef,* Paris II 1885–87; K. Ullstein, D. Schutz d. Lebensbildes, 1933; RL; G. Schneider, D. Schlüssellit., III 1951–53.

Schlüsselwörter, 1. in der gemischten, d. h. nicht rein durchgeführten →Allegorie Wörter, die in ihrer eigtl. Bedeutung stehen und die Deutung der Allegorie erleichtern; 2. im lyrischen Gedicht Wörter, die in die Tiefe des Sinnganzen verweisen, z. B. ›Ruh‹ und ›ruhen‹ in GOETHES *Über allen Gipfeln.*

Schlummerlied →Wiegenlied

Schlußrede →Epilog

Schlußrhythmus →Klausel

Schmähschrift in Vers oder Prosa dient der politischen, gesellschaftlichen oder lit. Vernichtung des oft stark persönlich Angegriffenen. Einzelformen sind →Invektive, →Libell, →Pamphlet, →Pasquill, →Satire.

RL

Schmiede →Kosmisten

Schmiere, in der →Theatersprache abwertende Bz. für e. künstlerisch minderwertiges Ensemble mit unecht-übertreibender Darstellungsart, bes. Provinz- und Wanderbühnen.

Schmöker (v. niederdt. *smöken* = rauchen), altes, ›angerauchtes‹ Buch, heute meist mit dem Nebenklang der lit. Minderwertigkeit.

Schmutzliteratur →Schundliteratur

Schmutztitel, zum Schutze des Titelblattes (vor allem bei broschierten oder ohne Einband in Rohbogen verkauften Exemplaren) diesem vorangestelltes, nur mit Verfasser und Kurztitel beschriftetes Blatt.

Schnadahüpfel, Schnaderhüpferl (aus ›Schnitterhüpfel‹ = Erntetanz-Bauernlied), bei den Alpenbewohnern (Österreich, Bayern, Schweiz) verbreiteter, lustig-derber Vierzeiler oft fordernden, neckenden oder erotisch-satirischen Inhalts, epigrammartiges, übermütiges Stegreifliedchen nach e. bestimmten, vielfach abgewandelten Melodie von einzelnen Sängern abwechselnd oder im Chor gesungen, oft Einleitung der Ländler-Tanzmusik beim Erntefest; in zahlreichen Slgn. aufbewahrt, in Kunstdichtung von SEIDL, CASTELLI, KOBELL, STIELER u. a. nachgeahmt.

H. Grasberger, D. Natur d. Sch., 1896; J. Meier, Kunstlied u. Volkslied, 1906; C. Rotter, D. Sch.-rhythmus, 1912; RL; H. Derbel, D. S., Diss. Wien 1949; K. Beitl (Hb. d. Volksliedes I, 1973).

Schnitt →Zäsur

Schnulze, sentimentaler →Schlager von falscher Gefühlsbetontheit als Erlebnisersatz, für Massenkonsum zielstrebig produziert.

A. M. Rabenalt, D. S., 1959; F. Bachmann, Lied, Schlager, Schn., 1961.

Schnurre, kleine kom.-humorist. Erzählung, Posse, Schwank.

Schocker (v. engl. *shock* = Schreck) = →Schauerroman

Schönbartspiel (spätmhd. *schembart* = bärtige Maske), etymolog. falsche Bz. für →Maskenspiel noch bei GOETHE: *Jahrmarktsfest zu Plundersweilern.*

H. U. Roller, D. Nürnberger Schembartlauf, 1965.

Schöne Literatur, schöngeistiges Schrifttum →Belletristik und →Literatur

Schöpfungsmythen, mythische Ausgestaltungen der Vorstellungen von der Erschaffung der Welt (→Kosmogonie), der Götter (→Theogonie) und des Menschen aus e. vorgegebenen Urchaos durch e. ebenfalls vorgegebenen Urschöpfer, entsprechend dem bibl. Schöpfungsbericht, bilden e. Großteil frühester myth. Überlieferung bes. im Alten Orient. Vgl. →Mythos.

Die Sch., hg. S. Sauneron u. a., 1966.

Scholiast →Scholien

Scholien (griech. *scholion* = kleiner Kommentar), kurze, sachlich und sprachlich erläuternde oder textkritische Anmerkungen zu griech. und röm. Schriftstellern am seitlichen, oberen und unteren Rande der Hs.-seiten, von der eigentl. Schrift des Textes durch kleinere Buchstaben und zahlreiche Abkürzungen unterschieden. Im Ggs. zu den →Glossen bringen sie nicht nur Worterklärungen, im Ggs. zum →Kommentar jedoch auch keine fortlaufende, gesonderte Erläuterung. Sie entstammen meist den ausführlichen Kommentaren der alexandrinischen Philologen (ARISTOPHANES, ARISTARCH, ZENODOTOS u. a.) und bewahren einzig das oft wertvolle Gut aus deren verlorenen Werken. Von Schreibern und Grammatikern (Scholiasten) nach persönlichem Bedürfnis dem Text hinzugefügt und von späteren Besitzern der Hss. oft durch beliebige eigene Zusätze oder solche aus anderen Quellen vermehrt, dienen sie der Interpretation bes. schwieriger Textstellen, an die sie durch Sternchen (→Notae) oder →Lemmata verweisen. Die ältesten Sch. erscheinen im 1. Jh. v. Chr. (DIDYMOS); CICERO gebraucht das Wort zuerst, spätere, nicht mehr eigenschöpferische Zeiten verwässerten oft den Gehalt, doch reicht die Tradition fort bis zu neuer Blüte bei den Byzantinern des 14./15. Jh. (EUSTATHIOS, TZETZES, MOSCHOPULOS, DEMETRIUS, TRIKLINIOS, THOMAS MAGISTER u. a.). Schon früh wurden Sch. mehrerer Hss. zu e. fortlaufenden Sch.-Slg. vereinigt, die neben viel unnützen Trivialitäten oft wichtige Handhabe zur Texterklärung bieten. Erhalten sind wichtige Sch. zu HOMER, HESIOD, PINDAR, den Tragikern, ARISTOPHANES, APOLLONIOS RHODIOS, LYKOPHRON, THEOKRIT, NIKANDER, PLATON, DEMOSTHENES; TERENZ, CICERO, HORAZ, VERGIL, OVID, PERSIUS, LUKAN, STATIUS und JUVENAL.

J. E. Sandys, *Hist. of. Class. Scholarship I,* [2]1906; P. Wessner (Bursians Jhrb. 188); R. Lammert (ebda. 231 u. 252); RE.

Schreibervers, vom Schreiber ma.

Hss. an den Schluß der Arbeit gesetzter Vers.

Schreibstoffe →Diptychon, →Papier, →Papyrus, →Pergament, →Ostraka, →Keilschrift, →Codex

Schrift, bestimmte, sichtbare, geformte Zeichen zur Wiedergabe der gesprochenen Sprache, gegliedert nach Begriffen (→Ideogramm) oder Wörtern, Silben, Buchstabengruppen oder Einzellauten (→phonetische Sch., →Lautsch.). Die ägypt. →Hieroglyphen und die →Keilschriften gehen erst später zu Buchstabenreihen über. Aus den Hieroglyphen entwickeln sich über die →hieratische Sch. die phönizische und aramäische Sch. In der minoischen Kultur auf Kreta entstand zu Anfang des 2. Jahrtausends v. Chr. e. selbständige Sch., zunächst Bildersch., ab 1600 v. Chr. zur Linearsch. weiterentwickelt, jedoch, da die Sprache unbekannt ist, bis heute nur z. T. lesbar. Ableger dieser Sch. finden sich auch auf dem griech. Festland als Gefäßinschriften und bes. in e. 1939 entdeckten Archiv von 618 Tontäfelchen des 13. Jh. (Pylos/Messenien), das die Übertragung der Sch. durch den Handelsverkehr nach Messenien annehmen läßt, während Tiryns und Mykenä weniger Inschriften bieten. In Zypern, wohin die Sch. wohl im 11. Jh. durch arkadische Kolonisten gelangte, erhielt sie sich bis in hellenist. Zeit und wurde auch trotz geringer Eignung (Silbenschrift: jedes Zeichen = Konsonant + Vokal) auf griech. Texte angewandt. Kurz nach 1000 v. Chr. wurde – nach der Sage von KADMOS – die phönizische Buchstabensch. (Konsonantensch.) in Griechenland eingeführt und setzte sich aufgrund ihrer großen Vorteile schnell durch. Man übernahm die meisten phöniz. Konsonantenzeichen mit geringen Abänderungen, fügte für fehlende Zeichen wohl kretische hinzu und bezeichnete mit den überflüssigen phöniz. Zeichen die Vokale. Zwar kannte schon der Orient Vokalzeichen, doch stets innerhalb der Silbenschrift; erst die genaue Aufgliederung des Wortklanges bis in letzte Einheiten führte bei den Griechen zur Entstehung der Lautsch. und bedeutete damit e. ungeheure Vereinfachung gegenüber den schwierigen altoriental. Sch.systemen. Zeitliche und örtliche Unterschiede in der Übernahme führten zu Abweichungen in den Alphabeten der einzelnen griech. Stämme, die erst ausgeglichen wurden, als der Archon EUKLEIDES in Athen 403/2 v. Chr. die ionische Sch. als offizielle Gesetzessch. durchsetzte und ihr auch bei den anderen Stämmen Anerkennung schuf. Ihre Zeichen waren die bis heute üblichen griech. Großbuchstaben. Sie sind schon früh als Inschriften belegt, bald auch als Buchschrift, die in den ältesten in Ägypten gefundenen Papyruszeugnissen noch den Inschriften nahesteht und erst mit der Zeit flüssigere Formen erreicht, während die →Kursivschriften für den täglichen Gebrauch schwer entzifferbar sind. Erst spät treten Akzente, Interpunktion und Worttrennung dazu, und erst im 9. Jh. n. Chr. wird die →Majuskel- durch die →Minuskel-Sch. abgelöst. – Das griech. Alphabet ist der Ausgangspunkt aller europ. Alphabete. Die Römer übernahmen es in der westgriech. Form durch Vermittlung der Etrusker und paßten es ihrer Sprache an, ließen überflüssige Zeichen aus und unterschieden neue; so hatte das griech. Gamma für den Laut G, den die etrusk. Sprache nicht kannte, bei ihr in der Form C den Wert K erhalten; die Römer besaßen den G-Laut und verwendeten das Zeichen C anfangs für K und G (vgl. die Abkürzung C. = Gaius), um es später durch e. Querstrich zu unterscheiden; Y und Z erschienen nur in griech. Lehnwörtern. – Hinsichtlich der Sch.richtung waren phöniz. und griech. wie die ältesten lat. Inschriften →linksläufig; im 6. Jh. erscheint im Griech. vereinzelt e. horizontale, im 5. Jh. im Lat. e. vertikale →Bustrophedonschreibung; seither setzt sich in beiden Sprachen mit vereinzelten Ausnahmen die rechtsläufige Sch. durch (→Stoichedon). – Aus der griech. Sch. gingen die Sch. WULFILAS und die →Kyrillische Sch., damit die russ., hervor, aus der lat. Sch. die altgerman. →Runen, die jedoch später wieder durch sie verdrängt wurden. Für die abendländ. Sch. wird nur die lat. bedeutsam. Sie wandelt sich von der →Kapitale in die →Unziale zum hs. Gebrauch und schließlich in die →Minuskelsch., aus der sich die heutigen Sch.-formen Westeuropas ableiten. Aus den runden lat. Formen entsteht in dt. Klöstern des 12./13. Jh. die gebrochene Sch. (→gotisch, →Fraktur), die im dt. Buchdruck übernommen wird und bis ins 20. Jh. fortlebt, während die anderen Länder schon früh zur runden →Antiqua zurückkehren, die auch in Nachbildung hs. Formen als →Kursive geläufig wird. Diese drei Grundformen kehren in den verschiedensten Typen der Druck-Sch. wieder. →Initialen, →Miniaturen, →Versalien und bes. →Paläographie.

A. Schmitt, D. Erfindg. d. Sch., 1938; K. Sethe, V. Bilde z. Buchstaben, 1939, n. 1964; H. Jensen, D. Sch., [3]1967; J. Tschichold, Gesch. d. Sch. i. Bildern, [4]1961; A. Petrau, Sch. u. Sch.en i. Leben d. Völker, 1944; J. G. Février, *Hist. de l'ècriture,* Paris [2]1959; A. C. Moorhouse, *The triumph of the alphabet,* N. Y. 1953; J. Friedrich, Entzifferg. verscholl. Sch.n u. Sprachen, [2]1966; H. Degering, D. Sch., [4]1964; W. Wattenbach, D. Sch.-wesen i. MA., [4]1957; I. J. Gelb, V. d. Keilsch. z. Alphabet, 1958; I. Hajnal, *L'enseignement de l'écriture aux universités medievales,* Budapest [2]1959; D. Diringer, *Writing,* Lond. 1961; M. Cohen u. a., *L'écriture,* Paris 1963; E. Doblhofer, Zeichen u. Wunder, 1964; Ch. Higounet, *L'écriture,* Paris 1964; W. Ekschmitt, D. Gedächtnis d. Völker, 1964; E. Buchholz, Sch.gesch. als Kulturgesch., 1965; F. Muzika, D. schöne Sch. i. d. Entwicklg. d. lat. Alphabets, II 1965; K. Földes-Papp, V. Felsbild z. Alphabet, 1966; J. Friedrich, Gesch. d. Sch., 1966; D. Alphabet, hg. G. Pohl 1968; D. Diringer, *The alphabet,* Lond. II [3]1968; G. Barthel, Weltgesch. d. Sch., 1972; E. D. Stiebner, W. Leonhard, Bruckmanns Hb. d. Sch., 1977.

Schriftleiter →Redakteur

Schriftmundarten, Mundarten mit eigenentwickelter Lit. Die Anfänge aller Litt. sind stets mundartlich bis zur Ausbildung e. einheitlichen →Schriftsprache; außerdem können Sch. beherrschend werden in Zeiten staatlicher Zersplitterung oder in den vom geschlossenen Sprachgebiet abgetrennten Sprachinseln, für die die Mundart oft die einzige Form der Sprache ist. →Dialektdichtung.

Schriftsprache, die geschriebene, d. h. im gesamten Schrifttum e. Sprachgemeinschaft niedergelegte bes. Sprache im Ggs. zur mündlich gesprochenen Sprache (Mundart), doch ständig daraus bereichert. Sie ist trotz der Möglichkeit e. formalen Übereinstimmung durchaus zu unterscheiden von der Literatursprache im engeren Sinne oder Dichtersprache, die als e. nach Wortschatz, -stellung und Lautform stilisierte Kunstsprache nicht im alltäglichen Schriftgebrauch, sondern nur in den dichterischen Denkmälern e. Sprache erscheint, an bestimmte hochentwickelte Kulturformen gebunden ist, mit denen sie entsteht und wieder erlischt (eddische Heldendichtung mit →Kenning und →Heiti; mhd. →Dichtersprache in der höfischen Dichtung mit Fremd- und Lehnwörtern, in der Heldendichtung mit Archaismen; barocker →Schwulst; Literatursprache der Klassik, des →Naturalismus und →Expressionismus usw.), und im Ggs. zur Sch. nie Umgangssprache werden kann. Der Sch. entspricht in mündlicher Form die Umgangs- oder Verkehrs- (Gemein-) Sprache, der Literatursprache die Hochsprache; alle diese Formen sind gekennzeichnet durch das Streben zur Einheitssprache als genormtes, anerkanntes gemeinsames Verständigungsmittel der Sprachgemeinschaft durch Überwindung der landschaftlichen und volkssprachlichen Bindung in Wortschatz, Laut- und Formenstand sowie Aussprache (→Bühnenaussprache) und nähern sich somit einander. Die Ausbildung e. einheitlichen Sch. liegt im Interesse der Dichter, Gelehrten, verschiedener Vereinigungen (→Sprachgesellschaften), der Drucker (Druckersprache) und der innenpolitischen Verwaltung (→Kanzleisprache) und wird von ihnen gefördert. Ansätze e. Literatursprache bieten die westgot. Kirchensprache WULFILAS und die mhd. →Dichtersprache; e. einheitliche Sch. erstrebt schon der Gelehrtenkreis um KARL D. GR., sodann im Spätma. die Hansa, deren mittelniederdt. Sch. auch für die Lit. wichtig wurde, die Gelehrten am Prager Hof Ende des 14. Jh. (JOHANNES VON NEUMARKT u. a.) und die Regeln der →Kanzlei- und Druckersprache (im Interesse des Absatzes), die e. feste Schreibüberlieferung festhalten, die im wesentlichen auf der ostmitteldt. Durchschnittssprache des thüringisch – obersächsisch – schlesischen Raumes beruht, wo durch den Ausgleich mundartlicher Unterschiede zwischen den Siedlern aus verschiedenen Stämmen e. gewisse Vereinheitlichung entstanden war. Das entscheidende Ereignis zur Verbreitung dieser Sch. war die Bibelübersetzung LUTHERS, die ebenfalls auf der ostmitteldt.-meißnischen Sch. der kursächsischen Kanzlei beruht und durch ihre sprachgestalterische Vollendung auch über andere Ansätze e. Sch. im süddt.-österr. Raum den Sieg davontrug: LUTHER ist nicht Schöpfer, wohl aber Begründer der nhd. Sch. Für die weitere Entwicklung wurden bes. die Sprachbestrebungen des Barock maßgebend; ihre künstlerische Vollendung als Literatursprache erreicht die nhd. Sch. in der Klassik und ist auch seither in fortdauernder lebendiger Umwandlung begriffen.

H. Paul, Gab es e. mhd. Sch.?, 1873; O. Behaghel, Z. Frage nach e. mhd. Sch., 1886; A. Socin, Sch. u. Dialekte i. Dt., 1888; F. Kluge, Üb. d. Entstehg. unserer Sch., 1894; O. Behaghel, Sch. u. Mundart, 1896; S. Singer, D. mhd. Sch. (Mitteil. d. Gesellsch. f. dt. Spr. i. Zürich 5, 1900); E. Gutjahr, D. Anfänge d. nhd. Sch. vor Luther, 1910; K. Burdach, V. MA. zur Reformation V, 1926; H. Naumann, Gesch. d. dt. Lit.sprache, 1926; RL[1]: Lit.-Spr.; A. Bernt, D. Entstehg. unserer Sch. (V. MA. z. Reformation IX, hg. K. Burdach, 1934); H. Frings u. Schmitt, D. Weg z. dt. Hochsprache (Jhrb. d. dt. Sprache II, 1942 f.); A. E. Berger, Luther u. d. nhd. Sch. (Festschr. f. Götze I, 1942); F. Maurer, Z. Frage d. Entstehg. unserer Sch., GRM 1951 f.; A. Schirokauer, D. Anteil d. Buchdrucks a. d. Bildg. des Gemeindt., DVJ 25, 1951; W. Henzen, Sch. u. Mundarten, [2]1954; E. Auerbach, Lit.spr. u. Publikum i. d. lat. Spätantike u. i. MA., 1958; E. A. Blackall, D. Entwicklg. des Dt. z. Lit.spr. 1700–1775, 1966; L. E. Schmitt, Unters. z. Entstehg. u. Struktur d. nhd. Sch., 1966 ff.; D. Nerius, Unters. z. Herausbildg. e. nat. Norm d. dt. Lit.spr. i. 18. Jh., 1967; W. Baumgart, V. Urspr. d. dt. Lit.spr. (Daphnis 5, 1976); Z. Ausbildg. d. Norm d. dt. Lit.spr., III 1976.

Schriftsteller, im Unterschied zum →Dichter allg. jeder Verfasser lit. (meist Prosa-) Werke von ausgebildeten stilistischen und gedanklichen Fähigkeiten (→Talent), doch ohne die Erfordernis dichterischer Wesensschau und sprachkünstlerischer

Bedeutsamkeit der Aussage. Die Scheidung in Sch. als übergeordneten Sammelbegriff und Dichter als deren qualitative Spitze, heute z. T. mit Recht als romant. Mystizismus abgelehnt und allg. durch die neutrale Bz. Sch. ersetzt, bedeutet e. Werturteil und läßt sich in Einzelfällen z. T. nicht durchführen; jeder Dichter ist zu e. Teil Sch. – nur wenige und meist ganz kurze Werke sind reine Dichtung und frei vom Einfluß der sch.ischen Seite, während jedes umfangreichere Werk von selbst sch.ische Begabung verlangt – doch nicht jedem Sch. eignet die Gabe des Dichterischen. Die wesentlichen Voraussetzungen für die breite Entfaltung des Sch.wesens bis zur Gegenwart liegen im zunehmenden Bedarf an Lit., bes. seit dem Buchdruck und der Entwicklung des Zeitungs- und Zss.wesens, die oft als Unterhaltungslit. bewußt nicht Dichtung sein will und kann, und in dem seit dem 19. Jh. durchgesetzten Rechtsschutz des Sch. durch Anerkennung des geistigen Eigentums im →Urheberrecht, die den Sch. zu e. sicheren und lohnenden Beruf für entsprechende Begabungen machte; in der handwerklichen Ausübung des Schreibens liegt e. wesentlicher Unterschied zum Dichter; nicht ›Berufung‹, innere Nötigung führen zum Schaffen, sondern sprachlich-stilistische Fähigkeiten werden zum Mittel des Lebensunterhalts ausgebaut und richten sich oft weniger nach eigenem Erleben und Fühlen als nach dem am meisten Erfolg versprechenden Zeitgeschmack (→Bestseller). Während es Dichter aus eigener Kraft ohne Ansehen des Ruhmes und materiellen Erfolges zu allen Zeiten gab, ist der →Literat ein Produkt der Zivilisation und Gesellschaft.

W. Schäfer, D. S., 1910; E. Gürster, D. Sch. i. Kreuzfeuer d. Ideologien, 1962; H. J. Haferkorn, D. freie S. (Archiv f. Gesch. d. Buchwesens 33, 1963); J. W. Saunders, *The profession of Engl. letters,* Lond. 1964; G. Linz, Lit.Prominenz i. d. BR., 1965; H. G. Göpfert, Sch. (Börsenbl. f. d. dt. Buchhandel 51a, 1966; W. Rothe, Sch. u. totalitäre Welt, 1966; P. Sheavyn, *The lit.profession in the Elizabethan age,* Manch. [2]1967; W. H. Bruford, D. Beruf d. Sch. (Wege d. Lit.soz., hg. H. N. Fügen 1968); K. Fohrbeck, A. J. Wiesand, D. Autorenreport, 1972; K. Schröter, D. Dichter, d. Sch. (Akzente 20, 1973); E. Jandl, Z. Problematik d. freien Schr., (Neue Rundsch. 85, 1974); H. Wysling, Z. Situation d. Sch. i. d. Gegenw., 1974; H. L. Arnold, Sch. i. d. Gesellsch. (Frankfurter Hefte 30, 1975); F. Kron, Sch. u. Sch.verbände, 1976; R. Engelsing, D. lit. Arbeiter I, 1976; H. J. Schrimpf, D. Sch. als öffentl. Person, 1977.

Schriftstellerlexikon →Literaturlexikon

Schriftstellerverbände, Organisationen von Autoren aller Gattungen und Richtungen als berufsständische Interessenvertretung, entstanden seit Mitte des 19. Jh. (›Leipziger Literatenverein‹ 1842, ›Allg. Dt. Sch.‹ 1878 und ›Dt. Schriftstellerverein‹ 1885, vereint zu ›Dt. Schriftstellerverband‹ 1887, ›Verband Dt. Journalisten- und Schriftstellervereine‹ 1895, ›Allgemeiner Schriftstellerverein‹ 1900, ›Schutzverband dt. Schriftsteller‹ 1909), vielfach um wirtschaftlich schwächere Kollegen aus Erträgen von Veranstaltungen zu unterstützen und Interessen durchzusetzen, erreichten den Gipfelpunkt ihres Wirkens in der Weimarer Republik, vereinigten sich 1927 im ›Reichsverband des dt. Schrifttums‹, wurden nach 1933 in der ›Reichsschrifttumskammer‹ gleichgeschaltet und nach 1945 auf regionaler Ebene neugegründet und bildeten als Dachorganisation die ›Bundesvereinigung der Dt. Sch.‹. Sie gingen 1969 im ›Verband Dt. Schriftsteller‹ auf, der sich 1974 als Berufsgruppe der Gewerkschaft IG Druck und Papier angliederte, Gewerkschaftsgegner organisierten den ›Freien dt. Autorenverband‹. Ähnliche Organisationen bestehen in der DDR (›Dt. Schriftstellerverband‹), in Österreich und der Schweiz; internationale Sch. sind die ›Confédération internationale des societés d'auteurs et compositeurs‹ und der →PEN-Club.

F. Kron, Schriftsteller u. Sch.e, 1976; U. Bürgel-Goodwin, D. Reorganisation d. westdt. Sch. (Archiv f. Gesch. d. Buchwesens 18, 1977).

Schrifttum →Literatur

Schüttelreim, Reimspiel mit den Wortbedeutungen: Vertauschung der Anfangskonsonanten der zwei oder mehr reimenden Silben oder Worte e. Reimpaars zu überraschendem neuen Sinn: ›Fink und Star‹ zu ›stink' und fahr!‹. Vorstufen bei KONRAD VON WÜRZBURG, Ph. von ZESEN, ABRAHAM A SANCTA CLARA, F. RÜCKERT. Berühmte Sch.e von F. DÜLBERG, W. PINDER, H. GOESCH, E. MÜHSAM, Wendelin ÜBERZWERCH (= Karl FUSS), Benno PAPENTRIGK (= A. KIPPENBERG), C. PALM-NESSELMANNS (= Clemens PLASSMANN), H. de BOOR, E. GÜRSTER.

C. Plassmann, S.e, [2]1957; F. R. Schröder, Z. Gesch. d. S., GRM 43, 1962; W. F. Braun, Z. ma. Vorgesch. d. S., GRM 44, 1963; M. Hanke, Die Sch.er, 1968; L. Selow, Schüttel-Poesie, 1976.

Schuldrama, in Schulen und z. T. Universitäten von den Schülern aufgeführte, eigens dafür verfaßte oder umgeformte →Dramen mit dem pädagogischen Zweck, die aufführenden Schüler zu gewandter Handhabung der lat. Sprache und Rhetorik, freiem Auftreten, Moral und Humanität zu erziehen. Sie wurden im 16./17. Jh. teils selbst in den Lehrplan aufgenommen. Den Anfang machen als Ablösung des ma. geistlichen Dramas im 16. Jh. die Humanistenschulen, deren lat. Dramen Stoffe aus der *Bibel* (bes. Gleichnisse) und den Moralitäten (z. B. *Jedermann*), aber auch – gerechtfertigt durch den erzieherischen Zweck – solche aus antik-›heidnischer‹ Geschichte und Sage in der Gesprächstechnik des PLAUTUS und TERENZ, z. T. auch mit antikem Chor, gestalten. Wichtigste Vorbilder und Vertreter sind REUCHLIN (*Henno* 1497), GNAPHAEUS (*Acolastus* 1529, bis 1581: 39 Aufl.), MACROPEDIUS (*Hecastus* 1539 u. a.), SAPIDUS (*Lazarus* 1539) und L. HOLONIUS. – Die Reformation stellt das Sch. auf Anregung LUTHERS und MELANCHTHONS in den Dienst der konfessionellen Auseinandersetzung beider Seiten, gibt ihm dadurch gehaltliche Vertiefung (abschreckende Darstellung der Laster soll die Tugend fördern), führt in vielen Fällen dt. Prologe. Zwischenspiele, Inhaltsangaben oder ganz die dt. Sprache – teils neben der lat. – ein und nähert es durch volkstümliche Züge dem Volksdrama, u. a. durch die Einführung des Knittelverses – nur REBHUHN versucht metrische Neuerungen. Aus antiker Tradition wird die Akteinteilung eingeführt und aus Italien die dekorationslose →Badezellen- oder Terenzbühne übernommen. Lat. Vertreter sind bes. NAOGEORG (*Pammachius* 1538, *Mercator* 1540, *Humanus* 1543), STYMMELIUS (*Studentes* 1545), SCHONÄUS und z. T. FRISCHLIN, dt. bes. Sixt BIRCK (*Susanna* 1532), P. REBHUN (*Susanna* 1535), Th. GART (*Joseph* 1540), J. GREFF, L. CULMANS, J. AGRICOLA, J. von GENNEP, H. KNAUST, F. DEDEKIND, B. KRÜGER und M. RINCKART. – Im Barock geht das kath. Sch. in die Prunkform des →Jesuitendramas über, das mit seinen pädagogischen Absichten (Erziehung zum Weltmann und zur Gesellschaft) und in seinen glanzvoll ausgestatteten Sonderformen auch das ev. Sch. beeinflußt. Neben Jesuitenstücken, griech. und lat. Dramen (bes. in der Straßburger Akademie), Sch.en von BRÜLOVIUS, CRUSIUS und HIRZWIGIUS, J. S. MITTERNACHT und Ch. ZEIDLER gelangten nun auch die Barocktragödien von GRYPHIUS, LOHENSTEIN und HALLMANN zur Aufführung; bald jedoch verbürgerlicht das Sch.; sein letzter dt. Vertreter am Beginn der Aufklärung, der Zittauer Schulrektor Chr. WEISE, erstrebt in seinen Sch.en (*Masaniello* 1683 u. v. a.) e. gutbürgerliches Lebensziel, und die Ausläufer gehen an der Konkurrenz der Berufsschauspieler und höfischen Kulissentheater zugrunde. Ähnlich, wenngleich von geringerer Bedeutung, ist die Entwicklung in England, den Niederlanden u. a. – Obwohl das Sch. seinem Wesen nach keine Werke der Weltlit. hervorgebracht hat, übte es in Dtl. entscheidenden Einfluß auf die Entwicklung des Dramas durch Bearbeitung e. Fülle neuer Stoffe, die – im Ggs. zu den bekannten religiösen – Spannung erregten, durch die Gruppierung des Geschehens um einen Helden, Reduzierung der Darstellerzahl und Spieldauer von den tagelangen Massenaufgeboten der Passionsspiele auf antikes Maß, Einführung der Aktgliederung und Betonung des Wortes (Sprechdrama, im Ggs. zu Passionsspiel und Jesuitendrama).

E. Riedel, Sch. u. Theater, 1885; E. Schmidt, D. Bühnenverhältnisse d. dt. Sch. u. seine volkstüml. Ableger i. 16. Jh., 1903, n. 1977; W. Flemming, Gryphius u. d. Bühne, 1921; R. Woltau, Sch. (in: D. dt. Drama, hg. R. F. Arnold, 1925); R. Stumpfl, D. Bühnenmöglichkeiten i. 16. Jh. (Zs. f. dt. Philol. 54/55, 1929 f.); RL; J. Maaßen, Drama und Theater d. Humanistenschulen i. Dtl., 1929; W. Stammler, V. d. Mystik z. Barock, ²1951; R. Newald, D. dt. Lit. v. Späthumanismus z. Empfindsamkeit, ⁶1967; M. Kaiser, Mitternacht, Zeidler, Weise, 1972.

Schulerzählung greift Motive der Schüler- und Schulthematik (Erziehungsformen, Pubertät, Autorität, Generationskonflikt, Frühreife) auf und schildert die Nöte der Jugendlichen, bes. seit dem Naturalismus beliebt: A. HOLZ *Der erste Schultag*, Th. MANN *Tonio Kröger*, H. MANN *Professor Unrat*, H. HESSE *Unterm Rad*, E. STRAUSS *Freund Hein*, R. MUSIL *Törless*, F. TORBERG *Der Schüler Gerber*, auch bei A. DÖBLIN, R. WALSER, E. KÄSTNER, in der Gegenwart H. BÖLL, H. BENDER, G. WOHMANN, W. SCHNURRE, G. GRASS (*Katz und Maus*, *Örtlich betäubt*).

J. R. Reed, *Old school ties*, N. Y. 1964; T. Bertschinger, D. Bild d. Schule i. d. dt. Lit. zw. 1890 u. 1914, 1969; H. Ries, Vor d. Sezession, Diss. Mchn. 1970; G. Sautermeister, D. klass. dt. Schulnovelle, II 1977.

Schulprogramm →Programm (4)

Schundliteratur, im Ggs. zum bloß lit. wertlosen →Kitsch, der gewissen künstlerischen Mindestanforderungen in Geschmack, Technik und Stil nicht genügt, das obendrein noch moralisch minderwertige und anstößige Schrifttum, das durch e. entstelltes Weltbild die Volkspsyche schädigend beeinflußt und durch Art des Stoffes und Darstellungsweise die sexuellen, kriminellen und anderen niederen Instinkte der Leser weckt. Es stellt daher bes. in der Hand leicht beeinflußbarer Jugendlicher e. öffentliche Gefahr dar, der die meisten Staaten seit der Jh.wende durch Sondergesetze zum Schutz der Jugend vor →jugendgefährdenden Schriften zu begegnen versuchen (→Bundesprüfstelle). Die Zweckmäßigkeit solcher Verbote und die ihnen zuzubilligende Reichweite bleibt umstritten, da die angelegten Maßstäbe notwendig bis zu e. gewissen Grade subjektiv sind. Die liberalere, großzügigere Haltung beruft sich auf die Erfolglosigkeit gesetzlicher Unterdrückung und auf die Tatsache, daß sich derartige Erzeugnisse schnell von selbst überleben; engherzig-moralistische Prüderie dagegen verlangt selbst die Einbeziehung echter Kunstwerke, für deren Wertgehalt im Unterschied zur Sch. den entsprechenden Kreisen die Empfindung fehle. Als wirksamere Gegenmaßnahmen gegen die Sch., zu der nicht nur die →Hintertreppen- und →Kolportageromane und die unterste Schicht der →Kriminal-, →Detektivromane und →erotischen Lit., sondern auch das direkt unzüchtige Schrifttum (→Pornographie) und verrohende, zu Gewalttätigkeit, Verbrechen und Rassenhaß aufreizende und den Krieg verherrlichende Schriften gehören, empfiehlt sich vielmehr die künstlerische Geschmackserziehung der Jugend und des Volkes allg., die Unterstützung und Verbreitung billiger guter Jugendlit. und die Förderung von →Volksbüchereien.

R. Buchwald, D. gute u. d. schlechte Buch, 1921; E. Schultze, D. Sch., [2]1925; H. Zulliger, D. Abenteuer-Schundroman (Zs. f. psychoanalyt. Bewegg. 7); L. Eger, Unser Kampf gegen d. schlechte Buch, o. J.; RL; K. Richter, D. Kampf geg. Schund u. Schmutz i. Schrifttum, 1933; W. Fronemann, D. ungeistige Schrifttum (in: D. Erbe Wolgasts, 1927); E. Sielaff, Schulbücherei u. Schundbekämpfung (in: Bücherei u. Bildgs.pflege, 1930); K. Ziegler, V. Recht u. Unrecht d. Unterhaltgs.- u. Sch. (D. Sammlung 2, 1947); H. Schmidt, D. Lektüre d. Flegeljahre, 1954; Schmutz u. Schund, 1955; H. Reinhardt, Schmutz u. Sch. i. Volksschulalter, 1957; E. Martin, D. Problem d. Sch., 1959; R. Schilling, Lit. Jugendschutz, 1959; U. Beer, Lit. u. Schund, [2]1965; R. Schenda, D. Lesestoffe d. kleinen Leute, 1976.

Schutzfrist, die zeitliche Dauer des →Urheberrechtsschutzes, nach deren Ablauf das lit. Werk gemeinfrei wird: in der BR 70 Jahre nach dem Tod des Autors, genau: bis zur Vollendung des 70. Kalenderjahres nach dem Tod des Autors bzw. bei anonymen Werken, deren Verfasser nicht in späterer Auflage bekanntgemacht wird, 70 Jahre nach Abschluß des Erscheinungsjahres, in anderen Ländern meist 50 Jahre.

Schutzumschlag →Buchumschlag

Schwäbischer Dichterkreis, zusammenfassende, doch ungenaue Bz. für die teils durch Freundschaft verbundenen schwäbischen Spätromantiker, rd. 1810–30, meist volksliedhafte oder bürgerlich-idyllische Lyriker und Balladendichter: L. UHLAND, J. KERNER, G. SCHWAB, W. WAIBLINGER, G. PFIZER, K. MAYER, J. G. FISCHER, H. KURZ, L. BAUER, K. ZIMMERMANN, K. GEROK, in näherer Beziehung dazu auch HAUFF, LENAU und MÖRIKE.

A. Mayr, D. sch. Dichterbund, 1886; M. Laue, D. sch. D., 1890; H. O. Burger, Sch. Romantik, 1928; G. Storz, Sch. Romantik, 1967; RL.

Schwanengesang, letztes Werk e. Dichters vor seinem Tode, nach der antiken, bei AESOP, AISCHYLOS, PLATON, CICERO u. a. belegten Vorstellung, der Schwan singe bei seinem Tode melodische Klagelaute.

Schwank (mhd. *swanc* = schwingende Bewegung, daher = ›Streich‹), 1. dramatischer Sch., leichte Lustspielart von unbeschwerter, gelöster Heiterkeit mit Situations-, Typen- oder Charakterkomik, doch nicht verspottend wie die Komödie, derb ausgelassen wie die Posse oder lit. anspruchsvoller im gütigen Humor wie das große Lustspiel. Unter Vermeidung jeder Daseinsproblematik, -kritik und der tieferen Konsequenzen aus dem Menschenleben, Außerachtlassung der inneren und äußeren Wahrscheinlichkeit der locker geknüpften Handlung und der oft nur dürftig und typenhaft angedeuteten Charaktere erstrebt er kein tiefwirkendes und nachhaltiges Kunsterlebnis, sondern allein harmlose Fröhlichkeit. – 2. epischer Sch., knappe, anekdotenhaft auf e. Pointe zugespitzte oder breiter novellistisch ausgeschmückte Erzählung e. lustigen, neckischen Einfalls, e. komischen Begebenheit (häufig Verspottung e. Dummen durch e. Gerissenen) in Vers oder Prosa, teils mit derbem bis obszönem Inhalt (→Zote), teils mit lehrhafter Tendenz. Seit dem 9./10. Jh. erscheinen in Frankreich und Dtl. lat. Sch. mit Motiven aus Antike oder Orient (*Bauer Unibos, Schneekind* u. a. Schwabenstreiche); die Spielmannsdichtung kennt sie, und die Kreuzzüge bringen e. lebhaften Motivaustausch mit sich. Andere Quellen sind die Predigtmärlein und Exempla. Bes. scharfe Pointierung zeigt die franz. →Fablel, deren Motive im 13. Jh. z. T. vom STRICKER übernommen werden, der auch im *Pfaffen Amis* (Vers-Sch., um 1230) zuerst die später vielfach angewandte zyklische Gruppierung der Slg. um e. zentrale Figur einführt. Solche Sch.-figuren sind NEIDHART VON REUENTHAL, der Pfaffe vom Kalenberg, Markolf, Peter Leu und Eulenspiegel im 15. Jh. Seit dem 14./15. Jh. gleitet der Sch. zuerst ins Obszöne ab, in Frankreich mit Betonung des Pikanten, in Dtl. mit Streben nach psychologischer Begründung, Herausarbeitung komischer Charaktertypen (z. B. *Die böse Frau, Der Weinschwelg* u. a.) und z. T. Darstellung ständischer Gegensätze. Im 16. Jh. erscheinen neben zahlreichen Prosasch. noch einmal Vers-sch.e mit biederem Humor bei H. SACHS, der stets an die Darstellung des Falschen die moralische Belehrung um das Bessere anhängt. Nach Vorbild der ital. Renaissance (POGGIO) blüht auch in dt. Humanistenkreisen der lat. Prosa-Sch. in der geschliffenen Kunstform der →Fazetie. Nicht an Geist, wohl aber an Breitenwirkung werden sie übertroffen von den zahlreichen nun folgenden derbvolkstümlichen Prosa-Sch.slgn., teils in zyklischer Form: *Lalebuch (Schildbürger)*, J. PAULI *Schimpf und Ernst* (1522), G. WICKRAMS *Rollwagenbüchlein* (1555), derber FREYS *Gartengesellschaft* (1556), M. MONTANUS *Wegkürzer* (1557), M. LINDNERS *Katzipori* und *Rastbüchlein* (1558), M. MONTANUS *Gartengesellschaft, 2. Teil* (1559 bis 1566), V. SCHUMANNS *Nachtbüchlein* (1559), am umfangreichsten H. W. KIRCHHOFS *Wendunmut* (1565–1603, 7 Bde.) u. a. Im 17. Jh. (GRIMMELSHAUSEN, ZINCGREF) sinkt die Gattung ab und verstummt, um gegen Ende des 18. Jh. in den →Lügendichtungen des *Finkenritter* (zuerst 1560) und bes. den →Münchhauseniaden, bei G. A. BÜRGER, J. H. VOSS und J. P. HEBEL wieder aufzuleben. Seither ständige Bemühung um Erschließung und Erhaltung der heiter-harmlosen Gattung in zahlreichen Sch.-slgn. und neue Sch. in Mundart.

E. Schulz, D. engl. Sch.-bücher, 1912; H. Weisser, D. dt. Novelle im MA., 1926; RL; H. Gumbel, Z. dt. Sch.-lit. i. 17. Jh. (Zs. f. dt. Philol. 53, 1928); H. Kindermann, D. dt. Sch.-bücher d. 16. Jh., 1929; G. Kuttner, Wesen u. Formen d. dt. Sch.-lit., 1936, n. 1967; H. Bausinger, Schildbürgergeschn. (Deutschunterr. 13, 1961); H. Rupp, Sch. u. Sch.-dichtg. i. d. dt. Lit. d. MA. (ebda. 14, 1962); L. Schmidt, D. Volkserzählg., 1963; S. Neumann, D. mecklenburg. Volkssch., 1964; H. Rupprich, Zwei österr. Sch.bücher (Fs. H. Seidler, 1966); K. Hufeland, D. dt. Sch.dichtg. d. SpätMA., 1966; H. Bausinger, Bemerkgn. z. Sch. u. seinen Formtypen (Fabula 9, 1967); E. Strassner, Sch., 1968; [2]1978; H. Bausinger, Formen der Volkspoesie, 1968; F. Frosch-Freiburg, Sch.märchen u. Fabliaux, 1971; W.-K. Nawrath, Facetie u. Sch. (Fs. G. Bebermeyer, 1974); W. Deufert, Narr, Moral u. Gesellschaft, 1975; K. Roth, Ehebruchsch.e i. Liedform, 1977. →Fablel, →Fazetie.

Schwarte (ursprüngl. = behaarte Haut), seit dem 17. Jh. Scheltname für alte (in Schweinsleder gebundene) Bücher.

Schwarzer Humor, neue Bz. für e. durchaus traditionelle, humorlose Form des Scherzes mit absurdem Schrecken, grausiger Komik, makabrer Lächerlichkeit, düsterer Groteske oder krassem Zynismus, die sich nicht in die gütige Weltweisheit des Humors auflöst, sondern aus Gruseln und Grauen durch Übersteigerung ins Groteske noch Komik bewirkt, allerdings mit einem Bodensatz von Bitternis. Beispiele bei SWIFT, de QUINCEY, POE, ARP, MROZEK, IONESCO, R. DAHL u. a.

G. Henniger, Genealogie d. sch. H. (Neue dt. Hefte 13, 1966); *The world of black h.*, hg. D. M. Davis, N. Y. 1967; R. Federmann, Und trieben mit Entsetzen Scherz, 1969.

Schwarze Romantik, die Tendenz der →Romantik zum Unheimlich-Gespenstischen und Dämonisch-Grotesken, bes. in →Schauerroman und Satanismus.

M. Praz, Liebe, Tod u. Teufel, 1963.

Schwebende Betonung, der vortragsmäßige Ausgleich einer →metrischen Drückung durch gleichbleibende Betonung der betroffenen Silben, so daß der Stärketon über beiden Silben gleichzeitig schwebt.

Schweifreim, Form des →Reims, bei der innerhalb e. Gruppe von sechs Versen der 1. und 2. sowie 4. und 5. paarweise reimen, der 3. dagegen mit dem 6. reimt. Reimfolge aa b cc b, auch Zwischenreim genannt. Häufig im Volkslied und engl. Lyrik.

Schweifsonett →Sonett

Schweizer, die, zusammenfassende Bz. für BODMER und BREITINGER im 18. Jh. als Gegner GOTTSCHEDS. →Aufklärung.

Schwellied, Lied, dessen Schwellteil/Kehrreim jeweils um einen Bestandteil/Vers länger wird, z. B. ›Drunt auf der grünen Au‹.

Schwellvers, in german. Stabreimdichtung längere, silbenreichere Verse mit Innentakten und Auftakten bis zu 11 Silben (durch Aufspaltung der Silben in Achtel und Sechzehntel), meist in Gruppen von bis zu 10 Langzeilen, auch einzeln, als Abschluß e. Kette von Normalzeilen oder als Verbindung von e. gewöhnlichen und e. zum Sch. gesteigerten Kurzvers zu e. Langzeile; häufig im Satzinneren anfangend und endend. Spätform des →Alliterationsverses in der Gelehrtendichtung, aus altengl. Geistlichendichtung in die altsächsische (*Heliand* und *Genesis*) übertragen; beliebtes Stilmittel zu schwungvoller Sprache, das jedoch die lebendige Gliederung der Zeile mit ihrer wuchtigen Zweigipfligkeit durch die endlose Silbenfülle erstickt und ihre natürliche Ausdruckskraft durch Schwächung des Tongewichts mindert.

Lit. →Alliterationsvers u. →Metrik.

Schwulst, heute fragwürdig gewordene Bz. für den mit gesuchten Metaphern überladenen, gekünstelten Stil des Spätbarock, in dem barokker Überschwang, sprachliche Spielfreude und festliche Repräsentationssucht bis zur Unnatürlichkeit und Geschmacklosigkeit entarten. Erst die gegenwärtige Forschung vermeidet die abwertende Bz. und versucht, dem Phänomen in positiver Weise gerecht zu werden und es als Ausdruck e. bestimmten Lebensgefühls (→Manierismus) zu verstehen; die Bz. Sch. trifft dann nicht die selbständigen Sprachschöpfungen im Bestreben, der Sprache e. festlichen Glanz zu geben, sondern nur deren ausartende, unselbständige und innerlich unwahre Nachahmungen. Die nationalen Ausformungen sind in England der →Euphuismus, in Spanien der →Gongorismus oder Kultismus, in Italien der →Marinismus, in Frankreich die →Preziösität, in Dtl. bes. die Vertreter der früher sog. 2. →schlesischen Schule in Nachahmung von HOFMANNSWALDAU, LOHENSTEIN, ZIGLER, SCHIRMER u. a., Ansätze schon in FLEMINGS *Pastor fido*- Bearbeitung, bei den Pegnitzschäfern (→Nürnberger Dichterkreis) und GRYPHIUS, letzte Ausläufer noch bei BROCKES erkennbar. Das Streben der Aufklärung nach Schlichtheit und Klarheit der Sprache bekämpft und überwindet den Sch. (GOTTSCHED, WERNICKE in satirischen Epigrammen).

H. Cysarz, Dt. Barockdichtung, 1924; RL; H. Pliester, D. Worthäufung d. Barock, 1930; M. Windfuhr, D. barocke Bildlichkeit u. ihre Kritiker, 1966; P. Schwind, Sch.-Stil, 1977. →Barock.

Science Fiction (engl.), naturwissenschaftl.-technische →Utopie, auf den möglichen oder phantastischen Folgen des wissenschaftlichen Fortschritts beruhende Zukunftsbilder und Spekulationen über die Überwindung von Raum und Zeit, neue Erfindungen und Entdeckungen in Weltraumabenteuern, Weltraumeroberungen und Weltraumkriegen und Zeitreisen mit globalen Katastrophen und Vernichtungskriegen mit mod. Waffen, mit biologisch entwickelten neuen Menschentypen (Superman, Roboter, Androide, Homunculi) in e. Welt der Denkmaschinen, der Computer und der totalen Kommunikation, seltener mit Entwürfen künftiger Gesellschaftsformen (dann besser ›speculative fiction‹ genannt), von der reinen Phantasiedichtung durch die wissenschaftlich mögliche oder wenigstens dem Leser plausibel gemachte Begründung der phantastischen Elemente unterschieden. Im Ggs. zur reinen, unrealisierbaren Utopie schildert S. F. eine in Zukunft denkbare, nach den Fortschritten von Wissenschaft und Technik mögliche Welt, appelliert an die Veränderungsphantasie und liefert Gedankenspiele, Planspiele, Modellvorstellungen und Einübungen in die Zukunft und deren Konflikte. Nach Spuren schon in der Antike (HOMER, LUKIANS *Wahre Geschichten*) und bei den →Utopien des 16.–18. Jh. (CAMPANELLA, ANDREAE, CYRANO DE BERGERAC, BACON, J. WILKINS, F. GODWIN, S. MERCIER, N. RÉTIF DE LA BRETONNE) bes. im 19. Jh. als dem Zeitalter der technischen Revolution ausgebildet (Th. ERSKINE, E. CABET, E. A. POE) und von J. VERNE, A. EYRAUD, K. LASSWITZ *(Auf zwei Planeten)*, H. G. WELLS *(The time machine)*, E. BELLAMY *(Looking backward)*, P. SCHEERBART *(Lesabéndio)*, H. DOMINIK *(Das Erbe der Uraniden)*, F. WERFEL *(Stern der Ungeborenen)*, A. DÖBLIN *(Berge, Meere und Giganten)*, E. SOUVESTRE, Conan DOYLE, R. L. STEVENSON, B. KELLERMANN *(Der Tunnel)*, H. GERNSBACK *(Ralph 124 C 41+)*, W. O. STAPLEDON, A. MAUROIS, K. ČAPEK *(RUR)*, A. TOLSTOJ *(Aëlita)*, E. I. ZAMJATIN *(MWy)*, C. S. LEWIS, F. HOYLE, G. ORWELL *(1984)*, A. C. CLARKE *(Sands of Mars)*, R. A. HEINLEIN *(The red planet)*, W. GOLDING *(Lord of the flies)*, J. WYNDHAM, R. BRADBURY *(Fahrenheit 451)*, T. STURGEON *(Killdozer)*, H. P. LOVECRAFT, J. W. CAMPBELL, I. ASIMOV, I. EFREMOV, U. LE GUIN, St. LEM, J. NESVADBA, F. POHL, M. LEINSTER, J. BLISH, A. BURGESS, B. W. ALDISS, M. MOORCOCK, H. W. FRANKE, J.G. BALLARD, R. SILVERBERG, K. VONNEGUT, M. CRICHTON u. a. z. T. unter Vorwegnahme späterer Erfindungen realistisch ausgestaltet, bilden sie in der Gegenwart einen verbreiteten Lesestoff, auch in →Comic strips (J.-C.

FOREST, *Barbarella,* 1964) und Serienromanen. Während jedoch nur die lit. anspruchsvolle S. F. über Sehnsüchte, Ängste und Hoffnungen der Massenmenschheit Aufschluß gibt und den menschlichen Bezug beachtet, bleibt das Gros der S. F. Bestandteil einer eskapistischen Triviallit. Sie verzichtet weitgehend auf Psychologisierung der Figuren, arbeitet mit klischeehafter Charakteristik, zeigt höchst selten echten Humor oder gelungene Satire und verwendet konventionelle Muster der Erzähltechnik und des Stils; sie ersetzt reale menschl. Gegenwartsproblematik durch e. zu Scheinproblemen aufgeblähtes abenteuerhaft-reißerisches Surrogat, das von Nöten einer unbewältigten Gegenwart ablenkt und nur einen Phantasiehunger nach imaginären Machtwelten befriedigt; sie ist dann weniger lit. als soziales, psycholog. und polit. Problem.

J. O. Bailey, *Pilgrims through space and time,* N. Y. 1947, ²1972; H. Nicholson, *Voyages to the moon,* N. Y. 1948; J. J. Bridenne, *La lit. franç, d'imagination scientif.,* Paris 1950; E. J. Görlich, Z. Gesch. d. S.-F.-Romans (Jahresber. d. Technol. Gewerbemuseums Wien, 1952); *Modern S. F.,* hg. R. Bretnor, N. Y. 1952; L. Sprague de Camp, *S. F. handbook,* N. Y. 1953; S. Moskowitz, *The Immortal storm,* Atlanta 1954; L. S. De Camp, *On writing s. f.,* N. Y. 1955; B. Davenport, *An inquiry into s. f.,* N. Y. 1956; M. Schwonke, V. Staatsroman z. S. F., 1957; P. Moore, *Science and fiction,* Lond. 1957; R. L. Green, *Into other worlds,* N. Y. 1958; J. Bergier, *La S.-F.* (*Hist. des litt.* III, hg. R. Queneau, Paris 1958); B. Davenport, *The S. F. novel,* 1959; C. Kornbluth, *The S. F. novel,* Chic. 1959; D. H. Tuck, *A handbook of S. F.,* Hobart 1959; K. Amis, *New maps of hell,* N. Y. 1960; I. F. Clarke, *The tale of the future,* 1961; S. Moskowitz, *Explorers of the infinite,* Cleveland 1963; K. Krymanski, D. utop. Methode, 1963; L. A. Esbach, *Of worlds beyond,* Lond. 1964; U. Diederichs, Zeitgemäßes-Unzeitgemäßes (Triviallit. hg. G. Schmidt-Henkel 1964); S. Moskowitz, *Seekers of tomorrow,* Cleveland 1965; H. B. Franklin, *Future perfect,* N. Y. 1966; D. F. Knight, *In search of wonder,* Chic. 1967; A. A. Allison, *S. F.,* Melbourne 1968; R. M. Philmus, *Into the unknown,* Berkeley 1969; M. Pehlke, N. Lingfeld, Roboter u. Gartenlaube, 1970; S. Moskowitz, *Under the moons of Mars,* N. Y. 1970; S. F., hg. F. Leiner, J. Gutsch II 1971 f.; Neue S. F., hg. dies. 1975; V. Graaf, Homo futurus, 1971; L. Sprague de Camp, *3000 years of fantasy and s. f.,* N. Y. 1972; J. Hienger, Lit. Zukunftsphantastik, 1972; T. D. Clareson, *S. F. Criticism,* Bibliogr., Kent, Ohio 1972; P. Versins, *Encycl. de l'utopie,* Lausanne 1972; S. F., Theorie u. Gesch., hg. E. Barmeyer 1972; M. Nagl, S. F. i. Dtl., 1972; J. Gattégno, *La S. F.,* Paris ²1973; B. W. Aldiss, *The billion year spree,* Lond. 1973; J. Sadoul, *Hist. de la S. F. mod.,* Paris 1973; D. Hasselblatt, Grüne Männchen vom Mars, 1974; Deformierte Zukunft, hg. R. Jehmlich, H. Lück 1974; D. Wessels, Welt i. Chaos, 1974; R. Bretnor, *S. F. today and tomorrow,* N. Y. 1974; D. H. Tuck, *The encycl. of S. F. and fantasy,* Chic. III 1974 ff.; B. Schleusner, S. F. als Gegenstand d. Lit.wiss. (Lit. i. Wiss. u. Unterr. 8, 1975); H. Vormweg, S. F. als gegenw. Lit. (Universitas 30, 1975); K.-P. Klein, Zukunft zw. Trauma u. Mythos, 1976; D. triviale Phantasie, hg. J. Weigand 1976; R. McKinney, *S. F. as futurology,* Lund 1976; M. Schäfer, S. F. als Ideologiekritik, 1977; R. Scholes, E. Rabkin, *S. F.,* N. Y. 1977; RL; H. Lück, Fantastik S. F. Utopie, 1978; H. Schröder, S. F. Lit. i. d. USA, 1978; *Explorations of the marvellous,* hg. P. Nicholls, N. Y. 1978.

Sciolti (ital. *sciolto* = ungebunden), ungereimte Verse von gleicher Silbenzahl, meist Elfsilber (→Endecasillabi) im ital. Epos als Ersatz des Hexameters und bes. seit dem 16. Jh. über ARIOSTS Komödien und TRISSINOS *Sofonisba* im ital. Drama; später bei PARINI, FOSCOLO *(I sepolcri),* MANZONI, S. BENELLI und PASCOLI *(Poemi conviviali),* Vorbild des engl. Blankverses.

Scipionenkreis, philosophisch und lit. interessierter Kreis vornehmer Römer in der Mitte des 2. Jh. v. Chr. um die beiden Redner Publius CORNELIUS SCIPIO AEMILIANUS und Gaius LAELIUS, die als Bewunderer der griech. Literatur deren formale Einflüsse auf die röm. stärkten und eine Vereinigung der griech. und röm.

Kultur erstrebten. Zu ihnen gehörten der Geschichtsschreiber POLYBIOS und die Dichter LUCILIUS und TERENZ.

R. M. Brown, *Study on he Scipionic circle (Iowa Studies)*, 1934.

Scop →Skop

Scriptum →Skriptum

Sdruccioli, *versi sdruccioli* (v. ital. = abschüssig), Gleitverse, d. h. Verse, die mit dem Ton auf der drittletzten Silbe enden; bei DANTE, ARIOST, MONTI, CARDUCCI u. a.

Secentismus (ital. *Secento* = 600, gemeint 1000+600 = 17. Jh.), ital. Kunst- und Lit.-stil des 17. Jh., → Marinismus. Secentist: ital. Schriftsteller derselben Epoche.

Sedez (lat. *sedecim* = 16), Buch→format des in 16 Blätter, = 32 Seiten gefalteten →Bogens.

Sedōka (japan.), Kehrverslied, japan. Gedichtform aus zwei zusammengefaßten →Kata-uta, also Sechszeiler mit 5, 7, 7/5, 7 und 7 Silben.

Seedichtung →Meeresdichtung

Seelendrama, Drama, dessen Handlung sich weniger in äußeren Geschehnissen als in innerseelischen Bereichen und Konflikten abspielt, oft →Monodrama.

C. Steinweg, D. S., 1924; ders., Goethes S., 1912.

Seelenroman, Romanform der Verinnerlichung, spiegelt statt äußerer Vorgänge und Zustände das innere Seelenleben und die Konflikte des Herzens, häufig in Ich-, Brief- oder Tagebuchform, z. B. Goethes *Werther*.

Seemannslieder →Shanties

Seeschule →Lake Poets

Segen →Zauberspruch, →Blutsegen

Seguidilla (span. = Fortsetzung), span. Strophenform volkstüml. Herkunft (Tanzlied) seit dem 17. Jh. in mehreren Varianten: 1. S. simple, vierzeilige Strophe mit wechselnd reimlosen 7-8-Silbern und assonierenden 5-6-Silbern; noch im 17. Jh. verfestigt und durch e. zusätzlichen Dreizeiler erweitert zu: 2. S. compuesta, siebenzeilige Strophe in zwei Teilen zu 4 und 3 Zeilen mit wechselnd 7- und 5-Silbern in der Abfolge 7, 5, 7, 5; 5, 7, 5 Silben und der Assonanz- (seltener Reim-) Bindung xaya bzb; beliebt im 18. Jh. 3. S. gitana oder flamenca, fünfzeilige Strophe von 6, 6, 5, 6, 6 Silben, von denen 2. und 5. Zeile assonieren, 3. und 4. Zeile gelegentl. zu einer Zeile von 10–12 Silben zusammengefaßt werden.

F. Hanssen, *La s. (Anales de la Universidad de Chile* 125, 1909); D. C. Clarke, *The early s.* (*Hispanic Review* 12, 1944).

Sekond →Format

Sekundärliteratur (franz. *secondaire* = an 2. Stelle stehend), im Ggs. zum eigtl. dichterischen Text (→Primärliteratur) die wissenschaftlichen und kritischen Werke über denselben, Interpretationen, Formuntersuchungen, Darstellungen über Dichter, Epochen usw., zusammengestellt in der →Bibliographie.

Sekundenstil, Bz. e. wirklichkeitskopierenden Technik des Naturalismus, die, gewissermaßen Vorwegnahme der Zeitlupe, die kleinsten Bewegungen, Gesten, Geräusche und Nuancierungen in minuziöser Beachtung ihrer zeitlichen Abfolge zeichnet und z. B. den Dialog des Dramas ständig durch die entsprechenden Regieanweisungen unterbricht; zuerst ausgeprägt in den Skizzen *Die Familie Selicke* (1890) von A. HOLZ und J. SCHLAF.

Selbstbekenntnis →Bekenntnis

Selbstbiographie →Autobiographie

Selbstgespräch →Monolog

Selbstverlag, Veröffentlichung e. Werkes auf eigene Kosten durch den Autor selbst, meist für an e. bestimmten engen Personenkreis gerichtete und ›als →Manuskript gedruckte‹ Schriftwerke, die nicht in den Buchhandel gelangen. Versuche einzelner Autoren (LESSING, KLOPSTOCK) im S. scheiterten; länger hielten sich genossenschaftl. Autorenverlage (Dessauer Buchhandlung der Gelehrten 1781–84, Verlag der Autoren) im Bestreben, den kommerziellen →Verlag zu umgehen.

Semanatorismus, nach der 1903 bis 1906 von N. IORGA herausgegebenen Zs. *Semanatorul* (›Der Sämann‹) Bz. für die von ihm vertretene Richtung in der rumän. Lit. im Hinblick auf eine bodenständig-nationale, bäuerliche Lit. im Ggs. zu den dekadent-symbolistischen Einflüssen aus dem Westen.

Semiautobiographie (lat. *semis* = halb), →Autobiographie, deren Wahrheitsgehalt durch dichterische Züge umgestaltet wird, im Sinne von GOETHES *Dichtung und Wahrheit.*

Semiquinaria →Penthemimeres

Semirealismus (lat. *semis* = halb), = →Neue Sachlichkeit

Semiseptenaria →Hephthemimeres

Senar (lat. *senarius* = sechsgliedrig) →Trimeter

Sendbrief →Epistel

Sendespiel, im Rundfunk die Übertragung e. Bühnenwerkes in wesentlich unveränderter Form im Ggs. zu dem nach den akustischen Möglichkeiten umgearbeiteten →Hörspiel.

Sendschreiben →Epistel

Senkung (urspr. Übersetzung des gegenteiligen griech. →*thesis*), in der akzentuierenden german. und dt. Dichtung Bz. für die zwischen zwei →Hebungen stehenden unbetonten Silben e. Verses. Ihre Anzahl ist, wo nicht durch e. strenges Versschema wie z. B. im Hexameter oder in den Odenstrophen gebunden, verschieden; freigefüllte Verse wie der german. Alliterationsvers (→Schwellvers), der dt. Knittelvers und freie Rhythmen erreichen bis zu 4 Senkungssilben, meist jedoch ebenfalls nur 1–2; andererseits können auch zwei Hebungen bei S.sausfall direkt nebeneinanderstehen.

RL[2]: Hebung. →Metrik.

Senryū, nach ihrem Begründer Karai S. (18. Jh.) genannte japan. Gedichtform, Epigramm in der Form der komischen Haikai, mit einem Siebensilber zwischen zwei Fünfsilbern, jedoch mit zunehmender Tendenz zu gutmütiger, schlagfertiger Verspottung des Verkehrten und Gemeinen im Alltag und Menschenleben.

Sensationsstück →Melodrama (4)

Sentenz (lat. *sententia* = Meinung), Urteil, Denkspruch, knapp und treffend formulierte Erkenntnis, die aufgrund ihrer leichten Einprägsamkeit und Allgemeinverständlichkeit (im Ggs. zum →Aphorismus) aus dem Text- und Sinnzusammenhang herausgelöst, vom persönlichen Einzelfall verallgemeinert wird und evtl. als →Zitat oder →Sprichwort in den Volksmund dringen kann. In der Lit. erscheinen S.en gesondert oder im Rahmen größerer Vers- oder Prosawerke, in denen sie e. feste Funktion haben. Nach Vorgang von Appius Claudius Caecus, Cato d. Ä., Varro, Sallust, Publilius Syrus u. a. erreicht die S. z. Z. der silbernen Latinität, bes. bei Tacitus, Seneca, Lukan, Juvenal und Martial, ihre höchste Ausformung, zu der die lat. Sprache bes. geeignet erscheint. Ähnlich reich an S. sind die klass. Werke Goethes und Schillers. Vgl. →Gnome, →Apophthegma, →Maxime, →Spruchdichtung.

P. Niemeyer, D. S. als poet. Ausdrucksform, 1934, n. 1967; P. Benrath, D. S. i. Drama v. Kleist, Büchner u. Brecht, 1976.

Sentimentale (frz.), im Theater weibl. →Rollenfach der romant.-empfindsamen Gefühlsseligkeit.

Sentimentalisch →Naive und sentimentalische Dichtung

Sentimentalismus →Empfindsamkeit.

Separata (lat. = Getrenntes), → Sonderdrucke

Septem artes liberales →Artes liberales

Septenar (lat. *septenarius* = siebengliedrig), in lat. Metrik Bz. für katalektischen trochäischen (selten anapästischen, bei Varro und Septimius Serenus) →Tetrameter, benannt nach der Zahl der vollständigen Versfüße (7½) im Ggs. zum →Oktonar; trochäische Grundform: –́ ◡ –́ ◡| –́ ◡ –́ ◡|| –́ ◡ –́ ◡ –́ ◡ –́, z. B. ›Aber hüte dich, zu fliegen, freier Flug ist dir versagt‹ *(Faust II)*. Neben der regelmäßigen Zäsur nach dem 4. Fuß erscheint häufig e. Nebenzäsur nach dem 2. Fuß; in röm. Dichtung sind alle Kürzen bis auf die letzte auch durch Längen ersetzbar. Verwendet im Dialog des röm. Dramas (→Diverbium) und als trochäischer S. oder lat. ›verus quadratus‹ in der Volksdichtung der Kaiserzeit (als Ersatz des →Saturniers, z. B. in den Spottversen der →Triumphlieder), in spätlat. Kunstdichtung, z. B. *Pervigilium Veneris* (3./4. Jh.) und den frühchristlichen Kirchenliedern; in dt. Dichtung nachgebildet in Schlegels *Ion,* Goethes *Faust II,* Platens Literaturkomödien u. a. m.

Septett (v. lat. *septem* = sieben), siebenzeilige Strophe oder Gedicht, meist mit der Reimfolge ababbcc (→Rhyme royal).

Sequenz (lat. *sequentia* = Folge), an die letzte Silbe des Halleluja im Graduale der Messe anknüpfender jubilierender Koloraturgesang (›Neumen‹) in freier Stimmführung, dem später als Gedächtnisstütze für die verwickelte Tonfolge e. prosamäßiger, taktfreier, unmetrischer Text unterlegt wurde (daher roman. ›prose‹ = S.), der zunächst von der Melodie abhängig nur silbenzählend, nicht rhythmisch war und bes. mit Parallelismen und Wiederholungen gemäß der Melodie arbeitete; als Sonderform des →Tropus rezitativischer Teil des kath. Meßgesangs für den Gesamtchor (später Solostimmen) in Form der Gregorianischen Hymnen, meist aus mehreren Chorälen oder melodischen Sätzen mit ähnlichen Schlußkadenzen bestehend, von Mönchen gedichtet und im Klostergottesdienst bes. gepflegt. Die neue Forschung vermutet weltliche Vorbilder der S. Später entwickelt sich aus der zweigliedrigen Struktur die freiwechselnde Strophen-S., und nach Einführung von Reim und rhythmischer Gliederung geht die Form aus der geistlichen lat. in die weltliche und volkssprachliche Dichtung über und ergibt im dt. Minnesang den →Leich, der ebenfalls nur in der Vertonung lebt. Die Ausbildung der S. ist zuerst in Frankreich bezeugt;

in Dtl. übernimmt NOTKER DER STAMMLER (9. Jh.) als erster die Form (›Vater der S.‹) und ist durch eigene (z. T. erhaltene) S.en (Pfingst-S. u. a.) und wohl auch durch Erfindung neuer Melodien für die Fortentwicklung von größtem Einfluß – wie überhaupt sein Kloster St. Gallen –, denn erst mit der gleichzeitigen Neuschöpfung von Ton und Wort, nicht mit der Anpassung der Worte an e. gegebenes Tongefüge, wird die S. zur selbständigen Kunstform. Andere S.en stammen von WIPO, dem Hofkaplan KONRADS II. (Oster-S.) und EKKEHART I. (10. Jh.). Die spätere S.-dichtung entwickelt unter dem Einfluß der regelmäßigen lat. Hymnendichtung die trochäische Langzeile in verschiedenen Strophenformen. Im kath. Gottesdienst noch heute gebräuchlich sind folgende 5 S.en: *Victimae paschali laudes* (Oster-S., 12. Jh.), *Veni sancte spiritus* (Pfingst-S.), *Lauda Sion salvatorem* (Fronleichnams-S. von THOMAS VON AQUINO), *Stabat mater* (Marien-S. von JACOPONE DA TODI, 13. Jh.) und *Dies Irae* (Totenamt-S. von THOMAS VON CELANO, 13. Jh.); auch LUTHERS Kirchenlied ›Gelobet seist du, Jesu Christ‹ liegt e. lat. S. zugrunde.

K. Bartsch, D. lat. S.n d. MA., 1868, n. 1968; J. Werner, Notkers S.n, 1901; P. v. Winterfeld, Rhythmen- u. S.-stud. (Zs. f. dt. Altertum 45 u. 47, 1901–04); C. A. Moberg, Üb. d. schwed. S., 1927; H. Spanke, Aus d. Vorgesch. u. Frühgesch. d. S. (Zs. f. dt. Altertum 71, 1934); L. Kunz, Rhythmik u. formaler Aufbau d. frühen S. (ebd. 79, 1942); W. v. Steinen, Notker d. Dichter, II 1948; G. Reichert, Strukturproblem d. ält. S., DVJ 23, 1949; L. Kunz, D. Textgestalt d. S., DVJ 28, 1954; H. Thomas, D. altdt. Strophenbau (Fs. f. H. Pyritz, 1955); B. Stäblein, Z. Frühgesch. d. S. (Archiv f. Musikwiss. 18, 1961); P. Dronke, *The beginnings of s.* (Beitr. z. Gesch. d. dt. Spr. u. Lit. 87, 1965); J. Wall, *The lyric impulse of the s.* (Medium Aevum 45, 1976); H. Spanke, Stud. z. S., Lai u. Leich, 1977.

Seranilla, span. Volkslied, insbes. Liebeslied zwischen Ritter und Bauernmädchen, meist in kurzen Versen, bes. der →Arte mayor, oder in Achtsilbern, dann *serrana* gen., Blütezeit im SpätMA, so beim ARCIPRESTE DE HITA und beim Marqués de SANTILLANA.

Serapionsbrüder, nach E. T. A. HOFFMANNS Novellenslg. Bz. e. im Februar 1921 gegr. Gruppe junger sowjet. Schriftsteller, die die Reinerhaltung der Dichtung von ideologischen und politischen Tendenzen und die Besinnung auf die eigentlichen Aufgaben der Kunst erstrebten; größter und bedeutendster der nonkonformistischen Dichterkreise der Sowjetlit.: K. FEDIN, I. IVANOV, V. KAVERIN, N. NIKITIN, N. TICHONOV, M. ZOŠČENKO, M. SLONIMSKIJ, V. ŠKLOVSKIJ, L. LUNC u. a. Die S. wurden nach wenigen Jahren von der dogmatischen offiziellen Kulturpolitik erdrückt.

G. Struve, Gesch. d. Sowjetlit., [2]1958; D. S. von Petrograd, hg. G. Drohla 1963; H. Orlanoff, *The theory and practice of the S.*, 1966.

Serbischer Trochäus, nach seiner Verwendung im serb. Volkslied Bz. für den trochäischen Fünfheber; in Dtl. bes. in der Ballade (BÜRGER, GOETHE, *Die Braut von Korinth*, PLATEN, C. F. MEYER, LILIENCRON, MIEGEL) verwendet.

Serenas, Serenade, Abendlied der provenzal. Troubadours, wiederholt meist am Ende jeder Strophe das Wort ›sera‹ (provenzal. = Abend).

Serie (lat. *series* = Reihe), 1. im Buchwesen ein in regelmäßiger Folge fortgesetztes Reihen- oder Sammelwerk, im weiteren Sinne alle Zss. und Periodika. – 2. in Rundfunk und Fernsehen e. Sendereihe, die in regelmäßiger Folge Aspekte desselben Themas beleuchtet oder als dramat. S. Episoden aus demselben Milieu darstellt, auf die die Empfängerschaft sich einstellt. – 3. beim Theater heißt Serienspiel die Aufführung desselben Stückes durch dasselbe Ensemble Abend für Abend.

Sermo (lat., urspr. = Rede), als lit. Gattung der röm. Lit. das Gespräch, der Vortrag oder die Rede überhaupt, dann insbes. e. Versdichtung im Stil der Umgangssprache wie die →Satiren des HORAZ entsprechend der griech. →Diatribe; späterhin allg. die christliche Predigt, so heute noch dt. Sermon = langatmige Strafpredigt.

Sermocinatio = →Ethopoeie

Serventese (ital.) = Sirventes, auch allg. Dichtung in kurzen, 3–5-zeiligen und durch Übergreifen von Reim und Sinn gekennzeichneten Strophen.

Sesternio →Lage

Sestine (v. ital. *sesto* = der sechste), 1. allg. sechszeilige Strophe, 2. Gedichtform aus sechs ungeteilten Strophen zu je sechs Zeilen mit e. dreizeiligen Schlußstrophe, meist in jambischen 10- oder 11-Silbern (→Endecasillabi) ohne Reim, dafür mit streng festgelegter, kunstvoller Ordnung der Schlußworte der Zeilen, die in jeder der sechs Strophen in anderer Reihenfolge wiederkehren. In der einfachen Form wiederholt die Anfangszeile der 2.–6. Strophe jeweils das Schlußwort der letzten Zeile der vorigen. Numeriert man die Schlußwörter der 1. Strophe mit den Zahlen 1 2 3 4 5 6, so ergibt sich für die 2. Strophe die Schlußwortfolge 6 1 2 3 4 5, 3. Strophe: 5 6 1 2 3 4, 4. Strophe: 4 5 6 1 2 3, 5. Strophe: 3 4 5 6 1 2, 6. Strophe: 2 3 4 5 6 1. In der schwierigeren Form werden die Schlußwörter der vorigen Strophe in der folgenden abwechselnd von unten und oben genommen: 1. Str.: 1 2 3 4 5 6, 2. Str.: 6 1 5 2 4 3, 3. Str.: 3 6 4 1 2 5, 4. Str.: 5 3 2 6 1 4, 5. Str. 4 5 1 3 6 2, 6. Str.: 2 4 6 5 3 1. Die dreizeilige Schlußstrophe (›Geleit‹) enthält die Schlußworte in der Reihenfolge der 1. Strophe in der Mitte und am Schluß der Zeilen. – Als Erfindung des Provenzalen ARNAUT DANIEL (12. Jh.) erscheint die S. zuerst bei den provenzal. Troubadours, dann in ital. (DANTE, PETRARCA, Gaspara STAMPA) span. und portug. (CAMÕES, B. RIBEIRO) Lyrik in der Renaissance, in Frankreich im 16. Jh. bei Pontus de TYARD, in der ital. Lyrik des 16. Jh. auch als Doppel-S. mit 12 Schlußworten; dt. zuerst im Barock bei OPITZ, WECKHERLIN und GRYPHIUS, dann in der Romantik in PETRARCA-Übersetzungen, bei Z. WERNER im Drama, bei RÜKKERT (z. B. ›Wenn durch die Lüfte...‹), EICHENDORFF und UHLAND; im 19. Jh. bei GRAMONT und SWINBURNE, im 20. Jh. bei R. BORCHARDT, E. POUND, T. S. ELIOT und W. H. AUDEN.

F. de Gramont, *Sextines, précedées de l'histoire de la s.*, 1872; F. J. A. Davidson, *The origin of the s.* (*Modern language notes* 25, 1910); A. Jeanroy, *La s. doppia* (*Romania* 42, 1912); RL; K. Voßler, Dichtungsformen d. Romanen, 1951; J. Riesz, D. S., 1971. →Metrik.

Sevdalinka (jugoslaw., v. türk. *sevdàh* = Liebe), kunstvolle jugoslaw. Liebeslieder, in Bosnien und der Herzegowina unter Einfluß türk. Lyrik entstanden, mit oriental. Geist und türk. Wörtern versetzt, nach Rhythmus und Melodie orientalisch-asymmetrischer Bau, häufiger Taktwechsel, freie Melismen. Inhaltlich Verbindung von erotisch-sinnlicher Leidenschaft mit stark-sinnlicher Schilderung, sentimental schmachtender Sehnsucht mit verzweifelter Wehmut; unbefangene Darstellung der Liebe.

W. Eschker, Unters. z. Improvisation u. Tradierg. d. S., 1971.

Sexain (franz. =) →Sextett

Sext →Format

Sextett (v. lat. *sex* = sechs), allg. Strophe oder Gedicht von sechs Zeilen Umfang; übliche Reimfolge ababcc. Auch zusammenfassende Bz. für die beiden Terzette des →Sonetts.

Sextilla, span. Strophenform von sechs Achtsilbern oder kürzeren Versen mit der Reimfolge abbaab, ababba, ababab, abbaba oder abaabb; beliebt im 13./14. Jh. (ARCIPRESTE DE HITA, *Libro de buen amor*).

Sezessionismus = →Jugendstil

Shakespearebühne, die von SHAKESPEARE benützte sog. ›Dreifelderbühne‹, bestehend aus e. Vorderbühne für die großen Szenen, die als Geviert in den Zuschauerraum vorspringt und von drei Seiten Einblick gestattet, aus e. überdachten, guckkastenähnlichen Hinterbühne (sie wurde erst bei den Englischen Komödianten durch e. Zwischenvorhang abgetrennt, hinter dem während des Spiels auf der Vorderbühne umgebaut werden konnte) und aus der (selten benutzten) balkonartigen →Oberbühne. Die Sh. gelangte durch die →Englischen Komödianten nach Dtl. und wurde hier von den Wanderbühnen übernommen, jedoch später durch die Guckkastenbühne abgelöst. Im 19. Jh. erstrebten schon TIECK und IMMERMANN e. Erneuerung der alten Form, mit dauerndem Erfolg jedoch erst GENÉE, dessen Idee K. v. PERFALL aufgriff und sich mit seiner Sh. 1889 in München, erneuert durch K. LAUTENSCHLÄGER und J. SAVITS, programmatisch gegen den Historismus und Realismus der zeitgenössischen Theaterdekoration wandte. Von E. KILIAN 1909 im Münchner Hoftheater vervollkommnet und später durch →Drehbühne u. ä. Einrichtungen erweitert, fand sie seither in Dtl. und England wiederholt Verwendung.

J. Q. Adams, *Sh. Playhouses,* 1917; E. K. Chambers, *The Elisabethan Stage,* Oxf. 1923; RL; W. W. Greg, *Dramatic Documents from the Elisabethan Playhouse,* Lond. 1931; M. C. Bradbrook, *Elizabethan stage conditions,* Hamden 1932; H. Durian, J. Savits u. d. Münchner S. 1937; R. Stamm, Gesch. d. engl. Theaters, 1951; A. M. Nagler, *Shakespeare's Stage,* New Haven 1958; L. B. Wright, *Sh's theatre,* Wash. 1958; G. E. Bentley, *Sh. and his theatre,* Lincoln 1964; C. W. Hodges, *Sh's theatre,* Lond. 1964; H. Nüssel, Rekonstruktionen d. Sh.-B. auf d. dt. Theater, Diss. Köln 1967; A. Gurr, *The Sh.ian stage,* Cambr. 1970; T. J. King, *Sh.ian staging,* Cambr., Mass. 1971; Sh.-Hb., hg. I. Schabert 1972.

Shanties (engl., v. *chantey*), Seemannslieder, Matrosen- →Arbeitslieder mit rauhen, kaum artikulierten Versen oft im Dialekt, zur rhythmischen Koordinierung der Arbeitsvorgänge sind bes. in engl. und amerikan. Volksdichtung verbreitet.

Sharebon (japan. = Vergnügungsbücher), japan. humoristisch-satirische Sittenschilderungen aus dem Freudenviertel und Kurtisanengeschichten im Umfang von 30–40 Blättern, von leidenschaftsloser, spielerischer Eleganz, problemloser Oberflächlichkeit, doch guter Detailschilderung, im ausgehenden 18. Jh. (1760–1791) insbes. von SANTŌ KYŌDEN vertreten, wegen ihrer Nähe zur Pornographie von der Regierung mehrfach (so 1771 und zuletzt 1791) verboten.

Shastra (sanskrit. = Vorschrift, Regel), ind. Vorschriften- und Lehrbücher urspr. für alle Gebiete (Recht, Sitte, Moral, Politik) mit Ausnahme des religiösen Rituals, späterhin nur die Gesetzbücher, oft in metrischer Form.

Shataka (sanskrit. = Zenturie, Hundert), in ind. Lit. längere erotische, religiöse, didaktische oder beschreibende Gedichte über ein bestimmtes Thema in annähernd 100 Einzelstrophen, die später auch in anderer Reihenfolge von versch. Verfassern in Anthologien zusammengefaßt wurden.

Shi (japan.), Sammelbz. für freiere Gedichtformen der japan. Lyrik (im Ggs. etwa zu →Tanka und →Haiku), die modernen westl. Einflüssen offenstehen und z. T. anstelle der herkömmlichen Silbenzählung freie Rhythmen verwenden, z. B. bei Fuyuhiko KITAGAWA. Vgl. →Shintaishi.

Shingeki (japan. = Neues Theater), das neue japan. Theater unabhängig von der nationalen Tradition und im Anschluß an westliche Vorbilder, das seit 1900 von mehreren Dramatikerverbänden angestrebt wurde.

Shintaishi (japan. = Gedichte in neuer Form), japan. Lyrik in freier Form als Nachahmung westlicher Vorbilder, wie sie in den letzten Jahrzehnten des 19. Jh. als Ggs. zu den traditionellen Formen aufkamen und seit 1882 in mehreren Anthologien verbreitet wurden.

Shlesha (ind.), Dichtungsart der ind. Telugu-Lit., deren Text verschiedene Deutungen und damit versch. Inhalte zuläßt je nach Trennung oder Verbindung der Wörter oder ihrer Ausdeutung.

Shloka →Śloka

Short story (engl. = kurze Geschichte), die engl.-amerikan., weniger formal und umfangmäßig festgelegte Form der →Kurzgeschichte; als Kurzform der Epik, entstanden in der 1. Hälfte des 19. Jh. aus den Bedürfnissen des aufblühenden Zeitungs- und Zss.wesens (Almanache und Magazine) und des modernen Menschen, der für längere Lektüre im Alltagsgetriebe keine Zeit erübrigt, bezeichnet sie nicht jede kürzere Erzählung schlechthin, sondern nähert sich heute in starkem Maße der europ. Novelle. Ihre spezifischen Kennzeichen bei allem Wandel der Aussageweisen sind rasche und flüssige, effektbewußte Diktion, geradliniger Handlungsverlauf meist um eine Hauptfigur, typisierte Figuren, Streben nach Beglaubigung des Geschilderten als Realität und das Durchscheinen des Ungesagten, Unsagbaren durch den flüchtigen Augenblick, die Situation oder das Ereignis, die zur Essenz des Lebens werden. Nach der ersten Ausprägung in W. IRVINGS *Sketch Book* (1819/20) u. a. erreicht sie in E. A. POES *Tales of the Grotesque and Arabesque* (1840) weltlit. Höhe und theoretische Begründung; sie muß in einem Zuge gelesen werden können, um ihre ganze künstlerische Wirkung zu entfalten, und muß sachliche Schilderung mit dichterischer Atmosphäre zu e. Einheit verbinden. Die Entwicklung führt von frühen, romantisch beeinflußten s. s. zu realistischer und naturalistischer Wirklichkeitskunst und über die psycholog. s. s. der Jh.wende zum manierierten Stil der →lost generation. Wichtigste Autoren von s. s. sind ferner in den USA N. HAWTHORNE, Bret HARTE, H. MELVILLE, Mark TWAIN, A. BIERCE, H. JAMES, O. HENRY, St. CRANE, S. ANDERSON, Jack LONDON, W. CATHER, W. C. WILLIAMS, C. P. AIKEN, D. PARKER, J. THURBER, F. S. FITZGERALD, E. HEMINGWAY, W. FAULKNER, Th. WOLFE, K. A. PORTER, W. STEGNER, E. WELTY, W. GOYEN, L. TRILLING, W. SAROYAN, C. MCCULLERS, T. CAPOTE, F. O'CONNOR, J. UPDIKE, J. D. SALINGER, B. MALAMUD, J. BALDWIN,

J. PURDY, J. BARTH u. a., in England, R. L. STEVENSON, R. KIPLING, J. CONRAD, H. G. WELLS, W. S. MAUGHAM, D. H. LAWRENCE, G. GREENE, A. HUXLEY, K. MANSFIELD, D. THOMAS, R. DAHL, P. G. WOODHOUSE u. a. m. mit dichterisch bedeutsamen Werken, während die breite Produktion der Unterhaltungs-s. s. den Markt beherrscht.

J. B. Matthews, *Philosophy of the s. s.*, N. Y. [2]1931; H. S. Canby, *The s. s. in Engl.*, [2]1935; J. B. Esenwein, *Writing the s. s.*, N. Y. 1909; R. Chester, *The art of s. s. Writing*, Cinc. 1910; C. A. Smith, D. amerik. S. S. (in: D. amerik. Lit., 1912); C. Grabo, *The art of s. s.*, N. Y. 1914; G. Clark, *A Manual of the s. s. art*, N. Y. 1922; A. C. Ward, *Aspects of the modern s. s.*, Lond. 1924; F. Newman, *The s. s.'s Mutations*, 1924; S. Beach, *S. S. Technique*, Boston 1929; B. C. Williams, *A Handbook of story writing*, N. Y. [2]1930; F. L. Pattee, *The Development of the Americ. S. S.*, 1932; E. A. Cross, *A Book of the S. S.*, 1934; N. B. Fagin, *America through the s. s.*, 1936; E. Mertner, Z. Theorie d. s. s. (Anglia 65 1941); K. P. Kempton, *The s. s.*, Cambr. 1947; R. Lucas, D. engl. s. s. (story 4, 1949); F. Schönberger, D. amerik. s. s. (ebd.); H. E. Bates, *The Modern S. S.*, 1950; S. O'Faolain, *The s. s.*, 1951; R. B. West, *The s. s. in America*, Chic. 1952; O. Scherer-Virski, *The Mod. Polish S. S.*, Haag 1955; A. H. Jaffé u. V. I. Scott, *Studies in the s. s.*, [2]1960; A. M. Wright, *The American s. s. in the twenties*, Chicago 1961; D. R. Ross, *The American s. s.*, Minneapolis 1961; F. O'Connor, *The Lonely Voice*, Cleveland 1963; A. J. George, *Short fiction in France, 1800–1850*, N. Y. 1964; W. Peden, *The Americ. s. s.*, Boston 1964; T. O. Beachcroft, *The modest art*, Oxf. 1968; B. Scheer-Schätzler, *S. s. and mod. novel* (Orbis lit. 25, 1970); H. G. Hönig, Stud. z. engl. s. s. a. Ende d. 19. Jh. 1971; F. L. Ingram, *Representative s. s. cycles of the 20th cent.*, Haag 1971; D. amerik. s. s., hg. H. Bungert 1972; D. amerik. Kurzgesch., hg. K. H. Göller, G. Hoffmann 1972; D. engl. Kurzgesch., hg. dies. 1973; P. Freese, D. amerik. Kurzgesch. nach 1945, 1974; Die s.s., hg. A. Weber u. a. 1975; D. amerik. s. s. d. Gegenw., hg. P. Freese 1976; A. Weber, W. F. Greiner, Theorie d. s.s., 1978; K. Lubbers, Typologie d. s.s., 1978. →Kurzgeschichte.

Sideronym (griech.), von e. Sternnamen oder astronom. Begriff abgeleitetes →Pseudonym.

Siebengestirn →Pleias, →Plejade

Sieben Freie Künste →Artes liberales

Sigle (lat. *sigillum* = kleine Figur), feststehende Abkürzung für Wörter, Namen oder Silben durch Buchstaben bzw. Zeichen (z. B.: §), so im →Lesarten- →Apparat kritischer Ausgaben die Abkürzungen für die verschiedenen Hss. bzw. Drucke als Herkunftsbezeichnung der Lesarten.

Signatur (v. lat. *signare* = bezeichnen), 1. Namenszug als Unterschrift; daher ›signiertes Exemplar‹ ein vom Verfasser selbst mit seinem Namenszug versehenes Exemplar, z. T. von bibliophilem Wert. – 2. im Buchdruck eine auf der 1. Seite jedes Bogens meist links unten zusammen mit der Norm, d. h. dem Kurztitel des Werkes, unterhalb des Satzspiegels angegebene Ziffer des Druckbogens (Prime); sie wird auf der 3. Seite desselben Bogens mit e. Sternchen wiederholt (Sekunde) und dient dem Buchbinder zur Überprüfung lagernder Bogenbestände und der richtigen Bogenfolge. Bis ins 18. Jh. herrschten anstelle der Zahlen als S. die Buchstaben A–Z, weiter ggf. AA-ZZ oder aa-zz. Heute werden S. und Norm zumeist mit den Flattermarken auf den Rükkenfalz des Bogens gedruckt, um das Schriftbild nicht zu stören. – 3. im Bibliothekswesen die Buchstabenkonstellation und/oder Nummer, unter der ein Buch in die Bestände (Lesesaal, Magazin) eingeordnet ist.

Signet →Druckerzeichen

Signiertes Exemplar →Signatur (1)

Śikharini (ind. = edle Dame), Strophenform der ind. Epik, vierzeilige Strophen der Form
⏑–––––/ ⏑⏑⏑⏑⏑––⏑⏑⏑⏓.

Silbenlänge →Quantität

Silbenmaß, Bz. aus der antiken →quantitierenden Dichtung, fälschlich auf die →akzentuierende Metrik der german. Sprachen übertragen, die statt der →Quantitäten (→Länge und →Kürze) den →Akzent (→Hebung und →Senkung) zur Grundlage hat. →Metrum und →Prosodie.

Silbenrätsel →Scharade

Silbenreim, Bz. für den gewöhnlichen Reim, meist Endreim, im Ggs. zum Stabreim.

Silbenschrift verwendet die Schriftzeichen nicht für einzelne Laute, sondern für geschlossene Silben, z. B. die japan. Schrift (rd. 80 Zeichen).

Silbensumme, die Anzahl der in e. Vers vorhandenen Silben, variiert in german. Dichtung je nach der Senkungsfüllung, im antiken Vers je nach Auflösung der Längen und Zusammenziehung der Kürzen, so z. B. im Hexameter zwischen 13 und 17.

Silbenzählung, das Prinzip der →alternierenden romanischen Dichtung, gelangte von dort z. T. in die dt. Dichtung, wo sie jedoch schematisch angewendet starr wirkt und dem Sprachakzent nicht gerecht wird.

Silberne Latinität, die auf die →goldene Latinität der röm. Lit. von CICERO bis zum Tode des AUGUSTUS, 80 v. Chr.–14. n. Chr., folgende Epoche der röm. Lit. und Sprache von 14 n. Chr. bis zum Tode TRAJANS 117 n. Chr., gekennzeichnet durch e. zunehmende Rhetorisierung der Lit., die meist als Kunstprosa erscheint und, bedingt durch den Despotismus der Kaiserzeit, gesuchte Dunkelheit des Ausdrucks neben geistreicher Schärfe und Künstelei. In Prosa erscheinen bes. philosophische und historische Werke (SENECA; VELLEIUS PATERCULUS, VALERIUS MAXIMUS, CURTIUS RUFUS, TACITUS), daneben Rhetorik (QUINTILIAN) und Fachwissenschaften, in der Dichtung, die von der augusteischen Blütezeit überschattet wird, steht neben epigonaler Epik (LUKAN, SILIUS ITALICUS, VALERIUS FLACCUS, STATIUS) ein starker Zug zur Zeitkritik in Satire (PERSIUS, JUVENAL, PETRONIUS), Epigramm (MARTIAL) und Fabel (PHAEDRUS). Für sich stehen die Tragödien SENECAS.

W. C. Summers, *The silver age of Latin lit.,* 1920; J. W. u. A. M. Duff, *A lit. history of Rome in the silver age,* Lond. [3]1964.

Sillen (griech. *sillos* – schielend, boshaft), in Hexametern verfaßte Spott- und Hohngedichte der altgriech. Lit., von den Sillographen (= S.schreibern) XENOPHANES von Kolophon (6. Jh. v. Chr.) als Satire gegen die homerische Göttervorstellung und TIMON von Phleius (3. Jh. v. Chr.) gegen die philosophischen Systeme gerichtet und allg. in der philosophischen Dichtung des Hellenismus beliebt.

Fragmentslg.: K. Wachsmuth, *Sillographi Graeci,* [2]1885.

Sillybos →Papyrus

Silva, 1. span. unstrophische Gedichtform beliebiger, oft beträchtl. Länge aus 11- und 7silbigen Zeilen in unregelmäßiger Folge mit Kreuzreim, z. B. bei Lope de VEGA. Die ›s. arromanzada‹ hat in allen geraden Zeilen die gleiche Assonanz. – 2. →Silvae.

Silvae (lat. = Wälder), entweder nach der Verschiedenartigkeit der in

e. Wald nebeneinanderstehenden Bäume oder in der Bedeutung von Wald = Holz als Rohmaterial, was sich auf flüchtige Formung und Komposition beziehen würde, in lat. Lit. Bz. für e. Slg. vermischter, nach Form und Inhalt bunt gemengter kürzerer Gedichte (→Leimon-Lit. und →Satire), so bes. bei STATIUS (1. Jh. n. Ch.), später z. B. bei MANTUANUS und POLITIAN und bis in die Renaissance; noch OPITZ empfiehlt S. als Titel für gemischte geistliche und weltliche Gedichte, HERDER schreibt *Krit. Wälder.* – Die Einzahl ›Silva‹ bezeichnet e. aus dem Stegreif geschaffenes Gelegenheitsgedicht.

Simodie →Hilarodie

Simpliziade, im Anschluß an GRIMMELSHAUSENS *Simplicissimus* (1668) entwickelte Sonderform des Schelmen- und Abenteuerromans, in der e. einfältiger Mensch in das eitle Welttreiben eingeführt wird und es als sinnlos erkennt.

H. Rausse, S.n (Zs. f. Bücherfreunde, N. F. 4, 1912).

Simultanbühne (lat. *simul* = zugleich), die →Bühnenform des MA. (z. B. für Passionsspiele u. a. geistliche Dramen), bei der alle für den Ablauf der Handlung erforderlichen Schauplätze (loca) gleichzeitig auf demselben Podium und vollständig sichtbar – nicht abgekürzt – nebeneinander aufgebaut sind (häufig stehen die Kulissen auf e. langen Bühnenstreifen) und die Schauspieler, die während des ganzen Spieles ohne Szenenwechsel auf der Bühne bleiben, je nach den Erfordernissen der Handlung von einem zum anderen gehen. Meist dient der Marktplatz vor der Kirche in seiner ganzen Ausdehnung als Spielfeld, und die Häuser bilden zugleich Dekoration und bevorzugte Zuschauerplätze, doch wird der Bildraum des Hintergrundes für das bloße Vordergrundspiel räumlich nicht aktiviert, nur der Durchblick ins Hausinnere bedarf e. Dekoration im engeren Sinne der Illusion. – Eine ähnliche Technik verfolgt die angeschnittene Hauswand auf der Guckkastenbühne, etwa in NESTROYS *Zu ebener Erde und erster Stock* und F. BRUCKNERS *Die Verbrecher,* aber auch die moderne Bühne, wenn der gerade wesentliche Schauplatz durch Scheinwerfer hervorgehoben wird. Vgl. →Sukzessivbühne.

Lit. →Bühne u. →Theater.

Simultantechnik (v. lat. *simul* = zugleich), die lit. Technik zur Erfassung der Gleichzeitigkeit versch. räumlich disparater Ereignisse in der naturgemäß auf zeitliches Nacheinander festgelegten Dichtung mit dem Ziel, die Vielheit versch. Erscheinungen, die Heterogenität gleichzeitiger Ereignisse, die Diskrepanz der Lebensanschauungen, Strebungen und Wünsche in versch. Milieu und versch. Situationen zu veranschaulichen und durch deren Widersprüchlichkeit zu schockieren. Im modernen Roman dienen bei DÖBLIN *(Berlin Alexanderplatz),* DOS PASSOS *(Manhattan Transfer)* und SARTRE eingefügte Zeitungsausschnitte, Radiosendungen, Ausrufer, Slogans, Werbesprüche usw. als →Montage oder →Collage zur Kenntlichmachung der Simultaneität und Komplexität des Daseins. W. KOEPPEN *(Tauben im Gras)* und H. BÖLL *(Billard um halb zehn)* setzen gleichzeitige Szenen hart nacheinander. →Zeit.

A. J. Bisanz, Linearität versus Simultaneität (Erzählforschung, hg. W. Haubrichs I, 1976).

Singschule →Meistersang

Singspiel, kleines heiteres Theaterstück mit gesprochenem Dialog, Gesang und Musikeinlagen, bewegte

Zwischenform von →Oper und Lustspiel und Vorform der heutigen →Operette. Es entsteht zunächst in der ›opera buffa‹ als Ggs. zur ›opera seria‹ der Venetianer und Neapolitaner in der Nachfolge von PERGOLESIS *La serva padrona* (1733) als schlicht-naive und witzigere Form ohne Da-capo-Arien, sondern mit liedmäßigen Einlagen, Duetten und Terzetten und bes. wirkungsvollem vielstimmigem Finale. Die Vorwürfe beruhen meist auf dem Gegensatz von Stadt und Land und heben dadurch die Volkstümlichkeit des S. Die Aufführung von PERGOLESIS S. in Paris 1752 erregte e. Gegenströmung gegen die routiniert erstarrte, pathetische Gesellschaftsoper LULLYS; ROUSSEAUS erfolgreiches S. *Le devin du village* (1753) und seine diesbezüglichen Theorien entfachten den Streit der Buffonisten und Antibuffonisten um die ›opéra bouffon‹; es folgen DUNIS *Ninette à la cour* (1754), ferner d'AUVERGNE, PHILIDOR, MONSIGNY, GRÉTRY, GOSSEC, in Wien GLUCK. In England entsteht als Satire gegen die Händeloper die sog. →Ballad opera (= Liederoper) mit John GAYS *The Beggar's opera* (1728; Musik von PEPUSCH), die in zahlreichen Umformungen in Berlin (*Der Teufel ist los* 1747), Wien *(Die verwandelten Weiber)* und Leipzig (WEISSE und HILLER, 1766) fortlebt und die eigtl., seither fast ununterbrochene Entwicklung des S. einleitet, die durch das ganze 19. Jh. neben der Operette bis in die Gegenwart reicht. Da es sich an breite Kreise wendet und deren Lebensgefühl gegenüber der aristokratischen Gesellschaft abgrenzt und obendrein nicht durch Sänger, sondern Schauspieler aufgeführt wird, ist in ihm der Anteil des gesprochenen Dialogs und damit der Textdichtung groß und relativ wichtig. In Leipzig entstehen zahlreiche S.e aus der Zusammenarbeit des Dichters Chr. WEISSE und des Musikers HILLER (*Lottchen am Hof, Lottchen auf dem Lande, Die Liebe auf dem Lande, Der Erntekranz, Die Jagd* u. a.). GOETHE fand an ihnen Gefallen und verfaßte selbst, anfangs unter franz., später ital. Einfluß, mehrere S.e, bes.: *Erwin und Elmire* (1775), *Claudine von Villa Bella* (1776), *Lila* (1776), *Jery und Bätely* (1779), *Die Fischerin* (1772), *Scherz, List und Rache* (1784, Musik von Chr. KAYSER) u. a. Er erkennt im Streben nach dem ›Einfachen und Beschränkten‹ das Wesen der Gattung und sucht selbst der *Zauberflöte* e. Fortsetzung zu geben. Gleichzeitig entstehen die S.e WIELANDS mit der Musik von SCHWEITZER (*Alceste* 1772, *Rosamunde, Die Wahl des Herkules* 1773) und seine Theorie im *Versuch über das dt. S.*, ferner die S.e F. W. GOTTERS mit Musik von BENDA und die von Ch. G. NEEFE, dem Schüler HILLERS und Lehrer BEETHOVENS. In Wien fördert JOSEF II. das S. und läßt für das Burgtheater als ›National-S.‹ die *Bergknappen* von I. UMLAUFF verfassen. Aus dieser Tradition erwächst als deren künstlerische Höhe MOZARTS *Entführung aus dem Serail*, während *Die Zauberflöte* (Text von SCHIKANEDER) über das S. hinausragt durch die pathetischen Elemente. Leichtere S.e pflegt DITTERS VON DITTERSDORF *(Doktor und Apotheker)*, volkstümliche Töne mit weitverbreiteten Volksliedern trifft Wenzel MÜLLER. In der Romantik nimmt LORTZING die Pflege des S. wieder auf, das in der Gegenwart bes. im slawischen Raum fortlebt.

H. M. Schletterer, D. dt. S., 1863; J. Bolte, D. S.e d. engl. Komödianten, 1893; E. Lert, Mozart auf d. Theater, [3]1921; H. Abert, Goethe u. d. Musik, 1922; RL; E. Staiger, Goethe u. Mozart (in: Musik u. Dichtg., 1947); K. Wesseler, Unters. z.

Darstellg. d. S. auf d. dt. Bühne d. 18. Jh., Diss. Köln 1955; A. R. Neumann, *The changing concept of the S. in the 18. cent.* (Fs. J. T. Krumpelmann, *Studies in German lit.*, Baton Rouge 1963); E. M. Batley, *The inception of S. in 18. cent. Southern Germany* (*German life letters* 19, 1966; H.-A. Koch, D. dt. S., 1974. →Oper.

Sinnbild, dt. Ersatzwort für →Emblem und →Symbol

Sinnfiguren →rhetorische Figuren (Gedankenfiguren)

Sinngedicht, seit Ph. von ZESEN 1649 Ersatzwort für →Epigramm

Sinnkonstruktion →Constructio kata synesin

Sinnespel (niederländ. = Sinnspiel) niederländ. Form der →Moralitäten, in denen allegorische Figuren über religiöse oder moralische Fragen diskutieren. Meisterwerk der Gattung der →Rederijkers ist das Jedermann-Stück *Elckerlijc.*

Sinnspruch, allg. jede Lebensregel in Versform, →Devise, →Epigramm, →Gnome, →Sentenz, →Spruch.

Sirima →Kanzone

Sirventes (altprovenzal. *sirvent* = Diener), urspr. ›Dienstlied‹, d. h. im Dienst e. Herren verfaßtes Gedicht, dann verbreitete Gattung der provenzal. Troubadours in Kanzonenform als Rüge- und Scheltlied auf allg. moralische (PIERRE CARDINAL) oder politische Zustände (BERTRAN DE BORN) oder auf einzelne Personen bzw. Personengruppen (Adel, Priester), satirischer Singspruch mit Blütezeit im 12./13. Jh., doch mehr durch Heftigkeit des Angriffs als durch Energiegeladenheit ausgezeichnet. Im weiteren Sinne umfaßt die Gattung alle Formen, die nicht der Minnelyrik angehören, so dehnt sich die Bz. im 13. Jh. auf moralisierende Reimpaargedichte und im 14. Jh. auf Kanzonen zum Marienlob aus. Nach dem einflußreichen provenzal. Vorbild entstehen bei den nordfranz. Trouvères die ähnlichen Serventois, in Italien die →Serventese. Während die Form urspr. frei war, gilt S. seit dem 13. Jh. als Bz. für Dichtungen in 3–5zeiligen, inhaltlich verbundenen Strophen; e. Abart mit vierzeiligen Strophen, deren drei erste elfsilbig sind und untereinander reimen, während die fünfsilbige Schlußzeile mit der folgenden Strophe reimt, bildet evtl. e. Vorstufe zu DANTES Terzinen.

W. Nickel, S. u. Spruchdichtg., 1907; J. Storost, Urspr. u. Entwicklung d. altprov. S., 1931; E. Winkler, D. altprov. S., 1941; D. Rieger, Gattungen u. Gattungsbezeichnungen der Troubadourlyrik, 1976.

Sittenkomödie →Sittenstück

Sittenroman, Sonderform des →Zeitromans, schildert oder karikiert die zeitgenössischen Moralzustände, meist in Szenen aus dem Alltagsleben (›Sittenbilder‹) mit Bevorzugung erot. Motive (→Erotische Literatur).

C. E. Morgan, *The rise of the novel of manners,* 1911, N. Y. ²1963.

Sittenstück (franz. *comédie de mœurs,* engl. *comedy of manners*), Drama, das stofflich vom Alltagsleben der Gegenwart oder bes. Epochen und bes. von den sittlichen Verhältnissen e. Zeit oder e. Standes ausgeht und sie in effektsicherer, spannungsvoller Bühnentechnik mit stark moralisierender Tendenz in ihren Schwächen und sozialen Schäden geißelt: Ehe- und Ehebruchs-, Generations-Probleme, sinnloser Aufwand, Geldgier, überholter Standesdünkel und moralische Verkommenheit jeder Art bis hinab zur Halbwelt sind Angriffspunkte dieser Thesenstücke, in denen der Dichter oft in der Figur des Räsoneurs seine Auffassung verkörpert. Vorstufen der Gesellschaftskritik im Drama finden sich schon in der antiken Komödie (ARISTOPHANES, PLAUTUS, TERENZ), im ma. Fastnachtsspiel, in der Barockkomödie (GRYPHIUS, *Horribilicribrifax*), bei MOLIÈRE (*Les précieuses ridicules*, 1658), der ›comédie larmoyante‹ DIDEROTS, der engl. →Comedy of manners des 17./18. Jh., dem dt. bürgerlichen Drama (Chr. WEISSE, LESSING), im Sturm- und -Drang-Drama, den Rührstücken von KOTZEBUE, IFFLAND, SCHRÖDER u. a., im 19. Jh. in den Dramen BAUERNFELDS und bes. den Tendenzdramen des Jungen Dtl. Der Begriff S. erscheint jedoch zuerst in Frankreich um Mitte des 19. Jh. A. DUMAS fils (*Le demimonde*, 1855), AUGIER und SARDOU sind hier die größten Vertreter der ›comédie des mœurs‹, die nunmehr von Frankreich aus den Weg in andere Länder findet: in Dtl. zuerst bei LAUBE, es folgen P. LINDAU, R. VOSS, PHILIPPI, LUBLINER u. a., bes. aber nach dem Vorgang der skandinav. Länder (IBSEN, STRINDBERG) der dt. Naturalismus (G. HAUPTMANN, SUDERMANN), oft mit Übergang zum Problem- oder Charakterdrama und, nachdem schon DUMAS aus den bürgerlichen Kreisen in das Halbwelt-Milieu vorgestoßen war, nunmehr unter Einbeziehung des Proletariats im sozialen Drama. In England ist neben PRIESTLEY bes. G. B. SHAW Hauptvertreter der S., in Frankreich neuerdings GIRAUDOUX, in Amerika Th. WILDER und O'NEILL. →Thesenstück.

H. Bulthaupt, Dumas, Sardou ..., 1887; J. J. Weiss, *Le Théâtre et les Mœurs*, Paris o. J.; RL; L. Allard, *La Comédie des Mœurs en France au 19. siècle*, N. Y. 1923. →Drama.

Situation, Sonderform des →Motivs, das nicht vom Charakter der Figur(en), sondern von deren augenblicklicher Lage bzw. Konstellation zueinander, unabhängig von individuellen Eigenarten, bestimmt wird: der Mann zwischen zwei Frauen, der Heimkehrer, die verlassene Geliebte, der betrogene Gatte, Abschied, Wiedersehen u. a. m. Die S. ist oft stimmungsmäßig indifferent und kann als Tragik oder Komik (→Situationskomik) gesehen werden. Sie erscheint in Epik und Dramatik vielfach als Abfolge von Umständen und zwischenmenschlichen Beziehungen, denen sich e. Figur gegenübersieht, wie auch als mehr statischer Zustand in der Lyrik, wo e. seelische Lage zum Inhalt des Gedichts werden kann, z. B. im →Rollenlied, →Paraklausityron, →Propemptikon.

G. Polti, *Les 36 s.s dramatiques*, Paris [2]1912; E. Souriau, *Les 200 000 s.s dramatiques*, Paris 1950; G. Mounin, *La notion de s.* (*Les temps mod.* 246, 1966); R. Grimm, Ergänzendes z. Begriff d. S. (Jb. d. Freien Dt. Hochstift, 1968); R. Grimm, D. Kimpel, S.n (Lit. u. Geistesgesch., Fs. H. O. Burger, 1968).

Situations→komik entsteht im Ggs. zur Charakterkomik nicht aus vorgegebener Charakteranlage und -eigenart der dargestellten Figuren und im Ggs. zur Wortkomik nicht aus e. witzigen Wortplänkelei und Schlagfertigkeit, sondern aus e. komischen Situation, in die ganz normale Charaktere durch e. merkwürdige und Heiterkeit erregende Verkettung von Umständen geraten. In der Situationskomödie erscheint die S. von langer Hand vorbereitet, um nicht willkürlich und unnatürlich zu wirken, und ist stets subjektiv. Ihre Wirkung beruht darauf, daß der Zuschauer als Außenstehender im Ggs. zu den Personen des Stückes in ihre Voraussetzungen eingeweiht ist und den Unwert der vermeintlich wertvollen Situation durchschaut. Hauptmotiv der S. ist die Wiederholung in verschiedensten Formen und Stärkegraden von der bloßen Doppelsituation bis zur effektsicheren Steigerung und Überlagerung (z. B. bei PLAUTUS, ANZENGRUBER, G. HAUPTMANN, L. THOMA, G. KAISER) und zum raffinierten Doppelspiel, das dieselbe Situation in zweierlei Licht erscheinen läßt (KLEIST, *Der zerbrochene Krug, Amphitryon,* G. HAUPTMANN, *Der Biberpelz*).

K. Holl, Gesch. d. dt. Lustspiels, 1923; RL. →Komik, →Komödie.

Situationskomödie →Situationskomik

Siziliane, aus Sizilien stammende, dort →Strambotto gen. achtzeilige Strophe aus Endecasillabi, im Dt. fünffüßige Jamben mit männl. und weibl. Ausgang wechselnd, jedoch statt der drei Reimklänge der Stanze nur zwei Reimklänge, da auch das letzte Verspaar das vorangegangene Reimschema fortsetzt; Reimfolge abababab (doppelter Kreuzreim); in dt. Lit. von RÜCKERT (›Ich saß am Meer‹ u. a.) eingeführt und bei LILIENCRON verwendet.

Sizilianische Schule, Sammelbz. für den auch Magna Curia genannten frühitalien. Dichterkreis des 13. Jh. am Hof FRIEDRICHS II. und MANFREDS in Palermo, dessen 30 Mitglieder aus den versch. Teilen Italiens, meist aus dem Süden, stammten und als erste die ital. Sprache als Literatursprache benützten. Die Bedeutung der S. S., die sich nach 50jährigem Bestehen mit dem Zerfall der Staufermacht in Italien in die Toskana und nach Bologna zurückzog, beruht ausschließlich auf ihrer Verwendung der (dialektisch gefärbten) ital. Volkssprache, nicht in ihrer von der französ.-provenzal. Troubadourdichtung übernommenen Thematik. Hauptvertreter sind neben dem Kaiser und seinem Sohn ENZIO ferner PIER DELLA VIGNA, JACOPO DA LENTINO, ODO DELLE COLONNE, RUGGIERO D'AMICI, JACOPO MOSTACCI, GIACOMINO PUGLIESE, RINALDO D'AQUINO und CIELO D'ALCAMA.

A. Gaspary, D. S. Dichterschule, 1878; G. A. Cesareo, *Le origini della poesia lirica,* Palermo [2]1924; G. Bertoni, *Il Duecento,* Mail. [3]1939; V. de Bartholomaeis, *Primordi della lirica d'arte in Italia,* 1943; *La Magna Curia,* hg. C. Guerrieri-Crocetti, 1947; A. Willemsen, Kaiser Friedrich II. u. sein Dichterkreis 1947; B. Panvini, *La scuola poetica siciliana,* Florenz 1957; H. Friedrich, Epochen d. ital. Lyrik, 1964; A. Fiorini, *Metri e termi della scuola sic.,* Neapel 1969.

Sjair, 1. malaiische Versform: Vierzeiler zu vier Hebungen je Zeile und viermals gleichem Reim (aaaa); 2. längere Gedichte beliebigen Inhalts, die durch Aneinanderreihung mehrerer S.-Strophen entstehen.

Skalden (altnord. *skáld*), altnord. Dichter und Sänger der Wikingerzeit im Gefolge der Fürsten, die sie auch auf Kriegszügen begleiteten, jedoch kein bes. Stand, sondern eine in den Familien erbliche Kunst. Die Hauptformen der S.-dichtung, die als streng traditionelle Kunstdichtung in Norwegen vom 9. bis 10. Jh. und in Island bis ins 13. Jh. gepflegt wurde, waren kunstvolle →Preislieder (→Drápa) auf Fürsten und Gönner, später auch Heilige, und Stegreifdichtungen, die in kurzer Zeit zu formvollendeten Liedgebäuden wurden; die Poetik der S.dichtung, niedergelegt in der *Jüngeren Edda,* verlangt bes. künstliche Versmaße (vorwiegend →Dróttkvaett) und gesteigerten, wählerischen sprachlichen Ausdruck (→Kenning und →Heiti). – Als ältester S. gilt der mythische STARKADH DER ALTE, andere bedeutende sind BRAGI BODDASON, THJODOLF *(Ynglinga tal),* THORBJORN *(Haralds-mal),* beide gegen Ende des 9. Jh. am Hofe HARALD SCHÖNHAARS; aus dem 10. Jh. EYVIND *(Hakonarmal),* der Isländer EGIL, HALLFREDH, GUNNLAUG, GLUM und EYOLF, als letzter STURLA (gest. 1284).

R. Meissner, *S.poesie,* 1904; F. Jónsson, *Den norsk-isl. Skjaldesprog omkr. 800 til 1300,* Koph., 1908; ders., *Den norsk-isl. Skjaldedigtning,* IV ebda. 1908–15; R. Meissner, E. A. Kock, Skald. Leseb., II 1931; ders. S.poesie, 1904; K. Reichardt, Stud. z. d. S. d. 9.–10. Jh., 1927; G. Koller, D. Beruf d. S., 1939; J. de Vries, Altnord. Lit.gesch., ²1964 f.; L. M. Hollander, *A bibliogr. of skaldic studies,* Koph. 1958; W. Lange, Christl. S.-dichtg., 1958; H. Lie, *Natur og unatur i skaldekunsten,* Oslo 1958; P. Hallberg, *Den fornisländska poesien,* Stockh. 1962; K. v. See, Skop u. S., GRM 14, 1964; L. M. Hollander, *The s.,* Ann Arbor 1968; H. Kuhn, Kl. Schr. I, 1969. G. Kreutzer, D. Dichtgslehre d. S., 1974; E. O. G. Turville-Petre, *Scaldic Poetry,* Oxf. 1976.

Skamander, poln. Literatenkreis nach dem 1. Weltkrieg, vereinigte trotz politisch tendenziösen Ursprungs avantgardistische Schriftsteller der verschiedensten Richtungen: J. TUWIM, J. LECHOŃ, M. L. SŁOMINSKY, K. WIERZYŃSKI, J. IWASKIEWICZ u. a. um die *Zs. Skamander.* Die Gruppe förderte das improvisierende Dichten, die neue Durchgeistung des Lebens und die Suche nach einem poetischen Sinn hinter der bloßen Realität: insbes. Großstadtlyrik mit Spracheinbrüchen aus Jargon und Fachsprache.

Skandieren →Skansion

Skansion (lat. *scandere* = besteigen, -treten), Bestimmung des Versmaßes e. Dichtung, danach: skandieren = Verse mit genauer Takteinteilung und Betonung der Hebungen ohne Rücksicht auf den Sinn hersagen.

Skaz (russ., v. *skazat* = erzählen), Gattung der russ. Erzählkunst: →Rahmenerzählung als gerahmter (fiktiver) Augenzeugenbericht, der dazu dient, die Ablösung der verbindlichen russ. Literatursprache zugunsten der lebendigen Sprache mit exakten Mundartformen, Provinzialismen, Volksetymologien, individuellen Besonderheiten usw. zu rechtfertigen, und die Erzählung durch das Prisma e. angemessenen Sprachwelt bricht. Von N. GOGOL' gepflegt, von LESKOV in fast allen seinen Novellen zu bes. Höhe entwickelt und bei A. REMIZOV, I. E. BABEL, E. ZAMJATIN und M. ZOŠČENKO fortgeführt.

J. R. Titunik, D. Probl. d. S. (Erzählforschg., hg. W. Haubrichs II, 1977).

Skazon (griech. *skazein* = hinken, Mz. Skazonten) →Choliambus

Skene →Szene

Skenographie (griech. *skene* = Bühne, *graphein* = schreiben), Bemalung der Rückwand im antiken Theater, allg. Kulissenmalerei.

Sketch (engl. = Skizze), dramatisches Bühnenspiel von wenigen Minuten Dauer, das die Handlungsmöglichkeiten nicht voll ausnutzt, sondern sie nur im Umriß ›skizziert‹, um ihre Ergebnisse in e. wirkungsvollen, scharfzugespitzten und überraschenden Pointe – oft Anspielung auf aktuelle Ereignisse – gipfeln zu lassen; in Amerika zuerst entwickelt und heute meist in Kabaretts u. ä. beliebt.

Skizze (ital. *schizzo* = hastig, flüchtig), in Malerei wie Lit. flüchtig hingeworfene Aufzeichnung als Entwurf für e. weiter auszuführendes größeres Werk; auch kleine Erzählung, jedoch bewußt fragmentarisch im Ggs. zur gerundeten →Kurzgeschichte. Als feuilletonist. Eindrucksschilderung im Impressionismus beliebt.

I. Spahmann, D. S. i. d. dt. Lit. d. 19. Jh., Diss. Tüb. 1956; T. Richter, Üb. d. S. (Kunst u. Lit. 9, 1961); G. Seifert, Sinn u. Gestalt d. lit. S., 1961.

Sklavenprolog, aus der ältesten griech. Komödie fortlebendes dramaturgisches Mittel der Exposition: im Gespräch der Sklaven, seit dem Rokoko der Vertrauten oder Domestiken, stellen sich, oft possenhaft ausgestaltet, Milieu und Lage des Helden dar. Der S. dient der Einstimmung, Spannungserregung und Vorbereitung der Handlung. Gleichzeitig bietet die Verwendung niederer Personen bessere Ausbildungsmöglichkeiten für das Komisch-Drastische in der Komödie. Beispiele: ARISTOPHANES *Wespen, Ritter, Frieden,* PLAUTUS *Mostellaria;* Nachwirkung bis zu LESSINGS *Minna von Barnhelm* und HOFMANNSTHALS *Der Schwierige.*

Skolion (griech. *skolios* = krumm, gebogen), bes. in Athen gepflegtes griech. Tisch- und Trinklied, bei Festen und Symposien zum Wein unter Lyrabegleitung von den Gästen abwechselnd gesungen, wobei e. Myrthenzweig oder die Lyra als Aufforderung zum Vortrag vom jeweiligen Sänger an den nächsten entweder rechtsherum oder in beliebiger Reihenfolge (bes. gern den besseren Sängern) kreuz und quer (daher der Name) herumgereicht wurde und jeder seine Kunst zeigen sollte. Meist handelt es sich um ernste, heitere oder satirische Vierzeiler in lyrischen Maßen von bestimmtem Rhythmus, neben e. Reihe bekannter S. bes. geistreiche Stegreifdichtungen über Vaterland, Liebe und Wein, Götteranrufungen, Wahlsprüche und sprichwörtliche Lebensregeln sowie Preislieder auf Helden und Tyrannenmörder (bes. beliebt Harmodios und Aristogeiton in Athen). Als Erfinder der Gattung gilt TERPANDER (7. Jh. v. Chr.); auch manche Trinklieder von ALKAIOS, ANAKREON und SAPPHO sind S., PINDAR schuf später wohl chorische S. als Lobgesänge; e. attische Slg. von 25 S. aus dem 6./5. Jh. ist bei ATHENAIOS (Buch 15) erhalten. Die S. ANAKREONS und der pseudoanakreontischen Slg. wurden schon von OPITZ und WECKHERLIN, dann bes. in der dt. →Anakreontik und der franz. Poésie fugitive nachgebildet.

A. G. Engelbrecht, *De scoliorum poesi,* 1882; R. Reitzenstein, Epigramm u. S., 1893; U. v. Wilamowitz. D. att. S.-Slg. (in: Aristoteles u. Athen 2, 1893); RE; C. M. Bowra, *Greek lyric Poetry,* 1936; B. A. van Groningen, *Pindare au banquet,* Leiden 1960.

Skop (westgerm. *scop*), bis ins Frühma. Bz. für den westgerman. Gefolgschaftssänger und -dichter der Helden- und Preislieder, evtl. daneben auch für den Spielmann.

W. Wissmann, S. (Sitzgsber. d. Dt. Akad. d. Wiss. z. Berl.), 1935; K. v. See, S. u. Skald, GRM 14, 1964; E. Werlich, D. westgerman. S., Diss. Münster 1964 (u. Zs. f. dt. Philol. 86, 1967).

Skribent (v. lat. *scribere* = schreiben), allg. Schreiber, abschätzig für →Schriftsteller.

Skript(um) (lat. *scriptum* = Geschriebenes), Schriftstück, Nachschrift, im Film: →Drehbuch.

Slang (engl.), Bz. für e. Standes- und Berufssprache (Soldaten-, Studentensprache) u. ä., familiär-nachlässige, willkürliche und zu Neuerungen neigende Ausdrucksweise, die als ›gewöhnliche‹ Umgangssprache nicht der Schriftsprache angehört, jedoch in moderner Lit. e. große Rolle spielt.

K. Thielke, S. u. Umgangssprache i. d. engl. Prosa d. Ggw., 1938; E. Partridge, *S. today and yesterday,* Lond. [4]1954.

Slapstick-Komödie (v. engl. *slapstick* = Narrenpritsche), Komödie, deren Witz ähnlich dem des kom. Stummfilms auf naiver Freude an e. beliebigen Anhäufung grotesker visueller Gags beruht.

Slawophile, romantische geistig-lit. Bewegung in Rußland um Mitte des 19. Jh. um die Brüder AKSAKOV,

CHOMJAKOV und KIREEVSKIJ, die an e. vielfach mißverstandenes, idealisiertes altruss. Volkstum, das auf Orthodoxie, Autokratie und Nationalismus beruhte, anknüpfte, im Ggs. zu den →Westlern die Europäisierung verwarf und theoretisch einen kulturellen Panslawismus vertrat. Wichtigstes Ergebnis war das Studium der russ. Geschichte und die Slg. der Volksüberlieferung.

N. V. Riasanovsky, Rußld. u. d. Westen, 1954; P. K. Christoff, *An introduction to 19. cent. Russ. S.ism*, Haag 1961.

Slogan (schott. =) →Schlagwort in Werbung und Politik.

Śloka (sanskrit.), das Hauptversmaß der altind.-sanskrit. Epik überhaupt, bestehend aus zwei Verszeilen zu je zwei Gliedern (Pâda) zu je acht Silben mit nur zum Teil festgelegter Quantität, Schema einer Verszeile (halber S.): ⏓⏓⏓⏓/ ⏑––⏓/ /⏓⏓⏓⏓/ ⏑–⏑⏓. Der S., nach der Legende von VÂLMÎKI erfunden, ist wohl aus dem Veden-Versmaß →Anastubh hervorgegangen. Verwendung in *Mahâbhârata* und bes. *Râmâyana*.

P. Horsch, D. ved. Gatha- u. S.-Lit., 1966.

Smeraldina →Commedia dell'arte

Soap opera (engl. = ›Seifenoper‹, nach den eingeblendeten Werbespots für Waschmittel), das Fortsetzungs-, Hör- oder Fernsehspiel im Tages- und frühen Abendprogramm von Rundfunk und Fernsehen, problemlos heitere oder sentimentale Familienserien aus dem Alltagsleben des unteren Mittelstandes, der Ärzte, der Detektive und Polizisten oder der Massenmedien selbst in Episodenform mit stereotypen Figuren.

Soccus (lat. =) niedriger Schuh, Fußbekleidung der Schauspieler in der antiken Komödie im Ggs. zum →Kothurn der Tragödie.

Soffitten (ital. *soffitta* v. lat. *figere* = heften), die von oben herabhängenden Teile der →Bühnen→dekoration zur Darstellung des Himmels oder der Zimmerdecke.

Sokratische Ironie →Ironie

Soldatenlied, von Soldaten auf dem Marsch oder bei anderen Gelegenheiten gesungenes vaterländisches, heiteres oder meist sentimentales Lied, häufig durch →Nachgesang (Strophen und Kehrreime, auch Teile anderer Lieder) ohne Rücksicht auf den Sinnzusammenhang erweitert; teils Volkslieder, teils Kunstlieder (z. B. UHLANDS *Ich hatt' einen Kameraden,* KÖRNERS *Lützows wilde Jagd* u. a.) und Umdichtungen ausländischer S.er. →Befreiungskriege, →Kriegs- und →Weltkriegsdichtung →Landsknechtslied.

F. v. Oppeln-Bronikowski, Dt. Kriegs- u. S., 1911; G. Witkowski, D. alte dt. Kriegsgesang, 1915; J. Meier, D. dt. S., 1916; A. Kutscher, D. richtige S., 1917; RL; M. Hausmann, Kunstdichtg. u. Volksdichtg. i. d. S., Diss. Mchn. 1922; W. Kohlschmidt, D. dt. S., 1936; ders., Selbstgefühl und Todesschicksal i. Lied d. Soldaten, 1940; W. Elbers, D. S. als publizist. Erscheing., Diss. Münster 1963; V. Karbusicky, D. Instrumentalisierg. d. Menschen i. S. (Zs. f. Volkskde. 67, 1971); H. Lixfeld (Hb. d. Volksliedes I, 1973).

Soldatenstück →Militärstück

Soledades, andalus. **Soleares** (= Einsamkeiten), beliebteste Form des span.-andalus. Volksliedes von stark individualistischer, melancholischer Stimmung; später beliebter Titel lyrischer Sammlungen von GÓNGORA bis ALTOLAGUIRRE.

K. Voßler, Poesie der Einsamkeit in Spanien, [2]1950; B. Ciplijauskaite, *La soledad y la poesía española contemp.*, Madrid 1962.

Soliloquium (lat. *solus* = allein, *loqui* = sprechen), Selbstgespräch, Form der Bekenntnislit., z. B. Titel

e. Werkes AUGUSTINS. Soliloquist = Verfasser von S.

Solözismus (griech. *soloikismus*, nach dem angeblich fehlerhaften Griech. der Einwohner von Soloi in Kilikien), allg. Sprachschnitzer, Abweichung vom herkömmlichen Sprachgebrauch als grober Verstoß gegen Wort-, Formgebrauch und Syntax durch Vertauschung der Kasus, Numerus, Geschlechter, Zeiten, Personen und Modi beim Nomen und Verb, Veränderung und Auslassung der Präpositionen u. ä., z. B. dt.: ›nach der Schule gehen‹, nur vereinzelt als rhetorische Figur erlaubt, meist verbreitet im allg. Sprachverfall der spätlat. und spätgriech. Volkssprache. →Barbarismus, →Metaplasmus.

Soloszene (lat. *solus* = allein), durch e. einzelnen Schauspieler (bzw. Sänger) vorgetragene Monolog- (bzw. in der Oper Arien-) →Szene, bes. im →Melo- und →Monodrama als Virtuosenstücke, die einzelne Schauspieler abendfüllend bestreiten; später S. für Komiker.

Sonder(ab)druck, Separatum, in e. festgesetzten Anzahl von meist 10 bis 25 Exemplaren hergestellter und dem Verfasser zum persönlichen Gebrauch zustehender Abdruck e. Zss.-Artikels oder e. Beitrags zu e. Sammelwerk, von dem auch auf Wunsch und Kosten des Verfassers weitere Einzelabdrucke angefertigt werden können.

Sonett (ital. *sonetto* = Tönchen, kleiner Tonsatz, v. *sonare* = tönen), die bekannteste, wichtigste und am weitesten verbreitete der aus dem Ital. stammenden Gedichtformen, von strengem Aufbau (ähnlich der Meistersangstrophe), bestehend aus 14 meist elfsilbigen Zeilen (ital. Endecasillabi, dt. fünffüßige Jamben, doch auch viele andere Versarten), die in zwei deutlich abgesetzte Teile zerfallen: der erste (›Aufgesang‹) besteht aus zwei vierzeiligen ›Quartetten‹ (Quartinen, Quatrains) mit nur zwei Reimen in umschlingender Stellung: abba abba, der zweite (›Abgesang‹) aus zwei dreizeiligen ›Terzetten‹ oder ›Terzinen‹, die urspr. ebenfalls nur zwei Reime in der Stellung cdc dcd zulassen, doch schon früh vielfach variieren; cdc cdc; cdd cdc, seit 14. Jh. selbst drei Reime zulassen: cde cde; ccd eed; cde edc; cde dce; cde ced, nur in franz und dt. Dichtung findet sich die Verwendung von vier Reimen auch in den Quartetten: abba cddc efg efg. Abarten sind zahlreich, so das ›engl. S.‹ aus drei in sich kreuzweise reimenden Quartetten mit abschließend zusammenfassendem Reimpaar: abab cdcd efef gg, und das sonetto intrecciato des Italieners B. BALDI, in dem die drei Anfangssilben der einzelnen Verszeilen untereinander und mit dem Versende reimen; ebenso zahlreiche Erweiterungen, wie das geschwänzte oder Schweif-S. (sonetto colla→coda, caudato oder ritornellato) mit Anhängung von e. einzelnen, auf den Schlußvers des letzten Terzetts reimenden Elfsilber, e. miteinander auf neuen Reim ausgehenden Elfsilberpaar oder seit dem 14. Jh. einem bzw. seit dem 16. Jh. beliebig vielen Terzetten aus e. auf den letzten Vers reimenden Siebensilber mit e. anschließenden, miteinander neu reimenden Elfsilberpaar (dt. z. B. bei A. W. SCHLEGEL), schließlich das sonetto doppio oder rinterzato, das nach jedem ungeraden Vers der Quartette und jedem geraden der Terzette e. Siebensilber einschiebt. G. M. HOPKINS entwickelte das →curtal sonnet. In neuerer Zeit entsteht aus dem Streben nach zyklischer Reihung der urspr. als einstrophige Einzelform gedachten S.e, wie sie schon bei PETRARCA keimhaft vorhanden und bei SHAKESPEARE, SIDNEY, GRYPHIUS, RÜCKERT, PLATEN, E. BARRETT-BROWNING, G. BRITTING und RILKE als Sonettzyklus vorliegt, die strenge Form des ›S.enkranzes‹ aus 15 S.en, von denen das 2. bis 14. jeweils die Schlußzeile des vorigen als Anfangszeile wiederholen und die Anfangszeile des 1. die Schlußzeile des 14. bildet; das abschließende 15. oder ›Meister-S.‹ vereinigt alle 14 Anfangszeilen in der Reihenfolge des Vorkommens (z.B. bei WEINHEBER). Durch die ihm eigene Struktur, die klare Symmetrie der Einzelteile und den tektonischen Aufbau ist die Ausdrucksform des S. im Grundzug festgelegt, und nur weniger tektonische Epochen wie das 16./17. Jh. und der Symbolismus gleichen den inneren Aufbau nur schwach der strophisch-metrischen Gliederung an; die schwebende Empfindung wird durch die Formprägung zum entscheidenden Gedanken geläutert, e. klarer Bauwille weist jedem Teil seine Funktion für das Ganze zu: die Quartette dienen der Exposition in der Aufzählung von Gleichartigem oder Darstellung der Gegensätze, die in den Terzetten zu reinem Ebenmaß vereinigt, konzentriert und zum mächtig entscheidenden Schlußausklang geführt werden. Dabei reicht die Variation des Zwiespaltes von der intellektuellen Epigrammatik der Pointe bis zur Summe der persönlichen Tragik, Leidenschaft und Sehnsucht, deren treibende Bewegung in der formalen Gebundenheit aufgefangen, gebändigt, geläutert und vergeistigt wird. Der Ursprung des S. liegt z.T. im Dunkeln; man vermutet provenzal., selbst arabische Einflüsse, doch ist es wohl im 13. Jh. in Sizilien aus Verbindung e. →Strambottos von acht mit e. von sechs Versen entstanden. Als Erfinder gilt PETRUS DE VINEA, der Kanzler FRIEDRICHS II., und schon im 13. Jh. wurde es wohl von provenzal. schreibenden Italienern nachgebildet. Seine eigentliche lit. Wirksamkeit beginnt in Italien mit den ersten Meistern des S., DANTE *(Vita nuova)* und PETRARCA (*Canzoniere,* 327 Laura-S.e). Mit der Verbreitung des Petrarkismus entsteht in Italien e. Vielzahl von S.en, u.a. von MICHELANGELO, Vittoria COLONNA, Gaspara STAMPA; in Spanien folgen BOSCÁN, GARCILASO DE LA VEGA, MENDOZA und Lope de VEGA (in Dramen), in Portugal CAMÕES *(Rimas),* in Frankreich eingeführt im 16. Jh. durch C. MAROT und die Pléjade, ferner L. LABÉ, VOITURE, BENSERADE, DESBARREAUX, GAUTIER, BAUDELAIRE, HEREDIA, VALÉRY, MALLARMÉ, RIMBAUD u.a., in England durch WYATT, als ›engl. S.‹ bei SURREY, SIDNEY *(Astrophel and Stella),* DRAYTON, SPENSER *(Amoretti),* SHAKESPEARE in hoher Kunstform, später als ital. S. bei MILTON, WORDSWORTH, KEATS, E. BARRETT-BROWNING *(Sonnets from the Portuguese),* D. G. ROSSETTI *(The house of life),* W. H. AUDEN, D. THOMAS u.a. In Dtl. erscheint es zuerst bei FISCHART, SCHEDE und WECKHERLIN und wird durch OPITZ als Alexandriner-S. nach franz. Vorbild lit. Modeform des 17. Jh., der sich auch FLEMING und bes. GRYPHIUS anschließen, doch in sehr freier und dem Formalen durch beliebige Veränderungen in Reimstellung und Versmaß nicht gerecht werdender Gestalt zum Ausdruck eigener Ekstase, und, wo ihm nicht ein großer religiöser (GRYPHIUS) oder patriotischer (FLEMING) Inhalt gegeben wird, zum spielerischen ›Klinggedicht‹ herabgesunken. In der Aufklärung gerät es daher in Mißkredit und Vergessenheit; erst die Anakreontiker und BÜRGER holen die Form wieder hervor, auch GOETHE bedient sich nach langer Ablehnung und zur Entrüstung von J. H. VOSS der strengen Form bes. 1807/08, in der Romantik folgen, streng nach dem ital. Vorbild, in fünffüßigen Jamben mit weiblichem Ausgang, A. W. SCHLEGEL (*D. S.* u. a.), der auch die Formtheorie erörtert, RÜKKERT, PLATEN *(S.e aus Venedig)*, W. v. HUMBOLDT, EICHENDORFF, UHLAND, CHAMISSO, KÖRNER, HEINE, LENAU, späterhin GRILLPARZER, HEBBEL, MÖRIKE, KELLER, GEIBEL, HERWEGH, ZEDLITZ, GRÜN, HAMERLING, STRACHWITZ, LEUTHOLD, P. HEYSE, J. BURCKHARDT, im 20. Jh. Stefan GEORGE, RILKE *(S.e an Orpheus)*, HEYM, WERFEL, DÄUBLER, R. A. SCHRÖDER, SCHAUKAL, TRAKL, WEINHEBER, R. SCHNEIDER, HAGELSTANGE, A. HAUSHOFER *(Moabiter S.e)*, R. BECHER u. a.

H. Welti, Gesch. d. S. i. d. dt. Dichtg., 1884; K. Lentzner, Üb. d. S. i. d. engl. Dichtg., 1886; D. Ferrari, *La storia del S. ital.*, 1887; L. Biadene, *Morfologia del s. nei secoli XIII e XIV*, 1895; H. Vaganay, *Le s. en Italie et en France au 16e siècle*, Lyon 1903, n. N. Y. 1961; A. Foresti, *Nuove osservazioni intorno all' origine e alle varietà metriche del s. nei secoli XIII e XIV*, 1895; T. Fröberg, Beitr. z. Gesch. u. Charakteristik d. dt. S. i. 19. Jh., 1904; T. W. H. Crosland, *The Engl. S.*, 1917; A. Schaeffer, Üb. d. S. (in: Dichter u. Dichtg., 1923); W. F. Schirmer, D. S. i. d. engl. Lit. (Anglia 49, 1925); G. L. Sterner, *The s. in Amer. lit.*, 1930; H. Mitlacher, Moderne S.gestaltg., 1932; E. Hamer, *The Engl. s.*, 1936; L. C. John, *The Elisabethan s.sequences*, 1938, [2]1964; RL; G. Wilker-Huersch, Gehalt u. Form i. dt. S., Diss. Bonn 1952; W. Mönch, D. S., 1955; J. R. Becher, Philos. d. S. (Sinn u. Form 8, 1956); E. C. Wittlinger, D. Satzführg. i. dt. S., Diss. Tüb. 1956; J. W. Lever, *The Elisabethan love s.*, Lond. [2]1966; D. dt. S., hg. J.-U. Fechner 1969; H.-J. Schlütter, Goethes S.e, 1969; T. Ziolkowski, Form als Protest (Exil u. inn. Emigration, hg. R. Grimm, J. Hermand 1972); J. Fuller, *The s.*, Lond. 1972; J. Leighton, Dt. S.-theorie i. 17. Jh. (Europ. Tradition u. dt. Lit.barock, hg. G. Hoffmeister 1973); ders., D. barocke S. als Gelegenheitsged. (Dokumente d. internat. Arbeitskreises f. dt. Barocklit. 3, 1977); F. Kimmich, *S.s before Opitz* (*German quarterly* 49, 1976); W. E. Yates, *On s.s on s.s* (*German Life and Letters* 30, 1976/77); M. Szyrocki, D. dt. Barock-s. (*Kwartalnik neofil.* 23, 1976); H. J. Schlütter u. a., D. S., 1979. →Metrik

Sonettenkranz →Sonett

Sonettzyklus →Sonett

Song (engl. = Lied), allg. Gesang, Lied, bes. Schlager oder →Chanson politischen, aktuellen oder tendenziösen Inhalts, z. B. in B. BRECHTS *Dreigroschenoper* (1928), als balladeske, halb parodist. →Moritat oder polit. →Protestsong.

H. Kuhnert, Z. Rolle d. S. i. Werk v. B. Brecht, (Neue dt. Lit. 11. 1963); R.-U. Kaiser, D. S.-Buch 1968; Lechzend nach Tyrannenblut, hg. H. D. Zimmermann 1972.

Sophisma (griech. =) Trugschluß durch falschen Syllogismus, dann allg. jede Schlußfolgerung, die einen verkappten Denkfehler enthält und dadurch zu überraschenden und verblüffenden Resultaten kommt. In der ma. Scholastik begründeten die S. als dialektische Übungsaufgabe eine eigenständige Literaturgattung.

M. Grabmann, D. S.-lit. d. 12. u. 13. Jh., 1940.

Sortes (lat. *sors* = Los), Form der religiösen Spruchdichtung der Römer: Losorakel, auf Stäbchen geschriebene weissagende Sprüche, meist Gemeinplätze in formelhafter Prosa, anapästischen Hexametern oder trochäischen Septenaren, die von e. Knaben gemischt und gezogen wurden.

F. Ritschl, D. lat. s. (Opusc. 4, 1878).

Sortiment →Buchhandel

Sotadeus, nach dem griech. Dichter SOTADES von Maroneia (3. Jh. v. Chr.) benannter, von ihm erfundener Vers: katalektischer Tetrameter des →Ionikus a maiore: ——◡◡|

——◡◡| ——◡◡—⏓, auch mit Ersatz des 1.–3. Metrums durch e. Ditrochäus; der Vers galt wegen seiner aufgelösten Rhythmen als weichlich; von den griech. →Kinädendichtern, lat. bei ENNIUS, ACCIUS und VARRO, gelegentl. auch bei PETRONIUS und MARTIAL verwendet.

Sotternie, nach der franz. →Sottie Bz. für die holländ. →Kluchten, die jedoch im Ggs. zur Sottie nicht vor, sondern nach dem Schauspiel aufgeführt wurden.

Sottie (franz. *sotie* v. *sot* = Narr), nach der Hauptfigur des Narren benanntes satir.-possenhaftes franz. Bühnenstück in Versen (Achtsilber mit Paarreim) aus der zweiten Hälfte des 15. und bes. dem 16. Jh., ähnlich dem dt. Fastnachtsspiel in volkstüml. Umgangssprache mit Anspielungen, Wortspielen, Derbheiten und Mißverständnissen als Vorspiel (Parade) politisch-satirischen Inhalts vor eine größere Aufführung (Moralität, Mysterienspiel), meist ohne Handlung und im Ggs. zur Farce nur getragen von den Narrenrollen (prince des sots, mère des sots) im zweifarbigen Narrenkostüm, die auch bei Liebhaberaufführungen der →Basoche meist e. Berufsschauspieler übertragen wurden. Die wichtigsten der rd. 20 erhaltenen S.s stammen von Pierre GRINGOIRE, André de la VIGNE und Jean BOUCHET, meist gegen den Papst gerichtet. Als ausländische Nachbildungen entstehen die holländ. →›sotternie‹ und die engl. ›sotelty‹. Die Wiederverwendung der Bz. auf Werke A. GIDES *(Le Prométhée mal enchaîné)* bezeichnet deren satir. Charakter.

L. C. Porter, *La farce et la s.* (Zs. f. roman. Philol. 75, 1959); B. Goth, Unters. z. Gattungsgesch. d. S., 1967.

Soubrette (franz. =) komisches weibliches Rollenfach in Komödie, Oper und Operette, durch Kühnheit des Charakters und Intrigengeist die Handlung ins Rollen bringend, z. B. die spitzbübische Zofe bei MOLIÈRE, MARIVAUX, BEAUMARCHAIS.

Souffleur (franz. = Einflüsterer), Einhelfer, meist wegen der höheren Stimme weibliche ›Souffleuse‹, die beim Theater meist in der Mitte des vorderen Bühnenrandes im S.-kasten sitzt und durch leises Vorsprechen der Rollen nach e. Textbuch die Schauspieler vor dem Steckenbleiben (›Hänger‹) bewahrt.

Soulas, Lieder heiteren Inhalts in der provenzal. Dichtung.

Soziale Dichtung, im Ggs. zur →Arbeiterdichtung schlechthin jede Dichtung, die vom Erlebnis der sozialen Spannungen ausgeht und gesellschaftskritisch zu ihnen Stellung nimmt in kämpferischem Angriff gegen die Oberschicht, mitleidsvoll von oben herab auf die Geschicke der sozial Unterdrückten, Entrechteten und Verachteten blickend oder in Verbindung beider Haltungen. Ihre Gestaltungsmöglichkeiten umfassen alle Gattungen und Grundeinstellungen (komisch, tragisch, satirisch, ironisch, elegisch, pathetisch usw.); Einstellungsformen und Probleme wandeln sich mit den sozialen Verhältnissen der verschiedenen Epochen. Die Dichtung um die sozial Entrechteten und Mißachteten, die Verfemten und Dirnen reicht vom ägyptischen *Maneroslied* und dem chines. LI T'AI-PO über die ma. Dichtung der Fahrenden (Mimen und Vaganten, Spielleute und Goliarden), bes. ausgeprägt dt. beim ARCHIPOETA, franz. bei François VILLON (15. Jh.), den Neidhart- und Landsknechtsliedern und dem Bänkelsang und über die zahlreichen Pseudo-Moritaten von dem durch einen Vornehmen verführten einfachen Mädchen bei GLEIM, LÖWEN, HAHN, BÜRGER *(Des Pfarrers Tochter von Taubenhain)*, die Volks- und Kunstballaden (SCHILLERS *Kindermörderin*, GOETHES *Vor Gericht*) bis zu den modernen bei O. WILDE (*Ballad of Reading Gaol*, 1898) und den Bänkelsängerballaden der WEDEKIND, E. KÄSTNER und B. BRECHT. Dieser weitverbreiteten Form der s. D., die in allen Litt. teils ironisch, teils in erbittert satirischem Ton die Verständnislosigkeit der sozialen Vorurteile gegen menschliche Schwächen und Unzulänglichkeiten anprangert, stellt sich als zweite Form die s. D. gegenüber, die bewußt in die Klassenkämpfe zwischen Arm und Reich, Unterdrückten und Unterdrückern eingreift. Auch sie hat zahlreiche Vorformen in der Dichtung, die sich gegen die Standesschranken von Bürgertum und Adel richtet: im MA. der *Meier Helmbrecht*, die Dichtung der Bauernkriege, der realistische Barockroman (SCARRONS *Roman comique*, 1651 bis 1657), in der Aufklärung, dem →bürgerlichen Trauerspiel und den Dramen des Sturm und Drang (LENZ, *Soldaten*, H. L. WAGNER, GOETHE). Ihre eigentliche Ausbildung erhält die s. D. nach starken Anregungen durch die Franz. Revolution erst im 19. Jh. mit dem Aufkommen des 4. Standes der Proletarier, im Zuge der Entwicklung von Wirtschaft und Industrie. Die standesethischen Probleme treten dabei vor dem rein äußerlichen wirtschaftlichen Problem als Grundfragen der Existenz zurück, und e. bitterernster, anklagender und kämpferisch harter Ton herrscht vor, obwohl noch nicht die Arbeiter selbst, sondern einsichtige Kreise des Bürgertums Träger dieser Dichtung sind. In Frankreich geht die revolutionäre Lyrik BÉRANGERS voran; es folgt das soziale Lied bei VERLAINE *(Charleroi)*, in England bei Th. HOOD (*Song of the Shirt*, 1849), in Dtl. HEINE *(Wanderratten)*, HERWEGH und FREILIGRATH und die Romane von E. WILLKOMM und R. PRUTZ. Nach dem Ausbleiben e. Lösung und der Verschärfung der Gegensätze gegen Ende des Jh. wird der Ton aggressiver und z. T. revolutionär gegenüber der bisherigen Gesellschaftsordnung und dem sie stützenden Staat, so bes. im Naturalismus: IBSENS Gesellschaftsdramen, G. HAUPTMANNS soziales Mitgefühl, die Lyrik der Anklage und des Mitleids bei A. HOLZ, HENCKELL, HART, DEHMEL, WILDGANS, J. H. MACKAY, die Romane des späteren SPIELHAGEN und M. KRETZERS wie überhaupt der →Zeit- und →Gesellschaftsroman nach Vorbild von ZOLAS roman expérimental, in Rußland GOGOL' und GORKIJ. Stets ist der politische Sozialismus dieser ›Armeleutepoesie‹ getragen von dem Willen zur Änderung der Zustände in e. menschenwürdigeres Dasein, das – so glaubt man – den Menschen selbst ändern würde. Erst in der weiteren Entwicklung differenziert sich die Fragestellung; es entsteht die →Arbeiterdichtung im engeren Sinne. Die s. D. des Expressionismus ist stark politisch ausgerichtet, betont jedoch auch die religiös-ideellen Seiten und wirkt einerseits durch ihr ekstatisches Menschheitspathos, das neben der sozialen Anklage allerdings utopische Forderungen aufleuchten läßt, so in der Lyrik bei HEYM und STADLER, im Drama bei E. TOLLER, G. KAISER, F. v. UNRUH, andererseits im sog. Aktivismus durch den Appell an die Vernunft, Gerechtigkeit, Güte und Menschenliebe, die sie jedoch selbst nicht ausübt, sondern deren Fehlen sie ironisch und satirisch in bitterster Weise verspottet (H. MANN, K. STERNHEIM, B. BRECHT). Nach starkem soz. Engagement der Lit. der →Neuen Sachlichkeit und dem Pseudo-Sozialismus der NS-Zeit stellt sich die Gegenwartslit. mit verfeinerten Verfahren und feinerem Sensorium den neuen soz. Problemen, soweit sie sie nicht nur zur polit. Agitation benutzt. In England erreichen sozialer Roman und soziales Drama ihren Höhepunkt bei SHAW und GALSWORTHY; in Rußland entwickelt sich in der Gegenwart e. soziale Lehrdramatik im Sinne des →sozialistischen Realismus. →Politische und →Großstadtdichtung.

A. Ehrhardt, *Le roman social,* 1905; B. Manns, D. Proletariat u. d. Arbeiterfrage i. dt. Drama, Diss. Berl. 1913; J. Dresch, *Le roman social en Allemagne,* 1913; B. Diebold, Anarchie i. Drama, 1921; K. Stockmeyer, Soz. Probleme i. Drama d. Sturm u. Drang, 1922; S. Liptzin, *Lyric Pioneers of modern Germany,* N. Y. 1928; RL; H. Lehmann, D. soz. Gedanke i. d. dt. Dichtg., 1928; J. Hundt, D. Proletariat u. d. soz. Frage i. Spiegel d. naturalist. Dichtg., Diss. Bln. 1933; W. Paulsen, Expressionismus u. Aktivismus, 1934; M. L. Cazamian, *Le Roman social en Angleterre,* 1935; E. Dosenheimer, D. dt. soz. Drama v. Lessing bis Sternheim, [2]1967; P. P. Sagave, *Recherches sur le roman social en Allemagne,* Aix 1960; R. Williams, *Culture and society* 1780–1950, Lond. 1960; E. Edler, E. Dronke u. d. Anfge, d. dt. soz. R., Euph. 56, 1962; R. H. Walker, *The Poet and the Gilded Age,* Phil. 1962; F. García Pavón, *El teatro social en España,* Madrid 1962; C. W. Ghurye, *The movement toward a new soc. and polit. consciousness in postwar German prose,* Bern 1971; K. Gafert, D. soz. Frage i. Lit. u. Kunst d. 19. Jh., 1973; H. Kals, D. soz. Frage i. d. Romantik, 1974; Naturalismus, hg. H. Scheuer 1974; E. McInnes, *German social drama,* Stgt. 1976; E. Edler, D. Aufge. d. soz. Romans u. d. soz. Nov. i. Dtl., 1977; D. engl. soz. Roman i. 19. Jh., hg. K. Gross 1977.

Sozialistischer Realismus, die einheitl. Literaturtheorie der sozialistisch-kommunistischen Länder, die seit ihrer Proklamation durch M. GORKIJ und deren Annahme auf dem 1. Sowjet. Schriftstellerkongreß 1934 zur maßgeblichen und obligatorischen Doktrin für das lit. Schaffen dieser Länder geworden ist. In der russ. Lit. löst der s. R. den ›kritischen Realismus‹ in der sozialen Dichtung des 19. Jh. ab, da durch die neue Sozialordnung der Kritik an bestehenden Zuständen keine Angriffsfläche mehr geboten sei. Die offizielle Definition des Kongresses ist vage genug, um e. Vielzahl von Interpreationen und wechselnden Kommentierungen bis zur Gegenwart Raum zu lassen ›Der s. R. als die Grundmethode der sowjetischen Literatur und Literaturkritik fordert vom Künstler e. wahrheitsgetreue, historisch-konkrete Darstellung der Wirklichkeit in ihrer revolutionären Entwicklung‹, d. h. unter dem Blickwinkel ihrer Veränderlichkeit durch das Weltbild des Kommunismus. (Ein zweiter Satz, der dem s. R. die Aufgabe der ideologischen Umerziehung übertrug, wurde 1954 wieder gestrichen.) Die wesentlichen Forderungen sind: 1. Lebensechtheit (Wirklichkeit) und Vereinfachung bis zur bewußten Banalität im Interesse breiter Wirkung, daher Vermeidung von Experimenten, Individualismus, religiösem Mystizismus, sexueller Themen und bes. jeden →Formalismus (→Narodnost). – 2. Darstellung des sozialen Kampfes um den Fortschritt und Beinhaltung sozialer Ideen (→Idejnost) in jeder gewählten, auch historischen Zeit sowie Übereinstimmung mit der Weltanschauung des Kommunismus, Parteilichkeit (→Partijnost), also bewußte →Tendenz und Einschränkung in der Themenwahl. – 3. Gehalt an sozialem Optimismus und Hoffnung auf e. bessere Zukunft (→Perspektive, 3). – 4. der →positive Held und die Darstellung des sog. ›Typischen‹, womit nicht das Bezeichnende der Wirklichkeit, sondern die nachahmenswerte, im

Sinne des Marxismus-Leninismus idealisierte Ausnahmeerscheinung, ›wie sie sein soll‹, gemeint ist, auch wenn diese völlig untypisch ist. – Die Gefahren des s. R., die z. T. von seinen Trägern selbst bekannt werden, liegen im Schematismus, der Eintönigkeit der Lit. durch Ausschaltung aller anderen Richtungen und Techniken, der Konfliktlosigkeit im Drama, in stereotyper Schwarz-Weiß-Zeichnung. Neigung zur ideologischen Sentimentalität und reportagehaft oberflächlicher, photographischer Wirklichkeitswiedergabe. ›Diese russ. Kunsttheorie behauptet nicht mehr und nicht weniger, als daß alles, was in uns, im abendländ. Menschen, an Innenleben vorhanden ist, also unsere Krisen, Tragödien, unsere Spaltung, unsere Reize und unser Genuß, das sei rein kapitalistische Verfallserscheinung, kapitalistischer Trick.‹ (G. BENN).

R. Reavey, *Soviet lit. today*, New Haven 1947; L. I. Timofejew, Üb. d. s. R. 1953; H. Fast, *The naked God*, N. Y. 1957; J. Rühle, D. gefesselte Theater, 1957; G. Struve, Gesch. d. Sowjetlit., 21958; J. Rudolph, Probleme d. Realismus in uns. Lit., 1958; G. Lukács, Wider d. mißverstandenen Realismus, 1958; P. Demetz, Marx, Engels u. d. Dichter, 1959; Z. Folejewski, *Socialist realism in Western lit. criticism* (*Comparative Lit.*, Chapel Hill 1959); G. Rost, H. Schulze, D. s. R., Bibliogr. 1960; J. Rühle, Lit. u. Revolution, 1960; J. Chiari, *Realism and Imagination*, Lond. 1960; A. Tertz, *On s. r.*, 1961; H. Ermolaev, *Soviet literary theories 1917–1934*, Berkeley 1963; L. v. Balluseck, Dichter i. Dienst, 21963; G. Lukács, S. R. heute (Neue Rundschau 75, 1964); W. Iwanow, D. s. R., 1965; E. Pracht, S. R. u. ästhet. Maßstäbe (Dt. Zs. f. Philos. 14, 1966); ders. Zu aktuellen Grundfragen d. s. R. i. d. DDR (Neue dt. Lit. 14, 1966); G. Mehnert, Aktuelle Probleme d. s. R., 1968; S. R. i. Dtl., hg. E. Schubbe 1968; Marxismus u. Lit., hg. F. J. Raddatz III 1969; Probleme d. s. R. (Weimarer Beitrag. 15, 1969); E. Pracht, Aktuelle Aufgaben d. Theorie d. s. R. (Zs. f. Slawistik 14, 1969); S. R., hg. E. Pracht, W. Neubert 1970; H. Koch, Stichworte z. s. R. (Weimarer Beitr. 16, 1970); E. Simons, Üb. d. s. R. (ebda.); E. Pracht, S. R. als künstler. Methode (ebda. 17, 1971); F. Rothe, S. R. i. d. DDR-Lit. (Poesie u. Politik, hg. W. Kuttenkeuler 1973); R.-D. Kluge, V. krit. z. s. R., 1973; E. Pracht, Abbild u. Methode, 1974; D. Fortschritt i. d. Kunst u. d. s. R., hg. K. Jarmatz, I. Beyer 1974; Z. Theorie d. s. R., hg. H. Koch 1974; S. R'konzeptionen, hg. H.-J. Schmitt u. a. 1974; E. Pracht u. a., Einf. i. d. s. R., 1975; Realismustheorien, hg. R. Grimm, J. Hermand 1975; W. Neubert, Realer Sozialismus – s. R. (Ansichten, hg. K. Walther 1976); E. Mozejko, D. s. R. 1977.

Spaltvers, Versspielerei, bei der die jeweils ersten Teile der Zeilen e. Gedichts und deren jeweils letzte Teile, untereinander gelesen, ein in sich schlüssiges Ganzes oft gegenteiligen Sinnes ergeben. Beispiele bei Jean MOLINET, VOLTAIRE, TIRSO DE MOLINA, dt. bei ZESEN und MENANTES.

A. Liede, Dichtg. als Spiel II, 1963.

Spannung als dichterisches Kunstmittel soll das Interesse des Lesers oder Hörers am Stoff erregen und wacherhalten. Sie wird, wo sie nicht von vornherein dem Stoff anhaftet, durch Vordeutungen (Ahnungen, Träume, Weissagungen, Flüche u. ä.) verstärkt oder durch e. bes. Mißverhältnis zwischen Sein und Schein (Komik, tragische Ironie) in der Schwebe gehalten; ihr dient auch z. T. die kunstvolle Technik der →Kapitel- und →Aktschlüsse, die ungelöste Fragen aufwerfen und ihre Beantwortung hinausschieben. In der Dichtung dient die S. jedoch lediglich als Mittel; zum Selbstzweck wird sie in der Schundlit.

K. Bühler, D. ästhet. Bedeutg. d. S. (Zs. f. Ästh. 3, 1908); E. Staiger, Grundbegriffe d. Poetik, 81968; J. G. Bomhoff, Üb. S. i. d. Lit. (Dichter u. Leser, hg. F. van Ingen 1972).

Speculum →Spiegel

Spektakelstück (lat. *spectaculum* = Schauspiel), ältere Bz. für →Ausstattungsstück oder für die →Ritterdramen.

Spell oder spel, german., ahd. und mhd. Bz. für e. dichterische Erzählung, Sage oder Fabel, die das Lehrhafte, Stoffliche in den Vordergrund stellt, so beim →Zauberspruch der vorangehende Teil, der als Mythos berichtet, wie die angerufenen übernatürlichen Mächte oder Dämonen schon einmal die Heilswirkung erreicht, die Krankheit oder das Übel ausgetrieben haben, und an den sich die eigentliche Zauberformel anschließt. Das Wort lebt mhd. in →Bispel fort.

Spenserstanza (engl. *Spenserian Stanza*), Abart der →Stanze unter Nachbildung der franz. Balladenstrophe, bestehend aus acht fünftaktigen Versen (jambische Pentameter) mit dem Reimschema abab bcbc und anschließendem Sechstakter mit dem Reim c als stark betontem Abschluß. Männliche und weibliche Reime sind möglich. Die S. kam mit E. SPENSERS *Fairie Queene* (1590) in England auf und wurde von J. THOMSON *(Castle of Indolence)*, BURNS, BYRON *(Childe Harold)*, KEATS *(Eve of St. Agnes)* und SHELLEY *(Adonais)* vielfach übernommen, in Dtl. dagegen nur in Übersetzungen.

H. Reschke, D. S. i. 19. Jh., 1918. →Metrik.

Sperrung →Hyperbaton

Sphragis (griech. = Siegel), autobiographische Vorstellung des Dichters am Schluß e. Gedichtslg. mit Angabe von Namen, Heimat und evtl. Entstehungsanlaß der Gedichte, wie sie in griech. Lit. bei verschiedenen Liedgattungen von alters her Brauch war und z. T. auch in röm. Lit. Eingang fand, so bei VERGIL am Schluß der *Georgica*, HORAZ *Carmen* III, 30, PROPERZ I, 22.

Spiegel, im MA. Bz. für verschiedene lit. Kompositionen und Kompilationen juristischer *(Sachsen-S., Schwaben-S.)* oder theologischer Art *(Speculum humanae salvationis)*, auch im 16. Jh. als lat. ›Speculum‹ (= S.) beliebte Form des lit. Panoramas mit guckkastenartigen Einzelszenen ohne feste Komposition und Verbindung, die teils auf Harmonie, Analogie, teils auf Kontrast beruht, so *Speculum vitae humanae* von FERDINAND II. von Tirol, *Speculum mundi* von RINGWALT, auch für lehrhafte Dichtungen wie →Fürsten-S., Ritter-S. (BOPPE) u. ä.

Spiel, 1. nach der Tätigkeit des Schauspielers deren Ergebnis: Schauspiel, Lust-, Trauer-, Sing-, Passionsspiel usw. – 2. artistisches S. als Grundbegriff der kunstschöpferischen Tätigkeit, beruhend auf der ästhet. Autonomie der Kunst; Begriff bei SCHILLER, NOVALIS, HEINE, SARTRE u. a., erweitert zum Element des rein Spielerischen im S. mit Sprache, Form, Bild usw. in der Nonsense-Dichtung.

A. Liede, Dichtg. als Spiel, II 1963; I. Kowatzki, D. Begriff d. S. als ästhet. Phänomen, 1973.

Spiel im Spiel, in e. Bühnenstück eingefügte und ihm als Teil des Ganzen zugehörige Bühnenaufführung, Schachtelung des Bühnenraums zu verschiedensten Zwecken, z. B. bei SHAKESPEARE *(Hamlet, Sommernachtstraum)*, danach GRYPHIUS *(Peter Squentz)*, im span. Drama (Lope de VEGA), bei TIECK *(Der gestiefelte Kater)*, PIRANDELLO *(Sechs Personen suchen einen Autor)* u. a.

J. R. Nelson, *Play within a play*, New Haven 1958; J. H. Kokott, D. Theater auf d. Theater im Drama d. Neuzeit, Diss. Köln 1968; W. Pache, Pirandellos Urenkel (Sprachkunst 4, 1973); R. Grimm, *The play within a play in revolut. theatre* (Mosaic 9, 1975); M. Schmeling, D. S. i. S., 1977.

Spielleiter = Regisseur (→Regie)

Spielleute →Spielmannsdichtung,

→Vagant, →Goliarde, →Menestrel, →Minstrels, →Jongleur, →Skop.

Spielmannsdichtung. Der ›spileman‹, auch →Vagant, Fahrender, →Goliarde, in England →Minstrel, in Frankreich →Menestrel oder →Jongleur (Joculator) ist seit dem 9. und bes. im 12./13. Jh. Nachfolger des älteren und ehrwürdigen →Skop einerseits und des →Mimus, Gauklers, Possenreißers, Sängers und Musikers andererseits. Aus dem verachteten und wegen anfechtbaren Lebenswandels aus der religiösen und staatlichen Gemeinschaft ausgeschlossenen Stand entwickelt er sich später zum beliebten und gern gesehenen weltlichen Träger der zeitgenössischen Dichtung. Seine Bedeutung, häufig angezweifelt und abgelehnt, gehört zu den umstrittensten Problemen der ma. Literaturgeschichte, und man hat z. T. mit Recht die Ausschaltung des irreführenden Begriffs für Leute verschiedenster Art und Bildung (vom Gaukler-Akrobaten bis zum lit. gebildeten, Schrift und Fremdsprachen beherrschenden Dichter der Buchepen) gefordert (H. de BOOR). Anfangs nur Vortragender, Vermittler und Verbreiter fremder Stoffe, schreitet er später, als auch Geistliche, →Vaganten, Studenten und ritterliche Sänger sich aus Not zum Broterwerb ihm zugesellen, wohl auch zur eigenschöpferischen Tätigkeit fort, obwohl ihm gerade die Fähigkeit zur Abfassung von Buchdichtungen häufig abgesprochen wird. Seine Stoffe nimmt er aus dem Erbe der mündlich überlieferten Heldenlieder ebenso wie der franz. und spätantiken (griech. und lat.) Quellen und der zeitgenössischen Geschichte und formt sie in seinen bes. Stil um, der gekennzeichnet ist durch e. reichen Vorrat an Formeln und zugespitzten Wendungen für Eingänge, Überleitungen und Schlüsse, schlagwortartig stereotypen Kampfschilderungen und überhaupt typisierenden Wendungen für wiederkehrende Situationen und Motive, dazu bildhafte Knappheit und lebendiger Dialog, ungezügelte Phantasie mit fabelhaften Übertreibungen, Einführung märchenhafter Züge neben der ständig wiederkehrenden Beteuerung der reinen Wahrheit und selbst Erwähnung fingierter ›authentischer‹ Quellen, Anrufe an den Zuhörer, Lob der Freigebigen und Betonung der Wichtigkeit der Spielleute, ihrer Schlauheit und Gewandtheit. Seine Kunst ist, soweit sie bei vorausgesetzter Befähigung Eigenes hervorbringt, anfangs mündlich: e. kecke, bunte und wortgewandte Stegreifkunst, die mit dem Lied die Lage günstig zu treffen weiß und durch bes. Spielmannswitz, die mhd. →Ironie, das Interesse der Hörer erregt und wirkungsvoller Unterhaltung dient, doch fehlt es ihm gegenüber dem höfischen Epos an der Kultur und begrifflichen Feinheit der Sprache, gegenüber dem Heldenepos an Würde und Wucht. Neben Spruchdichtung, Anekdotischem u. a. lit. Kleinkunst pflegt man religiöse und didaktische Lyrik (→Gesangsspruch) und später im 12. Jh. die sog. Spielmannsepen: *König Rother, Herzog Ernst, Orendel, Salman und Morolf, Oswald,* evtl. auch *Dukus Horant.* Sie sind dem Heldenepos und dem höfischen Epos, dem sie teils voran, teils in anderen Volkskreisen nebenhergehen, formal wie inhaltlich weit unterlegen, knüpfen wohl an ältere Tradition an und verbinden die lockende Wunderwelt und Abenteuerfreudigkeit des in den Kreuzfahrten erschlossenen Orients mit verschiedensten schriftlichen und mündlichen Quellen sowie geschichtlichen

Motiven zu gefahrvoll-abenteuerlichen und listigen Brautfahrt-Epen, die sich deutlich durch die stellenweise Hohlheit der Form von den höfischen Epen wie durch die Frömmelei (Vorliebe für geistliche Motive und Heidenhetze) von der Geistlichendichtung unterscheiden.

H. Tardel, Unters. z. mhd. S., Diss. Rostock, 1894; A. Brandl, Spielmannsverhältnisse in frühmittelengl. Zeit (Berl. Sitzgs. ber. 41, 1910); P. Kluckhohn, Ministerialität u. Ritterdichtg. (Zs. f. dt. Altert. 52, 1910); H. J. Moser, D. Musikgenossenschaften i. dt. MA., 1910; E. Faral, *Les jongleurs en France au MA.*, 1910; P. v. Winterfeld, Dt. Dichter d. lat. MA., 1913; S. Reinicke, Üb. d. Träger d. sog. S., Diss. Ffm. 1923; H. Naumann, Versuch e. Einschränkg. d. romant. Begriffs Spielmann, DVJ 2, 1924; H. Brinkmann, D. Vaganten (Neophil. 9, 1925); RL; B. Spittler, Problemgeschichtl. z. Vorstellg. v. dicht. Spielmann, 1928; J. Klapper, D. soz. Stellg. d. Spielmanns (Zs. f. Volkskde. 1930); Th. Frings, D. Entstehg. d. dt. S.epen (Zs. f. dt. Geisteswiss. 2, 1939); H. Schneider, Heldendichtg., Geistlichendichtg., Ritterdichtg., [2]1943; P. Wareman, S., Amsterdam 1951; J. Bahr, D. Spielmann i. d. Lit.wiss. d. 19. Jh. (Zs. f. dt. Philol. 73, 1954); W. Thoss, Unters. z. Stil d. S., Diss. Mchn. 1954; W. J. Schröder, Spielmannsepik, [2]1967; M. Curschmann, Spielmannsepik, 1968; R. Bräuer, D. Probl. d. Spielmännischen, 1969; ders., Lit.soz. u. ep. Struktur d. dt. S.- u. Heldendichtg., 1970; S.epik, hg. W. J. Schröder 1977.

Spieloper, im Ggs. zum →Musikdrama mehr lyr. →Oper mit Nähe zum →Singspiel.

Spielplan, Zusammenstellung der im Laufe eines Jahres von e. Bühne gespielten oder zu spielenden Stücke (Neueinstudierungen der Klassiker, Wiederaufnahmen, Ur- und Erstaufführungen), wird bei den meisten größeren Bühnen zu Anfang jeder Spielzeit aufgestellt. S.-zusammenstellungen für einzelne Bühnen oder ganze Epochen geben wichtigen Aufschluß über Niveau und Profil derselben. Wochenweise Ankündigung des S. auf gedruckten →Theaterzetteln ersetzt im 19. Jh. die noch im 18. Jh. übliche Bekanntgabe der nächsten Vorstellung durch den Regisseur am Ende der Vorstellung. Vgl. →Repertoire.

RL.

Spionageroman →Agentenroman

Spirituals (engl., v. lat. *spiritualis* = geistlich), geistliche Volkslieder der Neger Amerikas, entstanden seit Ende des 18. Jh. aus alten engl. Hymnen und franz. Volksliedern mit Umgestaltung durch den Negerrhythmus.

N. White, *American Negro Folk Songs*, 1928; D. Buch d. S. u. Gospel Songs, hg. H. Lilje u. a. 1961; L. Zenetti, Peitsche u. Psalm, 1963; T. Lehmann, Negro S., 1965; Ch. Dixon, Wesen u. Wandel geistl. Volkslieder 1968.

Spondeiazon, die seltene, doch nicht völlig gemiedene Form des antiken →Hexameters, die nur aus →Spondeen besteht; meist jedoch Bz. für versus →spondiacus.

Spondeus (nach der Verwendung bei der *sponde,* griech. = Trankopfer u.a. feierlichen Zeremonien), vierzeiliger antiker Versfuß aus zwei Längen; ——, gilt als Daktylus oder Anapäst mit Zusammenziehung der Kürzen und kann unter gewissen Bedingungen für diese Füße eintreten (so z. B. in den ersten vier Füßen des →Hexameters, seltener im 5.: →Spondiacus), jedoch auch z. T. für Jamben und Trochäen verwendet. Seine Nachbildung in akzentuierender Dichtung bereitet Schwierigkeiten, sobald man den Quantitäten gerecht werden will, da selbst Worte mit zwei langen Silben (›Weltschmerz‹) durch die Betonung eher dem Trochäus (—́ ◡) ähneln. Andererseits versuchten Voss und seine Schule, den S. in antikisierenden Versen durch zwei gleichschwere Silben oder e. lange mit folgender betonter Silbe (— —́) wiederzugeben und in diesen ›falschen S.‹ Tonbeugung einzuführen (›Spondeenkrankheit‹, A. HEUSLER), um dem Betonungsschema halbwegs gerecht zu werden. Ihre Auffassung fand noch bei SCHILLER, A. W. SCHLEGEL und z. T. GOETHE Nachfolge.

A. Heusler, Dt. u. antiker Vers, 1917; F. Saran, D. Quantitätsregeln der Griech. u. Römer (Festschr. f. W. Streitberg, 1924); RL. →Metrik.

Spondiacus (lat. *versus s.* = spondeischer Vers), →Hexameter mit →Spondeus statt des regelmäßigen Daktylus im 5. Fuß, erhält dadurch den Charakter des Schwerfälligen, Verzögernden, doch zugleich des Feierlich-Getragenen, betont Heraushebenden und hemmt die schwebende Erwartung; bei HOMER selten (z. B. *Odyssee* 9, 366), mit bewußtem Kunsteffekt dagegen angewandt bei den Alexandrinern (KALLIMACHOS jeder 11., ARATOS jeder 6. Vers) und den röm. Neoterikern (CATULL, z. B. 64, 78–80), meist mit e. viersilbigen, aus lauter Längen bestehenden Wort.

Sportroman, Roman aus dem Sportlermilieu, der im günstigsten Fall auch das sportliche Geschehen zum Thema e. künstlerischen Aussage nimmt; wegen Aktualität und visuellem Reiz dieses Geschehens selten selbst in engl. Lit., z. B. bei G. B. SHAW (*Cashel Byron's profession,* 1885), B. MALAMUD (*The natural,* 1952), A. SILLITOE (*The lone-liness of the long-distance runner,* 1959), D. STOREY (*This sporting life,* 1960), B. GLANVILLE (*The rise of Gerry Logan,* 1964); in dt. Lit. bei K. EDSCHMID (*Sport um Gagaly,* 1928), F. TORBERG (*Die Mannschaft,* 1935), S. LENZ (*Brot und Spiele,* 1959), R. HAGELSTANGE (*Römisches Olympia,* 1961), U. JOHNSON (*Das dritte Buch über Achim,* 1961) u. a.

E. Brunnsteiner, Dichtg. u. Sport, 1965; E. Mornin, *Taking games seriously,* (*Germanic Review* 51, 1976).

Spottgedicht, als Gegenstück zum →Lobgedicht jede lyr. Form, die nicht rühmt, erhebt, sondern tadelt, rügt, demaskiert, sich über das Schlechte entrüstet und es der Verachtung, dem Spott preisgibt; histor. ausgeprägt bes. in →Jambendichtung, →Rügelied und →Sirventes, in der Volksdichtung als →Spottlied.

Spottlied, volkstüml. Lied zur Verspottung des Andersartigen, Schlechten, Gebrechen usw., insbes. an kollektive Gruppen (Nachbarorte, -stämme, -völker, andere Stände, Glaubensgemeinschaften usw.) gerichtet.

O. Böckel, Psychologie d. Volksdichtg., [2]1913; D. J. Ward (Hb. d. Volksliedes I, 1973).

Spottschrift →Satire, →Streitschrift, →Pasquill

Sprache, sei es als geistige Form der Welterfassung, eigenschöpferische geistige Kraft oder als bloßes zwischenmenschliches Verständigungsmittel zur Gedankenwiedergabe, bildet den eigentlichen Rohstoff der Dichtung, insofern sie Sprachkunst ist. Sprachforschung ist daher ebenso wichtig für die Erkenntnis von Wesen und geistigem Entwicklungsgang e. Volkes in der Sprachgeschichte wie für die Erfassung des Wortkunstwerks im einzelnen. Während der alltägliche Sprachgebrauch zur knappen und eindeutig klaren Übermittlung begrifflicher Aussagen dient, seine Entwicklung daher vom praktischen Nutzen bestimmt wird, beginnt die →Dichtung als Kunst dort, wo die sprachliche Erscheinung nicht mehr bloß als Gegenwert, Zeichen e. Begriffs gesetzt wird. Freilich arbeitet die Dichtung mit demselben Wort- und

Begriffsmaterial, allein ihr ist die S. nicht mehr nur Mittel, sondern zugleich Zweck: erst in der sinnlichen Wirkung des Wortes und seiner Verbindung von innerem und äußerem Sinn wird ihre S. fähig, den Gehalt wiederzugeben, nachzugestalten. In der Verbindung von gedanklichem Vorgang und dessen Aussage mit den ästhetisch-künstlerischen Werten der S. liegt ihre Ausdrucksform, die insofern gebundener ist an e. Vorhandenes als das Reich der Töne oder die abstrakte Kunst. Die S. wird Sprachkunst durch Aktivierung innerer Gefühlswerte der Worte und Laute, ihre Formung im Rhythmus, Reim, Assonanz, Alliteration usw. innerhalb des gedanklich gebundenen Rahmens; e. vom Sinngehalt abstrahierte, lediglich der wohltönenden Klangspielerei ergebene Wortkunst ist undenkbar, obwohl Ansätze dazu gemacht wurden. Jedoch Dichtung als Organ des menschlichen Selbst- und Weltverständnisses wird auch nicht dort zur Kunst, wo der begriffliche Gehalt abziehbar in e. ästhetische Form ›eingekleidet‹ wird, sondern entsteht aus dem unlösbaren Ineinander der begrifflichen und der gefühlsansprechenden, sinnlichen Werte der S., die tiefer als die abstrahierende Mitteilungsrede der Wissenschaft und Philosophie die Welt erfassen, weil in ihnen neben dem Geistigen das unmittelbar Sinnenfällige von innen heraus einwirkt und den Eindruck vertieft: Dichtung vereinigt die in der S. angelegten, in der Mitteilungsrede jedoch verblaßten Wirkungsmöglichkeiten der S. und erhält allein ihre Vollkraft. →Schriftsprache.

J. Grimm, Geschichte der dt. S., II ^{4}1880; K. Voßler, S. als Schöpfung u. Entwicklg., 1905; F. Mauthner, Beitr. z. e. Kritik d. S., III ^{3}1923; A. Marty, Untersuchgn. z. Grundlegg. d. allg. Grammatik u. Sprachwiss., 1908; L. Sütterlin, Werden u. Wesen d. S., 1913; H. Paul, Prinzipien d. S.gesch., ^{9}1974; H. Hatzfeld, Einführg. i. d. S.philos., 1921; J. Schrijnen, Einf. i. d. Stud. d. idg. Sprachwiss., 1921; E. Cassirer, D. S., 1923; F. N. Finck, D. S.stämme d. Erdkreises, ^{3}1923; ders., D. Haupttypen d. S.baus, ^{2}1923; O. Funke, D. innere S.form, 1924; K. Voßler, Geist u. Kultur i. d. S., 1925; O. Jespersen, D. S., 1925; H. Ammann, D. menschl. Rede, II 1925–28, n. 1962; W. Schmidt, D. S.familien u. S.kreise d. Erde, 1926; L. Weismantel, D. Geist d. S., 1927; W. Wundt, D. S. (Völkerpsychologie I u. II, ^{4}1928); O. Behaghel, Gesch. d. dt. S., ^{5}1928; H. Ammann, V. Urspr. d. S., 1929; E. Kiekkers, D. S.stämme d. Erde, 1931; K. Bühler, S.theorie, 1934; J. Stenzel, Philosophie d. S., ^{2}1964; E. Schwarz, D. Grundlagen d. nhd. Schriftsprache, 1936; C. K. Ogden u. I. A. Richards, *The meaning of meaning,* N. Y. 1936; W. M. Urban, *Language and Reality,* Lond. 1939; E. Fenz, Laut, Wort, S. u. ihre Deutg., 1940; F. Kainz, Psychologie d. S., V ^{2}1954 f., ^{3}1962 ff.; L. Lavelle, *La parole et l'écriture,* 1942; H. Lipps, D. Verbindlichkeit d. S., 1944; F. Strich, Dichtung u. S. (D. Dichter u. d. Zeit, 1947); H. Maeder, Versuch üb. d. Zus.hang v. S.gesch. u. Geistesgesch., 1945; H. Hatzfeld, *The language of the poet* (*Stud. Phil.* 43, 1946); G. Révész, Urspr. u. Vorgesch. d. S., 1946; H. Homeyer, V. d. S. zu den S.n, 1947; W. Jungandreas, Gesch. d. engl. u. dt. S., 1947 ff.; G. Storz, Umgang m. d. S., 1948; P. M. Black, *Language and Philosophy,* 1949; T. Frings, Antike u. Christentum a. d. Wiege d. dt. S., 1949; ders., Grundlegg. e. Gesch. d. dt. S., ^{2}1959; A. Gehlen, D. Mensch, 1950; L. Weisgerber, V. d. Kräften d. dt. S., IV ^{3}1962; ders., D. Menschheitsgesetz d. S., ^{2}1964; H. Seidler, S. u. S.kunst (Wissensch. u. Weltbild 3, 1950); J. v. Dam, Hdb. d. dt. S., Groningen 1950 f.; W. Schneider, Ehrfurcht vor d. dt. Wort, ^{4}1950; A. Drexel, System e. Philos. d. S., 1951 f.; E. Heintel, H. Moser, A. Schirokauer u. A. Langen im ›Aufriß‹, 1952; B. Snell, D. Aufbau d. S., ^{9}1961; M. Aschenbrenner, Gestalt u. Leben d. S., 1952; P. Stöcklein, S. u. Dichtg. (Fs. f. Preetorius, 1953); O. Ernst, Stand u. Aufgabe d. allg. S.wiss., ^{2}1965; M. A. Pei, *The World's chief languages,* ^{3}1961; H. H. Holz, S. u. Welt, 1953; W. Elton, *Aesthetics and language,* 1954; W. J. Entwistle, *Aspects of language,* Lond. 1954; H. Moser, Dt. S.gesch. ^{6}1968; H. Arens, S.wiss., ^{2}1968; L. Bloomfield, *Language,* ^{9}1967; F. Bodmer, D. S.n d. Welt, ^{3}1964; R. M. Tscherpel, D. Funktion d. S. i. d. dichter. Form, DVJ 29, 1955; O. Behaghel, D. dt. S., ^{14}1968; H. Güntert, A. Scherer, Grundfragen d. S.wiss. ^{2}1956; H. Strehle, V.

Geheimn. d. S., 1956; A. Bach, Gesch. d. dt. S., ^{8}1967; L. Mackensen, D. dt. S. uns. Zeit, ^{2}1970; B. F. Huppe u. J. Kaminsky, *Logic and language,* N. Y. 1956; T. Rutt, V. Wesen d. S., 1957; M. A. Pei, *The story of language,* ^{2}1966; W. Porzig, D. Wunder d. S., ^{5}1971; G. Storz, S. u. Dichtg., 1957; L. H. Gray, *Foundations of language,* N. Y. 1958; A. A. Hill, *Introduction to linguistic structures,* N. Y. 1958; K. Ammer, Einf. i. d. S.wiss., 1958; J. Perrot, *La linguistique,* ^{3}1959; D. S., hg. Bayr. Akad. d. Schönen Künste, 1959; R. Brown, *Words and things,* N. Y. 1959; B. Malmberg, *Nya vägar inom språkforskningen,* Stockh. 1959; K. Korn, S. i. d. verwalteten Welt, ^{2}1959; D. S., 1959; P. Hartmann, D. S. als Form, 'sGravenhage 1959; C. F. Hockett, *A Course of mod. linguistics,* N. Y. ^{3}1960; D. Diamond, *The hist. and origin of language,* Lond. ^{2}1960; C. Schick, *Il linguaggio,* Turin 1960; R. Jakobson u. M. Halle, Grundlagen d. S., 1960; E. H. Sturtevant, *An introduction to linguistic science,* New Haven ^{2}1960; H. Moser, Annalen d. dt. S., ^{4}1972; C. H. Borgstrøm, *Innforing i sprogvidenskap,* Oslo ^{2}1961; P. Hartmann, Z. Theorie d. Sprachwiss., Assen 1961; E. Sapir, D. S., 1961; H. F. Wendt, S.n, 1961; I. Weithase, Z. Gesch. d. gesprochenen dt. S., II 1961; L. Hjelmslev, *Prolegomena to a theory of language,* Madison ^{2}1961; A. Juret, *Les idées et les mots,* Paris 1961; G. Gerber, D. S. als Kunst, II ^{3}1961; B. Rosenkranz, D. Ursprung d. S., 1961; M. Girdansky, *The adventure of language,* N. Y. 1962; W. K. Brown u. S. P. Olmsted, *Language and lit.,* N. Y. ^{2}1962; E. Rossi, D. Entstehg. d. S. u. d. menschl. Geistes, 1962; M. Pei, *Voices of man,* N. Y. 1962; *The limits of language,* hg. W. Gibson, N. Y. 1962; H. Brinkmann, D. dt. S., ^{2}1969; I. Jordan, Einf. i. d. Gesch. u. d. Methoden d. roman. Sprachwiss., 1962; W. v. Wartburg, Einf. i. d. Problematik u. Methodik d. Sprachwiss., ^{3}1970; W. Nowottny, *The language poets use,* Lond. 1962; J. P. Hughes, *The science of language,* N. Y. 1962; M. Leroy, *Les gradus courants de la linguistique mod.,* Paris 1963; A. Martinet, Grundzüge d. allg. Sprachwiss., ^{2}1967; J. T. Waterman, *Perspectives in linguistics,* Chic. 1963; H. Eggers, Dt. S.gesch., IV 1963–77; O. Bastian, D. europ. S.n, 1964; G. Frey, S.-Ausdruck d. Bewußtseins, 1964; E. Lewy, D. Bau d. europ. S.n, ^{2}1964; B. Liebrucks, S. u. Bewußtsein, 1964 ff.; D. dt. S. i. 20. Jh., 1966; F. Tschirch, Gesch. d. dt. S., II 1966–68, ^{2}1970–75; H. Glinz, S.wiss. heute, 1967; H. Hörmann, Psychologie d. S., 1967; F. de Saussure, Grundfragen d. allg. S.wiss., ^{2}1967; F. P. Dinneen, *Introd. to general linguistics,* N. Y. 1967; D. Bolinger, *Aspects of language,* N. Y. 1968; *Le langage,* hg. A. Martinet, Paris 1968; L. Hjelmslev, D. S., 1968; J. J. Katz, Philos. d. S., 1969; W. P. Lehmann, Einf. i. d. hist. Linguistik, 1969; M. Wandruszka, S.n – vergleichbar u. unvergleichl., 1969; B. Sowinski, S'wiss., 1970; O. Szemerényi, Einf. i. d. vgl. S'wiss., 1970; G. Helbig, Gesch. d. neueren S'wiss., 1970, ^{2}1974; W. L. Chafe, *Meaning and structure of language,* Chic. 1970; P. Hartmann, Aufgaben u. Perspektiven d. Linguistik, 1970; E. Coseriu, Gesch. d. S'philos., II 1970–72; R. W. Langacker, S. u. ihre Struktur, 1971; M. Ivić, Wege d. S'wiss., 1971; R. Fowler, *The lang. of lit.,* Lond. 1971; R. H. Robins, *General linguistics,* Lond. ^{2}1971; J. Lyons, Einf. i. d. mod. Linguistik, 1971; Probleme d. S'wiss., Haag 1971; F. v. Kutschera, S'philos., 1971; P. v. Polenz, Gesch. d. dt. S., ^{8}1972; K.-D. Bünting, Einf. i. d. Linguistik, ^{2}1972; E. Heintel, Einf. i. d. S'philos., 1972; H. Penzl, Methoden d. german. Linguistik, 1972; C. Heeschen, Grundfragen d. Linguistik, 1972; H. J. Vermeer, Allg. S'wiss., 1972; G. Mounin, *La linguistique du 20e siècle,* Paris 1972; Linguistik, e. Hb., hg. A. Martinet 1973; U. Maas, Grundkurs S'wiss., 1973; Lexikon d. german. Linguistik, hg. H. P. Althaus 1973; R. H. Robins, Ideen- u. Problemgesch. d. S'wiss., 1973; P. W. Davis, *Mod. theories of lang.,* Englewood Cliffs 1973; M. Mangold, S'wiss., 1973; Perspektiven d. Linguistik, hg. W. A. Koch II 1973 f.; Allg. S'wiss., hg. A. Serebrennikov III 1973–76; H. Eggers, Dt. S. i. 20. Jh., 1973; M. Black, S., 1973; T. Lewandowski, Linguist. Wb., III 1973–75; W. Welte, Mod. Linguistik, II 1974; Grundzüge d. S.- u. Lit.wiss., hg. H. L. Arnold 2, 1974; H.-D. Kreuder, Studienbibliogr. Linguistik, 1974; Perspektiven d. Linguistik, hg. N. Minnis 1974; P. Herriot, Einf. i. d. Psychol. d. S., 1974; Aspekte u. Probleme d. S'philos., hg. J. Simon 1974; E. Benveniste, Probleme d. allg. S'wiss., 1974; S'theorie, hg. B. Schlieben-Lange 1975; C. J. Hutterer, D. german. S.n, 1975; D. Crystal, Einf. i. d. Linguistik, 1975; G. Storz, Sprachanalyse ohne S., 1975; T. Todorov, Enzyl. Wb. d. S'wiss., 1975; Hb. d. Linguistik, hg. H. Stammerjohann 1975; Mod. S'philos., hg. M. Sukale 1976; Methodologie d. S'wiss., hg. M. Schecker 1976; Theoret. Probleme d. S'wiss., II 1976; J. T. Waterman, *A hist. of the German lang.,* ^{2}1976; A. Jacob, *Introduct. à la philos. de langage,* Paris 1976; N. Boretzky, Einf. i. d. hist. Linguistik, 1977; G. Mounin, Schlüssel z. Linguistik, 1978.

Sprachgeschichte →Sprache

Sprachgesellschaften im Barock

Vereinigungen von Fürsten, Adligen, Hofbeamten, Gelehrten und Dichtern zur Pflege, Reinerhaltung und Förderung der Muttersprache und damit verbunden der Poetik, verstanden als Besinnung über die Gattungsgesetze, Zwecke und Mittel dichterischer Produktion. In ihnen gibt sich die führende Adelsschicht e. neue Form unter Einbeziehung der Bildungsinteressen; sie weitet sich von der Aristokratie auch auf die bürgerlichen Literaten aus, und ihre Absichten beschränken sich nicht auf Sprachreinigung – die später oft zur Deutschtümelei ausartet – Vereinheitlichung der Rechtschreibung und Slg. des geduldeten Wortschatzes in Wörterbüchern, sondern greifen weiter aus mit dem Ziel, e. neue Kulturwelt und Bildungsgemeinde zu schaffen; Tugendhaltung und Sprachpflege werden als Ausdruck humanistischer Gesinnung aufgefaßt. Der Einfluß der S. ist maßgebend für die Ausbildung der humanistischen Barock-Rhetorik des 17. Jh. und damit für die Dichtung, die nach Auffassung der Zeit mehr auf Schmuck und Eleganz der Rede als auf gedanklich-dichterischer Schöpferkraft beruhen soll. – In Frankreich gehen die Bestrebungen der →Pléjade seit 1548 voran und führen schließlich zur Gründung der →Académie Française. Vorbild für die dt. Gründungen wird Italien, wo neben zahlreichen rein schäferlichen Akademien seit dem 15. Jh. bes. die 1582 in Florenz gegr. ›Accademia della crusca‹ (= Kleie-Akademie, die in der Sprache ›das Mehl von der Kleie‹ säubern will) hervorragt und 1612 e. *Vocabulario degli Accademici della Crusca* herausgibt. Fürst LUDWIG VON ANHALT-KÖTHEN, während seines Italienaufenthalts 1600 Mitglied dieser Akademie geworden, überträgt deren Vorbild auf die dt. Verhältnisse und gründet 1617 in Weimar die wichtigste dt. S., die ›Fruchtbringende Gesellschaft‹ oder, nach dem Palmbaum im Wappen, ›Palmenorden‹ genannt mit der Devise ›Alles zu Nutze‹, deren Mitglieder, führende Männer aus der Lit. der Zeit, e. bes. Emblem, eine Devise und zum Ausgleich der Standesunterschiede e. Gesellschaftsnamen führen. So heißt Fürst LUDWIG ›der Nährende‹, OPITZ ›der Gekrönte‹, MOSCHEROSCH ›der Träumende‹, GRYPHIUS ›der Unsterbliche‹, ZESEN ›der Wohlsetzende‹, LOGAU ›der Verkleinernde‹, ferner RIST, HARSDÖRFFER, SCHOTTEL u. a. m. Nach diesem bis 1680 bestehenden Vorbild folgen andere Gründungen: 1633 die ›Aufrichtige Tannengesellschaft‹ in Straßburg (RUMPLER, MOSCHEROSCH, SCHNEUBER), 1642 die ›Teutschgesinnte Genossenschaft‹ in Hamburg (gegr. von ZESEN, Mitglieder: HARSDÖRFFER, KLAJ, MOSCHEROSCH, BIRKEN, Joost van den VONDEL), 1644 der →Nürnberger Dichterkreis der ›Pegnitzschäfer‹ oder ›Löblicher Hirten- und Blumenorden an der Pegnitz‹ (HARSDÖRFFER, KLAJ, BIRKEN), 1656 der von RIST in Lübeck gegr. ›Elbschwanorden‹ und als letzte die ›Poetische Gesellschaft‹, 1717 von MENCKE in Leipzig gegründet, seit 1726 von GOTTSCHED geführt und in die →›Deutsche Gesellschaft‹ umgebildet. Die literaturgeschichtliche Bedeutung der S. liegt in der Pflege e. gesellschaftlichen Hochsprache und Kultur und im Kampf gegen Verrohung der Sprache einerseits und Überfremdung in →Alamode-Dichtung und Preziösentum andererseits. Gegenbewegungen blieben nicht aus, so die ›Académie des vrais amants‹ in Köthen zur Pflege franz. Sprache, Kultur und bes. Hirtendichtung und der ›Ordre de la palme d'or‹ einerseits, die Verspottung von übertriebenem Purismus der S. bei B. SCHUPP, GRIMMELSHAUSEN, Chr. WEISE und Chr. WERNICKE andererseits.

H. Schultz, D. Bestrebungen d. S. d. 17. Jh., 1888; E. Wülker, D. Verdienste d. ›Fruchtbr. Ges.‹ um d. dt. Sprache, 1888; K. Dissel, Ph. v. Zesen u. d. d. Dt.gesinnte Genossenschaft, Progr. Hbg. 1890; ders., D. sprachreinigenden Bestrebgn. i. 17. Jh., 1895; F. Zöllner, Einrichtg. u. Verfassg. d. Fruchtbr. Ges., 1898; O. Denk, Fürst Ludw. v. Anhalt-Köthen u. d. 1. dt. Sprachverein, 1917; F. Kluge, Ideal u. Mode i. 17. Jh., [5]1918; O. Schulz, D. S. d. 17. Jh., 1924; RL; K. Viëtor, Probleme d. dt. Barocklit., 1928; P. Böckmann, Formgesch. d. dt. Dichtg. I, 1949; K. Bulling, Bibliogr. z. Fruchtb. Ges. (Marginalien 20, 1965); K. F. Otto, D. S. d. 17. Jh., 1972; F. v. Ingen, D. S. d. 17. Jh. (Daphnis I, 1972); Ch. Stoll, S. i. Dtl. d. 17. Jh., 1973; W. E. Schäfer, Straßb. u. d. Tannenges. (Daphnis 5, 1976); S.n, Sozietäten, Dichtergruppen, hg. M. Bircher u. a. 1978.

Sprachkunstwerk →Dichtung

Sprachmelodie, die ›Melodie‹ der gesprochenen Sprache, bes. der dichterischen in Vers und Prosa, beruhend auf Tonbewegung und Tonfall, Höhe, Tiefe und Klangfarbe der Vokale, Silben, Wörter usw.; im Ggs. zu Rhythmus und Akzent, die auch in e. farblosen Schallmasse auftreten könnten, e. weitere, lebendige Gliederung der Sprache durch melodische Stimmführung, die Stimmungswerte schafft. Ihre Grundlage bildet z. T. die für jede Sprache unterschiedliche Satzmelodie, doch erfordert jeder Einzelfall erneute Analyse und individuelle Bestimmung. – Das Vorhandensein e. S. wurde schon früh erkannt, ihre Erforschung beginnt jedoch wegen der schweren Erfaßbarkeit erst im 19. Jh. bei L. KÖHLER (*Die Melodie der Sprache,* 1858) und H. SWEET (*Handbook of Phonetics,* Oxf. 1878). Auf Grundlage der experimentellen Phonetik von ROUSSELOT und SCRIPTURE untersucht dann E. SIEVERS die psychologischen Grundlagen der S. und macht sie der →Schallanalyse dienstbar. Seine Forschungen wurden fortgeführt von SARAN, NOHL u. a.

E. Sievers, Z. Rhythmik u. Melodik d. nhd. Sprechverses, 1894; ders., Üb. Sprachmelodisches i. d. dt. Dichtg., 1901; ders., Rhythmisch-melod. Studien, 1912; ders., Wege u. Ziele d. Schallanalyse, 1924; F. Saran, Verslehre, 1907; K. Luick, Üb. Sprachmelodisches i. d. dt. u. engl. Dichtg., GRM 2 1910; J. Tenner, Üb. Versmelodie (Zs. f. Ästh. 8, 1913); W. E. Peters, D. Auffassg. d. S., 1924; RL; J. Stenzel, Sinn, Bedeutung, Begriff, Definition (Jahrb. f. Philol. I, 1925), sep. 1958; R. Peacock, Probleme des Musikalischen i. d. Spr. (Fs f. Strich, 1952); M. H. Kaulhausen, Dur u. Moll (Wirk. Wort 4, 1953).

Sprachmengerei →Makkaronische Dichtung

Sprachreinigung →Purismus

Sprachrhythmus →Rhythmus

Sprachwissenschaft →Sprache

Sprechchor, 1. Sprechergruppe (und deren Text) im traditionellen Drama, →Chor, – 2. oft stereophon in Chor und Gegenchor oder Chor und Einzelsprecher gegliederte Sprechtexte im Hörspiel und Drama (P. HANDKE) der 60er Jahre, deren rhythmisch-melod. Stimme, obwohl auf einfachen, oft pathetischen Stil und kurze Kola angelegt, zum ästhet. Reiz der Aufführung beiträgt, – 3. das kunstlos-primitive Gruppensprechen polit. Schlagworte bei der Agitation.

I. Gentges, D. S.-Buch, 1929; F. K. Roedemeyer, V. Wesen d. S., [2]1931; G. Schuhmacher, D. musikal. Verwendg. d. S. i. 20. Jh. (Sprechen u. Sprache, 1969).

Sprechende Namen →Namen

Sprechkunst →Deklamation, →Rezitation

Sprechspruch →Spruchdichtung

Sprechstück, Bz. P. HANDKES für seine handlungslosen, nur auf sprachl. Orchestrierung aufbauenden Bühnentexte.

Sprechtakt →Komma

Sprechvers bezeichnet nach begründeten Vermutungen im Ggs. zum Gesangvers den gesprochenen, nicht für den Gesang bestimmten Vers, doch rhythmisch von jenem nicht unterschieden, so herrscht in OTFRIEDS Evangelienharmonie wohl der S., während *Petrus-, Georgslied* und *De Heinrico* gesungen wurden. In der antiken Komödie bildet der jambische Trimeter bzw. Senar den S. im →Diverbium; in dt. Dichtung sind Alliterations-, Sag-, Knittel-, Blankvers u. a. ausgesprochene S.e. RL.

Spreizstellung →Hyperbaton

Sprichwort, im Volksmund verbreiteter, volkstümlich und leicht faßlich formulierter Spruch von kurzer, geschlossener, oft durch Rhythmus, Alliteration oder Reim gebundener und über die Alltagssprache erhobener Form zum Ausdruck e. allg. anerkannten Lebenslehre, -weisheit und -erfahrung oder e. Sittenlehre in bildstarkem sprachlichem Gleichnis, das die Schärfe direkter Aussage mildert und den sinnlichen Einzelfall dem gegenständlichen Denken einfügt. Die lehrhafte Tendenz tritt teils direkt imperativisch in Vorschrift und Warnung auf, teils verschleiert, indem das Ergebnis der einmaligen praktischen Erfahrungen nach Berücksichtigung verlangt. Im Ggs. zum Epigramm als stark intellektuellem, vergeistigtem und persönlichkeitsgebundenem Sinnspruch in hoher Kunstform bewahrt das S. die im Volke lebenden Erfahrungen und Werthaltungen wiederverwendbar als Wert von Generation zu Generation überliefert auf und ist kennzeichnend für Denkweise, Wesen und Kultur des betreffenden Volkes oder der Entstehungsepoche, wenngleich die romantische Anschauung vom schöpferischen Volksgeist heute meist aufgegeben wird. Die Allgemeingültigkeit solcher Erfahrungen führt zu Parallelbildungen und Übernahmen in andere Sprachen. Diese Wandlungen und Wanderungen sowie die Frage nach den eigentlichen Quellen bilden die Ansatzpunkte moderner wissenschaftlicher S.forschung, die dabei oft wertvolle Einzelbelege für die kulturellen Gemeinsamkeiten verschiedener Völker liefert. Lit. Verwendung findet das S. mit didaktischer oder satirischer Absicht in allen Formen, die sich an weitere Volkskreise wenden: schon die griech. Sophisten benutzen es als beliebten Redeschmuck, bes. aber in der →Reformationslit. und überhaupt im Spätma. tritt es in Lehrdichtung, Schwank, Fastnachtsspiel und Satire (LUTHER, SACHS, MURNER u. a.) oft auf. Ferner entstehen schon früh zahlreiche S.-slgn., anfangs mehr aus lehrhaftem Interesse an der enthaltenen Lebensweisheit, später aus Freude an den bildkräftigen Prägungen des Volksmunds. Die griech. S.er, gekennzeichnet durch angenehmen Witz, scharfe Beobachtungsgabe und moralische Haltung, in Vers (→Parömiakos) oder Prosa wurden gesammelt von den sog. Parömiographen. Schriften darüber und Slgn. finden sich zuerst für philosophische Zwecke bei ARISTOTELES, seinem Schüler KLEARCHOS, dem Stoiker CHRYSIPPOS und THEOPHRAST, in alexandrin. Zeit für lit. Zwecke bei DEMON, ARISTOPHANES von Byzanz, ARISTIDES von Milet, DIDYMOS und LUKILLOS von Tarrha. Die späteren, teils auf den obigen fußenden Slgn. von ZENOBIOS, SELEUKOS und e. Anonymus wurden im frühen MA. zum erhaltenen *Corpus Paroemiographorum* vereinigt. Gleichzeitig entstehen neue lat. Slgn., bes. lat. Auswahlen für die Klosterschulen, die aus antiker und christlicher (*Bibel,* Patristik) Überlieferung schöpfen, jedoch auch auf einheimisches Volksgut zurückgreifen und es lat. überliefern, so WIPO, OTLOH, HENRICUS und EGBERT von Lüttich *(Fecunda ratis),* dt. in NOTKERS *Logik.* Im Humanismus folgen S.-Slgn. aus den griech.-lat. Klassikern mit Kommentar, so ERASMUS' *Adagia* (1500), BEBELS *Proverbia* (1508) u. a., gleichzeitig die ersten bewußten dt.: AGRICOLA 1529 ff., Seb. FRANCK 1541 (7000 S.), Ch. EGENOLFF 1552; im Barock als riesige Stoffslgn. mit bis über 20 000 S.: EYERING 1601, LEHMANN 1640. Die neueren Slgn., u. a. von W. KÖRTE 1837, SIMROCK 1881, WÄCHTER 1888, BINDER 1874, LIPPERHEIDE 1907 fußen auf diesen Beständen und erweitern sie durch neu umlaufendes oder schriftlich fixiertes Gut; für die Forschung wichtig wurde M. SAILERS *Weisheit auf der Gasse* (1810) und die bisher umfangreichste Slg. (45 000 S.) von K. F. W. WANDER, *Dt. S.lexikon,* V [2]1883–86. Über v. REINSBERG-DÜRINGSFELDS *S.er der german. und roman. Sprachen vergleichend zusammengestellt* (II 1872–1875) hinaus geht die neueste Slg. von S. SINGER, die die S.er des dt. MA. in die europäische Entwicklung einordnet.

W. Borchardt, D. sprichwörtl. Redensarten i. dt. Volksmund, [6]1925; J. Meier, S. (in Pauls Grundriß II, I); O. Crusius, Paroemiographica (Sitzgs.ber. d. Münch. Akad.) 1910; M. Förster, D. elisabethan. S., 1918; F. Seiler, D. dt. S. (Grundr. d. dt. Volkskde. II, 1918); ders., Dt. S.-kunde [2]1967; A. Jolles, Einfache Formen, [2]1956; RL; A. Taylor, *The Proverb,* Cambr., Mass. 1931; W. Bonser, *Proverb Lit.,* Lond. 1930; E. Herg, Dt. S. i. Spiegel fremder Sprachen, 1933; W. Gottschalk, S. d. Romanen, III 1935–38; E. Littmann, Morgenländ. Spruchweisheit, 1937; S. Singer, S. d. MA., III 1944–47; I. Klimenko, D. russ. S., 1946; A. Boecklen, S. in 6 Sprachen, 1947; *The Oxford Dictionary of Engl. proverbs,* Oxf. [2]1948; M. Hain, S. u. Volkssprache, 1951; O. E. Moll, S.-Bibliographie, 1958; M. Hain, D. S. (Deutschunterr. 15, 1963); B. J. Whiting, *Proverbs in the earlier Engl. drama,* N. Y. [2]1969; W. Mieder, D. S. u. d. dt. Lit. (Fabula 13, 1972); H. Breitkreuz, *The study of proverbs* (ebda. 14, 1973); L. Röhrich, Lexikon d. sprichwörtl. Redensarten, II 1973, [4]1976; W. Mieder, D. S. i. uns. Zeit, 1975; ders., D. S. i. d. dt. Prosalit. d. 19. Jh., 1976; G. Peukes, Unters. z. S. im Dt., 1977; L. Röhrich, W. Mieder, S., 1977.

Spruchdichtung, von SIMROCK, dem Übersetzer WALTHERS VON DER VOGELWEIDE, eingeführte Bz. für bestimmte Formen der mhd. Dichtung, in der jedoch zwei grundverschiedene Dichtungsgattungen durcheinandergeworfen werden: 1. der gesprochene ›Sprechspruch‹ – nur er hieß mhd. ›spruch‹ – sentenziös-didaktischen Inhalts in vierhebigen Reimpaaren (Sprechversen), unkomponiert, ohne Stropheneinteilung und zum mündlichen Vortrag durch Rezitatoren oder das Publikum selbst bestimmt, später auch zur schriftlichen Verbreitung. Seine lehrhafte, meist direkt moralisierende Grundhaltung findet sich schon seit dem 12. Jh.; Hauptvertreter sind FREIDANK (*Bescheidenheit,* um 1230), später der TEICHNER und SUCHENWIRT im 14. Jh. (Reimreden: →Bispel, →Priamel, Fabel, Parabel, Sinnsprüche u. ä., selbst längere pointierte Versnovellen lehrhaften Charakters); letzte Ausläufer sind die →Reimsprecher und →Wappendichter. – 2. der gesungene sog. lyrische oder ›Sangspruch‹, strophisch und mit fließenden Grenzen zum Lied und trotz seiner schlichteren Form der Minnelyrik angenähert. Der Inhalt ist teils persönlich (Biographisches, Streitigkeiten mit den Kunstgenossen, Bitten an die Gönner), teils politisch (Stellungnahme im Parteikampf), religiös oder allg. lehrhaft-moralisch (Lebensweisheiten, Minnedidaktik

u. ä.). Nach schlichteren Vorformen der unter dem falschen Namen des sog. ›älteren SPERVOGEL‹ überlieferten, wohl HERGER zuzuschreibenden S. führt WALTHER die Gattung zu voller Kunsthöhe und großem Formenreichtum, meist 6–12 achthebige alternierende Verse mit komplizierter Reimkunst: sein leidenschaftliches Temperament bezieht alle großen Fragen der Zeit in die Form ein und nimmt zu ihnen Stellung: vom Zwist zwischen Kaiser und Papst über die ethische Haltung der Jugend bis zu den eigenen Lebenssorgen. Sein Vorbild findet bei den Fahrenden und bürgerlichen Spruchdichtern reiche Nachfolge in verschiedenster Gestalt, so beim echten SPERVOGEL, politisch bei Bruder WERNHER und REINMAR VON ZWETER. Spätere Jhh. verlängern die anfangs fast sprichwörtlich knappe Form, die S. wird weitschweifiger, redseliger, gelehrter und belehrender, gleichzeitig verkünstelt beim MARNER und bei FRAUENLOB. Die S. lebt in der Neuzeit fort bei GOETHE, RÜCKERT, GEORGE u. a.

RL; R. Petsch, S. d. Volkes, 1938; L. Wolff, Minnesang u. S. (V. dt. Art i. Spr. u. Dichtg. 2, 1941); H. Schneider, Helden-, Geistlichen-, Ritterdichtg., [2]1943; W. Preisendanz, D. Spruchform in d. Lyrik d. alten Goethe u. ihre Vorgesch., 1952; A. Schmidt, D. polit. S. (Wolfram-Jhrb. 1954); A. Jolles, Einfache Formen, [2]1956; H. Moser, Lied u. Spruch i. d. hochma. dt. Dichtg. (Wirk. Wort, 3. Sonderh. 1963); E. Rattunde, *Li proverbes au vilain,* 1966; K. Ruh, Mhd. S. als gattungsgesch. Problem, DVJ 42, 1968; Mhd. S., hg. H. Moser 1972; B. Wachinger, Sängerkrieg, 1973; K. Franz, Stud. z. Soziol. d. Spruchdichters i. Dtl. i. 13. Jh., 1974; K. v. See, Probleme altnord. S. (Zs. f. dt. Altert. 104, 1975).

Spruchpredigt, im Ggs. zur einen ganzen Schriftabschnitt auslegenden →Homilie die auf Ausdeutung e. einzelnen Bibelverses beschränkte →Predigt, z. B. bei BERTHOLD VON REGENSBURG.

Spruchton (altnord. Ljóđahättr = Zauberliedweise), in altgerman. Dichtung spruchartige oder dialogische Redeweise in der Spruch- und Merkdichtung, Scheltszenen, Redeliedern u. ä.

Sprung Rhythm (engl.), Bz. von G. M. HOPKINS für den natürlichen Sprachrhythmus der gesprochenen Sprache oder der schriftlichen Prosa, z. B. auch von Kinderreimen, in dem Hebungen nicht in gleichmäßiger Periodizität (z. B. →Jambenfluß) aufeinander folgen, sondern in unregelmäßigen Abständen von etwa 0–3 Senkungen unterbrochen werden, so daß jeder Fuß mit einer Hebung beginnt und 1–4 Silben umfaßt (Schema: x́; x́x; x́xx; x́xxx) und diese Formen in beliebiger Folge stehen; entspricht etwa der metrischen Gestaltung des ahd. Alliterationsverses.

Spukgeschichte →Gespenstergeschichte

Sragdhara (ind. = Mädchen mit Girlande), ind. episches Versmaß in Strophen zu vier Zeilen von der Form – – – – ◡ – – / ◡ ◡ ◡ ◡ ◡ ◡ – / – ◡ – – ◡ – ⏓.

Staatsroman gestaltet staatliches (politisches, soziales, wirtschaftliches) Leben in Romanform, in den seltensten Fällen als Selbstzweck, meist mit der erzieherischen und theoretischen Absicht, das für seine Zeit ideale Bild des Staates als verwirklicht vorzuführen, und zwar entweder auf historisch-politischer Grundlage als Idealisierung e. bestehenden oder in der Vergangenheit vorhandenen Staatsgebildes oder als Verwirklichung fordernde Zukunftsvision, →Utopie. Die erstere Form läßt trotz der Verlegung in ferne Länder und Zeiten die Gegenwartsbezüge deutlich erkennen und bleibt stärker der Wirklichkeit verhaftet, aus der sie lernt; als Sonderform entwickelt sie den →Fürstenspiegel. Phantastischer und ungebundener an die realen Möglichkeiten, als allzu unbesorgtes Wunschbild e. menschlichen Gesellschaft der Zukunft erscheint die →Utopie; wenngleich auch sie weltanschaulich begründet und den geistesgeschichtlichen Strömungen ihrer Epoche verhaftet bleibt, neigt sie häufiger zur Satire durch Übersteigerung der ungesunden herrschenden Zustände, und nur in ihrer ernsten Art gestaltet sie das ideale Ziel e. festgefügten, vernunftmäßig begründeten und auf der Vernunft als alleinigem Grundsatz beruhenden Sozialordnung, deren Höchstes das Glück des Menschen ist, dem auch der Staat nur zu dienen hat. Beide Formen des S. erscheinen bes. in Zeiten innenpolitischer Umwälzungen, an der Wende zweier Epochen; sie versuchen, das bewährte Alte beizubehalten und die neuen Erfordernisse zu berücksichtigen. Schon in der Antike erscheinen beide ausgeprägt in XENOPHONS *Kyrupaideia* als Fürstenspiegel einerseits und in PLATONS utopischer *Politeia* und den *Nomoi* andererseits. Die abendländische Nachfolge beginnt erst in der Renaissance, wiederum in beiden Gestalten: MACHIAVELLIS *Il Principe* (1513) und Th. MORUS' Vereinigung aristokratischer und kommunistischer Züge in *Utopia* (1516). Gegen die radikal-kommunistischen Tendenzen in Th. CAMPANELLAS *Civitas solis* (1623) stellt – aus Kenntnis des Manuskripts – der württembergische protestantische Geistliche J. V. ANDREAE das Ideal e. christlichen Gemeinwesens in *Reipublicae Christianopolitanae descriptio* (1619), das GRIMMELSHAUSEN im *Simplicissimus* (V, 19) verwendet. Es folgen in England F. BACONS *Nova Atlantis* (1627), S. GOTTS, *Nova Solyma* (1648), G. WINSTANLEYS *The law of freedom in a platform* (1649), J. HARRINGTONS *Oceana* (1656) und B. MANDEVILLES *Fable of the bees* (1714), in Frankreich D. VAIRASSES *Histoire des Sévarambes* (1672), MORELLYS *Naufrage des îles flottantes* (1753), L.-S. MERCIERS *L'an 2440* (1770), RETIF DE LA BRETONNE, *La découverte australe* (1784) und FOIGNYS *Jaques Sadeur,* als Satire des Polizeistaates der anonyme *Ophirische Staat* (1699), schließlich LINOLD-SCHÜTZENS *Land der Zufriedenheit* (1723). Gegenüber diesen meist negativ-kritischen S. entsteht aus der Verbindung mit der →Robinsonade als positive Sicht, auf die Familie als Keimzelle zurückgeführt, SCHNABELS *Insel Felsenburg* (1731 ff.). Das absolutistische 18. Jh. pflegt nach Vorgang von J. BARCLAYS *Argenis* (1621, dt. von OPITZ 1626) den S. und Fürstenspiegel in Form des →Schlüsselromans: FÉNELON *Télémaque* (1698), RAMSAY *Les voyages de Cyrus* (1727), TERRASSON *Séthos* (1732) und MARMONTEL *Bélisaire* (1776) in Frankreich, Willem van HAREN *Friso* in den Niederlanden und J. G. H. von JUSTI *Psammitichius* (1759) in Dtl. Die bedeutendsten S.e des 18. Jh. stammen von HALLER, der die idealen Staatsformen an historischen Beispielen erläutert: im *Usong* (1771) die Despotie als unumschränkte Monarchie, im *Alfred, König der Angelsachsen* (1773) die gemäßigte Monarchie und in *Fabius und Cato* (1774) die aristokratisch bestimmte Demokratie. WIELANDS *Goldener Spiegel* (1772) dagegen verficht mit bes. Hinblick auf JOSEPH II. den aufgeklärten, volksfreundlichen Absolutismus. Neue Utopien entstehen unter Einfluß ROUSSEAUS bei ZACHARIAE und HEINSE (*Ardinghello* 1787), der den Genuß von Schönheit und Freiheit in der Anarchie vertritt, im 19. Jh. in Frankreich als streng sozialistisch-kommunistische Zukunftsbilder bei E. CABET (*Voyage en Icarie* 1840) und FOURIER mit Einfluß auf die S. der BELLAMY (*Looking Backward 2000–1887*, 1888), W. MORRIS (*A dream of John Ball* 1888, *News from Nowhere* 1891), Th. HERTZKA (*Eine Reise nach Freiland* 1890) und B. v. SUTTNER (*Das Maschinenzeitalter*, 1889). Als extremer Individualist führt S. BUTLER in *Erewhon* (= nowhere) 1872 die zeitgenössische Zivilisation ad absurdum. H. G. WELLS (*When the sleeper awakes* 1898, *A modern Utopia* 1905) vertritt ebenfalls die Freiheit vom Zwang; B. SHAWS Utopien verherrlichen, z. T. an NIETZSCHES *Zarathustra* anklingend, den Übermenschen. E. neue Fülle von S. entsteht in der Zeit nach dem 1. Weltkrieg, oft aus tiefster Skepsis und Verzweiflung an der Realisierbarkeit e. annehmbaren menschlichen Gesellschaftsordnung und unter geschickter Ausnutzung der wachsenden Machtfülle des Menschen durch die Vervollkommnung der Technik (→Science fiction); die Frage nach der zukünftigen Entwicklung bleibt z. T. unbeantwortet, z. T. durch bitter höhnische Zerrbilder in der sog. →Anti-Utopie entschieden: Ratlosigkeit steht am Ende. Auf M. BRODS satirische kommunistische Utopie *Das große Wagnis* (1919), die die Unfähigkeit des egoistischen Menschen zu idealer Staatsbildung darlegt, und E. I. ZAMJATINS *My* (1920) folgen STERNHEIMS *Europa* (1920), PETZOLDS *Sevarinde* (1923), ironisierend G. HAUPTMANNS *Insel der großen Mutter* (1924), ferner Friedrich Fürst WREDES *Politeia* (1926), HUXLEYS *Brave New World* (1932), *Ape and essence* (1949) und *Island* (1962), C. V. GHEORGHIUS *La vingt-cinquième heure*, H. GOHDES (= F. Heers) *Der achte Tag*, vom humanistischen Bildungsideal her durchgeistigt in HESSES *Glasperlenspiel*, als Kampf der Stände in E. JÜNGERS *Heliopolis*, als bittere Satire auf den autoritären Staat in G. ORWELLS *1984* oder *Animal farm* (1945), W. GOLDINGS *Lord of the flies* (1954) und als Untergang e. Idealstaates in WERFELS *Stern des Ungeborenen*.

M. Kauffman, *Utopias*, 1879; F. Kleinwächter, D. S.e, 1891, n. 1967; A. v. Kirchenheim, Schlaraffia politica, 1892; M. Widmann, Hallers S.e, 1894; O. Vogt, D. gold. Spiegel u. Wielands polit. Ansichten, 1904; E. H. Schmitt, D. Idealstaat, 1904; E. Schomann, D. frz. Utopisten u. ihr Frauenideal, 1911; A. Voigt, D. soz. Utopien, ^{2}1912; J. Prys, D. S. d. 16. u. 17. Jh., Diss. Würzb. 1913, n. 1973; F. Brüggemann, Utopie u. Robinsonade, 1914; R. Blüher, Mod. Utopien, 1920; E. Salin, Plato u. d. griech. Utopie, 1921; L. Mumford, *The Story of Utopias*, 1922, ^{2}1962; J. Hertzler, *The History of Utopian Thought*, 1923; H. H. Girsberger, D. utopische Sozialismus d. 18. Jh. i. Frankr., 1924; RL; K. Mannheim, Ideologie u. Utopie, ^{5}1969; G. Quabbe, D. letzte Reich, Wandel u. Wesen d. Utopie, 1933; A. Le Flamanc *Les Utopies prérévolutionaires et la philosophie du 18e siècle*, 1934; H. Minkowski, D. Nova Atlantis d. F. Bacon, 1934; dies., D. Sonnenstaat d. Th. Campanella, 1934; H. Freyer, D. polit. Insel, 1936; W. D. Müller, Gesch. d. Utopiaromane, Diss. Münster 1938; H. K. Donner, *Introd. to Utopia*, Toronto 1946; V. L. Parrington, American dreams, N. Y. 1947, ^{2}1964; E. Bloch, Freiheit u. Ordnung, 1947; R. Ruyer, *L'utopie et les utopies*, Paris 1950; H. R. Patch, *The other world*, 1950; M. L. Berneri, *Journey through Utopia*, Lond. 1950; M. Buber, Pfade i. Utopia, 1950; E. Bliesener, Z. Begriff d. Utopie, Diss. Ffm. 1950; A. L. Morton, *The Engl. Utopia*, 1952; R. Falke, Versuch e. Bibliogr. d. Utopien (Roman. Jhrb. 6, 1953); G. H. Huntemann, Utop. Menschenbild u. utop. Bewußtsein i. 19. u. 20. Jh., Diss. Erl. 1953; R. Gerber, *Utopian Fantasy*, Lond. 1955; M. Schwonke, V. S. z. science fiction, 1957; L. Borinski, G. Krause, D. Utopie i. d. mod. engl. Lit. (D. neueren Sprachen, Beiheft 2, 1958); H. Bingenheimer, Transgalaxis, Katalog dt. utop. Lit., 1959; R. de Maria, *From Bulwer-Lytton to G. Orwell*, Ann Arbor 1959; H. Schulte-Herbrüggen, Utopie u.

Anti-Utopie, 1960; G. Duveau, *Sociologie de l'utopie,* Paris 1961; C. Walsh, *From Utopia to nightmare,* Lond. 1962; H.-J. Krysmanski, D. utop. Methode, 1963; J. Lameere u. a., *L'Utopie à la Renaissance,* Paris 1963; H. G. Rötzer, Utopie u. Gegenutopie (Stimmen d. Zeit 89, 1963); K. Reichert, Utopie u. S., DVJ 39, 1965; W. Krauss, Geist u. Widergeist d. Utopien (in: Perspektiven u. Probleme, 1965); K. Tuzinski, D. Individuum i. d. engl. devolutionist. Utopie, 1965; J. Bleymehl, Beitr. z. Gesch. u. Bibliogr. d. utop. u. phantast. Lit., 1965; A. Börner, Gesellschaftsordg. u. Menschenbild i. dt. utop. Roman d. 20. Jh., Diss. Jena 1967; N. Eurich, *Science in Utopia,* Cambr./Mass. 1967; Utopie, hg. A. Neusüß 1968; J. C. Garrett, *Utopias in lit.,* Christchurch 1968; M. Sera, Utopie u. Parodie b. Musil, Broch u. Th. Mann, 1969; P. U. Hohendahl, Z. Erzählproblem d. utop. Romans i. 18. Jh. (Gestaltgsgesch. u. Gesellschaftsgesch., hg. H. Kreuzer 1969); N. Frye, Spielarten d. utop. Lit. (Wunschtraum u. Experiment, hg. F. E. Manuel 1970); R. C. Elliott, *The shape of utopia,* Chic. 1970; H.-U. Seeber, Wandlgn. d. Form i. d. lit. Utopie, 1970; J. Servier, D. Traum v. d. großen Harmonie, 1971; H. Swoboda, Utopia, 1972; A. Cioranescu, *L'avenir du passé,* Paris 1972; D. utop. Roman, hg. R. Villgradter, F. Krey 1973; K. H. Bohrer, Der Lauf d. Freitag, 1973; W. Krueger, Z. Wertg. d. utop. Romans (Acta Germanica 8, 1973); R. Heiss, Utopie u. Revolution, 1973; F. Masini, *Dialettica dell' avanguardia,* Bari 1973; H. G. Soeffner, D. geplante Mythus, 1974; W. Biesterfeld, D. lit. Utopie, 1974; Dt. utop. Denken i. 20. Jh., hg. R. Grimm, J. Hermand 1974; M. Freschi, *L'utopia nel settecento tedesco,* Neapel 1974; D. Phantasie an d. Macht, hg. N. Born 1975; B. Garceix, *L'utopie en Allemagne au 16e et au début du 17e siècles* (*Études germaniques* 30, 1975); Reise u. Utopie, hg. H. J. Piechotta 1976; K. Grob, Ursprung u. Utopie, 1976; D. Naumann, Politik u. Moral, Stud. z. Utopie d. dt. Aufkl., 1977; B. Neumann, Utopie u. Mimesis, 1977; Lit. als Utopie, hg. G. Ueding 1977; M. Winter, Compendium utopiarum, Bibliogr., 1978.

Stab, im →Alliterationsvers die den Stabreim tragende Silbe.

Staberl →komische Person

Stabreim →Alliteration, S.-vers, Stabvers →Alliterationsvers.

Stachelreim, frühere Bz. für e. satirisches →Epigramm.

Stadtchronik →Chronik

Stadttheater, von e. Stadt durch e. →Intendanten verwaltete und meist finanziell unterstützte städtische Bühne; S. entstanden neben den →Hoftheatern erst im 19. Jh. und wurden anfangs zum Nachteil der künstlerischen Höhe oft an Privatunternehmer überlassen.

Städte- und Landschaftsgedichte, im 14.–17. Jh. in Dtl. und Frankreich, im 15./16. Jh. in Italien übliche Lobsprüche auf bestimmte Städte als Fortsetzung prosaischer Städtebeschreibungen seit Anfang des 14. Jh., bes. bei den Humanisten beliebt, da von den betreffenden Stadtvätern meist gebührend honoriert (Eobanus HESSUS, H. v. d. BUSCHE u. a.).

RL. IV.

Ständebücher, illustrierte Darstellungen der menschlichen Stände und Berufe, zuerst in Jost AMMANNS Holzschnitten von 1568 mit Versen von H. SACHS erhalten, später bei Ch. WEIGEL 1698 und ABRAHAM A SANCTA CLARAS *Etwas für alle,* 1717.

Ständeklausel, in der Poetik der Renaissance und des Barock aus ihrer absolutistischen Haltung aufgestellte Forderung, die das Trauerspiel nur für die Schicksale von Königen, Fürsten und anderen hohen Standespersonen vorbehält, während bürgerliche Personen nur – und natürlich in Zeichnung ihrer Schwächen – zum Gegenstand der Komödie gemacht werden dürfen, da ihnen die Erhabenheit der Lebensform fehle, die für die Tragödie Voraussetzung schien, und ihr Leben der Größe und Wichtigkeit entbehre (→Fallhöhe). Die zuerst von HORAZ *(Ars poetica)* formulierte S. entspricht den Gepflogenheiten des antiken Dramas. Sie ist noch zu

GOTTSCHEDS Zeit Regel, freilich stellenweise durchbrochen (GRYPHIUS, *Cardenio und Celinde*). Erst e. langer und harter Kampf um das →bürgerliche Trauerspiel überwindet sie und gestattet auch im Trauerspiel die Gestaltung bürgerlicher Schicksale in würdiger Form.

O. Walzel, D. bürgerl. Drama (in: V. Geistesleben alter u. neuer Zeit, 1922); W. Rehm, Römisch-franz. Barockheroismus, GRM 1934.

Ständelied, an bestimmte Stände gebundenes, ihr Standesethos und ihre Lebens- und Berufsauffassung ausdrückendes Lied, z.B. →Bergmanns-, Bauern-, →Handwerker-, →Soldaten-, →Landsknechts- und →Studentenlied.

Ständesatire →Satire

Stammbücher, als Erinnerungsblätter der Liebe und Freundschaft seit dem Gefühlskult der Empfindsamkeit und dann in bürgerlichen Kreisen des 18./19. Jh. weitverbreitet, gehen vermutlich auf die seit dem 15. Jh. belegten ›libri gentilitii‹ (genealogische Slgn.) des Adels zurück und fanden bes. bei der studentischen Jugend mit Eintragung befreundeter Kommilitonen und Lehrer breite Aufnahme. Mit dem sozialen Absinken steigt ihr Prestigewert als Dokumentation hoher Kontaktpersonen und damit als soz. Selbstbestätigung.

R. Keil, D. dt. S. d. 16.–19. Jh., 1893; A. Fiedler, V. S. z. Poesiealbum, 1960; G. Angermann, S.er u. Poesiealben als Spiegel ihrer Zeit, 1971.

Stammesdichtung, von der stammestümlichen →Literaturgeschichte (SAUER, NADLER) geprägte, unscharfe Bz. für →Heimatdichtung mit der implizierten Auffassung, in ihr kämen die seelischen Wesenszüge der dt. Stämme zum Ausdruck; heute überholt.

Stammsilbenreim, im Ggs. zu dem noch bei OTFRIED herrschenden Endsilbenreim, der nur die (oft unbetonte) Endsilbe erfaßt, der seit dem Frühmhd. eindringende →Reim von der letzten Hebung (Stammsilbe) an.

Stanze (ital. *stanza* = Wohnung, Zimmer, ›Reimgebäude‹), Strophe allg., bes.: Ottaverime oder Oktave, ital. Strophenform aus acht jambischen Elfsilbern (→Endecasillabi mit weiblichem Versschluß), im Dt. meist jambischen Fünftaktern mit abwechselnd männlichem und weiblichem Versschluß (in der klassischen Form 1., 3., 5., 7. und 8. stets weiblich) oder ähnlichen Versen, deren erste sechs alterierend, die beiden letzten paarig reimen: abababab/cc, seltener symmetrisch: aabccbdd. Der starke Einschnitt nach den ersten sechs Zeilen – ähnlich dem Sonett – macht das abschließende Reimpaar bes. geeignet für e. krönenden, zusammenfassenden Abschluß, so etwa in e. Beschreibung der Übergang in Handlung, in der Erzählung Zusammenfassung des Gedankens zur Sentenz. Abarten sind häufig, so →Nonarime, →Siziliane, →Spenser-S. Die S. ist in den romanischen Sprachen die bevorzugte – in der Hochrenaissance selbst obligate – Form für das Epos, obwohl sie als Strophe zu isolierter Schilderung verleitet und nur bei subjektiver, ironisch-lyrischer Distanz gegenüber den Stoffen voll zur Geltung kommt, während ihre lyrisch-romantische Form für gegenständlich-objektive epische Themen wie etwa TASSOS *Befreites Jerusalem* weniger geeignet erscheint. Zuerst im 13. Jh. in religiöser und volkstümlicher Dichtung auftauchend, wird sie von BOCCACCIO aufgegriffen, künstlerisch ausgeformt und in mehreren umfangreicheren Gedichten eingeführt *(Teseide, Fi-*

lostrato, Ninfale Fiesolano), erscheint bes. in den Epen BOIARDOS, ARIOSTS *(Rasender Roland)* und TASSOS *(Befreites Jerusalem),* in Portugal bei CAMÕES *Lusiaden,* in Spanien bei Lope de VEGA, in England in BYRONS *Don Juan.* In Dtl. tritt sie zuerst bei Dietrich von dem WERDER in der Übersetzung von TASSOS *Befreitem Jerusalem* (1626) auf, dann bes. meisterhaft bei GRIES in den Übertragungen der Italiener. Späterhin entfaltet sie auch in Dtl. starkes Eigenleben, ohne sich jedoch fest einzubürgern: HEINSE, GOETHE (*Zueignung* zu *Faust*), SCHILLER (Übersetzung der *Aeneis*), A. W. SCHLEGEL, RÜCKERT und PLATEN verwenden sie, auch SCHULZES *Bezauberte Rose* und LINGGS *Völkerwanderung;* freiere Umgestaltung findet sie in BLUMAUERS *Aeneis*-Travestie und WIELANDS *Oberon* (Reimschemata: ababcdcd, ababcddc, ababccdd, aabbcddc).

M. Gluth, D. Entwicklg. d. dt. S. v. 17. Jh. bis zu Beginn d. 19. Jh., 1922; G. Bünte, Z. Verskunst d. dt. S., 1928; RL; W. Kayser, Goethes Dichtgn. i. S., Euph. 54, 1960. →Metrik.

Starina (russ.), volkstümliche Bz. für →Byline.

Stasimon (griech. *stasimon melos* =) ›Standlied‹, in der griech. Tragödie die von dem in der Orchestra stehenden Chor zwischen den Schauspielerszenen (Epeisodia) bei leerer Bühne gesungenen Lieder im Ggs. zu →Parodos und →Exodos, urspr. Ausdruck der Reflexion oder der durch die Handlung erregten Seelenbewegung, später durch AGATHON (um 400 v. Chr.) in ›embolima‹, reine musikalische Chor-Zwischenspiele ohne Bezug zur Handlung, umgestaltet und als Akttrennung aufgefaßt. Sie wurden meist vom ungeteilten Chor gesungen, seltener von einander antwortenden Halbchören oder von einzelnen Choreuten, und weisen bei starker Variation in der Anwendung der Metra häufig epodische Komposition auf, d. h. auf zwei gleiche Strophen folgte e. Abgesang.

W. Kranz, S., 1933.

Statarische Lektüre (lat. *statarius* = im Stehen geschehend), im Ggs. zur →kursorischen Lektüre die durch ausführliche Erklärung und Besprechung des Textes unterbrochene Lektüre.

Stationenstück, im Ggs. zum Aktestück als der üblichen Form des Dramas das →epische Theater, das keinen kunstvollen Aufbau (Einarbeitung von Exposition usw.), sondern nur die Reihung von Einzelszenen kennt, vorgebildet im ma. →geistlichen Drama auf der →Simultanbühne als e. vordramatische Frühform sodann bei BÜCHNER, STRINDBERG, WEDEKIND und im Expressionismus sowie in der BRECHT-Nachfolge bis zur Gegenwart.

H. Vriesen, D. Stationentechnik im neueren dt. Drama, Diss. Kiel 1934; P. Stefanek, Z. Dramaturgie d. S.dramas, (Beitr. z. Poetik d. Dramas, hg. W. Keller 1976).

Statisches Gedicht, beim →Dadaismus Bz. für e. Gedichtform, die aus unbewegtem Zustand heraus die Gleichzeitigkeit der Vorgänge in widersprechender Fülle festhält und unvermittelt nebeneinanderstellt: Ausdruck für die Absurdität und Widersprüchlichkeit des Lebens in seiner Totalität. Bei G. BENN Bz. für das ›reine‹ Gedicht als Idealform seiner Lyrik im Ggs. zu Tendenzgedicht, Song usw. Verfestigung des Gültig-Bleibenden zumal in der Wortformung (vom Intellekt geprägter Substantiv-Stil) als ›Versuch der Kunst, innerhalb des allg. Verfalls der Inhalte sich selber als Inhalt zu erleben und aus diesem Erlebnis e. neuen Stil zu bilden‹.

H. Steinhagen, D. s. G. v. G. Benn, 1969.

Statist (lat. *stare* = stehen), Darsteller stummer Bühnen- oder Filmrollen (→Komparse), der nur dazustehen oder vorgeschriebene Bewegungen auszuführen hat.

Steadyseller (engl. =) ein stetig sich gut verkaufendes Buch von langanhaltendem Erfolg im Ggs. zum meist kurzlebigen →Bestseller.

Stegreif (= Steigbügel, nach dem Bild des Reiters, der etwas erledigt, ohne abzusitzen). Künstlerische Leistungen aus dem S., d. h. ohne Vorbereitung aus dem Augenblick heraus entstanden, setzen die Begabung zu sofortiger künstlerischer Gestaltung im Augenblick der schöpferischen Konzeption voraus, die bei allen Völkern vorhanden, doch bei den südlichen bes. ausgeprägt ist. Als vorlit. Anfänge der Wortkunst bleiben sie mit zunehmender Kultur auf gewisse abgegrenzte Gebiete beschränkt. S.-dichtungen kennt schon die Antike im →Skolion u. a., die →Skaldendichtung und die →Spielmannsdichtung, dann bes. die Renaissance und bis heute fortlebend vereinzelte Volksdichtungen wie die →Schnadahüpfel. S.-spiel, in dem der Schauspieler sich nicht an den Text hält, sondern während der Vorstellung im Anschluß an einen vorliegenden Stoff selbst frei erfindet, beschränkt sich meist auf komische und possenhafte Stücke. Es wurde bes. gepflegt in der röm. →Atellane und dann in der ital. →Commedia dell'arte, die im Ggs. zu der von Gelehrten verfaßten Commedia erudita kein vollständig durchgearbeitetes Textbuch kennt, sondern nur e. →Szenarium (→Kanevas), das Handlung und Szenenabfolge im Grundriß festlegt, während der Dialog variabel und dem Geist wie der Improvisationskunst der Schauspieler innerhalb der feststehenden Typen überlassen bleibt, wobei die ›lazzi‹ des Arlecchino über Unebenheiten und Verlegenheiten hinweghelfen. In Dtl. fand das S.-spiel wohl schon in den komischen Szenen der geistlichen Spiele des MA. (bes. der Krämerszene des →Osterspiels) Eingang und wurde nach Vorbild der Italiener in die Komödie und selbst die →Haupt- und Staatsaktionen übertragen. GOTTSCHEDS Theaterreform im 18. Jh. verbannte mit dem Hanswurst den Träger des S.-spiels und schränkte die mit dem S.-spiel einreißende Verwilderung des Theaterwesens ein, unterdrückte jedoch, indem sie den Schauspieler streng vom Dichterwort abhängig machte, viele lebendige und volkstümliche Züge. Auch in Österreich wurde das S.-spiel seinerzeit durch Erlaß vom 11. 2. 1752 aus Zensurgründen verboten; und auch heute ist Improvisieren und Extemporieren ungebräuchlich.

RL; O. Rommel, D. Altwiener Volkskomödie, 1952.

Stegreifkomödie →Stegreif

Steigerung →Klimax

Stellungsfiguren →rhetorische Figuren (Satzfiguren)

Stemma (griech. = Stammbaum), stammbaumartige Übersicht über die Verwandtschaftsverhältnisse der einzelnen Hss. in der Überlieferung lit. Denkmäler als Rekonstruktion der →Textgeschichte.

Sterbebüchlein, Ars moriendi (= Sterbekunst) verbreitete Gattung der volkstümlichen →Erbauungslit. im SpätMA.: Beichtformeln und Sündenaufzählung mit Trostverkündigung für Sterbende von Th. PEUTNER 1434, M. LUTHER 1519 u. v. a.

F. Falk, D. dt. S., 1890, n. 1969; R. Rudolf, Ars moriendi, 1957; ders., D. Ars moriendi-Lit. d. MA. (Jb. f. Internat. Germanistik 3, 1971); J. Reiffenstein u.a., Dt.spr. S. d. 15. Jh. (Germanist. Stud., 1969).

Sthala-Purânas →Purânas

Stichisch = →monostichitisch

Stichometrie (griech. *stichos* = Zeile, *metron* = Maß), 1. in der Antike die für bibliographische Zwecke, als Schutz gegen Interpolationen und als Grundlage der Berechnung des Schreiberlohnes vorgenommene Bestimmung des Umfangs e. Schriftwerkes (auch Prosawerkes) nach dem Maßstab e. Hexameterzeile zu rd. 16 Silben oder 36 Buchstaben, die jedoch nicht der tatsächlichen Zeilenlänge entsprach, sondern nur als Berechnungsmaß diente. – 2. Form der →Antithese im Dialog (bes. des Dramas), wenn Behauptung und Entgegnung im Ggs. zueinander stehen: ›An Büchern fehlts, den Geist zu unterhalten‹ – ›Die Bibel ließ man ihr, das Herz zu bessern‹ (SCHILLER, *Maria Stuart I*, 1).

F. Ritschl, *De s. veterum*, 1840. →Paläographie.

Stichomythie (griech. *stichos* = Zeile, *mythos* = Rede), ›Zeilenrede‹, die schnelle, zeilenweise zwischen den verschiedenen Personen wechselnde Rede und Gegenrede im längeren Dialog des Versdramas, indem auf jede der sich unterredenden Personen e. einzelner Vers, später bei Distichomythie e. Doppelvers, bei Hemistichomythie e. halber Vers entfällt; dient zu schärfster Gegenüberstellung im Drama und erscheint bes. in lebhaftem Gespräch, erregtem Wortwechsel, geistiger Auseinandersetzung u.ä., häufig in scharfer und zur Sentenz neigender Redeweise oder als Wiederaufnahme e. gegnerischen Wortes (→Anaklasis 2). Im antiken Drama bes. bei EURIPIDES oft und kunstvoll ausgebildet, in röm. Lit. bei SENECA; in dt. Dichtung bes. seit dem Barock (bes. LOHENSTEIN) bewußt verwendet nach Vorbild SENECAS dann in der Klassik bei GOETHE und SCHILLER (z.B. *Braut von Messina* I, 5 und III, 1) nach griech. Vorbild, auch späterhin meist in antikisierender Absicht, doch dient im Dt. auch die Aufteilung der Zeile (→Antilabe) der Lebhaftigkeit des Dialogs.

A. Gross, D. S. i. d. griech. Tragödie u. Komödie, 1905; J. L. Hancock, *Studies in s.*, 1917; E. Oberbeck, D. S. i. dt. Drama, Diss. Gött. 1919; RL; J. L. Myres, *The structure of s. in Greek tragedy*, 1950; W. Jens, D. S. i. d. früh.-griech. Tragödie, 1955; E.-R. Schwinge, D. Verwendg. d. S. i. d. Dramen d. Euripides, 1968.

Stichos (griech. = Reihe), im Prosatext = Zeile, im Gedicht = Vers der Abschrift, deren Zahl in Papyrusrollen oder alten Hss. oft am Ende vermerkt wurde, um Einschübe zu vermeiden. →Stichometrie.

Stichreim, häufige Form der →Reimbrechung im Drama des 15./16. Jh., in der zwei durch Reim zusammengebundene Verse auf zwei verschiedene Personen verteilt werden.

M. Herrmann, S. u. Dreireim, 1897.

Stichwort, 1. im Theater letztes Wort e. Schauspielers, das dem Partner das Zeichen zum Auftreten oder im Dialog zum Einsatz seiner eigenen Rede gibt und daher neben seiner Rolle von ihm gekannt werden muß. Auch für Beleuchter, Inspizient und gegebenenfalls Kapellmeister ist das S. wichtig. – 2. in der Lexikographie das im Druck hervorgehobene, im nachfolgenden Artikel zu erläuternde Wort. – 3. im Bibliothekswesen Hauptsinnwort e. Werktitels, meist, doch nicht immer identisch mit →Schlagwort (2), welches nicht im Titel zu stehen braucht.

Stigmonym (v. griech. *stigme* =

Punkt, *onoma* = Name), heißt e. →anonym erschienene Schrift, die anstelle des Verfassernamens Punkte führt (›von . . . . .‹).

Stil (lat. *stilus* = Schreibgriffel, Schreibweise), im weiteren Sinne die charakteristische, einheitliche Ausdrucks- und Gestaltungsweise bei der sprachl. Prägung e. Kunstwerks überhaupt, in der sich ästhetisches Ziel und Gestaltungskraft des Schöpfers in der kontinuierl. Auswahl aus den sprachlichen Möglichkeiten und der Abweichung von normhaften Sprachregeln dokumentieren, bedingt durch das individuelle Künstlertum des Schöpfers (→Individual-S.), seine Standes- und Volkszugehörigkeit (National-S.), seine Heimatgegend oder Stammesherkunft, die Geschmacksrichtung der Zeit (Zeit- oder →Epochal-S.), Vorbilder, die verwendete Form und deren Gesetze (Gattungsstil) und den zugrundegelegten Stoff, die im S. zu e. aus der inneren Haltung, Weltanschauung und Formgefühl erwachsenen Einheit, der ›inneren Form‹ zusammengefügt werden oder anderenfalls bei Widersprüchen zu S.-brüchen oder S.-losigkeit führen. Auch die Betrachtung des S. im engeren Sinne als kunstmäßige Formung der Sprachkräfte, wesentliches Kennzeichen der Sprachkunst, hat außer den obigen zwei wesentliche Faktoren des S. zu unterscheiden: den Zweck des Werkes als bestimmend für die Darstellungsweise und den eigenen Gestaltungstrieb aus dem Gemüt und der innersten menschlichen Haltung des Schöpfers als persönlichen Anteil an der Schöpfung. S.-betrachtung ist e. wesentlicher Kernpunkt der Literaturwissenschaft, insofern sie zu den sprachschöpferischen und sprachformenden Grundelementen der Dichtung vorstößt und sie als deren eigentliche Träger erweist (→Stilistik). Neben die früher einzig beachtete Anwendung der rhetorischen Figuren als vermeintliche Schmuckmittel der Dichtung, mit deren Aufzeigen sich die ältere Stilistik begnügte, treten in neuerer Zeit alle Elemente der sprachlichen Gestaltung in den Blickpunkt: die grammatischen (Satzbau, Wortschatz, Aussageweise), die rein klanglichen (→Rhythmus, →Sprachmelodie, →Klangmalerei und →Klangsymbolik) und bes. die umgreifenden Formen der Sprachdynamik in Allegorie, Symbol, Bild, Ausruf usw. als weitaus tiefgreifendere Kennzeichen der Stilkraft. Die moderne Erkenntnis von der Wichtigkeit des S. für das Sprachkunstwerk und die Kunst allg. dringt erst im 18. Jh. durch; kennzeichnend wird BUFFONS →›Le style est l'homme même‹ 1753. WINCKELMANNS *Geschichte der Kunst des Altertums* 1764 unterscheidet zuerst vier Stilepochen der griech. Kunst; GOETHES Aufsatz von 1788 trennt ›Einfache Nachahmung der Natur, Manier, Stil‹; SCHILLER folgt im Brief an KÖRNER vom 28. 2. 1793 dieser Abgrenzung und den drei Schönheitsstufen SHAFTESBURYS. Seit der Romantik setzt dann die bewußte stilgeschichtliche Forschung ein, die auch von der Kunstgeschichte (SEMPER, *D. S.*, 1860; WORRINGER, *Formprobleme der Gotik*, 1911; WÖLFFLIN, *Kunstgeschichtliche Grundbegriffe*, 1915) übernommen wird. Bes. DILTHEY und NOHL entwickeln im Ggs. zu den geschichtlich gebundenen Stilgruppen drei feste, sich evtl. rhythmisch wiederholende Weltanschauungstypen als menschlich-künstlerische Grundverhaltensweisen. Während ELSTER und BALLY den S. noch psychologisch als ›Ausdruck‹ von etwas erforschen, verstehen NADLER und W. SCHNEIDER darunter die Darstellungsart allg. und O. WALZEL die Sprachkunst schlechthin. L. SPITZER und E. STAIGER dringen durch Stilkritik zu den dichterischen Wirkungsgestalten vor. →Stilarten, →Stilistik.

W. Wackernagel, Poetik, Rhetorik, Stilistik, 1888; Th. A. Meyer, D. S.-gesetz d. Poesie, 1901, n. 1971; C. Bally, *Précis de stylistique,* Genf 1905; Ch. A. Séchehaye, *Le programme et méthode de linguistique théoretique,* Paris 1908; G. Lanson, *L'art de la prose,* Paris 1908; E. Utitz, Was ist S., 1911; E. Elster, Prinzipien d. Lit.wiss. II: Stilistik, 1911; J. Volkelt, D. Begriff d. S. (Zs. f. Ästhet., 1913); R. M. Meyer, Dt. Stilistik, [2]1913; E. Castle, Z. Entwicklungsgesch. d. Wortbegriffs S., GRM 6, 1914; F. Strich, D. lyr. S. i. 17. Jh. (Festschr. f. Muncker, 1916); O. Weise, Ästhetik d. dt. Sprache, [4]1916; L. Spitzer, Aufsätze z. roman. Syntax u. Stilistik, 1918; R. W. Wallach, Üb. Anwendg. u. Bedeutg. d. Wortes S., Diss. Würzb. 1919; H. Nohl, S. u. Weltanschauung, 1920; Ch. Bally, *Traité de stylistique française,* Paris [2]1921; F. Strohmeyer, D. S. d. franz. Sprache, [2]1924; O. Walzel, Gehalt u. Gestalt, 1925; E. Hoffmann-Krayer, Gesch. d. dt. S. i. Einzelbildern, 1925; W. Schneider, Kl. dt. S.-kunde, 1925; E. Ermatinger, Zeit-S. u. Persönlichkeits-S., DVJ. 4, 1926; L. Spitzer, Stilstudien, II [2]1961; H. Read, *Engl. Prose Style,* Lond. 1928; H. Ammann, D. menschl. Rede, II 1928; B. Dobrée, *Modern Prose Style,* Lond. 1928; E. Winkler, Grundlegg. d. Stilistik, 1929; H. Hatzfeld, Romanist. S.-forschg., GRM 1929, 1931; RL; H. Pongs, Z. Methode d. S.forschg., GRM 17, 1929; W. P. Ker, *Form and Style in Poetry,* Lond. 1929; K. Schultze-Jahde, Ausdruckswert u. S.-begriff, 1930; J. Nadler, D. Problem d. S.-gesch. (Philos. d. Lit.-wiss., hg. E. Ermatinger, 1930); W. Schneider, D. Ausdruckswerte dt. Sprache, 1931, n. 1968; L. Spitzer, Roman. S.- u. Lit.-studien, 1931; H. Brinkmann, Grundfragen d. S.-gesch. (Zs. f. Dt.kunde, 47, 1932); A. Alonso, R. Lida, *Introduction a la estilistica romance,* Buenos Aires 1932; M. Deutschbein, Neuengl. Stilistik, 1932; J. Chabas, *Vuelo y estilo,* Madrid IV 1934 ff.; F. Kainz, Höhere Wirkungsgestalten d. sprachl. Ausdrucks im Dt. (Zs. f. Ästhet., 1934); W. Kramer, *Inleiding tot de stilistiek,* Groningen 1935; Ch. Bally, *Le langage et la vie,* [3]1935; J. M. Murry, *The Problem of Style,* Lond. [10]1960; Z. Lempicki, *Le problème d. style,* Warschau 1937; Th. Spoerri, D. stilkrit. Methode (in: D. Formwerdg. d. Menschen 1938); J. van Dam, Lit.gesch. als S.-gesch., Neophil. 1938; E. Ermatinger, D. dichter. Kunstwerk, [3]1939; J. Petersen, D. Wissensch. v. d. Dichtg. I, 1939; E. Falqui, *Ricerchi di stile,* Florenz 1939; R. Pipping, *Sprak och stil,* Stockholm 1940; H. Anersen, *Bibliografi over nordisk stilforskning* (*Nysvenska Studier 19,* 1940); A. Alonso, *The stylistic interpretation of lit. texts* (*Mod. Language Notes 57,* 1942); W. H. D. Rouse, *Style* (*Essays and Studies by Members of the Engl. Association,* hg. N. Ch. Smith, Oxf. 1942); F. J. Snijman, *Lit. stijl met die oog op stilonderzoek,* Assen 1945; E. L. Kerkhoff, *Het begrip stijl,* Groningen 1946; C. F. P. Stutterheim, *Stijlleer,* Den Haag 1947; M. Cressot, *Le style et ses techniques,* 1947; W. Kramer, *Inleiding tot de stilistische interpretatie van literaire kunst,* Groningen 1947; F. Kainz, Philos. d. Kunst (Hdb. d. Geisteswiss., 1948 f.); ders., Ästhetik, 1948; A. Kutscher, Stilkunde d. dt. Dichtg., 1949 ff.; H. Seidler, Sprache u. Gemüt, 1952; ders., Allg. Stilistik, [2]1963; D. Alonso, *Poesia espagnola,* Madrid [2]1954; L. Reiners, S.kunst, [9]1971; F. Thierfelder, Wege z. bess. S., [2]1956; F. L. Lucas, *Style,* Lond. [3]1956; Stil- u. Formprobleme i. d. Lit., hg. P. Böckmann 1959; W. Strunk, *The elements of style,* 1959; H. Morier, *La psychol. des styles,* Genf 1959; *Style in language,* hg. T. A. Seboek, N. Y. 1960; D. Faulseit, G. Kühn, Stilist. Mittel u. Möglichkeiten d. dt. Sprache, 1961; A. Malblanc, *Stylistique comparée du franç. et de l'allemand,* Paris 1961; R. A. Sayce, *The definition of the term ›s.‹,* (*Actes du 3. Congr. de L'Association Internat. de lit. comp.,* 1961); E. L. Kerkhoff, Kl. dt. Stilistik, 1963; L. Spitzer, *Linguistics and lit. hist.,* N. Y. 1962; E. Staiger, Stilwandel, 1963; H. Viebrock, D. S. i. d. Krise, 1963; *Linguistics and style,* hg. J. Spencer, Lond. 1965; L. T. Milic, *Style and stylistics,* Bibliogr., N. Y. 1967; R. Adolph, *The rise of mod. prose style,* N. Y. 1968; G. Hough, *Style and stylistics,* Lond. 1969; B. Gray, *Style,* Haag 1969; D. Dupriez, *L'étude des styles,* Paris 1969; P. Guiraud, *Essais de stylistique,* Paris 1969; *Statistics and style,* hg. L. Doležel, R. W. Bailey N. Y. 1969; P. Cassirer, *Deskriptiv stilistik,* Stockh. 1970; P. Hallberg, *Litterär teori och stilistik,* Göteborg 1970; *Patterns of lit.style,* hg. J. Strelka, Lond. 1971 (= *Yearbook of compar. criticism* 3); *Literary style,* hg. S. Chatman, Lond. 1971; S. Ullmann, Sprache u. S., 1972; Einf. i. d. Methodik d. S.unters., hg. G. Michel 1972; P. Guiraud, *La stylistique,* Paris 1972; Y le Hir, *Styles,* Paris 1972; B. Sowinski, Dt. Stilistik, 1973; M. Riffaterre, Strukturale Stilistik, 1973; N. E. Enkvist, *Linguistic stylistics,* Haag 1973; W. Sanders, Linguist. S'theorie, 1973; R. Chapman, *Linguistics and lit.*, Lond. 1973; G. W. Turner, *Stylistics*, Harmondsworth 1973; B. Asmuth u. a., Stilistik, 1974, [2]1976; B. Spillner, Linguistik u. Lit.wiss., 1974; E. Frey, S. u. Leser, 1975; W. Fleischer u. a., Stilistik d. dt. Gegenwartssprache, 1975; M. W. Bloomfield, *Stylistics and the theory of lit.* (*New lit. history* 7, 1976); W. Beutin, Sprachkritik, S'kritik, 1976; H. Seiffert, S. heute, 1977; J. Anderegg, Lit.wiss. S'theorie, 1977; H. Viebrock, Theorie u. Praxis d. S'analyse, 1977; W. Sanders, Linguist. Stilistik, 1977; B. Sandig, Stilistik, 1978.

Stilarten, aus der antiken Rhetorik (THEOPHRAST?, CICERO, QUINTILIAN) stammendes und in die ältere Literaturkritik und -geschichte übernommenes Einteilungsschema nach dem Gesamtton und Stil e. Rede bzw. e. Dichtung. Man unterscheidet drei S. (genera dicendi): 1. leichter Stil (genus tenue, subtile oder humile), einfach und schmucklos als Nachahmung der gewöhnlichen Umgangssprache zum Zwecke der bloßen Mitteilung oder Belehrung (docere), 2. mittlerer Stil (genus medium, mediocre oder floridum) mit reicherer Verwendung der Schmuckmittel (rhetorische Figuren) und dem Ziel e. gefälligen, doch durchsichtigen Ausdrucksweise zum Zwecke angenehmer Unterhaltung über die Mitteilungs- und Belehrungstendenz hinaus (delectare), 3. erhabener, schwerer Stil (genus sublime oder grande), anspruchsvoll und mit allen Mitteln des Redeschmucks versehen zum Zweck der leidenschaftlichen Erregung und Gemütserschütterung (movere), nur bei erhabenen Stoffen gestattet und später oft absichtlich dunkel und in Schwulst (genus tumidum) ausartend. In den ma. Poetiken werden die drei S. später auf die drei festen Gesellschaftsklassen der Hirten, Bauern und Krieger bezogen – entsprechend den charakteristischen Eigenarten von VERGILS *Bucolica*, *Georgica* und *Aeneis* – und die jeweils entsprechenden Namen, Schauplätze, Tiere und Pflanzen, Gerät usw. werden in der ›rota Vergilii‹ (= Rad des VERGIL) von JOHANNES DE GARLANDIA beigeordnet, so daß die Wahl der S. durch die soziale Stufung des Stoffes bestimmt ist. Dagegen wurde häufig Mischung der S. empfohlen. Daraus entwickelt sich später die Lehre vom Ornatus facilis und Ornatus difficilis (= leichter und schwerer Schmuck), die die Dreigliedrigkeit der S. zugunsten e. Zweiteilung aufhebt.

F. Quadlbauer, D. antike Theorie d. genera dicendi i. lat. MA., 1962. →Rhetorik.

Stilblüte, unschön, komisch oder lächerlich wirkende stilistische Formulierung e. Gedankens oder Tatbestandes, am häufigsten in Form der →Katachrese (2).

Stilbruch entsteht durch mangelnde Übereinstimmung der innerhalb e. geschlossenen Ganzen verwendeten Stilmittel, etwa ungerechtfertigter Wechsel der Perspektive, unmotivierter Stimmungsumschlag, gefühlsmäßig einander widersprechende Aussagen oder Formen, z. B. strophische Gliederung bei sprudelnder Rede usw. Fehlende Einheitlichkeit der Aussageweise läßt – selbst bei gelungenen und wertvollen Einzelzügen – e. bleibendes ästhetisches Erlebnis des Werks als Sprachkunstwerk nicht aufkommen, doch bleibt die Möglichkeit nicht ausgeschlossen, daß der S. als bewußtes Mittel Verwendung finden kann; der Wert des wirklichen Kunstwerks liegt in seiner Einheit und Geschlossenheit.

Stilbühne benutzt unter Vermeidung aller realistisch-naturalistischen Illusionsmittel wie Kulissen u. ä. nur Vorhänge, Beleuchtungseffekte und andeutende, stilisierte Schauplätze ähnlich der →Shakespeare-Bühne; 1908 im Münchner Künstlertheater zuerst geschaffen.

G. Fuchs, D. Schaubühne d. Zukunft, 1904; ders., D. Revolution d. Theaters, 1909; RL. →Bühne →Theater.

Stilfiguren →rhetorische Figuren

Stilgeschichte untersucht den Wandel des →Stils und die Stilzüge der einzelnen Epochen sowie deren Bedingtheit in allen Formen der Schrift- und Literatursprache.

E. Staiger, Stilwandel, 1963; G. Schmidt-Henkel, Mythos u. Dichtg., 1967; G. Kluge, S. als Geistesgesch. (Neophil. 61, 1977). →Stil.

Stilisierung, die Unterstellung von Naturformen unter Weglassung des Zufällig-Nebensächlichen unter e. vorgeprägte und streng in ihrer Eigenart bestimmte künstlerische Form häufig ornamentaler Art (→Jugendstil), sodann die Adaptierung e. Textentwurfs an e. dem Anlaß entsprechendes vorgegebenes Stilmuster.

Stilistik, 1. normative und deduktive ›Stillehre‹, die praktische Regeln und Richtlinien setzende Lehre vom guten (Prosa-)Schreibstil, den Arten und Formen des richtigen und vorbildlichen schriftsprachlichen Ausdrucks – im Ggs. zur Rhetorik als Lehre von der mündlichen Rede – auf die sprachliche Darstellungskunst angewandte Sprachwissenschaft und Ästhetik. Sie ist deutlich zu trennen von der: 2. allg. S. als Wissenschaft vom Sprachstil schlechthin, die die Formung des Sprachmaterials durch den Stil untersucht. Ihre Methode ist sowohl deduktiv als induktiv und geht von psychologischen (ELSTER) wie ästhetischen Begriffen (W. SCHNEIDER) aus, hat jedoch noch kein einheitliches System entwickelt. Als Bindeglied zwischen Sprach- und Literaturwissenschaft baut sie auf grammatischen Kategorien auf und strebt bes. nach Erfassung der dichterischen ›hohen Wirkungsgestalten‹, als Teil der Literaturgeschichte untersucht die beschreibende S. oder Stilbeschreibung an Hand bereits vorliegender Musterbeispiele den Stil e. Sprache, e. Epoche, e. Werkes oder Dichters systematisch in seinen Stilmitteln, Ausdruckswerten und ästhetischen Wirkungen, im Ggs. zur Grammatik jedoch ästhetisch wertend und im Ggs. zur Poetik auch das Zweckschrifttum erfassend.

Lit. →Stil.

Stilnovismo →Dolce stil nuovo

Stilreime oder Gleichformreime binden Formen derselben Wortklasse (Verb + Verb, Substantiv + Substantiv usw.) durch Reim untereinander: meiden/scheiden, Not/Tod.

Stimmungsbild, kürzere Prosaskizze, die mit den Mitteln der Sprache und bei vorgegebener oder echter Gleichzeitigkeit ein gemüthaftes Erlebnis und dessen Anlaß (angeschaute Natur, Landschaft, später auch menschliche Umwelt) ineins wiedergibt und dabei weniger auf das faktisch Vorgefundene als auf dessen Stimmungselemente und deren Verhältnis zur seelischen Situation des Aufnehmenden abhebt. Selbständige Prosaform oder Bestandteil von Romanen, Reisebeschreibungen u. ä. Vgl. →Genrebild.

B. Lecke, Das S., 1967.

Stimmungslyrik →Lyrik

Stimmtypus →Schallanalyse

Stock (niederl.), die regelmäßig am Ende jeder Strophe in identischer Form wiederkehrende Schlußzeile (gelegentlich auch 2, 1½ oder ½ Zeile) der Refraingedichte (refrein) der →Rederijkers; gibt Thema und Grundgedanken des Gedichts an.

A. Bourget, *De s. van het refrein (Tijdschrift voor Levende Talen,* 1946).

Stoff, im Ggs. zu Problem oder Idee nicht der geistige Gehalt und im Ggs. zu →Motiv nicht die allg. thematische Vorstellung e. Dichtung, sondern rein der sachliche Vorwurf, die →Fabel (1) als erzählbarer ›Inhalt‹, in dem die geistige Haltung durch die →Form zur Darstellung gelangt und das Motiv seine einmalige, an Personen, Ort und Zeit und Begleitumstände gebundene Ausprägung erhält. S. im eigtl. Sinne kennen nur die Handlung gestaltenden Gattungen, also Epik und Drama, nicht Lyrik. In vielen Fällen (z. B. Drama, Epos, historischer Roman, Sage) geht er nicht auf eigene Erfindung des Autors, sondern auf e. außerhalb des Werkes bestehende, mündlich oder lit. überlieferte →Quelle zurück, die vom Dichter um des zugrundeliegenden →Motivs willen aufgegriffen wurde, jedoch keineswegs mangelnde Originalität und Phantasie des Dichters dokumentiert, da erst in der Gestaltung und künstlerischen Durchdringung des S. die eigtl. dichterische Leistung liegt. Gewisse Stoffe aus Geschichte (z. B. Caesar, Demetrius, Napoleon, Jungfrau von Orleans) und bes. aus der griech. Mythologie (z. B. Iphigenie, Orest, Amphitryon) leben daher in ständig erneuten Gestaltungen durch die Jahrtausende. Ihre Erforschung ist Aufgabe der →Stoffgeschichte.

J. Körner, Erlebnis, Motiv, S. (Festschr. f. Walzel, 1924); J. Wiegand, Gesch. d. dt. Dichtung, [2]1928; RL; R. Petsch, Erlebnis, Motiv, S. (in: Dt. Lit.wiss., 1940); E. Frenzel, Stoff-, Motiv- u. Symbolforschg., [4]1978; dies., Stoff- u. Motivgesch., [2]1974; dies., S.e d. Weltlit., [4]1976; dies., Motive u. S.e (Die Lit., hg. G. Böing 1973); R. Trousson, *Un problème de lit. comparée: les études de thèmes,* Paris 1965; G. P. Knapp, S., Motiv, Idee (Grundzüge d. Lit.- u. Sprachwiss., hg. H. L. Arnold I, 1973); F. Jost, Grundbegriffe d. Thematologie (Theorie u. Kritik, Fs. G. Loose, 1974); A. J. Bisanz, S., Thema, Motiv (Neophil. 59, 1975). →Stoffgeschichte.

Stoffdrama, e. Drama, das zum richtigen Verständnis der dargestellten Vorgänge die Kenntnis des zugrundeliegenden historischen oder mythischen Stoffes voraussetzt, wie z. T. die griech. Tragödien und deren Neubearbeitungen.

Stoffgeschichte, seit dem Positivismus entstandene und bes. um 1920–30 ausgebildete Blickrichtung der →vergleichenden Literaturgeschichte, die im Ggs. zur →Quellenforschung weniger die Herkunft als die verschiedenen Wandlungen und Bearbeitungen e. →Stoffes oder Motivs bei e. oder verschiedenen Völkern im Laufe der literaturgeschichtlichen Entwicklung verfolgt, anfangs lediglich aufzählend, beschreibend und vergleichend, seit P. MERKERS und G. LÜDTKES Forschungen aus geisteswissenschaftlicher Blickrichtung, die in der Umgestaltung und Akzentsetzung desselben Stoffes bei verschiedenen Dichtern oder in verschiedenen Epochen e. Kennzeichen für die Weltanschauung, Ethik, Kunstauffassung und Problemstellung der verschiedenen Zeiten bzw. Persönlichkeiten erkennt. Bei der untergeordneten Bedeutung des Stoffes in der Dichtung und der primär außerdichterischen Fragestellung der stoffgeschichtlichen Forschung ist die S. heute insbes. dort interessant und aufschlußreich, wo es ihr nicht mehr um das bloße Materialsammeln und Aufzählungen von Wanderungen und Wandlungen der Stoffe als Selbstzweck ankommt, sondern wo sie die faktischen Vorarbeiten zu vertieften literaturhistor. und poetologischen Erkenntnissen verwertet: Beliebtheit und Verbreitung der Stoffe nicht nur in der hohen Lit., sondern auch in der Triviallit. ermöglichen geistesgeschichtliche Durchblicke, ihre vielfältige Behandlung bei versch. Autoren ist aufschlußreich für das Maß an Individualität und Eigenwilligkeit, mit der der einzelne eine Stofftradition umgestaltet, sie mit neuen Aussagen befrachtet und neue Aspekte herausarbeitet, und das Vorwiegen einzelner Gattungen bei bestimmten Stoffen ermöglicht e. tiefere Erkenntnis dichterischer Gestaltungsmöglichkeiten und stoffimmanenter Formlösungen, die für die Poetik nutzbar zu machen sind.

E. Sauer, Bemerkungen z. Versuch e. S., Euph. 26, 1925; ders., D. Verwertung stoffgesch. Methoden i. d. Lit.forschg., Euph. 29, 1928; P. Merker, G. Lüdtke, Stoff- u. Motivgesch. i. d. dt. Lit., 1929 ff.; RL; E. Frenzel in ›Aufriß‹; F. Baldensperger, W. P. Friedrich, *Bibliogr. of comparative lit.*, Chapel Hill 1950; E. Heinzel, Lex. hist. Ereignisse u. Personen i. Kunst, Lit. u. Musik, 1956; F. A. Schmitt, Stoff- u. Motivgesch. d. dt. Lit., ³1976 (Bibliogr.); E. Heinzel, Lex. d. Kulturgesch. i. Lit., Kunst u. Musik, 1962; E. Frenzel, Stoffe d. Weltlit., ⁴1976; M. Beller, V. d. S. z. Thematologie (Arcadia 5, 1970); H. Levin, *Thematics and criticism* (in: *Grounds for comparison*, Cambr. Mass. 1972); M. Beller, Toposforschg. contra S. (Toposforschg., hg. P. Jehn 1972); A. J. Bisanz, Zw. S. u. Thematologie, DVJ 47, 1973; O. Höfler, S. (Fs. B. Horacek 1974); W. Theile, S. u. Poetik (Arcadia 10, 1975); J. Schulze, Gesch. od. Systematik (ebda.). →Stoff.

Stoichedon (griech. = reihenweise), Anordnungsweise des Schriftsatzes, bei der die Buchstaben reihenweise untereinander stehen, bes. auf griech. Inschriften der klassischen Zeit. Trotz ornamentaler Wirkung ist ihre Lesbarkeit erschwert, da sie keine Worttrennung kennen.

R. P. Austin, *The S. Style in Greek Inscriptions*, Oxf. 1938.

Stollen, 1. die zwei gleichgebauten und nach derselben Melodie gesungenen Teile des →Aufgesangs in der dreiteiligen sog. →Meistersangstrophe, auch S. und Gegen-S. oder mit den Fachausdrücken des Meistersangs Gesätz und Gebäude genannt. Sie sind stets beide zusammen länger, einzeln kürzer als der folgende →Abgesang. – 2. die Stäbe in der Vorderreihe des →Alliterationsverses.

Stornello (v. provenzal. *estorn* = Kontrast), kurzes, z. T. improvisiertes ital. Volkslied, bes. seit 17. Jh. unter den Bauern der Toskana und Mittelitaliens abwechselnd gesungen. Urspr. in Form eines gereimten Zweizeilers oder aus einem Quinar oder Septenar, der eine Blume anruft, mit nachfolgenden zwei Endecasillabi, von denen der 2. auf den Blumennamen reimt: aBA. Der Inhalt hat mit der Blume oft wenig zu tun: Liebe, Haß, Hoffnung, Freude, Heimatliebe u. a. Von den Kunstdichtern schrieb besonders DALL'ONGARO S. in freien Formen.

M. Barbi, *Poesia popolare italiana*, Florenz 1939.

Story →Short story

Stotras (ind.), religiöse Hymnen auf die Gottheiten des Hinduismus oder Buddha als Lobpreis und Zeichen der Demut, von altind. Zeit bis in die Gegenwart verbreitet.

Strambotto, e. der ältesten ital. Gedichtformen, Einzelstrophe von acht oder (in der Toskana) sechs Elfsilbern (Endecasillabi) mit Kreuzreim (ab ab ab ab), gelegentl. auch anderen Reimfolgen (ab ab cc dd, ab ab ab cc, aa bb cc dd) in der sizilian. Volksdichtung, im 15. Jh. in die satir. oder erot. Kunstdichtung übernommen (POLIZIANO, CARDUCCI u. a.), Vorform von Madrigal, Sonett und Stanze. Vgl. →Rispetto; in Dtl. →Siziliane.

T. Ortolani, *Studio riassuntivo sullo s.,*

Feltre 1898; G. d'Aronco, *Guida bibliografica allo studio dello s.*, Modena 1951; R. M. Ruggiera, *Protastoria dello s. romanzo* (*Studi di filologia ital.* II, 1953).

Straßentheater, im weitesten Sinne jedes Theaterspiel auf der Straße (so schon THESPIS in Athen, geistl. Spiele des MA., Fastnachtszüge u. a.), im engeren Sinne 1968 aus der Studentenbewegung entstandene, an Arbeitertheater und Agitprop angelehnte Aufführungen polit. radikaler Gruppen auf improvisierten Spielstätten an Plätzen und Straßen (Spielstraße der Münchner Olympiade 1972) mit drast. kabarett- oder revuehaften Szenen, aktuellen Montagen, Sketches und Songs. Sie erstreben nicht Kunst, sondern Agitation: Propagierung konkreter polit. Ziele, sozialkrit. Bewußtseinsbildung der Massen, spontane sozialist. Solidarisierungskampagnen, konkrete polit. Aktionen zur Veränderung der Gesellschaft. S. ist Fortsetzung der polit. Aufklärungsarbeit mit anderen, auch z. T. unterhaltsamen Mitteln, die nur der Anregung von Diskussionen u. Aktionen dienen.

S., hg. A. Hüfner 1970.

Strategy (engl. = Taktik), die Art der technischen Gestaltung von Vers und Strophe, Klang, Bild und Rhythmus usw. im Gedicht zur Erreichung höchster Aussagekraft aus den Stilwerten der einzelnen Schichten.

Stream of consciousness (engl. = Bewußtseinsstrom), von E. DUJARDIN (*Les lauriers sont coupés*, 1887), James JOYCE, V. WOOLF u. a. entwickelte moderne Erzähltechnik insbes. im →Roman, die e. unvermittelte oder assoziative Folge von Bildern und Gedanken anstelle der Erzählhandlung setzt und die sog. ›Handlung‹ in dem Bewußtseinsstrom der Hauptperson ablaufen läßt, der nach dem psychologischen Gesetz der freien Assoziation auf jede äußere Einwirkung sofort mit e. Fülle simultan erregter Vorstellungsverknüpfungen und Erinnerungen reagiert. Vgl. →innerer Monolog.

L. E. Bowling, *What is the s. o. c.-technique?* PMLA 65, 1950; R. Humphrey, *S. o. c. in the mod. novel*, Berkeley ³1962; M. Friedman, *S. of c.*, New Haven 1955; D. Stephan, D. Roman d. Bewußtseinsstroms u. s. Spielarten (Deutschunterr. 14, 1962); S. K. Kumar, *Bergson and the s. o. c. novel*, N. Y. 1962; G. Uellenberg, Bewußtseinsstrom, innerer Monolog u. Rollenprosa (Tendenzen d. dt. Lit. seit 1945, hg. T. Koebner 1971); D. Cohn, *Transparent minds*, Princeton 1978.

Streckvers, 1. = →Schwellvers, 2. →Rhapsoden, 3. →Polymeter

Streit →Literaturfehde

Streitgedicht disputiert in Rede und Gegenrede – häufig allegorischer Personen – über Wert und Unwert des betreffenden Gegenstandes und wiegt seine Vorzüge und Nachteile gegeneinander ab; als →Synkrisis schon in der Antike (THEOKRIT, VERGIL) und bes. wichtig und beliebt in der roman., altnord., altengl. Dichtung des MA., von dorther und wohl unter Einfluß der mlat. allegorischen Streitgespräche (zwischen Sommer und Winter u. ä.) auch in die dt. Vagantendichtung gelangt, bes. als Bloßstellung der Mißwirtschaft im Geistlichenstand, der Simonie und Geldsucht des Papsttums, später von der Minnedichtung übernommen, in der provenzal. Dichtung als →Tenzone, franz. als →Débat, ital. als →Contrasto in Dtl. als Streitgespräch bes. seit dem 13. Jh. zwischen Wasser und Wein, Leib und Seele (WALTHER VON METZ), Liebe und Schönheit (BRENNENBERG) u. a. Personifikationen auch bei WALTHER, teils jedoch auch wirklicher Gestalten wie Kay und Gawan (beim TUGENDHAFTEN

SCHREIBER) oder einzelner Spielleute (beim TALER) u. ä., später wieder vornehmlich allegorisch wie Frau Ehre und Frau Schande (KELYN), Frau Minne und Frau Welt (FRAUENLOB) usw. Meistersang und Volkslied verwenden derartige Themen, dichterisch und geistig am bedeutendsten JOHANNES' VON TEPL Streitgespräch vom *Ackermann aus Böhmen* (um 1400). Als erweiterte Form können die Sängerkriege wie der erhaltene *Wartburgkrieg* gelten. In der →Reformationslit. folgt e. Fülle meist prosaischer →Flugschriften um weltanschauliche, politische und religiöse Probleme in →Dialogform (HUTTENS Streitgespräche) und bes. in der →Narrenlit., noch im 17. Jh. die religiösen →Streitschriften von ANGELUS SILESIUS u. a.

H. Knobloch, Die S. i. Prov. u. Altfrz., 1886; H. Jantzen, Gesch. d. dt. S. i. MA., 1896; H. Walther, D. S. i. d. lat. Lit. d. MA. 1920; RL; E. Köhler, Z. Gesch. d. altprov. S., Diss. Lpz. 1950; ders. Z. Entstehg. d. altprov. S. (Zs. f. roman. Philol. 75, 1959); E. Wagner, D. arab. Rangstreitdichtg., 1962; I. Kasten, Stud. z. Thematik u. Form d. mhd. S., Diss. Hbg. 1973.

Streitgespräch →Synkrisis

Streitschrift, allg. schriftlicher Austrag von Meinungsverschiedenheiten in weltanschaulichen, religiösen, politischen, ethischen, kulturellen u. a. Fragen in aggressiver Prosaform und vielfach direkter Anrede des Adressaten; vgl. einzeln →Flugschrift, →Libell, →Pamphlet, →Pasquill, →Satire, →Streitgedicht, →Literaturfehde.

Strophe (griech. = Wendung), urspr. Wendung des Chors zum Altar beim Tanz und das dazu gesungene Lied, dem bei der entgegengesetzten Bewegung die ebenfalls gesungene und getanzte, gleichgebaute →Antistrophe entsprach. Auf beide Teile folgte die metrisch abweichende →Epodos. Der Begriff aus der griech. Chorlyrik wurde in der Renaissance, dt. im 17. Jh. als Bz. für das frühere →Lied oder das ›Gesätz‹ des Meistersangs eingeführt: Verbindung mehrerer Verszeilen von gleichem oder verschiedenem Bau zu e. regelmäßig wiederkehrenden, in sich geschlossenen, höheren metrischen Einheit (System) durch Metrum, Reim, Versart und -zahl (die Bz. ›Vers‹ für S. ist falsch) als Gliederung e. Dichtung, bes. in der Lyrik, urspr. bedingt durch die Anpassung an dieselbe Melodie beim singbaren Lied und von verschiedener Kompliziertheit je nach der Zahl der streng festgelegten Merkmale. Die Antike bezeichnet die S.-Arten entweder nach der Anzahl der enthaltenen Verse (→Distichon, →Tristichon, →Tetrastichon entsprechend dem dt. Zweizeiler, Dreizeiler, Vierzeiler) oder, bes. bei komplizierteren metrischen Gebilden, nach dem Erfinder (Alkäische, Archilochische, Asklepiadeische, Hipponakteische, Sapphische S. usw.). Die einzelnen Metra als Unterteilung heißen →Kola, e. S. aus gleichen Metra Monokolon, aus zwei verschiedenen Dikolon, aus drei verschiedenen Trikolon usw. Mehrere Kola bilden →Perioden, die in der höchsten Ordnung der S. oder des Systems zusammengefaßt werden; S.-gruppen (→Perikopen 1) wie im ind. *Rigveda* sind in der europ. Dichtung ungebräuchlich. Die altgerman. alliterierende Dichtung läßt wie auch die Homerischen Epen keine strophische Gliederung erkennen; erst mit der Einführung des Endreims als strophenbildendes Prinzip neben dem Metrum entsteht e. größere Zahl und Variabilität der S.-form, indem aus der einfachen Folge der Reimpaare (aabb) durch Überkreuzung (abab), Umarmung (abba), Verschränkung (abcabc), Verkettung (aba bcb) u. ä. klanglich zusammengehörige und teils durch Kehrreim abgeschlossene Gruppen entstehen, so im mhd. Heldenepos (das höfische Epos benutzt Reimpaare) die Nibelungen-, Hildebrands-, Titurel-, Neidhart-, Gudrun-, Walther-, Morolf-S. u. a. m., oft umstrittener Herkunft, in der Strophenkunst des Minnesangs und Meistersangs die sog. →Meistersang-S. aus Aufgesang und Abgesang, die S. der provenzal. Troubadours, der ungleiche, durchkomponierte S.bau des Leich usw. Während das 16./17. Jh. häufig die in der Renaissance wiederbelebten antiken Odenstrophen benutzt, beginnt gleichzeitig die Aufnahme der romanischen S.formen, die bis heute zu den gebräuchlichsten gehören: Stanze, Terzine, Sonett, Sestine, Siziliane, Ritornell, Rondeau, Rondel, Triolett, Madrigal, Kanzone, Glosse, Quatrain, auch aus oriental. Lit. das Ghasel und der persische Vierzeiler. Daneben erhält das Volkslied, das einst auch mannigfache und komplizierte S.-form kannte (→Chevy-Chase-S. u. a.), meist den schlichten, gefühlsbetonten Vierzeiler, wie er bes. in der Lieddichtung der Romantik wieder Verwendung fand. Die Formenvielfalt des protestant. Kirchenliedes ist in ihrem Einfluß auf die S.-bildung im 17./18. Jh. noch kaum untersucht. Neben der Wiederaufnahme und Abwandlung alter Formen geht die Neubildung von S.n aus eigenem rhythmischem und klanglichem Empfinden des Dichters. Doch reizen immer wieder die festgeprägten traditionellen Schemata zu strenger erneuter Erfüllung ihrer Formgesetze. →strophische Komposition.

W. Seyd, Beitr. z. Charakteristik u. Würdigg. d. dt. S.n, 1874; R. M. Meyer, Grundlagen d. mhd. S.baus, 1886; K. Bretschneider, D. S. (Zs. f. dt. Unterr. 32); G. Pohl, D. S.bau i. dt. Volkslied, 1921; RL; E. F. Kossmann, D. 7zeilige S., 1923; W. Bücheler, Franz. Einflüsse a. d. S.bau b. dt. Minnesängern, Diss. Bonn 1930; J. Wiegand, D. Technik d. gleichlaufenden S.n i. d. dt. Lyrik (Zs. f. dt. Altert. 73, 1936); H. Meyer, V. Leben d. S. i. neuerer dt. Lyrik, DVJ 25, 1951 (auch in: Zarte Empirie, 1963); H. Thomas, D. altdt. S.bau (Fs. H. Pyritz, 1955); B. Dolif, Einfache S.formen, Diss. Hgb. 1968; K. Plenio, Bausteine z. altdt. Strophik, 1971; F. Schlawe, D. dt. S.formen, 1972; A. H. Touber, Dt. S.formen d. MA., 1974; S. Ranakawe, Höf. S.kunst, 1976; H. J. Frank, Hb. d. dt. S.formen, 1978. →Metrik.

Strophensprung, Form des →Enjambements, wobei der Satz nicht mit dem Strophenende abschließt, sondern in die nächste Strophe hinübergreift.

Strophische Komposition, die Abfassung e. Dichtung in strophischer Gliederung gestattet verschiedene Möglichkeiten der Responsion dieser gleich oder unterschiedlich gebauten Glieder untereinander. Die gewöhnlichste Form ist die monostrophische, d. h. die Aneinanderreihung gleicher Strophengebilde in beliebiger Anzahl; Variation tritt erst ein beim Zusammenschluß zu zwei- oder mehrmals wiederholten Strophengruppen (→Perikopen), deren Strophen entweder alle gleich (Strophe + Antistrophe: a + a), alle verschieden (a + b + c) sind oder Entsprechungen zeigen: dyadisch: a a' b b', triadisch: a a' a'' b b' b'', prosodisch: a b b', mesodisch: a b a', epodisch a a' b und palinodisch: a b b' a'.

Struktur (lat. *structura* = Zusammenfügung, Bau), aus der Naturwiss. und Psychologie entlehnter Begriff, dessen verschiedenartige und individuell willkürliche Verwendung in der Lit.wiss. oft mehr Verwirrung als Klarheit gebracht hat. Nachdem die Nachbarbegriffe

→Aufbau (Komposition, äußere Form) und →Stil (innere Form) bedeutungsmäßig festgelegt sind und beide zus. als →Form dem →Inhalt gegenübergestellt werden, sollte der Begriff S. ausschließl. auf das Zusammenwirken aller dieser Elemente in der einzelnen Dichtung begrenzt werden, das durch Verzahnung, Verschränkung und Spannung über die Summe der einzelnen Komponenten hinaus ein Mehr, nämlich die gegenseitige Durchdringung und Zuordnung der Teile zu einem geschlossenen, in sich gerundeten Ganzen, erfaßt.

K. Hamburger, Z. S.-Problem d. ep. u. dramat. Dichtg., DVJ 25, 1951; W. Emrich, D. S. d. mod. Dichtg. (Wirk. Wort 1952/53); H. Friedrich, D. S. d. mod. Lyrik, 1956; *Sens et usage du terme structure*, hg. R. Bastide, Paris 1962; H. Meyer, Üb. d. Begriff S. i. d. Dichtg. (Neue dt. Hefte 10, 1963); I. Strohschneider-Kohrs, Lit. S. u. geschichtl. Wandel, 1971; R. Weimann, Lit. S. u. Lit.gesch. (in: Lit.-gesch. u. Mythol., 1971); D. Wunderlich, Terminologie d. S.begriffs (Lit.wiss. u. Linguistik, hg. J. Ihwe I 1972); J. M. Lotman, Vorlesgn. z. e. strukturalen Poetik, 1972; ders., D. S. lit. Texte, 1972; F. Martinez-Bonati, D. log. S. d. Dichtg., DVJ 47, 1973; H. v. Einem u. a., D. S.begriff i. d. Geisteswiss., 1973; *Literary theory and s.*, Fs. W. K. Wimsatt, New Haven 1973; W. Ruttkowski, Schicht, S., Gattg. (*German Quarterly* 47, 1974). – Strukturalismus.

Strukturalismus, interdisziplinäre Forschungsrichtung (nicht Methode oder Ideologie) zahlreicher Fachdisziplinen der 60/70er Jahre, die die Totalität der Erscheinungen in simultanen Querschnitten synchron zu erfassen sucht und von der Voraussetzung ausgeht, daß jede Erscheinung innerhalb e. Systems nicht isoliert für sich steht, sondern von allen anderen Erscheinungen innerhalb desselben Systems mitbedingt ist und von dorther ihre Bedeutung erhält. Die Gesamtheit der Abhängigkeiten und Wechselbezüge, die allem immanente →Struktur, ist mehr als die mechanische Summe der einzelnen Komponenten und schafft neue Qualitäten. Dieses System synchronischer Interdependenzen will der S. als Wechselspiel der Kräfte analysieren, indem er in der Rekonstruktion e. Objekts oder Tatbestandes gleichzeitig die Regeln aufzeigt, nach denen es funktioniert. Der S. nahm seinen Anfang nahe dem russ. Formalismus in der russ. Linguistik um 1928 (R. JAKOBSON), wurde fortentwickelt in der sog. ›Prager Schule‹ der Linguistik (J. MUKAROVSKÝ), nach 1960 in Frankreich auf andere Disziplinen wie Philosophie, Ethnologie, Anthropologie, Psychoanalyse und Soziologie ausgeweitet (C. LÉVI-STRAUSS, J. LACAN, M. FOUCAULT, L. GOLDMANN, L. ALTHUSSER, J. DERRIDA) und hier (R. BARTHES, T. TODOROV, A. J. GREIMAS) wie auch in der Sowjetunion (B. A. USPENSKIJ), bes. der sog. ›Dorpater Schule‹ (J. M. LOTMAN) auch auf die Lit.wiss. angewandt. In der Lit.wiss. beeinflußt der S. allg. die wiss. Stilistik und die Analyse der Struktur lit. Texte nach positivist.-quantifizierenden Methoden. Infolge seines synchronischen Aspekts historisch-geschichtsfeindlich, vermeidet der S. genetisch-historische Fragestellungen, und auf dem Gebiet der textimmanenten Interpretation spielen für ihn histor. Aspekte ebensowenig eine Rolle wie ästhet. Wertfragen oder die Berücksichtigung der subjektiven Schöpferindividualität, so daß er sich zur Gesamtinterpretation mit anderen lit.wiss. Methoden verbindet.

S., hg. J. Ehrmann, New Haven 1966; J. M. Auzias, *Clefs pour le s.*, Paris 1968, [3]1971; U. Jaeggi, Ordnung u. Chaos, 1968; B. Allemann, S. i. d. Lit.wiss. (Ansichten e. künft. Germanistik, hg. J. Kolbe, [2]1969); M. Corvez, *Les structuralistes*, Paris 1969; G. Schiwy, D. franz. S., 1969, [5]1971; L. Goldmann, D. genet. S. i.

d. Lit. soz. (Alternative 13, 1970); H. Kallweit, W. Lepenies, Genet. S. als Interpretationskonzept (ebda.); K. Chvatik, S. u. Avantgarde, 1970; *S.*, hg. M. Lane, Lond. 1970; J. Trabant, Z. Semiologie d. lit. Kunstwerks, 1970; J. M. Broekman, S., 1971; G. Schiwy, Neue Aspekte d. S., 1971, [2]1973; P. Jameson, *The prison-house of language*, Princeton 1972; M. Bierwisch, S. (Lit.wiss. u. Linguistik, hg. J. Ihwe I, 1971), sep. 1972; S. i. d. Lit.-wiss., hg. H. Blumensath 1972; *The structuralist controversy*, hg. R. Macksey, E. Donato, Baltimore 1972; S. als interpretatives Verfahren, hg. H. Gallas 1972; W. Krauss, Poetik u. S. (in: Werk u. Wort, 1972); J. M. Lotman, D. Struktur lit. Texte, 1972; *The structuralists*, hg. R. u. F. DeGeorge, 1972; J. M. Lotman, Vorlesgn. z. e. strukturalen Poetik, 1972; A. Niel, *L'analyse structurale des textes*, Paris 1973; *S.*, hg. D. Robey, Oxf. 1973; Einf. i. d. S., hg. F. Wahl 1973; R. Boudon, S., 1973; J. Piaget, D. S., 1973; T. Ebenter, S. u. Transformationismus, 1973; H. Gallas, S. i. d. Lit.wiss. (Grundzüge d. Lit.- u. Sprachwiss., hg. H. L. Arnold I, 1973); F. Schalk, S. u. Lit.gesch. (H. v. Einem u. a., D. Strukturbegriff i. d. Geisteswiss., 1973); G. Schiwy, S. u. Zeichensysteme, 1973; H. Günther, Struktur als Prozeß, 1973; S., hg. W. D. Hund 1973; J. Culler, *Structuralist poetics*, Ithaca 1975; P. Pettit, *The concept of s.*, Dublin 1975; L. Fietz, Funktionaler S., 1976; W. Falk, Vom S. z. Potentialismus, 1976; J. Mukarovský, Stud. z. strukturalist. Ästhetik u. Poetik, 1976; Beschreibungsmethoden d. amerik. S., hg. E. Bense u. a. 1976; E. Strohmeier, Theorie d. S., 1977; M. Titzmann, Strukturale Textanalyse, 1977. →Struktur.

Studentenbühne, Ensemble (z. T. wechselnder) studentischer Laienschauspieler an Universitäten, vielfach im Anschluß an theaterwissenschaftl. Institute oder Seminare. Sie wollen einmal in theatergeschichtl. Rekonstruktion ältere Bühnenwerke im Stil der Entstehungszeit aufführen, zum anderen mit neuen dramatischen Aussageweisen und deren Darstellungsmöglichkeiten experimentieren und bevorzugen aus techn. Gründen zumeist Einakter. In Orten ohne festes Theater und bes. an amerikan. Universitäten erfüllen sie z. T. die soziale Funktion e. stehenden Theaters. Vgl. →Schuldrama, →Straßentheater.

Studentenlieder, die heutzutage im →Kommersbuch zusammengefaßten geselligen Lieder der Studenten, bes. der Burschenschaften; sie umfassen neben Natur- und Wanderliedern und politisch-patriotischen Dichtungen bes. →Kneip- und Liebeslieder, Schmaus- und Würfellieder und gaben zu allen Zeiten lebendigen Einblick in Leben und Treiben sowie geistig-weltanschauliche Haltung der Studentenschaft. Ihre Anfänge liegen in der lat. →Vagantendichtung des MA. (*Carmina Burana*, ARCHIPOETA: ›Meum est propositum in taberna mori‹). Der anfangs oft in seiner zügellosen Lebensfreude derbe und zotenhafte Charakter erfährt im 18. Jh. nach Vorgang des Haller Magisters KINDLEBEN e. Veredelung und Vergeistigung, ohne an sprühender Lebensfreude einzubüßen. Neben einigen bis heute fortlebenden älteren S.n wie ›Ça ça geschmauset‹, ›Was kommt dort von der Höh‹, ›Krambambuli‹ und an der Spitze (freilich verändert) ›Gaudeamus igitur‹ entstehen laufend neue Dichtungen bis ins 20. Jh., zu denen auch die Großen der Lit. ihren Beitrag nicht versagen: Kaspar STIELER, Joh. Chr. GÜNTHER, LESSING, CLAUDIUS, HÖLTY, BÜRGER, SCHUBART, GOETHE, ARNDT, SCHENKENDORF, KÖRNER, RÜCKERT, KERNER, NOVALIS, EICHENDORFF, HOFFMANN VON FALLERSLEBEN, W. MÜLLER, HEINE, GEIBEL, EICHRODT, BAUMBACH, bes. SCHEFFEL u. a. m.

R. Keil, Dt. S. d. 17./18. Jh., 1861; A. Kopp, Dt. Volks- u. S. i. vorklass. Zt., 1899; K. H. Prahl, D. dt. S., 1900; RL; F. Harzmann, *In dulci jubilo*, 1924; ders., Burschenschaftl. Dichtg., 1930; H. Hellwig, D. dt. Student u. d. dt. S. bis Ende d. 18. Jh., 1955; B. Rieger, Poetae studiosi, 1970.

Studie, (lat.) Skizze, Entwurf, Vorarbeit z. e. größeren Werk.

Studio (ital. = Arbeitszimmer, Werkstatt), Versuchsbühne für die Erprobung neuer Bühnenwerke meist vor e. kleineren oder ausgesuchten Publikum; auch e. aus der Vereinigung der für e. bestimmte Aufführung benötigten Schauspieler und Hilfskräfte entstandenes Theaterunternehmen.

Stück, soviel wie Theaterstück, →Drama; ›Stückeschreiber‹ (BRECHT) unpathet.-preziös für Dramatiker.

Stummes Spiel →Dumb show, auch allg. die Mimik und Gestik der Stummen Personen auf der Bühne. RL.

Stumpfer Reim →männlicher Reim

Stumpfer Versschluß →Kadenz

Stundenbuch →Livre d'heures

Sturmkreis, expressionistischer Dichterkreis um die Zs. *Der Sturm* (1910f. wöchentl., 1916–32 monatl.), hg. H. WALDEN und August STRAMM, der nach äußerster Intensität der Sprachgebärde, Auflösung der Syntax zugunsten des blockartig hingesetzten, ausdrucksstarken Einzelwortes strebt (W. KLEMM, zeitweise K. HEYNICKE). Sein bei aller Radikalität der Sprachzertrümmerung hohes künstlerisches Ethos, das um letzte Konzentration des Wortes kämpft, unterscheidet ihn vom →Dadaismus. Der Zs. angegliedert waren 1910 e. Galerie, 1914 e. Verlag, 1916 e. Vortragsprogramm, 1917–21 die Sturm-Bühne von H. WALDEN u. L. SCHREYER.

W. Rittich, Kunsttheorie u. lyr. Wortkunst i. ›S.‹, Diss. Greifsw. 1933; L. Schreyer, Das war ›Der Sturm‹ (in A. Döblin: Minotaurus, 1953); N. Walden, D. Sturm, 1954; R. Brinkmann, Z. Wortkunst d. S. (Fs. f. H. Kunisch, 1961); E. Terray, Z. Kunstauffassg. d. Blner. S. (Philologica 18, 1966); W. Voermanek, Unters. z. Kunsttheorie d. S., Diss. Bln. 1970.

Sturm und Drang, nach M. KLINGERS Drama *Der Wirrwarr* (1776), dem der Winterthurer Genieapostel Ch. KAUFMANN den Titel *S. u. D.* gab, Bz. für die Epoche der dt. Lit. von 1767 (HERDERS *Fragmente*) bis 1785 (Einsatz der Klassik), auch Geniezeit oder zeitgenössisch Genieperiode genannt nach der Verherrlichung der ›Originalgenies‹ als Urbild des höheren Menschen und Künstlers (Prometheus-Symbol), des wahren Schöpfers der Kunst (YOUNG, *Conjectures on Original Composition,* 1759, R. WOOD, *Essay on the Original Genius,* 1769). Der S. u. D. erwächst als Reaktion gegen die verstandesmäßige Haltung der Aufklärung und ihre künstlerischen, weltanschaulichen und sozialen Auswirkungen, Überwindung der Vernunftherrschaft und Entfesselung des Gefühlsüberschwangs, der Phantasie und der Gemütskräfte als neuer dichterischer Grundhaltung, Einsatz des dt. Idealismus: ›Fülle des Herzens‹ und Freiheit des Gefühls, Ahnung und Trieb bezeichnen das neue Lebensgefühl dieser bürgerlich-jugendlichen Erneuerungsbewegung, deren Vorstufen bereits im dt. Pietismus, in der aus England übergreifenden Empfindsamkeit, in ROUSSEAUS Naturverkündigung und der seherisch verinnerlichten Gefühlshaltung KLOPSTOCKS zutage treten. Das eigenwillige Persönlichkeitsideal der jungen Generation – ihre Vertreter stehen im 20.–30. Lebensjahr – wendet sich gegen Autorität und Tradition sowohl im politischen Leben, wo ihm freilich kaum Wirkung beschieden war, als auch in der geistigen und dichterischen Welt; in Überschätzung des eigenen Könnens, der Kraft bloßer ›genialer‹

Originalität verachtet es die überkommenen Regeln als Krücken für den Kranken, die das gesunde →Genie von sich wirft (YOUNG) und bricht sie – vermeintlich berechtigt – durch die Stärke der Leidenschaft, die ihm allein als Wert erscheint und das Charakteristische, Ursprüngliche über das Schöne stellt. Der Erfolg sind Auswüchse durch Mißachtung der äußeren Form und viele unerfüllte Versprechungen, innerlich Unreifes, weil nicht in der Form Gebändigtes und Überwundenes, doch auch die großen und bleibenden Werke echter Persönlichkeitsaussprache und Erlebnisdichtung. E. neues, innig umfassendes und sich einfühlendes Verhältnis zur Natur, die im Ggs. zur Aufklärung wieder vergöttlicht wird, vereint sich mit der tragischen Grundauffassung vom Genie, das als Naturverkörperung im Konflikt mit den Mächten des Zwanges, der Kultur und der Gesellschaft, zum Untergang bestimmt ist: Kulturpessimismus und Naturoptimismus. Das Streben richtet sich daher auf e. natürliche, gesunde Gesellschaftsordnung, beschränkt sich jedoch, da ihm politische Auswirkung versagt ist, auf theoretischen und lit. Tatendrang.
Die Hauptform der Dichtung ist das Drama. Theoretische Bemühungen von LENZ (*Anmerkungen über das Theater,* 1774) und SCHILLER (*Die Schaubühne als moralische Anstalt betrachtet,* 1784) gehen auf Erweiterung der Wirkungsmöglichkeiten und Aufgabenbereiche des Theaters aus, das über den künstlerischen Selbstzweck hinaus gleichzeitig Offenbarung sein will und bes. deutlich durch soziale Anklage e. Änderung der herrschenden sittlichen und gesellschaftlichen Zustände erstreben soll. Hauptthema ist daher der Konflikt des Naturgenies mit den Schranken der bestehenden Weltordnung, die den Handelnden als Aufrührer, Verbrecher erscheinen läßt, sei es im Kampf um politische Freiheit (SCHILLER: *Fiesko, Kabale und Liebe*), um Freiheit des einzelnen in der Gesellschaft (GOETHE: *Götz,* SCHILLER: *Die Räuber,* KLINGER: *Die Zwillinge,* LEISEWITZ: *Julius von Tarent*), um Aufhebung der Standesschranken und das Recht auf Liebe (SCHILLER: *Kabale und Liebe,* LENZ: *Soldaten,* WAGNER: *Die Kindermörderin*), selbst um die Freiheit der Leidenschaft (GOETHE: *Stella, Clavigo,* KLINGER: *Das leidende Weib*), sei es um die Freiheit des Glaubens (GOETHE: *Faust*) und e. sittliche Weltordnung (SCHILLER: *Die Räuber*). Formales Vorbild wurde statt des franz. nunmehr SHAKESPEARE, den sie in leidenschaftlich-hymnischen Manifesten zum Anwalt ihrer Sache anrufen (HERDER: *Shakespeare,* GOETHE: *Zum Schäkespears Tag*) und dem sie, allein auf WIELANDS Prosa-Übersetzung beruhend, meist in Prosaform, seltener Knittelvers oder Freien Rhythmen, nacheifern. Dabei geht jedoch die Vernachlässigung der dramatischen Technik und der Einheiten bis zum beliebig häufigen Schauplatzwechsel (›Fetzenszenen‹) aus eigenem Gefühlsüberschwang oft über den Grad bühnenmäßiger Wirksamkeit hinaus; der Handlungsablauf geschieht in e. Reihung ›symbolischer Zufälle‹, Episoden und häufig Massenszenen, und die exaltierte, ungebändigte, doch gefühls- und ausdrucksstarke Sprache voll Ausrufe, halber Sätze und forcierter Kraftausdrücke neigt zum Derbrealistisch-Volkstümlichen, geht aber auch durch die Künstlichkeit solcher verkrampft naturalistischer Versuche zum Teil (KLINGER) zur Manier über. Neben Tragödie und Schauspiel steht e. Reihe übermütiger Farcen und Satiren (GOE-

THE, LENZ, WAGNER). – Die Lyrik bricht zur persönlichen Gefühls- und Erlebnisdichtung durch; ihr ›poetischer Gehalt ist Gehalt des eigenen Lebens‹ (GOETHE). Kunstvollere metrisch-strophische Gebilde treten zurück gegenüber schlichten, oft selbst unregelmäßigen, doch innerlich erfüllten und vom Gehalt her organisch gewachsenen. Ihre Hauptform ist das in Rhythmus und Sprache individuell gestaltete Lied, häufig (GOETHE, CLAUDIUS, BÜRGER, HÖLTY, VOSS, Maler MÜLLER, LENZ) unter dem Einfluß des Volksliedes, das von England her (MACPHERSONS *Ossian*, PERCYS *Reliques*) bes. durch HERDER zur Geltung gebracht wird. Auch in der Form der Hymne und Ode (GOETHE, SCHILLER, SCHUBARTS Oden des Tyrannenhasses) überwiegt das echte gefühlshaltige Moment die rationale theoretische Besinnung. Als urspr. und kraftvolle Form der Volksdichtung wird die Ballade, im 18. Jh. nur zu parodistischen Zwecken als Moritat benutzt, über den Bänkelsang gehoben und als Erzähllied e. numinosen, magischen Begebenheit erneut gepflegt (BÜRGER, GOETHE). – Den geringsten Anteil an der Dichtung des S. u. D. hat die Epik, deren objektive Weltdarstellung sich nicht mit den Gefühlskräften verbinden konnte. Auch der Roman wird zum subjektiven Ausdruck innerer Leidenschaft (GOETHES *Werther*) bis zum ›ästhetischen Immoralismus‹ (HEINSES *Ardinghello*) oder eigenen Erlebens in Autobiographie und Entwicklungsroman (JUNG-STILLING, F. H. JACOBI, K. P. MORITZ); die Idylle (Maler MÜLLER) geht den Weg zu kraftvoller Volkstümlichkeit.

Die Entwicklung der Bewegung vollzieht sich in drei Stufen: 1. die Vorbereitungsstufe, der noch KANTS *Träume e. Geistersehers* (Erkenntnis der Grenzen menschlicher Vernunft), LESSINGS Forderung e. dynamischen Menschenbildes im Drama, e. neuen leidenschaftlichen Bewegtheit statt der Statik der Aufklärung und e. inneren Handlung angehören – beides Zeugnisse für die Überwindung des reinen Rationalismus. Im Norden weist GERSTENBERG in den *Schleswigischen Literaturbriefen* auf Gefühlshaltung und Volksdichtung hin und tritt für SHAKESPEARE ein, wenngleich sein *Ugolino* 1768 bei aller Leidenschaftlichkeit noch nicht die Überwindung der Vernunftherrschaft und der Regel von den Einheiten bringt, sondern sie von innen her zu erfüllen strebt. HAMANNS mystischer Irrationalismus in seiner Forderung nach Ganzheit des geistlichen Schöpfertums und der Erkenntnis des Unergründlichen, die dem Optimismus der Aufklärung entgegensteht, wie LAVATERS pietistische Seelenerkundung bereiten e. neues Lebensgefühl vor, dem SCHUBART und LENZ folgen. 2. die Befreiungsstufe, in der HERDERS Vorstellung e. organischen Entwicklung der Völker die überlieferten rationalen und religiösen Bindungen löst und den bedeutenden Einfluß des Genies auf diese Entwicklung darlegt. In seinem Kampf um Überwindung der lat. Bildungstradition durch e. heimische Kunst und Dichtung erneuert er Gedankengut von ROUSSEAU, HAMANN und der engl. Ästhetik und führt zu e. neuen Bewertung der Dichtung *(Fragmente, Wälder, Ossian, Shakespeare, Ursprung der Sprache)*. Das folgenreichste Ereignis für die dt. Lit. war sein Zusammentreffen mit GOETHE in Straßburg 1770/71, das seinen Niederschlag fand in den Blättern *Von dt. Art und Kunst* 1773; es bringt den eigentlichen Durchbruch des S. u. D., die Überwindung von Anakreontik und Rokoko in GOETHES volksliedhafter Liebeslyrik wie der gefühlsbefreienden Stimmungsdichtung des →Göttinger Hains. Den Höhepunkt bringt die Zeit 1773–1784, von GOETHES *Götz* bis zu SCHILLERS *Kabale und Liebe,* in der die Hauptwerke des S. u. D. entstehen. 3. die Klärungsstufe führt nach dem raschen Abklingen des jugendlichen Enthusiasmus zur Läuterung des Gefühlsüberschwangs, soweit er nicht zum Unterhaltungsschrifttum absinkt, entweder in der Objektivierung durch den Ausgleich zwischen Phantasie und Verstand in der Harmonie der Klassik (GOETHE, SCHILLER), die im Durchgang durch den S. u. D. lebensvolle Züge erhält und vor der Gefahr e. trockenen Klassizismus bewahrt bleibt, oder in der Subjektivierung des Irrationalen zur Willkür der Weltgestaltung in der Romantik (HERDER, LENZ), die jedoch im Ggs. zum S. u. D. nicht vom Gefühl, sondern vom Geist ausgeht und die Entfaltung des dt. Idealismus abschließt. Die Bedeutung des S. u. D. liegt weniger in seinen bleibenden Leistungen, zu denen immerhin die wichtigsten Jugendwerke GOETHES und SCHILLERS zählen, als in den zahlreichen Anregungen, geistigen Tendenzen und Erkenntnissen vom Wesen der Dichtung, die von allen revolutionären Epochen der Literaturgeschichte – Romantik, Realismus, Naturalismus, Expressionismus – wieder aufgegriffen wurden und bis heute lebendig sind. Die anschaulichste Schilderung des S. u. D. gibt GOETHE in *Dichtung und Wahrheit* (7., 10., 13./14. Buch).

G. Keckeis, Dramaturg. Probleme i. S. u. D., 1907, n. 1974; J. Zorn, D. Motive d. S. u. D.-Dramatiker, Diss. Bonn 1909; H. Schnorf, S. u. D. i. d. Schweiz, 1914; J. Ernst, D. Geniebegriff d. Stürmer u. Dränger, Diss. Zürich 1916; C. Stockmeyer, Soz. Probleme i. Drama d. S. u. D. 1922, n. 1974; P. van Tieghem, *Le préromantisme,* Paris 1924–27; R. Unger, V. S. u. D. z. Romantik (Lit.-ber.), DVJ 1924, 1926, 1928; H. Kindermann, D. Entw. d. S. u. D.-Bewegg., 1925; A. Köster, D. allg. Tendenzen d. Geniebewegg. (in: D. Lit. d. Aufklärg., 1925); R. Unger, Hamann u. d. Aufklärg., II 1925; H. Hettner, Lit.gesch. d. 18. Jh. III 1928; H. Kindermann, Durchbruch d. Seele, 1928; H. A. Korff, D. Dichtg. v. S. u. D. i. Zusammenhang d. Geistesgesch., 1928, n. 1972; E. Jenisch, D. Entfaltg. d. Subjektivismus, 1929; S. Melchinger, Dramaturgie d. S. u. D., 1929; RL; H. Röhl, S. u. D., [2]1931; F. Beißner, Stud. z. Sprache d. S. u. D., GRM 22, 1934; H. Dreyer, Entstehg. d. Subjektivismus, Diss. Tüb. 1935; H. Werner, Rel. Problematik i. Schrifttum d. S. u. D., Diss. Marb. 1937; H. Kindermann, D. S. u. D.-Bewegg. i. Kampf um d. dt. Lebensform (V. dt. Art i. Spr. u. Dichtg. IV, 1941); E. A. Runge, *Primitivism and related ideas in S. u. D.,* Baltimore 1946; F. J. Schneider, D. dt. Dichtg. d. Geniezeit, 1952; H. B. Garland, *Storm and Stress,* Lond. 1952; H. A. Korff, Geist der Goethezeit I, [6]1962; K. Guthke, Engl. Vorromantik u. dt. S. u. D., 1958; E. A. Blackall, *The language of S. u. D.* (Stil- u. Formprobleme in d. Lit., 1959); R. Pascal, D. S. u. D. 1963; G. Mattenklott, Melancholie i. d. Dramatik d. S. u. D., 1968; K. Hammer, D. Dramentheorie d. S. u. D., Diss. Halle 1967; M. O. Kistler, *Drama of the Storm and Stress,* N. Y. 1969; F. Martini, D. Poetik d. Dramas i. S. u. D. (Dt. Dramentheorien, hg. R. Grimm 1971); E. McInnes, *The S. u. D. and the development of social drama,* DVJ 46, 1972; M. Mann, S. u. D. Drama, 1974; R. Quabius, Generationsverhältnisse i. S. u. D., 1976; G. Kaiser, Aufkl., Empfindsamk., S. u. D., [2]1976; S. u. D., hg. W. Hinck 1978.

Style indirect libre →Erlebte Rede

Suasorien (lat. *oratio suasoria* = anratende Rede), in der antiken →Rhetorik e. Rede auf der Volksversammlung o. ä., die in der gegebenen Situation e. bestimmte Handlungsweise empfiehlt, griech. Symbuleutikos genannt. Später wurden derartige Reden an den Rhetorenschulen als Übung aus vorgegebenen fingierten Situationen heraus gehalten (bei SENECA d. Ä. überliefert); indem sie die Phantasie des Redenden anregten, schreibt man ihnen e. Einfluß auf die Ausbildung des antiken Romans zu.

J. Klek, *Symbuleutici hist.* (Rhet. Stud. 8, 1919). →Rhetorik.

Subskription (lat. *subscriptio* = Unterschrift), 1. im Buch- und Verlagswesen die vor Herstellung bzw. Drucklegung e. Werkes eingegangene Verpflichtung zum Bezug desselben bei Erscheinen durch Eintragung in die S.s-liste. Der Bezieher heißt Subskribent. Bes. bei Werken mit hohen Herstellungskosten und beschränktem Interessentenkreis (wissenschaftliche u. a. Lieferungswerke) angewandtes Verfahren, das den Absatz der hergestellten Exemplare sichern soll. Der S.spreis liegt als Anreiz meist unter dem späteren Ladenpreis. – 2. im antiken Buchwesen die am Schluß e. Papyrusrolle (die nach Benutzung wohl nicht zurückgerollt wurde) oder e. Codex angehängte Bemerkung über Inhalt, Titel und Verfasser des Werkes, später auch z. T. Zahl der →Stichoi, Name des Schreibers und gegebenenfalls Korrektors mit Ort und Datum entsprechend dem →Kolophon bei frühen Drucken.

O. Jahn, D. S. i. d. Hss. d. röm. Klassiker (Sitzgsber. d. Sächs. Akad. d. Wiss. 1851). →Paläographie.

Subliteratur = 1. →Trivialliteratur, 2. →Untergrundliteratur.

Substantivischer Stil →Nominalstil

Sündenklage, Form der geistlichen Dichtung des MA., als dichterische Erweiterung der →Beichtformel entstanden und später frei nachgeformt, meist als Rollendichtung der Geistlichen selbst für ihre Beichtkinder, die in einer möglichst umfassenden Bußformel die teils lyrisch gehaltenen, leidenschaftlichen Selbstanschuldigungen des reuigen Sünders zu e. allgemeingültigen Gebet der Reue und Bitte um Sündenvergebung vereinen. Wichtigste: *Rheinauer, Milstätter, Vorauer, Uppsalaer S.*

Süßer neuer Stil →Dolce stil nuovo

Sufismus →Mystik

Sujet (franz. =) Gegenstand, →Stoff e. Dichtung.

Sukzessivbühne, Sukzessionsbühne (v. lat. *successio* = Nachfolge), im Ggs. zur →Simultanbühne die heute übliche Bühnenform, bei der nicht alle Schauplätze nebeneinander gegenwärtig sind, sondern nacheinander auf derselben Bühne durch Dekorationswechsel abfolgen.

Summa (lat. = Gesamtheit, Summe), im MA. Bz. für mehr oder weniger vollständige oder auch kurze und übersichtliche Zusammenstellung e. umfangreichen wissenschaftlichen Stoffgebietes (Logik, Philosophie, Recht, Medizin u. a.), bes. der theologischen Lehrmeinungen: PETRUS LOMBARDUS, THOMAS VON AQUINO und e. große Anzahl bes. franz. Theologen und Philosophen (Summisten).

Summarium (lat. =) kurze Inhaltsangabe nach Hauptpunkten.

Summationsschema, dichterisches Aufbauschema, das eine Anzahl in symmetrischer Reihung aufgeführter Beispiele am Schluß noch einmal in gleicher Reihenfolge summiert; von der Spätantike bis ins 17. Jh. verbreitet.

E. R. Curtius, Europ. Lit. u. lat. MA, [6]1967.

Sung (chines.), die religiösen Hymnen, Opfer- und Tempelgesänge des *Shih-ching.*

Supplement (lat. *supplementum* = Ergänzung), Nachtragsband e. mehrbändigen Werkes.

Surrealismus (franz. *surréalisme* = Überwirklichkeitskunst, Bz. von G. APOLLINAIRES im Vorwort zu *Les mamelles de Tirésias,* 1917, geprägt), Strömung der modernen Kunst und Lit. bes. in Frankreich seit dem 1. Weltkrieg, strebt wie der →Symbolismus und bes. der Dadaismus, von dem er z. T. beeinflußt wird (BRETON) nach Überwindung des Einfach-Realen, des Logisch-Rationalen und der traditionellen Vorstellungswelt durch Gestaltung von Visionen, Halluzinationen, triebgelenkten Assoziationen, Unbewußtem und Traumhaftem im Sinne von FREUDS Psychoanalyse unter Ausschaltung des ordnenden Intellekts, so daß die bildkräftigen Objektivationen, meist Kombinationen gegenständlicher Formelemente in paradoxer Zusammenstellung, nicht als Auswirkung e. freispielenden Phantasie, sondern e. ›psychischen Mechanismus‹ erscheinen sollen, der den Menschen beherrscht und dessen Vorstellungen als Sinnbild überwirklicher, hinter der scheinbaren Realität stehender Bezüge in ihrer Traumlogik keinen Widerspruch zwischen Traum und Wirklichkeit kennen. Das geistig-künstlerische Schaffen wird daher der Leitung des Unterbewußten überlassen, das allein zu der hintergründigen Realität vorzustoßen vermag (→écriture automatique). Den Höhepunkt erreicht die Strömung um 1925, doch bleiben auch dann ihre künstlerischen Versuche meist beim Experiment stehen; 1928/29 spaltete sich die Bewegung ohne Aufgabe ihrer Prinzipien in versch. linke polit. Richtungen, die sich in der Résistance 1940/44 wieder vereinten; seit 1940 machen sich Zerfallstendenzen breit, die den S. zur lit. Mode und Manier machen und seine Entwicklung bis heute fast zum Abschluß bringen. Lit. Hauptvertreter sind A. BRETON (*Manifeste du surréalisme* 1924 und 1930), L. ARAGON, A. ARTAUD, A. CÉSAIRE, J. GRACQ, M. LEIRIS, P. ELUARD, Ph. SOUPAULT, R. CHAR, P. REVERDY, R. VITRAC, R. DESNOS, J. PRÉVERT, P. NAVILLE, G. BATAILLE und R. QUENEAU; in Dtl. finden sich Elemente des S. z. T. bei A. DÖBLIN, H. HESSE, F. KAFKA, H. KASACK, A. KUBIN, H. E. NOSSACK, H. ARP, P. CELAN u. a. Wirkungen auf mod. Roman, →absurdes Theater und Film (R. CLAIR, J. COCTEAU), in Spanien auf →Creacionismo und →Ultraismo.

A. Breton, *Les champs magnétiques,* Paris 1921; E. R. Curtius (N. Rundschau, Aug. 1926); L. Aragon *Le s. et la peinture,* 1928; J. Cazaux, *S. et psychologie,* 1934; D. Gascoyne, *A short survey of S.,* 1935; H. Read, *S.,* Lond. 1936; E. Alker, Dt. S. (Helicon 3, 1940); G. E. Lemaître, *From Cubism to S.,* 1941, n. 1967; C. Bo, *Bilancio del s.,* Padua 1944; J. Larrea, *El s. entre viejo y nuevo mundo,* Mexiko 1946; M. Raymond, *De Baudelaire au s.,* [2]1947; A. Balakian, *Lit. origins of s.,* N. Y. 1947, n. 1967; A. H. Barr, *Fantastic Art, Dada, S.,* N. Y. 1947; D. Wyß, D. S., 1949; A. Bosquet, S., 1950; R. Vincenti, *Il s.,* Mail. 1950; P. Ch. Berger, Bilanz d. S., 1951; G. Paffrath, S. i.. dt. Sprachgebiet, Diss. Bonn 1953; F. Alquié, *Philos. du S.,* Paris 1955; A. Balakian, *S.,* N. Y. 1959, [2]1969; W. Fowlie, *Age of S.,* Bloomington [2]1960; Y. Duplessis, D. S., 1960; M. Jean, Gesch. d. S., 1961; J.-L. Bédouin, *Vingt ans de s.,* Paris 1961; M. Nadeau, Gesch. d. S. 1962; V. Crastre, *Le drame du s.,* Paris 1963; J. H. Matthews, *Introduction to s.,* Pennsylvania 1965; P. Waldberg, D. S., 1965; J. H. Matthews, *S. and the novel,* Ann Arbor 1966; ders., *40 years of s.,* Bibliogr. (*Compar. Lit. Stud.* 3, 1966); H. Behar, *Etude sur le théâtre Dada et surr.,* Paris 1967; P. Ilie, *The surr. mode in Span. lit.,* Ann Arbor 1968; H. S. Gershman, *The surr. revolution in France,* Ann Arbor II 1968; K. A. Ott, D. wiss. Urspr. d. Futurismus u. S. (Poetica 2, 1968); J. H. Matthews, *Surr. poetry in France,* N. Y. 1969; K. H. Bohrer, D. gefährdete Phantasie, 1970; B. Lecherbonnier, *Le s.,* Paris 1971; R. Bréchon, *Le s.,* Paris 1971; G. Steinwachs, Mythologie d. S., 1971; P. Bürger, D. franz. S., 1971; E. W. E. Bigsby, *Dada and s.,* Lond. 1972; J. Pierre, Kl. Lex. d. S., 1972; Als d. Surrealisten noch recht hatten, hg. G. Metken 1976; S., hg. P.

Bürger 1978; G. Mead, *The surr. image,* Ffm. 1978.

Sûtras (ind. = Leitfäden), die altind. Lehrtexte und Lehrbücher bes. innerhalb des *Veda,* ordnen die Ritualvorschriften und stellen sie in aphoristisch knapper metrischer Form und lapidarem Stil zum leichteren Auswendiglernen zusammen. Sie umfassen neben dem Opferritual auch Lautlehre, Grammatik, Etymologie, Metrik, Astronomie.

Syllaba anceps →Anceps

Syllabotonischer Versbau, das metrische System der russ. Dichtung seit rund 1735, nachdem der →tonische Versbau der altruss. Dichtung durch den syllabischen (silbenzählenden) Versbau der poln. Metrik verdrängt worden war, von TREDJAKOVSKIJ und LOMONOSOV nach dt. Vorbildern eingeführt und bis heute gültig als regelmäßiger Wechsel betonter und unbetonter Silben entsprechend etwa der nhd. Metrik, doch mit der Ausnahme, daß nicht jede metrische Hebung auch eine sprachliche Hebung zu sein braucht (da das Russ. keine Nebenhebung kennt). Aus dem Widerspiel metrisch erforderlicher und sprachlich fehlender Hebung und deren wechselnder Verteilung in der Versfolge ergibt sich die hohe Variationsbreite und große Flexibilität des russ. Verses.

Syllepse (griech. *syllepsis* = Zusammenfassung), →rhetorische Figur der Worteinsparung, Sonderform der Ellipse: einmalige Setzung e. Satzteils (bes. des Prädikats), das mehreren Kola oder Wörtern in verschiedenen grammatischen Formen (nach Person, Geschlecht, Kasus) oder in verschiedenem Sinn angehört und in den ausgelassenen Fällen sinngemäß in entsprechender Form zu ergänzen ist; meist als rein grammatische Form im Ggs. zum semantischen →Zeugma (auch semantische S. genannt), wo auch die Wortbedeutung nur zu einem der bezogenen Kola paßt. Beispiele weniger in antiker Rhetorik als Dichtung; dt. (oft scherzhaft) nachgeahmt: ›Der Angeklagte schlug erst drei Fensterscheiben und dann den Weg zum Bahnhof ein‹ (semantisch); ›Ihr sucht euren Vorteil, wir (suchen) den unsrigen‹. Als S. wird auch gelegentlich die →Constructio kata synesin bezeichnet.

Symbol (griech. *symbolon* = Wahrzeichen, Merkmal), urspr. in Griechenland Erkennungszeichen in Form eines in zwei Hälften gebrochenen Gegenstandes, den sich Vertragspartner, Gastfreunde und Eheleute vor e. Trennung teilten und bei späterem Zusammentreffen zur Wiedererkennung zusammenpaßten (griech. *symballein* = zusammenhalten), dann jeder auf etwas Höheres verweisende Vorgang oder Gegenstand, bes. traditionelle S.e und Zeremonien religiöser Gemeinschaften, die nur den Eingeweihten verständlich sind (z. B. Fahne, christliches Kreuz und Abendmahl), oft auch künstlerisches Zeichen, →Emblem allg. In der Dichtung e. sinnlich gegebenes und faßbares, bildkräftiges Zeichen, das über sich selbst als Offenbarung veranschaulichend und verdeutlichend auf e. höheren, abstrakten Bereich verweist, im Ggs. zur →Allegorie ›Sinnbild‹ von bes. eindringlicher Gefühlswirkung, künstlerischer Kraft und weitgespanntem Bezugskreis, das in der Gestaltung des Einzelnen, Besonderen e. nicht ausgesprochenes Allgemeines durchscheinen und ahnen läßt und als andeutender Ersatz für e. geheimnisvolles, undarstellbares und hinter der sinnlichen Erscheinungswelt liegendes Vorstellungsgebilde im →Bild dessen weiten seelischen Gehalt zu erschließen sucht, der im Bild enthalten, jedoch von ihm selbst verschieden ist. Nach GOETHE verwandelt ›die Symbolik die Erscheinung in Idee, die Idee in Bild, und so, daß die Idee immer unendlich wirksam und unerreichbar bleibt und, selbst in allen Sprachen ausgesprochen, doch unaussprechlich bliebe‹, und die symbolische Darstellung ist ›eigentlich die Natur der Poesie, sie spricht ein Besonderes aus, ohne ans Allgemeine zu denken und darauf hinzuweisen. Wer nun dieses Besondere lebendig faßt, erhält zugleich das Allgemeine mit, ohne es gewahr zu werden, oder erst spät‹. Doch trifft diese Deutung nur für die symbolische Weltschau GOETHES und der dt. Klassik zu, in der das Besondere und Allg. zusammenfallen und alles Vergängliche nur e. Gleichnis ist (›Alles, was geschieht, ist S., und indem es sich vollkommen selbst darstellt, deutet es auf das Übrige.‹ – ›Alles ist ja nur symbolisch zu nehmen und überall steckt noch etwas anderes dahinter.‹ GOETHE). Die gehaltlichen Funktionen des S. wechseln mit dem Gestaltungsziel der Epochen: im MA. als Heilswahrheit und göttliche Weltordnung, im Sturm und Drang als Kraft, in der Klassik als Tiefe, in der Romantik als Unsagbares, im modernen →Symbolismus, der das S. zum bewußten Gestaltungsziel erhebt, als Ichaussprache der einsamen Seele, geheimnisvollen Lebensgefühls und persönlichen Erlebens. Ebenso ändert sich die Bezugsweite des S. von der eindeutigen Beziehung auf das Glaubensgeschehen im MA. über die vieldeutige Tiefe und Unendlichkeit im dt. Idealismus bis zur Unverbindlichkeit des Bedeutungsbezugs im Symbolismus. Träger des S. können einzelne Personen (z. B. HAUPTMANNS ›Pippa‹) oder Gegenstände sein (z. B. die Axt in C. F. MEYERS *Jürg Jenatsch*), die durch das Auftreten an hervorgehobener Stelle oder leitmotivartige Wiederholung bedeutsam werden, doch auch die Sprache selbst in ihrer Bildkraft, die auf höhere Zusammenhänge verweist. Stilwerte des S. sind daher bildhafte Verdichtung des Gehalts, Vertiefung des Gemütseindrucks, über den tatsächlichen Vorgang hinausweisende innere Bedeutsamkeit und dadurch innere Einheit und Architektonik des Werkes: Ganzheitscharakter.

E. Cassirer, Philos. d. symbol. Formen, III 1923–29; F. Strich, S. u. Wortkunst (Zs. f. Ästhet., 1927); H. Pongs, D. Bild i. d. Dichtg., IV 1927–73, [2]1960 ff.; W. Müri, *Symbolon,* Progr. Bern 1931; L. Beriger, Symbolik (in: D. lit. Wertung, 1938); E. Fiser, *Le s. lit.,* Paris 1941; L. Beriger, D. S.-begriff als Grundlage e. Poetik (Helicon 1942); W. Emrich, D. Symbolik von Faust II, [3]1964; K. Voßler, Symbolische Denkart u. Dichtg. i. MA. u. heute (in: Aus roman. Welt 4, 1942); F. Strich, D. S. i. d. Dichtg. (in: D. Dichter u. d. Zeit, 1947); L. Cazamian, *Symbolisme et poésie,* 1947; H. Friedmann, Wissenschaft u. S., 1948; P. Böckmann, Formgesch. d. dt. Dichtg. I, 1949; W. Emrich, D. Problem d. S.-interpretation, DVJ 1952; ders., S.-interpretation u. Mythendeutg. (Euph. 47, 1953); H. v. Beit, S.ik d. Märchens, 1952, [5]1975; E. Ruprecht, D. S.ik i. d. neuen dt. Dichtg. (Stud. generale 6, 1953); W. Y. Tindall, *The lit. s.,* Bloomington 1955, [3]1962; B. v. Wiese, Bild-s. i. d. dt. Novelle (*Publ. Engl. Goethe Soc.* 24, 1955); A. Seiffert, Funktion u. Hypertrophie d. Sinnbildes, 1957; H. G. Jantsch, Stud. z. S.-ischen i. frühmhd. Lit., 1959; K. Hanneborg, *S.analyse,* Oslo 1959; *Metapher and s.,* hg. L. C. Knights, B. Cottle, Lond. 1960; H. Musurillo, *S. and Myth in Ancient Poetry,* N. Y. 1961; *Truth, myth and s.,* hg. T. J. J. Altizer, N. Y. 1962; J. Strelka, Dichtg. u. S. (Wort i. d. Zeit 8, 1962); W. Vordtriede, D. Entstehg. d. S. i. d. Dichtg. (Dt. Rundschau 88, 1962); R. N. Maier, D. Symbolische d. Gedichts (Wirk. Wort 4, 1962); E. Ortigues, *Le discours et le s.,* Paris 1962; C. de Deugd, *Het s. in de lit.* (*Handelingen van het 27. Nederl. Filologencongres,* Groningen, 1962); K. Raine, D. S. i. d. Dichtg. (Antaios 5, 1963); B. A. Sørensen, S. u. S.ismus i. d. ästhet. Theorien d. 18. Jh. u. d. dt. Romantik, Koph.

1963; J. Kleinstück, Mythos u. S. i. engl. Dichtg., 1964; M. Lurker, Bibliogr. z. S'kunde, III 1964–68; D. Starr, Üb. d. Begriff d. S. i. d. dt. Klassik u. Romantik, 1964; *Literary symbolism,* hg. M. Rehder, Austin 1965; O. Stumpfe, D. S'sprache d. Märchens, 1965, [3]1975; J. Strelka (Hg.), *Perspectives in lit. s.'ism* (*Yearbook of Compar. Crit.* 1, 1968); W. Hinderer, *Theory, conception, and interpretation of the s.* (ebda.); K. Burke, *Language as symbolic action,* Berkeley [2]1968; C. Hayes, *S. and allegory* (*Germanic Review* 44, 1969); P. de Man, Allegorie u. S. i. d. europ. Frühromantik (Typologia litt., Fs. M. Wehrli 1969); A. Fletcher, *Allegory,* Ithaca 1970; C. Hayes, *S. and correlative* (Sprachkunst 1, 1970); E. Frenzel, Stoff-, Motiv- u. S.forschg., [4]1978; C. Chadwick, *S'ism,* Lond. 1971; Allegorie u. S., hg. B. A. Sörensen 1972; T. Todorov, *Introd. à la symbolique* (*Poétique* 3, 1972); A. Closs, D. S'begriff i. d. Lit.wiss. (Bibliogr. z. Symbolik, , Ikonographie u. Mythol. 7, 1974); D. Sperber, Üb. Symbolik, 1975; A. de Vries, *Dictionary of s.s and imagery,* Amsterd. [2]1976; H. Pongs, S. als Mitte, 1978.

Symbolik, 1. Symbolhaltigkeit durch Verwendung ausdrucksstarker →Symbole, 2. Lehre von der Bedeutung der Symbole.

Symbolismus, von Frankreich, bes. dem Kreis um MALLARMÉ, ausgehende und seit 1890 in allen europ. Litt. verbreitete Strömung, die, von E. A. POE, den →Präraffaeliten um ROSSETTI und R. WAGNER vorbereitet, im Ggs. zum Realismus und seiner Übersteigerung im Naturalismus auf Wirklichkeitswiedergabe in objektiver Beschreibung verzichtet und die Dichtung aus jeder Verbindung mit Gesellschaft und Kultur der Zeit, mit Zwecken (Belehrung, Deklamation) und Anlässen (Gefühls- und Empfindungsaussprache) herauslöst zu e. über dem Leben stehenden →poésie pure (MALLARMÉ), der Vollendung des →L'art pour l'art-Prinzips aus e. idealen Schönheitsdrang, der im Mittel der Kunst Verwirklichung sucht. Die Dichtung weist über das bloße Gegenständlich-Gegebene hinaus auf die dahinterliegenden Ideen, die, selbst mit den Sinnen nicht faßbar, unendlich und geheimnisvoll, im eigenwillig gewählten und oft gewaltsam beschworenen →Symbol künstlerischen Ausdruck von starker seelischer Leuchtkraft finden: die suggestive Kraft des Wortes verwandelt die Wirklichkeit in reines Sein. Die Sprache des S. strebt nach äußerster Musikalität; sie will ›der Musik wieder abgewinnen, was die (früheren realistischen) Dichter an sie verloren hatten‹ und vertieft durch die Besinnung auf die eigentlichen sprachlichen Mittel der Dichtung wie Reim, Rhythmus, Melodie, selbst im Wortschatz (bes. Synästhesien) und Satzbau die sprachkünstlerische Durchgestaltung bis zu e. magisch-mystischen Ästhetizismus, der sich an e. erlesenen Kreis wendet und später →dekadent überspitzt wird, doch in den roman. Ländern zu e. Erneuerung hoher Verskunst führt. Die für jede Symbolkunst grundlegende Vorstellung vom hintergründigen Zusammenhang alles Seienden (BAUDELAIRE *Correspondances*) versucht dem Einzelwort seine magische Wirkung abzugewinnen; dabei ist bes. e. Ineinanderfließen der Bilder und Überlagerung der verschiedenen Metapherschichten kennzeichnend. Das Streben nach letzter, sinnbildlicher Konzentration des Wortes und das Bewußtsein e. kunstvollen eigenschöpferischen Tätigkeit führt z.T. zu preziöser Dunkelheit des gewählten Ausdrucks. Die Hauptformen des S. sind, entsprechend seiner verfeinerten Wortkunst, die Lyrik und das lyrische Drama. In gewisser Hinsicht kann der S. in den romanischen Ländern als die verspätete und ein wenig gewaltsame Nachholung der dt. romantischen Epoche verstanden werden. Die Bz. S., urspr. geprägt von e. kurzlebigen lit.

Strömung in Frankreich, deren Manifest MORÉAS 1886 im *Figaro* verkündete, wird heute ausgedehnt auf die Vorläufer und Parallelen dieser Bewegung in ganz Europa: in Frankreich BAUDELAIRE, MALLARMÉ, VERLAINE – von denen die meisten Anregungen ausgehen – RIMBAUD, VALÉRY, LAFORGUE, J. H. HUYSMANS, A. SAMAIN, H. de RÉGNIER, G. RODENBACH, F. VIELÉ-GRIFFIN, JAMMES und die franz. schreibenden Belgier M. MAETERLINCK und E. VERHAEREN mit Einfluß auf VALÉRY, GIDE und CLAUDEL; in Dtl., wo der S. sich z. T. mit der →Neuromantik trifft, der →GEORGE-Kreis, RILKE HOFMANNSTHAL, auch DEHMEL, R. HUCH, E. HARDT, E. STUCKEN, A. SCHAEFFER, C. SPITTELER, H. HESSE und vereinzelt G. HAUPTMANN *(Und Pippa tanzt)*, die jedoch alle späterhin den S. überwinden, in Skandinavien der späte IBSEN und z. T. STRINDBERG, in Holland VERWEY, BOUTENS, LEOPOLD, in England SWINBURNE, O. WILDE, SYMONS, ELIOT und YEATS mit der Zs. *Yellow Book*, in Italien anfangs d'ANNUNZIO, in Spanien J. R. JIMÉNEZ, in Spanisch-Amerika R. DARÍO, in Portugal E. de CASTRO und M. de SÁ-CARNEIRO, in Rußland MEREŽKOVSKIJ, SOLOGUB, W. SOLOVEV, V. BRJUSOV, K. BALMONT, A. BELYJ, Z. HIPPIUS, V. IVANOV und A. BLOK, in Rumänien MINULESCU, in Polen PRZBYSZEWSKI, ROLICZ und der Kreis des →Jungen Polen, in der Tschechoslowakei A. SOVA, O. BŘEZINA; ungar. E. ADY.

A. Symons, *The Symbolist Movement in Lit.*, Lond. ^{3}1919; A. Barre, *Le s.*, II 1911; C. Becker, D. Werdegang u. d. Bilanz d. frz. S., GRM 5, 1913; E. Raynaud, *La mèlée symboliste*, Paris II 1918–21; E. Winkler, Der Weg z. S. in der franz. Lyrik (Festschr. f. K. Voßler, 1922); H. Hatzfeld, D. franz. S., 1923; A. Poizat, *Les s.*, 1924; H. Bremond, *La poésie pure*, Paris 1926; P. Martino, *Parnasse et s.*, Paris ^{11}1964; J. Charpentier, *Le s.*, 1927; *Cinquantaire du s. (Ed. de la Bibl. Nat.)*, Paris 1936; E. Caillet, *S. et âmes primitives*, Paris 1936; G. Kahn, *Les origines du s.*, Paris 1936; M. G. Rudler, *Parnassiens, symbolistes et décadents*, Paris 1938; P. Valéry, *Existence du s.*, 1939; S. Johansen, *Le S.*, Koph. 1945; E. L. Stahl, *The genesis of symb. theories in Germany* (*Mod. Language Revue* 41, 1946); M. Raymond, *De Baudelaire au surréalisme*, Paris ^{3}1947; H. Clouard, *Hist. de la litt. du s. à nos jours*, Paris 1947; G. Michaud, *Le message poétique du s.*, Paris IV 1947, n. 1961; C. M. Bowra, D. Erbe d. S., 1948; A. G. Lehmann, *The Symbolist Aesthetic in France*, Oxf. 1950, ^{2}1968; K. C. Cornell, *The symbolist movement*, New Haven 1951; O. A. Maslenikov, *The Frenzied Poets*, Berkeley 1952; Ch. N. Feidelson, *S. and American lit.*, Chic. 1953, ^{2}1959; P. Wheelwright, *The burning fountain*, Bloomington 1954, ^{2}1968, D. Valeri, *Il s. francese*, Padua 1954; M. Got, *Théâtre et s.*, Paris 1955; H. Levin, *S. and fiction*, Charlottesville 1956; C. P. Mountford, *Art, myth and s.*, Melbourne 1956; J. Chiari, *S. from Poe to Mallarmé*, Lond. 1957; A. M. Schmidt, *La lit. symboliste*, Paris ^{2}1957; J. Holthusen, Stud. z. Ästhet. u. Poetik d. russ. S., 1957; H. Henel, Erlebnisdichtg. u. S., DVJ 32, 1958; G. Donchin, *The Influence of French S. on Russ. Poetry*, Haag 1957; A. Whitehead, *S.*, 1958; W. Kayser, D. europ. S. (in: D. Vortragsreise, 1958); J. Senior, *The way down and out*, Ithaca 1959; *S. in Religion and Lit.*, hg. R. May, N. Y. 1960; M. Beebe, *Literary s.*, Belmont 1960; M. Décaudin, *La crise des valeurs symb.*, Toulouse 1960; N. Richard, *Á l'aube du s.*, Paris 1961; J. W. Beach, *Obsessive Images*, Minneapolis 1961; D. Hirst, *Hidden riches*, Lond. 1963; F. Stepun, Myst. Weltschau. 5 Gestalten d. russ. S., 1964; B. Boeschenstein, Wirkgn. d. frz. S. auf d. dt. Lyrik d. Jh.wende, Euph. 58, 1964; A. P. Bertocci, *From s. to Baudelaire*, Carbondale 1964; B. Weinberg, *The limits of s.*, Chic. 1966; A. Balakian, *The symb. movement*, N. Y. 1967; H. Friedrich, D. Struktur d. mod. Lyrik, ^{2}1967; R. Hamann, J. Hermand, Stilkunst um 1900, 1967; J. R. Lawler, *The language of French s.*, Princeton 1969; A. Mercier, *Les sources ésotériques et occultes de la poesie s.*, Paris II 1969–74; J. West, *Russian s.*, Lond. 1970; M. Gsteiger, Franz. Symbolisten i. d. dt. Lit. d. Jh.wende, 1971; W. Perl, D. österr. S. (*Duitse Kroniek* 23, 1971); D. Hirst, *S. and the changing climate in thought* (*Yearbook of Compar. Crit.* 4, 1971); R. Wellek, D. Wort u. d. Begriff S. i. d. Lit.gesch. (in: Grenzziehungen, 1972); P. Jullian, D. S., 1974; P. Hoffmann, S., 1976. →Gegenwartslit.

Symbuleutikos →Suasorien

Symmetrie (griech. *symmetria* =) Ebenmaß, als gleichmäßige Ausbildung der Einzelteile e. Werkes wichtiges und ästhetisch bedeutsames Aufbau- und Formelement der Dichtung, z. B. im Aufbau e. Dramas, eines Gedichts, im Reim, im →Palindrom usw.

Symploke (griech. = Verflechtung), →rhetorische Figur, Verbindung von →Anapher und →Epiphora: Wiederholung des gleichen Wortes jeweils am Anfang und (eines anderen) jeweils am Ende mehrerer paralleler Wortgruppen oder Sätze, häufig mehrere mit dem gleichen Fragepronomen beginnende, aufeinanderfolgende Fragen, die stets dieselbe Antwort erhalten

Symposion, im antiken Griechenland e. Mahlzeit mit anschließendem Trinkgelage und froher Unterhaltung (→Skolion, →Rätsel), z. T. auch ernsthafte Reden der Teilnehmer zu e. gemeinsam gestellten Thema. Seit PLATONS und XENOPHONS *S.* entsteht daraus e. neue lit. Form in Dialogen zur Erörterung e. Themas; sie findet Nachahmung bei PLUTARCH, ATHENAIOS *(Deipnosophistai),* MACROBIUS *(Saturnalia),* MARTIANUS CAPELLA, METHODIOS u. a., karikierend-parodistisch bei LUKIAN und PETRONIUS. Heute z. T. auch Bz. für wiss. Tagungen zu interdisziplinärer Aussprache und die daraus hervorgehenden Sammelbände mit Referaten und Diskussionsprotokollen.

F. Ullrich, Entst. u. Entwicklung d. Lit.-gattung d. S., 1908 f.; J. Martin, S., Gesch. e. lit. Form, 1931, n. 1968.

Synärese (griech. *synhairesis* = Zusammennehmen) →Synizese

Synästhesie (griech. *synaisthesis* = Zugleichempfinden), Doppelempfinden oder sekundäres Empfinden, Verschmelzung verschiedenartiger (Geruchs-, Gesichts-, Gehörs- und Tast-)Empfindungen, indem die Reizung des einen Sinnesorgans nicht nur die ihm eigene Empfindung, sondern auch e. Erregung und Mitempfindung e. anderen Sinnesgebietes hervorruft, daher Zuordnung von Farben und Tönen oder Bewegungsempfindungen u. ä. Sinneseindrücke: Farbenhören, Klängesehen und deren sprachlicher Ausdruck, schon in der Alltagssprache (knallrot, schreiendes Grün, helle und dunkle Töne, warme Farben u. ä.). Die Anfänge gehen von der Musiktheorie aus: A. KIRCHER (1601–80) baute e. Augenorgel, der Jesuitenpater Louis B. CASTEL 1734 e. clavessin oculaire (Augenklavier). In der Dichtung kann S. im Ausdruck auf tatsächliche Veranlagung zu Doppelempfinden zurückgeführt werden und ist dann psychologisch begründet oder bildet lediglich e. Form des metaphorischen Ausdrucks, der das Außergewöhnliche der Empfindung durch willkürliche Verknüpfung von Vorstellungsgebieten wiedergibt. Als Stilzug findet sie sich schon bei VERGIL: ›ater odor‹, häufig bes. in der Romantik (BRENTANO: ›Keine freudige Farbe mehr spricht‹, ›Golden wehn die Töne nieder‹, ›Durch die Nacht, die mich umfangen, blickt zu mir der Töne Licht‹) und im franz. Symbolismus (sog. ›audition colorée‹ bei BAUDELAIRE *Correspondances,* RIMBAUD *Voyelles,* MALLARMÉ *Apparition*). Weitgehende theoretische Erörterungen und Schlußfolgerungen bei R. GHIL, *Traité de verbe,* 1886 (›instrumentation verbale‹) und E. JÜNGER, *Lob der Vokale,* 1934. Stilwert der S. ist die stark sinnliche Erfassung des Gegenständlichen.

W. Laures, *Les s.,* 1908; E. v. Siebold, S.

i. d. Dichtg. d. 19. Jh. (Engl. Stud. 53, 1919); G. Anschütz, D. Farbe-Ton-Problem, 1929; A. Wellek, D. Doppelempfinden i. d. Geistesgesch. (Zs. f. Ästhet., 1929); ders., in DVJ 9, 1931 und 14, 1936; S. Johansen, *Le Symbolisme*, Koph. 1945; G. O'Malley, *Literary S.* (*Journal of Aesthetics* 15, 1957); L. Schrader, Sinne und Sinnesverknüpfungen, 1969.

Synalöphe (griech. *synaloiphe* = Verschmelzung), in röm. und roman. Dichtersprache Vorstufe der →Elision beim Zusammenstoß von Auslaut- und Anlautvokal (Hiat) in gebundener Rede (Kunstprosa, Gedicht): der auslautende unbetonte Vokal verliert seinen selbständigen Wert als Silbengipfel und wird mit dem Vokal der folgenden Silbe zu einer Silbe zusammengezogen, doch dem Anlautvokal kurz vorgeschlagen, bis er in der →Elision vollständig verstummt. Der Vorgang tritt in lat. Dichtung auch ein, wenn auf den unbetonten Vokal der Endsilbe ein M folgt oder dem Anlautvokal ein H vorangeht: ›multum ille‹ lies ›multuille‹, nur vor ›es‹ und ›est‹ bleibt die Endsilbe erhalten, und das Anlaut-e schwindet: ›album est‹ lies ›albumst‹. Ggs.: →Aphärese, entsprechender Vorgang im Wortinnern: →Synizese.

Synaphie (griech. *synapheia* = Zusammenfügung), ›Fugung‹, in der Metrik der bruchlose Übergang eines Verses in den folgenden ohne fühlbaren Einschnitt und die daraus folgende Verbindung der beiden Verse zu e. Einheit als Glieder e. Periode. Sie entsteht aus der Beziehung der vorangehenden Kadenz zum Auftakt bzw. Auftaktlosigkeit der folgenden Zeile: Bei voller oder klingender Kadenz mit folgendem Auftakt läuft der rhythmische Wechsel zwischen Stark und Schwach aus dem Versinneren ohne Unterbrechung (Kluft oder Stauung) über die Versgrenze hin: ›Ich vertrage als ich vertruoc / und als ichz iemer wil vertragen‹ (WALTHER), ebenso bei weiblich voller Kadenz mit fehlendem Auftakt der folgenden Zeile: ›Frouwe 'n lât iuch niht verdriezen / mîner rede, ob si gefüege si‹ (WALTHER).

Lit. →Metrik.

Syndetische Reihung (griech. *syndetos* = zusammengebunden) →Polysyndeton, Ggs.: →Asyndeton.

Synekdoche (griech. = Mitverstehen, Mitaufnehmen e. Ausdrucks durch e. anderen), →rhetorische Figur ähnlich der →Metonymie: Wahl des engeren Begriffs statt des umfassenden oder umgekehrt, so daß der Unterschied zwischen eigentlich gemeintem und synekdochisch bezeichnetem Begriff nicht im Begriffsinhalt, sondern innerhalb desselben Feldes im Begriffsumfang (Vereinzelung und Zusammenfassung) besteht. So setzt man statt der Gesamtvorstellung das Einzelmerkmal, statt des Ganzen den Teil (→Pars pro toto), statt des Vielfachen das Einfache, statt der Mehrzahl die Einzahl (Singularis pro plurali), statt der Gattung die Art, statt der Art e. Exemplar, statt des Vorhergehenden das Folgende, statt e. großen Zahl e. bestimmte Zahl (lat. *sescenti*, 600 = sehr viele) und umgekehrt, z. B. ›Edel sei der Mensch‹ (GOETHE). Häufig in Dichtung und Rhetorik zur Vermeidung der Wiederholung als Wechsel des Ausdrucks.

Synesis (griech. = Verstand, Sinn) →Constructio kata synesin

Syngramma (griech. = Zusammengeschriebenes) wissenschaftliche, bes. historische oder philologische Erläuterungsschriften von geschlossener Gestalt der Darstellung im Ggs. etwa zum Kommentar.

Synizese (griech. *synizesis* = Zusammensitzen, Zusammenfallen), in antiker Metrik die Verschmelzung zweier aufeinanderfolgender, doch verschiedenen Silben angehöriger Vokale (bes. im Wortinneren) zu e. diphtongischen Silbe mit Rücksicht auf bequemere Versgestaltung (Verszwang), z. B. Protei statt Protëi. →Synalöphe.

Synkope (griech. = Zusammenschlagen), grammatisch: Ausstoß e. unbetonten Vokals oder e. unbetonten Silbe im Wortinneren, Form des →Metaplasmus: andre statt andere, ewger statt ewiger; →Apokope. – Metrisch: Unterdrückung e. Senkung im Verssystem, z. B. bei AISCHYLOS statt des jambischen Trimeters: ◡ — (◡) —| (◡) — ◡ —| ◡ — (◡) —|.

Synkrisis (griech. = Vergleichung), in griech. und spätantiker Lit. das Streitgespräch zwischen Personen, die bestimmte Prinzipien vertreten, bzw. den entsprechenden Personifikationen, um den Vorrang des einen vor dem anderen, entweder in der ausführlicheren Form direkter Rede (Streitrede), die die eigenen Vorzüge herausstreicht, die Schwächen des Gegners tadelt, oder in der meist abgekürzten Form indirekter Vergleichung durch entsprechende Erörterungen des Autors. Beispiele sind der *Agon Homeru kai Hesiodu*, ÄSOPS Fabel vom Streit zwischen Winter und Frühling, der vielbehandelte Stoff von Herakles am Scheidewege (PRODIKOS, *Horen*), die S. zwischen AISCHYLOS und EURIPIDES in den *Fröschen* des ARISTOPHANES, die Lebensbeschreibungen PLUTARCHS, SALLUSTS Vergleich von CATO und CAESAR (*Catil.* 53 f.) sowie später zahlr. scherzhafte S. (z. B. MELEAGROS VON GADARA). Für das Nachwirken der Gattung zeugen die *Psychomachie* des PRUDENTIUS, JOHANNES' VON TEPL *Ackermann aus Böhmen* sowie die Dialoge HUTTENS und zahlr. →Streitgedichte.

O. Hense S., 1893; F. Focke, S. (Hermes 58, 1923).

Synonyme (griech. *synonymos* = gleichnamig), sinnverwandte Wörter meist verschiedener etymologischer Herkunft, deren Bedeutung sich weitgehend, doch nie ganz deckt, da es in der Natur der Sprache liegt, daß sie keine eigentlichen S., sondern nur bedeutungsverwandte Wörter besitzt, die jeweils geringere oder größere Unterschiede im Begriffskern oder Gefühlsgehalt aufweisen und im sprachlichen Feld unterschiedliche Positionen einnehmen, z. B. ›horchen, lauschen, hören‹. Die Bedeutung der S. für die Sprachkunst: sie dienen der Vermeidung von Wiederholungen (Abwechslung im Ausdruck) und der Bekräftigung, Verstärkung der Aussage durch S.häufung, indem sie den umfassenden Begriff in den einzelnen Inhalten verdeutlichend aufzählen, seine Grenzen abschreiten, um Mißverständnisse zu verhüten. Anstelle des präzisen, knappen Ausdrucks bedeutet die Setzung von S. stärkere Fülle und Anschaulichkeit der Vorstellung, indem jedes Wort neue Gefühlsgehalte weckt und das Ringen um den richtigen sprachlichen Ausdruck des inneren Bildes veranschaulicht, das mehrmals nach demselben Begriff zielt. Negativ dagegen wirkt die bloße virtuose Anhäufung von S. zur Aufschwellung und schwülstigen Erweiterung des Gesagten (→Pleonasmus, →Tautologie). Synonyme Doppelformeln, oft alliterierende oder Reimformeln wie Haus und Hof, Leib und Leben kennt schon die Umgangssprache, dann bes. die formelhafte Sakral- und Gebetssprache und die Rhetorik. Als betontes Stilmittel erscheinen sie z. T. schon in lat. Lit. (→Hendiadyoin), bes. aber, von der Renaissancepoetik als Schmuckmittel empfohlen, im 16./17. Jh., wo sog. S.-Schatzkammern den Dichtern das nötige Material lieferten. Auch die →asyndetische Reihung der S. kennt im Barock keine Schranken. In jedem Einzelfall bleibt es e. genauen Stilanalyse überlassen, zu untersuchen, wieweit sich in der Synonymie e. rhetorische Haltung verbirgt, wieweit die Glieder selbständig oder verschmolzen sind und welche sprachgestaltenden Kräfte am Werk sind.

J. A. Eberhard, S.isches Hdb. d. dt. Sprache, [7]1910; C. D. Buck, *A Dictionary of Selected S. in the Principal Indo-European Languages,* Chic. 1949; W. Gottschalk, Franz. S.ik, [4]1961; H. W. Klein, Engl. S.ik, 1951; R. B. Farrell, *Dict. of German S.s,* Lond. 1953; H. Wehrle, Dt. Wortschatz, [11]1955; R. Meldau, Sinnverwandte Wörter d. engl. Spr., 1956; H. Menge, Lat. S.ik, [5]1959; Vergleichendes S.wb., hg. P. Greve 1964; Duden-Wb. sinnverwandter Wörter, 1972; H.-M. Gauger, Z. Probl. d. S., 1972; S.-Wb., hg. H. Görner, G. Kempcke 1973; K. Peltzer, D. treffende Wort, [14]1973; R. Harris, *S.y and linguist. analysis,* Oxf. 1973; M. Schirn, Identität u. S.ie, 1975.

Synopsis (griech. = Zusammenschau, Übersicht), 1. oder Perioche: gedruckte Programmhefte mit Inhaltsangabe beim →Jesuitendrama. – 2. im Ggs. zur →Evangelienharmonie e. vergleichende Nebeneinanderstellung der drei (bzw. vier) Evangelientexte zum Zweck der Übersicht über gleich oder ähnlich lautende Textstellen (MATTHÄUS, MARKUS, LUKAS: Synoptiker), dann allg. vergleichende Textübersicht zur Aussonderung inhaltsgleicher Abschnitte.

E. P. Sanders, *The tendencies of the synoptic tradition,* Lond. 1969; R. Bultmann, Gesch. d. synopt. Tradition, [8]1970.

Syntagma (griech. = Zusammenordnung), Zusammenstellung verschiedener Abhandlungen oder Aufsätze über e. bestimmten Gegenstand zu e. Sammelwerk.

Synthese (griech. *synthesis* = Zusammensetzung), schöpferische Vereinigung vielfältiger und teils gegensätzlicher Erscheinungen zu e. einheitlichen und in sich ausgeglichenen, geschlossenen Ganzen. Ggs.: →Analyse.

System (griech. *systema* = Zusammensetzung), Vereinigung zweier oder mehrerer →Perioden gleicher oder verschiedener Länge und Bauart zu e. größeren Ganzen, das, in regelmäßiger Folge wiederholt, zur →Strophe wird.

Systole (griech. = Zusammenziehung), Form des →Metaplasmus, Kürzung langer Vokale oder Diphthonge aus Verszwang in der antiken Metrik, z. B. VERGIL, *Aeneis* I, 41: unĭus. – Ggs.: →Diastole.

Syzygie (griech. *syzygia* = Zusammenjochung), Verbindung von zwei einzelnen (jambischen, trochäischen oder anapästischen) Versfüßen zu e. →Dipodie als höherer metrischer Einheit.

Szenar(ium), 1. im Stegreifspiel e. Szenenskizze mit dem in Akte und Szenen eingeteilten äußeren Handlungsablauf als Hilfsmittel und Anhaltspunkt für die Spieler. – 2. im Theater Schauplatzentwurf und -beschreibung, ein Plan für den Inspizienten, Abendregisseur, Beleuchter usw., der die Anordnung und evtl. Verwandlung der Requisiten, Dekorationen, Versetzstücke, Möbel usw. auf der Bühne festlegt und Geräusche, Beleuchtungsveränderungen, Auftritte, Vorhangfallen u. ä. verzeichnet. S.ien sind schon seit dem MA. gebräuchlich und z. T. erhalten.

Szene (griech. *skene* =) im altgriech. →Theater e. hölzernes Gebäude im Hintergrund der Orchestra als Bühnenrückwand an der von den amphitheatralischen Kreisbögen freigelassenen Seite, vor der die Schauspieler auftraten und die den jeweilig erforderlichen Hintergrund (Palast, Tempel, Altar, Felswand) darstellte und gleichzeitig im Inneren die notwendigen Bühnen- und Ankleideräume enthielt, im hellenist.-röm. Theater z. T. erhalten. Noch heute ist S. z. T. Bz. für den äußeren Schauplatz der Handlung: →Bühne, →Szenerie und daher in älteren Stücken, bei SHAKESPEARE und SCHILLER z. T. Bz. für die an verschiedenen Orten spielenden Teile des Aufzugs, meist jedoch bezeichnet S. den →Auftritt selbst als kleinste Aufbaueinheit im Drama, Unterabteilung des Akts, bedingt und meist äußerlich begrenzt durch das Auftreten e. neuen oder das Abtreten e. bisher anwesenden Figur – daher stets gleichbleibende Personenzahl während der S. – Doch bleibt sie keine rein technische Begrenzung (als solche für die Proben und die Spielleitung ebenfalls wichtig), sondern stellt e. innerlich geschlossenes Stück dramatischen Lebens dar, da mit dem Kommen und Gehen der Personen meist e. Wendung der Handlung verbunden ist. Mitunter erfolgt die S.-einteilung auch unabhängig von der Zahl der Figuren auf der Bühne und ohne Rücksicht auf die Zu- und Abgänge nach dem Gesichtspunkt e. innerlich geschlossenen Handlungsabschnittes von verschiedener Stärke, der im Aufbau des Ganzen vorantreibende, retardierende oder verinnerlichende Funktionen haben kann; meist jedoch zieht man aus theaterpraktischen Gründen das rein äußere Einteilungsschema vor. Während einige Dramatiker (GRILLPARZER, HAUPTMANN) keine S.-einteilung durchführen und damit ganz anderen Aufbauprinzipien folgen, verzichten andere auf die tektonische Akteinteilung und reihen nur Einzelszenen als Bilderfolge von den Stationen des äußeren oder inneren Lebensweges des Helden aneinander (WEDEKIND, Expressionismus). Tektonisches Aufbaustreben dagegen zeigt sich in Geschlossenheit und Bildstärke der einzelnen S., die jedoch nie aus dem Zusammenhang des geschlossenen Dramenvorgangs herausfallen darf (Musterbeispiele: Streit der Königinnen in *Maria Stuart* III, 4; Apfelschuß-S. im *Wilhelm Tell* III, 3). Man unterscheidet mit fließenden Übergängen Spiel-S. mit bewegter, sichtbarer äußerer Handlung und Rede-S. als geistige Auseinandersetzung; mehrere, um e. Person oder e. Örtlichkeit gelagerte S.n können zu S.ngruppen zusammengefaßt werden, deren nächsthöhere Einheit der →Akt bildet. – Im Ma. Drama als Einteilungsschema noch unbekannt, wird die S. wie auch der Akt von der Renaissancepoetik nach dem Vorbild der Dramen SENECAS eingeführt: im früheren Drama vor Einführung des Aktvorhangs und durch Einfluß BOILEAUS bis in die Mitte des 18. Jh., als der Zwischenvorhang schon längst bekannt war, mußten die Einzel-S.n durch →Monologe und Füllgespräche verbunden werden (liaison des scènes), da die Bühne vor Aktschluß nie leer sein durfte. Neuere Forschung (P. LUBBOCK, R. PETSCH) versucht den Begriff ›S.‹ in ähnlichem Sinn auch für e. bewegte, in zeitlichem nacheinander verlaufende und meist durch Dialog verbundene Aufbaueinheit der Epik zu verwenden, die jedoch durch die ausgesprochen epische Tönung von der reinen Handlung der dramatischen S. unterschieden ist.

P. Timpre, D. Entwicklg. d. S.-begriffs i.

lat. u. dt. Drama d. 16. Jh., Diss. Greifswald 1920; RL: Auftritt; E. Scheuer, Akt u. S. in d. offenen Form d. Dramas, 1929; R. Petsch, V. d. S. zum Akt, DVJ 11, 1933 →Drama.

Szenenanweisung, szenische Bemerkungen →Bühnenanweisung

Szenerie, Bühnen →dekoration (Straßen-, Landschaftsbild u. ä.).

Tabellae (lat. =) Täfelchen, die zur Aufnahme von Tinte geweißt oder mit e. Wachsschicht überzogen wurden, in die mit dem Griffel (stilus) die Schrift eingedrückt wurde. Zwei derartig beschriebene Holztäfelchen wurden zusammengebunden, gegebenenfalls versiegelt und dienten im antiken Rom als Brief, mehrere mit Riemen verbunden bildeten e. →Codex. Vgl. →Diptychon.

Tabernaria (lat. *tabernae* = Handwerkerbuden), →Fabula t. nach den niedrigen Handwerkerkreisen, in denen sie spielte, Bz. für die →Togata.

Tableau (franz. = Bild), 1. malerisch gruppiertes Bühnenbild, bes. effektvolle Figurengruppierung bei Akt- oder Dramenschluß, 2. ähnlich dem →Bild und der →Szene Aufbaueinheit der Epik, doch bewegter als das Bild und von öffentlicherem Charakter mit Neigung zu Pathos und Pose; episch beschriebene Szene, die als visuelle Einheit im Gedächtnis haftet, z. B. bei FLAUBERT, FONTANE, Th. MANN.

Tableaux vivants →Lebende Bilder

Tabu (polynes. = unberührbar), aus abergläubischen Gründen zu Vermeidendes, in Sprache und Lit. z. B. ein durch →Periphrase (→Euphemismus) umgangenes Wort.

Tabula (lat.) = →Tabellae

Tabulatur (lat. *tabula* = Tafel), das Regelbuch des →Meistergesangs mit Vorschriften für Sprachbehandlung, Ausdrucksweise, Betonung, Reimgebrauch, richtiges Deutsch, religiöse Haltung und guten, deutlichen Gesangsvortrag. Ihre Beherrschung war für den Aufstieg zum Schulfreund erforderlich. Älteste T. in Straßburg 1493.

Tachtigers (niederländ. = Achtziger), individualistische Gruppe der niederländ. Lit. in den Jahren 1880–1900 um die Zs. *De Nieuwe Gids* (1885 ff.), erstrebte e. größere Spontaneität und Farbigkeit der Dichtung und den ›individuellsten Ausdruck für individuellste Gefühle‹ (KLOOS). Vertreter u. a. J. PERK, W. KLOOS, A. VERWEY, F. van EEDEN, L. van DEYSSEL und H. GORTER.

F. Coenen, *Stud. van de T. Beweging,* Middelburg 1924; J. A. Rispens, *Richtingen en figuren,* Kampen 1938.

Tafellied →Gesellschaftslied

Tafelspiel, Gattung niederländ. Schauspiele im 15.–18. Jh. (HOOFT u. a.), urspr. an Festtagen wie Fastnachtsdienstag, Epiphanias, Hochzeiten u. ä. als Unterhaltung zur Tafel gespielt.

J. J. Mak, *De Rederijkers,* 1944.

Tagebuch, für tägliche bzw. regelmäßige Aufzeichnungen aus dem eigenen Leben und Schaffen und z. T. auch dem polit., kulturellen, wissenschaftl. usw. Zeitgeschehen bestimmte Form der nicht kunstmäßigen Prosa von monologischem Charakter (Betrachtung, Beschreibung), doch mit dem Reiz der Unmittelbarkeit, der Unausgewogenheit und

Aufeinanderbezogenheit, die das Leben als Phänomen zu erfassen sucht und die Widersprüche in der Person des Verfassers überwindet. Die Formen schwanken von hingeworfenen Kurznotizen nur als Gedächtnisstütze oder Rohmaterial e. geplanten Autobiographie bis zur essayist. Meinungs- und Gewissenserforschung; vielfach sollen Chiffren Unbefugten die Lektüre erschweren. Das T. steigt in neuerer Zeit trotz aller Tagesgebundenheit zu e. bedeutenden lit. Form auf: GOETHE, EICHENDORFF, GRILLPARZER, PLATEN, E. T. A. HOFFMANN, HEBBEL, KAFKA, KLEPPER, Th. MANN, z. T. bewußt im Hinblick auf e. spätere Veröffentlichung hin stilisiert wie bei H. CAROSSA, E. JÜNGER, E. KÄSTNER, F. HARTLAUB, Th. HAECKER, K. MANN, O. LOERKE, M. FRISCH, franz. bes. MONTAIGNE, B. CONSTANT, Ch. BAUDELAIRE, H. F. AMIEL, Edmond de GONCOURT, A. GIDE, J. GREEN, H. de MONTHERLANT, A. CAMUS u. a., engl. J. BOSWELL, S. JOHNSON, S. PEPYS, BYRON u. a., ferner L. TOLSTOI, C. PAVESE, Anne FRANK u. a. Neben die literarhistorisch wichtigen treten T.er von historischer oder kulturhistorischer Bedeutsamkeit, als künstliche Form schließlich das fingierte T. (z. B. Ottiliens in GOETHES *Wahlverwandtschaften*, GOGOLS *T. eines Wahnsinnigen*) und damit der Tagebuchroman, eine Sonderform des Ich-Romans ähnlich dem →Briefroman, z. B. W. RAABE, *Chronik der Sperlingsgasse*, 1857, R. M. RILKE, *Aufzeichnungen des Malte Laurids Brigge*, 1910, G. BERNANOS' *Journal d'un curé de campagne*, 1935. →Journal.

R. M. Meyer, Z. Entwicklgs.gesch. d. Tagebuchs (in: Gestalten u. Probleme, 1905); W. Matthews, *British Diaries*, Berkeley 1950; ders., *Canadian Diaries*, 1950 (Bibliogr.); W. Schmeisser, Stud. üb. d. vorromant. u. romant. T., Diss. Freib. 1952; M. Leleu, *Les journaux intimes*, Paris 1952; A. Gräser, D. lit. T., 1955; R. H. Kurzrock, D. T. als lit. Form, Diss. Bln. 1955; W. Grenzmann (Wirk. Wort 9, 1959); G. R. Hocke, D. europ. T. 1963; A. Giraud, *Le journal intime*, Paris 1963; M. L. Kaschnitz, D. T. d. Schriftstellers, 1965; D. T. u. d. mod. Autor, hg. U. Schultz 1965; K. G. Just, D. T. als lit. Form (in: Übergänge, 1966); P. Boerner, T., 1969; P. Brang, Üb. T'fiktion i. d. russ. Lit. (Typologia litt., Fs. M. Wehrli 1969); M. L. Kaschnitz, D. T. (in: Zwischen Immer u. Nie, 1971); P. Boerner, E. Miner (*Yearbook of Compar. and General lit.* 21, 1972); E. Henning, Analekten z. Gesch. d. Diaristik (Archiv f. Kulturgesch. 56, 1974); R. A. Fothergill, *Private Chronicles*, Lond. 1974; G. Prince, *The diary novel* (Neophilol. 59, 1975); H. Rüdiger, Versuch üb. d. T. als lit. Form (Jb. d. Dt. Akad. f. Spr. u. Dichtg. 1975); M. Jurgensen, Diar. Formfiktionen i. d. zeitgen. dt. Lit. (Rezeption d. dt. Gegenw.lit. i. Ausl., 1976); ders., D. T. i. d. zeitgen. dt. Lit. (Universitas 32, 1977); B. Didier, *Le journal intime*, Paris 1976; G. Hocke, D. europ. T., 1978.

Tagebuchroman →Tagebuch

Tagelied, in Thema und Aufbau eigene Gattung des europ. →Minnesangs, schildert als fiktives Erlebnis Abschied und Trennung zweier Liebender nach e. unerlaubten Liebesnacht im Morgengrauen, an dessen Anbruch der Ostwind, e. Vogelstimme, bes. häufig das Horn oder der warnende Ruf des Wächters von der Zinne, der von der Situation der beiden weiß, gemahnt (›Wächterlied‹). Diese Einleitung, darauf Rede und Gegenrede der Liebenden, die der Tag auseinanderreißt, oder auch aller drei Beteiligten, einschließlich des Wächters, Liebkosungen und Liebesbeteuerungen, zärtlich-schmerzlicher Abschied und Klage der verlassenen Frau bilden den Gegenstand der mehrstrophigen Lieder, die aus der Spannung zwischen einem stark sinnlichen Element und der ständigen Gefahr der Entdekkung leben und die Ursituation in mannigfacher, schillernder Abänderung balladesk darstellen. Obwohl seine Voraussetzungen der eigentlichen Minnehaltung widersprechen, findet es im Minnesang bes. Beliebtheit. Die Gattung stammt, evtl. durch arabischen Einfluß – die lat. Dichtung kennt sie nicht – aus der Provence (›Alba‹, z. B. von GIRAUT DE BORNELH), wo sie meist mit dem Ausruf ›alba‹ als Refrain erscheint, der im Dt. fehlt. In Dtl. wurde sie früh, zuerst wohl um 1170 von DIETMAR VON AIST, nachgeahmt. Bedeutende T.er stammen von HEINRICH VON MORUNGEN, WALTHER und dramatisch-leidenschaftlich von WOLFRAM, dem ›Klassiker des T.‹, im Spätma. von HADLAUB und OSWALD VON WOLKENSTEIN, auch zu parodistischer Wirkung als T. von Knecht und Magd ins Bäurische herabgezogen bei STEINMAR und Ausgangspunkt für Volkslieder und geistliche Kontrafakturen bis ins 17. Jh. (NICOLAI, ›Wachet auf‹).

W. de Gruyter, D. dt. T., Diss. Lpz. 1887; G. Schlaeger, Stud. üb. d. T., 1895; RL; F. Nicklas, Unters. üb. Stil u. Gesch. d. dt. T., 1929, n. 1967; H. Ohling, D. dt. T., 1938; N. Mayer-Rosa, Stud. z. dt. T., Diss. Tüb. 1938; E. Scheunemann, F. Ranke, Texte z. Gesch. d. T., 1947; A. T. Hatto, D. T. i. d. Weltlit., DVJ 36, 1962; *Eos*, hg. A. T. Hatto, Haag 1965; N. R. Wolf, T'variationen i. späten provenzal. u. dt. Minnesang (Zs. f. dt. Philol. 87, 1968 Sonderh.); D. Rieger, Z. Stellg. d. T. i. d. Trobadourlyrik (Zs. f. roman. Philol. 87, 1971); U. Müller, Ovid Amores, alba, T., DVJ 45, 1971; W. Mohr, Spiegelungen d. T. (Mediaevalia litt., Fs. H. de Boor 1971; J. Saville, *The medieval erotic alba*, N. Y. 1972; G. Rösch, Kiltlied u. T. (Hb. d. Volksliedes 1, 1973); U. Knoop, D. mhd. T., 1976.

Taklīd →Taqlīd

Takt (lat. *tactus* = Berührung), in der Metrik Gliederungseinheit des Rhythmus, Unterteilung des Verses in akzentuierender Dichtung, bestehend aus dem guten oder schweren T.-teil, d. h. der Hebung (T.-gipfel) und dem folgenden schlechten oder leichten T.-teil, d. h. einer oder mehreren Senkungen bis zur nächsten Hebung. Der T. ist als metrische Einheit nicht identisch mit dem Kolon als Sinneinheit; meist überschneiden sich beide Gliederungen, und die zur Begrenzung des T. eingeführten T.-striche bedeuten keine Pausen. Nach der Anzahl der zu e. Takt gehörigen Silben (T.-füllung) unterscheidet man als hauptsächliche T.-geschlechter: 2-teiliger T. (Kurz-T.) aus 2/4: x́ x, 3-teiliger T. aus 3/4: x́ x x oder schwerer 3-teiliger T. aus 3/2: —́ — — und 4-teiliger T. aus 4/4: x́ x x x oder als →Dipodie (Lang-T.) mit e. Nebenhebung auf der 3. Silbe: x́ x x̀ x. Nach der Zahl der in e. Vers enthaltenen T.e bezeichnet man den Vers als Zwei-, Drei-, Viertakter usw. (gleichbedeutend mit Zweiheber usw.). Über Definition und damit Wesen der T. herrscht bei neueren Forschern keine klare Einstimmigkeit. HEUSLER bezeichnet ihn als ›geregelte Zeitspanne von Iktus zu Iktus‹, SARAN als ›kontinuierlich durchlaufende Folge periodisch in gleichen Abständen wiederkehrender Schweremomente‹, SIEVERS als ›nach streng mathematischen Proportionen erfolgende Zeitaufteilung‹ als Bewegungsempfindung, deren T.-füllkurven e. dynamisch-melodische Klangabstufung darstellen.

F. Saran, D. Rhythmus d. franz. Verses, 1904; ders., Dt. Verslehre, 1907; A. Heusler, Dt. Versgesch., III 1925–1929; E. Sievers, Ziele und Wege d. Schallanalyse, 1924; L. Gminder, D. einsilbige T. i. d. nhd. Dichtg., 1929; RL. →Metrik.

Talent (lat. *talentum* v. griech. *talanton*, Gewichts- und Geldeinheit, ›das Zugewogene‹), natürliche Anlage, e. bestimmte angeborene ungewöhnliche Begabung, die durch Übung und Pflege ausgebildet werden kann, jedoch weniger ursprünglich und tiefverwurzelt als die schöpferische Ursprünglichkeit des

→Genies, stärker den Tageserscheinungen, dem Zeitgeschmack und der Nützlichkeit verhaftet als dieses. Wo das Genie aus innerer, unentrinnbarer Notwendigkeit schaffen muß und, wenn ihm das T. versagt ist, um Beherrschung der äußeren Form ringt, bleibt dem bloßen T. die Entschlußfreiheit und die vorgegebene geistige Befähigung zur Meisterung des Formalen bis zur Virtuosität; wo das Genie auf sich selbst gestellt den einsamen, vom Schicksal vorgeschriebenen Weg gehen muß, neue Bereiche des Menschlichen in die Gestaltung einbezieht und dadurch gegen die üblichen Durchschnittsanforderungen der Masse auftritt, bleibt das T., frei von der menschlichen Belastung des Genies, im Bereich des Herkömmlichen und erringt sich innerhalb von bereits beschrittenen Bahnen oder innerhalb e. bes. Gattung die Anerkennung seiner Begabung. Sein Werk freilich bleibt dem Zeitlichen verhaftet und verblaßt im Wandel der Geschmacksrichtung.

K. Scheffler, Lebensbild d. T., 1948; G. Révész, T. u. Genie, 1952; *The discovery of t.*, hg. D. Wolfle, New Haven 1969.

Tamãshã, erotisches Tanzdrama der ind. Marâthî-Lit. im 18. Jh. mit Gesang, Musik und Vortrag teils obszöner Liebesgedichte durch Jünglinge in Frauenkleidern.

Tanka, oder Uta, japan. Gedichtform, die aus e. Oberstrophe zu drei Zeilen (5, 7, 5 Silben) und e. Unterstrophe zu zwei Zeilen (je 7 Silben) besteht, also insgesamt 31 Silben bindet. Im Aufbau dem Sonett ähnlich, objektiviert sie seelische Antithetik (Liebe, Klage, Glück, Trauer) im Naturbild und schließt mit befreiender Pointe. Auch in Variationen ohne Erweiterung der Grundform oder Aneinanderreihung mehrerer T. zu Langgedichten. Oberstrophe selbständig verwendet in →Haikai und →Hokku.

R. H. Brower, E. Miner, *Japanese court poetry*, 1961; K. May, Erneuerg. d. T.-Poesie i. d. Meiji-Zeit, 1975.

Tannengesellschaft →Sprachgesellschaften

Tantieme (franz. = der sovielte Teil), Anteil e. Bühnenautors am Reingewinn von →Aufführungen seiner Stücke, meist e. bestimmter Prozentsatz (seit Mitte des 19. Jh. 10%) der Bruttoeinnahme, in der BR. auch bis 70 Jahre nach dem Tod des Autors an seine Erben entrichtet. Ordnungsgemäße und rechtzeitige Zahlung wird von der Autorenorganisation überwacht, Unterlassung rechtlich verfolgt. Vgl. →Honorar.

Tantras (ind. = Bücher), auch Shakti – →Âgamas, ind. Texte magisch-mystischen Inhalts, Ritualvorschriften, Zauberformeln eines Geheimkults, Beschreibung heiliger Silben, magischer Amulette, Zeichen u. ä., im 5.–19. Jh. aus e. vom Volksglauben inspirierten mystischen Wissenschaft und insbes. dem Shakti-Kult hervorgegangen und in Versform meist als Dialoge zwischen dem Gott Shiva und seiner Gattin Durgâ gestaltet.

A. Avalon, *Tantric Texts*, Lond. XI 1913 ff.; ders., *Principles of Tantra*, Lond. II 1914–16, Madras [2]1960; C. Chakravarti, T., Kalkutta 1963.

Tantris, javan. Versdichtungen in Form der →Kidungs als Bearbeitungen ind. Fabellit. und -motive in Rahmenform.

Tanz →Ballett

Tanzballade →Ballade

Tanzlied oder Tanzleich, Gattung des Spätma., teils mit e. getragen erzählenden Teil, auf den die getanzten Strophen folgten, teils durchweg als Kehrreimlied, bes. beim TANNHÄUSER, NEIDHART VON REUENTHAL, ULRICH VON LICHTENSTEIN, ULRICH VON WINTERSTETTEN, dem TALER, EBERHARD VON SAX, HUGO VON MONTFORT und OSWALD VON WOLKENSTEIN. Vgl. →Ballade, →Dansa.

E. Sievers, Z. Klangstruktur d. mhd. Tanzdichtg. (Beiträge 56, 1932); I. Dentz, D. dichter. Gestaltg. d. Tanzes i. d. dt. Lyrik, Diss. Bonn 1953; R. Stephan, Lied, Tropus u. Tanz i. MA. (Zs. f. dt. Altert. 87, 1956).

Tao-shu, im chines. Drama der Yüan-Zeit (13.–14. Jh.) eine Gruppe von Liedern und Arien mit Melodien in derselben Tonart und auf denselben Reim; Tonart und Reim wechselten erst von Aufzug zu Aufzug.

Tapeinosis (griech. = Schwächung), →rhetorische Figur der Abschwächung, vermindert die Wichtigkeit der Sache durch die Leichtigkeit der sie bezeichnenden Wörter; auch als Stilfehler die Wahl e. zu schwachen und niedrigen Ausdrucks.

Taqlīd, volkstümliche Form des modernen pers. Theaters: primitiv belustigende, komische Possen mit harmlosen Stoffen aus dem Alltagsleben (Demaskierung von Heuchlern und Weintrinkern) z.T. unter Mitwirkung der Zuschauer und mit Tanz und Gesang; Männer in Frauenrollen.

Taschenbuch, 1. seit Ende des 18. Jh. auftretende Form des →Almanachs, die im Ggs. zum →Musenalmanach auch dichterische oder belehrende Prosastücke neben der Lyrik brachte und zeitweise diesen verdrängte. Die T.er sind häufig nach Themenkreis (Mode, Theater, Dichtung, Geschichte u. ä.), Landschaften und Ständen spezialisiert und wenden sich meist an die Damenwelt (*Aurora, Urania*); bei e. nicht bes. hohen lit. Niveau finden sie in vielen Ausgaben und Jahresbänden weite Verbreitung. Den Ausgangspunkt bildet das *T. für das Wiener Theater* 1777, dann e. *Wiener T. zum Nutzen und Vergnügen* 1785–87 und LICHTENBERGS *Göttinger Taschenkalender* 1778 ff. In GÖSCHENS *Historischem Kalender für Damen* veröffentlichte SCHILLER 1789 seine *Geschichte des 30-jährigen Krieges,* in VIEWEGS *T.* (1789–1803) GOETHE *Hermann und Dorothea,* in BECKERS *T. zum geselligen Vergnügen* (1791–1814) SCHILLER einige Beiträge und in der Wiener *Aglaia* GRILLPARZER zahlreiche Dichtungen.

H. Köhring, Bibliogr. d. Almanache, Kalender u. T. f. d. Zeit 1750–1860, 1929; M. Lanckorońska, A. Rühmann, Gesch. d. dt. T. u. Almanache a. d. klass.-romant. Zeit, 1954; R. Schröder, Z. Struktur d. T. i. Biedermeier, GRM 41, 1960. →Almanach, →Musenalmanach.

2. nach engl. und amerikan. Vorbild seit 1950 erstmals in Dtl. verbreiteter Buchtyp des billigen, in hoher Auflage (15–50000) in Rotationsdruck hergestellten und im Lumbeckverfahren klebegehefteten Verbrauchsbuchs von reihenmäßig normiertem, oft buntem Äußeren, vorwiegend für Unterhaltungs-, Sachlit. und moderne Dichtung, aber auch vor und neben dem →Paperback für weit verbreitbare wiss. Werke und Lexika sowie Klassikerausgaben. Zeichen der Industrialisierung von Buchverlag und -vertrieb z.T. mit eigenen Massenvertriebsformen; nach rasanter Aufwärtsentwicklung durch Preisanreiz und Nachholbedarf in den ersten Nachkriegsjahren nunmehr als legitimer, ausgeglichener Zweig des modernen Buchwesens eingependelt, wobei Überangebot und Konkurrenz zu kleineren Auflagen und Preiserhöhungen führen.

Bücher in alle Taschen (Jungbuchhandel 6, 1952); E. Johann, D. Siegeszug d. T. i. Dtl. (Das Parlament 6, 1956); H. Carruth, D. Phänomen d. T. (Perspektiven 15, 1956); H. G. Göpfert, Bemerkungen z. T. (in: D. dt. Buchhandel i. uns. Zeit, 1961); R. Hauri, D. T., 1961; H. Platte, Soziologie d. T. (Bertelsmann-Briefe 15, 1962); R. Escarpit, D. Revolution d. Buches, 1967.

Tasnif, pers. Lieder und Romanzen meist satir. Inhalts um histor. und aktuelle Stoffe.

Tatsachenroman, allg. jeder Roman, der auf Tatsachen beruht, so Biographie, Kriminalfall, Skandalchronik, Gesellschaftsbild, Wissenschaftsgeschichte (P. de KRUIF, *Microbe hunters,* H. WENDT, *Ich suchte Adam,* CERAM, *Götter, Gräber und Gelehrte,* J. THORWALD, *Das Jahrhundert der Chirurgen* u. ä.), im weiteren Sinn auch die auf histor. Fachwissen und Tatsachen beruhenden →Professorenromane. Der T. beruht auf geschicktem Arrangement verbürgter Details in e. menschlichen Prozeß, einer Verkleidung von Fakten in ep. Zusammenhang mit emotionaler Überhöhung und Mythisierung, und nähert sich in Grenzfällen, bei denen die vermeintlich dargestellte Wirklichkeit auf die standardisierten Klischees, Typen und Traumbilder der Gesellschaft zusammenschrumpft, bedenklich dem →Trivialroman, da seine dynamisierenden Vereinfachungen nicht der psychologischen oder sozialen Differenzierung, sondern der Trivialisierung der Ereignisse dienen und seine Stoffwahl die Publikumsvorstellungen hinsichtlich Fortschritt und Erfolgsmechanik einkalkuliert.

W. Meier, D. Heimat d. Fakten (in: Triviallit., hg. G. Schmidt-Henkel, 1964); B. Engelmann, Was ist e. T. (Kontext I, 1976).

Taufgelöbnisse, bei der Taufe gesprochene formelhafte Glaubensbekenntnisse und Absagen an den Teufel, gehören zu den ältesten erhaltenen dt. Sprachdenkmälern (vier T. aus dem 8./9. Jh.).

G. Baesecke, D. ahd. T. (in: Kleinere Schriften z. ahd. Spr. u. Lit., 1966); ders., D. ahd. u. altsächs. T. (ebda.).

Tautazismus (griech. *tauta* = dasselbe), Häufung gleicher oder ähnlicher Laute zu e. häßlichen Klangbild: ›Jetztzeit‹.

Tautogramm (griech. *tautos* = derselbe, *gramma* = Buchstabe), e. Vers, dessen Wörter alle mit demselben Buchstaben beginnen, z. B. ENNIUS ›(O) Tite, tute, Tati, tibi tanta tyranne tulisti‹; nicht immer gleichbedeutend mit →Alliteration, wo nicht Wortanfang, sondern betonte (Stamm-)Silben denselben Laut haben müssen.

Tautologie (griech. *tauto* = dasselbe, *logos* = Rede), stilistische Doppelaussage: Bezeichnung desselben Begriffs, Gedankens oder Sachverhalts durch dasselbe oder bes. mehrere gleichbedeutende Worte (→Synonyme) zum Zweck stärkerer Eindringlichkeit (›nackt und bloß, einzig und allein, immer und ewig, voll und ganz‹), während der →Pleonasmus nur Überflüssiges, weil Selbstverständliches, hinzufügt; doch übersieht der heutige Sprachgebrauch oft den Unterschied beider Formen. Die entsprechende positive Figur heißt →Epanalepse.

Tauwetter, nach I. EHRENBURGS Roman *T.* (1954) Bz. für die Literaturepoche in den sozialist. Ländern nach STALINS Tod 1953/54, gekennzeichnet durch e. scheinbare Lockerung der streng antiwestl. Haltung, scharfe Kritik an der offiziellen Sowjetlit. und größere Freiheiten auch in der Neuorientierung an westl. Lit.; als vorübergehende literaturpolit. Taktik jedoch wenig folgenreich.

G. Struve, Gesch. d. Sowjetlit., [2]1958; G. Gibian, *Interval of Freedom*, Minneapolis 1960; T. F. Rogers, *Superfluous Men and the Post-Stalin Thaw*, Haag 1972.

Ta'ziyeh, eine Art alljährlich aufgeführter pers. Mysterien- u. Passionsspiele um Leben und Leiden der Familie MOHAMMEDS und besonders seiner Enkel HASAN und HUSAIN in Versform mit einem Prediger und einem Knabenchor; Aufbau in 40–50 Szenen; Frauenrollen wurden von Männern gespielt. Entstanden im 19. Jh. aus den jährlichen Trauerfeiern zum tragischen Tod HUSAINS (10. Okt. 680) über Prozessionen, Leidensdarstellungen, Trauerpredigten und nacherlebende Darstellung.

Technik, literarische (griech. *techne* = Kunst), die dichterische Gestaltungskunst im Sinn der handwerklichen, erlernbaren Seite der Kunst, die zwischen Konzeption und endgültiger sprachlicher Formulierung liegt, die äußere, formale Erfüllung, bes. hinsichtlich der Formen und Gattungsgesetze und der für e. Gattung üblichen Kunstgriffe und Formeln: Glättung des Ausdrucks und der Darstellung, Anpassung des Stoffes an die Gegebenheiten der Gattung usw. Man spricht von epischer, dramat., lyrischer, Lustspiel-, Novellen-T., Vers- und Strophen-T. usw., die bes. in der älteren Lit.wiss. e. eigenes Forschungsgebiet darstellte. Sie kann allein auf Routine und Talent des Schriftstellers beruhen, überkommene Formen mit neuen Stoffen geschickt aufzufüllen, oder aber zu e. originalen Erfindung des eigentlichen Kunstverstandes führen, der zur Neuschöpfung und Weiterbildung e. Kunstform fortschreitet.

Technopägnien (griech. *technopaignia*) →Bilderlyrik

Teichoskopie (griech. *teichoskopia* =) ›Mauerschau‹, urspr. Bz. e. Szene im 3. Gesang von HOMERS *Ilias,* in der Helena dem Priamos und anderen trojanischen Greisen die griech. Helden schildert; Mittel der Dramentechnik zur Einbeziehung von auf der Bühne nicht oder schwer darstellbaren Ereignissen (Schlachten, Seeschlachten, Schiffsuntergängen u. ä.) in das Bühnengeschehen, indem e. auf erhöhter Warte im Bühnenraum (Turm, Mauer, Hügel) stehender Beobachter den Spielern und damit dem Publikum die außerhalb ihrer Sichtweite – für die Phantasie im Hintergrund – sich abspielenden Vorgänge berichtet und damit zu innerer Anschauung und Wirkung bringt. Während die T. gleichzeitige Geschehnisse in wirksamer Spannung in die Bühnenstimmung hereinholt, dient der →Botenbericht zur Einbeziehung bereits vergangener Geschehnisse. Nach Vorgang des antiken Dramas und bes. nach Vorbild von SHAKESPEARES *Julius Caesar* V, 3 findet sich T. häufig im klassischen dt. Drama: GOETHE *Götz* III, SCHILLER, *Wilhelm Tell* IV, 1, *Jungfrau von Orleans* V, 11, KLEIST, *Prinz von Homburg* II, 2, *Penthesilea* (mehrmals) u. a.

Tektonik (v. griech. *tekton* = Zimmermann), geschlossener, symmetrischer Aufbau e. Kunstwerks als Zeichen e. strengen Formwillens im Ggs. zur →atektonischen, →offenen Form, zeigt sich in der Dichtung z. B. im kunstvollen Aufbau der Akte im Drama, der Kapitel in der Epik, der erfüllten Strophenform im Gedicht usw. Kennzeichen der T. oder der geschlossenen Form sind z. B. die Wahrung der drei →Einheiten, eine chronolog., kausale Handlungsfolge, die Verknüpfung der einzelnen Teile (im Drama Szenen) zu e. höheren Ganzen, ein organischer Aufbau mit e. individuellen Konflikt, einheitliche Perspektive und ausgewogene Harmonie der Teile.

Telari (v. ital. *telaio* = Rahmen), Vorstufe der →Kulissen als Bühnendekoration: drei bis fünf an den Seiten der Bühne hinter den Portalen der Schauwand aufgestellte, um die Längsachse drehbare Prismen, deren Flächen mit Stoffbahnen überzogen waren, die mit dem Hintergrund korrespondierend Landschafts- oder Palastteile darstellten. Sie wurden bei Szenenwechsel einfach herumgedreht und ermöglichten in Verbindung mit dem durch Auseinanderschieben veränderlichen Schlußprospekt schnellen Schauplatzwechsel. Schon in der Antike üblich, wurden sie im 16. Jh. (Buontalenti) wieder aufgenommen. J. Furttenbach (1591–1667) baute in Ulm e. solche T.-Bühne 1641 und beschrieb sie im *Mannhaften Kunstspiegel* (1663). Den Nachteil, daß sie mit einer Bespannung nur für drei Bühnenbilder verwendbar waren, versuchte man später durch übergelegte neue Stücke auszugleichen, die dann wieder aufgerollt wurden; um 1620 vollzog sich damit der Übergang zur selbständig aufgestellten Kulisse.

Lit. →Bühne

Telegrammstil, Ausdrucksform äußerster Kürze, fast stichwortartig, im Impressionismus bei Altenberg, im Expressionismus bes. im →Sturmkreis gepflegt.

Telesilleion, nach der griech. Dichterin Telesilla (5. Jh. v. Chr.) benannter Vers: am Anfang um eine Silbe verkürzter (akephalischer) 2. Glykoneus: ⏓́–⏑⏑|–́⏑–, häufig in griech. Prozessionsliedern und mit Ausfall der letzten Kürze im Periodenschluß.

Telestichon (griech. *telos* = Ende, *stichos* = Vers), e. Wort, Name oder Satz, der aus den Endbuchstaben (-wörtern) der Verse (Strophen) e. Gedichts gebildet wird; Ggs.: →Akrostichon, mit diesem vereinigt zum →Akroteleuton. →Mesostichon.

Teliamb (griech. *telos* = Ende), →Hexameter, dessen letzter Fuß e. Jambus oder Pyrrhichius ist.

Telonisnym (griech.), Form des →Pseudonyms, die nur die letzten Buchstaben des echten Verfassernamens angibt; oft in Zeitungen.

Tendenzdichtung (v. lat. *tendere* = nach etwas streben). Im weitesten Sinn ist alle Dichtung, sobald sie nicht im ›elfenbeinernen Turm‹ isoliert dem Ästhetizismus des →l'art pour l'art huldigt, T., indem sie auf die großen Fragen und tiefen Anliegen der Menschheit e. häufig subjektive Antwort gibt und gewisse Ideen, Anschauungen und Bekenntnisse ihres Schöpfers verkörpert (z. B. Toleranzidee in Lessings *Nathan*, Humanitätsidee in Goethes *Iphigenie*, politische Tendenz in Schillers *Räubern*, patriotische in Kleists *Hermannsschlacht*); allein der unaufdringliche Charakter der Tendenz und die Höhe künstlerischer Gestaltung wie die umfassende und in die Tiefe des Menschlichen greifende Idee scheiden die →engagierte Literatur von der reinen T., in der die politisch-soziale, religiöse, sittliche oder weltanschaulich werbende Absicht und das Streben nach Meinungsbeeinflussung und Änderung herrschender Zustände die eigentlichen künstlerischen Werte überwiegen oder gar die nach außen hin scheinbar künstlerische Gestaltung gänzlich als Mittel in den Dienst e. propagandistischen Zweckes stellen und auf eigentliche Kunstwirkung verzichten. Zum Wesen der T. im engeren Sinne gehören Bindung an e. problematische Situation, Anklage mißliebiger Zustände und Propagierung e. gefundenen Lösungsweges. Schwierigkeiten bereitet allein die lit.-ästhetische Wertung der T., da nicht die Tendenz selbst, sondern nur die künstlerische Gestaltung Grundlage dafür sein kann. Die von der dt. Klassik und dem 19. Jh. ausgehende, noch in J. VOLKELTS *System der Ästhetik* (1905) vertretene Anschauung, die der Dichtung und Kunst grundsätzlich jedes Recht auf Stellungnahme und Einflußnahme auf die Erscheinungen des öffentlichen und sittlichen Lebens abspricht, muß in anderen Zeiten bei aller Kunsthöhe zu e. schalen, unfruchtbaren und selbstzufriedenen Ästhetizismus führen. Grundsätzlich bedeutet Tendenzhaltigkeit keine Herabminderung des künstlerischen Ranges. Eine stark zeitgebundene Tendenz verzichtet freilich bewußt auf die Schaffung bleibender Werte – obwohl e. ursprünglich vorhandene und von den Zeitgenossen wohl gespürte Tendenz für spätere Generationen unerkannt bleiben kann oder übersehen wird (z. B. SWIFTS *Gulliver's Travels*). Doch erst die mangelnde Beherrschung der künstlerischen Formmittel, betonte Einseitigkeit der Stellungnahme und Überwiegen der Bekehrungsabsichten in e. bloß theoretischen, tendenziösen Vorwurf über die künstlerischen Werte führt zur T. im engeren Sinne, die mit der Dichtung nur noch Namen und äußere Form gemeinsam hat, in Wirklichkeit aber außerkünstlerische Zwecke verfolgt, die Bildkraft der Sprache zur Übermittlung rational faßbarer Gedanken mißbraucht und die hervorgerufene Gegenständlichkeit als bloße Einkleidung, leichter eingängige Ausschmückung vorgefaßter Ziele mit dem angemaßten Anspruch auf künstlerischen Wert benutzt, während ihre eigentliche Aufgabe nicht auf dichterischem Gebiet, sondern im direkten Eingriff in die Wirklichkeit und deren Umgestaltung liegt. Gehalt und Gestalt, in jeder echten Dichtung unlösbare Einheit, sind bei ihr nur zweckgerichtet locker aufeinander bezogen und zeigen dadurch den ästhetischen Unwert der reinen T. Klarste und deutlichste Form der T. ist die →Satire, die ihre Wirkung in negativer Richtung erstrebt; andere wesentliche Gattungen sind die →politische Dichtung, der →Zeitroman und das Tendenz- oder →Thesenstück. Die Grenze zur rein didaktischen oder →Lehrdichtung, die mehr objektive Gehalte belehrend ausspricht, Wissen vermittelt, ist fließend. Hauptzeiten der T. sind →Reformation und →Junges Deutschland. Vgl. →Agitprop, →politische Dichtung, →Partijnost, →sozialistischer Realismus.

RL; F. Holl, D. polit. u. relig. Tendenzdrama d. 16. Jh. i. Frankr., 1903; J. Mander, *The Writer and Commitment*, Lond. 1961; C. M. Bowra, *Poetry and politics*, Cambr. 1966.

Tenor (lat. = Fortgang, ›Faden‹), erste →Fassung, Wortlaut und Grundton e. Schriftstückes.

Tenso (provenzal. =) →Tenzone

Tenzone (provenzal. *tenso* v. lat. *contentio* = Streit), →Streitgedicht und -gesang der provenzal. Troubadours bes. des 12. Jh. als dramatisches Streitgespräch zwischen zwei oder mehreren (dann ›tornejamen‹ genannt) Sprechern, die in jeweils gleichgebauten, geschlossenen Strophen (Sirventes, Coblas), Distichen, auch Einzelzeilen, abwechselnd ihre entgegengesetzte Meinung über e. aufgeworfene Frage (meist aus dem Bereich der Minne oder des Hoflebens) teils improvisiert, teils nach schriftlicher Festlegung vortragen. Der Streit kann durch echte dialekt. Zusammenarbeit zweier Dichter entstanden oder von einem fingiert sein. Die Streitfrage blieb häufig unentschieden, und die Form diente z. T. zur Austragung persönlicher Rivalitäten in satirischen Angriffen. Beliebte Sonderform ist das ›Joc partit‹, franz. jeu parti, auch Partimen, in dessen erster Strophe der Dichter zwei sich gegenseitig ausschließende Fälle zur Wahl stellt. In der 2. Strophe entscheidet sich der Gefragte für einen der beiden, der Dichter verteidigt in der 3. den anderen usw., wobei jeder seine Behauptung erneut und oft witzig zu stützen hat. Den Schluß bilden oft zwei Schlußstrophen (›tornadas‹, ›envois‹) mit dem Urteil e. Schiedsrichters, doch nicht die Art der Lösung, sondern das geistreiche Argumentieren bestimmt den Wert der T. In Dtl. nur vereinzelt nachgeahmt, etwa zwischen FRAUENLOB und REGENBOGEN; in Italien als →Contrasto.

H. Stiefel, D. ital. T., 1914; F. Fiset, D. altfranz. Jeu-Parti, 1926; D. J. Jones, *La tenson provençale,* 1934; E. Köhler, Z. Gesch. d. altprovenzal. Streitged., Diss. Lpz. 1950; ders., D. Frauendienst d. Trobadors, GRM 41, 1960; ders., Trobadorlyrik u. höf. Roman, 1962; K. Voßler, Dichtgsformen d. Romanen, 1951; S. Neumeister, D. Spiel mit d. höf. Liebe, 1968. →Streitgedicht.

Tercet (franz.), dreizeilige franz. Strophe in Nachbildg. ital. →Terzinen ohne Reimverkettung. Im 16. Jh. bei BAÏF, JODELLE und DESPORTES, im 19. Jh. bei GAUTIER und BANVILLE.

Terenz-Bühne, die →Badezellenbühne im Schultheater des 16. Jh.

Terminologie (lat. →*terminus,* griech. *logos* = Lehre), Fachsprache, Gesamtheit der in e. bestimmten Fachgebiet (e. Wissenschaft, Kunst, Handwerk u. ä.) angewandten Fachausdrücke (→terminus technicus) für besondere Begriffe, auch die Erklärung derselben und die Lehre davon.

Terminus a quo oder **terminus post quem** (latein. = der Zeitpunkt, von dem an...) und

Terminus ante quem (lat. = der Zeitpunkt, vor dem...), die aus inhaltlichen u. a. Indizien unter Zuhilfenahme anderer Ereignisse ermittelten Zeitpunkte, zwischen denen e. Werk geschrieben sein muß, →Datierung.

Terminus technicus (lat. *terminus* = urspr.: Grenzstein, ›Grenzbestimmung‹, lat. *technicus* = kunstgemäß fachmännisch; Mz.; *termini technici*), Fachausdruck e. Wissenschaft oder Kunst, meist Fremdwörter, Bedeutungslehnwörter oder Wörter der eigenen Sprache, die als t. t. eine bes., meist verengte Definition verlangen.

Ternaire (franz. =) Dreizeiler, Strophe oder Gedicht aus drei Verszeilen; bei gleichem Reim (aaa) von A. BRIEUX (1803–55) entwickelt.

Ternio →Lage

Terpsichore (griech. = die Tanzfreudige), →Muse des Tanzes, der Kitharamusik und später der (Chor-)Lyrik.

Tertium comparationis (lat. = das Dritte des Vergleichs), der Punkt, in dem zwei verglichene Gegenstände, etwa →Metapher und Gemeintes vergleichbar sind.

Terzarima →Terzine

Terzett (ital.), Bz. für die beiden

dreizeiligen Schlußstrophen des →Sonetts. Vgl. →Tercet.

Terzine, Terzarima (ital. v. lat. *tertius* = der Dritte), ital. Strophenform aus drei jambischen Elfsilbern (ital. klingende →Endecasillabi, dt. akatalektische und hyperkatalektische fünffüßige Jamben in regelmäßigem oder freierem Wechsel), von denen der 1. und 3. miteinander und der 2. bei mehreren Strophen jeweils mit dem 1. und 3. der folgenden Strophe durch Reim gebunden ist. An die letzte Strophe wird als Abschluß e. Schlußzeile mit dem Mittelreim der letzten T. angehängt, so daß kein freier Reim übrigbleibt: aba bcb cdc ... xyx yzyz. Der Kettenreim bricht die innere Geschlossenheit der Einzelstrophen und fügt sie zu e. durch Reim verzahnten Reihe dreizeiliger Perioden aneinander. Die ununterbrochene und bis ins Unendliche fortsetzbare Reimverkettung begünstigt inhaltlich eine durchgängige Verknüpfung weltweiter Ideen, wirkt jedoch auch in kleineren lyrischen Stücken, bes. – wegen der versteckten, ungewöhnlichen Regel der Reimfolge – für mysteriöse Themen. Die Dreizahl der Zeilen begünstigt e. Aufbau nach dem Schema von Thesis, Antithesis und Synthesis, wobei letztere wiederum Ausgangspunkt neuer Entfaltung wird und den Vorgang wiederholt, doch bietet die Erfüllung der Form Raum für individuelle Abwandlungen. Von DANTE in der *Divina Commedia* eingeführt – evtl. nach e. Abart der →Sirventes, den Sirventes concatenato –, von BOCCACCIO *(Amorosa visione)* und PETRARCA *(I Trionfi)* gepflegt, wurde sie im Zeichen der Wiederentdekkung DANTES bes. von den dt. Romantikern zuerst in Übersetzungen, dann in eigenen Dichtungen gepflegt: F. und A. W. SCHLEGEL, TIECK, A. v. CHAMISSO *(Salas y Gomez)*, RÜCKERT, PLATEN, nach anfänglicher Ablehnung auch GOETHE (Anfang von *Faust II*, Gedicht *Bei Betrachtung von Schillers Schädel*), später HERWEGH, HEYSE, St. GEORGE, HOFMANNSTHAL u. a. In engl. Lit. von CHAUCER, WYATT, BYRON, SHELLEY, W. H. AUDEN und A. MACLEISH, in franz. Lit. von JODELLE, GAUTIER als →Tercet aufgegriffen. – T. heißen auch die →Terzette des Sonetts; der Einzelstrophe der T. ähnelt das →Ritornell.

H. Schuchardt, Ritornell u. T., 1875; RL; K. Voßler, Dichtungsformen d. Romanen, 1951; R. Bernheim, D. T. i. d. dt. Dichtg., Diss. Bern 1954.

Testimonia (lat. = Zeugnisse), Zitate aus antiken Autoren bei anderen Schriftstellern, Grammatikern oder Philosophen, meist Sentenzen, auffällige Redefiguren u. ä., wichtig für die Rekonstruktion verlorener Werke oder Überprüfung der Zuverlässigkeit jüngerer Überlieferung, wenn wörtlich zitiert.

Tetralogie (griech. *tetra* = vier, *logos* = Rede), Folge von vier zu e. Einheit zusammengefaßten oder inhaltlich zusammengehörigen Werken, meist Dramen. In Altgriechenland die Verbindung von drei Tragödien (→Trilogie) mit einem Satyrspiel, bei EURIPIDES auch e. anderen ernsten Stück, seltener e. vierten Tragödie, zu e. Aufführung bei den dramatischen Wettspielen an den Dionysien u. ä. Der bei AISCHYLOS noch starke innerliche Zusammenhang der Teile lockert sich später: bei SOPHOKLES stammen sie noch aus demselben Mythos und stehen später fast unabhängig nebeneinander. Um Mitte des 4. Jh. v. Chr. (341?) entfällt das Satyrspiel. Neuere T.n sind z. B. WAGNERS *Ring des Nibelungen*, eher eine Trilogie mit Vorspiel, G. HAUPTMANNS *Atriden-*

T. *(Iphigenie in Delphi, Iphigenie in Aulis, Agamemnons Tod, Elektra)* und KOLBENHEYERS T. *Menschen und Götter* (1944), in der Epik Th. MANNS *Joseph und seine Brüder.*

P. Wiesmann, D. Problem d. trag. T., Diss. Zürich 1929.

Tetrameter (griech. *tetra* = vier, *metron* = Maß), in antiker Metrik jeder aus vier Metra, d.h. vier jambischen, trochäischen oder anapästischen Dipodien bzw. vier Kretikern, Bacchien u.ä. bestehender Vers (→Oktonar); ohne nähere Bz. meist für den katalektischen trochäischen T. oder →Septenar gebraucht, mit Zäsur nach der 2. Dipodie, syllaba anceps am Schluß der ersten drei Dipodien und häufig Ersatz der Trochäen durch Tribrachys, selbst Anapäst (mit Betonung auf der 1. Silbe) im 2., 4. und 6. Fuß. In der griech. Komödie und Tragödie urspr. als Metrum des Dialogs, bes. in erregten Szenen verwendet, später dort mehr durch den Trimeter verdrängt; Nachahmungen in dt. Dichtung gereimt bei OPITZ, GRYPHIUS, LOGAU, gereimt oder reimlos bei GOETHE (Helenaszene im *Faust*), A. W. SCHLEGEL, PLATEN (Parabasen der Literaturkomödien, *Grab am Busento*), RÜKKERT, W. MÜLLER, A. GRÜN, FREILIGRATH u.a.

RL. →Metrik.

Tetrapodie (griech. *tetra* = vier, *pus* = Fuß), vierfüßige Verszeile, bei Jamben und Trochäen gleichbedeutend mit →Dimeter.

Tetrastichon (griech. *tetra* = vier, *stichos* = Vers), →Strophe von vier Versen: →Vierzeiler.

Teufelsliteratur, e. bes. in der 2. Hälfte des 16. Jh. und vornehmlich unter den fränkischen Protestanten verbreitete Form der Rügedichtung, die Mißstände und menschliche Torheiten nicht wie die Narrenliteratur als Narrheiten, sondern als Auswirkungen des Teufels auffaßt und die Laster allegorisch in Dämonen- und Teufelsgestalt verkörpert. Diese Darstellung entspricht dem Teufelsbild weiter Volkskreise. Das MA. kennt noch keine selbständige T.; nur in den geistlichen Dramen erscheint der Teufel als Versucher Christi und Verführer des Judas und erhält späterhin derbkomische bis groteske Züge, aus denen sich die T. selbständig und in breiter Fülle entwickelt. Das *Theatrum Diabolorum* (1569) des Frankfurter Verlegers FEYERABEND legt e. umfassende Sammlung aller möglichen Mode-, Geiz-, Wucher-, Hoffart, Faul-, Sabbath-, Tanz-, Heiligen-, Weiber-, Pfarrteufel usw. vor, in denen ihre Torheiten charakterisiert und jeweils als Wurzel allen anderen Übels angeprangert werden. Ein Traktat mit Ratschlägen zur Vermeidung der Laster und der dafür angedrohten schweren Strafen schließt jede Darstellung. Auch LUTHER und die Reformation benutzen die T. im religiösen Kampf. Am verbreitetsten und beliebtesten sind die Werke von CHRYSÄUS, WESTPHAL, SPANGENBERG und bes. MUSCULUS, dessen *Hosenteufel* noch zu Ende des 17. Jh. in Neuauflagen fortlebt. Im Barock entsteht e. neue T. gegen den Modeteufel (→Alamode-Lit.).

M. Dreyer, D. Teufel i. d. dt. Dichtg. d. MA. Diss. Rostock 1884; M. Osborn, D. T. d. 16. Jh., [2]1964; J. Bolte, D. Teufel i. d. Kirche (Zs. f. vgl. Lit.-gesch. 9); W. N. Johnson, D. Teufel i. d. Lit. (*Manchester Quarterly*, 1911); E. J. Haslinghuis, *De Duivel in het Drama der MA.*, Diss. Leiden 1913; M. J. Rudwin, D. Teufelsszenen i. geistl. Drama d. dt. MA., 1914; ders., D. Teufel i. d. dt. geistl. Spielen d. MA. u. d. Reformationszeit, 1915; RL IV; M. J. Rudwin, *The Devil in Legend and Lit.*, Chic. 1931, [2]1970; H. Zieren, Stud. z. Teufelsbild i. d. dt. Dichtg. 1050 bis 1250, Diss. Bonn 1937; U. Müller, D. Gestalt Luzifers i. d. Dichtg. v. Barock bis z. Romantik, 1940; H. Bekker, *The Luci-*

fer motif in the German drama of the 16. cent. (Monatshefte 51, 1959); H. Grimm, D. dt. Teufelbücher d. 16. Jh. (Arch. f. Gesch. d. Buchwes. 2, 1960); B. Ohse, D. T. zw. Brant u. Luther, Diss. Bln. 1961; Teufelsbücher, hg. R. Stambaugh V 1970 ff.; G. Mahal, Mephistos Metamorphosen, 1972; K. L. Roos, *The devil in 16th cent. German lit.*, 1972; L. Schuldes, D. Teufelszenen i. dt. geistl. Drama d. MA., 1974.

Text (lat. *textus* = Gewebe) als Grundlage der Literaturwissenschaft ist der genaue Wortlaut e. Werkes oder dessen Teile, auch der inhaltliche Hauptteil e. Schrift im Ggs. zu Anmerkungen, Registern, Illustrationen und sonstigen Beigaben, der Wortgehalt e. Liedes, Singspiels oder e. Oper im Ggs. zur Melodie und die e. Predigt zugrundeliegende Bibelstelle. – Im heutigen Literatenjargon gleichbedeutend mit ›Werk‹.

E. Leibfried, Krit. Wiss. v. T., 1970; T.e u. Varianten, hg. G. Martens, H. Zeller 1971; P. H. Neumann, T. u. Gedicht, GRM 23, 1973; J. Gidion, Z. Erweiterung d. T.begriffs, DVJ 49, 1975; A. Höger, D. Schrifttext, Koph. 1975.

Textanalyse →Analyse

Textausgabe, Ausgabe, die nur den Text e. Werkes ohne Einleitung, Anmerkungen, Kommentar oder textkritischen Anhang enthält.

Textbuch enthält seit dem 17. Jh. den bei der gesanglichen Aufführung meist unverständlichen Text e. Oper, bei Spielopern nur der Arien und Lieder, zum Mitlesen für die Zuschauer. Über Entstehung und Verfasser →Libretto.

RL.

Textgeschichte, die Rekonstruktion der primären T., d. h. der Entstehungsgeschichte und Umbildungsgeschichte e. Werkes oder der sekundären T., d. h. der Überlieferungsgeschichte e. lit. Textes aus Abweichungen und Verwandtschaften der einzelnen Überlieferungszweige, denen die erhaltenen Handschriften entstammen; Voraussetzung der →Textkritik. Vgl. →Stemma.

Textimmanent →werkimmanent

Textkritik umfaßt alle Vorgänge, die bei der Sichtung und Untersuchung e. überlieferten Textes zum Zwecke e. →kritischen Ausgabe erfolgen müssen. Ihre Aufgabe ist es, die nicht erhaltene Urform e. (antiken, ma.) Textes aus der erhaltenen hs. Überlieferung nach philologisch-methodischen Grundsätzen und kritischem Urteil möglichst wortgetreu zu erschließen. Die Schwierigkeit des Verfahrens, das wohl kaum je zu e. definitiven und allg. anerkannten Lösung führt, erklärt sich aus den zahlreichen Unbekannten, mit denen es arbeiten muß: Schreibfehler der Kopisten aus Unachtsamkeit, Flüchtigkeit und mangelndem Verständnis e. Stelle, Lesefehler durch Fehlen von Worttrennung und Interpunktion in der Antike, bewußte Änderungen in Lautstand und Orthographie je nach der Mundart des Schreibers oder des Bestellers, Veränderungen im Wortlaut durch Ersetzung unverständlicher oder veralteter Wörter zwecks leichterer Verständlichkeit, Kürzungen, Erweiterungen durch Einschub unechter Zeilen (→Interpolationen) und Glossen, versehentliche Auslassung durch Überspringen von Zeilen (bes. zwischen zwei gleichen Wörtern) oder ganzer (evtl. in der Vorlage entfernter) Seiten, beim Diktieren mangelnde Aufmerksamkeit oder Hörfehler u. a. m. Da für die antiken Werke fast gar keine und für die dt. ma. Werke in seltenen Ausnahmefällen (OTFRIEDS Evangelienharmonie und einige Werke des Spätma.) Originalhss. oder authentische Texte vorliegen und selbst die erhaltenen Abschriften bei antiken Werken oft um ein Jahrtausend, bei ma. Texten um viele Jahrzehnte oder Jhh. vom Original entfernt sind, werden derartige Fehler im Zuge mehrfachen Abschreibens nicht nur übernommen und vermehrt, sondern auch, wo sie Unverständliches ergeben, nach Auffassung des Schreibers ›verbessert‹. Aus derart veränderten Überlieferungen, z. T. noch durch Lücken, Textverlust und Unlesbarkeit (→Palimpsest) erschwert, erfolgt die Rekonstruktion des vom Autor geformten Originaltexts durch die T. in drei Stufen:

1. →Rezension: Sammlung und kritische Sichtung aller bestehenden Zeugnisse (Texte, Auszüge, Übersetzungen, Zitate usw.) zur Feststellung all dessen, was als überliefert zu gelten hat, und zur Ausschaltung von →Interpolationen. An sie schließt sich die Einstufung der einzelnen Zeugnisse nach ihrer Stellung in der →Textgeschichte an, die über den Wert der in ihnen enthaltenen →Lesarten entscheidet. Die Textgeschichte ist aus dem vorliegenden Befund zu rekonstruieren. Zur Ermittlung des Verwandtschaftsgrades zweier oder mehrerer Hss. dienen die ›Leitfehler‹, kennzeichnende Irrtümer, die entweder trennend (separativ) die Unabhängigkeit zweier Hss. voneinander zeigen oder verbindend (konjunktiv), d. h. in beiden Hss. vorkommend, die Verwandtschaft, gemeinsamen Ursprung aus derselben Vorlage oder (bei verschlechterten Fehlern der zweiten Hs. im Verhältnis zur ersten) die Abhängigkeit der zweiten Hs. als Abschrift von der ersten Hs. bezeugen. Die verlorene, doch erschlossene Ausgangsform aller erreichbaren Hss. heißt →Archetypus, e. davon abgeleitete Hs., die erneut e. Ausgangspunkt späterer Überlieferungszweige bildet, heißt Hyparchetypus, e. evtl. erhaltener gemeinsamer Ausgangspunkt aller übrigen Überlieferungen heißt ›testis unicus‹ (= einziger Zeuge) und ist in diesem Sonderfall tatsächlich →optimus codex. Die Einordnung von Hss. mit kontaminiertem, d. h. aus mehreren Quellen zusammengestelltem Text in die Überlieferungszweige ist stark erschwert. Das Ergebnis textgeschichtlicher Forschung bietet sich im günstigsten Fall in e. klar gegliederten →Stemma, d. h. e. schematischen (graphischen) Darstellung des Überlieferungsganges und der einzelnen Zweige vom Original oder dem Archetypus bis zu den erhaltenen Zeugnissen, dar.

2. Examination, d. h. kritische Prüfung und Wertung des als überliefert festgestellten Textbestandes im Hinblick auf seine Echtheit, und zwar a) Selektion: Auswahl der →Lesarten – falls mehrere vorhanden – nach ihrem Wert, bei gebundener Rede ihrer Anpassung an das Metrum und die →Klauseln, ihrer Glaubwürdigkeit nach dem Sprachgebrauch des Verfassers und nach dem Wahrscheinlichkeitsgrad, daß die andere(n) Leseart(en) aus der ursprünglichen durch Verschreibung o. ä. hervorgegangen sein können, d. h. nach dem Grundsatz der ›lectio difficilior‹ (= schwierigere Lesart), die in den meisten Fällen als original angesehen werden kann und infolge ihrer Schwierigkeit zur Fehlerquelle wurde. Dabei kann die Verschreibung mit Hilfe der Paläographie aus den Schreibgewohnheiten der Zeit zwischen Archetypus und Hs. glaubwürdig gemacht werden. b) Lokalisierung der →Korruptelen.

3. Konjektur: auf Vermutung des Herausgebers beruhende Veränderung des überlieferten Textbestandes und seine möglichst weitgehende Annäherung an den vermutlichen Originalwortlaut über die Un-

zulänglichkeiten der Überlieferung hinaus durch a) Ergänzung von Lücken und Unlesbarkeiten, b) möglichst einleuchtende →Konjekturen für offensichtliche (sprachliche, inhaltliche oder metrische) Korruptelen aller Hss. Diese können als Verschreibung aus den Schreibgewohnheiten der Zeit zwischen Original und Archetypus erklärt werden, c) Vorschläge für evtl. weitere Konjekturen an Textstellen, die sprachlich, metrisch und inhaltlich keinen Anstoß bieten, doch stilistisch bei geringfügiger Veränderung eher der Ausdrucksweise des Verfassers entsprechen würden. In der Tat erweisen die neueren →Papyrusfunde aus älterer Zeit z. T. die Richtigkeit solcher nur von stilistischem Feingefühl getragenen, ansonsten unbegründeten Konjekturen, zeigen jedoch ebenso, daß die Überlieferung der antiken Klassiker verhältnismäßig viel besser ist, als konjekturfreudige Editoren des 18./19. Jh. vermeinten.

Die T. wurde zuerst in der klassischen Philologie an griech. und lat. Autoren ausgebildet, so schon bei den alexandrin. Philologen um das 3. Jh. v. Chr. (ARISTOPHANES, ARISTARCHUS, ZENODOTUS) und bei den Byzantinern des 13. Jh. (EUSTATHIUS). Als Begründer und Meister der modernen T. gelten die Engländer R. BENTLEY (1662–1742) und H. PORSON (1759–1808) sowie die Dt. REISKE, F. A. WOLF (1759 bis 1824), G. HERMANN (1772–1848) und I. BEKKER (1785–1871), der die Hss. zuerst nach Familien ordnete, jedoch dem nicht immer zutreffenden Grundsatz des →optimus codex huldigte und die älteste Hs. stets für die beste hielt (während oft jüngere Hss. Lesarten einer noch älteren, verlorenen enthalten können). K. LACHMANN (1793–1851) ging darüber hinaus und zog zuerst bei seiner Lukrezausgabe aus dem vorhandenen Material Schlüsse auf den verlorenen Archetypus bis zur Festlegung von dessen Seiten- und Zeilenzahl. Er übertrug auch zuerst die Grundsätze der für antike Werke bewährten T. auf die Verhältnisse des dt. MA., ohne die Verschiedenheit der Problemlage zu berücksichtigen, die darin besteht, daß die griech. und lat. Texte in einer grammatisch, lautlich und orthographisch mehr oder weniger normierten Schriftsprache entstanden, die in der Entstehungszeit der erhaltenen Hss. bereits fast tot war und e. festen Maßstab für Abweichungen bietet, während in mhd. Zeit e. geregelte Schriftsprache nicht bestand und die Hss. – wenngleich dem Original zeitlich bedeutend näher – nicht nur die verschiedenen Sprachformen und Ausdrucksweisen der Dichter, sondern auch die mundartliche Tönung durch die jeweiligen Schreiber aufweisen und e. allgültige Rekonstruktion des Originals meist unmöglich machen, da die von LACHMANN verfochtene und in seinen Ausgaben durchgeführte mhd. Einheitsorthographie auf Grundlage des Alemannischen in Wirklichkeit nie bestand und auch der Sprachforschung falsche Verhältnisse vortäuschte. Heutige Ausgaben mhd. Texte begnügen sich daher meist mit dem Abdruck der dem Original am nächsten stehenden Hs. unter Verbesserung aller offensichtlichen Abschreibfehler. Neue Möglichkeiten versuchte auch hier die →Schallanalyse zu erschließen.

Wesentlich einfacher liegen die Verhältnisse für die T. bei gedruckten Werken, da diese meist kurz nach Fertigstellung des Werkes und häufig unter Aufsicht des Verfassers erscheinen, obwohl auch hier drukkersprachliche Veränderungen,

Setzfehler und bei häufigem Nachdruck mundartliche Veränderungen, späterhin Modernisierungen auftreten können. Die heutige Stellung des Verfassers als eigener Herausgeber garantiert e. authentischen Text, dessen Drucklegung von ihm überwacht wird. Als Grundlage →kritischer Ausgaben neuerer Schriftsteller gilt meist die →Ausgabe letzter Hand, seltener die →editio princeps; die Lesarten evtl. erhaltener hs. Entwürfe, späterer Abschriften aus der Hand des Verfassers sowie aller späteren hs. oder bis zum Tode des Autors mit dessen →Autorisation im Druck erscheinenden Umformungen und Änderungen werden als Abweichungen im kritischen →Apparat in zeitlicher Abfolge angeführt; nur bei stark veränderten Doppel- und Mehrfach- →Fassungen empfiehlt sich der Übersichtlichkeit halber ein Paralleldruck. Unermüdlicher Gelehrtenfleiß schaffte auch hier e. Reihe mustergültiger kritischer Ausgaben der dt. Dichter wie LESSING (F. MUNCKER), WIELAND (B. SEUFFERT), JEAN PAUL (E. BEREND), E. T. A. HOFFMANN (MAASSEN) und bes. HÖLDERLIN (F. BEISSNER), denn erst die T. als verantwortungsbewußte Bemühung um das echte Dichterwort, als innerster Kern der Philologie, bietet mit dem gesicherten Wortlaut die Grundlage für jede weitere wissenschaftliche oder ästhetische Bemühung um das Sprachkunstwerk.

R. C. Jebb, *Textual criticism* (in: *A Companion to Greek studies,* hg. L. Whibley, [2]1906); L. Havet, *Manuel de critique verbale appliquée aux textes Latins,* Paris 1911; T. Birt, Kritik u. Hermeneutik (Hb. d. Altertumwiss. I, 3, 1913); F. W. Hall, *Companion to Classical Texts* Lond. 1913, n. 1968; R. Sabbadini, *Storia e critica di testi latini,* Catania 1914; O. Stählin, Editionstechnik, 1914; A. C. Clark, *The Descent of Manuscripts,* 1918; H. Kantorowicz, Einführung i. d. T., 1921; J. P. Postgate, *Textual criticism* (in: *A Companion to Latin studies* hg. J. E. Sandys, [3]1921); H. Lietzmann, Schallanalyse u. T., 1922; G. Witkowski, T. u. Editionstechnik neuerer Schriftwerke, 1924; H. Quentin, *Essais de critique textuelle,* 1926; W. W. Greg, *The calculus of variants,* 1927; E. Waldberg, Prinzipien u. Method. f. d. Hrsg. alter Texte nach versch. Hss. (Zs. f. roman. Philol. 51, 1931); P. Maas, T. (in: Gercke-Norden, Einf. i. d. Altertumswiss. I, 2, [3]1927), erw. einz. [4]1960; P. Collomp, *La critique des textes,* 1931; G. Pasquali, *Storia della tradizione e critica del testo,* Florenz [2]1952; M. Barbi, *La nuova filologia e l'edizione dei nostri scrittori,* Florenz 1938; A. Dain, *Les manuscripts,* Paris 1949, [2]1964; J. Kirchner, Germanist. Hss.praxis, 1950, [2]1967; F. Stroh, T. (in: Hb. d. german. Philol., 1952); RL[2]: Edition; M. Windfuhr, D. neugermanist. Edition, DVJ 31, 1957; F. Bowers, *Textual and lit. Criticism,* Lond. 1959; V. A. Dearing, *Manual of Textual Analysis,* Berkeley 1959; H. W. Seiffert, Stud. z. Kritik u. Edition dt. Texte, 1961; H. Hunger u. a., Gesch. d. Textüberlieferung, II 1961–64; M. Bévenot, *The tradition of manuscripts,* 1961; K. Stackmann, Ma. Texte als Aufgabe (Fs. J. Trier, 1964); F. Bowers, *Bibliogr. and textual criticism,* Oxf. 1964; Probleme ma. Überlieferg. u. T., hg. P. F. Ganz u. W. Schröder 1968; J. Froger, *La critique des textes et son automation,* Paris 1968; D. S. Avalle, *Introd. alla critica del testo,* Turin 1970; J. Willis, *Latin textual criticism,* Urbana 1970; Texte u. Varianten, hg. G. Martens, H. Zeller 1971; H. Boetius, T. u. Editionstechnik (Grundzüge d. Lit.- u. Sprachwiss., hg. H. L. Arnold I, 1973); M. L. West, *Textual criticism and editorial technique,* 1973; M. Lutz-Hensel, Prinzipien d. ersten textkrit. Editionen mhd. Dichtg., 1975; H. J. Kreutzer, Überlieferung u. Edition, 1976. →Editionstechnik.

Thalia, griech. Thaleia (= die Blühende), →Muse der Komödie und der ländlichen Dichtung, heute Symbol der Schauspielkunst allg. und Beschützerin des Theaters; Attribute: komische Maske und gekrümmter Hirtenstab; auch e. der →Grazien.

Theater (griech. *theatron* = Schauplatz, von *theasthai* = schauen), 1. jede schaubare künstlerische Darstellung äußerer oder innerer Vorgänge mithilfe von Figuren

(→Puppenspiel, →Schattenspiel) oder durch Menschen selbst, als freies →Stegreifspiel im Sinne des Mimus, auch ohne Worte (→Pantomimus) oder als echte Umsetzung des erhaltenen Dichterwortes in schaubare, sinnenfällige Handlung; →Drama. – 2. der Gesamtbereich aller Einrichtungen, die mit der Schauspielkunst zusammenhängen und der Aufführung e. Bühnenstükkes vor Zuschauern dienen: menschliche Leistungen in →Schauspielkunst, Mimik, Gestik, evtl. Musik, Gesang, Tanz, →Regie, die technischen Hilfsmittel, auch Architektur, Plastik, Malerei und Technik: Theaterbau, →Bühne, →Bühnenbild, →Dekoration, →Kulissen, →Kostüme, →Masken, →Beleuchtung, →Theatermaschinen und im weiteren Sinne auch →Publikum, →Kritik, →Zensur und Mäzenatentum von Seiten der Städte (in Antike und MA., in der Gegenwart die →Stadttheater), der Kirche (im MA.), der Höfe (→Hoftheater seit der Renaissance), der Zünfte (im Meistersang), Schulen (→Schultheater), Universitäten (→Studentenbühne), Orden (→Jesuitentheater) und seit dem Ende des 19. Jh. bühnenerhaltende T.gemeinden (→ Volksbühnen u. ä.) neben den (wie schon die Wanderbühnen) auf sich selbst gestellten Privat-T. – 3. im engsten Sinne der T.-bau. Seine Eigenart ist z. T. mitbestimmend für die Formen des Dramas in den verschiedenen Epochen und Ländern und Kenntnis seiner geschichtlich entwickelten Formen daher Voraussetzung für das Verständnis ihrer dramatischen Dichtungen. Das griech. T., gegen Ende des 6. Jh. urspr. für die Dithyrambenchöre an den Dionysien entwickelt, war e. unüberdachtes (Freilicht-)T. Es bestand aus der kreisförmigen →Orchestra, dem Aufenthaltsort und Spielplatz des Chors mit e. Altar als Zeichen der religiösen Herkunft in der Mitte, auf dessen Stufen wohl die Flötenspieler Platz fanden, ferner aus den um die Orchestra hufeisenförmig (d. h. etwas voller als im Halbkreis) stufenweise ansteigenden Sitzreihen der Zuschauer, die von radial von oben nach unten verlaufenden schmalen Gängen, im großen T. auch horizontalen Umgängen, durchschnitten wurden. Die unterste Sitzreihe wurde mit Rückenlehne versehen oder aus einzelnen Armsesseln gebildet, die für hohe Beamte und Priester reserviert waren. Aus bautechnischen Gründen wurde dieser Zuschauerraum (theatron) möglichst an natürliche Hänge angelehnt, aus dem Fels gehauen, in Täler eingefügt oder freistehend ganz aus Stein oder Marmor aufgeführt, nachdem eines der früher üblichen Holzgerüste um 500/497 v. Chr. bei e. dramatischen Wettkampf infolge allzugroßer Belastung durch großen Andrang zusammengebrochen war. (Das erste feste griech. T. war das Dionysos-T. am Südosthang der Akropolis von Athen, zuerst Anfang des 5. Jh. errichtet, um 330 v. Chr. erneuert und mit Statuen der drei großen Tragiker u. a. geschmückt, für rd. 27000 Zuschauer, auch für Volksversammlungen, Staatsfeierlichkeiten u. ä. verwendet). Dem Zuschauerraum frontal gegenüber im Hintergrund der Orchestra an ihrer offenen Seite lag die →Szene, das Bühnenhaus, dessen Inneres die notwendigen Bühnen- und Umkleideräume enthielt, dessen Rückwand den jeweils erforderlichen Hintergrund bildete und aus deren (3 oder 5) ins T. führenden Türen die Schauspieler auf die Orchestra heraustraten und zu ebener Erde spielten. Im Laufe der hellenist. Zeit wurde die urspr. hölzerne Skene aus

Stein aufgeführt und der Schauspielplatz davor erhöht bis zur richtigen, aus akustischen Gründen überdachten Bühne. An beiden Seiten derselben, vor den anstoßenden Zuschauerreihen, lagen die Seiteneingänge (Parodoi), durch die der Chor in die Orchestra einzog. Auch Kulissen (Schlußprospekt, später →Periakten) und →Theatermaschinen wurden verwendet; e. Vorhang dagegen war unbekannt. – Das röm. T. hat diesen Gesamteindruck weitgehend beibehalten, doch die griech. Maße bes. in den →Amphitheatern stark überschritten. Der nunmehr genau halbkreisförmige Zuschauerraum (Cavea) war z. T. überdacht; die Orchestra, durch Wegfall des Chors, der – falls überhaupt – auch auf der Bühne auftrat, zum Halbkreis verkleinert, enthielt die Prunksessel für Senatoren, Priester, Beamte u. ä.; in der 1. Reihe saßen Angehörige des Ritterstandes, die Bühne selbst wurde im Verhältnis zur griech. verbreitert und bes. vertieft. Nachdem der Versuch des Zensors M. AEMILIUS LEPIDUS 179 v. Chr. zum Bau e. T. nicht zu Ende geführt wurde und der des Zensors CASSIUS LONGINUS 154 v. Chr. am Einspruch des SCIPO NASICA scheiterte, löste erst 55 v. Chr. das erste in dieser Form erbaute feste Stein-T. des POMPEJUS auf dem Marsfeld für bis zu 40000 Zuschauer die bis dahin üblichen provisorischen Holzgerüste für Bühne und Zuschauerraum ab, auf denen noch die Stücke des PLAUTUS, TERENZ, ENNIUS und PACUVIUS gespielt worden waren und die nach den Spieltagen wieder abgebrochen wurden und viel Unbequemlichkeiten – z. T. nicht einmal Sitzplätze – boten. Im Jahre 13 v. Chr. folgten ebenfalls auf dem Marsfeld die beiden steinernen T.-bauten von CORNELIUS BALBUS und AUGUSTUS (für seinen Schwiegersohn MARCELLUS) und in der späteren Kaiserzeit T.-bauten selbst in den kleinen Provinzstädten. Bühnendekoration künstlerischer Art gab es seit 99 v. Chr. – Die →geistlichen Dramen des MA. (Passionsspiele u. ä.) kannten keinen T.-bau, sondern spielten auf der →Simultanbühne auf dem Markt, dessen Häuser gleichzeitig als Dekoration und bevorzugte Zuschauerplätze dienten. Auch die umgestalteten Gasthaussäle der →Passionsbrüder, die →Badezellenbühne in den Schulsälen für Schuldramen und die einfachen Schaugerüste für Fastnachtsspiele und Meistersinger bildeten nur provisorische Lösungen des T.raum-Problems. Der moderne T.-bau beginnt im 16. Jh. bei den Architekten der ital. Renaissance (Teatro Olimpico in Vicenza). In England entwickelt sich die →Shakespeare-Bühne, die durch die Wandertruppen auch auf die ersten stehenden T. in Dtl. übertragen wird, doch setzt sich auch hier, bes. in den höfischen T.-bauten, der länglich-rechteckige oder gerundete Saalbau mit reiner →Guckkastenbühne und stärker ausgeprägter ständischer Gliederung der Zuschauerreihen als das antike T. durch: Verteilung der Zuschauer entsprechend ihrer sozialen Stellung auf verschiedene Ränge bzw. einzeln abgetrennte Logen (Logen-T.), Abtrennung des Bühnenraums vom Zuschauerraum durch verschiedene Haupt- und Neben→vorhänge, Ausstattung der Bühne durch →Kulissen nach der Seite, →Prospekt nach hinten, →Soffitten nach oben, →Versetzstücke usw., →Theatermaschinen für Flüge, Versenkungen u. ä., Souffleurkasten am vorderen Bühnenrand und evtl. Orchesterplatz vor oder unter der Bühne sowie e. Reihe sonstiger Gesellschafts- und Verwaltungsräumlichkeiten. Neuere Bestrebungen gehen einerseits auf stärkere Heranziehung technischer Mittel, wie →Drehbühne und Beleuchtungseffekte, andererseits bes. auf e. stärkere Verbindung von Bühne und Publikum durch e. in den Zuschauerraum vorspringende, der →Shakespearebühne ähnliche →Raumbühne und Überwindung der Künstlichkeit im →Freilicht- und →Natur-T.

E. Chambers, *The ma. stage,* Lond. 1903; A. Streit, D. T., 1903; V. Inamana, *Il teatro antico greco e romano,* Mail. 1910; E. P. Horrwitz, *Indian th.,* 1912; M. Herrmann, Forschg. z. T.-gesch. d. MA. u. d. Renaiss., 1914; A. Hornblow, *A hist. of the th. in America,* 1919; M. Bieber, Denkmäler d. T. i. Altertum, 1920; C. Hagemann, D. Kunst d. Bühne, II 1922; W. Kosch, D. dt. T. u. Drama seit Schillers Tod, ^{2}1922; A. Tairoff, Entfesseltes T., 1923; N. Díaz de Escovar, *Historia del teatro español,* Barcelona 1924; M. Martersteig, D. dt. T. i. 19. Jh., ^{2}1924; W. Stammler, Dt. T.-gesch., 1925; O. Navarre, *Le t. grec,* Paris 1925; P. Zucker, *The Chinese T.,* Boston 1926; H. Brandenburg, D. neue T., 1926; P. Zucker, T. und Lichtspielhäuser, 1926; A. Nicoll, *The Development of the T.,* Lond. 1927, ^{5}1966; Gregor-Fülop-Miller, D. russ. T., 1927; S. Nestriepke, D. T. i. Wandel d. Zeiten, 1928; G. Cohen, *Le t. franç. au m. a.,* 1928; O. Eberle, T.-gesch. der inneren Schweiz, 1929; P. M. Shand, *Modern T.s,* 1930; RL; E. Fiechter, Antike griech. T.-bauten, VII 1930–36; Gregor-Fülop-Miller, D. amerik. T., 1931; N. Gourfinkel, *Le T. russe contemporain,* Paris 1931; L. Dubech, *Hist. générale ill. du t.,* Paris V 1931–1934; A. Antoine, *Le T.,* Paris 1932; J. S. Kennard, *The Ital. th.,* II 1932; J. Gregor, Weltgesch. d. T., 1933; P. A. Markov, *The Soviet Theatre,* Lond. 1934; R. K. Yainik, *The Indian T.,* N. Y. 1934; G. K. Loukomski, *Les t.s anciens et modernes,* Paris 1935; H. H. Borcherdt, D. europ. T. i. MA. u. i. d. Renaiss., 1935, ^{2}1969; B. Moretti, *Theatri,* Maild. 1936; R. C. Flickinger, *The Greek T. and its Drama,* Chicago ^{4}1936; L. Torelli, *Il teatro contemporaneo ital.,* Maild. 1936; J. Anderson, *The American T.,* 1937; M. Piper, D. jap. T., 1937; F. Ege, D. T. d. nord. Länder, Amsterdam 1938; A. Delpit, *Le t. contemporain,* Northampton 1938; M. Apollonio, *Storia del teatro ital.,* 1938; N. Ewreinoff, *Le t. en Russie soviét,* Paris 1938; S. d'Amico, *Storia del teatro drammatico,* Maild. IV ^{2}1950–1958; H. Tintelnot, Barock-T. u. barocke Kunst, 1939; M. Bieber, *The Hist. of the Greek and Roman T.,* Princeton ^{2}1960; G. Freedley, J. A. Reeves, *A Hist. of the T.,* N. Y. ^{2}1968; J. Gregor, D. span. Welt-T., ^{2}1943; A. v. Gyseghen, *T. in Soviet Russia,* Lond. 1943; G. R. Kernodle, *From Art to T.,* Chic. 1944; E. Müller, Schweizer T.-gesch., 1944; E. L. Stahl, Shakespeare u. d. dt. T., 1947; ders., D. engl. T. i. 19. Jh., 1914; W. Talmon-Gros, D. mod. franz. T., 1947; J. Gregor, Gesch. d. österr. T., 1948; H. Kindermann, T.-gesch. d. Goethezeit, 1948; B. Sobell, *The New T. Handbook,* N. Y. ^{9}1964; M. Muñoz, *Hist. del teatro dramático en España,* Madrid 1948; W. Unruh, ABC d. T.technik, 1950; Bulle-Wirsing, Szenenbilder z. griechischen T. d. 5. Jh. v. Chr., 1950; C. Niessen, Hdb. d. T.-wiss., 1950 ff.; W. H. Bruford, *Th., drama and audience in Goethe's Germany,* Lond. 1950, ^{2}1957; R. Stamm, Gesch. d. engl. T., 1951; *The Oxford Companion to the T.,* ^{4}1967; B. V. Vareneke, *Hist. of the Russian T.,* N. Y. 1951; G. Hughes, *A Hist. of the American T. 1700 to 1950,* N. Y. 1951; S. Cheney *The T.,* N. Y. 1952; A. M. Nagler, *A Source Book in theatrical hist.,* N. Y. 1952; E. Bentley, *In search of the t.,* N. Y. 1953; A. Pickard-Cambridge, *The Dramatic Festivals of Athens,* Oxf. 1953; W. Kosch, Dt. T.-Lex., III 1953 ff.; G. Altmann u. a., *Th. pictorial,* Berkeley 1953; J. Gassner, *Producing the play,* N. Y. ^{2}1953; J. Gassner, *The t. in our times,* N. Y. ^{3}1960; *Enciclopedia dello spettacolo,* IX Rom 1954–62; O. Eberle, *Cenalora* (T. d. Urvölker), 1954; E. Werner, T.-gebäude, 1954; M. Beare, *The Roman Stage,* Oxf. ^{2}1955, ^{4}1968; K. MacGowan u. W. Melnitz, *The Living Stage,* Englewood Cliffs 1955; A. Valbuena Prat, *Historia del teatro español,* Barcelona 1956; G. Cohen, *Études d'histoire du théâtre en France au m.-a. et à la renaiss.,* Paris ^{8}1956; T. B. L. Webster, *Greek T. Production,* Lond. 1956; S. Melchinger, T. d. Gegenw., 1956; Kürschners Biogr. T.-Handbuch, 1956; J. Rühle, D. gefesselte T., 1957; A. Williamson, *Contemporary T. 1953 till 1956,* Lond. 1957; A. C. Scott, *The Classical T. of China,* Lond. 1957; N. A. Gorchakov, *The t. in Soviet Russia,* N. Y. 1957; H. Kindermann, T.-gesch. Europas, X 1957–74; T. E. Lawrenson, *The French stage in the 17th cent.,* Manchester 1957; L. Moussignac, *Le th.,* Paris 1957; J. M. Landau, *Stud. in the Arab. th. and cinema,* Phil. 1958; *El Teatro, Enciclopedia del arte escénico,* Barcelona 1958; E. A. Wright, *A Primer for Playgoers,* Englewood Cliffs 1958; K. MacGowan u. W. Melnitz, *Golden Ages of the T.,* Englewood Cliffs 1959; E. A. Wright, *Understanding today's T.,* Englewood Cliffs 1959; F. Bowers, *The Japanese*

Theatre, N. Y. 1959; E. Rice, *The Living T.,* N. Y. 1959; J. Chiari, *The Contemporary French T.,* Lond. 1959; P. Arnott, *An Introduction to the Greek T.,* Lond. 1959, ²1963; B. Hewitt, *Th. U.S.A.,* N. Y. 1959; G. Wickham, *Early Engl. Stages,* Lond. II 1959; R. Alewyn, K. Sälzle, D. große Welt-T., 1959; S. Young, *The T.,* Lond. 1959; V. Pandolfi *Il teatro drammatico,* 1959; H. Knudsen, Dt. T.-Gesch., 1959, ²1970; P. Ginestier, *Le T. contemp.,* Paris 1960; R. Pignarre, Gesch. d. T., 1960; W. L. Wiley, *The early public T. in France,* Cambr./Mass. 1960; F. Bowers, *T. in the East,* N. Y. 1960; G. Baty, E. Chavance, *Breve storia del t.,* Mail. ²1960; Elemente d. mod. T., hg. A. Happ u. G. Rühle, 1961; F. M. Whiting, *Introduction to the T.,* N. Y. 1961, ³1969; P. D. Arnott, *Greek scenic conventions,* Oxf. 1962; A. Nicoll, *The th. and dramatic theory,* Lond. 1962; A. Lewis, *The contemp. th.,* N. Y. 1962; Welttheater, hg. S. Melchinger u. H. Rischbieter 1962; H. H. Borcherdt, Gesch. d. dt. T., in ›Aufriß‹, 1962; V. M. Roberts, *On stage, a hist. of the t.,* N. Y. 1962; V. Arpe, Bildgesch. d. T., 1962; G. Schöne, 1000 Jahre dt. T., 1962; H. Hunt, *The Live T.,* Oxf. 1962; H. Meissner, Sinn u. Aufgabe d. T., 1962; N. Houghton, *Moscow Rehearsals,* N. Y. 1962; M. Gorelik, *New theatres for old,* N. Y. 1962; R. Corrigan, *T. in the 20. cent.,* N. Y. 1962; M. Beigbeder, *Le théâtre en France depuis la libération,* Paris 1962; T. B. L. Webster, Griech. Bühnenaltertümer, 1963; H. A. Rennert, *The Spanish stage in the time of Lope de Vega,* N. Y. 1963; *Le lieu théâtral dans la societé,* Paris 1963; S. Obraszow, T. in China, 1963; W. F. Michael, Frühformen d. dt. Bühne, 1963; A. Neppi Modona, *Gli edifici teatrali greci e romani,* Florenz 1963; *The German th. today,* hg. L. R. Shaw, Austin 1963; M. Slonim, *Russian th.,* Lond. 1963; O. G. Brockett, *The th.,* N. Y. 1964; ²1969; A. Sturm, Th.gesch. Oberösterreichs i. 16. u. 17. Jh., 1964; T. hinter d. eisernen Vorhang, 1964; L. Stegnano Picchio, *Storia del teatro portoghese,* Rom 1964; K. Hartmann, D. poln. T. nach d. 2. Weltkrieg, 1964; W. Mönch, D. franz. T. i. 20. Jh., 1965; O. Fencl, D. T. i. d Tschechoslowakei, 1965; *Histoire des spectacles,* Paris 1965; H. Taubman, *The making of Americ. th.,* N. Y. 1965; H. F. Rankin, *The th. in colonial America,* Chapel Hill 1965; G. Richter, Bühne frei, 1966; N. Hölzl, Th.gesch. d. östl. Tirol, II 1966 f.; D. Atlantisbuch d. T., hg. M. Hürlimann 1966; T. bei Tageslicht, hg. H. Beckmann 1966; R. Southern, D. 7 Zeitalter d. T., 1966; M. Baur-Heinhold, T. d. Barock, 1966; F. Vogl, T. i. Ungarn 1945–1965, 1966; Fernöstl. T., hg. H. Kindermann 1966; M. Carlson, *The theatre of the French Revolution,* Ithaca 1966; R. Bauer, *La réalité – royaume de Dieu,* 1966; J. R. Brandon, *Theatre in Southeast Asia,* Cambr./Mass. 1967; G. Rowell, *The Victorian th.,* Lond. 1967; *The mod. Americ. th.,* hg. A. B. Kernan, Englewood Cliffs 1967; J. Guicharnaud, *Mod. French th.,* New Haven ²1967; D. Cheshire, *Th.,* Bibliogr. Lond. 1967; L. C. Pronko, *Th. East and West,* Berkeley 1967; J. Golden, *The death of Tinker Bell. Americ.th. in the 20th cent.,* N. Y. 1967; J. R. Taylor, *Penguin Dict. of the th.,* Harmondsworth 1967; G. Graubner, T.-bau, 1968; M. Berthold, Weltgesch. d. T., 1968; *The 17th cent. stage,* hg. G. E. Bentley, Chic. 1968; J. Poggi, *Th. in America,* Ithaca 1968; F. Fuhrich, Th.gesch. Oberösterreichs i. 18. Jh., 1968; W. Flemming, Goethe u. d. Th. s. Zeit. 1968; *The theory of the mod. stage,* hg. E. Bentley, Harmondsworth 1968; V. Arpe, D. schwed. Th., Stockh. 1969; D. C. Mullin, *The development of the playhouse,* Berkeley 1969; F. Michael, Gesch. d. dt. Th., ²1969; M. Gottfried, *A th. divided. Postwar Americ. stage,* Boston 1969; K. Gröning, W. Kließ, Friedrichs Th.lexikon, 1969; A. Yates, *Th. of the world,* Lond. 1969; P. Brook, D. leere Raum, 1970; P. Hartnoll, D. Th., 1970; D. Blum, *A pictorial hist. of the Americ.th.,* N. Y. ³1970; B. Gascoigne, Illustr. Weltgesch. d. Th., 1971; H. Schubert, Mod. Th.bau, 1971; *The uses of drama,* hg. J. Hodgson, Lond. 1972; Th. i. d. Zeitwende (DDR), II 1972; E. Simon, D. antike Th., 1972; J. Prudhoe, *The th. of Goethe and Schiller,* Oxf. 1973; C. Molinari, Th., 1975; H. Klunker, Zeitstücke u. Zeitgenossen, ²1975; M. Patterson, *German th. today,* Lond. 1976; H. Daiber, Dt. Th. seit 1945, 1976; H.-J. Müller, D. span. Th. i. 17. Jh., 1977; Th.lexikon, hg. C. Trilse u. a. 1977; J. West, *Th. in Australia,* Sydney 1978; H.-D. Blume, Einf. i. d. antike Th.wesen, 1978. →Theaterwissenschaft.

Theaterbau →Theater

Theaterdichter →Bühnendichter

Theaterkostüm →Kostüm

Theaterkritik, die kritische Auseinandersetzung mit e. Bühnenaufführung in Zeitungen und Zss. Sie unterscheidet sich von der lit. →Kritik insofern, als sie nicht nur lit. Maßstäbe anzulegen und das Stück auf seinen dramat. und dramaturg. Wert und seine geistige Aussage hin zu prüfen hat, sondern daß sie neben dem Bühnenwerk auch den Wert der Aufführung zu beurteilen hat: Angemessenheit der szen. Realisierung, der Besetzung, des Bühnenbildes, der Regie und der Auffassung der einzelnen Darsteller in bezug auf den vorgegebenen Text, Harmonie und Einheitlichkeit der Aufführung überhaupt, schließlich ihre Ortung und Wertung am Maßstab des modernen Welttheaters. Die T. stellt das öffentliche Echo auf e. Aufführung dar, sie mißt das einzelne Theaterereignis an den zeitgenöss. Strömungen, kann bestenfalls vorzeitig die Veränderungen des modernen Theaters erkennen und diese der Bühne selbst und dem Publikum bewußtmachen, darf jedoch nie unkritisch als alleinige Grundlage der Meinungsbildung genommen werden, sondern allenfalls zu e. tieferen Verständnis des Gesehenen führen. Angesichts der subjektiven Sicht, die jede Aufführung e. Bühnenwerks verkörpert, stellt sie nur wiederum e. zweite subjektive Sicht als Regulativ dar. Für die Vergangenheit ist die T. vielfach das einzige (auch für die Theatergeschichte wichtige) Zeugnis zur Rekonstruktion e. Inszenierung. Sie bewahrt den flüchtigen Eindruck des Bühnenerlebnisses für die Nichtbeteiligten auf und sollte daher aus genügender Distanz vom Erlebnis selbst verfaßt sein (vgl. dagegen →Nachtkritik). Ihre anhand zeitgenöss. Maßstäbe begründete Wertung bildet gleichzeitig e. Spiegel für die Selbstkritik des Theaters und e. Anregung für Inszenierungen und Spielplangestaltung anderer Bühnen wie auch der Massenmedien, nachdem ihr direkter Einfluß auf die Besucherzahlen angesichts im voraus ausabonnierter Häuser wesentlich eingeschränkt ist. – Die eigtl. T., nicht als Dramenkritik wie bei DIDEROT und MERCIER, sondern als Kritik der theatral. Verwirklichung und ihrer Mittel beginnt mit LESSINGS *Hamburgischer Dramaturgie* (1767–69) und entwickelt sich mit dem Aufblühen der Zeitungen im 19. Jh. Wichtige dt. Theaterkritiker sind K. Gutzkow, L. BÖRNE, M. G. SAPHIR, H. LAUBE, K. FRENZEL, T. FONTANE, J. HART, A. KERR, J. BAB, A. POLGAR, S. JACOBSOHN, H. IHERING, K. H. RUPPEL, P. FECHTER, F. LUFT, W. KARSCH, S. MELCHINGER, A. SCHULZE-VELLINGHAUSEN, H. KARASEK u. a.

F. Michael, D. Anfge. d. T. i. Dtl., 1918; G. Scheuffler, Probleme d. T., Diss. Jena 1933; H. Knudsen, T., 1928; K. Kersting, Wirkende Kräfte i. d. T. d. ausgeh. 18. Jh., 1937; A. Schwerdt, T. u. Zeitg. 1750–1850, 1938; W. Schwarzlose, Methoden d. dt. T., Diss. Mchn. 1951.

Theaterlieder, →Couplets, scherzhaft-volkstümliche lyrische Gesangseinlagen in Possen und Volksstücken, schon in der Stegreifkomödie beliebt und zumeist von der komischen Person vorgetragen, bei RAIMUND und NESTROY zu hoher Kunst entwickelt.

H. Zeman, D. T. z. Z. J. Haydns (J. Haydn u. d. Lit. s. Zt., hg ders. 1976).

Theatermaschinen fanden z. T. schon in der Antike Verwendung: →Ekkyklema und Flugvorrichtungen für fliegende Göttererscheinungen (→deus ex machina), dann bes. seit dem Jesuitendrama und Barocktheater unter dem Bühnenboden zur Bewegung der Kulissen, durchbrochener Fußboden für Versenkungen, Bewegung der Soffitten u. a. m.

Theaterrede, bes. im 18. Jh. beliebte Form des →Prologs bei besonderen Anlässen: Ansprache zur Begrüßung der Zuschauer in Versen.

RL.

Theaterroman, stofflich in der

Welt des Theaters angesiedelter Roman, der vielfach auch zum Sprachrohr für des Autors Ansichten von der Bühnenkunst wird und die Idealvorstellungen seiner Zeit spiegelt, z. B. K. Ph. MORITZ' *Anton Reiser,* GOETHES *Wilhelm Meister,* H. MANNS *Die kleine Stadt,* E. FERBERS *Show Boat* u. a.

Theatersprache, Sondersprache der Schauspieler, z. B. Ausdrücke wie ›→Schmiere‹ und ›schwimmen‹ – Vgl. dagegen →Bühnenaussprache.

RL; U. Rohr, D. Theaterjargon, 1952.

Theatersatire →Satire

Theaterverlag →Bühnenvertrieb

Theaterwissenschaft, seit Anfang des 20. Jh. bes. von M. HERRMANN begründete Wissenschaft, die einerseits alle Gebiete der kunstmäßigen Bühnendarstellung und Aufführungstechnik (Schauspielkunst, Bühnenbild, Kostüm, Inszenierung, Regie usw.) als Wiedergabe der dramatischen Dichtung nach ihrem Wert, ihrer Bedeutung und ihren Grenzen hin untersucht und andererseits als Theatergeschichte die früheren Zustände des Theaters hinsichtlich Theaterbau, Bühne, Dekoration, Spieltechnik usw. zu rekonstruieren sucht und dabei häufig von der Form der überlieferten Bühnendichtungen als einzigem Zeugnis ausgehen muß. Auch soziologische Untersuchungen hinsichtlich der ständischen Zusammensetzung des Publikums, des Mäzenatentums, der bühnentragenden Gesellschaften usw. werden angestellt. Die Th. weitet sich zur Medienwiss. unter Einschluß von Film, Funk, Fernsehen. Theaterwissenschaftliche Institute und Seminare an dt. Universitäten (Berlin, Greifswald, Köln, Leipzig, München, Wien) dienen der theoretischen und wissenschaftlichen Ausbildung von Regisseuren, Dramaturgen, Intendanten u. a. Theaterfachleuten.

H. Knudsen, D. Studium d. T., 1926; RL; A. Kutscher, Grundriß d. T., II 1932–36, ²1949; C. Niessen, Hdb. d. T., 1950ff.; H. H. Borcherdt in ›Aufriß‹, H. Knudsen, T., 1950; H. A. Frenzel, T. (Universitas litterarum, 1954); D. Diederichsen, T. u. Lit.-wiss., Euph. 60, 1966; H. Knudsen, Methodik d. T., 1970; D. Steinbeck, Einl. i. d. Theorie u. Systematik d. T., 1970; J. Klünder, T. als Medienwiss., 1971.

Theaterzensur →Zensur

Theaterzettel dienen der Mitteilung von sachlichen Angaben über Inhalt und Form e. Bühnenaufführung und verdrängen die im ma. geistlichen Drama und Fastnachtsspiel übliche Art der Ankündigung (Personenverzeichnis, Inhalt usw.) durch den Prologsprecher (Praecursor) oder Nennung des Verfassers in der Schlußzeile beim Fastnachtsspiel. Der erste geschriebene dt. T. stammt von e. 1466 in Hamburg aufgeführten Passionsspiel, der erste gedruckte von e. Rostocker Aufführung 1520 enthält e. Inhalts-, Orts- und Zeitangabe (Tag und Stunde) der Aufführung. Die T. des Barock preisen schwülstig die bevorstehenden Schaugenüsse, bes. Dekorationskünste, Beleuchtungseffekte und Maschinenkünste an; die →Synopsen des Jesuitendramas geben dt. Inhaltsangaben des lat. Spiels. Erst seit Mitte des 18. Jh. verschwinden die Inhaltsangaben; der T. enthält nunmehr Titel, Gattung, Verfasser des Stückes, evtl. Bearbeiter, Orts- und Zeitangaben, Personenverzeichnis und erstmalig die Namen der Darsteller; Nennung des Regisseurs wird erst in der 2. Hälfte des 19. Jh. üblich, ebenso erst seit dem 19. Jh. die wochenweise Ankündigung des →Spielplans anstelle mündlicher Mitteilung am Ende der Aufführung. Daneben finden sich schon früh Mitteilungen des Prinzipals, der Mäzenaten, seit Ende des 19. Jh. auch Reklame und – seit der Volksbühnenbewegung – Erläuterungen zum tieferen Verständnis sowie z. T. lit. Aufsätze, die den T. seit 1894 zum Programmheft anschwellen lassen und gegebenenfalls zu Theaterzss. erweitert werden.

C. Hagemann, Gesch. d. T., Diss. Hdlbg. 1901; G. Weisstein, Gesch. d. T. (in Spemanns Gold. Buch d. Theaters, 1912); RL; J. R. Haensel, Gesch. d. T., 1958; H. Kressin, D. Entw. d. Theaterprogrammheftes i. Dtl., Diss. Bln. 1968; E. Pies, Kl. Chronik d. T., 1973.

Theatrum mundi (lat. =) →Welttheater

Thema (griech. = das Gesetzte), Grund- und Leitgedanke e. Werkes; in e. Abhandlung zu behandelnder Gegenstand. Der in der Sachlit. übliche Begriff hat in die dt. Terminologie der →Stoffgeschichte, die nur zwischen →Stoff und →Motiv unterscheidet, im Ggs. zur engl./franz. noch keinen Eingang gefunden. Er bietet sich an für Motive von solcher Abstraktheit, daß sie keinen Handlungskern bergen: Schuld, Freiheit, Identität, Gnade u. ä.

Thematologie, engl.-franz. Terminus für dt. →Stoffgeschichte, das unübersetzbar ist.

Theodizee (franz. *theodicée* v. griech. *theos* = Gott, *dike* = Recht), Rechtfertigung Gottes hinsichtlich der von ihm zugelassenen Übel und Unzulänglichkeiten in der Welt als Versuch, deren Vorhandensein mit dem Glauben an Güte und Allmacht Gottes zu vereinen; meist von Theologen und Philosophen (Stoiker, Epikur, Leibniz) in theoretischer Form unternommen, doch auch e. Grundthema der dt. Dichtung seit dem 18. Jh.

R. Wegener, D. Probl. d. T. i. d. Philos. u. Lit. d. 18. Jh., 1909; O. Lempp, D. Probl. d. T. i. d. Philos. u. Lit. d. 18. Jh., 1910, n. 1976; H. Lindau, D. T.-Problem i. 18. Jh., 1911; F. Billicsich, D. Problem d. T. i. philos. Denken d. Abendldes. I, 1936; W. Totok, D. Probl. d. T. i. d. Gedankenlyrik d. Aufkl., Diss. Marb. 1949; B. v. Wiese, D. dt. Tragödie v. Lessing bis Hebbel, [3]1955.

Theogonie (griech. *theogonia* =) Götterentstehung, auch Mythos oder Lehre vom Ursprung und Werden der Götter, z. B. Hesiods *T.*

Theologeion (griech.), der Ort für Göttererscheinungen im altgriech. Theater: e. geheime Öffnung im Dach des Szenenhauses, von der aus der Gott sprach.

Thesaurus (lat. v. griech. *thesauros* = Schatz), Wort- oder Wissensschatz, Bz. für e. umfassendes →Wörterbuch als Sammelwerk aller Wörter e. Sprache mit Erklärung, Redewendungen und wichtigen Belegstellen, z. B. der *T. linguae latinae* 1900 ff., hg. von fünf dt. →Akademien.

These, Thesis (franz. *thèse* v. griech. *thesis*), im Engl. und Franz. die wiss. Abhandlung zur Erlangung des Magister- bzw. Doktorgrades, →Dissertation.

Thesei →Positionslänge

Thesenroman (franz. *roman à thèse*), Roman, der e. bestimmte These gegenüber sozialen oder polit. Problemen vertritt, z. B. H. B. Stowes *Uncle Tom's cabin.*

S. Suleiman, *Ideological dissent* (Neophilol. 60, 1976).

Thesenstück (griech. *thesis* = Behauptung, Satz), stark tendenziöse Abart des →Sittenstücks, dessen Handlung, meist zwischen typisierten Figuren, nur den Vorwand zu Diskussionen um ideologische Thesen bietet, wobei das Thema (Problem) scharf formuliert hervortritt und meist in der Schlußszene mit deutlicher Unterstreichung verkündet wird: Dramen SUDERMANNS, ANZENGRUBERS *(Das vierte Gebot)* u. a. →Lehrstück.

Thesis (griech. = Setzen), in griech. Metrik urspr. der durch Senken der taktierenden Hand oder Auftreten des Fußes bezeichnete gute Taktteil (Länge) im Ggs. zur →Arsis. Da der antike quantitierende Vers jedoch nicht durch Starktöne gegliedert war, ergeben sich früh Unklarheiten und Verwechslungen der Begriffe. Die römischen Grammatiker verstehen T. als ›Senkung der Stimme‹ und bezeichnen damit den unbetonten, leichten Taktteil: die Kürze; in diesem Sinne führten R. BENTLEY und G. HERMANN den Begriff in die moderne Metrik ein, und Tradition hat den falschen Gebrauch sanktioniert, so daß T. für die unbetonte Silbe, die dt. →Senkung steht – entgegen dem urspr. griech. Wortsinn. Zur Vermeidung von Mißverständnissen empfiehlt sich jedoch die Beschränkung der Bz. ›T.‹ auf antike und ›Senkung‹ auf neuere Metrik.

Thespiskarren, scherzhafte Bz. für Wanderbühnen nach dem halb sagenhaften Griechen THESPIS aus dem att. Demos Ikaria, der als erster Dichter und Schauspieler 534 beim ersten staatlichen Agon an den Dionysien in Athen auftrat und siegte. Anlaß zur obigen Bz. gab die irrtümliche Auffassung des HORAZ (*Ars poetica* 275 ff.), THESPIS habe sich zur Darstellung e. Karrens als erhöhter Bühne bedient, mit dem er und seine Gehilfen später als Wanderschauspieler im Lande herumzogen. Diesem Irrtum liegt wahrscheinlich e. Verwechslung zugrunde zwischen der frühgriech. Tragödie und den Spottversen der vom Wagen herab die Leute neckenden Festzugsteilnehmer beim Komos.

E. Tièche, *Thespis,* 1933.

Threnodie, Threnos (griech. = Klage), allgemeine Bz. für das schwermütige Klage- und Trauerlied, Totenklage in altgriech. Lit., die zu Flötenbegleitung bei Leichenbegängnissen und -mahlen zum Gedächtnis der oder des Toten gesungen wurde (während das →Epikedeion urspr. vor dem Leichnam vorgetragen wurde und der →Kommos die ekstatische rituelle Klage bezeichnet). Älteste Belege sind die Klagelieder in der *Ilias* als Wechselgesänge zwischen e. Einzelsänger und dem in den Klageruf einstimmenden Chor, z. B. *Ilias* 24, 725–75 die Klage um Hektor; in gleicher Form erscheint die T. in der Tragödie als Totenklage, während die Threnoi der klassischen Lyriker, fragmentarisch erhalten von SIMONIDES und PINDAR, nicht den Wechsel zwischen Chor und Einzelsänger kennen. – →Nänie.

E. Reiner, D. rituelle Totenklage d. Griech., 1938.

Thingspiel, kultisch-nationale Weihespiele der NS-Zeit, die uneingestanden aus den →Sprechchören der Arbeiterbewegung entwickelt und als angebliche Neuschöpfung der NS-Lit. staatlich gefördert wurden; heroisch-pathetische Verherrlichungen des Volksgemeinschafts- und Schicksalsgedankens für die neuerrichteten Thingstätten/Freilichttheater. Texte von R. EURINGER, E. W. MÖLLER, K. HEYNICKE. Die T.-bewegung wurde 1937 mangels Zuspruchs guter Autoren und der Zuschauer wie mangels erheblicher künstlerischer Leistungen wieder eingestellt.

W. v. Schramm, Neubau d. dt. Theaters, 1934; W. Braumüller, Freilicht- u. T., 1935; I. Pitsch, D. Theater als polit.-

publizist. Führungsmittel i. 3. Reich, Diss. Münster 1952; H. Brenner, Kunstpolitik des NS, 1963; J. Wulf, Theater u. Film i. 3. Reich, 1964; U.-K. Ketelsen, Heroisches Theater, 1968; E. Menz, Sprechchor u. Aufmarsch (D. dt. Lit. i. 3. Reich, hg. H. Denkler 1976); H. Eichberg, Massenspiele, NS-T., Arbeiterweihespiel u. olymp. Zeremoniell, 1977; ders., *The Nazi T.* (*New German critique,* 1977).

Thriller (engl. =) →Schauerroman als Form der →Schundlit.; meist, aber nicht unbedingt →Kriminalroman, →Agentenroman oder → Science fiction.

R. Harper, *The world of the th.*, Cleveland 1969.

Thula (isländ.), altnordische Form der Merkversdichtung, die in kurzen Verszeilen Aussagen, Formeln oder katalogartig Namen und Wörter aufreiht.

W. H. Vogt, D. Th., 1942.

Tierdichtung, meist epischer Art, legt auf Grund e. mythennahen Phantasie den Tieren, bes. ungezähmten, menschliche Charaktereigenschaften, Empfindungen und Sprache bei, ohne ihnen die tierische Erscheinungsform zu nehmen, und stellt sie als entscheidende Gestalten in den Mittelpunkt e. Dichtung, deren z. T. verhüllter und unausgesprochener Bezug auf menschliche Verhältnisse unverkennbar ist. Bes. typische, primitive Eigenschaften wie Stolz, List, Habgier u. ä. erscheinen in fester Verbindung mit bestimmten Tieren (Löwe, Fuchs, Wolf) als Spiegelbild menschlicher Charaktere. Die Arten der T. wandeln sich zeitbedingt. Grundformen sind die Tier→fabel, deren Vergleich der moralischen Belehrung dient und e. Nutzanwendung enthält, und die Tiergeschichte, oft zum Tierepos erweitert, zur satirischen Verspottung menschlicher Schwächen, Laster, Torheiten und gesellschaftlich-staatlicher Zustände. T. entsteht bei fast allen Völkern in der Frühzeit aus dem natürlichen Umgang mit der nachbarlichen Tierwelt, so bes. als Tiermärchen; ihre eigtl. lit. Entwicklung ist weitgehend von satirischen, reflektierenden oder didaktischen Absichten bestimmt, so in den Tier→fabeln Indiens, Ägyptens oder der Griechen seit ARCHILOCHOS und AESOP, dem sagenhaften Fabelerzähler des Altertums, fortentwickelt lat. von PHAEDRUS und im MA. von GREGOR VON TOURS u. a., bes. in lat. Sprache bei den Franken und Germanen seit dem 8. Jh.: Fabel vom Hirschherzen, von der Wahl des Löwen zum König der Tiere, der Heilung des Löwen (vermittelt durch PAULUS DIACONUS), vom Hahn im Rachen des Löwen (ALKUIN) u. a. m. sowie im komischen Tierepos seit der pseudohomerischen *Batrachomyomachia* (= *Froschmäusekrieg).* Vorbild der ma. Tierbücher (→Bestiarien) wurde der hellenist. *Physiologus,* e. um das 2. Jh. in Alexandria oder Syrien entstandenes Zoologiebuch mit Erzählungen um Tiere, Pflanzen usw. mit allegorischer Umdeutung ihrer seltsamen Eigenschaften auf die Leitbegriffe des Christentums. Es wurde ins Lat. übertragen, erweitert und durch Übersetzung in viele Nationalsprachen (dt. um 1070) im Abendland verbreitet. Erstes satirisches Tierepos in Dtl. ist die *Ecbasis cuiusdam captivi* e. lothringischen Mönchs im Kloster St. Aper in Toul um 1045, die in lat. leoninischen Hexametern die Bekehrung e. schlechten Klosterschülers schildert und dabei e. Fülle versteckter Anspielungen (›per tropologiam‹) auf Personen der Umgebung anbringt: e. Kalb entläuft aus dem Stall, gerät in Gewalt des Wolfes und wird von der Herde unter Führung des Stiers und mit Hilfe des Fuchses wieder befreit; eingelochten ist die aesopische Fabel von der Heilung des Löwen. Nach mündlicher Fortentwicklung folgt 1148 der *Ysengrimus* des flandrischen Magisters NIVARDUS aus Gent, lat. Distichenepos als Zusammenfassung mehrerer Erzählungen um den vom Unglück verfolgten Wolf. In Frankreich tritt an dessen Stelle seit dem 12. Jh. der Fuchs und anstelle der lat. die Volkssprache: im Lauf des 13. Jh. entsteht durch Aneinanderreihung immer neuer Abenteuerzweige (›branches‹) der Fuchsdichtung der *Roman de Renart*. E. der ältesten dieser ›branches‹ gab wohl das Vorbild ab für das 1. dt. Tierepos, den *Reinhart Fuchs* von HEINRICH DEM GLICHEZAERE, Satire des Hoflebens mit seiner Bevorzugung der Treulosen (1180); um 1250 entsteht ebenfalls nach franz. Vorbild der niederländ. *Reinaert de Vos,* der nach mehrmaligen niederländ. Bearbeitungen (1375 *Reynaerds Historie,* 1480 durch HINREK VAN ALKMAR) 1498 in niederdt. Fassung *(Reinke de Vos)* in Lübeck gedruckt wird; von dessen zahlreichen hochdt. Übersetzungen und Volksbuch-Bearbeitungen (erste 1544) bildet GOTTSCHEDS Übertragung in Prosa von 1752 die Quelle für GOETHES *Reineke Fuchs* (1794), Erneuerung des ›unheiligen‹ Stoffes im Hexameter-Epos mit Zeitanspielungen. (Die zahlreichen und weitverästelten Überlieferungen der Fuchsdichtung führten J. GRIMM in der Einleitung zum *Reinhart Fuchs* 1834 zu der – heute aufgegebenen – Hypothese e. Ur-Tiersage um Fuchs und Wolf, von der nur noch die Ausläufer vorlägen.) Daneben blüht die Tierfabel, in mhd. Spruchdichtung bei HERGER strophisch, beim STRICKER in Reimpaaren fortgeführt, bes. als satirisches Mittel in den Kämpfen der Reformationszeit: bei Erasmus ALBERUS und Burkart WALDIS, oder auch zum Tierepos erweitert: ROLLENHAGENS *Froschmeuseler* (Knittelvers-Nachahmung der *Batrachomyomachia*) und auch FISCHARTS *Flöhhatz.* Letzte große Höhe erlebte die Tierfabel in Frankreich bei LAFONTAINE, in Dtl. in der lehrfreudigen Aufklärung bei GLEIM, LICHTWER, PFEFFEL, MEYER VON KNONAU und GELLERT bis zum jungen LESSING. Neue Formen der T. bringt das 19./20. Jh. Die Satire tritt zurück (noch E. T. A. HOFFMANNS *Kater Murr,* HEINES *Atta Troll,* BAUERNFELDS *Republik der Tiere,* GJELLERUPS *Das heiligste Tier,* 1920: R. HAARHAUS und G. ORWELL, *Animal Farm* 1945); erstmalig erscheint das Tier in seiner selbständigen Bedeutung bei der Vermenschlichung ohne satirische Absicht in den Tiermärchen (BRENTANO, *Gockel und Hinkel,* 1816), bei Einfühlungsversuch in die Tierseele, anfangs um die letzte Jh.-wende bestimmt vom Mitleid mit der Tierwelt (SCHÖNAICH-CAROLATH *Der Heiland der Tiere,* V. WIDMANNS *Maikäferkomödie* 1897, WERFEL *Der Heilige und die Tiere* 1905 u.a., in Frankreich F. JAMMES *Hasenroman* 1902), bei der Gestaltung des Verhältnisses von Mensch und Tier durch die unmittelbare Beziehung beider Lebenskreise: Tiergeschichte im engeren Sinn (REUTER *Hanne Nüte,* v. SCHEFFEL *Der Trompeter von Säckingen,* H. SEIDEL, v. SAAR. v. EBNER-ESCHENBACH, Th. MANN *Herr und Hund* 1920, BONSELS *Mario und die Tiere* 1919), daneben seit der Jh.wende bes. die unsentimentalsachlichen, doch auch dichterischen Darstellungen der Tierwelt aus sich heraus ohne Seitenblick auf den Menschen, Ergebnis fast wissenschaftlicher Beobachtung: MAETERLINCK *Leben der Bienen, Leben der Termiten, Leben der Ameisen,* GAGERN, H. LÖNS *Mümmelmann*

1909, *Aus Wald und Heide* 1909, *Aus Forst und Flur* 1916, F. SCHNACK, WENTER *Laikan* und *Situnga,* BONSELS *Die Biene Maja* 1912 und *Himmelsvolk* 1915, KYBER, SCHAUWECKER, F. SALTEN, H. H. EWERS, SCHEIBELREITER, FOREL, B. BERG, K. v. HOHENLOCHER (*Wenn Tiere reden,* 1950) u. a., in England bes. R. KIPLING *Dschungelbuch* 1894 f., J. LONDON *The Call of the Wild* 1903, *White fang = Wolfsblut* 1907 und V. WOOLFS *Flush,* in Dänemark Svend FLEURON, in Norwegen M. FÖNHUS *Jaampa der Silberfuchs* 1929. Als nicht selbstwertige poet. Chiffre steht das Tier bei MELVILLE *(Moby Dick),* F. KAFKA *(Die Verwandlung)* und G. GRASS *(Katz und Maus, Hundejahre).*

J. Nover, D. Tiersage, 1893; C. W. Peter, D. Tierwelt i. Lichte d. Dichtg., 1901; H. Gotzes, D. Tiersage, 1907; E. Martin, Z. Gesch. d. Tiersage i. MA., 1908; E. Winkler, D. Kunstprobl. d. T. (Fs. f. Ph. A. Becker, 1922); W. Suchier, Tierepik u. Volksüberlieferg. (Archiv f. d. Stud. d. neuen Spr. 143, 1922); B. Schulz, Vgl. Stud. z. dt. Tierepos, Diss. Jena 1922; J. Zeuck, D. mod. T., Diss. Gießen 1924; W. Kühlhorn, T. (Zs. f. Dt.kunde, 1924); K. Schulz, Tier-Erzählgn. (Bibliogr.), 1926; RL; K. Kampf, D. Tier i. d. dt. Volkssage d. Gegenw., Diss. Ffm. 1932; E. Franke, Gestaltungen d. T., Diss. Bonn 1934; H. v. Kieseritzky, Engl. T., Diss. Bln. 1935; H. Nell, D. gestaltenden Kräfte i. d. neuer. dt. T., Diss. Mchn. 1937; W. Ross, D. Ecbasis captivi u. d. Anfge. d. ma. T., GRM 35, 1954; A. L. Sells, *Animal poetry in French and Engl. lit.,* Bloomington 1955; E. Brunner-Traut, Altägypt. T'gesch. u. Fabel, 1959; H. R. Jauß, Unters. z. ma. T., 1959; M. Bindschedler, Tierdarstellgn. i. d. dt. Dichtg. d. MA. (Schweizer Monatshefte 47, 1967); F. Harkort, Tiervolkerzgn. (Fabula 9, 1967); W. Lehnemann, T. u. Dt.unterr. (Deutschunterr. 20, 1968); G. Schmidtke, Geistl. T'interpretation i. d. dt.spr. Lit. d. MA., 1968; M. Wehrli, V. Sinn d. ma. T'epos. (Mittellat. Dichtg., hg. K. Langosch 1969); D. Tier i. d. Dichtg., hg. U. Schwab 1970; F. Klingender, *Animals in art and thought to the end of the MA.,* Lond. 1971; R. Gerlach, D. Tier i. d. dt. Lyrik seit 1900 (Welt u. Wort 26, 1971); C. Cosentino, Tierbilder i. d. Lyrik d. Expressionismus, 1972; F. X. Braun, D. Tier i. d. mod. Dichtg. u. Kritik (*Michigan Germanic Stud.* 1, 1975); *Aspects of the ma. animal epic,* hg. E. Rombauts u. a., Löwen 1975; H. Eggebrecht, D. Bürger i. Zoo (Gebrauchslit., hg. K. Fischer u. a. 1976); H. Schumacher, D. armen Stiefgeschwister d. Menschen, 1977.

Tierfabel →Fabel

Tirade (franz. v. *tirer* = ziehen), 1. = →Laisse, 2. Wortschwall, -erguß, hochtrabende Phrase und Gemeinplatz, bes. die im Drama z. T. an gelegentlich auftauchende Ideen wie Pflicht, Ehre, Vaterlandsliebe, Freiheit, Frieden, Menschlichkeit usw. anschließenden rhetorischen Erörterungen, die oft durch ihre Langatmigkeit den Fortgang der Handlung stören und die Bühnensituation sprengen. Sie wurden als rhetorische Glanzleistungen, applausversprechende Schaustellungen der Sprachgewalt, bes. in der tragédie classique gern eingebaut, sind jedoch nur dann gerechtfertigt, wenn sie dem Charakter und der Situation der Personen entsprechen (z. B. bei CORNEILLE).

Tiradenreim, verschlungener (aba cbc) oder →äußerer Reim.

Tirolstrophe, Abart der →Morolfstrophe aus sieben Vierhebern mit voller (nur der 6. meist klingender) Kadenz und der Reimstellung a a b b c x c.

Tischgesellschaft →Christlich-Deutsche Tischgesellschaft

Tischlied →Gesellschaftslied

Tischzuchten, Gattung der didaktischen Lit. des 12.–16. Jh., Slg. von Anweisungen für gutes Benehmen bei Tisch in lat. oder dt. Prosa oder meist Versform, teils in größeren Lehrgedichten über gesellschaftliche Anstandsregeln enthalten (z. B. in THOMASINS VON ZERKLAERE *Welschem Gast* 471–526), teils als Einzelwerke, so zuerst die *Disciplina clericalis* des PETRUS ALFONSI im 12. Jh., das lat. Lehrgedicht *Facetus* (12. Jh.) in gereimten Hexametern, das in zahlreichen Sprüchen von Tischsitten handelt, ebenso der Ausführlichere *Phagifacetus;* beide von S. BRANT mit Erweiterungen ins Dt. übersetzt. Seit dem 13. Jh. folgen die →Hofzuchten, zu Ausgang des MA. auch bürgerliche. Die ständische Herkunft der Werke ist an der vertretenen geistlichen, ritterlichen oder bürgerlichen Lebenskultur ablesbar. Im Spätma. folgen in Frankreich, Holland und Dtl. auch Kinderzuchtlehren. Ironisch-satirische Wendungen erhalten die T. seit dem 15. Jh. durch den sog. →Grobianismus. Die Wichtigkeit und weite Verbreitung der T. in fast allen Litt. Westeuropas (dt., lat., franz., ital., holländ., engl.) erklärt sich aus der Schwierigkeit damals herrschender Eßgewohnheiten (kein Besteck, oft mehrere Personen von demselben Teller).

M. Geyer, Altdt. T., Progr. Altenburg 1882; P. Merker, D. T.-Lit. d. 12.–16. Jh. (Mitt. d. dt. Gesellsch. Lpz., 1911); RL; B. Zaehli, Knigges Umgang m. Menschen u. s. Vorläufer, 1933; Th. P. Thornton, Höfische T.n, 1957; ders., Grobianische T.n, 1957.

Titel (lat. *titulus* = Auf- oder Inschrift), die durch →T.-schutz gegen unerlaubte Wiederverwendung, Mißbrauch, Nachahmung oder verwechselbare Bz. gesicherte Benennung e. Buches, e. Schrift, e. Gedichts usw. Feststehende und vom Verfasser gewählte T. sind in der Antike und z. T. noch im MA. nicht üblich (1. dt. bezeugter T.: THOMASINS *Der welsche Gast*); für Gedichte werden sie erst im Humanismus Brauch. Erst im Laufe der Tradition und aus Gründen der kürzeren Bz. bürgern sich feststehende Benennungen für die Werke ein, teils nach dem Inhalt, teils nach der Form, oder man greift bei titellos überlieferten Werken willkürlich das Anfangswort (z. B. *Abrogans*) oder den ersten im Text erscheinenden Eigennamen (z. B. WOLFRAMS *Titurel*) als T. heraus, der oft verwirrend und in keiner Weise kennzeichnend ist; andere, später entdeckte Werke erhalten den Titel vom ersten Herausgeber (z. B. *Carmina Burana* von SCHMELLER). Der Barock bevorzugt ›sprechende Titel‹ (Chr. REUTER, *Schelmuffskys Warhafftig Curiöse und sehr gefährliche Reisebeschreibung Zu Wasser und Lande*) und →Doppeltitel. Bei moderner Titelgebung umfangreicherer Schriften sind die Funktionen des Titels als knappe und treffende Bz. des Werkes zu beachten: er soll erster Hinweis auf Inhalt und Bedeutung des Werkes sein, bereits etwas von seinem Wesen vermitteln, sich gut zitieren lassen und durch rhythmischen Tonfall einprägsam sein. Andere Funktionen hat die Überschrift bei Gedichten: sie dient der Einstimmung in das Werk selbst, bezeichnet oft allein den Gegenstand des lyrischen Sprechens *(Verborgenheit, Schwüle)*, beim →Rollenlied den Sprecher *(Chor der Toten)*, bei mehr rhetorischer Haltung das Thema *(Würde der Frauen)*, gibt die Anrede der lyrisch angesprochenen Person oder Sache *(An den Mond)*, ein allg. Gerichtetsein *(Vermächtnis, Abschied)*, schildert die räumliche oder zeitliche Ausgangssituation *(Auf dem See, Septembermorgen)*, oft in Verbindung mit der Gattungsbezeichnung *(Abendlied, Berglied)* oder verzichtet schließlich auf eigene Aussage und greift die Anfangsworte des Gedichts selbst auf *(Sprich aus der Ferne . . .)*: kennzeichnend für e. Grundhaltung, die jede objektive Gegenständlichkeit und äußere Themasetzung und die damit verbundene Distanz ausschaltet zugunsten des nur aus sich heraus sprechenden Kunstwerks. Moderner Intellektualismus dagegen gefällt sich in sprachl. Abstrakta (*Figurationen, Konstellation* u. a.).

M. Schneider, Dt. Titelbuch, 1927, [3]1965 m. Nachtrag v. H.-J. Ahnert 1966; E. Schröder, Echte, rechte, schlechte T. i. d. altdt. Lit.gesch. (Imprimatur 3, 1938); P. Lehmann, Ma. Bücher-T., II 1948–53; J. Kuhnen, D. Gedicht-Überschrift, Diss. Ffm. 1953; H. J. Wilke, D. Gedicht-Überschrift, Diss. Ffm. 1955; W. Bergengruen, Titulus, 1960; R. Mühlenweg, Stud. z. dt. Roman-T. 1750–1914, Diss. Wien 1960; H. Volkmann, D. dt. Roman-T. 1470 bis 1770 (Archiv f. Gesch. d. Buchwesens 57, 1967); W. Barton, Denn sie wollen gelesen sein, 1968; H. Elema, D. dt. Buch-T. (Dichter u. Leser, hg. F. v. Ingen 1972); W. Mieder, Buch-T. als Schlagzeile (Sprachspiegel 32, 1976); G. Lohse, Einiges üb. ma. dt. Buch-T. (Fs. J. Wieder 1977); H. Levin, *The t. as a lit. genre* (*Mod. lang. review* 72, 1977).

Titelauflage, neue →Ausgabe e. Werkes, der lediglich e. neues Titelblatt (oder Titelbogen) mit veränderter Jahreszahl vorgesetzt ist.

Titelaufnahme, im Bibliothekswesen die genaue beschreibende Erfassung e. Schriftwerks nach Verfasser, Titel, Verlagsort, Verlag, Erscheinungsjahr, Umfang usw.

Die T. f. d. Kataloge d. allg. bildenden Bibliotheken, 1963; G. Rusch, Einf. i. d. T., 1967, [2]1969.

Titelbuch, Hilfsmittel zum Nachweis von Verfassern solcher Werke, von denen nur Titel, nicht Autor bekannt ist; erfaßt alphabetisch die wichtigsten Titel, z. T. auch Gedichtüberschriften, e. Lit.; für Dtl.: M. SCHNEIDER, Dt. T., [3]1965 und H.-J. AHNERT, Dt. T. 2, 1966 (Nachtrag 1915–65).

Titelgeschichte, bei e. Sammelband von Erzählungen diejenige, die der Sammlung den Namen gab; in der Journalistik →Cover story.

Titelrolle, im Drama die mit dem Titel identische →Rolle des Stückes, z. B. Minna in *Minna von Barnhelm;* nicht immer gleich der Hauptrolle (z. B. KLEIST *Amphitryon,* HEBBEL *Maria Magdalene*).

Titelschutz, der wettbewerbsrechtliche – bei unterscheidungskräftigen Titeln – oder urheberrechtliche – bei eigentümlicher Geistesschöpfung – Schutz eines Titels vor unbefugter Wiederverwendung und Mißbrauch. Der T. entsteht in diesen Fällen bei der ersten öffentl. Bekanntgabe e. Titels und erlischt im Ggs. zum Urheberrecht nicht nach Ablauf der Schutzfrist, sondern erst, wenn das Werk außer Verkehr kommt.

Titlonym (lat./griech. Kunstwort), →Pseudonym, das statt des Autorennamens eine Berufsbezeichnung angibt: ›von einem Schauspieler‹.

Titurelstrophe, überaus kunstvolle Strophenform des mhd. höfischen Epos in WOLFRAMS *Titurel*-Fragmenten, bestehend aus vier paarweise gereimten Versen mit stets klingender Kadenz, von denen der 1. acht, der 2. und 4. zehn und der 3. sechs Hebungen umfaßt und alle außer der 3. e. Zäsur nach der 4. Hebung haben. Senkungsausfall ist häufig. Im sog. *Jüngeren Titurel* ALBRECHTS VON SCHARFENBERG reimen auch die Zäsuren des 1. Verspaares, so daß sieben Zeilen mit der Reimfolge ababcxc entstehen, von denen die 1., 3. und 6. vierhebig klingend, seltener voll, die 2. stets vierhebig klingend und die 4., 5. und 7. sechshebig klingend sind.

L. Pohnert, Kritik u. Metrik v. Wolframs Titurel, 1908; RL; W. Wolf, Z. Verskunst d. Jg. T. (Fs. F. R. Schröder, 1959). →Metrik.

Tmesis (griech. = Zerschneidung), Form des →Metaplasmus, Trennung e. zusammengesetzten Wortes in seine Bestandteile durch ein oder mehrere dazwischengesetzte Wörter, urspr. e. grammatische Möglichkeit aus der Zeit, als die Zusammensetzungen noch als auflösbar empfunden wurden (wie dt.: entgegenkommen: kam entgegen); nachdem die Komposita in der Alltagssprache zu einheitlichen, festen Wortkörpern verschmolzen waren, blieb die T. seit HOMER in griech. und – unter deren Einfluß – auch in lat. Lit. e. traditionelles Stilmittel der poetischen Technik (in guter Prosa freilich selten und höchstens noch als Abspaltung der Präposition) und wurde erst im klassischen Lat. ziemlich überwunden. Beispiele bei VERGIL: ›super unus eram‹ statt ›unus supereram‹ (*Aen.* II, 567), ›septem subiecta trioni‹ statt ›subiecta septentrioni‹ (*Georg.* III, 381); bei der gewaltsamen Übernahme griech. Formen und Techniken in die lat. Sprache entstanden anfangs halsbrecherische T. wie ›saxo cere comminuit brum‹ statt ›saxo cerebrum comminuit‹ (ENNIUS).

Togata oder →fabula t., nach der Toga, der röm. Alltagstracht, benannte Form der röm. Komödie, die, entsprechend der →Praetexta in der Tragödie, Vorwürfe aus dem röm. Alltagsleben in röm. Kostüm gestaltete – im Ggs. zur →Palliata. Die Stücke sind teils freie Nachdichtungen, nicht mehr Übersetzungen, der griech., teils eigene. Später umfaßte die Bz. alle Komödien aus dem heimischen Leben, auch wenn sie ohne Toga gespielt wurden, und damit auch die →Trabeata und →Tabernaria. Hauptvertreter sind in der 2. Hälfte des 2. Jh. v. Chr. TITINIUS, ATTA und bes. AFRANIUS.

Ton, mhd. *dôn,* die Gesangsmelodie, Singweise, in den strophischen mhd. Dichtungen des →Minne- und →Meistersangs und auch der →Spruchdichtung (Sangspruch), die zum Lied bzw. Spruch gehörte und meist vom Dichter selbst komponiert wurde, dann allg. für den rhythmisch-metrischen Bau der Strophe, der Melodie und Text gemeinsam ist. Der Reichtum an Formen und Melodien ist für das an wiederkehrende Formen gewöhnte Ohr kaum faßlich: ständig wurden neue Strophenformen und bes. neue Melodien erfunden, die Übernahme von bereits gebrauchten Tönen e. anderen war im Minnesang der mhd. Blütezeit nicht statthaft; e. solcher Plagiator wurde als ›doenediep‹ verpönt; nur in parodistischer Weise, bei Streitigkeiten (etwa zwischen WALTHER und REINMAR) und in bewußter Beziehung auf e. bekanntes Lied wurde dessen Form wiederholt; auch eigene Formen brauchte der Dichter ungern mehrmals. Im →Meistersang dagegen dichtete man anfangs nur in den 12 Tönen der Meister und erfand erst seit Hans FOLZ neue Töne, die man mit den seltsamsten Namen belegte. Die Colmarer Liederhs. bietet reiches Quellenmaterial; aus der Zeit bis 1300 sind dagegen nur rd. 200 Töne (u. a. WALTHERS und NEIDHARTS) erhalten. →Kontrafaktur. Über T. als T.stelle →Akzent, →Hebung.

RL; R. Gennrich, Grundr. e. Formenlehre d. ma. Liedes, 1932.

Tonbeugung entsteht durch mangelnden Einklang zwischen natürlichem Tonfall der Sprache und Forderungen des Versmaßes und führt entweder zur Vergewaltigung des Prosasprachflusses oder zur Durchbrechung des metrischen Rahmens. Beispiel: ›Nacht muß es sein, wo Friedlands Sterne strahlen‹ (SCHILLER). →metrische Drückung.

Tonischer Vers, die Versform der altruss. Lyrik, bes. des russ. Volksliedes, mit einer festen Anzahl von Hebungen je Zeile und freier Zahl der Senkungen dem ahd. Alliterationsvers ähnlich, läßt die Zeilenlänge oft variieren, strebt im großen und ganzen aber doch zu einem ausgeglichenen Rhythmus. Im 17. Jh. kurzfristig durch den von Polen übernommenen syllabischen Vers mit fester Silbenzahl und Zäsur verdrängt, um 1735 durch den →syllabotonischen Vers abgelöst.

Tonkehrreim →Kehrreim

Tonmalerei →Klangmalerei

Topik (griech. *topike techne* zu →Topos), 1. Lehre von den Gemeinplätzen, →Topos. – 2. in der griech. Rhetorik Lehre von den allg. Gesichtspunkten bei der Erörterung e. Themas, bes. der systematischen Darlegung allg. anerkannter Lehrsätze und Begriffe durch Analogie, Induktion u. ä. Beweise.

Topographie (griech. *topos* = Ort, *graphein* = schreiben), anschauliche Orts- und Landschafts→beschreibung. →Städte- und Landschaftsgedichte.

R. A. Aubin, *Topographic Poetry in 18th century Engl.*, 1936.

Topos (griech. = Ort) allg.: Gemeinplatz. In der antiken →Rhetorik als Hilfsmittel zur Erfindung von Beweisgründen Teil der inventio. E. neue Bedeutung erlangt der Begriff durch E. R. CURTIUS: Topoi sind ›feste Clichés oder Denk- und Ausdrucksschemata‹, geprägte Formeln, Phrasen, Wendungen, Zitate, Bilder, Embleme, Motive, technische Anordnungs- und Darbietungsweisen, die aus der klassischen, spätantiken und ma. lat. Rhetorik an die mittel- und neulateinischen wie volkssprachlichen Litt. vermittelt wurden und bis ins 18. Jh., bes. aber in der Renaissance, die neue Quellen erschließt, und im Barock, auf die Gestaltung der Dichtungen einwirken. Urspr. individuell geprägte, unmittelbare Stilschöpfungen, werden sie später zu erlernbaren, abgezogenen Formeln, die an geeigneter Stelle zur Ausschmückung e. Textes wiederverwendet werden können (z. B. die ›amöne Landschaft‹ als vorgeprägte Schilderung, traditionelle Landschaftskulisse mit Wiesen, anmutigen Hügeln, Bächlein, Grotten, sanften Winden, Vogelgezwitscher usw., die →Anrufung der Musen, das ›Goldene Zeitalter‹, das ›Staatsschiff‹ u. a.). Die Erkenntnis vom lit. Ursprung und der lit. Tradition solcher festgefügter, oft für verschiedene Literaturgattungen typischer Wendungen berichtigt die romantisierende Anschauung von der Dichtung früherer Epochen als unmittelbarer Gefühls- und Seelenaussprache und ist Voraussetzung für die richtige Interpretation von Dichtungen jener Epochen, deren Topoi dann nicht als schöpferische Eigenprägung des Dichters, sondern aus ihrer Tradition im lit. Leben heraus als verfügbare Versatzstücke begriffen werden müssen. Kennzeichnend für den individuellen Stilwillen und die ästhetischen Absichten des betreffenden Autors bleibt weiterhin die Art und Weise ihrer Verwendung innerhalb des Werkes, die Gestaltung des Zusammenhangs, Einschmelzung in den eigenen Stil, innere Sinngebung der überlieferten Form, eigenmächtige Umgestaltung, Kürzung, Erweiterung usw. Dabei schließt die lit. Herkunft der Topoi ihre Anfüllung mit eigenem Gefühlsgehalt und erstrebter Gemütswirkung im Einzelfall keineswegs aus; nur im ganzen gesehen zeigt sie die Einheit der abendländischen Stiltradition von der Antike bis zum Durchbruch e. eigenwertigen Ausdruckshaltung im 18. Jh.

E. R. Curtius, Europ. Lit. u. lat. MA., [6]1967; O. Pöggeler, Dichtgstheorie u.

T.forschg. (Jhrb. f. Ästhetik 5, 1960); W. Veit, T.-forschg., DVJ 37, 1963; B. Emrich, Topik u. Topoi (Deutschunterricht 18, 1966); M. L. Baeumer, D. zeitgesch. Funktion d. lit. T. (Dichtg., Spr., Ges., hg. V. Lange u. a. 1971); T.forschg., hg. P. Jehn 1972; T.forschg., hg. M. L. Baeumer 1973; F. G. Sieveke, Topik i. Dienst poet. Erfindg. (Jb. f. Internat. Germanistik 8, 1976); L. Bornscheuer, Bemerkgn. z. T.forschg. (Mittellat. Jb. 11, 1976); ders., Topik, 1976.

Tornada (provenzal.), allg. →Kehrreim, bes. das ›Geleit‹ bei →Kanzone, Sirventese, Ballade und Romanze: Teilwiederholung der Melodie und Gedichtabschluß mit Gruß an Hörer oder Adressaten, Namensnennung des Verfassers, Empfehlung des Gedichts oder poetisch-musikalischer Ausklang, Abgesang mit Zusammenfassung der Hauptgedanken.

Tornejamen →Tenzone

Torso (ital.), Ausdruck aus der bildenden Kunst, auf die Lit. übertragen: →Fragment.

Tote Literatur, bemerkenswerte Bz. der Bibliothekswiss. für inhaltl. veraltetes, daher oft gesondert magaziniertes Schrifttum in wiss. Bibliotheken.

Totenbuch, im Ägypten des Mittleren und Neuen Reiches den Verstorbenen beigegebene Wegweiser ins Jenseits, die zur Auferstehung verhelfen sollen; auf den Sarg oder die Wände der Grabkammern geschrieben, seit dem Neuen Reich auf Papyrusrollen und in e. vereinheitlichten Reihenfolge, die in zahlreichen Exemplaren erhalten ist; enthält Götterhymnen, Beschwörungen von Göttern und Geistern und Selbstbekenntnisse der Toten, daß sie keine der 42 Todsünden begangen haben. Religiöse Zeugnisse, beruhend auf dem Glauben der Ägypter an e. Auferstehung der Toten ähnlich der des Gottes Osiris. – Das sog. *Tibetanische T.*, das vom Lama während des Totenrituals gelesen wird, beschreibt den Weg des Verstorbenen bis zur Wiedergeburt.

K. Sethe, D. Totenlit. d. alten Ägypter, 1931; P. Poucha, D. tibet. T. (*Archiv orientální* 20, Prag 1952).

Totengespräche, →Gespräche im Reich der Toten, Gattung meist der satirischen Dichtung, in der Antike durch LUKIAN (2. Jh. n. Chr.) begründet, geprägt von grimmiger Ironie und Resignation in der Erkenntnis irdischer Eitelkeiten, zu Anfang der Aufklärung in Frankreich nachgeahmt in den *Dialogues des morts* von BOILEAU, FONTENELLE (1686) und bes. FÉNELON (1712, nicht satirisch, sondern didaktisch für die Erziehung der franz. Prinzen), auch VAUVENARGUES und M. JOLY (*Dialogues aux enfers,* 1864). In Leipzig gab D. FASSMANN 1718–40 e. Monatsschrift *Gespräche im Reiche der Toten* heraus. Nach Vorbild VOLTAIRES bedient sich FRIEDRICH II. der T., um politische Gegner zum Schweigen zu bringen. Die eigtl. dichterische Entwicklung der T. in Dtl. beginnt mit Übersetzungen LUKIANS durch GOTTSCHED und WIELAND, FONTENELLES durch GOTTSCHED; WIELAND folgt mit eigenen Schöpfungen aus dem gleichen Geist heiterer Weltironie: *Gespräche in Elysium, Göttergespräche, Peregrinus Proteus,* GOETHE mit *Götter, Helden und Wieland,* GRILLPARZER mit den *T.*, F. MAUTHNER mit *T.* (1906). Nicht im didaktisch-satirischen Sinn der Aufklärung, sondern zur Klärung zeitloser Grundbegriffe des Lebens im imaginären Gespräch verwendet im 20. Jh. P. ERNST die Gattung in den *Erdachten Gesprächen.* BRECHT verwendet die Form im *Verhör des Lukullus.*

J. Rentsch, D. T. i. d. Lit., Progr. Plauen 1895; RL; J. S. Egilsrud, *Le dialogue des morts*, Paris 1934; J. Rutledge, *The dialogue of the dead in 18th cent. Germany*, Bern 1974.

Totenklage in der Antike →Epikedeion, →Nänie, →Threnodie, →Kommos, →Elegie, bei den Germanen →Totenlied, engl. →Dirge.

R. Leicher, D. T. i. d. dt. Epik v. d. ältesten Zeit bis z. Nibelungen-Klage, 1927; M. Neumann, D. T. i. d. erzähl. dt. Dichtg. d. 13. Jh., Diss. Münster 1936.

Totenlied, frühgermanische kultische Trauer- und Klagegesänge bei (bes. fürstlichen) Leichenbegängnissen als Verbindung von Klage und Preislied, geprägt vom Schauer des Todes, sind im Wortlaut infolge ihrer mündlichen Form als Gelegenheitsdichtung nicht erhalten, doch bei mehreren Gelegenheiten bezeugt (Bestattung Attilas, Beowulfs, des Westgotenkönigs Theoderich, der vor Rom gefallenen Ostgoten u. a.). E. andere Gruppe bilden die balladenartigen Totenbeschwörungen der *Edda* (Angantyrs durch Hervör, Helgis durch Sigrun), beruhend auf der magischen Bindung zwischen Lebenden und Toten, die auch in der sog. totenmagischen →Ballade das Motiv abgibt.

RL; A. Heusler, Altgerman. Dichtg., [2]1943; H. Husenbeth, T. (Hb. d. Volksliedes I, 1973). →Totenklage.

Totenrede →Leichenrede

Totensage, weitverbreiteter Sagentyp vom Wiedergänger, der bis zur Sühnung seines Verbrechens oder seiner unentdeckten gewaltsamen Ermordung im Grabe keine Ruhe findet, typisch vertreten in der Lit. im Lenoren- oder Don Juan-Stoff und im →Vampirroman.

A. Gühring, D. Tod i. d. Volkssage, Diss. Tüb. 1957; L. Röhrich, Sage, [2]1971.

Totentanz, bildliche Darstellung der Allgewalt des Todes über die Menschen in allegorischen Gruppen, von Vers-Unterschriften (Klagen, Warnungen, Mahnungen zur Buße und Askese) begleitet. Ziel dieser oft grotesk grausigen Schreckbilder in kraß naturalistischer Ausführung ist e. drastisches Memento mori, das die Lebensgestaltung des ma. Menschen hinlenken will zur Verachtung des irdischen Strebens, moralischer Besinnung und sinnvoller Lebensführung, die jederzeit die Endlichkeit des Irdischen und den Tod vor Augen hat. Die geschichtliche Entwicklung zeigt zwei Arten des T.: urspr., an den Volksglauben vom nächtlichen Tanz der Toten auf dem Friedhof anknüpfend, Tanz und Wechselgespräch von je e. Toten und e. Lebenden, später unter Einfluß der Mystik, aus der das Motiv stammt, der – nach antikem Vorbild – personifizierte Tod selbst, der die Lebenden allen Alters und Geschlechts, oft nach Ständen geordnet vom Papst und Kaiser bis zum greisen Bettler, zum Tanz auffordert, der in roman. Zeit meist e. feierlich geschrittener Reigen, in got. Zeit e. Springtanz ist. Voran geht in Frankreich der *Dit de trois morts et de trois vifs* (2. Hälfte 13. Jh.) von BAUDOIN DE CONDÉ und die span. *Danza de muerte* 1400. Die ältesten Darstellungen, hervorgegangen aus dem ›Danse macabre‹ am Gedächtnisfest der Makkabäer in Paris, finden sich seit dem 13. Jh. in Frankreich als Szenenbilder auf Kirchhofsmauern (Kloster der Unschuldigen Kinder in Paris 1407), Kirchenwänden, Bildwerken und Skulpturen (Amiens, Angers, Dijon, Rouen, La Chaise Dieu u. a.). Von dort gelangen sie, von Geistlichen in Auftrag gegeben, nach England und Dtl. und erreichen hier ihre Höhe ab 1430, häufig zugleich als Ständesatire, seit Mitte des 15. Jh. auch in Hss. und Büchern mit Texten, wodurch die Auflösung in paarweise

Einzeldarstellung notwendig wurde. Seit HOLBEINS T. von 1526 dringt die Darstellung des Tänzers Tod als Skelett und die soziale Idee (Gleichheit aller vor dem Tod) endgültig durch: in 48 Holzschnitten trifft der Tod Vertreter aller Stände vom höchsten bis zum niedersten (späterer Text von BECHSTEIN 1831, für den *Lübecker T.* von 1463 Text von 1701). Spätere Nachfolger sind A. RETHEL (1848), POCCI, BÖCKLIN, MASEREEL u. a. – Der ma. T. war nie zur Aufführung gedacht; erst wesentlich spätere und moderne Zeiten stellten aus den Begleitversen oder eigenen Schöpfungen dichterische T.spiele zusammen (G. HAASS-BERKOW 1917, M. GÜMBEL-SEILING 1923, E. REINACHER 1924, M. HAUSMANN, *Der dunkle Reigen,* 1951).

W. Fehse, D. Urspr. d. T., 1907; A. Dürrwächter, T.-Forschg., 1914; E. Breede, Stud. z. d. lat. u. dt.-sprachl. T.-Texten d. 13./14. Jh., Diss. Greifswald 1924; W. Stammler, D. T.e, d. MA., 1922; ders., D. T.e, 1922; ders., Dt. T.e, 1925; ders., D. T. Entstehg. u. Deutg., 1948; RL; G. Buchheit, D. T., 1926; P. S. Kozaky, Gesch. d. T., 1936; P. L. Kurtz, *The dance of death,* N. Y. 1934, n. 1975; H. Stegmeier, *The dance of the death,* Chicago 1939; J. M. Clark, *The dance of death,* Glasgow 1950; D. Th. Enklaar, *De Dodendans,* Amsterd. 1950; H. F. Massmann, Lit. d. T., [2]1963; S. Cosacchi, Makabertanz, 1965; A. Jørgensen, D. T. (Annali, Sez. Germ. 14, 1971); F. Maierhöfer, Mod. T.e (Stimmen d. Zt. 192, 1974); H. Rosenfeld, D. ma. T., [3]1974.

Tourneetheater, moderne Nachfolgeform der →Wanderbühne: für e. bestimmte Inszenierung individuell zusammengestellte, erstklassige Ensembles mit attraktiven Namen, die mit e. bestimmten, in langer Probenarbeit bis zur Perfektion ausgefeilten und optimal besetzten Stück auf Tournee gehen und vorwiegend theaterferne Orte in transportablen Kulissen bespielen.

Trabeata, oder →Fabula t., nach der *trabea,* der Tracht der röm. Ritter, benannte Abart der →Togata: röm. Komödie aus dem Leben der höheren Mittelklasse, von C. MELISSUS, dem Freigelassenen des MAECENAS, erfunden, doch äußerst kurzlebig.

Traductionym (v. lat. *traductio* = Übersetzung, griech. *onoma* = Name), →Pseudonym, das durch Übersetzung des Verfassernamens in e. Fremdsprache entsteht, so z. B. viele Humanistennamen (Schwarzerd = MELANCHTHON, Rusticocampius = BAUERNFELD, Corvinus = RAABE).

Tragédie classique (franz. =) die klassizistische franz. →Tragödie der CORNEILLE und RACINE.

Tragelaph (griech. *tragelaphos* = Bockshirsch), Fabeltier aus mehreren Eigenschaften anderer Tiere, dann übertragen: uneinheitliches lit. Werk ohne deutliche Gattungszugehörigkeit.

Tragik (griech. *tragike techne* = Kunst der Tragödie), Grundbegriff nicht nur für die →Tragödie, sondern für das menschliche Dasein schlechthin: der unausweichliche, schicksalshafte Untergang e. Wertvollen im Zusammenstoß oder Widerstreit mit anderen erhabenen Werten oder übermächtigen Gewalten, der die beteiligte(n) Person(en) notwendig in Leid und Vernichtung führt, der sie sich, über sich selbst hinausragend, um des Erhabenen willen unter Ausschlagung der Kompromißmöglichkeiten opfern, während die Werte selbst als Ideen bestehen bleiben. Der tragische Gegenstand erweckt bei Außenstehenden nicht nur Mitleid und Trauer durch das Maß des Leidens, sondern zugleich – durch die Heldenhaftigkeit seines erfolglosen Kampfes gegen das Verhängnis, die dabei entfalteten Seelenkräfte und die Unerbittlichkeit seines Geschicks, das aus höheren Gesetzen, nicht aber aus der bloßen Laune e. Zufalls entspringen muß – Bewunderung, Ehrfurcht u.a. erhabene Gefühle und führt dadurch zur Seelenerschütterung. Voraussetzung der tragischen Wirkung ist die Charaktergröße des Helden, da bei e. absolut schlechten Charakter das Verhängnis als wohlverdiente Strafe erscheinen würde. Man unterscheidet wie bei der Komik objektive oder Schicksals-T., in der das Leiden nicht aus den Personen selbst erwächst, sondern von außen her an sie herantritt und ihre inneren Kräfte zur Entfaltung bringt (z.B. SOPHOKLES *Ödipus,* verflacht in der →Schicksalstragödie) und subjektive oder Charakter-T., in der die Veranlassung des Leidens in den Eigenschaften der Personen selbst liegt (SHAKESPEARE: *King Lear*); meist erscheinen beide Formen verbunden, wobei die eine überwiegt. Das Wesen der T. bildet seit ARISTOTELES e. Gegenstand der theoretischen Erörterung sowohl in Poetik und Literaturwissenschaft als in Philosophie und Ästhetik. Problemstellung und Beantwortung variieren nach der Zeitauffassung. ARISTOTELES bestimmt die T. von ihrer Wirkung her, die er als →Katharsis bezeichnet. Im MA. fehlt die Problemstellung ebenso wie die Tragödie; im 16./17. Jh. wird sie im Anschluß an die antike Poetik der Tragödie fortgeführt, die →Ständeklausel aufgestellt, die nur erhabenen Personen wahre T. zugesteht (→Fallhöhe) und die Katharsis-Theorie weiter ausgebaut zur Abstumpfungstheorie: das Erlebnis des Tragischen in der Tragödie härtet das Gemüt gegen eigene Leiden ab. Im 18. Jh. stellt der Berliner Kreis um LESSING und MENDELSSOHN dagegen die Besserungstheorie auf: Umwandlung der Leidenschaften in ›tugendhafte Fertigkeiten‹, und erweitert die Möglichkeiten der T. im →bürgerlichen Trauerspiel auf den Gesamtkreis des Menschlichen, da nur Wesensgleichheit von tragischem Helden und Aufnehmendem die Totalerschütterung hervorruft. SCHILLER erörtert in den Aufsätzen *Über den Grund des Vergnügens an tragischen Gegenständen* und *Über die tragische Kunst* (beide 1792) das Wesen der T. und ihre Anwendung in der Tragödie; er erkennt sie im Widerstand der tragischen Charaktere gegen das übermächtige Schicksal, der zum Erhabenen hinleitet. GOETHE erfaßt die T. durch die → Katharsis als innere Reinigung des Helden durch das Leiden, doch wandelt sich seine Anschauung im Laufe des Lebens. Ebenfalls auf dem Boden des Idealismus steht die bündige Theorie der T. von HEGEL (*Ästhetik* 3, 3: Das Prinzip der Tragödie): die sittliche Weltordnung, durch den einseitigen Eingriff des tragischen Charakters in den Widerstreit gleichberechtigter Werte gestört, wird durch die ›ewige Gerechtigkeit‹ im Untergang des Helden wiederhergestellt. Ähnlich, doch tiefer und unlösbar ist die Gegensätzlichkeit bei HEBBEL, wenn das ›Individuum im Kampf zwischen seinem persönlichen und dem allg. Weltwillen‹ dem letzteren unterliegt, da es mit jeder Regung des Ich, an sich Voraussetzung der persönlichen Existenz, e. widerstrebende, auf Herstellung des Gleichgewichts berechnete Reaktion auslöst: Individualisation als T. In der Neuklassik nimmt P. ERNST die Theorien HEBBELS und des Idealismus wieder auf; von den anderen Dichtern beteiligen sich bes. E. BACMEISTER und K. LANGENBECK an der Deutung der T. Die neueren Theorien des Tragischen lösen sich von der idealistischen Begründung, kommen meist von der modernen Philosophie her und fassen die T. als allg. Wertevernichtung und Verhängnis des Menschen, dabei ›wesentliches Element im Universum selbst‹ (M. SCHELER) oder ›Vielfalt der Spannungen im Zeitdasein der Erscheinung‹ (K. JASPERS); in dieser Definition gehen sie daher mehr in die epische, weltweite T. über. In Verbindung mit der Poetik wird das historisch verwirklichte Verhältnis von T. und Tragödie als Auffassung des Tragischen in der dichterischen Gestaltung untersucht, andererseits der Begriff auch auf die Epik (Roman und Novelle) zu übertragen versucht. Neueste Deutungen stammen von E. STAIGER (›Das Tragische ereignet sich, wenn das, worum es in e. letzten allumfassenden Sinne geht, worauf e. menschliches Dasein ankommt, zerbricht‹) und B. v. WIESE, der die Entwicklung der T. vom Idealismus bis zum Verfall verfolgt. Er erkennt ihr Wesen in Antinomien, also ›nur auf paradoxe, d. h. rein logisch betrachtet widerspruchsvolle Weise‹ erfaßbaren →Konflikten: Freiheit und Notwendigkeit, Leid und Trost, Sinn und Sinnlosigkeit, menschliche Selbstbehauptung und gottgewollte Zernichtung.

T. Lipps, D. Streit um d. Tragödie, 1891; P. Ernst, D. Weg z. Form, 1906; G. Lukács, Metaphysik d. Tragödie, 1910; W. Reiß, Theorie d. Tragischen i. 17. Jh. i. Dtl. u. Frkr., Diss. Bern 1910; L. Ziegler, Z. Metaphysik d. Tragischen, 1911; M. Scheler, Zum Phänomen d. Tragischen (in: Abhdlgn. u. Aufs. I, 1915); J. Volkelt, Ästhetik d. Tragischen, [4]1923; G. D. Fricke, D. Problematik d. Tragischen i. Drama Schillers (Jhrb. d. Fr. Dt. Hochstifts, 1930); J. Geffcken, D. Begriff d. Tragischen i. d. Antike, 1930; J. Bahnsen, D. Tragische als Weltgesetz, 1931; J. Körner, T. u. Tragödie (Preuß. Jhrb. 225, 1931); O. Walzel, V. Wesen d. Tragischen, Euph. 34, 1933; B. Linkenbach, D. Prinzip d. Tragischen, Diss. Bonn 1933; G. Vorholz, D. Begriff d. Tragischen u. d. dt. Kunstphilos. d. Gegenw., Diss. Halle 1933; M. de Unamuno, Das trag. Lebensgefühl, 1933; Chr. Janentzky, Üb. T., Komik u. Humor (Jhrb. d. Freien Dt. Hochstifts, 1936–1940); E. Bacmeister, Tragödie ohne Schuld und Sühne, 1940; G. Fricke, Erfahrung u. Gestaltg. d. Tragischen i. d. dt. Dichtg. (V. dt. Art i. Spr. u. Dichtg. V, 1941 oder Kieler Blätter, 1940); E. Brendle, D. T. i. dt. Drama v. Naturalism. b. z. Gegenw., Diss. Tüb. 1940; F. Büchler, D. Tragische, 1942; E. Busch, D. Idee d. Tragischen i. d. dt. Klassik, 1942; Ch. Janentzky, T. u. Tragödie (Blätter f. dt. Philos., 1942 f.); W. Rasch, T. u. Tragödie, DVJ 21, 1943; A. Weber, D. Tragische u. d. Gesch., [2]1959; H. Bogner, D. trag. Gegensatz, 1947; Th. Spoerri, D. Problem d. Tragischen (Trivium 5, 1947); J. Sellmair, D. Mensch i. d. T., [4]1948; H. J. Baden, D. Tragische, [2]1948; W. Mogk, D. Problematik d. Tragischen i. 19. Jh., Diss. Kiel 1951; K. Ziegler, Wandlgn. d. Tragischen (Hebbel-Jhrb., 1951); K. Jaspers, Üb. d. Tragische, [2]1954; E. H. Falk, *Renunciation as a tragic focus,* Minneapolis 1954; Ch. Hartl, D. Tragische zw. Sein u. Schein, 1955; W. Grenzmann, Üb. d. Tragische (Fs. f. F. J. Schneider, 1956); H. J. Müller, *The spirit of tragedy,* N. Y. 1956; E. Staiger, Grundbegriffe d. Poetik, [8]1968; *Tragic themes in Western lit.*, hg. C. Brooks, New Haven 1959; P. Szondi, Versuch üb. d. Tragische, 1961; H. J. Heering *Tragiek,* 's Gravenhage 1961; H. Flügel, Konturen d. Tragischen, 1965; J.-M. Domenach, *Le retour du tragique,* Paris 1967; F. Forster, Stud. z. Wesen v. Komik, T. u. Humor, Diss. Wien 1967; D. Mack, Ansichten z. Tragischen u. z. Tragödie, 1969; T. u. Tragödie, hg. V. Sander 1971; M. Krüger, Wandlgn. d. Tragischen, 1973. →Tragödie.

Tragikomödie, Drama als Verbindung von Tragik und Komik im gleichen Stoff nicht zu e. lockeren Nebeneinander, sondern zu inniger Durchdringung beider Elemente und Motive zur ›wechselseitigen Erhellung‹, indem tragische Zusammenhänge mit komischen Motiven zu eindruckssteigernder Kontrastwirkung verbunden werden (humoristische Tragik, z. B. bei SHAKESPEARE), oder indem komische Sachverhalte in tragischer Beleuchtung erscheinen, die Zwiespältigkeit der Welt offenbaren und die Komik auf e. höhere Stufe heben, in der aus dem Spott e. tragischer Unterton hervorklingt (tragisch gebrochener Humor, z. B. bei MOLIÈRE). Neben dieser objektiven T. mit dem Aufeinandertreffen der Gegensätze zwischen den Menschen bzw. ihren Handlungen steht die subjektive T., die den Ggs. von tragischem Pathos und Komik ins Innere des Einzelmenschen verlegt. Die wirkliche Synthese der beiden gegensätzlichen Elemente, die sich nicht wie in der Parodie auf Form und Inhalt verteilen und e. komisches Auseinanderklaffen hervorrufen dürfen, vielmehr beides gemeinsam durchdringen und einheitlich gestalten müssen, ist infolge ihrer Schwierigkeit in der Literaturgeschichte nur in seltenen Fällen restlos geglückt. Die Bz. entstand im Zusammenhang mit den Vorstellungen von der Ständeklausel: PLAUTUS prägt sie – nicht als eigene Gattungsbz., sondern mehr als Scherz – für seinen *Amphitruo* und rechtfertigt sie (Vers 50–63) aus dem Nebeneinander der Götter und Könige aus der Tragödie mit den Sklaven aus der Komödie in demselben Stück, das zugleich e. Mischform von Burleskem und Tragischem ergibt. Die Renaissancepoetiker (SCALIGER u.a.) verweisen zur Begründung auf ARISTOTELES (*Poetik* 13) und bestimmen die T. vom rein Stofflichen her als ernstes Spiel mit heiterem Ausgang. In Italien folgt GUARINI mit dem *Pastor fido* und e. Reihe polemisch-theoretischer Abhandlungen (*Compendio della poesia tragicomica*, 1599), in denen er die T. als harmonische Vereinigung von Strenge und Würde der Tragödie mit Behaglichkeit und Scherz der Komödie darstellt, in Spanien Lope de VEGA, der in *Arte nuevo de hacer comedias* die Gattung aus dem Zusammentreffen hoher und niederer Personen ableitet. In Frankreich bezeichnet T. im 17. Jh. alle ernsten Dramen mit hohen Personen, die nicht mit deren Tod enden (so nennt CORNEILLE seinen *Cid* und *Nicomède* anfangs T.); die Höhe aber erreicht die Gattung dort neben GARNIER, SCUDÉRY, ROTROU und HARDY mit MOLIÈRE *(Misanthrope, Tartuffe)*, wie in England bei SHAKESPEARE (*Troilus and Cressida*, 1609), PEELE, GREENE, BEAUMONT, FLETCHER und HEYWOOD. Die erste dt. T. nach mehreren lat. Humanisten-T.n ist die *Tragicomoedia von Sant Pauls Bekehrung* von V. BOLTZ (1546). Im 16. Jh. verwendet man die Bz. uneinheitlich auf die verschiedensten dt. und lat. Stücke des Schuldramas, der engl. Komödianten und der Wanderbühnen. Von OPITZ über GRYPHIUS bis GOTTSCHED wird die Mischung von Komik und Tragik abgelehnt; das Jesuitendrama (BIDERMANNS *Cenodoxus*), J. AYRER, Herzog HEINRICH JULIUS von Braunschweig und später Chr. WEISE streben nach der Form, ohne sie voll zu erreichen. LESSING definiert die T. (*Hamburgische Dramaturgie* 55) noch als ›Vorstellung e. wichtigen Handlung unter vornehmen Personen, die e. vergnügten Ausgang hat‹, erkennt neben diesem äußeren doch auch ihr inneres Wesen, wenn er ihre größte Ausformung in der Gestaltung e. Begebenheit sieht, in der ›der Ernst das Lachen, die Traurigkeit die Freude oder umgekehrt so unmittelbar erzeugt, daß uns die Abstraktion des einen oder des anderen unmöglich fällt.‹ Er selbst kommt dem Ideal in *Minna von Barnhelm* recht nahe, während in anderen Dramen der Zeit das rührende Moment das tragische überwiegt und zum Rührstück führt. Im Sturm und Drang steht das soziale Drama von LENZ *(Der Hofmeister, Soldaten, Der neue Menoza)* der T. nahe, unter den Romantikern TIECKS *Ritter Blaubart* und bes. KLEISTS *Amphitryon*; im 19. Jh. folgen BÜCHNER, der die Komik nach Vorbild SHAKE-

SPEARES als Steigerung der Tragik benutzt, und GRABBE, der die eigene Gespaltenheit wiedergibt, bes. aber HEBBEL mit dem *Trauerspiel in Sizilien,* der in der Vorrede auch die Form theoretisch erörtert: sie ›ergibt sich überall, wo ein tragisches Geschick in untragischer Form auftritt, wo auf der e. Seite wohl der kämpfende und untergehende Mensch, auf der anderen jedoch nicht die berechtigte sittliche Macht, sondern e. Sumpf von faulen Verhältnissen vorhanden ist, der Tausende von Opfern hinunterwürgt, ohne e. einziges zu verdienen‹. Der Naturalismus kommt zur T. aus der Erkenntnis von der Doppeldeutigkeit des Menschen, in dem Großes und Niedriges, Erhabenes und Lächerliches nebeneinander bestehen; so zuerst in IBSENS *Wildente,* dann G. HAUPTMANN *(Der rote Hahn, Kollege Crampton, Peter Brauer, die Ratten),* ferner SCHNITZLER, in expressiver Form F. WEDEKIND *(Der Marquis von Keith)* und G. KAISER *(Kanzlist Krehler).* Die neue Entwicklung der T. von ČECHOV über PIRANDELLO wird bes. von England und Amerika bestimmt: SHAW, PRIESTLEY und Th. WILDER (*Our Town,* 1938), und im grotesken Parabelstück der Gegenwart (BORCHERT, FRISCH, DÜRRENMATT, ANOUILH, IONESCO, BECKETT, PINTER) sind Komik und Tragik gleichermaßen aufgehoben.

T. Lipps, Komik u. Humor, 1898; H. C. Lancaster, *The French T.*, 1907; F. H. Ristine, *Engl. T.,* 1910; V. Klemperer, Komik u. Tragikomik b. Molière (Neuere Sprachen, 1922); K. Holl, Gesch. d. dt. Lustspiels, 1923; RL IV; M. T. Herrick, *Tragicomedy,* Urbana [2]1962; K. S. Guthke, Gesch. u. Poetik d. dt. T., 1961; ders. in Neophil. 43, 1959, Zs. f. dt. Philol. 80, 1961 u. Jhrb. f. Ästhetik 6, 1961; J. L. Styan, *The Dark Comedy,* Cambr. 1962, [2]1968; K. S. Guthke, D. mod. T., 1968; G. Melzer, D. Phänomen d. Tragikomischen, 1976. →Drama.

Tragische Ironie →Ironie

Tragisches →Tragik

Tragöde, tragischer Schauspieler

Tragödie (griech. *tragodia* = Bocksgesang, doch wohl kaum ›Gesang der Böcke‹, da weder trag. Chöre noch Satyrn in Bocksmasken auftraten, sondern ›Gesang um den Bock‹ als Preis oder Opfer), im wesentlichen, gleichbedeutend mit →Trauerspiel, neben der Komödie zweite Hauptgattung und höchster Gipfelpunkt des Dramas; dichterische Gestaltung der →Tragik als Darstellung eines ungelöst bleibenden tragischen →Konflikts mit der sittlichen Weltordnung, mit e. von außen herantretenden Schicksal usw., der das Geschehen zum äußeren oder inneren Zusammenbruch führt, doch nicht unbedingt im Tod des Helden, sondern in seinem Unterliegen vor dem Ausweglosen gipfelt (GOETHE, *Torquato Tasso,* GRILLPARZER, *Medea*). Dem Aufbau nach streng zu unterscheiden sind →analytisches und →Zieldrama. Das Grunderlebnis der Tragik, wesensgemäß mit der Stimmung der Erhabenheit (→Pathos) verbunden, und seine formalen künstlerischen Ausgestaltungen wechseln mit den Epochen und lösen sich aus dem religiösen Ursprung, doch stets stellt die T. letzte Daseinsfragen der Menschheit um Freiheit und Notwendigkeit, Charakter und Schicksal, Schuld und Sühne, Ich und Welt, Mensch und Gott.

Als Kunstform wurde die T. von den Griechen entwickelt. Das hier geschaffene Urbild tragischer Welt- und Daseinserfassung lebt durch Jahrtausende. Die attische T. ist ›ein in sich abgeschlossenes Stück der Heldensage, poetisch bearbeitet in erhabenem Stile für die Darstellung durch e. attischen Bürgerchor und 2–3 Schauspieler und bestimmt, als Teil des öffentlichen Gottesdienstes im Heiligtum des Dionysos aufgeführt zu werden‹ (v. WILAMOWITZ). ARISTOTELES definiert sie als ›→Mimesis einer in sich geschlossenen Handlung, würdig bedeutenden Inhalts, von bestimmtem Umfang, in künstlerisch geformter Sprache, deren Kunstmittel in jedem besonderen Teil der T. verschieden sind, vorgeführt von gegenwärtig handelnden Personen und nicht durch erzählenden Bericht, durch Erwekkung von Jammer und Schrecken die Läuterung solcher Affekte erzielend‹ (→Katharsis) und scheidet sechs aufbauende Bestandteile: Fabel mit seinserhellender Erklärung, Charaktere, Reflexion, Diktion, Gesangskomposition und szenischen Apparat. Der vielumstrittene Ursprung liegt wohl in den →Dithyramben des griech. →Chors oder ähnlichen Vorführungen auf dem Peloponnes (ARION in Korinth 600 v. Chr., ebenso in Sikyon), denen THESPIS 534 v. Chr. bei den städtischen →Dionysien in Athen e. Schauspieler (→Hypokrites, Antworter) gegenüberstellte und dadurch der Kultfeier dramatisches Leben gab. Mit der Einführung e. zweiten Schauspielers (→Deuteragonist) durch AISCHYLOS war die Möglichkeit reicherer Handlungsentwicklung gegeben, die noch seit SOPHOKLES durch einen dritten Spieler (→Tritagonist) erweitert wurde. Die Schauspieler trugen →Masken und →Kothurn, spielten bei Bedarf mehrere Rollen im Stück, wurden vom Staat bezahlt und dem Dichter gestellt. Als Vorwurf dienten zunächst wohl religiöse Stoffe des Dionysos-Mythos, später der Heldensage mit Eingang psychologischer Momente und Ausprägung e. Tendenz zur Deutung: Der Mensch mehr leidend als handelnd im aussichtslosen Kampf gegen das allgewaltige Schicksal. Zeitgeschichtliche Stoffe (PHRYNICHOS' *Phönissen, Eroberung Milets,* AISCHYLOS *Perser*) fanden keinen Anklang; reine Phantasiestoffe erscheinen nur bei AGATHON; das antike Empfinden für Tragik duldet keine Erfindung. Festspieltage waren die →Lenäen und bes. die →Dionysien, an denen drei Dichter mit jeweils einer →Tetralogie in den Wettkampf traten, der durch Volksstimme, später durch e. gewählten Kreis von (fünf?) Richtern entschieden wurde. Seit 449 trugen neben den Dichtern auch die →Protagonisten einen Wettstreit aus, und zwar um die beste schauspielerische Leistung (→Agon). Organisator der Spiele war der Magistrat, Kostträger die reichen Bürger als →Choregen. – In der voll ausgebildeten Form (etwa *Sieben gegen Theben* des AISCHYLOS, 467 v. Chr.) bestand die griech. T. aus dem →Prolog eines Schauspielers, der →Parodos des von den Seiten einziehenden Chors, den →Epeisodia oder Akten als Schauspielerszenen, bei EURIPIDES belebt durch Monodien der Schauspieler, →Amoibaia und →Kommoi, durch die →Stasima des Chors voneinander getrennt, und aus der abschließenden →Exodos des ausziehenden Chors. Der Verbindung von lyrischen und dramatischen Elementen entsprach e. Vielzahl von metrischen Formen: für die gesungene Chorlyrik meist in strophischen Kompositionen (Strophe, Antistrophe, evtl. Epodos), für den Sprechvers meist der jambische →Trimeter. Als Elemente des dramatischen Aufbaus dienten →Hamartia, →Peripetie, →Anagnorisis und →Katastrophe. Von den zahlreichen Werken der drei großen Tragiker AISCHYLOS (90 T.n), SOPHOKLES (123) und EURIPIDES (92) ist nur e. Teil vollständig erhalten; von den übrigen Dichtern sind meist nur Fragmente und Titel, oft auch bloß der Name überliefert. Vor AISCHYLOS wirkten PHRYNICHOS, PRATINAS und CHOIRILOS von Athen, neben SOPHOKLES ION von Chios, AGATHON, KRITIAS und EUPHORION (Sohn des AISCHYLOS), als Erbe des SOPHOKLES sein Sohn IOPHON und sein Enkel SOPHOKLES, im 4. Jh. schließlich noch ASTYDAMAS und THEODEKTES sowie die →Pleias. Mit dem Todesjahr des SOPHOKLES und EURIPIDES, 406 v. Chr. klang die um 490 einsetzende Blütezeit der griech. T. aus. Seit Ende des 4. Jh. taucht kein bedeutender Tragiker mehr auf, und für die Aufführungen griff man auf die Stücke der drei Klassiker zurück. Die röm. T. entstand durch Übernahme griech. Stoffe und Motive mit LIVIUS ANDRONICUS 240 v. Chr. und blieb in ständiger Abhängigkeit vom griech. Vorbild (nur daß der Chor auf der Bühne stand und in die Handlung eingriff); die Fabula →Praetexta mit röm. Stoffen wurde nur vereinzelt neben den griech. T.n von den wichtigsten Tragikern der republikanischen Zeit gepflegt (NAEVIUS, ENNIUS, PACUVIUS und ACCIUS), von deren Werken nur Fragmente erhalten sind. Auch die T.n der augusteischen Zeit, des Redners CAESAR und des ASINIUS POLLIO, AUGUSTUS' *Aias*, OVIDS *Medea* und der *Thyestes* des VARIUS RUFUS sind verloren, erhalten allein die rhetorischen T.n SENECAS (1. Jh. n. Chr.). Die röm. T. war nicht wie in Griechenland e. kultische Feier; das gemeinsame Band der im Glauben geeinten Zuschauermenge fehlte; moralische, politische und didaktische Stoffe wie rhetorischer Redeprunk standen im Vordergrund; zu genialen Begabungen wie den griech. kam es nicht.

Das MA. kennt aus dem einheitlichen christlichen Glaubenshorizont heraus keine Tragik und damit keine T., da e. absolut tragisches Geschehen nach dem göttlichen Heilsplan ausgeschlossen ist und selbst der irdische Untergang nach der Erlösungsbotschaft nur Eingang in e. besseres Jenseits bedeutet und nur traurig stimmt, doch nicht tragisch ist, denn ›wirkliche T. kann nur dort erlebt werden, wo jenseitige Mächte in unserem Bewußtsein so sehr erstarken, daß sie eine menschliche Seele zu zerstören vermögen‹ (K. VOSSLER). Man hat daher mit e. gewissen Recht die abendländische Fortentwicklung der T. unter dem Christentum als ›Trauerspiel‹ der griech. als der eigtl. T. gegenübergestellt, ohne daß jedoch der Gegensatz für alle späteren Erscheinungen zutreffend wäre, denn schon die Weltzuwendung seit der Renaissance eröffnet neue Erlebnismöglichkeiten des Tragischen. Doch noch die dt. T. des Barock ist in diesem Sinne e. ›Trauerspiel‹, in dem sich der Held aus irdischer Schuld durch die stoische Überwindung des Diesseits im Tod für den Glauben befreit und noch im Untergang aus dem Unterlegenen zum Triumphierenden, zum Glaubenshelden, wird (→Märtyrer- und →Tyrannendrama bei GRYPHIUS, HALLMANN, HAUGWITZ, LOHENSTEIN). Für die Weltlit. bedeutender freilich werden die großen T.n der span. Hochrenaissance (Lope de VEGA) und des span. Barock (CALDERÓN), in denen die Fragwürdigkeit des Irdischen hervortritt, und die T.n SHAKESPEARES, die mit ihrer Weltfülle in der Auseinandersetzung menschlicher Leidenschaften und menschlichen Wollens Größe und Möglichkeiten, aber auch Grenzen des Menschen in der Polarität des Daseins zeigen und in den Leidenschaften den Ursprung des Verderbens sehen. Strengste formale Zucht und Vollendung in der Beschränkung dagegen kennzeichnen die Alexandriner-T. des franz. Klassizismus, die tragédie classique (CORNEILLE, RACINE). Unterdrükkung und Überwindung der Leidenschaften, selbst der Tragik, durch die Vernunft – die im Absolutismus mit der Staatsraison gleichgestellt wird – Zügelung des Temperaments in stoischer Haltung entsprechen hier auch der äußeren Form, die dem griech. (SOPHOKLES, EURIPIDES) bes. dem röm. (SENECA) Drama und den Forderungen des ARISTOTELES durch Wahrung der drei →Einheiten und Einhaltung der →Ständeklausel nahe zu kommen vermeint und damit e. eigenes Kunstwerk schafft, das innerhalb der gesetzten Grenzen durch Verbannung der theaterhaften Aktion und Vertiefung der psychologischen Durchführung zu jener kristallklaren Form wird, um deren formale Übertragung auf die dt. T. GOTTSCHED kämpfte. Sein bloßer Formalismus, nur im Hinblick auf die schwülstigformlosen Entartungen der zeitgenössischen dt. T. verständlich und auf späterer Stufe bald aufgegeben, hat dennoch das Verdienst, die Entwicklung des klassischen Sprechdramas angebahnt zu haben. LESSING, der auch den Blankvers als Maß der dt. klassischen T. einführt, fordert dagegen statt der Vernunftkonstruktion der tragédie classique die Darstellung des ganzen, fühlenden Menschen im Sinne SHAKESPEARES, der nunmehr zum großen Vorbild der dt. T. wird; er widerspricht der franz. Deutung des ARISTOTELES und setzt das →bürgerliche Trauerspiel durch, da Tragik in seinem Sinn als Widerstreit zwischen sittlichem Gewissen und Anforderungen der Umwelt in allen Ständen möglich ist. Mit LESSING beginnt die große Zeit der dt. T., die bei zunehmender Säkularisierung von der religiösen Welterfahrung bis zum Anfang des Nihilismus führt, über SCHILLER, GOETHE, KLEIST, GRILLPARZER, BÜCHNER, GRABBE bis HEBBEL reicht und erst nach ihm Auflösungserscheinungen zeigt. Die Vielfalt ihrer Ausformungen, von denen jede der Vergangenheit verbunden bleibt und dennoch in neue Bereiche tragischer Welterfassung vorstößt, läßt sich nicht auf e. gemeinsame Formel bringen, sondern variiert von Dichter zu Dichter und von Werk zu Werk. Namen wie IBSEN, STRINDBERG, ČECHOV, G. HAUPTMANN, GORKIJ, SHAW, PIRANDELLO, T. S. ELIOT, O'NEILL, T. WILLIAMS, A. MILLER, CLAUDEL, GARCÍA LORCA, SARTRE und ANOUILH stehen hier nur beispielhaft für e. Entwicklung, in der sich die T. zunehmend aus dem sozialen Bereich löst und durchscheinend wird für die Sinnlosigkeit und Fragwürdigkeit der Existenz schlechthin. Erst im grotesken und absurden Drama der Moderne werden Tragik und Komik gegeneinander aufgehoben.

A. E. Haigh, *The Tragic Drama of the Greeks,* 1896; L. Campbell, *Tragic Drama,* 1904; F. Neri, *La t. ital. del cinquecento,* Florenz 1904; K. Steinweg, Stud. z. Entwicklgs.gesch. d. T., VII 1905–25; U. v. Wilamowitz, Einl. i. d. att. T., 1907; F. Gundolf, Shakespeare u. d. dt. Geist, 1911; E. Petersen, D. att. T. als Bild- u. Bühnenkunst, 1915; K. Heinemann, D. trag. Gestalten d. Griechen i. d. Weltlit., 1920; U. v. Wilamowitz, D. griech. T. u. ihre 3 Dichter, 1923; E. Kalinka, D. Urform d. att. T. u. Komödie 1924; A. W. Pickard-Cambridge, *Dithyramb, T. and Comedy* 1927; W. Benjamin, Ursprung d. dt. Trauerspiels, [2]1923; J. Clivio, Lessing u. d. Problem d. T., 1928; E. Eckhardt, D. engl. Dr. i. Zeitalter d. Reformation u. d. Hochrenaissance, 1928; ders. D. engl. Drama d. Spätrenaissance, 1929; B. Dobrée, *Restoration T.,* Oxf. 1929; E. Howald, D. griech. T., 1930; G. Norwood, *Greek T.,* Lond. 1931, [4]1953; R. Petsch, Z. Gesch. u. Wesen d. T., Euph. 32, 1931; W. Rehm, Röm.-franz. Barockheroismus u. seine Umgestaltg. i. Dtl., GRM 1934; R. Petsch, 3 Haupttypen d. Dramas DVJ 12, 1934; C. C. Green, *Neoclassic theory of t. in Engl. during the 18th cent.,* 1934; W. Deubel, D. Weg z. T.,

1935; A. Perger, D. Wandlg. d. dramat. Auffassg., 1936; W. Farnham, *The ma. heritage of Elisabethan t.*, Oxf. 1936, n. 1956; C. Langenbeck, T. u. Gegenw., 1940; K. Weigand, Situation u. Situationsgestalten i. d. T., Diss. Ffm. 1941; E. Bacmeister, D. dt. Typus d. T., 1943; A. Pfeiffer, Ursprung u. Gestalt d. Dramas, 1943; A. Spitzbarth, Unters. z. Spieltechnik d. griech. T., 1946; M. E. Prior, *The language of t.*, Bloomington 1947, ²1966; L. Benninghoff, A. Kreuzweg d. T., 1948; L. Ebel, D. ital. Kultur u. d. Geist d. T., 1948; H. C. Lancaster, *French t. in the time of Louis XV*, Baltimore II 1950; H. D. F. Kitto, *Greek T.*, Lond. ⁴1968; G. Nebel, Weltangst u. Götterzorn, 1951; M. Pohlenz, D. griech. T., ²1954; W. Clemen, D. T. vor Shakesp., 1955; M. Untersteiner, *Le origini della t. e del tragico*, Turin 1955; H. J. Muller, *The Spirit of t.*, N. Y. 1956; T. R. Henn, *The harvest of t.*, Lond. 1956, ³1966; B. v. Wiese, D. dt. T. v. Lessing bis Hebbel, ⁸1973; A. Lesky, D. trag. Dichtg. d. Hellenen, ²1964; ders., D. griech. T., ⁴1968; W. C. McCollom, *Tragedy*, N. Y. 1957; M. Kommerell, Lessing u. Aristoteles, ³1960; O. Mann, Poetik d. T., 1958; F. L. Lucas, *Tragedy*, N. Y. 1958, ³1966; L. Lockert, *Stud. in French class. t.*, N. Y. 1958; R. Lattimore, *The Poetry of Greek t.*, Baltimore 1958; H. Heckmann, Elemente d. barocken Trauerspiels, 1958; R. B. Sewall, *The Vision of T.*, New Haven 1959; A. Closs, Formprobl. u. Möglichk. z. Gestaltg. d. T. d. Ggw. (Stil- u. Formprobleme, 1959); D. D. Raphael, *The Paradox of T.*, Lond. 1960; E. Olson, *T. and the theory of drama*, Detroit 1961; M. C. Bradbrook, *Themes and conventions of Elizabethan t.*, Lond. ³1961; O. Mandel, *A definition of t.*, N. Y. 1961; G. Steiner, D. Tod d. T., 1962; K. v. Fritz, Antike u. mod. T., 1962; H. Patzer, D. Anfänge d. griech. T., 1962; H.-B. Harder, Stud. z. Gesch. d. russ. klassizist. T., 1962; R. Y. Hathorn, *Tragedy, Myth and Mystery*, Bloomington 1962; J. Jones, *On Aristotle and Greek Tragedy*, Oxf. 1962; *Le théâtre tragique*, hg. J. Jacquot, Paris 1962; I. Ribner, *Jacobean t.*, Lond. 1962; A. C. Schlesinger, *Boundaries of Dionysus*, Cambr./Mass. 1963; C. I. Glicksberg, *The tragic vision in 20. cent. lit.*, Carbondale 1963; R. R. Heitner, *German t. in the age of enlightenment*, Berkeley 1963; T. B. Tomlinson, *A study of Elizabethan and Jacobean t.*, Lond. 1964; R. Lattimore, *Story patterns in Greek t.*, Ann Arbor 1964; L. Aylen, *Greek t. and the mod. world*, Lond. 1964; A. Thorndike, *T.*, N. Y. 1965; *T., vision and form*, hg. R. W. Corrigan, S. Franc. 1965; M. T. Herrick, *The Ital. t. in the renaiss.*, Urbana 1965; H. A. Myers, *T.*, Ithaca 1965; G. P. Else, *The origin and early form of Greek t.*, Cambr./Mass. 1965; R. Williams, *Modern t.*, Lond. 1966; W. H. Friedrich, Vorbild u. Neugestaltg., 1967; F. Zaic, D. Verst. i. d. engl. Vorromantik, 1968; A. Kuchinke-Bach, Stilfragen d. Dramas, 1968; W. Kerr, *T. and comedy*, N. Y. 1968; R. B. Heilman, *T. and melodrama*, Seattle 1968; G. Brereton, *Principles of t.*, Lond. 1968; N. J. Calarco, *Tragic being*, Minneapolis 1968; D. Krook, *Elements of t.*, New Haven 1969; W. Kaufman, *T. and philos.*, N. Y. 1969; C. Leech, *T.*, Lond. 1969; Bauformen d. griech. T., hg. W. Jens 1971; Tragik u. T., hg. V. Sander 1971; D. E. R. George, Dt. T'theorien v. MA. bis Lessing, 1972; H. Sandig, Unbehagen an d. T. (Klassiker heute, hg. ders. 1972); M. Krüger, Wandlgn. d. Tragischen, 1973; S. Melchinger, D. Theater d. T., 1974; J. Kott, Gott-Essen, 1975; R. Galle, T. u. Aufklärg., 1976; E. Figes, *T. and social evolution*, Lond. 1976; R. Meyer, D. dt. Trauerspiel d. 18. Jh., Bibliogr. 1977. →Drama, →Tragik.

Traité (frz. =) →Traktat

Traktat (lat. *tractatus* =) Abhandlung über e. Problem des geistigen, kulturellen oder allg. Lebens, Darlegung e. Sachverhalts in tendenziöser Absicht als Flugschrift oder Broschüre.

Tramelogödie (aus griech. →*tragodia* und *melos* = Lied), Zwitter zwischen Tragödie und Oper.

Transivierung (lat. *transire* = hinübergehen), die Umwandlung intransitiver Verben (nicht zielender, d. h. solcher, die kein Akkusativobjekt nach sich haben können) in transitive (zielende, mit Akkusativobjekt), häufiger Stilzug in ausdrucksstarker Sprache (Sturm und Drang, Expressionismus): ›Wenn er Gedanken winkt!‹ (KLOPSTOCK).

Translation (lat. *translatio* =) Übertragung, →Übersetzung in e. andere Sprache; so hießen im 15. Jh. Übersetzungen aus dem Lat. oder Ital. ›Translatzen‹ oder ›Teutschungen‹ (Niklas von WYLE 1478).

Transzendentalisten, idealistische Gruppe amerikan. Romantiker in New England (bes. Concord/ Mass.) um 1835–1860 (Blütezeit 1835–1845), bes. der Kreis um EMERSON, THOREAU und die Zs. *The Dial* (1840–1844), die unter Einfluß des dt. Idealismus (KANT, SCHELLING), engl. Romantik (COLERIDGE), PLATONS und oriental. Lit. in Schrift und Tat gegen die Herrschaft des konventionellen Rationalismus im öffentlichen Leben rebellierten, jede Dogmatik zugunsten der freien Gewissensentscheidung ablehnten und bes. der amerikan. Kunst und Lit. neue, vitalere Formen gaben. Mitglieder der vorwiegend religiös-sozialen Bewegung waren M. FULLER, T. PARKER, O. BROWNSON, G. RIPLEY, B. ALCOTT, W. E. CHANNING, J. VERY u. a.

O. B. Frothingham, *T. in New England,* N. Y. 1876, n. 1959; H. G. Goddard, *Stud. in New England Transcendentalism,* N. Y. 1908, n. 1960; G. F. Wicher, *The T. revolt,* Boston 1949; *The Transcendentalists,* hg. P. Miller, Cambr./ Mass. 1950. *T. and its legacy,* hg. M. Simon, T. Parsons 1967.

Trauerlied →Totenklage

Trauerrede →Leichenrede

Trauerspiel, seit dem 17. Jh. (ZESEN) dt. Ersatzwort für →Tragödie; im engeren Sinn für deren christl. Form, die nicht tragische, sondern nur traurige Ereignisse darstellt (→Tragödie). Vgl. →Bürgerliches T.

Traumallegorie, seit der Antike (Scipios Traum in CICEROS *De re publica*) und bes. in der Visionslit. des MA. beliebte poetische Einkleidung für →Utopien und Idealschilderungen als Traumvisionen des über der Lektüre eingeschlafenen Dichters in e. phantastisch-allegorischen Gartenlandschaft, so im *Rosenroman,* bei CHAUCER *(Parlement of Fouls),* LANGLAND *(Piers Plowman)* u. a. m.

Traumdichtung, Dichtung, in der Träume e. Zentralmotiv bilden. Das Motiv des Traumes als e. Gegenwelt der Wirklichkeit reicht, meist als →Traumallegorie, in Antike und MA. zurück und lebt als Stoff von träumenden Bauern (SHAKESPEARE, *Der Widerspenstigen Zähmung,* fortwirkend bis G. HAUPTMANN, *Schluck und Jau*) und vom Leben ein Traum (CALDERÓN, Nachwirkung bis GRILLPARZER und HOFMANNSTHAL) oder satirisch in den *Sueños* von QUEVEDO in Renaissance und Barock fort. Nach der Abwertung des Traums durch die Aufklärung erkannten erstmals Vorromantik (HAMANN, HERDER) und Romantik (JEAN PAUL) die Bedeutung des Traums als Ausdruck e. surrealistischen Überwelt des Unbewußten und der freischaltenden Phantasie (J. POTOCKI, *Die Handschrift von Saragossa*; HEINE), z. T. mit Einfluß auf die Realität (KLEIST, *Prinz Friedrich von Homburg,* NESTROY, *Lumpazivagabundus*); seither reißt die T. nicht mehr ab: DOSTOEVSKIJ, *Onkelchens Traum,* STRINDBERG, *Traumspiel,* HAUPTMANN, HAMSUN, KAFKA, E. RICE, *Dreaming girl,* G. EICH, *Träume* u. a. m. Als Nebenmotiv kann der Traum, zumal im Drama, der →Vorausdeutung dienen.

M. Arnold, D. Verwendg. d. Traummotivs i. d. engl. Dichtg. v. Chaucer bis Shakespeare, Diss. Kiel 1912; J. Struve, D. Traummotiv i. engl. Drama d. 17. Jh., Diss. Kiel 1913; W. Schmitz, Traum u. Vision i. d. erz. Dichtg. d. dt. MA., 1934; R. Stern, D. Traum i. mod. Drama, Diss. Wien 1950; W. Schäfer, D. Traum b. d. Dichtern d. 19. Jh., Diss. Tüb. 1952; G. Bachelard, *La poétique de la rêverie,* Paris 1960; M. Kiessig, Dichter erzählen ihre Träume, 1964; J. Bousquet, *Les thèmes du rêve dans la lit. romantique,* Paris 1964; W. Naumann, Traum u. Tradition i. d. dt. Lyrik, 1967; H. Schmitthenner, Blume d. Nacht, 1968; H. Petriconi, Metamorphosen d. Träume, 1971; A. Béguin, Traumwelt d. Romantik, 1972; H. J. Kamphausen, Traum u. Vision i. d. lat.

Poesie d. Karolingerzt., 1975; I. Schuster-Schirmer, Traumbilder von 1770–1900, Diss. Bonn 1975; K. Speckenbach, Von den troimen (Fs. M.-L. Dittrich, 1976); A. C. Spearing, *Ma. dream-poetry*, Cambr. 1976; S. R. Fischer, *The dream in mhd. epic*, 1978.

Travestie (ital. *travestire* = verkleiden), ähnlich der →Parodie satirische Verspottung e. ernsten Dichtung, doch im Ggs. zu dieser durch Beibehaltung des Inhalts und dessen Wiedergabe in e. anderen, unpassenden und durch die Diskrepanz zwischen Form und Inhalt lächerlich wirkenden Gestalt. Sie ist in allen Gattungen (Epik, Drama, Lyrik) möglich, wirkt jedoch erst bei Kenntnis des Originals und bevorzugt daher antike oder allg. bekannte Stoffe (GOETHES und SCHILLERS Balladen, VERGILS *Aeneis* durch G. LALLI 1633, P. SCARRON 1648, A. FURETIERE 1649, Ch. COTTON 1664, A. BLUMAUER 1783, T.n von HEBBEL, MEYERBEER und WAGNER durch NESTROY, MORGENSTERNS HORAZ-T.). Meist harmloser als die Parodie, dient sie mehr der bloßen Erheiterung und greift weniger in die lit. Meinungskämpfe ein.

A. Jolles, D. Lit. T.n (Blätter f. dt. Philol. 6, 1923); F. Görschen, D. Vergil-T.n i. Frkr., Diss. Lpz. 1937; A. Dumfart, D. Horaz-T. d. 19. Jh., Diss. Wien 1945; U. Weisstein, *Parody, travesty, and burlesque* (*Actes du IVe Congrès de l'Assoc. Intern. de Lit. Comp.*, Haag 1966); C. Craig, *C. M. Wieland as the originator of the mod. t. in German lit.*, Chapel Hill 1970; W. Karrer, Parodie, T., Pastiche, 1977. →Parodie.

Trecento (ital. = 300, gemeint: 1300), die ital. Kultur- und Literaturepoche des 14. Jh.

Triade (griech. *trias* = Dreizahl), in griech. Dichtung System aus drei Strophen, deren erste beide (Strophe und Antistrophe) von gleichem metrischen Bau sind, während die dritte (Epode) abweicht oder bei Wiederholung mehrerer T.n hintereinander unter sich korrespondiert. Diese Art der →strophischen Komposition wurde von STESICHOROS eingeführt und, da sie die Monotonie ständig gleicher Strophenfolgen vermied, von PINDAR und SIMONIDES übernommen. Ähnliche Form in Dt.: →Meistersangstrophe.

Tribrachys (v. griech. *tria* = drei, *brachys* = kurz), antiker Versfuß aus drei Kürzen: ◡◡◡ als Auflösung des Jambus (in der Form ◡◡́◡) oder des Trochäus (◡́◡◡).

Triglotte (v. griech. *tria* = drei, *glotta* = Zunge), Werk in drei Sprachen, →Polyglotte.

Trikolon (griech. *tria* = drei), aus drei aneinandergefügten Kola (→Kolon) bestehendes Satzgefüge; allg. im rhetorischen Sprechen und bes. im Barock beliebte Ausdrucksform (z. B.: ›Zur Demuth ist er gezeugt, zur Sanftmut geneugt, zur Geduld erzielet‹, ZESEN). →Dreigliedrigkeit.

Trilogie (griech. *trilogia* von *tria* = drei, *logos* = Rede), allg. e. aus drei meist motivlich oder stofflich zusammenhängenden, doch einzeln verständlichen Teilen bestehendes dichterisches Kunstwerk (→Zyklus); so urspr. die zusammengehörige Folge von drei Tragödien aus demselben Mythenkreis, durch e. entspannendes →Satyrspiel oder e. ernstes Stück zur →Tetralogie erweitert, mit deren Aufführung in unmittelbarer Aufeinanderfolge am gleichen Tage die altgriech. Tragiker des 5. Jh. bei den Dionysien in den Wettkampf traten. In den älteren T.n wie der einzig vollständig erhaltenen antiken, der *Oresteia* des AISCHYLOS (deren Satyrspiel *Proteus* ebenfalls verloren ging), ist der stoffliche Zusammenhang noch eng und für das Verständnis wesentlich;

bei SOPHOKLES und bes. EURIPIDES wurden die Stücke, wenn auch z. T. durch die Herkunft aus demselben Mythos verbunden, durch die straffe Konzentration der Handlung stofflich wie formal zu voneinander selbständigen Einzeldramen und sprengten den früher einheitlichen Gesamteindruck des Festes; die Dreizahl wurde aus Tradition beibehalten. – Auch das neuere Drama kennt die T. in ähnlichen Formen: teils als bloße Auflockerung von Dramenstoffen allzugroßer Länge in drei unselbständige Teile, meist e. Vorspiel und zwei Dramen (Typ: SCHILLERS *Wallenstein*), teils als Verbindung selbständig angelegter Stücke (Dramenreihen) mit gehaltlichem Zusammenhang zu e. Ganzen (Typ: KLOPSTOCKS →Bardiete); andere bedeutende T.n sind Maler MÜLLERS *Adonis*-T., GOETHES 1799 geplante, doch nur im 1. Teil *(Die natürliche Tochter)* ausgeführte T. um die Franz. Revolution, GRILLPARZERS *Goldenes Vlies,* FOUQUÉS *Held des Nordens,* RAUPACHS *Cromwell,* IMMERMANNS *Alexis,* HEBBELS *Nibelungen,* Richard WAGNERS *Ring des Nibelungen* (T. mit Vorspiel), ferner bei R. BEER-HOFFMANN, F. LIENHARD, E. KÖNIG, C. und G. HAUPTMANN, G. KAISER, C. STERNHEIM, F. WERFEL und F. v. UNRUH, im Ausland BEAUMARCHAIS, SWINBURNES *Mary Stuart,* STRINDBERG, R. ROLLAND, O'NEILL u. a. – Seltener und erst in neuerer Zeit üblich wird die T. in der Epik, bes. im Roman; auch hier sind alle Stufen des Zusammenhangs von der lockeren thematischen Verknüpfung (Typ: RAABES sog. Stuttgarter T.: *Hungerpastor, Abu Telfan, Schüdderump*) bis zur einheitlichen Durchgestaltung (Typ: KOLBENHEYERS *Paracelsus*-T.) vertreten, so bei H. LAUBE, A. MÜLLER-GUTENBRUNN, E. STUCKEN, J. SCHLAF, H. MANN *(Die Göttinnen),* H. STEHR (*Heiligenhof*-T., *Maechler*-T.), P. DÖRFLER (*Apollonia*-T., *Allgäu*-T.) u. a., im Ausland R. ROLLAND *(Jean Christophe)* und Th. DREISER. Als lyrische T.n von einheitlichem Stimmungsgehalt seien GOETHES *T. der Leidenschaft* und WEINHEBERS *Heroische T.* (in *Adel und Untergang*) erwähnt.

RL; D. Böttger, Unters. z. Dramaturgie d. T., Diss. Wien 1963; H. Steinmetz, D. T., 1968.

Trimeter (griech. *tria* = drei, *metron* = Maß), allg. jeder antike Vers aus drei →Metra; ohne nähere Bz. bes. der akatalektische jambische T. aus drei jambischen Metra oder Dipodien = sechs jambischen Füßen (daher lat. →*senarius* = sechsgliedrig genannt) mit Zäsur meist nach der 5. (→Penthemimeres), seltener 7. Silbe (→Hephthemimeres), die den Vers stets in zwei ungleiche Hälften teilt. Grundform: ◡–́◡–́| ◡/–́◡–́| ◡–́◡–́: ›Nicht mitzuhassen, mitzulieben bin ich da‹ (SOPHOKLES, *Antigone*). Die Variationsmöglichkeiten sind verschieden: der griech. T. gestattet irrationale Länge am Anfang jeder Dipodie (1., 3., 5. Fuß), Auflösung der Längen in zwei Kürzen überall außer im 6. Fuß, Daktylen als aufgelöste Spondeen im 1. und 3. Fuß und mit gewissen Beschränkungen selbst Anapäste, bes. im 1. Fuß (in der Komödie überall außer dem 6. Fuß). Endet die Zeile mit e. dreisilbigen Wort in Form des Kretikus (–◡–), so muß die Silbe davor zur Vermeidung des Spondeus kurz oder an das folgende bzw. vorhergehende Wort als einsilbiges Wort angelehnt sein (Lex Porson). Der römische Senar gestattet Spondeen und Daktylen in allen Füßen außer dem 6., Auflösung aller Längen in Kürzen (wobei jedoch nicht vier nebeneinanderstehen dürfen), den Anapäst auch (im Ggs.

zum griech.) in geteilter Form und löst somit die dipodische Gliederung zur monopodischen auf. Durch rhythmische Umkehrung des Schlusses entsteht der →Choliambus. Grundanderen Bau bei gleicher Jambenzahl hat der spätere →Alexandriner. – Der T. wurde zuerst von ARCHILOCHOS (7. Jh. v. Chr.) und den anderen Jambendichtern verwendet und wurde bes. wichtig als hauptsächlicher Sprechvers im griech. Drama (Tragödie, Komödie, Satyrspiel), gekennzeichnet durch feierliche Breite und Statik bei reicher Variationsmöglichkeit. Durch LIVIUS ANDRONICUS wurde er in der für die lat. Sprache angemessenen Form des Senars auf die röm. Tragödie und Komödie übertragen, später jedoch in der Lyrik (CATULL, HORAZ) an die griech. Form angeglichen. Später verwandten ihn u. a. PHAEDRUS in den Fabeln und AMBROSIUS in den Hymnen. – In dt. Dichtung erscheint er als reimloser sechshebiger Vers mit dipodischer Gliederung (Hauptton auf 2., 4., 6. Hebung) und stets männlichem Versschluß zuerst in Übersetzungen aus dem Griech. und Lat., in Eigendichtungen dagegen selten, und wird meist durch den der Sprache angemessenеren fünfhebigen Blankvers verdrängt. Beispiele finden sich bei GOETHE im Helenaakt des *Faust II* und *Pandora,* bei SCHILLER in den Montgomery-Szenen der *Jungfrau von Orleans* (II, 6–8) und der Rede Don Cesars in der *Braut von Messina* (IV, 8), bei PLATEN in den Literaturkomödien, in MÖRIKES Gedichten und SPITTELERS Versepen.

H. Paulussen, Rhythmik u. Technik d. 6füß. Jambus i. Dtl. u. Engl., 1913; F. Lang, Platens T., 1924; J. Descroix, *Le t. iambique,* 1931; RL. →Metrik.

Trinklied, gesungene Zecherlyrik, läßt sich unterscheiden einmal nach allg. Preis des Trinkens und zum anderen nach den angesungenen Getränken in Weinlieder (bes. um Rheinwein, Burgunder, Muskateller), Bierlieder (bes. im 17. und 19. Jh.) und Punschlieder (bes. im 18. Jh., seit LÖWEN 1757 vornehmlich in Freimaurerkreisen und auch von SCHILLER gepflegt) – Branntweinlieder sind selten –, die im →Kommersbuch gesammelt werden. Die Ursprünge reichen bis in die Symposien der Antike (griech. →Skolion, röm. bes. HORAZ); den Neueinsatz bringt die ma. →Vagantenpoesie (*Carmina burana*; bes. ARCHIPOETA: ›Meum est propositum in taberna mori‹); im 15. Jh. folgen volksmäßige T.er, im 16. Jh. als Begleiterscheinung der üblichen Völlereien derb-üppige T.er; im 18. Jh. verbindet das →anakreontische T. Wein und Liebe; SCHILLERS und GOETHES T. *(West-östlicher Divan)* und einzelne von LESSING, VOSS, CLAUDIUS und W. MÜLLER bilden den Abschluß der breiten Entwicklung; seit dem 19. Jh. bleibt das T. meist auf das →Studentenlied (K. SIMROCK, R. BAUMBACH, V. von SCHEFFEL) beschränkt und bevorzugt Formen wie →Rundgesang und →Quodlibet.

M. Friedländer, D. dt. Lied i. 18. Jh., II 1902; M. Steidel, D. Zecher- u. Schlemmerlieder i. dt. Volkslied bis z. 30jähr. Krieg, Diss. Karlsruhe 1914; RL; H. Linnerz, D. T. i. d. dt. Dichtg., Diss. Köln 1953; H. Ritte, D. T. i. Dtl. u. Schweden, 1973; E. Grunewald, D. Zecher- u. Schlemmerlit. d. dt. SpätMA., Diss. Köln 1976.

Triolett (franz. *triolet* v. ital. *trio* = drei), einstrophige, epigrammartige franz. Gedichtform ähnlich dem →Rondel aus acht achtsilbigen jambischen oder trochäischen Versen mit nur zwei Reimklängen; der 1. Vers kehrt (im Dt. evtl. mit geringer Abwandlung) als 4., die den Hauptgedanken enthaltenden beiden Anfangsverse als Schlußverse (7. und

8.) wieder. Der Name erklärt sich aus der dreifachen Wiederholung der 1. Zeile. Reimfolge ist A B a A a b A B, seltener A B b A a b A B. Die Kunst des T. besteht darin, die vorgeschriebenen Wiederholungen natürlich und notwendig erscheinen zu lassen und ihnen möglicherweise noch e. Sinnvariante abzugewinnen. In Frankreich seit dem 13. Jh. (ADENET-LE-ROI, DESCHAMPS, FROISSART) gepflegt, dann bei VOITURE, LAFONTAINE, DAUDET, BANVILLE u. a., in England von R. BRIDGES, W. E. HENLEY u. a., in Dtl. bes. in Anakreontik, Goethezeit und Romantik häufiger verwendet: HAGEDORN *(Der erste May)*, GOETHE, A. W. SCHLEGEL, RÜCKERT, PLATEN, CHAMISSO und GEIBEL.

Gaudin, *Du Rondeau, du T., du Sonnet,* Paris 1870; RL →Metrik.

Triplett = Terzett

Triplikation (lat. *triplicatio* = Verdreifachung), dreifache Wiederholung e. Wortes oder Satzes.

Tripodie (v. griech. *tria* = drei, *pus* = Fuß), rhythmische Reihe (Kolon) aus Verbindung von drei Versfüßen, deren eine Hebung den Hauptton erhält und dadurch die Einheit bildet: x́ x / x̀ x / x̀ x; →Dipodie.

Triptychon →Diptychon

Tristichon (griech. *tria* = drei, *stichos* = Vers), Versgruppe, → Strophe oder Gedicht aus drei Zeilen.

Tristien (lat. *tristia* = Trauriges), Trauergedichte in Elegieform; urspr. Titel der von OVID in der Verbannung verfaßten Gedichte.

Tristubh, häufigste Strophenform der ind. *Veden,* bestehend aus vier Elfsilbern, meist mit je einer Zäsur häufig nach der 4. oder 5. Silbe, in jambischem Gang und mit der gleichbleibenden Schlußkadenz jeder Zeile in der Form —◡—⏑̲.

Tritagonist (griech. *tritagonistes*) der – von SOPHOKLES eingeführte – dritte Schauspieler in der griech. → Tragödie; mehr für untergeordnete Rollen.

Trithemimeres (griech. *tritos* = 3., *hemi* = halb, *meros* = Teil) →Hephthemimeres

Triumphlieder entstehen aus dem frohlockenden Ruf ›io triumphe‹ beim Einzug siegreicher Feldherrn im alten Rom teils als Weihgedichte, teils als volkstümliche Lieder zur Verherrlichung des Feldherrn, doch auch als neckende und satirische Spottgedichte der Soldaten in trochäischen →Septenaren.

Trivellino, franz. Trivelin, Typenfigur der →Commedia dell'arte: intriganter Diener.

Trivialität (lat. *trivium* = Dreiweg, Wegkreuzung; danach das, was auf der Straße zu finden ist:) allg. bekannter →Gemeinplatz, abgedroschene Redewendung, Plattheit.

Trivialliteratur, früher gleichbedeutend mit →Unterhaltungsliteratur gebraucht, meint jetzt zusehends die 3. und unterste Niveaustufe der Lit. überhaupt (Hochlit./Dichtung – Unterhaltungslit. – T.), die sich nach lit. Wert, Herstellungs- und Verbreitungsmethoden sowie Leserkreis von den beiden anderen unterscheidet: stets pseudonyme, oft im Team serienmäßig oder arbeitsteilig nach Verlagsplan (Inhaltsskizze) verfaßte, ästhetisch wertlose Massenlesestoffe, die oft als Groschenhefte oder Taschenbücher am Kiosk oder im Zeitschriftenhandel vertrieben werden und durch leichte Lesbarkeit, eingehende Handlung und Happy-End dem unbedarften Leser eine Wunschtraumwelt von Glück, Liebe und Reichtum vorgaukeln. T. umgreift alle Gattungen von der Lyrik (Schlager, Schnulze, Album- und Stammbuchvers, Moritat) über das Boulevard-, Revue- und Straßentheater und den Film bis zu →Trivialromanen, Illustrierten-, Fortsetzungs-, Leihbuch-, Fotoromanen und Comics. Kennzeichnend sind schematische, klischeehafte Handlung, die nach vielen Schein-Konflikten und -Problemen zwangsweise zum märchenhaft glücklichen Ende führt, typisierte, schablonenhafte Figuren in Schwarz-Weiß-Zeichnung, deren Ständeordnung vielfach eine heile Welt vorspiegelt, versatzstückartige Handhabung der oft ›romant.‹ Schauplatz-Kulissen in Fertigbauweise und der vagen Prestige-Milieus (Adel, Reiche, Ärzte, Unterwelt), meist vor einem undefinierbaren histor. und geistigen Hintergrund, schließlich e. allgemeinverständliche, doch oft geschraubte und emotional überschwengliche Sprache voller stereotyper Bilder und Wendungen, mit klischeehaftem Slang im Kriminalroman. – Die T. dieser Art ist eine Erscheinung der Massenlit. des 20. Jh. Ihre Vorläufer waren die Abenteuer-, Ritter- und Räuber- oder Schauerromane des 18. Jh., der exot. Abenteuerroman und der franz. Feuilletonroman des 19. Jh., die durchweg noch der →Unterhaltungslit. zuzurechnen sind. Erst die primitiven Kolportage- und Hintertreppenromane des ausgehenden 19. Jh. und die sie seit rd. 1910 ablösenden →Groschenromane leiten zur heutigen T. über, die sich durch ihre Erscheinungsform selbst als unterhalb der minimalen Toleranzgrenze der jeweiligen lit. Geschmacksträger liegend definiert. Das Interesse jüngerer Forschung versch. Disziplinen an der T. beruht dementsprechend weniger auf ästhet.-lit. Problemen – obwohl mod. Strömungen wie Pop-Art die Grenzen zwischen Kunst und Nichtkunst verwischt haben – als auf ihrer gesellschaftlichen Aussage: die Soziologie identifiziert Leserkreise, soziale Leitbilder, kollektive Massenträume, ihren Einfluß auf die Geschmacksbildung und lit. Geschmackswandel sowie die von der T. geförderte Konservierung etablierter Herrschaftsstrukturen und -normen und entlarvt die T. als regressiv; die Publizistik untersucht T. als soziale Kommunikation auf lit. Weg, die Volkskunde beobachtet T. als Ergänzung und Ablösung mündl.-volkstüml. Traditionen und entdeckt darin Niederschläge neuer Alltagsmythen; die Pädagogik benutzt die Kenntnis der T. für die Erziehung zur guten Lit., erforscht die negativen Einflüsse auf die Jugend und prüft Aspekte der →Schundlit. im Hinblick auf den Jugendschutz.

W. Nutz, D. T'roman, 1962, [2]1966; H. Bausinger, Schwierigkeiten b. d. Unters. v. T. (Wirk. Wort 13, 1963); T., hg. G. Schmidt-Henkel 1964; H. Kreuzer, T. als Forschungsproblem, DVJ 41, 1967; Stud. z. T., hg. O. Burger 1968, [2]1976; H. Bausinger, Z. Kontinuität u. Geschichtlichk. trivialer Lit. (Fs. K. Ziegler, 1968); A. Adler, Möblierte Erziehg., Stud. z. päd. T. d. 19. Jh., 1970; *Entretiens sur la paralittérature,* hg. N. Arnaud, Paris 1970; R. Schenda, Volk ohne Buch, 1970; T. Koebner, Z. Wertungsproblem i. d. T'roman-Forschg. (Fs. H. Motekat, 1970); J. Schulte-Sasse, D. Kritik a. d. T. seit d. Aufklärg., 1971; D. Bayer, D. triviale Familien- u. Liebesroman i. 20. Jh., 1971; J. Bark, T. (Sprache i. techn. Ztalter 41, 1972); E. Munch-Petersen, *T. and mass reading* (Orbis litt. 27, 1972); H. D. Zimmermann, D. Vorurteil üb. d. T. (Akzente 19, 1972); M. Dahrendorf u. a. (Sprache i. techn. Ztalter 44, 1972); Das Triviale in Lit., Musik u. bild. Kunst, hg. H. de la Motte-Haber 1972; P. Domagalski, T. (D. Lit., hg. G. Böing, 1973); G. Waldmann, Theorie u. Didaktik d. T., 1973, [2]1977; P. Nusser, Romane f. d. Unterschicht, 1973; Ch. Bürger, Textanalyse als Ideologiekritik, 1973; W. Schemme, T. als Gegenstand d. Lit.unterr.

(Wirk. Wort 24, 1974); H. Melzer, T., 1974; L. Brodbeck, Roman als Ware, 1974; W. Schemme, T. u. lit. Wertung, 1975; Lit. für viele (= LiLi, Beiheft 1–2, 1975 f.); U. Bücker, Vorarbeiten z. e. Ideologiekritik d. T. (Zs. f. Volkskunde 71, 1975); *Problèmes de la paralittérature*, Saarbr. 1975; A. Höger, Z. Erforschg. v. T'texten (Text u. Kontext 3, 1975); F. Ruloff-Hörny, Liebe u. Geld, 1976; P. Wesollek, Jerry Cotton, 1976; R. Schenda, D. Lesestoffe d. kleinen Leute, 1976; Didaktik d. T., hg. P. Nusser 1976; T., hg. A. Rucktäschel, H. D. Zimmermann 1976; T., hg. A. Klein, H. Hecker 1977; Z. Skreb, U. Bauer, Gattungen d. T., 1977; G. Fetzer, Wertungsprobleme i. d. neueren T'forschung., 1978

Trivialroman, im engeren Sinn und im heutigen unscharfen Sprachgebrauch sinngemäß eigtl. nur die unterste Form der →Unterhaltungslit.: der serienmäßig und grundsätzlich pseudonym von vertraglich bestellten Autoren verfaßte Roman in Buchform, der außerhalb des Buchhandels ausschließlich für den Bedarf privater Leihbüchereien gedruckt und verbreitet wird, bei dieser quasi industriellen Fabrikation den bekannten Wünschen der Konsumenten Rechnung trägt und nach vorgefertigtem üblichem Schema in typisierender Schwarzweißzeichnung und gemäß einem bestimmten Maß an Zumutbarem seine Stoffe abhandelt: →Liebes-, →Frauen-, →Heimat-, →Berg-, →Arzt-, →Sitten-, Wildwest-, Kriminal- und Abenteuerroman.

Lit. →Triviallit.

Trivium →Artes liberales

Trobador →Troubadour

Trobar clus (provenzal.), in der Dichtungstheorie der altprovenzal. Troubadours der absichtlich dunkle, hermetische und esoterische Stil, der e. Erkenntnis, um sie nur Eingeweihten zugänglich zu machen, bewußt verrätselt, z. B. bei PEIRE D'AUVERGNE, GIRAUT DE BORNELH und MARCABRU, im Unterschied zu →trobar leu und →trobar ric.

U. Mölk, T. c., 1968.

Trobar leu (provenzal.), der leichtverständliche, eingängige Stil der Troubadourlyrik im Ggs. zum →trobar clus.

Trobar ric (provenzal.), der ›reiche‹ Stil der Troubadourlyrik mit virtuosen, z. T. gesuchten Wort- und Reimspielen und Verskünsten; Abart des →trobar clus, doch ohne den esoterischen Anspruch.

Trochäus (griech. *trochaios* = laufend), auch Choreus, dreizeitiger antiker Versfuß mit fallendem Rhythmus im Ggs. zum →Jambus, bestehend aus e. langen (bzw. betonten) und e. nachfolgenden kurzen (unbetonten) Silbe: —́ ◡ (z. B. ›einzig‹), in antiker Metrik auch mit Auflösung der Länge zum →Tribrachys (◡́ ◡ ◡). Kennzeichnend für die trochäischen Verse sind meist e. schneller, eilender Gang, Lebhaftigkeit und Beweglichkeit. Ein trochäisches →Metrum besteht aus zwei Füßen (Dipodie: — ◡ — ◡). Wichtigste Anwendungsformen in antiker Dichtung sind der dreifüßige →Ithyphallikos, das vierfüßige →Lekythion und bes. der katalektische →Tetrameter oder →Septenar. In dt. Dichtung erscheint der vierhebige T. als sog. ›anakreontischer Vers‹ reimlos im 18. Jh. bei UZ, GÖTZ, GLEIM und als ›span. T.‹ als Wiedergabe des assonierenden Achtsilbers der span. Romanzen seit HERDERS *Cid* (›Rückwärts, rückwärts, Don Rodrigo‹) und anderen Übertragungen teils assonierend, teils reimlos bei den Romantikern, bei HEINE *(Atta Troll)* und v. SCHEFFEL *(Der Trompeter von Säckingen)*, mit Endreim in SCHILLERS Gedichten (*An die Freude* u. a., zwischen männlichem und weiblichem Ausgang wechselnd), ferner nach Vorbild des klassischen span. Dramas (CALDERÓN, Lope de VEGA) bes. bei GRILLPARZER (*Die Ahnfrau, Der Traum e. Leben,* z.T. *Die Jüdin von Toledo*) und im romantischen Schicksalsdrama. Der fünffüßige T., nach seiner reimlosen Verwendung in serbischer Volksdichtung ›serb. T.‹ genannt, erscheint bei HERDER, BÜRGER, GOETHE *(Klaggesang, Die Braut von Korinth),* RÜCKERT, PLATEN *(Abassiden),* GEIBEL, C. F. MEYER, G. KELLER, v. LILIENCRON, A. MIEGEL *(Herzog Samo)* u. a.

RL. →Metrik.

Troparien, in der byzantin. Dichtung kurze, akzentuierend gebaute kirchliche Lieder, die sich sprachlich eng an die Bibelsprache anschlossen und seit dem 5. Jh. n. Chr. zwischen die Lesungen und Gebete des Gottesdienstes eingeschaltet wurden; älteste Zeugnisse des rhythmischen griech. Kirchenliedes.

Trope (griech. *tropos* = Wendung) in der Stilistik und Rhetorik e. uneigentlicher, bildlicher Ausdruck, d.h. jede Form der Rede, die das Gemeinte nicht direkt und sachlich durch das eigentliche Wort ausspricht, sondern im Streben nach Ausschmückung und Verlebendigung des Gesagten durch e. Anderes, Naheliegendes, e. ›übertragenen‹ Ausdruck wiedergibt, dabei das Geistige versinnlicht und das Sinnliche vergeistigt und die beiden verschiedenen Gehaltssphären zu wechselseitiger Erhellung verschmilzt. Als Vertauschung einzelner Vorstellungen und Begriffe in der Wortbedeutung oder im Sinngehalt des Satzes unterscheiden sie sich von den →rhetorischen Figuren im engeren Sinne, bei denen es um die Gestaltung der gesamten Ausdrucksweise und um die Stellung der Wörter im Satz geht. Schon in früher hellenist. Zeit erfolgt mit der theoretischen Untersuchung des urspr. sprachlichen Vorgangs e. Konventionalisierung der T.n, die aus der anfänglichen Einheit gelöst, zu Kunstmitteln der Stilistik und Rhetorik erhoben, rational erfaßt und nach gewissen umfassenden Gesichtspunkten kategorisiert werden. Die wichtigsten sind demnach: →Allegorie, →Antonomasie, →Emphase, →Euphemismus, → Hyperbel, →Ironie, →Katachrese, →Litotes, →Metalepse, →Metapher, →Metonymie, →Periphrase, →Personifikation, →Rätsel, →Sarkasmus und →Synekdoche.

G. Gerber, D. Sprache als Kunst, II 1871 ff.; P. Gross, D. T. u. Figuren, 1888; R. M. Meyer, Dt. Stilistik, [3]1913; O. Dornseiff, 2 Arten d. Ausdrucksverstärkung (Fs. f. Wackernagel 1923); ders., D. dt. Wortschatz, 1933; H. Lausberg, Hb. d. lit. Rhetorik, II 1960; W. Lang, T.n u. Figuren (Deutschunterricht 18, 1966); U. Krewitt, Metapher u. trop. Rede i. d. Auffassg. d. MA., 1971. →Rhetorik →Stilistik.

Tropus (griech. *tropos* = Wendung), im gregorianischen Kirchengesang urspr. Texterweiterung, die mehreren, anfangs zu einer Silbe gehörigen Tönen unterlegt wird, dann selbständige schmückende und erweiternde Einlagen in die Liturgie, meist freiere, wirksam musikalisch komponierte Prosatexte, wie sie nach Vorgang von Byzanz von TUOTILO in St. Gallen ausgebildet wurden. Aus e. Sonderform des T. entsteht die →Sequenz; aus anderen dialogischen Wechselchören wie dem Oster-T. *Quem quaeritis?* geht später das ma. →geistliche Drama hervor.

R. Stephan, Lied, T. u. Tanz i. MA. (Zs. f. dt. Altert. 87, 1956).

Trostgedicht, Trostschrift →Consolatio, →Erbauungsliteratur

Troubadour (provenzal. = Erfinder, sc. neuer Weisen, v. *trobar* = finden), Bz. der provenzal. Minnesänger und -dichter meist ritterlichen Standes im 11.–14. Jh., bes. 1150–70 im Ggs. zu den berufsmäßigen Sängern niederen Standes, den →Jongleurs, die z. T. im Dienst der T.s auch deren Dichtungen vortrugen. Die T.dichtung war nicht Liebeslyrik im eigentlichen Sinne, sondern e. aristokratische Gesellschaftskunst mit erot. Thematik; der T. erfand für seine Minnelieder Text und Ton urspr. zum eigenen Vortrag; seine Hauptformen waren z. T. →Alba, →Pastorelle, →Sestine und →Tenzone, bes. aber →Kanzone und →Sirventes, die als Minnelied bzw. Versicherung ritterlicher Dienstbarkeit und Ergebenheit zu Ehren der Frau vor der höfischen Gesellschaft gesungen wurden. Selbst wohl aus Einflüssen der Araber in Spanien entstanden, die e. ähnlichen Frauenkult eingeführt hatten und Motivverwandtschaft aufweisen, verbreitet sich die Kunst der T. bes. seit den Wirren der Albigenserkriege auch nach Nordfrankreich (→Trouvères), Norditalien und Dtl. und wird hier zum Vorbild für den →Minnesang. Erster T. war Herzog GUILHEM IX. VON AQUITANIEN, später bes. berühmte BERNARD DE VENTADOUR, BERTRAND DE BORN, ARNAUT DANIEL, JAUFRE RUDEL, MARCABRU, PEIRE VIDAL u. a. m., darunter auch Nichtadlige als berufsmäßige T.s.

F. Diez, Leben u. Wke. d. T., [3]1965; H. J. Chaytor, *The T.s,* London 1912; J. Anglade, *Les T.,* Paris [2]1922; A. Pillet, Bibliogr. der T., 1933; A. Jeanroy, *La poesie lyrique des t.,* Toulouse II 1934; R. Nelli, *L'érotique des t.,* Paris 1945; A. R. Nykl, *Hispano-arab. poetry and its relations,* N. Y. 1946; K. Voßler, D. Dichtg. d. T. (in: Aus d. roman. Welt, 1948); P. Belperron, *La joie d'amour,* Paris 1948; Th. Frings, Minnesänger u. T. 1949; J. Lafitte-Houssat, *T.,* 1950, F. Gennrich, T., Trouvères, Minne- u. Meistergesang, 1951; E. Hoepffner, *Les t.,* Paris 1955; H. Davenson, *Les t.,* Paris 1961; M. Valency, *In praise of love,* N. Y. 1961; E. Köhler, Trobadorlyrik u. höf. Roman, 1962; R. Briffault, *The t.,* Bloomington 1965; Die T., hg. H. G. Tuchel 1966; D. provenzal. Minnesang, hg. R. Baehr 1967; H.-I. Marrou, *Les t.,* Paris 1971; L. M. Paterson, *T.s and eloquence,* Oxf. 1974. →Minnesang.

Trouvère (franz. = Erfinder, v. *trouver* = finden), Bz. für die nordfranz. Minnesänger und -dichter ritterlichen Standes im 12. bis 14. Jh., die Formen, Stoffe und Motive der provenzal. →Troubadours in altfranz. Sprache übernahmen und oft im Dienste e. bestimmten Herrn standen, so CHRESTIEN DE TROYES, THIBAUT DE CHAMPAGNE, BLONDEL DE NESLE, JEAN BODEL, CHÂTELAIN DE COUCY, CONON DE BÉTHUNE, HUGUE DE BERCÉ, ADAM DE LA HALE u. a., im weiteren Sinne auch der nordfranz. →Jongleurs und Verfasser der →Chansons de geste. →Troubadour.

Lit. →Minnesang, →Troubadours.

Tsa-chü (chines. = gemischtes Theater), die opernähnlichen chines. Dramen der Yüan-Zeit (13./14. Jh.) in meist vier Akten mit Gesangseinlagen (→San-ch'ü).

Tschastuschka →Častuška

Türkenliteratur, die polit. Dichtung aus der Zeit der Türkenkriege des 16./17. Jh., neben bayr.-österr. Volksschauspielen bes. weltl.-militär. und geistl.-antiheidn. Türkenlieder von oft erhebl. Länge auf Flugblättern als Aufruf zum Kampf gegen den Glaubensfeind; bekanntestes *Prinz Eugen.*

S. Hock, Österr. T.lieder, Euph. 11, 1904; RL; B. Kamil, D. Türken i. d. dt. Lit., Diss. Kiel 1935; T. Thon, D. Türken vor Wien, Diss. Wien 1947; B. Dontschewa, D. Türke i. Spiegelbild d. dt. Lit., Diss. Mchn. 1949; S. Özyurt, D. Türkenlieder u. d. Türkenbild i. d. dt. Volksüberlieferg., 1972.

Tukankreis, 1930 gegr. Münchner

Dichterkreis in Gauting mit rd. 500 Mitgliedern unter Leitung von R. SCHMITT-SULZTHAL; veranstaltet insbes. Dichterlesungen.

R. Schmitt-Sulzthal, Dichter u. e. großer Schnabel, 1955; Tukan, d. Musenvogel, hg. R. Schmitt-Sulzthal 1960.

Tunnel über der Spree, von SAPHIR und LEMM 1827 nach Vorbild der Wiener ›Ludlamshöhle‹ gegr. Kreis Berliner Dichter und Literaturfreunde mit strengem Reglement (keine polit. Debatten), allsonntäglichen obligatorischen Zusammenkünften und Blütezeit um 1840–60; Mitglieder waren meist junge Autoren, aber auch lit. ambitionierte Maler, Studenten, Kaufleute, Ärzte, Offiziere und Adlige, die zur Aufnahme je e. Mitglieds als einführendes Bürgen bedurften: SCHERENBERG STRACHWITZ, FONTANE, GEIBEL, HEYSE, MENZEL, KUGLER, DAHN, STORM, H. SEIDEL.

RL; F. Behrend, D. T. ü. d. S., 1919; ders., Gesch. d. T. ü. d. S., 1938; E. Kohler, D. Balladendichtg. i. Berliner T. ü. d. S., 1940; J. Krueger, Neues v. T. ü. d. S. (Marginalien 7, 1960).

Turnierdichtung →Heroldsdichtung

Typen (griech. *typos* = Schlag, Gestalt), bestimmte unveränderliche Charaktere mit feststehenden Merkmalen, die bes. im Drama in ihrer Art festgelegt sind und in den verschiedensten Stücken in gleicher Weise wiederkehren. Sie dienen der Verspottung der in ihnen verkörperten menschlichen Schwächen im Typenlustspiel (→Atellane, →Commedia dell'arte) und in der →Charakterkomödie. Im ernsten Drama dagegen bezweckt die typisierende Darstellung durch den Verzicht auf Individualität ihrer Personen und Einmaligkeit ihrer Ereignisse die Veranschaulichung des Allgemeingültigen, Menschlichen und neigt somit zur Idealisierung. Sie bezeichnet ihre Figuren bewußt durch Standes- oder Berufszugehörigkeit als stellvertretend für e. bestimmte Klasse oder Volksschicht: bes. ausgeprägt in der →Sächsischen Komödie, in der dt. Klassik (GOETHES *Natürliche Tochter*) und im Expressionismus (G. KAISER, v. UNRUH).

Typisches →sozialistischer Realismus

Typographie (griech. =) →Buchdruck

Typoskript, das mit Schreibmaschine geschriebene →Manuskript.

Tyrannendrama, bes. im Barock beliebte Dramenform, zeigt, stets ausgehend von der Gestalt des Herodes und seiner Vermessenheit, den Mißbrauch der Macht durch entschlußunfähige Tyrannen, der auf dem Mißverhältnis von Herrschermacht und Herrschervermögen beruht. Es berührt sich in den hauptsächlichen Ausformungen meist mit dem →Märtyrerdrama (GRYPHIUS, LOHENSTEIN, HALLMANN).

Tz'u (chines. = Lied), gesungene chines. Gedichte in gebundener Sprache, klassische chines. Lieder; entstanden im 7.–8. Jh., Blütezeit im 10.–12. Jh.

Tz'u-fu →Fu

Überbrettl, von E. v. WOLZOGEN 1900 wohl in Analogie zu NIETZSCHES ›Übermensch‹ aus ›Brettl‹ (= Bühne der Bänkelsänger) gebildete Bz. für →Kabarett.

H. Schwerte, Ü., GRM 34, 1953; E. König, D. Ü., Diss. Kiel 1956.

Übergehender Reim, Reimbindung von Versende mit dem Anfang des unmittelbar folgenden Verses.

Überlieferung, in der →Textkritik der in den Hss. u. a. Zeugnissen erhaltene überkommene Textbestand mit den Lesarten im Ggs. zu den →Konjekturen. Die Geschichte der Ü. als der Weg der Aufzeichnung und Erhaltung unseres heutigen Textbestandes an älterer Lit. durch Kopisten, Bibliotheken, Sammler und Mäzene, aber auch durch Zufälle ist zugleich ein wesentlicher Teil der abendländischen Geistesgesch.

H. Hunger u. a., Gesch. d. Text-Ü., II 1961–63; Probleme ma. Ü. u. Textkritik, hg. P. F. Ganz u. a. 1968.

Überschlagender Reim, 1. →Kreuzreim, 2. →verschränkter Reim

Überschneidung →Enjambement

Überschrift →Titel

Übersetzung, die Übertragung e. Schriftwerks aus e. Sprache in e. andere, heute bei →urheberrechtlich geschützten Werken nur nach vertraglicher Vereinbarung mit dem Verfasser oder Rechtsinhaber (Verlag) des zu übersetzenden Werkes gestattet, wobei die Ü. selbst wiederum Urheberrecht genießt. Die Übertragung kann aus e. fremden lebenden (franz., engl.), e. toten (altgriech., lat.) Sprache, e. nicht allg. verständlichen Mundart (plattdt.) oder e. früheren Entwicklungsstufe der eigenen Sprache (ahd., mhd.) erfolgen und dient der Erschließung und Anverwandlung gleichzeitiger fremder Lit.- und Kulturbereiche und somit dem – freilich z. T. einseitigen – lit. Austausch der Völker ebenso wie der Neubelebung vergangener Epochen, deren lit. Erbe nach dem Gesetz der Wahlverwandtschaft erneut zugänglich gemacht werden soll. Die Ü.sliteratur als Gesamt der in e. Sprache übertragenen fremdsprachlichen Werke hat zu allen Zeiten und in allen Literaturen vermittelnd und zugleich anregend, befruchtend gewirkt und in vielen Fällen erst zur Ausbildung e. eigenen Schrifttums den Anstoß gegeben: Rezeption der griech. Lit. durch die Römer, der lat.-christlichen durch die Germanen, der romanischen Formen und Dichtarten im mhd. Minnesang und höfischen Epos, der Antike seit der Renaissance und in allen Zeiten, später bes. durch VOSS, HÖLDERLIN, MÖRIKE, R. A. SCHRÖDER, der franz. und ital. Vorbilder im Barock, der franz. tragédie classique in der Aufklärung, der Volksdichtungen aller Sprachen seit HERDER, der span. Klassik und SHAKESPEARES in der Romantik, bes. durch SCHLEGEL und TIECK, der oriental. Lit. durch RÜKKERT, der franz., skandinav. und russ. Lit. im Naturalismus, des franz. Symbolismus, DANTES und SHAKESPEARES durch den George-Kreis, schließlich in der Gegenwart die nahezu gleichzeitige dt. Rezeption aller bedeutenden zeitgenöss. Autoren der Weltlit. Durch ihre streng an das Vorbild gebundenen Grenzen trägt die Ü. stets viel zur Ausbildung und inneren Durchdringung der eigenen Literatursprache bei, denn gerade in der starken Abhängigkeit vom Original beim Übersetzen wird man sich mehr als sonst der Eigenart und der Möglichkeiten der eigenen Sprache bewußt: LUTHERS →Bibelübersetzung steht am Anfang der nhd. →Schriftsprache. Die Ü.s-literatur bildet darüber hinaus nach Stoff und Form e. organischen Bestandteil innerhalb der Nationalliteratur und erweitert deren Horizont zur Weltliteratur: Dichter wie HOMER, SHAKESPEARE und viele andere sind durch sie Eigengut des dt. Volkes geworden und vermitteln, stets auch mit der Lit. ihrer Originalsprache verbunden, den tiefsten Eindruck von der geistigen Einheit der abendländischen Kultur. Innerhalb Europas war es der dt. Lit. nicht nur durch ihre geographische Vermittlerlage, sondern auch durch die Vielheit der Interessen vergönnt, in bes. reichem Maße gelungene Ü.n hervorzubringen. Die Formen der Ü., angefangen mit →Glossen und einfachen →Interlinearversionen, wandeln sich mit jeder neuen Stilepoche auch hinsichtlich der Abhängigkeit vom Original. Je nach Art des Textes wird mehr auf die unbedingte Sinngleichheit und klare Wiedergabe der Satzinhalte oder auf ästhetische Werte und Wohlklang geachtet; in jedem Fall muß die Ü. dem Charakter der Übersetzersprache gerecht werden und darf nicht die Eigenheiten fremdsprachlicher Ausdrucksweise gewaltsam übertragen. Damit ergeben sich bes. für die Ü. dichterischer Werke gewisse nicht zu überschreitende Grenzen: ganz abgesehen davon, daß keine noch so gelungene Ü. die im Wortbild und -klang mitschwingenden Gefühlsgehalte des Originals getreu wiederzugeben vermag, bleibt es ihr oft ebenso versagt, die stilistischen Feinheiten des Dichters ohne Gewaltsamkeit genau zu übertragen, die Sprachmelodie und den Rhythmus nachzubilden und gleichzeitig den Sinn zu wahren. Bei gebundener Rede tritt dazu noch die Schwierigkeit sinnentsprechender Reime und die Übertragung des Versmaßes, das aus Gründen der abweichenden Sprachstruktur nicht immer beibehalten werden kann und oft durch e. eigenes, der Übersetzersprache angemessenes oder angenähertes ersetzt werden muß und dann ebenfalls nicht den Eindruck des Originals vermittelt. Dialekt- und Jargonformen, altertümelnde Stilformen und Wortspiele finden oft kein gleichwertiges Pendant. Schließlich dringt bei jeder größeren Persönlichkeit als Übersetzer der Individualstil, e. eigene Atmosphäre und die eigene Auffassung des Werkes durch. Jede Ü. wird daher ihren geeigneten Platz zwischen zwei Extremen suchen: zwischen der nur sinngemäßen wörtlichen Ü., die im Interesse dieses Zieles die Prosa vorziehen müßte und letztlich doch sowohl in ihrem Verhältnis zum Original wie zur Übersetzersprache unbefriedigend bleibt, und der freien →Nachdichtung, die vom Wesen des Textes her die kongeniale Nachschöpfung versucht und dabei Abweichungen in Einzelheiten zugunsten der gerundeten und ästhetischen Gestalt des Ganzen in Kauf nimmt.

U. v. Wilamowitz, Reden u. Vorträge, 1900; G. v. Wartensleben, Beitr. z. Psychologie d. Übersetzens (Zs. f. Psychol. 57, 1910); F. Gundolf, Shakespeare u. d. dt. Geist, 1911; W. Fränzel, Gesch. d. Übersetzens i. 18. Jh., 1914; H. Kindermann, H. Kurz u. d. dt. Ü.-kunst i. 19. Jh., 1918; F. R. Amos, *Early theories of translation,* N. Y. 1920; J. W. Draper, *The theory of translation in the 18th. century* (Neophil. 6, 1920); F. v. Falkenhausen, V. Dolmetschen (Dante-Jhrb. 20); L. Fulda, D. Kunst d. Ü. (Jhrb. d. preuß. Akad. 1929); H. Belloc, *On translation* (in: *A conversation with the angel,* 1929); RL; F. O. Matthiessen, *Translation, an Elizabethan art,* Lond. 1931, [2]1965; E. S. Bates, *Mod. translation,* Lond. 1936; ders., *Intertraffic,* ebda. 1943; F. Kemp, V. Ü. (Dt. Beitr. 1, 1947); *Index translationum,* Paris 1948 ff.; H. J. C. Grierson, *Verse translation,* 1949; A. Luther, D. Kunst d. Ü. (in: Studien z. dt. Dichtg., 1949); H. Fromm, Bibliogr. d. dt. Ü.en a. d. Franz., 1950 ff.; H. Rüdiger, Ü. als Stilprobl. (Geistige Welt 4, 1951); E. Betti, Probleme d. Ü. u. d. nachbildenden Auslegg., DVJ. 1953; O. Braun, Fragen d. Ü. (Neue dt. Lit. 2, 1954); W. Benjamin, D. Aufgabe d. Übersetzers (Schriften I, 1955); J. Ortega y Gasset, Glanz u. Elend d. Ü., [2]1957; E. Cary, *La traduction dans le monde mod.,* Genf 1956; W. E. Süskind, H. Hennecke u. a. (Jhrb. d. Dt. Akad. f. Spr. u. Dichtg.

1956, 1957); Th. H. Savory, *The art of translation,* Lond. 1957; F. Saran, D. Ü. a. d. Mhd., [6]1975; R. A. Knox, *On engl. translation,* Oxf. 1957; H. Rüdiger, Üb. d. Übersetzen v. Dichtg. (Akzente, 1958); E. Meyer-Genast, Franz. u. dt. Ü.skunst (Forschgsprobl. d. vgl. Litgesch. 2, 1958); J. Wirl, Grundsätzliches z. Problematik d. Dolmetschens u. d. Ü., 1958; R. A. Brower, *On translation,* Cambr./Mass. 1958; A. D. Booth, *Aspects of translation,* Lond. 1958; O. Braun, Beitr. z. Theorie d. Ü., 1959; W. Widmer, Fug und Unfug d. Ü., 1959; H. Frenz, *The art of translation* (*Comparative Lit.,* hg. N. P. Stallknecht, Carbondale 1961); W. Schadewaldt, Hellas u. Hesperien, 1960, [2]1970; *The Craft and Context of Translation,* hg. W. Arrowsmith, Austin 1961; A. Closs, Ü. u. Neudichtg. (Fs. H. Kunisch, 1961); D. Kunst d. Ü., hg. Bayr. Akad. d. Schönen Künste, 1963; H. J. Störig, D. Problem d. Ü., 1963, [2]1969; F. Güttinger, Zielsprache, 1963; L. Gara u. a., *Translation and translators,* Lond. 1963; E. A. Nida, *Toward a science of translating,* Leiden 1964; Übersetzen, hg. R. Italiaander, 1965; H. Friedrich, Z. Frage d. Übersetzungskunst 1965; F. Kemp, Kunst u. Vergnügen d. Ü., 1965; L. Kardos, Fragen d. lit. Übs., Budapest 1965; H. Gipper, Sprachl. u. geist. Metamorphosen b. Gedicht-Ü., 1966; P. Selver, *The art of translating poetry,* Lond. 1966; F. Kemp, D. Übersetzen als lit. Gattung (Sprache i. techn. Zeitalter 21, 1967); W. Sdun, Probleme u. Theorien d. Übersetzens i. Dtl., 1967; R. Kloepfer, D. Theorie d. lit. Ü., 1967; G. Mounin, D. Ü., 1967; H. Knufmann, D. dt. Ü.wesen d. 18. Jh. (Archiv f. Gesch. d. Buchwesens 9, 1967); T. Huber, Stud. z. Theorie d. Übersetzens i. Zeitalter d. dt. Aufkl., 1968; J. Levý, D. Lit. Ü., 1969; H. Hennecke, Dichter. Übertragg. v. Dichtg. (Jb. d. Dt. Akad. f. Sprache u. Dichtg. 1969); R. R. Wuthenow, D. fremde Kunstwerk, 1969; A. Huyssen, D. frühromant. Konzeption v. Ü. u. Aneignung, 1969; A. Closs, *The art of translating* (*German life and letters* 22, 1969); K.-R. Bausch u. a., *The science of translation,* Bibliogr. II 1970–72; *The nature of translation,* hg. J. S. Holmes, Haag 1970; W. Koller, Z. Ü.theorie auf lit.wiss. Basis (*Moderna Språk* 65, 1971); A. Senger, Dt. Ü.theorie i. 18. Jh., 1971; J. Wilhelm, Z. Probl. d. lit. Ü. (Fs. M. Wandruszka, 1971); B. Raffel, *The forked tongue,* Haag 1971; K. Reiß, Möglichkeiten u. Grenzen d. Ü.kritik, 1971; W. Koller, Ü.wiss., (Folia Linguistica 5, 1971); ders., Probleme, Problematik u. Theorie des Übersetzens (*Stockh. studies in mod. philol.* 4, 1972); ders., Grundprobleme d. Ü.theorie, 1972; H. u. M. Plessner, Überleggn. z. Übersetzen (Dichter u. Leser, hg. F. v. Ingen 1972); J. v. Stackelberg, Lit. Rezeptionsformen, 1972; L. L. Albertsen, *Litteraer oversaettelse,* Koph. 1972; J. Albrecht, Linguistik u. Ü., 1973; H. van Hoof, Internat. Bibliogr. d. Ü., 1973; L. Forster, Dichten i. fremden Sprachen, 1973; H. Holtermann, D. künstler. Ü. (D. Lit., hg. G. Böing 1973); Übersetzen u. Dolmetschen, hg. V. Kapp 1974; J. Aler, Wagnis u. Glück d. Nachdichtg. (*Duitse kroniek* 26, 1974); G. Wolandt, D. philos. Probl. d. Ü. (Aspekte u. Probleme d. Sprachphilos., hg. J. Simon 1974; K. Espmark, *Att oversätta själen,* Stockh. 1975; L. L. Albertsen, Lit. Ü. (Rezeption d. dt. Gegenw.lit. i. Ausl., 1976); K. Maurer, D. lit. Ü. (Poetica 8, 1976); R. Kirsch, D. Wort u. s. Strahlg., 1976; G. Steiner, *After Babel,* Lond. 1976; A. Lefevere, *Translating lit.,* Assens 1977; A. Bruns, Ü. als Rezeption, 1977; J. v. Stackelberg, Weltlit. i. dt. Ü., 1978; H. J. Diller u. a., Linguist. Probl. d. Ü., 1978; W. Wilss, Ü.wissenschaft, 1978.

Übertreibung →Hyperbel

Ultraismo, span.-hispanoamerikan. Literaturbewegung rd. 1919 bis 1923 mit dem Bestreben, die Lyrik von Rhetorik und Sentimentalität zu befreien und rein auf der Bildwirkung aufzubauen. Hauptvertreter ist der Spanier G. de TORRE, daneben G. DIEGO, J. LARREA, R. CAUSINOS-ASSÉNS, in Südamerika J. TORRES BODET, V. HUIDOBRO, C. VALLEJO und J. L. BORGES. →Modernismo, →Creacionismo.

M. de la Peña, *El U. en España,* Madrid 1925; G. Videla, *El u.,* Madrid 1963, [2]1971.

Umarmender oder **umschließender Reim,** Reimverbindung, bei der e. Reimpaar von e. anderen umschlossen wird: abba cddc.

Umfang, die rein längenmäßige Ausdehnung e. Literaturwerks; als Festsetzung der äußeren Form konstitutives Element der Gesamtgestalt.

F. Sengle, Der U. als ein Problem der Dichtgswiss., 1957.

Umgangssprache →Schriftsprache

Umschlag →Buchumschlag

Umschreibung →Periphrase

Umstellung →Inversion

Unanimismus (lat. *una* = eins, *anima* = Seele), nach J. ROMAINS Gedichtslg. *La vie unanime* Bz. für e. lit. Kunstrichtung, die die Verflochtenheit des Einzelmenschen mit der Gruppe, dem Kollektiv, und deren Leben und Wesen als geschlossene Einheit, Teiloffenbarung e. Allseele zu erfassen sucht; außer bei J. ROMAINS Anklänge bei R. ARCOS, J. CHENEVIÈRE, G. DUHAMEL, L. DURTAIN, Ch. VILDRAC, P.-J. JOUVE, A. SPIRE.

F. Weiß, D. unanimistische Bewußtsein b. J. Romains, Diss. Wien 1957; P. J. Norrish, *The Drama of the Group,* Cambridge 1958; L. Spitzer, Stilstud. II, ²1961; A. Cuisenier, *J. Romains,* Paris ²1969.

Unbekannter Autor →anonym

Underground →Untergrund-Lit.

Understatement (engl. = Unterbewertung), Form der →Ironie ähnlich der →Litotes und →Meiosis, bewußter Verzicht auf verfügbare Stilmittel und Ersetzung des gemeinten und erwarteten bes. gefühlsstarken, pathetischen Ausdrucks durch e. weniger gewichtigen; bes. in moderner Schauspielkunst e. von STANISLAVSKIJ und REINHARDT eingeführte, von deren amerikan. beeinflußten Nachfolgern oft übertrieben angewandte Darstellungsart, die auf der Diskrepanz von Empfindungen und Ausdruck (Gebärde) des Menschen beruht: Verschleierung der augenblicklichen starken Empfindung durch ganz andersartige Redeweise oder nebensächliche Beschäftigungen: ›Du Aas‹ statt ›Ich liebe dich‹ bei HEMINGWAY; Handschuhanziehen, Fensterscheibenwischen, Buchblättern, Taschentuchfalten u. ä. bei FAULKNERS *Requiem für eine Nonne.*

R. Haferkorn, Üb. d. engl. U. (Fs. H. M. Flasdieck, 1960).

Unechter Text heißt im philologischen Sinn, in der Textkritik, e. Textgestaltung, die im Ggs. zum →authentischen Text nicht auf den Verfasser direkt zurückgeht, sondern von dem Herausgeber, e. Korrektor oder späteren Überarbeiter geändert ist.

Ungebundene Rede →Prosa

Unikum (lat. *unicus* = einzig, -artig), einzig erhaltenes Exemplar e. (früher in mehreren Stücken vorhandenen) Buches, e. Schrift, auch für Münzen, Holzschnitte u. ä.

University Wits, Sammelbz. für eine Gruppe einflußreicher engl. Dramatiker der elisabethanischen Zeit, die um 1580 aus Oxford und Cambridge nach London übersiedelten: J. LYLY, G. PEELE, R. GREENE, Th. LODGE, Ch. MARLOWE, Th. KYD, Th. NASHE.

Unmittelbarkeit, im Ggs. zur →Distanz die unverhüllte und unreflektierte Wiedergabe der eigenen Gefühlsmomente in ganzer seelischer Wärme: →Ausdruck.

E. Voege, Mittelbark. u. U. i. d. Lyrik, 1932, ²1968.

Unreiner Reim, im Ggs. zum →reinen Reim Reimverbindung mit mangelnder, nur angenäherter Gleichheit der Konsonanten (›Haus – schaust‹ bei HEINE) und bes. der Vokale in den reimenden Silben (See – Höh, kühn – hin u. a. in SCHILLERS *Taucher*). Sie sind oft mundartlich bedingt und können durch mundartliche Aussprache wieder ausgeglichen werden. Die Reimreinheit des Minnesangs mit Rücksicht auf dialektreine Reime ist seither weder angestrebt noch erreicht worden; auch GOETHE reimt ›Ach neige / Du

Schmerzensreiche‹ (*Faust* 3587f.) u. ä. auf gut frankfurtisch.

Unsinnspoesie →Nonsense-Verse

Unterbrochener Reim entsteht durch Kreuzung zweier oder mehrerer nicht aufeinander reimender Verse (Waisen) mit Versen eines Reimpaars, Drei- oder Vierreims: Reimfolge a b c b (d b e b ...), z. B. UHLAND *Bertran de Born.*

Untergrund-Literatur, unscharfe Sammel-Bz. für völlig verschiedenartige lit. Erscheinungen, deren Gemeinsames nur in ihrer Nichtbeachtung von seiten der offiziellen Geschmacksträger besteht: 1. die polit. unterdrückte, verbotene Lit. in totalitären Staaten und unter Fremdherrschaft stehenden Gebieten, z. B. die franz. →Resistance. – 2. zwar nicht verbotene, doch von der staatl. Zensur nicht zum Druck freigegebene Lit. in totalitären Staaten, die z. T. heimlich vervielfältigt und verbreitet wird, z. B. →Samisdat in der Sowjetunion. – 3. die →Triviallit. der sozialen Unterschicht. – 4. die Lit. der Subkulturen oder radikalen Gegenkulturen, die die bestehenden bürgerl. Normen ablehnen, ihre Tabus und Wertmaßstäbe negieren und sich durch provokativ-aggressive Untergrundzeitungen, -zeitschriften, Flugblätter, →Protestsongs, Drogenlit., Pornographie und →Straßentheater im Vulgärjargon eine lit. Öffentlichkeit außerhalb der kommerziellen Vertriebswege schaffen, deren meist intermediäre Experimente jedoch von der öffentlichen Meinung mit dem Verdikt des Unreif-Dilettantischen belegt werden. Sie können z. T. später Beachtung und lit. Anerkennung finden und münden vielfach in e. kommerziell betriebene Subkultur-Industrie. Z. B. →Beatniks, Hippies, Anarchisten, Provos, →Pop-Art u. a.

Unterhaltungsliteratur, als Wert-bz. die Zwischenstufe zwischen hoher Dichtung oder Kunstlit., die allein an künstlerischen Ansprüchen zu messen ist, und →Trivialliteratur als e. lit. wertlosen, nur soziologisch interessanten Phänomen, das den Boden der Wirklichkeit oder auch nur der Möglichkeit zugunsten e. verlogenen Traumwelt weit hinter sich läßt: unterhaltende Lit. von geringem, aber durchaus vorhandenem lit., geistigen und künstlerischen Anspruch, die jedoch nicht in erster Linie dichterische Seinserhellung oder ästhet. Theorien verkörpern, sondern den Lesegeschmack und den Fragen des breiteren Lesepublikums gerecht werden will. Sie geht dabei e. gewissen Maß an Wirklichkeitsnähe und echter – psycholog., erot., sozialer, polit.-weltanschaulicher oder religiöser – Problematik nicht aus dem Weg, sucht geradezu bewußt e. allgemein interessierendes, aktuelles Thema, das sie auf mittlerer Ebene vielen Lesern zugänglich und einsichtig macht, und kennt dementsprechend nicht immer das Happy-End des →Trivialromans, sondern z. T. auch unglückliche oder tragische Ausgänge. Die U. entsteht überall dort, wo die Esoterik der gehobenen Dichtung und ihre anspruchsvolle Kunsttheorie die breite Schicht der Durchschnittsleser von der zeitgenössischen Lit. ausschließen: in der Lükke zwischen dem Lesebedürfnis der Masse und der anspruchsvollen Kunstlit. siedelt sich die U. an. Sie verzichtet auf stilist. und darstellerische Experimente und Extravaganzen zugunsten e. vielfach an vergangenen Epochen geschulten mittleren Breitenlage von handwerklicher Sauberkeit und mündet bei der Deutung des Daseins zumeist in herkömmliche bürgerliche Vorstellungen. Die Abgrenzung der U. von

Dichtung einerseits und Triviallit. andererseits erfordert im Einzelfall e. genaue Analyse der inhaltlichen, strukturellen und stilist. Elemente und von deren Integration im Werkganzen und muß viele Zwischenstufen und Wertschattierungen, z. T. bei ein und demselben Autor, berücksichtigen. – Die Wurzeln der U. liegen um Mitte des 18. Jh. im Lesebedürfnis des aufstrebenden Bürgertums, das Anteil am lit. Leben seiner Zeit nehmen wollte, ohne letztlich die ihrer Zeit vorauseilende ästhet. Theorie zu verarbeiten, und gleichzeitig von der Lit. ein höheres Maß an Unterhaltung erwartete, als die Kunstlit. es bot. Typische Autoren der dt. U. sind seither Ch. F. GELLERT, S. von LA ROCHE, J. G. SCHUMMEL, M. THÜMMEL, J. K. WEZEL, Th. G. von HIPPEL, A. LAFONTAINE, A. von KOTZEBUE, L. WÄCHTER, B. NAUBERT, Ch. A. VULPIUS, CRAMER, SPIESS, ZSCHOKKE, CLAUREN, GERSTÄCKER, GANGHOFER, R. HERZOG, A. GÜNTHER, H. COURTHS-MAHLER, E. MARLITT, K. MAY, J. KNITTEL, R. C. MUSCHLER, V. BAUM, H. G. KONSALIK, H. H. KIRST, W. HEINRICH, J. M. SIMMEL u. a. Während im dt. Bereich vielfach e. tiefe Kluft U. und Dichtung trennt, hat sich in der engl., amerikan. und franz. Lit. ein starker, z. T. auch ästhet. befriedigender Mittelbau bilden können (DUMAS, DEEPING, MITCHELL, DU MAURIER, PAGNOL u. a.). Hauptformen der U. sind naturgemäß der Unterhaltungsroman, daneben Erzählungen, Kurzgeschichten und Feuilletons in Zeitungen und Zss., während Zeitungsroman und →Illustriertenroman zusehends zur Triviallit. absinken. Auf dramat. Gebiet entspricht der U. das leichte Unterhaltungslustspiel im Boulevardstil.

M. Thalmann, D. Trivialrom. d. 18. Jh., 1923; R. Bauer, D. hist. Trivialrom. i. Dtl. i. ausgeh. 18. Jh., Diss. Mchn. 1930; K. Ziegler, V. Recht u. Unrecht d. U.- u. Schundlit. (D. Sammlung 2, 1947); I. Hermanns, Beitr. z. Typologie d. U., 1951; M. Dalziel, *Popular fiction 100 years ago*, Lond. 1957; J. M. S. Tompkins, *The popular novel in Engl. 1770–1800*, Lond. 1962; M. Beaujean, Der Trivialrom. i. d. 2. Hälfte d. 18. Jh., 1964, ²1970; M. Greiner, D. Entstehg. d. mod. U., 1964; W. R. Langenbucher, D. aktuelle U'roman, 1964, ²1970; H. F. Foltin, D. minderwertige Prosalit., DVJ 39, 1965; K.-I. Flessau, D. moral. Roman, 1968; G. Sichelschmidt, Liebe, Mord u. Abenteuer, 1969; A. Klein, D. Krise d. U'romans i. 19. Jh., 1969; M. Thalmann, D. Romantik d. Trivialen, 1970; F. Winterscheidt, Dt. U. d. Jahre 1850–60, 1970; H. F. Foltin, D. U. d. DDR, 1970; W. R. Langenbucher, Unterhaltung als Märchen u. als Politik (Tendenzen d. dt. Lit. s. 1945, hg. T. Koebner 1971); A. Klein, U. u. Triviallit. (Grundzüge d. Lit.- u. Sprachwiss., hg. H. L. Arnold I, 1973); Ch. Bürger, Textanalyse als Ideologiekritik, 1973; Zeitgenöss. U., hg. dies. 1974; M. Kienzle, D. Erfolgsroman, 1975; U., hg. J. Hienger 1976; H.-J. Neuschäfer, Populärromane i. 19. Jh., 1977; R. Schenda, Volk ohne Buch, 1977. →Trivialliteratur.

Untertitel dient entweder als genauere Inhaltsbestimmung gegenüber dem kurzen Haupttitel oder bei mehrbändigen (wissenschaftlichen) Werken neben dem allg. →Titel des Gesamtwerkes als Sondertitel e. betreffenden Einzelbandes.

Untertreibung →Understatement

Unverbundenheit →Asyndeton

Unzialen (lat. *unciales* von *uncia* = Zoll: ein Zoll hohe Buchstaben), antike (lat. und griech.) Schriftart in Großbuchstaben (→Majuskeln), von der ähnlichen →Kapitale durch rundere Formen unterschieden und diese seit dem 5. Jh. n. Chr. ablösend. In ihr sind rd. 400 Hss. und Hss.reste aus der lat. Lit. erhalten. Später bezeichnen U. die im Ggs. zu den →Initialen nicht verzierten, an Größe zwei oder mehr Zeilen umspannenden Großbuchstaben am Buch- und Kapitelanfang.

Unzüchtige Schriften →Pornographie, →Obszönität

Upanischaden (sanskrit. *upanishad* = Geheimlehre), Geheimlehren der indischen Philosophie und Theologie innerhalb des *Veda:* pantheistisch-mythische Prosatraktate, z. T. mit eingestreuten Versen (im 1. Teil, der 2. ganz in Versen, der 3. Prosa), die in dichterischer Form philosophisches Streben um die Erfassung des Allgeists, seine Erhabenheit und seine geheimnisvolle Einheit mit dem menschlichen Ich darstellen. Ihre Entstehungszeit reicht vom 9. Jh. v. Chr. bis in die erste nachchristliche Zeit. Aus e. pers. Übertragung von 50 der 100 U. (1659) durch A. H. ANQUETIL-DUPERRON 1801 ins Lat. übersetzt und von starkem Einfluß auf SCHOPENHAUER.

W. Ruben, D. Philos. d. U., 1947.

Upapurânas →Purânas

Upendravajra, ind. Versmaß, Variante des →Indravajra mit kurzer (statt langer) Anfangssilbe.

Urania →Musen

Uraufführung (seit 1902 dt. für franz. →*première*), die allererste Aufführung e. vorher noch nie gespielten dramatischen (auch musikalischen oder Film-) Werks im Ggs. zur →Erstaufführung bei nachfolgenden anderen Bühnen. Im Fall von Übersetzungen heißt gelegentlich fälschlich auch die erste Aufführung in der Übersetzersprache U. Bei Lesedramen unterscheidet man als evtl. der U. vorangehende Publikationsform die Urlesung, bei Hör- und Fernsehspielen dagegen Ursendung und szenische U. Zur Förderung des dramatischen Gegenwartsschaffens mußte zeitweise jede Bühne mindestens eine U. im Jahr auf den →Spielplan setzen. Vor Regelung des Urheberrechts erschien e. evtl. Buchausgabe des Dramas erst nach der U., seither erfolgt sie oft am Tag der U.

Urausgabe, die erste Druckausgabe e. lit. Werks überhaupt; braucht nicht im Buchhandel erschienen zu sein. Heute gleichbedeutend mit →Erstausgabe.

Urbild, seit dem 17. Jh. dt. Lehnübersetzung für →Archetypus (2).

Urform, in der Stoff- und Motivgeschichte die erste, ursprüngl. Form e. Werkes (Erzählung, Lied, Spruch). Sie kann durch die →Textkritik erschlossen werden. Vgl. →Urlied.

Urheberrecht, das alleinige Verfügungs- (Veröffentlichungs-, Verbreitungs-, Vervielfältigungs-)Recht des Urhebers über seine eigentümliche geistige Schöpfung (dichterische oder wissenschaftliche Lit., Tonwerk, bildende Kunst und Photographie) und die Befugnis, fremden Nachdruck, Nachbildung u. ä. mit Rechtsschutz zu untersagen bzw. das Werknutzungsrecht zur Vervielfältigung, Verbreitung, Verfilmung, Dramatisierung, Rundfunksendung, →Aufführung, →Übersetzung, auch Mikrokopie u. ä. zu übertragen. Genehmigungsfrei ist das bloße →Zitat mit →Quellenangabe. Schriftliche Erzeugnisse ohne lit. Charakter wie Familienanzeigen, Verhandlungs- und Sitzungsprotokolle, Gesetze, amtliche Schriften, z. T. auch journalistische Nachrichten fallen nicht unter das U., können jedoch durch e. ausdrückliches Nachdrucksverbot ähnlichen Schutz erhalten. Übersetzung oder Bearbeitung begründen ein neues U. für Übersetzer oder Bearbeiter, das jedoch als abhängiges U. bei geschützten Werken nur mit Zustimmung des U.inhabers des Originalwerks ausgeübt werden kann.

Das U. entsteht mit der Konkretisierung des schutzfähigen Gedankenguts in Vortrag, Niederschrift, Stegreifspiel, Abbildung usw. und erlischt in der BR. seit 1965 grundsätzlich 70 (im Ausland meist 50) Jahre nach dem Tod des Urhebers (→Schutzfrist); es kann auf andere Personen (z. B. Verleger) übertragen werden oder geht nach dem Tode des Urhebers auf dessen Erben über. – Die Zeit vor der Erfindung des Buchdrucks kennt e. U. weder dem Sinne noch der Form nach; erste Vorstufen sind die landesherrlichen →Privilegien für Verleger; den Begriff des geistigen Eigentums prägt erst das 18. Jh. England geht gegen Anfang des 18. Jh. voran, Preußen folgt 1794 mit stillschweigender Anerkennung des U., doch erst seit 1837 baut die Gesetzgebung des Dt. Bundes in mehreren Bundesbeschlüssen seine Festlegung aus, 1870 erfolgt e. allg. Regelung, im 20. Jh. schließlich das *Gesetz betreffend das U. an Werken der Lit. und Tonkunst* vom 19. 6. 1901, revidiert 22. 5. 1910, ergänzt 13. 12. 1934, Neufassung vom 9. 9. 1965 durch den Dt. Bundestag als *Gesetz über U. und verwandte Schutzrechte,* das österr. U. vom 9. 4. 1936, Schweizer U. vom 17. 12. 1922, U. der DDR vom 13. 9. 1965; ferner auf internationaler Basis die →Berner Konvention und die Übereinkunft von Montevideo (11. 1. 1889) sowie das Genfer →Welt-U.-Abkommen vom 6. 9. 1952.

K. Dziatzko, Autor- u. Verlagsrecht i. Altert. (Rhein. Museum 49, 1894); S. P. Ladas, *Internat. Protection of lit. and artistic Property,* N. Y. 1938; R. R. Shaw, *Lit. Property in the U.S.*, 1950; E. Ulmer, U.- u. Verlagsrecht, [2]1960; R. Voigtländer u. a., U., [4]1952; K. Runge, U. und Verlagsrecht, 1953; H. L. Pinner, *World Copyright,* V Leiden 1953 ff.; H. Siegwart, D. urheberrechtl. Schutz d. wiss. Werke, 1954; K. Haertel, G. Schneider, Taschenb. d. U., [2]1967; G. Roeber, U. od. geist. Eigentum, 1956; H. G. Hauffe, D. Künstler u. s. Recht, 1956; W. Bappert, E. Wagner, Internat. U., 1956; L. Gieseke, D. geschichtl. Entw. d. dt. U., 1957; M. Rintelen, U., 1958; Quellen d. U., 1961 ff.; H. Hubmann, U. u. Verlagsrecht, [2]1966; W. Bappert, Wege z. U., 1962; D. U.-Reform, hg. M. Löffler 1963; M.-C. Dock, *Étude sur le droit d'auteur,* Paris 1963; F. Fromm, W. Nordemann, U., Kommentar, 1966, [2]1970; L. Delp, Kl. Praktikum f. U. u. Verlagsrecht, [2]1966; M. Kummer, D. urheberrechtl. schützbare Werk, 1968; E. Schulze, Kommentar z. dt. U., 1968 ff.; O. F. v. Gamm, Urheberrechtsgesetz, Kommentar, 1968; P. Recht, *Le droit d'auteur,* Gembloux 1969; P. Möhring, K. Nicolini, U.gesetz, 1970; B. Samson, U., 1973. →Copyright.

Urlesung →Uraufführung

Urlied, im Ggs. zum →Neulied die erstmalige Gestaltung e. Stoffes zum →Heldenlied. Es läßt sich z. T. aus späteren Formen an Hand der Gemeinsamkeiten erschließen.

Urschrift →Autograph

Ursendung →Uraufführung

Ursprungssagen →aitiologisch

Urtext, der ursprüngliche, echte, →authentische →Text im Ggs. zum →unechten, bearbeiteten, übersetzten oder sonstwie umgestalteten; bei mehreren →Fassungen die älteste.

Usus scribendi, von J. J. GRIESBACH 1796 formuliertes Prinzip der →Textkritik, das Stil und Ausdrucksweise des Autors an fraglichen Stellen für die Ermittlung der richtigen Lesart oder eventuelle Konjekturen heranzieht; erfordert bes. feines Stil- und Sprachgefühl.

Uta →Tanka

Utopie (griech. *u* = nicht, *topos* = Ort: ›Nirgendheim‹), nach dem Titel von Th. MORUS' →Staatsroman *Utopia* (1516) gebildete Bz. für e. nur in gedanklicher Konstruktion erreichbaren, praktisch nicht zu verwirklichenden Idealzustand von Staat und Gesellschaft (im Ggs. zur wiss.-techn. U. der →Science Fiction). Ihre Grundform bleibt daher der teils mehr kommunistische, teils mehr aristokratische oder freiheitliche Ziele verfolgende →Staatsroman. (Lit. ebda.)

Ut pictura poesis (lat.:) ›Wie e. Bild (sei) das Gedicht‹, der die Feinheiten dichterischer Wirkung beschreibende Satz des HORAZ (*Ars poetica* 361) wurde früher als Forderung nach e. beschreibenden, ›malenden Dichtkunst‹ mißverstanden, bis LESSING diese durch die Grenzziehung von Dichtung und Bildkunst im →*Laokoon* abtat und der Dichtung ihr eigentliches Wesen als Wortkunst zeigte.

J. H. Hagstrom, *The Sister Arts,* Chicago 1958; N. R. Schweizer, *The u. p. p. controversy,* Bern 1972; H. C. Buch, U. p. p., 1972.

Vacanas, kurze Prosa-Aussprüche zur Formulierung von Einsichten und Lebensweisheiten in der ind.-kanares. Lit.

Vacat (lat. = es ist leer, fehlt), Textlücke, V.-Seite = unbedruckte oder Leerseite.

Vademekum (lat. *vade mecum* = geh mit mir), allg. Taschenbuch, Ratgeber, Wegweiser praktischen oder religiösen, künstlerischen u. ä. Gehalts in Kleinformat zum Beisich-tragen; vielfach Buchtitel, so von LESSING scherzhaft verwendet im *V. für Herrn Pastor S. G. Lange* (1754).

Vagantendichtung (v. lat. *vagari* = umherschweifen), die weltliche lat. Lyrik und Spruchdichtung der fahrenden Scholaren (Kleriker, Studenten) des 12./13. Jh., bes. in Dtl., Frankreich (dort →Goliarden genannt) und England, doch in ganz Europa verbreitet. Kennzeichnend ist der volkstümliche Ton ohne alle Stilisierung, die persönliche Haltung, Ursprünglichkeit, Wirklichkeits- und Naturnähe, Weltlust, sinnenhafte Lebens- und Genußfreude. Hauptthemen sind Spiel, Wein (→Trinklied) und Liebe, jedoch weniger zur Dame als zum einfachen Dorfmädchen, unverbildet in Reiz und Hingabe, daneben auch Spott- und Streitgedichte, politische Parodien und scharfe Kritik des Klerus. Die Gelehrsamkeit des Verfassers führt zu e. starken Vertrautheit mit der Antike: Vorbilder nach Form und Inhalt sind die röm. Elegiker, VERGIL, HORAZ und bes. OVID; Bilder und selbst Mythologie der Antike werden zur Verdeutlichung aufgeboten; doch über jedem Vorbild steht als eigentlich prägender Faktor der V. das Leben selbst; erste Töne e. Erlebnisdichtung dringen durch. Wichtigste Slgn. sind in England die *Cambridger Liederhss.* (schon um 1045), in Dtl. die *Carmina Burana* aus dem Kloster Benediktbeuren (Anfang 13. Jh.), die Lieder von dt., engl. und franz. Verfassern, auch z. T. dt. Liebeslieder und bes. die lat. Verse des sog. ARCHIPOETA aus dem Kreise um BARBAROSSA und seinen Kanzler REINALD VON DASSEL enthalten *(Meum est propositum in taberna mori).* In Frankreich gipfelt die V. in den balladesken Liedern von François VILLON. Die V. geht nur z. T. ins dt. Volkslied über und lebt bes. in den →Studentenliedern und Kommersbüchern fort; ihre Bedeutung für die Entstehung des Minnesangs ist gering.

N. Spiegel, D. Grundlagen d. V., 1908; H. Süssmilch, D. lat. V.poesie d. 12. u. 13. Jh. als Kulturerscheing., 1917, n. 1972; H. Brinkmann, Gesch. d. lat. Liebesdichtg. i. MA., 1925; ders., Neophilol. 9, 1925; H. Waddell, *The Wandering Scholars,* 1927, n. 1961; K. Halbach (Zs.

f. dt. Bildg. 5, 1929); H. Steinger, Fahrende Dichter i. dt. MA., DVJ 8, 1930; O. Dobiache-Rojdestvenskj, *Les poésies des goliards* 1931; P. Lehmann, D. lat. V. (Mittellat. Dichtg., hg. K. Langosch 1969); H. Naumann, Gab es e. V.? (D. altsprach. Unterr. 12, 1969).

Vagantenzeile, aus der ma. lat. Vagantendichtung stammende achthebige Langzeile des mhd. Sprechverses (lat. in e. Art Trochäen) mit Versgrenze nach dem 4. Takt; vier Langzeilen mit Paarreim ergaben die Vagantenstrophe. Dt. im *Himilrîche.*

Vaidarbhastil, in der ind. Poetik der einfachere klare anmutige Stil mit kurzen, weniger geschachtelten Sätzen im Ggs. zum →Gauda.

Vampirroman, Sonderform des →Schauerromans um die Gestalt e. Vampirs, dem Volksglauben nach e. Toten, der nachts aus dem Grab steigt und Lebenden das Blut aussaugt; Reaktion auf e. übersteigerten Fortschrittsglauben und e. keimfreien Rationalismus, dem übersinnliche Erfahrungen gegenübergestellt werden, insbes. in der Verbindung von mystifiziertem Rachegedanken und Todesangst mit erotischen Substraten (Vampirbiß als Ersatz sexueller Vereinigung). Wichtigste Beispiele sind J. W. POLIDORIS Erzählung *The Vampyre* (1819), B. STOKERS *Dracula* und J. L. LE FANUS *Carmilla,* die im Zuge e. skurrilen Atavismus in den fünfziger und sechziger Jahren dieses Jahrhunderts wieder ausgegraben und gefeiert wurden. Das Motiv des Vampirismus findet sich in der höheren Lit. bes. in balladenhaften Dichtungen, so GOETHES *Braut von Korinth,* BAUDELAIRES *Verwandlungen des Vampirs,* TURGENEVS *Gespenster,* A. K. TOLSTOJS *Vampir* u. a.

M. Praz, Liebe, Tod u. Teufel, 1963; D. Sturm u. K. Völker, Von denen Vampiren u. Menschensaugern, 1968, [2]1971; S. Hock, D. Vampyrsagen u. ihre Verwertg. i. d. dt. Lit., [2]1977.

Vamshasta, ind. Metrum gleich →Indravamsha, nur mit kurzer Anfangssilbe.

Vaqueira, kurze Schäfergedichte erotischen oder beschreibenden Inhalts und wohl provenzal. Herkunft in span. und galic. Lit.

Vâr, kurzes moraldidaktisches Gedicht einfachen Stils in der ind. Pañjâbî-Lit., meist in Form von Fabel und Parabel.

Varia (lat. =) Verschiedenes; Werke verschiedenen Inhalts.

Variante (lat. *varia lectio* v. *varius* = verschieden), →Lesart.

Variation (lat. *variatio* =) ›Abwandlung‹, der Ausdruck desselben Gedankens in verschiedener sprachlicher Form (Synonyme), zurücklehnende Wiederaufnahme e. soeben bereits genügend gekennzeichneten und verlassenen Vorstellung als ganzer Satz (Satz-V.) oder als einzelnes Wort (Wort-V.), oft unter Durchbrechung des syntaktischen Zusammenhangs und Verschränkung der Satzglieder, zur starken, pathetischen Hervorhebung ihrer Wichtigkeit, z. B. im *Hildebrandslied:* ›Nun soll mich (das) traute Kind mit dem Schwert schlagen, / treffen mit seiner Klinge.‹ Typisches und wichtigstes Stilmittel der altgerman. und altsächsisch-angelsächs. stabreimenden Heldendichtung wie der jüngeren nord. Lieddichtung, wo anstelle des natürlichen Ausdrucks durch Synonyme künstliche wie →Kenning und →Heiti treten und die V. zum →Hakenstil beiträgt, indem die 1. Kurzzeile einer Langzeile den Gedanken der zweiten Kurzzeile der vorangehenden abwandelt. Die angelsächs. Epiker übernehmen die V. von den westgerm. Heldendichtern; die später übermäßige Verwendung der V. ohne inneres Bedürfnis als grundlose Aufbauschung etwa im *Heliand* leitet den Verfall der Form ein.

W. Paetzel, D. V. i. d. altgerm. Alliterationspoesie, 1913; RL; A. Heusler, Altgerman. Dichtg., [2]1943.

Varieté (franz. = Vielfalt), Theater für artistische Darbietungen wie Akrobatik, Tanz, Musik, kleine →Revuen u. ä., doch im Ggs. zum →Kabarett ohne lit.-künstlerische Bestrebungen.

A. Möller-Bruck, D. V., 1902.

Variorum editio = historisch-→kritische Ausgabe, vgl. →Textkritik.

Vasantatilakâ (ind. = Frühlingsornament), ind. Strophenform aus vier Vierzehnsilbern der Form ——◡—◡◡◡—◡◡—◡—⏑̱.

Vaterländische Dichtung →patriotische Dichtung

Vates, röm. Bz. für den Dichter als gottbegnadeten, prophetischen Sänger des Volkes, den ›Seher‹.

W. Muschg, Trag. Lit.gesch., [2]1957; G. Bays, *The Orphic vision,* Lincoln 1963.

Vaudeville (franz.), wohl entstellt aus Val de Vire, dem Tal der Vire in der Normandie, wo der Volksdichter Olivier BASSELIN um 1400 die nach seiner Heimat benannten Gassenhauer und Volkslieder dichtete und bei Festen und Trinkgelagen als Stimmungsausdruck des Volkes vortrug. Seine Lieder lebten bis Ende des 16. Jh. im Volksmund fort; die Bz. V. wurde im 16./17. Jh. auch auf Nachahmungen u. ä. populäre, satirische Trinklieder und aus e. bes. Anlaß entstandene Spottlieder mit leichter Melodie ausgedehnt, wie sie bes. im 17. Jh. blühten. Noch BOILEAU versteht V. in diesem Sinne. Im 18. Jh. geht die Bz. über auf e. kleines burleskes oder anekdotenhaftes Theaterstück, e. Art satirischen Singspiels, dessen Dialog ebenfalls gesungen wurde, mit ähnlichen heiter spottenden Liedeinlagen, leichtfertigen Gassenhauern zu Musikbegleitung nach bekannten, volkstümlichen Melodien, die im Ggs. zu den Couplets der Operette urspr. mitten in der Vorstellung vom Publikum mitgesungen wurden. Sie entstanden in Paris zu Beginn des 18. Jh. und werden je nach der mehr komischen oder mehr possenhaften Färbung in Drame-V., Comédie-V. und Folie-V. unterschieden. Wichtigste V.-Theater in Paris waren das Théâtre de la Foire, du Palais Royal, de Cluny und Déjazet, wichtigste Dichter im 18. Jh. FUZELIER, DORNEVAL, PIRON und LESAGE; im 19. Jh. in Frankreich neu belebt durch E. SCRIBE, der in seiner Antrittsrede vor der Académie Française 1836 ihre Berechtigung nachwies und zusammen mit DELAVIGNE, DUPLIN, DELESTRE-POIRSON, DESAUGIERS, SAINTIVE und LEGOUVÉ zahlreiche neue V.s schrieb, ferner durch DURUT, MEILHAC, LAUZANNE, Marc MICHEL, DUMANOIR, CHIVOT, HALÉVY und bes. FAVART und LABICHE. In Dtl. entwickeln NESTROY und HOLTEI ähnliche Formen; heute bezeichnet V. allg. e. Gesangsposse.

D. Gilbert, *American V.*, N. Y. 1940; B. Sobel, *A pictorial hist. of. v.*, N. Y. o. J.; A. F. McLean, *American v. as ritual,* Lexington 1965.

Verbalstil bevorzugt im Ggs. zum →Nominalstil verbale Konstruktionen (Zeitwörter).

Verband deutscher Schriftsteller →Schriftstellerverband

Verblümte Redeweise läßt e. nicht unmittelbar ausgedrückten Gedanken aus dem Sinn des Satzes als →Anspielung indirekt hervorgehen.

Verbotene Bücher →Zensur, →Index librorum prohibitorum

Verdeutschung →Übersetzung

Verfasser →Autor

Verfilmung, die →Bearbeitung (→Adaption) e. lit. Werks (Drama, Roman, Erzählung, Epos u. ä.) und dessen Inszenierung für den →Film. Sie bedingt meist einige, je nach Ambition und Sachlage oberflächliche oder tiefergreifende Umformungen und Verzerrungen der Vorlage bei der Übertragung in e. anderes, eigengesetzliches Ausdrucksmedium und beim Zuschnitt auf e. breiteres Publikum, die fast überall zu e. Zerstörung wesentlicher Züge und Strukturen des (zumal ep.) Werkes führt und allenfalls durch hervorragende Schauspieler- und Regieleistungen ausgeglichen werden kann, dann aber das Vorstellungsvermögen des Lesers auf Figuren und Umwelt der einmalig verwirklichten Form eingrenzt.

G. Bluetone, *Novels into film,* Berkeley 1961; H.-E. Schauer, Grundprobleme d. Adaption lit. Prosa durch d. Spielfilm, Diss. Bln. 1965; A. Estermann, D. V. lit. Werke, 1965; G. Wagner, *The novel and the cinema,* Rutherford 1975. →Film.

Verfremdung, im Prinzip jede Veränderung des Gewöhnlichen ins Ungewöhnliche und als solche Kennzeichen jeder unrealist., stark stilisierenden Kunst vom Manierismus über Symbolismus, Expressionismus und Surrealismus zum russ. Formalismus (›ostranenie‹), im fernöstl. Theater und im Puppentheater; dann insbes. (V.effekt) ideologisch motiviert, die im Zusammenhang mit der These des →epischen Theaters von B. BRECHT geforderte Distanz des Schauspielers zu der von ihm nicht gespielten, sondern ›gezeigten‹ Rolle und des Zuschauers gegenüber den dramatischen Vorgängen, im Ggs. zur →Identifikation des illusionistischen Theaters: der Schauspieler soll seine Rolle mehr mit e. ›Gestus des Zeigens‹ rational erläutern als verkörpern, der Zuschauer sich nicht gefühlsmäßig binden, sondern kritisch urteilen, Vertrautes als fremd und damit erneut durchdenkbar betrachten. In diesem Sinn greift die V. auch auf Handlung, Sprache, Bühnenbild, Regie, Ausstattung, Musik und Choreographie über und wird bei jüngeren Dramatikern in der BRECHT-Nachfolge gelegentlich zur Manier.

R. Grimm, B. Brecht, 1959; G. Debiel, D. Prinzip d. V. i. d. Sprachgestaltg. B. B.s, Diss. Bonn 1960; R. Grimm, V. (*Revue de lit. comparée* 35, 1961); H. E. Holthusen, Dramaturgie d. V. (Merkur 15, 1961); E. Bloch, V.en, I 1962; H. Helmers, V. als poet. Kategorie (Deutschunterr. 20, 1968); G. Fankhauser, V. vor u. b. Brecht, 1971; E. Nündel, D. Prinzip d. V. i. d. Dichtg. (Deutschunterr. 23, 1971); Ch. Koerner, D. Verfahren d. V. i. Brechts früher Lyrik (Brecht heute 3, 1973). →Episches Theater.

Vergleich, Stilmittel zur Erhöhung der Anschaulichkeit und Bedeutungsverdichtung e. gemeinsamen Grundgehalts der verknüpften Bereiche, die sich im →tertium comparationis begegnen müssen. Charakteristisch für den V. ist das Nebeneinander der Werte in einfacher Grundvorstellung und sinnlicher Bildlichkeit, →Bild und Gegenbild in e. ›so – wie‹, ferner die Knappheit der Skizzierung im Ggs. zum breiter ausgeführten →Gleichnis und der →Parabel. Der V. kann sich beziehen auf Zustände, Eigenschaften (finster wie die Nacht) oder auf Vorgänge, Handlungen (sie weinte wie e. Kind); Stilwert und Funktion, Eigenmächtigkeit und Assoziationskraft bleiben in jedem Einzelfall erneut zu bestimmen. Hauptvorkommen in Lyrik und bes. Epik, seltener im Drama.

R. Grossmann (Hg.), D. V., 1955; F. P. Knapp, Similitudo, 1975.

Vergleichende Literaturwissenschaft oder Komparatistik greift über die nationalen Schranken der lit. Entwicklung hinaus auf die →Weltlit. aus, erfaßt alle übernationalen u. internationalen lit. Phänomene, die sich aus e. einzelnen Nationallit. heraus nicht klären lassen, und untersucht das hist./diachron. und regional/synchron. Austauschverhältnis und geschichtliche Zusammenwirken der verschiedenen Nationallitt. in drei verschiedenen Hauptarbeitsbereichen, von denen der folgende stets den vorhergehenden voraussetzt: 1. Vergleich einzelner Dichtungen, Dichter, Epochen und lit. Strömungen im übernationalen Rahmen oder gar der verschiedenen Nationallitt. nach ihren Gemeinsamkeiten und Unterschieden, Darstellung e. einzelnen lit. Erscheinung hinsichtlich ihres Einflusses und ihrer verschiedenartigen Auswirkungen auf mehrere Litt. mit Erklärung bzw. Begründung der Unterschiede. 2. Betrachtung der Strukturentfaltung der Weltlit., der übernationalen lit. Wechselbeziehungen, Wanderungen lit. Strömungen (Minnesang, Humanismus), der Schwerpunktsverlagerung des künstlerischen Gewichts von e. Volk auf das andere im Wechsel der verschiedenen Epochen, damit verbunden ständigen Wechsels sowohl der Einflußaufnahmen als auch der neuausstrahlenden Wirkungen im übernationalen lit. Verkehr. 3. Darstellung einzelner Nationalliteraturen in ihrer ständigen Auseinandersetzung mit der Weltlit. Dazu treten Untersuchungen zur Stoff- und Motivwanderung und Toposforschung, Imageforschung (nationale Vorurteile und Klischeevorstellungen von anderen Nationen in der Lit.), Erforschung äußerer Abhängigkeiten und Einflüsse e. Dichters, seiner Wirkung in andere Litt., bes. bei großen Autoren wie HOMER, VERGIL, MOLIÈRE, SHAKESPEARE usw. die Einwirkung auf die Gesamtentwicklung e. Nationallit. und typ. Formen der Rezeption und Umgestaltung/Anverwandlung (Nachleben der Antike, der *Bibel*), ferner die vergleichende Betrachtung der verschiedenen Ausprägungen und Entwicklungen e. einzelnen Gattung (z. B. Elegie, der europ. Schelmenroman), e. Epochalstils (barocker →Schwulst) oder e. Kunstform (z. B. Hexameter, Alexandriner) und deren übernationale Berührung: vergleichende Literaturmorphologie, und schließlich als angrenzende Forschungsbereiche die vergleichende Literatursoziologie, die an sozialen Parallelen verschiedener Zeiten und Völker gewisse phänomenologische Gesetzlichkeiten abliest (M. H. POSNETT, *Comparative Lit.*, 1886; LETOURNEAU, *Evolution litt.*), und die vergleichende Geschichte der lit. Kritik, der Publikumswirkung und der Geschmacksbildung verschiedener Zeiten und Völker. Neuere Forschungsaspekte sind Theorie und Geschichte der lit. →Übersetzung als Brücke der Literaturen, die Vermittlerrolle einzelner Individuen oder ganzer Gruppen (Emigranten) und – umstritten – die sog. ›wechselseitige Erhellung der Künste‹, d. h. das Verhältnis der Lit. zu den anderen Künsten. Ungelöstes und wohl unlösbares Hauptproblem der historisch vorgehenden vergleichenden Lit.geschichte bleiben →Epochen- und Periodisierungsfragen im gesamteurop. Bereich angesichts nationaler Varianten und Phasenverschiebungen (Klassik, Romantik). – Die v. L.

geht aus von LESSING, WIELAND, GOETHES Begriff der →Weltliteratur und der universalistischen Literaturbetrachtung HERDERS und der dt. Frühromantik (F. SCHLEGEL) und wurde in Dtl. zuerst von W. MENZEL zu Beginn des 19. Jh. gefordert; ihre wissenschaftliche Begründung erfährt sie in Frankreich bei NOEL und LAPLACE (*Cours de litt. comparée* 1816ff.), POUGENS und BENLOEW; in Dtl. folgen diesen Bestrebungen Moritz CARRIÈRE (*Grundzüge und Winke zur v. L. des Dramas* 1845) und BERNAYS; um die Jh.wende entstehen die ersten Zss. für v. L., 1900 tagt in Paris der erste Kongreß für v. L.

L. P. Betz, Studien zur v. L., 1902; ders., *La lit. comparée*, [2]1904; F. Loliée, *Hist. des Litt. comp.*, 1904; F. Baldensperger, *Litt. comparée* (*Revue de litt. comp. I*, 1921); J. Petersen, Nationale u. v. L., DVJ 6, 1928; RL; F. Strich, Weltlit. u. v. L. (Philos. d. Lit.wiss., hg. E. Ermatinger, 1930); P. v. Tieghem, *La litt. comparée*, Paris 1931, [4]1951; F. Baldensperger, W. P. Friederich, *Bibliogr. of comp. lit.*, Chapel Hill 1950; K. Wais, Forschgsprobl. d. v. L., II 1951–58; W. Höllerer, Method. u. Probl. d. v. L., GRM 33, 1951/52; H. Motekat, V. L. (ebda.); W. P. Friederich, *Outline of comparative lit.*, Chapel Hill 1954; M. F. Guyard, *La litt. comparée*, Paris 1951, [5]1969; *Comparative lit.*, hg. W. P. Friederich, Chapel Hill 1959; R. Wellek, D. Krise d. v. L. (Wirk. Wort 9, 1959); *Comparative lit.*, hg. N. P. Stallknecht u. H. Frenz, Carbondale 1961; *Studies in comparative lit.*, hg. W. F. McNeir, Baton Rouge 1962; C. de Deugd, *De eenheid van het comparatisme*, Utrecht 1962; H. Rüdiger, Nationallitt. u. europ. Lit. (Schweizer Monatshefte 42, 1962); W. Krauss, Probl. d. v. L., 1963; R. Etiemble, *Comparaison n'est pas raison*, Paris 1963; F. Jost, *Essais de lit. comp.*, Fribourg II 1964–68; W. B. Fleischmann, D. Arbeitsgebiet d. v. L. (Arcadia 1, 1966); H. Levin, *Refractions*, N. Y. 1966; R. Wellek, Begriff u. Idee d. v. L. (Arcadia 2, 1967); U. Weisstein, Einführg. i. d. v. L., 1968; J. Brandt Corstius, *Introd. to the compar. stud. of lit.*, N. Y. 1968; H. Levin, *Comparing the lit.* (*Yearbook of compar. and gen. lit.* 17, 1968); *Comparatists at work*, hg. S. G. Nichols u. a., Lond. 1968; S. Jeune, *Litt. générale et litt.comp.*, Paris 1968; H. Hatzfeld, *Comp.lit. as a necessary method* (*The disciplines of criticism*, hg. P. Demetz u. a., New Haven 1968); Aktuelle Probleme d. vergl. Lit.forschg., hg. G. Ziegengeist 1968; W. Veit, Method. Probleme d. v. L. (*Australasian Univ. Lang. and Lit. Assoc., Proceeds.* 12, 1969); A. Dima, *Principii de lit. comp.*, Bukarest 1969; H. Gifford, *Comp. lit.*, Lond. 1969; *Comp. lit.*, hg. A. O. Aldridge, Urbana 1969; P. Friederich, *The challenge of comp. lit.*, Chapel Hill 1970; H. M. Block, *Nouvelles tendances en litt. comp.*, Paris 1970; C. Pichois, A.-M. Rousseau, V. L., 1971; Z. Theorie d. v. L., hg. H. Rüdiger 1971; R. Wellek, Grenzziehungen, 1972; F. Jost, *Litt. comp. et litt. universelle* (Orbis litt. 27, 1972); Beitr. z. v. L., Fs. K. Wais, hg. J. Hösle 1972; H. Levin, *Grounds for comparison*, Cambr., Mass. 1972; D. Durišin, Vergl. Lit.-forschg., 1972; H. Seidler, Was ist v. L., 1973; R. Bauer, D. Fall d. v. L. (Kontinuität-Diskontinuität i. d. Geisteswiss., hg. H. Trümpy 1973); V. L., hg. H. N. Fügen 1973; Komparatistik, hg. H. Rüdiger 1973; S. S. Prawer, *Compar. lit. studies*, Lond. 1973; *Comp. lit. The early years*, hg. H. J. Schulz, Chapel Hill 1973; F. Jost, *Introd. to compar. lit.*, N. Y. 1974; *The place of comp.lit. in interdisciplinary studies* (*Yearbook of comp. and gen.lit.* 24, 1975); A. Kappler, D. lit. Vergleich, 1976; H. Dyserinck, Komparatistik, 1978.

Verismus (ital. *verismo* v. lat. *verus* = wahr), radikaler Wirklichkeits- und Wahrheitsfanatismus in Lit., bildender Kunst und Schauspielkunst, der sich in e. fast bis zum Naturalismus übertriebenen Realismus der ungeschminkten, unreflektierten Darstellung menschlicher Leidenschaften äußert. In Italien Bz. für die ital. Spielart des →Naturalismus mit den Hauptvertretern L. CAPUANA, M. SERAO, G. DELEDDA und G. VERGA. Er weicht in entscheidenden Punkten, bes. Milieu- und Vererbungslehre, von der franz. Theorie des Naturalismus ab und schildert auch nicht die Verelendung der Arbeiter durch die zunehmende Industrialisierung, sondern die unerträgliche soziale Lage der süditalien. Kleinbauern.

P. Arrighi, *Le v. dans le prose narrative ital.*, Paris 1937; W. A. Vetterli, Gesch. d.

ital. Lit. d. 19. Jh. 1950; F. Ulivi, *La letteratura verista,* Turin 1972.

Verkleidete Literatur heißen Druckwerke, die entweder den Verfasser verschleiern (→Anonym, →Pseudonym) oder den →Druckort, Verlag, Verlagsort oder Erscheinungszeit falsch angeben, in weiterem Sinne dann auch die sog. →Schlüssellit.

Verkleinerung →Meiosis

Verlag, Vertriebsunternehmen im →Buchhandel, das Planung, redaktionelle Betreuung, Herstellung, Vervielfältigung, Ausgabe und Großhandel e. Buches (auch Zss., Zeitungen, Musikalien und Kunstblätter) übernimmt, für das der Verleger vom Verfasser oder e. anderen V. (Lizenzausgabe, Übersetzungsrecht ausländ. Autoren) nach Maßgabe des Urheberrechts durch V.-svertrag das V.-srecht, d. h. Recht und Verpflichtung zur Vervielfältigung und Verbreitung des Werks für dauernd, beschränkte Zeit oder e. bestimmte →Auflagehöhe, gegen →Honorar bei vorauszusehendem Gewinn oder im gegenteiligen Falle gegen Druckkostenzuschuß (Selbstkostenverleger) erworben hat und das geschäftliche Risiko übernimmt. Die Herstellung erfolgt zumeist durch Auftragserteilung an andere Betriebe des herstellenden Buchhandels (Papierfabriken, Druckereien, graphische Kunstanstalten, Buchbindereien). Der Vertrieb der fertiggestellten Werke erfolgt über den Zwischenhandel und/oder den Sortimentsbuchhandel, in seltensten Fällen unmittelbar an Einzelkäufer und dann ebenfalls nur zum Ladenpreis, der vom V. festgesetzt wird. Bei nicht oder nur teilweise erfolgtem Absatz des Werkes oder bei Veräußerung des Auflagerestes als Makulatur erlischt das V.-srecht. Findet e. Autor keinen V. oder will er sich dessen evtl. Verdienst einbehalten, so kann er bei Übernahme der entsprechenden finanziellen, geschäftlichen und technischen Angelegenheiten sein Werk im →Selbst-V. erscheinen lassen. Mit der Ausweitung des Buchhandels hat sich auch im V., von einigen Allround-Großverlagen abgesehen, e. Spezialisierung in schöngeistige, wissenschaftliche, theologische, technische bzw. Fachverlage, Schulbuch-, Kunst-, Musik- u. a. Verlage ergeben, während der Konkurrenzkampf z. T. zu Zusammenschlüssen mehrerer V.e führt. Die Aufgabe des V. erschöpft sich jedoch nicht allein in der wirtschaftlichen Funktion, sondern reicht weiter: infolge seiner maßgebenden Stellung im Buchhandel übt er e. bestimmenden Einfluß auf die lit. Produktion und auf das geistige Niveau des Leserpublikums aus durch Ablehnung lit. oder wissenschaftlich wertloser oder schädlicher Werke (Schundlit.), Vorschläge zu Änderungen eingereichter Manuskripte im Hinblick auf die Publikumswirkung oder den vom Autor intendierten, aber nicht erreichten Effekt, Anregung zur Abfassung wertvoller Werke an geeignete Autoren (auch Sammelwerke zahlreicher Autoren), Herstellung preiswerter Ausgaben guter Lit., Neudrucke älterer Werke, Übersetzungen hervorragender ausländ. Schriftsteller, Slg. mündlicher Überlieferung usw. Das Verlagsgesicht wird trotz allem weitgehend von den persönl. Interessen des Verlegers oder seines →Lektors bestimmt. In diesem Sinne nehmen Verleger wie COTTA, GÖSCHEN, BROCKHAUS, MEYER, PERTHES, P. RECLAM, BONG, HESSE, K. WOLFF, B. CASSIRER, G. MÜLLER, A. LANGEN, E. DIEDERICHS, S. FISCHER, ROWOHLT, A. KIPPENBERG, R. PIPER, A. KRÖNER, de GRUYTER, E. HEIMERAN, P. SUHRKAMP u. a. ihren Platz in der Literaturgeschichte ein; ihre Geschichte bildet deren notwendige Ergänzung. Vgl. →Bühnenvertrieb.

RL; S. Unwin, D. wahre Gesicht d. V., [3]1965; A. Spemann, Berufsgeheimnisse u. Binsenwahrheiten, [4]1951; K. Dietze, V.-Kunde, 1952; W. Olbrich, Einf. i. d. V.-kunde, [3]1955; F. Mumby, *Publishing and bookselling*, Lond. [4]1956; C. B. Grannis *What happens in book publishing*, N. Y. 1957, [2]1967; F. Uhlig, D. V.-Lehrling, [8]1969; J. Ferring, V.kunde i. Einzeldarstellungen, 1965; C. Bingley, *Book publishing practice*, Lond. 1966; T. Kleberg Buchhandel u. V.wesen i. d. Antike, 1967; P. Unwin, D. Beruf d. Verlegers 1968; C. Vinz, G. Olzog, Dokumentation dt.-sprach. V.e, [4]1971; R. Mundhenke, D. V.kaufmann, 1977. →Buchhandel.

Verlagsalmanach →Almanach

Verlagsort →Druckort

Verlagsrecht, das dem →Verlag vom Urheber (Autor) eingeräumte Nutzungsrecht an seinem urheberrechtl. geschützten Werk, das sich je nach den Vereinbarungen des Verlagsvertrags auf die Nutzung durch Vervielfältigung und Verbreitung oder auch auf die →Nebenrechte bezieht. Dabei können die gesetzlichen Vorschriften des z. Z. in der BR noch gültigen Gesetzes über das V. vom 19. 6. 1901 (z. T. bereits verändert durch das neue →Urheberrecht) individuell abgeändert oder ergänzt werden und erhalten für die vertragschließenden Partner und deren Rechtsnachfolger Verbindlichkeit.

Verlagssignet →Druckerzeichen

Verlagsvertrag →Verlag, →Verlagsrecht, →Urheberrecht

Verleger →Verlag

Verlegerzeichen →Druckerzeichen

Verlorene Generation →Lost generation

Veröffentlichung, 1. jede Art gedruckt in der Öffentlichkeit erscheinenden Textes vom Buch bis zum Beitrag zu Periodika (Publikation), – 2. das Zugänglichmachen e. Schriftwerks für die Öffentlichkeit, resultiert als Pflicht des Verlages zur Vervielfältigung und Verbreitung aus dem →Verlagsrecht.

Verramschen, im Verlagsbuchhandel das Abstoßen nachweislich unverkäuflicher Bücher an das moderne →Antiquariat zu e. erheblich unter dem Ladenpreis liegenden Gegenwert. Da der Autor durch das V. leicht materielle und immaterielle Verluste (Schmälerung des Honorars bzw. der Schriftstellerehre) erleidet, ist ihm vor dem V. Gelegenheit zum Rückkauf des Auflagenrests zum niedrigsten Buchhändlernettopreis oder zum Preisangebot des Großantiquariats zu geben. Beim V. erlischt der Verlagsvertrag.

Verriß, niederschmetternde, denkbar negative →Kritik e. Werkes in e. →Rezension.

Vers (lat. *versus* = Umwendung, bes. des Pfluges, daher: Furche, Reihe, seit dem 17. Jh. dt. als Ersatz des mhd. *rîm* = →Reim; griech. →*stichos*), metrisch gegliederte und durch den →Rhythmus zur in sich geschlossenen Einheit durchgeformte Wortreihe als Ordnungseinheit innerhalb des Gedichts, die nach korrespondierender Fortsetzung verlangt: die einzelne, gleich- oder andersartig wiederholte Zeile der gebundenen Rede. Die in der Umgangssprache z. T. übliche Verwendung von V. = →Strophe, also e. bestimmte Abfolge von Versen, ist ungenau und falsch; sie erklärt sich aus dem Gebrauch der Kirchensprache, wo V. oder Versikel (v. lat. *versiculus* = Verslein) seit LUTHER den Absatz e. Kapitels in den biblischen Schriften (urspr. seit der Benediktinerregel der poetischen *Psalmen,* dann auch der Prosateile) bezeichnet, da diese bei Versifizierung jeweils eine Strophe ergaben. Als nur klanglich (metrisch-rhythmisch), nicht inhaltlich geformter Teil der gebundenen Rede braucht der V. keine Rücksicht auf Gliederung und Sinn des Satzes zu nehmen, der auch von einem V. auf den folgenden übergehen kann. Man spricht in diesem Fall von V.-brechung oder V.-sprung, →Enjambement, beim Zusammenfall von V.- und Satzschluß von →Zeilenstil. Andererseits kann das Streben nach genauer Erfüllung des Metrums zu gesuchten Formulierungen führen: V.-zwang (→Reimzwang). Der einzelne V. wurde vom Dichter urspr. als rhythmisches Erlebnis konzipiert, als Ganzheit, nicht als Zusammengesetztes, und ist stets im Einzelfall nach seinem Kunstwert zu bestimmen; erst wiederholter Gebrauch schafft V.-typen, doch erst später wurde er künstlich in seine Elemente zerlegt und besteht nach der Lehre der antiken Metrik aus mehreren gleichen oder ungleichen, nach ihrer Quantität gemessenen V.-füßen (→Metrum 2) wie Jambus, Trochäus, Daktylus, Anapäst, Spondeus usw., deren Art das V.-maß oder →Metrum (1) bestimmt und nach deren Anzahl der V. als Monometer, Dimeter, Trimeter, Tetrameter, Pentameter oder Hexameter bezeichnet wird; nach der dt. Metrik umfaßt er e. Reihe von →Takten mit je einer →Hebung, deren Zahl gleichbleibend oder wechselnd ist und ebenfalls der Bz. Dreitakter (oder -heber), Viertakter usw. zugrundeliegt (s. auch →Kurz- und →Langvers). Die andersartige Gliederung beruht auf dem Unterschied des V.-baus nach →akzentuierender, →alternierender und →quantitierender Dichtung. Im V.-anfang ist →Auftakt möglich, im V.-inneren Gliederung durch →Zäsur, die nicht mit der Taktgrenze zusammenzufallen braucht; hinsichtlich des V.-schlusses, d.h. der Gestalt des letzten Fußes oder Taktes, unterscheidet man in antiker Dichtung →akatalektische, →katalektische, →brachykatalektische und →hyperkatalektische V.e, in dt. Dichtung volle, klingende und stumpfe (oder männliche und weibliche) →Kadenz. Die V.-bindung besteht allein in der rhythmischen Gliederung der Sprache durch Wiederkehr der hervorgehobenen (betonten oder langen) Silben in annähernd gleichen Abständen, in harmonischer Verteilung und Abstimmung der hervorgehobenen Silben (Haupt- und Nebenhebungen) und in der Korrespondenz der rhythmischen Reihen (→Kolon), die sie von der gewöhnlichen Sprache der →Prosa unterscheiden; als V.-schmuck oder V.-verzierung können ferner End→reim, →Assonanz oder →Alliteration hinzutreten, die jedoch nicht unbedingt zum Wesen des V. gehören. Von Wortfüllung und Sinngehalt abhängig ist die ständig variierende V.-melodie (→Sprachmelodie). Die Verbindung mehrerer Verse zur nächsthöheren Einheit der →Strophe erfolgt in antiker Dichtung durch bes. rhythmische Gliederung, in reimender Dichtung daneben meist durch den Reim; die einfachste Form bildet hierbei das V.-paar oder →Reimpaar als Verbindung von zwei V.en durch Endreim; die komplizierteren Strophen weisen große Mannigfaltigkeit auf. – In der Lyrik ist der V. selbstverständliche Voraussetzung, doch auch die anderen Gattungen können als V.-dichtungen von erhöhter Sprachgebung und stimmungssteigernder Kraft erscheinen; in der Epik das V.-epos, die →V.-novelle und die →V.-erzählung (V.-schwank, -fabel, -legende usw.), im Drama das →V.-drama, das nach der seit dem 19. Jh. herrschenden Prosaform in der Gegenwart erneuert wird (T. S. ELIOT, Chr. FRY); selbst in Prosa (Roman, Erzählung) erscheinen schon seit dem 17. Jh. und bes. in der Romantik (TIECK, BRENTANO, EICHENDORFF, bes. im Märchen) V.-einlagen, die den ganzen Stimmungsgehalt einzelner Szenen selbständig zur Aussprache bringen. Über V.-lehre, -kunst, -geschichte und -wissenschaft →Metrik.

Lit. →Metrik, →Rhythmus.

Versalien, nach ihrer Verwendung bei Versanfängen Bz. für die großen Anfangsbuchstaben oder →Majuskeln im Ggs. zu den →Minuskeln.

Versandbuchhandel →Buchhandel

Versatzstücke, in der Bühnen-→dekoration die außer den vom Schnürboden herabgelassenen Hängestücken (Kulissen und Soffitten) zur Ausstattung des Schauplatzes verwendeten beweglichen Dekorationsteile wie Bäume, Felsen, Treppen, Geländer, Brunnen, Möbel u. ä.

Versausgang →Kadenz

Vers blancs (franz. = weiße Verse), reimlose Verse

Versbrechung →Enjambement

Verschleifung, Bz. K. LACHMANNS für die metrische Erscheinung bei der Füllung eines Metrums mit kurzer Starktonsilbe, die nicht mehr als eine More einnehmen darf; Silbengruppen von der Qualität ⏑́⏓⏓ geben daher auf zwei Moren verteilt x́ ⏑ ⏑, Silbengruppen von der Qualität ⏑́ ⏓ ⏓ aber ⏑́ ⏑ x. (V. auf Hebung bzw. in Senkung).

Verschränkter Reim, die Reimstellung dreier voneinander durchkreuzter Reime: abc abc oder abc bac.

Vers commun (franz. = gewöhnlicher Vers), gereimter jambischer (alternierender) Zehn- oder Elfsilber mit männlichem oder weiblichem Ausgang und anfangs stehender Zäsur nach der 4. Silbe (2. Hebung): ›So laß den Leib, in dem du bist gefangen‹ (OPITZ); in Frankreich im 15./16. Jh. in Heldenepos und Lyrik sehr beliebt, verwandt dem ital. →Endecasillabo; in Dtl. von OPITZ empfohlen und im Frühbarock viel verwendet, dann vom Alexandriner verdrängt, später freier fortgeführt im →Blankvers.

Vers de Société (franz. = Gesellschaftsverse), leichte, graziöse →Gesellschaftslieder und Gedichte, die in witzig-satirisch-eleganter Form Themen aus dem Leben und den Belangen der oberen Gesellschaft behandeln, oft in Form von Villanelle, Rondeau u. ä.

Versdrama, seit Eindringen der Prosasprache in die dramatische Dichtung im 18./19. Jh. Bz. für die betont in metrisch gebundener Sprache geschriebenen Dramen, die nach der Überwindung des naturalistischen Milieudramas im 20. Jh. wieder größeren Aufschwung nahmen, z. B. bei D'ANNUNZIO, MAETERLINCK, HOFMANNSTHAL, G. HAUPTMANN, WERFEL, YEATS, AUDEN, ELIOT, CUMMINGS, POUND, FRY, MACLEISH.

P. Thouless, *Modern Poetic Drama,* Oxf. 1934; R. Peacock, *The Poet in the Theatre,* Lond. 1946; D. Donoghue, *The Third Voice,* Princeton 1959.

Verseinlage →Vers

Versenkung, Theatermaschinerie unterhalb der Bühne, mit deren Hilfe Personen oder Gegenstände durch e. Ausschnitt des Bühnenbodens verschwinden oder auftauchen können.

Verserzählung, poetische Erzählung, Sammelbz. für alle Formen kürzerer ep. Versdichtung von der →Versnovelle, dem balladesken Erzählgedicht bis zum →Poem; im engeren Sinn e. gattungsmäßig nicht genauer einzugrenzende poet. Symboldichtung in Versen, wie sie bes. in der engl. Romantik (WORDSWORTH, BYRON, KEATS, SHELLEY, CRABB) blühte.

H. Fischer, D. romant. V. i. Engl., 1964.

Verset (frz. = Bibelvers), reimloser, rhythmischer →Freier Vers, dessen expiratorische Einheit die Dauer e. Atemzuges darstellt; von P. CLAUDEL benutzt und auch theoretisch begründet.

Versetzstücke →Versatzstücke

Versfüllung, die Verteilung des Silbenmaterials auf den metrischen Rahmen mit gebundener oder ungebundener Silbenzahl, fester oder freier Senkungszahl.

Versfuß →Metrum

Versgeschichte →Metrik

Versifex (lat. = Versemacher), Reimeschmied

Versifikation (lat. *versus* = Vers, *facere* = machen), Umformung von Prosa in Verse.

Versikel →Vers

Versi liberi (ital. = freie Verse), in Italien im 18. Jh. Bz. der ungereimten Blankverse, versi →sciolti, im 19. Jh. nach Vorbild der franz. ›vers libres‹ der gereimten oder ungereimten →Freien Verse, z. B. bei E. THONEZ, G. D'ANNUNZIO, D. GNOLI.

Version (lat. *versio* = Wendung), 1. →Lesart, Variante, 2. →Fassung e. Textes, 3. →Übersetzung.

Versi sciolti →Sciolti

Verskunst, Verslehre →Metrik

Vers libérés (frz. = befreite Verse), von P. VERLAINE propagierte Form des prosodisch (hinsichtl. Hiat, Zäsur, Reim und stummem ›e‹) freier behandelten Verses mit vorzugsweise ungerader Silbenzahl; erstrebt musikal. Ausdruckssteigerung.

Vers libres →Freie Verse

Versmaß →Metrum

Vers mêlés (franz. = gemischte Verse) = →Freie Verse (1).

Versnovelle, Novelle in Versform bzw. →Verserzählung novellist. Aufbaus. Zunächst im MA., das für dichterische Werke nur die Versform kennt, alle kleineren epischen Werke von novellistischem Inhalt von HARTMANNS VON AUE *Armen Heinrich* bis zu WERNHERS *Meier Helmbrecht* und dem STRICKER, von der franz.-provenzal. V. bis zu CHAUCER. Nach Einbürgerung der Prosaform für die Erzählkunst zur selbständigen Gattung geworden: kleinepische Erzählform von bewußt gepflegter Verskunst etwa im Klassizismus (LA FONTAINE, SCHILLER, VOSS, LANGBEIN) und Rokoko (WIELAND), in der idyllenhaften V. der Anakreontik (HAGEDORN, GELLERT) und im Biedermeier (IMMERMANN, LENAU, DROSTE, MÖRIKE), dann im 19. Jh. bevorzugte kleinepische Form aller Gegenströmungen des Realismus z. B. bei HEYSE, SCHEFFEL, ROQUETTE, SCHÖNAICH-CAROLATH, SPITTELER u. a.

A. Fresenius, D. Verserz. d. 18. Jh. (Euph. 28, 1921); H. Weisser, D. dt. Nov. im MA., 1926; E. Müller, D. altprovenzal. V., 1930; E. Stutz, Frühe dt. Novellenkunst, Diss. Hdlbg. 1950; H. Lang, Z. Entw. d. mhd. V., Diss. Mchn. 1951; K.-H. Schirmer, Stil- u. Motivunters. z. mhd. V., 1968.

Verso (lat.), im Ggs. zu →Recto die Rückseite eines Blattes in ma. Handschriften.

Verso piano, in ital. Metrik der übliche Vers mit weiblichem Versschluß.

Verso sdrucciolo →Sdruccioli

Verso tronco, in ital. Metrik ein Vers mit männlichem Versschluß, meist e. um die letzte Senkung gekürzter Endecasillabo.

Versroman →Roman

Verssatire →Satire

Versschluß →Kadenz

Verssprung = →Enjambement

Versuch →Essay

Versus leonini →Leoninische Verse

Versus memoriales (lat. =) Gedächtnisverse, →Denkverse.

Versus politicus →politischer Vers

Versus quadratus →Septenar

Versus rapportati (lat. = zurückgetragene Verse), e. aus der Antike stammende und dann im Barock bes. beliebte Gattung sprachspielerischer Gedichte mit mehreren verschränkten Aufzählungen, in denen die meist in der Dreizahl vorhandenen Nomina, Verba, Adjektive, adverbiellen Bestimmungen usw. erst durch Auflösung der Verskombination in ihrer Zugehörigkeit zueinander erkannt werden können, während die hörbare Satzgestalt zu falscher Vorstellung verführt (›Verführungsgedicht‹), zurücktritt und erst für das Auge abgewickelt werden muß: ›Die Sonn', der Pfeil, der Wind, verbrennt, verwundt, weht hin / mit Feuer, Schärfe, Sturm, mein' Augen, Herze, Sinn‹ (OPITZ) ist aufzulösen: Die Sonn' verbrennt mit Feuer mein' Augen usw.

H. Zeman, D. v. r. i. d. dt. Lit. d. 16. u. 17. Jh. (Arcadia 9, 1974).

Versus rhopalici (griech. *rhopalon* = Keule) →Keulenverse

Versus saturnius →Saturnier

Versus spondiacus →Spondiacus

Verszwang →Vers, →Reimzwang

Vertonung →Lied, →Ballade

Vertrauter →Confident

Verwandlungsstück →Ausstattungsstück

Verwertungsgesellschaften, Schriftstellerverbände zur Wahrnehmung individuell schwer erfaßbarer Nutzungs- und Nebenrechte, z.B. aus Tonbandaufnahmen und -wiedergaben, Leihbüchereitantiemen u.ä., z.B. die V. Wort (gegr. 1958 in München).

Verwicklung →Epitasis

Verwünschungsliteratur →Arai, →Dirae

Victorianer, Victorians, Sammelbz. für die engl. Dichter und Schriftsteller während der Regierungszeit der Königin VICTORIA (1837–1901).

Vidûshaka, die komische Person im ind. Drama: dickbäuchiger, buckliger, kahlköpfiger, gefräßiger, furchtsam-prahlerischer und tölpelhafter Brahmane, doch verläßlicher Freund und Retter des Helden.

J. Huizinga, *De V.*, Groningen 1897; G. K. Bhat, *The V.*, Ahmedabad 1959.

Vielgestaltigkeit des Versmaßes gestattet die Anwendung verschiedener Maße auf e. Vers.

Vierte Wand, im Theater die durch das Bühnenportal offene Wand der Bühne zum Zuschauerraum; sollte im Naturalismus wie e. V. W. behandelt werden: kein Spielen ins Publikum.

Vierzeiler, vierzeilige gereimte Strophe mit umarmendem (abba), Paar- (aabb) oder Kreuzreim (abab) oder als Langzeilenpaar mit Waisenanvers (xaya) in beliebiger Verwendung von männlichem oder weiblichem Reim, meist als eigenes Gedicht: Schnadahüpfel, Spruch, Rätsel u. ä., doch auch als Strophe im Kirchen- und →Volkslied (→Chevy-Chase-Strophe), ferner bei GOETHE, z. B. im *Erlkönig,* EICHENDORFF, UHLAND, HEINE u. a. m. – →Rubâi, →Quatrain, →Quartett, →Glosse (2).

Vignette (franz. = Weinranke), nach der urspr., seit dem 15. Jh., verwendeten Form Bz. für Buchverzierungen durch kleine ornamentale oder allegorische Bildchen u. ä. Randzeichnungen am Anfang (Titelseite) und Ende e. Buches, nach einzelnen Abschnitten oder bei den Anfangsbuchstaben.

Villancico (v. span. *villano* = dörflich), Form des span. Volkslieds mit einem 2–4 Verse umfassenden Kehrreim (Estribillo) am Anfang, der am Schluß (als Vuelta oder Tornada) wiederholt wird, und Strophen meist von 6 Versen zu je – innerhalb desselben V. wechselnd – 4–12 Silben. Auch mehrteilige Form des span. Kirchenlieds, bei dem ein mehrchöriger Chorsatz (Estribillo) einen oder mehrere Sologesänge (Coplas) einschließt. Häufige Verwendung im Auto sacramental und in Weihnachtsliedern.

V. Ripollés, *El V. y la Cantata del siglo* XVIII, Barcelona 1935; M. P. Saint-Amour, *A Study of the V. up to Lope de Vega,* Wash. 1940, n. 1969; P. Le Gentil, *Le virelai et le v.,* 1954; A. Sánches Romeralo, *El v.,* Madrid 1969.

Villanelle (v. lat. *villanus* = ländlich), urspr. ital. Hirten- und Bauernlied. Im 15. Jh. ist nur der ländliche Inhalt kennzeichnend, die Strophenzahl und -form schwankend, meist vier Strophen zu acht Zeilen, von denen die letzte oder die beiden letzten als Kehrreim wiederholt erscheinen; in dieser Form in Frankreich seit dem 16. Jh. in die Hirtendichtung eingeführt: GRÉVIN, d'URFÉ, DU BELLAY, DESPORTES, von Jean PASSERAT zur festen Form durchgestaltet, die RICHELET durchsetzt: fünf dreizeilige Strophen nach dem Reimschema aba, die abwechselnd als Refrain die 1. oder 3. Zeile des 1. Terzetts in der Schlußzeile wiederholen und mit e. vierzeiligen Strophe schließen, die beide Kehrreimzeilen als Schlußzeilen enthält: AbA' abA abA' abA abA' abAA'. Seit J. REGNART 1574 in dt. Dichtung; in Frankreich noch bei LECONTE DE LISLE, in England bei A. LANG, W. E. HENLEY, E. A. ROBINSON und Dylan THOMAS.

B. M. Galanti, *Le v.,* Florenz 1954.

Villanesca (v. span. *villano* = dörflich), allg. span. Bauernlied des MA., dann insbes. Tanzlied volkstümlichen Inhalts mit Kehrreim nach jeder Strophe.

Villotta, kurzes ital. Volks- und Tanzlied im Stil des →Strambotto oder in vierzeiligen Achtsilber-Strophen mit alternierendem Reim. Vorwiegend musikalische Form für 3–4 Stimmen, wohl zu Anfang des 14. Jh. aus der →Frottola entstanden und im 15.–16. Jh. hauptsächlich in Venetien, aber auch Neapel verbreitet. Als lyrische Kunstform u. a. von S. FERRARI gepflegt.

K. Somborn, D. venezian. Volkslied, 1901.

Virelai (nach dem Lautkehrreim e. Tanzliedes in Assoziation zu *lai*), aus dem volkstüml. Tanzlied entwickelte franz. Gedichtform in Strophen mit kunstvoll angeordnetem Refrain und insgesamt meist nur zwei Reimklängen. Beginnt mit e. Refrain aus zwei, später einer Zeile, dann (meist drei) vierzeilige Strophen, die mit der Melodie des Refrains ausklingen und diesen anschließen lassen. Seit dem 13. Jh. (GUILLAUME DE MACHAUT, CHRISTINE DE PISAN) und bes. im 17. Jh. (DESCHAMPS u. a.) beliebt, je nach Kunstfertigkeit strenger oder lockerer komponiert, zeitweilig auch chanson baladée genannt.

M. Francon, *On the nature of the v.* (Symposium 9, 1955); P. Le Gentil, *Le v. et le villancico,* 1954; F. Gennrich, D. altfrz. Rondeau u. V. i. 12. u. 13. Jh., 1963.

Visa (altnord., Mz. *visur*), die Halbzeile im altnord. Alliterationsvers der *Edda*.

Vision (lat. *visio* = Anblick, Erscheinung), im psychologischen Sinne Halluzination, im künstlerischen Sinne geistige Schau, Vorstellung, inneres Gesicht von nicht existenten Bildern oder Vorgängen, das im Dichter auftaucht und den Ausgangspunkt des späteren künstlerischen Gebildes darstellt, das selbst wiederum nie ganz an die V. heranreicht und sie vollkommen ausdrückt, jedoch jedem originalen Kunstwerk zugrundeliegt und sich im Aufnehmenden wiederherzustellen trachtet, wenn auch meist in verwandelter, dem Empfinden des Lesers anverwandter Form. – Daneben erscheint die V. neben der →Traumdichtung als beliebte konkrete Einkleidungsform e. Dichtung bes. im MA.: von DANTES *Divina Commedia* und der engl. *Piers the Plowman's Vision* von W. LANGLAND (um 1330) über die V.en von HILDEGARD VON BINGEN, BUNYAN und MILTON bis zu den *Traumgesichten* von GUEVARA, MOSCHEROSCH u. a. m.

M. Voigt, Beitr. z. V.-lit. i. MA., 1924, n. 1967; W. Schmitz, Traum u. V. i. d. erz. Dichtg. d. dt. MA., 1934; J. Benziger, *Images of Eternity,* Carbondale 1962; P. M. Spacks, *The poetry of v.*, Cambr./Mass. 1966; H. J. Kamphausen, Traum u. V. i. d. lat. Poesie d. Karolingerzeit, 1975.

Visuelle Poesie, Dichtung (?), bei der Textinhalt und visuelles Textbild zusammenwirken, deren Effekt nicht auf dem Sinn und Klang, sondern auf der optischen, graphisch-typographischen Wirkung beruht. Vorgeprägt in barocker →Bilderlyrik und typographischen Experimenten bei G. APOLLINAIRE *(Calligrammes),* St. MALLARMÉ *(Un coup de Dés),* im ital. Futurismus (F. T. MARINETTI) und im Dadaismus (R. HAUSMANN), bei K. SCHWITTERS und Ch. MORGENSTERN *(Fisches Nachtgesang),* entsteht in den 60/70er Jahren des 20. Jh. in Nähe zur →konkreten Poesie das visuelle ›Simultangedicht‹, dessen Wirkung sich nicht im sukzessiven Lesevorgang des Textes erschließt, sondern im räumlichen Sehbild, der ›Textur‹, der ›Konfiguration‹, dem Gewebe von Buchstaben, Wörtern und Wortgruppen zugleich da ist, wenn auch teils bewußt unlesbar: intelligente, reizvolle Spielereien mit Wörtern und Buchstaben als bildnerischem Material, mehr Graphik als Lit. Hauptvertreter: F. KRIWET, H. HEISSENBÜTTEL, E. GOMRINGER, F. MON, O. WIENER, R. DÖHL, T. ULRICHS, D. ROT, D. SPOERRI, C. BREMER, H. GAPPMAYR und die →Wiener Gruppe (G. RÜHM, F. ACHLEITNER), im Ausland J. KOLÁR, U. CARRE, C. BELLOLI, E. BRAGA u. a.

H. Gappmayr, Theorie vis. Dichtg. (Anstöße 17, 1970); S. J. Schmidt, V. P. u.

konkrete Dichtg. (ebda.); H. Heissenbüttel, Üb. Lit., [2]1970; A. Massin, Buchstabenbilder u. Bildalphabete, 1971; P. Weiermair, Z. Gesch. d. v. P. (Konkrete Dichtg., hg. S. J. Schmidt 1972); K. P. Dencker, Textbilder, 1972; U. Ernst, D. Entw. d. opt. Poesie, GRM 26, 1976.

Vita (lat. = Leben, Mz. dt. Viten), Lebensbeschreibung, bes. bekannter Persönlichkeiten aus Politik, Dichtung, Kunst und Philosophie aufgrund e. festen, allmählich ausgebildeten Gliederungsschemas; Titel der antiken →Biographien (SUETONS u. a.); als Gattung bis aufs MA. (EINHARD, *V. Caroli Magni*) und die Neuzeit nachwirkend. Bei kirchl. Personen Nähe zur →Legende.

W. Brüggemann, Unters. z. V.-Lit. d. Karolingerzeit, Diss. Münst. 1957. →Biographie.

Vîthis, humoristische Einakter der ind. Lit. für zwei bis drei Schauspieler mit vorwiegend erotischem Inhalt.

Vocalis ante vocalem corripitur, bes. in griech. Hexameterdichtung gültiges Gesetz, nach dem in der Wortfuge auslautender Langvokal oder Diphthong gekürzt wird, wenn das folgende Wort vokalisch anlautet. →Hiat.

Vokabular(ium) (lat. *vocabulum* = Benennung), →Wörterbuch, -verzeichnis, z. B. der *Vocabularius St. Galli* (um 775).

Vokalischer Halbreim →Doppelreim

Vokalspiel, in endreimender Dichtung der Ausgang aller Strophen auf denselben Vokal oder jeder Strophe auf e. anderen (1.: a, 2.: e, 3.: i usw.), z. B. WALTHER VON DER VOGELWEIDE, 75, 25 ff.

Vokalverschleifung →Synizese

Volksausgabe, durch sparsamere Ausstattung (Papier, Einband) und bes. hohe Auflage gegenüber e. früheren Auflage verbilligte Ausgabe e. Werkes, im allg. mit ungekürztem Text.

Volksballade, die im 13./15. Jh. als endreimende Weiterbildung der german. Heldenlieder neben dem Heldenepos und mit Einwirkung auf diese (*Kudrun* – V. von der Meererin) entstandenen kurzen strophischen Erzähllieder meist um sagenhafte oder historische Persönlichkeiten. Ihre Stoffe entstammen neben dem Heldenlied (*Jüngeres Hildebrandslied* aus dem älteren) und dem nachwaltherschen Minnesang auch der Volkssage, dem Volksmärchen, historischen Ereignissen und novellistischem Erzählgut, doch stets mit phantasievoller Lockerung des Geschehens, Fortstreben von der Orts-, Zeit- und Personenfestlegung, das Hauptmotiv z. T. durch Nebenmotive erweitert und schließlich in die Ausgangssituation mündend. Die V. lebt nicht mehr von der Gestalt des Helden selbst, von Ehre und tragischem Schicksalskampf, sondern zeigt gänzlich unheldische, fast bürgerlich-familienhafte und z. T. rührende Haltung: Liebe und Leidenschaft dienen der Spannung des Geschehens, das die Neugier der Hörer reizte und später zur Unterhaltungslit. absank. Typische Motive sind Abschied *(Tannhäuser),* Wiedersehen *(Moringer, Liebesprobe),* Losbitten e. Gefangenen *(Schloß in Österreich, Herr von Falkenstein),* Tod des Geliebten *(Bremberger),* Treue und Untreue *(Frau von Weißenburg, Falsche Liebe),* Verbrechen und Blutrache, seltener mythische Vorstellungen *(Wassermann).* Die V. entwickelt sich trotz ihrer Herkunft aus höheren Schichten nur auf dem nichtlit. Wege weiter. Formale Kennzeichen sind sprunghafte, verkürzende Erzählweise, wirkungsvolles Halbdunkel des Stils, häufige Verwendung des Dialogs, typisierende Menschenschilderung, formelhafte Gebärden und ständige Wiederholungen bis zur Wiederaufnahme ganzer Verse. Die V. ist keine Gemeinschaftsdichtung primitiver Art; die Verfasser sind anonyme Fahrende und Spielleute, kein Kollektiv; der Anteil des Volkes ist die mündliche Überlieferung und Veränderung, das ›Zersingen‹ zum typischen V.-Stil durch Verstärkung vorhandener Züge in niederen Schichten, die seit dem 13. Jh. die anfangs ritterlichen Kreise als Publikum überwiegen. Die Volksüberlieferung verkümmert in der Zeit vom Humanismus zur Aufklärung, bis in England PERCY, in Dtl. HERDER, GOETHE und die Romantiker zur Slg. der V.n schreiten; noch rd. 250 V.n sind erhalten. – →Ballade.

H. Schneider, Ursprung u. Alter d. dt. V. (Fs. Ehrismann, 1925); RL; P. Beyer, D.n.-dt. Frauenbild i. d. dt. V. (Dichtg. u. Volkstum 37, 1936); Chr. Richter, D. Fortleben d. ritterlichen Kultur i. d. dt. V., Diss. Bonn 1942; M. Engelke, Strukturen dt. V.n, Diss. Hbg. 1961; L. Vargyas, *Research into the ma. hist. of folk ballad*, Budapest 1967; E. Seemann, D. europ. V. (Hb. d. Volksliedes I, 1973); H. Rosenfeld, Heldenballade (ebda.); Probleme d. V.-forschung., hg. E. Pflüger-Bouillon 1975. →Ballade →Volkslied.

Volksbuch, von J. GÖRRES geprägte Bz. für die frühnhd. Prosa-Auflösungen und -nacherzählungen epischer Dichtungen verschiedenster Herkunft in Buchform im 15./16. Jh., in denen die Romantik den Ausdruck e. Volksgeistes zu erkennen glaubte – in Wirklichkeit entstammen sie einzelnen, selbst z. T. bekannten Verfassern (Rittern, Bürgern, bes. Gelehrten und anfangs auch Frauen), waren urspr. nach Ausstattung wie Formgebung durchaus für die adlige und bürgerliche Oberschicht bestimmt und sanken erst um Mitte des 16. Jh. mit Einsetzen der billigen, anonymen Massenproduktion, zunehmender Vernachlässigung des Druckes und der Illustrationen sowie inhaltlichen Veränderungen in immer neuen Wandlungen als Konzessionen an den tieferen Geschmack breiter Leserschichten aus der hohen Stufe der Dichtung und Bildung zum eigtl. V. (Befriedigung des Stoffhungers) für die Unterschichten ab, nachdem das Interesse der höheren Kreise sich den Amadisromanen zugewandt hatte. Die Entwicklung der V.er wurde begünstigt durch den Aufschwung der soeben erfundenen Buchdruckerkunst und damit die Ablösung des Hörerpublikums durch e. selbständiges Lesepublikum, wie es sich zuerst in Frankreich entwickelte; die Verbreitung dauert fort bis in das 19. Jh., im 18. Jh. um *Münchhausen* u. ä. vermehrt. Ihre Stoffe meist geschichtlicher, naturkundlicher und bes. erzählender Art entnahmen die V.er verschiedensten Quellen: 1. den mhd. höfischen Epen: *Tristan* 1484 nach EILHART VON OBERGE, *Wilhelm von Österreich, Wigalois* 1493, *Herzog Ernst* 1493, 2. dem dt. Heldenepos: *Der Gehörnte Siegfried* 1528, 3. den franz. höfischen Epen und Chansons de geste, die schon dort z. T. als Prosaromane aufgelöst vorlagen: die V.-Übersetzungen der Gräfin ELISABETH VON NASSAU-SAARBRÜCKEN (*Herpin, Loher und Maller, Hug Schapler* 1430–40) und der ELEONORE VON ÖSTERREICH (*Pontus und Sidonia* 1456), ferner *Fierabras, Kaiser Octavianus* 1535, *Flor und Blancheflor* 1500, *Olivier und Artus, Die Haimonskinder* 1604, *Valentin und Orso, Lanzelot* u. a., 4. den roman. Liebesromanen und Novellen: THÜRING VON RINGOLTINGENS *Melusine* 1456, Veit WAR-

BECKS *Die schöne Magelone* 1527, *Griseldis* 1436, *Genoveva* 1640, 5. den lat. Heiligenlegenden: *Gregorius*, 6. der antiken Überlieferung: Hans MAIRS von Nördlingen *Buch von Troia* 1392, HARTLIEBS *Alexander* 1444, *Sieben Weise Meister* 1470, 7. reinen Abenteuerromanen: *Apollonius* 1461, *Fortunatus* 1508, 8. →Tierdichtungen: *Reineke Fuchs*, 9. zeitgenössischen oder historisch bezeugten Persönlichkeiten wie *Till Eulenspiegel* 1515 als Mittelpunkt e. nahezu biographischen Ansammlung volksläufiger Narren- und Schwankgeschichten, *Dr. Faust* 1587 als Vereinigung der umlaufenden Magiergeschichten mit alten Sagenmotiven und das *Lalebuch* 1597 als Konzentration der mündlich überlieferten Narrenweisheiten und Schildbürgerstreiche auf e. Gemeinde. Nur in diesen letzten Fällen erscheint die Bz. V. nahezu gerechtfertigt, da es sich in der Tat um erste lit. Zusammenfassung vorher nur unlit., mündlich verbreiteter und versprengter Teile erzählenden Volksguts, nicht um ›abgesunkenes Kulturgut‹ handelt, während in den anderen Fällen die lit. Wertschätzung sehr umstritten ist. Die neuere Hochschätzung beginnt mit der Wendung zur Volksdichtung im Sturm und Drang, wird zur lit. Mode in der Romantik, die sie durch wissenschaftliche Untersuchung (GÖRRES, *Die teutschen V.er*, 1807), Dramatisierung (TIECK u. a.) und erneuernde Nacherzählung (SCHWAB, SIMROCK) für die Lit. zurückerobert, und wirkt bis in die Gegenwart bei R. BENZ. Die literaturgeschichtliche Bedeutung der V.er beruht ähnlich den verwandten Schwankslgn. in der Verbreitung erzählender Prosa und damit der Wegbereitung für die Entwicklung des →Romans.

R. Benz, Gesch. u. Ästhetik d. dt. V., [2]1924; P. Heitz u. F. Ritter, Versuch e. Zusammenstellung d. dt. V.er d. 15. u. 16. Jh., 1924; L. Mackensen, D. dt. V.er, 1927; RL; W. E. Peuckert, D. Ausgg. d. MA. u. d. V. (Zs. f. dt. Unterr. 50); F. Stroh, V.-probleme (Dichtg. u. Volkstum 36, 1935); C. Kruyskamp, *Nederlandsche Volksboeken*, 1942; S. B. Puknat *The V.* (*Journal of Engl. and Germ. Philol.* 47, 1948); F. Weber, Weltbild u. Geisteshaltg. d. dt. V., Diss. Mchn. 1948; E. Schauhuber, D. V. d. 15. u. 16. Jh., Diss. Wien 1948; H. Aicher, D. rel. Problem i. d. V., Diss. Erlang. 1953; W. Heise, D. dt. Volksromane, Diss. Gött. 1953; F. Delbono, *Il V. tedesco*, Arona 1961; J. Szövérffy, D. V. (Deutschunterr. 14, 1962); H. Melzer, Trivialisierungstendenzen i. V., 1972; W. Raitz, Z. Soziogenese d. bürgerl. Romans, 1973; H. J. Kreutzer, D. Mythos v. V., 1977. →Roman.

Volksbüchereien, wichtigste Vermittler der Lit. an breitere Leserkreise: öffentliche (meist gemeindliche) Einrichtungen zur Förderung der Volksbildung, bes. Vermittlung wertvoller Lit. als Grundlage und Hilfsmittel der Erwachsenenbildung; je nach Größenordnung und soziologischen Voraussetzungen der tragenden Gemeinde von der Dorfbücherei unter nebenamtlicher Leitung e. jüngeren Lehrers über die Kleinstadtbücherei mit Ausleihe ohne Lesesaal unter fachbibliothekarischer Leitung (Spezialausbildung mit Diplomprüfung) bis zur Kreishaupt- oder (in größeren Städten) Einheitsbücherei mit Lesesaal, gesonderter Jugend- und evtl. Musikbücherei und größerem Buchbestand an schöngeistigem, fachlichberuflichem, orts- und heimatgeschichtlichem und allgemeinverständlichem wissenschaftlichem Schrifttum. Die staatliche Unterstützung kleinerer V. erfolgt durch die in allen westdt. Ländern errichteten Landes-V.-Stellen; Zusammenschluß aller gemeinnützigen (öffentlichen oder privaten) V.en, 1965 in der BR. rd. 11 000, seit 1949 im Dt. Bücherei-Verband.

H. Hugelmann, D. V., 1952.

Volksbühne, Zuschauerorganisation ohne eigene geschäftliche Interessen, die allein der Aufgabe dient, breiten Volkskreisen, bes. Arbeiterkreisen, durch verbilligte Preise gute Theatervorstellungen zugänglich zu machen – urspr. nachmittags. Ein Ausschuß bestimmt den Spielplan und verlost die Plätze. Die erste dt. V. wurde nach dem Vorbild e. ähnlichen Organisation in Paris 1890 auf Drängen von Bruno WILLE, BÖLSCHE u. a. aus der Bewegung des Naturalismus und aufsteigenden Sozialismus als ›Freie V.‹ in Berlin gegr. und erlebte am 19. 10. 1890 ihre Eröffnungsvorstellung mit IBSENS *Stützen der Gesellschaft*; spätere Aufführungen brachten bes. G. HAUPTMANN, STRINDBERG, HEBBEL und SHAKESPEARE, doch geriet die ›Freie V.‹ bald in parteipolitische sozialistische Strömungen, was 1902 WILLE, HARTLEBEN, WOLZOGEN, JACOBOWSKY, ETTLINGER u. a. zur Neugründung e. ›Neuen freien V.‹ veranlaßte, die sich noch besser entwickelte, 1910 schon 37000 Mitglieder zählte und da die urspr. vorgesehenen Nachmittagsvorstellungen für die große Zahl nicht mehr ausreichten und die Theater für Abendvorstellungen gemietet werden mußten, nach erneutem Zusammenschluß beider Verbände am 30. 12. 1914 e. eigenes Theatergebäude, die V., eröffnete, die im Kriege z. T. von Max REINHARDT, seit 1918 von F. KAYSSLER u. a. m. betreut wurde. Ähnliche V.-Vereine entstanden in fast allen Theaterstädten (Wien unter A. RUNDT, B. VIERTEL u. a. m.), teils auch Theatergemeinden, die geeignete Vorstellungen aus dem laufenden Spielplan zu verbilligtem Abonnement erhalten, und schlossen sich 1920 zum Verband der dt. V.-Vereine zusammen. Nach heftigen Auseinandersetzungen um das radikal polit. Theater E. PISCATORS wurde die V. 1933 aufgehoben, 1945 neugegründet, seit 1963 mit eigenem Theater in West-Berlin (Leitung 1963–66 E. PISCATOR) und an 600000 Mitgl. in der BR. →Freie Bühne.

J. Bab, Wesen u. Weg d. V.-bewegg., 1920; A. Brodbeck, Hdb. d. dt. V.-bewegg., 1930; RL; S. Nestriepke, D. Theaterorganisation d. Zukunft, 1921; ders., Gesch. d. dt. V., 1930; ders., Neues Beginnen, 1956; A. Schwerd, Zw. Soz.demokr. u. Kommunismus, Z. Gesch. d. V., 1975; H. Braulich, D. V., 1976; C. Davies, *Theatre for the people,* Manch. 1977.

Volksdichtung, ›Volkspoesie‹. Die Bz. beruht auf der im Sturm und Drang entstandenen und bes. in der Romantik (HERDER, GRIMM, UHLAND) entwickelten und verbreiteten Vorstellung vom dichtenden Volksgeist, der sich in →Volksballade, -buch, -epos, -lied, -märchen, -sage usw. verkörpere, die anonym im Volke verbreitet sind und daher von ihm selbst ausgegangen seien. Diese romantisierende, idealistische Auffassung ist, obwohl sie mit stärkster Kraft und tiefdringenden Anregungen in weiteste Kreise gewirkt hat und bis in die Gegenwart in unübersehbarer Mannigfaltigkeit fortwirkt, heute von der Wissenschaft überwunden. Das Volk als Kollektiv hat sich nirgends in musischen Dingen als eigenschöpferisch erwiesen, die Masse nie e. Vers bilden, e. Gedanken entwickeln und ein Kunstwerk nach bewußtem Plan entwerfen und ausführen können. Jede Dichtung, ob groß oder klein, ist Schöpfung eines einzelnen, ganz von ihr erfüllten und erregten Künstlers. Wenn dieser aus den im Volke lebenden Sagen und Vorstellungen schöpfte, sie an e. gleichgestimmte Gemeinschaft von Hörern wiedergab und sich in seinem Dichten mit dem Fühlen und Denken des Volkes selbst zutiefst eins fühlte, konnte ihm zwar wohl Begriff und Forderung nach individueller Genialität fernliegen, und er konnte seine Individualität ganz hinter dem volkstümlichen Inhalt seiner Dichtung zurücktreten lassen, Herz und Sinn des Volkes, den Geist der ›Volkheit‹ (GOETHE), seine Zeit und die Lebensart seines Volkes in seiner Dichtung ohne persönliche Note widerspiegeln und damit zum ›Volksdichter‹ werden, sein Name konnte auf dem Wege der mündlichen Überlieferung verlorengehen oder nie genannt sein, und doch war der bewußte persönliche Schöpfer stets vorhanden, sei es, daß er direkt für das Volk und aus dem Volke schaffte, oder daß seine urspr. Kunstdichtungen vom Volke aufgenommen, verändert und nachgeahmt wurden. Der Anteil des Volkes – d.h. stets der Vielzahl einzelner – an der V. beschränkt sich daher auf die mündliche Weitergabe und, infolge der Schriftlosigkeit und Anonymität der Werke, oft selbst unabsichtliche Veränderung der Form und Umgestaltung ohne Rücksicht auf die eigtl. Absichten des Schöpfers, Zusätze aus eigenem Dichten oder anderen Werken, die den Kern überwuchern, das Werk anschwellen lassen usw., schlechtweg das ›Zersingen‹ der urspr. Form, die heute nur noch in seltenen Einzelfällen vorhanden ist oder aus Vergleichen und Gemeinsamkeiten verschiedener Überlieferungszweige annähernd erschlossen werden kann, wobei sich oft nur der stoffliche Kern mit einiger Sicherheit erkennen läßt. Die einzelnen Stationen und Träger der Überlieferung sowie Ausmaß, Art und Stellen der Veränderung lassen sich infolge der ausschließlich mündlichen Überlieferungsweise – seltene Aufzeichnungen aus dem Gedächtnis oder beim Vortrag, die kaum den reinen Wortlaut bilden können, ausgenommen – ebensowenig feststellen. Ihre eigtl. schriftliche Fixierung erfolgte vielfach erst mit dem Erwachen des literarhistorischen Interesses an ihnen seit dem Sturm und Drang und der Romantik. Gemeinsame Kennzeichen der V. sind demnach e. die Allgemeinheit ansprechender Gehalt und e. kunstlose, oft ungeschickte und uneinheitliche Form, Unpersönlichkeit der Darstellung mit Vorliebe für typisierende Gestaltung der Personen und Ereignisse, dabei starke Unmittelbarkeit der Wirkung und Offenheit für künstlerische Erlebnisse. Ihre wesentl. Formen sind Sprichwort, Spruch, Rätsel, Witz, Zauber- und Segensspruch, Kindervers, Märchen, Sage, Legende, Schwank, Anekdote, Schauspiel und Lied.

F. H. Weddingen, Gesch. d. dt. V., 1884; O. Böckel, Psychologie d. V. [2]1913; F. Ernst, D. Entdeckg. d. V. i. 18. Jh. (Forschungsprobl. d. vgl. Lit.-gesch. 2, 1958); L. Bødker, Folkliterature, Koph. 1965; H. Bausinger, Formen d. ›Volkspoesie‹, 1968; M. Lüthi, Volkslit. u. Hochlit., 1970; Weltlit. u. Volkslit., hg. A. Schaefer 1972.

Volksepos, aus der romantischen Vorstellung vom dichtenden Volksgeist (→Volksdichtung) entstandene Bz. für das →Heldenepos, in Dtl. bes. das *Nibelungenlied,* in griech. Lit. für die Dichtungen HOMERS, die man nach der →Liedertheorie aus e. Anzahl älterer Volkslieder zusammengefügt dachte und daher das Volk als urspr. Schöpfer dieser Epen betrachtete. Seit der Widerlegung dieser Anschauungen ist die Bz. nur noch insofern berechtigt, als die im Heldenepos durch e. individuellen Verfasser geformten Stoffe vor dieser ersten lit. Aufzeichnung im Ggs. zu denen des höfischen Epos schon e. lange Entwicklung in der Volksüberlieferung durchgemacht hatten. Seit der lit. Fixierung erlebten sie jedoch keine vom Volk bestimmten Wandlungen mehr. – →Heldenepos, →Nationalepos.

RL.

Volkserzählung, Sammelbz. für alle mündlich im Volke umlaufenden epischen Formen der →Volksdichtung, bes. →Märchen, →Sage, →Legende und →Schwank.

S. Thompson, *The Folktale,* N. Y. [2]1960; L. Schmidt, D. V., 1963; W. Kosack, D. Gattgsbegriff V. (Fabula 12, 1971); M. Hain, D. V. (DVJ 45, 1971 Sonderh.); V. u. Reformation, hg. W. Brückner 1974.

Volksfestspiele, volkstümliche Aufführungen religiösen, nationalen oder lokalpatriotischen bzw. historischen Inhalts in eigenen Festspielhäusern oder auf Freilichtbühnen durch Amateurspieler aus dem Volke, z.B. das Meraner Hoferspiel, das Altdorfer Tellspiel u.a.m., im weiteren Sinne auch die →geistlichen Dramen des MA.

Lit. →Volksschauspiel.

Volkskomödie →Volksstück

Volkskunde oder →Folklore, die Wissenschaft von dem Volk als lebendigem Organismus in allen seinen Erscheinungsformen, seinen überlieferten Lebensordnungen und Gemeinschaftsformen, seinem realen und geistigen Leben, seiner seelischen Veranlagung, stammesmäßigen und landschaftlichen Gliederung usw. als Ausflüssen seines inneren Wesens, das es zu erforschen gilt. Wesensgemäß dienen ihr dabei alle Züge des völkisch bestimmten menschlichen Lebens, und in ihrer Synthese dringt sie zu e. Universalwissenschaft vom Leben schlechthin vor. Sie umfaßt außer den eigtl. Realien auch das seelische Volksgut, soweit es in Äußerungen gestaltet vorliegt, und erforscht daher: Siedlungsformen, Hausbau und -wesen, Möbel, Tracht und Schmuck, Gerät, Volkskunst, Verkehr und Schiffahrt, Recht, Schriftwesen, Sitten und Bräuche, Feste, Tagewerk, Volksglauben, Frömmigkeit und Aberglauben, Volksmedizin, Sinnbilder, Spiel, Tanz, Musik, Gesang, Sprache, Volksschauspiel, Sagen, Mythen, Dichtungen, Erzählungen, Witz, Sprichwörter, Rätsel, Märchen, Lieder, (Vor-, Flur- und Orts-) Namen usw. Ihre Hilfswissenschaften sind demnach Philologie, Anthropologie, Ur- und Vorgeschichte (Altertumskunde), Geschichte, Geographie, Ethnographie, Religionsgeschichte, Rechtskunde, Soziologie, Medizin, Kunst- und Musikwissenschaft, Literaturgeschichte, Paläographie, Epigraphik u.a.m. – Vom Sturm und Drang (MÖSER, HERDER) durch den Hinweis auf die Bedeutsamkeit der Volksgüter angebahnt und von der Romantik (ARNIM, BRENTANO, GÖRRES, Brüder GRIMM, E. M. ARNDT, F. L. JAHN) durch Slg. und Erforschung der Volksüberlieferungen vorbereitet, wurde sie durch ARNDTS Schüler W. H. RIEHL als Wissenschaft begründet (*Die V. als Wissenschaft,* 1858) und wird seither auch in anderen Kulturländern gepflegt. Um die Jh.wende zeitweise durch die Völkerkunde, -psychologie und Soziologie verdrängt, nahm sie in der Zeit seit 1920 e. neuen Aufschwung bes. durch die Arbeiten von W. HOFSTAETTER (→Deutschkunde) und H. NAUMANN, der zwischen echtem ›primitivem Gemeinschaftsgut‹ und dem aus der Bildungsschicht in die Unterschichten ›abgesunkenen Kulturgut‹ unterscheidet. Nach ihrer massiven Indienstnahme für die NS-Ideologie vom Nationalen und Bäuerlichen sucht die V. heute ihre Standortbestimmung als Kultur- und Sozialanthropologie innerhalb der Sozialwissenschaften (H. BAUSINGER) und verlagert das Forschungsinteresse von nationalem Vergangenheitsbezug und völk. Sachkultur auf die Gegenwart als e. übernationale, krit.-empir. Kulturwissenschaft, die gegenwärtige Massenkulturphänomene der Unterschicht in hochzivilisierten Völkern (z.B. Tourismus, Folklorismus, Triviallit., Fernsehen, Freizeit) und ihren Wandel analysiert. Den Bezugspunkt zur Lit.wiss. bildet weiterhin die lit. V. als Erforschung der Geschichte, Inhalte und Formen der sog. →Volksdichtung. →Philologie.

H. Naumann, Primitive Gemeinschaftskultur, 1921; A. Spamer, Wesen, Wege u. Ziele d. V., 1928; ders., D. Hauptgebiete d. V., 1929; G. Jungbauer, Gesch. d. dt. V., 1931; R. Beitl, Dt. V., 1933; W. Peßler, Hdb d. dt. V., III 1934–38; A. Spamer, D. dt. V., II [2]1935; H. Naumann, Grundzüge d. dt. V., [2]1935; A. Haberlandt, D. dt. V., 1935; C. v. Spieß, Dt. V., 1935; A. Bach, Dt. V., [3]1960; L. Schmidt, V. als Geisteswiss., 1948; W. E. Peuckert-Lauffer, V. (Forschgs.bericht), 1951; M. Hain u. v. a. im ›Aufriß‹, 1954; H. Freudenthal, D. Wiss.theorie d. dt. V., 1955; R. Beitl, Wb. d. dt. V., [3]1974; G. Lutz, V., 1958; A. H. Krappe, *The science of folklore,* Lond. [2]1962; K. u. M. Clarke, *Introducing folklore,* N. Y. 1963; I. Weber-Kellermann, Dt. V. zw. Germanistik u. Soz.wiss., 1969; W. Emmerich, Z. Kritik d. Volkstumsideologie, 1971; H. Bausinger, V., 1971; G. Wiegelmann u. a., V., 1977.

Volkslied (Ausdruck von HERDER, der im Anschluß an PERCYS *Reliques of Ancient Engl. Poetry* aus dem engl. ›popular song‹ im Ossian-Aufsatz 1771 zuerst ›Populärlied‹ und 1773 ›V.‹ bildet), jedes anspruchslose und stets gereimte Lied, das, mit e. gleichzeitig entstandenen, einfachen Melodie untrennbar verbunden, im Volksbewußtsein lebt, das Fühlen jedes einzelnen Gliedes dieser Gemeinschaft verkörpert und daher als Allgemeinbesitz empfunden wird, zumal der Verfasser zumeist nicht bekannt ist. Im Unterschied dazu bezeichnet man Kunstlieder namentlich bekannter Verfasser, die den Stil des V. nachahmen, als ›volkstümliche Lieder‹ (z. B. GOETHES *Heidenröslein,* HEINES *Lorelei*). Für HERDER, der selbst V.er sammelte, auch GOETHE in Straßburg dazu anhielt und 1778/79 die erste V.-Slg. veröffentlicht (*V.er,* ab 2. Aufl. 1807 als *Stimmen der Völker in Liedern,* gesamteurop.), ist dabei nicht Herkunft aus dem Volke und anonyme Verbreitung im Volksmund bei der Zuordnung entscheidend, sondern allein der unmittelbare ›wahre Ausdruck der Empfindung und der ganzen Seele‹, so daß er auch GOETHES *Heidenröslein* und *Fischer* in die Slg. aufnehmen kann. Erst die Romantik glaubt gemäß ihrer Volksgeist-Theorie, in dem V. wie in der →Volksdichtung überhaupt die unmittelbare Schöpfung e. dichtenden Volksseele zu erkennen und betrachtet das Volk selbst als Verfasser. In diesem Sinne entsteht ARNIMS und BRENTANOS Slg. dt. V.er *Des Knaben Wunderhorn* (III 1806–08). UHLAND, der in den *Alten hoch- und niederdt. V.ern* (II 1844/45) die erste wissenschaftliche Slg. mit Anmerkungen vorlegt, spricht in seiner Abhandlung vom V. vom ›Übergewicht des Gemeinsamen über die Anrechte des einzelnen‹. Die moderne Auffassung wird begründet durch A. v. KELLER, der in seiner Einleitung zu den *V.ern aus der Bretagne* die Herkunft vieler V.er aus urspr. Kunstliedern nachweist und den Prozeß des ›Zersingens‹ verfolgt, und von J. MEIER (V.-Archiv in Freiburg): trotz der anonymen Überlieferung ist das V. durchweg individuelle Schöpfung e. einzelnen, wenngleich Unbekannten, oft aus der Bildungsschicht und z. T. abgesunkenes Kunstlied, jedenfalls nie vom Volke selbst gedichtet; schon die häufige Ich-Form und die Neigung zum Rollenlied, Herkunft aus e. persönlichen Situation oder e.

bestimmten Berufsschicht (Landsknecht, Soldat, Wandergeselle) lassen auf e. persönlichen Verfasser schließen. Doch die zu bildkräftigem Ausdruck gebrachten allgemeinmenschlichen Gehalte, typischen Empfindungen und wiederkehrenden Situationen und Erlebnisbereiche (Abschied, Kampf, Liebesleid und -glück, Wanderlust, Tanz, Essen und Trinken, Rätsel), die in gewissen Ständen, Berufen oder Volksschichten leicht nachempfunden werden, sowie die volkstümliche Schlichtheit des Textes und der Form (meist 4zeilige ›V.-Strophe‹ aus nur Viertaktern, nur Dreitaktern mit wechselnd männlichem und weiblichem Ausgang oder wechselnd 3- und 4-Taktern) in Verbindung mit der leicht einprägsamen Melodie gestatten die Übernahme durch das Volk und längere mündliche Überlieferung im Volksmund. Diese und nicht der Ursprung aus dem Volk sind das entscheidende Merkmal des V.: der urspr. Dichter verliert damit sein Recht an seiner Schöpfung; sie gilt als herrenloses Gut und wird im Zuge der mündlichen Weitergabe und im Laufe der Zeit ›zersungen‹, d. h. der Empfindungswelt und dem Stil des Volkes angepaßt: bearbeitet, umgestaltet, durch neue Strophen, evtl. aus anderen Liedern, erweitert, ihrer ursprünglichen individuellen Züge und persönl. Eigenart entkleidet; evtl. Unklarheiten im Inhalt, die nicht für den Dichter, wohl aber für die Masse vorhanden sind oder durch den Zersingungsprozeß entstehen, werden beseitigt, überflüssige und dunkle Strophen ausgelassen, nach Inhalt oder Melodie verwandte Lieder werden verschmolzen, altertümliche Sprachgebung z.T. modernisiert u.a.m., so daß der Text dauernd neuer Veränderung ausgesetzt ist und nur die Melodie unverändert meist als fester Kern des V. ihren individuellen Charakter wahrt. Formale Kennzeichen des V. sind daher Mangel an Formfeinheit in Ausdruck, Reim und Rhythmus, freiere Versfüllung, Überdeutlichkeit und schwerfällige Breite des Stils neben aphoristischer Kürze und Sprunghaftigkeit, wie sie schon HERDER beobachtet, Vorliebe für typisierende Darstellung und Formelhaftigkeit, häufige Verwendung direkter Rede ohne Überleitung, doch auch stets die phantasieerregende Kraft und Ursprünglichkeit der Empfindung, Bildstärke in Belebung von Abstraktem und Beseelung aller körperlich-geistigen Erscheinungen wie der vertrauten Natur. Sondergruppen nach dem Inhalt sind →Ständelieder, →Kinderlieder und →geistliche Lieder, in epischer Form →Volksballade und →historisches Lied.

Aus der Blütezeit des älteren V., der ma. Stadtkultur im 14./16. Jh., sind mangels zeitgenössischer Aufzeichnungen nur geringe Reste erhalten (in den →Liederbüchern); ältere Spuren zeigen sich z.T. in den Spielmannsliedern und dem Minnesang; die häufige Bekämpfung durch die Geistlichen läßt auf weite Verbreitung schließen. In unlit. Bereichen, fern von schulmäßiger Pflege, leben diese V.er auch im 17. und 18. Jh. fort und nehmen dauernd neue Kunstdichtungen auf (z.B. *Anke von Tharau* aus dem →Königsberger Dichterkreis), werden jedoch von der gelehrten und z.T. fremdtümelnden Kunstdichtung als kunstlose – da nicht nach den Gesetzen der Metrik gemessene – ›gemeine Liedlein‹ verachtet. Zur Slg. dieser alten V.er kam es erst wieder im Sturm und Drang und der Romantik nach dem Vorbild von Th. PERCYS *Reliques of Ancient Engl. Poetry* 1765 und nach den Appellen von BÜRGER und HERDER. Das neue V. aus der Zeit von 1770–1850 dagegen ist von diesem wesentlich unterschieden als reines Kunstlied namhafter Dichter (CLAUDIUS, HÖLTY, BÜRGER, GOETHE, ARNIM, BRENTANO, UHLAND, EICHENDORFF, W. MÜLLER, HEINE, MÖRIKE u. a.), das in Form und Inhalt an die Einfachheit des V.-tons anlehnt und dieses nachahmend zur volksläufigen Buchdichtung, zum sog. ›volkstümlichen Lied‹ wird. Die dt. Jugendbewegung zu Anfang des 20. Jh. erneut in der Liedgemeinschaft altes V.-gut.

R. v. Liliencron, Dt. Leben i. V. um 1530, 1885, n. 1966; J. Fiersot, *Hist. de la chanson populaire en France,* Paris 1889; H. Lohre, V. Percy z. Wunderhorn, 1902; J. Meier, V. (Pauls Grundriß d. germ. Philol. 2, 1, ²1909); ders., Kunstlieder i. Volksmunde, 1906, n. 1976; G. Winter, D. dt. V., 1906; G. Graber, D. Sprunghafte i. dt. V., 1908; O. Schell, D. V., 1908; O. Böckel, Hdb. d. V., ⁴1908, n. 1967; A. Daur, D. alte dt. V., 1909; J. Sahr, D. dt. V., ³1912; H. Wentzel, Symbolik i. dt. V., Diss. Marb. 1916; A. Götze, V. dt. V., 1921; P. Levy, Gesch. d. Begriffs V., 1911; E. Wechssler, Begriff u. Wesen d. V., 1913; G. Pohl, D. Strophenbau i. dt. V., 1921; H. Mersmann, D. dt. V., 1922 (musikal.); J. W. Bruinier, D. dt. V., ⁷1927; F. Arnold, D. dt. V., ⁴1927; O. v. Greyerz, D. V. d. dt. Schweiz, 1927; R. Dessauer, D. Zersingen, 1928; A. Götze, D. dt. V., 1929; F. Marx, Röm. V.er (Rhein. Museum 78, 1929); RL; C. Brouwer, D. V., Diss. Groningen 1930; J. Müller-Blattau, D. dt. V., 1932; J. v. Pulikowski, Gesch. d. Begriffs V., 1933; M. Ittenbach, D. symbol. Spr. d. dt. V., DVJ 16, 1938; W. Danckert, D. europ. V., 1939, ²1970; E. Seemann, W. Wiora, D. V. in ›Aufriß‹, 1952; P. Coirault, *Formation de nos chansons folkloriques,* Paris IV 1963; W. Wiora, Forschgsber. (Zs. f. dt. Philol. 73, 1954); J.-A. Bizet *La poésie populaire en Allemagne,* Paris 1959; C. J. Sharp, *Engl. folk song,* Lond. ⁴1959; J. Maróthy, *Az európai népdal születése,* Budapest 1960; R. M. Lawless, *Folksingers and folksongs in America,* N. Y. 1960; H. Fischer, V., Schlager, Evergreen, 1965; A. L. Lloyd, *Folk Song in Engl.,* Lond. 1965; W. Danckert, D. V. i. Abendld., 1966; W. Suppan, V., 1966, ²1978; E. Klusen, V., 1969; L. Schmidt, Volksgesang u. V., 1970; M. v. Albrecht, Goethe u. d. V., 1972; Hb. d. V., hg. R. W. Brednich, II 1973–75; S. Hirsch, D. V. i. späten MA., 1978.

Volksliedstrophe →Volkslied

Volksmärchen →Märchen

Volkspoesie →Volksdichtung

Volksrätsel →Rätsel

Volkssage →Sage

Volkssänger, bes. in Wien bis ins 19. Jh. verbreitete Wirtshaus- und Straßensänger, die zu Musikbegleitung (Harfe) Gassenhauer und Moritaten vortragen, am bekanntesten der ›liebe Augustin‹, mit ernsten Darbietungen der ›Evangelimann‹.

F. Schlögl, Wiener Skizzen, 1946; L. Schmidt, D. Volkslied i. alten Wien, 1947. →Volkslied.

Volksschauspiel, Sammelbz. für alle Arten volkstümlicher Schauspiele vom Brauchspiel und Maskenwesen über →Bauerntheater, →Volksfestspiele, →geistliches Drama und seine Arten, Zunft- und Vereinstheater bis zu den volkstümlichen →Laienspielen aus Geschichte und Sage.

A. Karasek u. J. Lanz, D. dt. V. i. Galizien, 1960; A. Karasek, D. dt. V. u. Volkstheater d. Sudetendeutschen, 1960; L. Schmidt, D. dt. V., 1962; D. M. Bevington, *From Mankind to Marlowe,* Lond. 1962; Tiroler V., hg. E. Kühebacher 1976; K. Horak, D. dt. V. i. Mittelungarn, 1977.

Volksschrifttum, Schriften schöngeistigen oder populärwissenschaftlichen Inhalts zur Unterhaltung und Belehrung weitester Volkskreise: im 15./16. Jh. die →Volksbücher, seit dem 17. Jh. bes. die →Kalender, im 18. Jh. die Schriften der Philanthropinisten (SALZMANN, CAMPE, PESTALOZZI), unter den realistischen Volksschriftstellern des 19. Jh. bes. J. GOTTHELF, ferner bes. die →Dialektdichtung und in neuerer Zeit bes. das populärwissenschaftliche Schrifttum über naturwissenschaftliche Fragen in Büchern und Zss. E. Sonderform bildet die →Jugendlit. Das V. liefert neben der eigtl. Dichtung und Unterhaltungslit. e. Hauptbestandteil der →Volksbüchereien.

Volksstück, im Ggs. zum bäuerlichen →Volksschauspiel e. Gattung von Bühnenstücken für städtische Volkstheater (im Ggs. zum Hof- oder bürgerl. Stadttheater, z. B. Ohnsorg-Theater, Löwinger Bühne) und Vorstadtbühnen mit e. aus dem Volksleben entnommenen Handlung in volkstümlich schlichter, leichtverständlicher Form, die oft durch Einlagen von Musik, Gesang und Tanz sowie Anwendung von Effekten, Sentimentalitäten u. ä. niederen Elementen dem Geschmack des Großstadtpublikums entgegenkommt, ohne den oft ernsten und z. T. selbst tragischen Grundton zu verlieren. Reichste Entfaltung finden sie in Hamburg, Berlin und bes. Wien, meist mit Übergang in das →Lokalstück. STRANITZKYS Wiener V. geht aus dem Erbe des Barockdramas hervor und ist als komisches Stegreifstück noch von der Commedia dell'arte beeinflußt. Über PREHAUSERS Burleske reicht der Weg – nach der lit. Verfestigung durch Ph. HAFNER im 18. Jh. – zum Zauberstück und der gemüthaften Tragikomik RAIMUNDS (mit Einfluß auf GRILLPARZER) und über zahlreiche Zwischenglieder zu NESTROYS scharfer Satire und volkstümlichen Parodie und Travestie, während aus dem Charakterlustspiel →Lokalstück und →Sittenstück entstehen. ANZENGRUBERS realistisches V. führt sie vordem schon RAIMUND in die bäuerliche Umwelt und nunmehr auch in soziale Problematik, wie sie HAWEL fortsetzt. Während das bayr. V. (THOMA) und niederdt. V. (A. HINRICHS) mehr bäuerlicher Situationsromantik zuneigen, kann das psychologische Bauernstück der Alpenländer (SCHÖNHERR) nur noch in weitestem Sinn als V. bezeichnet werden. Neuansätze e. negativen V. in krit.-emanzipator. Absicht finden sich in der Weimarer Zeit (ZUCKMAYER, HORVÁTH, FLEISSER, BRECHT) und im Anschluß daran im krit. V. seit 1965: FASSBINDER, KROETZ, SPERR, BAUER, DEICHSEL. →Lokalstück.

M. Enzinger, D. Entwicklg. d. Wiener Theaters v. 16. z. 19. Jh., II 1918 f.; S. Hock, V. Raimund bis Anzengruber (Grillparzer-Jhrb. 15); J. Nadler, D. österr. V., 1921; RL; O. Rommel, D. großen Figuren d. Altwiener Volkskomödie, 1946; ders., D. Altwiener Volkskomödie, 1952; J. Arp, Stud. z. Problemen d. niederdt. Volkskomödie, 1961; M. Dietrich, Jupiter in Wien, 1967; E. Rotermund, Z. Erneuerg. d. V. i. d. Weim. Rep., (Fs. J. Dünninger, 1970); D. österr. V., 1971; Theater u. Gesellsch. D. V. i. 19. u. 20. Jh., hg. J. Hein 1973; R.-U. Traitler, Antike Mythol. u. antiker Mimus i. Wiener Volkstheater, II 1973; H. Kurzenberger, Horváths V.e, 1974; E. J. May, Wiener Volkskomödie u. Vormärz, 1975; W. Kässens u. a., Fortschritt i. Realismus? (Basis 6, 1976); U. Profitlich, Heute sind alle guten Stücke V.e (Zs. f. dt. Philol. 97, 1978, Sonderh.).

Volksszene →Massenszene

Volkstheater →Volksstück

Volkstümler →Populisten

Volkstümliches Lied →Volkslied

Volkswartbund, sinnigerweise dem kathol. Deutschen Caritasverband angeschlossener Verein von rd. 3000 Mitgliedern mit Sitz in Köln zur Bekämpfung von Schmutz- und →Schundliteratur (im weitesten Sinne des Begriffs), der durch Indizierungsvorschläge →jugendgefährdender Schriften bei der →Bundesprüfstelle neben der Wahrnehmung verständlicher Interessen gegenüber obszönem und pornographischem Schrifttum seine Rolle als Tugendapostel der Literatur und Moralwächter der Volksseele infolge fehlender lit. Maßstäbe in einer Weise übersteigert, die auch ernsthafte und wertvolle Lit. wiederholt Verkaufsbeschränkungen oder Anklagen unterwirft.

Voller Versschluß →Kadenz

Vollreim →Stammsilbenreim

Volta (ital.), in der →Kanzone Untergliederung der →Sirima.

Volumen (lat. = Schriftrolle, Mz. Volumina), urspr. die antike →Papyrusrolle, dann übertragen auf den Einzelband e. mehrbändigen Schriftwerks, abgekürzt: vol. Vgl. →Wälzer.

Vorabdruck, teilweise oder vollständige Veröffentlichung e. lit. Werkes in e. Zeitung oder Zs. vor Erscheinen der Buchausgabe. Seine Feststellung ist wichtig für den Beginn lit. Breitenwirkung.

Vorausdeutung, e. wichtiger Stilzug der epischen Technik: die andeutende Vorwegnahme e. erst später – am Ende des Buches oder Kapitels – eintretenden Ereignisses. Sie entsteht aus der Überschau des Epikers über den ausgebreiteten Stoff und bedeutet in keiner Weise e. Spannungsverminderung – ausgenommen den Detektivroman – da die in der Epik wirkenden Spannungen nicht rein stofflicher, sondern auch in hohem Grade darstellerischer Art sind und das Interesse an der Fortentwicklung durch gelegentliche V.en eher gesteigert wird (berühmtestes Beispiel: KLEISTS *Marquise von O ...*), zumal die stets nur teilweise V. den Weg der Entwicklung höchstens ahnen läßt. Wichtiger ist die Funktion der V. in der Architektonik der Dichtung selbst: sie schafft beim Leser das Gefühl für die geschlossene Einheit und wechselseitige Durchdrungenheit der in sich ruhenden dichterischen Welt, in der alle Einzelteile ihre Bedeutsamkeit und Beziehungen zum Ganzen haben, und dient nicht zuletzt der →Beglaubigung des Erzählten. Vgl. →Präfiguration, →analytische Erzählung.

E. Gerlötei, D. V. i. d. Dichtg. (Helicon 2, 1939); G. Loescher, Gestalt u. Funktion d. V. i. d. isländ. Sagalit., Diss. 1956; E. Lämmert, Bauformen d. Erzählens, [2]1967; I. Reiffenstein, D. Erzähler-V. i. d. frühmhd. Dichtg. (Fs. H. Eggers, 1972).

Vorbild →Quelle

Vordatierung →Erscheinungsjahr

Vordergrundshandlung, im Drama das eigtl. abrollende stoffliche Geschehen. Nach seiner Funktion für das Ganze unterscheidet R. PETSCH drei Formen des Dramas: die bloße V. in Farcen, Fastnachtsspielen u. ä., das klassische Drama, bei dem die V. ständig auf einen ideellen Hintergrund verweist, und das romantische Drama, bei dem die V. unselbständig und der Hintergrund der eigentliche Kern des Stückes ist.

R. Petsch, 3 Haupttypen des Dramas, DVJ 12, 1934.

Vorgang →Handlung

Vorgeschichte, Vorfabel, im →Drama der vor Einsatz der Bühnenhandlung liegende Teil der Geschehnisse, der, soweit er für das Verständnis des Ganzen notwendig ist, in der →Exposition dargelegt oder in die Handlung integriert wird. →analytisches Drama.

W. Schultheis, Dramatisierung v. V., Assen 1971.

Vorhang als Abschluß der Bühne gegen den Zuschauerraum erscheint schon in der röm. Antike als das bei Spielbeginn in e. Bühnengraben herabgelassene Aulaeum, dann im europ. Theater erstmalig im 16./17. Jh. bei der ital. Opernbühne zur

Verbergung des Szenenwechsels, vorher in der Shakespeare-Bühne nur als Mittel-V. und in der Hans-Sachs-Bühne nur als Hintergrundabschluß; die Guckkastenbühne der Englischen Komödianten und der Wandertruppen übernimmt ihn als Vorder-V., doch wird seine Anwendung bei →Aktschluß noch im 18. Jh. nicht allg. üblich: LESSING, der junge SCHILLER u. a. schließen die Akte bis auf den Schlußakt bei leerer Bühne, damit zum Szenenwechsel lediglich die Prospektvorhänge benutzt werden. Seit Anfang des 19. Jh. wird sein Gebrauch allg., seit Mitte des 19. Jh. auch der Zwischenakt-V. Insofern wird das technische Mittel des V. nicht unwesentlich für die Gestaltung der dramatischen Bühnendichtung, bes. bestimmt sein Fehlen auf der Bühne des franz. Klassizismus das Festhalten an den →Einheiten und am Gesetz der nie leerstehenden Bühne durch ›liaison des scènes‹. – Das moderne Theater kennt e. Vielzahl von Haupt- und Nebenvorhängen, die teils nach oben, teils zur Seite aufgezogen werden, sowie den Eisernen V., der das Übergreifen e. evtl. Bühnenbrandes auf den Zuschauerraum verhindern soll.

G. Witkowski, V. u. Aktschluß (Bühne u. Welt 8, 1905); RL; M. Radke-Stegh, D. Theater-V., 1978.

Vorlage →Quelle

Vormärz, unscharfe Sammelbz. für die oppositionelle linksradikale bis revolutionäre polit. Lit. der Jahrzehnte vor der dt. Märzrevolution von 1848; die zeitl. Abgrenzung des Einsatzes schwankt zwischen 1815, 1830 und 1840; als lit. Epochenbz. von der sozialist. Literaturgeschichtsschreibung eingeführt, jedoch wegen des einseitig polit., unlit. Aspekts ungeeignet und im Hinblick auf größere Zusammenhänge daher meist wesensgemäßer im Zusammenhang mit →Biedermeier und →Jungem Deutschland zu betrachten, dem die wesentlichen Autoren in Pro oder Contra angehören.

E. Kunze, Beitr. z. dt. Lit. d. V., Diss. Bresl. 1938; H. Rieder, Wiener V., 1959; W. Dietze, Junges Dtl. u. dt. Klassik ³1962; D. dt. V., hg. J. Hermand 1967; H.-W. Jäger, Polit. Metaphorik i. Jakobinismus u. i. V., 1971; V. 1830–1848, hg. F. Böttger ⁹1972; P. Stein, V. als lit.gesch. Epochenbz. (Wirk. Wort 22, 1972); W. W. Behrens u. a., D. lit. V., 1973; H. Denkler, Restauration u. Revolution, 1973; P. Stein, Epochenproblem V., 1974; G. Farese, *Poesia e rivoluzione in Germania 1830–50,* Bari 1974; Demokrat.-revolut. Lit. i. Dtl.; V., hg. G. Mattenklott u. a. 1974; R. Rosenberg, Lit.verhältnisse i. dt. V., 1975, ²1976; E. J. May, Wiener Volkskomödie u. V., 1975; H.-P. Reissner, Lit. unter d. Zensur, 1975; V. u. Revolution, hg. H. Fenske 1976; Streitpunkt V., hg. H. Bock u. a. 1977.

Vorpostler (Napostovcy), Mitglieder der Ende 1922 gegr. russ. Schriftstellergruppe ›Oktober‹ (Oktjabr), Kommunisten mit dem Streben nach e. einheitlichen und ideologisch reinen proletarischen Lit., Verdrängung der bürgerlichen Tradition und Unterdrückung aller Nonkonformisten; löste den → Proletkult ab: A. I. BEZYMENSKIJ, J. N. LIBEDINSKIJ, S. A. RODOV, G. LEVIČ u. a. um die Zs. *Na postu* (*Auf Posten,* Juni 1923) und *Oktjabr* (1924); gründete 1925 die VAPP (Allruss. Vereinigung proletar. Schriftsteller), später RAPP (Russ. Vereinigung proletar. Schriftsteller), die seit 1929 die Sowjetlit. kontrolliert und in den Fünfjahresplan einordnet.

G. Struve, Gesch. d. Sowjetlit., 1958.

Vorrede →Vorwort →Prolog

Vorromantik →Préromantisme

Vorspann →Prolog, →Vorspiel

Vorspiel, einem größeren Drama vorangehendes kurzes, meist einaktiges Schauspiel (auch kürzere Szenenfolge), die mit jenem oft nur in losem Zusammenhang steht und oft zeitlich weit vor ihm zurückliegt, doch in Problemlage und Thematik des Hauptdramas einführt und daher für das Verständnis desselben unentbehrlich ist: SCHILLER *Wallensteins Lager*, HEBBEL *Der gehörnte Siegfried*, WAGNER *Rheingold*, BRECHT *Der kaukasische Kreidekreis*. →Exposition, →Prolog.

Vorspruch →Prolog →Präambel

Vorstadttheater →Volksstück

Vorstellung →Aufführung

Vortizismus (v. engl. *vortex* = Wirbel, Strudel), dem Kubismus und dem ital. Futurismus nahestehende, kurzlebige Richtung der englisch-amerikanischen Lit. um die von Wyndham LEWIS 1914–15 in zwei Nummern hg. Zs. *Blast*, in der einige Frühwerke von T. S. ELIOT und E. POUND erschienen; von dem Kritiker T. E. HULME beeinflußte Gegenströmung gegen die herrschende neuromantische Gefühlslyrik und die klassizist. Naturnachahmungslehre der Zeit mit Streben nach einem kühlen, intellektuellen Stil, in dem dynam. und stat. Prinzip sich paradox zum energiegeladenen, autonomen Kunstwerk als Feier der Maschinenwelt verbinden. Extremes Übergangsstadium der beteiligten Autoren zum →Imagismus. Hauptwerk des V. ist W. LEWIS' Roman *Tarr* (1918).

W. C. Wees, *V. and the Engl. Avant-Garde*, Manch. 1972; U. Weisstein, *V.* (*Expressionism as an internat. lit. phenomenon*, hg. ders. Paris 1973).

Vortrag →Rezitation (→Deklamation)

Vorwort, an den Anfang e. Schriftwerks gesetzte kurze und persönlicher gehaltene Darlegung über Sinn, Aufgabe, Ziele, Anlage und Entstehung desselben, Rechtfertigung des Verfassers und Erwiderung früherer Kritiken u. ä. für den Benutzer Wissenswertes. Berühmte Beispiele sind die langen V.e G. B. SHAWS zu seinen Dramen.

H. Riefstahl, Dichter u. Publikum, Diss. Ffm. 1934; K. Schottenloher, D. Widmungsvorrede i. Buch d. 16. Jh., 1953; H. Ehrenzeller, Stud. z. Romanvorrede, 1955; R. Kopp, D. Präfatio i. lat. Schrifttum d. Ref., Diss. Mchn. 1958, U. Busch, V. u. Nachwort (Neue Slg. 1, 1961); H. J. Ansorge, Art u. Funktion d. Vorrede i. Roman, Diss. Würzb. 1969; C. Träger, V.-Gesch. (in: Stud. z. Realismustheorie, 1972); S.-A. Jørgensen (Text u. Kontext 4, 1976).

Vorwurf →Fabel (1)

Vox nihili (lat. = Stimme des Nichts, engl. *ghostword* = Geisterwort), aus bloßen Schreibfehlern oder Irrtümern der Herausgeber entstandene, sinnlose Wörter.

Vyâyoga, in der ind. Dramatik ein Einakter vom Kampf zwischen Göttern und Fürsten, jedoch nicht um eine Frau (→Ihâmriga).

Wächterlied →Tagelied

Wägende Dichtung →akzentuierende Dichtung

Wälder →Silvae

Wälzer, scherzhafte Lehnübersetzung des lat. →volumen (von *volvere* = wälzen) als Bz. für e. unhandliches Buch.

Wagenbühne, Bühnenform des spätma. geistlichen Dramas, insbes. Passionsspiels bes. in England und Spanien: die einzelnen Stationen des Spiels werden in geschlossenen Szenen mit den entsprechenden Dekorationen auf einzelne, fahrbare Wagen montiert, deren Spielfläche gegebenenfalls durch danebengestellte weitere Wagen vergrößert werden konnte. In der Reihenfolge des Spielzusammenhangs fuhren die Wagen vor die Publikumsansammlungen an vereinbarten Stellen, spielten die Szene ab und machten darauf dem nächstfolgenden Wagen mit der nächsten Szene Platz. Die W. ermöglichte durch öfteres Spielen derselben Szene vor verschiedenem Publikum e. größere Zuschauerzahl als die feststehende →Simultanbühne, setzt jedoch voraus, daß alle Szenen in etwa gleichlang sind und dieselbe Rolle in den verschiedenen Szenen von verschiedenen Darstellern geboten wird. Mit der modernen W. (→Bühne) hat sie nur die Zeitersparnis der Umbauten gemein. Vgl. →Pageants

Lit. →Theater

Wahlspruch →Devise

Wahrheit. W. und Unwahrheit betreffen Tatsachenfeststellungen, nicht Kunstwerke; das Kunstwerk basiert auf ästhet. Werten, nicht auf Tatsachenfeststellungen, und in ästhetischer Hinsicht ist die Frage nach der W. an sich irrelevant. Für die lit.-wiss. Forschung ergeben sich jedoch drei Aspekte der W. in einem lit. Werk: 1. persönliche W. als Übereinstimmung mit der ernsthaften Überzeugung des Autors (bzw. mit der Meinung des Lesers), 2. äußere W. als Übereinstimmung mit der Realität des Lebens entsprechend der Nachahmungstheorie, 3. innere W. des Werkes in sich, d.h. die Einheit, Einheitlichkeit und Integration der Bestandteile des Werkes zu einem großen, in sich geschlossenen Ganzen jenseits aller äußeren W.

E. Lachmann, W. i. d. Dichtg. (Zeitwende 25, 1954); W. Kramp, D. W. d. Dichtg. (Neue dt. Hefte 7, 1954); N. Hartmann, D. W.-anspruch d. Dichtg., (in: Philos. Gespr., 1954); H. E. Holthusen, D. Schöne u. d. Wahre 1958; W. Kayser, D. W. d. Dichter, 1959; E. Pracht, Probleme d. künstler. Widerspiegelung (Dt. Zs. f. Philos. 8, 1960); J. Pfeiffer, D. dichter. Wirklichkeit, 1962; E. Zinn, W. in Philol. u. Dichtg. (D. Wiss. u. d. W., hg. K. Ulmer 1966); H. Perls, D. Komödie d. W., 1967; D. Rasmussen, *Poetry and truth,* Haag 1974.

Waise, aus der Sprache der Meistersinger übernommene Bz. für e. reimlose Zeile innerhalb gereimter Verse, bes. innerhalb e. Reimpaars. Reimen die W.n der einzelnen Strophen e. Gedichts untereinander, so heißen sie →Körner. Die W. findet sich schon in mhd. Lyrik und Minnesang seit dem KÜRENBERGER z.B. in WALTHERS *Under der linden* (›tandaradei‹), im Epos in der →Morolfstrophe, später im Kirchenlied (z.B. LUTHERS *Aus tiefer Not,* Schlußvers) und im →Ritornell.

RL. →Metrik.

Wajang →Wayang

Waka →Tanka

Waltherstrophe, nach ihrer Verwendung im Gedicht von *Walther und Hildegund* benannte Abart der →Nibelungenstrophe, bei der der Anvers der 4. Langzeile aus e. Sechstakter (statt Viertakter) besteht.

Wanderbühne, zunächst in England (→Englische Komödianten) und Italien (→Commedia dell' arte), später auch in Frankreich aufkommende wandernde Schauspielertruppen, die über das Heimatland hinaus auch in den übrigen Ländern des Kontinents, bes. Frankreich und Dtl., auftraten. Trotz der reißerischen Stücke und der Primitivität ihrer Spielweise, die mit grellen Effekten, drastischer Gestik, überlautem Pathos, virtuosen Schaustellungen und dem Übergewicht der →komischen Person alles dem komödiantischen Element der Bühnenwirksamkeit unterordnete, bleiben sie für die Entwicklung der Schauspielkunst wichtig nicht nur durch ihre kulturverbindende Funktion, sondern auch als Anfänge des Berufsschauspielertums, das (seit VELTEN) auch Frauenrollen von Frauen und nicht mehr von Jünglingen darstellen läßt. Das Repertoire ist im Anfang wesentlich von engl. und holländ. Einflüssen bestimmt, späterhin auch auf das Drama des franz. Klassizismus ausgedehnt. Die dt. W. beginnt nach engl. Vorbild im 17. Jh. mit Magister VELTEN (1640–92). Von hier aus führt die eine Linie direkt zur W. der NEUBERIN, der EKHOF und ACKERMANN (von dem später wiederum SCHRÖDER ausgeht) angehörten, die andere Linie zu SCHÖNEMANN und weiter zu KOCH, DÖBBELIN und Abel SEYLER, der wiederum im Mannheimer, Hamburger, Weimarer und Gothaer Theater tätig war. Späterhin werden die W. durch →Hoftheater und →Nationaltheater abgelöst. Im 20. Jh. e. Bühne, die von e. festen Sitz aus (→Landesbühne) die umliegenden Orte ohne feste Bühne bespielt oder als →Tourneetheater mit e. einzigen Inszenierung reist.

C. Heine, D. Schauspiel d. dt. W. vor Gottsched, 1889; F. Tschirn, D. Schauspielkunst d. dt. Berufsschauspieler i. 17. Jh., Diss. Bresl. 1921; RL; S. Rosenfeld, *Strolling players*, N. Y. 1939, [2]1969; A. Baesecke, D. engl. u. dt. W.n, 1940.

Wanderlieder, besingen die Wanderlust, zuerst als Landsknechts- und Handwerksburschen-Lieder, seit Sturm und Drang (GOETHE) und bes. Romantik (KERNER, UHLAND, EICHENDORFF, auch im *Taugenichts*) als beliebtes lyr. Motiv, auch im 19. Jh. (W. MÜLLER, SCHEFFEL, HOFFMANN V. FALLERSLEBEN, BAUMBACH); sie fanden neuen Aufschwung in der Jugendbewegung des Wandervogel.

F. Spicker, Dt. Wander-, Vagabunden- und Vagantenlyrik 1910–33, 1976.

Wandermotiv, ein →Motiv (3), das in mehreren Nationalliteraturen, Epochen und Werken wiederholt auftaucht und nachweislich oder vermutlich übernommen wurde.

Wandersage →Sage

Wappendichtung →Heroldsdichtung

Waschzettel, den Besprechungsexemplaren vom Verlag beigelegter Zettel mit Inhaltsangabe, Charakteristik des Buches und sonstigem wissenswertem Material für den Rezensenten; von verantwortungslosen Rezensenten z. T. unverändert in die Besprechung übernommen. Oft auch fälschlich für →Klappentext.

Wasf, arab. Gedichtform, virtuoses Kleingedicht, das einen Gegenstand mit glänzenden Stilwendungen knapp umschreibt.

Wayang (javan. = Schatten), Sammelbz. für alle auf Java und Bali üblichen dramatischen Spiele: bes. 1. *W.-kulit* (*kulit* = Leder) oder *W.-purwa* (= erster) mit flachen, stark stilisierten Puppen aus buntem Pergament in durchbrochener Arbeit, die durch kleine Stäbe an den Händen bewegt werden. Schattenspiel, bereits vor 1000 n. Chr. beliebt und verbreitet und bis heute lebendig, magisch-mystisches Zeremoniell einer irrealen Welt mit religiöser Bedeutung: Kampf der Götter mit Hilfe des Menschen gegen die Dämonen. Die Vorstellungen der →Lakons durch den →Dalang dauern meist von 19.30 bis 6 Uhr morgens; die Männer sitzen beim Spieler hinter, die Frauen vor der

Vorführwand. – 2. *W.-wong* (= Mensch) mit lebenden, unmaskierten, sprechenden Menschen als Darstellern. – 3. *W.-topeng* mit maskierten, stummen Personen. – 4. *W.-gedog* mit Lederpuppen, doch Stoffen aus javan. Geschichte. – 5. *W.-krutjil* oder *W.-klitik* mit flachen Holzpuppen und beweglichen Lederarmen, auch für Tages-Aufführungen; Stoffe aus javan. Geschichte. – 6. *W.-golèk* (= rund) mit vollplastischen Holzpuppen mit drehbaren Köpfen und Armen für Tag- und Nachtaufführungen. – 7. *W.-bèbèr* ohne Puppen mit einem zum Vortrag des Dalang abgerollten Bilderstreifen, heute ausgestorben.

L. Serrurier, *De w. poerwa*, Leiden II 1896; J. Kats, *Het javaanse toneel*, 1923; P. A. A. Mangkoenagara, *De W. koelit*, 1933; B. M. Goslings, *De w.*, Amsterd. 1938; R. L. Mellema, *W. Puppets*, Amsterd. 1954; M. Bührmann, D. farb. Schattenspiel, 1955; H. Ulbricht, *W. purwa*, Lond. 1969; A. Sweeney, *Malay shadow puppets*, Lond. 1972; J. Kats, *W. poerwa*, 1973; C. B. Pink-Wilpert, D. indones. Schattentheater, 1976.

Wechselgesang, dialogische Form des Gesangs in Frage und Antwort oder in verschiedenen Variationen zum gleichen Thema, am kunstvollsten, wenn die Antwort in gleicher Strophenform und unter Benutzung der gleichen Reime und Reimfolge erfolgt; schon im griech. Drama als →Amoibaia, bes. häufig dann in der Volksdichtung: im dialogischen →Volkslied, im →Rätsel, beim Eintritt neuangekommener Handwerksburschen, als Trutzstrophen zwischen Burschen und Mädchen e. Dorfes oder als Hänsellied zwischen Burschen zweier Ortschaften, als Streitgespräch zwischen Sommer und Winter, Seele und Leib u. ä., im Weihnachtslied als W. von Maria und Josef, Engeln und Hirten, bes. aber im Liebeslied vom schlichten Volkslied über den Minnesang (→Tagelied, Wechsel von Männer- und Frauenstrophen schon beim KÜRENBERGER und DIETMAR VON AIST) und das dialogische Hirten- und Gesellschaftslied bis zu GOETHES Hatem und Suleika im *West-östlichen Diwan* und der breiten Entfaltung des lyr. W. in der Romantik. Im 19. und 20. Jh. (DROSTE, MÖRIKE; GEORGE, RILKE, HOFMANNSTHAL) tritt das dialogische Element zusehends zurück.

RL; A. Langen, Dialogisches Spiel, 1966.

Wechselseitige Erhellung der Künste, von O. WALZEL 1917 geprägtes Schlagwort für die vergleichende Betrachtung der Künste und insbes. die Wechselbeziehungen von Lit. zu bildender Kunst und Musik, die für die Wesenserkenntnis der einzelnen Kunst ebenso aufschlußreich sein kann wie für Gemeinsamkeiten der Künste in den einzelnen Kulturepochen. Ihre Erforschung gilt, soweit sie von der Lit. ausgeht, als Arbeitsgebiet der →vergleichenden Literaturwissenschaft. Für die Symbiose der Künste spricht die Existenz von →Doppelbegabungen (→Malerdichter) ebenso wie das Ideal des →Gesamtkunstwerks, für ihre geschichtliche Parallelität die aus der bildenden Kunst entlehnten lit. →Epochenbezeichnungen wie Barock, Manierismus, Rokoko, Impressionismus und Jugendstil. Gemeinsame Terminologie von Lit.-wiss. und Kunstwissenschaft spiegelt sich in Begriffen wie Bild, Symbol, Allegorie, Emblem, Groteske und Arabeske, die Kombination von Lit. und Kunst in Bilderlyrik, Gemäldegedicht, Comics und visueller Poesie, ihre Abgrenzung dagegen im →Laokoon-Problem und →ut pictura poesis. Die Anregung vieler Literaturwerke durch Bildwerke und umgekehrt fällt in das Gebiet der →Stoffgeschichte. Musik und Lit. haben Begriffe wie Rhythmus,

Klang und Melodie (→Sprachmelodie) gemein; ihre Vereinigung finden sie in der Oper (→Libretto) und dem Gesamtkunstwerk. Wechselbeziehungen bestehen auch zu Theater, Ballett und Film. Auf stofflicher Ebene dienen Formen wie Künstlerroman, Künstlerdrama, Malerroman und Theaterroman der w. E. d. K.

O. Walzel, W. E. d. K., 1917; ders., Gehalt u. Gestalt, 1923; A. Coeuroy, *Musique et litt.*, Paris 1923; F. Medicus, D. Probl. e. vergl. Gesch. d. Künste (Philos. d. Lit.wiss., hg. E. Ermatinger 1930); P. Maury, *Arts et litt.comparés*, Paris 1934; K. Vossler, Üb. gegenseit. E. d. K. (Fs. H. Wölfflin, 1935); K. Wais, Symbiose d. Künste, 1937; R. Wellek, *The parallelism between lit. and the arts* (*Engl. Inst. Annual*, 1942); C. S. Brown, *Music and lit.*, Athens 1948; T. Munro, *The arts and their interrelations*, N. Y. 1951; H. Hatzfeld, *Lit. through art*, N. Y. 1952; *Les langues et les litt. mod. dans leurs relations avec les beaux-arts*, hg. C. Pellegrini, Florenz 1955; J. H. Hagsturm, *The sister arts*, Chic. 1958; R. Wellek, A. Warren, Theorie d. Lit., 1959; H. P. H. Teesing, *Lit. and the other arts* (*Yearbook of comp. and gen.lit.* 12, 1963); J. Hermand, Lit.wiss. u. Kunstwiss., 1965; *Relations of lit. study*, hg. J. Thorpe, N. Y. 1967; U. Weisstein, Einf. i. d. vgl. Lit.wiss., 1968; Bildende Kunst u. Lit., hg. W. Rasch 1970; Wechselwirkung d. Künste, 1970; M. Praz, *Mnemosyne*, Princeton 1970; G. Schweikle, Versuche w. E. ma. Dichtg. u. Kunst (Fs. K. H. Halbach, 1972); U. Weisstein, Zur w. E. d. K. (Komparatistik, hg. H. Rüdiger 1973). →Literaturwissenschaft, →vergleichende Literaturwissenschaft.

Weiblicher Reim, zweisilbiger Reim mit dem Akzent auf der vorletzten Silbe, während die letzte neben- oder unbetont ist: sagen – klagen; Ggs.: →männlicher Reim.

Weiblicher Versschluß →Kadenz

Weihepigramm →Epigramm

Weihnachtslieder, meist in Form von Krippen- oder Hirtenliedern, sind seit dem 11./12. Jh. bezeugt und werden seit 14.–16. Jh., meist aus lat. Hymnen verdeutscht oder als Mischpoesie, erhalten *(In dulci jubilo)*; international verbreitete sich V. J. MOHRS *Stille Nacht* (1818). Vgl. →Carol, →Noël.

W. Thomas, K. Ameln, D. W., 1932; H. Walcha, Dt. W., [6]1953.

Weihnachtsspiel, Form des →geistlichen Dramas im MA., hervorgegangen aus den liturgischen Weihnachtsfeiern, die vom 4. bis 12. Jh. bezeugt sind, und etwas jünger als das Osterspiel, doch in ähnlicher Weise zum Zyklus erweitert. Den Kern bildet im 10. Jh. das →Krippenspiel am Altar um Maria, Joseph und das Christuskind (z. T. bis heute fortlebend); seit dem 11. Jh. schließen sich →Hirtenspiele an, später auch →Dreikönigsspiele und, an die in diesen bereits auftauchende Gestalt des Herodes anknüpfend, Spiele vom bethlehemitischen Kindermord mit der Flucht nach Ägypten und der Klage der Mütter. Schließlich wird wie im *Benediktbeurer* (13. Jh.) und *St. Galler W.* (14. Jh.) e. →Prophetenspiel vorangestellt. Bedeutendstes das *Hess. W.* (um 1500). Nachleben bei M. MELL (*Wiener Kripperl von 1919*, 1921).

W. Köppen, Beitr. z. Gesch. d. dt. W., 1893; A. Tille, Gesch. d. dt. Weihnacht, 1893; A. Freybe, Weihnachten i. d. dt. Dichtg., 1887; V. Teuber, D. Entw. d. W., Progr. Komotau 1898; F. Vogt, W. d. schles. Volks, 1901; A. Jungbauer, D. W.e d. Böhmerwaldes, 1911; M. Böhme, D. lat. W., 1917; H. Heckel, D. dt. W., 1922; A. Müller, D. sächs. W.e, 1930; G. Bencker, D. dt. W., Diss. Greifsw. 1933; L. Schmidt, Formprobleme d. dt. W., 1938.

Weimarer Republik, die polit. Epoche der dt. Geschichte 1918–1933, gliedert sich literaturgeschichtlich in den späten →Expressionismus und die →Neue Sachlichkeit und stellt sich als Einheit nur für die von Stilepochen unberührte polit.-revolutionäre Tendenzdichtung sozialist. Observanz dar.

D. sog. 20er Jahre, hg. R. Grimm, J. Hermand 1970; P. Gay, Republik d. Außenseiter, 1970; L. Köhn, Überwindg. d. Historismus, DVJ 48, 1974; D. dt. Lit. i. d. W.R., hg. W. Rothe 1974; W. Laqueur, Weimar, 1976; J. Hermand, F. Frommler, D. Kultur d. W. R., 1978; D. lit. Leben i. d. W. R., hg. K. Bullivant 1978.

Weinerliches Lustspiel, die dt. Form der →Comédie larmoyante mit ähnlicher Zielsetzung, doch meist ins →Rührstück übergehend. Begründer und theoretischer Verfechter ist in Dtl. GELLERT mit der Abhandlung *Pro comoedia commovente* 1751, die LESSING zusammen mit ihrer Ausgangsschrift (CHASSIRONS *Réflexions sur le Comique-larmoyant,* 1749) ins Dt. übersetzt und 1754 in der *Theatralischen Bibliothek* abdruckt, und mit seinen Stükken *Die Betschwester* (1745), *Das Los in der Lotterie* (1746) und *Die zärtlichen Schwestern* (1747); es folgen J. Chr. KRÜGER, J. E. SCHLEGEL und bes. Chr. F. WEISSE (*Amalia,* 1765); Züge des w. L. finden sich auch in LESSINGS *Miß Sara Sampson* und *Minna von Barnhelm* (I, 5–6: die Dame in Trauer).

K. Holl, Gesch. d. dt. L., 1923.

Weinlied →Trinklied

Weise →Ton

Weisheitslehre, charakteristische Literaturform der altägypt. Didaktik seit rd. 2750 v. Chr.: Lebenslehren und -erkenntnisse, die z. T. in Dialogform einem Sohn oder Jünger vermittelt werden; moralische, religiöse und praktische Unterweisung zum richtigen Benehmen und erfolgreichen Leben.

H. Brunner, D. Weisheitslit., in Hdb. d. Orientalistik I: Ägyptologie, 2: Lit., 1952; H. H. Schmid, Wesen u. Gesch. d. Weisheit, 1966; J. A. Wood, *Wisdom lit.* Lond. 1967.

Weissagung →Prophetie

Weistum, e. von Schöffen u.a. Rechtskollegien gegebene abstrakte Erklärung (Urteil) über e. Fall des ungeschriebenen Gewohnheitsrechtes; für Kultur- und Rechtsgeschichte bedeutsam.

J. Grimm, Dt. W.er, VII 1840–78; D. Werkmüller, Üb. Aufkommen und Verbreitg. d. W.er, 1972.

Wellentechnik, Form des Aufbaus bes. bei romantisch-symbolistischen Dramen nicht nach äußerer Handlung, sondern nach der inneren Erlebniskurve.

Weltchronik, im MA., bes. 13. Jh., beliebte und verbreitete Form der →Chronik als Darstellung der Weltgeschichte meist nach der biblischen Urgeschichte. Lat. W. von ISIDOR VON SEVILLA, BEDA VENERABILIS, FRUTOLF, OTTO VON FREISING, VINZENZ VON BEAUVAIS, H. SCHEDEL u. a., dt. in Prosa die *Sächsische W.* vermutlich von EIKE VON REPGOW um 1230, in Versform RUDOLFS VON EMS *W.* um 1252, JANS ENIKELS *W.* in der 2. Hälfte des 13. Jh.

H. Menhardt, Z. W.-Lit. (Beitr. z. Gesch. d. dt. Spr. 61, 1937); W. Kaegi, Chronica mundi, 1954; A. v. d. Brincken, Stud. z. lat. W., 1957.

Weltgerichtsspiel, Form des →geistlichen Dramas im MA., Spiel vom Jüngsten Gericht als Fortsetzung und Abschluß der irdischen Heilsgeschichte, zu der das Passionsspiel angeschwollen war: Zorn esworte Christi an die unwiderruflich Verdammten, deren ständig erneutes Flehen und die vergebliche Fürsprache Marias im Ggs. zum jubelnden Einzug der Apostel und Frommen in den Himmel; oft satirisch abgeschlossen durch e. →Antichristspiel. Das Motiv erscheint schon im *Eisenacher Zehnjungfrauenspiel* von 1322, sodann in e. Schweizer W. um 1350, dessen Bearbeitung im *Rheinauer W.* von

1467 vorliegt, und lebt bis ins 16./17. Jh. hinein fort.

R. Klee, D. mhd. Spiel v. Jüngsten Tage, Diss. Marbg. 1906; K. Reuschel, Unters. z. d. dt. Weltgerichtsdichtungen, Diss. Lpz. 1895; ders., D. dt. W. d. MA. u. d. Reformationszeit (Teutonia 4, 1906).

Weltkriegsdichtung, diejenigen lit. Zeugnisse, in denen das Erlebnis der beiden großen Weltkriege des 20. Jh. und die unerbittliche Wirklichkeit der modernen Materialschlacht, die kaum einem Idealismus Raum gibt, dichterische Gestaltung gefunden hat, und die die innere Haltung der Kämpfenden spiegeln. Die W. umfaßt alle Stimmen von der mutvollen Bejahung des Geschehens über die heroische Ergebenheit und die betrübte Klage bis zur erbitterten Ablehnung und Anklage des Völkermordens, nur daß im Verhältnis zur früheren →Kriegsdichtung die positiven Stimmen von vornherein in der Minderheit bleiben, die Haß- und Zorngesänge bald verstummen oder nur künstlich am Leben gehalten werden und der Überschwang jugendlicher Begeisterung, wo er überhaupt ausbricht, bald in tiefsten Pessimismus und Abscheu vor dem Chaos umschlägt, in dem nicht mehr der Mensch im offenen Kampf Mann gegen Mann, sondern nur noch das tote Material der Massenvernichtungsmittel die Entscheidung herbeiführt. Gerade mit der Vertiefung dieses menschlichen Erlebens steigt der dichterische Wert der W., die nicht mehr in stolzen Kampf- und Schlachtgesängen gipfelt, sondern in der Besinnung auf das eigentlich Menschliche. Die ablehnende Haltung vieler W.en bedingte, daß sie meist erst nach den Kriegen veröffentlicht werden durften. Im Erlebnis des Kampfes erwachen viele bisher unbekannte Begabungen, während die führenden Dichter oft mit wenigen Werken im Hintergrund bleiben. Über die bleibenden Werte aber wird erst die Zeit entscheiden, wenn nicht mehr das bloße Interesse am Tatsachenstoff und der Gegenwartsgestaltung, sondern die dichterische Kraft allein diejenigen Werke bestimmt, die über den Tag hinaus wirken und nach Gehalt wie Gestalt zur Wesenserhellung des Menschen beitragen. – Die Lyrik des 1. Weltkrieges wird weitgehend von den →Arbeiterdichtern (BRÖGER, PETZOLD, LERSCH, BARTHEL) getragen und bestimmt weiterhin die expressionistische Lyrik (STADLER, WERFEL). Die Kriegsdramen wie SCHICKELES *Hans im Schnakenloch*, GOERINGS *Seeschlacht* und UNRUHS *Geschlecht* bleiben ohne nennenswerte Nachfolge. Die epische W. begann mit UNRUHS *Vor der Entscheidung* und *Opfergang* sowie E. JÜNGERS *In Stahlgewittern* und W. FLEX' *Wanderer zwischen beiden Welten.* 1924 folgt H. CAROSSAS *Rumänisches Tagebuch*; die eigentliche Hauptmasse der Romane aber beginnt erst im Abstand von rd. 10 Jahren nach Kriegsende; voran gehen A. ZWEIGS *Streit um den Sergeanten Grischa* 1927 und REMARQUES *Im Westen nichts Neues* 1929. Aus der unübersehbaren Fülle der Romane, von denen ein nicht geringer Teil als angebliche Augenzeugen- und Erlebnisberichte die Konjunktur journalistisch ausnutzte, seien hier nur erwähnt L. RENNS *Krieg*, DWINGERS *Dt. Passion,* B. BREHMS habsburgische Trilogie, B. von MECHOWS *Abenteuer,* J. M. WEHNERS *Sieben vor Verdun,* ferner Romane und Novellen von E. WIECHERT, ALVERDES, BINDING, ZILLICH, MARWITZ, EURINGER, SANDER u. v. a. Aus der franz. W. ragen bes. BARBUSSE *(Le feu),* RAYNAL, DORGELÈS, GIONO *(Le grand troupeau)* und MONTHERLANT hervor, aus der engl. LAWRENCES *The Seven Pillars of Wisdom,* FORESTERS *The General,* ALDINGTONS *Death of a Hero,* Werke von R. GRAVES, S. SASSOON, F. MANNING, R. ALDINGTON, R. BROOKE, E. BLUNDEN, W. OWEN und SHERIFFS Drama *Journey's End,* in Amerika bes. DOS PASSOS *Three Soldiers,* W. FAULKNERS *A Fable* und HEMINGWAYS *A Farewell to Arms.* – Die W. des 2. Weltkrieges entzieht sich noch stärker objektiver Überschau und ist noch ständig im Wachsen begriffen; auch hier entstehen die bedeutendsten Werke bezeichnenderweise aus den Reihen der Widerstandsbewegung. Große Aufmerksamkeit erregten z. B. REMARQUES *Arc de Triomphe,* PLIVIERS *Stalingrad* und *Moskau,* Gerd GAISERS *Die sterbende Jagd,* Peter BAMMS *Unsichtbare Flagge,* DWINGERS *Wenn die Dämme brechen,* E. JÜNGERS *Gärten und Straßen, Strahlungen,* ferner Werke von F. HARTLAUB, H. BÖLL, L. FRANK, J. RAUSCH, W. WARSINSKY, H. W. RICHTER, W. KOLBENHOFF, G. LEDIG, A. KLUGE, und die Dramen CSOKORS, H. KIPPHARDTS *(Der Hund des Generals),* ZUCKMAYERS *(Des Teufels General)* und W. BORCHERTS *(Draußen vor der Tür),* in Amerika bes. Norman MAILERS *The Naked and the Dead,* James JONES, H. WOUK und Irwin SHAW, in Italien C. MALAPARTE und in Frankreich St. EXUPÉRY, VERCORS, ARAGON und ELUARD, in Rußland K. SIMONOV und V. NEKRASOV.

H. Cysarz, Z. Geistesgesch. d. W., 1930, [2]1973; H. Weyand, D. engl. Kriegsroman, 1933; E. Jirgal, D. Wiederkehr des W. i. d. Lit., 1933; E. Volkmann, Dt. Dichtg. i. W., 1934; H. Grimrath, D. Weltkrieg i. franz. Roman, 1935; M. Günther, Engl. Kriegsromane, 1936; H. Hoffmann, Mensch u. Volk i. Kriegserlebnis, 1937, n. 1967; G. Lutz, Europas Kriegserlebnis (Dichtg. u. Volkstum 39, 1938); H. Pongs, W. u. Dichtg., ebda.; H. S. Schlötermann, D. dt. W'drama, 1944; J. Angée, *L'image du combattant dans le roman de guerre,* Diss. Paris 1955; J. Paar, Beitr. z. geist. Auseinandersetzg. m. d. 2. Weltkrieg i. dt. Drama, Diss. Wien 1960; M. Bowra, *Poetry and the first World War,* Oxf. 1961; J. H. Johnston, *Engl. Poetry of the first World War,* Princeton 1964; A. Whitehouse, *Epics and legends of World War I,* N. Y. 1964; U. Steuerwald, D. amerik. W'roman 1919–39, 1965; S. R. Cooperman, *World war I and the American Novel,* Baltimore 1967; J. J. Waldmeir, *Americ. novels of the 2. world war,* Haag 1969, [2]1971; U. Wandrey, D. Motiv d. Krieges i. d. express. Lyrik, 1972; E. Bentley, *Theatre of war,* Lond. 1972; S. H. Damian, *The war novel in German lit. 1945–65,* Diss. Hobart 1973; K. F. Geiger, Kriegsromanhefte i. d. BRD, 1974; J. Stallworthy, *Poets of the first world war,* Lond. 1974, W. J. Schwarz, *War and the mind of Germany,* 1975; K. Vondung, Gesch. als Weltgericht (Lit. f. viele 2, 1976); K. Prümm, D. Erbe d. Front (D. dt. Lit. i. 3. Reich, hg. H. Denkler 1976); E. Koester, Lit. u. W'ideologie, 1977; W. Falk, D. kollektive Traum v. Krieg, 1977; M. Gollbach, D. Wiederkehr d. W. i. d. Lit., 1978.
→Kriegsdichtung.

Weltliteratur, als Begriff von GOETHE geprägt: ›Ich sehe immer mehr, daß die Poesie e. Gemeingut der Menschheit ist, und daß sie überall und zu allen Zeiten in Hunderten und aber Hunderten von Menschen hervortritt ... Nationalliteratur will jetzt nicht viel besagen, die Epoche der W. ist an der Zeit, und jeder muß jetzt dazu wirken, diese Epoche zu beschleunigen‹ (zu ECKERMANN 31. 1. 1827). Der Begriff ist bei GOETHE nicht genauer definiert, so daß sich im Laufe der Zeit verschiedene Bedeutungen entwickeln: 1. rein quantitativ die Gesamtheit aller (National-) Literaturen der Erde zu allen Zeiten als rein summarischer Begriff ohne Rücksicht auf Einheitlichkeit und innere Zusammengehörigkeit. 2. qualitativ e. ständig wachsender Kanon der größten dichterischen Leistungen aller Literaturen, deren Wesen national wie allgemeinmenschlich ist, doch nie den völkischen Gehalt zugunsten blasser Internationalität verleugnet, und die, über ihre Länder und Zeiten hinaus wirkende Geltung behaltend, zum Gemeingut aller Kulturvölker geworden sind. 3. der lebendige geistige Verkehr zwischen den verschiedenen Literaturen und ihr Zusammenwirken im Laufe der Entwicklung (Forschungsgegenstand der →vergleichenden Literaturwissenschaft). Diese Bedeutung kommt der Auffassung GOETHES am nächsten, der durch den lebhaften Austausch der Dichtungen und Bildungswerte im persönlichen Verkehr oder in →Übersetzungen e. gegenseitige Fühlungnahme, besseres Kennenlernen und gegenseitiges Verständnis der Nationen untereinander und damit wechselseitige Achtung und Duldung erstrebte: ›Denn daraus nur kann endlich die allgemeine W. entspringen, daß die Nationen die Verhältnisse aller gegen alle kennenlernen, und so wird es nicht fehlen, daß jede in der anderen etwas Annehmliches und etwas Widerwärtiges, etwas Nachahmenswertes und etwas zu Meidendes antreffen wird. Auch dieses wird zu der immer mehr umgreifenden Gewerks- und Handelstätigkeit auf das Wirksamste beitragen: denn aus uns unbekannten übereinstimmenden Gesinnungen entsteht ein schnelleres, entschiedenes Zutrauen. Dagegen wenn wir mit entschieden anders denkenden Personen im gemeinen Leben zu verkehren haben, werden wir einerseits vorsichtiger, andererseits aber duldender und nachsichtiger zu sein uns veranlaßt finden.‹ Damit verbunden ist die Erkenntnis, daß über den trennenden nationalen Eigenarten jeder Lit. bei den hervorragendsten Dichtern überall e. allgemein Menschliches aufleuchte, an dem weiterzubauen sei, damit das wahrhaft Große nicht Eigentum e. einzigen Nation bleibe, sondern im edlen Wettbewerb der Nationen zum Allgemeingut der Menschheit werde: ›Der Dichter wird als Mensch und Bürger sein Vaterland lieben, aber das Vaterland seiner poetischen Kräfte und seines poetischen Wirkens ist das Gute, Edle und Schöne, das an keine bes. Provinz und an kein bes. Land gebunden ist, und das er ergreift und bildet, wo er es findet.‹ Das Ideal e. solchen W. sieht GOETHE verwirklicht in der Antike, die in allen abendländischen Nationen nicht erst seit der Renaissance, sondern schon in der christlichen W. des MA. als Grundlage der gemeinsamen Kultur aufgenommen wird; doch auch Formen wie die germanische Heldendichtung, der Minnesang, das ma. geistliche Drama und Strömungen wie Renaissance und Humanismus erfassen die Gesamtheit der abendländischen Völker, und auch seit dem Aufblühen der volkssprachlichen Dichtung nimmt die gegenseitige Befruchtung der einzelnen Literaturen bis in die Gegenwart ständig zu.

E. Beil, Z. Entwicklg. d. Begriffs W., Diss. Lpz. 1915; K. Voßler, Nationallit. u. W. (Zeitwende 4, 1928); F. Strich, Goethes Idee e. W. (Dichtg. u. Zivilisation, 1928); ders., W. u. vgl. Lit.wiss. (in: Philos. d. Lit.wiss., hg. E. Ermatinger 1930); Th. Frühm, Gedanken üb. Goethes W., 1932; M. Dietrich, V. Sinn d. W., 1946; M. Bodmer, E. Bibliothek d. W., 1947; J. Müller, D. völkerverbind. Aufg. d. W., 1948; H. W. Eppelsheimer, W. (Imprimatur 10 1951); J. Reményi, *The Meaning of World Lit.* (*Journal of Aesthetics* 9, 1951); F. Michael, W., 1952; ›W.‹, Fs. f. F. Strich, 1952; Th. Wilder, Goethe u. d. W. (Perspektiven 1, 1952); M. Bodmer, Variationen zum Thema W., 1956; F. Strich, Goethe u. d. W., [2]1957; H. Bender, M. Metzer, Z. Gesch. d. Begriffs W. (Saeculum 9, 1958); H. Schneider, W. u. Nationallit. i. MA. (in: Kleinere Schriften, 1962); J. Krehayn, Z. Begriff W. als lit. wiss. Kategorie (Philologica Pragensia 9, 1966); R. Etiemble, *Faut-il reviser la notion de W.?* (*Actes du IVe congr. de l'assoc. internat. de litt.comparée*, 1966); A. Berczik, Z. Entw. d. Begriffs W. (Acta

Germanica et Romanica 2, 1967); H. J. Schrimpf, Goethes Begriff d. W., 1968; W. v. Einsiedel, D. W. u. ihre Provinzen (Merkur 22, 1968); V. Lange, Nationallit. u. W. (Goethe, Jb. 33, 1971); M. Naumann u. R. M. Samarin (ebda.); W. u. Volkslit., hg. A. Schaefer 1972; R. Exner, W. u. Provinzlit. (Neue Dt.Hefte 23, 1976). – Darstellungen der ›Gesch. d. W.‹ u. a. von: O. Hauser II 1910; K. Busse II 1910–1913; A. Bartels 1912–13; O. Walzel (Hg.) ›Hdb. d. Lit.-wiss.‹, 1923 ff.; J. Hart 1925; A. Baumgärtner, V ^{2}1925; J. Scherr ^{11}1926; J. Macy, Lond. 1927; Klabund 1929; H. M. u. N. K. Chadwick, Lond. III, 1932–40; W. Oehlke, 1932 u. 1939; F. M. Ford, ^{2}1941; F. de Backer, Utrecht III 1943 ff.; Bustamante, Madrid 1946; G. Prampolini, Turin VII ^{2}1948 f.; P. Wiegler, ^{6}1949; J. Drinkwater, Lond. ^{3}1963; F. W. v. Heerikhuizen, Leiden II 1951–56; E. v. Tunk III 1954; R. Lavalette ^{2}1954; E. Laaths ^{8}1968; R. Queneau (Hg.) Paris III 1955 f.; J. M. Cohen Lond. 1956; *Bonniers allmänna Lit.hist.* Stockh. VI 1959 f.; C. Pellegrini (Hg.) VI Mail. 1960; H. W. Eppelsheimer (Hdb. d. W.) ^{3}1960; M. de Riquer u. J. M. Valverde, Barcelona III 1957–59; D. Andreae u. E. N. Tigerstedt, Stockh. 1961; P. Gioan (Hg.), Paris III 1961; F. Bull, Koph. 1961; A. Burgio, Mail. II 1963; W. v. Einsiedel (Hg.), D. Litt. d. Welt, 1964; H. W. Eppelsheimer I 1970; F. J. Billeskov Jansen (Hg.), Stockh. XII 1971–74; Neues Hb. d. Lit.wiss., 1972 ff.; G. v. Wilpert, I. Ivask (Hg.) 1972; M. Seymour-Smith, Lond. 1973. →Literaturlexikon →Gegenwartsdichtung.

Weltlohn, im MA. beliebtes Thema von der Falschheit und Undankbarkeit der verführerischen Welt, häufig personifiziert als ›Frau Welt‹, das zur Verachtung des Irdischen und Besinnung auf das Jenseits führen will: In den Predigtmärlein (→Exempla) der Reden und Predigten, den Traktaten der Mystiker, allegorisierenden und moralisierenden Prosaschriften, satirischer und didaktischer Dichtung (HEINRICH VON MELK), Verslegenden und Einzelgedichten (WALTHERS *Abschied von der Welt*).

A. Closs, W., 1934.

Weltschmerzdichtung →Pessimismus

Welttheater, die Vorstellung vom Welttreiben und Menschenleben als e. großen, vorüberziehenden Schauspiel, in dem jeder seine ihm auferlegte Rolle zu spielen hat, bis der Tod sie ihm abnimmt, ist e. traditionelles Motiv, ›theozentrisches Gleichnis‹ (CURTIUS) der europ. Lit. seit PLATON, SENECA und AUGUSTIN, das bes. im Barock (CALDERÓNS *Großes W.*, dt. Barockdichtung) vielfältig aufgenommen wird. Von dort wiederum sind H. v. HOFMANNSTHALS *Salzburger großes W.* (1922) und *Kleines W.* (1897) beeinflußt. Aus der Allegorie zum Symbol verdichtet erscheint das Theatermotiv bei GOETHE in *Wilhelm Meisters Lehrjahre* VII, 3.

F. J. Warnke, *The world as theatre* (Fs. E. Mertner 1969); P. Rusterholz, Theatrum vitae humanae, 1970; B. Greiner, W. als Montage, 1977.

Welturheberrechtsabkommen, am 16. 9. 1955 in Kraft getretene Vereinbarung zum internationalen Schutz des →Urheberrechts von Angehörigen der Unterzeichnerstaaten und solchen Werken, die erstmals in diesen veröffentlicht wurden. Der Schutz (mindestens 25 Jahre) entspricht der nationalen →Schutzfrist, oder, falls diese kürzer ist, der des Ursprungslandes. Das W. erlangte bes. Bedeutung durch seine Ratifizierung seitens der USA und (1973) der Sowjetunion; für Unterzeichnerstaaten der →Berner Konvention genießen deren wesentlich weiter greifende Vorschriften den Vorrang.

Lit. →Urheberrecht

Wendepunkt →Peripetie

Werbungssage →Brautwerbungssage

Werkimmanent, auch textimmanent, heißt e. →Interpretation, die sich ausschließlich auf das zu analysierende Einzelwerk konzentriert, es aus ihm selbst heraus nach seinen eigenen Gesetzen zu verstehen sucht, ihr Untersuchungs- und Beweismaterial nur in ihm findet und zu seinem tieferen Verständnis als Kunstwerk beiträgt. Über das Einzelwerk hinausgehende histor., literaturgeschichtl., biograph., soziolog., weltanschaulich-polit. und stofflich-motiv. Fragen und Traditionen treten dabei ganz in den Hintergrund. Methode des russ. Formalismus, des amerikan. New Criticism, der dt. Dichtungswissenschaft.

M. Gsteiger, Werkimmanenz u. Historiographie (Arcadia 8, 1973); A. P. Foulkes, Z. Problematik d. w. Interpretationsmethode (Rezeption d. dt. Gegenw.lit. i. Ausl., hg. D. Papenfuß 1976).

Werkkreis Literatur der Arbeitswelt, 1970 gegr., polit. radikale Spaltgruppe der →Gruppe 61 aus dem Bereich der →Arbeiterdichtung, sieht seine Aufgaben weniger in der Lösung lit.-ästhet. Probleme als in der Artikulation von Mißständen in der Arbeitswelt, Dokumentation des Milieus in gewerkschaftl. Sinne und polit. Emanzipation mit dem Ziel ›mit lit. Mitteln zur Veränderung der Gesellschaft mit sozialist. Zielsetzung beizutragen‹. Der gewerkschaftl. unterstützte W. L. d. A. unterhält ›Werkstätten‹ in zahlr. Industrieorten und e. eigene Publikationsserie.

H.-W. Jäger, Beschreiben, um zu verändern (Jb. f. Internat. Germanistik 3, 1971); P. Kühne, Arbeiterklasse u. Lit., 1972; Arbeiterlit. i. d. BR., hg. H. L. Arnold 1975; F. Schonauer, D. Sackgasse d. W'lit. (Neue Dt. Hefte 22, 1975); R. Safranski, W'lit. u. Arbeiterbewegg. (Lit. als Praxis, hg. R. Hübner 1976); P. Fischbach u. a., Für e. Lit. d. Arbeiterklasse (D. dt. Roman i. 20. Jh., hg. M. Brauneck 2, 1976); J. Alberts, Arbeiteröffentlichkeit u. Lit., 1977; G. Wölke, Arbeiterlit., 1977; W. Deuber, Realismus d. Arbeiterlit., 1978. →Arbeiterdichtung.

Werkleute auf Haus Nyland →Nyland-Kreis

Wertung, die Beurteilung des künstlerischen Ranges e. lit. Werkes, ist über das Tagesurteil der →Kritik hinaus e. der wichtigsten und zugleich problematischsten Aufgaben der Literaturwissenschaft, seit sie sich von der bloßen Historie gelöst hat, mithilfe der Interpretation die künstlerischen Werte e. Werkes erschließen und diese dann in Relationen zu anderen erkannten Werten setzen will. Jede literaturwiss. Arbeit setzt im Grunde e. W. voraus, wobei sie sich allerdings vielfach bei der traditionellen, durch die Überlieferung sanktionierten Rangordnung beruhigt oder mit vorgefaßten Meinungen arbeitet. W. ist stets relativ sowohl in bezug auf das zu Wertende, das nicht für sich, sondern im Umkreis vergleichbarer Werte gemessen werden muß, als auch in bezug auf den Wertenden, der zunächst stets dazu neigen wird, sein subjektives Werturteil, den →Geschmack, zum (wenn auch verschleierten) Maßstab des Urteils zu nehmen. Eine umso dringlichere Aufgabe der Literaturwissenschaft muß es sein, objektive Wertmaßstäbe zu ermitteln und bereitzustellen, wenn ihre W. den Anspruch auf Allgemeingültigkeit erheben soll. Sie kann jedoch kein schlüssiges System aufstellen, sondern nur einzelne Kriterien aufzählen, deren Einstufung für die Gesamtwertung je nach dem Standpunkt des Betrachters verschiedenartig ausfallen wird, und sie muß die Fähigkeit zum Werterleben voraussetzen. Als solche Aspekte könnten gelten: 1. die ästhet. Stimmigkeit des Werkes, d. h. die Übereinstimmung der verschiedenen Stilzüge und sprachlichen Aspekte, nicht unbedingt im Sinne e. harmonist. Poetik, sondern ebenso im Sinne e. bewußten Multivalenz der Züge, die sich ebenso zu e. echten Ausdrucksganzen integrieren können, 2. die gattungsmäßige Schlüssigkeit, d. h. die Konsequenz von Aussagewollen und Formwahl in aller möglichen Breite individueller Abwandlung des Gattungsstils, 3. die innere Wahrheit, d. h. die Echtheit der künstlerischen Aussage gegenüber der bloß angelernten, aufgesetzten modischen Attitüde oder der unwahrscheinlichen Scheinwelt wunschtraumbefriedigender Unterhaltungslit. mit ihren klischeehaften Typen, Gemeinplätzen und gesuchten Künstlichkeiten, 4. die Originalität des Geschaffenen, die das Werk dank seines Eigenwertes über den Durchschnitt hinaushebt, was andererseits aber nicht zu e. Kult des gewollt Atypischen führen darf, 5. die Geschichtlichkeit des Werkes, d. h. sein Standort innerhalb seiner literaturgeschichtlichen Umwelt und deren ästhet. Auffassungen, deren Berücksichtigung vom Wertenden e. umfassende lit. Bildung voraussetzt, aber gleichzeitig den ebenso zeitbedingten Standpunkt des Betrachters in Rechnung ziehen sollte, 6. die inhaltliche Bedeutsamkeit des – formal bewältigten – Stoffes und der Aussage, d. h. deren Gewichtigkeit für das menschl. Selbstverständnis. Dabei dürfen evtl. moral., polit. oder religiöse Ansichten oder Tendenzen nicht vom außerlit. Aspekt der Ethik, Politik oder Religion, für den die Literaturwissenschaft nicht zuständig ist, sondern nur im Maß ihrer Durchgestaltung berücksichtigt werden, und Ernst oder Pessimismus wären nicht von vornherein höherwertig zu veranschlagen als Komik und echter Humor. Eine absolute Wertskala und Rangordnung lit. Werke ist angesichts der Eigenwertigkeit jedes Kunstwerks, das seine Gesetze in sich selbst trägt, nicht möglich, doch kann die Besinnung auf die Problematik der üblichen W. wenigstens zu e. Bewußtseinsklärung über anwendbare und nicht anwendbare Gesichtspunkte führen. Sie sollte darüber hinaus die bisherige grobmaschige Wertaufgliederung des Schrifttums in →Dichtung, →Unterhaltungsliteratur und →Trivialliteratur (→Kitsch, →Schundliteratur) stärker differenzieren und innerhalb der Dichtung selbst Rangstufen sichtbar machen.

L. Beriger, D. lit. W., 1938; W. Kayser, Lit. W. u. Interpretation (Deutschunterr., 1952); H. Wutz, Z. Theorie d. lit. W., 1957; W. Ross, Z. Frage d. W. v. Gedd. (Wirk.Wort 9, 1959); H. Haeckel, Üb. Verstehen u. Werten v. Dichtg. (Zs. f. dt. Philol. 79, 1960); W. Emrich, Z. Probl. d. lit. W., 1961; B. Schulz, Probleme lit. W. i. pädagog. Sicht (Wirk.Wort 13, 1963); H. Markiewicz, *Evaluation in the study of lit.* (in: *Poetics,* Warschau 1963); H. J. Skorna, Z. Probl. d. lit. W. (Pädag. Rundschau 18, 1964); W. Emrich, W. u. Rangordnung lit. Werke (Sprache i. techn. Zeitalter 3, 1964; auch in: Geist u. Widergeist, 1965); M. Wehrli, Wert u. Unwert i. d. Dichtg., 1965; F. Lockemann, Lit.wiss. u. lit. W. 1965; W. Müller-Seidel, Probleme d. lit. W., 1965, ²1969; L. Beriger u. a. (Orbis litt. 21, 1966); Wertendes Lesen, hg. K. Moritz, ²1967; K. Gerth, Ästhet. u. ontolog. W. (Deutschunterr. 19, 1967); T. Krömer, W. i. marxist. Lit.betrachtg., ebda.; E. Lundig, D. Wagnis d. Wertens, ebda.; R. Ingarden, Erlebnis, Kunstwerk u. W., 1969; H. Seidler, Beitrr. z. methodolog. Grundlegg. d. Lit.wiss., 1969; W. Müller-Seidel, W. u. Wiss. i. Umgang m. Lit. (Deutschunterr. 21, 1969); *Problems of lit. evaluation,* hg. J. Strelka (*Yearbook of compar. criticism* 2, 1969); T. Koebner, Z. W'probl. i. d. Trivialroman-Forschg. (Fs. H. Motekat, 1970); H.-E. Hass, D. Probl. d. lit. W., 1970; J. Thaier, D. Probl. d. lit. W., Diss. Salzb. 1971; U. Krause, Ästhet. W. als Aggregation (LiLi 1, 1971); J. Schulte-Sasse, Lit. W., 1971, ²1976; P. Bürger, Z. ästh. W. ma. Dichtg., DVJ 45, 1971; R. Schober, Z. Probl. d. lit. W. (Weimarer Beitrr. 19, 1973); H. Meyer, *Observations on lit. values* (Fs. N. Fuerst, 1973); B. Lindner, Probleme d. lit. W. (Grundzüge d. Lit.- u. Sprachwiss., hg. H. L. Arnold 1, 1973); M. Maren-Grisebach, Theorie u. Praxis lit. W., 1974; C. L. Hart Nibbrig, Ja und Nein, 1974; D. W. Fokkema, *The probl. of generalization and the procedure of lit. evaluation* (Neophil. 58, 1974); W. Schemme, Triviallit. u. lit. W., 1975; Theorie, Lit., Praxis, hg. R. Brütting u. a. 1975; L. Pikulik, D. Zeitgemäße als Kategorie l. W. (Wirk.Wort 25, 1975); R. Löffler, Lit.ästh. Modell u. W., 1975; J. Wermke, Lit. W. u. ästh. Kommunikation, 1975; Lit. W. u. W'didaktik, hg. G. Pilz u. a. 1976; R. Peacock, D. Probl. d. persönl. Geschmacks i. d. lit.hist. W. (Fs. V. Santoli, Rom 1976); Lit.W., hg. N. Mecklenburg 1977.

Western, Roman aus dem nordamerikan. ›Wilden Westen‹ um Cowboys, Rothäute, Grenzer usw., als Mythos e. romantisch-abenteuerlichen Vergangenheit in den USA und von dort in Westeuropa weit verbreitet, doch nur mit wenigen Werken in den Bereich der bedeutsamen Lit. vorstoßend: COOPERS *Lederstrumpf,* O. WISTERS *The Virginian,* Werke von Bert HARTE, Mark TWAIN, heute bei A. G. GUTHRIE, W. STEGNER, W. v. TILBURG, Z. GREY, M. BRAND, E. HAYCOX, G. F. UNGER u. a.

R. Röder, Üb. d. Wildwest-Roman (Welt u. Wort 7, 1952); H. Frenzel, D. Lit. d. W. (Merkur 16, 1962); H. Piwitt, Atavismus u. Utopie d. ganzen Menschen (Sprache i. techn. Zeitalter I, 1962); J.-L. Rieupeyrout, D. W., 1963 (üb. Film); E. Fussell, *Frontier,* Princeton 1965; K. L. Steckmesser, *The W.hero in hist. and legend,* Norman 1965, [2]1967; J. K. Folsom, *The Americ. W. novel,* New Haven 1966; R. Bellour u. a., *Le w.*, Paris 1966; E. L. Tinker, *The horsemen of the Americas,* Austin 1967; J.-U. Davids, D. Wildwest-Romanheft i. d. BR., 1969; K. H. Göller, Fiktion u. Wirklichk. i. Wildwest-Roman (Lit. i. Wiss. u. Unterr. 6, 1973).

Westler, russ. Geistesströmung des 19. Jh. seit 1840, die unter Einfluß des dt. Idealismus und der Romantik im Ggs. zu den →Slawophilen den Anschluß Rußlands an westeurop. Kultur, Regierungsform und Gesellschaft erstrebte und e. utopischen Sozialismus zuneigte. Die Bewegung fand lit. Niederschlag in TURGENEVS *Rauch,* bei BELINSKIJ, HERZEN, DRUŽININ, OGAREV und POLONSKIJ.

Wetterregel →Bauernregeln

Wetterspruch →Monatsreim

Whodunit (engl., von *who has done it?* = wer hat es getan?), engl. Bz. für →Kriminal- und →Detektivgeschichten.

Widerstand →Resistance

Widmung →Dedikation

Widmungsgedicht, Gelegenheitsdichtung zur Bucheinführung. Zu unterscheiden sind zwei Arten: Lobeshymnen auf den Dichter und das vorliegende Werk aus der Feder seiner Freunde, wie sie von den Humanisten geschaffen und bes. im Barock fast jedem Werk vorangestellt wurden, und W.e des Dichters selbst als Begleitverse an den Leser oder Widmungen im Sinne von ›Zueignungen‹ an Freunde, verehrenswerte Vorbilder, e. geliebte Frau und bes. Gönner und mächtige Herren als Mäzenaten – häufig als Dank für erwiesene Wohltaten oder mit versteckter Hoffnung auf materielle Unterstützung. →Vorwort, →Dedikation.

RL.

Widuschaka →Vidûshaka

Wiederholung 1. e. Einzelwortes oder Ausdrucks: →Anapher, →Epiphora, →Symploke, →Diaphora (→Anaklasis, →Antistasis), →Epanalepse, →Anadiplose, →Epiploke, →Klimax, →Kyklos, →Polyptoton, 2. e. Gedankens: →Variation, 3. allg. →epische W.

D. Fehling, D. Wiederholungsfiguren u. ihr Gebrauch b. d. Griechen vor Gorgias, 1968.

Wiegendruck →Inkunabel

Wiegenlied, meist stark klangmalendes, oft mundartliches und durch den Rhythmus der Schaukelbewegung bestimmtes Volkslied, als

Schlummerlied vermutlich e. der ältesten poetischen Formen; dt. zuerst bei GOTTFRIED VON NEIFEN, später bei GELLERT, WEISSE, RAMLER, VOSS, CLAUDIUS, HERDER, CHAMISSO, STORM, DEHMEL u. a.; als geistl. W. auch Gattung des Weihnachtsliedes.

W. Wechsler, D. dt. W., 1930; E. Meier, Stil- u. Klangstud. z. W., Diss. Greifsw. 1932; B. Jöckel, D. Erlebnisgehalt d. W. (Berliner Hefte 3, 1948); K. v. Hohenlocher, W. u. Tierfabel, 1952; R. Andreas-Friedrich, W., 1953; E. Gerstner-Mirzel (Hb. d. Volksliedes I, 1973).

Wiener Gruppe, Freundeskreis experimenteller österreichischer Schriftsteller in Wien rd. 1954–64: F. ACHLEITNER, H. C. ARTMANN (bis 1957), K. BAYER, G. RÜHM und O. WIENER, hervorgegangen aus dem ›art-club‹ um P. v. GÜTERSLOH und zusammengehalten durch die gemeinsame Front gegen die konventionelle Erstarrung des lit. Establishments. Beeinflußt von der artist. Sprachbehandlung in Barocklit., Surrealismus, Dadaismus, durch A. STRAMM, G. STEIN, WITTGENSTEIN u. a., entwickelte sie in enger lit. Zusammenarbeit ein progressives und bewußt auf Provokation zielendes lit. Konzept, das durch ständige Erfindung neuer Formen der Gefahr der Gewöhnung und Wiederholung zu entgehen sucht: Lautdichtungen, Textmontagen, Dialektgedichte, Seh- und Hörtexte, Chansons, Kabarettszenen mit Nähe zum Happening, erschienen z. T. in avantgardist. Zss. und Almanachen. Gemeinsam ist die Vorliebe für Groteskes, Makabres und Possenhaftes; die Arbeitsmethode der Montage ergab zahlreiche Gemeinschaftsarbeiten.

D. W. G., hg. G. Rühm 1967, [2]1969; B. Sorg, Abgesänge (Sprachkunst 7, 1976); R. Bauer, D. Dichter d. W. G. u. d. surrealist. Erbe (Jb. d. Grillparzer-Ges. 12, 1976).

Wildwest-Roman →Western

Winileod (ahd. *wini* = Freund, Geselle, Geliebter), in den ahd. Glossen und in e. Kapitulare (= Erlaß) KARLS DES GROSSEN, der den Nonnen das Aufschreiben und Absenden solcher W.os untersagt, überlieferte Bz. für e. ahd. weltliche Volkslied-Gattung, vermutlich Liebes- oder Freundschaftslied.

F. Jostes, W. (Zs. f. dt. Altert. 49, 1908); W. Uhl, W., 1908; RL; G. Baesecke, W. (Festschr. f. Leitzmann, 1937); P. B. Wessels, W. (Neophil. 40, 1956).

Winkelrahmenbühne →Bühnenbild

Winsbekenstrophe →Morolfstrophe

Wirklichkeit. Dichterische W. im Ggs. zur außerdichterischen ist diejenige W., die erst durch die Sprache der Dichtung beschworen, geschaffen wird und Gestalt gewinnt. Sie braucht nicht mit der äußeren W. in Natur und Geschichte übereinzustimmen, nicht einmal auf sie zu verweisen, sie darf nicht an der Realität gemessen werden, sondern muß nur in sich stimmig sein. Die Dichtung schafft ihre eigene W. und deren eigene Gesetze. Da jedoch zumindest die pragmatischen Gattungen ihre Stoffe und ihr Anschauungsmaterial im wesentlichen aus der Erfahrungswelt und damit der außerdichterischen W. beziehen, ist das Verhältnis zu dieser bestimmend für viele Stilepochen: Abklatsch der W. (Naturalismus), freie Wiedergabe der W. (Realismus), Idealisierung der W. (Idealismus), Poetisierung der W. (Romantik), freies Schalten mit Elementen der W. (Surrealismus). Vgl. →Mimesis.

F. O. Nolte, *Art and Reality,* Lancaster 1942; E. Auerbach, Mimesis, [4]1967; Wort u. W., hg. Bayr. Akad. 1960; H. Nohl, D. ästhet. W., [3]1961; J. Pfeiffer, D. dichter. W., 1962; W. Killy, W. u. Kunstcharakter, 1963; K. Hamburger, D. Logik d. Dichtg., [2]1968; J. Kleinstück, W. u. Realität, 1971.

Wirkung, Wirkungsästhetik, Wirkungsgeschichte →Rezeption

Wirtschaften, höfische Maskenfeste des frühen 18. Jh., bei denen die vornehme Gesellschaft in volkstümlicher Verkleidung erschien und vom Fürstenpaar als Wirtsleuten bedient wurde; Texte zu solchen →Maskenspielen schrieben u. a. die Dresdener Hofdichter J. v. BESSER und J. U. v. KÖNIG.

Witz (zu ›wissen‹) bedeutet noch bis ins 18. Jh. ›Verstand, Klugheit‹, in der Goethezeit ›Geist‹, heute auch ›Schlauheit, Findigkeit‹ (vgl.: ›Mutterwitz‹) und die Äußerung dieser rein verstandes-, nie gefühlsmäßigen Fähigkeit zur Gestaltung scherzhafter Einfälle in sprachlich prägnanter Form. Die feste Formprägung des W. erweist sich bes. beim Nacherzählen, wo es auf die genaue Wiederherstellung der sprachlichen Fassung ankommt, ohne die der W. wirkungslos bleibt (daher das Unvermögen, W.e richtig zu erzählen, bei Leuten mit geringem Formempfinden, denen die komplizierte, hintergründige Konstruktion verschlossen bleibt). Wesentlich ist die treffende Formulierung der →Pointe, in der sich die bewußt konzentrierte und gesteigerte Spannung des W. durch e. unerwartetes, plötzliches Umschlagen in e. unvermutete Richtung löst, die Aufmerksamkeit des Aufnehmenden an entscheidender Stelle umgewendet, auf ein ganz anderes, weitabliegendes Gebiet übertragen wird und der versteckte Vorstellungszusammenhang, das tertium comparationis, plötzlich zutage tritt. Auf dieser Diskrepanz zwischen Erwartung und Ergebnis beruht die eigtl. Wirkung des W. Sind Ergebnis und Erwartung bereits in Übereinstimmung gebracht – etwa bei mehrmaligem Hören desselben W. – so bleibt die Wirkung aus. Diese Umwendung kann in der zugrundeliegenden Situation erfolgen und ergibt dann →Situationskomik, sie kann im engeren Sinne als bloßer Gedanke erscheinen (Gedanken-W.) oder innerhalb der rein sprachlichen Sphäre auf Doppeldeutigkeit (→Amphibolie), gleichem bzw. ähnlichem Klang (→Paronomasie) der Worte beruhen (→Wortspiel). Der W. der →Zote beruht auf der Aufhebung moral. Befangenheit, der des →schwarzen Humors auf der Umkehrung der Pietät, der polit. W. auf der Überwindung staatl. Drucks und der pointenlose absurde oder surrealist. W. auf der Irreführung der erwartungsvollen Logik überhaupt. Indem der W. die im Alltagsgebrauch monoton und nüchtern wirkenden Worte oder Klänge in ihrer Vieldeutigkeit aufsucht und aktiviert, gibt er ihnen neuen Sinn und schöpferische Funktion. Im Interesse der für die Wirkung nötigen Kürze bedient sich der W. bei der Vorgeschichte vielfach bereits typisierter Figuren (Professoren-, Schotten-, Irren-, Bobby-W.). Inhaltlich verwandt mit dem W. scheinen →Anekdote und →Epigramm; durch die verstandeskalte Schärfe und seinen oft satirischen Charakter unterscheidet er sich vom gefühlsmäßigen und gutmütigen →Humor, sein Wirkungselement ist die →Komik. →Kalauer.

K. Fischer, Üb. d. W., 1903; E. Wechssler, Üb. d. W., 1914; M. A. Grant, *Theories of the laughable,* 1924; S. Freud, D. W. u. seine Beziehgn. z. Unbewußten, [4]1925; J. Kröner, D. W. (Preuß. Jhrb. 239, 1935); P. Böckmann, D. Formprinzip d. W. i. d. Frühzeit d. dt. Aufklärg. (in: Formgeschichte, 1949); W. Königswarter, D. W. als Waffe, [2]1955; K. Ranke, Schwank u. W. (Fs. W.-E. Peuckert, 1955); A. Jolles, Einf. Formen, [5]1974; H. Schöffler, Kl. Geographie d. dt. W., [8]1970; S. Landmann, D. jüd. W., [4]1961; W. Schmidt-Hidding, Humor u. W., 1963; W. R. Schweizer, D. W., 1964; M. Dor, H. Federmann, D. groteske W.,

1968; H. Bausinger, Formen d. Volkspoesie, 1968; G. Legman, D. unanständige W., 1970; W. Preisendanz, Üb. d. W., 1970; A. Wellek, W., Lyrik, Sprache, 1970; H. Bergson, D. Lachen, 1974; U. H. Peters, Irre u. Psychiater, 1974; M. Grotjahn, V. Sinn d. Lachens, 1974; H. Reger, D. W. als Textkategorie (Mutterspr. 85, 1975); W. Sanders, Wortspiel u. W. (Fs. J. Trier, 1975); W. Höllerer, Z. Semiologie d. W. (Sprache i. techn. Zt.alter 57, 1976); L. Röhrich, D. W., 1977; B. Marfurt, Textsorte W., 1977. →Komik.

Witzblatt, stark illustrierte Zs. mit Karikaturen, humorvoll-witzigen Beiträgen usw., teils nur humorig (Münchner *Fliegende Blätter*), teils politisch *(Kladderadatsch)* oder sozialsatirisch *(Simplicissimus)* und karikierend.

Ch. Gehring, D. Entw. d. W. i. Dtl., 1927.

Wochenschriften →Moralische Wochenschriften

Wörterbuch, Nachschlagewerk in Form e. alphabetischen Zusammenstellung aller, möglichst vieler oder nach e. bes. Gesichtspunkt ausgewählter Wörter e. Sprache zu verschiedenen Zwecken: Fremdsprachen-W. für Übersetzungen, das dem einheimischen Wort den fremdsprachlichen Ausdruck oder umgekehrt hinzufügt und bei größeren W.ern u. U. die genauere Bedeutung noch mit Belegstellen für die Anwendung erklärt (→Thesaurus), Dichter-W., das den gesamten Wortschatz e. Dichters mit Belegstellen zusammenstellt, um seinen Wortgebrauch zu zeigen (→Konkordanz); ferner →etymologisches W., →Idiotikon, →Fremd-W., →Synonymen- und Autonymen-W., →Glossar. Nicht sprach-, sondern sachbezogen sind →Sach-W. und alphabetische →Enzyklopädie oder →Konversationslexikon.

›Dt. W.‹ v. J. u. W. Grimm, XXXII 1854–1961; H. Paul, [6]1968, Trübner [2]1939–57, Duden VI 1976 ff. – R. L. Collison, *Dictionaries of foreign languages,* N. Y. 1955; W. Zaunmüller, Bibliogr. Hdb. d. Sprachwörterbücher, 1958; G. Zischka, Index lexicorum, 1959; P. Kühn, Dt. W.er, Bibliogr. 1978.

Wortkunst →Dichtung

Wortfiguren →rhetorische Figuren

Worthäufung, →asyndetische oder →polysyndetische Aufzählung gleichbedeutender (→synonymer) Wörter, Begriffe oder Unterbegriffe (→Akkumulation), →Wiederholungen usw. Aus der Renaissance übernommenes und auch schon in der Prosa der Reformationszeit beliebtes Stilmittel, das dann bes. im Barock (WECKHERLIN, OPITZ, ZESEN, P. GERHARDT, Q. KUHLMANN, bes. GRYPHIUS u. a.), bei den Petrarkisten und Euphuisten letzte Steigerung erreicht, meist in Form des →Asyndetons: entstanden aus dem affektbetonten Ausdrucksdrang e. emphatischen, expressiven Rhetorik, in der die Aufgeschlossenheit gegenüber der Welt und die Freude an ihrer Vielfalt bis zu ganzen Wortlisten gesteigert wird. →Schwulst. In anderem Sinne, als Aufzeigen der Fragwürdigkeit sprachl. Benennung, erscheint die W. bei G. GRASS.

H. Pliester, D. W. i. Barock, 1930.

Wortkehrreim →Kehrreim

Wortschatz, der gesamte Wortbestand e. Sprache, auch e. Epoche oder e. Autors, die in ihrer Eingrenzung und stellenweisen Erweiterung des W. Aufschlüsse über geistesgeschichtl. Ausrichtungen geben.

H. Wehrle, H. Eggers, Dt. W., II [14]1968; F. Dornseiff, D. dt. W. nach Sachgruppen, [7]1970.

Wortspiel, geistvolle Ausnutzung sprachlicher Möglichkeiten zu witzigen Effekten. Zu unterscheiden sind zwei Arten: die eine beruht auf der Doppeldeutigkeit e. Ausdrucks allg. (→Amphibolie), die andere allein auf dem gleichen oder ähnlichen Klang (→Homonyme) zweier oder mehrerer Wörter, die witzig gegeneinandergestellt oder angeglichen (→Paronomasie) werden, meist in antithetischer Form, wobei hinter dem gewohnten Sinn die gemeinte Bedeutung geistreich hindurchscheint und der alltägliche Klang in überraschend neuer Bedeutung erscheint. Infolge der engen Bindung an die sprachlichen Gegebenheiten und Vorstellungsinhalte ist das W. fast nie in e. andere Sprache übersetzbar (Schwierigkeiten bes. bei SHAKESPEARE-Übertragungen). Wie der →Witz überhaupt erscheint das W. stets nur in Zeiten starker Verstandeskultur; der bloßen Gefühlsdichtung ist es meist fremd, wo nicht gar unerwünscht. – In der Antike gibt ARISTOTELES (in erhaltenen Auszügen) schon die Scheidung von Wort- und Sachwitz und erläutert deren Möglichkeiten. In der mhd. höfischen Dichtung verwendet WOLFRAM ausgesprochen witzige, GOTTFRIED mehr geistreiche Klangspiele. Für die neuere Lit. wird das aus den polemischen Schriften der Humanisten entwickelte W. maßgebend; in England erscheint es bes. häufig im Renaissancedrama (SHAKESPEARE), in Dtl. bes bei FISCHART (›Jesuiter – Jesuwider‹), im Barock (ABRAHAM A SANCTA CLARA, LOGAU), später bei SCHILLER und GOETHE in den *Xenien*, bei SCHILLER ferner bes. in der Kapuzinerpredigt in *Wallensteins Lager* (›Und das römische Reich – daß Gott erbarm! Soll jetzt heißen römisch Arm.‹). Hochschätzung erfährt es ebenfalls bei JEAN PAUL und in der Romantik (BRENTANO, bes. HEINE), späterhin satirisch bei NIETZSCHE und allg. bei Satirikern und Komikern wie MORGENSTERN, K. KRAUS, E. KÄSTNER, FARKAS, W. SCHAEFFERS, W. FINCK, J. PRÉVERT, R. QUENEAU, E. IONESCO u. a. →Calembourg, →Kalauer, →Schüttelreim.

G. Gerber, D. Sprache als Kunst, 1885; L. Wurth, D. W. b. Shakespeare, 1895; P. Nelle, D. W. i. engl. Drama d. 16. Jh. vor Shakespeare, Diss. Halle 1900; E. Eckhardt, Üb. W., GRM 1, 1909; RL; E. Kredel, Stud. z. Gesch. d. W. i. Franz., 1923; F. H. Mautner, D. W., DVJ 9, 1931; J. Klaufer, D. W. (Zs. f. Ästhet. 30, 1936); J. T. Shipley, *Playing with words,* N. Y. 1960; Ch. J. Wagenknecht, D. W. b. K. Kraus, 1965; R. Boyer, *Mots et jeux de mots* (Studia Neophilologica 40, 1968); A. Schöne, Engl. W. u. Sprachscherze, 1968; F. J. Hausmann, Stud. z. e. Linguistik d. W., 1974; W. Sanders, W. u. Witz (Fs. J. Trier, 1975).

Wunderbücher →Mirakel

Wundsegen →Blutsegen.

Xenien (griech. *xenion* = Gastgeschenk), bei MARTIAL (1. Jh. n. Chr.) Bz. für harmlose Distichen als Begleitverse zu Gast- und Küchengeschenken, wie er sie im 13. Buch seiner Epigramme zusammenfaßte. GOETHE schlug die Bz. als ironisch-satirischen Titel für e. Reihe gemeinsam mit SCHILLER verfaßter epigrammatischer Distichen vor, die Angriffe lit. Gegner gegen ihre Zs. *Die Horen* abwehren sollten. Die Slg. dieser X. wuchs jedoch auf 414 Distichen zu e. allg. Strafgericht, zur Abrechnung mit allen lit. Gegnern, und zu e. satirischen Musterung des gesamten lit. Lebens der Zeit an, die 1796 in SCHILLERS *Musenalmanach auf das Jahr 1797* erschien und infolge ihrer polemischen Schärfe und bissigen Kritik zahlreiche Gegenschriften hervorrief. Die Scheidung der X. nach der Verfasserschaft von GOETHE oder SCHILLER ist kaum möglich; zahlreiche weitere, in den Nachlässen gefundene unveröffentlichte X. wurden zuerst 1893 durch E. SCHMIDT und B. SUPHAN herausgegeben. E. Reihe harmloser Reimsprüche der Lebensweisheit sammelte GOETHE 1820 in ›Kunst und Altertum‹ unter dem Titel *Zahme X.* IMMERMANN übernahm die Bz. X. für seine Angriffe gegen zeitgenössische Schriftsteller, die 1827 im Anhang zu HEINES *Reisebildern* erschienen.

G. Thiemann, Schiller u. Goethe i. d. X., Diss. Mchn. 1909; F. Meyer, X., II 1939; R. Adler, Schiller u. Goethe i. Xenienkampf, 1958.

Ya (chines. = elegant), die 111 höfischen Lieder des chines. *Shihching.*

Yaju, ind. Opferformeln, Sprüche und Strophen zur Begleitung der rituellen Opfer in Prosa oder Versform, zusammengefaßt in *Yajurveda.*

Yasht, altiran. Hymnen an die Gottheiten des Zoroastrismus, von denen 21 im *Awesta* enthalten sind.

Yâtrâs, Volksschauspiele der Marâthî- und Bengali-Lit. Indiens, Melodramen mit Stoffen aus Krishna-, Râma- u. a. Legenden mit komischen Zwischenspielen ähnlich den abendländischen Mysterienspielen, mit nur männlichen Darstellern, seit dem 17. Jh. verbreitet.

Nisikanta Chattopadhyaya, *The Y.*, Lond. 1882; Guha Thakurta, *The Bengali Drama,* Lond. 1930.

Ying-hi, das chines. →Schattenspiel.

Yomihon (japan. = Buch zur Lektüre), japan. moralische, erzieherische und historische Romane, bei denen im Ggs. zu den →Kusazôshi, deren Nachfolge die Y. im 18. Jh. antreten, die Illustration dem Text untergeordnet ist. Hauptvertreter: UEDA AKINARI, SANTÔ KYÔDEN und BAKIN.

Yüeh-fu (eigtl. Bz. der Musikbehörde für das Sammeln von Volksliedern), chines. balladeskes Volkslied zu Musikbegleitung in 4–7silbigen, meist 5silbigen Versen aus der Han-Zeit (2. Jh. n. Chr.), später auch volkstümliches Kunstlied, z. B. von TS'AO CHIH.

Zadjal →Zéjel

Zäsur (lat. *caesura* = Schnitt), in antiker Metrik Bz. für den durch e. Wortende bisweilen in Verbindung mit einem Sinnabsatz an bestimmter Stelle innerhalb e. Versfußes bedingten Einschnitt, wodurch der Versfuß oder Takt auf zwei Wörter verteilt wird, e. kleine, rhythmisch unmerkliche Pause für den Vortrag bietet und oft die Eintönigkeit völlig gleicher Verszeilen beseitigt oder durch Wechsel von steigendem und fallendem Rhythmus und verschiedenen Auslaut innerhalb der Glieder größere Mannigfaltigkeit hervorruft; in dt. Metrik e. mehr syntaktischer als rhythmischer Einschnitt innerhalb e. längeren, meist mehr als vierhebigen Versgefüges durch e. Wort- oder Sinn-Ende, das die ganze Verszeile in zwei oder mehr Teile (Kola) gliedert. Fällt das Wortende mit dem Ende des Versfußes zusammen, so heißt die Z.→Diärese (2); die Z. nach e. Hebung heißt männlich oder stumpf, nach e. Senkung weiblich oder klingend. Hauptsächliche Z.en sind: im →Trimeter wie im →Hexameter bes. die →Penthemimeres (nach 5. Halbfuß), seltener die →Hephthemimeres (nach 7. Halbfuß) verbunden mit Trithemimeres, im Hexameter dazu noch

→Kata triton trochaion und die sog. →bukolische Diärese zwischen 4. und 5. Fuß. Der Alexandriner hat e. feste Z. (Diärese) nach der 6. Silbe, der Pentameter nach der 3. Hebung (auch →Inzision genannt), der →vers commun nach der 4. Silbe. Die Anwendung der Z. im Dt. folgt aus Gründen der anderen Sprachstruktur nicht immer dem antiken Vorbild: KLOPSTOCK verwandte e. sonst ungebräuchliche Hexameter-Z. nach dem 4. Trochäus, andere Dichter wie VOSS, A. W. SCHLEGEL und W. v. HUMBOLDT verwendeten im Hexameter nur Penthemimeres und Hephthemimeres, GOETHE dazu noch die bukolische Diärese, PLATEN im Trimeter die Z. nach der 3. oder 4. Senkung.

A. W. de Groot, Wesen u. Gesetze d. Z., 1935. →Metrik.

Zäsurreim, Reimbindung des durch →Zäsur entstandenen 1. Versabschnitts (der nicht Versmitte zu sein braucht) mit dem Versende, z. B. im →leoninischen Hexameter.

Zağal, Zajal →Zéjel

Zarzuela, span. und portug. Bz. für die nationale Form des leichten Musiktheaters: lyrisches Drama in zwei (später auch drei oder vier) Akten mit Musik, Dialog, Gesang und Tanz um e. bewegte Handlung ähnlich Operette oder Singspiel; nach e. gleichnamigen Lustschloß Philipps IV. in El Prado, wo solche Spiele veranstaltet wurden. Erste Blütezeit in der 2. Hälfte des 17. Jh. (CALDERÓN, *El laurel de Apolo*; BANCES CÁNDAMO, Juan HIDALGO u. a.); nach Rückgang im 18. Jh. Erneuerung als mehraktige ›grande z.‹ als Unterhaltungsstück im 19. Jh. mit Neublüte um die Jh.wende; seither in e. wenig interessanten Pflege des überlieferten Repertoires erstarrt.

E. Cotalero y Mori, *Hist. de la Z.*, Madrid 1934; M. Muñoz, *Hist. de la Z.*, 1946; R. Mindlin, Die Z., 1965.

Zauberlied →Zauberspruch

Zauberliteratur aus der Antike in Gestalt von Gebeten, Fluchtexten, Praktiken und bes. Liebeszauber auf Papyri ist in größerer Anzahl erhalten und entstammt durchweg dem Aberglauben des spätantiken Synkretismus im 3. Jh. n. Chr.; Zaubersprüche aus der altröm. Zeit überlieferten VARRO und PLINIUS, während die Schriftsteller der röm. Klassik im 1. Jh. v. Chr. den Zauber nur als lit. Motiv benutzen, ohne daran zu glauben (HORAZ, *Epode* 5: Marterung e. Knaben durch e. Hexe, *Satire* II, 1: Spott über das Zauberverbot). Die erhaltene Apologie des wegen Zauberei angeklagten APULEIUS gibt interessante Aufschlüsse über die Zauberpraktiken des 2. Jh. n. Chr. PHILOSTRATOS beschrieb im 3. Jh. n. Chr. das Leben des Zauberers APOLLONIUS VON TYANA, und unter den Neuplatonikern ragt IAMBLICHOS mit e. Werk *Über die ägypt. Mysterien* hervor. Das MA. kennt seit dem 11. Jh. Zauberbücher, die aus der Kenntnis der richtigen Namen, Siglen und Bilder der Dämonen deren Beherrschung ableiten und sie für alle erwünschten Ereignisse einsetzen. Die Renaissance erfaßt Okkultismus und Magie als Wissenschaft (AGRIPPA VON NETTESHEIM, *De occulta philosophia*, JOHANNES TRITHEMIUS, *Steganographia*). Die frühesten heute noch bekannten volkstüml. Zauberbücher, die fast durchweg als Gattungsgesetz e. falsche frühere Datierung angeben, stammen aus dem 16., die meisten aus dem 19. Jh. (*Clavicula Salomonis*, *Romanusbüchlein*, *Sechstes und siebentes Buch Mosis* u. a.), andere wie das Buch *Jezira* sammeln volkstüml. Heilsegen, Verwünschungsformeln und Zaubersprüche. Zauberei als lit. Motiv findet sich seit Circe in HOMERS *Odyssee* allg. verbreitet, so SOPHOKLES *Trachinierinnen*, THEOKRIT *Pharmakeutriai*, LUKAN (6, 420 ff.) und die Faustsage; bes. häufig im →Märchen. Über german. Z. →Zauberspruch.

A. Dieterich, Abraxas, 1891; A. Jacoby, D. Zauberbücher v. MA. bis z. Neuzeit (Mitt. d. schles. Ges. f. Volkskunde 31, 1931); A. Spamer, D. Romanusbüchlein, 1958.

Zauberoper →Zauberstück

Zauberposse →Zauberstück

Zauberspruch, Form der german. Gebrauchsdichtung: ursprünglich heidnische Beschwörungsformeln, die nach der Christianisierung im Volksmund verborgen oder mit christlichem Vorzeichen versehen weiterlebten und noch z. T. zur Aufzeichnung gelangten. Je nach ihrem Inhalt als Schaden- oder Abwehrzauber verwendet und meist von e. sinnvollen Handlung (Gebärde, Handbewegung, lindernde Handreichung) begleitet, dienten sie der Dämonenabwehr und -verfluchung oder der Heranziehung von Segen und hilfreichen Mächten durch Ausrufung ihrer Namen, beruhend auf dem Glauben an die geheime, magisch beschwörende Macht des Wortes, die Krankheiten und Wunden heilt, Fesseln löst, Wetter herbeizieht oder ablenkt, gute Ernte gibt usw. Der Form nach unterscheidet man den eingliedrigen Z., der nur die Zauberformel (galstar oder galdar) enthält, vom zweigliedrigen Z., der ihr noch e. erzählenden Eingang (→Spell) vorausschickt, in dem von e. analogen Fall der Heilung usw. berichtet wird. Stilistisch kennzeichnend ist häufige Dreigliedrigkeit des Ausdrucks. Wichtigste erhaltene ahd. Beispiele sind die *Merseburger Z.e*, e. *Wurmsegen, Wiener Hundesegen, Lorscher Bienensegen, Straßburger Blutsegen* u. a., die zu den frühesten Denkmälern dt. Dichtung gehören und z. T. altind. Gegenstücke im *Rigveda* besitzen, was auf e. gemeinsame urindogerman. Abstammung schließen läßt. Spätere dt. Z.e sind christianisiert und endreimend; von bes. Bedeutung auch die angelsächs. und finn. Z.e. Vgl. →Blutsegen.

M. Müller, Üb. d. Stilform d. altgerman. Z. bis 1300, Diss. Kiel 1901; O. Ebermann, Blut- u. Wundsegen, 1903; F. Hälsig, D. Z. b. d. Germanen, Diss. Lpz. 1910; Lindquist, *Galdrar*, Göteb. 1923; T. Christiansen, D. finn. u. nord. Varianten d. 2. Merseburger Spruchs (*Folklore Fellow Comm.*, 1925); RL; E. Fehrle, Zauber u. Segen, 1926; A. Mulot, Altdt. Z. (Zs. f. Deutschkde 33, 1933); G. Baesecke, Vorgesch. d. dt. Schrifttums, 1940; A. Heusler Altgerman. Dichtg., [2]1943; F. Genzmer, German. Z.e., GRM 32, 1950; I. Bacon, Versuch e. Klassifizierung d. altdt. Z. (*Mod. Language Notes* 67, 1952); A. Schirokauer, Form u. Formel einiger altdt. Z. (Zs. f. dt. Phil. 73, 1954); I. Hampp. Beschwörung, Segen, Gebet, 1961; dies., V. Wesen d. Zaubers i. Z. (Deutschunterr. 13, 1961); G. Eis, Altdt. Z.e, 1964.

Zauberstück, Form des →Volksstücks, in der personifizierte übernatürliche Mächte aus der volkstümlichen Mythologie (Geister, Zauberer, Naturdämonen u. a.) fördernd oder hindernd und verwirrend in die menschlichen Verhältnisse eingreifen, Liebesaffären klären und die Besserung e. Menschen bewirken. In ihnen verbinden sich realistische und phantastische Wesenszüge auf e. eigentümliche Weise. Z. in ähnlichem Sinn ist schon SHAKESPEARES *Midsummernight's Dream*. Die eigtl. Blüte erlebt das Z. auf den Wiener Vorstadtbühnen. Vorbilder sind hier einerseits das traditionelle katholische Barockdrama, andererseits die romanische Commedia dell'arte, GOZZI und die Dramatisierungen franz. Feenmärchen, angeregt durch PERRAULTS

Contes de ma mère l'Oye zu Anfang des 17. Jh. (Z. des Théâtre Italien in Paris, LESAGES Vaudevilles im Théâtre de la foire und bes. MARIVAUX und LEGRAND, ab 1750 auch die Opéra comique). Das Wiener Z. beginnt mit der Maschinenkomödie des Schauspieler-Dichters J. v. KURZ. Es entfaltet sich in drei verschiedenen, zeitlich einander ablösenden Gattungen: 1. als Zauberburleske bei Ph. HAFNER, 2. als Zauberoper, ebenfalls unter dem Einfluß franz. Feenmärchen, arabischer Märchen aus *1001 Nacht* (GALLANDS Übersetzung) und WIELANDS *Dschinnistan*, bes. im Leopoldstädter Theater und dem Theater an der Wien: HENSLER, PERINET, in höchster Stufe SCHIKANEDERS *Zauberflöte* durch MOZARTS Musik, später auch als Geisterstück, 3. als Zauber→posse, Verbindung von Märchen-, Zauber- und Geistermotiven mit derb-biederen lokalen und z. T. parodistischen Elementen. Sie erreicht nach Vorgang von GLEICH, BÄUERLE und MEISL wahre Kunstvollendung als höchste Form des Volksstücks überhaupt durch F. RAIMUND (*Der Bauer als Millionär, Der Alpenkönig und der Menschenfeind, Der Verschwender* u. a.), später satirisch umgewandt bei NESTROY *(Lumpazivagabundus)* und bleibt nicht ohne Einfluß auf das hohe Drama GRILLPARZERS u. a.

RL; O. Rommel, D. Altwiener Volkskomödie, 1952. →Volksstück, →Lustspiel.

Zecherliteratur →Trinklied

Zehnsilber →Vers commun, →Chanson de geste

Zeichensetzung →Interpunktion

Zeilensprung →Enjambement

Zeilenstil, im Ggs. zum →Hakenstil diejenige Form der german. Langzeilendichtung, in der die stärkeren syntaktischen Einschnitte oder Satzschlüsse mit dem Ende der Langzeile zusammenfallen, so daß diese in sich geschlossen sind und der Sinn selten über e. Langzeilenpaar hinausgreift. Meist bei den kleineren Denkmälern angewandt, streckenweise auch *Hildebrandslied* und *Muspilli*. Der Ausdruck wird auch auf die moderne Versdichtung übertragen, wenn sie die Sinneinheit der Einzelzeile erstrebt und →Enjambement meidet.

Lit. →Hakenstil, →Metrik.

Zeit. Infolge der Bindung der Dichtung an die Sprache als e. zeitl. Kontinuum gewinnt die Z., ihr Erlebnis und ihre Gestaltung grundlegende Bedeutung für die Dichtung zumal in den pragmatischen Gattungen Drama und insbes. Erzählkunst. Die Besinnung auf den Z.begriff als tragendes Gerüst der Epik, bereits seit LESSINGS *Laokoon*, FIELDING und STERNE einsetzend, gewinnt im 20. Jh. erhöhte Bedeutung und wird teils sogar zum eigentlichen Gestaltungselement. Während das Drama im Idealfall szen. Verwirklichung auf der Gleichzeitigkeit von Geschehen, Wort und Erlebnis beruht und nur durch zeitl. Sprünge voraus oder zurück durch die Z. strukturiert werden kann, ergeben sich für die Erzählkunst, deren Ereignisse nur in der Sprache entstehen, verschiedene Möglichkeiten. Zu unterscheiden sind zunächst →Erzählzeit als Dauer des Erzählens (bzw. Lesens) und erzählte Z. als Dauer des erzählten Vorgangs. Beide können in etwa zusammenfallen wie bei der Technik des →stream of consciousness (J. JOYCE, *Ulysses*), so daß die Lektüre e. Buches dieselbe Z. beansprucht wie der Verlauf der Handlung, oder sie können auseinandertreten wie beim herkömmlichen Roman, der durch die Konzentration auf Kernszenen meist e. größere erzählte Z. in e. kleinere Erzählzeit einfängt, z.B. im Entwicklungsroman, oder umgekehrt bei der →Simultantechnik, die infolge des notwendigen sprachlichen Nacheinanders mehrerer gleichzeitiger Ereignisse die Erzählzeit oft über die erzählte Z. dehnt (DOS PASSOS, *Manhattan Transfer*). Weitere Gestaltungsmöglichkeiten ergeben sich aus der Zeitschichtung mit verschiedenen Zeitebenen, vorwiegend der Rückblende des Erinnerns aus e. Gegenwart in e. zurückliegende Z., die episodenhaft aufscheinen oder zum zentralen Gestaltungsprinzip werden kann (M. PROUST, *Auf der Suche nach der verlorenen Zeit*), aber auch durch die →Vorausdeutung des allwissenden Erzählers auf e. außerhalb der augenblicklichen Erzählsituation liegende, spätere Z. Der zeitliche Abstand e. fingierten Erzählers zum erzählten Vorgang kann durch zwischengeschaltete bewußtseinsverändernde Ereignisse zum Strukturelement werden (Th. MANN, *Doktor Faustus*). Auch bei einschichtigem Zeitverlauf kann die Z. durch Raffung und Dehnung der Schilderung je nach der Dichte des Erlebens dynamisiert, nicht mehr als mechan. Z., sondern als erlebte Z. gestaltet werden. Schließlich kann die Durchbrechung der Chronologie, das beliebige Schalten mit verschiedenen Zeitstufen, deren Verhältnis zueinander gar nicht einmal einsichtig und schlüssig zu sein braucht, zu e. vielfältig gebrochenen Z. führen, die in der letzten Konsequenz völlig aufgehobener Chronologie praktisch ihre zeitliche Dimension verliert und zum seel. Raum des Bewußtseins wird: Z. nicht mehr als äußere Erstreckung, sondern als Innenraum der Figuren für die ihnen verfügbaren und damit jederzeitlichen Erlebnisse.

J. Poullon, *Temps et roman*, 1946; A. A. Mendilow, *Time and the novel*, 1952; E. Staiger, D. Z. als Einbildungskraft d. Dichters, [2]1953; H. Meyerhoff, *Time in lit.*, Berkeley 1955, [2]1960; H. Seidler, Dichter, Welt u. ep. Z.gestaltg., DVJ 29, 1958; E. Lämmert, Bauformen d. Erzählens, [2]1967; K. Hamburger, D. Logik d. Dichtg., [2]1968; O. Holl, D. Roman als Funktion u. Überwindg. d. Z., 1968; G. Müller, Morpholog. Poetik, 1968; P. Pütz, Z. i. Drama, 1970, [2]1977; H. Salinger, *Time in the lyric* (Fs. F. E. Coenen, Chapel Hill 1970); M. Anderle, D. Z. i. Gedicht (*German Quarterly* 44, 1971); L. Stenborg, D. Z. als strukturelles Element i. lit. Werk, Uppsala 1975; Z.gestaltg. i. d. Erzählkunst, hg. A. Ritter 1978. →Epik.

Zeitgedicht, Zeitlied, als Form der →politischen Dichtung Gedicht um aktuelle politisch-soziale Probleme der jeweiligen Gegenwart in konservativer oder progressiver Sicht, hervorgegangen aus dem Gefühl verantwortlicher Zeitgenossenschaft und der Sprecherrolle des Autors, bei publizist. Absicht oft →Tendenzdichtung: GLEIM, HEINE, HERWEGH, PRUTZ, BRECHT u. a.

J. Wilke, Das Z., 1974.

Zeitroman, erweiterte Form des →Gesellschaftsromans, die jedoch über die Darstellung allein der Gesellschaft oder e. ihrer Schichten hinausgreift und ein nicht nur gesellschaftlich, sondern auch geistig in allen Zügen echtes Gemälde ihrer Zeit geben will. Da er stets →engagiert und häufig mit gewissen Absichten verknüpft ist, gleitet er oft zur bloßen →Tendenzdichtung ab und schafft bleibende Werke erst dort, wo die Objektivität des gezeichneten Bildes ihm Fortleben als historischer Roman sichert und das aktualistische Streben den dichterischen Formkräften untergeordnet wird. Der Z. ist e. Produkt des Realismus im 19. Jh.; sein Begründer in Dtl. ist IMMERMANN mit den *Epigonen* (1836); bes. Pflege findet er im →Jungen Dtl., bei GUTZKOW, später bei FONTANE, FREYTAG und SPIELHAGEN, im 20. Jh. etwa Th. MANNS *Zauberberg*, F. WERFELS *Barbara*, R. MUSILS *Mann ohne Eigenschaften.*

P. Hasubek, D. Z. (Zs. f. dt. Philol. 87, 1968); J. Worthmann, Probleme d. Z., 1974.

Zeitschrift, periodisch, d. h. in mehr oder weniger regelmäßigen Zeitabständen, jedoch – im Ggs. zur →Zeitung – nicht täglich, sondern meist von einer Woche aufwärts erscheinende Druckschrift, deren Aufgabe daher weniger in der Übermittlung von Tagesnachrichten aus den verschiedensten Gebieten als in deren kritischer Auswahl und Betrachtung, ferner in der Veröffentlichung schriftstellerischer (Lit.-Zss.), bildlicher (Kunst-Zss.) bzw. photographischer Werke (illustrierte Zss.) besteht. Soweit sie sich nicht wie die bloßen Unterhaltungs-Zss. oder →Magazine an die Masse wenden, bleibt ihr Inhalt meist auf e. bestimmtes Sondergebiet beschränkt, für das sie Anregungen vermitteln und e. geistigen Erfahrungs- und Gedankenaustausch herbeiführen. Demnach unterscheidet man politische, wissenschaftliche (z. T. bibliographische), künstlerische, wirtschaftliche, sportliche, berufliche, weltanschauliche, belletristische, humoristische (Witzblätter), technische u. a. Fach-Zss., auch Spezial-Zss. für gewisse Liebhabereien. Der Unterschied von Z. und Tageszeitung erscheint erst in neuerer Zeit; in den Anfängen besteht keine Trennung. →Literaturzss.

J. Kirchner, D. Grundlage d. dt. Zss.-wesens, 1928 ff.; ders., D. dt. Zss.-wesen, 1942, II ²1958–62; E. H. Lehmann, Einf. i. d. Zss.-kunde, 1936; E. Lorenz, D. Entw. d. dt. Z.-wesens, 1937; E. A. Kirchstein, D. Familien-Z., 1937; R. F. Schäffling, D. repräsentativen Z.en, Diss. Mchn. 1949; K. d'Ester in ›Aufriß‹, 1956; D. dt. Z. d. Ggw., hg. W. Hagemann 1957; W. Haacke, D. Z., 1961; F. Schlawe, Literarische Z.n 1885–1933, II 1961 f., ²1965–73; H.-M. Kirchner, D. Z. am Markt, 1963; H. Pross, Lit. u. Politik, 1963; J. Kirchner, Bibliogr. d. Z. d. dt. Sprachgebiets bis 1900, IV 1966 ff.; W. Haacke, D. polit. Z., 1968; S. Obenaus, D. dt. allg. krit. Zss. i. d. 1. Hälfte d. 19. Jh., 1973; P. Raabe, D. Z. als Medium d. Aufklärung (Wolffenbüttler Stud. z. Aufkl. 1, 1974); J. K. King, Lit. Zss. 1945–70, 1974; P. Hocks, P. Schmidt, Lit. u. polit. Zss. 1789–1830, 1975; H. Bohrmann, P. Schneider, Zss.-forschg., 1975; J. Wilke, Lit. Zss. d. 18. Jh., II 1978. →Zeitung, →Journalismus.

Zeitstil →Epochalstil

Zeitstück, Drama um aktuelle Probleme der Gegenwart, oft mit Neigung zum →Thesenstück.

Zeittafeln zur dt. oder Weltlit. veranschaulichen die Gleichzeitigkeit des Erscheinens versch. Werke und versch. Strömungen in den großen Literaturen:

P. v. Tieghem, *Repertoire chronologique des litt. modernes,* Paris 1937; A. Spemann, Vgl. Z. d. Weltlit., 1951; K. H. Halbach, Vgl. Z. z. dt. Litgesch., 1952; *Tableau synchronique,* in *Hist. des litt.,* hg. R. Queneau, Paris 1955 ff.; *Annals of Engl. Lit. 1475–1950,* Oxf. ²1960; H. A. u. E. Frenzel, Daten dt. Dichtg., ⁴1968.

Zeitung (v. mittelniederdt. im 16. Jh. *tiding* = mündlicher Bericht über e. Ereignis, Nachricht, ›Kunde‹, in welchem Sinn Z. auch noch bei SCHILLER und GOETHE gebraucht wird; moderne Bedeutung erst Anfang des 17. Jh.), im Ggs. zur →Zeitschrift e. in kurzen, regelmäßigen Zeitabständen (mehrmals am Tage, täglich, zweitägig usw. bis wöchentlich) erscheinende Druckschrift, die sich an e. breite Leserschaft wendet und sie über die wichtigsten Tagesereignisse und -fragen bes. politischer, wirtschaftlicher und kultureller Art unterrichtet und diese Nachrichten durch kritische Auswertung und Betrachtungen ergänzt, die jedoch stets in enger Beziehung zu aktuellen Problemen stehen. Durch tägliches Erscheinen und weiteste Verbreitung gewinnt sie ungeheuren Einfluß auf die öffentliche Meinung und bildet damit e. entscheidenden Faktor des modernen öffentlichen Lebens. Über die reine Nachrichtenvermittlung hinaus sorgt sie durch das →Feuilleton für die lit. Unterhaltung des Leserkreises und beeinflußt durch Markt- und Börsenberichte wie Anzeigen weitgehend das Wirtschaftsleben.

L. Salomon, Gesch. d. dt. Z.swesen, III 1900–06; J. J. David, D. Z., 1906; A. Koch, D. Entstehg. d. modernen Z., GRM 2, 1910; H. Diez, D. Z.swesen, 1910; K. Bücher, D. Z.swesen, 1912; M. Wittwer, D. dt. Z.swesen, Diss. Halle 1914; K. Schottenloher, Flugbl. u. Z., 1922; E. Dovifat, D. Z.en, 1925; K. d'Ester, Z.swesen, 1928; O. Groth, D. Z., IV 1928–30; K. Bömer, Bibliogr. Hdb. d. Z.swiss., 1929; E. Dovifat, Z.swiss., II 1931; G. Traub, Grundbegriffe d. Z.swesens, 1933; H. Fischer, D. ältesten Z.en, 1936; E. Dovifat, Z.slehre, 1937, [5]1967; A. M. Lee, *The Daily Newspaper in America*, N. Y. 1937; W. Heide, E. H. Lehmann, Hb. d. Z.swiss., 1940; K. d'Ester, D. Presse u. ihre Leute i. Spiegel d. Dichtg., 1941; H. A. Münster, Gesch. d. dt. Presse, 1942; K. d'Ester in ›Aufriß‹; O. Groth, D. Gesch. d. dt. Z.swiss., 1948; W. Hagemann, D. Z. als Organismus, 1950; F. L. Mott, *American Journalism*, N. Y. [2]1950; J. März, D. mod. Z., 1951; H. Herd, *The March of Journalism*, Lond. 1952; F. F. Bond, *Introduction to Journalism*, N. Y. 1954; E. Emery u. H. L. Smith, *The Press and America*, Englewood Cliffs 1954; F. Williams, *The Press and the Public*, Lond. 1955; H. A. Münster, D. mod. Presse, 1955; F. S. Siebert u. a., *Four theories of the press*, Urbana 1956; F. W. Rucker u. H. L. Williams, *Newspaper organization and management*, Ames [2]1958; Ch. Ledré, *Hist. de la Presse*, Paris 1958; U. De Volder, Soziologie d. Z., 1959; O. Groth, D. unerkannte Kulturmacht, VII 1960 f.; A. H. Taylor, *The British Press*, Lond. 1961; *The Press and the Public*, hg. D. L. B. Hamlin, Toronto 1962; B. Voyenne, *La Presse dans la societé contemporaine*, Paris 1962; *The Press in Perspective*, hg. R. D. Casey, Baton Rouge 1963; J. C. Merrill u. a., *The Foreign Press*, Baton Rouge [3]1963; A. Woods, *Modern Newspaper Production*, N. Y. 1963; J. Tebbel, *The Compact Hist. of the American Newspaper*, N. Y. 1963; N. González-Ruiz, *El periodismo*, Madrid [3]o. J.; K. E. Olson, *The history makers*, Baton Rouge 1966; K. Kosyk, Dt. Presse i. 19. Jh., 1966; H. Schuster, L. Sillner, D. Z., 1968; K. Kosyk, Dt. Presse 1914–45, 1972. →Journalismus.

Zeitungslied, gedruckte Neuigkeitsberichte in Versform, meist in siebenzeiligen Strophen, die im 15./16. Jh. von Zeitungssängern öffentlich vorgetragen und anschließend verkauft wurden. Sie wandten sich bes. an die untersten Schichten des Publikums, dem sie neben dem Wissen über Unglücksfälle und Verbrechen (mit genauer Orts-, Zeit- und Personenangabe) auch die nötigen Gefühlsreize des Grauens boten, von e. religiösen Deckmantel verhüllt. Die Vortragsweise geht später in den →Bänkelsang über; die im Volk teils nachgesungenen Lieder bildeten wie die →historischen Lieder e. Vorstufe für die spätere Erneuerung der Volks→balladen.

Zeitungsroman, als fortlaufender Abdruck in e. Zeitung oder Zs. publizierter Roman mitunter der billigsten Unterhaltungslit., der als →Fortsetzungsroman in gleichgroßen Folgen erscheint und z. T. auch im Spannungsaufbau darauf Rücksicht nimmt.

F. Weber, D. dt. Z. d. 20. Jh., 1933; R. Hackmann, D. Anfge. d. Romans i. d. Zeitg., Diss. Bln. 1938.

Zéjel (span. =) Tanzlied, von Mucáddam ben Muáfa el Cabrí (840–920) erfundene span.-arab. Gedichtform ähnlich dem Rondeau, besteht aus Refrain, einreimigen dreizeiligen Textstrophen (mudanza) und e. Schlüsselvers (vuelta), der Textstrophe und wiederholten Refrain verbindet. Reimfolge: ABcccA dddA usw. (vgl. →Muwaššaha). Bes. gepflegt bei Ibn Quzmān (12. Jh.).

R. Menéndez Pidal, *Poesía árabe y poesía europea*, Madrid 1941; K. Voßler, Dichtgsformen d. Romanen, 1951.

Zensur (lat. *censura* = strenge Prüfung, Beurteilung, im röm. Staat das Amt des Sittenrichters, Zensors), behördliche, d.h. staatliche oder kirchliche Überwachung des Schrifttums durch Kontrolle von Druckschriften, Aufführungen, Filmen u.a. Veröffentlichungen aller Art vor ihrer Herausgabe bzw. Aufführung (Vor-Z.) bzw. danach (Nach-Z.) im Hinblick auf ihre sittliche, künstlerische oder auch weltanschaulich-politische Eignung, von deren Prüfungsergebnis die Veröffentlichungs- bzw. Aufführungsgenehmigung abhängt. Je nach Schärfe der Handhabung kann die Z. von der rein künstlerischen Lenkung (Schutz vor unsittlichen Werken) zur bewußten Begünstigung e. weltanschaulichen, politischen oder wissenschaftlichen Richtung und bis zur strengen Unterdrückung der Gegenmeinung führen. Die jeweilig herrschende Macht hat selten auf diese Möglichkeit zur Lenkung und Beeinflussung der öffentlichen Meinung verzichtet. In Rom war die Z. Aufgabe der Zensoren, die in erster Linie gegen sittliche Verstöße (dabei aus übertriebener Strenge gegen das Eindringen griech. Bühnenspiele) vorgingen und bes. persönlich gerichtete Spottlieder und Kritik an Personen des Staatslebens verfolgten (Verbannung des NAEVIUS). In der Kaiserzeit stellte AUGUSTUS die Z. in den Dienst der sittlichen Erneuerung des Römertums, die er auch durch positive Anregungen in der Lit. zu fördern suchte. Die ma. Kirche übt e. Sitten- und Lehren-Z. aus; kurz nach Einführung des Buchdrucks, 1479, beginnt die kirchliche Buch-Z. E. Bulle von 1501 gibt den Bischöfen das Recht zum Verbot gottloser und ketzerischer Schriften. Die kirchliche Z. wurde ergänzt durch die 1529 allg. eingeführte weltliche Z., die nunmehr auch Angabe des Druckers, Druckorts und später auch Autors verlangt, die Drucker vereidigt und die Einfuhr unterdrückter Schriften verbietet. Als Mittelpunkt entsteht 1569 das kaiserliche Bücherkommissariat in Frankfurt a.M. E. strenge fürstliche Z. bes. der Presse verhindert die freie Meinungsäußerung; geringe Lockerungen im Gefolge des amerikan. Unabhängigkeitskrieges, der Franz. Revolution und der Befreiungskriege wurden in der Reaktionszeit durch die Karlsbader Beschlüsse (1819) durch e. starke Verschärfung rückgängig gemacht, bes. streng war die Metternichzeit in Österreich (GRILLPARZERS *König Ottokar* lag zwei Jahre auf der Z.) sowie die Verfolgung des →Jungen Dtl. Erleichterung und teilweisen Wegfall der Z. brachte erst das Jahr 1848, doch um die Jh.-wende wurden noch CONRADIS *Adam Mensch,* HAUPTMANNS *Weber,* SCHNITZLERS *Reigen,* E. TOLLERS *Masse Mensch* u. a. verboten. Zur Buch-, Presse- und Theater-Z. traten später Film- und Rundfunk-Z., die, im Dritten Reich unter politischen und volkserzieherischen Gesichtspunkten verschärft, zur Bildung e. ausgedehnten →Emigrantenlit. führten. In der BR. herrscht nach Art. 5 des Grundgesetzes keine Z.; dagegen verhindern ›freiwillige Selbstkontrollen‹ wie die Filmprüfungskommission u.ä. Auswüchse und negative Einflüsse durch verbindliche Entscheidungen; gesetzliche Eingriffe sind nur gegen →Pornographie und →Schundliteratur zum →Jugendschutz durch die →Bundesprüfstelle, bei Verbreitung →unzüchtiger Schriften und bei Angriffen gegen die persönliche Ehre gemäß dem Strafgesetzbuch statthaft. In Frankreich wurde die Z. 1871 aufgehoben, in England die Bücher-Z. 1694, die Theater-Z. erst

1968. Z. der kath. Kirche →Index, →Pressefreiheit, →Bücherverbrennung.

G. H. Putnam, *The censorship of the church*, II 1906; H. Houben, Verbot. Lit., II 1924–28, [2]1965; ders., Polizei u. Z., 1926, u. d. T. Der ewige Zensor, n. 1978; RL; W. K. Gotwald, *Ecclesiastical Censure at the End of the 15. cent.*, Baltimore 1927; G. Armitage, *Banned in England*, 1932; A. Bachmann, *Censorship in France 1715–1750*, N. Y. 1939 P. Blanshard, *The right to read*, Boston [2]1956; A. L. Haight, Verbotene Bücher, 1957; D. Fellmann, *The Censorship of Books*, Madison 1957; D. de Jong, *Het vrije Boek in onvrije tijd*, Leiden 1958 (Bibliogr.); J. Marx, D. österr. Z. i. Vormärz, 1959; *First freedom*, hg. R. B. Downs, Chic. 1960; L. Gil, *Censura en el mundo antiguo*, Madrid o. J.; Lord Radcliffe, *Censors*, Cambr. 1961; J. C. N. Paul u. M. L. Schwartz, *Federal Censorship*, N. Y. 1961; *Literary Censorship*, hg. K. u. E. Widmer, Belmont 1961; H. C. Gardiner, *Catholic viewpoint on censorship*, N. Y. 1961; *Versions of censorship*, hg. J. MacCormick u. M. McInnes, N. Y. 1962; H. Lackmann, D. kirchl. Bücher-Z., 1962; H. Swayze, *Political Control of Lit. in the USSR, 1946–1959*, Cambr./Mass. 1962; A. Craig, *The banned books of England and other countries*, Lond. [2]1962; M. L. Ernst, A. U. Schwartz, *Censorship*, Lond. 1964; D. Grenzen lit. Freiheit, hg. D. Zimmer 1966; F. Schneider, Pressefreiheit u. polit. Öffentlichk., 1966; R. Findlater, *Banned*, Lond. 1966; S. W. Wyatt, *The Engl. romantic novel and Austrian reaction*, Jericho 1967; U. Otto, D. lit. Z. als Problem d. Soziologie d. Politik, 1968; N. Herrmann-Mascard, *La censure des livres à Paris 1750–1789*, 1968; *Censorship landmarks*, hg. E. de Grazia, N. Y. 1969; D. Thomas, *A long time burning*, Lond. 1969; C. H. Rolph, *Books in the dock*, Lond. 1969; D. Aichner, D. Indizierg. ›schädl. u. unerwünschten Schrifttums‹ i. 3. Reich, 1971; K. Tober, Pegasus i. Joch (Acta Germanica 6, 1971); H. Sauter, Bücherverbote einst u. jetzt, 1972; G. Schulz, Naturalismus u. Z. (Naturalismus, hg. H. Scheuer 1974); H.-P. Reissner, Lit. unter d. Z., 1975; K. Fuchs, Bürgerl. Räsonnement u. Staatsräson, 1975; M. Kramer, D. Z. i. Hamburg 1819–48, 1975; L. Bodi, Tauwetter i. Wien, 1977.

Zento →Cento

Zerdehnung, 1. epische Z. bei HOMER: Zerteilung e. einsilbig gewordenen Lautes in seine ältere zweisilbige Form aus metrischen Gründen, 2. in dt. Metrik der Ersatz von Versen mit zweisilbigen Takten durch solche mit einsilbigen Takten an bestimmten Strophenstellen, die entsprechend gelängt werden. Beispiele: C. F. MEYER *Der römische Brunnen* (Schlußzeile), GOETHE *Das Veilchen* (6. Zeile).

Zersingen →Volksdichtung und →Volkslied

Zeugma (griech. = Zusammengefügtes, Joch), 1. syntaktisches Z. →Inkonzinnität, 2. allg. die Beziehung e. Satzteils auf mehrere andere Wörter, Satzteile oder Sätze, bes. Sonderform der →Syllepse: Verbindung mehrerer gleichgeordneter Wörter (bes. Hauptwörter) mit e. anderen, ihnen syntaktisch übergeordneten (Verb, Adjektiv), das seiner genauen Bedeutung und seinem üblichen Wortsinn nach nur zu einem der Hauptwörter, jedenfalls nicht zu allen in gleicher Weise paßt. Das übergeordnete Verb bezieht sich dann in verschiedener Bedeutung auf die untergeordneten Satzteile (semantische →Syllepse): gleichzeitig im eigentlichen und übertragenen Sinn: ›Er hob den Blick und e. Bein gen Himmel‹ (STERNE) oder als Hilfs- und zugleich Vollverb: ›Als Viktor zu Joachime kam, hatte sie Kopfschmerzen und Putzjungfern bei sich‹ (JEAN PAUL). Neben dem unbeabsichtigten Gebrauch aus Bequemlichkeit steht der beabsichtigte, der die aus der schillernden Wortbedeutung hervorgehenden Spannungen bewußt als Stilwerte zu überraschender und komischer Wirkung verwendet (→Konzetti).

Lit. →Rhetorik.

Zieldrama, im Ggs. zur folgernden Fabel des →analytischen Dramas, bei dem die Katastrophe vorangegangen und jede weitere Etappe e. Folge davon ist, das Drama, das in strengem Aufbau auf e. an das Ende verlegte Katastrophe hinzielt.

Zimmertheater, in der Nachkriegszeit z. T. aus Raumnot entstandene moderne Kleinstform der →Kammerspiele in dt. Großstädten, die bes. Anforderungen an die Stükke wie die Schauspieler stellt. Oft für Experimentierbühnen.

Zinnespel →Sinnespel

Zitat, zur Erläuterung oder Bestätigung der eigenen Auffassung wörtlich oder sinngemäß angeführte Stelle aus dem Werk e. Dichters bzw. Schriftstellers oder wörtlich wiederholte mündliche Äußerung, die der Zitierende infolge ihrer treffenden Formulierung nicht mit eigenen Worten wiedergeben will oder mit der er sich so wenig identifiziert, daß er sie betont als Z. abrückt; im Schriftsatz meist durch Anführungszeichen oder Kursive kenntlich gemacht und mit →Quellenangabe zu versehen. Aus häufig und bes. mündlich verwandten kurzen Z.en bekannter Dichtungen entstehen beim Übergang in den allg. lebendigen Gebrauch in der Umgangssprache sprichwortartig verwandte sog. →geflügelte Worte, die im Bildungsbürgertum wilhelmin. Zeit noch die literatursoziolog. Funktion hatten, den Bürger mit der lit. Tradition zu verbinden und ihn durch den Nachweis seiner Zitatenkenntnis als gebildet darzustellen. Innerhalb der Erzähllit. selbst hat sich das Z. z. B. bei RABELAIS, CERVANTES, STERNE, WIELAND, E. T. A. HOFFMANN, IMMERMANN, FONTANE, RAABE und Th. MANN je nach der Art der herangezogenen Z.-Quellen und der Zitierweise zu einem kunstvollen epischen Stilmittel entwickelt, das allerdings beim Leser die Kenntnis der Zitatsplitter und Anspielungen voraussetzt.

E. Fournier, *L'esprit des autres,* ²1882; A. H. Fried, Lexikon d. Z.e, 1888; W. Kayser, Lexikon lat. Z.e, 1899; Sonnenschein, *Dict. of quotations,* Lond. XIII 1901–11; E. Latham, *Famous Sayings and their Authors,* ²1906; G. Fumagalli, *Chi l'ha detto,* 1921; D. Sanders, Z.-Lexikon, ⁴1922; P. Friedrich, Dt. Z.-schatz, 1934; F. v. Lipperheide, Spruchwörterbuch, ⁴1962; G. Kühnel, Z.-Hdb., 1938; E. Staiger, Entstellte Z. (Trivium 3); K. L. Roberts, *New Cyclopedia of Practical Quotations,* N. Y. 1940; W. A. Krüger, Dichter- u. Denkerworte, 1945; C. Goicoechea, *Diccionario de citas,* Barcelona 1952; *The Oxf. Dict. of Quotations,* ²1953; R. Zoozmann, Z.enschatz, ⁹1956; G. Büchmann, Geflügelte Worte, neu 1957; K. Peltzer, D. treffende Z. ²1959; P. Dupré, *Encyclopédie des citations,* 1959; H. Meyer, D. Z. i. d. Erzählkunst, ²1967; E. Puntsch, Z.-Hdb., ⁴1968; M. Schiff, D. gr. Hdb. mod. Z. d. 20. Jh., 1968; E. R. Hauschka, Hdb. mod. Lit. i. Z., 1968; K. Riha, Cross-reading u. cross-talking, 1971; K. Adel, D. Z. i. d. Lyrik (Lit. u. Kritik, 1972); L. Mackensen, Z.e, 1973; V. Klotz, Z. u. Montage i. neuerer Lit. u. Kunst (Sprache i. techn. Ztalter 60, 1976).

Zornige junge Männer, nach dem Charakter ihrer Hauptfiguren und in Anlehnung an OSBORNES *Blick zurück im Zorn* und Leslie PAULS Autobiographie (1951) Sammelbz. für die junge Generation engl. Schriftsteller, bes. Dramatiker, die nach dem 2. Weltkrieg mit sozial- und zeitkritischen, thematisch neuartigen und explosiven Stücken der Verbitterung und des Protestes gegen die genügsame bürgerliche Alltagswelt erfolgreich an die Öffentlichkeit trat, deren Anstoß jedoch seit 1962/63 nur noch in wenigen Epigonen fortwirkt.
Hauptvertreter sind meist junge Intellektuelle aus kleinen Verhältnissen, die nach Abschluß des Studiums vergeblich nach sozialer Verantwortung strebten: OSBORNE, PINTER, WESKER, Sh. DELANEY, J. ARDEN, E. BOND, K. AMIS, J. BRAINE, J. WAIN, A. SILLITOE, K. TYNAN u. a.

K. Allsop, *The angry decade*, Lond. 1958, [2]1964; R. Weimann, D. Lit. d. angry young men, (Zs. f. Anglistik u. Amerikanistik 1, 1959); C. Gneuss, D. z. j. M. (Anstöße, 1962); J. R. Taylor, Zorniges Theater, 1965; W.-D. Weise, D. Neuen engl. Dramatiker i. ihrem Verh. z. Brecht, 1969; J. Kreuzer, Entfremdg. u. Anpassg., 1972.

Zote (v. franz. →*sottie* oder dt. Zotten), scherzhafte Erzählung schlüpfrigen Inhalts, unanständiger →Witz.

Zueignung →Dedikation und →Widmungsgedicht

Zufall, nicht vorhersehbar und zwingend, sondern unbegründbar und willkürlich eintretendes Ereignis, als solches im Hinblick auf die Glaubwürdigkeit und Wahrscheinlichkeit der Handlung in der Lit. nur mit Zurückhaltung verwendbar, zumal in trag. Dichtungen als Verstoß gegen die Stringenz der Tragik; in der Novelle unter dem Aspekt des Unerhört-Neuartigen durchaus möglich, in der ohnehin nicht auf Glaubhaftigkeit angelegten heiteren Komödie und Satire im Überfluß anzutreffen. Wertneutral, kann der Z. ebenso Zeichen e. als chaotisch-absurd empfundenen Welt wie allgegenwärtiger göttl. Lenkung sein. Beispiele: VOLTAIRES *Candide*, KLEISTS Novellen, EICHENDORFFS *Taugenichts*.

W. v. Scholz, D. Z. u. d. Schicksal, 1935, [3]1959; E. Nef, D. Z. i. d. Erzählkunst, 1970; E. Köhler, D. lit. Z., 1973; U. Profitlich, D. Z. als Probl. d. Dramaturgie (Fs. W. Emrich, 1975); K.-D. Müller, D. Z. i. Roman, GRM 28, 1978.

Zug, kleine, meist unselbständige stoffliche Einheit in der Lit., nach Bedeutung und Funktion dem →Motiv untergeordnet und dieses stimmungsmäßig ausschmückend; bei traditioneller Verwendung zum →Topos erstarrend.

Zuihitsu (japan. = Pinselaufzeichnungen); japan. Prosagattung: ohne Rücksicht auf die Komposition unverbunden und beliebig je nach Eingebung und Umständen aneinandergereihte Einfälle, Geschichten, Notizen über Beobachtungen, Eindrücke und Gedanken u. a. Vorbild und Hauptwerk der Gattung ist das *Kopfkissenbuch (Makura-no-sōshi)* der SEI SHŌNAGON (10. Jh.).

Zukunftsroman →Utopie, →Science Fiction

Zuschauer →Publikum

Zustandsdrama →Milieudrama

Zwanzigerjahre →Weimarer Republik, →Neue Sachlichkeit

Zweckdichtung →Tendenzdichtung

Zweideutigkeit des Ausdrucks →Amphibolie

Zweisilbige →weibliche Reime

Zweizeiler →Distichon

Zwillingsformeln, kurze antithetische Begriffspaare wie ›Himmel und Hölle, Jung und Alt‹, auch durch →Alliteration oder als →Reimformel gebunden.

Zwischenakt, eigentlich die Pause zwischen den Akten e. Dramas. Sie wurde in volkstümlicheren Aufführungen durch Einlage selbständiger komischer Szenen, →Zwischenspiele, ausgefüllt, häufig auch durch nicht eigens für diesen Zweck geschriebene Musik (Stücke aus anderen Opern und Konzerten), die das Publikum während des Dekorationswechsels ablenken sollten. Die Verwendung der Z.-musik reicht vom Barock bis zu Beginn des 20. Jh. Mit den Möglichkeiten schnelleren Schauplatzwechsels (Drehbühne u. ä.) seit rd. 1850 wird sie aufgegeben.

F. Mirauer, Bühnen- u. Z.-Musik d. dt.

Theaters i. d. klass. Zt., Diss. Erlangen 1923.

Zwischenreim →Schweifreim

Zwischenspiele, kleine dramatische Spiele als komische Einlagen zur Ausfüllung der →Zwischenakte e. Dramas, um die Zuschauer vom Szenenwechsel abzulenken und den Darstellern e. Ruhepause zu verschaffen. Die im Laufe der Zeit und bei den verschiedenen Völkern ausgeprägten Formen sind äußerst mannigfach, ebenso der Zusammenhang der Z. untereinander von bloßer Schauszenenreihung bis zum selbständigen dramatischen Zusammenschluß und der Loslösung vom Hauptspiel. Das griech. Drama kannte musikalische Z. oder →Stasima, das römische Mimus und Pantomimus. Das Z. des neueren Dramas entwickelt sich aus vier äußerst verschiedenen Quellen: 1. den Chören des neuauflebenden antiken Dramas, 2. den span. →Entremeses und →Sainetes, engl. →Interludes, franz. →Farcen, 3. dem Volkslied: z. T. bei SHAKESPEARE, bes. aber in Italien, wo aus den zwischen den Akten gesungenen Volksliedern das Singballett und damit die Gattung des →Intermezzo hervorging, die sich auf dem Kontinent verbreitete und später zur Opera buffa umgebildet und losgelöst wurde, 4. aus den volkstümlichen Possenspielen und Rüpelspielen die Stegreifscherze (Lazzi, Jets, Jigs) der Hanswürste und Clowns, in England auch als →Dumb show. Schließlich ging man seit 1630 von Frankreich aus wieder zur Zwischenaktsmusik über, die sich wie auch das Z. überhaupt in Dtl. am längsten erhielt.

F. Hammes, D. Z. i. dt. Drama, 1911, n. 1977.

Zwitterdruck →Doppeldruck

Zwölf alte Meister →Meistersang

Zykliker →Kykliker

Zyklenroman, franz. *roman fleuve,* Romanzyklus aus einzelnen, selbständigen Romanen, die sich stofflich und gehaltlich nach dem Prinzip des →Zyklus um denselben Problemkreis bewegen: BALZACS *Comédie humaine,* ZOLAS *Rougon-Macquart,* A. FRANCES *Histoire contemporaine,* R. ROLLANDS *Jean Christophe,* M. PROUSTS *Á la recherche du temps perdu,* MARTIN DU GARDS *Les Thibault,* G. DUHAMELS *Chronique des Pasquier,* J. ROMAINS' *Les hommes de bonne volonté* u. a.

H. Gmelin, D. frz. Z. d. Ggw., 1950.

Zyklus (griech. *kyklos* = Kreis), e. inhaltlich und formal in sich geschlossene Reihe zusammengehöriger Werke: Gedichte, Novellen, Romane, Sagen, Dramen, Vorträge u. ä., die durch starken Bauwillen nicht vereinzelt und selbständig bleiben, sondern über ihre Eigenständigkeit hinaus zu e. in sich gerundeten Ganzen zusammengefaßt werden, durch das sie wiederum e. neue Funktion als Teile erhalten. Die Geschlossenheit des echten Z. beruht nicht nur auf der Aneinanderreihung von Ähnlichem, sondern auf dem inneren Bestreben, alles um das gleiche Thema als e. ungenannten, doch stets im Auge behaltenen Mittelpunkt kreisen zu lassen, der in keinem Teil vollständig anwesend ist, doch alle insgeheim miteinander verknüpft (z. B. NOVALIS' *Hymnen an die Nacht,* E. BARRETT-BROWNING, RILKES *Duineser Elegien* u. a.). →Rahmenerzählung, →Zyklenroman, →Trilogie, →Tetralogie.

H. M. Mustard, *The Lyric cycle in German Lit.,* N. Y. 1946; J. Müller, D. zykl. Prinzip i. d. Lyrik, GRM 20, 1932; W. Hartinger, D. Z. i. d. Lyrik, Diss. Lpz. 1969; F. L. Ingram, *Representative short story cycles of the 20. cent.,* Haag 1971.

Zynismus (nach der altgriech. Philosophenschule der Kyniker um DIOGENES), auf radikaler Skepsis und verletzender Scheinüberlegenheit beruhende, schärfste Form des bissigen Spottes gegenüber den von anderen vertretenen Werten und Wahrheiten mit rücksichtslos herabsetzender, bloßstellender Absicht, lit. bes. in der →Satire (GRABBE, K. KRAUS, H. MANN, K. TUCHOLSKY).